自由人（十六）

自由人總目錄

一 民國四十年三月七日～民國四十一年六月二十八日
二 民國四十一年七月二日～民國四十二年六月二十七日
三 民國四十二年七月一日～民國四十三年六月三十日
四 民國四十三年七月三日～民國四十四年六月二十九日
五 民國四十四年七月二日～民國四十五年六月三十日
六 民國四十五年七月四日～民國四十六年六月二十九日
七 民國四十六年七月三日～民國四十七年六月二十八日
八 民國四十七年七月二日～民國四十八年六月二十七日
九 民國四十八年七月一日～民國四十九年十二月三十一日

十一
民國五十年一月四日～民國五十年十二月三十日

十二
民國五十一年一月三日～民國五十一年十二月二十九日

十三
民國五十二年一月二日～民國五十二年十二月二十八日

十四
民國五十三年一月一日～民國五十三年十二月三十日

十五
民國五十四年一月二日～民國五十四年十二月二十九日

十六
民國五十五年一月一日～民國五十五年十二月二十八日

十七
民國五十六年一月一日～民國五十六年十二月十六日

十八
民國五十七年一月十三日～民國五十七年十二月二十八日

十九
民國五十八年一月一日～民國五十八年十二月三十一日

二十
民國五十九年一月三日～民國五十九年十二月三十日

二十
民國六十年一月二日～民國六十年十一月十三日

動盪時代的印記——《自由人》三日刊始末

陳正茂（北台灣科學技術學院通識教育中心教授）

一、前言：《自由人》三日刊創刊之背景

民國三十八年是中國歷史上驚天動地的一年，隨著戡亂戰局的逆轉，中共席捲大陸，國府敗退遷台，真是國命如絲風雨飄搖的危急存亡之秋。處此動盪時代中，除大批軍民同胞隨政府播遷來台外；尚有一部分人士選擇避難香江，南下港九一隅，這些人當中，有不少是失意政客和知識份子。基本上，當年選擇避秦來港的知識份子，其心態上有兩種，一則對國、共兩黨均感不滿；再則係看上香港為自由民主之地，較能有揮灑發展的空間。此情勢考量，誠如雷嘯岑所言：「在一九四九－五〇年之間，因大陸淪陷，香港乃成了反共非共的中國人士望門投止的逋逃之藪」。

這些投奔港九的政治難民，以高級知識份子居多；兼以香港時為英屬自由之地，所以只要不違背港府法令，一般而言從事任何活動是百無禁忌，相當自由的。不僅可以高談政治問題，甚至於從事政治活動亦不加以限制。於是，「從大陸流亡到港九的高級知識份子群，乃相率呼朋引類，常舉行座談會，交換對國事意見，而美國國務院的巡迴大使吉塞普（Philip Jessup），斯時亦在香港鼓勵中國人組織『第三勢力』運動，目的以反共為主。」在此背景下，港九地區的自由民主人士，在美國幕後撐腰下，「各種座談會風起雲湧，熱鬧非凡；而諸多以反共為職志的大小刊物，更是應運而興，琳瑯滿目了。」所以，《自由人》三日刊，就是在此大時代氛圍下孕育而生的。

二、《自由人》三日刊誕生之經過

《自由人》三日刊醞釀誕生之經過，最早鼓吹者，一般而言，說法有二，一為由王雲五號召發起。據其《岫盧八十自述》書中提及：「自民國三十九年開始以來，由於中共匪幫建立偽政權，並先後獲得蘇俄、緬甸、印度、巴基斯坦及英國的承認，於是匪幫的勢力在香港突然大振，不少反共分子漸呈動搖態度。旅港有識之士深感囂風日長，漸使全港華人隨而動搖，乃相與集議挽救之道。我因在港主辦一個小規模出版事業（按：即華國出版社），尤以一貫堅持反共方針，遂由多數參加集議人士推任領導。由臨時的集會，變為固定的座談；其地點經常利用國民黨在銅鑼灣某街所租賃之四樓房屋一層。每次參

---

1 馬五，〈「自由人」之產生與夭折〉，見馬五（雷嘯岑）著，《政海人物面面觀》（香港：風屋書店出版，一九八六年十二月初版），頁二一二。又此種座談會多在週末舉行，也有人稱之為「週末座談會」或「星期六座談會」。見馬五先生著，《我的生活史》（台北：自由太平洋文化事業公司出版，民國五十四年三月一日初版），頁一六一。

加座談者，多至三十餘人，少亦一二十人，皆為文化界人士，或為舊日與政治有關係者，各政黨及無黨派人士皆有之。後來我以香港政府最忌政治性的集會，凡參加人數較多，尤易引起猜疑，動輒干涉。加以如此散漫的座談，亦未必能持久，因於某次座談中提議創辦一小型之定期刊物，每週或半週出版一次，既可藉此刊物益鞏固反共人士之維繫，且刊物一經向港政府註冊，則在刊物辦公處所舉行的座談，皆可諉稱編輯會議，可免港政府之干涉。此議一出，諸人咸表贊同，遂計劃如何組織與籌款。結果決辦三日刊，定名為自由人，其資金由參加坐談人士各自量力提供。我首先代表華國出版社提供港幣一千五百元，此外各發起人分別擔任，或一千，或五百不等；並經決定撰文者一律用真姓名，以明責任。其後，又決定委託香港時報代為印刷發行。因是，籌備進行益力，發起人等每星期至少集會一次，間或二次，一切進行甚為順利。」[2]

二為眾人集議，早有志於此，雷嘯岑即主此說。雷言：「這時候，即有原在大陸上服務新聞界的報人成舍我、陶百川、程滄波，協同青年黨人左舜生、民社黨人金侯成，以及國民黨人阮毅成、無黨無派的王雲五，外加香港時報社長許孝炎、新聞天地雜誌社社長卜少夫一干人等，於每週末午後在香港高士威道某號住宅中，舉行文化座談會。大家談來談去，得到一項結論，要辦一份刊物，以闡揚民主自由思想，在文化上進行反共鬥爭。……適韓戰爆發，預料東亞局勢將有變化，刊物必須及時問世，刊物取名「自由人」，由程滄波書寫報頭兼撰〈發刊詞〉，標題是〈我們要做自由人〉。」[3]

2 王雲五，《岫廬八十自述》（台北：商務版，民國五十六年七月一日初版），頁一〇四～一〇五。

3 馬五，〈「自由人」之產生與夭折〉，同註一，頁二一二～二一三。

然由當事人之一的阮毅成事後追記，似乎《自由人》三日刊能草創成功，仍是由王雲五一手主導的。阮說：「民國三十九年十二月二十日，雲五先生在香港高士威道約大家茶敘，其中特別提及『今日我約諸位來，是想創辦一份反共的刊物，以正海外的視聽。間接幫助臺灣，說幾句公道話。我們讀書人，今日所能為國家效力的，也只有此途。』」[4]由阮之記載，合理推論，《自由人》三日刊能順利催生問世，王氏為登高呼籲之首倡者，可能性是很高的！

但就在王氏積極創辦《自由人》三日刊之際，突發一件暗殺事件，則頗值得一述；且對後來《自由人》三日刊的發展不無影響。事緣於三十九年十二月下旬，王氏在《自由人》三日刊諸人集會散會後，在香港寓所遭遇暗殺，幸子彈未命中，逃過一劫，這突如其來之舉，使王氏決定立即離港赴台定居。此事來台後，王氏曾將真相告訴繼我而來的成舍我。王氏謂：「到臺以後，除將此次提前來臺的秘密暗中告知兒女外，他人皆不使知。後來事過境遷，才漸漸透露給若干至好的朋友，首先是對於不久繼我而來的成舍我君；因為他覺得我向

4 阮毅成，〈王雲五先生與自由人三日刊〉，見蔣復璁等著，《王雲五先生與近代中國》（台北：商務版，民國七十六年六月初版），頁三〇～三一。有關《自由人》之發起，另有一說為萬麗鵑博士論文所言：「《自由人》為『自由中國協會』成員所辦之三日刊。」見萬麗鵑，〈一九五〇年代的中國第三勢力運動〉（台北：國立政治大學歷史研究所博士論文，民國九十年七月），頁一六四。但根據「自由人」社發起人之一的雷嘯岑回憶說：「自由中國協會」為當時在美國的胡適、蔣廷黻、曾琦等人所發起，胡、蔣、曾諸氏希望以『自由人』全體發起人為主幹，先在香港成立總會，台灣暨歐美各省都設立分會。嗣經提出座談會詳細研討，大家認為總會以設在台灣為妥，香港亦只設分會，庶合體制。結果不知如何，這個會沒有成立，終於流產了。」馬五，〈「自由人」之產生與夭折〉，同註一，頁二一四～二一六。又見馬之驌，《雷震與蔣介石》（台北：自立晚報社文化出版部出版，一九九三年十一月一版），頁八一。

來很少患病，在約定聯合宴客之日，我竟稱病缺席，舍我不免將信將疑。其後到我家探病，見我毫無病容，更不免懷疑。及我不別而赴臺，他懷疑益甚，所以在他來臺後，偶爾和我詳談及此，我也就不好意思對朋友有所隱瞞了。」[5]

上述言及之十二月下旬，實際上是民國三十九年十二月三十一日，除夕。阮氏說：是日「王雲五先生約在高士威道午餐，我應約前往，王臨時以腹瀉未到，由成舍我兄代作主人，謂『自由人』籌備事，大致已妥。」而四十年的元月三日，阮氏也說到是日，「應卜少夫、程滄波二兄之約，到高士威道二十二號四樓午膳。據滄波兄言，是日原應由王雲五先生作東，而王於當天上午，離港飛台，臨行前以電話托其代為主人。」[6]

王氏的不告而別倉促離港赴台，也使得後續有不少參與「自由人」社同仁跟進，紛紛來台，這對於原本人力吃緊資金短絀的《自由人》三日刊之發展，當然有不小的影響。至於《自由人》三日刊籌組的經過梗概，雖在王氏離港來台後，仍按部就班的進行。四十年元月十日下午，阮毅成與程滄波及左舜生又約至高士威道聚談。關於創辦刊物事，左舜生主張宜立即出版，卜少夫則以須現款收有相當數目，方能創刊。是月三十一日，雷震自台灣來，亦參加「自由人」社活動。會中大家一致決定《自由人》三日刊，於農曆年後出版。並在職務安排上初步有了規劃，即推程滄波撰〈發刊詞〉，以辦報經驗豐富的成舍我任總編輯，陶百川為副總編輯。又另推編輯委員十四人，分別是劉百閔、雷嘯岑、陶百川、彭昭賢、程滄波、陳石孚、許孝炎、張丕介、吳俊升、金侯城、成舍我、左舜生、王雲五、卜少夫。[7]

四十年二月九日，內定為總編輯的成舍我自香港致函王雲五，說到：「自由人半週刊已將登記手續辦妥，『館主』係由少夫出名，因渠後來未再提出不能兼任之困難，……編輯人經由弟以本名登記。股款雖交者仍不太多，但讀者則頗踴躍。……據弟觀察，維持六個月，在經濟上當可辦到。惟編輯方面，則危機太大，因主力軍如我兄及秋原兄均不在此，其他如滄波兄等不久亦將赴臺，（即弟本身亦恐將於三月間來臺）稿件來源，異常枯涸，然既已決定辦，弟亦只有勉力一試。」[8]尚未正式創刊，但資金人才捉襟見肘的窘境，已被成氏料中，這對好事多磨的《自由人》三日刊日後之發展，已埋下艱困之伏筆。

二月十四日，成舍我向雷震、洪蘭友等人報告，《自由人》三日刊已得港府核准登記，一俟台灣方面准予內銷，即行出版。二十八日，成舍我向「自由人」社同仁報告：台灣內銷事已辦好，《自由人》三日刊即將出版，並出示創刊號大樣。因與會者多係辦報老手，提供不少意見，而成舍我也很有風度，博採眾議，為慎重起見，同意改遲數日出版，以便從容改正，並呼籲社員踴躍撰稿以光篇幅。[9]可見在王氏離港後，《自由人》三日刊真正之台柱角色，已責無旁貸的落到成舍我肩上。

5 王壽南編，《王雲五先生年譜初稿》第二冊（台北：商務版，民國七十六年六月初版），頁七四三。

6 阮毅成，〈「自由人」參加記〉，《傳記文學》第四十三卷第六期（民國七十二年十二月），頁一四～一五。

7 見《自由人》創刊號（民國四十年三月七日）第一版的編輯委員會名單。《自由報二十年合集》（一）（香港：自由報社出版，民國六十年十月十日）。阮毅成說為十六人，疑有誤。見阮毅成，〈「自由人」參加記〉，同上註。

8 〈成舍我致王雲五函〉，同註五，頁七四六。

9 阮毅成，〈「自由人」參加記〉，同註六，頁一五。

三月七日，《自由人》三日刊正式創刊，社址位於香港德輔道中一四九號四樓。目前所知參與的發起人有王雲五、王新衡、王聿修、端木愷、程滄波、胡秋原、吳俊升、黃雪村、閻奉璋、樓桐孫、陳石孚、陳訓悆、陶百川、雷震、阮毅成、劉百閔、左舜生、雷嘯岑、徐道鄰、徐佛觀、陳克文、成舍我、金侯城、張丕界、彭昭賢、許孝炎、卜少夫、卜青茂、范爭波、陳方、張純鷗、張萬里、丁文淵等三十餘人。[10]

發刊後，一紙風行，各方咸予重視，發行之初，每期印八千份。為打開台灣銷路市場，內容安排方面，特別增加一些軟性文字，勿使論文過多，淪為說教。雷嘯岑即言：「『自由人』的作者確實很自由，各人所寫的文字題材雖相同，而見解不必一致，祇要不違背民主憲政與反共抗俄的大前提，儘可各抒己見，言人人殊，真有百家爭鳴，百花齊放的景象，……首任的『自由人』主編是成舍我兄，他包辦大陸通訊版，把大陸上的共報消息，參以陸續從國內逃到香港的難民所述情形，寫成有系統的通訊稿，可謂費苦心。」[11]

誠然如是，由於文章精彩，見解深入，內容多元，析論入理，所以出版後不久，南洋各地僑報即紛紛轉載《自由人》文章。故在香港一隅辦一刊物，無形中等於在數地辦了幾個刊物，影響所及，至為廣大。不僅如此，有關《自由人》所發揮的影響力，可以曾任該刊主編雷嘯岑之回憶為證，雷說：「自由人半週刊，頗受台灣以及海外；尤其是美國一般華僑的注意，原有的每週座談會照常舉行，參加的人亦陸續增多了，風聲所播，國際人士來到香港的，亦來參加我們的座談會，交換政治意見，如美聯社遠東特派員竇定，南韓內閣總理李範，日本工商與新聞界人士前來訪談者尤多，……唯有駐在香港鼓勵華人組織『第三勢力』的美國巡迴大使吉塞普，始終沒有接觸過，大概是他認為『自由人』半週刊這些人，多數係國民黨員，氣味不相投，我們亦以對『第三勢力』之說，不感興趣，因而絕交息游，毫無來往。」[12]

雷氏這段記載很重要，不只說明了《自由人》發刊後之影響力；也道出了《自由人》與「第三勢力」毫無瓜葛，這對坊間有不少人一直以為《自由人》是「第三勢力」刊物有澄清作用。《自由人》三日刊甫發行，負責盡職之成舍我隨即寫信給王雲五提到：「連日為自由人半週刊事，頭昏腦暈，尊函稽答，至為罪歉。現半週刊已於今日出版，附奉一份，即希鑒察。大著分兩期刊佈，並盼源源見賜。今後應如何改進之處，統希指示為荷。」[13]另針對其後外界對《自由人》諸多揣測，如與「自由中國協會」之關係等等，「自由人」社也在三月二十一日的高士威道聚會中也做出決議，大家皆一致表示，「自由人」應獨立組織，以別於其他團體，乃推定董事九人，以左舜生為董事長。監事三人，為金侯城、王雲五、雷儆寰。成舍我為社長兼總編輯，卜少夫為總經理。[14]

10 「自由人」社成員，據筆者統計為此三十餘人，且各會員加入時間先後不一，有關會員名單散見於雷嘯岑、阮毅成等人之回憶文章及《雷震日記》中。

11 馬五先生著，《我的生活史》，同註一，頁一六一。

12 馬五，〈「自由人」之產生與夭折〉，見其著，《政海人物面面觀》，同註一，頁二一三～二一四。另萬麗鵑博士論文也提到，為打擊「第三勢力」運動，「國民黨亦透過黨報如《香港時報》、新加坡《中興日報》、美國《美洲日報》，及其所資助的報刊如《自由人》報、《民主評論》等，展開對第三勢力的文宣戰，此即是《香港時報》社長許孝炎所說的以『與論對與論』的鬥爭。」萬麗鵑，〈一九五〇年代的中國第三勢力運動〉，同註四，頁一六四～一六五。又見〈許孝炎意見〉，《總裁批簽》，台（四一）央秘字第〇〇八五號（一九五二年二月二十二日），黨史會藏。

13 〈成舍我致王雲五函〉，同註五，頁七四七。

14 阮毅成，〈「自由人」參加記〉，同註六，頁一五。至於《自由人》與「自由中國協會」之關係，馬五在〈「自由人」之產生與夭折〉已言之甚為了稿源，三月二十二日總編輯成舍我又致函王雲五拉稿，其中說到：「自由人在香港銷路尚好，一般觀感亦不錯。惟共匪刊物正以全力抨擊，弟等亦一反過去自由派刊物置之不理的辦法，強烈反攻。臺灣發行未辦好，少夫兄不日來臺，或能有所改進。同人撰稿，此間仍不太踴躍，盼公能以日撰五千字之精神，多寫數篇，並乞即賜惠寄，無任感幸。又此間稿酬，公議千字港幣十元，前稿之款，已送託香港書局轉交。此數雖微細不足道，然吾輩合力創業，知識勞動之所獲，在道德標準上說，固遠勝於以吃人為業之共匪萬萬矣。盼尊稿如望歲，望即賜寄，以慰饑渴。」[15]除簡略報告社務外，重點仍是稿源問題，而此問題也是《自由人》三日刊以後長期揮之不去的夢魘。

三、《自由人》之命名與經費及發刊宗旨

華路藍縷，創業維艱，有關《自由人》之命名，似乎是由阮毅成所起。原本成舍我欲名為《自由中國》，因與台灣雷震負責的《自由中國》半月刊同名而不獲採納。故阮毅成認為可參考台灣趙君豪所辦之《自由談》，而稍改其為《自由人》，卒獲大家一致同意，名稱問題因此而敲定。[16]其實若從五〇年代的背景去觀察，刊物取名為《自由人》並不足為奇。蓋彼時海外正刮起一陣「自由中國反共運動」浪潮，其中尤以香港地區為最。為壯大「自由中國反共運動」，於是乎，海內外的一些知識份子刻意以「自由」二字為雜誌刊物名稱，以凸顯有別於大陸的獨裁極權。職係之故，各種以「自由」為名之刊物如《自由中國》、《自由陣線》、《自由談》、《自由世界》等雜誌，如雨後春筍般紛紛出籠，《自由人》三日刊之命名，應該是在此時代背景下而正名的，且的確有其時空的特殊意義存在。[17]

至於現實的經費來源問題，早在三十九年十二月二十日的聚會中，王雲五即定調說：「我要先與諸位約定，這是一份自由的刊物，所以，一不能接受外國的幫助，二不能接受政府的支援。同仁不但要寫稿，還要負擔經費。」[18]王氏之所以要如此約法三章，是要避免外界將《自由人》視為拿美國人錢所辦的「第三勢力」之刊物的疑慮或揣測；另外，不接受政府支援，也是想以獨立身分之姿，能在言論上暢所欲言，而不受政府掣肘，更不想貼上政府刊物之標籤。揆之《自由人》草創之初，因經費來源由各會員出資，確實能夠如此。例如在籌備階段，王雲五首捐港幣三千元，各會員至少認捐港幣一千元，所以誠如雷嘯岑言：「大家分途進行，未到一個月，即籌募到港幣一萬七千元了。」[19]

創刊經費有著落，但接下來長期的經費支出，恐怕就不是由會員認捐可解決。到最後仍不得不仰賴台灣國府的金錢支助，在《雷震日記》中即披露不少箇中內幕，茲舉日記一則為證。民國四十年五月二十五日：「雪公（按：指王世杰（字雪艇），時任總統府秘書長）

詳，同註一。

15 〈成舍我致王雲五函〉，同註五，頁七四七～七四八。為稿源及素質起見，成舍我亦曾寫信向阮毅成拉稿，信上提到：「在臺同人寫稿，原約每期供給八千字。希望以兄之熱忱毅力，催請同人，公誼私交，達此標準。」又說：「自由人聲譽，雖日有增進。惟經濟及稿件，均危機太大。現此間已只賸左（舜生）、許（孝炎）、雷（嘯岑），及弟共四人，稿荒萬分。如濫用一般投稿，則水準即無法維持。」阮毅成，〈「自由人」參加記〉，同註六，頁一六。可見身為主編的成舍我，為稿源及《自由人》之內容水準，真是心力交瘁，煞費苦心。

16 同註六，頁一四。

17 馬之驌，《雷震與蔣介石》，同註三。

18 同註六，頁一四。

19 同註一二，頁二一三。

來電話，可助《自由人》三千港幣，但不可明言，因《新聞天地》一再要求援助而未允許也。……《自由人》因經費困難，而負責又無專人，致有停頓之可能，由予（雷震）約集雲五、滄波、孝炎、毅成、端木愷、少夫諸君會商，由予等籌款接濟，每月假定虧二千五百元，至年底約為一萬七千五百港元，改組組織，推定成舍我為社長，左舜生代理董事長，予負臺北催稿及催款之責，總統府之三千元，由予負責，予另外再籌五百元。」[20]由《雷震日記》可知，創刊才二月餘之《自由人》，經費已拮据如此，而不得不靠政府補貼，在此情況下，其日後之文章言論，就頗受台灣國府當局之制約影響了。

另有關《自由人》之創刊宗旨，其實早在刊物出版以前，對於未來言論與編輯方針，「自由人」社同仁即做了幾點規約：（一）、發揚民主自由主義；（二）、發起人按期撰寫頭條論文，且須署出真姓名；（三）、文責各人自負，但須不違背民主自由思想暨反共救國的大原則；同時將全體發起人的姓名亦在報頭下面，表示集體責任。[21]創刊後，首由程滄波撰發刊詞，題為〈我們要做自由人〉，擲地有聲的強調：「我們今天大膽向全世界人類提出一個問題：便是世界人類，現在與將來，要不要做人？如果想做人，從什麼地方去著手奮鬥？……今天世界人類只有兩個壁壘，一個是『人的社會』之壁壘，一個是「非人社會」之壁壘。這兩個社會的磨擦，今天已到了白熱化的程度。『人的社會』中每一個人，是有人性，有人格，根據人性與人格，發揮其個性，以增加社會之幸福與個人之生活水準，從而增進世界的和平與人類的文明。反觀『一個非人社會』中，人除了具備人的形態外，沒有思想與靈魂。『非人社會』中，人只是一群動物，既不許其有人性，亦不讓其有人格，他們是奴隸、是機器。」

程滄波言：很不幸的，今天的中國大陸，全大陸數萬萬同胞一年來，即陷入共匪的非人社會中。因此我們和全世界愛好和平民主的人們，要發動正義的呼聲，救自己，救同胞，救人類。我們要揹著自由的大纛，叫著「做人」的口號，開始「自由人」的運動。爭自由，爭人性，發動全人類自由人性的力量，去打倒與剷除共產帝國主義反人性的非人社會。不殘殺，不掠奪，在不流血革命的原則下，使人人有飯吃。本此目的，以建立新中國新世界。所以，「從今天起，根據以上主張，我們謹以此小小刊物『自由人』，貢獻於全世界凡是不願做奴隸的人們，也就是我們這一群人，決心獻身於這一運動的開始。全世界和平民主的人士：我們要做人，我們要做自由人。每個人爭取了自由，世界才有民主和平，人類才有幸福與光明。」[22]我們要做人，我們要做自由人，起來，不願做奴隸的人們！程滄波這篇發刊詞，簡直是一篇慷慨激昂的宣示詞，代表全世界不願在「非人社會」生活下的自由人，向共產專制極權政權，發出堅決的怒吼。[23]

《自由人》三日刊，每星期出兩次，每次十六開一張。主編人規定由原先的「座談會」同仁輪流擔任，一年一換，為義務職，故內部人事組織極為簡單，只有一主編，一助理員和事務員，共三人而已。

20 《雷震日記》（民國四十年五月二十五日），見傅正主編，《雷震全集》（三三）（台北：桂冠版，一九八九年八月初版），頁一〇〇～一〇一。

21 同註一二，頁二一三。吳相湘，〈成舍我為新聞自由奮鬥〉，見其著，《民國百人傳》第四冊（台北：傳記文學出版社印行，民國六十年元月初版），頁二七五。

22 程滄波，〈「自由人」發刊詞〉，見其著，《滄波文存》（台北：傳記文學出版社印行，民國七十二年三月十五日初版），頁一五七～一六〇。

23 阮毅成也說到，這是一篇代表知識份子愛國反共心聲的大文章，義正辭嚴，擲地有聲。同註六，頁一五。

該刊內容，第一版分「專論」、「時局漫談」、「自由談」各欄；第二版刊大陸共區消息；三版則記述港、台的社會新聞；四版是「副刊」。「專論」亦由座談會同仁分別撰寫，或徵用外界志同道合人士之作品；唯「時局漫談」和「自由談」二專欄，係由左舜生與雷嘯岑二氏負責包辦。《自由人》三日刊，因撰寫團隊堅強，且作者大多具有清望，故在海隅香港頗有號召力，銷路亦不壞；又可以銷台灣，雖無廣告收入，仍可勉強維持下去，在五〇年代的香港，可謂雜誌期刊界之奇葩。[24]

四、《自由人》的艱苦經營

平情言，《自由人》三日刊從四十年三月七日發行，到四十八年九月十三日停刊，維持約八年餘。這八年多的歲月，可謂艱辛撐持，多災多難。

首先為組織渙散不健全，於是才有民國四十年下半年的重組之舉。此中最大原因為「自由人」社大多數同仁均已離港在台，分別有：王雲五、王新衡、端木愷、程滄波、胡秋原、吳俊升、黃雪村、閻奉璋、樓桐孫、陳石孚、陶百川、陳訓悆、雷震，及阮毅成，幾乎佔了一半以上；而在港的僅有左舜生、金侯城、許孝炎、成舍我、劉百閔、卜少夫、雷嘯岑等人。其後在台參加的，又增加徐道鄰，共二十二人。為連絡方便起見，在台同仁乃公推王雲五為董事長，但又因刊物在港出版，故推左舜生為在港之代理董事長，就近處理刊物，成舍我則為社長。[25]

24 雷嘯岑：《憂患餘生之自述》（台北：傳記文學出版社印行，民國七十一年十月十五日初版），頁一七六。

25 同註二三，頁一六。

然因「自由人」社未有組織章程，也未在台辦理社團登記，所以才有民國四十一年一月十日，在台同仁在王新衡家為此商議之事。時適值端木愷甫自香港返台，報告港方同仁最近決定取消社長制，亦推左舜生代董事長，成舍我為總經理，劉百閔為總編輯。此事，在台「自由人」社同仁有不同意見，在三月七日及十五日的兩次餐敘商討論中，均決定仍採社長制，並仍推成舍我兄任社長。只是一個三十餘人的「自由人」社，就為了區區的刊物人事組織問題，港、台同仁即不同調，其他之事就可想而知了。所幸意見儘管有異，但同仁感情尚佳，阮毅成即言：「自由人在香港創辦之初，同仁常有餐會，交換意見。在臺同仁，於民國四十年七月十二日起，舉行聚餐或茶會，由同仁輪流作東，平均每兩週一次。除談自由人社各事外，亦泛論時局，交換見聞。」[26]

民國四十一年二月九日，「自由人」社在台同仁餐敘時，有鑒於《自由人》三日刊創刊已近一年，但組織與人事及編輯立論之困擾問題仍在，因此大家有必要提出意見交換，以尋求解決之道。席間程滄波首次提出編輯態度問題，但遭雷震反對。程又謂：「劉百閔不宜任總編輯，上次，此間同仁推成舍我任社長，何以改變？此間皆未知悉。」雷震與陶百川又認為，台方不宜干涉港方人事，雙方爭論甚久。最後由阮毅成提出折衷解決方案為：（一）、自由人本係超黨派立場。只知民主、自由、反共，不知其他。此後仍須守定此項立場。（二）、港方報刊如對台灣中華民國政府，有惡意攻訐，或無理批評，自由人不可自守中立，須起而加以駁斥。（三）、人事問題，另函在港之許孝炎查詢，不作決議。

26 同上註，頁一七。

眾皆贊成阮毅成之方法，並請其起草一函，致在香港之左舜生、許孝炎、成舍我、劉百閔、雷嘯岑諸人。阮函送各人簽名後發出，信中報告：「弟等今午聚餐，談及自由人編輯態度。回溯創辦之初，原屬超於黨派之外。……兄等在港主持，辛勞至佩，自亦必贊同弟等態度也。邇後港方報刊如對於臺灣中華民國政府惡意攻訐，或無理批評，自由人似不便自居中立，宜即加以駁斥。如有中國之聲作者來稿，希勿予以刊登，以嚴立場。再則，此間對第三方面各事，多持私人消息。語多片斷，難窺全貌。斯後尚懇時將各方動態，擇要見示。既可為撰稿時之參考，亦為知彼知己之一道。自由人素以民主反共為宗旨。署名：王雲五、程滄波、黃雪村、王新衡、樓桐孫、吳俊升、陳石孚、陶百川、雷震、阮毅成。」[27]

民國四十一年三月十五日，《自由人》創刊已屆滿一年，留台「自由人」社舉行全體會議。會議主席推王雲五擔任，其中：

（一）報告事項：（甲）、經費小組許孝炎報告——擬募集港幣三萬元（其中成舍我、許孝炎約洪蘭友，被分配擬向各紗廠募台幣一萬元）。（乙）、編輯小組成舍我報告：1、組織擬仍採現制，並請加推一人為必要時接替編務工作之用。2、發行擬請先行籌集基金以期達到日後之自給自足。3、編輯方針方面：積極在倡導民主自由，消極在反共抗俄，至對於台灣態度應仍許有批評，但不可損及自由中國之根本。4、在台同人集體意見推定專人執筆寄港，決登載第一版，並不易一字，如係個人稿件，在編輯方面擬請仍保有斟酌之權。5、每期需要稿件二萬四千字，在港同人無多未能盡任，在台同人時惠稿件。

（二）討論事項：（甲）、《自由人》三日刊社是否仍採社長制案。決議：仍採社長制，成舍我擔任社長。（乙）、《自由人》三日刊社費應如何加募案。決議：1、經費小組在進行籌募之港幣三萬元，於兩個月內籌足，作為基金，備日後擴充發行之用。2、另由經費小組加募港幣一萬元，作為最近數月經常費不足之需，在未募起前由許孝炎、成舍我負責維持現狀。3、加推樓桐孫、程滄波參加經費小組，並以王董事長雲五兼經費小組召集人。（丙）、《自由人》立論態度應如何確定案。決議：1、除積極的主張民主自由，消極的反共抗俄外，並須維護現行憲法倡導議會政治。2、凡外界對台灣有惡意攻擊影響國本時，應予駁斥，立場務須堅定，態度務須明確。3、除專門問題研究外，宜多載通訊及趣味性文字，理論文字及新聞性宜各佔三分之一。[28]此次會議至關重要，它為已紛擾年餘的《自由人》定調，但此為台方同仁之共識，港方同仁只是被動告知，並不見得完全同意，所以日後港、台雙方仍存有歧見。

其次更嚴重的是經費短絀，入不敷出，以至於時有停刊之議。這棘手問題其實打從創刊起即已浮現，只是苦撐待變，能維持多久算多久，但情況並沒改善且持續惡化中。四十一年六月十四日，王雲五、阮毅成與程滄波等聚會，商議如何應付《自由人》三日刊之困難。王雲五謂得左舜生與成舍我二君信，信上，成舍我堅辭社長，又每月不足港幣二千元。如無法解決，則自本月十八日起停刊。劉百閔則說香

27〈阮毅成致左舜生諸氏函〉，見王壽南編，《王雲五先生年譜初稿》第二冊，同註五，頁七六八。

28 同註五，頁七七〇～七七一。

港紙價日跌，印刷係由《香港時報》代辦，印費可以欠付。以往亦每月虧空，並不自今日始。

對此，王雲五建議是否能改為月刊，移台出版，但眾意覺得移台出版，則《自由人》功用全失，仍宜繼續在港發行。最後決定由王雲五函復，請成舍我維持至七月底止。[29]是年十二月二日，「自由人」社同仁又再行會商，由王雲五主持，會中卜少夫表示願接辦，至少可免招致停刊命運。然未幾（十二月六日），卜少夫以有人表示異議，乃謂其《新聞天地社》同仁不贊成其再兼辦另一刊物，打消原意。王雲五即席宣布仍在港出版，推成舍我兄回港主持，並改為有給職。[30]成謙辭未果，旋即表示接受。後當場推定王雲五、程滄波、樓桐孫、胡秋原、陶百川、黃雪村為在臺撰述委員，程為召集人。另推成舍我、程滄波、胡秋原三人起草言論方針。王雲五、端木愷、王新衡為財務委員。香港方面撰稿委員，由成到港後約定人員擔任。事後，當事者之一的阮毅成，對是晚之會的結果表示很滿意，還稱為是《自由人》中興之會，同仁莫不興奮。但其後，主要的重點之一，《自由人》未來的言論方針並未草成。[31]四十二年三月十四日下午，「自由人」社同仁聚集在成舍我處，參加茶會。會中，成舍我出示香港許孝炎來信，謂自由人又不能維持。因已積欠《香港時報》印刷費港幣六千元，稿費十一期。且人力亦明顯不足，雷嘯岑將來台灣，左舜生又將赴日本旅行，主持無人，不如停刊。經同仁交換意見，仍認為不能停辦，並催成舍我兄速赴港負責。

因茲事體大，三月二十一日，「自由人」社另一要角阮毅成，也在家中約集在台同仁茶敘。會上，成舍我表示其有困難不願赴港，而港方近日來函，支持為難。眾意乾脆移台編印，仍推成舍我主持。[32]二十五日下午阮氏親訪成舍我，成表示三點立場：（一）、決不去香港。（二）、《自由人》如移台出版，願意主持。（三）、未移台前，可先在台編輯，寄港印行。同月二十八日下午，以《自由人》問

29 同註五，頁七七四。《自由人》經費之窘困，自創刊伊始至結束均如此，阮毅成即言：「我只記得在創刊第一年中，就賠去了港幣參萬參仟元。時歷八年半，為數甚為可觀。這尚是距今三十多年前的幣值，如以現在幣值計算，則更為巨大。」阮毅成，〈王雲五先生與自由人三日刊〉，同註四，頁三四。到《自由人》停刊止，其經費仍入不敷出，茲舉結束前致王雲五等人之二信函為證。四十八年九月十一日許孝炎自港來信王雲五，報告「自由人」結束時經費情況。「雲五先生並轉鑄秋舍我儆寰滄波新衡秋原佩蘭少夫諸兄惠鑒：關於自由人停刊事，前經兄等決定函達克文。兄弟回港後，復經再三磋商，始於前日由在港各有關友人舉行特別會議決定停刊，並於本月十三日起實行。茲將會議紀錄抄奉敬祈鑒察。」「預計自由人可能收入之款（連登記費在內）約為乙萬四千餘元，支出除舊欠稿費約乙萬三千元；及克文兄之欠薪近九千三百元暫不計入外，此外薪工紙張印刷房租，今年稿費應退報費及空運費等，共計約為二萬乙千餘元，不敷之數約為七千餘元。倘預計可能收入之款有一部分不能收入時則虧欠之數將必更多，如何籌還以資結束頗費周章。而有把握之登記費乙萬元則尚待少夫兄回港簽字後始能提出備用。」又十二日社長陳克文亦致函王雲五。「岫公賜鑒：茲奉上『自由人』在港同人特別會議紀錄一份，請　察閱。『自由人』經濟情形截至本年九月十二日止，共欠債務三萬餘元，除登記費一萬元外，尚可能收回之款二千餘元，結束用費約五百餘元，並此奉告，統請轉知在台各位同人為禱。」見王壽南編，《王雲五先生年譜初稿》第三冊（台北：商務版，民國七十六年六月初版），頁一〇五二～一〇五三。

30 同註五，頁七七九。《自由人》主編是不支薪的，可見其艱困於一般。同為主編的雷嘯岑曾說：「首任主編人成舍我兄苦幹了一年之後，因為準備移家台灣，不能繼續盡義務了——主編人不支薪——大家公推下走承其乏，因係義務職，唯有接受而已。」馬五，〈「自由人」之產生與夭折〉，同註一，頁二一六。

31 同註五，頁七七九。

32 雷震日記當天即記載：「下午三時半至《自由人》座談會，阮毅成提議《自由人》表面在港，實際遷台，無一人反對。我內心不贊成，但不願表示，因《自由人》遷台完全失去效用。今日雲五未到，他們囑我報告。」《雷震日記》（民國四十二年三月二十一日），見傅正主編，《雷震全集》（三五）（台北：桂冠版，一九九〇年七月二十日初版），頁四八。

題緊迫，急待解決。「自由人」社同仁乃在端木愷家中餐敘。對《自由人》前途，共有四種主張：（一）、停刊。（二）、移台出版。（三）、在台編輯，寄港印行。（四）、推成舍我赴港主持。討論結果，決定用第四法，成亦首肯。然成謂：《自由人》除發行收入外，每月須虧四千元，此問題亟需解決。[33]

四月十八日，因港方同仁頻頻催促速做決定，眾議又思移台編印，王雲五亦同意移台出版，但謂須改為半月刊或月刊。三十日下午，成舍我與端木愷、阮毅成、王新衡、程滄波等人，又應王雲五約茶敘。時端木愷甫自港返，謂港方「自由人」社已無現款，勢不能繼續。因以由今日到會者商定：（一）、香港方面自五月十日起停刊。（二）、在台登記改為月刊，推王雲老為發行人，成舍我兄為總編輯。[34]然不久，港方同仁又變掛，五月十一日，阮毅成訪成舍我，成即謂卜少夫前日到台，攜有左舜生致王雲五函，主張《自由人》仍在港出版。

此事經緯，雷震在其日記亦提到：「見到雷嘯岑來函，對我們囑香港停刊，決議移臺辦月刊則大不以為然，來信措詞甚劣，決定去電並去函說明，以免誤會。」[35]雷嘯岑甚至為此來函欲辭去社長職務。

33 雷震日記載：「下午四時，在端木愷處討論《自由人》移台問題，王雲五、徐佛觀、端木愷及我均不贊成，程滄波、阮毅成、成舍我願移台，最後決定請成舍我至港辦至六月再說，因行政院之款發至六月底止，如停刊或移台亦須至六月底再說。」《雷震日記》（民國四十二年三月二十八日），見傅正主編，《雷震全集》（三五），同上註，頁五二。

34 這問題一直延伸至四十三年依舊如此。雷震日記：「《自由人》在港不易維持，決遷台辦週刊，由成舍我任社長，王雲五任發行人。」《雷震日記》（民國四十三年八月七日），見傅正主編，《雷震全集》（三五），同上註，頁三一四。

35 《雷震日記》（民國四十二年五月九日），見傅正主編，《雷震全集》（三五），同上註，頁七四。

《雷震日記》記載：「今日午間約來臺之《自由人》報有關各位來鄉午膳，除端木鑄秋、阮毅成、吳俊升、胡秋原外，到有十五人，即王新衡、樓桐孫、陶百川、張純鷗、陳訓悆、卜少夫、卜青茂、程滄波、范爭波、王雲五、成舍我、黃雪村、閻奉璋等及另約陳方。飯後討論雷嘯岑來函辭去社長職務一事，經決議慰留。」為此事，雷震感慨的說：「《自由人》發起人在臺者，不過十餘人，港方不過數人，兩方意見不合，終會扯垮。民主自由人士之不易合作，於此可見一班。」[36]

由於雷嘯岑堅決辭社長職務，八月一日，《自由人》在台同仁藉由茶敘機會，聽取甫自香港來台之劉百閔報告，劉謂：在港同仁意見為（一）、必須在港繼續出版。（二）、改推陳克文任社長。（三）、每月不足港幣八百元，在港有辦法可以籌得。王雲五說：「左舜生有信來，克文係其物色，本人絕對贊同。」眾亦皆表示贊成。但成舍我認為每月八百元之說，計算必有錯誤，至少每月亦需賠二千五百元，所以決定請王雲五再去函新社長，請重為估計。其實《自由人》經費之短絀，可由總其事的總編輯都不支薪一事更可看出，四十三年七月十日，左舜生自香港致函王雲五即說到：「弟意，自由人編輯者，原規定每月可支三百元，以舍我、百閔兩兄任編輯時，未支此款，後任編輯一年，亦即未支。」[37]如此窘境，要不是有台灣國府當局在幕後經費贊助，《自由人》三日刊能支撐八年餘，根本是不可能的。[38]

36 《雷震日記》（民國四十二年六月二日），見傅正主編，《雷震全集》（三五），同上註，頁八五。

37 〈左舜生致王雲五函〉，同註五，頁八二四。

38 雷震日記：「王雲五約『自由人』社在台同仁晚餐，以「自由人」在港經濟困難，重申移台出版，由成舍我任編輯之議。」《雷震日記》（民國最後為文章之尺度問題，除上述言及《自由人》三日刊甫創刊即面臨稿源不濟的困難外，更麻煩的為自從接受政府補助後，基本上，《自由人》的言論立場在相當程度上已受政府箝制。以至於在很多議題上，不僅不能秉公立論、暢所欲言；且須為政府妝抹門面，極力辯解。稍一不慎，隨即惹禍，遭致抗議。如民國四十一年六月一日，「自由人」社王新衡即訪阮毅成，談話重點就說到，《自由人》最近兩期，刊載左舜生〈論中國未來的政黨〉一文，有人表示不滿。[39]為避免誤會，乃一起同訪王雲五，請其以董事長身份，致函香港總編輯成舍我，請其勿再刊出此類文字。[40]

雖係如此，但言論自由乃是知識份子的普世價值觀，用強制力約束是沒用的。果然到民國四十四年又發生更嚴重的文字賈禍事件，差一點讓《自由人》無法在台銷售。事緣於是年三月二十三日，王雲五即接到司法行政部部長谷鳳翔來函，表示《自由人》三日刊，登載雷嘯岑文章，影響政府信譽，要求王雲五代向該社方面解釋。全函內容為：「頃閱本月二十三日自由人刊載『自由談』及『半週展望』雷嘯岑先生文內謂，揚子公司貪污案牽涉本部，曷勝駭異，此種無稽之詞，殊足影響政府信譽，茲特寄上函稿二份，送請　察閱，並祈賜檢一份轉致雷君查明更正，仍乞代向該報社方面照拂解釋為幸。」[41]

四十三年七月十一日），見傅正主編，《雷震全集》（三五），同註三二，頁三〇二。有關國民黨高層提供《自由人》之經費支援，尚可參閱〈對港澳政治活動之指示〉，見中國國民黨中央改造委員會第一六五次會議紀錄（一九五一年七月四日——附件），黨史會藏。

39 左舜生〈中國未來的政黨〉（上）、〈中國未來的政黨〉（下）二文分別發表在《自由人》第一二九期（民國四十一年五月二十八日）、《自由人》第一三〇期（民國四十一年五月三十一日）。

40 同註五，頁七七三。

41 雷嘯岑，〈半週展望〉，《自由人》第四二三期（民國四十四年三月

由於《自由人》所刊文章得罪當道，引起了國民黨中央黨部對《自由人》言論的不滿。三月二十六日，時任《中央日報》社長，亦是「自由人」社同仁的阮毅成至中央黨部參加宣傳政策指導小組會議時，即受到中央黨部秘書長張厲生的警告：「香港《自由人》三日刊，近日言論記載，愈益離奇，須採取停止進口處分。」幸阮毅成趕快緩頰，除報告《自由人》艱難創辦經過外，並謂：「現在台北各同仁，久未與聞港事。王雲老曾去函港方，請以後勿再刊載不妥文字。又以所載台省情形，與事實相距甚遠，曾通知港方，以後遇有記載台省情形稿件，先行寄台複閱。認為可用者，方予刊布，亦未承照辦。惟自由人參加者，多為各方知名之人。如忽予停止進口，恐反而使海外人士，對政府有所批評。不如一面先採取警告程序，依照出版法，由內政部為之。一面通知在台之董事長王雲五氏，促其改組。如再有違反政府法令之事發生，則採取停止進口處分。」[42]

為此，是晚十時，阮氏尚先訪成舍我，說明會議經過；再與成同訪王雲五，報告此事。王雲五似乎對此頗為不悅，乃決定於三月三十日下午五時，在端木愷家中，約集「自由人」社在台全體同仁會商。在三月三十日的決議中，提到《自由人》的現實問題，「本刊如不能銷台，勢必停刊。為避免使政府蒙受摧殘言論之嫌，希望政府妥慎處理，使其能繼續出版。在台同仁，願意退出。惟在港同仁意見如何，亦盼政府逕與洽商。」並推阮毅成與許孝炎二人將此項決議，轉達黃少谷，另函告在港同仁。[43]

二十三日）。雷文所寫之論揚子公司案，因涉及上海時期之揚子公司，對孔祥熙有所批評，遂奉命查辦。又〈谷鳳翔致王雲五函〉，同註五，頁八四七。

42 同註五，頁八四七～八四八。

43 同上註，頁八四九。

換言之，針對當局對《自由人》的不滿，「自由人」社在台同仁採取了委曲求全的態度，一方面願意退出，此舉可能有兩層深意，一為逼香港「自由人」社同仁，小心謹慎，莫再刊登批評政府之文章，否則與渠無關，二為多少有向政府交心之意，明哲保身，不想惹禍上身；再方面亦有請政府介入之意，希望儘量保留能讓《自由人》繼續在台銷售。[44]果然如此，四月七日，王雲五即致函總統府秘書長張群，說明「自由人」之情形，並建議將「自由人」社改組，由政府指定負責主持言論之人實行接辦。信的內容為：「惟是該刊經費本奇絀，全恃內銷而維持，一旦停止內銷，勢必停止刊行，外間不察，或不免對政府妄加揣測，弟愛護政府，耿耿此心，竊認為消極制裁，不如積極輔導，將該刊改組，由政府指定負責主持言論之人實行接辦，可變無用為有用，弟當力勸原發起各人，本擁護政府之初衷，竭誠合作。」[45]

一週後，以國民黨並無接手之意，在恐不能銷台的情況下，成舍我與王雲五、陶百川、徐道鄰、陳訓悆、程滄波、胡秋原、吳俊升、端木愷、黃雪村、阮毅成等決議：「茲因環境困難，經濟無法支持，決議停刊，由主席（王雲五）根據本決議徵求在港同人意見。」其後，在台同仁復在成舍我宅聚餐，決定在台同仁既已必須退出，而中央黨部又規定不得再與《香港時報》，發生關聯，則無地可以印刷，亦無處可再欠印刷費。外界聞知中央處分，亦必不願再行認指，環境困難如此，只可宣布停刊。並請王雲五函詢港方同仁意見，如港方同仁堅持續辦，在台同仁自不能再行參加。[46]

由於文章得罪當局，以致有禁止銷台之聲，在港負責《自由人》編輯工作之陳克文旋致函阮毅成、王雲五等人，表示「咎衍實無可辭」，「自由人停止出版，唯覺可惜，形勢如此，亦復無可如何，文與左劉兩公對此均無成見，惟此間尚有其他股東，又年來出錢出力者，頗不乏人，此事似不宜由文等三人遽作決定，即為港方同人之全體意見，擬於最近邀集會議，提出報告，徵求多數意見，再作正式答覆。」[47]但不久，事情又有變化，四月二十九日，一向敢言的左舜生，終於自香港來函，明確表示反對《自由人》停刊，並謂在港「自由人」社同人決暫予維持。信中言：

「雲老賜鑒：四月七日阮毅成兄來信，並附有留台同人退出決議一紙，十八日奉　公手書，知同人復有集議，以經濟環境關係，主張停刊；均已誦悉。此間於當地環境，已洞悉無遺；對　公等所採態度，並無不能諒解之處。惟念同本刊宗旨，一面在『堅決反共』，一面在『爭取民主』，四年以來，奉此週旋，雖不無一、二開罪他人之處，但大體上並未

44 《自由人》三日刊，國民黨中央曾指示「扶助」之，以批判中共，擁護政府並同情國民黨為原則。故該刊早期立場為中間偏右，後來對國民黨的批評言論日益激烈，台灣當局乃禁止其輸入，並停止所有經費資助。故《自由人》能否銷台，對該刊影響至鉅。萬麗鵑，〈一九五〇年代的中國第三勢力運動〉，同註四，頁一六四。

45 〈王雲五致總統府秘書長張群函〉，同註四三。

46 同註五，頁八五〇。有關王雲五在此問題之角色，阮毅成有相當持平之看法，阮說：「雲五先生名為董事長，出錢出力，卻不便範圍各黨及無黨人士，一定均作統一的宣傳，致反而完全成為俗套，失去向海外為政府說話的影響力。於是在發刊期中，常常發生選稿欠當的問題。每次有問題發生，雲五先生首當其衝，常為他人所不諒解，致生煩惱。臺港兩地同仁，為此書信往返，謀求各種補救辦法，效果均不甚彰。」阮毅成，〈王雲五先生與自由人三日刊〉，同註四，頁三六。

47 〈陳克文致王雲五、阮毅成信〉，同註五，頁八五一～八五二。

逾越範圍。今赤燄正復高張，而民主亦勢非實現不可；大約在二、三月內或有變化，前途殊未可知！故此間同人，經過再三考慮，仍決定暫予維持，並囑舜代為奉復，即乞轉達諸友為荷。公等即不得已而必須退出，仍望不遺在遠，隨時予以指導，除宗旨不能犧牲以外，同人無不樂於接受。海天遙望，曷勝悲憤憂念之至！」[48]

從此以後，《自由人》三日刊似乎終於渡過了這段風風雨雨的歲月，儘管港、台大多數「自由人」社同仁情誼依舊，但經費、稿源、立論尺度等問題仍在。《自由人》三日刊即帶此痼疾，跌跌撞撞的支撐八年餘，在民國四十八年九月十三日宣佈停刊。[49]

五、結論——從《自由人》到《自由報》

無論如何，在五〇年代那段風雨飄搖的歲月，《自由人》能以香江一隅之地，在內外環境相當險惡的情況下，擎起「我們要做自由人」的大旗，反抗共產極權，與中共做誓不兩立的言論鬥爭，其勇氣和決心仍另人刮目相看的。另一方面，《自由人》雖義無反顧的支持台灣國府當局，但在恨鐵不成鋼的期待心理下，對台灣當局若干錯誤的舉措，仍一本忠言逆耳之立場，毫不留情的提出批判或建言，即使在經費斷炊的威脅下，亦不為所動，這份苦心孤詣之意，也令吾人感佩。

而此即所以《自由人》在發行的八年餘中，雖屢有遷台之議，但大多數同仁始終仍以在香港立足為佳之看法，因其言論立場較客觀中立，雖稍偏向國府，但非無原則的一面倒，兼以香港為基地，較少政府、政黨色彩之觀感，且因對國、共雙方均有批評，是以其在香港作用較大之故也。當然《自由人》之悲劇，除上文已詳述之經費、稿源、言論立場受到制約等外緣因素外，尚有深一層內緣因素存在，此即中國傳統知識份子屬性使然。知識份子主性強的「書生本色」，誰也不服誰之個性，長落人「秀才造反，三年不成」之譏，因渠主觀意識強，所以容易堅持己見，是其所是，不大能夠為大局著想，且因自視太高，未能屈己就人，所以較乏團隊精神。

這情況在「自由人」社這批高級知識份子間亦是如此，雷嘯岑曾舉一事證明之，在《自由人》是否遷台之際，「王雲五以董事長資格，致函於我，囑將自由人報遷赴臺北發行，且將繳存港府的押金萬元一併匯去。旋由代董事長左舜生召集在港同仁會商，決議仍在香港出版，但在臺北的同仁，亦可刊行臺灣版，然王雲五很不高興，說我不以他為對象，悻悻然嘖有煩言，殊堪詫異。未幾，許孝炎由臺北回港，主張自由人停刊，他怕我不贊成，先囑我莫持異議，我表示無所謂，而自由人三日刊，即於一九五八年九月十二日宣告停刊了。現代中國高級知識份子之沒有團隊精神，於此又得一實驗的證明，曷勝慨嘆！」[50]所以當年左舜生在《自由人》創辦之初，樂觀的夸談「自由人」社同仁可以組織聯合政府，永遠合作無間之見解，雷嘯岑說，實係幼稚幻想。文人相輕，自古而然，《自由人》三日刊的緣起緣滅，依然落得一個「殺雞聚會，打狗散場」的結局，這也是中國現代高級知識份子的悲劇，想來仍不禁令人浩歎！[51]

48 〈左舜生致王雲五函〉，同上註。

49 雷嘯岑說為四十八年九月十二日停刊，恐有誤。雷嘯岑，《憂患餘生之自述》，同註二四，頁一八二。

50 同上註。

51 馬五，〈「自由人」之產生與夭折〉，同註一，頁二二〇。其實雷嘯岑自己亦如是，當《自由人》剛成立時，「大家的情感很融洽，精神上團結

《自由人》雖然走入歷史停刊了，但未及五個月，一份延續《自由人》餘波的《自由報》在民國四十九年二月十七日，另起爐灶又在香港創刊了。《自由報》社址位於香港銅鑼灣高士威道二十號四樓，也是採取半週刊（三日刊）的形式，於每個星期三、六發行。社長為雷嘯岑，督印人黃行奮，出版第一期有由以本社同人署名撰寫的〈我們的志願和立場〉為發刊詞。該文強調「我們是一群崇尚自由主義的文化工作者。對社會生活篤信『人是生而平等的』這項義理，珍重個人的人格尊嚴；對政治生活認定『政府是為人民而存在的』，要求基本人權之確立與保障。……我們膺受著共產極權主義的荼毒，深感國破家亡之痛苦，流落海隅，於茲十載，內心上大家不期然而然地具有強烈的愛國情操和政治理想，要從文化思想方面，努力培育民主自由精神，發揚其潛能，成為救國救民的偉大力量。職是之故，本報的言論方針是國家至上，民生第一，我們的立場是超黨派的。」[52]

簡言之，民主、自由、愛國、反共乃為《自由報》創刊之四大宗旨，嚴格而言，此宗旨仍是延續《自由人》三日刊的精神而來。阮毅成曾說：「後來，雷嘯岑兄在香港出版自由報，乃係另一新刊物，與原來的自由人，完全無關。」[53]此話恐有商榷之餘地。《自由報》在《自由人》的基礎上，發行至民國六十幾年才結束，期間刊布了《香港自由報二十年合集》、《自由報》合訂本、《自由報二十週年年鑑》，影響力不在《自由人》之下。

無間，對任何事體決無爾詐我虞，或以多數箝制少數的作風。我（雷嘯岑）當時曾聲言：假使憑這種精神組織『聯合政府』，擔當國家政務，國事沒有不振興的。」馬五先生著，《我的生活史》，同註一，頁一六一。

52 本社同人，〈我們的志願和立場〉，《自由報二十年合集》（一九）（香港：自由報社出版，民國六十年十月十日）。

53 阮毅成，〈「自由人」參加記〉，同註六，頁一八。

內備警台報字第〇三二號內銷證

自由報

THE FREE NEWS

第一七一期

中華民國僑務委員會登記
台灣新字第三二三號登記證
中華郵政台字第一二八二號執照
登記爲第一類新聞紙類
（半週刊每星期三、六出版）
每份港幣壹角
台灣零售新台幣貳元
社長：雷嘯岑
督印人：黃行簪
社址：香港銅鑼灣高士威道二十號四樓
20, CAUSEWAY RD 3RD FL.
HONG KONG
TEL. 771726　電報掛號：7191
承印者：大同印務公司
地址：香港北角和富道九六號
台灣分社
台北市西寧南路[illegible]號二樓
電話：三〇三四六
台郵撥儲金戶九二二

恭賀新年
本報同人鞠躬

我們立國的根本大道

——民國五十六年元旦獻辭——

馬樹禮

國父孫先生倡導革命，推倒滿清而創立民國，以三民主義爲建設國家社會的方針。其目的在求中國之自由平等，謀全民的幸福樂利，進而促致世界人類於大同之境。

三民主義不是憑空構想出來的。國父以其天賦的智慧，加之以廣博的學問，從中外古今的學說理論與歷史經驗中，精研覃思，斟酌至當，始乃繹出一條正確可行的途徑。誠如國父所言，是「順乎天理，應乎人情，適乎世界潮流，合乎人羣需要」的。當初固然有人認爲國父陳義過高，未必切合實際。然而歷經數十年來的世局演變，大勢所趨，乃見三民主義思想，遠矚高瞻，實已成爲顛撲不破的眞理。

帝國主義與納粹主義，早已爲時代所淘汰，這且不用說了。共產黨打着「社會主義遠景」的旗子，喊出「窮人翻身」的口號，也會迷人若狂，風靡一時。可是經不起歷史的考驗。事實證明，這些游談無根的海市蜃樓幻景，原不過是狂妄的暴君獨夫，圖以人民爲芻狗，供其作爲試驗的犧牲品，以達其一己的獨裁野心而已。蘇俄自列寧史達林以還，反覆試驗，已逾半個世紀，人民的生活始終無法改善，近今竟不得不仍遵資本主義的老路，恢復利潤制度。毛共匪幫則比蘇俄更等而下之。由「三反」「五反」，而「工商公私合營」、「農業合作化」，而「人民公社」、「生產大躍進」，名堂層出不窮，結果則愈弄愈壞，只落得產業凋零，生靈塗炭。至此地步，即匪黨內部老共幹之良心未泯者，也都看不過，而有「爲民請命」的呼聲。但毛匪卻至死執迷不悟而一意孤行，於是乃有最近的所謂「文化大革命」，且嗾使紅衛兵作反，整肅一切異己者。然而無論如何，毛匪之命運註定必敗，那已是毫無疑問的。因爲共產主義的本身，本來就是沒有根據的「游談」。何況毛匪更胡爲亂攪，以國家社會作兒戲。毛匪口中大喊「反修」，以馬列共產主義的正統者自居；大喊「反帝」，以民族主義的保衛者自居。實則全屬自欺欺人之詞。其所以強調「反帝」「反修」，不外想藉口掩飾其失敗，把失敗諉過於「環境」，說是受到「帝」「修」之包圍「夾攻」了。

現在我們且看三民主義。中華民國政府播遷台灣，十餘年來，我們依照三民主義的原則，廣行建設。舉凡民生經濟，民權政治，社會教育，國防軍事種種設施，都無不獲致鉅大美好的績效。我們的一切和平改革，不需要鬥爭犧牲，純然出自互助合作，縱現一片祥和的氣象。這充分證明了三民主義的妥當性，合理性，決非共產主義之向壁虛構者，所可同日而語。

三民主義之克著成功，使世人耳目一新，驚爲奇蹟。其實這完全由於我們國父的見解卓越，洞燭機先。他在六十年前的東京民報發刊詞裏，卽暢論三民主義之必須並時推進，「舉政治革命社會革命畢其功於一役」。具慮患也深遠，故其擘劃也周詳。只要我們能努力奉行，則其奏功必如嚮斯應，並沒有什麼値得驚奇的。

三民主義極高明而道中庸。其思想淵源，本諸我中華文化傳統，而融會貫通於西方近代技術。總統蔣公於紀念國父一百晉一誕辰，中山樓中華文化堂落成的紀念文中，曾昭示我們：三民主義是揚取中華文化精華，繼承中華文化道統的。民族主義以倫理爲誠、正、修、齊之本；民權主義以民主爲福國淑世之本；民生主義以科學爲正德、利用、厚生之本。總統更把中華文化的基礎詳爲闡釋：一爲「盡己之性」的倫理，以孝弟爲本，由親親、長長開始，以達到「使老有所終，壯有所用，幼有所長，鰥寡孤獨廢疾者皆有所養」之境地；二爲「盡人之性」的民主，以民爲邦本，由對內的「選賢與能，講信修睦」，對外的「繼絕世、舉廢國」、「治亂、持危」，發展到「天下遠近大小若一」的「天下爲公」；三爲「盡物之性」的科學，亦卽是「正德、利用、厚生」之道，使「均無貧，和無寡，安無傾」，致人民於既富且壽，更進而達到「貨惡其棄於地也，不必藏於己，力惡其不出於身也，不必爲己」的地步。

由此以觀，三民主義非僅對於我們中國之建設復興，是最合理妥當的方略而已。它實在具有普遍的適應性，所謂施諸四海皆準，俟諸萬世不惑的。足爲舉世各國所應共循的眞理大道。我們總統說過：「現代的世紀，就是三民主義的世紀」，世界潮流所趨，事實確然如此，這話，絲毫沒有過份之處。

方今天下滔滔，毛共匪幫日趨瘋狂猖獗，竟欲舉全中國大陸人民之生命財產，以及五千年祖宗所遺之歷史文化，盡情毀滅，以逞其獸性野心。凡我中華民族兒女，而對當前的艱難時會，務須奮發頂天立地的壯志雄圖。我們要抱着救國救世捨我其誰的態度，肩負大任，力轉艱鉅。我們更不必妄自菲薄，要認定復興中華文化，乃是此時救國的不二良方。而復興中華文化，則三民主義實爲最直捷的途徑。我們不止要以三民主義奉爲復國建國的圭臬，尤應把三民主義普遍宏揚於世界，進世界人類社會於大同。

幫忙！幫忙！

前途如何？

今日与明日

毛林集團走上絕路

毛澤東林彪集團和以劉少奇、鄧小平爲首的反毛派，在權力爭奪戰中，三起三落，高潮迭起，相信不但國際人士看得眼花撩亂，就是中共內部人士，也都不知道結果會走到怎樣的下場。[illegible]「家舖子」大總管陶鑄[illegible]號施令，把鬥爭矛頭直接指向劉少奇、鄧小平[illegible]「紅衛兵」連日貼出「大字報」，「指名道姓」[illegible]份子」殺氣騰騰。

[illegible]二十七日，在北平「工人體育館」，「紅衛兵」「徹底批判劉少奇、[illegible]產階級反動路綫大會」。在這一段時期，劉少奇和鄧小平都曾先後低頭，透過「自我批評」[illegible]「文化大革命」中[illegible]煽動羣衆[illegible]所謂「鬪將」——

是罪大惡極，居然敢[illegible]毛王的逆鱗[illegible]的說法，劉鄧對毛[illegible]過「內部矛盾」範疇，殺無赦的「敵我矛盾」。[illegible]集團爲鞏固其罪惡政[illegible]變色」，毛酋爲使林[illegible]穩地作其「二世」繼[illegible]爲了他的身後事——不被挖棺掘墓、碎骨鞭[illegible]種「敵我矛盾」情況[illegible]要徹底消滅所有「反[illegible]不可。可是，事實却不如此。

這是爲什麼呢？惟一的解釋，就是所謂「形勢比人強」！目前的形勢，是不允許毛林集團爲所欲爲的。[illegible]二十七日召開北平「紅衛兵」批判劉鄧大會[illegible]「活捉」這兩個「因犯」登台「低頭認罪」。這種宣傳多於徹底行動的舉動，相信不夠「徹底」[illegible]於劉鄧的主要原因所在，不外是由於劉鄧的「黑幫」仍有「頑固堡壘」可恃，其交織成網，遍[illegible]打不斷，所以未予斬斷，[illegible]如果「整」劉鄧，可能牽一髮而動全身，把毛林集團的狗頭鼓起反擊才怪。[illegible]自我批評」，和鄧小平曾作過[illegible]「紅衛兵」，在「大字報」上作了透露，而「紅旗」雜誌和「人民日報」却隻字未提。說不定這只是毛林集團製造的「勝利」空氣，事實上却根本沒有那回事。二十八日消息，據說一九五九年犯了「右傾機會主義」錯誤被「下台」了「失蹤」[illegible]彭德懷又被毛林集團逮捕了[illegible]彭德懷早已下台，並不稀奇[illegible]是毛林集團[illegible]仍極混亂。目前，毛共派系之間的鬥爭情勢，誰勝誰負，還有待舉行全會[illegible]揭曉。甚至人代會」或「九全大會」[illegible]惶惶可，毛共黨內四分五裂，人心惶惶。毛林集團頓失客觀形勢，不但他們這已騎上虎背，就如此收手的可能，而實在是明知其險也要走上去。於是毛林集團路，覺醒的時候已是「莫可奈何花落去」，可能追悔也來不及了。（何如）

人類社會於大同。

自由談

哀澳門七義士

澳門葡萄牙政府，把七名以非法持有武器判處徒刑的中國反共人士，非法交給毛共，解回大陸去了。中華民國朝野各界忿然斥責澳門當局不顧公法與人道，主張一面向葡邦嚴重抗議，同時控訴於聯合國。然而，這都是無濟於事的義憤之聲罷了，那七位愛國志士的命運，不言而喻矣，悲夫！

葡萄牙政府的屈辱行爲，早在意料中，從澳門拒却友邦中華民國繼續派遣外交專員之日起，我們就應該知所警惕了。至於聯合國那所強權主義國家的宣講台，眼見着中國大陸上以億計的人民，被共黨奴役屠殺亦無動於衷，還口口聲聲要歡迎毛共政權進入聯合國，它對於七個中國反共人士之被解回大陸，會接受我們的正義要求，而敢譴責毛共的暴行嗎？決不會的！

當那七位反共義士逃到澳門被拘囚後，假使我們亦像重視海外一些迷途知返的親共人士和影星、藝人那樣，設法營救他們到台灣來，或許不致陷於今日的下場。可是，咱們沒有這樣做，現在對他們表示關心，亦感到噬臍莫及了。這七位義士是從毛共區域携帶武器，駕着小艇投奔到澳門的，論份量與利害關係，都較那般電影明星、戲劇藝人、乃至於一個親共而又反共的海外僑民，更爲重要。然，每見台灣對於後者格外珍惜，優遇有加，實屬令人感慨萬千，難以索解。還有些曾經在海外幹過親共媚共的勾當，看看苗頭不對，搖身一變，又以「僑領」或「僑商」名義，表示歸國投資，到台灣走走，亦博得另眼看待，如獲珍寶，不惜予以資助，而這些二三其德的人物，卽變成時代寵兒，風雲際會，名利兼收。實則他們對於反共救國的實際貢獻，還不及一個在海外作苦工過活，而始終沒沒無聞的普通老百姓呵！

由於澳門七義士之慘遭犧牲，政府今後對於團結海外反共力量的策略與作風，應該切實檢討，大加改進，必須實事求是，分別輕重，妥爲應付，再不能讓投機份子的技倆得售，而使眞正愛國的人士喪氣灰心。該爭取的，雖乞丐亦不例外，該援助的，隨時有所考查，預定計畫，事權要統一，人員要精幹，輕表面做作，而重實際績效。庶幾貞下起元，萬衆歸心，團結精神自然普遍凝固，而七義士之覆轍可免重蹈了。

馮王先生

動員戡亂機構即將成立
政治上有劃時代的新猷展佈

（本報台北通信）陽曆民國五十五年快結束了。每年這時候，台灣的政治界特別忙碌緊張一番，黨政各機關要進行工作總檢討，要從事成績總考核，要釐訂獎懲方案。今年的政治季候，除此以外，還有一項新的氣象出現，對反共復國前途，將寫下歷史的新頁，關係甚大。

據聞執政黨定於本月廿六日舉行四中全會，主要議案是討論明年成立動員戡亂機構問題。這原是國民代表大會早已通過的授權案，即總統在國家發生緊急情況時，根據這項授權，成立動員戡亂機構，對國計民生的重大事項，執行緊急處分，不受憲法條文的限制。目前大陸上「紅衛兵」之亂甚烈，毛共荼毒人民更趨殘酷，而共匪內部的權力鬥爭日益劇化，這正是中華民國弔民伐罪、戡亂救國的大好時機，因而執政黨乃有此適應現實需要的準備，先把動員戡亂機構成立起來，一面刷新政治，集中力量，一面相度機宜，及時反攻。新機構將於來年一二月內成立，原有的「最高國防會議」當然合併，名稱為「動員戡亂委員會」，委員人選不外是黨政軍各方面的重要人員，如最近回國宣講孔子學說的陳立夫，亦可能羅致在內。

新機構成立後，對於刷新政治將有兩項措施：一是改組行政部門，現任的部長級官員有些變動，如財經和司法行政部改組的傳說即甚盛，台灣省主席亦將另換新人，外間紛傳警備總司令陳大慶將接掌台省政務。一是調整中央級民意機構，蓋現任國大代表與立監委員，任期已近廿年，未能及時改選，由於大陸淪陷，人數逐年凋零，如不參加新血輪，前途實在可慮。問題在除舊佈新的方法很困難，有主張全部改選的，也有主張局部改選的，除台省正式普選外，二者皆以旅居台灣的各省同鄉會為選舉區，但又有問題發生，有些省籍在台灣的人數很少，改去都是那幾個人，若按照憲法上規定名額，他們全體當選還不夠呢！因此，有人主張在過渡期間，中央級民意代表不妨採取緊急處分，由中樞就各省旅居台灣和海外非共區域的人士中遴派之，任期三年，屆滿，如政府尚未回到大陸，再行遴派，至於各個民意代表的職權，一仍舊貫，以示與過去的國民參政會有別。這問題確實不易解決，不知當局究竟作何打算？

立監委員涉嫌黃豆走私案件，已經庭訊兩次了，由於主要被告周烈矢全部翻供之故，詰論庭訊遙遙無期，宣判自然談不到。但以同樣罪嫌受訊的立監委員，有的安然在家，第二次庭訊時拘押在獄，有的要求保釋，未得允許，在家的安然逍遙法外，遺給社會大衆的印象很壞，認為法律之前，人人不平等。據馬路消息傳聞，這案件如何結局，要等動員戡亂機構成立後纔可以見分曉，其然，豈其然乎？（十二月廿日大元於台北）

台中縣民廖月雀
檢舉縣府鎮公所

（本報記者台中訊）台中縣市民廖月雀，檢舉台中縣政府及東勢鎮公所有關建設人員，於民國四十九年，開闢東勢鎮火車站前中山路時，都市計劃中有擅自更改路線及偏護廖氏宗祠之嫌。廖月雀住東勢鎮豐勢路一八六號。他向台中縣議會提出陳情書，請求縣議會成立專案小組派員實地調查該一舞弊案的陳情真相。據廖月雀的陳情書中指出四點理由及證據，其內容如左：

（一）四十九年東勢鎮公所為興建中山路道路，有關居民依限期拆除房屋。經查鎮公所原呈報內政部都市計劃圖，與實際開闢都市計劃圖顯有不符。按原呈報內政部都市計劃圖開闢，則距離民原住房屋有七公尺之遠，儘可不必拆除，為何東勢鎮公所偏要變更圖樣，將民房拆除，使民慘遭莫大損失，害得民財散人亡。鎮公所未奉核准，竟擅自變更都市計劃圖樣，而不顧民困，其中似有官民勾結之嫌。

（二）四十九年開闢火車站前中山路所徵用土地及房屋，大部份係東勢鎮豐勢路廖氏祭祀公業產地，約有百年之歷史。據查東勢火車站前中山路之開闢，並非政府飭辦，而係由祭祀公業管理人廖阿甲主動申請開闢，由於管理人廖阿甲經營廖氏宗祠產業三十餘年，致藉開闢道路勾結不法官員中飽私囊，侵佔廖氏宗祠產業。

（三）房屋被拆除後，應領之補償費款，鎮公所一再藉故拖延，稱該款未領到。當台中縣政府第一次撥款式拾萬元，前東勢鎮公所給付廖氏祭祀公嘗，但管理人廖阿甲民國五十一年公嘗收支明細表內，只列由鎮公所補償費拾七萬伍千元，鎮長則在該款內利用職權，拉借二萬五千元，而該款並非管理人廖阿甲私人名義借出，而係廖氏宗祠嘗業所借。被拆除房屋之居民補償費款，反而不能領到，鎮長則能向民衆之公嘗借款，迄今五年仍未見歸還，似有「有借無還」之情況。經管理人廖阿甲已向親族說出，收領由東勢鎮公所第二次補償費款時，課長廖世淵當時致送一萬五千元予鎮長，另致送四萬元予鎮長葉錦詞，被廖氏親族人發覺後，現葉鎮長為逃避刑責，補寫借據為證。身為一鎮之長，利用職權，私相授受，與廖阿甲串通，似有官民串通勾結矇混政府之嫌。

台灣工業基本條件好
港僑胞紛往投資設廠

（本報訊）近數月來香港工業品出口市場已受到台灣產品以較低價格戰勝，例如去年十月間，印尼的棉花託紡棉紗與託織棉布，已為台灣奪去，最近泰國政府標購三千六百八十五噸圓鐵條，又被台灣方面以較低價格中標。

最近泰國政府分批標購圓鐵條，是國內的公共工程所用，香港、日本、台灣都有參加投標。日本方面因為交貨太遲，並且價格高昂，香港廠家早已料到最大的競爭對手是台灣；果然這三千六百八十五噸圓鐵條開標的結果，被台灣以較低價格中標。十二月底繼續有兩批標購，其一批是四千五百噸，另一批是二千四百噸，香港的廠家雖然希望爭回這兩批，但能否爭回？廠家亦認為沒有把握。

近年香港圓鐵條出口，以泰國為第一位市場。過去與香港圓鐵條在泰國市場的最大競爭對手是日本，因為日本的鋼鐵廠規模大，產量多，大花式圓鐵條香港產品價格不及日本產品格價低廉，香港的廠家一向避重就輕，側重把細花式圓鐵條供應泰國，例如3MM至6MM的細花式圓鐵條，都是輸往泰國的熱門貨。去年下半年日本圓鐵條大量供應印尼與南越，對於泰國市場暫難兼顧，香港的廠家正在認為有機會把大花式圓鐵條供應泰國，誰料台灣圓鐵條以異軍突起的新姿態，參加泰國政府的招標，竟壓倒香港，這可說是香港廠家始料所不及。

據香港工業界指出：今後台灣工業品將逐漸加強出口的競爭力量，因為台灣的工業有三個基本條件勝過香港：其一是台灣工資低廉，工人的質素亦好，工資的平均率祇及香港百分之七十左右，工人的服務精神亦比香港為佳，沒有香港的工人流動那麼大。其二是台灣的水電費用及廠房租值都比香港低廉，台灣的工業品生產成本自然比香港為低，有利於出口競爭。其三是台灣工業出品，有政府的力量作後盾，自由國家的市場，經常調查清楚以及有密切聯絡，如果是自由國家招標輸入的物資，台灣的廠家可以集體參加，得標後分配生產。另一部份工業品出口，台灣當局亦有輔助辦法，就是在本土售價可以提高一些，減低出口價競爭外國市場。

由於台灣的工業條件比香港良好，雖然台灣的銀行利息比香港高，但在台灣投資發展新的工業，比較在香港投資化算，因此去年香港繼續有甚多人士向台灣投資，計有紡織廠，製衣廠，塑膠廠，電器廠等。最近有人計劃向台灣投資設立鋼鐵廠，原因是鋼鐵為一項重工業，近年香港的房屋建築發展已經轉慢，台灣的建設正在積極推進，在台灣設立鋼鐵廠不但生產方面容易安排，產品的銷路亦容易解決。現在高雄工業區已日益擴展，今後將逐漸吸引香港工業界前往投資設廠。但香港工業是否會受到打擊呢？我們認為是不會的，因為香港工業仍有適應國際市場的潛在力量，台灣工業品今後雖然逐漸加強在自由國家市場競爭，但不會擊敗香港工業，是可以斷言的。

元旦談反攻大陸
張知本分析世局

克恕

自從民國三十八年大陸為毛共侵陷，中央政府播遷來台，至今已滿十七年了。在此十七年之中，大家無日不希望政府能早日揮軍反攻大陸，摧毀毛共偽政權，解救大陸同胞。但反攻大陸，是國家民族的頭等大事，如非內外形勢對我有利，當然不能輕舉妄動。

黨國元老張知本先生最近對記者說：反攻大陸，有許多條件必須具備：第一、我們的戰力必須強大；第二、毛共內部必須四分五裂，衆叛親離；第三、我們反攻大陸時，蘇俄不致介入；第四、美國朝野對我們在精神和物質上予以有效的支持。他的思考精密，見解獨到，特報導如下。他說：

第一個條件，我們業已具備。軍事上的準備，本來是永無止境的，但經過十七年的生聚教訓，我們的三軍戰力已達巔峯狀態。只要反攻命令下達，我們的三軍將士，必然人人奮勇，個個爭先。

第二個條件，目前最為成熟，也可說是十七年來最好的反攻時機。因為共產黨的極權統治，一向是依靠鬥爭清算來維持。自大陸淪陷以後，前有高崗、饒漱石的被整肅，後有彭德懷、黃克誠的被鬥，最近「紅衛兵」在大陸搞得烏烟瘴氣，使毛澤東十七年來的極權統治面臨崩潰的邊緣。而今反毛親俄的彭眞等，雖然已被毛澤東和林彪整垮，而紅衛兵的胡鬧也正方興未艾，上海、廣州、武漢等大城市每天都有成千成百的人被迫自殺，毛酋排除異己已到瘋狂程度。但壓迫越厲害，反抗的力量也越大，這是自然之理。據張先生推測，大陸上驚天動地的抗暴事件，可能正在醞釀之中。這情形和辛亥武昌首義前夕相較，頗有相似之處，這雖然已是五十五年前的事，但歷史猶新，可資印證。當辛亥年三月二十九日廣州七十二烈士英勇犧牲之後，清廷官吏在各地捕殺革命黨人如瘋如狂，那種情形和今天毛共「紅衛兵」在大陸清除「反革命份子」，其毒辣殘忍的氣氛，與五十五年後的今天如出一轍。辛亥年十月十日武昌首義，是清廷高壓政策逼出來的結果，今天的毛共對反共人民的壓迫，較滿清政府還兇惡萬倍。當那些受迫害的人民一齊起而行動時，就會像火山爆發一樣，任何專制奴役的力量都無法制止的。何況我們有六十萬英勇的三軍現正枕戈待旦，五十五年前的革命志士有此種優勢，尚且能夠推翻滿清政府，難道內外形勢都日趨對我們有利的今日，不能一舉而推翻共產政權嗎？

第三個條件是世人最關心的問題，我們不妨客觀的加以分析，中共於民國三十八年之所以能竊據大陸，完全是由於蘇俄的卵翼和全力援助所致，可說是吳三桂引清兵入關歷史的翻版。但毛酋澤東到羽毛逐漸豐滿時，竟與俄共爭取國際共產運動領導權，於是俄共與中共之間發生了糾纏不清的理論鬥爭。經過古巴飛彈危機，毛印衝突，印巴戰爭停火及毛俄邊境情形日趨緊張後，毛俄的衝突，已從黨的範圍擴展至政治與外交的範圍，尤其是「紅衛兵」橫行大陸以後，中共反俄情緒之激昂不亞於反美。近日蘇俄報紙雜誌對中共已展開猛烈的反擊，雙方的關係，已到全面決裂的程度。自中共舉行核子試爆以後，蘇俄對毛共的猜忌更日深一日，俄人將不會在軍事上援助毛共。因此，我們反攻大陸的第三個條件，目前也已具備。

剩下來的就是第四個條件了。我們要知道美國是一個貨眞價實的民主國家，她的對外政策必須得到人民的支持。詹森總統出兵越南及轟炸北越的政策雖極堅定，但從開始執行到今天，不知遭受到多少的阻撓和批評。美國三軍首長明知目前摧毀中共的核子工廠，較十年後輕易萬倍；可是不願打仗的美國人民表示反對，那些將軍們還是不敢動手。不過大陸上如果發生了大規模的反共抗暴行動，美國政府的政策和人民的態度就會馬上改變。到那時，美國不僅不會阻止我們反攻，而且還會在精神和物質上給我們最有效的支援。因此，我們的反攻大陸，可謂一切具備，只欠東風。

張先生又說：毛酋曾經對一個外國記者坦白承認他當初最大的錯誤，是不應該改變中華民國的國號，足見大陸人民一致懷念在台灣的中華民國政府，連毛酋也不能不承認。如今「紅衛兵」將大陸上一切固有的文物及善良風俗習慣全加摧毀，可說是毛共的錯上加錯，如此，更使大陸人民嚮往台灣。到今天，我們可以斷言，在精神上，國父孫中山先生手創的三民主義已經戰勝了共產主義。「紅衛兵」之所以狂叫濫喊「毛澤東思想」，就是由於大陸人民都視共產主義和「毛澤東思想」為瘟神，故毛澤東和林彪不得不以年幼無知的紅小鬼作工具來排除異己，鎮壓人民，作垂死前的最後掙扎。我們可以斷言，毛澤東將來的下場，會比希特勒和墨索里尼更慘。聖經上說：上帝在毀滅一個人之前，必先叫他發瘋。毛澤東今天所作所為和基督教的預言完全吻合。在今年的元旦日來看國家民族的前途，我認為比過去更加光明，其故在此。

瀛海異趣談

李察波頓所選世界美人

·桑雅·

審美的眼光，各有不同，這固然是事實。不過，選美會舉行之時，一定要聘請審美專家，也是有其理由的。因爲專家自有其道理也。究竟目前的世界上，最美麗的女人是那幾位呢？這裏是名演員兼製片家李察·波頓的選擇。此人目前是依莉莎伯泰萊的丈夫。

在他發表他的選擇以前，他聲明說：很多人在選美上，只注意女性的玉腿、酥胸、媚眼和面型，這只是自然之美而已。他卻兼及女性的內在美。不過，選美卻是一件很困難的工作。以下是他所選出的美人，以及他對她們的評價。

首先，他選中蘇菲亞羅蘭：「她是一位永恆性的女人，一如泰萊一般，她具有一些另外的、重要的東西，這些是普通言語所難解釋表達的。她的面部、眼睛、頸部和體型當然是美麗的，可是，她最大而持續不斷的美麗是來自內在的。我相信，儘管她的年齡變得很大，很老，她仍然是美的。」

其次，是瑪蘭·廸特莉克：「她是一位充滿神話的女性，我崇拜她。我以爲她是我所見到的女人中之最美麗的一位。對我來說，她好像是剛從墳墓中升起的死屍，但她有一副美麗的骨骼。」

再次是英女王伊利沙伯二世：「她具有罕見的使人愛慕之點。同時，她本身就像似充滿着聖潔與權威一般。」

再次是瑪嘉烈·萊頓：「高貴、宏偉是她美麗的特點，但，我最愛她的眼睛，眸子裏充滿了願望和希冀。她的唇舌，可說是最使人着魔；她的服裝又是特別講究。如果把美麗解釋成一種貪慾的話，恐怕瑪嘉烈是首選的。」

再次是袁廸絲·伊娃：「我曾經在電影的拍攝工作裏和她在一起。她總是以扮年老的婦人爲她的角色。也許是她的演技關係，她把個七十多歲的老太婆演得可愛極了。當然，她本身也是美麗的。縱使不加化粧，她也有着動人的態度。」

再次是朱莉·安德絲：「不了解朱莉的人，以爲她是害羞和難以交往的。我知道她很清楚。表面上她是內向和怕羞的，事實上則不然，她是一位很倔強、粗野和職業性的女子。同時她又是很使人愛戴的。最使人印象深的是，她有一個好似男孩子的身體，對性慾方面異常的強烈。」

再次是瑪莉夢莲露：「她是一朵奇異的鮮花，可怕萎謝的太早了，致使我們無法再見到她。她的美麗，絕對不是一般人對她所加上的形容詞，而是在於她性格的單一以及在交往上的禮節，異乎普通的人們。另外，她更具有別人沒有的特點，就是，她總是說些言辭，但這些言辭在事後回想時，沒有人能夠知道她的眞正意義何在。」

再次是芭爾布拉·史莉撒：「我喜歡她的鼻子，由於這鼻子更顯出她獨特的個性來。她是一位極端天然和無所顧慮的人。她總沒有什麼矜持和故作玄虛。」

再次是茜莉亞·詹姆絲：「我叫她姐姐。雖然我已經有四位姐姐了，但是，她可算是最美麗的。她是在我兩歲之時，就撫育我一直到大的人。在我的眼中，她最可愛。所有見過她的人，都以爲她是有無限的美。」

再次是積姬蓮：「我不知道她什麼，也從未見過她的面，但是從報章雜誌上所見到她的玉照和對她的形容，我知道她是勇敢的，所以也是美麗的。在我沒有想她是美麗以前，我知道她是恩愛的。她對她的地位很堪當，更增加了她的美麗。她的美麗是孕育在偉大之中。」

最後是依莉莎伯泰萊：「我想泰萊是一個不平凡和惹人注目的象徵。她的美麗如果以普通的標準來看，無論在英倫或是在美國的好萊塢，恐怕還是無敵的。就英國人來說，她是古典的；但就猶太人來說，她是熱誠忠實的；但就普通的我們來說，她是性感的。雖然如此，[illegible]接觸很多的美麗性感的可人兒，[illegible]有一位有泰萊的吸引能力。同時，[illegible]的身裁美麗的女人們[illegible]，很少能[illegible]美喜悅的，可是泰萊對自己總不關心。[illegible]她的頭髮開始變灰白，但她卻處之泰然，而我卻不能。她是美麗的，或許她是有低陷的雙頰，或許是她的那雙玉腿太短，也或許因此她便成了我的太太。」

任博悟畫展觀後

·楊洧藻·

學有所本，藝有所宗。壓來繪畫，無分中外，皆各有其流源，雖派別分岐，品類雜陳，然萬變不離其宗。其宗爲何？曰，畫匠畫，畫家畫，文人畫者也。蓋三者爲一切繪畫之最大範疇，任何繪畫均不能超越其範圍之外，故三者可以涵蓋一切繪畫藝術，三者亦可以分別各品上下。

畫匠畫最普及，我國民間尤爲愛好，如廟宇中之神像、觀士音、壁畫，家庭中之門神、觀士音、八仙等。此類作品有工夫而缺氣，強調色彩，重肉眼視覺的美觀，缺心靈上之美感，淺而不深，投合大衆視覺，爲大衆所愛好，也可謂之爲平民藝術。

畫家畫，世稱院派畫，亦即學院派之謂也。世傳宮庭及仕宦之間，講究系統，有嚴格的理論根據，重佈局及情感的表達與個性的發揮，美感勝於美觀，亦可謂之爲貴族藝術。

文人畫，舊時多出之於山野不羣之士，如徐文長、八大、石濤等人之作品皆然，富自由主義的思想及反傳統的思想。其作品往往狂怪，故不易爲一般人所能欣賞。此種繪畫講究「造詣」與「境界」，所須內涵條件，自必比前兩種爲多。在一個各有藝術官能訓練者的態度看，文人畫較無前述兩種繪畫之煩躁，富有性靈美，從精神享受上，當比前兩種爲高。（上）

英國鄉村獵人之患

子夜

槍手，駕車的不法之徒，及攔途截刦的流氓，都不再是大城市的專有品，他們現已爲英國鄉村的新禍害。那些使快槍的不法之徒，相等於舊時代的盜獵者。

現在，英國的武裝非法侵入新法案，對這等不法之徒已決予以嚴懲，刑罰包括罰巨欵和把槍戒及汽車充公。

不過，鄉村的私人土地，不准狩獵區，農場和瀕海的沼澤地帶，依然是週末盜獵者的狩獵場，他們多是自倫敦驅車前往作樂。

舊日的英國盜獵者是爲生活所迫而侵入別人的土地，但今日的那些人，並非爲生活艱難，也不是爲了裹腹，他們很少人把獵獲物送上市塲售賣。他們有能力購買售價一百英鎊起碼的昂貴獵槍，至於五英鎊的罰欵，更不算得一回事。

有些現代盜獵幫很有組織的。有一個來自愛昔克郡勞頓市的盜獵幫，擁有吉普車、大房車，並在行獵時派專人駕駛電單車把風。當農人或警察出現的時候，這個把風的人便猛按車號，那些通常於星期日晨在他人的農場上結隊盜獵者，聽到車號時便迅速竄入汽車中，絕塵而去。

其他來自倫敦的盜獵幫，包括有蘇河區的外籍侍役和與餐廳侍應，大部份是希臘裔塞浦路斯島人和義大利人。他們的射獵對象是一切飛禽走獸，由雉鷄、鵓鴣、野鴨、野兎、以及山鳥和雁等。

一個管理利物浦郊外廣大田地的人說：「我們的看守人所捕獲的非海侵入者，有許多被發現是無牌駕駛和沒有繳付車牌費的，這些罪行的罰欵，起碼是五十英鎊。自從武裝非法侵入法案通過之後，盜獵罪名的罰欵，較過去高了許多。

英國東岸的華斯沼澤地帶，充滿了來自中部的週末駕車盜獵者，他們的盜獵情形達到驚人程度，因此，當地的野禽保護會不得不向當地的農人租借數哩長的沼澤和泥濘區，並組成看守隊來巡邏。

愛昔克是情形最惡劣的地區，來自倫敦東區、夏勞新區、韋爾林花園鎮、隆福，和特咸史杜和蘇河區的盜獵者，都在那裏橫行。

在愛昔克擁有二千畝耕地的農人說：「霧中在農地上行走是很危險的，因爲時常槍彈亂飛。」

該郡的一個私人農場管理員克拉克，曾經追逐兩個携械在那農場內射獵的青年，其中一個青年，竟然向他開槍。

當盜獵者在射獵的時候，漁人亦要退避三舍，因爲他們是盲目開槍的。英國東岸瀕海地區的漁人里維特，曾質問一個正在射獵的青年，究竟他在射什麼東西？那人答道：「任何會飛的東西。假如我看見一隻知更鳥的話，我也會射擊牠的。」

在羅斯和克羅馬提的巴納哥尼傑田園上的馴鹿盜獵者，他們的組織有如軍隊。這些人使用高速的汽車、強力的探照燈和連發步槍。鑑於這樣，該田園的管理人亦組織一支私人軍隊來抗衡，由獵場看守人、大學生以及其他志願軍所組成，而由一個退休的蘇格蘭場警探担任指揮。

他們利用警犬，佈置訊號火箭，和把釘板放在各通路，以及運用其他強硬的戰術來對抗盜獵者。他們進行得很成功，故盜獵馴鹿情事實際上已絕跡。

本報啓事

爲配合開國紀念，原定昨日出版之本報本期，延遲於今日出版。至於下期，仍依原定於元月四日出版。此啓。

新三國

周銘謙著

金根車駕六馬，設五時副車，五時副車。爲金根車之副，按紅黃藍白黑五色，故名五時副車。這些派頭，完全與皇帝的排場一個樣子。按照漢制，藩國是不得如此的。曹操之用心完全是緊緊控制一個政權，獨裁專政更不用說，一切舉措都爲他的兒子鋪篡位之路，後來的司馬昭就是學他的一套。

建安二十三年春正月，許昌城中發生一次政變。主謀的人物是漢獻帝太醫令吉平，另外還有少府耿紀、司直韋晃等人。他們的計劃是想先殺了曹操的秘書長（丞相府長史）王必，佔領許昌，然後用漢獻帝的名義號召諸侯，向洛陽和鄴縣進兵聲討曹操。開始進攻王必營，用火燒王必的府邸。可惜計劃不週密，沒有成功，事實上也成不了功。在許昌鄴縣洛陽地方，誰不是曹操的人？以一個太醫令，又無外援，眞是自己找死了。因吉平政變而株連坐斬的人很多。把吉平等人討平的是中郎將嚴匡。

在南陽有一位武官名叫侯音，他藉口反對徵兵，煽動百姓，把南陽太守東里褒抓了起來。然後關上城門，造了一個謠言，說關羽就要帶兵到來，與他合作，共同誅殺曹操。可惜關羽不知道，也來不了。來的却是曹操的姪子曹仁。侯音失敗被殺，他是一個冒失鬼。由此可見，想誅曹操的人不少，不過只是沒有腦筋和兵權的人。

劉備自從得了益州，打敗張郃，平分了荊州，聲勢浩大。建安二十三年三月，劉備率領了張飛、馬超、和吳蘭從四川西北部，越過川邊的大山，到甘肅南部武都一帶，在祁山附近駐紮。曹操東顧孫權，西怕劉備，首尾難已兼顧。據報張飛、馬超二員猛將帶兵到了甘肅，趕快派了另一個姪兒曹洪抵擋。劉備自己帶了人馬，以及謀士法正、和大將黃忠、趙雲、魏延等人，從四川正北方，經廣元、甯羌的大路來打漢中，一舉而佔了陽平關，曹操急忙派了夏侯淵、張郃二將嚴密佈防。

陽平關的東南就是漢中。（南鄭）劉備率了大軍由陽平渡過沔水，由東南向沿山路繞到南鄭對面，中途和夏侯淵、張郃二將的人馬遭遇，地點就在離沔縣不遠的定軍山，兩軍大戰一場。開始是張郃的部隊受到打擊，夏侯淵帶了自己的兵親自來增援，夏侯淵想先爭佔定軍山的地勢，劉備命黃忠乘高噪而攻之，由山上直往下衝殺，下面夏侯淵猛往上搶攻佔山頭，豈料被黃忠的人馬往下衝殺居高臨下，把夏侯淵的人馬殺的如高山滾鼓而下，黃忠大喝一聲，將一代名將夏侯淵斬落馬下。另外一個曹操派的益州刺史趙顒也被殺死。其精彩痛快的情形，眞可與關羽斬顏良比美，而其戰果更不用說，是劉備最欣賞的一大功勞。曹操聽說夏侯淵陣亡大驚，只好親自率軍來救漢中。建安二十四年，兵到長安，越秦嶺來救漢中，被劉備阻在陽平關。攻了很久，打不下陽平，只好退兵。這是曹操自赤壁之戰以來的又一次吃敗仗。

六一、劉玄德表晉漢中王　關雲長聲威震華夏

曹操攻不下劉的陽平，死者甚多，曠日持久更不可能。只好退兵，張郃也隨曹操回去。劉備遂佔領了漢中。又派了劉封、孟達、李平三將，攻打上庸的申耽，佔領上庸。

（九十五）

薛家將集錦（續）

所珍貴的是下接獨木關，薛禮嘆月，搶挑安殿寶，播出黃派武生李吉瑞唱，在月下驚碎了英雄虎胆的四句，姜薇特別解釋這虎字，與後面的我與那尉遲帥無仇無根的根字，皆活現英雄落魄與在病的情景，聽之若眞，誠是名貴極了，以後無人能唱得如此！後面接播露蘭春所唱，詞句較多，但蒼涼勁頭不夠，可是學得很像，擺在現今，已是鳳毛麟角，心中痛快以此段爲最。

汾河灣上，迎春是硯秋一人到底，老生的前場爲言菊朋，後場閙窯是王少樓。硯秋唱腔不多，出場的兒的父一段，每句均有好腔，是一縷遊絲飄忽不定。尤其那句莫等那紅日落兒要及早歸程，一吐一吞，韻味盎然。菊朋的家住絳州一大段，爲盛年出品，既飽滿，又醇厚，不朽之作。寫到此間，偶憶民七海長劉冠雄家堂會，大軸爲老譚石頭的武家坡，而菊朋在中間倒數第六唱汾河灣，由名票章曉珊演迎春，一苦摹譚，一力學瑤卿，成爲佳話。

國劇繽紛續錄

娑婆生（一三八）

王少樓唱腔不差，雖不及言，但大體很好。記得民廿四，硯秋到漢口，在新市場演出，看了柳迎春與金鎖記，即偕少樓同來，此行頗愜意北返，故閙窯精采已見及，今日聽播恍憶舊景。此戲爲自民九在什錦花園關冕鈞家堂會，看叔岩與蘭芳演過之第二次，程王似稍遜之。

次爲舉鼎觀畫，我在民五赴故都，曾聽劉鴻聲唱過三次，當時覺得好聽；但是後來看到無人再演，始知其不易。在春陽友會見名票陳遠亭演過，韻味各異，不如劉之響朗也。此次所播爲曹曾禧、陳金勝、于金驊合唱，在台灣來說，已是不錯，可是與名家相比，那是最弱的一折。曾禧學余很有功夫，但此戲不是拿手，而且詞句很多改動，如是敬一所授，未必如此！

末尾爲徐策跑城，是香港麒派名票袁仁觀所唱，他在九年前來台，於信義路國際學舍演出，後面是于素秋演大翠屏山，盛況空前，擠擁不堪。袁君不負衆望，唱得異常動聽，其低音並不過於下壓，因此低腔更能聳耳，論其唱句恐比周麟崑還逼眞，是年歲有關係，周君較爲老邁，晉乾爲麒氏晚年（不是現在）味兒。尤其郭曉農操琴，自聽過袁氏所唱，覺得尚無勝之，其美妙可以入選。人事滄桑，不堪回憶。又記得民八九年在故都，其時小冬猶未宗余，某一星期日在開明貼徐策跑城，由名琴師孫佐臣（老元）操琴，那幾段高撥子，如今想來，有如人間天上矣。

創進日新

賀新年、並談文化復興之道

梁兆康

今天是中華民國開國紀念日。國父中山先生倡導革命，推翻專制，創建三民主義的新中國，這一個新紀元，不祇打破了中國幾千年的專制政體，也爲亞洲建立了第一個民主共和國。所以今天，我們的慶祝，其意義，不限於一國一家而已，亦不祇爲亞洲民族創立了一個遠大的規模而已，且更爲人類思想融會而貫通之，引導出了一個三民主義的新世紀。早在民國紀元前十五年，國父手撰「自傳」，就說自己「早歲志窺遠大，性慕新奇」。遠大新奇四個字，充分表現　國父的懷抱與創造。簡而言之，亦不外一個大字，一個新字。大表示全體性，新表示適用性，此全體適用的思想與制度，見於融會貫通，創進日新之中。融貫故能大，創進故日新。今天是新年，談談創進日新；自然，談創進日新也是不能離開融會貫通的。

表面看來，歲序更新，周而復始，是循環的日新。但我們必須看深一層，於循環中認識創造的進化。那就是盤旋而上進之理。若果以地球繞日，一周一年，春夏秋冬、祇是歲時的更迭，日日日過日，年年又年、了無新義，這便錯誤了。宇宙從無始以來，就在不斷的創造進化中，並不是循環不已的依樣畫葫蘆。在物質世界之上，有生命世界的新創，在生命世界之中，有心靈世界的新創。緜緜不絕的進化裏面，在上述三大層面的創新中間，也包涵着無數的一點一滴的創造。沒有創造，不足以言進化。所以我們要在循環不已中看出創進日新。

盤旋上進的創造進化中，有因，有革。適用者因之，不適用者革之，務求全體的適用。由之，可以進而說明文化上傳統、適應與創新的涵義。人類歷史文化的發展，具有相當的規律，有傳統，能適應，常創新。故此民族文化亦不是一成不變的。至於那些要推翻傳統，斬斷外緣，而企圖立新者，非愚則妄。我們要針愚闢妄，所以有中華文化復興運動的勃興。我們是要在民族精神中，培養根脈，向世界吸雨露，使舊幹發新芽。

我們不能否認傳統的存在。文化模式之表現於民族傳統者，又常結晶於哲學思想之中。哲學思想觸發於人生境遇，主觀心靈與客觀環境的差異，往往構成不同的思想系統，而民族性充分被表現出來。法國民族常在尋求一條簡明之理，以應付紛繁的局面，他們把理性與由理性所成的數學系統，放在至高無上的地位，從此可以看出他們的明白清晰，豐富智慧。德國人具有蒼鬱剛毅的性格，屹立蒼穹，胸懷遠大，而又整齊嚴肅，意志堅强，故此他們體大思精的哲學系統，表現着超越、幽深、嚴謹、而又充滿了悲劇性。英國人注重經驗，當歐陸各國正竭盡心思求證絕對眞理的時候，他們仍然冷眼分析，在經驗上證明眞實，由是他們富於批評能力，實證精神，政治頭腦。美國自獨立以來，地利開闢，生命就是活動，因而形成實用主義的系統，覺得行爲至上，理論如缺乏實際滿意的效果，便非眞理，於是他們講究效率，謀求實際上造福於人類社會。（上）

民國五六年元旦書懷

（一）迎新運

中興大業史無前。聚訓於今近廿年。國運正同朝日上。民心爭盼歌凱旋。拚教矢死將甌補。決不偷生作瓦全。佇聽一聲清角響。橫空鐵翼戾飛鳶。

（二）頌領袖

推行土改慶成功。人定偏能奪化工。積粟家家稱足食。層樓處處欲摩空。威名遠播揚中外。德澤宏施惠啞聾。四任蟬聯孚衆望。復興領導仗明公。

—郭湯盛—

琉球紀行

張希哲

宮城先生青年時在農林學校應用化學科畢業，做過幾任糖廠廠長，戰後也担任過民政府工務部副部長。爲人謙和沉着。近年担任中琉協會會長，對促進中琉關係，致力頗多。

國場幸太郎先生經營的事業很多，我們曾參觀的有：冲繩電力公司、夾板廠、建築工程公司，和新近落成的保齡球場等，規模都很大。據說全琉球電力是由冲繩電力公司供應的，而他的建築公司，更是執琉球營造業的牛耳。民間的，琉球政府的，和美軍的大工程，多數由他的公司承建。他做生意很講信諾，前幾年他承攬一項美軍工程，因爲計算錯誤、虧損一百多萬美元，他還是咬緊牙關，依約完成。

國場幸太郎社長六十多歲，但身材壯碩，精神健旺，看起來比實際年齡爲輕。他於十八日中午在東急「冲繩料亭」歘宴我們，除介紹有關事業單位主持人和我們見面之外，他的夫人，兄弟，和子侄等多人亦在場招待。他的弟弟國場幸昌協助他經營事業，在政治上亦漸露頭角，現任立法院議員，並兼任執政黨（民主黨）組織副委員長。國場幸太郎一家對於中國的感情很眞摯，我在他的辦公室中看到懸掛着他晉見蔣總統的照片和陳故副總統送給他的照片。夫婦兩人並於五月十八日飛來台北祝賀我國第四任總統副總統就職。

具志堅宗精社長原習警政，曾任警官及地方行政官多年，退休後經營實業。初期製醬醬油、味精，近年以啤酒爲大宗。據他自己報告，目前琉球的啤酒市場，他公司的出品約佔百分之九十。現正計劃擴充工廠設備，大量增產，因而盼望找外銷市場。我國爲使中琉貿易差額不致懸殊過大，已決定向他購買一批啤酒，但他希望能再增加。

具志堅先生現兼任冲繩工業連合會會長，是一位坦率而很風趣的老人。他和有關的九大會社聯合歘宴我們時，松岡主席也在座，他當衆批評琉球政府對他的會社製造的啤酒保護不周，既未大力協助開拓外銷市場，反任外國啤酒進口，連內銷亦受影響。他陪我們參觀他的工廠時，很得意地邀我們觀賞他別墅裏的花鳥和辦公室中的裸體畫。

大城謙吉社長所領導的大扇會，旗下有大城綜合建設，琉球電映，那霸港灣運送，國際產物，那霸機場，冲繩纖維工業，大越百貨，琉球造酒，多大寶證券，大豐不動產等十個會社。我們曾參觀纖維工業會社的工廠。該社成立於一九五七年六月，現有機器設備五百多台，職工八百多人；目前尙未出產人造纖維，係購買日本原料，縫製男人及婦女小孩衣服。每月出產約四萬五千打，其中四分之三外銷，輸出地區爲美國，波多黎各，及加拿大等。（五）

白菜益處多

京仁

白菜，是我國繁殖普遍的園蔬，因土質的不同，各地出產的形態，也稍有差別。江浙各地，統稱作青菜。白菜兩個字，則是粵南人以及北方人的名稱。唐食療本菜和明本草綱目，都有白菜的紀載，而且都認爲是養生食品，吃了能通利腸胃、清熱、利大小便和防止皮膚病。據一般營養學家化驗報告，也說白菜含有維他命ABC，尤其維他命C最豐富，居蔬菜中之第一。

中國古時，大家都不懂維他命爲何物？然而百姓身體健康，就要歸功於青菜和白飯。所謂青菜，就是本篇所說的白菜。

內熱重的人，津液缺之，有唇舌乾燥，或舌部生疳，牙齦腫脹，牙縫出血，喉頭作梗等現象。在中醫說是津液不足，內火上升。在西醫則指出是缺乏維他命C所致。兩方面所說其實是一樣的。中醫治內熱火旺，用生地、麥冬、元參、西洋參一類含有維他命C的藥材，與西醫用維他命C的意義相彷彿。若干人身體缺乏維他命C，他不肯長期仰求的藥物，白菜既有這樣豐富的能力，那末即可常食菜白。廣東人平素愛將白菜煲湯，令小兒服食，這是很好而有益的清火飲料。

七百年前，我國福建商人，已用船舶載貨出洋，和阿拉伯各國通商。外國亦有船舶來華貿易，稱做「市舶」。船上伕役，中國出發的大都是福建人，外來的船上，大都是阿拉伯人；論體格，阿拉伯人體格優於華人，平常的營養也比華人爲優。不料雙方經過驚濤駭浪之後，阿拉伯人常常得病，而且死亡極多，華人卻頑健一如往時。阿拉伯船主經過詳細調查，發覺他們的船員之死，大都因爲吃不到新鮮菜蔬或菜品，致壞血症而死。華人船員每日用茶葉作飲料，用腐乳鹹白菜和白菜乾佐餐，人人皆無壞血症。乃恍然大悟。

在中國的白菜乾和茶葉實可代新鮮蔬菜，防止壞血病著，這是紀錄在日本人桑原氏的「蒲壽庚考」一書中。由此可見中國人的家常食品，像白菜乾之類，時有「防腐消毒，吸收日光紫外綫」等作用，而且維他命C豐富，可以營養防病和制止壞血病。中國有很多的舊法，往往都是含有很多高明的科學價值的！

北平拉洋車的

—工爺—

再一種拉洋車的，是常停車在東交民巷六國飯店門口兒，或者各國兵營的附近，專拉外國人。他們本身會說兩句外國話，大概屬於洋涇濱一類的，常跑的地方是東安市場，前門外的珠寶市兒，和平門外琉璃廠。收入相當可觀，穿着打扮，更乾淨了。

有一次，在王福井大街，一個外國兵，把一拉他的車伕，踢好幾皮靴子，揍兩鍋貼。有某大學生，上前解勸，問爲什麼？外國兵說：「我去協和醫院看友人之病，叫他快跑，他竟慢到一步步走起來了……」

拉洋車的說：「一坐上車，他就用中國話叫我『慢慢』！一開頭我還小跑，他又叫：慢慢！我以爲他怕顛得慌，只有一步步的走了，他却打我……」

後來這位勸解人，問外國兵，你叫他快走。中國話，怎麼說法？外國兵才恍然大悟，大笑着：「說錯了。」伸出蒲扇大手，握着拉車的手，表示歉意，當時給了一塊大洋的車錢。

東交民巷的拉車的，固然都是洋涇濱的英語，而有些外國人的中國話，也是二把刀，湊到一塊兒，就熱鬧了！

×　×　×

同是拉洋車的，在北平市拉車的，和在市外下鄉的拉車的，便不同了。在城裏拉車的，無論拉的怎麼慢，也得有點小跑，不然坐車的，要說話了。

比如從西直門到海甸，從朝陽門臉，雇車下通州。在永定門乘車去豐台，您想叫拉車的，像在城裏大馬路上那樣跑，辦不到。一則說是路不行，洋車在路邊上走，高低不十分平。二則說長途須有個長勁兒，得把氣力用勻了。（三）

內警台報字第〇三一號內銷證

自由報

THE FREE NEWS

第一七八期

中華民國僑務委員會發給僑字第三二號登記證
中華郵政台字第一二八二號執照登記為第一類新聞紙類
（每星期三、六出版）（半週刊）

每份港幣壹角
台灣每份售價新台幣貳元

社長：雷嘯岑
督印人：黃行蓋

社址：香港銅鑼灣高士威道二十號四樓
20, CAUSEWAY RD 3RD FL.
HONG KONG
TEL., 771726　電報掛號：7191

承印者：大同印務公司
地址：香港北角和富道九六號

台灣分社
台北市西寧南路壹壹零號二樓
電話：三〇三四六
台郵撥儲金戶九二五二

復興中華文化消滅共產邪說

——中華民國五十六年元旦獻詞——（上）

高信

今天是中華民國五十六年元旦，也是中華民國建國五十六年紀念日，我們自當以興奮愉快的心情，來迎接這個光輝燦爛和充滿希望的日子。回顧十七年前，政府播遷來到台灣這個寶島，可以說艱難險阻，危機四伏，但在總統的英明領導下，經過全體軍民的努力奮鬥，局面逐漸地顯露曙光，迄於今日，我自由中國在世界上業已光芒四射，反攻復國的勝利已牢牢地在握了。

（一）

首先我們試來檢視共產集團的情形，他們可以說到再衰三竭的時候了，主要的原因是人總是人，每一個人都是有人性、有理智的，他們都具有良知，共產黨徒無論如何巧妙的宣傳、如何嚴密其組織，只能欺騙世人於一時，却不能使人們的理智永遠喪失，人性永遠泯滅。而且人們看到凡是共黨魔掌伸到的地方，總是帶來混亂、貧窮和痛苦，與自由世界的繁榮安樂成為強烈的對比，西德與東德，南韓與北韓，台灣與大陸……這其間誰為自由康樂，誰為暴虐困苦，就可不問而知了。所以以仇恨心理為出發點和以物質主義為基礎的共產極權統治，必不為愛好自由的人類所長期容忍。現在世界各國，尤其是新興國家，大多數已領悟了共產黨徒的滲透顛覆陰謀，認識其猙獰面目，而愈益憎恨與唾棄。故共產世界必將由於分崩離析而承受其最後失敗的命運，無可置疑。

（二）

我們再來看毛賊在大陸這一年來的惡行，更足以證明共產暴政的必將崩潰。因為共匪自所謂「三面紅旗」徹底失敗以後，非特一般民衆已逐漸覺醒，不能再忍受下去，即是他的幹部也多痛悔當初。他們多少受過傳統中國文化的薰陶，了解中國文化是要行仁政，而毛共却行的是暴政；中國文化是以孝道為先，而毛共却教孩子們不要爸爸不要媽媽；中國文化是要「民胞物與」，而毛共却要清算鬥爭……毛共這一切的一切都是反乎中國固有文化和倫理的惡行，不可能為中國人民所接受。因為民族是一個文化體，民族和文化是凝結在一起的，是分不開的，沒有自己文化的民族，那個民族根本不能再生存下去，假使毀滅了民族的文化，就是毀滅了自己的民族。毛賊鼓吹所謂「文化大革命」，就是要消滅中國的固有文化，也就是要消滅中華民族。大陸上六億同胞，雖然在暴力的控制壓迫下，含辛茹苦，隱忍了十餘年，但是到了民族生死存亡的關頭，必然是要揭竿而起的。

共產黨徒的吳含（日旁）、鄧拓、廖抹沙等雖然都是經過共產邪說的浸染，但是在他們的心底裏仍潛存着中國文化，所以很自然的燃燒出反毛的火焰了毛賊的來，而引起驚惶失措，不過這祗是一個開始，毛賊再細心檢察下去，民衆固然有了問題，自己的「長征」伙伴有了問題，當權的人也都有了問題，第一代的黨員靠不住，第二代的團員也靠不住，祗好寄望於第三代的孫子——「紅衛兵」，因為這些黃口小兒，不識不知，自然一時是容易受他的欺騙了。但是這些小子，就能靠得住嗎？他們一樣是中國人，幹了毀滅自己民族的暴行，一旦人性覺醒，必然反戈相向，消滅毛賊。

說到「紅衛兵」的暴行，簡直是中華文化的浩劫，是中華民族的恥辱。他們何辜？給毛賊強迫利用，瘋狂破壞秩序，徹底摧毀文化，祖先祠宇固毀棄，經史子集也焚燬，國父銅像先要使我們文明古國回復到原始社會狀態，烈墓受汚辱，錢存在銀行便是罪惡，試看一看廣州紅衞兵所接的一道命令，就可知其那項「命令」是何殘暴了：「（一）一切地、富、反、壞四類分子及家屬立即滾蛋，滾出城市，回鄉進行勞動改造。（二）立即取消這些混蛋們拿取的利息、股金。在銀行的存款，一律不准取，屬人民所有。（三）凡有房產的資本家、地主、業主等王八蛋們，一律將房產交公。（四）立即取消這些狗崽們的高薪，每人每月的生活費不得超過十元。（五）這些混蛋們必須在各種證件上填寫出身階級成分。（六）混蛋窩中一切不符革命要求，一切不符合毛澤東思想的東西全部沒收，銷毀。（七）不許這羣王八蛋們買高級商品，只准買鹹菜、玉米麵之類的東西。（八）押送回鄉和混蛋的狗崽子只准帶走勞動必須品，其它錢財必須交公。此令即日生效，限期七天，違令者格殺勿論，格抄勿論。」

僑胞們，大家看了上面「紅衛兵」這一項「命令」，知道大陸同胞生活的悽慘，應該有所警覺。過去海外同胞每因不明匪幫眞相，有若干天眞的人響應所謂「建設偉大祖國」的欺騙，將辛辛苦苦賺來的錢滙回大陸去，這正是製造自的「罪惡」，而成為共匪鬥爭的對象。還有一些人，執迷不悟的為共匪搖旗吶喊，想為毛朝立點汗馬功勞，以免自己的家屬或財產遭受清算。

醜惡裝扮

無能爲力

今日與明日

毛共必然垮台

一九六六年，是不平凡的一年。不是在這一年中自由世界有什麼令人可喜的成就，而是共產陣營頂兒尖兒的毛共政權弱點總暴露的一年。不平凡之處在此，可喜之處亦在此。

咱們反共的中國人，在異鄉的，光陰並不因「封建」而拖慢，它和太平盛世一樣，像流水一樣的逝去，很快地又過了一年！

在一九六六年中，在中國大陸上，是派系火拚由擺開陣式互相廝殺，而愈發展愈劇烈，愈不可開交的一年。不僅此也，到了現階段，已由迂迴戰鬥而進入一個「決戰」的高潮。

中共的派系鬥爭，看起來不是短期間可以結束的。一九六五年底進入一九六六年初，毛林集團開始批判劉少奇手下第一個大將彭眞的「心腹」吳含（日旁），說起來吳含並沒有犯罪，他寫的「海瑞罷官」一類文章，在自由世界根本算不得一回事兒，但在極權的毛共政權內，却被視為「大逆不道」，因為他在「海瑞」一文章中，把毛酋視為「封建皇帝」，所以，他之走上悲慘的命運，並株連甚廣，是一點也不稀奇的。

由「整」吳含而牽涉到所謂「三家村反黨黑幫」，進一步而牽涉到「三家村」的後台老板——彭眞。由彭眞而影響毛共北平市委會，北平市委改組後，毛共內部的血拚揭開了序幕，進一步亦展開了本格地狗咬狗血劇，因為它對於我們中國人歡喜要求的「回家」是有利的。毛共派系鬥爭「正本劇」都是這個派系上陣的，和以劉少奇為首的「黑幫」，以毛林為首的「紅幫」，這一個時期，是非常混亂，但最近一個階段上，是很難分清楚，不但以「紅衛兵」捍衛毛主席，許多派系，就連如賀龍、陶鑄等人受到「文化部長」的攻擊，就是最好的例子。

期一律誌社論中所提到的「騎牆派」，大概就是指的這些人，是可東可西的，但不絕對傾向毛林集團，可見毛林集團所說「形勢大好」是不可靠的。毛林集團在北平以至黨內形勢不利已至明顯，但他們又出招數，正在企圖在工農羣衆中拉攏盲從份子，替他們効力，這是一個「絕招」，但可以斷言，其成功的希望甚微，而失敗的成分較大。在毛林集團所搞的工農羣衆中，特別値得注意的一點，那就是農村中的所謂地主、富農、反革命、壞份子及右派份子，都被「連根拔起」，徹底消滅之。

我們逃出大陸的朋友遺留在大陸上的家屬必在「反革命份子」的名下趕盡殺絕。在大陸上，反共的朋友們，如果你稍有氣候，那就完全錯了，因為你的親人已被完全殺光。若是你再不堅決的反共，你但不能顧小我，而成為不忠、不孝、不顧國家民族，可以管他人心的「畜牲」啊！（何如）

自由談

舍本逐末

中華民國的立法委員兼任律師者，近來因為黃豆賄賂案的關係，紛紛宣告停止執行律師業務。這是舍本逐末，不得要領的表面文章，可哂也已！

民意代表兼作律師，並不犯法，立委本非職業，律師纔是正業也。立委兼作律師之所以為世詬病，僅在一知半解的惡法「知識」，作過三年立法委員即取得當然律師資格！「掛上爛羊頭式的律師招牌，從事於政治性的律師業務，例如若干立委就是藉「律師公費」名義而收受黃豆商的金錢，除此以外，他們從未執行過眞正的律師職務。

更還有披着律師的法衣，挾持立委身份，在法庭上信口開河，恬不知羞的。至於一般具有法律學問和資格的立委，他不當選民意代表，亦可以堂堂正正的作律師，為甚末要辭去這項自由職業呢？

輿論界早已指摘舊有那種惡法之不當，然立委們漠然置之，不予修正，等到黃豆賄路案發生，有幾個兼任律師的立委牽涉於其中，這纔紛紛聲明停止執行兼職，何其眞也！我若是個名副其實的律師兼民意代表，決不隨波逐流，隨便放棄其正當職業，而要提出建議，由立法機關修正法院組織法中那條惡法。凡不合律師資格的，做一輩子立法委員亦不得濫竽律師界，庶幾涇渭攸分，薰猶有別，不致連累一般學有專長的同仁，且對輿論界有所交代，不亦宜乎！物有本末，事有終始，今乃不揣其本而齊其末，這是人治主義，絕非法治精神，吾未見其可也。

我不反對人治主義，若要實行人治，乾脆就少訂法律，莫談憲政之治。在一個英明的統治人物之下，如唐太宗、宋太祖之類，老百姓何嘗不安樂呢！最壞是法令滋彰，然大家當伊唔介事，名為法治，實係人治，因人而異其效用，治道法律而有所張弛，官民皆受其困矣，於是乎盜賊多有。立委們如果崇尚法治主義，即請善盡其職責，將現行的若干惡法，加以爬梳整理乃可！

馮二先生

正所謂「天下烏鴉一般黑」

印度大饑荒情況殊可怖
造成原因確實很不簡單

（紐約通訊）印度已再度遭受其歷代的敵人——飢荒所折磨。印度東北部無數農人看着他們的農田，像在烈日底下的塑膠，一天一天的乾枯下去。新德里方面政府官員估計，除非及時獲得救濟，否則可能有四十萬人餓斃。

這將成爲一九四三年以來印度最慘的饑荒，可能因美國之援助而得以防止。然而，詹森總統至前週爲止，還沒有批准另一批達二百萬噸的穀物起運。這麼一來，目前美國對印度的食糧輸運（一九六七年一月份將減少，可能要到四月間才可能恢復——雖則極可能安排應急的輸運。

詹森令人詫異的處置，是由於盛傳印度南部各省本年農產豐收，有大量剩餘農產，可供受災地區。可是，由於印度普選距今祇有兩個月，南部各豐收省份的執政者顯然自感礙難慷慨解囊。正如新德里美國人所常道的：「他們還是認爲美國運穀物比由鄰省輸運爲容易。」

同時，印度的糧荒，顯然是印人自己造成的一種無可估計的不幸。比哈省深受糧荒打擊，然而政客們却在省會內忙於準備普選。撥供救濟的款項，被拿去討好助選人員的已成爲公開秘密。有關死亡的消息紛紛傳到省會時，政府便立即否認死亡是饑荒所造成，並將其歸咎於「熱病」。

「某地方機構還問：「一個康樂的省份，怎會有人餓死呢？」」比哈省一位官員又說：「飢饑在印度已經是司空見慣的事，何必大驚小怪！」

政客和比較富有的農村，現在所吃的還是去年的白米，而烏他帕拉廸斯省八千萬無耕地之農民，却日益受到飢饑的威脅，他們唯一靠山是從事農工以購買政府的配糧。比哈省的加雅區，一連失收三年，今年旱災更使人感到絕望。一位獨自躺在泥屋的老婦說：「我的女兒出去乞飯，兒子出去找工作，誰能保證我女兒或者兒子今晚會帶些東西回來呢？」在同一村落內，一位十八歲的青年，生命正在枯萎中。他微微蠕動着那雙模糊而無神的眼睛對旅客說：「我簡直忘記什麼時候曾吃過東西了。」

由於美國態度的強硬，國內情勢日益不安，印度甘地夫人政府最近曾派遣六名高級官員前往比哈省，試圖改組腐化的地方政府，並命令各村村長立即供應糧食救濟飢民。中央政府並力言，政府正盡量運輸白米至比哈省。可是，許多官員都認爲這種努力可能太小而太遲了。印度著名社會工作者納拉揚說：「我們已見慣人類的痛苦了，也許我們對這種事情已無動於中。」

印度的宗教機構（有的極富有）竟沒有一個願意救助飢荒者，足證那位社會工作者所說的話。一位獨立派國會議員以中央救濟委員會主席資格呼籲救濟時，所獲得的反應，更令人傷心。他所得到的捐助祇有一百二十五公斤白米，一些舊衣服和一盒餅干而已。

英國人才外流
嚴重不亞中國

（倫敦通訊）把英國報紙揭開，可以隨時看到一批批科學家赴美幹薪金更高的工作，或是一批砌磚匠也到伊里諾州春田城去。平均每月有二千英人，橫渡大西洋就業。

你想幹每星期工作四十四小時、週薪七十鎊的職業嗎？不過，美國有牛奶與蜜糖是事實，但是要辛勤才能賺錢，而且亦有突然失業的風險。徵集工人赴美的一間公司首腦彼得布朗，提出警告說：在美國，失業的恐慌更現實。倘若一間飛機公司不能獲得下個政府合約，一千名工程師便可能投閒置散，他們需要到一千英里外去找工作。你可能在上午仍歡天喜地上班，豈料夕陽西落時即失業。阿爾拔麥什曾於一九六三年三月體驗這種事。

他去明尼蘇達州聖保羅城，一間蒸蒸日上的工廠服務，廿四年後，作爲一個技術工人已賺至最高薪。他辛勤工作，不料突被解僱。麥廿失業後往附近的工廠夜班擦廁所。雖然美國有三百萬人失業，但仍有些人因此自殺。一九五四年赫遜汽車公司結束，數年之內，有十五個舊工人自殺，三百宗婚姻破裂。一九六四美政府宣佈布魯克連海軍船塢兩年內結束，在職人受傷數字增加百分之五十，離職工人意外失事死亡數字亦增加。

一位五十九歲的工人說：「我患病兩三星期，食不下嚥，不能入寐。過去四十年我祇有七天未上班。」

可是，當你有職業時，待遇是優厚的。工廠工人的工資，從最低廿四鎊十四先令，至五十九鎊五先令，平均每週週薪四十鎊的職位，工作四十一小時。辦公廳職員待遇略同，但每週工作卅五至卅七小時半。紐約的交通工人週薪達五十鎊，教師的週薪則平均四十二鎊而已。

不祇是金錢的因素吸引英人橫渡出洋，在阿利桑納洲士遜城做鋼鐵工人的杜歷說：在美國，我可以得本國所沒有的機會，考驗自己。當我結婚時，才得卅鎊，現在我與妻子及我兒女住在自置牧場式房屋，有三間睡房，兩間浴室，冷熱空調節，及一片大草地，祇費了五千鎊。我有兩部汽車及週薪六十鎊，這使我覺得生活比祖國更好。

阿倫巴蒙博士及米高乃殊博士，均是英國飛機工業的高級科學家，現在加州的陶格拉斯飛機公司服務，入息可觀。此外，在美國居住的最大好處，是有專業研究的更佳氣氛，與其他專家及各大學有更多的接觸。

有五十名原來在英國汽車公司服務的人，已赴伯明罕城一酒店洽談物色美國的週薪五十鎊的工作。不過，有許多事情，是要加以考慮的，例如生病，美國沒有保健服務，醫生在美國是一門發財的生意；如果妻子分娩，可能需要費一百鎊，美國有醫療保險計劃，但許多限制條件。（上）

屏東稅捐處決全面改組
今年起預期工期效率益增進

（本報屏東航訊）爲使稅務工作推行更爲順利，屏東稅捐處將於五十六年元月全部改組，實行新體制。

據悉，該新體制編組情形爲：一、除原有主計，人事，審核不動外，秘書改爲幕僚長，綜理全般業務。二、原無正式編制之資料室，安全室，檢核室，納入正式編制。另新設一、法務室，下轄：甲、訴訟訴願股，乙、違章股，丙、納稅服務股。二、總務室，下轄：甲、事務股，乙、文書股，丙、出納股。此種改組工作現已籌備就緒，定於元月開始實施。屏東地區因交通不便，而業務落後，稅收工作較其他縣市爲困難。但自去年九月三日薛理軒處長接任以來，積極策劃，認真執行，現已超過預期效果，各方反應至爲良好。以五十年度收入而言，高達二億四千三百餘萬元，較省頒預算超徵百分之十點二。本年度截至十一月份止，收穫更進步，實徵數較八月份分配預算數超徵百分之十點六。納稅人與徵收人之間相處甚融洽，甚少有不愉快事件發生。超徵猶不計，超征能使納稅人愉快繳納，這其間非有適宜的方法不爲功。薛處長經常督促服務人員任勞任怨，同心協力，這是他推行稽征工作的重要方針。綜合薛處長談話及各方探詢資料，屏東地區稅收工作較困難者爲：

一、屏東轄區有許多鄉鎮屬於山地，叢山峻嶺，僅靠步行。納稅人繳納其額稅金，往往要跋涉數十里到鄉公所繳納。而政令的下達，宣傳人員的下鄉諸多不便。二、該縣稅收以財產稅爲主，而財產稅中的田賦稅，因土地的利用，技術的改進，已達飽和點，故田賦稅之增長率亦甚緩慢。三、田賦災歉減免之勘查，手續繁複，須會同省府各有關單位再三勘查，往往時過境遷，災情尚難確定，引起農民不滿亦意中事。四、社會一部人士的不諒解亦在所難免。薛處長克服這些困難的基本政策，是「服務重於權力」，「說服重於懲罰」。一、該處各業務課均派有專人辦理服務工作，他的口號是「納稅人永遠是對的」。所以不管納稅人態度如何，他囑屬下總要以誠懇和藹的態度，解釋勸導。二、每逢開征之前，必深入鄉區宣傳，務使人人都知納稅的重要。三、廣納各方建議作爲改進依據。每月第二週星期二邀請各納稅義務人來處懇談，徵詢他們的意見。四、爲解決山區交通困難問題，該處將在各該區派員直接征收小額稅款，至大額稅款仍須至鄉公所繳納。簡化免除田賦災歉減免勘查手續亦正建議省府改善中。

因採取上四項措施，屏區稅收工作得以順利進行。明年元月實行改組以後，各司專責，人員分配較以往更爲有合理，工作推行預期較以往更有效率。

豐原農會總幹事雙包案

本報台中記者王永亭

豐原是台中縣政府所在地，也可以說中縣首善之區，但也是台中縣多事之地。最近豐原鎮農會總幹事，大鬧「雙包」案。此一雙包案牽涉頗廣，下自豐原鎮農會、縣政府、農林廳、省府、省訴願委員會；而上至中央的內政部，以及台中縣黨部等單位，搞得烏烟瘴氣，使得該農會無所適從，而逕向有關當局陳情。據記者所悉，這是一場地方派系之爭。雙方各有力量，且甚爲神通。究竟誰是誰非，且看記者慢慢道來。

前總幹事聘任 早有問題

豐原鎮農會總幹事邱秀松，是五十三年七月經第五屆理事會選聘的，但該員資料送台中縣農會人事審查委員會審議時，即遭省農會駐縣督導及台中縣黨部輔導人員以「資格不合」，表示反對。旋經邱秀松多方活動後，終獲勉強通過。

邱秀松就任該會總幹事後，不久便被會員檢舉違法及犯有前科等。邱秀松的前科是違反森林法，引用曾犯叛亂罪刑之親屬爲該會職員。違法之前科雖經高等法院將原判撤銷免訴處分，但該案在審理期間，邱秀松曾因爲賄賂司法人員，仍被判處徒刑。經農林廳派員調查屬實，因此邱秀松之資格發生問題，抵觸了「台灣省各級農會人事管理規程」第十五條及二十條第四款，以及鄉鎮農會章程第三十三條之規定。因此邱秀松便經豐原鎮農會解聘，並循法令程序報請主管官署及農會「准予備查」。另外，由該農會選聘林益昭爲該會總幹事，亦經主管官署「准予聘用」在案。

邱秀松神通廣大

邱秀松雖爲一鎮農會總幹事，但其神通甚爲廣大。他在總幹事任內，事事把持總攬，故引起很多會員之不滿。解聘後他心有不甘，曾以「行賄罪不屬於瀆職」，及「解聘之程序不合」爲由，提出訴願。

而省訴願會拖延很久，不能裁定，僅以「爲免糾紛擴大」，令台中縣政府先行停止執行。到十一月初始裁定「訴願駁回」。由此可見雙包案之糾紛並不簡單。由此也可見其中乃是地方派系的傾軋，而演成此一糾紛的。

因爲內政部解釋「行賄不屬於瀆職」，故省政府又以農組字第六三四〇一號令，飭台中縣政府准邱秀松繼續任職。但經查該留職之稿，于五十五年九月二日簽稿，八日發文，台中縣府於十二日收到。可是當事人邱秀松則於九月二日即取到抄本，九月八日便糾同台中縣議員多人，到縣政府大肆咆哮，並將省府稿抄件分發各報社駐縣記者。邱秀松此人的神通廣大，令人側目。

主管官署處理矛盾

政府主管機關處理本案，矛盾不當，使得豐原鎮農會困惑不堪。

政府機關受理檢舉邱秀松行爲不端，並犯有前科，經上級官署調查屬實，層令豐原農會依照規定解聘；且另聘任林益昭爲新任總幹事，並經報准「准予編查」、「准予聘任」在案，爲時已逾七月。乃復以邱秀松之「資格問題」爲由，令豐原鎮農會限期辦理邱秀松繼續任職。如此一來，豐原農會實感困惑。

豐原農會的困擾

政府主管機關處理該案矛盾百出，因而引起農會的很多困擾，其主要問題有下列各端：

（一）前令該農會辦理解聘之命令未見撤銷，其效力與威信仍存在。

（二）新任總幹事林益昭又係經法定程序而產生，具有合法身份，依法應予保障。

（三）按鎮農會總幹事編制只有一員，而且現有合法的一員存在，而以後又飭辦邱秀松繼續任職，農會如何處理？

（四）按農會職員經合法解聘後，不予任何工作保障之權利與義務。此與行政官吏派任制之撤免停職後，如經勝訴可以復職者不同。

另外還有一個問題，主官機關何以善其後？邱秀松神通廣大固不待言，而政府主官機關，竟然視行政命令如同兒戲，出爾反爾，如是則政府機關的威信何在？豐原農會對於辦理邱秀松繼續任職之命令，有難以執行之苦。

本案現由豐原鎮農會法定代理人張德全出面，向政府各有關機關陳情中。預料此事將有擴大發展之可能。此案引起台中社會人士之矚目，前途如何，且看下回分解。

瀛海異趣談

英女性同性戀百無禁忌

·桑雅·

九條英格蘭法律和八條蘇格蘭法律是懲罰「第三性」男性同性戀，它們由五鎊罰欵到終身監禁。但是對「第四性」——女性同性戀則沒有法律條文的懲罰。

在英國的每一個大城市裏，都有女性同性戀的事實，然而，由於法律的付諸缺如，她們也就無所忌憚的大行其道了。

同時，在英國，如果男扮女裝的話，起碼是罰欵二十五鎊，或是坐一星期監禁的；反之，女扮男裝的話，根本沒有關係。如果一個俱樂部被發現是男性同性戀的溫床，立刻便會遭遇查封的處置；可是，如果是女性同性戀的勝地，照開無異。如果男人引人作不道德的行爲，禁監可由六月至兩年；如果女人引誘女人作不道德的行爲，像第四性戀吧，平安無事。

究竟爲什麼英國法律對女性同性戀，不理不懲不罰？沒有人能知道其中最主要的原因。如果說，英國的法律是不成文法，可能以前就沒有第四同性戀的事實，這也是有背於歷史事實的。

根據權威界的人士稱：英國法律之所以忽畧女性同性戀的事實，而沒有訂立法例，原因可能有以下幾種：女性同性戀的人數，較諸男性同性戀來是較少的，還不成爲一個問題；女性同性戀的進行，多在成年人中蔓延，很少波及幼小的女孩子；女性同性戀的進行，不若男性同性戀的進行是成羣結夥的；女性同性的性行爲，對社會的活力是沒有多大損傷的，男性同性戀則否；同時，女性同性戀對公共的影響，遠較男性同性戀爲小。

這些理由，只能說是對目前法例缺如的一種解釋的遁辭，事實上，並非如此簡單。

根據美國性學專家金賽博士的研究，男女同性戀的人數和傾向是相等的。而英國的約翰．霍芬頓爵士，在教師、護士、官員和社會工作的協助下，對英國的同性戀加以研究的結果，與金賽博士的意見，大致相同。

一位心理分析學家對女性同性戀的實況，加以深刻的透視後謂：「女性同性戀很少波及幼童這點是真的，但是，他們對幼童的引誘影響就不能避免。在不久的將來，這種可怕的波及性是會出現的。固然，女性同性戀的行爲多在成年的女性羣中進行，但是，一小部的青春期的女孩子們，也開始嘗到第一次的同性戀經驗，那多是在住宿學校和長期露營中發生。如果稱女性同性戀不是成羣結夥，這可能是一部份的眞理，但是，她們彼此間私下相戀的時間和忠實，都比男性同性戀者爲長爲高。」

最出名的女性同性戀的事件，當推十八世紀英國的積克．羅絲和法國小說家可萊特的相戀了。這是有名的歷史公案。不過，在目前的英國社會裏，各大城市都有女性同戀的事實出現。在孟徹斯特一位二十歲的女子，最近宣佈她要與一位十七歲的女朋友結婚。同月，倫敦一位建築師的太太，已經和她的丈夫辦好離婚手續，原因是她要和一位瑞典女侍者結婚。

海崙，是一家公司的女職員，最近她自述宣稱：當我在十六歲那年，我是高興與男朋友出街的，但是，現在已經二十多了，我發現我更喜歡和女朋友爲伍，或是與較有陰性的男士爲伍，可惜，這種陰性强的男士，對女性的我不感興趣。最後，我找了一位女護士，她成了我的主人，保護者和愛人。

當然，造成女性同性戀的原因，可能要從生理或心理方面去研究。因爲，在這些女性中，一種是有男士氣概，企圖加以征服、控制的；另一種是具有太强的女性感，每每需同性戀撫慰。

不過，男女同性戀的最大分別是：男性同性戀容易造成搶刧偸竊的罪惡；而女性同性戀的悲劇，是會因妒嫉而殺死對方的。可幸的是，她們彼此還忠貞，並沒有造成社會的頭條新聞。

美俄反飛彈競賽

·甘基譯·

美俄兩國競製「反飛彈」這件事，近來突然成爲新的重要事件，並且互相作緊急的進行。

此舉很可能迫使美國要開始支消比現已計劃供越戰及其他國防需的還多三百多億元的欵項。

現在經已顯而可見，蘇俄在核武器競賽這方面，根本並非束手不幹。

美國國防部長麥納馬拉上月在德薩斯州詹森市與詹森總統商談之後，曾宣稱蘇俄不僅建造了反飛彈體系，並且發展到可以將飛彈毀滅。

美國陸軍所進行擬製的反飛彈系統，郤遭受阻礙而無法實行製造。這原因大部份是由於麥納馬拉曾經聲述他確信美國即使擁有最好的反飛彈體系，敵人的飛彈仍然可以滲透美國的領空，而殺死千百萬的美國人。

爲了成本高昂的基本原因，一向這種反飛彈計劃都不獲五角大廈國防部內各文官所喜悅。可是，專家們都同意，現時美國必須有所作爲，以應付蘇俄最近的武器攻勢。

美國所決定的第一步對蘇俄的反擊行動，是行政當局決定開始產製從潛艇發射的「海神」式飛彈，這是北極星飛彈的下一代，經判定是一種可以投入蘇俄嚴密的防衛網的强有力飛彈。要進行這項製作計劃，的預算[illegible]五十億元。

另一項更重要的決定，就是應否出全力進行「尼克X」式反飛彈體系，則仍在懸而未決之中。

這個體系如果充分進行實施，將要花費二百億至三百億元。若果建設一種較小的專門對付中共的反飛彈體系，則費用就少得多，或者花四十億至八十億元就夠。

相信蘇俄初步着手的是在莫斯科及列寧格勒的週遭設置反越洲飛彈。

照軍事專家的意見，最大的危險是一種有效的滅飛彈武器在某一國家手中，就會在世界的戰略實力方面佔上風。

以美國現有的防衛情形，若遇蘇俄以飛彈進攻，將使數約一億三千萬的美國人死亡。這種估計是根據美國國防部的分析而來。

如美國攻擊蘇俄，假定它並無飛彈防禦體系，乍可殺戮同樣數目的俄人。不管那一國，如果已具備有效的飛彈防禦體系，則可挽救約七千萬人的生命。

「尼克X」式是怎樣的一種武器呢？這種美國的新飛彈的作用，不僅是一種反飛彈，而是一種成套的武器，包括尼克素斯式及固體燃料的短跑式飛彈在內，從地下室發射，並配有一系列强力的雷達單位多個，和迅如閃電的電算機多架。

任博悟畫展觀後

·楊湉藻·

在三種畫系中如何能達到較高的境界，端賴作者的天份與智能來決定，非勉强得來。近人陳衡恪曾謂，文人畫必須俱備四大條件，曰：人品、才情、學問、思想。依筆者之見，此乃文人畫起碼條件，如果以今日視之，仍嫌不足。在今日一位標準的文人畫家，非一般摘章竊句，能撰寫幾行喪葬禮讚之文士可類比。今日之學人、哲人，以至大政治家，除了程度的差別，堪可泛稱爲文人；若能繪畫，且能將其內在的思想與學養等諸種條件，表現於繪畫之上而合於繪畫原理者，皆可謂之爲文人畫家。所以作爲一個現代的文人畫家，第一，必須有宇宙觀可以胸羅萬象；第二，有歷史觀，可縱窺千古；第三，有社會觀可橫衡現世；第四，有人生觀，始知生存的目標。今日的文人畫家，必具此條件，才不致與世沉浮，端能敢於愛其所當愛，能憎恨其所當恨，能取能與，能死能生，有道，敢傳道，敢衞道進而敢殉道。可以爲天地立心，爲生民立命，爲往聖繼絕學，爲萬世開太平。獨來獨往，與世不羣。必具此條件浸淫於作品之中，反映於文人畫作品之上，才能高邁超逸，有滌除塵俗的力量。試觀徐文長，八大、倪瓚等人之作品，及研究其一生行爲，雖未盡合乎上述準則，然去此亦不遠！畫，必須代表其人，與其人之精神人格聯繫爲一體而不可分，所以，觀其畫而知其人，是「畫如其人」的原因，亦可以三者而審其畫也。

河北任博悟，日前在台北省立博物館，舉行書畫展覽，觀者踴躍。任氏對書法頗具研究心得，其字姿態甚美，對一個善於欣賞者而言，雖未必已盡滿足之功，但亦頗有挺勁，蒼勁中帶有秀氣，能達到所謂：「人各有體，獨具風格」的境地，確爲時下不易多覯之文人字也。

任氏的畫，謂之爲畫家畫亦可，謂之爲文人畫亦可。蓋任氏之畫，具有若干畫家畫之條件，同時亦有若干文人畫之畫素。如，邱壑疊巖，古藤蒼松，筆法慎嚴，皆爲畫家之畫；反之，若干草草小品，又似文人畫的章法，是任氏小品有勝巨作之處。同時，筆墨之間顯見，任氏是頗富有「才情」的。

在純理論上說，文人畫之最大特點，是形簡意滿，恬淡俊逸，使人入目淸心，有飄然俗念俱消，猶野鶴閒雲然，飄飄如仙之感。其病忌濃墨厚塗而渾濁，復筆重而堆砌，能作到「淡墨淸心，乃上上之品」。不過畫境到了此一階段，便不是一般人所能欣賞與愛好的了。如果筆者看沒有錯，任先生也能同意的話，則任先生之畫已是了無人間烟火矣！（下）

新三國

劉備得了漢中，當然高興之至。他的部下共同上表於漢獻帝，署名的部下有一百二十人之多。爲首的是：平西將軍都亭侯馬超，左將軍領長史鎮軍將軍許靖，營司馬龐羲，議曹從事中郎將射援，軍師將軍諸葛亮，盪寇將軍漢壽亭侯關羽，征虜將軍新亭侯張飛，征西將軍黃忠，鎮遠將軍賴恭，揚武將軍法正，興業將軍李嚴等一百二十人。上表的內容大意是說：漢獻帝已經做了曹操的傀儡，中央政府名存實亡，不可不重新樹立一個政治重心。劉備的宗旨是「恢復漢朝」。在漢中稱王，就是以振作中國人心。曹操都已經自封魏王，劉備有何不可自封爲漢中王呢？於是就在沔陽設壇場，陳兵列衆下，羣臣陪位，讀完奏表，做了漢中王。稱王之後，可以提高自己[illegible]，更可招納人才，使遠近歸服。[illegible]拼死打仗的人一種希望。對外[illegible]點，法正拜爲尚書令，關羽、張飛、馬超、黃忠四將，分別拜了前後左右將軍，趙雲比較委屈一點，只[illegible]翊軍將軍。諸葛亮仍做軍師將軍。特別值得一提的是魏延。魏延字文長，義陽人。在劉備收四郡時，帶了部曲跟隨他入川，數有戰功，做了牙門將軍。劉備拜了漢中王時，要選一名將軍鎮守漢中重地。衆人的呼聲，以爲必然是落在張飛的身上。張飛也以此自許。結果大出衆人的意料之外，劉備拔了魏延都督漢中，做鎮遠將軍，領漢中太守。衆人皆感意外。劉備大會羣臣，在會上向魏延說：「今天委你以此重任，你受命後當如何呢？」魏延說：「若曹操舉天下而來，請爲大王拒之；偏將十萬之衆來，請爲大王吞之。」劉備非常欣賞他這兩句話。諸將也很佩服他的壯語。

在荊州方面，關羽也正幹得有聲有色，打了幾次漂亮的勝仗。首先是北進攻曹仁的樊城，曹操派了于禁領七軍人馬來救曹仁。此時正值秋雨大霖，漢水大漲，于禁所督的七軍盡被水所困，關羽大于禁生擒活捉。于禁投降了關羽。同時被關羽活捉的，還有一個大將龐德，因不願投降，被關羽斬了。在襄樊一帶土豪和一些羣盜遠近都接受關羽的印號，受其節制，作爲關羽的支黨。此時關羽威鎮華夏，曹操大爲震驚，準備遷都，以避其鋒，召集羣臣商議遷都。此時司馬懿和蔣濟諫曹操說：「關羽得志，孫權必然不開心的，可以派人說孫權，要他在關羽的背後進兵；他如答應，割江南以封孫權。如此則樊城之圍便可以迎刃解決了。」曹操以爲此計甚妙。於是派人說孫權，孫權當然也樂得此一任務。其實孫權老早都想遷取荊州的了，他痛恨關羽的矜驕，今既有曹操爲聲援，樂於自動，以圖荊州。

六二、呂子明偷襲荊州　關雲長敗走麥城

關羽威震華夏，對曹操的許昌實在是一大威脅。司馬懿確實是一個了不起的陰謀家，曹操那樣奸詐聰明，沒有設想及此。曹操打算遷都，他却主張不必遷。

（九十六）

兩項新型

——有利平劇的發掘

國內愛好劇藝的人士，整天在喊，如何闡揚國劇，如何發掘國劇，儘管喊得震天響，根本不合於實際。軍中劇團依然在那裏自編自導，不問合乎情理與否，不問是否針對現今潮流。以此次劇本審查，金銀兩像獎均付闕如，而銅像獎却是大宛李桐春所寫的「肥（水旁）水之戰」，有人說：李君不諳文墨，却具妙思，明知捉刀人林少南，但不用桐春名義，則評判委員不予過高獎金，無非告此乃從事劇技的作品，份量自高也，爲之微哂。話說回來，肥水之戰，是苻堅犯晉，謝安平寇，爲以漢制胡人。現在是匪奸竊國，是爲叛亂，非漢胡之爭也。祖逖與擊楫兩本，是恢復中原爲圖，與反攻大陸，不謀而合，比較切合現狀，但不及肥水也，此中何所依據，莫測高深？因爲劇本也是發掘，故亦論及，是平劇的發掘，尚有那些因素，不是簡單澄正！

．最近對於平劇的發掘，闡揚，排練，有一個新型，是國劇欣賞會，是逢每週的星期三，假座中正路天津街警察廣播電台，自晚間七時起，至十一時止，從事研究與排練，這是實際耕耘的辦法，據說有歡迎愛好戲劇人士參加，如果能做到此角度，可能望風來歸，將有二三百人，是北市最大的陣容。希望能夠發揚光大，與民初的春陽友會，言樂會並美（春陽主持人王君直，言樂主持人侗厚齋），豈不至佳。

國劇繽紛續錄

娑婆生　（一三九）

另一新型，是中廣公司播放平劇節目主持人愷琳小姐，創辦「空中國劇社」。這個票社，仿照現代歐美的辦法，由空中來聯絡交誼，大概是名家所啟示和研討，雖然是很簡單，但辦法夠新穎，可說是新印的一章。已經向索簡章。一俟寄到，當代偏告，大概對於吸收資料，有相當關係。中廣公司關於平劇資料，並非不豐，但是爲尊重選播，而選播恐怕多是年輕同志（至多三四十歲），對於以前的名伶，腦際並無印象，所選的角兒，也就普通，甚至多是台灣的，不足爲奇，即變成平常泛泛，難引起其他聽衆的好感，知音漸少。其實凡是一事，必須顧到各方面，不能限於一部份。誠如陳立夫先生最近發表觀感說，台灣提倡觀光事業，競以脫衣舞來偷外來，賓客不知從國外來的人士對這套戲法，見得多多，漠然視之，他們的尋求，是中國古雅的舞蹈，不是那些。看到此段，而現在大飯店競以此爲號召，其見解似乎淺鮮。歸總而得結論，吾國文化，應予闡發保持傳統的優美情調，而平劇也必須鏤古而始可離今，應用新的技巧手法，佈置幽美的腔調，是爲播放者所應體會而融通之者！

創進日新

賀新年、並談文化復興之道

梁兆康

這樣看來，四個民族的哲學，法人在「明」，德人在「通」，英人在「適」，美人在「用」，各有其特色。然而，他們又同屬於西方的系統，都是從希臘羅馬的古典文明，希伯來的宗教精神，與日耳曼民族的生命力量所構成的傳統。他們異中有同，在世界文化中，代表着一個傳統精神。

我們中國，有一個中道的文化傳統。中國的道統——中庸之道，就是中心不二，中正不偏，中和有節，全體適用之道。這個傳統，由孔子而繼往開來。孔子之學，有文事有武備，執干戈以衛社稷，尤重視民生，既庶且富，加而教之。但後來的中國社會，比較的來說，重文事過於武備，重人倫過於物用，聰明心力，都偏向到人文活動去了。至國父而主張發展民族武力以保衛文治，發展民族工業以充弘人道，繼承傳統的人文精神，吸收西方思想與制度的菁華，而加以改造，所以是一貫道統之發揚光大。國父貫通中西學術源流，融貫而創造三民主義，領導革命運動，建立中華民國。在思想制度上，無不根於中道傳統，通過明通適用，而創造出來。即在民國以後，五四運動以至新文化運動之提倡民主與科學，與乎社會主義潮流中的人道主義，無不包括在國父的三民主義既眞且善的思想體系之中。

所以，今日我們提倡中華文化復興運動實在即是提倡以倫理民主科學本質的三民主義文化運動。蔣總統對國父思想的發展，亦表現於融會貫通與創造日新之中。總統固然是以倫理說明民族主義的本質，但民族主義的民權主義民生主義，同時亦爲民族精神——倫理道德所涵養；科學知識以理則而形成，科學的應用，仍須有人道的軌範；人羣生活以倫理而維繫，民權的運用，仍須有道德的標準。三民主義融貫於公理人道之中。從其科學性而言，表現其「明通適用」之知的工夫，而達到融會貫通。而三民主義又爲人道主義，三大主義基於民而本於人，循着人類求生存互助同進步的人行大道。不祇個人之創進日新，是「順自然」起自覺，勉自律，得「自由」之力行向上，[illegible]

之。當此新歲，萬象維新，[illegible]我們目前雖在面臨一個危疑動盪的時候，但只要我們這一個文化社會的份子，仍存文化意識不滅，終當在世界上站立起來。一個民族文化的傳統，是在適應與創新之中。我們民族今後的生存發展，必須把握這個傳統道統，適應創新的規律，用日新又新的民族精神來救國，使中國永久適存於世界。（下）

科舉軼聞（上）

諸葛文俊

舊時科舉制度，旨在爲國求才，故其規模極崇隆，防範弊竇亦綦嚴，然科場中仍不免有通關節、論人情之事實發生，可謂防不勝防也。

滿清光緒朝初葉，常熟翁同龢以帝王師充任內閣大學士顯要職位，亟思從科甲中拔擢其素所獎許之張謇狀元及第。但關防嚴密，試卷密封姓名，另行謄錄後，分由考官核閱，於取錄發榜之前，方可拆封。某科會試全國舉子於都城，翁氏奉命任正總裁，張亦預試。既而翁閱一卷，中有「簀子之封」一句，認定爲張氏手筆，特加讚賞，拔置一甲第一名。蓋張氏曾隨吳長慶軍于役朝鮮有年，翁所習知，私忖此係張氏暗示關節之詞。迨拆封審視，乃爲劉可毅，翁大沮喪，指呼爲「劉可殺」，惡其故弄玄虛以相欺也。劉既大魁，例須拜謁主考座師修敬，然翁拒不納，三謁仍詘拒見如故。一日微雨，劉逡巡翁廡門前，覩翁佇立於前院旁圓闌間散步，乃急足奔叩之，詎院地苔青泥滑，劉竟跌倒受傷，翁掉頭不顧曰「該死該死」，憤恨之情，溢於言表。後劉氏於庚子年義和拳之役被殺於京畿，果應「劉可殺」之讖語。張謇越三年再赴都堂之試，因翁氏蔭，終告狀元及第，翁與主考官將前茅十名試卷進呈光緒帝御覽時，稱說張氏爲「江南孝子」，藉以堅定帝與慈禧太后信心，防有中變之虞。蓋過去某科會試，原列王國鈞一甲第一名，當進呈試卷作最後欽定之際，慈禧謂「這名字多難聽啊！」以其與「亡國君」三字音諧也。主考官乃將王氏移作傳臚（即第四名）。翁恐張氏之狀元或有意外變化，故於帝與太后前稱許其爲孝子，時張氏年逾四十矣。

湖南王闓運（壬秋）以碩學通儒資質，屢預會試皆下第，憤而絕意科甲，不復應考，而以舉人講學川湘間，名滿天下，門弟子以高第捷南宮者不鮮，賜進士出身者更僕難數。科舉將報罷之前，每屆會試，政府有意使王氏及第，密囑主考官留意及此，然王氏終不赴，無從拔擢。末科會試時，主考官託人密語王氏，囑以「天開文運」四字嵌入文章首段作暗號，必獲上選。詎王不屑爲，且將此秘密轉告於友好，如湘人吳儞之得中進士前茅，即係以「天開文運」四字分置於首段文章中，而全篇行文遣句亦特示峭拔之氣，主考官認係王氏之作也。

清末張之洞與袁世凱主政中樞，知王壬秋一生以未得入翰苑爲恨，特奏請皇帝詔賜王氏爲翰林[illegible]

琉球紀行

張希哲

大城先生沉默寡言，但辦事很細心。我們原來還預定參觀他的造酒會社，但適因工廠門前的馬路正在修補，恐怕我們行走不便，乃臨時中止。但在邀請我們吃餐時，每人分送書面資料一份，說明他的工廠設備、產量、價格，並希望我們回國建議政府購買該廠的產品，以增進中琉貿易。

除了上述四人主辦的企業之外，琉球可能還有更大規模的企業，但因時間關係，沒有機會多參觀。不過從琉球政府編印的統計資料來看，琉球工商業發展的程度，約相當於台灣實施第一期四年經建計劃前的狀態。琉球政府近年雖然也有發展經濟的計劃，但是由於本身資源缺乏，工資高昂，又時有罷工的困擾，內銷市場的購買力亦有限，發展工業，不容易有顯著的成就。如果工業不發達，欲求增進對外貿易，恐亦非易事。

五、立法院中懇談

十七日上午，我們訪問團中的三位立法委員，陳紀瀅、謝仁釗兩先生和我，曾至琉球立法院和立法議員懇談。琉方參加的有長嶺秋夫議長、山川泰邦副議長，預決算委員長（兼民主黨組織委員長）伊藝德一，文教社會委員長（兼民主黨政務調查會長）星克，內政委員長大田昌知，行政法務委員（兼民主黨青年局長）大城眞順，經濟工務委員（兼社會大衆黨政策審議會長）知花英夫，議會運營委員長友寄嘉弘諸議員。我們談話的內容極廣泛，由中琉立法院的組織、立法制度、預算制度、和行政部門的關係，乃至增進中琉關係的意見都有談及。

琉球立法院成立於一九五二年四月一日，由沖繩、宮古、八重山、奄美等四羣島人民直接選舉議員三十一人組成。至一九五三年十二月二十六日因奄美羣島歸還日本，立法院宣佈解散。至次年四月重新選出議員二十九人組成。一九六二年三月十九日，美國總統發布命令，將議員任期由兩年改爲三年。一九六五年六月修改選舉法，重新劃分爲三十二個選區，每區選議員一人，計沖繩佔二十七人，宮古佔三人，八重山佔二人。

[illegible]

北平拉洋車的

一工爺

[illegible]

（四、完）

新年展望

鍾幹

○龍蛇起陸値紅羊。毀滅人倫廢典章。
○一旅中興留寶島。元辰預祝耀旗常。
○元首英明翼輔良。故國威儀復漢唐。
○行看一怒安天下。不容中土厄紅羊。
○洗淨紅羊人世劫。鴻鈞運轉啟三陽。
○建設勸業新邦土。民安物阜樂熙康。
○桃符萬戶古排場。文化復興文德昌。
○主義三民傳道統。黃炎胄裔自堂堂。

內僑警台報字第○三一號內銷證

自由報

THE FREE NEWS

第一七一九期

中華民國僑務委員會登記
台灣新字第三三三號登記證
中華郵政台字第一二八二號執照登記爲第一類新聞紙類
（每週出版三期逢星期一、三、六出版）
每份港幣壹角
台灣零售價新台幣貳元
社長：雷嘯岑
督印人：黃行藝
社址：香港銅鑼灣高士威道二十號四樓
20, CAUSEWAY RD 3RD FL. HONG KONG
TEL. 771726　電報掛號：7191
承印者：大同印務公司
地址：香港北角和富道九六號
台灣分社
台北市西寧南路慶泰號二樓
電話：六三四○三
台郵撥儲金戶九二五二

復興中華文化消滅共產邪說

——中華民國五十六年元旦獻詞——（下）

高信

這種想法，實在愚蠢極了，不管你如何努力，你的歷史難道長得過彭德懷、周彭眞嗎？你的「功勞」大得過高崗、劉少奇嗎？你的宣傳工作多得過陸定一、周揚嗎？他們都逃不了被鬥爭的命運，你有何把握有存倖存的希望呢？須知共產黨是沒有人性的，到了你失去了利用價值時，就可令你於一夜之間由座上客而變爲階下囚。所以我誠懇的勸告在海外爲匪工作的人們，不要遲疑，醒悟過來，響應蔣總統「不是敵人便是同志」的號召，趕快脫離毛共的魔掌，走上自由的大道，我們一定優予接待。我們說得到便做得到，最近新加坡廣東省銀行投奔自由的陳鴻程先生，現在已在台灣銀行營業部任專員；香港匪文滙報的劉粵生先生，現在已在中央日報任副總編輯，這不過是舉最近來歸的兩個義士來說，其他所有來台反共義士我們都已有適當的安排與照顧了。

（三）

我們在上面已經說過，毛共的所謂「文化大革命」，其目的在消滅中華文化，但是中華民族的民族性於中華文化已深植之中，潛存在每一個中國人的血液裏，絕對不可能被其消滅。

反之，凡是要消滅中華文化的，終必爲中華文化所消滅，因此，我們要加速毛共統治的覆亡，是有賴於海內外同胞一致努力推行復興中華文化運動了。

談到復興中華文化，本來我們老一輩的華僑，對於中華文化深受薰陶，多在力行實踐。現在所耽心的是下一代，所以我們希望大家致力的增設僑校，鼓勵僑童研習中文，使每一個華裔青年都能接受中華文化的薰陶，同時利用圖書館、廣播、電視、戲劇、美術、舞蹈等等社會教育，使其在華僑社會得有普遍研習的機會。

我們過去對於中華文化常有兩極端的主張，一種認爲中國文化一無可取，主張全盤西化；一種固執成見，以爲中國一切都是好的，不肯接受外來文化。這兩種態度都有所偏。在中華文化中，好的固然很多，但西洋文化也有其優點，我們也應加以擷取。國父說得很好，要把中國固有文化從根救起，並對西方科學迎頭趕上去

們。總統也諄諄訓示我們，三民主義是倫理、民主與科學三者，要我們努力去實現。大家都知道中國文化是偏重於人與人的關係，即是偏重道德與倫理，義理精微，爲西方文化所不逮。故泰西各國科學發達，如沒有道德來做基礎，科學非特不爲人類造幸福，反爲扼殺人類的工具，科學愈發達，人類愈危殆。民主如果沒有道德來做基礎，它便是富人翻弄的名詞，或是野心家奴役人類的幌子。所以中國文化重視倫理道德是十分正確的。或者有人以爲時代變遷，中國的固有道德已經不合時宜，但是我們可以隨便舉出幾個例子，就可以明白這種說法並非事實：孔子說：「己欲立而立人，己欲達而達人」，「己所不欲，勿施於人」；在人與人、國與國的交往上，如果能採取這樣的道德標準，豈不是國泰民安天下太平！孟子說：「吾日三省吾身，爲人謀而不忠乎？與朋友交而不信乎？傳不習乎？」一個社會上能夠樹立起這種良好的風氣，社會必能和平相處，人人必能和平進步。再如「四維」「八德」，是維持國際秩序，社會秩序的最好準繩，也是人類幸福的泉源，絕不能因爲它是中國的舊文化，而加以揚棄。

再者現在各工業國家，交通發達，人與人的接觸頻繁，需要道德以維繫人的行動，實在比農業社會還更急切，尤其面對這個爲共產邪說所蠱惑搖撼的世界，面對這個毛賊驅使小鬼肆虐的大陸地獄，我們來提倡中華文化復興運動，更是對症良藥。共匪以世界人類爲敵，吾人必去此元凶巨憝，世界才有和平，人類才能永享福祉。

僑胞們，毛賊多行不義，現在已達衆叛親離神人共憤的程度了，他不自量力，妄以他自己的流寇思想來摧毀我們五千年聖哲相傳下來的優良文化，我們可以斷言，毛賊必不能消滅中華文化，中華文化必將消滅毛賊。所以在五十六年元旦的今日，希望我全球僑胞一致奮起，在總統的領導之下，共同努力復興中華文化，實行三民主義，消滅毛賊匪幫，光復大陸，才不致辜負了國父創建中華民國的囑望和意義！

-1967- 和平共存　-1967- 世界革命

兩敗俱傷！

不能動彈！

今日與明日

毛林集團接近完蛋

毛共的軍隊，雖已有三十年左右的歷史，但抗日戰爭結束後，包藏禍心的毛共在蘇俄老毛子的支持下全面發動叛亂的階段，老八路和新四軍兩大系統的匪軍老幹部，多數在國軍的痛剿下完蛋了。迨國軍退出大陸前，毛共將匪軍分編爲四個「野戰軍」。即「第一野戰軍」彭德懷部，「二野」劉伯承部，「三野」陳毅部，和「四野」林彪部。在毛共目前號稱三百萬匪軍中，仍以這四個「野戰軍」系統爲班底，雖然，都被稱爲所謂「人民的軍隊」，或「毛主席的子弟兵」，但各自維持自己的「傳統」，一直沒有較爲顯著的改變。一九五九年九月，林彪繼彭德懷出任僞「國防部長」後，「四野」一幹部多數得勢；特別是在近半年多所謂「文化大革命」之中，「四野」系統幹部鷄犬昇天，這就是派系存在最顯著例子。

由於林彪支持毛酋，老毛才於去年八月結束了「流亡」生活返回北平。簡單地說，這完全是「槍桿子」的力量；不然，以劉少奇和鄧小平爲首的反毛「當權派」，可能把老毛踢下黨主席的寶座，即或不弄死他也決不會再許他回到北平去。

林彪支持毛酋，到目前止，在表面上看，倒還算是忠心耿耿。但自從毛林集團發動所謂「文化大革命」向所有反毛勢力開火後，本欄就曾爲文表示對他們的勢力有所懷疑。其一，林彪並不代表大陸上的所有「槍桿子」，因爲他的班底只有「四野」。其二，打擊劉少奇和鄧小平，可能激起匪黨內部更大的分裂。其三，林彪「聲望」不夠，而毛酋早已衆叛親離；如果蠻幹下去，可能出現出人預料以外的亂局。

毛林集團忘了「形勢比人強」這句話，只看見了有利的一面，而忽略了不利的一面。由毛林他們那一撮人掀起的派系鬥爭，不但一再擴大打擊面，更完全失去了正常和理性。結果，反毛「當權派」越被鬥越頑強，其「黑幫」也越打越大，其「黑綫」不但未被切斷，反而是越打擊越長，終於使得大陸出現一個空前未有的亂局。儘管大陸形勢對毛林集團絕對不利，但因爲他們已騎上虎背欲罷而不能，所以只有再作垂死掙扎，以圖挽救他們那一小撮的狗命。

本來，非毛林派而屬於劉鄧「黑幫」或第一二兩「野」系統的黨政軍高級匪幹，早已有「抗拒中央命令」的趨勢。如內蒙烏蘭夫，新疆王恩茂，上海李葆華（毛共中央華東局第三書記兼安徽省委第一書記），成都李井泉和南京許世友（係僞「國防部副部長」兼南京大軍區司令員）都屬於這一類。

而毛林集團却罔顧現實，最近在北平進一步大鬥劉、鄧，逮捕彭德懷，解散了僞「全國總工會」，更挖了劉少奇的「根子」。繼續發展下去，毛林集團必陷於四面楚歌中。「背叛」毛林集團的也必越來越多，林彪派的「槍桿子」人物，也必越來越多。進而，毛林集團必慘遭覆亡之禍。但反毛派的「勝利者」，一定可於收拾殘局；這樣，毛共可就離完蛋不遠了。（何如）

自由談

人才與血性

馮王先生

俗言「血性男兒」，血性的涵義就是遇事本諸正義公道，知恥自愛，有所不爲，它與良心相輔而行，昇華而構成貧賤不移、富貴不淫，威武不屈的高尚節操，夫是之謂大丈夫。

在「開啓」的社會中，政治比較清明（決無徹底清明那回事），羣衆生計與生活皆能安詳創進，人心趨於正常，社會上乃有眞正的是非觀念存在。凡屬血性男兒，即有發展抱負，爲大多數人民謀幸福的際遇與可能，因而人才輩出，得當以顯，蔚成國家興隆氣象。

若在「封閉」的社會中，人心動蕩，生活愁苦，以放僻邪侈爲賢能，視安分守己爲迂濶，戾氣充盈，正義不彰，政治上一派腐敗貪殘的積習，牢不可破，小人道長，君子道消，決不容許有良心血性的人得志於時，八表同昏，半路伊阻，輿論不健全，法紀失作用，遍處存在着不平的情狀。於是乎一般血性男兒初則咨嗟悲歎，意志頹唐，繼則不勝憂傷，難以排遣，終乃熱血沸騰，忍無可忍，而以摩頂放踵的義勇心情，奮起革命，爲的是要爲社會大衆打抱不平也。所以，古今中外的革命運動，都發生於「封閉」的社會中，而革命人物亦盡係血性男兒。

任何時代皆有人才，而眞正的人才必有血性，更有個性。沒有血性的就是一個庸才，沒有個性的充其量是不折不扣的奴才而已。庸才與奴才如在社會上得勢，人才即歸於沉淪，有若市場上之劣幣驅逐良幣，義所應爾，理有固然。瞻觀史乘，人才最多的莫過於漢末三國時代，那是在「封閉」社會崩潰後，羣雄割據稱雄，互爭統治權的階段，英雄們彼此爲着打江山而羅致人才，言聽計從，讓其發揮個性，人才乃輩出了。實則三國以後的時代，一樣的人才孔多，關鍵只在是否及時見用，而且能盡其才耳。

每個統治人物，沒有不想求賢以相輔弼的。然昧於人才必有血性與個性的義理，結果是葉公好龍而眞龍不至，羊公好鶴而鶴皆不舞，所得者多爲庸才與奴才，此其所以亂世多而治世少也！

戰後若干成品歐美亦自歎弗如
日本工業發展確不可侮
本年將推出大批新產品

東京通訊

近兩三年，由於經濟的低潮，使日本沒有什麼新奇商品問世。但明年（一九六七）將是新商品大批出籠的一年。

日本景氣從去年下半年起，情況恢復好轉，個人消費也在萎縮四年後，呈現蓬勃景象。在這種情形下，爲迎合一般人的愛好，新商品勢將推陳出新，其中最活躍的當推彩色電視機等電子製品，汽車的革命產兒輪轉引擎，以及兒童玩具之王的無綫操縱玩具。

爲一般人談的最多的商品，當推IC。IC是二十世紀產業界產生的最高的「藝術作品」，還是電子工業第三革命的佼佼者，不論在電子工業的任何部門，都將普遍使用。

IC在日本認爲是「集積回路」，也就是「集累回路」。以往的電子回路是用半導體，二極管，抵抗，電容器等配綫而成，IC是在米粒大的固體中，裝入這些電子回路配件，每粒具有一個完全電子回路的機能。例如，新力公司去年宣佈使用於IC收音機的IC，在一、五毫米×二、二毫米的粒中，集累着九個半導體，四個二極管，和十四個抵抗。

日本明年起正式開始生產IC，下半年的電視機，無綫電收音機，和電唱機等，都將開始使用IC。目前，電視機和無綫電收音機完全IC化，由於售價提高，難望實現，但部份使用IC，則可省却一部份人工費用，價格不會比現在昂貴。

IC大量生產後，價格自會逐漸減低，到時火柴盒一樣大小的FM收音機和手表式的電視機，也將出現。助聽器也可全部放入耳中，聽來更加清楚。此外，彩色電視機也開始使用IC，價格將從十九萬元降到十萬日元左右。

明年可以說是「CVE元年」，C是彩色電視機，V是影像錄音機，E是電子鐵灶。這三種家庭電器製品的普遍流行，殆無疑問。

黑白電視機，洗衣機，和電冰箱已深入每個家庭，因此商人們又要爲三種新品打開銷路。

去年日本彩色電視機的產量約五十萬架。當初估計爲三十萬架。增加的主因，第一是對美出口急增，第二是國內需要扶搖直上。彩色電視的播送，由於時間大加延長，由於預料十五萬元日彩色電視機將行問世，所以將迅速普及，每二千家即可有一架；甚至一家一架也不是太遠的事。

有了影像錄音機，未曾看到節目的可以重來一次，高爾夫滑雪姿勢的研究，筆記本的影像，以及全家的生活記錄等都可以利用。不但如此，裝上簡單的附屬裝置，還可以從事彩色影像，更加好看。

影像錄音機的產量，目前甚少，價格也貴，連同附件等共需三十萬日元左右。但數年後將降到十五六萬，屆時許多家庭必將俱備。

物體遇到高周波時，物體的分子開始活動，從而發生熱力，電子鐵灶便是利用這種原理製造的。既往烹、煮或蒸，都是從外部把熱逐漸傳到食品中去的，電子灶却是由內部，由食品本身發出熱力，且熱力均勻迅速，可省很多時間，特別是不減食品風味，不損營養價值，具有殺菌作用，尤足稱道。家庭使用電子灶後，太太們的廚房生活，可以爲之改觀，減少繁忙。

轟動世界的革命性的汽車輪轉引擎，將由東洋工業公司的「松田柯斯莫跑車」首先採用。現在汽車使用的引擎，有汽油引擎和柴油引擎兩種，此外，世界各地大汽車公司正在競相發展氣體渦輪，自由式活塞引擎，及輪轉引擎等。

東洋公司「柯斯莫跑車」的輪轉引擎，是同西德的NSU公司及班凱爾公司從事技術合作下，研究成功的。設計的構結，是把圓形的旋輪在橢圓形的汽缸中，朝着同一方向旋轉。柯斯莫跑車有容積四九一CC的汽缸兩個，時速可高達一百七十公里。過去的引擎都是活塞在來回運動，輪轉引擎的優點是：可以把活塞來回運動中一部份不必要的出力免除掉，同時振動小，大量生產後價格將告減低。問題是如何防止汽缸內的氣體走漏。

三年以前，西德NSU公司曾經製造一種輪轉引擎汽車，是世界上最初出現的輪轉引擎汽車，但因在低速轉矩方面，有若干缺點，以致銷路不佳。

最時興的玩具當推無綫操縱汽車和機器人。無綫操縱玩具分爲圈式和條式兩種，前者售價三千八百日元，後者較高約一萬二千日元。這種玩具不但兒童們歡喜，即大人也一樣愛玩。此外，有一家電器公司開始出售使用充電式電池的電動汽車，輕巧，時速五公里，兒童亦可拿動，操作簡單。這種電動汽車銷路很好，頗受歡迎。

開始諮政的英太子查理斯

倫敦通訊

十一月十四日，在英國王位繼承人查理斯王子的一生中，乃是一個重要的日子。因爲這位威爾斯親王（英國太子的傳統封號）在這一天滿十八歲了。

作爲英女王伊利沙白二世的長子，現在如果王位空懸，他已可以親政了。由於他已成爲內定攝政，如果英女王以任何理由而不能執行她的職務時，他已可以承接女王的權力。

在憲法上說，查理斯王子已經成年了；但是，他的合法成年的慶典，要到他滿廿一歲時才舉行。

在他滿十八歲的生日中，有幾椿重要的變動如次：一、他已接替他的父親菲臘親王，而成爲內定攝政。二、他將成爲六位諮政大臣之一。上述六位諮政大臣在女王離職期間，代行她的職務。三、他將負起一些職責，來作爲一位英國青年的領袖。四、他每年將在康瓦爾公爵名號下，接受一筆三萬英鎊的固定收入。按英王的長子必定是「康瓦爾公爵」。

作爲一位諮政大臣，查理斯王子將與其他的王室人員在一起，於女王出國時代行她的職務。在女王離職期間，由六位諮政大臣中的二位代行。他們有權批准國會的法案，接見大使，簽署國家文件和主持樞密院會議。

諮政大臣在女王出國前指定，並定出接繼的次序。女王和菲臘親王於明年七月訪問加拿大之前，就將會指定諮政大臣。

查理斯王子現在已滿十八歲了，與樞密院的高級人員見面，這將使他可以出席由女王主持的樞密會議，來討論政府的措施。女王自己是在廿五歲時，才正式參加樞密會議的。

查理斯於一九六七年暑假結束他的中學課程後，將更多的參加公衆生活。他現在已通過普通教育文憑的「普通程度」考試。他報考的科目是：英語和文學、歷史、拉丁文及法文。現在準備參加「高級程度」的考試。

如果查理斯的生日是像以往那樣的度過，那麼，他將會繼續洗冷水浴和過着正常的學校生活。又如果有「錢」的話，那將會像爲人愛戴和景仰的學生與同學們的情形一樣，他們會去吃點好東西。

雖然查理斯王子是英國王位的第一位繼承人，但他却在寄宿學校中生活。以前的約廿位威爾斯親王，却是遠離普通人，而在寂寞的宮廷中，由私家教師進行傳統的王室教育的。（上）

英國人才外流
嚴重不亞中國

美國人喜歡合羣，有些地區，如果你用欄柵把自己的花園圍起來，會惹鄰人反感。男子在廿六歲以下，有另一麻煩，那是被徵入伍。

最近數月，米特蘭地區的報紙，均刊有美國徵聘各種機器工人及工具裝造工人的廣告，甚至每年二千鎊。九月間，美國伊里諾州春田城伊雲斯建築公司，派人赴英，請了十六位砌磚匠，因爲美國極缺之這種人才。

大不列顛最近向聘請英國科學家和技術人才的美國公司宣戰，因爲，大不列顛對於這些人才，也十分需要。

夏利·荷夫奉派到美國和加拿大，企圖拉回在當地的英科學家與技術人才。因爲，人才外流的結果，使英國大鬧人荒。

今年十一月，荷夫先赴華盛頓，十一月在紐約，十二月又往加拿大的渥太華，明年三月將到芝加哥，四月轉赴三藩市。（中）

看橫掃中國大陸的「紅衛兵」與「文化大革命」〔一〕

楊力行

近數月來，使大陸各城市亂作一團，騷動不堪，而引起全球矚目的「紅衛兵」大鬧劇，自民國五十五年八月十八日毛澤東在北平天安門「文化大革命」百萬羣衆大會上首戴「紅衛兵」臂章揭幕，到十月十五日又在百萬「紅衛兵」大會中，由林彪宣佈「紅衛兵下鄉」！旋即開始遣送「紅衛兵」千餘萬人先後出「京」的十多次大集會以來，自由世界的報紙和匪情專家們對「紅衛兵」的報導與分析，眞是衆說紛紜，莫衷一是；其情形眞是「紅衛兵」搞亂了大陸，報導「紅衛兵」者搞花了自由世界的眼睛。因此，對「紅衛兵」與「文化大革命」的來龍去脈，實有加以研究和瞭解的必要，俾大家能多瞭解當前大陸的匪情，加強我們的文化復興運動，以奠立反攻必勝、復國必成的信念。

一、所謂「紅衛兵」到底是什麼東西？

過去輿論報導和評論「紅衛兵」，多數是「以君子之腹度小人之心」，站在中國立場上，在中國歷史上找根源，把「紅衛兵」指爲「新義和團」「新拳匪」！這當然是不對的。因爲，「紅衛兵」和「義和團」的相異之處多於相同之處，「義和團」的口號是「扶清滅洋」，乃是在列强要瓜分我國局面下的必然產物，動機出於愛國，目標指向外國，除方法欠佳外，實在無可厚非。但是「紅衛兵」却相反，他們的眞正口號乃是林彪喊出的「除四舊」，任務在「推行文化大革命」，根本不是對外的運動。固然，他們毆打了俄國人、東德人和日本人各一個，沒收了一所法國人辦的學校，趕走了八個外國修女，其中一個於到達香港時便倒斃了。

瀛海異趣談

開羅女嚮導與遊客警察

·泰雅·

開羅是埃及的首都，也是世界上的遊覽勝地，分新城和舊城，人口二百多萬。新城的建築，全部現代化，并富於濃厚的歐洲色彩。舊城則多古跡。遊客們到開羅去，多數住在新城的旅館區，遊覽時則到舊城。舊城中有名聞世界的博物館，裏面藏有許多古物，包括古代帝王的石棺乃伊石像；其中尤以從「都丹士門」王墳所掘出來的古物，最為完備而珍貴。但埃及古物散失於國外的，為數也不少。

開羅的夜市是相當熱鬧的，每到黃昏，太陽西下，人們也從酷熱中復甦，開始活動了。咖啡座把七彩繽紛的桌椅，擺在人行道上，許多的小販穿插於咖啡座間，把各種照片、土產品、仿造的古董、藝術品等向遊客兜售；最通行的是金字塔及人面獅身圖案，所以手帕、烟盒、桌布上，幾乎都印上了這種象徵埃及的標誌。

遊客們多數在船經蘇彝士運河時棄舟登陸，乘火車到開羅觀光一下，次日仍乘火車趕到運河出口處搭船。船主當船要駛入蘇彝士運河時，便向搭客宣佈遊覽開羅的行程，並由船上徵收旅客的旅費，包括在開羅住一夜的旅館費，由船上派出人員，照料旅客，作集體行動，以免散失。

埃及每年從遊客身上所取的觀光費用，數目非常龐大，開羅市政府倚此為最大宗的收入；所以他們對遊客的招呼，十分週到。

近年來，為了便利遊客，他們還特別為遊客設響導警察。這些警察稱為「遊客警察」。「遊客警察」全是一些年青英俊和有禮貌的阿拉伯人，他們懂得英、意、德、西班牙、阿拉伯、日本等國的語文。他們受過特別訓練，能夠一眼便看出遊客的國籍。當遊客從飛機、火車或輪船下來時，便有穿着制服的「遊客警察」，專為遊客服務。他們的態度是那樣的謙恭，使人不好意思拒絕，自然而然地隨着他們去。

「遊客警察」是不收遊客費用的，因為他們是公務人員；但是，如果遊客們給他們一點茶資時，他們便會千謝萬謝的接受了。據說，當一名「遊客警察」所獲的外快，是一種獎勵，也是七十二行外的一種獨立的職業。當女響導的全是些二十來歲的年輕漂亮女郎，也會說三兩國的語言，懂得跳舞，能夠喝酒，還熟悉埃及的歷史，任何一處古跡，她們都能窮本究源地告訴你，那是什麼王朝的遺跡，年代有多遠，什麼時候發掘等。他們陪遊客上街購買「古」物，替遊客計劃買種種紀念品餽贈親友。她們晚上陪遊客上舞場跳舞或到夜總會去喝酒。

她們的名單存放在各旅館中，當遊客抵達時，旅館的侍役便為會她們介紹一個漂亮的女響導員，每月的進賬常常超過二百鎊。可是，她們的開銷也不少，在進賬中，有百分之二十給響導社，此外，她們還得花點錢，不然的話，她們便會受到許多意想不到的麻煩。

埃及小姐的皮膚，很潔白，臉部輪廓，和歐洲小姐沒有什麼分別，身上的曲線玲瓏，和幾乎每一個都有參加選美的資格。前幾年的一次英國世界小姐選美大會中獲選第一名的，就是埃及的響導員。

開羅是當地回教中心，有不少的回教寺院，建築年代至少已經有幾百年，但是保存得很好；埃及信奉回教的人很多，他們對於回教寺院的保護，無微不至。每逢回教徒的祈禱日，所有寺院都充滿了教徒，伏地祈禱，仰天頌讚。埃及的政府大廈位於新城的開羅廣場，那是一幢高達十四層的現代建築物，政府各部門的工作人員都在這裏面辦公。

飛彈浩劫記

嘉陵譯

人們耐心地在新十字路一些商店玻璃櫥和硬板裝飾前排着隊伍；這些倫敦西南和福區最繁盛的街道，在那些商店上面，是兩層高的樓宇，窗門的玻璃，糊上縱橫交錯的膠紙，以防遭遇到撞擊時，玻璃四散。而一些食物店的鍋子，正烘着麵粉搗的奄列蛋。百貨公司擺放着各種貨物。

那是一九四四年十一月廿五日星期六的午飯時間，當時是在戰爭期間。一部部雙層巴士開到站前，乘客走下巴士，經過那列長長的人龍，不少也加入長龍排着，他們耐心地輪候，希望買到一些新運到的東西供使用。

在這街上，有一間名叫和福的百貨公司裏面，孩子不斷的懇求他們的母親，給他們幾個銅板，購買第一批的聖誕玩具。

在百貨公司的茶水部，一個穿着白色棉布制服的十六歲美麗少女，端着一個盛着熱茶的鐵杯子，送到一位穿上空軍制服的漢子面前，這時剛是正午後廿七分鐘。而於幾分鐘前，遠在荷蘭境內的戰溝中，一個德國軍官，按動電鈕，他這一剎那，就是將和福的生命作一百八十度的轉變。

這百貨公司樓上住宅，有一位年輕母親，正在後座廚房中，給她底五歲女兒吃午餐。就在這個時候，她聽到一聲隆然巨響，整座樓的地板，都動盪起來。

當這年輕母親，循聲仰望，只見空際牆壁已經塌坍。樓下百貨公司裏的擠擁人羣，當看到天花板塌下，倉惶走避，和尖叫聲起來。那些婦女瘋了似的，忙拖着孩子。可是那裏走避得及，於是給塌下的天花板活埋了！

商店外的街上，巨型的雙層巴士，像激怒的巨獸般凌空彈起，再墮落地面時，車身已經四分五裂了。其他在路上走着或停着的車輛，像樹葉般的給彈起，零落在路上。

和福百貨公司隔鄰的一家商店，也一樣的塌下，把裏邊的人活埋了。

新十字路另一邊及附近的商店和建築物，亦遭遇同一命運。隨着塌坍的聲音，便是人們的淒厲的尖叫聲。

這驟然而來的慘劇和浩劫的造成，是由於一顆物體，落在這地區而發生爆炸，使整個區域成一片瓦礫。

此空前的浩劫，亦是因在荷蘭那個德軍官按動電鈕，一枚飛彈，立刻飛出，以兩倍於聲音的速度，橫越了七十哩，而落在這兩區域。（上）

巴黎的畫廊

紫雲

意大利的畫家，在經濟狀況方面說，是比西方其他國家差的，所以他們在巴黎卜居的地方，常在唐人街，也就是一些可以省吃省用的陋巷內。巴黎的唐人街就是里昂車站東側的幾條街，如蝦龍巷，正宇魯姓巷，夏龍羅巷。這些地方，華僑開了幾間小麵館，價廉物美；還有華僑的食品店，可以賒賬，所以窮朋友均願與華僑為鄰。

義大利畫家在什麼地方展出呢？在耳曼大馬路上，有一家義大利書店，這書店便是義大利畫家的發祥地。此外，天主教神父辦了一個多明俄會抽象畫廊，在這書店附近的舉喇堤岸旁邊。

這兩個地方並不熱鬧，如果這樣第三四流的畫廊還不成，那末，就得移到阿勃蘿堤岸或布荷邦堤岸的畫廊去展覽了。巴黎培植發掘新才的畫廊有二，一為聖路易島的郎啤畫廊，一為國劇院九號蒙格畫廊。這郎啤畫廊，就是在布荷邦堤岸邊。

當然，義大利第二三流的畫家決不在這幾個地方展覽。他們在邦喇伯巷或大學巷展覽。邦喇伯巷就是高等藝術學校側邊的巷子，大學巷卻和聖日耳曼大馬路交叉，那畫廊幾乎靠近國防部了。邦喇拍巷是學生們常經的路，展覽的目的是給大家觀摩。大學巷那家畫廊邦是門可羅雀的，若沒有請柬，做夢也不會夢見那兒會有畫廊。可是，這畫廊非同小可，貴族化極了。

日本畫家，由於貪小便宜的島國人民習性，住的也是陋巷。不過他們不肯和華僑碰面。這些日本畫家住在何處呢？其一是巴黎大學附近的香伯里昂巷，這巷裏的旅館非常污穢，老鼠、跳虱、臭蟲……比我國的小縣份的下等旅寓還不如呢！另一是娃娩巷，這巷裏的旅館很清潔，可是他只許早出晚歸，白天要由該店的妓女作接客用。日本畫家，貪便宜，便選這樣的地方住下。

日本畫家在什麼地方展覽作品呢？窩鴻廣場。但那並不是抽象畫廊。日本抽象畫的展出，乃在聖米謝堤岸，那兒有日本頂頂大名的畫家住着，小畫家便靠他提攜了。不然，則塞納巷的抽象畫廊甚多，在日本駐法大使主持下，往往有盛大的集會，日本大使推薦他們的畫家時，措詞非常有禮。他們決不像我國駐日使節，怕說駐在國語，不肯替國人做事。說起話來常常流露已落伍的「自大狂」，引起外人的反感。

至於一二流的日本畫家，他們在什麼地方個展呢？除了聖米謝岸的日本畫廊外，沿塞納河行，一直到周麟先生的畫廊，近左岸的畫廊，幾乎全是他們的。

巴黎城北瓦子區畢加，和聖心堂之間，有許多小巷子，這些小巷子中的畫廊，也常有日本畫家的個展。例如勁畢克巷的畫廊。

比利時的畫家在經濟上多很寬裕，他們住的地方，多半在郊外。如畏里霞的靠，去巴黎十五公里，如聖苦魯去巴黎七公里，最近的在文森勒林園附近，也很偏僻了。

他們展覽的畫廊，却是在巴黎商業區及外交官邸，如賀士滿大馬路與聖多羅孩路之間的幾條巷子中，便有許多的畫廊，展覽他們的近作，其中特別值得介紹的，是波爾底耶路，米蒂士尼爾路及拉窩瓦洗耶巷的畫廊，規模並不很大，可是很有國際聲譽。

新三國

周燕謀著

他看得到全盤，知道關羽在荊州得意，孫權一定不開心，而且忌妒得利害。他忌妒劉備的是，劉備在無可容身之地時，孫權幫忙抵住曹操的。赤壁一戰，劉備反而拿到比孫權更多的土地。進而又拿到益州，又得到漢中斬了夏侯淵晉位漢中王；關羽又擒于禁、斬龐德、圍了樊城和襄陽，弄得曹操首尾不能兼顧，眼看就要問鼎中原，而且事實上已經做了漢中王。

孫權雖然在南方擴充了不少地盤，但在中原的政治舞台上仍是依然故我。而且還丟過一次大臉，十萬之衆被張遼殺得落花流水，幾乎喪命。與劉備相形之下，孫權自然感到難堪。

另外一個不滿關羽得志的原因，是他妹妹嫁給劉備作繼室沒有達成政治婚姻的目的，孫權就很不放心。原來孫夫人好勇驕矜，不但喜歡男裝佩劍，又帶了一羣娘子軍在閨房之中擺威風，使劉備提心吊胆，政治婚姻未能長久。有人說是劉備入川時候，孫權派人把她接回去的，又有人說是孫夫人的驕橫作風，法正恐怕變生肘腋，把孫夫人送回孫權的。這是當時的內幕傳聞了，歷史上也不明不白。總之孫權的政治婚姻是失敗了。因此孫權對劉備存一種不放心的心理。關羽的得志，更使孫權自慚又自卑，最後還想再來一次政治性婚姻，想結好關羽，娶關羽的女兒為媳婦，結果關羽不願接受此政治性婚姻，只知道硬幹，不但不允聯姻，反而罵了來使一頓。如此一來，孫權更因之惱羞成怒。由此自愧而憤恨，志在必得荊州殺關羽而後已。最後為欲達此目的，不惜向曹操投降。以取荊州自效，自抱奮勇願偷襲荊州，以報曹操，其實都是利害關係。曹操自然高興之至，封孫權為南昌侯，拜驃騎將軍。孫權要求曹操嚴守秘密不得洩露。曹操口頭雖然答應，卻故意將消息洩露，他派人把孫權的信綁在箭上射進關羽的營中，讓關羽知道。曹操那有如此好事！他目的在使關羽與孫權的火併，他自己在一邊觀看，以收漁翁之利。此即「隔岸觀火」之計。

關羽固然是驕傲了一點，以為孫權不足為患，等將樊城攻下來再解決孫權。關羽萬料不到封、孟達、糜芳、傅士仁這些將領如此不合作，不但不合作，而且不戰而降，甚至等他吃敗仗之後，還斷了他的歸路。關羽攻樊城一月不下，此時曹操在西北抽調的部隊已經連夜趕到了。呂蒙代魯肅為將，關羽不是不注意後防，他圍樊城、襄陽只帶了一部份人馬，荊州的防務仍十分堅強。呂蒙知道關羽在防他，對孫權說：詐稱有病，回建業休養。保了陸遜代替他，自己用在幕後策劃。陸遜接任之後，寫了一封信給關羽，故意辭氣很謙下。關羽果然放心，把留防孫權的部隊調赴前方對曹兵。孫權也親自西行。呂蒙暗中做了先鋒，到了九江，把部隊化裝商人，伏在船中，瞞過了關羽的守軍，到了關羽設有烽火台的地方，將守軍一個個活捉了。所以孫權的兵西上，關羽得不到消息。（九十七）

讀菁華錄後

幼時讀史記，而又得史記菁華錄。所謂菁華錄者，是取記中之精萃也。近閱自由談，有載定公著藝人菁華錄，殆亦取劇人之較精者，其中將各人之分類，有獨到之見，然有漏脫者。爰寫讀後，以正方家。

原錄第一類生行，僅有胡少安曹曾禧李金棠周正榮趙培鑫，是有嗓能唱。而將元曲無生，以末爲主，近世以唱工爲生，做工爲末，因此將哈元章列入末行之首，極有理。

第三類旦行，祇列顧正秋金素琴章遏雲秦慧芬徐露李湘芬皆屬正旦，也很合理。不過漏列了陳美麟馬驪珠；是否宜列正旦，抑或花旦，尚希補遺。

國劇繽紛續錄

（一〇四）娑婆生

第四類是花旦，列有戴綺霞譚硯華張正芬；徐蓮芝鈕方雨王復蓉所定可稱甚是甚是。不過正芬自入陸光後，對青衣唱腔，頗研究，漸入佳境，此次獲金像獎，去年零分，今年九十三分，是否公正？一般人捧徐露而抑方雨，是不太公平，今既列出，甚是。王復蓉亦宜列花旦，並非正旦，極爲贊同。不過尚有周慧如漏列；她是王蕙芳之徒，參與大宛，迄無機會露演，以致生角缺少不能配合。我看過她的大英杰烈烏龍院戰宛城別姬等，均不錯，可否亦補遺？

第五類正淨，列有朱殿卿王福勝牟金鐸孫元坡高德松，而無李桐春，甚是，但尚有陳元正馬維勝，似應亦提列。

第六類小生，祇有劉玉麟一人，亦微感闕。尚有陳寶亮夏維廉楊丹麗三人可入列。楊雖係坤伶，但現已專習其雅觀樓戰濮陽八大錘均可觀。復興的曹復永，是將來的人才，卓然可繼劉後，應否補列，尚希卓裁。

第七類武生，有孫元彬李桐春張富椿，尤爲恰當。桐春應歸此類，演關公戲當列紅生。此次却以紅淨而得獎，眞有些莫名其妙。淨角不分正副，而分紅白黑，這是來台的新見識。富椿前途遠大，金錢豹震動了日本劇院。

第八類小丑，列有周金福于金驊丁仲華，却漏了此次得獎的吳劍虹；他是劉斌昆弟子，在「梁紅玉」戲中飾王達，確是最佳丑角，好事也。以演活捉十八扯紡棉花爲拿手，如演此類戲，得最佳獎，人無異言。還有前在海光現隸龍吟的張劍秋，似亦不賴。

第九類老旦，僅馬元亮一人。原本習丑，他的三岔口時遷，偷鷄眞不賴。因老旦是生角，附廟甚少出色。不過尚有王鳴詠藝事很精，滑油山遊六殿皆佳，前在大鵬的拜慈露婚後嗓音大佳，均堪入選。復興的孫復韻亦能聊備一格。以上約畧奉告，因名著似不宜有漏也。

如烟往事

正德

歲聿云暮；日來寒流南侵，人們縱然不圍爐取暖，也喜處在室內，尤其在晚上，打打邊爐，轉換一下在外邊走動的情調，亦算得是嚴冬的一種生活方式。

昨宵，在攝氏氣溫十度左右，我們幾個人共聚屋內，吃其自製的保仔臘味飯，於既飽且暖，手捧一杯熱騰騰的濃茶來喝時，談興還未闌珊，宋兄提議每人說一個與寒冷有關的小故事，各人贊成，就由表哥先開口。

他說：當年輕的時候，負笈遠遊，在作客中，雖有不少舊雨新知相與言歡談笑，但究味仍有異於家居；在一個歲暮的假期中，就索性讓那顆遊子之心更爲馳騁，那就借同兩三個校友，乘着元旦假期之便，到學校附近的一間僧寺去遊玩。那時，新雪初飄，梅花未放，却秀麗景色經已很撩人了。

他們冒寒踏着棉花似的新雪進入僧寺。

知客僧名叫知圓，對於雪天到訪的稀客，加意慇懃招待。

寺院依山而建，規模雖不大，却有如麻雀雖小，五臟俱全之喩，舉凡神殿客舍，都是與別的大寺院一樣，式式齊全的。話說當天，他們雖在早飯後成行，因於天寒雪阻，比平時的行程遲了差不多一個小時才抵達，所以在爐邊暖得身體溫和了，已是午後的三點多鐘，他們移步齋前，望望外邊的天色，甚爲沉暗，雪也飄得多點，如要趕歸，必需立即成行，就要薄暮才能返抵寓所了。

當三人爲此而有所商量時，知圓就插上一臉笑容說：「三位施主就在這裏歇宿一宵吧。客舍裏還有兩位到來欣賞雪景的施主在。」

野寺賞雪，騎驢過橋，是他們特意到來尋求的享受，也正合他們的意見，就答應留宿，並提筆在緣簿上簽了一點香油。

當晚，他們就與在寺前賞雪的那兩個遊客介紹相識，五個人，就由知客僧領着在寺院遊覽一陣，雪後，就成爲朋友地在客堂圍爐共話。知緣人一見如故地話題相當投機，飯後，就相聚在一個房間閒談。

時值寒夜，話題都是在跟當時環境有關，寺院自然與鬼神有關，從這個作中心而反於鬼與仙，還加上妖，如果肚內有這種文章的人，在孤燈寒夜中，是別有情趣。那晚，就由那五個人的朋友中，說出一些這樣的故事。

士人關仕元是一個新科的秀才，爲了要百尺竿頭，再進一步，便假借一間寺院來苦讀。一晚，是嚴冬的午夜，雪片紛飛，正在焚膏繼晷的夜讀中，突聞戶外有一陣陣女子的悽楚哭聲傳來。他覺奇異，便加衣掌燈出外審視，不料一陣狂風挾着雪片將他的手燈吹熄，同時也不禁打了一個寒噤，急忙退回室中，意欲將燈點亮再作打算。怎知，燈亮時，面前竟站着一個滿身雪白衣裝打扮的美艷女子，瞧着他微微笑着。他驚，亦喜，爲的年輕人看見美色，心裏怎也有一股青春意味在盪漾；驚的，就恐防她是妖異了。當他心中正交集着這兩種驚喜的滋味時，那個女子開口說：「你怕我嗎？」說話時的表情近於駘蕩。

「我不怕。」他一向都有臨事能夠鎮靜的性格。接着就爲她那種駘蕩挑惹得怡然接下去：「我很喜歡陋室之有美人來。」（上）

科舉軼聞（下）

諸葛又侯

科場屆墨，胥有一定程式，違制即被黜落，然亦有以違制而竟獲主試官特達之知，得擢高第者。機運偶然，因人而異，殆有幸有不幸也。

滿淸咸豐十年會試舉人，湖南王壬秋預焉。第二場禮記試題爲「萍始生解」，功令限考生作文須在三百字以上，王認爲祇數十字即可說盡其義蘊，失之簡畧，乃改作「萍始生賦」，文采華贍，抗衡徐庾；首段云：「有一佳人之當春兮，蘊遙心於層瀾，澹融融不自持兮，又東風之無端；何浮萍之娟娟兮，寫明漪而帶寒；隱文藻與冰苔兮，若擷秀之可餐；……信難進而易退，若將流而更停；挹芬芳而見遺，謂瑣細之無成；荷太液之餘潤，尚何歎乎浮生！」終不錄。

同治二年張之洞殿試策，不用當時體例——即字數、行欵、及抬寫頌揚處，皆須依預定格式，不能增減——自出心裁而爲之，正總裁倭仁見而驚許，拔置一甲第三名（探花）及第。迨同治四年安徽桐城吳汝綸殿試時，其對策亦直抒己見，不依固定體例，主試者乃謂此有所效而爲之，前年已拔張之洞，今再效之，則此場成例不復能維持矣，遂抑置三甲。同一違例情形，而榮枯各別，寧非運氣耶？

光緒癸巳年各省恩科鄉試，福建張亨嘉主試湖南，張氏素躭公羊學，第二場試題爲「知我者其唯春秋乎，罪我者其唯春秋乎。」愚叔祖父（飛鵬）係王壬秋門下士，據公羊學說譔文應試，張大爲激賞，揚言此必王湘綺高足；繼閱其第三場題「舟車所至，人力所通」一文，通篇皆本三都兩京賦與山海經以立言，尤加稱讚，批語有「詭麗爲皇，如讀奇異之書」等句，得中式第十七名舉人。張氏還京（時任禮部侍郎），於召見湖廣人士之前，誇許此行拔識湖南一奇才俊士某（指愚叔祖父）善言公羊學，而文藻尤非凡，將來必得高第無疑也。翌年叔祖父入京會試時，張氏更游揚備至，詎告落第。蓋叔祖父仍以公羊義理爲行文主旨，餘則取莊子南華經詞意以造句，力求奇特卓異，見而尾批云：「文章之道若斯，可以觀世變矣！」叔祖父快快不復應都堂之試，乃藉舉人大挑，分發關外奉天省（即遼寧）以知縣即用。

宣統元年己酉末科各省拔貢入選者，次年赴京朝考，湖南桂陽縣拔貢雷渝，係愚叔祖父門生，臨行乞得介紹函入京叩謁張亨嘉，稱「再傳弟子」，張樂予接見，並詳述殿試內幕，謂首場文字須與製發試卷相適合，不多不少，否則違制被黜。時限一時，到即撤卷，毫無寬假。唯二場時間較長，試卷正反面如不敷用，可書於次頁，且許以行書出之。又入場時可攜自備矮櫈，或軟墊，免席地盤足書寫之苦，蓋每人僅據一小圓形石墩撰文作書，如無椅墊，則高低難以相倚，雖善書者亦無從展其技能也。」雷氏默識之，屆時一一如「太老師」所諄囑，心情寧靜，構思無碍，榜發列一等第一名，以七品小京官試用。朝考首場試題爲「權然後知輕重，度然後知長短義」，雷文不逾千字，書法宗劉石庵，極可觀，如非太老師指示秘訣，曷克臻此耶？是亦運氣攸關也。（下）

琉球紀行

張希哲

其中議會運營委員會約相當於我國立法院的程序委員會；其他各委員會的職掌，與文字上的含義相同。因爲沒有外交委員會設置，我曾問及有關於外交的議案由那一委員會審議。長嶺議長說：目前有關外交大事，均由美國國務院或駐琉球的民政府決定。琉球人民或議員對於外交政策或外交問題表示意見的途徑，除透過一般輿論外，可在各政黨內部對外交涉會討論。立法院如有這種議案，可交特別委員會或召開全院協議會審議，最後仍由大會討論和決定。

琉球政府主席是立法院選出來的，但立法院並沒有罷免主席的權力。我曾和他們研究：萬一主席在任期內不稱職或發生違法事件，或和立法院在政策上發生重大歧見時，會不會形成政治上的僵局，及應如何解決這些問題。據他們說明：在政治制度上，如果發生這些問題，並沒有妥善的解決辦法。不過琉球目前採行政黨政治，琉球政府主席能夠當選，必然是立法院多數黨的領袖或多數黨所支持的人，運用政黨的關係，可以盡量協調政策上的歧見或糾正執政者的錯誤；如發展至嚴重階段，可在執政黨內予以處分或制裁。此外沒有更好的辦法。

議長，副議長，和幾位議員對於增進中琉關係都表示了坦誠的建議，綜合他們的意見爲：（一）雙方要多多來往，多多了解。（二）琉球有很多議員和工商界人士都希望到台灣考察觀光，盼我政府在手續上盡量簡便。（三）台灣近年經濟建設已有良好成就，琉球政府曾陸續派員至台灣考察學習，希望中國對琉球的經濟建設多予指導協助。（四）中琉貿易不平衡，希望中國多買琉球貨品。議長並特別提到目前琉球的舊汽車價格便宜，中國可以多買。此外，大城眞順議員表示盼望來華學習我國青年反共教育和訓練經驗；山川泰邦副議長並問及逢甲工商學院的情形。

六、琉球大學與冲繩大學

琉球目前有三間大學，即：琉球大學、冲繩大學和國際大學。其中冲繩大學和國際大學都兼辦夜間部和短期大學。三間大學全部在校學生不超過五千人。

我們於十六日下午訪問琉球大學，十七日下午訪問冲繩大學。琉大校長安里源秀、及曾經來台或計劃來台的教授池原貞雄，龜川正東等，與冲大董事長嘉數昇，校長嘉數武松，教務長坂井隆一，副教授屋嘉宗克等，均已於十五晚酒會中先後見面和敍談。（七）

藏寶笑談

晉陵一

雖然人爲萬物之靈，可是許多方面的表現，却顯得幼稚，愚不可及。在目前進步的社會，銀行林立，但人們並不相信這些商業的機構，不敢把私蓄存進去，反而將之收在家裏各種用具中，或埋於花園泥土裏。他們這些舉動，常常弄巧反拙，不是給人家無意起了尾注，便是自己善忘而忘得一乾二淨，因此他們的財富，大部份化爲烏有。人們怎會這樣？實在不可思議的！這裏說些人們因亂藏金鈔而蒙受損失的例子。

那只不過是一張普通的椅子而已，但是許多年來，它都擺在英國蘭開夏郡奧特威市一間地毡店外，該店的老板查理．華爾伏，也常常坐上去的。

當查理．華爾伏死了，他的兒子，把他遺下的這張普通椅子，送了給一些孩子，原來椅子裏，藏着一叠鈔票，共計四百二十八鎊十仙令。

差不多每星期裏，在廢物堆中，都發現了少量數目的「寶藏」的。

在約克郡鹿特咸市，一些搬運工人，發現一座鋼琴裏，藏着三百六十五鎊。威士夏郡薛頓比靈嘉市，一個牛奶工人，發現一位寡婦送給他的靴子，不大合適，他伸手進靴裏，原來裏邊塞藏着三百鎊的鈔票。那是寡婦的丈夫死前放進去的。（一）

內警台報字第〇三一號內銷證

自由報
THE FREE NEWS

第七二〇期

中華民國僑務委員會頒發台教新字第三二三號登記證
中華郵政台字第一二八二號執照
登記爲第一類新聞紙類
（半週刊每星期三、六出版）
每份港幣壹角
台灣零售價新台幣貳元
社長：雷嘯岑
督印人：黃行奮
社址：香港銅鑼灣高士威道二十號四樓
20, CAUSEWAY RD 3RD FL. HONG KONG
TEL. 771726　電報掛號：7191
承印者：大同印務公司
地址：香港北角和富道九六號
台灣分社
台北市西寧南路臺零號二樓
電話：三〇三六
台郵撥儲金戶九二五二

從美國兩個小組會的成立觀其亞洲政策

·宋文明

一九六六年十一月十日，美國務院宣布成立一個十九人委員會，授權研討今後美國對亞洲與太平洋區的政策。十二月七日，又宣布成立一個十人委員會，授權研討今後的美國對華政策。美國對華政策小組會的成立，原本計劃與前者同時宣布，事實上美國務院亦原本同時在進行這兩者的籌備，祇以當時聯大對中國代表權問題尚未舉行表決，恐過早宣布對華政策小組會的成立，會對聯大表決發生不利影響，所以對華小組會的成立，才決定延遲一月宣布。

依照美國務院的宣布，這兩個小組委員會，將以冷靜與客觀的態度，研討美國對這一地區的各種利害關係，然後向國務院提出政策建議。其工作方式，除了每年共同集會兩三次，作集體討論之外，國務院將個別與小組會委員接觸，以備諮詢。換言之，這兩個小組委員會，今後將以集體與個別的方式，向美國務院提供各種政策建議，以作改進參考；至於美國政府是否採納這些建議，其最後決定權完全操之於總統本人，非其他任何人所能預問。所以這種小組會的本身責任，全屬顧問性質，毫無權威可言。但美國政府既宣布成立這種小組會，授權研討美國這一地區的政策，其存心所在，也就不言而喻了。

在這兩個小組會成立之前的一年半多來，美國社會已廣泛進行着一個要求美國改變對亞洲及對華政策的運動。這一運動至一九六六年春美國會兩院外委會舉行對越戰及中國問題聽證，而達到前所未有的高峯。就在這一期間，美國社會除了成立兩三個重估對亞洲及對華政策的委員會，鼓動美國改變政策之外，美國麻州參議員愛德華．甘迺迪，亦於一九六六年五月三日提出建議，要求美國政府成立一個對華政策委員會，以便對美國的現行對華政策作全面檢討。這一建議提出之後，緊接着在五月七日及五月九日兩天，美副總統韓福瑞及參院民主黨領袖曼斯菲德參議員，亦分別發表談話，公開贊同這一建議。可是五月二十七日美國務卿魯斯克對記者宣布，美國政府在過去一年，已設有一個部際小組會在隨時檢討美國的對華政策問題，并常聽取有關中國問題之專家的意見，就在表示他不贊同愛德華．甘迺迪的建議，認爲這樣一種正式的小組委員會，根本沒有成立的必要。

由魯斯克這一表示，至十一月十日美國首次宣布成立這種小組會，先後時間尚不到半年，何以美國突又改變態度？同時我們也注意到，就在這短短數月間，美國對中國代表權問題的態度，也曾有過數次或大或小的轉變。首先，在一九六六年九月十二日以前，美國即一直表示，將在中國代表權問題上改變作法，由過去的堅決反對中共入會，而改爲致力於爲中華民國政府保留一席位置。可是九月十二日這一天，美國又突作宣布，表示仍堅持過去立場，不作任何改變之想。但到了十一月中旬，美國態度又有轉變，表示將支持聯大設立一委會研討中國代表權一議。由這些跡象可以看出，自一九六六年六月至十一月初這短期間，所發生的相當若干事件，確已影響了美國對於亞洲及中國問題的某些看法。而對亞洲及中國政策兩個小組會的成立，顯然也就是在這種情勢下所決定的。

當然，國際問題是極爲錯綜複雜的，要說單由一兩件事故，就可立即決定一個問題，那未免把事情看得過於簡單。但假若我們肯承認「一根稻草壓駝背」之說也有相當道理，那麼在某一事件的發展階段，連續出現兩件重大事情，也將會使整個情勢發生本質上的變化。……這兩件重大事情，確是發生了一種催生的作用。

（一）一九六六年六月二十八日，美國哈里斯民意測驗所發表的一項測驗結果，……以百分之五十五……的多數，贊同……中共進入聯合國。

（二）一九六六年十月二十七日，中共宣布在大陸試射携有核子彈頭的飛彈成功。這種飛彈僅屬一種短程飛彈，射程不過四五百英里，但它既已……飛彈的基本……

接力

吸毒

今日與明日

毛共混亂「一天等於二十年」

毛共內部由派系鬥爭而引致的大混亂，眞是「一天等於二十年」。其變幻莫測，波詭雲譎的情勢，眞使人有目迷五色之感。

毛共政權，特別是毛酋本人，十七八年來，根本就不幹一點正經事，專門「玩邪的」，終至鬧到現階段這樣混亂不安將要完蛋的局面。本報在「今日與明日」一欄早就指出，如毛林集團膽敢對反毛「當權派」首領劉少奇、鄧小平等人準備下最後毒手的話，必引致大陸內部更大的混亂，甚至可能激起內戰。毛共派系鬥爭，發展至現階段，「南京大屠殺」上演，「解放版」出現，雖然還未正式內戰，但已接近內戰。其混亂情況，的確爲毛共建立政權以來所未有的「創舉」，也可以說達到了一個「新的高潮」。據毛共以前的「兄弟國家」之一的捷克通訊社報導稱：「南京發生工人血戰「紅衛兵」事件，雙方共有六千人被捕，被捕者都受到嚴刑拷打。他們的手指、鼻子和耳朵都被割掉，舌頭也被剪斷」。又稱：「南京局勢仍然十分緊張，從上海、江蘇和安徽各地而來的約六萬名工人，已佔據了南京各重要據點」。這種「叛亂」事件的發生，北平「紅衛兵」在「大字報」上指爲「他們的目的在於清除南京所有的革命組織」。更指出南京此一事件與中共中央第四號首腦、新任中共中央宣傳部長陶鑄有關。另日本各報駐北平記者均報導，毛共內部的混亂，與毛林集團清除劉少奇、鄧小平集團有關。

實際上在目前是由江青和陳伯達負責指揮大權——由於已騎上虎背，一定本着「一不作，二不休」的宗旨蠻幹到底。這樣，必然引起各地更大的流血衝突，爆發「星星之火，可以燎原」的全面內戰的因素，已越來越多了。

由陶鑄「背叛」談到華東

陶鑄跟林彪三十多年，他又是毛酋「農業政策」的支持者，所以於所謂「文化大革命」初期能「平地一聲雷」的由中南局「第一書記」升至毛共第四名的要人。他之受到攻擊，殊出意料的，可能是江青和林彪再不發生分裂，陶鑄就是由於毛林集團大勢不好，然他看風轉舵投靠劉鄧集團，進一步在華東南地區製造「叛亂」一事件。

華東地區，自柯慶施死後，有兩個「要人」，一是中共中央華東局第一書記（兼毛共安徽省委第一書記）李葆華，一是「南京軍區」司令員許世友；他們都是支持劉少奇的。如果再得到「中南」和李井泉領導的「西南」的支持，毛林內戰必然的爆發。這樣，不僅毛林集團完蛋，毛共政權也必跟着垮台。（何如）

自由談

毋忘在莒乎？

馬五先生

記得「中美安全互助條約」簽訂之初，張岳軍先生曾說過一句語重心長的話：擔心國人滋生苟安心理。今天看來，他這話確乎談言微中了！

十餘年來，台灣到處看到「毋忘在莒」的標語，也常常聽到「臥薪嘗膽」「反攻復國」的文字宣傳，但實際上只見一片歌舞昇平，錯把杭州作汴州的苟安自娛現象。我所說的苟安自娛現象，并非指一般人民的生計改善、生活提高這類情形，這是政府應有的措施，非如此即不能談政治反攻的話，更不足以顯示自由世界與共產地區的優劣對照，激勵人民的反共信念。至於改良都市建設，整理市容，發展交通，振興水利，擴充教育等等，亦盡屬義所應爾的事，無可厚非。然則我說苟安自娛的對象是甚末呢？總而言之，統而言之，就是一些不必要的鉅大浪費。就公家來說：政府機關和公營事業機構，動則耗費幾百萬乃至幾千萬元新台幣，以建築公廨宿舍，就不應該。對日抗戰時期，國民政府在重慶借用一所學校辦公，其他各行政單位，無一不是因陋就簡地利用舊有屋宇作衙署，國家金融機構同樣如此。大家心理上相信這是暫時性的行都，不久便要回到南京去的，因而自動地節約苦幹，實現臥薪嘗膽的生活。就民間來說：耗資數千萬元的所謂「觀光飯店」，遍處林立，裏面是紙醉金迷的豪華餐廳，還有夜總會，加上脫衣舞，外國的觀光旅客很少，驕奢淫逸的百分之九十九都是本國人，還有甚末必要？難道說這就是「毋忘在莒」？整個社會充滿着晏逸樂的生活情調，較南宋在杭州的情況更甚十百倍，公務人員相率以求田問舍，打好經濟基礎爲急務，準備「終老台灣」，所謂「毋忘在莒」的精神，顧如是耶？職是之故，政治上的貪污風氣盛行，連辦教育的亦相應效尤，肆行爭取非份之財，恬不爲怪。何以有此現象呢？就因爲有「中美安全互助協定」存在，認定台灣有美國協防，可以高枕無憂，大家只求個人享受，公務人員貪污好利，官越大，頭上卻隨時強調「實行總統『毋忘在莒』的訓示」，然而積非成是，即作三日嘔，聽罷，誰也不認爲怪事了！

油商賄案真相逐漸大白 輿論頌揚的少批評的多

·本報台北航訊·

一

自從油商行賄案經台北地院檢察官李兆欣依貪污治罪條例提起公訴後，此間輿論少見頌揚，反之，批評者則有之。然該案經台北地方法院兩次開庭調查後，調查庭之經過，及庭訊詳情經報紙公佈後，眞相逐漸大白，街談巷議，咸認爲該案大有研究的餘地。

因此，市民們以「陳情書」的方式，向有關方面陳情，說「起訴書引用法條不當」，或者指責「羈押程序不公平」；甚至有署名「一羣有正義的司法官」，向監委檢舉告發某部某長強迫六單位，每月每單位「假報銷三千元」；私立明德行政專科學校的教職員，爲什麼可住某部的新村？明德專校的教員中，何以大部份由某部人員兼任？尤其很具體的指出某案，某部某長等共同涉嫌受賄新台幣四百萬元，爲什麼不依法調查？

據監察院官文書指出：過去一年中，未結案之二二六件中，司法案件有四十件之多。令人注意而重視的是：「洋菇出口舞弊一案，商人以二百萬元由司法行政部人事處長居間牽約，並自得欵五十萬元，其餘分送承辦人張順吉五十萬元，某首長一百萬元等情」。案經司法委員會二〇三次會議決議：「依序推劉永濟、黃寶實二委員調查。」

去年十二月十七日，該院司法委員會二〇九次會議，亦有相同之控訴案。

關於洋菇案，立法院有質詢案，但據行政院答覆立法院，查無其事云云。因而有人希望監察院調查委員，應迅速提出調查報告，如有其事，應依法辦理；如無其事，亦應替蒙受冤枉者洗刷，恢復其名譽；像這樣拖延的作法，絕對不應該。

二

中國國民黨四中全會閉幕，中常委當選之名單中，除鄭彥棻及另有兩位中常委出任大使外，其餘十四位都獲得連任。

於是，有人說：像「鄭先生竟未連任中常委，實在是他個人的一大損失」云云。但是，司法大廈的人們却持相反的意見，他們認爲：「冰凍三尺，非一日之寒」。像去年夏間，司法大廈的大禮堂，天花板無緣無故的掉下來；秋涼時，冷氣機已不使用，冷氣機突告電線失火。這是偶然的嗎？有些司法人士甚至幸災樂禍，也有不少平時得意洋洋的人，爲此而嘆息。

立法院有一位委員說，政治是無情的。立法院司法委員會第三十八會期即將結束，到今天還不考慮邀請司法行政部鄭彥棻列席該會報告施政呢！這是立法院有史以來的創例。十二月三十日，司法訓練所舉行結業典禮，司法部曾邀立法院司法委員會召集人觀禮；或許由於召集人太忙的緣故，婉謝了。

據說：鄭部長爲了做好「公共關係」，尤其爲了立法院司法委員會召集人梁肅戎在院會中公開質詢嚴院長說：「我要告訴嚴院長，你內閣中司法行政部長的人選，選擇錯了。」之後，會設法予以疏解，如邀宴等等，都被拒絕了。此外，監察院對司法行政部，亦採同樣的態度。如此，試問鄭部長怎樣能安於位呢！

三

在四中全會前，立法院盛傳有三百多位立法委員，醞釀函詢嚴院長去年十月十八日的決議案，行政院是怎樣處理的？同一說法，假定行政院沒有妥善的處理，立法院將不延長會期。然而，立法院於十二月三十日，決定第三十八會期延長二十八天。

春節後，立法院第三十九會期即將來臨，假如行政院對這個問題沒有具體的交代，預料將有更驚人的發展。是耶？非耶？時間將是最好的證人。

一位老法官告訴本報記者，任何一個民主法治國家，假如立法院與國會發生不幸事件，最後，是國家的地位與聲譽，蒙受損害。像英國光榮革命之發生，像我們民國的司法史上，司法總長章士釗逮捕國會議員，這些例子，都值得國人警惕。

陳副總統生前，有一句話：「希望大家不要做敵人所希望做的事」。所謂法律之前，人人平等。法院執法人員，應有執法如山的精神，和守法的觀念。值此國家多難之際，反共勝利即將來臨的前夕，大家應當相忍爲國，並希望司法人員要有接受批評的雅量。司法不是靠宣傳可以建立起來的，主要的是裁決公平妥當。

油商行賄案在程序上太不公平了，難怪有那些「陳情書」出現。

看橫掃中國大陸的「紅衛兵」與「文化大革命」（二）

楊力行

最近在澳門也大鬧特鬧，擊殺警察和僑胞。並且，在北平蘇俄大使館門前作過「反修正主義」示威，在廣州和深圳喊叫過收回港、澳。但這些「排外」行爲較之「拳匪」的明火執杖用血肉抵抗外國槍彈，要把外人趕出中國的熱烈情形，簡直是「排外」兒戲。同時，其「除四舊」——舊思想、舊文化、舊風俗、舊習慣——的火熱情形，却不亞於當年「拳匪」對東交民巷之血肉橫飛的進攻。他們把「當權派」「打擊了」，把孔廟拆了，把黃花岡七十二烈士墓碑搗碎了，把公私文物和故宮國寶撕毀了，把八十幾歲的不啻是他們祖母的梅老太太（廣州東山「彩園」女主人）燒死了；表演了「不認生母」（香港賴廉士太太返廣州探親其幼子時，遭其做了「紅衛兵」的幼子辱罵）的醜劇；挨門逐戶搜走了「資本主義」和「資產階級」的「毒素」，包括：書籍、金銀、衣物等等一切。「毛共」摧殘了十餘年尚殘存的固有文化，像一陣被大掃除一樣，完全被掃光了。因此，「紅衛兵」顯然不是愛國組織，他們是一個假「排外」而眞禍國的運動，他與「義和團」完全不同的實質，是一眼可以看得出來的。所以說「紅衛兵」是「新拳匪」，其目的在於引起外國對「毛共」的憎惡，則無可厚非；如果是闡釋「紅衛兵」的本質，則顯然有欠考慮。因爲，這容易使人發生錯覺：認爲「紅衛兵」也是中國人，眞愛國。正好中了毛酋「新愛國主義」和「美共」同路人自詡爲「中國通」之費正清教授所說：「毛澤東有些像中國從前專制皇帝」的圈套，而產生愚弄視聽的後果。

「紅衛兵」淵源自俄帝：「紅衛兵」的正來源是蘇俄，毛澤東（賊種）始終仿效之：

第一、毛酋近幾年來和「俄共」大鬧情緒，意見分歧，互爭國際共產集團的領導權，主要的立足點是自詡爲「馬、列最忠實信徒」；因此，爲了避免自己被攻擊，他住「教條主義」不放，而言必「馬、列」，行必「馬、列」；凡「有所作爲」都在「馬、列」圈之內。「毛共」（中央主流派）「紅衛兵」是一股大規模的龍捲風，他何敢違反馬、列主義？

第二、在蘇俄的歷史上，有「紅衛兵」之類的團體及其活動的紀錄：當一九一七年十一月七日俄共取得政權之後，在實力居於劣勢的局面下，其所以能維持政權於不墜，主要的是靠了四個工具：「紅軍」頂住白軍的進攻；「少年赤衛隊」掃蕩城市舊思想、舊文化和舊勢力；「赤衛軍」控制農村；「糧食徵收隊」掠奪農民維持城市免於飢荒。就「毛共紅衛兵」的作法看，他們顯然就是列寧當年「咬人哈巴狗」——「少年赤衛隊」。同時，蘇俄自一九二三年起，正式在「共產主義青年團」中成立「無神戰鬥團」，出版「無神雜誌」，實行掃蕩舊文化。它可以說是「毛共紅衛兵」的「先進老大哥」。毛賊看得眼紅，自然不敢落後，立即在民國十七年（一九二八）五月在湖南的平江和瀏陽交界處之井岡山的長壽街落草後，也組織了「中國共產主義青年團」、「中國少年先鋒隊」、「兒童團」及「赤衛隊」，不受「紅軍」管轄，直接以「中國蘇維埃邊區政府主席」名義，令派他的第二個壓寨夫人賀子珍爲指揮員，編爲「少年赤衛隊」，仍由賀女負責指揮，於民國十九年（一九三〇）八月開始在瀏陽南鄉文家市大肆殺人放火，首先將所謂「土豪劣紳」的家庭，不分男女老幼，一律予以劫殺！我的父母兄弟伯叔子侄十餘人，都是那時被他們劫殺的，言之心痛。（二）

開始諮政的英太子查理斯

○倫敦通訊○

他會在澳洲一個灌木叢生地區中的基龍中學唸了兩學期。他在現時就讀的哥頓斯唐學校校刊上，發表他在澳洲生活實錄，可能會使在數十年前的嬌生慣養的親王吃驚不已。

查理斯寫道：放學後，他要去檢字紙、餵猪和洗碗。他回憶說：「我在那裏的第一個星期，我就被派去山坡斬柴，供取暖之用。」

伊利沙白女王和菲臘親王堅持他們的兒子應該參加做學校的雜工，而不應因爲他的王室身份而有特權。雖然他現在，在白金漢宮中被稱爲「殿下」，但在學校中，他仍被叫做「查理斯」。

非臘親王於一九三九年曾在哥頓斯唐學校讀書，他可能是要對破壞傳統的王室兒童教育負責的人。

十六歲的安妮公主，也在根德郡的貝諾登寄宿學校中就讀。

查理斯王子於一九六七年離開學校後的動向，並未有正式的宣佈。如果他在「高級程度」的考試中，能有二科或三科合格，則他可能進劍橋大學，然後再在英聯邦中任職一個時期。可能他會從事一個短時期的海軍職務。

如果習慣不變，查理斯王子必須在加諾凡堡中舉行一項儀式，在威爾斯人民面前受封。

他的伯祖溫莎公爵，十七歲時，會在那裏受封爲威爾斯親王。那是一種不大愉快的經歷，因爲他向來不喜歡穿着正式的服裝。他曾在日記中記述他第一次穿上正式的服裝時說：「我大概看來像一頭驢子。」當他在度身做一襲奇異的服裝時說：「事情太離譜了。」那套服裝也着實不尋常，它是一條白緞褲，一件以貂皮鑲邊的紫色天鵝絨上裝，還再加上一件斗篷。

溫莎公爵曾回憶說：「那天晚上，家庭中有點不愉快。」但是像往常一樣，瑪麗王后將事情弄平息了。她說：「我們的朋友將會瞭解，你作爲一個王子，你有義務去做一些看來似乎有點天眞的事情。」

當伊利沙白女王於一九五八年告訴威爾斯人民，說查理斯在「他成年」之前，將不正式舉行受封禮的時候，她可能是記起了她的伯父大衛（溫莎公爵）的這種經歷。

到目前爲止，伊利沙白女王和菲臘親王，都已阻擋着查理斯王子將在日後所享有的聲望。如果未來的計劃是在他們的指導下定出，那麼有理由推想，查理斯王子將會走以前兩位繼承人的經歷之間的中間道路。

據歷史家的追溯，溫莎公爵（前英王愛德華八世）「正在各國間飄泊，並被剝奪了一切寧靜」。另一方面，維多利亞女王曾被投閒約達六十年之久的兒子愛德華七世，長時期未過問國務，而一度着一種遊宴的生活」。（下）

英國人才外流 嚴重不亞中國

在這一連串旅途中，他的職責是會見當地的英人，企圖說服他們回國服務。

根據華盛頓的英國大使館統計，每年從英國到美的青年博士，約有一千名。但是，他們回國服務的最多僅及十分之一。同時，每年在美國，起碼有一千位英國的高級技術人員就業，其中包括醫生和成千的英國女子們，她們的職業是作空中小姐、秘書和侍者。

國家高級知識份子和科學人才的外流損失，是英國一國的特殊難題。每年從若干落後國家中前往美國攻讀的學生，數以千計，他們學成之後，大都不願意回國。

傳說，亞洲和非洲各國派到聯合國任職的高級職員，如果他們的國家不再讓他們任職於聯合國時，他們便會感到極大的痛心。

這種從各國前往美國的高級技術人員的不願回國，連美國政府當局也加以譴責和批評。因爲，這些人才固然能夠爲美國各大公司羅致，但也是對美國的援外計劃效果的一種打擊。

確實，百分之九十的亞洲學生學成後是不願回國的。這一情形，以英國來說，也相當嚴重。在過去一百五十年中，英國高級科技人員的總數可有五百萬人，但有三百萬[illegible]。這一問題的嚴重性，不是移民多寡的問題，而是移往外國的人士中，其聰明智慧，較諸留在英國本土的人們爲高。

更壞的是，這些人都具有一種冒險精神，而又對新奇事物感到極大的興趣。相反地，留在英國的人，不是性格保守，便是對新奇事物不感興趣的人。

當[illegible]召喚英國科技人員工作外，已有八年歷史。然而，大多數都婉拒[illegible]召回的[illegible]英國專家，他們又在美國刊登廣告[illegible]。

[illegible]英國政府現在向科技人員進行說服，如果不能成功，將來英國政府對人才流動態如何，却是耐人尋味。（下）

瀛海異聞談

避孕葯在美國大行其道

·桑雅·

估計現在有六百萬美國婦女服食的口服避孕藥，已被簡稱爲「藥丸」了。市上已最少有八種牌子的避孕丸，而且還有幾種在研究改進。這些「藥丸」都裝璜美麗，有些且附有名貴的日曆時，可把每次的服用日期記上。這些包裝不獨可供婦女們欣賞，還提醒每一個女人記着每個月有二十天要依期服用孕丸。

除了看包裝之外，一個女人怎樣判斷那一種避孕丸最適合她服用呢？一位醫生怎樣決定他應給避孕的婦女那一種牌子的藥丸呢？答案大都是看它的副作用而定。從一九六七年起，美國糧食及藥品管理局將規定在每種避孕丸加上劃一的標條，把服避孕丸的可能發生的危險，通知婦女及她們的醫生。

那標條將說明，現有的口服避孕丸中，有六種是妊娠激素（類似天然的妊娠激素）和小量雌激素的混合素。妊娠激素的作用，是阻止卵從卵巢排出。雌激素有時會發生在阻止一個女人服食妊娠激素時有時會發生的陰道出血。第一種這些雌激素妊娠激素混合劑的避孕丸是「安諾伏達」（一九六〇年准許發售），繼着便有「奧素諾宏」和「諾林伊爾」，都是以同樣的妊娠激素和雌激素的成份製成。另一種「諾綱斯杜林」則以同類的妊娠激素製成。「普洛雜斯特」所含有的妊娠激素，則更與其他的不同。

這些最初的妊娠激素和雌激素，發生了若干副作用，如：體重增加、嘔吐和乳頭過軟。因此避孕丸的製造趨勢是把藥量減少，如原是十毫克的藥丸，後來改爲五毫克，最後改爲二點五毫克。這些服量低的避孕丸中最新的一種，僅含一毫克的妊娠激素。但據若干專家的意見，所稱含量小，可能全無意義，因爲丸裏的妊娠激素，比以前各種丸所含的藥力更強。

這六種最流行的避孕丸的競爭，使每月所服的避孕丸的價錢，由一九六二年的三元五角減至今天的二元二角五分。現在這些避孕丸不獨互相競爭，而且還須與一種新的口服避孕丸的理論競爭。那種新的避孕理論就是兩種「連續」的藥丸。這種連續的藥丸是在每月週期變化中頭十五或十六天單服雌激素，然後再服五天妊娠激素和雌激素的混合劑——這辦法被認爲對天然的女性激素分泌較爲配合。雌激素的分泌在週期的第一部份昇高，繼於排卵後銳降，同時妊娠激素則增加。「連續」避孕丸依照這程序，使增加的雌激素和妊娠激素阻止了排卵。

提倡連續避孕法的人認爲，這是一種較自然的服食避孕丸的方法。此外，他們還指出當停止吃藥之後，妊娠激素促成更正常的經期。

但其他醫生認爲，連續避孕法在阻止排卵和受孕上，沒有其他口服避孕的方法那麼有效，尤其是如果一個女人不能每天服一丸。據「醫藥通訊」（估計各種藥品功效的獨立期刊）的判斷，「婦女們似沒有理由從常見的口服避孕藥而改服新藥」。

不過，即使常見的節育藥丸也須要進一步加以研究，以證明它們的安全性。根據剛一開起生效的糧食藥品管理局指示，所有製藥廠均須在避孕丸包所附之紙片，列出以往一種或多種牌子的避孕丸所發生過的約廿三種副作用。列舉標條的副作用中，由反胃至神經衰弱都在內。標條必須向醫生們提出警告，不可給避孕丸與可能發生動脈或肺部血液凝結的婦女服食。這項規定，是根據許多報告，說明服避孕藥的人，會發生血液凝結問題。但糧藥管理局鄭重指出，目前的各種口服避孕藥，沒有被證明是任何這一種情形的原因。標條也須提醒服食這種藥丸的人，如果發現視力變化或偏頭痛，便須停服。如果醫生發現服者的眼部血管有損壞的跡象，這些丸藥也須停服。由於避孕丸對孕婦的作用還未能判定，新的標條也勸告婦女，如果月經一連兩次不來，便不可再服。

這些新的標條，會嚇倒婦女們不敢服食避孕藥嗎？一位醫生說：「那些警告，可能嚇倒一些女人，但不需要的懷孕更使她們害怕。」

飛彈浩劫記

嘉陵譯

這枚飛彈擊中和福百貨公司。飛彈的一噸重的彈頭，則穿過這建築物落在前面牆壁後幾碼的地方。而飛彈的軀殼，則直插地窖而發生爆炸。

像V2飛彈一樣，事前了無聲音，須到發生爆炸後，才知其出現。

在發生爆炸後，和福百貨公司樓上的那位女客，突覺身子下降，整個房間像一座升降機，脫了電纜滑降一般。她覺得自己身在地窖裏。她在黑中張開眼睛，想伸動手足，可是無法如願。她給埋在一堆那時膠中，只露出頭部和頸部，那時沙塵滾滾，使她喘着氣和咳着。她突然憶起她底五歲女兒，但是她想到凶多吉少了。在那黑暗中，她聽到哭聲，可是她感到絕望。

百貨公司茶水部的那位女郎，却慶獲生還，而且仍然清醒；可是當她想張開眼睛時，無論怎樣，也不能張大。

在和福百貨公司的上空，一縷像巨無霸的指頭般的黑烟，直衝雲霄。當地的拯救隊伍，於禍事發生後幾分鐘，立刻開抵現場，進行施救的工作。

他們動用一切方法，進入災場在瓦礫中發掘。他們想在那數以噸計的樹膠堆中救出被困的人。

其他拯救人員，小心謹慎地從毀壞的巴士和汽車裏，抬出傷者。還有不少工作人員將遍地的屍體，搬到一空地上；有些雖然還沒有死，但是氣息如絲，生還機會很微了。

在這條新十字路的建築物沒有一個窗子是完整的。在事發時人們在那些住宅、辦公室、和商店裏坐着，地板震動不已，他們無法鎮定。許多人在地板下塌時給壓死或重傷。在和福的市會堂，那是在新十字路，離和福百貨公司一百碼外，堂裏的電話機大鳴。當時一位記者基斯丁彼德遜正在採訪，他接聽之下，那是一個女人所發的，她在電話中說：「我想他已給炸死了」。他不知怎樣答覆她才好。基斯丁彼德遜事後始終無法遺忘這一個電話。

德國飛彈襲擊倫敦已經十星期了。爲了不讓敵人知道每一炸彈所擊中的正確地點，英國當局下令報章不准發表。

當拯救人員把和福百貨公司中膠堆移開之後，發現不少婦孺的屍體，她們大部份是與兒女們擁作一團。

現場，各區的人士，都紛紛來到想知道他們的親友生死。有些是這兒住客的家人，因爲不少人在較早時外出，來到這兒買東西的。

結果，一個婦人看見她的丈夫已經壓扁了，但丈夫并不在裏邊。另一個婦人，她永遠找不到他了。徘徊了好幾天，靜候着她底姊妹及其兒女的消息，但是沒有人能把她們的蹤跡告訴她。（中）

發明與發財之間

小兵

新發明品最初都是外型看來笨拙，及受人譏笑是廢物的東西；但卻是世界上的發明家，並不因此而氣餒，因爲把他們的新發明，加以改良及精化之後，往往證明是一件極有價值的東西。

十餘年前，英國有一位發明家，推出了一種奇特的設置，外型看來頗似一個小型的飛碟，要找地方降落，在海上試飛時，離開水面的高度約一英寸。有些旁觀者諷刺地說：「一個有趣的玩具」，十年後還有人說：「這是古怪東西」。其實兩者皆不然，那是一件十分成功和對交通有很大貢獻的氣墊船，是發明家確克和爾的傑型發明物，現在已成爲英國本世紀對世界交通最大貢獻的發明物。

氣墊船既非一艘艇，亦非降落陸地的車輛，亦不是飛機，雖然它似是半飛的狀態。能出資本的人懷疑它是否一件可以控制行駛的東西；而且沒有現成的適用摩打，可供安裝；另一方面沒有一家交通公司肯放棄去使用中的飛機，以氣墊船代替之。由此可知當時的人淺見，現在英歐航空公司已採用氣墊船在英國各島嶼航行了。

當然氣墊船現在是成功了，它證明英國的那瘋狂發明家很有聰明，正是英國亟需要的人材。多數初推出的物件，總是遭受抵抗力的，往往在第一次的展示不很靈活時，即被譏爲荒謬怪誕，或指是一件危險的東西。

當史蒂芬遜發明蒸汽火車頭時，也是作爲累贅的龐然大物。昔日的醫生對人提出嚴重的報告，開到時速廿英里，一定會呼吸窒息。當一位蘇格蘭人亨利貝爾，在一艘運河船上安裝一引擎時，被英皇家協會會長嗤之以鼻，指其並非一項聰明的計劃，不過他是忽視了一點，無人對他作財政的支持。時代已產生變化了，戰後許多年輕的美國人，都到政府機構及汽車廠去，推銷他們的千奇百怪的思想產物，甚至在展示效力時，使人看見驚駭不已，如橢圓型車輪的機動車即是。它初期給人的印象是怪誕，但卒被美國陸軍採納了，此種結構的車輛，可在崎嶇的地形行駛，通過天然的障礙，而且永遠不會滑輪。

誠然有許多發明家眞是懷着瘋狂的思想，他們的怪念是不能實行的。英國的專利註冊處，每年有三萬八千宗新的申請專利登記，獲得批准。自從一八五二年初辦專利註冊以來，數字迭有增加，不少怪念頭確是給發明人帶來財富的。另一些則令人捧腹不已，例如早有人發明一種槍，方形子彈用以射擊異教徒，圓形子彈射擊基督徒；這與上次世界大戰時，一個妙想天開的方法，有異曲同工之妙。當時有一個計劃，準備訓練一批兇惡的大麻鷹，飛到德國的軍火工廠去，用尖嘴啄破工廠的牆脚，使軍火廠整座倒塌。（上）

新三國

六十三、失荊州四面楚歌　關雲長臨沮死節

呂蒙到了公安，將軍士仁不戰而降；接着又佔領了江陵，太守糜芳也是不戰而降。如果不是這些投降將軍，後方的失利，總還可以抵抗。等到關羽知悉只好退兵。呂蒙進了江陵，約束士兵，對於跟關羽出征的家屬，尤其保護得好。關羽的軍心動搖，逐漸散去。宜昌通往四川的歸路，已經陸遜截斷。等到關羽得到消息，荊州的公安相繼失陷，南郡也完了，接接連連一班投降將軍的消息都知道了。關羽不得已只好走當陽；到了麥城，聽到通四川的路又斷了。孫權此時派人招降他，關羽詐稱投降，在城上裝了假人守着，只有關平和十幾名親信跟在他身邊，乘夜突圍。可是四面的埋伏早已佈置好了，走了不遠，中了潘璋部下一司馬的埋伏，結果被俘。關羽遇害之地爲臨沮，即今湖北遠安縣東南，當時爲荊州襄陽屬縣。

可恨的是劉備的義子劉封，和法正的小同鄉孟達，他二人駐防在湖北西北部。關羽在圍樊城時，好幾次請派兵支援，他二人按兵不動。當關羽在麥城無路可走之時，却不敢往他們的防地經過而到漢中。孟達後來投降了曹丕，受到優待。在諸葛亮伐中原時，他又響應蜀國，但被司馬懿解決了。劉封一個人跑回成都，劉備大爲震怒，即刻推去斬首。

我們不可以成敗論英雄。關羽被俘時，東吳有不少人，甚至於孫權，有意不殺關羽，以抵抗曹操。關羽那裏肯降？毫不屈服，因此被殺。同時被斬的還有關平。關羽雖敗，但不能視他是無能等閑之將。關羽之於劉備，可說是撐天支柱，劉備起事以來，不分兵則已，只要分兵，總是劉備領一枝，關羽獨當一面。可見他有獨當一面的才能。其他將領則非常少有。第二，劉備從樊城敗退江陵時，他使關羽別領一枝水軍到江陵的，後來和劉備在夏口相會。北方人多不善水戰，赤壁之戰曹以此致敗，而關羽一到荊州，就能帶領水軍，而且在擒于禁龐德之戰，也是善用水軍之功。曹操那樣的厚待他，他仍不忘舊主，而又不負曹操的厚惠，一定要立功報效方去。在封建時代，他用有武士的精神，作爲一個模範軍人的典型是有資格的。後人的崇拜，是敬重他的重義，威武不能屈，貧賤不能移，富貴不能淫的精神。他這種精神，正迎合了中國文化精神，中國民族精神。崇拜也是出於中國民族的精神的自然流露。在三國演義未問世之前，此種崇拜關羽之風早已在廣大的民間流傳着，並非偶然，也不是三國演義的功勢。

關羽失了荊州，影響甚大，是劉備一大致命傷。進攻中原的兩條路，就剩漢中一條了，鉗形攻勢無法形成了。魏國的防務，可用於一方面，加上路途險阻，糧秣補給不易，用兵實在困難。孔明屢伐中原而無功，也就種因於此。後來的諸葛亮，姜維等勞而無功，都是由於沒有荊州一路的牽制。只限於以攻爲守的局面。而終於被中原的勢力所屈服。

（九十八）

票界權威高華

程硯秋在未成名以前，因爲天賦的嗓音能尖高，而不能寬亮，想學梅氏又不能，苦思尋求，請教於王瑤卿，王氏即就其天賦而定出此種腔調，遂成爲程派。當時共同相學者，尚有名票高華（實秋），因此高氏與程實爲大師兄與小師弟，並非是程氏弟子。十年前，我在華報寫有「釋程」一篇，言之綦詳，可以瞭然。爲了在舞台創始的是硯秋，故凡唱此類腔調，不得以程派目之。女四大名旦章遏雲，以受穆鐵芬吊嗓，亦轉移陣地，棄梅而學程，亦近卅年，而以程派鳴於時。民國卅年以前，程派之吃香，亦不下於梅派，爲的是難唱而不易成就，丹田衷氣不易支配。所以在大陸比較成功，也祇有趙榮琛一人，未曾多見。高華之學程派，遠在榮琛之前，至少超過三十年以上。曾記李東園偶爲談及，在民國十六七年間，硯秋赴津演唱，住德義樓，他已曾見高華陪同一起。其資格之老，在現今台灣的票界，唱旦角一行，梅派人物絕少，以程派論，不得不數高華，稱爲票界權威，可以當之而無愧。

國劇繽紛錄

（一四一）娑婆生

程派腔調，確是另創一格，以前伶工無此唱法。四大名旦的唱腔，各有不同，並不繼武前賢，路子雖同，而韻味却異。程腔之難，其高音有如鶴唳長空，嘹亮而不很寬。有低腔有如嫠婦啜泣，曲折而特細。其曲折如遊絲飄忽，很難捉摸。因其可貴，故能在梅派之外，獨樹一幟，其享譽在尚（小雲）荀（慧生）之上，完全是眞功夫。不是今日流行之杜（近芳）趙（燕俠）純以音取媚，不少伶票墮入其中爲可惜。實秋折肱於程腔，已有年所，經驗足，功力更深，每有唱出，無不酷似，能得其秘，音色遂醇，閉目以聽，恍惚有如親聆程氏，其可稱道在此，不須過譽。

前在大陸，實秋亦常登台，曾與楊寶森演桑園會，其聲色動人，有口皆碑。卅五年初，抗戰勝利，梅氏在上海演出，據詠菊樓主紀錄，美琪十天，南京十三天，皇后廿五天，中國六十天。同台伶票，就旦角方面，有高華，章遏雲，鄭冰如，楊畹農，趙榮琛，言慧珠，魏蓮芳，李世芳等幾位。在梅氏演唱而被邀，絕非易事，廿年前，已蹐海上伶票之列，尤可明之。

來台以後，實僅在培鑫於舊國光演出，陪唱六月雪，不同凡響。以身材高大，不適宜於登台，閒時常與琴票周再華徐仰之葉耀祖諸君研究，並着力灌唱片，先後製成已有不少。近承惠我三娘教子一套，閒坐書齋，常以開聽，也是獨一的程腔唱片，韻味盎然。

如烟往事

正德

「你不怕我嗎？」她駘蕩地一笑。「我是妖——靈魂與軀體都是由雪的精靈化成的。」

他驚，因覺得妖精是害人的東西；却也喜愛她的艷麗。正當心中有這樣的矛盾而致說話有所躊躇，至令得嘴巴有所囁嚅時，她就說：

「你放心，我不會害你的。同時，我還要向你叩謝救命之恩。再者，我還要報答你前生的一段緣；是以，我今晚特來相會。」

這些含有夙根的話，聽得他茫然。於是她就作這麼的解釋：她是千年來在經年不溶的雪山上吸日月的精華而成人形的雪妖。昨天，因爲始終困在雪山，感到有點不耐煩，便化成一陣風，隨氣流而到外邊去遊耍。不料，途經此地，突爲一個風魔所欺，堅要她嫁他。她不願，所以就在門外哭泣。正在悽傷中，幸好他打開門來，給一陣由他額上發出的文人正氣靈光，將風魔冲去。她便脫離惡魔的掌握而撲向他來。至於跟他有緣的說法，是她下山時，山神爲她說知，如果有危難而來相救的人，就是前生欠下他的姻緣債，定要以身相事。所以，就說與他有緣了。

他聞言，半信半疑。而她亦將駘蕩之氣斂去，裝作成一個淑女的樣相，伴讀添香，晚現日隱地跟他相處了好一段日子後，他倆便結下衾枕之緣了。

這是表哥說出的故事。接着是我開口了：

記得，在中學讀書的那些年頭，跟一班氣味相投的同學，經常都喜歡遊山玩水。在快要畢業那年的除夕，爲了明年就會各散東西，便要在那年的除夕與新年都聚在一起，作爲親切的表示。至於方式，經過反復商量後，覺得最好還是到郊外去露營。

那天，於是就在大除夕帶同帳幕乾糧以及野營必不可少的一切用物，浩浩蕩蕩地向山嶺進發。

冷，是十二月必然的天氣，雖說南國地區不會下雪，但霜仍是會降的。我們爲了減少寒冷，便擇背北的山坳下紮，同時，要在日落之前，拾點枯枝乾木樹葉等作爲晚上野火之需。

當十來個人，安營妥當之後，便分頭去搜拾了大約半點鐘，大家認爲數量足用了，就開始預備晚餐。這些烹飪的工作，在我們這些男學生中是不熟練的。但「粗枝大葉」式的製法，却還可以，而且寓弄膳於玩耍中，更覺得工作有趣。就這樣，我們有湯有菜有肉有飯地吃過一頓別饒風味的膳食了。

入夜，我們就分隊輪班站夜起來。計一共十五個人，分作五班，每班三人，由晚上十時起一直要站到天亮的六點鐘，五班輪值。我和樹法及王俞括籌列爲第三班，是由午夜一時開始至二時半；當時，我們的營幕一共是三個，列作犄角形，每營出一人，站在自己的帳幕前，如發覺點甚麼風吹草動，就向睡中的人報警。但，那夜我們是意料中地平安渡過。不過，我在值夜時，跟其他的兩人圍坐在熊熊的野火邊，談點天方夜譚式的話題。

接着，還有一個人也說出了他的除夕故事。

如今，往事如烟，除夕還是年年到來，每當年中的此日，靜坐潛思，往事就會在腦中浮起。今天，甚至從除夕前的一兩日起，那些往事又在我腦子裏盪漾了。

（下）

蘇北的麵食

蘇仁

在蘇北鄉下，這時候冬麥業已下田，遇上這農閒的日子，正是人們趕集市的好時光。

鄉下爺們趕集，不是賣粮食，就是賣鷄鴨，順便也梢回幾丈土花布，好留着過年時給孩子們縫衣裳。還要爲孩子的娘買塊香胰子，給黑翠帶瓶雪花膏。鐵頭唸私塾，天天鬧着毛筆禿了，三字經破了，好買！只要這孩子能成器，那怕就是賣田地。

走二、三十里路趕集市，瑣事剛辦妥，業已過正午。這時鄉下爺們的腸胃咕咕響，不得不饕餮一頓壓壓飢。

提起吃：在小小的集市上，別說山珍海味未聽聞，就是大魚大肉也少嘗，那些純樸的鄉民，向來都以麵食爲主，省吃儉用，從不破費。在此，讓我來爲閣下介紹幾樣集市上的麵食。

烙糢：離家十多年，烙糢再也沒有黏過牙縫，北方老鄉在此地開館子的倒不少，但還未見有那家賣烙糢的。

烙糢是一種既軟又薄有麵餅，有盤子口大，拉筋十足。製烙糢須要鐵燠子一張，趕麵杖一枝，竹一條和案板一塊，少一樣也不成。先把鐵燠子架在灶上燒燙，再用趕麵杖把烙糢捲起，然後朝鐵燠子一攤，只消用竹片將它反轉兩過就熟了。

「伙計！先給俺來十張烙糢捲鷄子，可別忘了裹大葱。」鄉下爺們還未跨進飯棚子，就嚷開啦！伙計送來了十捲烙糢，照例外加一碟甜麵醬。「俺還要碗丸子湯」。伙計應聲端來，冲那隻菜砵似黑粗碗，若是遇上食量小的朋友，就是唬也給它唬飽了，可是鄉下爺們還要額外添湯呢！

烙餅：烙糢薄，烙餅厚，你猜它有多厚？八成你還猜不着。報告你：它足有兩指厚，再大的漢子也吃不下半個！賣時既不能論捲，也不論個，而是論秤。把它從飯棚子裏的平底鍋搬出來，伙計先大概一個總有十來斤，你說吧：要幾斤？伙計便手起刀落剁一塊，一過秤，正是你吩咐的份量。要不，怎能算是手藝？

烙餅又稱炕餅，全靠文火久炕，殼硬瓤軟，外層帶芝蔴，吃起來卞崩卞崩的，眞帶勁！不過你可要有一副好牙齒才成。若再外帶一碟菜，和小米綠豆稀飯，如此景象，現在到那兒去找喲！

窩窩頭：呈猪肝色，外形像饅頭，底下是空心，它是用雜麵蒸做的。所謂雜麵，就是二升黃豆，三升豌豆和五升高粱，然後磨成雜麵，再篩去糠皮，至此便算是窩窩頭的原料了。故鄉有幾句俗話：「窩窩頭，蘸辣椒，越吃越長膘。」也眞的，咱們老家淨出大漢，從未聽說誰打維他命和補針。幾個窩窩頭，一大碗綠豆麵條，而外再來上大大的辣油和胡椒，熱氣蒸騰，嘿，吃得人眞過癮！

牛舌頭是一種極名貴的麵餅，全憑掌灶的師傅手藝，這種餅是不傳的，學徒三年滿師，還不一定能上灶呢！

牛舌頭：是鴨蛋形的油餅，比手掌似略小，却像時下的一般燒餅，但不像時下的，有五香、鹽和葱油的，花樣稀奇。鄉人俗稱說：「吃那牛舌頭，先小心自己口上的舌頭！」可不是，牛舌頭一股子香，酥、軟、脆，眞咬舌頭各一味兒，吃得你牙齒也軟了。你瞧它薄得像張紙，一層一層的，月牙兒，滿保證你沒見過！走遍全東南亞，用同樣的材料，爲什麼做不出像故鄉那樣的牛舌頭，這個原由兒，我可說不清楚啦！

琉球紀行

張希哲

琉球大學於一九五一年一月根據美國民政府第三〇號命令而創設。最初規模很小，逐年擴充發展，現分設文理學院、教育學院、和農工家政學院。文理學院分設國語國文、英國語文、史學、地理、法政、社會學、經濟學、商學、美術工藝、數學、物理、化學、生物等十三學系。教育學院分設教育、音樂、體育、技術教育等四學系。農工家政學院分設農學、農藝化學、家政、農業畜產學、林學、家政、機械工程、土木工程、電氣工程等九學系。全校現有學生二千八百二十人，教員一九三人。圖書十一萬七千多冊。

琉大是琉球唯一的公立大學，經費由美國駐琉民政府及琉球政府分担。決定琉大重要政策和計劃的爲琉大理事會，由琉球政府任命理事六人，另文教局長及琉大校長爲當然理事。琉大校長並非由政府任命，亦非由理事會選聘，而係由教授會選舉。現任校長安里源秀先生過去曾兩度當選爲校長，去年十月七日起第三次担任校長職務。

我們訪問琉大時，安里校長除報告琉大概況及代表琉大歡迎我們來訪外，並提出下列幾點意見：（一）琉大目前雖有研究生（其中有中國學生于景明君，原畢業於我國師範大學）但尚未能授碩士學位，有不少琉大畢業生都希望能到台灣來深造，希望我政府教育當局能予方便及鼓勵。（二）琉球近年致力發展職業教育，台灣有很多地方值得借鏡。（三）琉大將來設置中國語文課程，希望中國能協助。日前琉大學生有中國語俱樂部的組織，和中琉文經協會常有聯繫。我們這次訪問團贈送該俱樂部中文書籍一千多冊，訪問琉大時，由方團長將贈書目錄送與安里校長。

琉大校址設在首里城舊址。校區面積頗廣，校舍建築亦整齊壯觀。附近的守禮門和龍潭池（建於一四二七年尚巴志王時代）是觀光勝跡之一。就學校環境而言，是一個良好的進修游息之所。但値得憂慮的是：外來的政治惡勢力，已侵入了這個寧靜的校園裏。聞說中共份子與日共份子勾結，藉着日本的傳統優勢爲掩護，已在琉大成立了「馬克斯主義俱樂部」，作爲散播共產主義細菌的大本營。最近又利用少數學生家長對台灣香蕉問題的歧見，策動琉大學生自治會成立了一個「台灣香蕉對策委員會」，準備興風作浪。

沖繩大學創立於一九五八年，最初辦兩年制的短期大學，至一九六一年始經琉球政府中央教育委員會認可增辦四年制大學。現沖大一共有兩部份：（一）四年制大學，內分設英文、法學、經濟、商學等四學系；各系均有日間班和夜間班。（二）兩年制短期大學，分設英文系和商業經濟系；也有日間班和夜間班。四年制日班學生四六一人，夜班六〇四人；兩年制日班一六八人，夜班二六〇人。全部學生合計一千四百餘人。

（八）

藏寶笑談

—晉陵—

爲什麼人們喜歡把値錢的東西、鈔票放進那些用品和器皿中，這是不可思議的。其實目前可存放而又安全的地方不少，像銀行等，不但可以儲蓄，而且還有利息。

可是，人們總是那末奇怪，愛把東西收藏起來。整個英國，數以千計的家庭，仍然有人把金鎊便士藏於威士忌酒瓶裏，茶壼裏藏鈔票，或把鈔票收在襪子中，放在衣櫃底。還有其他人放在一些秘秘密密的地方。

在約克郡布力福市，一位工人，發現在一水箱後之一堆舊報紙中，包着七百三十鎊，全是面額一鎊的鈔票。在蘭開夏郡狄斯里市，水喉匠法蘭谷巴從一屋宇的板中，找到一個餅乾罐，他把它打開，嚇得他發抖不已，裏邊全是纍纍鈔票！他點數之後，即向警方報告，原來那裏邊放着一千七百鎊。

在美國中，一位千萬富婦，把三萬美元放在她家裏的舊鐵箱中。

（二）

內備警台報字第〇三一號內銷證

自由報
THE FREE NEWS
第七二一期

中華民國僑務委員會登記
台教新字第三二三號登記證
中華郵政台字第一一二八二號執照
登記為第一類新聞紙類
（半週刊每星期三、六出版）
每份港幣壹角
台灣零售價新台幣貳元
社長：雷嘯岑
督印人：黃行宮
社址：香港銅鑼灣高士威道二十號三樓
20, CAUSEWAY RD 3RD FL. HONG KONG
TEL. 771726　電報掛號：7191
承印者：大同印務公司
地址：香港北角和富道九六號
台灣分社
台北市西寧南路壹壹零號二樓
電話：三〇三四六
台郵撥儲金戶九二五二

怎樣消除官吏的貪汙行為？

陳侃

據台灣報紙最近紀載消息：司法行政部為謀根本消除政治上的貪污事件，曾於一年前成立了「瀆職犯罪問題研究小組」，探求犯罪問題的根本原因，幷研討對策。該研究小組蒐集有關貪污問題的資料甚多，調查受刑人的事實亦極周詳，且發現一種特別情況，即自從政府將舊有的「懲治貪污條例」廢止，新頒更嚴厲的「戡亂時期貪污治罪條例」以後，貪污案件反而增多，認為難以索解。司法行政部能注意此項關係政治隆污，因而影響國家治亂安危的重大問題，勤力研求其所以然，要想根本予以消除，其志可嘉，其行可佩。我們欣慰之餘，謹以客觀心情，根據實際原因，略抒管見，藉供參詳焉。

政府對貪官污吏新頒嚴厲法令之後，而瀆職犯罪者更見增多，馴致構成「集體貪污」現象，這其間自有許多關係存在，一旦要想根本消除貪風，談何容易呢！過去政府在大陸上，犯貪瀆罪行者盡係行政官吏，今日則不然，素以清高自命的文教界亦盛行貪污，情不為怪。一個公立小學教師或縣市教育科長，要從甲地遷調乙地，非送紅包不可，而低年級的小學教師要升到高年級執教，亦以紅包為主要條件，這在過去是駭人聽聞的事兒，如今卻司空見慣，心照不宣了。在這種反常的情況之下，人皆以貪瀆為幹練，視清貧為恥辱，見錢眼開，享受至上，而欲根本消除貪污，那除非大開殺戒，寧肯枉殺十個，決不遺漏一人，庶幾可望收效，否則說著玩兒是可以的，事實上決不可能！

我們所望於政府者，第一步先求去其太甚，老百姓即已受惠不淺。去其太甚的方法，亦無需乎搜集許多資料，耗費許多心機，提要鈎元，對症下藥，即有奇效可亂，如其志在宣傳，那就不必談了。

陳義不必過高

有政治生活，即有貪汚事件，古往今來，在任何國家都是難免的，祇有程度上的差別而已。共產國家幷無私有財產觀念，日常生活必需品又是配給制，兒女教養皆由公家負責照顧，然政治上還是不免發生貪污風氣，如盜竊公物、集體貪污等行為，所在多有，可見「根本消除貪污」之說，實屬陳義過高，只是宣傳詞令罷了。我們認為政府祇要有貪必懲，毫無假借，法律之前，人人平等，絕對唾棄「刑不上大夫，罰不及親貴」的特權惡例，即可去其泰甚，大戢貪污之風。再加以輿論制裁，對於新聞記者摘奸發伏的「扒糞運動」，聽其自然發展，依法處理，信賞必罰，使政治人物皆有「君子懷刑」的觀念，不敢以身試法，大家知恥自愛，砥礪廉隅，政風必卜清明，貪污事件即將隨之減少，乃至於極少發生亦非意外了。

死口不放

毒龍之子

今日與明日

毛林集團大勢已去

毛共派系鬥爭，發展至現階段，對毛林小集團來說，眞是到了衆叛親離的地步。由於毛林和劉鄧集團互不相讓，各施「殺手鐧」，所以，弄得「天下大亂」，烏七八糟。毛林集團召開毛共「十一中全會」後繼之出動「紅衛兵」到處暴亂以來，曾經錯誤地認為很快地就可把反毛「當權派」「鬥倒」，「鬥垮」，「鬥臭」，進而取得「決定性的最後勝利」。

但在事實上卻恰恰與此相反，反毛，「當權派」不但越打越強，甚而於日前全面性地「煽動」的軍、警、「工人和農民，「痛殲」無法無天的「紅衛兵」。

毛酋惟一的「密親戰友」林彪也不得不公開承認，反毛「當權派」的勢力相當強大。這說明毛林集團「御用」的宣傳工具把反毛「當權派」說成是「一小撮人」完全是騙人的鬼話。如果眞是「一小撮人」，毛林集團早把他們「堅決、徹底、乾淨」地消滅掉了。

林彪說反毛「當權派」勢力相當強大，這話是一點也不錯的。事實也是，毛共內部派系鬥爭的形勢，正向絕對不利於毛林二酋的方向發展。

上海、福州、廣州、鄭州和成都、重慶等城市的「工人赤衛隊」（反毛派的「鬧將」），羣起出動「反造反」，不但離開工廠，破壞交通、自來水和電廠，復對忠毛的「革命造反派」大施膺懲。作為「主人翁」的工人勢力已不弱，再加上各地的黨、政機關幹部和軍警的支持，形成了「火藉風勢，風助火威」，越來越熾烈之勢。數天來，事實證明，反毛「當權派」本着「打虎不死反傷人」的宗旨，正對毛林集團擴大攻勢進行乘勝追擊。相信，此一反毛「當權派」與工人「相結合」的「反造反」運動，將很快地普遍於整個中國大陸。

也許有人認為，工人和農民行動，是不會發生重大作用。因為，毛酋有「槍桿子」支持，於必要時他可以出動槍炮來鎮壓。事實上，形勢發展至現階段，「槍桿子」不但呈現不穩，且有不少高級軍事幹部「背叛」他們的「統帥毛主席」了。

繼「國防部辦公廳主任」蕭向榮「總政治部副主任」粱必業叛毛後，另一「總政治部副主任」兼「中共中央文化革命小組副組長」的「劉志堅也企圖分裂文化革命」了。這三個人雖只是「中將」，但由於分別是毛酋或林彪的「忠實」嘍囉，他們居然也轉投劉鄧集團參加反毛鬥爭，這說明毛林集團的處境眞是到「西風落葉」的地步。

陶鑄「背叛」引起了「南京大血案」。進一步必是華東、華南以至西南迅速聯接在一起，羣起反毛進而形成套在毛林二酋狂上的「絞索」；他們雖必拚活掙扎，但越掙扎越「緊」，終至死亡。（何如）

法令滋彰

老子有言：「法令滋彰，盜賊多有」，官吏貪污風氣之所以頗成，法令的關係甚大。官吏在管理衆人之事時，利用權力機會，假藉法令的口實，纔能夠上下其手，納賄受賄，法令愈苛繁，官吏貪污的機會就愈多，而且表面上冠冕堂皇，振振有詞。行政官署的職責，本來有一定的，按照職務分類的原則，各有專司，權責分明，只是依據法令辦理就行。譬如香港居民要創辦工商企業，祇要向工商署依法申請登記，在很短的時間內即予以准駁的通知，一經得到主管官署的核許，便可自由營業，不受政府其他機關干涉，絕無所謂「有關單位」的困擾。但在台灣就不行，人民要想創立一所工廠或公司行號，除用填寫若干數不清的表格外，還要奔走若干道有關官署，道道衙門通過了，那道衙門又認為「不合法合規定」，礙難照准，歷時一年半載尚得不到回答的情形，亂為尋常之極。據說，在台灣一個知識青年出國求學，從區鄉鎮公所申請起，層層節制，要通過十七道簡門的關口，寧不可歎！人民為着減少麻煩，消除阻礙，唯有乞靈於「紅包主義」，則能迅赴事功。工商企業方面如此，其他的文教事業亦然。一種海外僑民的報刊申請內銷，名義上是內政部主管，卻需要另外五個「有關單位」開會同意，而每個有關單位都享有否決權，這叫作甚麼「職務分類法」呢？至於私人興辦教育，其苛擾繁復的法規與程序，尤為古今萬國所罕見，令人見之驚心，思之動魄，言之切齒，卻都有法令根據，無可非議或違抗的。政府原是為人民而存在的，官吏是人民的公僕，然在法令苛繁的情況中，人民似係為政府而生存，官吏乃是人民的太上老君，一切行政措施無所謂「便民」之說，似此作風，即令官吏沒有貪瀆行為，行政效率也等於零，因此而誘發紅包主義，殆屬勢所必至，毫不稀奇了。

所以，要想遏制官吏貪污行為，唯一的治本之計，即為簡化法令，集中職權，先把官吏所恃為貪取儻來之物的利器拉掉，使不肖官吏的貪污行為無從合法化，庶幾可以去其太甚也。

自由談

普遍化的貪污

陳立夫先生回到台灣不滿兩個月，即感覺此時此地盛行「紅包主義」，對着社會發衆講演「四書」道實的義理之際，希望大家本諸孔學的「仁」、誠、「中」精神，努力清引「紅包主義」，換言之，即要剷除政治上的貪汚風氣。他聲明：「予豈好辯哉，予不得已也」。

實則「好講」貪汚問題的人，不僅陳先生而已，在刊物上和公共場合中，指斥貪汚政風者不一而足。可是，言者諄諄，聽者藐藐，任憑你寫斷了手指，說爛了脣舌，貪汚的惡習自若也，且有日趨普遍而深沉之象。陳先生是名人，如能登高一呼，使貪風稍戢，那是一大幸事，跂予望之矣。

有政治生活，便有貪汚行為，這幷非稀奇的事兒，只要有貪必懲，執法以繩，雖不敢必其弊絕風清，至少可望去其泰甚，而集體貪汚的怪象決不會產生。今也不然，大不必法，小不必廉，官職越大的，貪汚的程度亦越高，大家見怪不怪，馴致視為當然，狷介自持的反而被目為為村了！

在一般人的觀感中，總認為幹教育事業的人，比較是清高的。詎知世界進化到了原核子時代，貪污毒氣的幅射性無孔不入，教育界人士亦深受感染，相率踵起效尤，見錢眼開，有些獨出心裁的貪法，令人難以想像。例如：一個國民小學的四年級教師，要想升入五年級執教，就得對校長報効萬元紅包，為甚末？就因為高年級學生快要畢業升學了，人人不惜「惡補」之資，以防他日失學之虞，家長亦祇好忍痛犧牲，而補習教師必卜桃李滿「班」，財源滾滾茂盛了。像這種扒錢的方法，可謂自生民以來未嘗有也，陳立夫先生諒亦聞所未聞吧？

至於官吏弄錢的法術有的是：上焉者向外國爭取經援或工商企業的鉅額貸款，既愛國而又可獲大量的「康米神」；次焉者購置舶來的機器、車輛和重工業材料，油水甚多，決不犯法；下焉者就是向自己人遇事勒索「紅包」，有錢順利通過，無錢免開尊口。如此這般，恬不為怪，上行下效，靡然從風，終致構成集體貪污的積習，牢不可破了。

陳立夫先生的說教，能夠消除這種沉痾嗎？我很懷疑也。

馮正先生

特權作祟

第二、構成貪污風氣的項因素，就是特權。而這項特權主要是由制度產生的，其次人的關係亦不鮮。就制度說：對於民間某項事業或問題之處理，甲機關有主管職責，乙機關又有處置的特權，名義上分層負責，實際是分層而不負責，負責而不分層，特權所在，恣意胡搞。

於是乎，人們千方百計地對着特權下工夫，而以賄賂為不二法門。行政制度如其依照職務分類原則而籍訂，即無須予還要賦予某一機關以特權，既有特權，即客易廣開苞苴之路，理固然也。就個人的特權來說，那更是事證昭彰，不言而喻。別的不必談，試看最近鬧得很熱烈的黃豆賄賂案，那些主吏議的民意代表以及涉嫌於其中的行政官，個個都是特權階級人物，若不是特權作祟，曷克臻此？不特此也，同樣是特權份子，有的郎當入獄，有的逍遙法外，有的到法院佰訊時，日須得以上賓之禮，這種特權中之特權，影響於社會人心，何等重大呢！政治上既使個人享有特權，所謂法治主義就成了紙糊燈籠，不値一顧，而在社會大衆的觀感中乃產生一種副作用——藉賄賂溝通特權階級。有錢能使鬼推磨，等而下之的公務人員，在銀彈攻勢之下，還有不見錢眼開的嗎？貪風颱然大作，自然而然的構成集體貪污現象，若欲根本消除它，光憑幾項白紙黑字的對策如臨時法規之類，可能嗎？

官吏亦有不貪污的，對於這類廉潔自特，有所不為之士，政府如能綜覈名實，加以不次的獎擢，這對澄清吏治的效用，比訂一千條法令還要鉅大！如其國人皆知道他是個貪官污吏之徒，而其官運却很亨通，儼然是國家不可少的黨國要人，那就免談消除貪污的話，民衆的眼睛雪亮，任憑你如何宣傳，也不會有人相信的。

高雄水產學校日就完善 地方人士要求升為專校

列舉五點理由頭頭是道事不宜遲

（本報駐高雄記者趙家驊航訊）省立高雄水產學校，歷年來由於人謀不臧，辦理不善，以致該校校務廢弛，校風腐敗，負債累累，為高雄地方人士所詬病。自五十三年秋，省派現任校長胡曉伯氏長該校後，即力加整頓，銳意革新，開源節流，同時併行。後者如撤銷漁務處，樽節靡費；前者為以該校一二六噸級之遠洋作業漁船，長年駐南太平洋薩摩亞從事魚撈，每年出海五趟，每次漁獲量平均約六十噸，約值八十萬元，售予美國後，除各種開銷外，每年滙校之淨盈利為一百餘萬元，該校負債百餘萬元，一年後不僅可以清理舊欠，且可盈餘助其建校。該校有自備造船廠，凡屬一百五十噸級之漁船，皆可承造或修理；故該廠係該校一個生產單位，每年可以淨賺三十萬元左右。

經過胡校長年餘的擘劃與經營，不獨校風為之丕變，更重要的是南部地方人士對該校日漸改觀，尤其是高雄地方府會人士；因此市長陳啓川、議長王玉雲，以及學生家長，均向省方爭取升格為專科水產學校。學校設在高雄的重要性，地方人士認為有五點：第一、高雄為台灣第一大港口，學生均可出入海便捷，校址又濱臨海邊；第二、台北改為院轄市後，高雄即係台灣省第一大都市，人口逾六十萬，沒有一所公立的海事專校，似嫌美中不足；第三、向海洋方面發展是今後政府重要經濟之一環，而北部設立者有（一）海事專科（二）海洋學院（三）中國海專，獨南部付諸闕如，根據客觀環境，有亟待設立之必要；第四、今後除高雄水產學校升格外，有司方面已決定不准再行設立海事學校；而南部子弟有志於海事者，必須到北部去升學，花費不貲，為南部家長所反對者；第五、高雄水產學校目前訓練之學生均係低級船員，所需高級船員勢必至北部聘請網羅，倘該校升格，即可以就地取材，不慮高級船員的匱乏。

綜上五點，高雄升格似箭在弦，迫不及待。高雄市政府及市議員為了爭取該校升格，曾數度向省方請求，省方原則上雖同意，但據說所致慮者為教授及土地校舍問題。高雄地方人士認為這不是理由，他們說：一、海軍研究所有的是教授，且具有高深的海洋研究理論與航海經驗，可以敦聘授課；二、土地問題，在五塊厝該校有五千坪土地，將之出售，至少可得五六百萬元，以之興築計劃中的四層大樓綽有餘裕；且高雄市政府答應撥出一五〇萬元補助，若省方遲疑不決，該補助款即將取消。揆諸目前情勢，該校升格只是時間問題，該校萬事（計劃）俱備，各方正矚目省方的決定。是抉擇的時候了！願教育廳好自為之，從速決定，南部人士，正拭目以待也。

國聯影城開工

今年四月即可落成

（本報台灣航訊）國聯影業公司投資新台幣二千萬元（合港幣三百萬元）興建的「國聯影城」，現已全面發包開工，預定一百個工作天完成。

電影公司擁有「影城」的，在台灣還以國聯為第一家，雖然中影、台製都有攝影場，但是實際上如以「影城」來衡量，並沒有「影城」應具的設備。

「國聯影城」有兩座合乎國際水準的影棚各長一四〇呎寬七〇呎，如果將兩棚中長二〇呎的過道連起來，則兩座棚的總長為三〇〇呎。

「國聯影城」裏有一條「電影街道」，長四〇〇呎寬四〇呎，街道兩旁的建築皆為美侖美奐、古香古色的瓊樓玉宇，街上商店林立，有古董店、綢緞莊、南北行、米市、打鐵舖、飯店、客棧、當舖等等。在巨型樓牌的對面是一座莊穆森嚴的總督府。

一座高三層的辦公大樓，也和廠棚同時開工，其用途分配是底層為化裝間，二層為大寫字間，三層為總經理、經理的辦公室和放映間。

這座落於台北近郊板橋鎮的「國聯影城」，將於今年四月間完成，屆時國聯公司的製片中心將移往「影城」，至於目前在台北市泉州街一號的公司將被指定為連絡處。

（本報台灣訊）國聯公司前次在香港招考的新星萬儀和金莎，日來正在加緊學習國語。她們認為如果想當一名很出色的演員，一定要會說夠水準的國語。

萬儀說：「一個身為國語片的演員，如果不會說國語，就必須在拍戲的同時把一部份精神分出去熟記國語對白，這樣必將影響到表演的技巧。」

金莎則認為：「國語既然是國家的語言，身為國民就必需會說，特別是只有社會教育，傳播工作的電影演員，更應該把國語說好。因為一個身負社會教育傳播的人都說不好國語，怎能使社會進步？」因此她下決心要把國語學好。

萬儀和金莎有了這種決心，便到處物色「國語老師」，最後她們找到了服務於「美國之音」和「警察電台」的廣播記者尹懷中。三個姑娘集在一起，東一句西一句的談得非常投機。最後，萬儀金莎提出要求，而尹懷中也就毫未考慮的答應了。

萬儀和金莎從上週開始正式上課了。

石門水庫計劃與建「遠東最大公園」

擬定藍圖歡迎國內外人士投資

（本報記者黃鴻遇桃園航訊）台灣省石門水庫管理局，為發展觀光事業，歡迎國內外人士投資，以我國大陸名勝古跡為「藍圖」，在石門水庫四週及水上，建設一有系統的「遠東最大公園」。其投資方式，為分業和分區兩種：前者為旅館、餐廳、陸地及水上遊樂等業，後者為南苑、公園、高爾夫球場、水上遊樂等區。全面投資者，第一期投資基數，須在新台幣一億元以上。其投資「須知」，業經省府核定實施，茲誌如下：

（一）投資範圍及項目：石門水庫觀光事業範圍及項目，均按照石門水庫管理局所訂定之「觀光事業發展計劃」辦理，並得分期投資。

（二）投資人資格：（一）凡國內、外法人及自然人，曾經辦理工商登記，資本額在新台幣一百萬元以上，認為殷實可靠者；如不及辦理登記者，可繳存同額保證金一百萬元，俟取得工商登記後發還。（二）申請人所提計劃及投資項目，能符合該局計劃者。

（三）投資方式：（一）統一投資：即投資人組成一個主體，統一投資，全面經營，以謀石門水庫觀光事業有計劃的大規模發展。（二）分業投資：以旅館業、餐館業、遊樂業、水上遊樂業等，分別投資經營之。（三）分區投資：可依地形分區投資，如南苑遊樂區、公園區、高爾夫球場區、水上遊樂區等，分別經營。（四）區內分項投資：依各區域規劃之各各種設施，分項投資經營。

（四）申請手續：（一）索取投資計劃說明書；（二）填具申請表格；（三）繳納投資總額百分之一的保證金；（四）檢附證件。

（五）個人投資：（一）全戶戶籍謄本一份（華僑附僑委會證明）；（二）工商登記證明（如不及辦理者，繳存同額保證金一百萬元，或相等值之有價證券）；（三）最近半年度綜合所得稅繳納證明（華僑或國外人免繳）。

（六）公司投資：（一）營業登記正本及印本各一份（正本核對後發還）；（二）最近一期繳稅證明；（三）負責人戶籍謄本（華僑附僑委員會證明，外國人由該國駐我國外交機關證明）。

（七）投資接洽地點：桃園縣龍潭鄉十一份石門水庫管理局建設處觀光課，電話：石門二四七號。

（八）審查標準：（一）資本來源方面，以國內投資為第一優先，國內與華僑合資為第二優先，華僑為第三優先，最後為外國資金。資金數額方面：（一）全面投資資金總額，第一期（五年）須在新台幣一億元以上，並以能投存之保證金最多者為優先；（二）分區分項、分業投資，均以所提供之投資最多者為優先；如數投資人條件相同時，得以協商或抽籤方式決定之。（元月五日寄）

看橫掃中國大陸的「紅衛兵」與「文化大革命」

楊力行

如今，毛賊種在四面楚歌的窮途末路時，又搬出「赤衛隊」的老花樣，搞什麼「紅衛兵」，且由毛酋自兼「總司令員」，林彪兼「副總司令員」，賀龍兼「參謀長」；其秧歌王朝第三個壓寨夫人江青（原名李雲鶴——詳見五十五年十月三日「中副」所載拙作「毛澤東和江青」——附後——及另一即將在某政治性權威雜誌上發表之拙作「毛澤東的出身」——兩文）任「代理正副總司令員」，負責指揮；日暮途窮，只有拿他老婆來指揮那些無知的「紅孩兒」們來亂搞一通了。聖經上說：「上帝要毀滅一個人，必先使他發瘋」！毛匪目前的胡作非為，正是他臨死前的發瘋也。

第三、毛酋在民國三十八年七月發表的「論人民民主專政」中，明白表示他們要走「俄國的路」——「以俄為師」。在民國三十八年十月一日偽政權成立後，他也一直用蘇俄的成方來治理大陸；用「解放軍」對付「反動勢力」；用「民兵」控制鄉村；用「兒童團」鬪香敗哨以掃蕩舊勢力。偽政權的初期幾乎就是蘇俄一九二三年前暴亂的翻版。因此，蘇俄在一九二三年就首先發現「資本主義復辟」傾向，而推出「無神戰鬥團」加以打擊，獲致效果。他自然也要在大陸反毛反共傾向明顯化的此時，運用「無神戰鬥團」的成方，來挽救其偽政權的危亡，而作垂死的掙扎了。

因此，我們可以說：「毛共」推出「紅衛兵」大鬧劇，仍是走馬、列路線「以俄為師」的必然結果。這由「俄共」始終不敢指責「紅衛兵」的出處，便可明白；至於，「俄共」責之為「勢將擴及世界的罪行」！乃是經驗之談，因為，他們自運用「少年赤衛隊」、「無神戰鬥團」以穩定俄帝政權以來，不是已危害世界五十餘年了嗎？

「紅衛兵」和「少年先鋒隊」：為了對照「紅衛兵」和「無神戰鬥團」的異同，我們必須先知道關於蘇俄「少年赤衛隊」和「無神戰鬥團」活動情形；雖然，自由世界過去報導，但我們仍能從有限的資料中，窺其大概：

「少年赤衛隊」是在「俄共」政權到手，頒佈許多「國有令」和實施「不工作則無飯吃」的制度之後，就由列寧下令動員起來；他們的任務是「掃蕩舊勢力、舊文化」。其激烈的情形，由當時蘇俄教育人民委員會委員長即教育部長，也是著名的文藝作家盧那查爾斯基（Anatoly Vasiljevich Lunacharsky, 1875—1933）的「擁護藝術宣言」可見一斑，他說：「同志們！你們是俄國的少年主人，將來很有為，應該思考的事很多；所以，對於藝術的科學的實物，應當竭力保護才好。……在激烈的破壞的戰鬥中，教育人民委員的職務格外繁重……我當為諸君自己及子孫保存俄國的藝術，擁護人民的財產，……快！要很快的覺醒去那些阻滯在無知中最愚昧的人民，……」可見俄國當時破壞傳統文化情形是非常嚴重的，豈不和「紅衛兵」目前在我國大陸的胡搞非為情形，完全相同嗎？

俄帝的「無神戰鬥團」乃是「少年赤衛隊」由散漫到精鍊，由短期化到長期化的結晶。

「少年赤衛隊」由一九一八年到一九二一年，殺死了上千萬的宗教信徒，關閉了五千多所回教寺院，四百多所東正教的教堂。但到一九二三年却惹了大禍：他們大殺天主教徒，把一個英國籍的天主教神父布特基華茲判了死刑。羅馬教廷和英國都提出強硬抗議，列寧恐怕招致國際間再大封鎖，只好解散「少年赤衛隊」。但背地裏却在「共青團」中成立「無神戰鬥團」，又排外活動，出版「無神」雜誌，會長期反宗教、反傳統文化，直至一九二九年以後。四年列寧死亡後，史大林的活動再進一步摧毀蒙古文化，把蒙古文字拉丁化，激起蒙古人反感，史達林又拿出「無神戰鬥團」法寶，運用其血腥的勝利，取得了蒙古的實權，把蒙古文化「掃光」了。（三）

溫海異聞談

外國男女健忘故事一束

·桑雅·

露營之王比利賓田爵士準備去演講的時候，但是忘記了帶眼鏡，於是即買了一具字體特大的打字機，把演講稿草草地再打一遍。

紐約市的樂隊領班賓尼古曼，匆匆的跳進一部的士，那位司機等候他的吩咐，但是好幾分鐘，賓尼古曼始終沒有做聲。最後他咆哮的說：「喂，老友！」說完露出驚奇神色仰望，立刻跑出的士，抽出銀包，支付車資。

在戴德里市諧角夏理窩富，一天他寫了一封道謝的便條，給他底草字體打字機，要訂購二加侖地蜡；而以一封禮貌的信件，請求給予字體樣本的信，則寄給一家五金雜貨店的東主。於是擺了烏龍。

像比利賓田爵士，賓尼古曼，和夏理窩富等人，都是患了普遍的健忘症。閣下是否健忘呢？如果是的話，那末應注意了。心理學家說，這是一種深邃思想特性的象徵。

閣下把糖汁傾於茶裏？或是在夜裏將威士忌酒傾去？或是將貓兒關進雞尾酒櫃裏？這顯然是心不在焉，而對另一些事，集中精神思索，和想得很深所致。如賓尼古曼，專心於音樂，那末，對於生活的瑣事，便無法留意了。

相信每個人都會出現過健忘的情形，健忘往往使人尷尬不已。

像有一個男子，坐在一間電影院的第一行，坐下不久，即鬆弛地把衣服脫下來。當女帶位員將他帶到經理室，他竟把內褲除下。後來他解釋說：「我以為在家裏，準備登床就寢。」

另一健忘的事也相當尷尬的。美國銀行家杜威摩魯，在火車的旅程中，收票員收票時，無法找出火車票。收票員曉得他情形，便對那銀行家說，如果找到車票之後，寄回給鐵路公司。但是銀行家卻說：「無法找到車票，同時也不知道我該到什麼地點才下車！」

如果你患了健忘症，那末大都是聽其自然，可是許多時卻有補救的辦法。譬如經常忘記人家的姓名，但是卻可以借用別的無法忘記的事物，以代表朋友的姓名，那末便不會遺忘的。譬如那人姓葉，你聯想到他是一塊樹葉，或是以一些怪趣的諧音代人，增加自己的記憶。

事實上健忘症是不治之症，無論科學家到了怎樣昌明的地步，也無法醫治的。

世界上健忘的人不少，在倫敦的初級法庭裏面，常常發生法官忘記到庭主持審訊工作。

在威爾斯夏都有一位牧師，忘記到禮拜堂主持婚配儀式，使一雙新人及觀禮賓客，枯候了許久。

一位中年威尼斯水喉匠鮑曼，他給當局拘控重婚罪。在法庭審訊時，他的代表律師呈出一張精神治療專家的證書，那是檢驗法蘭斯鮑曼的報告。

這位專家證明他患了慢性健忘症，說他忘記了自己已經結婚的。然而如果真的是這樣的話，那末，這個男子的健忘症，已經一病入膏肓的了。

在緊忙緊張的城市生活中，似乎每一個人都有健忘症的，最簡單的是在晚上往往沒法記得午間吃過什麼菜。人家介紹認識的新朋友，轉瞬卻忘得一乾二淨。搭車忘記了下車，或忘記了自己的住所。錯開別人的房門。這都是很普遍的現象。

因健忘而演成嚴重的後果，是常常有的事。曾經有一位婦人，因丈夫忘記了她的生日，和結婚周年紀念日，向法庭提出控訴，要求和丈夫離婚，指丈夫對她毫不關心，遭受精神虐待。

發明與發財之間

小兵

另一個妙想是發明一種裝置，使搭客從公共汽車或電車下車時，車輛一直不停駛。它的設計是包括一個小車，在車尾用拋錨方式把搭客送下車。

還有人想到發明永遠能轉動，而不需要燃料的機器，這是一件樂觀的發明品。然而電池在早年亦被認為是怪誕，一八三九年時英國男子格拉夫，發明燃料電池，不知道他用什麼原料，總之當時被人反對，指為荒唐。今日電池對世界的貢獻極大，不必多說。

發明家欲不容易成功，至於談到發財，多數是很渺茫的。根據最近的調查，顯示十個發明家，其中有六人永遠不能有一件成功的東西；十人有八人的發明品，從來不獲專利註冊處所接納，亦不獲官方機構的協助加以探討。這意味着每年有二萬三千名發明家，相信他們的思想可變為一座金鑛，結果幻想成空，發現是毫無價值。當然一旦獲得專利註冊，英政府是肯出錢進一步研究的，這筆錢是一千萬鎊，由英全國研究發展公司動用。此機構過去十八年，曾協助了不少發明家，把思想變為現金。其中約五百種是獲得積極幫助的，但祇得六、七種可獲官方斥資大量生產，例如氣墊船就是。還有其他的用品，自殺車劑以及抗生素藥物，太空時代的電子設備，都使發明人與贊助人，發了大財。

今日的發明家都遭遇兩項難題：第一是許多發明品早已成為舊物，簡單的東西已不可能，必須要動腦筋，費很長的時間，才能想出一件專利的物品，需要有巨大的技術智識，才有機會；其次是新發明品，大困難，是需要巨資把它加以完善，才能大量生產。

航空引擎偉大發明家威士博士，費了數年的時間，發展成一種機翼可擺動的飛機，後來英政府出了一百七十萬鎊，但後來英國對此已失去興趣，現在美國發展擺翼飛機，有信心設計一種飛機，時速可達二萬英里，從澳洲到倫敦，祇需一小時半；但是發明此飛機要費時五年，耗資四億鎊。因此發明家祇能作為業餘的工作，祇有少數人才能把它當作職業。（下）

飛彈浩劫記

嘉陵譯

那個在和福百貨公司樓上住宅的婦人，被困於膠堆中，要是她的軀體自由的話，那末也許她可以找到她的五歲女兒。至於那個無法睜開雙目的茶水部女郎，終於把眼睛睜開，可是一切黑漆得很；她向四周摸索，不久，發覺腳下有強烈的光綫。於是她不再瞎摸，靜候着拯救人員前來把她救出，她立刻鬆弛下來，不再為這不幸事件着想，同時也極力不去想她的姊妹的處境。她的姊妹，亦在和福百貨公司工作。

在災場上，當局搬了好幾部巨型的自動起重機，把一堆堆的膠和瓦礫移開，以便從瓦礫堆中，拯救被陷在裏邊的生還者。

可是仍有不少的失蹤者的親友，焦慮地，耐心地期待他（她）們的生還。

在拯救隊人員積極拯救中，給陷困於膠堆中的婦女，不斷的掙扎，因為她聽到微弱的哭聲，她確信那是她的女兒。終於，給她掙脫，在黑暗中瞎摸。她匍匐地循着女兒的哭聲爬去，終於她觸摸到她的女兒；那個女孩渾身瘀傷，驚惶得很，但是情況不很嚴重，倖獲生還。

拯救人員從瓦礫堆中把茶水部的那個女郎救出，輕輕的把她放在一張担架床上，扛上救傷車。稍後送她到格林威治的阿非芝醫院，在那裏，人們告訴她的姊妹仍然未有蹤跡。當晚在和福的威臣街殮房中，擺着許多從死者身上取出的東西，如手錶、袖口鈕、衣物等，給親友辨認。於翌日上午，威臣街堆滿了人，以派號碼輪隊方式，按照次序，進入殮房認屍。

在這次事件中，和福百貨公司的僱員，只有三人生還，此外就是住於百貨公司樓上的兩母女了。

事發後，拯救工作人員耗費了幾星期，才將新十字路大部份災區清除。幾個月之後，當局才統計死傷人數，死者一百六十八人，重傷者一百〇八人。在這戰爭期間，飛彈襲擊所造成嚴重的浩劫，以此次為最慘重。

於災區全部清理之後，當地市議會在原址興建幾幢新大廈。現在這地區完全改觀。但不是說和福區的市民無須再回憶這次的悲劇！（下）

新三國　周藝評著

由荊州而向宛洛，其路綫比由漢中更近，曹操在當時受到關羽這方面的威脅之大，就可想而知。荊州一失，威脅就不存在了。且由劣勢而變優勢了。

六四、奸雄數終　史無章法

關羽的生年月日均無可考，卒於建安二十五年一月間。孫權派人將關羽首級送到洛陽。關羽死後，蜀後主即位之後，謚曰「壯繆」。清高宗嫌其謚名不佳，改謚曰「忠義」。謚日為乾隆四十一年七月二十六日，並交武英殿將此旨刊於關羽傳之後，用垂久遠。故撰殿本之關羽傳則無「壯繆」的謚號了。關羽的長子關平，隨父死於臨沮；次子關興字安國，少時甚有美譽，諸葛亮深為器重，官至侍中監軍，數年就死了。關興之子關統，娶了劉禪的女兒（公主），官拜虎賁中郎將，死了無子，以關興的庶子關彝續封。據裴注引「蜀記」說：後來魏滅蜀，龐德的兒子龐會，將關氏家屬斬盡殺絕。陳壽評曰：「關羽、張飛皆稱萬人之敵，為世虎臣。羽報效曹公，飛義釋嚴顏，並有國士之風。然羽剛而自矜，飛暴而無恩，以短取敗，理數之常也。」陳壽之評甚為中肯。

建安二十五年庚子，即正月二十三日，一代奸雄曹操也死於洛陽。他比關羽晚死不過十九天，享年六十有六。臨死時，他下了一道遺命說：「天下尚未安定，未得遵古也，葬終皆除服。其將兵屯戍者，皆不得離屯部，有司各率乃職。斂以時服，無藏金玉珍寶。」後來不到一年，即在同年十一月，曹丕篡漢，進謚曰「武帝」。曹操死，葬於高陵。高陵即鄴縣西原上之壽陵。故在他的遺令中有云：「汝等時時登銅爵台，望吾西陵墓田」一語。

陳壽在三國志曹操傳末評曰：「漢末天下大亂，雄豪並起，而袁紹虎視四州，強盛莫敵。太祖運籌演謀，鞭撻宇內，攬申、商之法術，該韓、白（韓信、白起也）之奇策；官方授材，（任官以方，授職以材也）各因其器；矯情任算，不念舊惡；終能總御皇機，克成洪業者，惟其明略最優也。抑可謂非常之人，超世之傑矣。」同時，陳壽對曹之評論，僅取其美而言，無一隻字言及其他。同時對於曹操之稱謂，在他史中無此章法：其始稱太祖；及獻帝都許昌，以操為大將軍，則改稱公；後自為魏公亦稱公；進為魏王，則改稱王；已明言操乃漢王公也。為漢臣公而卒，稱帝則為篡。陳壽降魏而仕晉，而晉繼魏統，故諱微其辭，以寓其旨。在孫權，雖稱帝後，仍然稱名。只有劉備，始終稱先主，後主無異辭。以此知陳壽意中隱以正統予蜀漢。王通評陳壽之三國志，雖不比於史記前後漢書之有章法，而書法容有合於春秋之精神。不過在三國志中，稱謂最詭者甚多，其中迴護之筆俯拾即是，殊無春秋筆法。

通觀曹操之為人，說他的長處，固為一機智經綸，一世之傑，深通兵法，用人唯才，博通文學。說曹操為一個文武兼資人物，當之無愧。如論其短，固為可惜。人多指曹操取天下於盜手於，非取漢室。（九十九）

劇本應予發排

前兩月，友人見告，陸光已在排演海瑞罷官，云是奉部長面諭。而更有徐露分娩滿月，將演謝瑤環。聽到以後的感想，是否匪區劇本吃香，要爲模仿？抑是遙念麒氏，爲其宣揚？似乎不必。總之在晚會演出則可，如欲公演，則其餘來自匪區的，似應開禁，否則近乎不太好。現在感覺到我們這裏劇本不少，此次國防部收到者九十餘齣，不可謂不豐，而公布得獎者，也有八九種，似乎應予推行，印發各劇團飭其陸續選定排演。這是應做的事，執行督導小組，切勿視同檔案，束之高閣，這是區區的請求。

近幾年來，常談劇本荒，聞軍中劇團時在叫苦。現在已有八九種可以先排，其餘未得獎者，可用新聞方式予以透露，待等將來，劇團如有需要，可向原作者去情商，借以研究，如可演，不妨再排，則寫作者仍有些微的酬勞，以免白耗心血，事屬兩得，亦似可行。抑有言者，未得獎的劇本作者，不妨將劇本油印，本人願罄盡棉薄，以成此事，其目的無非爲充實劇藝，使多量的產品，貢之於世，未知作者以爲如何？爰布鄙見，以供考慮。

國劇繽紛續錄

婆娑生（一四二）

永和劇社成立

二月以前，馬勇老過訪，談到林文超在永和鎭組織國劇研究社，約往參觀，終以不悉地址而罷。上月中，接文超寄來永和鎭國劇研究社，爲祝蔣總統壽，在華誕之日，假文化街頂溪國民學校禮堂，舉行慶祝，並爲成立紀念。是漢聲國劇社以後，又多一票房，可以使永和鎭的名票，隨時玩玩，其意至善。屆期，偕勇老往賀，也是祝壽的娛樂。

永和劇社名譽社長，是鎭長孫火木，社長李樹華夫人，副社長林文超，是日來到的賓客，有五十餘人，擠滿一堂。首由名坤票關文蔚唱龍鳳呈祥的勸千歲，接由孫若蘭唱洞房的慢板。再由名票李懋竹、趙之杰合唱一戰成功，均是吉祥戲有意味。欣逢多時不見的葉夫人林玉英，她過去在物資局平劇社，時常票戲，現因葉君從事貿易甚忙，以處理家務而兼接洽業務，她對平劇興趣闌珊，將近三年，我提請唱鳳還巢，經其允可，連唱數段，十足梅味，殊爲欣快。馬老告奮勇，唱玉堂春散板慢板，已把王懷良拉得汗流不止。劉鳴寶太太陳寶霞，近在忠勇劇社甚活躍，亦請唱大登殿的二六，頗清脆可聽。唱完之後，請她有機會到外面露，不祇限於忠勇也，她說可以。（未完）

票友成名之路

獻廷

國劇的票友，由初學到成名，要經過一段長久時間，須要千捶百鍊，不能一蹴而幾。又因各人的天賦和環境不同，其成就也就各異；有些人學習不成，中途而廢，也有些人是爲了消遣，不計成敗的五光十彩，不一而足。惟既有所好，便應達到成功境界，其途徑有正邪兩種，前者受人尊重，後者沽名釣譽。茲伸論之：

（甲）經由正路者

（一）此等人在初學時，即非常認眞。不數年間，會戲很多。到票房的目的，是在用功學戲，並非爲消遣而來。（二）爲人態度謙虛，不恥下問，除向教師學習外，並向資深票友請益。多聽多唱多觀摩，總是感覺己不如人，會的愈多，胆子愈小。俗云「初生牛犢不怕虎，長了犄角就怕狼」。就是此意。實是暗中進步，本人不知耳！

（三）稍有根基以後，拜師學身段、文武場面，和簡單的化粧；初上台時，先做配角，不以爲恥，等到有了舞台經驗，再演正角的戲。如此方不致有神經緊張，眼前發黑的現象，日久天長，自能成爲六場通透的全才。

（四）成了正角以後，在演出時，也不爭主配角地位，以及次序先後等無謂問題，總以大家同樂爲主。因爲個人演技的優劣，觀衆早有定評，票友既不是以此謀生，却是花錢找樂；那麼偶而担任一兩次配角，大家心中早已瞭解，有什麼丟面子的顧慮呢？

（五）凡是具有如此宏量的票友，心中便十分開朗，歡迎人家批評，以爲改進的參考；絕對和那些口是心非的人不同，表面上向人抱拳說「多指教」，眞有人胆敢指點他一句，便立刻臉紅，心中難過，往往便和你敬而遠之了。

（乙）經由邪路者

（一）此等人到票房，純粹是以消遣爲目的，能唱一兩段，便心滿意足了。三天打魚，十天曬網，過了十年，還是那兩段，毫無長進。但談起來，他知道的多，好像別人都不及他，以爲自己已成爲方家了。

（二）他唱的不過平平，人家不鼓掌，心中不高興；但是別人唱了，他却橫豎挑眼，不是說字音不正，便說是驢叫馬叫，背地裏被人指點，他心中還很得意呢。

（三）這種人既自命不凡，瞧不起人，唱戲時，要爭主角，爭次序，爭行頭，爭場面等等，非如此不夠面子！什麼叫藝術什麼叫文化，一概不懂。再加些好事之徒，一陣亂捧，捧得他自以爲是，前無古人，後無來者，實在是十分滑稽。捧他的人，也夠殘忍的了！

（四）有的人，手裏有兩文，社會上稍有地位，便講究起來，不惜花大錢，請內行人配戲；好像票友和他配，有失身份，眞是其愚不可及。

（五）不過此等作風，也有例可援；有一二出名的票友，都是在大陸和名伶們配戲而成名的，以後便成定型，永遠吃得開。殊不知，都是利用社會關係，走的特殊路綫，若論眞才實藝，不見得比人强多少。這種成名之路，並非是正當途徑，是不足爲訓的啊！

琉球紀行

張希哲

冲大係現任琉球人壽保險會社社長嘉數昇所創辦，並自任理事長；校長嘉數武松則說是他的贅婿。我們參觀訪問時，理事長、校長及重要教職員均在場接待。嘉數理事長致詞時認爲大家應推動中琉文化交流工作，並表示願意先從冲大做起。校長報告時指出：（一）該校創辦未久，校舍和設備還未十分完善，但教學十分認眞。專任教員平均年齡爲三十四歲，每年至少要寫研究報告兩篇。（二）現有華籍學生十三人。（我事後調查該校華籍學生係旅琉華僑子弟，並非由台灣赴該校就讀。）

琉大和冲大的學制、課程，乃至教材，都與日本大學十分相似。我去年在日本考察大學教育時，日本文部省送給我一冊「全國大學一覽」，其中見到琉球大學、冲繩大學及國際大學和日本各大學並列於冊中，我當時頗爲不解。這次到琉球考察之後，才明白它的意義。

七、琉球料理與琉球歌舞

琉方人士款待我們的宴會，有三次是琉球料理。照我所知，琉球料理不論是菜色，烹調方法，餐具、進餐的方式和氣氛等，與日本料理無多大差異。

三次宴會有兩次在「左馬料亭」舉行。「左馬」創設已有三百年歷史，是具備當地風味的最大餐館；內部有幾個廳堂都附設着小型舞台，客人可以一面進餐一面欣賞表演琉球歌舞。

「左馬」的琉球菜，我記得第一宴會的菜有：（一）海蜇皮絲；（二）魚丸湯，上加幼嫩小荷葉數片；（三）生魚片（三種）有紅的也有白的，另有醬料數種佐食，這是一道主菜；（四）紅爛豬肉；（五）炸龍蝦；（六）用黃豆磨碎製成的炒菜，有點類似我國的豆腐渣，但味道好些；（七）湯飯一小碗，泡菜小碟；（八）點心兩件。第二次吃的菜和第一次大同小異，其中第（三）（四）（五）（六）都是一樣，其餘則畧有變化。第三次在東急「冲繩料亭」食的琉球菜，也許主人或厨師知道我們這批外國客人食不慣生魚片，幾種魚片都是煮熟了才送出來。

琉球菜和日本菜一樣，每餐有湯一道或兩道，但並不供應湯匙，喝湯時只好端着湯碗送至嘴裏，這是和中餐或西餐都不同的地方。在餐會中，我發現他們很多動作都表現出彬彬有禮的風度，如女侍添酒上菜必須跪在客人面前；陪客有稍遲到達者，也先跪着向客人行禮然後就坐；用餐既畢，很多人到我們坐前跪着行個禮，雙手奉上名片，然後辭出。

在「左馬」兩次餐會中，均表演琉球歌舞助興。大東糖社常董大嶺薰先生爲我們解說各項節目的含義，並謂琉球的上風舞是日本舞蹈和中國古代舞蹈的綜合；據他所知，琉球歌舞所用的樂器，與中國明代的樂器相似。大嶺先生對中琉的歷史文化很有研究，他家中收藏的玉器、古董、和書畫，遠較公立的博物館爲多。（九）

義和團與八國聯軍之戰述評

·羅雲家·

一、反動橫流的興起

凡在專制政治之下，或局勢混亂之際，民間類多從事秘密結社之活動，其宗旨雖未必正當，然其興起乃對當時環境之一種反動，則無可疑義。元代末年，昏君荒淫無道，各種教派紛起，明太祖朱元璋即當時白蓮教之一黨徒。明廷自得天下，仍崇專制，秘密黨社乃不能根絕。滿清入關，歧視漢族，專行暴政，殺人無算，民間乃有太平天國及捻、回、苗之變。惟嗣後以列强蠶食日甚，國民目標轉向仇視外人，乃爲清廷所利用，惟觀其後果，清廷亦未得任何益處，只加速其崩潰而已。

同治光緒年間，曾、左、李以漢人而掌握清廷之實際軍政外交大權，與清室貴族奕訢、文祥之輩，本皆有意圖謀政治改革，以從事自强運動。李鴻章本人則因親見西人武器操法，船堅炮利之優良，更知若不圖强，則瓜分之危機，將不旋踵。惟清廷積弊已深，不易挽救。即康有爲梁啓超之變法維新，似欲起屍於地下，終以光緒之愚懦，慈禧之頑冥，遭致失敗。

戊戌政變，士大夫階級所領導之民族自覺運動失敗後，國運險危，更形顯著。一般人民並不認識帝國主義侵畧之嚴重性，只看到各處設立之教堂，宣傳天主耶穌，排斥我們固有的宗教，總覺得是邪說異端。加以信「洋教」的人，既不拜祖先，不敬神佛，不參加祭賽廟會，反仗着洋人勢力，欺壓平民。洋人借領事裁判權爲護符，動輒函告公使領事，和北京總理衙門交涉，地方官往往以此獲罪，以致「官怕洋鬼」，遇事不能持平辦理。老百姓憤恨不平，就聚衆向教堂尋釁，結果還是人民吃大虧。從同治九年天津教案以後，這種事件不斷發生，愈積愈多，民間仇教的心理也就愈甚，而爆發的日子亦只是時間問題而已。

人民的知識有限，他們不知如何去解決這種糾紛，又怕外國的槍炮厲害，更以爲官吏士紳都是漢奸洋奴，爲虎作倀。假使有人說：我們有鬼神保佑，能叫洋人的槍炮無用，一下子就可以把洋人殺盡，復興中國，而當權守舊的士大夫不僅不加以干涉，反從而附和之，提倡之，許多迷信的愚民，自然會興高彩烈，如瘋狂的參加活動了。——庚子年間的義和團就是這樣起來的。雖然他們的行動極端幼稚可笑，愚昧堪憐，但他們的用心，是愛國與自救的，也可以說是一種民族自覺運動。不過不是革命的正軌，而是反動的橫流罷了。（一）

藏寶笑談

—晉陵—

澳洲的墨爾砵市，一名街邊小販，在其家的一個航海用的箱子、一些瓶子、舊襪中，存放着許多澳洲金幣，共六萬個。

住在告羅士打郡的白蘭芝．活華從醫院返家，發現鄰居生火歡迎她回來，因爲她把她的儲蓄卅一鎊鈔票，藏在爐底中的一個灰盆下，她解釋放在那些地方，墨七不會找到的。

許多狡猾的商家，把許多瞞稅的鈔票，不敢存放銀行裏，恐引起稅局注意，唯有藏在地板下，或埋於花園裏，以作爲養老之用。

但是最大的理由，他們[illegible]照料。心理學家指出大部份的人，都有着極儲藏金錢慾，部份是爲了安全，部份則爲了儲藏方面的自我滿足。同時這樣的收藏金錢，比儲存於銀行，以存摺紀錄存數字的感覺，接近許多，不像存摺的間接起來。因此，爲了達到這方面的滿足，人們便利用這種方法存放他們畢生的積蓄，即使這樣子常常會遭火神光顧，燒燬或遭耗子嚙咬的危險，可是他們絕不計及這些。

然而，人們許多是善忘的，他們往往忘掉了自己底秘密「寶藏」。像加拿芬夏郡蘭賓里斯的一個婦人，將一座舊風琴，送給當地教堂。但是她忘記自己曾將一千三百鎊，藏在風琴裏邊。

人們不理會他們的「寶藏」隨時隨地會遭到損失的可能，像美國伊里諾州人，名叫查理士．蘇斯曼，自以爲很聰明，把私蓄放在汽車裏的靴子中。但是他的車子，給匪徒搶去，當然，他的私蓄也化爲烏有了。

挪威一名農夫鍾那士．史基里德，把私蓄埋在田裏，以附近一株樹爲記號，可是他患病，在醫院留醫八個月出院，他發覺那株樹給人家斬了，那塊田也給犁起來。他的「寶藏」已不知到了那裏。

他在那裏逐寸找尋，他緊張得很，經過一番找尋，終於給找到，可是他的私蓄，却用於看醫生和留院護理的費用。（三·完）

內銷證　備警台報字第〇三一號

自由報

THE FREE NEWS
第二七二期
中華民國僑務委員會頒發
台教新字第三二三號登記證
中華郵政台字第一二八二號執照
登記爲第一類新聞紙類
（半週刊每星期三、六出版）
每份港幣壹角
台灣零售價新台幣貳元
社長：雷嘯岑
督印人：黃行馨
社址：香港銅鑼灣高士威道二十號四樓
20, CAUSEWAY RD 3RD FL.
HONG KONG
TEL. 771726　電報掛號：7191
承印者：大同印務公司
地址：香港北角和富道九六號
台灣分社
台北市西寧南路壹壹零號二樓
電話：三〇三四六
台郵撥儲金戶九二五二

及時阻遏毛共這個原子暴徒

彭樹楷

過於誇大的美國核武器威力宣傳，幫助了毛共接受並支持核武器爲一掌握世界命運的戰爭巨棒Big Stick之觀念；老謀精算的俄國科學技術支援和「急流勇退」地撤退技術人員，鼓勵並激怒了毛共的建立與加速其核武器之發展；英、日等國「唯利是圖」的對毛共貿易補給，使他在不到兩年稍多一點的時間內完成五次核爆，進而以其核炸彈和核飛彈爲後盾，既反美、反俄，又同時反英和反日！並且，在本屆聯大以110票對一票另一票棄權通過核武器禁止擴散決議的同一天，毛共公然揚言「什麼防止核武器擴散？我們就是要造你們的反，破你們這個東西。我們現在就是要用核炸的震天巨響來反擊你們！」好一幅窮凶極惡的暴徒猙獰面貌！奇怪的却是世人的充耳不聞及視而無睹。這不禁使我想到隨着「我的奮鬥」問世希特勒那種「大炮裏出公理」的狂妄情形，及國際間那種震駭恐怖樣子。

然而，今日英國沒有張伯倫，美國沒有羅斯福，法國仍是戴高樂，中國仍是蔣總統！歷史不容錯誤重演！世界應該有其對策及時阻遏毛共這個原子暴徒！

人的權利，是要過人的生活；人的義務，是要使人類得以永恆地生存；人必須勇敢地面對毛共藉核子恐嚇與人民戰爭世界革命的挑戰！爲了人的權利和人的義務，現在，讓反造反、反人民戰爭、反世界革命的全體人類，從政治、經濟、科學技術、輿論，乃至軍事等方面，幫助毛共統治下的中國人民，領悟核炸彈、核飛彈成爲戰爭工具的單一性能與能力範圍已日趨式微的因素；幫助他們了解對世界問題的爭執已不能單獨寄望於國防軍事的研究發展和訴諸戰爭的裁決！

除非七億中國人民對此一基本認識欣然接受，否則，毛共在處理他對內和對外問題時，就會低估中國人民及世界的力量，就會忽視核武器在戰爭中的巨大單一性能和威力。那麼，成千上萬的都市和鄉鎮，便會受到千百倍於廣島長崎的核子災難！

美國核子科學家拉普估計：到一九六七年中，毛共可能將擁有一百枚核炸彈與導彈。拉普並認爲毛共正積極推動大型氫氣彈試驗。

這種發展，無疑地將具有不可輕視的國際影響。

美國已放棄增軍南越及「基地戰略」，並開始疏散在南越的空軍基地、灘頭基地的大規模人員和物質，同時命令核子飛彈潛艇伸入北越及中國近海巡邏。

假如改變預防毛共核彈奇襲策略的守勢作戰，進而支助中華民國以轟炸機或空降部隊摧毀其主要核工業——綏遠省包頭專供鈾原料生產的反應爐及蘭州氣體擴散工廠，則可望收到及時阻遏毛共發展核武器之實效。

假如美國運用其國際事務影響力，促使自由世界、特別是英、日、西德、加拿大、瑞典及瑞士等國，停止其有關核武器之物質、原料、技術、知識、人才等輸往毛共區，亦可逐漸收到阻遏毛共搞核武器的功效。

毛共試射電導核彈，加速美俄間冷戰的緩和；「紅衞兵」的狂妄，又使毛共爲共黨世界所痛憎而有唾棄徵兆——九國莫斯科會議業已作好這種趨勢的鋪路工作，俄國已開始改變他那「只批評而不行動的」政策，甚至從西歐及東歐抽調大軍沿中、俄邊境佈署，並加強西伯利亞區的火箭軍之配備。但，蘇俄此舉並不能收到直接的、及時的阻遏毛共之效。蘇俄比美國更着急毛共的發展核武器，但他尚不至出於武力干涉。也許，蘇俄樂於見到美、毛戰爭，但美國決不至在毛、俄衝突尚未完全破裂前單獨行動。而且，作爲一個真正關心中國命運的中國人，並不歡迎這種類似八國聯軍的摧殘中國人民和土地！中國問題需要中國人自己解決！愛國的中國人不容許外國兵器和軍人在中國領土上打殺中國同胞！中華民國的「共同反共、單獨反攻」政策便是說明！任何核戰在中國發生，都是中國的大不幸，都是中國人永難忘記的大悲劇！如今，中國大陸七億同胞的反共、毛黨、反毛怒火業已四處點燃，中華民國的政治與文化反攻業已展開。現在，需要的只是物質和道義的支助！

中華民國絕非好戰者！如謂這種支援大陸同胞反共作戰以及時阻遏毛共的核子洗刧行爲爲「好戰份子」，那末，爲解放黑奴掀起南北美內戰的林肯、爲保衞自由而出兵韓國的杜魯門、爲阻遏赤禍而打越戰的詹森等人又算什麼呢？此刻，不容許爭論這無意義的問題，毛共這個原子暴徒已出現並壯大中，時不我與，該是行動的時候了！

最後一跳

此路不通

今日與明日

反毛「當權派」的「新反撲」

北平「紅衞兵」貼出的「大字報」透露，反毛「當權派」頭號首領劉少奇，已重新表示「態度」，堅決，不承認他是「走資本主義反動路綫」份子；並聲言撤回他於一九六六年十月間向毛林集團所作的「自我批判」。

如果，在毛共派系鬥爭中，毛林集團已佔絕對優勢，成爲「衆矢之的」的劉少奇，絕對不可能「亂說亂動」，只有等待毛林集團作最後的裁判；同時還要自己爲自己羅織一些罪大惡極的罪狀，以求「人民的寬恕」。可是，正在毛林集團大喊「形勢大好」聲中，他却突然強硬起來，這說明自從「解放報」「南京大屠殺」發生後，毛共派系鬥爭形勢，已經發生了基本變化。此一變化，簡單地說，那就是劉少奇集團利用工人對毛林集團進行的「新反撲」，已把毛林集團只在表面上的兇燄「撲」下去，所以，劉少奇才有恃無恐地敢於公開「翻案」，不承認他於二個月前所作的「自我批判」。

事實上也是，毛林集團在憤怒的工人羣衆反奴役，反剝削，反暴政的澎湃巨流衝激下，已處於「過街老鼠，人人喊打」的境地。近日，上海和福建等地所謂「人民廣播電台」在播音中大噪大喊，指毛共上海市委，福建省委和福州市委，利用「經濟主義」拉攏廣大工人組織「工人赤衞隊」，大幹毛林二酋和「毛門女將」八婆江青。

這一「糖衣炮彈」直轟毛林集團的「司令部」，並發生了巨大的作用。從根本上「挖了」所謂「無產階級文化大革命」，也就是毛林集團的命根子的「牆脚」。

所謂「經濟主義」，據廣播稱：反毛「當權派」和一些「頑固份子」，對長期陷於無衣少食而在被迫情況下却要「幹勁衝天」的工人——事實上是有口難言的工奴——，「大慷國家之慨」，不但發錢，撥房子，配物資，更給買火車票，鼓勵他們「上北京告狀」。於是，大陸各地工人一百多萬人聚集北平，在北平向「中央」鬧事，要求改善待遇。

這些在各地反毛「當權派」支持下「進京」的工人，到北平後，不但壓下了「紅衞兵」的「鬧」「動」，也使毛、江后、林「帥」和陳「伯達」軍師「大吃一驚」。工人們，也等於劉少奇的「勤王之師」，他們爲劉少奇作了有力的「支援」，使劉少奇一派有了「新反撲」的本錢和機會。

「紅衞兵」絕對鬥不過「工人赤衞隊」，相信，毛林集團要鬥垮劉、鄧集團也就比前更難了。

十四日周恩來在招待阿爾巴尼亞共黨「領袖」之一的卡博一行時已指出：這場鬥爭不大容易取勝，因爲反毛「當權派」永不「甘心自己滅亡」。（何如）

自由談

不敢苟同

記得民國卅九年初春時節，香港方面忽然盛傳投共的降將軍傅作義已逃出大陸，南來海隅的消息。當時旅港的[illegible]先生何雪竹（成濬）特來香港時報叮囑筆者，切不可在報紙上對他作過份揄揚的言論，因爲站在政府的立場，對於曾經叛變國家的人士，雖然不究既往，也不宜過於恭維，否則何以對一般始終堅貞不貳的忠貞之士呢？我聽了何將軍這番語重心長的話，深深地表示讚佩，覺得老成謀國者的見解確乎不同，值得後輩人仔細思量的。

中國儒學的四維八德中，忠孝二義特別重視，教忠教孝是勤求治道的圭臬，政治與倫理沖和一體，而以立身行己的做人條件是否合乎四維八德爲前提。中國傳統文化之所以綿延不斷，永葆光芒，中華民族之所以歷刧不衰，獨立生存，賴有此耳。

政治上基於實現需要，招降納叛，未可厚非，凡是迷途知返，能夠立功自効的，更應該另眼看待，不成問題。可是，必須恰如其份，過與不及，均非所宜也。譬如一個平常的海外僑商，或者一個普通藝人如戲劇演員之類，曾是親共媚共人物，一旦幡然憬悟，棄暗投明，願意棲遲於自由祖國的領域中，當然一視同仁，予以自新之路，却不宜視爲不可多得的拱璧，過份讚揚而優遇之。這樣即無異於獎勵投機份子，大乖儒家教忠教孝的本旨，也使氣節凜然的孤臣孽子，心寒志短，感覺洩氣，而深悔不知投機取巧之失計，民德澆漓，做人之道喪矣！

最近大陸上的一名「紅衞兵」投奔台灣，這是可喜的事，讓他多多跟各級學校的青年學生接觸，陳述大陸上一般學生的生活實況，以及「紅衞兵」如何瞎鬧胡搞的事實，乃是必要的。若夫黨政機關亦邀請他開座談會，達官顯宦爭相接見，這就大可不必，所謂政治比賽的要義，在彼不在此。若認爲這便是復興中國文化運動的象徵，我却不敢苟同也。

馬五先生

石門水庫建議政府 興建「中華文化城」

內分為歷史館聖賢祠兩部份 將五千年文物事蹟永垂世人

（本報記者黃鴻遇桃園航訊）台灣省石門水庫管理局，建議政府，在石門水庫，建設一座「中華文化城」，內分中華歷史館和中華聖賢祠兩部份，均以我國宮殿式建築物興建，將中華民族五千年歷史之縮影及歷代聖賢、民族英雄、革命先烈之肖像及事跡，永垂世人之前。建設經費，預定新台幣四億元。

該局岳喜森課長，於訪美期間，參觀美國「夏威夷東西文化中心」回國後，將總統號召海內外同胞推行「中華文化復興運動」，特向政府提出上項建議。據岳課長的建議書中指出：

（一）中華民族為世界上最優秀之民族，中華文化有五千餘年歷史，集世界文化之大成。惜我大陸沉淪，共匪喪心病狂，毀滅文化，泯滅人倫，誠屬空前浩劫！為確保與發揚中華文化起見，僅建議政府，建設一座「中華文化中心」（或稱中華文化城），將中華文化之精華，展列於世人之前，永垂不朽。

（二）建設區分：（一）中華歷史館：為一中國宮殿式建築物，將中華民族五千年來之歷史文化，逐朝逐代，以迄今日台灣與黑暗大陸比對，用眞人、眞事、模型、雕像、圖片、幻燈、影劇、舞蹈……各種方式，以時間為經，以空間為緯，逐次瀏覽、陳列、演出，使該館成為中華文化之縮影，任何人瀏覽一週，即可獲致明確之印象。（二）中華聖賢祠：為一中國廟宇式建築物，其正殿塑立黃帝、堯、舜、禹、湯、文、武、周公、孔子暨國父巨像，並誌述其功勛，以代表我國之正統思想；兩偏殿分塑民族英雄、革命先烈肖像，並誌述其事跡，以代表我國之民族精神。

（三）建設地址：（一）石門水庫西郊的龍潭鄉（位於北桃快速公路之末端），（二）陽明山，（三）外雙溪（中山博物館附近），（四）建築基地約五十甲以上。

（四）建築外圍：我國中原之舊城池（名勝古跡），為共匪毀壞無遺，故「中華文化中心」（城）四面建築城門（樓）、城牆，外建護城河，城內四週，依歷朝年代區分，自我們的祖先原始生活，則以原野佈置為主，進入文明建朝立國時代，分別佈置有當時代表性的建築物；並配置當代文物和其人着當代服裝，及說明當代的制度和事件，直至今日台灣的民主政治與大陸共匪殘暴奴役，作成强烈之比對。

（五）設施方面：除有關歷史文化設置外，另設餐（飲）廳四所，紀念品商店二所，國劇、電影院各一所；城外由民間投資建觀光旅社，設觀光專科學校一所，就讀學生可担任導遊、招待、表演……之工作。

（六）建築經費：預定總額為新台幣四億元，計研究設計費五千萬元，工程建築費二億五千萬元，佈置設備費一億元；請政府籌措或以低息貸款方式興建，（其低息貸款，可於二十年內付還本息）。

（七）建設時間：計一年研究，兩年六個月施工，半年佈置，於三年內完成。

（八）效益收入：第一年（民國六十年）收入預算：（一）國際遊客二十萬人，每人以美金十元計，共收入美金二百萬元，折合新台幣八百萬元。（二）國內遊客一百萬人，每人以新台幣四十元計，共收入四千萬元。以上合計觀光收入為新台幣一億二千萬元。

（九）支出部份：以第一年效益收入分為比例；用人費百分之二十五，保費、行政費、雜支、增置設備費、保險、折舊費各為百分之五，還本付息為百分之十五。以上支出，合計為百分之六十，其效益收入餘額，尚有百分之四十。

（十）台灣五十四年度國際遊客計為二十三萬三千餘人，國內遊客，如陽明山、野柳等處，每年均在一百萬人以上。在中華文化城建築完成時，第一年國內外的遊客估計數字，並不過高。

（十一）中華文化城的入場券，餐（飲）廳、國劇院、電影院、紀念品商店，均以統一企業方式經營之。

看橫掃中國大陸的「紅衛兵」與「文化大革命」

楊力行

由上述的實例，我們知道：「俄共」每在政權局部或全部不穩時，便用無知的青少年來替他們作安定的力量。這項經驗不止成為俄共的財產，也成為他們「蘇聯老大哥」時代的輸出品，以欺騙起家的毛酋自然要在必要時依樣畫葫蘆了。

近年的「毛共」，由於在非洲的連續遭遇到勞而無功，在印尼繼之「暴動失敗」，在越戰中成為「紙老虎」，在中南美失去玩弄魔術的可能，與「俄共」鬥爭而發生「日共」和「韓共」及「印共」，暨「印尼共」的叛離，致外在環境形成四面楚歌，內部連帶引起對「毛主席萬能思想」的懷疑，發生了派系鬥爭和反毛反共的危機，可以說局勢到了較蘇俄任何一次危機時期都來得危險境地。毛酋「善財難捨」，已另無法實可用，便「兒急喊娘」和「狗急跳牆」地推出了淵源自列寧的「紅衛兵」，企圖靠無知的青少年為他拿皮帶、木棍和棱鏢穩定江山。結果，戰績輝煌，打垮了以劉少奇為首之「當權派」的彭眞（原名傅茂功），陸定一、羅瑞卿和楊尚昆等匪首，解散了「人盡可夫」的尾巴黨派，摧毀了孔廟，斬斷了倫理，消滅了「四舊」，掃蕩了傳統的一切。這就使大陸倒退到洪荒時，毛酋成了盤古氏，「毛澤東思想」成為唯一的「眞理」，他可以無為（連話都不說，成為行屍走肉）而治了。

這就是「毛共（中央主流派）紅衛兵」的眞正作用：要把一個垂死的傢伙毛澤東扶正寶座，硬充「活神仙」！

「紅衛兵」比不上「義和團」，最後是被迫參軍：但是，外在四面楚歌的惡劣環境，是否改善了或解決了呢？答案當然是肯定的：沒有。這就證明橫行中國大陸的「紅衛兵」大鬧劇，不完全是對外的把戲，跟「義和團」風馬牛不相及。有些人硬把狗肉向羊身上貼，使毛酋「新愛國主義」陰謀獲得，恐怕毛酋本人都會大感意外的呢。

民國五十五年十一月中在北平「百萬大會」上「紅衛兵」大會上，林彪宣佈：「紅衛兵」城市任務完成，第二天又宣佈：下鄉協助生產。在十一月底後仍不下鄉，而在城市活動者，則當作「黑衛兵」處理。這就使我們看出「紅衛兵」的歸趨，而不得不於十二月初開始，每日用幾十列火車，將那些聚集北平的「紅衛兵」送出京」。原因是：

第一、「毛共」在運用「紅衛兵」過程中，[illegible]一擊，今後的糧荒必將更為慘烈！我們不能不請全世界都注意這個嚴重問題。（四）

讀者投書

為窮苦的鄉民呼籲

——民為邦本，本固邦興。

胡石

台灣的建設，無論工業、農業、鄉市，以及新社區等各方面，近年來均確實有很多突飛猛進的事實，值得中外人士稱道！但也勿庸諱言，部份窮鄉僻壤，未被中央和省府重視或忽畧的地方，仍所在多有。假如說有些人民，沒見過汽車火車，或衣食不週，也決非駭言聳聽。

以台北縣論，不明內情的人，就想不到那是個窮縣。在縣屬三十一鄉鎮市中，台北市位居中心，包圍台北市的四週諸鎮市各工商企業，多在北市設有公司，致形成北縣養鷄，北市生蛋的畸形狀況。其他邊陬各鄉，部份靠海，或在山區，人民生活之困苦情形，絕對是一般都市人民意想不到的。

茲僅以北縣坪林鄉為例，舉述其概畧暨急需改進事項：

坪林鄉位居北宜公路中段，該鄉面積，在北縣僅次三峽鎮，而人口僅多於深坑鄉，地廣人稀，民風淳樸。該鄉十村計一三〇五戶，八四二七人。男四二九一，女四一三六。年出生男一五五，女一六四。年死亡男三六，女二六人。（此為五一年七月一日至五二年六月三十日資料）據曾任該鄉三十年鄉長的鍾榮富說：蓋五十年來，該鄉人口，總約如上數。根據統計，年出生較死亡多二百餘人，何以數十年中，人口一直保持八千幾百人呢？一句話，人民生活太苦，散而之四方，謀生去也。

該鄉除北宜綫外，別無其他公路，即令由坪林（各機關所在地）去濶瀨村國校工作，亦須黎明即起，緣單程約走四小時，一天差費六元，眞不夠磨鞋底錢。明明山區，因無山胞，待遇低於山地鄉，甚不公平，尤不足鼓勵人才下鄉工作。某次見十幾個高年級學生午餐，每人打開便當，一色幾片黃蘿蔔佐餐，筆者當時幾乎落淚。我們的營養午餐，應輔導實施於山區。事後知道，學生能吃白米飯，已經算享福，其家人多在米湯中另加地瓜吃。

山區人民，最大痛苦，是不能靠山吃山。山多為公有，以保安為藉口，任其荒蕪，不准人民種植，即採其草木，也犯法。其次是交通太不方便，坪林到雙溪鄉，開條公路，約需百萬元，多年來仍未獲解決。國家如身體，人民如細胞，交通如血管，有公路始能貨暢其流，同時亦使人民敢於開發礦藏，或努力各種生產。近有公山放領之訊，希望早日付諸實施，以甦民艱，以增國力。

教育的重要性，似毋庸贅述，而坪林鄉竟求一初中分班而不獲！凡升學者，最近須赴新店文山等中學，汽車計行一小時餘，通勤擠車之苦，豈非身受者所能感受！況坪林有十村，除坪林村附近學生能通勤升學較便外，其他九村子弟，如欲通勤讀中學，實太困難。故一鄉一初中之方案，亦應早日兌現。

蔣總統早在民生主義育樂補篇裏提到，鄉村都市化，都市鄉村化的建設宗旨，這一建設目標，殊令人衷心讚佩。要建設三民主義模範省，理應鞏固基礎，其基礎應是鄉鎮。近年台北市，已人多成患，何妨用些經費，做治本工作。

盡忠報國，是從政者共同目標。窮鄉的重大建設，如責成鄉縣，可能長久難籌經費，可否分別緩急，由省府先行由銀行貸款，首先建設與民生利益最急需者，之後再分期編列預算歸還？

東部的建設，近年大有進展，而西部的許多窮鄉，當有之如坪雙公路之重要者；我們為觀光，不妨錦上添花，為民生，何妨雪中送炭！遙維主政諸公，能不河漢斯言，則人民幸甚，國家幸甚！

甄珍表演絕技 一交摔倒受傷

（本報台灣航訊）國聯影業公司基本演員甄珍，最近因為「淘氣」，「淘」出了毛病，躺在床上「哎喲，哎喲」的直叫着：「腰痛死了！」

本月十六日下午，甄珍接公司拍片通告，驅車直駛板橋「國聯影城」，當時因為還沒有輪到甄珍的戲，閒着有點無聊，一時「淘氣」之心油然而生，便跑到用以推動攝影機的軌道邊，想表演一手「單脚走鋼軌」的絕招，第一轉走完了，沒事兒，於是又想走第二轉，當她剛起步走了四五步便聽到「哎喲！」一聲，跌倒在地上，動彈不得。

這聲尖銳的「哎喲」早已驚動了其他工作人員，紛紛趨前想扶起她來，而且告訴她走幾步就好了。

然而事實卻不然，這時候的甄珍不只是走不動，連挪動身體都不行，大家看她傷得似乎太嚴重，於是便七嘴八舌的要把她送去醫院檢查。

「鳳陽花鼓」新片導演朱牧、反串小生鈕方雨、男主角王沖等，接受了衆議想扶她上車到台北延醫急救，可惜甄珍硬是直不起來，後來還是大家七手八脚的把她弄進沙發裏坐好，硬是把她抬到台北。

據醫師檢查說：甄珍這一跤，確實跌得非常不輕，幸好延醫急救時間還早，總算傷情沒到惡化不治的地步，但是想痊癒也要過三、五天時間的休養。

第二天在永和鎮章公館裏，看到躺在床上的甄珍，那幅「可憐相」眞是叫誰看了也會生出憐憫之意。

「甄珍好點兒了吧？」記者問。

「還沒有好！不過可以輕微的動一下了。」甄珍說着並輕輕的挪動了一下身子。

「怎麼摔的？」

甄珍小臉紅了一下，可是卻沒有答覆。

「是不是又犯了『淘氣』的毛病？」

甄珍的小臉更紅了，顯然是她已經承認了。

「聽說妳還大哭大叫的是不是？」

「痛嘛！」

「下次可別『淘氣』啦！」

「人家都痛死了，你還在說教呢！」甄珍撅着小嘴說。

照甄珍的母親章太太說：甄珍身體一向很好，這次雖然摔的不輕，不過不會有什麼的，過兩天兒就會好的。

瀛海異趣談

難能可貴的一對盲夫婦

桑雅

成家立室並不是一件容易的事，照料家庭，簡直是世界上最辛苦的工作。正常人尚感到如此，那末失明的人，更加難上加難，苦上加苦了。一雙盲眼夫婦，有着四名他們從來沒有見過面容的兒女，對於處理這個家庭，自然在各方面都是諸多不便；可是他們憑着莫大的勇氣，堅毅忍耐，加上獲得的普通常識爲助，他們解決許多的困難。而把家庭處理得有條不紊，即使明眼的人，也會自愧不如！

在明年裏，法蘭克林夫婦，可能帶着他們底四個兒女到海濱渡假。然而，那不是一件容易的事，因爲法蘭克林先生和太太，都是雙目失明的夫婦。他們往日寫信假期旅行團申請時，不是遭到率直拒絕，便是着他們自行物色嚮導。他們曾致函給酒店，酒店方面的回覆說，要他們在非假期之時前往。法蘭克林全年，只有兩天假期，一天是在賓尼矛資的盲人所，另一天則在黑池他們底一位朋友住宅。

法蘭克林是個四十五歲的捲綫轆機管理員，其妻陶麗絲卅八歲。他們自三歲時即失明了。他們結婚後，生下四名正常的兒女，他們在艱苦困難的情況下，照料幾名孩子。長女茱莉八歲，在八年前誕生。最初，產房裏的護士，協助陶麗絲，替孩子穿衣服，後由於醫院裏人手缺乏，護士無法抽空幫助她，着她自己照料嬰孩。在極端困難下，她終於能夠照料。

在最初的時候，茱莉是這雙失明夫婦的唯一孩子，情況最糟的了，往往弄至手足無措。後來他們遷到倫敦，住在一幢房子裏。然而，陶麗絲每天需爬兩道梯子取水，這已經十分難爲她了。由於諸多不便，她和孩子，搬到根德郡比斯里克夫市她底娘家那兒住，她們母女。在娘家住了整整一年，最後，他們在愛薩斯郡夏勞山那兒找到一層房子，他們便搬過去了。目前他們獲得市政委員會在同區內配給一幢房子給他們。

現在，茱莉有着一位五歲妹妹喜素，兩歲弟弟基富，及三歲的弟弟艾雲，還有一頭名叫仙蒂的蒙古種狗兒。究竟陶麗絲怎樣成爲一位賢妻良母及一位能幹的主婦？最主要的，她全賴於她底高度敏銳的觸覺和嗅覺了。那是所有盲人，都必定向這方面發展訓練的。再加上普通常識。此外她則有賴於孩子的通力合作和幫助。當孩子漸漸長大，他們明白雙親是盲目的人，在各方面都盡力協助他們。

法蘭克林說：「有一星期我們決定帶孩子到海灘那兒渡假，我們一切要等候馬車，由喜素向車伕揮手示意停車，我們即可以去了。可是當我們抵埗時，天公不造美，竟以下着傾盆大雨，孩子們替我們找到避雨之所。畢竟孩子便是孩子，他們很正常而且有點頑皮，要是要責打其中一個，那末就得在房屋裏追逐一番了。」

陶麗絲比大部份的家庭主婦來得有辦法，她把一罐罐的東西，依她自己的位置，放在架上。有些罐頭，可以憑觸覺，而「閱讀」錫紙上商標的文字。因此最糟的事，是孩子自行受了傷，陶麗絲最難料理，往往弄至手足無措。她解釋說：「如果是小小的割傷，我只替他們洗洗，再加上那末些藥膏紗布就行了。但是最糟的，要知道傷口的深淺程度，便得向鄰居問問了。要是我不清楚，就不大容易了。」

去年裏，孩子發水痘，當其中一個孩子發水痘時，一位鄰居過來告訴陶麗絲，她一向對水痘一無所知。

法蘭克林夫婦有着好些難以應付的事，陶麗絲說她感到最困難的一手就是補襪子和釘鈕了。可是孩子所有的毛衫，都是她編織的。當她倒一杯茶時，就得將一個指頭放到杯裏，以清楚一杯是否香滿溢。她在未結婚前，是個速記打字員，到現在，她自己打字寫信的。

法蘭克林常常給孩子說神仙的故事，替孩子的玩具車弄正輪子。他說：「我們裝置了一具電視給孩子看，常常帶他們到戲院和去看馬戲。所遺憾的，就是未能以一部車載他們外出。明年我們希望能真正的渡特別假期，這是我們期待已久的希望。明年也許帶給我們好的運氣，可以讓我們訂到房間。」

動物的禦寒本領

若愚譯

在賓夕凡尼亞一個極冷的黃昏，我們站在一個冰凍的池塘邊看着幾隻鴨子。它們周圍的世界爲冰雪所封蓋，因爲氣溫已遠在冰點之下。但是鴨子仍游泳潑水，優哉悠哉。「它們怎樣能使水不結冰呢？」珍恩問。

「鴨子正在應用水的一個最簡單定理，」約翰回答。「當牠們拍打玩弄他們的腰時，他們把池底的暖水搞到面上使這片水不結冰；鴨子主要利用這點水來發掘牠們的糧食，而且這也使它們的雙腳暖和。因爲雖然空氣的溫度已到了零下八度，水一定要高出三十八．八度——否則它就結冰了。」

依靠着這些自然的無窮智慧，鴨子本能的做着爲牠們生存所應該做的事。許多鳥和動物本能的在冬天利用這樣簡單的物理原則，使它得以渡過嚴冬。人類應用許多同樣的原則，但是用是由緩慢的思想過程得到的。

在秋天，松鼠用乾的樹葉與樹枝造一個鬆而球狀的窩，當大雪紛飛時，牠蜷伏在這個有孔的結構之中，自己變成是一個火爐，加熱了它周圍的寂靜空氣，舒舒服服過一個冬天。有一個多天，我們看着一隻啄木鳥走進牠的巢去，那是在我家一棵蘋果樹的一個黑漆漆而又舒適的洞中，周圍圍着樹木，風雨不入。牠膨脹開牠的羽毛——自然界最好的絕緣物質。包在靜止的空氣中，牠只要替牠自己加溫就行了，這是一個非常經濟的安排。

爲了想知道我們那啄木鳥究竟暖到什麼程度，我們在一個氣溫降到冰點的晚上去測量牠的體溫，用一隻有二根長電綫的測溫度差的熱電器接觸牠，但不驚擾牠。外面的羽毛是冷的，但是在牠的被窩裏面，溫度竟高達一百○四度！

有些鳥採用家庭計劃來取暖。在晚上，比如說，北美鶉聚集在一起，在雪地中挖一個洞，圍成一圈——尾巴朝裏，頭朝外，以防敵人。然後牠們坐下來，一個溫暖的身體靠着另一個，就這樣相互暖和着。

兔子在冬天似乎在冰雪上跳來跳去的；其實牠了在空中走的。在秋天，牠的腳趾間長起了濕潤而堅硬的毛，到十一月終了時，這一層毛及毛與毛之間的空氣使牠離地幾分之一吋。（上）

蘇加諾不見棺材不落淚
印尼局勢澄清仍有待

見祺

印尼是東南亞大國，也是世界大國之一。論地形，乃由三千多個大小島嶼組成，而其人口衆多面積廣大，加上天然資源充沛，這樣的一個國家，應該是十分繁榮富強的。

然而，事實上，印尼自脫離荷蘭的統治，於一九四五年宣佈獨立後，無論政治，軍事，和經濟各方面都不上軌道，而內部各派系意見之分歧，當權者之間的權勢鬥爭，尤其蘇加諾執迷不悟，復與中共勾結，致造成印尼不僅未臻繁榮境地，反而陷極度紛亂的危險局面！

由於蘇加諾和蘇哈圖之間互相鬥爭已十五個月之久，致令印尼內部十分脆弱所建立起來之和平結構交識着最大的危機，此一危機今正繼續圍繞在兩蘇的周圍與日俱增。這種令人悲觀的情勢要延續多久呢？這是一個具有燃燒性和爆炸性的問題。

據印尼政治觀察家和外交家之間所作的較保守之預測，咸認對抗蘇加諾之行動將會繼續的接踵而至。不過，少數人士指出，如果罷免蘇加諾，或強制其離職的話，可能造成印尼羣島的分裂，從而觸發內戰。

印尼就處在這樣動盪不安、危險萬分的狀態之下！善於詞令之陸軍強人蘇哈圖將軍，於前年共黨企圖發動陰謀政變期間挽救國家於千鈞一髮之中，因此獲得廣大人民的信賴和擁護，從而躍登印尼第一把交椅，成爲最有權威受支持愛戴的人物。此刻有鑒於內部危機四伏，正盡其所能謀求所有和平解決辦法，則能化險爲夷，邁上富強康樂之道。

然而，此一危急的情勢尚未獲得妥善處理之際，蘇加諾和蘇哈圖之間的對峙，顯然進入了一個更尖銳的境界。新的紛擾步伐在急速向前邁進，此一紛擾之開始，乃是不久前蘇哈圖將軍對蘇加諾之印尼國民黨予以嚴厲訓示。蘇哈圖坦率的告國民黨領袖們放棄蘇加諾，勿再聽信其主義教條，以免導致全國陷於更悲慘地步。據來自親蘇哈圖將軍的消息稱，蘇哈圖對國民黨領袖會進一步表示，如果繼續追隨蘇加諾，誤信其主義教條，則其結果，印尼共黨勢力會日漸增強，最後將難以收拾。消息根據蘇哈圖所說稱：如果他們不重視他的勸告，對忠言掉以輕心，那麼，他們會發現一九六八年大選的時候，彼等會被拒於大選之門千里之外，永不得其門而入，懊悔莫及。於是，國民黨領袖們立即將這一番話原原本本走告蘇加諾。

蘇加諾聞如此言詞，登時暴跳如雷，立刻還擊，採取報復行動。他馬上公開宣稱：國民黨應該堅持本身的立場，爲自己的最終的目的而努力，儘可不顧一切後果，不達目的永不罷休。這種表現，對作爲一個總統的蘇加諾言之，完全是種自驕自大的挑戰！

這一來反蘇加諾的軍民團體認爲，是可忍孰不可忍，不促蘇哈圖予以有力的還擊，不甘示弱。（上）

新三國

周棄子著

其不知劫天子、弒母后、弒貴人、戮皇子、誅大臣、戮名士、加九錫、自爲魏公、魏王，這不是取之於漢室而何？所謂以大功而以僞喪之者，曹操是也。根本之可憎，則出之於「殘暴不仁」之天性。人之善惡，非以才具爲準則也。

六五、才略蓋世驚千古　殘暴不仁集一身

關於曹操「殘暴不仁」，即在他的本傳也可概見。除了以上所舉的欺君罔上，弒后弒貴人、誅大臣，他最大的殘暴，就是動輒屠城，活埋數十萬人，毫無人性。下面舉其犖犖大者：

最早是誤殺呂伯奢全家，而還說「寧願我負天下人，不願天下人負我」！這成爲一句千古奸雄名言，影響後世人心甚大。初平四年，曹操攻徐州，拔取慮、睢陵、夏丘等縣，以其父曹嵩曾在此地遇難，屠殺了男女十餘萬人之多，都是無辜的百姓，「泗水爲之不流」。這是記在本傳上面的，毫無誇大。建安二年冬十月，征呂布，屠彭城，全城軍民「一網打盡」。爲安軍心，將主簿軍實小吏殺之以示衆，其實無糧少發糧食，乃曹操自己命令，而反殺官吏。騙殺劉琮母子。對於倚才而傲之禰衡，與恃功而驕之許攸，才高名重之孔融、楊修等，乃假手於劉表許褚而殺之，或藉故而斬之，皆不顧輿論而誅之。他如荀彧之諫加九錫，荀攸之諫進魏王，均先後被迫而死。以前輕視過他的沛國桓邵，和兗州陳留邊讓，都被族誅。桓邊二人避難交州，操命太守士燮，將桓、邊二人捉獻於曹，跪在地上求見，亦不可能，遂殺之。建安二十年，曹操攻氐王，王以恃險死守不服，結果攻破，盡皆屠殺，雞犬不留。曹操如此，他的部將也如此。建安二十四年，曹仁攻宛城，也是屠城。其他如夏侯淵、張郃等，都是屠城的好手，然皆出於曹操的意旨。在陳琳討曹檄文中，亦可見曹操爲人之梗概。孔融諫他「以至不仁伐至仁，安得不敗？」曹操遂命廷尉捕之，並殺其二子。「以至不仁伐至仁」，正可作曹操最佳評語。

曹操集「假禪讓之名，而行篡奪之實」的大成。自魏晉而後，因政治之遞嬗，民命之損害，人心之險詐，風氣之澆薄，皆從曹操啟其端。逆風所播，延及千載。師法權術，而竊其國，政變相尋，司馬氏亦起而效之，這又非奸雄所未能料及之事吧！其所謂「非常之人，超世之傑」者，實即「其奸固可憎，其才略亦可佩。」此二語固可爲曹操「蓋棺之論」。

古人在今人心目好壞，應以功德之大小而定，而不可以才高、機智爲準則。機智越大，如其心術殘暴，其貽害當時後世亦越大。歷代大奸佞，大奸雄，那個不是聰明機智之徒？才越高其害越大者，豈可說是好人哉！今世有爲奸雄而鳴冤者，不知有何巧妙的說法。曹操是「一世之傑」，「非常之才」，是很不錯的，但不能以其才智高於儕輩，便許爲偉人。如果他不是惡人，怎能說曹操是偉人，是賢人？有人說天下非一人之天下，人人得而取之，不得宗於一姓。（一〇〇）

永和劇社成立（續）

社長李樹華，經多人相請，唱上天台的姚皇兄一段，很好。繼由女王公司東主黃夫人唱狀元及第（即碧玉簪）洞房，饒有程派韻味。末尾是復興高材生錢復秀唱醉酒，很有味，可惜她姊弟（復亮）二人在校均不得意，畢業後改在學校讀書，行將畢業，的是有志氣。因時過十點半，急行北返，畧記其事。

國劇繽紛續錄

瓷婆生（一四三）

兩楊與兩吳

省立中興大學商學院諸同學，爲響應文化復興運動，暨慶祝元旦新年同樂，於歲尾二十九日，在南海路國立藝術館舉行國劇晚會，首演釣金龜，由謝僕玲飾康氏，田繼林演張義。再爲珠簾寨，是電力公司名票楊學奇演李克用，康世京飾程敬思，蘇國鑫演李嗣源。壓軸是斷橋，由中台雅集名坤票涂夫人楊曼華演白娘子，內政部名票楊正宇飾許仙，茅復靜配青兒。大軸八五花洞，由吳之伊兄掌珠吳定琪飾眞金蓮，吳定瑋飾假金蓮。我與楊吳兩家均是熟識，畧爲談之。

在八九年前，陳定公在台中組織中台雅集，有演四五花洞，由楊曼華、楊鳳仙、趙士英、楊鶯如四女士演出，扮相漂亮，唱得很好，定公自飾胡大炮，轟動中市。前年移居北市，曾在藝館看到演「拾玉鐲」，很夠精細，確多才多藝。惟自獲雙胞麟兒，爲盡艮母之責，迄無演出。這次再演斷橋，實是難得見之。楊正宇兄爲內政部唯一的小生名票，我初見他在鐵路局禮堂演羣英會的周瑜，評其氣息之雅，內行亦少見。近以公務忙碌，時常出國，這次登台，也是難得而少有，大可一看。

去年初，復興中學在政工幹校舉行同樂晚會，有吳定琪姪女與盤復薇演戲鳳，年纔十四，聰明伶俐，做得楚楚動人，而活潑耐看，科班中尙沒有。現在正練習春秋配玉堂春。其姊定瑋曾在中興大學護專演出晚會唱女起解，我雖未見，聞友人相告，很不賴。與其妹正在同學兩齣，不想兩月未見，竟推出五花洞上演，其聰明可知。瑋琪兩姪喜研平劇，完全受乃母殷薏夫人的指示。薏嫂是極合時代的典型，但反對其女去學舞唱歌，會改變她們的情緒，學演平劇，爲保持東方固有藝術的動作，不致過份習於歐化。因此這兩位小坤票將逐漸精湛，而爲傳統的文化，特現其技能，深爲許之。

崇洋群相

王永亭

自從西洋文化輸入中土之後，黃帝子孫的民族文化則「一落千丈」，似乎是一次大崩潰；民族自卑感「每下愈況」，不可自已。崇洋與自卑，造成「貴人賤己」之觀念。外國的月亮比中國更圓，洋人放屁也是香的。無論什麼東西，只要一沾洋氣，身價百倍，滿腦子的「洋經」，令人發嘔。

我們的商人崇洋：無論什麼商品，瓶頭瓶尾是國產，總得要標上英文名稱，連一個中文字都看不見。有的更標榜「中日合作」，或者「中美合作」。商店的招牌，也得標上英文名字，以示「洋派」。非此不能炫耀於人，提高其身價。眞是可悲已極。

我們青年的崇洋：今日青年們的崇洋，簡直成了瘋狂的態度。大家有志一同，拼命「鑽營洋經」，以念洋文爲時髦。不論西洋貨的好壞，不管它是否合於我們民族的優良傳統和善良風俗，大家一致瞎追。把西洋人的壞東西全部搬進來，生吞活剝，消化不良。一般人莫不是學的西洋人的下流社會的東西，西洋人的眞正精神沒有吸收進來。如此生吞活剝，豈有不壞肚子的呢？青年朋友爲了想到外國去「喝洋水」，不惜一切努力鑽營，以爲一人一等國民來便可高人一等。一窩蜂的學洋，拼命鑽理工，輕中國文化及社會科學如敝屣，無人問津，成爲冷門。實在可悲可歎！於是乎「民主」變成「亂民」，「自由」一變「亂七八糟」，「自由戀愛」變成爲「自由亂愛」，「個人主義」變成爲「太保太妹」。西洋歌曲舞蹈變成爲「自由亂愛」的媒介，阿哥哥舞之風狂，使一般青年如醉如狂，不知今日何時，天高地厚。民族精神「一落千丈」，大家有志一同向墮落邁進，悲哉！

西洋宗教，隨着洋的力量相繼而來。信教自由無可厚非，然而許多青年，以教會爲「留洋」之捷徑，根本不知耶穌精神爲何物。每屆所謂「耶誕」，我們的報章雜誌也盲目地瞎吹，硬把「耶誕」稱爲「聖誕」。不信教的，也紛紛寄出聖誕卡，無論對方是否教友，一律照寫不誤，以示懂得洋化。否則被認爲落伍。從所謂「聖誕」，而藉此通宵達旦，拼命跳舞狂歡，喝洋酒以示高尙，於是宗教變成爲太保太妹的溫床，可哂亦可悲。

更可悲的，是我們有些大人先生們也崇洋。以爲國幣不値錢，國家的銀行不保險，大把鈔票換成美金，把金錢存入外國銀行，以爲此可萬無一失，保險之至。試問，今日一些大人先生存入外國銀行的存款有若干？此非危言聳聽，事實具在也。大人先生如此心理，何況小民乎！悲哉！

我們的大人先生崇洋；我們的青年小姐崇洋更不甘後人，在自由戀愛的美名下，爭以嫁洋丈夫爲榮，不管對方如何，只要他是外國人，（指西洋人）一定是有錢的。君不見：挾了洋丈夫以騙人的黃帝孫女嗎？挾了洋丈夫，大罵「你們中國人！」一（按她已入美國籍）以前有某將軍的女兒，嫁了一個美國大兵，硬罵「中國人！」……，結果跟洋丈夫到美國去了，後來的消息說：洋丈夫是擦皮鞋的，大上洋當。某歌星硬要嫁印度郎，父母反對，不顧也，結果不到三個月，哭着回來了。有許多位「中國小姐」也嫁了洋人，有的去到西洋淘金，大跳脫衣舞。崇洋之衆生相罄竹難書，說來話長，就此作罷。最後奉勸崇洋的朋友：有多少崇洋的朋友在外國吃苦，有苦說不出來，你們知道嗎？不妨打聽一下實際情況爲是，這是忠言呢！

義和團與八國聯軍之戰述評

·羅雲家·

二、拳匪的發展與西太后之宣戰

義和拳原是白蓮教的支派，其始以八卦分門，練習拳棒，聚衆歛錢，也稱大刀會。後來借口仇教，益神其說，詭言鬼神附體，作法唸咒，可禦槍炮，其實是一種魔術。初在山東北部活動，巡撫李秉衡與毓賢先後鼓勵他們，稱爲義民，改拳爲團。因此他們就以「扶清滅洋」爲口號，到處焚掠，和洋人教民爲難。法國爲保護教民，屢有責言，清廷乃調毓賢撫晉，以袁世凱作山東巡撫。世凱用兵痛剿，拳匪不能立足，都逃入河北。這是光緒廿六年（庚子）春天的事。直隸總督裕祿不惟不制止，反而表示歡迎。義和團在河北就大爲得勢了。一股並蔓延於津南，係坎字拳，舟子張德成，游勇曹福田爲首；另一股則蔓延於冀中，係乾字拳，沒有著名的領袖，僅稱大師兄、二師兄、三師兄。屢次焚毀電綫鐵路，脅民仇教，公然劫殺，稱洋人爲大毛子，教士、教民爲二毛子、三毛子。凡携帶洋貨，或與新興事業有關的人，不管是否教民，都稱爲二毛子。甚至於他們所要殺的人，均以奸細二毛子呼之。簡直是毫無理性的暴動了。毓賢特向端王載漪、莊王載勛、大學士剛毅、徐桐等大事鼓吹，說拳民如何忠勇可恃。載漪等人正怨恨洋人，無法出氣，趕忙向慈禧介紹。於是剛毅引乾字拳入京師（光緒廿六年，西一九〇〇年六月），端王府第，遍設壇場，出入宮禁，任意掠焚。而裕祿復招曹張兩拳首至天津，待以上賓之禮，並爲保奏。因此京津就成爲拳匪的世界。

西太后和載漪等所以崇信拳匪，出此下策，就因爲戊戌政變時，外國人都偏袒光緒帝與維新派。康梁逃難海外，受外國人保護，清廷屢索不得。他們又發起保皇會，刊發報紙，極力詆毀慈禧，鼓動擁護光緒。慈禧要廢光緒，立載漪的兒子溥儁爲「大阿哥」，剛毅、徐桐、崇綺、啓秀諸人，均想在新主子手下操權，盡力慫恿。可是中外輿論不服，兩江總督劉坤一首先抵抗，上疏力爭。西太后覺得只要外國公使能入賀就可以實行廢立了；不料外國公使一致不滿意，反而正言相規。於是西太后和頑固派更加痛恨洋人。載漪眼見兒子做不成皇帝，尤其惱火。這一羣冥頑不靈的怪物，本無知識，一聽說義和團挾有神術，可以扶清滅洋，焉有不想利用之理？他們以爲「數十萬義兵」不期而集，神祇感格，人人忠憤，正可一大張撻伐，一決雌雄」。（二）

十五日晚間表演的歌舞爲下列五個節目：（一）少婦等候遠行的丈夫回家，一面紡紗，一面回憶昔日丈夫在家時各種情景。（二）一青年女扮男裝，將替父報仇，表演赴宮廷前的情緒與動作。（三）兩個少女在花前載歌載舞，顯示將採摘最心愛的花贈送給男友。（四）表演者三人作飛鳥狀，象徵人生如鳥，到處飛翔，雖有自由快活的地方，但觸景生情，感慨亦多。（五）一羣青年男女在海灘捕魚，亦歌亦舞，其樂融融。

十六日晚間是工商文化界人士聯合歡宴，因講話的人多，表演的節目較少。第一個節目從歌舞者的服裝和穿戴上表現松、竹、梅、龜、鶴五種動植物，據說是富貴壽考的象徵。第二個表演漁家女在海邊撈蝦時的心情和幻想。第三個節目表演時適有人和我談話，未及觀賞。最難得的是在這三個節目之後，當晚的主人中有兩位自動登台表演：一位是做寶石珊瑚生意的女老板照屋敏子女士，一位是琉球製糖會社的老板石橋好德先生。他們兩位表演滑稽舞蹈，引得不少掌聲和笑聲。從這些地方，可以看出他們款待客人的熱情，亦表露出他們慣於「工作時努力工作，玩樂時盡情玩樂」的生活情趣。

琉球紀行

張希哲

八、如何增進中琉關係？

關於如何增進中琉關係這個問題，除了個別接觸隨時交換意見外，以集體座談方式討論的前後共有三次：第一次在琉球立法院（內容見前），第二次在琉球工商及文化界聯合招待的宴會中，第三次是中琉協會專爲這個問題而召開的座談會。

在第二次的座談中，琉方發言的有安里校長，船越社長等五六位，其中最具體而詳盡的爲沖繩興信所所長，中琉協會理事大宜味朝德。大宜味先生發言要點有：（一）中華民國對琉球應有明朗的政策和積極的做法，（和日本的南方事務所相比，差得太遠。）（二）日本的大工商業在琉設支店的有百多個，中國的寥寥可數：日本輸琉貨物每年一億五千萬，中國只有四百多萬，應多研究改進。（三）中國政府頒要對琉球不夠了解，不夠重視。（四）中國產品銷琉寧可讓琉球商人多賺利益而不肯讓琉球人民買到較廉的中國貨品，殊非上策。（指香蕉而言）（五）中國買琉球貨品太少，應大量增加。（六）琉球有不少人願學習中國語文，研究中國文化，盼中國政府能經常派人來琉球講授或在琉設立中華學校。

十八日上午中琉協會主辦的座談會中，琉方人士發言更爲熱烈，先後講話的共有十餘人，其中較重要的意見有：（一）琉球工商會議所事務局長松川久仁男代表工商會議所發言：（甲）一九六五年台灣輸琉貨品共値四、八五八、一八四美元，琉球輸台貨品僅値四九六、六八〇美元，約爲十與一之比。今後最好能做到雙方貿易平衡，否則希望至少做到十比五。（十）

羅師母彭太夫人八秩壽序

吾黨革命先進，前國民政府故監察委員：瀏陽羅公介夫恩師今春九十矣；其相夫教子，鄉邦稱賢之德配彭太夫人，吾邑望族也。今歲臘初八秩大慶，其女公子國立政治大學教授慧林姊及婿瀏陽竹軒蕭勁將軍等將爲之稱觴，以彰盛德。竊以羅師畢生從事革命，曾與先伯父松林公及先父玉莊公追隨　國父，奔走革命，功在黨國。家父母兄弟伯叔子姪十餘人，均不幸於民國十九年仲夏瀏陽匪劫。羅師則先後主持中央軍校長沙第三分校，中國國民黨湖南省黨校教務，廣益中學校長，湖南大學教授有年，著作等身，桃李遍天下；亦不幸於民二十七年秋月因難於長沙。顧力行四十年前忝列門牆，且與其哲嗣故飛將軍邁漢兄暨師母爲同席，且有如手足。其後復與竹軒兄、慧林姊勞燕分飛；慧林姊負笈新大陸，竹軒兄留渡英國，則與力行久歷戎行，北伐、剿匪、抗戰、戡亂，無役不從；今且同爲反攻復國大業而致力。益以三、四兩姪與長、次二兒又同肄業於最美高女；三代同鄉、同志、同學，情誼雖重，誠夙緣也。　羅師母雖已登遐齡，而耳聰目明，身心健康，期頤可必。因綴俚句爲壽，工拙非所計也。頌曰：

大開文運燦三湘，伉儷齊傳姓字香；絳帳叨恩陪鯉對，慈幃分愛賜珍嘗。

卅年寶婺星常耀，此日蟠桃宴盛張；稽首擎香恭獻頌，康寧愉悅永禎祥。

中華民國五十五年歲次丙午冬月穀旦瀏南楊力行敬譔於台北近郊之新莊妙諦齋

楊力行

自由報

內備警台報字第〇三一號內銷證

THE FREE NEWS

第三二七期

中華民國僑務委員會登記
台教新字第三二三號登記證
中華郵政台字第一二八二號執照
登記為第一類新聞紙類
（半週刊每星期三、六出版）
每份港幣壹角
台幣價格零售每份新台幣貳元

社長：雷嘯岑
督印人：黃行謇

社址：香港銅鑼灣高士威道二十號四樓
20, CAUSEWAY RD 3RD FL.
HONG KONG
TEL: 771726　電報掛號：7191

承印者：大同印務公司
地址：香港北角和富道九六號

台灣分社
台北市西寧南路壹零號二樓
電話：三〇三四六
台郵撥儲金戶九二五二

復興中華文化與我們應有的反省與自覺

一、盲目崇洋者是復興文化的大敵

周遊

復興中華文化運動之聲甚囂塵上，報章雜誌連篇累牘，標語五彩繽紛，口號響徹雲霄。此種形式主義的運動，與往昔一連串「運動」如出一轍。『中華文化復興運動』，在此時此地，應該是最有意義的一項運動。說起來我們中華子孫實在慚愧無地了。『復興』的反面是『衰落』，這正顯示我們中華文化已經『衰落』，而且不止一點，『衰落』『千丈』。但不是『一落千丈』。這一千丈是慢慢落下來，我們却不知不覺。可是直到現代，是加速地「衰落」。別人的進步是一日千里，我們的退步，正成反比。自從歐風東漸，我們更是一蹶不振，盲目的崇洋和自卑感與日俱增。這樣下去，如何得了！我們冷靜地觀察一下，洗耳聽一聽，我們的社會上呈現些什麼文化？不是「美化」，便是「日化」。我們的觀光飯店，那一家不是「洋化」，我們的文化色彩反而成了點綴，吃的是西餐，唱的是西洋歌曲，跳的是洋舞，以「脫」為號召。中國色彩的建築是絕無僅有。我國出品的商品，道道地地的國產，而偏偏要標上洋文名字，以表示那是洋貨，招牌上面也是一樣洋化。電台播放的是西洋歌曲和東洋歌曲，聽之令人感慨萬千。隨着經濟的勢力，西洋文化可以說已整個佔領了我們國土和人心。尤其是一般青年學生，盲目地崇洋，不知中華文化為何物，或者視之為敵寇，一腳踢開。一窩蜂拼命「留洋」，以為一留洋便身價百倍，高人一等。大家拚命地鑽。研究中國文、史、哲學的人寥若晨星，成了冷門。可歎亦乎可悲！

筆者撰此文時，正當所謂「聖誕」之前夕。在此半個月以前，市面上充滿了聖誕應景之物，聖誕卡五采繽紛，高貴的聖誕卡達五十元之多。郵政局忙的不可開交，為崇洋的人服務。個人有自由信仰宗教，無可厚非，可是，有很多人根本就不是教友，對方也不信教，不管三七二十一，來一張聖誕卡。家庭中的小孩，在大人領導之下佈置聖誕禮堂，奢侈浪費，勝過我們的春節。很多青年男女，在二十四、五兩夜，逢拆通宵。他們眞了解聖誕沒有？只有天曉得。跳舞、喝洋酒，視為玩樂的好機會。舞廳舞場人滿為患。據報載台北市一地，就有二千多處登記舞會。

再看我們的禮節，可以說是「全盤西化」，在大都市裏尤為顯著。無論集會結社，以及典禮、婚、喪，多少都是「洋化」。以聽西洋歌曲為時髦，能唱幾支日本調子而沾沾自喜。青年男女追求洋化，生活墮落腐化，流為太保太妹。最近有太保誤殺一個大專學生，不問情由，竟將一個好學生亂刀刺死。這是西洋文化給我們的好處。我們還不應徹底覺悟嗎？說起來道當然是我們政府當局的責任；但是，我們每一個作父母的更應該負責。下一代應該由我們這一代領導他們；可是，有些為父母的這一代也照樣崇洋不誤，這些人眞正是我們文化復興的大敵。這些人如果不大徹大悟，不但復興文化毫無效果，而且，我們的下一代更不堪設想。中華文化的前途豈不可悲？

二、文教當局不可再坐視了

共匪在大陸大搞文化革命，中華傳統文化摧殘殆盡了。光復大陸之後，下一代我們應當如何辦？今天在此只作消極保守，是無濟於事的。首先我們自己的文化環境搞好沒有？如果在此一隅之地搞不好，將來又如何在大陸恢復固有文化？復興中華文化，切不可踏以往形式主義的覆轍。要確確實實的幹，拿出有效的辦法來，對證下藥。

近聞有設立文化局之議，又發起「復興中華文化運動」，這固然是可喜的現象。但有鑑於以往的各項運動，莫不是一陣子表面形式化，除了標語口號之外，各單位表報數目字的成果之外，層層相因如儀。一個運動接一個運動，徒然給人一種「有名無實」的印象，徒勞無功。中華文化復興運動，是一種神聖的工作，而且更非一朝一夕可以做得到的工作，更非少數人可以做得好的工作。「為往聖繼絕學，為萬世開太平」。做得好是千秋萬世之功，做不好是一代罪人。此一神聖任務，不僅是政府的責任，也是每一個知識份子和讀書人的責任。知識份子應當做些什麼？最重要的我認為是應當反省和自覺。中國知識份子，在歷代都是居於思想的領導地位。君子之德風，愈是德高望重的知識份子，越要以「為往聖繼絕學」為己任。今天的時代環境，根本不容許我們妥協消極保守，應積極地發揚光大。拯救中國文化的危亡。大陸共匪斬斷固有文化，固不待言，而我們在此時此地文化環境實在是一片沙漠，故有人曾以「文化沙漠」譏之，我們雖不承認，但又不可斷然否認。試觀我們的社會上，大部為西洋和東洋文化所佔領。（下轉第二版）

今日與明日

毛林集團由瘋狂走向死亡

本欄早就指出：毛林集團瘋了！聖經上說：「上帝要他死亡，必先要他瘋狂」。毛林集團近數個月，在派系鬥爭中的表現，不但是瘋而特瘋，而且是大瘋而特瘋，所以，它的運命一定是由大瘋而特瘋，最後趨於死亡。

毛林集團在黨、政以至共青團、工會、婦女等系統中，已經眾叛親離，致使他們完全陷於四顧茫茫的絕對孤立中。他們惟一指靠作為對「當權派」「造反」的本錢，那就是「槍桿子」。

毛林集團在對「當權派」「造反」鬥爭中，由於初步的「着錯」，到現階段已將要「全盤皆輸」了。他們大錯而特錯的一着，那就是出動「紅衛兵」到處暴亂。但在目前，「槍桿子」也不可靠了。

毛林集團自從一九六六年八月二十日出動「紅衛兵」到處亂「鬪」以還，已五個月。如謂收到效果的話，那就是「天下大亂」。同時，毛林小集團因「掛帥」「毛門女將」——江青，弄得很多原來擁護毛林的中上層共幹，也「走資本主義道路」改投以劉少奇、鄧小平為首的反毛「當權派」。「與人無爭」的「半生軍閥」朱德，和最能「讀毛主席的書，聽毛主席的話，照毛主席的指示辦事」的陶鑄，及土匪出身、多半生跟毛酋「鬧革命」的賀龍，都被「打」成了反毛份子。

毛林集團尤使「同志」寒心者，莫過於最近在天津、北平兩地所舉行的一次別開生面的所謂「文化大革命鬪片展覽」。所「展」出的「鬪片」，有彭真、羅瑞卿、陸定一和楊尚昆等人，有的手戴鐵銬低頭跪着，有的頸戴「高帽」或掛着寫有「反革命」之類字句的紙條。

毛林集團「一味靠嚇」，但歸終必是越「嚇」，而反之的人越多。像賀龍一類的人挨「整」，必在共軍中發生極為不利於毛林的作用。而毛林集團求勝心切，一定要「把文化大革命進行到底」，進一步又在共軍中開始「揪」反毛「當權派」了。

目前的中國大陸，眞是烏烟瘴氣，混亂之極。工人罷工、生產癱瘓，更有許許多多「不明眞象的羣眾」，上街大燒汽車，散佈「反動傳單」，大有只等「天下大變」，毛林集團徹底垮台之勢。

毛林集團所以能自炫「形勢大好」，主要是他們在目前還能把各地電台控制在手裏。還要歸功於丁萊夫「少將」一掌握「國務院廣播事業局」的大權所致。

但毛林集團的「忠臣」劉志堅（共軍總政治部「中將」副主任、毛共「中央文化革命小組」副組長）、梁必業（共軍總政治部「中將」副主任）和蕭向榮（「國防部」辦公廳「中將」主任）等人也突然反毛，誰知道那一個眞正能擁毛到底？

相信，未來共軍內部必由分裂而走向「砰砰嘭嘭」，這樣送毛共政權「往生」的內戰就不可避免了。（何如）

自由談

天佑中華

馮王先生

毛共在大陸上演出的狗咬狗骨惡作劇——即所謂「文化大革命」運動，現在眞象畢露，除了公開指名攻擊當權派劉少奇鄧小平、這兩個反毛的頭目外，還宣佈了一大批走修正主義路綫的黨政軍和文化界幹部人物。依此類推，散佈在各省市區域的劉鄧系共幹，尚不知凡幾，從而可以斷言毛共這場權力鬥爭的前途，罔知所屬，誰勝誰負，很難說啦！

不過，有一項內在的情況，可謂昭然若揭，即毛酋澤東的的確確陷入了眾叛親離的危境。試看自劉少奇以次那幫被指戟鬥爭的文武共幹，無一不是過去曾為毛酋出死力打江山的「親密戰友」，尤其是劉少奇彭德懷譚震林等，原係毛酋的股肱心膂之臣，也就是漢高祖劉邦所說的「獵人」「獵犬」之輩，久共患難，立功不淺，到了共享安樂時，竟爾凶終隙末，趨於敵對立場。這證明毛酋個人德不足以孚眾，誠不足以感人，而其政治思想和主張，亦為大眾所唾棄，眞正變成了獨孤道寡的獨夫！

職是之故，毛酋今日的心情一如伍子胥所說：「吾日暮途窮，故倒行而逆施之」，昧良心出於無奈，先以「繼承人」的香餌蠱惑綰兵符的林彪，暫安軍心，然後以「接班人」的美名誘騙所謂「紅五類」的乳臭小孩，譽之為「紅衛兵」，教他們充分發揮人類的劣性根，恣意「造反」，無法無天，使當權派無從喻之以理，繩之以法，而藉揭帖式的「大字報」當作政府命令，隨便芟除異己，戕賊同類。

毛酋這項倒行逆施的作為，縱使一時得勢，其後果亦將不堪設想的。你今日既可以無法無天的黨同伐異，胡行妄為，他日別人亦不妨踵起效尤，爭權奪利，紀綱蕩然，體制掃地，沒有紀綱和體制的政權，如何能夠持續存在呢？不特此也，共產黨素以紀律嚴明相矜誇，號稱為「鐵的紀律」，經過這場「紅衛兵」之亂，已無紀律可言，不啻把共黨賴以生存發展的「組織」機能，也連根予以掘毀了。

我認為這是天佑中華，剝極必復的朕兆，假使毛酋不發瘋，多行不義，而國際間又充滿着對毛共姑息養奸的氣氛，不但是不願應援我們反共復國，並且公然反對中華民國政府對大陸採取軍事行動，俟河之清，人壽幾何？如今毛共瘋狂自斃，這正是中國人解決中國問題的良機坦途，就看我們能否滌盪惰性，奮發有為，以迎接復興的大好機運！若照目前「一錯把杭州作汴州」的搞法，毛共縱然自斃了，中原的錦繡山河亦非我們所有也！

中縣豐原農會雙包案 鬧進議會掀起大風波

議員壁壘分明相互指摘烏烟瘴氣

（本報記者台中縣航訊）由於地方派系所造成的豐原農會總幹事雙包案，已經鬧進了縣議會。在議會中引起風波，高潮迭起。爲了「雙包案」的解決，議員們也壁壘分明，彼此相互指責，不可開交。議會既解決不了「雙包案」，議會本身反而鬧得烏烟瘴氣。

豐原農會總幹事「雙包案」鬧進縣議會之後，開始時處理十分恰當的。當時縣議會推定由豐原鎭所選出的議員組成專案調處小組，以解決雙包案的糾紛。

專案調處小組決定兩點措施：

（一）請縣議會函縣府對豐原鎭農會總幹事糾紛問題，暫時停止執行，以免使雙包案糾紛擴大，影響調處工作之進行。

（二）請議會函縣府列席人員携帶有關資料備查。

可是縣議會各單位對於專案小組的決定置之不理。

於是，專案調處小組乃以私人名義對縣府行文，請縣府對豐原農會總幹事糾紛暫停執行。

但是，風波就由之而起。陳田安議員就此問題提出臨時動議說『專案小組違法對外行文，應予糾正』。此一臨時動議提出後，引起一場舌戰。陳田安便與調處小組召集人王地針鋒相對。王地議員說：專案調處小組之決議，議會有關單位置之不理，顯有偏袒邱秀松之嫌。調處小組爲求順利解決該糾紛，乃以私人身份建議縣府，暫停執行行政處分，這是私人行動，與議會無關，並未抵觸議會組織規程卅七條之規定。二人你來我往，發生爭執。於是其他的議員便有人講話了。說「議會本爲豐原農會解決糾紛的，結果，別人的糾紛沒有解決，自己反而發生不可解的糾紛，實在太不成話」。由此看來，不但農會中有地方派系，議會中也有地方派系。

王地等，以私人名義建議縣府，縣府呈省府核示，並以副本抄送縣議會，議會竟然沒有提大會討論，（這其中便大有文章），便以公函分致縣府和省府，否定王地等九位議員的建議，並在文中指責他們幾位調處小組的議員。因此，便有議員打抱不平，指責議長王子癸擅專，說議會是議員組織而成，並非議長一人的議會，對於調處小組是否同意，應當交大會討論，不能僅以議長一人的意見而決定之。

尤其是廖良墻議員特別以書面提出抗議書，抗議議長王子癸越權擅專。結果，王子癸裁定此案不付討論，由他本人答覆廖議員。從議會的波瀾洶湧，可以窺見「專案調處小組被人阻擾」。

議長王子癸獨自專擅，顯然是偏袒邱秀松，爲邱秀松護航者。因此王良墻議員深表不滿，提出一份千餘言的「抗議書」，指向議長王子癸抗議。他抗議書大略有三點：

一、農會總幹事肩負執行會務之專責，總管全會經濟之重任，其人選自宜愼重將事。邱秀松因盜林案被法院判處有期徒刑六月確定在案，甫付監執行完畢，復因瀆職案件爲違背職務之行爲而被處有期徒刑六月有案。如此品行不端之人，其不宜担任總幹事之重任，自屬顯然。

按邱秀松則以爲「行賄」並非「瀆職」，亦經內政部解釋，藉以恢復其本職，也有他復職的理由。

二、因邱秀松資格有問題。爲了明瞭眞相，應請議會函請縣政府列席議會人員，携帶有關資料，以憑處理。不料議會主事不但不轉知縣政府辦理，亦不提交第七次臨時大會討論處理，其對邱秀松顯有偏袒之嫌。而對大會決議不尊重，亦昭照若揭。

三、專案小組橫遭阻擾，不能解決糾紛，爲求迅速解決，就調處情形建議縣政府採納，以期早息糾紛有何不當？此項建議，既非以議會名義，亦未蓋議會印信，純係以私人身份而爲建議，議會殊無權干涉。

廖良墻議員的抗議，主要對像爲議長，同時也是對陳田安議員的提案而發。按陳田安的提案說調處小組對外行文是越了大會所賦予的任務範圍，以及縣議會組織規程卅七條。陳田安又指責縣府：明知調處小組此項建議並非議會公文，但竟作議會公文處理，轉報省府，所以均屬違法。

台中縣長林鶴年，對於陳田安的指責稱：議會大會上次決議組調處小組，是豐原籍的五名議員，五位調處小組的議員，他們五人同意的行爲，當然是調處小組的行爲，調處小組的行爲是大會所賦予的。縣政府怎能不受理？

從以上的糾紛，記者摸索到此中來龍去脈了。台中縣議會議長王子癸，議員陳田安及主任秘書柯碧然等，皆屬爲邱秀松一系，爲邱秀松護航的。台中縣長林鶴年，議員廖良墻等，和王地等爲一系列者。其餘各派尙有若干人士，或明或暗，在此糾紛中沒有出頭的就不必揭穿了，反正台中縣的老百姓心裏有數。總之，官府處理一切公務，務必秉公任事，不可違法越權，大鬧「雙包」案。這是給老百姓笑話的，也是喪失政府威信的。（中縣記者王永亭寄）

看橫掃中國大陸的「紅衞兵」與「文化大革命」

楊力行

第二、蘇俄過去的「少年赤衞隊」和「無神戰鬥團」，後來差不多都參加了「紅軍」，成爲蘇俄第二次大戰時代的軍事骨幹。這一「先進經驗」，在毛軍不穩的現實情勢下，毛林兩酋自然也要加法泡製。從過去的鬧劇中，毛軍以維持秩序爲名，處處只准「紅衞兵」打人，不許人打「紅衞兵」，來看，「紅衞兵」的感情已被「解放軍」騙走。而「紅衞兵」洗刼市招致市民的痛恨，再搜括農村惹起農民的怨恨，則他們走投無路，前是狼後是虎的處境形成，要想活下去，豈不是只有「參軍」之一途！而林彪叫「紅衞兵」爲「解放軍的後備隊」之爲，是用這「紅衞兵」鬧劇之爲共匪青年的「招兵買馬」把戲，也就清楚了。如果，再有幾千萬被「毛共紅衞」鬧劇造成的「孤兒」（共產黨徒不是被父母不要，故稱孤兒）起來「參軍」，接了毛、林等「老一代孤兒」的棒，則世界和平就將難期了。

因此，我們希望全世界都注意這個嚴重問題。所有匪情專家們和心戰部門及教育文化工作者暨青年學生們、都對此重大問題集中火力，喚醒「紅衞兵」不要做「毛共」的炮灰，要向「毛共」爭自由，爭前途，自己掌握自己的命運。積極響應蔣總統的偉大號召，倒過來裏應外合，建立奇功，才是唯一正大光明的出路！

二、「紅衞兵」的有力武器—「大字報」！

回頭再說：中共秧歌王朝土皇帝毛賊種，以其行將就木的老大龍鍾之年的失肥豬，爲了戀棧，爲了保命，爲了固位，爲了垂死的掙扎，爲了避免死後鞭屍，不得不拉住實力派人物僞副主席兼僞國防部長林彪（原名林育英）作擋箭牌，以打擊僞人民政府主席劉少奇及僞中央總書記鄧小平等敵對人物；並以毛酋原所兼任的僞軍事委員會主席讓與林彪，以示推心置腹而堅定其意志。於是，在民國五十五年五月初開始與其第三個壓寨夫人江青和林彪竊竊私議後，由北平清華大學和附屬中學及僞軍委會直接控制下一所軍事性的預備學校─航空學院與其附中這四所「既紅又專」的學校搞「紅旗戰鬥小組」開始，曾發出宣言，分寄各大中學校，要求大家支持他們的「除四舊」─舊思想、舊文化、舊風俗及舊習慣─包括反宗教、改學制、改地名、路名、校名、改招牌、毀佛像、毀寺廟教堂、破壞歷史文物、限制奇異服裝、髮型和「敢想、敢說、敢做、敢造反」之號召的「革命行動」；但是，反應冷淡，幾乎胎死腹中。於是，由派在北京大學去鬥爭師生的「工作組長」張承先及聶梓桿相繼大搞「文化革命小組」大權在握，首先鬥倒前「北京市長」彭眞（現已於十二月九日被逮捕交付十萬人大公審）和北大校長陸平，確實作到大膽揭發陰私的地步，實在令人不寒而慄。比如：在北大首先指名攻擊彭眞的「大字報」，便揭發彭眞的愛人（妻）張潔清原來是大漢奸汪精衞政府時代的高等法院院長張璧的姪女，前北京市委教育工作部部長─被指爲「黑幫分子」的張文松就是她的弟弟，也即彭眞的小舅子。這個關係過去是沒有人知道的。（五）

復興中華文化與我們應有的反省與自覺

（上接第一版）

大家似乎，見慣不怪，看不順眼，聽不順耳，也不聞不問，見肉嘛也許還當有趣。如此混世主義，不是當代學人應有的態度。最近，我們又成立了一個中華文化學院，羅致了國內外知名的學人，個個都是在學術界很有成就的碩彥。今天中華文化實在已到「危急存亡之秋」，我們的學人應當責無旁貸，肩負起復興中華文化的責任。如何領導羣倫，振衰起弊，不待筆者來妄參末議。

三、趕快改善文化環境

希望我們政府當局趕快要做的是「改善文化環境」。外人譏我們此地爲「文化沙漠」，這是我們的奇恥大辱。但是，我們應當自己徹底覺悟，我們的文化環境好不好？不能「自我陶醉」。今天我們政府當局所犯的心理毛病，就是自我陶醉，粉飾場面，不務實際。造成此種心理不始自今日。似乎積重難返。今天的實際情形如何，請看我們的留學生，他在此拼命就要出去，爲什麼？一方面固然是由於崇洋，一方面也是由於我們的文化環境不良。學人亦才如是。好的大學教授，也同樣向外跑。這不能完全怪他們。復興文化是一種理想，從事於復興文化工作乃是一種現實。知識份子並非人人是聖賢。我們把他們都當聖賢，只給他們一頂「愛國學人」的皇冠，那是沒有多大效果的。在國內教書一個鐘點四十元，在外國要加三四倍，試問他們回國來幹什麼？我們往往罵中國留學生不回國，不愛國。這絕不是辦法。辦法應當是提高學人們的待遇。試觀世界各國，凡是教授學人待遇高的國家，其文化科學都是較發達的，凡是待遇較低的，則是科學落後的國家。我們的教授窮，文教工作人員亦窮。我們今天風行「惡補」，未嘗不是待遇非薄之故。國文程度低落，也未嘗不是待遇太差之故。一個國文教員上一小時課，改卷子要超過三四倍。試問一個國文教員那有如許精力？既然待遇菲薄，改卷子也就走馬觀花，有的根本就不改正，只打一個分數了事。試問，國文程度怎得不低落？因爲西洋科學發達，我們的青年多爭相學理工，文、史、哲成冷門。所以我認爲非提高教授及文教工作人員的待遇不爲功。此改善文化環境最重要之一環。如果國內的待遇和外國差不多，他又何必一定到外國不回來，誰願意去那不同生活習慣的生活？

再次是充實文化機構的經費，建設優良的研究機構。有優良的研究環境，我們很多人才就可以不必去「溜洋」了。我們現有的國立編譯館，形同虛設。顯示我們對文化機構不太重視。凡是文教機關，多數只是點綴，有名無實。國立編譯館，一年到頭沒有編譯一部書，人員太少，經費短拙，這何能怪他們不做事？

凡此各端，都形成文化環境不良原因。若不改善待遇，不但要成爲「文化沙漠」，很可能變「沙漠文化」！可悲也奚。最後，希望我們的學人，和我們政府當局，趕快省悟自覺，實幹苦幹起來，共同來拯救中國文化之危機。國人幸甚，後代子孫幸甚！

國聯八新片開拍在卽

李登惠被許全能演員

（本報台北訊）國聯公司正在積極籌備在近日內相繼開拍的影片，共有八部，這八部片是：

「狂風沙」：鄒郎編劇，清裝片，劇本已脫稿。

「北極風情畫」：姚鳳磐編劇，王星磊執導。故事大多發生在雪地，將到日本拍外景，並可能有部份外國人參加。

「陌生人」：趙之誠編劇，將由李翰祥親自執導。李翰祥對這個劇本甚感興趣。

「女記者」：謝家孝編劇，宋存壽執導。

「鬼狐列傳」：姚鳳磐編劇，朱牧執導。這將是朱牧導演的第三部古裝片，也是繼「辛十四娘」後又一部根據「聊齋」搬上銀幕的電影。

「向日葵」：高陽編劇，由楊甦執導。是一部愛情文藝片。

「歌渡橋」劉昌博編劇，林福地執導。是一部愛情歌唱片。

「野市」：劇本早已脫稿，籌備亦已成熟，可能最早開鏡。

（本報台北訊）最受歡迎的刊物—「電影沙龍」，已經出到第四期了，銷路在直線上升。

第四期的封面是國聯公司影星李登惠，這個小妞是越來越受歡迎，戲也越演越紅了。

李登惠在國聯最近推出上演的幾部新片中，都有很優異的演出：在「幾度夕陽紅」裏她和甄珍同樣獲好評，在「辛十四娘」她更是大露鋒芒；在「天之驕女」更是搶盡了風頭。

翻翻國聯公司影迷的來信，可以發覺寫給李登惠的信是越來越多。

李登惠有一段時間拍片不多，只是每天練習唱歌、跳舞和打籃球。國聯公司凡是有公開的大活動，總免不了要李登惠露露面。

最近李登惠又開始忙碌了，在國聯新片「地下司令」中有很重要的演出。李登惠說：「還是拍片最高興，我是甚麼角色都喜歡演。」

「地下司令」的導演說：「眞看不出，李登惠是一個全能演員，演甚麼像甚麼，她在這部片子的演出眞是精彩極了。」

瀛海異趣談

走索王布隆丁神乎其技

·桑雅·

在一八五九年六月三十日，約有二萬五千人昂首望着橫過在北美洲的尼亞加拉大瀑布的那條繩索，長逾一千呎，離開澎騰的河水，高約六十呎。突然大衆感到驚奇，有一個人從美國方面，沿着那條繩子行走過來，在半途時他躺在繩子上，後來他向後翻了一個的斛斗，繼續前行！當他抵達另一邊時，大衆鼓掌，樂隊奏出法國的國歌——「馬賽進行曲」。

那個走繩索的人在走回美國的方面時，手拿一張椅子。當他行到繩子的中央時，他把那張椅子的其中兩隻腳，平衡放在繩子上，他坐在椅子的上面！那個表演者名叫布隆丁，乃是走繩索的人中，最本領的一個。

在許多世紀以來，世界上的馬戲班和雜技班都有走繩索的藝員，其中有不少是此中能手，但都隨着年代走，爲人所忘記。祇有布隆丁的名字是永久留存，因爲當他生存時，無論在戶內或戶外都有過多驚人的表演，就算未親睹，對他也有極大的印像。

布隆丁的眞姓名是約翰法蘭哥加威烈，他於一八二四年在法國出生，父親是拿破崙軍隊中的一個軍官。當布隆丁在五歲大時看雜技團表演武藝，極感興趣。他的父親送他到一間健身學院去練習。他對走繩索一項更有心得。當他作公開表演時，即用他的教師的姓氏布隆丁爲名，後來他本人的眞姓名反而少人知道。布隆丁逐漸在走繩索方面聞名，在他未走過尼亞加拉瀑布之前，他經已走過在英國的泰晤士河和在法國的桑河。在他走過尼亞加拉瀑布後幾日，他曾被用手帕纏着雙目，手推着載有一個婦人的小木頭車走過一條繩索！又曾背負着一個大漢走過！有一次他更居然將他的頭顱，豎在一條繩索之上。

在一八六〇年九月，布隆丁曾在英國威爾斯王子（後來英皇愛德華七世）面前表演，當時那個英國儲君正到加拿大與美國訪問，王子大讚他的神技，特地贈送他一枚金幣，留爲紀念。布隆丁就提議負着王子走過尼亞加拉瀑布；王子有意這樣做，但爲他的隨行顧問所勸阻。威爾斯王子就很失望的對布隆丁說：「我的地位不能隨我的意思做。」布隆丁深以爲然，他就特別爲王子來一個最精彩的表演，單獨走過那個瀑布，但雙腳踐着長棍在繩上。布隆丁的另一種馳名的表演是在繩子的中央，放有一隻小爐子，他坐下，從袋裏拿出一隻雞蛋，打爛放在小油鑊上，煎荷包蛋來吃！人人看見都爲他着急，但是他倒當成是家常便飯。

布隆丁雖然身裁矮小但極強健，在他的時代的一個作家對他曾有這樣的描寫道：「他的身體是極配合他的特種事業，有冷靜的頭腦和勇敢的精神。」他也是一個出色的演員，常常願意作狀如滑腳來使在他的下面的觀衆吃驚。他在倫敦表演時的酬金，十二場是一千二百英鎊，在當時算是很大的收入。有不少觀衆看了他的表演被嚇常，這還不足爲奇。因爲他常在繩索上玩小提琴，在最得意時，就祇有單腳踏在繩子上，他跳舞，回身翻筋斗，踏高腳行走等等！他的繩索都離地面一百五十呎之高，跌下來就會粉身碎骨的。

布隆丁在表演時是很認眞的，有一次他負着一個人過尼亞加拉瀑布，那個人在途中望下去，突然發抖顫動，布隆丁對他說：「鎮定一點，不然我就會把你拋下去！假如我失足，你也會跌死，你想我們一鍋熟嗎？」那個人就極力壓迫自己，在走到彼岸時，他已是滿額流汗，面無人色了。自這樣的事發生之後，布隆丁在表演負人過瀑布前，就會對那個願意嘗試的人說：「你眞有勇氣，更對我有信心嗎？切勿勉強或想出風頭。」在英國表演時，他曾將一隻小獅子放在木頭車裏，推着來行。

在一八七五年，布隆丁經已五十歲，他將一條高四百五十呎的繩子繫緊在兩條船桅之上，那艘輪船在時速十三海哩的速率中行駛，當波浪洶起時，布隆丁迫得要坐下，俟平靜時又再走。此舉也令許多在船上的觀衆不是暈浪，而是被嚇暈。他在一八九六年，年紀七十二歲時作最後一次表演後就宣佈退休了。其實在許多年前他經已很富有，有人問他爲什麼在這樣大的年紀尚出來表演，你並不是爲着金錢？布隆丁回答那是爲着他本人的興趣，也想大衆得到一些有刺激性的娛樂。他在退休不久就逝世了。

有許多男女表演者也想仿效布隆丁作種種驚人的走繩索演出，但到今天仍沒有人能超越過或趕得上他的神技，更有多名跌斃。有人認爲布隆丁的冒險是愚蠢行爲。這種見解是不對的。布隆丁不像那些仿效他的人，他知道他所能做到的然後去做，他能夠保持這一點。他的空間王國正像在他家裏一樣，也正像普通人在路上行走，同樣的安穩。

動物的禦寒本領

若愚譯

有一天我們在園子裏跟蹤一隻兔子的足跡。我們只能偶然的看到雪地上印有牠的足印，這裏那裏一個腳跟，但是大部份都是毛絨絨不淸楚的。

至於破壞保熱規則的兔子的大耳朵又怎樣呢？即使這些也是按照自然的巧妙的計劃的。奧甲闊州（美國北部）的兔子的耳朵祇有普通兔子的一半。而在北極冰天雪地中跳來跳去的兔子的耳朵還要小得多，小得剛好聽到北極狐在雪中走路的聲音。

在許多其他鳥類與哺乳動物中，冷的氣候使牠們的尾巴更短，腿與頸更矮胖。的確，一隻動物住得愈北方，牠的尾巴愈短。實驗顯示在一代之間就可發生變化。生長在氣溫九十度實驗室中的老鼠，有長長的尾巴與腿以及較長的身體，而那些生長在氣溫六十度實驗室中的，尾巴較短，長得也較臃腫。

除此之外：幾乎所有暖血種族的北方同種都長得比較結實而肥大。這一個趨勢甚至可用於人類。研究顯示，住在兩極的人軀幹長，腿短，比牠們南方的表親要重。這種自然的安排是有原因的：一個身體密度和體積愈大，則失去熱量的速度就愈慢。但是即使密度大，表面體積小，長在北方的動物仍需要一隻好的體內火爐。結果是心臟總比較大。

顏色是動物與寒冷奮鬥的另一個利器。許多北方動物在冬天都變成了白色——鼬鼠、雪地野兔、松鷄。很久以來，這都被認爲是具有保護色作用的，但是生物學家相信更重要的功用是保暖。由於白色反射熱，黑色似乎更適合於保暖，但是比從外界吸熱更重要的是保持體內所產生的熱量。而白色的用處就在此。它減低了熱放射，使動物在這種白色大衣下維持牠的體溫。

美國陸軍教他們的山戰部隊與可能降落在凍土地區的飛行員學習美洲白尾灰兔造冰屋的方法。有一天我們在雪地中發現了這種兔子的一個像狐洞似的隱藏處。兔子把身體埋在雪中，牠讓風在周圍替它堆上雪堆，牠就再不受到風的侵襲。這些動物利用體溫使這個洞一熱起來。這個小穴，比一個人大一足之地加上一個睡袋——將使他們像一個熱爐一樣溫暖。

寒冷是所有動物的一個嚴重問題，但是寒冷與風結合起來更可怕，得足以致命。當氣象上報告溫度是三十四度與手冷得加上風，[illegible]五十度[illegible]時速的[illegible]十五度一樣的臉與手[illegible]。我們發現麻雀對這些事實卻完全明瞭。牠走路完全避風而行。牠一旦要穿風而過時，牠不正面的與寒風接觸，而是像一個游泳選手似的，選擇有利角度，讓氣流載着牠而通過。（下）

蘇加諾不見棺材不落淚　印尼局勢澄清仍有待

見祺

反應最強的是萬隆強大軍師團「西里旺奇」指揮官，他說：彼等無疑準備對抗，並企圖打擊跟蘇喆在同一陣綫的人。其時，對抗蘇加諾的行動援着而來。印尼幾位國會議員經已準備採取對抗蘇加諾之種種行動，同時，各報對於蘇加諾在外國訪問時所涉及的桃色新聞以及迷戀歌女之醜事，認爲有傷國體，必須澈査，要求嚴辦。最近，蘇加諾之前任空軍司令暨其私人密友達尼，被控去年叛國一案，在其接受軍事法庭審判過程中所作的口供裏深深的牽連着蘇加諾，尤其日前達尼被判處死刑之日，其辯護律師曾作敍述稱：如果達尼有罪的話，則蘇加諾的罪更大，因爲達尼不過是忠於蘇加諾的指示行事，服從其上級的指揮而已。對達尼而言是受蘇加諾所愚弄了，對蘇加諾來說，是陰謀在胸，應屬罪無可逭！

這些話，以及其他的證據，均爲對抗蘇加諾的最大原因。

印尼強大的學生行動陣綫對抗蘇加諾的行動刻正如火如荼，雖然學生行動過程中，有好幾位被海軍陸戰隊和不明身份的軍人刺殺，但由於他們和蘇加諾之間已經產生很深的裂痕，故隨時都在準備發動更大的示威行動。

這些學生，業已於一九六六年以最強烈之示威行動推翻了蘇加諾內閣，此刻類似強大的示威又在準備。

不過，蘇哈圖將軍並不希望學生們繼續採行動。而五人執政主席團之一的外交部長馬立克也曾說過，不願意再看到學生們以行動來表達人民的意思，因爲示威行動，將導致武裝部隊之間的衝突，對此蘇哈圖依然負有保持三軍中和平安定之責，故不甚贊同。（中）

新三國

周蘋謀著

這是以今天的時代思想而看古人。如曹操在千餘年前能殘暴不仁，生於今日，亦非爲朱毛之流不可。以今日民主國家而論，一個大臣，可以隨便將一個總統夫人殺了嗎？隨便把大臣誅殺嗎？隨便活埋俘擄嗎？隨便殺人全家嗎？生於古代殘暴不仁者，如生今世，可能變本而加厲。政權固爲人人可取而代之，如湯武之革命，劉邦之起而抗暴，則無人有所非議，此即所謂公道是非自在人心。

六六、假禪讓曹丕篡漢　四百年漢阼壽終

曹操死後，長子曹丕嗣王位。曹丕字子桓，漢靈帝中平四年即公元一八四年，生於譙，即今安徽亳縣。建安十六年拜五官中郎將，副丞相，此時曹丕三十四歲。二十二年被立爲魏太子。曹操死嗣魏王。尊王后爲王太后。尚未篡位，即改建元，改漢獻帝建安二十五年爲「元康」元年。以藩王嗣服而改及中朝年號，其篡志不臣，已是昭然若揭。

延康元年二月間，以太中大夫賈翊爲太尉，御使大夫華歆（迫宮之要角）爲相國，大理王朗爲御史大夫，設置散騎常侍、侍郎、各四人。這些都是曹魏王朝的官兒。他曾鑑於宦官爲患後漢，他下了一道詔命：其爲宦官而改任官吏者，其官職不得超過「諸署令」（即少府所屬諸署之長官）並且將其令文鑄於銅版之上，藏於石室之中。

就在同年十月初四日，曹丕便在預先策劃好的安排下，假「禪讓」之名，輕輕地把漢朝帝位篡了。漢獻帝到此也不得不讓。何以言之呢？獻帝的臣下，沒有兩個人是他的臣下，都是曹氏所置的大小官員。在曹操的手下，只有一個夏侯惇是做的漢獻帝的官。其他全爲曹氏的鷹犬。獻帝早已是眞正的孤家寡人一個，連他皇后，貴人等，都是曹氏門宗的女人，女宮內寢無論什麼宦兒宮人，莫不是曹氏所派在宮中作爲監視的人。曹操把獻帝永遠孤立起來。我以爲劉協如爲稍有一點血性的男人，早就應當自殺了。

在假「讓禪」之時，當然還得由獻帝下詔命，使御史大夫張音奉璽綬禪位。這一道詔命，堂而皇之，還稱述「昔者帝堯禪位於虞舜，舜以命禹，天命不於常，惟歸有德。漢道陵遲，世失其序，降及朕躬，大亂茲昏……」這篇傑作，當然可以比美於潘勗所作的策命曹操爲魏王的大文。可以後先輝映，肉麻萬世，遺臭千秋。

於是便在僞作謙讓再三之下，羣臣（都是曹魏王朝的臣子）百般勸進之下，輕而易舉做了皇帝。在繁陽設壇，在今河南臨潁縣東南二十之里地。百官陪位。曹丕即大搖大擺步上壇台，舉行了所謂「禪讓」的儀式。改延康爲黃初，大赦天下。這是建安二十五年，十一月二十八日的一事，即公元二百二十年，民前一六九二年。大漢朝四百二十六年的天下，到此結束。也是從西漢統一之局的結束，也是中國大分裂之局的開始。（一〇一）

國劇繽紛續錄

（一四四）姿婆生

干城的奮袂

干城劇團楊大隊長北來過訪，經告自元旦起，將在北市有七八日公演，出示劇目計有（一）大英杰烈。（二）鴻門宴接追韓信，（是余前所主點）爲麟崑一拿手，前張良後蕭何。（三）文章會搜孤救孤大泗州城，蓮芝林萍雙演水母。（四）盜仙草關羽傳，亦麟崑所擅，可以媲美桐春。（五）洪羊洞，大翠屏山，蓮芝的絕活，有曲復敏的石秀，季少山的海闍黎可稱。（六）單刀會百鳥朝鳳逍遙津，麒派的逍遙津今始見之。（七）大長坂坡代漢津口，復敏的劉備，麟崑的關公，張學武的趙雲，均夠水準。大軸蝴蝶夢，余已勸其改爲紅娘，因已有文章會翠屏山，風情不宜過弄。（八）呂布與貂蟬，是連環計接白門樓，亦蓮芝的絕活。八天戲碼，相當驚人，他們在比賽未會獲獎，但是自強不息，依然奮袂邁進，實是可嘉。

文藝活動中心，爲了元旦起放假三天，謀與民同樂，擬請干城再演日場三天。余已建議照演，爲的是軍中劇團向未演過日場，由干城開始。一般觀衆，晚間看戲，間有闌珊，演個日場，供人欣賞，因爲擬三天劇目：（一）搖錢樹四演鐵公雞。（二）一戰成功四五花洞。（三）楊排風（五打）掃松下書。是否能可如願，還待決定也許實現。如果可行，則干城北來，將共演十一場矣。最近明駝劇團大事擴充，連聘三位名旦，趙玉菁古愛蓮姜竹華，加原有的秦慧芬茅復靜王志萍，幾成旦角的大本營，旁的劇團，爲之側目。於是八五花洞，八美跑車，皆得順利推出。除大鵬以外，幾無可以抗衡，這是他們奮發圖強的序幕。如在生行，再予增強，無疑的可夠睥睨。關於此點，余也屢爲干城言之，非招兵買馬，每月再增五六千的支出，添雇旦角，則蓮芝復美尚不敷支配。是在奮袂之中，猶須作縝密之計畫，方夠馳騁，幸善爲謀之。

干城的文場，現在司琴的劉君，原爲梆子班操琴，經驗很深，功夫也夠；但於新腔猶未能盡化變，必須再請一位，以資佐助。打鼓亦復如斯。觀於陸光的配樂，不禁有感，希望能採用特約性質，以備公演時或有需要，亦不可省此一筆。五五年已經過去，五六年來臨，爲了復興文化，必須排演新戲。蓮芝應演花蕊夫人金山寺玉鐲緣釵頭鳳等，麟崑宜排潯陽樓與漢圖義責王魁等，皆如期推出，以一新在北市的劇運。奮袂之餘，尚待努力以赴也。

國會滄桑談

諸葛文侯

自從民國肇建，政尚共和，創立國會迄今，歷時五十餘年矣。就國會之經過階段而言，大別爲三期：民元至十五年國民革命發生，爲民選國會議員時代；民十七年國民政府成立立法院，至卅七年實施憲政止，爲官選國會議員時代；民國卅七年依憲法產生立法委員以來，再回復民選國會議員時代。此中滄桑史迹，殊有可得而言者。

民初新建之國會，參衆兩院議員由民選而來，對於議會政治之運用，尚在學習階段，過事失之粗率擾攘，爲世詬病，北洋軍閥，且詆之爲「暴民集團」，但全國高級知識份子之稍具才學者，多置身於其間，知名之士如張繼、湯化龍、湯漪、孫洪伊、林長民、谷鍾秀、景耀月等，皆有聲於時也。此期國會係依民元臨時約法而產生者，中因時局動亂而有「民六」「民八」議員雙包案之爭執，頗給人民以不良印象，迨經過曹錕賄選總統之役，信譽乃告掃地，生命亦隨之斲喪以盡。然亦有其足資稱道之績業，即其所擬訂之憲法草案，實視今日施行之憲法尤爲優良，此爲無可爭論之事實，嗣後「安福系」包辦之國會所制「天壇憲法草案」，亦係以舊憲草爲藍本，略加損益而已。最無成績者爲「安福系」國會，仰體軍閥意旨，碌碌無所表現，迨民十五年段祺瑞執政府崩潰後，安福國會亦作鳥獸散矣。

民十七年國民政府依建國大綱首先成立立法院，以胡漢民先生主持其事，按照各省區人口比例，由政府分別選任各該省高級知識份子若干名任立委，頻年孜孜汲汲於創制國家大經大法，目前吾國通行之各項重要法典，皆爲訓政時期立法院胡院長任內產品也。立委既屬官選，品質並不複雜，復由德望崇隆、勳業彪炳之黨國元老胡展堂担負領導責任（胡去由孫科承之，率由舊章），不特成績斐然可觀，即其日常議事風格與立身行己動態，亦復平正通達，無瑕可指，可謂有爲有守者矣。此期立法院之唯一懈德，厥爲臨去秋波之自訂法院組織法中，規定曾任三年以上立法委員即取得當然律師與法官資格，而不問是否嫻習法學者。流弊所及，今日爛羊頭之律師滿坑滿谷，貽笑中外，馴致因此而發生黃豆賄賂案，立監委郎當入獄，玷汚中國憲政史，其始也簡，將畢也鉅，可慨也夫！

依現行憲法而由民選立委組織之立法院，於卅七年成立伊始，聲勢頗張，各方才俊之士網羅殊不少，亦以此故，濟濟多士皆自命非凡，自視甚高，不屑接受他人領導，加之以「黨」「團」鴻溝，不相爲謀，院內小組織林立。初時尚有陳立夫、吳鐵城二人，基於過去久居黨政要津關係，差堪發生涵攝籠罩作用，迨卅八年孫哲生担任行政院長，强使陳吳從政，卸却立委職務以後，立法院乃陷入羣龍無首之狀態中，黃紹竑原有問鼎於院長寶座之野心，旋因政治派別障礙，知難而退，終乃變節投共矣。嗣後歷任院長，胥屬平凡無所短長之公僕式人物，聲望不隆，自難綰攝羣倫，充分發揮國會議員之應有權力，唯對「質詢權」之行使，特別擴張，馴致不無濫用現象。議會原係運用政治之中心樞紐，各個政黨或政團，必須有領導人物周旋於其間，庶足以行尚而往有功。若夫

綜觀民國以來各階段之國會成績，對於民主憲政之治，距離理想尚屬遙遠，吾人猶須努力學習，庶幾有！

琉球紀行

張希哲

（乙）琉球海關除對兩三種特殊商品課稅外，其他均免稅自由輸入。中國方面是不是對於琉球貨品進口也可以特別放寬，不加管制並減低關稅？（丙）琉球人民赴台灣旅行的每月有增加。請中國對於來琉旅行的，也多鼓勵並予方便。

（二）通商產業局長 Shimura 發言時，對外間所傳琉球政府將管制台灣產品入口一事，力加澄清。他說：去年中琉雙方在台北舉行貿易會議並發表公報，其中所宣告之原則，琉球政府將忠實履行。兩國貿易未能平衡，應當探究原因，努力消除不平衡因素，但不應用政治手段如管制進口方式希冀達到平衡。琉球係採行自由經濟政策的，希望民間本自由競爭原則力圖發展。

（三）有村產業會社常務董事竹林秀義發言：（甲）台灣輸琉貨物均指定台灣某某航業公司承運，有欠公平，今後應酌量分配一部份給琉球輪船運輸。（乙）運香蕉至琉球的船隻設備不好，腐爛頗多，應該改善。

（四）沖繩大學理事長嘉數昇發言：（甲）琉球留日學生約有四千，留美學生二千多，今後希望留華學生能增加，盼中國政府多給琉球學生方便，同時並鼓勵青年來琉球讀書。（乙）兩國教授在研究方面，尤其是有關中琉歷史文化方面應多多合作。

（五）琉球文化財保管委員、大東糖業社常董大嶺薰發言：（甲）盼早日成立中琉文化研究所或研究會，切實規劃文化交流辦法並積極展開研究中琉歷史文化。（乙）琉球新建博物館將於六月落成，但內部有待充實，請多捐贈文物圖書以供陳列。

綜合琉方朝野人士的意見，他們認爲要增進中琉關係，長遠的計劃要從文化交流及合作方面着手，當前最現實而容易見效的，則爲增進中琉貿易。

關於增進中琉貿易，我國輸往琉球的貨品，如食糖、香蕉、茶葉、五金、藥品等，逐年均有增加，貿易總額雖然遠比不上美國和日本，但僅次於英國而居第四位。當前的問題是琉方要求我們多買他們的貨品。但他們很多輸出的貨品，我們自己都有出產或製造，如何能夠在這方面不使琉球朋友失望，特別值得研究。

我個人除了同意他們的建議以外，我認爲在農業漁業方面對琉球給與技術援助，也可以贏得琉球的友情。因爲琉球的地理環境和台灣很相似，但經濟開發的程度則不及台灣。中琉之間本來就有長遠的歷史淵源，我們倘能像對非洲各國一樣地提供技術援助，相信友誼的成果會在非洲之各國之上。

九、從風俗文物看中琉歷史淵源

關於中琉的歷史關係，我國和琉球的史書記載很多，本文不擬引述。這裏且就我此次琉球之行耳聞或目見的風俗文物，談談中琉的歷史淵源。（十一）

義和團與八國聯軍之戰述評

·羅雲家·

經過四次御前會議——雖光緒帝痛哭流涕，說人心不可恃，啓釁足以亡國，及徐景澄、袁昶等以死力爭，而慈禧仍從載漪等之主張，於五月廿五日，下詔向各國宣戰。並下令團勦各國駐京公使館，撤回駐外使節，令各省督撫響應此一措施。

三、八國聯軍入侵與北京之遭劫

時北京有董福祥的甘軍，他們也與拳匪一同焚掠。慈禧令他們和拳匪攻打東交民巷，「日夜炮聲不絕」，始終沒有攻破。那時各國公使館的衛兵，合起來不過四百多人。天主教的北堂，僅有法意水兵四十人守衛，甘軍和拳匪也未能攻破。只是在未宣戰前，甘軍殺死一個日本書記生，載漪的神虎營兵把德國公使克林德殺了；都是乘其不備才幹出來的。徐桐、崇綺說是：「夷酋誅，中國強矣。」剛毅統率拳民，日坐城樓觀戰，說是「使館一破，洋鬼子就全滅了。」無奈使館老攻不破，而軍民死傷却不知凡幾。這時英德法美奧意俄日八國聯軍來攻，其中日、德二國忿恨最深。蓋因清廷宣戰前十日，日本使館書記杉山彬，及德國公使克林德爲董福祥軍等所殺也。聯軍首攻大沽口，清軍潰敗；六月間，天津亦爲聯軍攻破。聶士成爲淮軍後起的名將，會剿拳匪，受他們的牽制，與聯軍力戰而死。裕祿、李秉衡兵潰，因此相繼自殺。比及拳匪圍攻使館八週之後，就在廿日的那天，英軍最先攻入北京，慈禧太后和光緒帝倉卒出走，由懷來、宣化、繞山西逃至西安。於是京城的無辜百姓，再度遭逢浩劫。

聯軍進入北京，乃大施報復，手段之殘暴，亦正與義和團成正比。

當時聯軍的統帥爲瓦德西，乃德人，曾在柏林時認識中國公使洪鈞，及其妾傅彩雲。洪鈞去世後，彩雲下堂，仍留京師，至此與瓦德西再遇。彩雲本吳門名娼，不矜名節，惟對聯軍之燒殺，頗有不忍之心，因是聯軍殘虐才得稍戢。

時南方各省，在劉坤一、張之洞、袁世凱等的治理下，拳匪亂時，他們曾經屢次上疏諫止，可是西太后一味搪塞，總說要保護外人，不欲構衅。但又以亂民「挾騎虎之勢，剿撫兩難」，要他們諒解。然而他們咸認清廷措施不當，拒應亂命，不肯加入戰爭，而結東南互保之盟，華中以南，遂得保全。清廷乃命李鴻章回任直隸總督兼北洋大臣（按：李自甲午戰後，爲輿論所不滿，引咎罷職，迄光緒廿五年始任兩廣總督），兼與慶親王奕劻任議和全權大臣，他們費盡周章地與列強折衝了好幾個月，所幸當時俄德主張瓜分中國，英美反對，日本以國力尚弱，願保現狀，各國利害既殊，恐再惹出爭端，遂允予和約。（三）

早來的嬰孩

—晉陵譯—

「還有這個，」護士指着一種電鍍的、上面還有許多皮帶的東西說：「這是分娩枱子。」我們——共有七、八對，全是可能成爲這個醫院的顧客的——站在費城佛遜醫學院附設病院的分娩室內，由助科護士長，給我們作簡短的說明。這家醫院跟那家爲我們的三歲兒子蜀伊降生的醫院不同。這家醫院是歡迎父親進分娩室去的。他們把機械，燈光、管子、注射針、外科醫生、護士、待產室、分娩室、復元室等，一一的指點給我們看。

「假設我們來不及趕到醫院呢？」我問護士。「假設孩子生在半路上呢？」

「孩子在出世之前，會發生許多警告的。」聽慣了這類的傻問題，護士笑了。「這一類的事情是不常有的，」她說。（從她的語氣聽來，她最好還要加上一聲：「傻瓜」！）

「我知道，」我說。「不過，只是假設而已。……」

此時，別的幾對夫婦也都笑了。「那麼，」她最後對我們大家說：「你只要找到一個警察，他會知道該怎麼辦的。」（一）

內備警台報字第〇三一號內銷證

自由報

THE FREE NEWS

第四二七期

中華民國僑務委員會頒發
台敬新字第三二三號登記證
中華郵政台字第一二八二號執照
登記爲第一類新聞紙類
（半週刊每星期三、六出版）
每份港幣壹角
台灣零售價新台幣貳元
社長：雷嘯岑
督印人：黃行審
社址：香港銅鑼灣高士威道二十號四樓
20, CAUSEWAY RD 3RD FL.
HONG KONG
TEL. 771726　電報掛號：7191
承印者：大同印務公司
地址：香港北角和富道九六號
台灣分社
台北市西寧南路壹壹零號二樓
電話：三〇三四六
台郵撥儲金戶九二五二

澳門政府自速死亡

・曾道貫

一九六六年十二月三日，澳門暴動事件之起因，據報載係氹仔居民將建校之圖則，呈請澳門政府審核，不料送去後，久久未見核示。氹仔居民復將改良圖則，呈交澳門政府核批，但時經半年有多，並曾經當事人催之再四，卻仍既不批准，亦不作答。際此世界各國自由民主高唱入雲之秋，如澳門政府之專橫與故意刁難者，殊屬鮮見。事既如是，氹仔居民爲爭取時間起見，乃先將舊有房屋拆除，以待圖則批下，再行正式興工建築。此時澳門政府，竟派出大隊武裝警察前去彈壓，阻止。此不無令到氹仔居民怒火中燒，乃有聚集人羣齊向澳門政府興師問罪之事。此一舉動，揣其用心，不過是一種請願方式，以期達到建校圖則批准之目的而已。

而澳門政府當局既不派出要員以妥善方法去交涉，公然又以防暴方法對付，水喉車、催淚彈、實彈齊施。如此一來，那些預先受中共慫恿的份子，安有不大肆搗亂的？暴動過後，對建校事實的演變，竟撇開不談，純在政治上作文章。除將七名自由人士擲入虎口之外，據澳門政府發出之公告內稱：「凡中共認爲有敵意的旗幟、徽章、標誌」概不許懸掛、標示，並即派出葡警一批進入勞工大廈，强制禁止工團總會懸掛青天白日滿地紅國旗。之後又更進一步的將勞工大厦封閉！由此以觀，澳門政府已自失立場，自毁生機的蛻變成中共的看門狗了！人們要質詢澳門政府者：

（一）氹仔居民呈請建校之圖則，准或不准，應在適當時間內，予以批復。爲什麼將之擱置，不予批復，究竟是爲什麼？現在有無充分理由，公諸於世，俾衆公斷？你們將氹仔居民呈請之建校圖則不予批復，是不是澳門工團總會及其他合法社團的人士叫你們這樣做的？

（二）當氹仔居民拆除舊有房屋之時，澳門政府派出大批武裝警察前去阻止，這又是不是澳門工團總會及其他合法社團的人士叫你們去阻止的？

（三）你們顢頇無能，存心不善，將應辦之事，而故意擱置不辦，以致造成暴動慘劇。而事後，兩造當事人——澳門政府與氹仔居民之間，不惟不查事件應負之責任，反而此唱彼和的實行無理迫害與事件無關的愛好自由的人士，公理何存？法律安在？

（四）據報載氹仔居民將葡統治機關搗個稀爛；澳葡侵略者的標誌，通通毁去；并把『美士結打』的銅像拆毁等事實，爲什麼一點未見追究？其他無干無涉的人士，竟遭池魚之殃，眞是豈有此理！他們究竟犯了些什麼罪？

（五）所謂「凡中共認爲有敵意的旗幟」，一概不許懸掛和標誌云云，要知道：「中共認爲有敵意的旗幟」，該是全世界反抗共產主義各個國家的旗幟，都在其「敵意」之內。當然包括澳門政府所懸掛的「葡萄牙侵略者」的旗幟在內。今日澳門地區，除青天白日滿地紅國旗之外，尚有其他被中共認爲有敵意的資本主義各國的旗幟，爲什麼不一併禁止懸掛呢？

（六）中共要驅策你澳門政府怎樣作，你們即毫無自主能力的照其意旨怎樣做；這樣，是中共干涉了澳門內政呢？還是里斯本作了中共的殖民地呢？否則，澳門政府爲何對中共如此馴順，并無理的迫害自由人士？

（七）澳門故府如此怯懦，聽任中共恐嚇、威脅、擺佈、不顧自由、正義、公理，初則擅將七名自由人士送交中共，繼之以武力禁止自由愛國人士懸掛青天白日滿地紅國旗和標誌。此種無理不義的舉措，並不能絲毫打擊自由人士的高昂意志，而祇是使得葡萄牙在世人之前丢盡了臉，喪盡了國格而已。未知澳門政府對此了解不了解？

（八）你們屠殺了中國人，犯下了滔天罪行，氹仔居民現在要「澳葡必頭低頭認罪」。你們便像「狗腿子」那樣的立即向居住澳門的自由人士及社團蹂躪一番，你們是不是以爲這樣就可以取媚於中共，「將功贖罪」了？

（九）氹仔居民現在要你們「實踐諾言，否則以行動對付」。試問你們究竟答應了一些什麼？是不是凡中共不喜歡的事物和人士，都勒令你們將之趕絕殺盡，你們亦都答允照其意旨去作呢？果眞如此，告訴你們：你們是在自掘墳墓，自速死亡罷了！

對於這次澳門事件，明眼人誰都看得出，其始是澳門政府處理小事太過顢頇無能，而激起澳門部份居民的不滿；而中共又立刻插手進去，乘機興風作浪，企圖藉此對澳門政府予取予求，大肆需索，收穫其自己絕對取不到的政治利益。於是澳門政府立刻駭怕了！中共要什麼就給它什麼了！不但不顧全任何公理、人道、善惡、是非，甚而亦不惜唾面自甘，任人宰割，任人擺佈，有如俗語所謂之「龜孫子」然，自毁國格，自暴弱點。顯然，澳門政府以爲，祇要對中共唯命是聽，自己便可以繼續「開府」澳門，繼續從澳門中國人身上繼續的取得油水——經濟利益，便要於願已足了。殊不知那樣的一個完全不成格局的政府豈但不能算是政府，尤其重要的，「紅衞兵」化的澳門，有今日既「紅」且「專」的中國大陸爲證，將那來的繁榮？還有什麼油水可供你搜刮？這不是自掘墳墓自速死亡是什麼！

當然，澳門之有今日，完全是近十幾年澳門當局懼共媚共多行不義的必然結果，正所謂「自作孽不可活」也。這點倒是很有「價値」的前車之鑒了。

無法控制

套得住嗎？

今日与明日

毛共喪鐘本格地響了！

日本「讀賣新聞」北平特派員根據貼在北平街頭的「大字報」報導稱：林彪在毛共中央「軍委」講話中指出：「現在中國（毛共）在內戰狀態中」。本欄早就指出，毛林集團不停手地對反毛「當權派」大施壓力，而在勢力方面本就不弱的反毛「當權派」，必亦加强抵抗。在爭持不下情況下終必爆發一場內戰。現在已證明，這個論斷是不錯的了。

林彪於透露內戰已發生後又說：「革命是必要的，但不應搞到混亂」。毛林集團搞所謂「文化大革命」的如意算盤是輕而易舉地把所有異己份子一律算作「當權派」，然後掃數予以清除。同時，最好是所謂反毛「當權派」都束手就擒，一點也不抵抗，以免引起什麼「混亂」。

反毛「當權派」當然也不是傻子；所以，對毛林集團準備加在他們手上的屠刀，不但加抗拒，復糾集黨衆一次又一次地向毛林集團進行「反撲」。內戰一發生，毛林集團所搞的所謂「革命」，無法「進行到底」了，接着自是一場「大混亂」的局面。毛共內戰現在終於爆發了。相信，此一後果既非毛林集團所願，更非反毛「當權派」所願；但由於這場「你死我活的鬥爭」來勢過猛，各自赤膊上陣，均欲棋先一着，已置對頭於死地。發展至今日，已是騎虎之勢，根本就沒有妥協的餘地。

這樣引致內戰是必然的發展。正是「星星之火，可以燎原」。只要放出了第一槍，不必迅即一波及整個大陸，一發而不可收拾。

毛共血腥政權內部發生戰爭，一方面是林彪部隊，另一方面則可能包括所有非林彪嫡系「共軍」。林彪的「四野」鼎盛時期，約擁有十四個軍七十萬左右人，約佔共軍總數的五分之一强。即或全部支持林彪仍屬少數，何況有不少已經被其他派系分化了呢！

所以，可以肯定地說，毛共內戰林彪必然失敗。

毛澤東和他老婆江青等人這個「宮廷集團」，不管未來林彪支持不支持，都必走上完蛋之途。因爲，他們今日的處境，眞眞正正是到了衆叛親離的地步。不過，這種局面，是因老毛已接近死亡而把大權交給江青全權處理所產生的。

毛土匪賀龍「背叛」毛酋，眞這是大大出人預料之外。無疑，這都是江青的「傑作」。他都得林彪挑起內戰；一方面林彪不管忠不忠於毛江，重担；另一方面由於（「共軍總政治部主任」）蕭華（林彪多年心腹）又可能是繼陶鑄之後受到江青的「打」一分子。林江之間已發生分裂。

如果這個估計不錯，林彪必繼毛江之後很快就完蛋。而後，「勝利」的一方面於「勝利」必呈現「五胡十六國」的混亂局面，鬧一陣子的毛共政權必會收塲大吉。（何如）

自由談

澳門的鬼祟

澳門的葡萄牙殖民主義者，懾於毛共的暴力恐嚇，無視正義與人道，靦顏屈服，而置素有邦交的中華民國抗議於不顧，人皆憤慨，我獨見憐也。

整個世界都是强權主義作祟，所謂聯合國也者，它的憲章不是標榜以維護「和平」、「人道」爲職責嗎？然對於絕滅人道、破壞和平、屠殺人民以千萬計的毛共政權，還要歡迎它進入聯合國，企圖跟它「和平共存」。宰割全球的弱小民族國家。僅僅據有周圍五華里小島的澳門葡國政權，緊隣着毛共暴力集團，它聽到幾十個小紅鬼在對海嗾然發出吼聲，不覺魂飛魄散了。如其它要抵抗，試問那些以維護自由生活爲號召的强權主義者，會毅然拔刀相助，眞的爲着維護自由生活而不惜予以應援嗎？決無此事！

毛共對於澳門如果眞要侵佔的話，祇是大吼幾聲就可傳檄而定，用不着使用武力的。然而它決不願意入侵，要留着這個海洋的港口，以便向外輸出毒品購入軍用物資。君不見當年韓戰打得最激烈的時候，英美出產的各種車輛和汽油，就是從澳門源源輸送到中國大陸去援濟毛共的事實嗎？葡萄牙當局深悉此中奧妙，對毛共的無理要求，慨然接受，毫無所謂，因爲住在澳門那些洋人們的私有錢財，都是集中在香港，他們不怕毛共劫掠啊！

然則香港的前途又如何呢？我敢斷言有驚無險。一則香港每年給毛共的貿易利益，爲數有若干億的外滙可賺；二則英國在香港的防衛力量，不像澳門那樣孱弱；而三呢，居留在香港的幾百萬中國人，百分之八十都是反共的政治難民，毛共要想在此地興風作浪，演甚末「紅衞兵」的把戲，那是不可能的！至於少數潛伏在當地的共黨份子及其同路人，稍有異動，即可教他們走進集中營去，不成問題，毛共又何必自尋苦惱，而放棄這一搜刮外滙的寶庫呢！

共黨慣於虛聲恫嚇，卻不肯對敵人進行沒有把握的鬥爭，祇要大家提高警覺，堅定意志，跟當地政府切實合作，包管無事。如其妄自驚惶，一心以爲高明之家鬼瞰其室，那就難保不遭遇鬼祟的。

馮三先生

議員大叫「應予糾正」 桃園縣九位女性僱員 集體到議會爭取預算

（本報記者黃鴻過桃園航訊）議會討論提案，僱員「進軍」議場，桃園縣議會「臨時大會中，有此「妙舉」！議員請求陳長壽縣長應予糾正。

桃園縣議會的臨時大會，於本（一）月十三日（星期五）上午閉。幕在這次大會中，其主要議題：審查通過桃園縣上年度歲出入地方總決算，當然也包括一些提案在內。縣府民政局，因辦理戶籍的需要，僱用九位女性臨時僱員，據說：她們平日工作成績尚佳，乃報請省府，准予納入編制（正式僱員），已奉核定。因此，縣府在此次臨時大會中，提案請求追加預算新台幣二萬零六百七十元，作為這九位女僱員的薪津。在大會閉幕前的上午九時，當討論該案時，楊昆山議員表示：這批女僱員，工作效率太差，不能隨意通過。豈料楊議員的「意見」傳出後，這九位女僱員，集體前來大會中「陳情」，要求通過她們的薪津「追加預算」。如此一來，突然引起大會中一個緊張而又尷尬的場面。更觸怒了楊議員。他認為：議會是縣長對議會負責。就事論事，次焉者只是民政局長能作代表。僱員也要集體在議會中來爭取「預算」，使神聖的議壇，成何體統？他緊急動議，主張把這項「追加預算案」擱置，並請縣府糾正她們的要求，藉維議會的尊嚴。

自這批僱員代替行政首長爭取「預算」的滑稽消息傳出後，日來此間人士，不但資為酒後茶餘的談助，並一致認為是桃園縣府空前的「創舉」。據一位重視行政體制的人士說：我國憲法規定，人民有訴願之權。如此次縣府民政局女性僱員，為了爭取自己薪津的預算，集體向議會「逼宮」，那就不大相稱了。因為她們是「僱員」，應該暫時捨棄了「人民」的身份，怎能代替縣府行政首長向議會爭取預算呢？再說，她們的僱員工作，已奉省府核准納入編制，難道還怕拿不到薪津嗎？即令發生困難，也是縣府的事，於她們何干？這位人士又補充說：政府有「能」，為了爭取「預算」，公然演出這樣的「鬧劇」來，不但對陳長壽縣長難看，同時桃園縣府的「能」，不免使人有些懷疑了。聽說民政局長郭禮伯，曾經主掌過省級民政大權，他的屬下，有此一舉，實難辭疏於監督之責。這不論在行政體制上，議會尊嚴上，都是此風不可長。如楊昆山議員的主張：應該糾正。

台南市國民黨黨部 ·展開為民服務工作

（本報記者朱武州台南航訊）中國國民黨台南市黨部，仰體蔣總裁關懷貧苦民衆生活之德意，特聯合所在地區各級黨部及結合社會力量，展開為民服務工作，以發揚中國固有的仁愛精神，而達成濟貧扶困之目的，特舉行第六次聯合服務，自元月十五日起至廿四日止，為期十天。服務原則着重發掘民隱，以貧苦民衆為對象，偏避地區為範圍，長期享用為原則，一組一戶為目標及救苦救難為目的。服務工作則由台南市黨部所屬各區黨部主辦，以及各級黨部區分部有關單位作配合支援辦理。此外各級組織發動小組黨員及從政從業主管同志熱烈響應參加，藉以掀起高潮，另又洽請機關首長、民意代表，及他方有力人士參加工作，並聘為領隊，以期廣事號召；又洽請本市各宗教公益慈善社團，國際扶輪社，獅子會，青年商會，基督教，佛教會等機構響應聯合服務，辦理各項濟貧工作。

醫療服務有軍事醫院，省立台南醫院等五醫院參加巡迴義診，並開放門診，贈送義診住院券。助產士公會會員辦理孕婦保健及免費接生，家戶服務，公共服務。預定訪問貧苦民衆征屬遺族約一千一百卅戶，並發放慰問金。協助貧困學生就學發放獎助學金一萬一千九百元。

頃據台南市黨部李主委英櫆對記者強調稱：本次展開服務，較以往具特色有：（一）以一組一戶貧戶為長期救濟。（二）配合冬令救濟。（三）以工代賑，四萬五千元辦理，為貧困民衆解決就業困難。（四）此次服務各界響應更為熱烈支援，計有台南救濟院以六萬元之經費配合辦理義診，收容貧民及裝贈義肢，台南扶輪社捐獻小兒痲痺裝具約千餘元及救濟專款一千元。台南汽車公司董事長林全福特捐出棉被二百條作為濟貧之用。中醫師葉世揚特捐價值七千元之十全補腎丸百罐交東區民衆服務站濟貧。（五）各級黨部聯合力量配合擴大服務。（六）元月十三日晚在南都戲院舉行慈善晚會，所收券資概以購買棉被賑濟貧民。

又訊：台南市第六次聯合服務，各區大隊已於本月十三日上午在市黨部大禮堂舉行授旗典禮，由主委李英櫆將各隊隊旗授予各服務大隊大隊長，李主委並勗勉參加聯合服務的工作人員，應本助人的熱誠，全力展開服務工作，且要做出成績。（元月十三日）

中縣新社鄉民代表吳鳳翔 檢舉鄉衛生所主任柯墩傳

——讀者投書——

敬啟者：

久仰貴報為民喉舌，主持正義。茲因本鄉衛生所主任柯墩傳，利用職權，非法圖利，開設私人診所，違背政府法令，侵占診斷費。敬希貴報惠予披露為荷。

台灣忠實讀者

新社鄉鄉民代表吳鳳翔敬上

五十六年元月十日。

（一）緣因新社鄉衛生所主任兼醫師柯墩傳，利用職權，除在其住所新社村中和街開設一間沒有醫師執照的診所外，時常偽造死亡證書，收取不法利益，每紙證書新台幣五十元，一百元不等。根據台中縣衛生局規定，鄉鎮衛生所主任兼醫師職務者，不得開設診所。該所主任兼醫師，身為公務員，竟敢違法開設診所，非法圖利。

（二）柯主任在其居所非法開設診所，不僅違法，而且為沒有執照的地下診所，大量招徠鄉民病患者門診，高價收費。復經八屆第二次大會提出質詢，求為改善，不料該主任置之不理，視若罔聞。而公設之診所，則形同虛設。

（三）柯主任五十四年十月十二日到差，竟利用職權，違法偽造辦公費收據，動支修繕自己廁所。五十四年十一月中，又開支撥家費三百元領款條，蒙蔽上司。根據公務員服務規定，不得開支公款搬遷費。此有開支明細表可查。

（四）該所助產士劉嘉書，侵佔公款（接生費）。根據衛生局規定每接生一個嬰兒應繳納接生材料費三十元，取得出身證明文件，申報戶口。該所擅自[illegible]衛生材料費，而未見收入材料費帳目。數次鄉民代表會提出，至今未見改善，顯屬利用職權，非法圖利。

（五）謹請貴報為社會服務，減輕地方人民之負担，為民伸冤，主持正義，實感德便。

看橫掃中國大陸的「紅衛兵」與「文化大革命」

楊力行

另外一張是揭發彭眞一九六一年在羅馬尼亞的布加勒斯特國際共產黨大會上，雖然曾公開抨擊「現代修正主義」，但會後彭眞却跟赫魯曉夫有過一次「密談」。「大字報」要求彭眞交代出來「密談」了一些什麼實情。

當然，這是很難說的。因為，所謂「敢字當頭」，相信其中一定有許多話是不負責任的。在清華大學同樣有一張揭發劉少奇的愛人王光美出身於天津衛所謂「八大家」的封建官僚家庭之一，父親王槐青是清末翰林，她受的是帝國主義教育——前北平輔仁大學畢業。她的哥哥王光新、王光祈都是過去的名教授；弟弟王光企仗着姊姊和姊夫的勢力，當上了天津資產階級集團的偽「工商業聯合會秘書長」，以「國舅」自居，亂攪男女關係，隨便發號施令，腐蝕黨的領導幹部……。另外有很多「大字報」是抨擊前「高等教育部長」及清華大學校長蔣南翔的，指蔣南翔和「修正主義」分子彭眞一鼻孔出氣，他們早在三十年前就勾結起來，篡奪黨對學生運動的領導權而進行反黨活動。「高等教育部」和清華在蔣南翔長期把持下，打擊工農子弟，提倡「只專不紅」，使得高等學府，特別是清華，在政治上冷冰冰，我們非將他們鬥臭、鬥垮不可……。更多的「大字報」是批評教師的，理由不外是指他們有「資產階級的思想和作風」。

在北平的「民主人士」之間，都說那是基於嫉妒的心理，江青對王光美隨同丈夫接見外賓和出國訪問時那種貴婦人的打扮和風度，固然看不順眼；但是，最使江青反感的，還是王光美在後期的「四清運動」——清思想、清組織、清政治、清經濟，也叫「社會主義教育運動」——中出盡風頭。民國五十四年初偽「中央政治局」通過的「農村社會主義教育運動目前提出的一些問題」，即「二十三條」，據有關於此一個長達六小時的傳達報告中透露：這個文件中的原則主要是根據王光美的意見。「四清運動」初期是鬥「四類份子」——地主、富農、反革命分子和破壞分子。一九六四年夏秋之間，王光美曾隱名下放天津附近的一個「人民公社」的大隊去主持「四清運動」，發現「基層幹部全爛了，貪汚腐化，亂搞男女關係，簡直不成話」。因此，王光美認為「四清運動」應從幹部清起，辦法是派「工作隊」去整。她在報告中晉農村幹部叫「農村當權派」，「當權派」一詞，就是她首先使用的。想不到，在這次「文化大革命」中，江青就用這個名詞來打擊她和她的丈夫劉少奇，無疑的自然是「以子之矛攻子之盾」的「以牙還牙」地含有諷刺意義的。說到所謂「大字報」，其實就是過去的隱名傳單、秘密招貼和「西江月」之類的悲作劇，不過大得多而已；初時和學生們所作「壁報」類似，現則擴大至丈餘，用掃帚作筆，文字簡單，故極醒目。問題的矛盾似乎就在這裏，這場權力鬥爭的複雜性也就在這裏；也因此，正常會議不能解決爭端，毛匪和林彪一派只有假借超黨的「紅衛兵」來擊敗對方了。

我曾經聽說：江青於民國五十五年五月二十六日到北京大學跟「革命師生」們開各種形式座談會，噓寒問暖，無所不至；並且深入飯廳，給「革命師生」們添飯，飯後還到廚房洗碗。經常掛在她嘴邊的一句口頭禪是：「你們有什麼話，向我說，我可以直接報給毛主席！」使那些「革命師生」們大為興奮，一夜之間全倒了戈。本來他們是站在陸平這一邊的。這以後江青經常出入各著名大學，直接領導「紅衛兵」的組織工作。她是老毛愛人，影響力自然比別人大。（六）

國聯籌拍新片

編導們日夜加班忙 六新片本月可開鏡

（本報台灣航訊）進入一九六七年的香港國聯影業公司，編導部門顯得非常忙碌，四位編劇忙着編寫劇本，五位導演忙着拍新片，連遠在香港的負責人李翰祥，也親自帶了兩個劇本，準備回來後開拍，這些抽空從事分鏡。編導人員各人忙的劇本是：

姚鳳磐：編寫「北極風情畫」。

鄒郎：編寫「狂風沙」。

劉昌博：編寫「歌渡橋」。

高陽：編寫「向日葵」。

李翰祥：籌拍「百主人」，及「春曉」。

王星磊：籌拍「北極風情畫」。

楊甦：籌拍「向日葵」。

朱牧：籌拍「狐列傳」。

宋存壽：籌拍「鬼女記者」。

至於林福地和洪波則正在積極趕拍「牆裏」「牆外」和「地下司令」。尚難抽空籌拍新戲。

此外國聯公司還在籌拍另三部新片：「狂風沙」、「野市」、「歌渡橋」等。

（本報台北訊）國聯公司彩色寬銀幕間諜片「地下司令」，自開拍以來轟動了國片影壇。

這部由「鬼才」洪波執導的抗日間諜片，充滿了動作和鬥智的緊張鏡頭。洪波為導演這部片費盡了腦汁，原來已經禿的頭，更禿了。

這部片的演員陣容是集國片之大成，除了佟秀芳、李登惠外，還有朱牧、楊群、鄒森、馬驥、金稻、李虹、田野、孫越等人，洪波也在片中客串一角。

「地下司令」的故事是描寫第三次長沙會戰之前，我方地下工作人員的英勇事蹟。

正如編劇鄒郎所說：這部影片不同於一般間諜片，敵我雙方智勇均有優越的表現，勝負決於咫尺之差。而洪波導演這部片，有一個要求，所以演員都不需化妝，以本來面目出現，更有真實感。

（本報台北訊）這部影片目前正在加緊拍攝中，可望於春節前後殺青。

（本報台北訊）自從朱牧執導的第一部片「辛十四娘」推出上演後，朱牧的名字在導演圈內便已有了相當的地位。第一部作品，平心而論，就有如此的成績，足以證明朱牧的才華。

心思[illegible]朱牧，如今[illegible]第二部作品——國聯公司古裝彩色片「鳳陽花鼓」[illegible]

[illegible]不少時間籌劃拍攝「鳳陽花鼓」[illegible]

[illegible]服裝考證各方面[illegible]

[illegible]毫不馬虎。「花鼓舞」[illegible]練了又練，直到完全滿意為止。[illegible]將是一部轟動的「花鼓」電影。

滬海異趣談

巴黎夜生活皇后的生活

桑雅

在巴黎，如果你問誰是海崙．瑪迪妮，恐怕知道的人不多；但是，如果你問誰是巴黎夜生活的皇后？那麼，沒有一個人不知道的。其實，海崙．瑪迪妮就是聞名於巴黎娛樂界的巴黎夜生活的皇后。可不知道為了什麼，在今天的巴黎，特別是娛樂界，她的渾號竟比她的眞名更廣傳。

大多數的巴黎夜總會，都與她有密切的聯繫：有的固然是她獨自經營的；有的則是有她的股份；更有的是她要訓練女侍者或表演者的節目主持人。像這樣的一位女性，那麼的能幹，你一定要想她是一位極端放蕩的風麗女子，鬼混在這夜色蒙蒙之中的。並不！她的生活單調寧靜異常。她好似有無上的權威，她的屬下對她只有敬畏服從。所以，她的理想是很有效的被推展實踐着。

她所住的地方，是距巴黎不遠的別墅，除了一位名叫毛里塞特男僕之外，另有三隻小貓來陪伴她。這位男僕，對這位皇后的服侍，乃是以按鈴而吩咐的，永遠不會冒冒然前來，打擾皇后的美夢。暇時，她愛聽優美的音樂，看文藝和戲劇著作，同時研究如何訓練表演的人和女侍者的禮節。

談到她挑選女侍與表演者的條件，那是很嚴格的。每天，前來應徵充做女侍和表演者的女子多的很；因為，知道行情的人都承認，如果能夠列身於海崙．瑪迪妮的門下，已經是登龍門的開端，當然，進而能在她的夜總會或與她有關連的夜總會表演的人，更是無上的光榮。

海崙．瑪迪妮的審查是如此的。在應徵者的女性中先挑選那些外在美昭著的入選，然後，讓她們赤裸着，在她特設的溫室，做各種不同的動作，以觀察她們內在美是否與外在美能夠加以配合。或是給予她們種種不同的服飾，再看她們的體態、態度與表現。

如果這初步的挑選成功的話，那麼，她便進行各種舞蹈技巧的訓練了。在訓練期間，所有的規矩都是很嚴的，舉凡接受訓練的人，當然不能有遲到早退的事件發生，同時，更禁止與男友有親蜜的來往，原因是，這種女交往，往往會影響女表演家的學習情緒。這種訓練的工作，只是白天進行而已。

到了夜晚，海崙．瑪迪妮似穿花蝴蝶一般，川流不息的對她所屬下的夜總會，加以巡視，或者對臨時發生的事件，面授機宜。她的巡視，竟是那麼的神秘，有時，夜總會的人們，竟不知她已經蒞臨了。由於她的責任感特別大，所以，她巡視的時候，從前台的表演、樂隊和招待客人的侍者，到後台的化妝和廚房等等均到。她曾這樣的對人說：「我之所以願意開辦夜總會的目的，不僅是要供給客人上好的飲食，同時，也要給他們溫暖的服務與賞心悅目的表演。因為我願意所有的客人，在我的夜總會中，不但可以得到足夠的休息，又要把日間一切的煩惱都給忘的一乾二淨。」

事實上，凡在她所主持的夜總會工作的人，那種循規蹈規，彬彬有禮的態度使得客人們有口皆碑。同時，對海崙．瑪迪妮的服從與尊敬，超乎其他的主僕之間的關係。有人問她：她屬下的人們，都是很服從很愛戴她的嗎？海崙毫不猶疑的道出了此中的秘密：「你看，我對所有為我工作的人，都是無分軒輊的一般看待。我絕對無法和我不喜歡的人一道工作，所以，如果我發現了一位工作人員，在他份內的工作上，不能妥善工作的話，我一定要立刻解僱的。有時，這種解僱會使我花很多的金錢，我也在所不辭。但是，對那些工作賣力的人，如果他吃不飽，我便讓他吃得很豐富，如果他寒冷，我便讓他溫暖。因為，他們既是為我工作，我一定要他們在經濟生活方面，過得很豐裕順適才行。但是，如果因為他們的工作欠佳，致使我的營業遭受損失後，那時，是沒有人可以使我吃得飽，穿得暖。」

從這一段話，可以看出海崙辦事的精神一斑。無怪乎她的生意總是蒸蒸日上的。

最近，她又開設了一間極盡豪華的夜總會，叫做吉士．拉鮑頓，所擁有的樂隊是第一流的，食品也是第一流的，而且酒的種類繁多，可以說是最豐富的。她說：「除了這些之外，我要把情調也造成第一流的。讓前來的人，都知道是步境出售之地。」

當然，她既有大才，又將全副的精神放在夜總會的事業上，當然是目前經營夜總會最成功的一位。然而，成功對她來說，還是次要的一點，最主要的是她那份快樂。她的面孔總是微笑着。她的聲音，雖然有時就是命令，也那麼的溫柔，她的精神總是浴於欣慰、創造之中。因為她有愉快的精神，雖然在百忙之中，仍是精力充沛，人見人愛的。

蘇加諾不見棺材不落淚
印尼局勢澄清仍有待

見祺

由於蘇加諾在印尼仍有一些殘餘勢力，如部份海軍陸戰隊和一些師團都是強烈親蘇加諾的份子，而且在東爪哇一帶還擁有不少的信徒；因此，蘇哈圖對蘇加諾僅能採取較溫和的態度，換言之，即對其殘餘力量未予忽視。而蘇加諾更希望蘇哈圖牢記其僅有之殘餘勢力。

印尼權威人士指出，如果蘇哈圖不採取有效的辦法去對抗蘇加諾之殘餘勢力及其信徒，而又讓其繼續在位，則內部難於安定，共黨份子也永無肅清之日，時局將永遠在動盪之中。不過，如果蘇哈圖採取強硬手段的話，很可能因此觸發內戰，自相殘殺的結果，後果定是不堪設想。在這種特殊的情形之下，蘇哈圖將軍確實應該有一個明智的選擇，正確的行動。

關心印尼國事人士稱，推翻蘇加諾，不一定會觸發內戰，蘇加諾雖仍有一些殘力，但起不了作用。更何況在許多有力的證據中，均益加證明蘇加諾介入前年之陰謀政變；單就道點，印尼人民對蘇加諾過去的崇拜早已一筆勾消。鑒於印尼之受蘇加諾利用，帶來悲慘的結局，其他仍傾向蘇加諾的各部隊，會因此提高警惕，不再重蹈覆轍。明乎此，內亂之爆發並不一定可能。為了重建印尼全國和平，為了共黨不致死灰復燃，更為了此東南亞大國富強康樂，蘇哈圖將軍負有大刀闊斧，消滅印尼所有共黨份子之責任。（下）

俄國女皇穢亂春宮

王永亭

我國歷史上最出名的女皇——武則天，人人知道她是穢亂春宮，狐媚惑主的一代妖姬。但考之史實，武則天為政非不太差且勿論，而她亦究竟還有一點羞恥心，她雖然淫穢，但總是偷偷摸摸，未敢公然在朝廷中選英男進幸。所謂「面首三千」，到底還是一種誇大的數字。而且，她要和俄國歷史上的女皇嘉素蓮第二比的話，眞是小妖姬見大妖姬了。在她有生之年，自從初知人道，貴為一國儲君之妃開始，直至她老死之日為止，無日不在肉慾上做工夫。

她的大胆，敢於在臣子面前不掩飾內慾。她在將帥多病的國王生前，一樣和年青男人放肆鬼混。丈夫死了之後，她正式登上大寶，更是明目張胆，在宮裏宮外搜求壯男進侍，大部目標是陸軍軍官。

嘉素蓮與武則天大小相似之處，就是在不得志時，善於忍耐，得志之後，便現出本性來，盡情搞過痛快。她畢生的面首中，相處時間較久的一個是柯羅夫，是一個武官，一個有軍權力的人，而他的軍權，是由她一手培植出來的。我國唐朝的武則天，則以後把武三思的勢力培植起來作為她後日猖狂的資本，其手段如出一轍的。其淫穢也一樣。當她在位三十四年中，（由一七六二至一七九六）她花在俄羅斯美男子的錢有二千英鎊之鉅。只要她歡喜這男人，便花個痛快。一七四四年，那時她是德國的公主，年齡只十五，在她的家鄉——史鐵田，遠行至俄國的聖彼德堡，嫁了當時的大公爵彼得。彼得即為俄羅斯帝國的傳繼人。

她初到聖彼德堡，使她極其震驚的是——那個年僅十六歲的彼德已經學壞了，差不多所有各種各式的邪惡事情。已是件件皆通了。而彼得的年紀雖輕，但是他毛病可不少，酗酒是其一，脾氣之壞是其二，又擅謊言，又復體弱多病。因此，可無疑的，她已厭惡丈夫之貌寢，對丈夫的不良嗜好與惡習是深惡痛絕。但嘉素蓮卻是一個秀外慧中的女人，胸中有極機智的潛藏能力。雖分明無法忍受的事，她可以忍受下來，積久更訓練成她有一種有諸內而不形諸外的耐力。結果從忍耐上她獲得很大的補償，那是俄羅斯朝廷給她的最大補償——一座皇位。

嘉素蓮具有美麗而活潑的外貌，一頭美好的黑髮，一雙大而藍的眼睛和誘人欲醉的嘴唇，就是可惜一朵鮮花插在牛糞上。她那一年輕丈夫除了王位資格外，是一無可取。這位彼得使很多俄羅斯人洩氣。他不飲酒時，便玩那些玩具士兵，和宮女追逐為樂，晚上還把那些玩具士兵帶到床上去玩。所謂閨房艷事，他只似間或聞之，好像未識個中眞況似的，致令嬌妻冷寢。

嘉素蓮尚未嘗眞正愛過人，自己也未受人愛過，滿腔熱情的她，接觸到一位英俊朝臣——蘇魯提哥夫的身上的時候，便傾心醉意，把丈夫彼得拋諸九霄雲外去矣。她從此把熱烈的愛情向她所愛的人燃燒，而這些熱情乃她丈夫擯棄不要的。當嘉素蓮宣佈有孕的時候，她的家姑伊麗沙白女皇十分歡喜，雖然外間流傳許多閒話，說這未來小孩的父親實在是蘇魯提哥夫。

黃初元年十一月，以河內之山陽邑一萬戶，奉獻帝為「山陽公」。在那一萬戶的邑中，尚可以行漢的正朔，行天子之禮郊祭天地，上書不稱臣。封劉協的四個兒子為列侯。這不過是收攬人心，恐世人物議之做作而已。

漢獻帝到魏青龍二年三月，（公元二三四年，蜀漢後五十二年）薨，自遜位至死有十四年，享年五十四歲，就是他在四十歲讓位的。後漢書評曰：「天厭漢德久矣，山陽其何誅焉？」其實漢獻帝有何不德？如果獻帝不德，曹操早就沒有命了。獻帝終其一生，並無荒淫、殘暴、奢侈之事，比起歷史許多皇帝好得多。

六七　聞篡漢劉備正位　伐東吳張飛遇害

曹丕篡漢之後，追尊了曹氏門宗一大家子，追尊曹嵩為「太皇帝」，曹操為「武皇帝」，尊王太后為「皇太后」。改相國為司徒，御史大夫為司空，奉常為太常，郎中令為光祿勳，大農為大司農。其他郡國縣邑多有更改。大赦天下，文武官員各升一級。

在成都方面所獲得的消息，說是漢獻帝遇害。劉備照古天子之禮制服發喪。追謚曰「孝愍皇帝」。於是劉備的群臣上言，勸進稱尊號，即皇帝位於成都武担山之南。時為建安二十六年，改元章武元年，實行大赦。以諸葛亮為丞相，許靖為司徒，置百官，立宗廟，合祭高皇帝以下諸帝，這等於繼紹漢統。與曹丕不同的，他沒有追謚父親為帝，祖父為太皇帝與謚號。五月立吳氏為皇后，劉禪為太子；六月以劉永為魯王，劉理為梁王。張飛為車騎將軍，領司隸校尉，進封西鄉侯。劉備即位後，第一大事，便要興師為關羽復仇。命張飛將兵萬人由閬中到江州（重慶）會師。其他群臣都不贊成劉備伐東吳，尤其諸葛亮、趙雲等苦諫，劉備都不聽。主張伐吳除劉備之外，只有張飛贊成最力，桃園結義雖史無明文，然劉關張情同手足，恩若兄弟，張飛以兄事關羽，則史有記載，在魏志劉曄傳中則說：「關羽與劉備義為君臣，恩猶父子，羽死不能為興軍報敵，於終始之分不足。後果出兵擊吳。」其他如傳中亦有見劉、關、張乃系一體之記載。故劉備之興師伐吳，誠為報仇無疑。按照諸葛亮的國策，是不得伐吳，而是聯吳伐魏的外交策略，此與諸葛亮之大計方針背道而馳。伐吳之役，諸葛亮是坐鎮成都。雖然在當時的國情上是一項錯誤的行動，然劉備置國於不顧，毅然決然非為關羽復仇不可，由是亦可見劉關張已經超於兄弟手足之情義了。雖然失敗而歸死白帝城，但其重義之精義，實足以光照千古。此種異姓手足之精神，影響了中國人心甚大，論異姓朋友的，無不以桃園為標榜，莫不以劉關張之情義是尚。人生的現實固可以衡情度勢而為之，然死後之成敗得失，則非生前所可料及之事。劉備之復仇而敗，死亦不朽了。何況他伐吳並未動搖國本。

正當劉備興兵待發之際，閬中傳來噩耗，張飛為其部將張達、范彊所刺殺，把張飛的頭割下，順流而下江東，投奔孫權去了。（一〇二）

國劇繽紛錄

姿婆生（一四五）

青潭觀公演

總統八秩華誕，民間劇社爲祝賀演劇，祇有國大聯誼會，郵政平劇社，中信局劇社，均演兩晚，爲較突出，其興奮的情緒，亦是特高。郵政平劇社應郵政員工康樂委員會祝壽同樂晚會之約，在青潭的郵政管理局中正堂，舉行第二十五次公演。他們劇社每年必演一二次，惟今年特殊，共演三次。忽忽已有廿餘次，持之有恆，提調有力，皆元老名票張蓟薪先生播種的成果，不可不佩其毅力。看戲有座而在前排，已是快事。而郵局同人的招待，異常熱忱，六時有飯相欵，鷄湯牛排，蝦仁瓦塊魚，先吃一飽。七時入場，先在第三排，後來處長局長相邀，坐第一排，桌上放有香烟紅茶點心，坐沙發以觀，是到台以來，看戲最舒適的一次。看罷歸來，有交通車直送北投，雖已夜半，絕不勞倦，公演之劇目，皆相當精采，值得一稱。

（一）麻姑獻壽　是郵局同人端木增小姐演麻姑，先上八仙慶壽，再由王母出場。麻姑提籃獻花，其舞盤的姿態，異常輕巧靈活，飄然欲仙，身段好看。我從未看過她演戲，六七年來，她進步如此之速，實是可佩。

（二）慶頂珠　郵局同人顏永淼飾蕭恩，賈厚英小姐飾桂英，唱做不錯，蕩船與打教師的身段，極有姿態。厚英一副小鳥依人的樣兒可嘉，她是大鵬的高材生，現于役青潭郵局，以服務爲志，很有眼光。呂奉緘的教師很不賴。

（三）蘆花河　郵局名坤票戴蕓蓉飾樊梨花，她是名伶秦慧芬的高足，現由名琴票周銘新爲其吊嗓，能戲甚多，腔調純是宗梅派，因見金素琴演出，即從事研究，未及半年，即便登台，功力可佩。坐帳的倒板及以後的流水快板，均很佳妙。尤其臉部表情，闘說寒江往事，怒氣頓戢，是善體會者。朱全英飾丁山，唱腔很響，可說良配。她亦久經舞台，演出已在十齡以上，爲郵局劇社生行之錚錚者，經常由馬君爲其指點，研究劇藝將近廿年，深藏若虛，外間很少知之，以不喜出鋒頭也。

（四）天女散花　由賈厚英主演，僅行路一場，但舞帶的姿式不少，體態極妙，台面好看。厚英自嗓音恢復，迭演佳劇，以抒抱負，就所見的，實知其技藝不凡，亦是一寶。

（五）掃蕩羣魔　即五花洞，由郵局同人端木增吳巧燊兩小姐分飾眞假潘金蓮，武大由復興劇校同學配搭，唱得很好，並不含糊。袁壽臣的包公，沉穩有味。特別欣賞是文場的胡琴，由韓夫人周銘新一個負担，連續拉了五齣戲，實是琴票中的高手，很少見的。（完）

海嶠譚薈

談楊永泰（上）

諸葛文侯

愚所熟識之現代政治名人中，堅持政見，始終不苟者，莫如胡漢民，省識大體，能定大謀者，首推黃郛，有勇知方，魄力雄奇者，唯楊永泰耳。此三公禀賦各殊，才學有別，皆屬國家不可多得之賢豪之士。愚從楊先生游久，體驗較深，茲略述其勇於任事與夫對人接物之風範，以告世之不知先生者，若謂阿其所好，則吾豈敢！

楊以滿清末葉秀才，肄業於北京法政專門學校，與曾任「鎮嵩軍」總司令兼陝西督辦的劉鎮華同學同級。迨後劉氏主持安徽省政時，楊先生正受知於今總統蔣公，担任豫鄂皖三省剿匪總部秘書長。劉主席在皖，忽以非常手段拘殺皖省聞人朱雁秋，輿論大譁，復經皖人控告劉氏在皖北地區遍種鴉片漁利，樞府嚴令查辦，劉氏終告無罪，胥得力於楊先生從中緩頰維護而然。迨楊於民國廿五年「西安事變」前被刺漢口殞命，大殮告窆之日，劉氏撫棺痛哭幾絕，旋以瘋疾辭去安徽主席職務，未幾亦溘然逝矣。

楊畢業法政專校後，回粵初任地方行政官吏，繼當選省議員，因緣時會，得膺選國會衆議院議員，屬民黨系統，在議會頗活躍，與梁啓超、章士釗、李根源等人先後締交。迨洪憲帝制運動發生，南中有「護國」「護法」之役，楊隨國會同仁南來粵垣，於桂軍將領陳炳焜主管粵省軍政期間，受任財政廳長，既而廣東省長朱慶瀾去職，乃由楊氏洊升承其乏焉。因而楊氏對於各級吏治之利弊得失，一般民情習俗之趨向好惡，皆有實際經驗，洞悉深切，非浮詞臆說所能飾欺，厥後楊氏在三省剿匪總部秘書長任內，對於改進區匪吏治問題多所參贊策劃，績效孔彰，良有以也。

楊氏主持廣東省政時，大力創進廣州市政，實行拆除城墻，開闢馬路，施工伊始，穗垣各界民衆洶洶反對，而粵省旅外名人如唐紹儀，伍廷芳，梁士詒等亦通電表示異議，盼勿操切從事，楊氏不爲所動，毅然決然貫徹其主張，商請督軍署派兵工程隊，且架機槍以威脅之，廣州現代化建設計劃，得率先實現，爲各省倡，非楊氏之雄奇魄力，曷克臻此！

民十四年段祺瑞開府執政於北京，舉行善後會議，楊氏亦參預，被推爲「財政善後委員會」委員長。維時贛籍青年陳方（芷汀）客游京華，寓江西會館，曾撰文議論國家財政問題，投刊報端，楊氏見而激賞，派人赴報社查詢陳君住址，邀約晤談，極契合，即延陳君入財政善後委員會任秘書，陳君從此爲楊氏司記室，南北奔馳不離，成爲親信幹部，投分之深，迴異尋常。越民國廿四年秋間，陳隨楊于役成都，覩吾與羅君覺等當年在武漢剿匪總部同寅，皆陸續出任中央或地方行政官吏，自傷淪落，上書乞長假歸里，楊詢悉陳君內在隱情，適武漢特稅處會計長缺位，楊氏乃簽請軍事委員長蔣公派陳兼任斯職，月薪八百元，不須赴漢辦公，每月終核閱收支表，蓋章而已。陳君原任行營秘書，月俸三百六十元，楊私人津貼如數，綜計三項薪給，收入爲一千五百元，就當時物價而言，五口之家生活費用，月需三百元足矣。洎是陳君夷然自安，不復言去。一日楊氏語愚曰：「芷汀每月俸入，視林主席優厚若徒。我非故意對陳君特別看待也，祇以人生在世，栖栖皇皇，總不外求名求利兩途。我認定陳君非吏事之才，既不能遂其求名之慾，即惟有在求利方面使其稍感滿足耳。否則誰願爲我効輔弼之勞，名利皆無所獲，而欲然自安乎？」此種人情味，當代達官顯宦多告缺乏，楊氏閱歷世情之深，多類是也。

琉球紀行

張希哲

琉球雖然被日本統治了將近七十年，但民間對於陰曆的節令和習尚，仍然和中國人差不多。如陰曆新年過年前送灶，新年後迎灶，新年時拜年，都和中國一樣。又如三月清明掃墓，五月五日賽龍船，七月中元節盆祭，十一月過冬節等，也和我國大同小異。又琉球鄉間有很多地方如在住宅的屋角、門口、照壁，或橋頭、三岔路口等處，多立有「石敢當」或「泰山石敢當」的碑柱，或在瓦面及門前放置石獅子；因爲琉球人也同樣相信「石敢當」和石獅子有驅邪鎮鬼的作用。

文物方面和中國有關的，如：

（一）在那霸市首里城舊址有守禮門，根據陪我們往遊的大嶺先生的解說，謂琉球有紀載的信史約七百多年，最初兩百年間，數國分立互相攻擊，有如我戰國時代。後賴中國（明朝）派使臣至琉球調處，使諸國息爭，放下武器和平相處，並提倡宗教和道德，尤其推崇儒教。明神宗乃派特使封琉球爲「守禮之邦」。琉球人對這一封號十分愛好，遂將首里城之首里門改建紅牆綠瓦的守禮門，上懸「守禮之邦」四個中國大字的扁額。二次大戰時，守禮門燬於炮火，一九五八年照原式樣重建完成。現代的琉球人對這一名蹟仍然十分重視，守禮門成爲琉球勝跡之一。

（二）在那霸市第一號大道旁，琉球商工會議所新建大廈前面，有孔廟及明倫堂遺跡。廟及堂的建築物已全燬，僅有琉球政府文化財保管委員會在遺址上各立標幟，書明「孔廟遺跡」及「明倫堂遺跡」。該處附近，即久米村舊址，亦即明太祖洪武年間因琉王的請求而派往的三十六姓中國人後代聚居的地方。按孔廟建於清康熙十三年，每年春秋兩季均有祭孔大典，國王和王子，也詣聖進香。明倫堂初爲華商子弟讀書的場所，後來很多琉球人因仰慕中國文化，亦紛紛入學。我和陳紀瀅兄於十九日中午由楊仲揆先生陪同，冒風雨尋訪憑弔，楊先生心有所感，賦詩一首云：「瀰天風雨濕華廡，舊奉堯帽弔廢墟；廊廡已歸秦氏火，衣冠無復魯生儒。空聞遺老稱唐姓，不見時流讀漢書；夫子傷麟應有夢，何年重享兩楹居。」

（三）在琉球公立博物館中，有一個鐘被認爲是特別名貴的古物，這就是從前首里城正殿的梵鐘。該鐘刻着的鐘銘全文爲：「琉球國者，南海勝地，而鍾三韓之秀，以大明爲輔車，以日域爲脣齒，在此二中間湧出之蓬萊島也。以舟楫爲萬國之津梁，異產至寶，充滿十方，地靈人傑，遠扇和夏仁風。故吾王大世主庚寅慶生尚泰久，茲承寶位於高天，育蒼生於厚地。爲興隆三寶，報酬四恩，新鑄巨鐘，以就本州中山國王殿前掛着之。（十二）

義和團與八國聯軍之戰述評

・羅雲家・

四、辛丑條約及其惡果

光緒廿六年（西一九〇〇年）十二月末，八國以所擬議和約條款交李鴻章，聲稱不得更動一字。惟李鴻章不久病死，由王文韶繼之，於次年七月廿五日始成和議，簽訂辛丑條約，茲其要點如左：

一、清廷派專使分赴德日道歉。

二、懲辦禍首，其虐殺外人之城鎮，官吏革職，地方停止文武考試五年。

三、禁止軍火輸入中國，爲期兩年，期滿得再展期二年。

四、賠款銀四億五千萬兩，分卅九年付清。年息四厘，共九億八千二百廿二萬餘兩。

五、於北京劃定使館區域，並得駐兵保護，華人不准居住界內。

六、毀大沽至北京間的炮台。

七、允許各國駐兵楊村、天津、秦皇島、山海關等十二處，以保北京至海濱之交通。

八、清廷出示，嚴禁軍民排外，違者正法。

此爲中日甲午戰爭和約後，又一極端嚴重之打擊。第一，賠款連息竟達九億多（按：此款俄國佔百分之廿九，德國百分之二十。法國百分之十六強，英國百分之十一強，日美各百分之七強，意國百分之六弱，比奧荷各百分之四弱），這樣大的數目，我們如何能負担得起？關稅鹽稅既因担保關係，全操在外國人手裏，而各省分別攤派，地方也受到經濟的壓迫，中央財政幾有破產之勢，以後自然只好借債度日子了。第二，允許各國擴大公使館的界限，不准中國人住居，並得派兵保護，從此東交民巷儼然變成了外國的地方。第三，拆毀天津城垣及大沽炮台，承認各國自北京山海關的鐵路沿綫駐兵，我們的國防完全喪失，獨立國的體面也就沒有了。第四，自此下等平民則由仇外而媚外，奸人則托庇外力而自固……。嚴格些說：這個條約眞是我國的致命傷，帝國主義者壓迫我們，至此可謂已達極點。

然而，還有更嚴重的問題，就是俄國趁火打刼，把東三省全部佔領，並以對岸的江東六十四屯之居民，驅迫赴江水而死，使數萬人赴水而死，叫人不忍卒睹，眞是一筆難忘的大血債！辛丑和約以後，俄兵仍不肯退出，反向我要求各種特權；各國得訊，均表示反對，尤以日本最爲激烈。因爲日本正經營朝鮮，將東北看作它的「生命線」，英美也恐怕妨害它們的利益，所以交涉得成功。光緒廿八年（西一九〇二），英日締結同盟條約，以抵抗俄國。美國也表示好感，我國的輿論也更一致反對俄國。俄國看見國際形勢不利，約定分三期撤兵。不料光緒二十九年三月，應該第二期撤退之時，反把第一期撤退之兵又調回來。（四）

早來的嬰孩

—晋陵譯—

數星期後的一個晚間，晚飯後，杜蒂訴說她感到有一點溫和的慢性痙攣。「你覺得不覺得像陣痛呢？」我問。

「不像，好像是消化不良。而且離預產期還有兩個星期呢！」

但是她痛得越來越厲害了。約在夜裏十一點鐘光景，我打電話給醫生。

「馬上把她送到醫院去吧！」醫生說。「我到那裏去跟你們碰頭。」

我們上車的時候，杜蒂穿着一條產婦穿的長褲子，披着大衣。倉促中，我們忘了帶她那一隻裝着梳子、牙刷、睡衣和拖鞋的小提包，她急忙忙地要奔回去取它，「你不要去」，我說，「我去拿」。那手提包似乎花了幾個鐘頭才找到，但是，實際上我是在數分鐘內又爬上車了。

這是二月的一個寒夜，氣溫大約十五度，街上已經凍得結了冰。我儘量開快車，杜蒂就坐在我旁邊的前座上，她喘着氣說：「我覺得『它』在推。」（二）

內政部警台報字第〇三一號內銷證

自由報

THE FREE NEWS

第五二七期

中華民國僑務委員會發給證書
台內新字第二三三號登記證
中華郵政台字第一二八二號執照登記爲第一類新聞紙類
（每週出版三期星期三、六出版）
每份港幣壹角
社長：雷嘯岑
督印人：黃行雷
社址：香港銅鑼灣高士威道二十號四樓
20, CAUSEWAY RD 3RD FL. HONG KONG
TEL. 771726　電報掛號：7191
承印者：大同印務公司
地址：香港北角和富道九十號
台灣分社
台北市西寧南路壹號二樓
電話：三〇四六
台郵撥儲金戶八二二二

檢討一九六六年的非洲民族運動（上）

·宋文明·

（一）

一九六六年爲戰後非洲國家開始獲得獨立的第十六年，也是撒哈拉沙漠以南黑非洲地區開始獲得獨立的第十年。由於非洲獨立運動迄今已經過十幾年之久的過程，所以到了一九六六年，這種獨立運動的浪潮已衝進南非共和國境內的幾個英屬保護國身上。其中波扎納（原稱貝專納蘭），賴索托（原稱巴蘇托蘭）二者，已於一九六六年九十兩月之間，先後獲得獨立，另一個斯瓦西蘭保護國，亦將在最近一兩年內獨立。茲先將波扎納及賴索托二者的獲得獨立，畧作介紹如下：

（一）波扎納共和國；爲南非共和國境內英屬三保護國中最大的一個，自一八八五年九月三十日與英成立協定，正式成爲保護國算起，至一九六六年九月三十日獨立，整整經過八十一年的英國統治。但波扎納的獲得獨立，在英國非洲屬地中除了西非的岡比亞以外，可以說是最沒有經過鬥爭的一個。這種原因，除了非洲民族運動長期發展的大勢所趨，使英國認爲繼續保有殘餘殖民地，已不符合其本身的利益外，它與南非關係日益疏遠，爲了避免與南非共和國發生更多磨擦，所以也願及早讓這些國家獲得獨立。可是波扎納爲非洲最落後與貧窮國家之一，加以獨立以前，連年荒旱，國內經濟情形極爲衰敗，所以獨立之後，仍需英國在財政經濟方面續予有力支持，始能維持其存在。

（二）賴索托王國：賴索托的獲得獨立，只比波扎納遲了四天，其全部經過，與波扎納的情況，大致相仿。所不同者，它的經濟情況比波扎納更壞，內部政治鬥爭比波扎納更複雜，而且由於全境均爲南非領土所包圍，所以它在各方面依靠南非的程度，也比波扎納更嚴重。因此，這一小王國雖已從英國手中獲得獨立，但它未來獨立前途，正如波扎納一樣，大半將操之於南非共和國手中。

除波扎納與賴索托，以及最近年內即將獨立的南非境內另一英保護國斯瓦西蘭以外，西班牙所屬「熱帶幾內亞」及撒哈拉兩區，在未來數年亦有可能獲得獨立。德屬索瑪利蘭亦將於一九六七年二月舉行公民投票，決定是否實行獨立。至於其他葡屬莫三比給、安哥拉、及幾內亞三領地，中非白人統治力量堅強的羅得西亞，以及成爲一項嚴重歷史糾紛的西南非等，究竟何時始能實現獨立，現在尚無法作一預料。

所以一九六六年爲非洲民族運動中的一分水嶺，十幾年以來的非洲民族運動，特別是自一九六〇年開始的獨立高潮，至此便大致告一段落。至於其他幾處殖民地將於何時獲得獨立，以實現非洲大陸的完全自由解放，顯然要等待非洲民族運動另一個高潮的到來。

（二）

非洲葡屬領地莫三比給、安哥拉、及幾內亞三區，雖在最近將來，沒有獲得獨立的可能性，但這三區的民族獨立鬥爭，在過去一年內，并未趨於消沉。不過，由於葡萄牙薩拉政府在其非洲各領地繼續採行大力鎮壓政策，並在各方面加強控制，致這三區的民族獨立鬥爭，已完全轉入地下，并放棄了一般性鬥爭，而完全集中力量於軍事鬥爭與破壞。

這三地民族運動者所發動的反葡軍事鬥爭，在過去一年中，除了十二月間安哥拉獨立黨人從剛果發動過一場重大的突擊以外，沒有發生過大規模的戰鬥行動。但是各地游擊隊的活動，及零星破壞行動，則從未停止。其中葡屬幾內亞區的游擊隊，自始即控制有相當大的地盤，葡軍雖連年進剿，而游擊隊實力并未受影響。在安哥拉及莫三比給兩區，由於葡萄牙一再派軍增援，全力對付，這種游擊隊活動的根據地，則迫由國內分別撤退至鄰國剛果及坦桑尼亞境內。因此在一九六六年，葡萄軍曾在安哥拉與剛果接壤的邊境，及莫三比給與坦桑尼亞爲界的羅浦馬河南岸，更進一步建了連鎖工事，嚴防兩地的民族游擊隊實行偷襲。但就在葡軍這種重兵嚴防之下，而游擊隊的偷襲活動仍如故。尤其坦桑尼亞境內的莫三比給游擊隊，經常利用黑夜掩護，渡河進入莫三比給，以大吃小的方式，襲擊葡軍孤立之據點，待葡軍援軍到達，而游擊隊早已渡河返回基地。爲了報復起見，葡軍也曾一度渡河追擊游擊隊，並焚燬其坦國境內的基地，但由於坦桑尼亞威脅要向國際機構提出控訴，葡國爲恐引起重大國際糾紛，以後即不再採取這種報復行動。同樣，安哥拉的游擊隊，爲了分散葡軍的實力與注意，乃於一九六六年秋天，又在桑比亞境內另建一基地，擴大對安哥拉南區的游擊攻勢，也更使葡軍防不勝防了。

根據一九六六年底葡萄牙當局所發表的資料，由於一年來爲對付這種游擊隊活動而不斷派兵增援的結果，致駐紮非洲之領地的葡軍總數，已達十萬〇三千人，而全年爲對付游擊隊活動而招致死亡官兵，已亦達五百五十人，至於受傷人數究竟多少，尚未包括在內。由這一官方所公開的數字來看，葡屬非洲三領地的民族獨立鬥爭雖未引起外界很大注意，而其行動的積極，與游擊隊活動的廣泛，已是一個無法否認的事實。

一九六六年非洲民族運動的另一重點，便是全力反對羅得西亞的白人政權。但這種主要反對力量，並非來自於羅得西亞內部的數百萬黑人，而是來自於非洲的獨立國家。所以這種鬥爭，主要也就是一種外交鬥爭。羅得西亞的黑人所以尚沒有對白人政權發動直接鬥爭，並不是由於黑人對這一白人政權有何好感，而是由於這一白人政權還未宣布實行獨立以前，即把當地黑人民族運動領袖人物一網打盡，多數被關監牢，少數被迫流亡國外，以致整個民族運動失去了中心領導。

「我自身難保啦！」

「這賊船完啦！」

今日與明日

共軍過去打天下　今日共軍亡天下

自周恩來表示將於必要時出動共軍鎮壓反毛「當權派」勢力後，毛林集團更瘋狂地進行「造反」與「奪權」。但反毛「當權派」並未被嚇倒，反而是越戰越勇，跟着「經濟主義」走的人，也越來越多。南起廣州，北迄哈爾濱，東自上海，西進成都，拉薩以至整個內蒙及新疆，由城市到農村，由工人到農民，均捲入了反毛行列的巨流。

兩派火拼進入了一個高潮，同時，又出現了一個更大的高潮，那就是「革命造反派」在山西「奪權」的同時，共軍的「解放軍報」宣佈，他們將正式「介入」所謂「奪權」鬥爭。

在毛林集團方面，一直強調：「有了權，就有一切；沒有權，就沒有了一切。」「千重要，萬重要，有權最重要」。一肚子男盜女娼，滿嘴天官賜福，一直在喊「爲人民服務」，原來那完全是瞪眼騙人。什麼「爲人民服務」？原來是爲了可以「有了一切」的「權」。

毛林集團「奪權」心切，可是形勢却一天比一天不利。所以，才「狗急跳牆」出動共軍，來一次對自己「同志」的「打天下」。

毛林集團出動共軍，證明了下述的各點：一、以「紅衛兵」爲主的「革命造反派」過於脆弱；二、毛林集團的「正確路綫」不受大陸人民歡迎；三、反毛「當權派」的「鈔票掛帥」（「經濟主義」）發生了巨大作用；四、兩派鬥爭到了「決戰」階段。

如果所有共軍真的能夠完全永遠「忠於毛主席」，無疑，形勢可以扭轉，反毛「當權派」一會被「鬥垮」「永世不得翻身」的。問題是，共軍內部早已派系林立，一旦發生「介入」所謂「文化大革命」鬥爭，必由分裂而演變爲內戰。

即或林彪支持「革命」到底，但他所能控制的共軍，在整個共軍中，仍屬少數。何況，自從賀龍挨「打」後，西南、西北兩地區的共軍，已有不穩的情況了。

據二十五日消息，內蒙烏蘭夫已在「呼和浩特市」出動共軍對付擁毛的「紅衛兵」了。發展下去，毛林事尚必是形勢日非。

內戰結束後，不管是那一派「勝利」，但也無法挽救其四分五裂，一片衰鄙的局面。接着，必是毛共政權「順理成章」地收場大吉。（何如）

鬼蜮本質

中國大陸上的毛共「文化大革命」運動，愈鬧愈兇，這場狗咬狗的權力鬥爭惡作劇，被鬥的盡是些曾爲毛酋立下汗馬功勞的元老幹部，如朱德、劉少奇、賀龍之輩，皆在「鬥垮鬥臭」之列，其殘酷手段，視古時專制帝王大殺功臣的情形尤爲慘烈。

這些「長征」老幹部，被一般乳臭未乾的「紅衛兵」恣意凌虐摧殘，有的剃光了頭，掛着「我是資產階級反動份子」的號牌，有的站在敞逢車上遊街示衆，有的跪在所謂羣衆大會之前，任人唾罵作踐，有的被迫撰寫自白書，說是罪該萬死的「反黨反社會主義叛徒」。此情此境，我們祇在報紙上看到新聞紀載，也就不忍卒睹呵！

最突出的罪犯就是朱德，「紅衛兵」列舉他十大罪狀，說他當年在井岡山與毛酋落草爲寇時，就有爭奪共黨領導權的陰謀，這種想當然的逆臆之詞，也成了犯罪的證據，不亦怪哉！那時候，這些「紅衛兵」的父母亦尚未出生，怎知道朱酋有此陰謀呢？另外又指出朱酋一項奇異的叛行，即說他主張「階級消滅論」。馬克斯的教條，明明說是共產主義實現之日，「國家」這一階級亦即消滅不存在了，共產社會是「各盡所能，各取所值」的無階級社會，朱酋的階級消滅論，正符合馬克斯主義的教條，然在以馬克斯主義正統派自命、大力反對修正主義的毛酋「文化大革命」運動中，竟變成了反動思想，這不是咄咄怪事嗎？

古往今來，政治上本無眞正的是非公道可言，但絕對沒有像共產黨徒這種泯滅人性與理性的行爲，清除異己也罷，芟夷功臣也罷，要殺就殺，該宰即宰，那有這樣野蠻、殘酷的作風呢！即此可知共產黨決不是人做的，一朝踏上了賊船，縱使你忠貞不貳，功業爛然，如果當權者稍有看不順眼的地方，立即成爲罪不容誅的元惡大憝，而且不容許你有所分辯。這不是人的社會現象，是魔鬼集團的陰森地獄而已。

我認爲毛共這次「紅衛兵」之亂，給予世人一項最大的教訓，就是充分暴露了共產黨的鬼蜮本質，讓一般好異矜奇的青年人，認識所謂進步的「社會主義」生活，就是這末一套，再也不會相信共黨的謊言謬說了。

馬五先生

因採訪「學生出走」消息出事
台中市立二中校長好兇　公然率教員圍毆兩記者

（本報記者台中航訊）台中市立第二中學一名學生，因被老師責罵出走，消息傳出後，有中央日報、台灣日報記者前往採新聞，不幸被該校校長徐木生率教員圍毆成傷。台灣日報記者郭欽昌，中央日報記者周錫瑋，因陷入重圍，當場身負重傷。中央日報記者周錫瑋已送入台中醫院治療中。此事竟發生在堂堂學宮，出自爲人師表之手，頗使社會人士感到驚愕。

欲蓋彌彰

元月十七日下午三時，中央日報記者周錫瑋偕台灣日報記者郭欽昌，騎車前往台中市立第二中學採訪，首先拜訪該校訓導主任，適逢該訓導主任不在，踏出訓導室門口，就碰到一位姓江的老師，帶領着一位哭泣的學生步向導師辦公室去了。

周、郭二位同業再到校長辦公室看校長徐木生，探詢學生出走的消息。徐校長以其事有傷該校名譽，一意欲遮蓋，對記者敷衍了事，叫周、郭二位同業去訓導處查詢好了。旋又轉往訓導處，該訓導主任見是記者來採訪，一口否定，對兩記者表示：「本校並無那位學生出走」。

周、郭二同業以該校既無出走學生，也就罷了，不過，剛見那個哭臉學生帶進導師室不免感到懷疑，於是便順便提問此事，向該校訓導主任請教。因當時該校訓導主任尚不知此事，於是便喚了一位工友帶周、郭二君到導師室去看。一位姓藍的教師迎了出來，此時正在上課，有一張空着的學生坐位，周、郭二君便以該班是否有學生出走事相詢，藍姓老師否認此事；但對於空位不到的學生並未作何解釋。忽然下課鈴聲響了，周、郭二君沒得結果，復轉訓導主任室採訪究竟。該主任方才表示：有一位學生，因丟了作文簿，怕老師責罵，不敢上學，曾派教師去該生家長訪問過。至於對剛纔那位哭臉學生沒有任何說明。訓導主任作此答覆時，顯示極不高興的樣子。

周、郭二同業以爲此事未得滿意之答覆，又轉往校長室探詢。

下逐客令

此時的徐校長便很不客氣了。高聲的喝道：「學生打斷了腿也沒有大不了的事，打架事件更沒有什麼了不起」！（按：該校曾經發生過學生打斷腿及打架的事）周、郭二同業聽得非常清楚，分明就是對他們講的，其意是謂記者多管閒事。周、郭二君站在新聞工作者的職責立場，也不願馬虎了事。以爲該校長實在太蠻橫無理了。於是便就該校長的話提出請他答覆：如果眞有一位學生被打斷了腿，貴校應如何善後？

打人搶機

徐校長聽了，以爲記者揭露了該校之短，大爲光火，便從校長室走出來，指着周錫瑋說：「我要告你」！周君反問道：「你憑什麼告我？」「你憑什麼告我」之後，便一把拉住中央日報記者周錫瑋身子就是一拳。台灣日報記者在場，舉起照相機急忙獵取好鏡頭。

徐木生一見行兇鏡頭被攝去，大爲慌張，指着周、郭二同業狠狠地這樣說：「你們有報紙，我們有老師和學生，我們不怕」！當爭執發生時，教員們也圍了上來。

徐木生於是見人多勢衆，便一聲令下：「搶照像機」！於是教員們一齊動手，情況頓時嚴重，教員們搶的搶，打的打。台灣日報記者一見不妙，趕快抽身逃跑。教員們窮追不捨。中央日報記者立刻阻教員們的追趕，却被五六位教員圍住毆打，旋被打倒在地，在地上打滾叫苦。郭欽昌拿了照相機見機突圍再跑。但該校訓導主任、體育教員和一位姓王的老師，仍窮追不捨。追上去把郭的照相搶來，損毀丟在地上，企圖毀滅行兇鏡頭，並又打了郭記者幾拳。郭因孤掌難鳴，敵不過人多勢衆，除了負傷之外，外套夾克被扯破，鈕扣被拉掉。

警察解圍

此時，中央日報記者周錫瑋仍被困該校內。郭欽昌騎車到育才派出所報案，並請救出周錫瑋。

派出所派了一位警員到該校，並帶兇手徐木生至派出所審訊。周錫瑋到派出所時，鼻子被打腫，左腿流血。隨即送到省立台中醫院治療。現在此一事件，中央日報、台灣日報，正循法待途徑解決。一般市民們認爲：這事情，出在教育機關，發生於爲人師表的校長教師身上，實在是斯文掃地！給予學生們的「身教」之壞，自無庸論。此風實不可長也。（王永亭寄）

桃園繽紛

本報記者黃鴻遇

▲桃園「聞人」蔡達三，由鄉農會的總幹事、縣議員、議長而登上桃園農田水利會會長寶座。他平日手面很鬆，交遊廣濶，在桃園縣的地方政治圈子裏，是兜得轉的人，大家都以「阿三哥」呼之而不名。也因爲爬得快就跌得兇，在桃園農田水利會長任內，以虧空公款新台幣一百餘萬元，被新竹地檢處拘押偵訊，剛經省議員張富。前桃園縣長徐崇德等情商此間具有資金新台幣十五萬元的兩家舖保，具結保釋在外候傳。該案現已提起公訴，蔡某即逃匿無蹤！致兩家舖保被法院查封，兩個老闆娘急得服毒自殺。蔡某本人的二姨太太，受不了左鄰右舍的冷諷熱嘲，也吞下毒藥，企圖爲蔡某而「殉債」。這三件命案，雖已分別獲救脫險，均種因於蔡某一人。地方人士，希望蔡某再不要躲躲藏藏，免再發生其他的問題，法律之前，是人人平等的。

▲桃園縣府畜產課，頃奉省府命令成立：「家畜急病防治所」，其所長一職，已有多人活動。陳長壽縣長，總想在他任內，能多安插幾個私人，如縣府建設局長，因案判刑停職時，陳縣長欲指派親信代理，備受多方責難而未果；自已兼任，也被省府打了「回票」，最後才落在主任秘書李樹猷身上。眞是費盡了心思。這個防治所長職位，據聞陳縣長又想培植他的親信楊鴻圖。論楊某的服務經驗，只是鎭農會一個獸醫，一個沒有經驗的人來操桃園全縣的家畜「起死回生」大權，無疑陳縣長該有愼重考慮的必要。「用人唯才」，也是陳縣長競選時的重要「政見」之一，豈能自食諾言？

▲桃園縣府地政科，積壓公文，爲時十多個月，仍然不聞不問，迫使當事人又再度「陳情」，請求「速辦」。該科徐德勛科長，備受外界指責。

這件「十月懷胎」的公文是楊梅鎭：鎭民石阿漢所申請的，因爲歷時已過十個月零十三天，還沒有得到答覆，在無可奈何之下，復又再度向縣府陳情。據石阿漢的陳情書中指出：他所管楊梅鎭七七——一一三號土地上，建築房屋一棟，曾於五十五年二月十五日向中壢地政事務所（轄楊梅鎭）申請勘測，並接獲執字第〇一一五二六號繳費收據在案，迄今歷時十個月零十三天，尚未派員勘測……！縣政府地政科，如此公文積壓，在使民利民的基本常識下，希望徐科長速予糾正。

▲國防部去（五五）年度的「驊興計劃」，完全是爲了軍眷屬謀福利，在桃園縣境興建幾萬戶眷舍，即桃園縣龜山鄉的「陸光二村」，就是三千多戶。在兒女繞膝的快樂軍人家庭裏，不消說，子弟就學，是當前的急務，地方政府，也以軍事性的快速行動，在眷舍附近的縱貫公路兩旁，分建兩所「山頂」和「新路」國民學校，美與美侖、合符國際標準。據兩位新任校長徐張水流，楊士技表示：創業維艱，有關學校一切內部設施及教學設備，仍有待加強。相信在社會各界敬軍勞軍的熱忱下，學校的前途將是光明的。

看橫掃中國大陸的「紅衛兵」與「文化大革命」

楊力行

另外「紅衛兵」給劉伯承「元帥」貼的一張「大字報」說：「劉家住在『北京』東門錢糧胡同十六號，你每天躲在家裏，足不出戶，是老朽病得眞動不了呢？還是不滿我們的造反行動，心中另有打算呢」？

此種打擊很大，對於那些所謂「黑幫分子」和「附級成分不好」的人來說，「大字報」固然是判決書；即使對一般市民來說，也有警告、指示或命令的作用。有人甚至把它看成「聖旨」。

記得八月下旬，北平南長街在第一天貼出「紅衛兵」的「大字報」上，要求居民自已清點出不合「毛澤東思想」的「反動書籍」。第二天傍晚以前，各胡同口就堆滿了各式版本的舊書，包括「紅樓夢」、「水滸傳」及「四書」、「五經」等，等着「紅衛兵」搬去燒毀。至於一般商店一被貼上「大字報」時，店內的「革命職工」就立刻起來響應，改革的比「紅衛兵」所要求的還徹底。像八面槽的「廣州酒家」是第一間被貼上「大字報」的高級餐館，本來那裏的菜樣很平常，「人民幣」二、三十元一桌，只要求它減低菜價，但結果，這間高級粵菜館的職工，索性把它改爲大衆食堂，只賣每碟一角五分的肉絲炒青菜了。

三、「紅衛兵」都是被共匪用作「運動工具」的可憐蟲！

實在說：「紅衛兵」也很可憐，他們都是來自全大陸各省市縣鄉村的無知孩子們和正在各大專院校及高初中肄業的青少年學生；而且，多半是民國三十八年十月一日毛酋竊據大陸、建立秧歌王朝僞政權以後出生的，紅得發紫的十七、八左右的所謂「紅五類」——工人、貧下中農、革命幹部、革命軍人及革命烈士——的子弟，他們的藍色短衣長褲軍服和八角軍帽等雖由「國家」發給，但多不稱身，腰間束有一根皮帶，左臂（毛派）或右臂（劉派）纏有無字紅色袖章，活像抗戰前張樂平的漫畫「三毛流浪記」裏面的「三毛」；及來台後梁又銘筆下的連載於中央日報的「土包子下江南」漫畫中的「土包子」裝束。又活像五十五年十二月十七日中午台灣電視劇中的劉藝芳。實在令人見而發噱！

普通一般「紅衛兵」都沒有受到所謂「舊社會」任何影響，大學裏的「革命師生」另有類似的組織。我們從未聽到「紅衛兵」有什麼「大隊」和「中隊」等一類組織名稱，却有「糾察隊」的出現，且是以學校和工廠爲單位，內部編制計有八百五十多個不同的組織系統。

其毛記「中央紅衛兵總部」設在北平天安門旁的「工人文化宮」，即太廟的故址。此外尚有反毛的由劉少奇等指揮的地方和工廠方面的「地方紅衛兵總部」。至於所屬指揮部則有六個：分別屬配於東西南北和華中及西北等「政治局」；毛、劉各佔半數，旗鼓相當，只是一明一暗，兩陣對壘而已。此其所以搞學運和工運及農運出身的劉少奇與鄧小平等不易被打垮的最大原因也。但召集「全國人民代表大會」能難他，即頗有可能。他們沒有工資，坐車和吃飯都由學校報銷，事實上就是免費。外地到北平「串連」（交流經驗）的「紅衛兵」更是可憐極了，穿的破破爛爛，睡的是街頭巷尾的屋簷下，跟小叫化子簡直沒有什麼分別。不過，看起來他們的與緻倒是旺盛的，因爲，既不用讀書，又可以免費遊遍全國城市。但得特別指出的，他們身上的那條皮帶，解下來就是鬥爭的武器。

根據最近報導：毛賊種自行兼任「中央紅衛兵總司令員」，新兼任爲「軍事委員會主席」，仍兼爲「國防部長」，林彪兼任「副總司令員」，毛妻江青爲「代理總副司令員」及「中央文化革命小組」第一副組長；組長爲陳伯達。至於賀龍之兼任「參謀長」，不過掛名而已。

江青最近又被任命爲「中央文化革命委員會第一副主席」（主席爲毛酋），及「解放軍總政治部最高文化顧問」；女人大權獨攬，指揮這些年幼無知的感情易於衝動的「紅小鬼」們，供其驅策利用，毫無顧慮地橫行霸道，進行大破壞、大搗亂和大整肅工作。她要把她丈夫的全部反對者一勞永逸地加以清除！噫！我七億餘大陸同胞何辜？竟遭此亙古以來空前未有的刧浩，言之痛心！（七）

濕海異趣談

美國穿孔炸餅故事種種

·桑雅·

大家都知道，穿孔炸餅，（可稱爲番鬼佬沙翁或咸煎餅）也是美國著名食品之一，其地位僅次于熱狗而已。但，它的起源是怎樣的呢？據說是時維一六四七年十一月間，由一位船長漢辛·格利哥里所發明的。他由於模仿舵胎的形狀，而炸成這種麵餅的，所以，中間是穿孔的。在美國各地，炸餅是大受歡迎的，去年售出的數目是一百八十億個。

上述的故事是眞是假到今天已無從稽考。更何況，河瑪治錫斯的派里矛斯區的居民却另又一個傳說：他們認爲二百年前，一個喝醉的印度人把箭射入一個主婦的家中，那時恰巧是她把麵餅放落油鍋裏之前的一剎那，箭射中餅的中間，于是餅便穿了一個孔。那主婦認爲這也很好看，乃將其他麵餅也挖成一孔。

總之，有關炸餅的傳說不一，當英倫還是異教徒的天下，穿孔炸餅是一種慈善食品，在「呵哈芬斯」節前夕，派送給寡婦及孤兒充飢的。新英倫的移民便把這個傳統傳下來。差不多同一時候，紐約的荷蘭僑民把家鄉餅傳入美國社會；這種家鄉餅，與穿孔炸餅十分相似。

第一個在美國製造此類「炸餅」的荷蘭女人是安娜·佐拉蒙，那年是一六七三年。她在紐約市開設一間製餅士多店。她本人是一個大肥婆，重達二三〇磅，所以，人人都稱她爲「大炸餅」了。

第一次大戰之前，炸餅只是家庭的食品之一種，能夠大量推銷，全靠兩個美國人：她們是救世軍總部的職員——海倫·波維安絲與瑪嘉烈·史爾頓。她們初時意在爲駐法的美國軍人服務的。這一個決定十分成功，在數個月內，炸餅在軍人圈子裏，成爲熱門的食物，有些甚至冒雨前往購買，有些吃上了癮，自稱爲「炸餅仔」。

布蘇連的里維特是一個眼光遠大的人，他馬上開設九間製餅店，購入自動機器，大量把穿孔炸餅推銷。生意實在太好了，十一部機器都幾乎應付不來。當時一九二一年間，炸餅像瘋魔了不少美國人。那種自動機器，每小時可炸八十打炸餅。在那段日子，美國人的午餐，咖啡與炸餅是少不了的。

一九二九年間，炸餅的價錢驟升，那是受經濟不景氣的影響。可是，在這個期間內，人們却流行把炸餅先放在咖啡內才拿進咀裏吃的。這方面，也有一段古的。

當時百老滙與荷里活的紅星美瑪莉是一個炸餅迷，有一次，她在紐約市的玫瑰園夜總會吃東西，她偶一不慎，但炸餅掉落咖啡裏。在旁的「傍友」馬上爲她的失態遮醜，便匆匆說：「這樣吃法，炸餅的味道是更爲甜美的。」于是，當場人們互相傚尤了。於是先由各明星帶頭，逐漸，這個方法，其他階層人物也模仿起來。一件東西往往是這樣流行的。

紅史基路頓是當時是紅的喜劇演員，在一項電視節目裏，他還拿炸餅浸咖啡這個吃法來製造笑料。這樣，無疑推波助瀾。這時，連國會議員也上癮，認爲這樣吃法不能稱之爲時髦。不久，有人發起組織一個全國性的「炸餅協會」，選列史基路頓爲會長。此後，這個協會便成一個「滑稽招笑」的標誌。繼任史基路頓的職位的有積林蒙、史提夫阿倫、尊尼卡遜。他們都是紅極一時的喜劇明星。

據說，艾森豪將軍在未決定在六月六日下令進攻西歐時，首先要考慮的是如何替紅十字會特別撥出八架軍部車輛去運炸餅，作爲軍需之一，而且，還要炸餅師傅隨行。現在回想起來，當時的炸餅多麼深入人們的心坎。

炸餅差不多是美國文化的象徵，它的市態，連華爾街的大亨也密切留意的。它的升降，便是經濟的寒暑表。一位經濟學家這麼說過：「如果你看到炸餅的孔太小，那表示民生發生問題，孔夠大的，表示生活好過的了」。

目前，普通的機器，每小時至少可炸二千四百個炸餅，也一樣供不應求。在某一些地區，炸餅的狂潮仍未成過去哩。

俄國女皇穢亂春宮

王永亭

伊麗莎白女皇自己也隱約知道這件事，以爲自那孱弱多病的兒子是難望生出這位皇位繼承人的，但因爲承繼大統是一件嚴重事，於是決意闢謠、瘦息了這一謠諑。後來這小孩子出生之後名叫保羅大公爵。但在小公爵出生之前，即勸告蘇魯提哥夫以休息爲名，遠離朝廷，以避免物議。可憐蘇魯提哥夫的腳步尚未踏出國境，嘉素蓮又姘了一個年輕貌美的伯爵史丹尼斯·蒲乃亞陀斯基，一對新姘頭打得火熱。

史丹尼斯是一個玩弄愛情的老手，他把各方各式的愛情獻給這位火辣辣的美人，藉以博得她的歡心。在比較上，他優於蘇魯提哥夫很多。在羅曼蒂克上的事務，他表演得極爲多變而有趣。嘉素蓮漸漸擴大了她的趣味，獲得無上的安慰。有時史丹尼斯化裝爲裁縫，混入嘉的私室裏去，或扮飾爲晉樂家，被帶入深宮去教她的功課，秘密纏綿。有一次，他竟化妝爲宮廷中的女給事，穿起特定的制服，混入宮闈。久之，有一夜却被彼得碰上一雙在床的情景，這位偷香竊玉的老手終於被下獄了。嘉素蓮蒂爲了拯救自己的危險，向昏庸的彼得大下說詞，又有如此荒唐的事，彼得竟答應釋放史丹尼斯，最後還順了嘉素蓮蒂的意見，竟請了皇帝私淑的宮人和史丹尼斯姦淫婦一同四人來個狂歡晚會，這筵宴一直狂歡到凌晨。

歲月如流，嘉素蓮蒂的寵幸者多至不可勝數。當史丹尼斯的顏色及引誘力差一點的時候，嘉素蓮蒂乃不顧而之他。但她對史丹尼斯倒也還不算薄情，當分別時，她送了價值昂貴的禮物給他。甚至一度傳聞，她積極謀圖把史丹尼斯做成波蘭的國王。凡是穢跡昭彰的女子，她所愛的男人多要求其體魄健康。在嘉素蓮蒂所愛過的男性中，格利柯利羅夫王子也算受過寵眷的人，而且時間也最長。柯羅夫是一個青年軍官，有健康飽滿的精力，他五個兄弟，個個英俊，柯利羅夫在軍營是膂力過人著稱的。他有六呎六身高，可以一拳打昏一頭牛，或用雙手把馬蹄鐵折斷。不過他是個酒罎子，嗜酒如狂，同時也是賭徒，在男女事的爭逐上，他無疑又是一位尖頭英雄。雖然柯利羅夫有着一些缺點，但嘉素蓮蒂却愛另方面的優點。在年齡上柯利羅夫要比她少幾歲。在他們相遇之後，就如膠似漆，絕少分開。他倆不怕朝臣側目，皇帝驚心，在朝廷公然狂戀。

在此時期，老女皇伊麗莎白因飲酒駕崩，繼皇乃半瘋半傻的彼得，那是他正三十四歲，繼承其親皇位不久，命不久留。他在位幾個月，便給柯利羅夫的一兄弟刺死了。至今俄國的正史雖沒提到這次弒君的行動是由柯利羅夫策動的，但野史傳聞，有絕大嫌疑是柯利羅夫與嘉素蓮蒂有關，至少他倆是幕後的策劃者。

嘉素蓮蒂便正式登上皇帝的寶座。成爲俄羅斯的女皇，此一機會，鑄成了她的殺戮與征服的權力，把異己翦除。（二）

今年世界博覽會所在地

現代化古城蒙特里爾

梓荆

在北美洲方面來說，蒙特里爾是一個古老的城市，它是在一六四二年由馬遜紐維所建立。馬氏受到印第安人的滋擾，在皇家山的頂上，豎立一個木十字架，現今在同個地點仍舊有一個高達一百呎由鋼鐵鑄成的十字架，在晚上配有燈光，全城都可望見。

當英法兩軍發生戰鬥，魁北克城被封鎖時，在聖羅蘭士河上流的蒙特里爾，變成了貿易很盛的要站。富蘭克林曾到那裏開辦一份報紙，名叫「公報」，現今在每晨仍有發行。皮革貿易商人脊姆士麥芝沙把他的遺產開辦一間大學，現今乃在北美洲最佳學府之一。在那個城市設立在加拿大的第一間銀行，最初的火車，最初的汽船。但是在十九世紀的式樣已被二十世紀的收縮了，它跟其他的大城市沒有多大的區別，頗像在美國南部的城市。

在不久以前，法裔加拿大人多操勞苦的工作，較少數的英裔的加拿大人操縱着經濟和機會。但突然發生不流血革命，大家不等，共同合作，建立一個更繁榮的城市。

新的蒙特里爾乃在今日世界上發展得最快和最現代化的城市之一，人口雖僅佔紐約市所有的約四份之一，但是在去年蒙特里爾發出的建築許可證，數目跟紐約市所發出的相等。一座四十層的大廈在幾個月間就可完成。工作非常快。巴士與汽車路密接相連。在行人路上，交通十分方便。在那裏的證卷交易所乃世界上最新型的。也是在世界上最大的一座三合木的建築物。加拿大廣場將於本年完成，在那裏有一座摩天樓的大旅店，另有一條直通到離開四百哩的紐約特快車路也將在今年啓用。

蒙特里爾建立在一個海島之上，在這寬濶的聖羅士河離海洋還有一千哩，被分作幾個水道，現今新的河道經已開闢完成，大輪船可航行直通到芝加哥與刁路孚。舊城市仍有大部份在十八世紀時代的建築物，接近船塢一帶，新的城市中區乃在高八百呎的皇家山麓間。在山間情侶與兒童在楓樹之下談心或遊戲。在山腳下的街道有華麗的酒店、美術館和古董店很多間。再落的街道有大百貨店、電影戲院、餐館和酒巴等等。在這兩條街之間有最新型的火車行走，乃用膠輪的，此乃在四年前市政局的計劃中，已完成的一條。當局將在車站邊建築大廈，出租以賺回所付出的巨大開支。在美術廣場將建築三座公衆場所，其中一個經已開幕，它是在西半球最大的歌劇院之一。（上）

新三國　周義諸著

張飛的都督表報成都，劉備一聽聞中有表報到來，心中大吃一驚，料定是張飛凶多吉少。

張飛雄壯威猛，出於關羽、魏吳二國的人物，都稱關，張爲萬人之敵，在當世沒有其他二人可與之齊名的。不僅在當世，即在後世言將軍之勇者，都以關張爲比喻，實可謂舉世無雙的人物。關羽善待士卒，而驕於士大夫；張飛愛敬君子，而不恤小人。二人都是北方豪傑的氣慨。以前劉備時時勸張飛，對張飛說：「卿刑殺既過差，又日鞭撻士卒，而又將其用於左右，此乃取禍之道也」。張飛的個性難移，故有此敗，此一死與伐吳成敗關係太大了。力主伐吳的只有劉備一人了。如以關張之情義，同仇氣慨之精神，再加其勇猛之威名，劉備將不會遭致如此的大敗的。張飛長子張苞早死，次子張紹官至侍中尚書僕射，苞子張遵爲尚書隨諸葛瞻於緜竹，與鄧艾戰死，一門忠烈。

六八、戰猇亭陸遜用火攻　白帝城劉備託孤兒

張飛遇害，仍然無法阻止劉備復仇的決心，下令動員四萬水陸軍。命諸葛亮鎮守成都。趙雲、馬超均無法抽調赴敵，黃忠、法正二人，已在去年死了。孫權獲得消息，派人請和，劉備盛怒不已，不准其和。孫權派了陸遜爲大都督。陸遜字伯言，吳郡吳縣人，本名陸議，世爲江東大族。他二十一歲出仕幕守，歷任東西曹令史、海昌屯田都尉，清剿盜賊，屢建奇功，前曾助呂蒙襲取荊州。因其時他尚不出名，關羽不甚注意，呂蒙稱疾，推薦陸遜替呂蒙重任，對孫權說：「才堪負重，終可大任」。此人足智多謀，善於用兵，關羽曾吃過大虧。拜陸遜爲大都督假節，督李異、劉阿等屯兵四川巫山縣西北秭歸等地。劉備派將軍吳班、馮習（三國志無傳）二將進攻李異、劉阿，吳兵初敗，退到秭歸。在武陵、五谿的蠻夷均紛紛響應劉備。此即以前馬援所征之五溪蠻。蜀軍佔領宜昌附近的夷陵峽。劉備之軍先聲奪人。在北方的曹丕那邊，又有人主張乘機伐吳，消滅孫權，無形中爲劉備助威。可惜沒有眞幹。劉備又派兵駐在長江此岸，由鎭北將軍黃權指揮。如果劉備一直水陸並進，直下江陵，很可能擊敗陸遜的。可惜他兵到了夷陵峽就停止下來，命令水軍一概登陸在長江南岸，作山紮，擺成守勢的模樣。蜀軍紮營甚多，互爲犄角，陸遜試攻了一下，吃了敗仗，不敢再攻。劉備旨在誘敵。如此兩軍相持了半年，到章武二年夏天六月，劉備按兵不動，蜀軍給陸遜造成了反擊的機會。加之劉備軍心懈怠，最不利之處是蜀軍紮營都是依山屯兵，樹木叢雜。吳軍一旦火攻，則不可收拾是。東吳將領火攻是有名的，赤壁一戰全靠一把火，陸遜此一戰仍靠一把火。陸遜分兵成若干小隊，分別進攻蜀兵各屯營，一齊使用火攻，一連下了四十個營寨。將軍吳班，馮習，張南陣亡。劉備自猇亭還秭歸，收拾離散士兵，棄了船隻，步行走到白帝城，改魚腹縣名「永安」。陸遜部將李異、劉阿等窮追劉備，屯兵南山，即魚腹附近。（一〇三）

今古談叢

人類的公敵—高血壓

·荷星·

今日，在文明國家內，動脈硬化的病例，比比皆是。因為此症可為人體所有的器官帶來各種妨礙，故在人類死亡原因中，它居於首位。估計在四十歲至四十九歲的人們之中，百分之廿五患有該症，在五十歲至五十九歲的人們之中，百分之四十八患有該症，六十歲至六十九歲者，百分之七十八。七十歲以上的老人，患此症者佔百分之九十。甚至新生嬰兒，也有患動脈硬化的機能障礙的。在義大利，起因於動脈硬化而致冠狀動脈失常，乃至於死亡者，一九五一年較一九〇一年增加十倍。在法國，一九五二年較一九四三年增加一倍。在瑞典與美國，一九五三年死於該症者為一九三〇年之五倍。據心血管問題專家林士勒博士說：在美國，心血管性疾病佔死亡原因一半以上。而心血管性之類的疾病，則百分之九十以上歸因於動脈硬化和高血壓。

毫無問題的，動脈硬化與高血壓，是一個嚴重的問題。因此全世界各地的科學家都在設法努力，希望對這兩種情形有更進一步的了解。

何謂動脈硬化？我們可以用一種非常簡單的方法來敘述。我們可以把動脈管比作一根橡皮管，它因年久而失去彈性，發生阻塞，有了沉澱。它的內部直徑越變越小，如果施以較大的壓力，這橡皮管可能破裂，就像一位高血壓及動脈硬化的病人，腦血管破裂，因而發生腦溢血或中風的情形一樣。

從科學上說，所謂動脈硬化，是在大血管、主動脈、冠狀及腦血管的內壁淤積了各種不同的脂肪，胆醇和鈣質。

若把一根硬化的動脈加以切斷，則可在它的斷面上看出管壁加厚，管內的通道相對的縮小，甚至於會阻塞。

此種動脈的機能障礙，也可能引起血液中發生凝固的現象，它會造成血管內血栓和停止某些部份的血液循環。在正常情形下，這些血管原是要供應氧氣和營養到身體的某些組織去的；這一來，這些組織便可能變成不發生作用的部份了。在此種過程中，最顯著的例子是冠狀動脈血栓症。

造成動脈硬化的因素有各種各樣。其中一個因素是血管中有了胆醇。肥胖者，愛吃脂肪者，食量大者，比較容易發生此病。在生活水準的國度裏，患此症者也較多。故飲食——尤其是脂肪性食物與血管硬化之間，大有關係。（一）

談楊永泰（中）

諸葛文侯

民國廿一年夏，楊受任豫鄂皖三省剿匪總部秘書長，銳意整飭吏治，視為消除共匪禍亂之基本要務，經常強調胡林翼所謂「吏治不整則民生無依，雖日殺千賊，無補大局」之說，而服膺管子提倡「以勞教民富，以死教民強」之政治哲理，認為撥亂返正，舍此莫由也。

剿匪總部成立後，陸續頒佈三大新政措施：一為創設匪患各省區「行政督察專員」制度，專員兼保安司令暨駐在縣縣長，採合舊時知縣道尹與兵備道職責於專署，而賦予應付緊急事端之特權，如懲治匪類得便宜從事是也。此項政制原則，初係德國顧問所建議，經蔣公採納後，由楊氏擬訂詳細方案，自命名以迄組織法規暨職權等，皆為楊氏精研擘劃之結果。二為新訂保甲條例，楊與幕府人員再三籌維，集思廣益，參酌宋代保甲法而釐定者。三為改革黨政關係，頒佈「剿匪省區整理黨務綱要」十六條，主要精神即為各級黨部專負組織、訓練民眾之職責，不得干預行政事務；黨部經費應自籌，不復由省市縣政府開支。當時楊氏曾將此項綱要草案原稿交愚繕正，並垂詢管見以為如何？愚謂勢必引起風波，似宜審愼為佳，恐不免影響暢公（楊字暢卿）個人之政治前途也。楊曰：「祇要委員長同意，對國事有益，我個人縱告犧牲亦無所謂，幕僚長是要替長官任勞任怨的，何必顧慮我個人的利害得失問題呢！」迨綱要通令發佈，即有上海、南京為首之長江流域七省市黨部，聯銜通電激烈反對，指斥楊氏陰謀毀黨，罪不容誅。楊氏泰然不以為意，絕無片言辯解，而以總司令名義，嚴飭匪區各省遵令實行，毋得違誤，其尊閭行知之定見與毅力，有足多者。

楊氏之事業心甚重——亦可稱為政治野心——故好留意人才，對於挾策以干當道之士，每樂與周旋，相見決不作寒暄客套語，首詢對方學歷與資歷，繼即提出問題叩教，若認為答案可取，立加推轂拔擢，較其本人所希冀之目標尤高，信任亦專，因而頗能獲致忠誠不貳，可共患難之死士以相輔助。倘對答不中肯綮，輒正色謝客，不稍敷衍，凌厲之氣，溢於言表。凡不深知其心情個性者，乃視為不易相處之桀驁人物，莫名忌憚，實則楊氏極富理智，友輩或僚屬與之討論問題時，儘可放言無忌，彼亦疾言忿爭，如對方理由充足，未能再駁，彼必斂容，以謝曰：「吵了半天，還是你的主張對，就照你的意見辦罷！」此情愚曾數數覩及之也。

楊氏對行政官吏必期勤求治績，有所建樹，而惡闒敷衍因循作風，常謂：「你們只要不犯私罪，如因公偶有過失，或遇危難，我必盡力維護之，儘可大胆做去。」行政督察專員制設施未及一年，愚以鄂西第七區專員，因公赴武漢總部述職，楊告語云：「湖北全省十二個專員中，已有十一個被地方人士向總部控告過，不說違法殃民，就說貪污瀆職。唯有第一區（距武漢極近）專員蔡光輝，未聞有人具呈控告，我想他一定是但知作官，並未作事，如果恪盡職責，興利除弊，自必開罪於人，沒有不招致攻訐的。」未幾，楊派員赴第一區專員公署所在地蒲圻縣，抽查保甲戶籍，發現偽造孔多，亦未見有其他政事之興革迹象，即呈報蔣公將該專員撤職，另簡戴典書繼任。蔡專員原任內政部警政司長，係山西閻錫山之幕僚，由中樞財政部孔部長介紹出任湖北第一區專員。然楊毫不瞻徇，綜覈名實，賞罰毋苟，其公忠體國，可敬可愛者在此，而其遭忌受謗，被諡為跋扈權臣亦在此也。在楊氏指導之下，凡屬實心任事，具有績效者，必受表彰，決無湮沒之虞，故當年剿匪區域之行政狀況，動態多於靜態，偷惰逸豫之官僚氣習，無形消滅矣。

琉球紀行

張希哲

「定憲章三代之後，戡文武百王之前，下濟三界羣生，上祝萬歲寶位，等命相國住持溪隱叟作銘。銘曰：須彌南畔，世界洪宏；吾王出現，濟苦衆生。截流王象、昭月華鯨；泣溢四海，震梵音庭。覺長夜夢，輸感天誠；堯風永扇，舜日益明。」文中所說的「尚泰久」是當時中山王的名字，曾於明代景泰六年（一四五六年）接受我國的冊封。從這篇文章裏可以看出五百年前的琉球受中國文化薰陶影響的程度。

（四）我在那霸市看過一間護國寺，寺中正面供的是阿彌陀如來佛，兩旁為文殊菩薩和普濟菩薩。另在金武市附近看過一間觀音寺，內部所供的神像，和我國大陸上的觀音寺一樣。聽說琉球還有關帝廟，也是中國人把關公的忠義精神帶到琉球的，不過由於時間所限，我還沒有觀看的機會。

（五）那霸市郊的貝塚曾有「明刀」出土，野國的廢塚中曾發現有我國唐代錢幣「開元通寶」。

（六）琉球博物館陳列着琉球古代船隻的模型，稱為「唐船」。琉球羣島近海岸若干地方的墳墓，琉球人稱為「唐塚」。這裏所謂「唐」，有如美國的大城市中的「唐人街」的「唐」一樣，亦即中國的代名詞。

十、華僑的心聲

中國對琉球的移民，根據歷史記載，當以明太祖洪武二十五年由福建遷至琉球的三十六姓為最早。這些人到琉球後聚居於首里城的久米村，亦即後來的那霸市久米町。其後代以阮、毛、蔡、金、梁、鄭、林、等姓最為普遍。不過日本統治琉球後，他們都逐漸採用日本姓氏，很少保留漢姓。

我在偶然的機會中，和第一企業會社社長兼中琉協會副會長與世山茂閑談，他說他的祖先是中國人，並且是從福建去的。我問他是否還記得中國姓氏，他說好像是姓毛。我把三十六姓移民琉球的史實告訴他，他沉思良久，似有所悟。

如果不把這些移居已久已完全琉化的華裔計算在內（事實上也無法估計），目前中國人在琉球的僑民約有一千一百人，其中居於八重山羣島的約四百人，居於宮古羣島的有數十人，其餘均在沖繩島，而尤以那霸市及胡座市較為集中。

八重山的華僑，絕大多數經營農業及農產品加工。沖繩的華僑，以從事貿易、餐館、建築、傢俱、裁縫等行業為多，受僱於美軍及其附屬單位的亦不少。（十三）

義和團與八國聯軍之戰述評

·羅雲家·

且向中國提出許多要求，想把東北變成它的保護地。試想另一侵畧成性的日本又如何能甘心呢？於是馬上直接出來和俄國交涉。迄光緒三十年，它們的交涉破裂。這樣，它們就在我們的國土上——遼東打起仗來，此即所謂「日俄戰爭」。此一戰爭為日本擾亂中國之張本，其後為患之烈，歷四十年（至民國卅四年日本投降），猶有餘患。

日俄戰爭開始，日本首先封鎖旅順，把俄國的海參威艦隊解決。卅一年奉天大會戰，又把俄國幾十萬陸軍打敗。俄國的波羅的海艦隊繞好望角而到對馬海峽，也被日艦擊潰。日俄戰爭，就此結束。俄國雖吃了敗仗，日本亦精疲力盡，美國出來調停，兩國議和，把「南滿」的鐵路及旅順大連讓給日本，俄國仍保留「北滿」的鐵路及已得權利，日俄形成對峙之勢；雖仍承認我國在東北的主權，但實際上已是他們的禁臠矣。日本以區區三島，在十年間戰勝東西兩大帝國，揷足大陸，野心愈熾，成了世界列強之一，居然也和俄國一樣作鯨吞中國、統一世界的迷夢。我們民族革命的對象，因此也就愈來愈為複雜。

五、我們的評論

拳匪暴亂，禍國殃民，政府官吏不加痛惻，反而為之大事鼓吹，助其肆虐無忌。巡撫李秉衡、毓賢，直隸總督裕祿的短視無知，眞可謂是引起八國聯軍進犯國境、殺戮無辜的萬惡罪魁。而妄想兒子作皇帝的端王載漪，引拳匪入京師的大學士剛毅等，更是禍不容誅的國家罪人。慈禧太后願用積弱的一國去抵擋極強的八國聯軍，雖三尺童子，都知道是以卵擊石之事。但她為什麼要出此下策呢？一言以蔽之，曰情感用事！我們說義和團事件是慈禧情感用事，惹起八國聯軍進犯不是毫無根據的，有一次，御前會議在鑾儀殿的東室舉行，太常卿袁昶，光祿卿曾廣漢，大理少卿張亨嘉，翰林院侍讀學士劉永亨、李祖謀等人，都反對用兵；慈禧仍然堅持成見，蠻幹到底。朱祖謀說話激烈，衝撞了慈禧一句，慈禧大動肝火，等到他退出會議室的時候，「猶怒目送之」！另從慈禧的宣戰詔書中研究，也可以得到進一步的證明：「與其苟且圖存，貽羞萬古；何若大張撻伐，一決雌雄。……」由此可見慈禧的情感用事，實在已表現得非常強烈了。辛丑和約的結果，使中國人民更貧，國家更弱。一直到民國廿六年的盧溝橋事變，日本還憑藉了辛丑和約的不平等條約之規定，向天津大舉增兵，慈禧地下有知，不曉得該作什麼感想？唉，可惡的誤國女人！

吳門名娼傅彩雲（藝名賽金花，其後又名趙夢蘭、傅玉蓮），其夫早逝，拳匪之亂時，自天津遷至北京李鐵拐斜街重理舊業；八國聯軍入京，彩雲聞知敵軍統帥為瓦德西將軍，即十年不見、夢魂縈牽的情人瓦德西中尉；久別重逢，鴛夢重溫，當屬人之常情，未可厚非。何況在當時她與瓦德西相處的一段時間裏，由於賽金花的一點菩提心腸，促使聯軍整飭軍紀，因此北京市民的生命財產，得以保全不少，進而她更成了北京市民、甚至於中國和議全權大臣李鴻章和瓦德西之間的一道橋樑，從而對久久無法折衝就緒的和約（最初聯軍所提條欵中，有殺禍首慈禧之要求）亦因她的居間調停而達成協議。面對這樣的一個女人，雖說她有損國格，但是基於她的對事有功，我們實在應該於同情中，給以相當的諒解。（五．完）

早來的嬰孩

—晉陵譯—

「只有幾分鐘了！」我說着，偷偷地闖過紅燈，並且，有生以來第一次地盼望着被一輛警車追上。

「如果你已生過一個寶貝，你就會再生一個」——當另一次陣痛襲來的時候，杜蒂一遍又一遍地唸着，使她自己能夠安心一點。接着，她說：「好像它任何時候，都可以出來似的！」

「只有生過十七個孩子的胖女人，才會在車上生產的。」我說。

到處都沒有人，也見不到第二輛汽車。地球上似乎只賸下我們兩人了。杜蒂，兩腿伸在身子前面，磨牙切齒地坐在那裏。「它就要生下來了，它就要生下來了，」她輕聲地說。

簡直不可能，我的太太會在一個寒冷的二月之夜晚，坐在每小時以卅英里速度，衝過市區的

自由報

內政部警備台字第〇三一號內銷證

THE FREE NEWS

第七二六期

中華民國僑務委員會頒發
台教新字第三三號登記證
中華郵政台字第一二八二號執照
登記為第一類新聞紙類
（半週刊每星期三、六出版）

每份港幣壹角
台灣零售價新台幣貳元

社長：雷嘯岑
督印人：黃行萱

社址：香港銅鑼灣高士威道二十號四樓
20, CAUSEWAY RD 3RD FL.
HONG KONG
TEL. 771726　電報掛號：7191

承印者：大同印務公司
地址：香港北角和富道九六號

台灣分社
台北市西寧南路麥寮號二樓
電話：三〇三四六
台郵撥儲金帳戶一九二五二

檢討一九六六年的非洲民族運動（下）

・宋文明・

由於非洲國家在外交上集中全力反對羅得西亞的白人政權，所以在一九六六年內，從非洲國家本身的一切共同集會，至對外一切國際會議及聯合國各種會議，非洲國家無不對羅得西亞提出控訴，并要求有關方面予以有效對付。其中除了非洲國家本身，已連續採取各種步驟，斷絕與羅得西亞白人政權的一切往來（其中馬拉威等少數國家，因其國情特殊而例外）外，其在外交上的主要成就，便為

（一）一九六六年四月九日，安理會以十票對零票，另五票棄權，通過決議，授權英國，必要時得使用武力，阻止石油運往羅得西亞。

（二）一九六六年七月五日，英國宣布停止與羅得西亞尋求和解，并決定羅得西亞未來任何安排，必須為國際所接受，也就是要為非洲國家所接受。

（三）一九六六年十月十七日，聯大會議以八十九票對兩票，另十七票棄權，通過決議，促英以武力結束羅得西亞白人政權。

（四）一九六六年十二月十七日，安理會以十四票對零票，另一票棄權，通過決議，要求各會員國對羅得西亞實施石油及飛機等禁運。

在一九六六年非洲國家雖已獲致這些成就，對羅得西亞白人政權構成了一種重大的政治與外交壓力，但由於五月二十三日安理會沒有獲得必需的多數，通過三個非洲國家所提要求英國以武力干涉羅得西亞的建議，所以非洲國家尚不能迫使聯合國或其他國家，對羅得西亞實行軍事制裁，而非洲國家本身又無力量採行這種制裁，致羅得西亞白人政權得能繼續存在。

（四）

除此之外，在一九六六年內，非洲的民族運動，也在其他方面獲得進展。其中主要者為：

（一）一九六六年九月二十九日，聯大以八十四票對兩票，另十九票棄權，通過決議，要求南非共和國勿干涉南非境內三獨立邦的政治。這一決議，等於聯合國對南非境內三小國的國家獨立，提供了一種特殊的保證。假若南非一旦對這幾個小國的獨立圖謀不軌，它就會冒聯合國予以直接干涉的危險。

（二）一九六六年十月二十七日，聯大以一百一十四票對兩票，另三票棄權，通過決議，正式解除南非共和國對西南非的委任統治地位，並設立十四國委員會，授權研討有效步驟，以便向一九六七年四月聯大特別會議提出報告。在聯大通過這一決議之前，海牙國際法庭於七月十八日以八對七的一票多數，否決了賴比瑞亞與衣斯匹亞兩國所提禁南非共和國繼續督理西南非的控案。賴、衣兩國向海牙國際法庭提出這一控案已達六年之久，非洲國家對國際法庭的判決原存極大希望，但結果國際法庭竟以賴、衣兩國只憑前國聯會員國資格，沒有權利提出此一控案而予否決。所以二十一屆聯大會議的通過這一提案，而剝奪南非共和國對西南非的委任統治地位，對西南非問題為一非常重大的決定，亦屬一項不得已的行動。

（三）一九六六年十一月三十日，聯大以九十八票對兩票，另八票棄權，通過決議，再度支持殖民地的自決權。這一決議雖對所有殖民地而言，但其主要對象，無疑在指非洲大陸上尚未獲得獨立的地區。

由以上數項決議，可以更進一步看出，非洲民族運動的浪潮，續已推進至非洲大陸的西南端。尤其由於南非共和國境內兩個小國已告獨立，另一國的獨立亦已不成問題，所以這種浪潮前鋒又無疑義正面向着被南非共和國統治的西南非。而一九六七年四月聯大特別會議對此問題的決議，對其政治前途，顯有極大的重要性。

（五）

在非洲國家內部發展方面，一九六六年的特點，正如先前一年的情形一樣，在共同的合作與聯繫上，毫未獲致任何明顯的進展，而是所有國家都普遍陷於紛亂不安。甚至可以說，成立未久的泛非聯盟組織，在一九六六年內，它所表現的只是日益顯出衰微，不是日益成長茁壯。這種原因，主要的，也是由於各國陷於內部動亂，自顧不暇，無法為非洲大陸的共同事業作策劃。一九六六年內非洲國家的內部動亂，舉其大而明顯者，則有：

（一）一九六六年一月一日，中非共和國發生政變，達柯總統被推翻，由陸軍司令包卡薩掌政權。

（二）一九六六年一月四日，上窩爾塔發生政變，亞默柯總統被推翻，由陸軍司令賴米沙納掌政權。

（三）一九六六年二月二十四日，迦納發生政變，恩克魯馬總統被推翻，由陸軍安克拉少將取得政權。

（四）一九六六年一年內，蒲隆迪王國發生兩次政變。第一次發生於七月九日，由國防部長哥米康柏羅挾王儲斯丁賽取得政權，推翻老王第二次發生於十一月二十九日，仍由米康柏羅發動，推翻新王，并廢除王室，改制共和。

（五）一九六六年一年內，尼幾利亞亦發生兩次政變。第一次發生於一月十五日，推翻巴拉瓦總理的憲政政府，由陸軍司令伊倫西取得政權。第二次發生於七月二十九日，先由陸軍中校高文劫持伊倫西，然後再於八月一日由參謀長奧迪根手中奪得政權。

除此之外，在一九六六年內，剛果（布市）與多哥兩國的軍人，均曾一度發動政變，而旋告失敗。剛果（金市）亦曾破獲一次重大的政變計劃，結果前總理金巴等四位領袖人物被捕，并立予處死。相反的，烏干達卻發生一連串的反政變，先於一月二十二日，烏干達總理奧波特宣布逮捕五部長，并掌握一切政府權力，接着，於二月二十五日奧波特又以破獲政變陰謀為藉口，宣布停止憲法，重訂新憲。然後，於五月二十四日，奧波特又宣布國家緊急狀態，并派中央部隊攻佔烏干達王宮，布王僅以身免。

這種政治不安表現在肯亞方面，便成了副總統奧丁加與總統克耶塔之間的劇烈權力鬥爭，結果奧丁加被迫辭職與脫黨，并自建新黨，而雙方鬥爭遂愈演愈烈。

在一九六六年的非洲國家內政中，唯一值得稱道的，便是三月二十二日衣斯峨匹亞國王塞拉西下令，首次在該國實行部份民主，以迎合世界民主潮流。塞拉西這種作法，連同衣斯峨匹亞在非洲國家中的超然地位及積極支持泛非聯盟組織，對其他非洲國家多少發生了一點誘導作用。（完）

什麼文化？

什麼革命？

今日與明日

毛林集團前途多難

毛林集團由於獲得部份共軍的支持，在共軍帶頭下，於部份地區所進行的「奪權」鬥爭，似乎是真有「排山倒海，雷霆萬鈞」之勢，「奪」得有聲有色。

然在事實上，則是完全不像毛林集團所宣傳那樣，所謂「革命造反派」佔了上風。由反毛「當權派」手中把「權」「奪」下來的地區，有南京、上海、山西、安徽、福建和廣州等地。但在毛林集團在各地「奪權」後所發表的「奪權通告」中，除安徽省把李葆華（毛共安徽省委第一書記）、李任之（毛共安徽省委書記處書記）等四人都「打翻在地上」外，其餘多數地區均沒有人被逮捕。可能他們在城市中仍有足以與所謂「革命造反派」週旋到底的力量，再不，他們就是退入農村，準備捲土重來。

毛林集團只是利用共軍掌握了電台，用「報喜不報憂」那個「公式」，大事叫囂自己集團的「奪」「勝利」。其實，也許只是「奪」下了省城，甚至是「省城的一部份」。不用說，距離「全面的把權奪下來」仍遙遠得很。正如毛酋所說：「萬里長征才適開第一步」。即或全面把「權」「奪」下來了，而一片混亂，加上反毛「當權派」繼續「新反撲」，又如何「善後」和如何安定局勢？北平「人民日報」就說：「奪權易，保權難」。這句話倒真是說對了。

在「槍桿子」撐腰下完成「奪權」的地區，都成立了所謂「造反派革命委員會」，行使「黨政大權」。這一個非驢非馬的「臨時機構」，包括毛共「各色人等」，十分複雜，以毛共「中央文化革命小組」的「叛徒」層出不窮為例，就足以說明毛林集團「御用」的「造反派」組織也並不可靠。

然則，共軍是否都「聽毛主席話」，照毛主席指示辦事呢？可以肯定地說：不是，絕對不是那麼一回事。共軍內部，一直是派系林立，在意見上互相衝突。一月十一日所公佈的「人民解放軍全軍文化革命小組」名單中，有不少軍、兵種的領導幹部未被納入組織，這就說明了共軍不但不是「團結一致」，而且各懷心腹事，意見紛歧不一。

西藏、內蒙、新疆和東北地區，共軍出動鎮壓「革命造反派」已不是新聞。二十九日消息：四川共軍又「反」了。砰嘭砰嘭動槍動炮，對付擁護毛林集團份子。

俗語說：「星星之火，可以燎原」。毛林集團的「造反奪權」不能停止，反毛「當權派」的「反撲」也不會放下，而共軍的派系間的磨擦，也必越來越表面化。發展下去，那就是一場內戰。（何如）

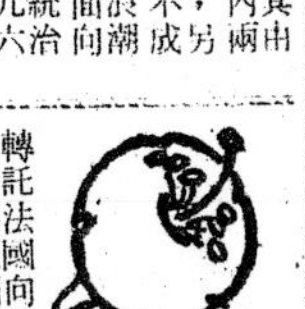

據法國記者透露消息，毛共對於越戰談和問題，會轉託法國向華盛頓提出條件，即要美國答應決不進攻中國大陸和越共胡志明的根據地如河內，海防等重要都市，美國當局正在考慮中云云。

我認為這決非馬路消息，頗具權威性。何以見得呢？一見之於美國對越戰始終採取以戰求和策略，再見之於美國口口聲聲無意與毛共衝突的自動諾言，三見之於美國竟不贊成中華民國政府對大陸實施戡亂的軍事行動、對美國在華沙的大使級談判，而美歷數載尚未停止。毛共這項要求，正是美國求之不得的事兒。

我們并不希望美國有進攻中國大陸的情形發生，也無須予指望。這是美國非把越共消滅不可。這是別國的國策所在，他要養癰貽患，自導噬臍，莫及之憂，這是他的自由。我們也用不着多所置喙。我們要說的，乃是中國人自己的事。

不能捨己耘人

毛共暴力政權并不為中國人民所贊成，這是鐵的事實。中華民國政府負有戡定內亂、拯救國家人民的職責，即有隨時討伐叛逆的自由權利，成敗得失與別國無關。不錯，中美兩國訂有協防台灣的安全條約，但這條約對中國大陸不發生關連作用，中華民國政府如果對大陸採取軍事行動，美國充其量置身事外就得了，幹嗎竟要表示反對呢？若謂毛共被攻擊後，可能引起蘇俄干涉，而美國勢不能不介入，因而難免觸發世界大戰。那麼，美國也儘可袖手旁觀，不關不問，俄共自不會把飛彈投射到美國去罷！

美國既要與蘇俄爭奪世界霸權，而視中國以及東南亞地區為爭霸的要塞重鎮，卻無視這些地區各國人民的禍福安危，專為美國利益作犧牲品，不能發揮絲毫自由意志，這與共產帝國主義之藉制附庸國家，奴役其人民，又有什麼區別呢？果若是，咱們中國人就大可不必反抗毛共政權了，因為毛共亦是中國人嘛！

職是之故，我們有理由要求政府，對中美安全互助條約考慮修正或廢止，以免永遠陷於作繭自縛的困境中。局勢已與十年前大不相同，我們不能長此放棄反共復國的大好時機，一誤再誤，祇為片面利益而服務的國際條約，太不公道了！

馬五先生

陳立夫在台灣忙於講道
藉「四書道貫」鍼貶時弊 各方對他的印象確實不壞

（本報台北通信）陳立夫先生回國來不到三個月，幾乎每天都忙於「講道」——講四書道貫的義蘊，多在各級學校對着青年人侃侃而談，亦偶爾出席黨政機關的紀念會或座談會發表講演，總是不離闡揚儒學這項中國固有文化。本月十七日下午三時，他從「淡江文理學院」講道回到台北市內的「青年救國團團本部」，記者特晉謁暢話別後，蓋記者於卅八年夏間在廣州跟他分手後，迄未再晤了。

我走入客室跟他握手時，他的丰釆依然猶昔，精神健旺，只是面部皮膚稍見蒼老之色而已。記者問他每天講道是否感覺疲倦？他說不！因爲一般青年人聽他講演後的反應很好，衷心莫名興奮也。他常對青年學生說：世界上凡是用金錢可以創造的事物並不稀奇，如造洋樓大廈，設電視廣播台，建築觀光旅社，設立夜總會……等等，有了錢誰也能夠做到的。唯有屬於精神力量的文化建設，最爲難能可貴，如中國儒學所垂訓的四維八德，就不是金錢的力量所可隨便創進。一個國家如其專講物質的功利主義，而忽視精神文明，未有不由墮落而趨於衰微者，古代羅馬帝國就是這樣衰敗的。今日的美國固然富强康樂，物質文明突飛猛進，但他們若不是賴有宗教精神從中涵攝化育，那就很危險。咱們中國這項綿延數千年來的固有文化精神，即孔學中心思想的「誠，仁，中」義理，如今西方各國人士且相當重視，多所研究，我們自己却說是要無條件的全盤西化，指孔學爲腐敗落伍的學說，未免失之偏激，對國家民族決無好處。他又告訴記者：「我不揣冒昧，還想把中國的『易經』用通俗文字演繹出來，成爲大衆化的讀物」。記者希望他回國來幹這項重要工作，在國內有許多專家學者可以切磋，找參考資料亦比較容易，但不能担任政治上的職務，否則一定勞而無功。最好是回國來定居台北後，担任政府所設的「中山學說講座」，每星期在各大學講演一二次，即屬無傷大雅，而生活亦很安定。他笑謂：「朋友們替我想得很周到，然這次非回美國不可，因爲自己在新澤西創設的農場尚存在，近年雖未養鷄了，而納稅的義務猶不能免，且須本人簽字，不像本國習慣可以託人蓋章了事的。因此，蔣總統已認許本人回美國一行，但要趕快回來，大約本月底必可離台赴美了」。

陳先生某次在一種政治文教界人士的歡迎會中講演時，特別談到「紅包主義」，認爲此風不可長，盼大家以身作則，力矯時弊。他舉出若干苞苴之行的事實，很感慨的陳述對國家民族的災害，主張徹底改革，最後聲稱：「余豈好講哉，不得已也！」又有一次在黨政界人士的座談會中，他談到兩項事情：一爲選舉弊竇，他認爲選舉要花錢，乃是全球各國皆然的，實行政黨政治的用意，就是要以黨的組織力量來對抗金錢，達成選賢與能的願望。如果黨亦被金錢魔力腐蝕了，那就比不實行政黨政治的弊害更大，危險極了！二爲青年子弟中產生「太保」「太妹」問題，影响教育前途與社會風氣甚大。他認定所謂「太保」「太妹」盡係黨政軍各界顯貴人家的兒女們，普通人的兒女是不會有的。因此，他主張讓那些有「太保」「太妹」的家長們，休假三個月，在家裏好好教導兒女改過遷善。假使休假三個月後，他的兒女依然做「太保」「太妹」如故，就乾脆請他不必回到黨政軍的崗位來，既不能齊家，又焉能治國呢？這番話可謂慨乎言之，給聽衆的印象頗深刻，一致認爲是語重心長之詞。

陳先生所著「四書道貫」一書，在台灣已發行第四版，綜共印售了兩萬五千冊本，尚擬另出一種簡要本，曾有某書店願以兩萬美金購買這部書的版權，但陳氏婉却之。他對記者說：「我寫書的目的不在牟利，版權未便出賣」。臨別時，他再三叮囑記者今後多多聯繫，彼此暢談中國固有文化問題，很有意義。記者答道：「我怕立夫先生回國來又過着黨政要人的生活，那就不敢隨便叩教」。他連忙謂「不會的，我行年已經六十又七歲，早應退休了」。（元月廿日大元於台北）

看横掃中國大陸的「紅衛兵」與「文化大革命」

楊力行

四、「紅衛兵」到處拋屍露骨

據美聯社香港十二月十八日電：「來自廣州的旅客今天報導：最近幾天有二百多萬『紅衛兵』湧進了廣州市」。

據旅客說：「紅衛兵」譴責廣州市民沒有徹底從事「文化大革命」的『新大字報』，幾乎能在廣州各處普遍看到。

一名旅客引述「大字報」的話說：「廣州人民太胆小，根除『四舊』不夠坦率。」又說：「各大城市均成死市」。

更說：「紅衛兵」湧入廣州，已使市民受到額外負担；尤其是天主、基督、回、佛等教徒，人心惶惶，不可終日。

一名旅客還說：「許多家庭必須供給這些『紅衛兵』食物及住宿」。同時，英文『星報』報導：由於嚴寒，已有成千累萬的「紅衛兵」死在北平及中國南北部其他地區。「星報」引述旅客的話說：這些生病的「紅衛兵」大多數來自中國南方溫暖的省份。全大陸的「紅衛兵」總數已發展到二千萬人左右，其已至北平先後朝見毛王爺者亦逾千萬人。

三日合衆國際電：據從華東回來的旅客說：數百間學校與私人家庭變成了緊急醫院，以治療那些生病的「紅衛兵」，他們是在「長征」後集中在上海的。

在疲勞、饑餓與缺少衣服在冷酷的冬季氣候下進行「長征串連」，使「紅衛兵」大多數都病倒，死亡的也不少。「毛朝酒肉臭，路多凍死骨」！傷哉！慘哉！

「星島日報」引述旅客的報道說：大多數生病的「紅衛兵」是由於過度曝曬、凍傷、腸結等疾病。有些原來有胃潰瘍的「紅衛兵」，經過數千百里的「長征串連」以後，情況更趨惡化，死亡枕藉。

中央社香港十二月二十四日電：據交通界人士說：華北地區從十一月中旬起已出現有掩屍隊的組織，在北平至漢口的鐵路和公路沿綫上檢拾和掩埋因饑寒而倒斃的屍體，已逾百萬名。據悉：這些倒斃的人多是被迫作步行「長征」的「紅小鬼」們。共匪恐怕影响人心和避免消息外洩，造成惡劣的政治影响，故指示嚴寒地區普遍成立掩屍隊。哀我大陸無知青少年們被共匪麻醉、欺騙、玩弄、利用的工具，以至白白送掉了最寶貴的生命！唯一的補救辦法就是殷望以美國爲領導的自由世界積極團結，以實力援助我中華民國立刻反攻大陸，重建和平自由幸福的三民主義新中國。

五、普遍「抄家」、「文鬥」和「武鬥」及「胡鬥」四位一體並用

「紅衛兵」的「抄家」，就是搜查人民住宅，把值錢的東西搜搬以去，把他們不喜歡的東西搗毀掉。「紅衛兵」在「抄家」之前，先是散佈許多謠言，比如說：在東城某一個人家裏抄出多少軍火、黃金和外幣；西城某一個人家裏又搜出一個潛藏了十餘年的「反革命分子」等等。這些謠言顯然是作爲他們進行普遍「抄家」的藉口。

那些「紅色小癟三」認爲值錢的黃金外鈔和「人民幣」於搜搶吞沒外，較笨重的，則將其用汽車運走，其運費還要被「抄家」者清付；因爲，他們認爲沒有代付運費的義務。至於，他們看不順眼的傢具、衣服、被褥、書籍、字畫、古董等，覺得搬運麻煩時，就在被抄者的門口放火燒掉。知名人物被「抄家」者，如前「宣傳部副部長」周揚，前「對外貿易部長」葉季壯，「農林部長」劉文輝、邵力子和傅學文夫婦，前「天津市副市長」周叔弢。（八）

文化城——台市中拾錦

台中市記者吳積平

▲台中市稱文化城，市長張啓仲不合文化，因在職期間，市長室房門雖設而常關，任何人非經許可，無法進入。事實上，張前市長却又於市長室之後，另闢秘密辦公室辦事，虛虛實實，關防嚴密，其目的固在避免閒雜人等的煩擾，但其不便民、不利民則屬無可否認。羅立儒代理市長後，正式在市長室辦公，市長室房門洞開，而其機要秘書林有週更是笑臉迎人，使人有親切感，月餘來亦未聞有代市長遭受任何煩擾事件發生。由此可見張前市長「深鎖侯門」政策，殊爲「庸人自擾」而已。

▲台中市議會六屆六次會期中，張啓仲市長已奉令停職，而尚未交卸，乃出席報告施政；迨至議會總質詢時，羅立儒已奉令代理市長，列席備詢。是該次會中，張、羅二市長均行列席議會。議會中同時有兩個市長列席，實爲中外古今所罕見，一時傳爲佳話。

議會開會前，大多數議員均搜集資料，準備對張市長炮轟一番。詎開會前四天，張市長停職令下，落井投石，人不願爲，所以，各議員準備的「炮彈」無法使用。而對於剛上任的代理市長，亦只有問問抱負及今後施政計劃而已。羅代市長國台語均甚流利，應對自如，謙恭有禮，第一次露面甚獲議會好評。

▲民權路十七戶違章建築，曾經市議會第六屆上次臨時大會於民國五十五年十月十四日通過；應徵求住戶同意後拆除，否則整個拆除違章建築時一併辦理。詎張啓仲於卸任市長前，突以迅雷不及掩耳行動予以拆除，事後雖在議會表示歉意，但議員至表憤懣，認爲張市長漠視議會民意，經議會議決，報請省民政廳予以解釋。省民政廳亦許感到難以置答，一拖數月，亦未見下文，此又激起了議會新的憤怒，認爲省民政廳不敢面對現實，公正執言。看情形，議會可能採取進一步行動。但是，已被拆除的違章建築住戶，流離失所，餐風宿露，尤以元旦以來，寒風冷雨，悲慘實甚。不管市長違背議會議決拆除房屋是否違法，但百姓何辜，先受其害！

▲市政府建設局局長張金發爲市自來水廠廠長所調任，上任後，將局長室及秘書室大事擴充裝修、添置傢俱，大有「暴發戶」派頭。但可苦了建設局其他職員以及來局接洽公務市民。因爲局長室的擴充，使建設局其他職員辦公場地比例減少，辦公桌椅緊緊擠在一起，不但辦事不便，出入行動亦需側身而過。難怪有人批評說：「張局長如此『建設』未免顧此失彼，只知有己而不知有人」。

▲粮食局台中事務所改制爲台中管理處，處長由原所長楊紹裘升充。處長在任十餘年，忠勤誠篤，向獲好評，其處長室及會客室傢俱，仍是十餘年前「老傢伙」，雖陳舊而未破爛，處長因「升格」亦不擬「換新」，因爲愛惜公帑故。但爲慶祝該處升格，該處特整理整理辦公廳環境，該油漆的油漆，該換招牌的換招牌，庭園花木佈置尤爲雅緻，楊處長復特訂鑄蔣總統半身銅像一座，豎立大門入口處，以供瞻仰，並表崇敬。

桃園縣前水利會長 蔡達三犯案潛匿 累苦了兩家保人

（本報記者周冠軍航訊）桃園農田水利會前任會長蔡達三，因在任內貪污公欵新台幣一百五十餘萬元，於案發後棄職潛逃，後經友好多方勸導，曾向新竹法院投案，嗣後他請求承辦檢察官准許他交保處理私人財產清償這筆公欵；獲准交保時，經陳再謀、呂水圳兩營造商以台幣三十萬元書面担保，隨傳隨到。於交保後，未料他將私人財產處理了差不多，非但未繳還公欵，於去年十二月間又再度潛逃無蹤。新竹法院正極積追保證人限期交人或繳還公欵，否則當依法查封保人之財產。陳再謀、呂水圳兩担保人接到法院這項通知後，都已手慌脚亂，傷透腦筋，由於找不到蔡達三，將要傾家蕩產，致使兩保人的太太於日前一個臥軌，一個服毒，雖然都已獲救，但已使兩個家庭無法安然度日，悲慘之局面已不堪想像。究其原因，完全是被蔡達三不守信義，沒有走進法院的勇氣所造成。因之近日來使社會各界人士爲這兩家保人之處境担憂，且作不平之鳴。

陳再謀、呂水圳兩人，因法院三度限期追尋保人，他們却找不到這位桃園縣政壇上的風雲人物，因此他們只有沉痛的呼籲：蔡達三拿出「良心」與「守法的勇氣」，於本（一）月廿八日以前，自動向新竹法院投案，承担起一切責任，以免保人無辜受累。

陳再謀、呂水圳兩人指出：他們都是乙級營造商，資本額雖然登記爲十五萬元，但手頭經濟却十分困難，蔡達三再不如期投案，法院將查封他們財產，他們唯一希望蔡達三於本月廿八日前投案，否則他們兩個保人，將要傾家破產，生活陷於絕境。據兩位保人說：他們與蔡達三並無深交，前是由於省議員張富及前縣長徐崇德爲他們介紹替蔡達三出面担保的；當時因情面難却，才替蔡達三担保，蓋了個印章，那曉得弄出了這種大禍來，死活不得。他們並呼籲省議員張富、前縣長徐崇德站在道義立場上，爲他們想點辦法，協助他們解決困難；同時希望司法當局重視情理，放寬限期，予以設法緝捕蔡達三歸案的時間。（一月廿日於桃園）

瀛海異聞談

揭人陰私的電子偵察器

·桑雅·

長久以來，個人的戀愛生活，純粹是屬於私人行為，本來與別人無關，不管你一夫多妻也好，金屋藏嬌也好，甚至大被同眠，都是你自己的事，與別人可說風馬牛不相及的。

可是，在電子時代的今日，個人的私生活，漸漸受到干擾，許多機關、團體、公司、以及行號，在錄用僱員時，往往要調查他們的背景，甚而至他們的性生活。因為據他們的說法，認為私生活糜爛，品德不修的人，工作效率，會不如理想。因此他們不惜用種種方式，例如交由心理學家研究，或者利用測謊器，去探究申請人的私生活，尤其是有關性愛的點滴。

至於這種被用作揭人秘隱的機器，更是光怪陸離，由袖珍型小如葡萄子核般大小的原子微粒顯音器，大而至像房間那樣大的計算機，可謂應有盡有，由於這些機器的日益發達，個人私生活的秘密，也就幾乎蕩然無存，像不久前一位美國議員所說：「今日的社會，像是一個赤裸裸的社會。在這社會中的人們，像金魚缸的金魚，一舉一動，都一覽無遺」。

一位作家，則在報章專題指出，在許多偵探社，隨時可搜羅到某政壇人物和另一位社會名流太太通姦的照片，纖毫畢現。這些照片，往往成為他日後為政敵攻擊的最佳武器。另一位記者報導，有些機關不但居然連僱員密友的名冊也擁有。他並報導不但商號機關僱人時問及性生活問題，甚至軍校學生入學，他是否有同性戀的癖好，或者是否嫖妓，也都在被偵查之列。不過，此舉到底有何作用，卻從未見解釋吧了。

因此，這位作者在文章中評論，此種偵查別人隱秘的舉動，實在是現時代生活的污點，因為無論官方或者實業界，如何致力的辯護，亦無法為他們所作的舉動，取得合理的藉口。同時他認為，「私生活壞爛的人，工作效率一定差」的假定，是不一定可靠的。

此外，美國某著名大學教授，亦發表抨擊性生活偵察器與測謊器的評論，認為利用此種試驗，足以證明一個人的品德乃是荒謬絕倫；相反的，此種試驗，往往弄巧反拙，把需要的人材淘汰了。

還有，許多較高層或者需要縝密處理的機要工作，個人私生活是否嚴肅，或可能會有影響；但是一般刻板式寫字樓工作人員，或者低薪公務人員，又何以要經過這種繁雜的測驗？這問題，也是多年來爭論的重心，因為許多對性觀點較保守人士，當被問及這種問題時，往往非常窘迫。那末，如非必要，又何必使這些人受這種活罪？

據一位新澤西州議員的經驗陳述，這種試驗，常常造成非常尷尬局面：有些人被問到這問題會混身不自在，有些則自我表揚，或者懺悔。譬如有些人說，「我的器官可能出了毛病」。有些則說，「對於過去的所為，懷有滿身是罪的感覺」。或者，有些甚至在炫耀他有許多性經驗」。對於這些自白，那位議員表示，除了會令人噴飯以外，實在看不出有什麼用處。

因此，他聯同幾位志同道合的朋友，再努力，結果，州政府終於被迫停止採用這種試驗。在一九六五年，當地公務員協會也正式宣佈，申請工作人士，不需再提受上述測驗。

不過，偵查個人私生活的舉動，不單是政府[illegible]商業或私人雜誌方面的專欄作家也是[illegible]某實業鉅子，不惜花鉅資收買[illegible]拍下照片或錄音，以作攻擊[illegible]幸而這位作家，千鈞一髮，未為所乘。[illegible]男女之間，勾心鬥角，或求達到離婚目的，用這些電子偵察器[illegible]互相偵察[illegible]防不勝防[illegible]秘密的題材，一枝筆，專文指出：你躺在上面的枕頭，都[illegible]這一行業，每日出售[illegible]每套售價四百[illegible]美元[illegible]

[illegible]因此美國[illegible]通過一項法案[illegible]何日能草擬[illegible]私隱的法案[illegible]

俄國女皇穢亂春宮

王永亭

等到再沒有人反對時，她已做成了大一統的地位，把軍權完全集中到個人手上，君臨大俄羅斯所有的屬土。在私生活方面，她更變本加厲，驕奢淫逸毫無顧忌。她極端放縱自己的慾念，尋求快樂，把國庫的公帑浪費無度，完全堆砌在自己的享樂方面。自古割土地的皇帝不是沒有，但絕沒有一個出賣土地來娛樂自己的皇帝，嘉素蓮開創此惡例。她濫用這些土地、黃金與寶石做什麼？乃用於取悅柯羅夫和娛樂自己。柯羅夫的官式封誥被她稱為「第一愛臣」。

柯羅夫那高大豐滿胸口上，掛上嚇人的鑽光。他特准懸掛女皇縮小雕像於胸口上，一時寵幸無比。柯羅夫一家人鷄犬昇天，兄弟們都裂土封侯。在嘉素蓮即位不久後，每個兄弟都擁有大量土地，奴僕無算。僅是活動在土地上替他們生息的人就有四千五百家，它第所耗約為一百八十萬英鎊。在俄羅斯有言，女皇垂愛臣子的事，沒有人比得上嘉素蓮了。

俄人斯歌克維斯基，於一八四三年作成的歌曲，有點像我國的「長恨歌」，其中所言：「遂令天下父母心，不重生男重生女。」他們的詞語，竟調轉過來，那是：這就是天下男兒如何得為女皇垂愛之意！

柯羅夫曾夢想得為皇夫，但是此舉卻是他的最大錯誤，他的野心被看穿了，[illegible]成拙的。嘉素蓮[illegible]定的俄羅斯皇帝[illegible]單獨駕馭全俄的野心[illegible]開始尋找替代者了。[illegible]柯羅夫到土耳其[illegible]務，呼他為「我的[illegible]」[illegible]到朝廷傳來消息[illegible]輕的朝廷官[illegible]通的私寵[illegible]

[illegible]草草完了出使任命，趕返聖彼得堡，但當他尚未到達之前，嘉素蓮已派了專差命令他停駐在遠方一個宮殿，未奉命不得入朝。他的權力已被取消了，起不了反抗作用。嘉素蓮還算客氣，她准許凡所有賜予柯羅夫和其家族的土地和錢財，悉歸柯所有，只有一件東西除外，那就是柯羅夫胸口上所懸掛的縮小雕刻的女皇肖像。

這像一經取回，馬上就轉掛到格利哥利樸亭堅的巨濶胸膛上了。

這以後，有許多年，嘉素蓮[illegible]為廣大教主，和許多年輕人雜交，穢亂春宮。在這些青年中[illegible]陸軍士官[illegible]但外間的批評[illegible]他們五十[illegible]蓮在五十一歲的時候，又蹂躪過一個年僅二十二歲的蘭斯海，嘉素蓮叫他為「第一愛臣」時，這害羞的年輕人有如孫兒之侍奉祖母。

嘉素蓮最後的情人是值得一提的。其名叫柏拉圖沙寶夫，在她六十二歲時始行結上孽緣，那時沙寶夫剛比她年輕四十歲。她愛他甚至寸步不離。嘉晚年獲此寵兒，大慰老懷，一直至一七九六年她入木之日止，沙寶夫算得樸亭堅之後，最得女皇垂愛的美男兒了。（樸亭堅死於一七九一年）沙寶夫卻不同他人敢於濫用金錢，他把得自女皇身上的錢完全貯起來。女皇死後，他也不壽。死後，人們在他的府邸的天花板上找出暗藏的錢財二百萬英鎊之巨（附言：十六七世紀的歐洲各國皇庭，皇帝是有權和除掉皇后以外的女人鬼混，有如我國的妃嬪才人之流。不過皇帝所私淑的婦人，不像中國皇帝公然冊封，只是秘密偷摸。一般的稱曰「夫人」。）（完）

今年世界博覽會所在地

現代化古城蒙特里爾

樺荊

蒙特里爾的新建設，得到迅速的成就，這得歸功於現今市長杜佩，年紀五十歲。他本來想參加加拿大國政的，但失敗而轉向市政方面。他在一九五四年曾一度任蒙特里爾市長職，但祇得一任。他是律師出身的，他有不撓的精神，在一九六二年的選舉，他得向所未有的絕大多票數獲選，重任市長職。在去年他再蟬聯。他曾力爭得許多對那個城市有利的權益，最顯著的一種，乃爭得國際博覽會在蒙特里爾舉行。

這是規定在十年內祇舉行一次的，對上一次是在一九五八年於比利時首都布魯塞爾舉行。更是除了在歐洲之外，別處沒有舉行過的。一九六二年在美國西雅圖舉行的是屬第二等級。一九三九年與一九六四年在紐約舉行的世界博覽會也並非正式得國際展覽局批准舉行的。杜佩在去年曾到歐洲，想爭取得一九七二年的奧林匹克運動會在蒙特里爾舉行，可是失敗了。但是他尚有種種想法，可使到他們的城市，吸引外處客人到來。（中）

秋八月收兵駐巫山。至冬十月，孫權聞劉備仍駐白帝城，十分恐懼。心想劉備駐兵川口，勢必重振旗鼓東下，於是再派人請和，一面也是恐怕曹丕派兵南下，前後受敵。此時孫權已與魏斷，自稱吳王，改元黃武。使太中大夫鄭泉使蜀，劉備准了和議，也派了太中大夫宗瑋前往報聘。（宗瑋三國志無傳）章武三年春二月，諸葛亮自成都到了白帝城。三月劉備病重，託孤於諸葛亮，尚書令李嚴為副丞相。夏四月二十四日晚，崩於永安宮。時年六十三歲。臨終時諸葛在側，劉備囑以後事說：「君才十倍於曹丕，必能安國，終定大事。若嗣子可輔，則輔之；如其不才，君可自取。」諸葛亮深感劉備三顧之恩，此時是痛哭流涕，對劉備說：「臣願竭股肱之力，效忠貞之節，繼之以死。」這君臣二人，肝膽相照[illegible]之相得，亘古無有劉備之於關、張、諸葛數人者。同時劉備詔令劉禪：「汝與丞相從事，事之如父。」[illegible]！劉備之得人如此，使關、張終身奔走，諸葛亮「鞠躬盡瘁，死而後已」，實是不名虛傳也。

六九：曹兵三路伐東吳　孫權覥顏降曹魏

陸遜在猇亭一戰，名揚國際，他[illegible]陸遜並不是等閒之輩，可算三國中之名將。呂蒙偷取荊州，襲擊關羽就是他的計劃。劉備那次慘敗，他不窮追，[illegible]其後將領如徐盛、潘璋等人，都力主追擊。果然，不出三月，曹丕就[illegible]三路大軍進攻孫權。假如陸遜窮追入川，而曹[illegible]反攻，陸遜不但沒有了歸路，孫權也[illegible]曹丕見孫劉交兵，正是一個良機，他發了三路人馬，一路由曹休、張遼、臧霸[illegible]湖對岸的濡須；第二路是由曹仁[illegible]市以北的江陵。沿長江的三個重鎮，都是不能丟的。進攻的將領，大多數是曹氏的嫡系部隊，這情勢顯然是十分嚴重的。好在陸遜有先見之明。曹丕動手晚了四個月，孫權得以倖免。這是天命抑人事所為，那就不得而知了。

孫權、劉備、曹操三個人，顯然是三個不同的性格，可以說是三國時代的三個典型人物。劉備和曹操前面已經說過了，孫權也有他的一套。他之所長，正如孫策所評論的，「舉賢任能，各盡其心以保江東」。此外他也能屈能伸。更顯著的，孫權有時顯得過於卑躬屈節，反覆無常。在赤壁會戰前夕，他表現得很強硬堅定，也是他表現的是卑躬屈節和反覆無常，在玩弄政治藝術上來說，也是他微妙之處。

孫權打敗劉備之後，正當曹丕大軍壓境，他一面對曹丕表現得十分恭順，他上表說情願把江南交給朝廷，只要能夠准他到安南去流亡，就很滿意了。此時其他三方面的軍事行動，雙方都沒有收穫，曹兵三路都沒有得手。（一〇四）

今古談叢

人類的公敵—高血壓

·荷星·

人們往往很簡單地把一切罪名歸咎於胆醇。但是，進一步研究的結果，知道關鍵還是在脂肪以及某些脂肪和蛋白質的化合物。偏食富於脂肪的食品，攝取過多的熱量而造成肥胖，這對於血硬化也有關係。坐的時候太多，也是血管硬化的起因之一。靜坐多於行動的人，消耗的熱量少；也許他自己以為已經吃得很少了，但他可能所吃的比他眞正所需的要多得多。他固然需要攝取若干數量的卡路里（熱量單位），他也應當從事某種運動——如步行或騎車之類，把這些卡路里都消耗掉。

美國一位心血管性疾病專家認為，高血壓是動脈硬化的決定性原因。他甚至設了下列的相等式：

動脈血壓×持續期（以年代計算）——動脈硬化。其他因素也很有關係，尤其是性賀爾蒙。女性患動脈硬化比男性少四倍，患高血壓者較男性少兩倍。

血液通過體內無數動脈管時，需要有一種推力，血液不斷循環時，所受的那股推力就叫做血壓。因此，若有一根動脈管被切開，便有血液湧出。

醫生用一種血壓計測量血壓，測量結果可得兩個數字，高的數字代表心臟把血液送到主動脈裏去的時候，所具的壓力；另一數字是低壓數字，代表心臟靜止時的壓力。

血壓由三個因素：心臟、血量和動脈網（容器）動脈管壁，在調整血壓方面，負有重要任務，因為它們可以擴張起來，把心臟收縮時所產生的力量的一部份儲存起來。但動脈管開始硬化，失掉擴張能力時，血壓便開始增加。

患高血壓的人，往往訴說他們頭痛，耳鳴、眼花、有時覺得頸後有被壓之感，手指發麻等現象。有的甚至講話不方便，一臂動作失靈。

這一切症狀，皆表示動脈管失去彈性，血壓太高。有若干年之久，體內器管仍能抵抗得住，雖然病人健康情形欠佳，他尚未處於眞正的危險中。

但是，若硬化的程度繼續增加，血壓亦繼續增高，則他的生命隨時皆可遭遇不測：

（一）腦血管可能破裂，造成腦溢血，破壞主要的中樞神經，可以在數小時之內斃命。

（二）視網膜上的一塊血栓，可使他的眼睛半盲或全盲，小的出血可逐漸破壞他的視力。（二）

海峽雲煙錄

談楊永泰（下）

諸葛文侯

民國廿四年秋間，中樞任命楊氏為湖北省主席，武漢各界人士聞訊羣聲反對，鄂境駐軍將領亦由湖北綏靖主任何雪竹（成濬）領銜，電達中樞表示異議。楊初亦堅辭，既而何雪竹將軍親至南京勸駕，聲明前電本人並不知情，係他人私擅列名者。時蔣公適兼任行政院長伊始，第一次院務會議即決定改組鄂省府，何雪竹懇語楊曰：「委座兼攝政院職務，發佈第一道人事命令即不貫徹，似非吾輩素受知遇者所應忽視，君為委座倚畀最深之幕僚長，尤宜勉為其難也。」楊乃不復言辭矣。

未幾，楊氏自南京搭乘江安輪赴鄂垣履新，當輪船到達漢上之日，武昌方面有羣衆近萬人麕集江邊示威，手持「反對楊永泰主持鄂政」旗幟，高呼「驅逐政學系楊永泰」口號，聲勢洶洶然。維時住居漢口方面之楊氏友好，認為未免大煞風景，急駕小汽艇馳赴港口迎接，請楊先在漢口登陸小住，再行定期接事，藉避無謂之風波。楊亦悉其情，夷然答曰：「委員長吩咐我趕快就職，我到岸即逕赴武昌，毋須在漢口停留了」。楊抵步後，改乘省府專用小輪至武昌上岸，昂然從羣衆喧譁聲中，直入省府通電佈告視事，毫不介意，示威羣衆旋亦紛紛散去。事後有人詢其何鎮定乃爾？楊謂：「我是國家任命的封疆大吏，羣衆豈能以暴行相加？我若恇怯不前，嗣後將有類似的鬧劇繼續演出，反而多事了」。此種魄力與見識，迥非尋常人物所能及也。

楊氏主持鄂政歷時約一年，與湖北綏靖主任何雪竹極融洽，其他各界人士亦頗相安。楊之施政計畫，首為整理全省財政，平衡收支，而對武昌省垣建設致力甚勤，闢馬路，整市容，績效斐然可觀。民國廿五年冬初某日，楊自漢口德國領事館宴會畢，初擬乘省府專輪渡江，曾至江邊久候，未見專輪來，乃馳赴江漢關碼頭改乘普通客輪，甫從江岸石階循級而下，即有素不相識之男子趨前，對衆高呼「主席來了，大家讓開路」，楊不措意，偕一侍從緩步行進中，該男子忽以短銃對準楊氏腹部射擊，立倒地，楊輕聲語侍從云：「我被刺了！」別無他語。急曳入漢口同仁醫院救治，以傷及要害，翌日殞命矣！刺客當場被捕，交由武昌地方法院訊究，知其為川省人，姓施，據供係受貴州軍人王家烈部屬樊其書指使，樊現住黔垣某街某號。時愚從重慶行營主任兼貴州主席顧默三（祝同）上將軍于役貴陽，奉命採悉刺客供認之主使犯樊某果有其人，所述住址亦無訛，雖經商請駐軍緝捕，終告兔脫未獲歸案。逾數月，報載武昌地方法院對本案判決書，訊得前任國民黨中委劉蘆隱為主謀殺人犯，殊覺詫異。兇手施某處極刑，劉氏判無期徒刑。一代英豪之楊暢卿先生，乃以非命銜恨九泉矣。人生至此，天道寧論！愚曾輓以聯云：

管夷吾是天下奇才，壯志未酬，公寧瞑目忘新政；

來君叔係何人殘賊，長城自壞，我為憂時哭先生。

，愚匆匆馳赴上海，不暇過問此一公案是非矣。

武昌法院主審本案者為愚友鄂人魯師曾君（時為首席檢察官），越民國卅八年冬，偶遇魯君於金陵城內「東方飯店」，詢以本案內容，答謂：「我有一小箱文件在，改日君可來旅舍細細審閱，即知其詳也。」旋以時局變化

楊氏容貌清雅，性詼諧，然在公廨治事之際，詞色嚴肅不苟笑，燕對客時，即好說笑取樂，藹然可親。面部兩顴特聳，而「人中」低陷，相法謂「人中」平場者必不永年，入五十歲後即可慮，其然，豈其然歟？（完）

清代電信建設紀實

·羅雲家·

電報之方，始自英吉利人，初設於其國都倫敦，推及於印度，再及於上海。電話則創自歐美，初則止數十里，後可數千里，創行未三十年，遂遍行於各國。同治十三年，日本初犯台灣，兩江總督沈葆楨疏言電報之利，朝旨飭辦，嗣不果行。光緒五年，直隸總督李鴻章，始於大沽北塘海口炮台，設綫達天津，試行之而利。明年因有安設南北洋電報之請。六年，設電報學堂，廿五年附設電話學科，以附益之。此中國之有電信設施之緣起也。

一、因外綫之侵入而設者

先是同治年間，英使阿禮國請設電綫於中國境內，清廷力拒之乃已。九年，其使臣威妥瑪復申請前議，易陸綫為水綫，自廣州經閩浙以達上海，爭論數月，卒如所請。嗣是香港海綫循廣州達天津，陸綫則達九龍。而丹麥國所設之陸綫，亦由吳淞至上海，駸駸乎有闌入內地之勢。

天津道盛宣懷，因將此事言於李鴻章，謂宜仿輪船招商之例，醵集商股，速設津滬陸綫，以通南北兩洋之郵，遏止外綫潛侵之患；並設電報學堂，培育人才，以備任使。鴻章韙之。明年，疏言：「用兵之道，神速為貴。泰東西各國，於講求槍炮之外，水路則有快輪船，陸路則有火輪車，而數萬里海洋欲通軍信，則又有電報之法。近來俄羅斯日本均效而行之，故由各國以至上海，莫不設立電報，瞬息之間，可以互相問答。獨中國文書，尚恃驛遞，雖日行六百里加緊，亦已遲速懸殊。查俄國海綫可以達上海，旱綫可以達恰克圖。欽使曾紀澤由俄國電報至上海，只須一日，而由上海至京城，輪船附寄，尚須六七日到京。如遇海道不通，由驛必以十日為期。是上海至京城僅二千數百里，較之俄國至上海數萬里，消息反遲十倍。倘遇用兵之際，彼等外國軍信，速於中國，利害已判若逕庭。且其鐵甲兵船，在津洋日行千餘里，勢必聲東擊西，莫可測度，全賴軍報神速，相機調援。是電報實為防務所必需。現行北洋以至南洋，調兵饋餉，在在俱關緊要，亟宜設立電報以通氣脈。如由天津陸路循運河以至江北，越長江以達上海，安置旱綫，即與外國通中國之電綫相接，需費不過十餘萬兩，半年可以告成。約計正綫支綫橫亘三千餘里，沿路分設局棧，常年費用，先於軍餉內墊支辦理，辦成後仿照輪船招商章程，擇公正商董招股集資，俾令分年繳還本錢。嗣後即由官督商辦，並設電報學堂，雇用洋人教習學生，自行經理。庶幾權自我操，歷久不敝。」疏入報可。逾年綫路竣工，以盛宣懷董其事。

未幾，英法德美公使，擬設萬國電報公司於上海，增滬至香港各二海綫。英使格納維，並援案請增上海至寧波，溫州，福州，廈門，汕頭海綫。（一）

琉球紀行

張希哲

就我所看到的，如林伯鑄先生的蓬興公司（英文名稱為Pan Ocean Co.）朱耀煊先生的朱煊公司和Plaza House百貨公司，李正華先生的元和公司，甄冠堯先生的Roger's百貨公司，胡雪年先生的遠東傢俱裝璜公司，規模都相當大，生意也很好。中餐館方面如福祿壽，萬壽山，香港酒樓等，口味都不錯。

僑胞們知道訪問團來琉球，都非常高興。我們到達那霸時，約有一百多位僑胞在機場歡迎。十七日晚間，他們更為訪問團舉行盛大餐會，參加的兩百多人，有遠自北部和南部的僑胞，也趕來參加。僑胞們熱愛祖國的盛情，眞令人感奮。可惜因為訪問團停留的時間過短，和他們叙談的機會不多。後來我比團體多留兩天，也是為了和僑胞有稍多的接觸機會。

美軍當局及琉球政府對於華僑在琉經營農工商各業目前雖然還沒有特別歧視性的限制；不過，據僑胞們說：總不如琉球人的方便。例如從事農耕的華僑，過去買地並無困難，現在法令上對非琉球人取得土地永久權利則有種種限制。又華僑經營工商業的項目，均以執照上核准的為限，新增項目再經核准。新設商店，以用琉球人出面申請較為方便。故有部份華僑或與琉球人合夥經營，或娶琉女為妻而以妻子名義申請，但亦易發生流弊。琉球華僑除八重山有一個華僑協會之外，其他地區均無僑團組織。華僑較多的那霸市，在十年前有人發起籌組那霸華僑總會，但當地的重要僑領均由於客觀環境的顧慮，不願出面推動，致迄今尚未組成。從這些地方，我們亦可體會出華僑的處境和心聲。不過，琉球華僑雖然沒有僑團的組織，但他們愛國的熱情，並未因而稍減。過去祖國對海外僑胞有什麼號召，他們莫不熱烈響應。有部份僑胞已把子弟送來台灣就學，大部份僑胞則盼望能在琉球設一華僑學校，使他們的子弟有機會接受祖國的教育和文化。

十一、名勝古蹟

十九日和二十日兩天，繁忙的團體訪問日程告一段落後，我曾瀏覽琉球的名勝古跡。除上面所提到的守禮門、龍潭池、孔廟和明倫堂遺跡，護國寺和觀音寺之外，還看過下列幾處：

（一）南部戰跡紀念塔：在沖繩本島的最南端近海邊的摩文仁高崖上，碑塔和墳墓很多，最著名的是「黎明之塔」，「健兒之塔」，「姬百合之塔」和「魂魄之塔」。二次世界大戰末期，美軍於一九四五年（昭和二十年）四月一日在沖繩登陸後，日本守軍節節退敗，經過兩個多月的苦鬥，終於到了彈盡援絕的窘境。三十二軍司令官牛島滿大將及參謀長勇中將以下官兵於六月二十三日黎明（晨四時半）集體自殺。（十四）

早來的嬰孩

—晉陵譯—

「你瞧，」我說：「我是在醫院裏生的，你是在醫院裏生的，再過幾分鐘，我們的小貝貝也要在醫院出世了。」

還要開過幾條街。

當我在醫院門口煞住的時候，我望了杜蒂一眼。她陷在座位裏，很鬆弛，很安詳。她的眼睛睜得大大的，但她似乎已置身在另一世界中。我跳下車子，打開靠她那邊的那一扇門。

「我們到了，」我說，「我們遲到了。」我彎下身子，要扶她的手臂。可是她卻舉起一隻手來。

「最好請一個醫生，」她極其平靜地說，就像是請我幫她遞一遞鹽瓶的。「小孩已經在這裏了。」就在此時，我聽見她的哭聲了。我們兩人動身往醫院跑，到達的時候，變成三個人。現在我唯一希望的，就是找一個人，一個醫生，一個護士，一個警察，隨便什麼人都好。（四）

內備警台報字第〇二二號內銷證

自由報

THE FREE NEWS

第七二七期

中華民國僑務委員會頒發
台教新字第三二三號登記證
中華郵政台字第一二八二號執照
登記為第一類新聞紙類
（半週刊每星期三、六出版）
每份港幣壹角
台灣零售價新台幣貳元
社長：雷嘯岑
督印人：黃行警
社址：香港銅鑼灣高士威道二十號四樓
20, CAUSEWAY RD 3RD FL. HONG KONG
TEL. 771726　電報掛號：7191
承印者：大同印務公司
地址：香港北角和富道九六號
台灣分社
台北市西寧南路壹零壹號二樓
電話：三〇三四六
台北郵政信箱一九九五二

表揚中華文化的作品應予鼓勵

彭樹楷

自由中國，有許多表揚中華文化的作品，但是沒有得到認真的提倡和切實的鼓勵！因此，使有些為生活及世俗虛名的作者改了行，有的倒轉箭頭寫黑、黃、灰甚至以反調姿態來迎合書商與讀者需要，可惜！可悲！更可怕！

台灣也有一些文藝獎之類的定期行政工作，除了國軍文藝金像獎比較公正外，其他或多或少都有點鬼門兒，有的甚至規定先要經過權威推薦以及作者幕後活動，不僅使有志節的作者不屑一顧而恥於往來，並且大大地阻遏了純正作品的發展——商人高價禮聘那些獲獎者為他們生產商業化作品因而強佔了原本狹窄的版面和市場！這就是台灣電台成年累月播那些軟綿綿的音樂、小說、台灣電影院上演的總是美國的打、歐洲的脫、日本的蠻橫、台灣土產的哭片……的原故！中華文化復興運動也發起了好幾個月，但就聽不到一首有關文化復的歌、看不到有關文化復興的電影和其他戲劇，而那些表揚民族文化的作品却任其自生自滅！這豈不是違背了總統的指示麼？

蔣總統在民生主義育樂兩篇補述說：「純正和優美的文藝作品及表揚民族文化的新文藝作品，須積極加以提倡的鼓勵。」在中央委員會七屆中常會第二〇〇次會議中指示：「應設法選擇與扶植若干優秀文藝作家與作品。」在七屆中常會二六四次會議中指示：「而且應注意現有各種不良文藝之改進。」在八屆中常會三二九次會議中指示：「平劇演出須有固定劇場，黨應從速協助解決。」在八屆二三六次中常會指示：「對國產影業之輔導，應自根本處解決，即協助其攝製確實優良並具代表性之新片，以謀提高影片水準。」在民生主義育樂兩篇補述中講：「今日中國美術與音樂同陷入嚴重的危機……我以為教育文化應該把美術當做學校教育和社會教育上重要的科目來講求。」在七屆二九八次中常會指示：「民族舞蹈之演出，必須要能真正具有我歷史文化傳統之代表性。」

總統日理萬機以高齡老人，肩負國家民族大任，為什麼他的幹部却不認真的、誠懇的、切實的為總統分勞？為什麼事事要勞總統一費心神？而且經總統一再指示的事務不予徹底遵奉？台灣觀光飯店的傷風敗俗，台灣電台的靡靡之音，台灣文化界的黃黑灰軟作品……：在在都是總統所痛切的現象，為什麼主管部門不切實剷除之？

台灣各級大專和中學文科教師有幾人有表揚中華文化的作品問世？為什麼他們光動嘴不動手？

台灣各級文化機構成千上萬的文化人士，有幾人有表揚民族文化的具體行為？負責當局有無統計及檢討。

來自軍民低層及海外僑胞那些純真優美的文藝作品，有無受到提倡及鼓勵（實質的！而不是形式的！）？

主管文化者的腦子裏，至今還存有多少學歷、經歷、關係、權威、以及金字招牌思想？他們對阻遏民族文化起了多大作用？有無專人予以澈底檢討？

那些真正能寫出「正派」作品的作家，為什麼不主動爭取納入什麼文藝會的組織？又為什麼那些作家不願參加「人頭主義」的機構？這原因有沒有人予以剖析？更有沒有人曾予改正的研究？

總統在海外黨務工作要旨中曾指示說：「我們黨的幹部，最緊要的本領，就是遇有那一個人懷疑我們，反對我們，我們第一步必須將事實真相說給他聽，將他懷疑之點，逐一解釋……：說服他，感化他，使他不反對我們！」

台灣曾被洋人譏為文化沙漠，戰時的中華民國文壇仍為一片風花雪月灰黃黑軟的作品雄居霸佔着，使海外華僑為之寒心，總統所說的幹部們有無解釋、說服……？作了多少？成效如何？

許多闡揚民族文化的海內外純正刊物之苦撐情形，我們見慣了麼？是不是習以為常而任其自生自滅呢？

許多純正作品及如梅遜發明的以字基檢字法的「梅遜字典」關係文化的大發明（一一），為什麼任其冷凍？

中華文化復興運動發起好幾個月，有幾首有關文化復興的新歌、新劇本、新電影、新著作問世？有關方面除了開會、演講、抄冷飯地寫論文、發佈新聞、照照相、聚聚餐外，分了多少力量關注了這些辛勤楷模的文化復興運動的實質耕耘者？

發明梅遜字典的梅遜，又出了一本闡揚民族文化的「故鄉與童年」散文集，只有中央日報副刊刊出了序文，為什麼負責文教及宣傳和推動文化復興的團體機構不予推薦？

鄧拓的「燕山夜話」種下反毛反共的種子，梅遜的「故鄉與童年」吹響了文化復興的號角，剩下的便是我們該怎麼辦了！

不可收拾

半天吊

今日與明日

毛林奪權寸步難行

毛林集團的「奪權鬥爭」，儘大噪大嚷已由「被壓抑的少數」發展為勝利的多數」，所以「奪走資本主義道路當權派的權」，行得非常順利。

事實上，却又完全不是如此。所謂「革命造反派」的「奪權鬥爭」，在一月間，據說先後把上海、山西、安徽、江西和青島市以及貴州省的「權」由反毛「當權派」的手中「奪」過來了。可是，在「奪權」前後，都發生或存在一些為所謂「革命造反派」所難以解決的問題。

在「奪權」前，一般是所謂「革命造反派」舉行「誓師大會」，然後所有「革命組織大聯會」進行「奪權」。其實，是在駐軍的強力支持下，才能正式對反毛「當權派」正式開火。儘管有「槍桿子」為背景，可是不但進行得非常不順利，同時，即或「奪」下了「權」，也只是城市地區，所以，這種「勝利」只能說是象徵性的。

山西的「奪權」鬥爭，名義上是由所謂「革命造反派」進行的，實際上「司令部」是山西省軍區，「司令員」是該軍區的第二政委張日清。「奪」下山西的「權」是一月十日，但遲二十五日才公開發表。可見反毛「當權派」所作的「垂死掙扎」，頑強到了什麼程度。福州市中共市委和市人委（即市政府）的「權」於一月二十四日就「奪」下來了，可是中共福建省委和省人委（即省政府）本都在福州市，但它們的「權」却遲至二十六日下午四時才「奪」下來。這說明，一派「硬攻」一派「堅守」，真是到了「寸土必爭」的地步。

在所謂「革命造反派」把「權」「奪」過來僅有的幾個城市中，除了安徽省（其實只有合肥市）把中共省委第一書記李葆華等四個「當權派老爺」「打翻在地上」外，其餘被「奪權」城市，未聞一處有黨政主要領導人被捕。

山東省青島市被「奪權」後，一月三十日北平廣播稱：該市已成立「造反派革命委員會」，於三十日所發表的「第一號通令」中號召：前中共青島市委第一書記、書記、常委、委員和市長、副市長、局長、處長……日內報到……。這說明，被「奪權」地區的反毛「當權派」份子，均已「轉移陣地」。

如果照毛林集團的說法，所謂「革命造反派」是在「排山倒海，雷霆萬鈞」形勢下，把「權」「奪」到手的。既然如此，為何不把所有反毛「當權派老爺」「打翻在地上」，然後予以槍斃而「大快人心」呢？

其實，「奪權」只能在有擁毛軍隊駐紮的城市進行，在廣大農村仍是反毛「當權派」的天下。這種只佔「點」而無法推行到「面」的「象徵式奪權」，是決對不穩固的。山西已有「守不住」之勢。這一點是毛林集團最大的危機。

例如：據江西電台二十七日廣播說：反毛「當權派」擁有以被「奪權」的江西省為首的十萬共軍，為背幹的「御用軍」，並且還在「招兵買馬」，準備再一次進行「新反撲」。

這已經是毛林集團心腹大患，何況現在所謂「革命造反派」中，不斷出現個人主義、宗派主義、山頭主義、風頭主義等，以致形成嚴重分裂。毛林派的敵人如此頑強，而本身却又太差，看來毛林集團完蛋是完定了。（何如）

自由談

共黨份子自命為無神論者，崇信唯物主義，而指形上思想的宗教精神是毒化人類心靈的鴉片烟。實則共產主義者所作所為，乃是世界上特級的唯心主義者，他們那種個人崇拜的瘋狂作風，令人見着就要作嘔不已，有如滬諺說的：「隔夜飯也要嘔出來」呢！

試看最近中國大陸上毛共的「文化大革命」運動，硬要把毛酋澤東神化到上帝的地位，所謂「毛澤東思想」和「毛澤東語錄」，不但強迫人們奉之為聖經，而且視同祓除災難的符咒。認為只要熟讀「毛澤東語錄」，信仰「毛澤東思想」的，敵田便可以生產廿萬斛稻谷，一只瓜可有十公斤的重量，甚至於個人害着便閉症拉不出屎來，背誦了「毛澤東語錄」就會腸胃暢通，毫無困難。似此情形，跟中古時代的宗教專制，不許人們說地球是圓的，否則處以燒死的酷刑，殆有過之而無不及也。

可是，共產黨徒又指舊有的文物制度與風俗習慣盡係封建思想，非剷除不可，必須代之以「毛澤東思想」，破四舊的結果，是使社會人羣回復到穴居野處、茹毛飲血的蠻荒生活狀態，連飲茶吸香烟也是罪大惡極的資本主義生活，却自詡為科學的民主進步思想。然毛酋私人不特狂吸香烟，且要吸舶來品纔過癮，共產黨人之無恥無賴行為，有如此者！毛酋過去曾說：「騙壞了事要負責任的，騙死了人却不必償命」，這就是共產黨人的「革命」信條，好話說盡，壞事做絕，他們橫豎是以人類為芻狗，祇要對自身有益，殺人放火，打家刼舍，乃至於消滅人類百分之九十，亦是毫無所謂的。

看了這次大陸上「紅衛兵」之亂，把毛酋神化成為上帝的種種荒誕不經現象，可說是集怪、力、亂、神之大成，誰如相信共產黨人真是無神論的信徒，而對他們所宣傳的「社會主義」建設，猶存幻想，那便是最可憐而又可哂的大傻瓜了！

點捕風捉影的事實，多少還有人撒謊，那是騙死了人不償命，且說合乎唯物辯證法則的，你明白嗎？

你明白嗎？

馮五先生

黃豆賄賂案公審庭中 各被告個個都翻了供

聲稱偵查筆錄和自白書係被迫者 有的涕泣而道有的竟然號啕大哭

（本報台北通信）轟動一時的黃豆賄賂案，台北地方法院正在公開庭訊辯論中，一干人犯分別質訊，情形相當熱烈，尤以被告中之七位立監委委員供狀，引起社會人士莫大的注意。截至記者發信時，他們的辯論尚未完畢，將來結果如何判決，固不可知（編者按：本案初審業於日前宣判），但其情節有可紀述者。

法院檢察官對被告等提起公訴的事實，係根據各被告在情報機構偵查時的筆錄和自白書，外加煉油業公會總幹事周烈範家中搜得的日曆上紀錄，事證顯然，足資採信的。可是，各被告到了公開庭訊中，個個都翻了供，聲稱偵查筆錄和自白書，都是在「不自由」的環境下，被迫而然者，周烈範在庭上說到當日寫自白書的經過情形，竟嚎啕大哭，像煞有介事，監委孫玉琳亦當庭流淚作供，大呼寃枉，王作昌等幾個煉油公會主持人，對於過去在調查局和看守所內的偵查口供，不是精神恍惚記錯了，就說是在「不自由」的意志下亂說的。總而言之，大家都不承認有罪。其中只有監委于鎮洲拒絕當庭作答，其意若曰：「聽你怎麼辦！」

吾國法律是注重口供主義的，現在被告相率翻了供，一概否定過的偵查筆錄和自白書都是被迫的言詞。至於周烈範的日曆紀錄中，只註明某日拜會某某立監委員談黃豆進口問題，有的且未指說黃豆事項，僅說是面晤某委員而已，這在法律上即不能構成犯罪證據。法院所據以起訴的證物，就是偵查筆錄和自由書，如果這些證物皆不足採信，各被告的罪名即很難成立了。這便係注重口供主義的法律漏洞，除非法官實施「自由心證主義」，光憑口供，似乎殊難定讞。

有人說，本案不是純粹的法律問題，是具有整飭紀綱的政治政策作用，因為這幾名立監委員平日還聲譽欠佳，初到台灣時窮乏得可憐，如今都享受着豪奢生活了，且有討上三四個妻妾的，錢是那裏來的呢？據傳說，七個被告的民意代表中，最有錢的是孫玉琳、曹俊、林棟三人，徐君佩雖然賺過大錢（他辦過油廠和汽車公司），但平日好客，花費也大，存款並不多。最可憐的是立委姚廷芳，他祇是由於周烈範的關係（都是河南人）拿了煉油公會的幾萬元「律師公費」，而其人在立法院並非活動份子，收受「律師公費」或「法律顧問」公費，亦不是犯法行為啊！

法院若不判處各被告的罪刑，本案即是寃獄，各被告可以提出反訴，要求賠償損失。如果抹煞口供，專以偵查筆錄和自白書作犯罪證據而繩之以法，又與法律上的口供主義相違背，無可解說，況且還牽涉有行政大員在內，該員即不能逍遙法外，存而不論吧？所以，有人認為這些被告們，在情理上是應該受處分的，然在法律上卻很難成立罪名。看趨勢，他們在初審一定判罪，然後上訴到高等法院，或許減刑，或者發還更審，經過若干時期後，押在獄中的不妨予以假釋，大事化小，不了了之，只不過便宜了幾個在外候訊的共同犯而已。

本案的關鍵所在，即為偵查筆錄和自白書是否真係出於脅迫而然的？檢察官在看守所向被告們公開進行偵查時，當然說不上「脅迫」行為問題，就在情報機構進行秘密偵查之際，因為是秘密進行，究竟有無脅迫情形，誰也不能肯定。但情報機構是遵奉主管長官（司法行政部長）命令行事的，據說還有「錄音」可證，似亦用不着採取「刑求」的方法。唯一給社會人士議論的，即民意代表執行政府的政策，他們若有收受黃豆進口，減稅、限制廠商等項政策措施的賄賂行為，必須與行政主管官員串通乃可，而今並無一個行政官被逮問，光是懲究民意代表，且把國庫損失了十幾億元新台幣的「盜豆」案漠然置之，既屬偏差，又有輕重倒置的毛病，殊難索解也。

事有湊巧，出人意料之外者，最近執政黨舉行中央全會，照例改選中央常務委員的結果，歷來膺選中常委不替的現任司法行政部長鄭彥竟告落選，據傳說，初步提名候選的四十幾位中委名單中（實選一九名），也就沒有鄭氏的大名。因此，外間謠傳這是由於鄭氏處理黃豆賄賂案欠妥當的關係。本案發生時，他在立法院會議中跟立委們爭辯口角，而邏卒在立院大門前拘捕立委劉景健時，又曾施以銬鐐，後來立法院推舉代表向鄭部長請求准許被逮的民意代表保外候訊，鄭說「要請示」。這都是他處事失當的地方，難怪中常委的位置亦保不住了，其其然，豈其然歟？（元月廿三日大元於台北）

看橫掃中國大陸的「紅衛兵」與「文化大革命」

楊力行

前北洋政府交通總長著名畫家葉恭綽和一個姓趙的七十歲老先生等的家都被「抄」！而且，在遭受「文鬥」後又加以「武鬥」和「胡鬥」。周叔弢是著名的版本學專家，收藏不少善本和孤本，「抄家」時周某曾跪下來哀求說：「把我殺了都不要緊，但這些綫裝書卻千萬燒不得，它們不是屬於我家的，而是屬於國家的，千萬不能燒」。趙老先生是早年留學英、德的，其子女亦留學英、美，且長住國外，家中新舊中外藏書亦多，趙老先生也哀求說：「你們要錢、要命，要什麼都可以，就是不能燒掉這些我為國家保存的書籍」。結果，那些無知的「紅孩兒們」仍是把它們燒了。前八路軍參謀長及廣東「省長」葉劍英的女婿青年鋼琴家劉詩昆及其妻葉翠英是著名的聲樂家，被指斥為周揚的「黑幫份子」；挨「文鬥」後，也要求怎樣鞭打「武鬥」他們都不要緊，就是別弄傷了他的十隻手指和她的金嗓子。但是，那些無法無天的「紅小鬼」們卻偏要扭傷和勒壞他們的手指和咽喉。天津「市委第一書記」萬曉塘因在烈日之下被「武鬥」了十幾小時，結果，心臟病發作而死。

如所週知：文物典籍都是寶物，不是私的，而是國家的，也是全世界的公有物，任何人都得愛護；朱任公曾將所藏書及古玩全部捐獻給國家，藏在北平蔡松坡圖書館；在台灣的考試院故考試委員張默君女士於享年八十歲逝世前，亦將所收藏古玉數十件全部捐獻給中央和故宮兩博物院陳列。這都是很好的例子，古今中外一樣。

巴西的教育文化界最近更向全世界知識份子迫切呼籲：「要求制止中共的破壞中國五千年的文化遺產」。並說：「這些無價的中華文化遺產，是全世界所公有的財產，沒有那一個人和那一國有權毀滅它」！旨哉斯言也。

六、共匪的「黑旋風」——「文化大革命」！

共匪這次「文化大革命」，實由其「第五次文藝整風」蛻化而來，從其發展過程及其動向來看，可分為三個階段：

第一是準備階段：共匪是從一九五九年開始，至一九六一——一九六二年達到了高峯，年和大陸文藝界人士對毛匪的文藝路線，激烈提出批判和反抗，毛澤東為期維護他的「毛澤東思想」與維護其自延安以來實施的「普羅（Proletariat）文藝政策」路綫，因而從一九六二年起，即作輿論準備，發出警號，積極部署，為其行依據。

一九六二年九月，毛匪在匪黨八屆十中全會中，曾經發出所謂「千萬不要忘記階級鬥爭」的「號召」。接着，在一九六三、一九六四年、一九六五年，又連續對所謂「文化大革命」問題，不斷提出了「重要指示」。

毛匪在一九六三年十二月曾經指出：「各種藝術形式——戲劇、曲藝、音樂、美術、舞蹈、電影和詩文等等的問題不少，人數很多，社會主義改造在許多部門中，至今收效甚微。許多部門至今還是死人統治着」。又稱：「許多共產黨人熱心提倡封建主義和資本主義的藝術，卻不熱心提倡社會主義的藝術，豈非咄咄怪事」。

一九六四年六月，毛匪在匪偽「全國文聯」和所屬各協會實行「整風」一時又曾指出：「這些協會和他們所掌握之刊物的大多數（據說有少數幾個好的），十五年來，基本上（不是一切人）不執行黨的政策，做官當老爺，不去接近工農兵，不去反映社會主義的革命和建設。最近幾年，竟跌到了修正主義的邊緣。如不認真改造，勢必在將來的某一天，將要變成像匈牙利裴多非俱樂部那樣的壞團體」。（九）

桃縣議員發動罷免議長

本報記者黃鴻遇桃園航訊

桃園縣議員，正發動罷免議長謝科，聞簽署的議員，已超過法定人數，有關方面，正在進行疏導中。

據某一議員表示：他親眼看到罷免理由書中指出：（一）議長謝科與副議長同床異夢，始終不合作，（二）議長謝科，自接任後，議會內部職員，派系林立，顯係領導無方，（三）議長謝科，在大會期間，經常藉故不主持會議。該議員又說：他看到罷免書上，已有十個議員蓋章，另一消息來源說：其罷免書，已送達主管官署的縣政府，雖未獲得證實，但有關方面，確實已在暗中進行疏導工作，同時受托担任疏導工作的某些人士表示：其中困難很多，極感辣手；據謝科本人指出：這次有人發動罷免他，係種因於某一會長選舉的成敗恩怨，都一筆賬掛在他份上。

桃園縣的地方政治環境，分桃園和中壢兩大區域，前者為閩南派，中壢區為客家人，地方語言，也各有系統，地盤與人口，除桃園區的復興鄉（山地鄉）以外，不相頡頏，在政治競爭中，有不成文的規定：縣長和議長的選舉，似乎是「堂犀板撓輪流坐」，全縣一般選民，在每次選舉投票中，很自然地分得清清楚楚，應是誰當縣長，誰當議長，與「區」無爭，第六屆縣議會現任議長謝科，是中壢的觀音鄉人，這次發動要罷免他，多是中壢區的議員，出乎一般人意料之外！這（六）屆縣議員計四十二人，據聞在罷免理由書中簽署的議員，在二十人以上，足已超過法定三分之一的人數，據謝科日昨在某一項會議，也提出：「有人發動罷免他的經過情形」，並且表示：他不一定要當議長，其含意是議長難作，隨時隨事，都有惹來政治風暴的煩擾。

日來此間一般人士，對謝議長的罷免案，都感到突然！據另一熟識地方政治環境，不願透露姓名人士分析：這次是中壢區議員發動罷免謝議長，並不突然，其實是中壢區熱中於地方政治人士的一種政治戰略，他說：中壢區的政治環境，又分經濟和人事兩個小圈圈，他，謝科是屬於後者，發動罷免他，是經濟集團幕後推動的，這一着，是有待來年的「攻心」一戰，因為明年又是地方大選年了，桃園歷屆民選縣長，多由議長為進身之階，謝科雖不是百萬富翁（競選縣長要花巨額的鈔票活動），但他目前的政治資本是現成的，下屆縣長，又輪到中壢區了，怎不使中壢區有錢而又想過官癮的人早下安排呢！最低限度，既可增加謝科目前的困擾，又可給縣民佈下一個模糊不清的印象，一旦競選舉時機到來，爭取選票，更有模糊不清的收穫。

台灣省自實行地方自治十多年來，如這次發動罷免謝科議長案，也不是「創舉」，而罷免案的成立，尚無紀錄，為了加強地方團結，桃園縣民，希望有關方面，對罷免謝議長案，要多方疏導，化戾氣為祥和，才是地方之福。

國聯近訊二則

李翰祥親導「陌生人」 「鳳陽花鼓」殺青在即

（本報台北訊）國聯公司負責人李翰祥，繼「西施」之後又親自執導了一部影片，定於一月十九日正式開鏡。

這部影片的片名是「陌生人」，是根據瓊瑤原著，趙之誠編劇，搬上銀幕的一部彩色濶銀幕時裝文藝片。

李翰祥自從「西施」一片後，忙於各種策劃及國聯事務工作，已有二年多沒有執導影片了。這次剛從香港回來就親自執導這部「陌生人」，電影界人士都紛紛向他道賀。

李翰祥說：「陌生人」有很好的故事和情節，他為執導這部影片已經作了週密的分鏡和全盤計劃，他希望將來這是一部成功的電影。

李翰祥並且說：「我熱愛電影事業，導演將是我終身的工作。」

「陌生人」的男主角是楊羣，女主角是甄珍。

楊羣說：他現在同時參加三部新片的演出，除了「陌生人」之外，還有「北極風情畫」及「地下司令」。

他說：雖然忙，但心情是愉快的。

甄珍說：他很高興能參加李翰祥所導的影片演出，她一定比以前更努力演片中的角色。

她主演的另一部新片「鳳陽花鼓」即將在近日內殺青。

（本報台北訊）陰霾了很久的天氣，終於在十八日放晴了，使得停拍將近兩個月的國聯公司彩色古裝新片「鳳陽花鼓」，利用好天氣在板橋「國聯影城」內恢復拍攝。

參加拍片的工作人員，由導演朱牧率領，將連續工作六天，這部國聯的巨片即可殺青。

瀛海異趣談

英人習性的誠實的一面

桑雅

英國裏的罪案數字，相當驚人，去年裏達一百一十三萬三千八百八十二宗，單是盜竊案，佔了七十五萬五千九百二十宗。而其罪案，每年銳增。雖然如此，從許多方面證明，英國人最是世界上最誠實，最有信用的人。

每天裏，價值數以千鎊計的遺物，像鑽石、珠寶、金錢、衣物，爲人們拾獲，交給警方，送還物主。而且那些拾遺東西的誠實人士，往往不願揚名，及報上自己的名字。

像倫敦的民衆服務公司裏，一位不知名婦人，拾獲一個銀包，裏面有九十一鎊鈔票，每張面額一鎊，她將道銀包交給櫃面的職員，即怱步離去。一位無名氏把一個負袋，交到道公司的櫃面，裏邊有幾瓶威士忌酒、占酒和葡萄酒。

在規模的百貨公司裏，常出現誠實的美德行爲。其中一家百貨公司的發言人說：「每天有許多顧客把遺物交到公司來，那些物品包括銀鉅、金表、和銀包，此外是新衣服的包裹，及其他的東西。」

人們的誠實美德，並不只在百貨公司裏才表現出來，即使公司的外面，常常出現令人感佩的事蹟。

住於愛薩斯郡羅頓市的科爾倫士．嘉汀娜太太在乘搭巴士中，檢獲一千五百鎊，全是五鎊面額的，她查清楚物主之後，即原數璧還。她獲得的酬謝，只不過是一句「謝謝」而已。但是科爾倫士．嘉汀娜太太愉快的說：「我願意再幹着同樣的行爲。」

倫敦郡艾斯寧頓的十歲男童，彼德麥加第，在一建築地盤玩耍時，發現了一個袋子，裏面有二千鎊的銀幣和鈔票，道花上一個鐘頭時間，他手把袋子拖到警署去。

另一位十二歲的女童羅富．哥羅斯里，住在愛薩斯郡的學李安納市。她在一雜貨攤檔，購買三便士的東西，她發現一個手袋，裏面有五六鎊，後來她將錢交還物主，物主將半數送給她，以酬謝她的忠實。

在一個繁盛的市鎮，假日裏許多遊客前來渡假，一家無綫電器行，於假期的時候，租出了數以打計的原子粒收音機，然而無綫電器行的東主，並沒有收取顧客分文說：「我相信他們，在道十年裏，只失去了一具而已，人們很誠實的。」英國人對國內及海外人士，一視同仁，都一樣的誠實。

一位德國男子，在約克夏郡史嘉賓路市離開一家酒店時，忘記帶回自己的一件名貴外衣。三個月後，他再回到那間酒店，發現他底大衣，仍然懸掛在衣間裏。

一位美國教授，在倫敦一家戲院的票台上，遺下了四鎊的找欵，到第二次他再光顧時，發現他忘記取回的四鎊，由職員將之放在一個信封裏，等候物主領回。

在格拉斯哥市，警方每年收到遺物總計在値三萬鎊。警方發言人說：「人們的誠實程度，一樣認眞驚人，物件無論價値貴重與微賤，都一一拿到警署，最近警方收到的遺物包括一匹馬、一對鞋帶、一顆鑽戒、一頭羊、一隻手襪，和一條女庄內褲。」

道位發言人又說：「在道些日子裏，人們常常失去十先令的紙幣，許多時，可以把道些堆積成山。」

在倫敦的巴士和地底車裏，誠實的人檢獲的遺物，數以千計。在倫敦交通運輸公司的遺物部，去年收到的遺物，共三十四萬一千件，包括九萬七千件雨傘、一百七十五具相機、九千枚金鐲、心口針、及手表、二萬八千個盒子和袋子、三百具收音機。

許多商店和百貨公司，都收取支票的，即使不認識那些顧客，雖然「大開方便」之門，可是沒有多少個顧客意圖行騙的。道無他，互相信賴而已。

艾里的一家銀行，在三個月的罷工風潮中，銀行支票滿天飛。所以，每天數以千鎊的支票轉手，此外，房屋、汽車、衣物和傢俬，都是用私人支票，只是用普通紙塊，寫上銀碼及簽名，道些支票就行。

現在罷工已經過去了，銀行職員已經把愛爾蘭銀行逾一百萬的顧客的支票核查完竣，檢驗結果，沒有一人乘機行騙的。官方發言人指出，道是誠實紀中最使人驚異的榜樣。

行最大的榜樣——「銀行罷工」——以致最小的報攤，道些報販只放着一個把銀錢罐放在攤前，可以自行離去，顧客買報紙，把錢放在罐裏，拿報紙而去，絕沒有一位是看「霸王報紙」的。

幾年前英國發生的郵車大刧案後，匪徒粗心大意，將部份五萬鎊的贓欵，遺在一電話亭裏，給一些人發現了，直將贓欵送到警署去，五萬鎊不是小數目，但是拾遺欵的人，卻不爲巨財而動貪念。

今年世界博覽會所在地

現代化古城蒙特里爾

樺荊

杜佩的身軀並不高大，但有明銳的眼睛，剛強的發音，觀其外貌，也知道他是將成爲在西半球最大的城市之一。外來訪問者將尋出它是世界上第二大說法國語言的城市。所供給的是完全不同，我堅信說英語與說法語的加拿大人會大家來得融合，彼此間沒有偏見，現今的蒙特里爾已比在幾年前更爲法國化，在街道上的街名牌板和各商店的招牌都用英文和法文寫出。

在蒙特里爾的女子也被認爲是比較在加拿大的其它地方的更爲美麗。當地也是一個最講究吃的城市，有餐館四千間之多，夜生活熱鬧的情況，是在加拿大的別個城市不能相比的。它比較在世界任何地方傳出更多法國的電視機。它們有一個國際電影節，並不遜色於在紐約或舊金山舉行的，在那裏有三間大學，麥芝，道是最早開辦和說英語的，說法語的蒙特里爾大學，新開辦的有喬治威廉斯爵士大學。

嚴寒的氣候，也不能阻止蒙特里爾成爲一個愉快的城市，除了在蘇俄之外，沒有別的地方像蒙特里爾有最佳的清掃在街道上的積雪的設備，在公園的冰場，在城市各處，學生們喜歡用雪弄成的各種冰像。蒙特里爾是目前在加拿大的唯一城市可以跟倫敦、紐約、巴黎、東京、舊金山，同樣被看作是一個世界城市和一個最有趣味與可以居住的地方。（下完）

蘇俄醫院笑話連篇

顧[illegible]

在蘇俄許多揚揚得意的誇口中，有一項就是說全世界的醫生，有四分之一是國人，或者說最少的蘇俄公民。

莫斯科曾有一份官方的小冊子說，道裏有五十萬實習醫生，「因醫學設備欠佳，而無法進行實習」。

據蘇俄的統計說：每一萬名俄國人中，有廿一位醫生；而每一萬美國人中，才有十二位醫生。

一九六二年，蘇俄共有二萬六千七百六十六間醫院，看來，蘇俄的病人是得天獨厚了。然而，住在道醫學的伊甸園中的外國人，都對那些神經質的蘇俄醫生，心存疑懼。

蘇俄醫生中，有四分之三是女性，道是不尋常的事情，蘇俄的醫生，很少像女人。她們在白罩衫中的冷酷神情，使人有一種無性別的生物的看法。

駐蘇俄的各國外交家的太太，大都溜到赫爾辛基去生孩子。雖然在蘇俄，母親和嬰兒都會十分平安，但她們還是不敢領教。

蘇俄的外國人，也有牙痛，就要去維也納。總之，他們的身體有什麼不舒服，往往意味着要作一場到「外面」去的鬥爭。

甚至是蘇俄人自己，也對他們自己的醫生，缺乏信心。

有一位俄人曾說：「醫治腦病，在我國已經不成問題了，但是，一場普通的傷風感冒，都可能弄出命案來。」

在蘇俄，「醫生」一詞，往往是一種不是尊重的名稱。他們的資格，常常是跟聖約翰救生隊隊員的資歷差不多。

一位西方記者，去年在去一間蘇俄醫院之前，有一位蘇俄朋友告訴他說：「不要碰任何東西，也不要跟醫生握手，否則，你會得傳染病。」

蘇俄的醫生，會嚇驚那些習慣於北美洲醫院中閃閃生光的衛生設備的人。蘇俄的醫院，到處都有灰塵。

一位外國人，曾認爲對蘇俄醫院的成見是有欠公允的。有一天，他的二歲的兒子患疝氣病，他將兒子送往莫斯科一間較佳的醫院中，準備動手術。

英國大使館的醫生曾對該事表示懷疑，但仍抱着同情的希望。

作初步的檢驗後，道個孩子由於檢驗器具未作適當的消毒，而再染上尿道傳染病。院方說：道項傳染病，應該在施手術之前先醫好它，但應以自然療法使他痊癒而無需用藥物。

道位外國人終於將孩子接出醫院。那位英國醫生開了一些必需的藥物給他服用。之後，道個孩子立即送往芬蘭，二天後，即施手術，不久就痊癒了。

現在，道個外國人對蘇俄醫院的觀點，簡直把它說得一無是處。

曾訪問過蘇俄的北美洲醫生，似乎抱有太高的水準與技術上的期望。事實上，道個在太空研究和核子飛彈上有成就的國家，可能有高深的醫學研究的。但醫院中的各種管理和設備，則會使人感到震驚。醫院中甚少見到先進的電子設備。手術室中，常常是灰塵滿地。重要的器具不足，進手術時的態度不夠嚴肅、疏慢和多少有點官僚主義。

蘇俄的醫學研究，可能媲美世界上各先進國家。但蘇俄常常是作純學術性的研究。至於將研究和實驗的成果，應用於日常生活中，卻是另外一回事。

在蘇俄制度下，「人民」往往是最不重要的物品。重工業、巨型電力水壩、拖拉機、火箭，甚至是牲畜，都較公民的福利獲得優先照顧。

新三國

另外，又一面遣使向劉備請和，劉備怒氣未息，本不願請和，經諸葛一番苦勸，方得准和了事。孫權在外交方面可以說是十分成功的。但主要的還是佔「地利」，假若三個重鎮被攻破，情勢便會惡化無疑。道是劉備臨死之前三國間的一般情勢。

劉備託孤後，死在永安，即白帝城。他是患痢疾病死的。他死的時間，是蜀漢章武三年四月，據三國先主傳爲癸巳日死的。（但據二十史溯潤表推算，是年無癸巳日，諸葛亮表言「今月二十四日奄忽升遐」，則當爲壬午日，也許是先主於交癸未日子時死的，展轉傳訛，遂誤以「巳」字易「未」字耳。按章武三年，即魏黃初四年，吳黃武二年，西元二二三年。）享年六十三歲。五月始將劉備遺體運回成都，謚曰「照烈」皇帝。（按謚法：明德有勞曰「照」，言能勞謙也；有功安民曰「烈」，言以武立功也。）

劉備身後的評論，仍以陳壽評語最爲允當。「弘毅寬厚，知人善任，有高祖之風，英雄之器。舉國託孤於諸葛亮，而心神無二，誠君臣之至公，古今之盛軌也。機權幹畧，不逮魏武，是以基宇亦狹。然而折而不撓，終不爲曹操之下，抑揆彼之量，必不容己，非唯競利，且以避害」。劉備是白手起家，他得力於幾把好手，關、張如左右二臂，諸葛亮是其心神，能夠白手打出三分之一的天下，完全憑其「折而不撓」的精神幹出來的。他的成功，實得於「人和」，曹操長於機權術，實以「天時」爲順；孫權則知人善任，實以「地利」爲依。三者之成功，各有其不同的因素。然三人比較起來，孫權則大爲遜色，權乃承父兄之業，不如劉備之白手起家，也不如曹操之掃平羣雄，劉曹皆縱橫天下三四十年，孫權是不可與劉、曹二人同日而語相提並論的。

七〇、劉後主即位成都　諸葛亮七擒孟獲

劉備在章武三年四月死後，劉禪于五月在成都繼任。章武三年改元建興元年，（照古制應爲第二年才能改元）立張飛之女（長女）爲皇后，封趙雲、魏延爲都亭侯。此時的阿斗年十七歲。老臣如黃忠、馬超、法正等，都死在劉備之前，未曾受到後主的封典。

後主即位不到一月，亂子就出來了，那是屬於益州郡的太守之一，名叫雍闓，領十一城，治郡爲滇池縣，即今雲南晉寧縣東北宜良縣治。雍闓叛變，同時捉了繼任的太守張裔，送到孫權請賞。孫權就賞了他一個永昌太守。永昌郡在今天雲南保山一帶，當他去永昌太守衙門上任時，碰到太守衙內一名功曹（如今之科長）呂凱，看不起他，拒絕上任。雍闓無可奈何，一不做二不休，又策動牂牁郡（貴州平越縣，）太守朱褒，和越嶲郡（治邛都縣，今四川西昌縣東南，）太守高定，一齊反叛，投降孫權。

雍闓道人是十足的投機份子。他看到劉備被東吳戰敗，死于白帝城，以爲益州早晚是東吳孫權的，就趁早建功，把雲南、西昌、貴州賣給孫權，到時益州牧可能有得做的。他以爲雲南與安南相毗隣，可資與援，不怕諸葛來討伐他。（一〇五）

（三）心臟左邊比較肥大，它把血液放送出去，使它在全身循環。但當心臟左邊過於肥大時，它有時會使心肌發生障碍，於是肺部的循環會受妨碍（引起因肺部水腫而發生的窒息現象），或引起腹部或脚部的水腫。

（四）腎臟的小動脈，受了壓力之後，變成硬化，失去彈性，濾過的工作做得非常之壞。病人會失掉非常實貴的營養素，譬如尿中有蛋白，尿素和尿酸之類。

如果病人的動脈已經硬化的話，高血壓會對一些最重要的機構造成一些損害。

高血壓病人前途的遠景如何？這要看他的年齡；他的血壓高的持續期間；以及他的高血壓的型式。年齡在二十五歲至四十歲的人，患高血壓會非常嚴重的；它往往需要動外科手術，割去某些控制血壓的交感神經。

四十歲以上的高血壓病人，他的未來情形如何，要視一些往往難以估計的因素而定，尤其要看心肌以及腎臟肌能的影響範圍如何。

在四十歲與六十歲之間，高血壓是最常見的，致命的併發症，也許第一是腦溢血，其次是心臟肌因工作過勞而衰弱，最後是腎機能的損壞。

七十歲以上的老人，往往有許多很能忍受高血壓，因此，他們若有此病不必十分驚慌。

今古談叢

人類的公敵—高血壓

·衎星·

從目前科學發展的程度看來，還不能絕對地答覆，這些疾病能否預防或治好。世界衛生組織有一特殊委員會，目前正在世界各地區搜集有關這方面的調查結果，希望能就這個問題，下一暫定的結論。

醫生們今日尚不能對所有病人嚴格限制他們的飲食，認爲這可以減少他們的血管硬化的程度。有關的因素實在太多，以致我們無法對一位四十多歲的人說：如果他少吃雞蛋、腰花或黃油的話，他就可以避免患血管硬化，高血壓或冠狀動脈栓塞等症。另方面，大多數醫生都同意多做運動，尤其步行與騎車，以消耗掉多餘的卡路里。

是否有藥劑可以減少血管中的膽醇呢？有人說菸鹼酸很有用，若是服用份量適當，可以減少血液中膽醇的循環。此藥確有此作用，但是它並不能維持長久，而且對於已經發生損傷的部份，恐怕沒有多大用處。另方面對於某些高血壓病人，我們有比較有效的武器。限制他們吃鹽、喝咖啡。使他們節食、減輕體重。用一些降低血壓的藥和利尿劑之類。

動脈硬化疾以前是被認爲不治之症的，今日已比較有辦法對付今日的研究將無疑的會繼續供給我們以新的預防與治療的方法。（三完）

振興文化談豫劇

李猷廷

陸光藝工大隊隊長洪濤先生，確是一位幹才，他所主持的國劇、豫劇、話劇以及歌舞各隊，都辦的有聲有色，上年除了由國防部主辦的金像獎競賽而外，陸光所屬各劇隊、自己單獨舉辦了一次競賽，使國軍文藝活動中心門前燈光輝煌、車水馬龍，熱鬧了有一個月之久，無形中提高了各該隊的藝術水準，也幫助了劇運的振興，是洪大隊長早已矚目於於文化復興工作矣，令人欽佩！

去年十二月二十九日至三十一日，該大隊所屬之豫劇隊，曾在文藝活動中心，演出三天，劇目是蝴蝶盃、大祭椿、和桃花庵三齣，本年一月十九日至二十一日，又演出三天，劇目是頭二本的釵頭鳳、和蓮花庵兩齣，這六天的戲，因爲演員特別賣力，所以天天爆滿，給人們一個印像，就是說，除了國劇而外，其他的地方戲，都較比以前，有了進步尤以豫劇隊爲改進最大，國人們娛樂的去處，又多了一種，如果再繼續改良，充實陣容的話，對於新觀衆來說，恐怕有壓倒國劇之勢，現在容言其梗概！

按豫劇源出於河南，即俗說「河南梆子」，其前身當然也是由秦腔變化而來，有豫東和豫西之分，豫東者以陳淑貞爲首、豫西者以常香玉有名，本省所演者，接近豫西之音，爲常派流傳、聞名的旦角有毛蘭花、和張岫雲二人，劇中雖有生淨兩行，但都是配角，完全以旦角爲主，因此旦角的唱念做表，都須有眞實功夫、馬虎不得，而生淨則無所謂，他們的音調尖而高，但都是眞嗓，不像國劇的旦角，小生們，使用假嗓，所以念白清楚，唱詞也能聽得懂，這一點，就較比國劇，容易爲人接受，再因他們以往，很少有武戲，多搬演才子佳人，家庭倫理的悲喜劇，情節輕鬆，也極易爲人們欣賞、實在說起來，戲劇的主要功效，在闡揚忠孝仁義的社會教育，還是這種輕鬆倫理小劇，能夠深入人心，發揮社教的功能，武戲中的翻打跌撲，從四張桌子翻下來，也不過是和看馬戲團的空中飛人一般，究竟對於社教，又有何益處呢？儘管以往我國的文盲，佔百分之六十以上，鄉村中的惡夫愚婦，一無所知，竟能夠維持社會秩序，而竟能達數千年之久，是什麼力量所促成的呢？還不是有賴於輕鬆的地方戲劇、和說評書的力量？若單靠看翻跟頭、和對打，豈不是和看西部打門片一樣，中國早已成了流氓世界了！所以說，至少在以往的農業社會裏，這種地方戲是很適合人們口味的，即使到了如今的工業社會，人們在工作緊張之餘，享受一些有益於身心的輕鬆娛樂，也是十分需要，因此它在人們心目中，漸漸有了地位了。

不過作爲一種完全娛樂的工具，過分的輕鬆，又不免有單調之嫌，在一段過程中，穿插些帶有刺激性武打場面，以調劑情素，也認爲是切合需要，而且由於時代的進步，所有演技、服裝，以及一切設備，更不可墨守成規，保存鄉土的作風，應該適應現代化、都市化，才能趕上時代，免遭淘汰，像那國劇在早先也是沒有武戲，到晚清才加入的，現在的豫劇，由於主管的整頓，也訓練了一犖後起之秀，委託大鵬的武教師，學習幼工，再由毛、張兩位，教練唱做、如封君平、許貴雲、宋艷莕的旦角，田運顯的小生，胡台英的武生等人，都是能唱能打的角色，他們身段都很邊式好看、青衣、花旦、老生、花臉的行頭，也全和國劇相同，祇是有幾位老角色，因爲是積習難改，手脚還是鬆懈瑯瑲，不像樣兒，所有新人都好，在戲中也有武打會陣的場面，例如蝴蝶盃，就和國劇的武打一樣，跟頭翻的十足，受人歡迎，便是改進的結果，今日的豫劇，已竟不同於當年河南的地方戲了，令人刮目相看，值得興奮！

但是話雖如此，它究竟和國劇相比，還有一段路程需要加強，即是演員中不能完全以旦角爲主，生淨兩行也要培植，主角人材，她們要唱、尖高難聽，須也要改艮，有些詞句欠通之處，需要修正，這些還盼望洪大隊長和隊員們再加努力吧！

戰後（昭和三十七年）日本人建「黎明之塔」以紀念這些官兵的忠勇。「健兒之塔」係紀念當時沖繩師範學校三〇七位師生參加作戰不肯投降亦不願離散而在摩文仁山洞自殺的事跡。「姬百合之塔」係紀念同一戰役中沖繩第一女子高等學校及女子師範員生一五八人，被徵在日軍醫療護理單位服務，亦在戰危時集體自殺。「魂魄之塔」則係是次戰役中，美日兩方陣亡官兵，未能辨認出姓名身世者，由慈善機關將之合葬並立碑紀念。據統計埋於碑下的無主殘骸共三萬五千具，由此可以想見當年戰況的劇烈和雙方犧牲的慘重。除了上面幾個塔之外，還有不少慰靈碑或墓碑，也是紀念此次戰役中死亡的日籍官兵，戰後由其家屬或所屬縣市政府集資建築的。日本人來琉球觀光，凡是和這些陣亡者或自殺者有直接間接關係的，大多數都會來這裏憑弔或獻花。以表示他們對于死者悼念和敬佩的心意。此外，附近山邊還有一個墳墓，是美國 Simon B. Backner 中將葬身之處，他正當戰況劇烈之際，不幸於六月一日病故。美國駐在琉球的官兵，也常來這墓地憑弔獻花。

（二）中城古堡：在那霸市的東北部，從那霸坐車約一小時抵達。城堡係一四四〇年佐丸公爵所建，依山臨海，形勢險要，在昔日群雄割據時代，曾發揮了很大功能。該城堡雖係用古代土法建造，但結構牢固，外型壯觀，在琉球現存的古代建築中，可算是手屈一指。一八五三年美國水師提督曾至該處觀看，並派員實地測量及研究後，爲之驚贊不已。現琉球政府將該處闢爲公園，又在附近設置動物園植物園和兒童遊樂場。惜設備不多，道路亦未完全修妥，尚未能吸引大量遊客。

琉球紀行

張希哲

（三）日秀洞：沖繩島上大小的鐘乳石洞有一百多個。據考訂這些石洞早在幾十萬年前便已形成。我國隋書「流求傳」中描述琉球「土多山洞」就是指此。石洞中最有名且有遊覽設備的，就是中部金武市附近的日秀洞。洞內怪石嶙峋，五色繽紛，或如冰柱或如飛瀑；有的像仙人掌，有的像包心菜。在名勝古跡不多的琉球，可以算得上奇景之一。

（四）波上宮：在那霸市內，是琉球唯一的官辦神社。建築方面沒有什麼特別的地方，「香火」很盛；有社會地位的人，其兒女婚嫁如係採行傳統舊儀式的，多在這裏舉行。又生子滿三十天（彌月），亦多來此參拜。在宮的旁邊，有一個「台灣遭害者之墓」，墓碑上記載着：明治四年，沖繩縣有五十四人飄流到台灣被殺，越三年，歸其骸骨葬於該處。這件事也就是當年日本對台灣用兵的藉口。我在雨中細看碑文，想起台灣的被侵與光復，和中琉、日琉、美琉關係的前途，不勝感慨。

（五）崇元寺、天女橋、和玉陵：在那霸市近郊，由琉球政府鑑定爲特別重要文化財的，還有崇元寺、天女橋、和玉陵等勝跡。崇元寺在市內，約相當於我國古代的太廟，該寺燬於戰火，迄今尚未修復，目前僅有周圍的石牆和石門供人憑吊。天女橋和玉陵均建於四百多年前尚眞王時代，就建築結構或藝術而言，實屬平平，並無若何特異之處，琉球政府所以列爲特別重要的古跡，是由於這些建築年代久遠的緣故。

（十五、完）

鴻章奏言宜令華商速設沿海陸綫，以爭先着，使彼無利可圖，庶幾中止。且從此海疆各省，消息靈通，爲利更大。朝廷從之。而蘇州至浙閩粵陸綫，因之告成。其時香港英商方欲設水綫至廣州，粵督曾國荃亟造陸綫以遏之，於是港綫不得侵入粵境。英綫不獲造之福州，而上海丹綫，九龍英綫，先後毀去，或以資購之，於是沿海電綫，其權悉操於中國之手。

以上各綫，皆係因外綫之侵入而次第創設者也。

二、因海防緊要而設者

在沿海陸綫未設之先，海疆萬里，消息阻隔，緩急無以爲備。御史陳啓泰因上海防六策，其一即言：洋面既派兵輪分駐，即不可不設電綫以通消息。議者必以不急之務，虛糜巨欵爲疑，不知非常之原，斷非省嗇所能集事。即以目前而論，越南情形，每藉各國新聞紙以爲耳目，今年朝鮮之變，非由日本發來電信，中國尙不得知，軍情緊急，日夕萬狀，郵傳迂緩，既恐有誤機宜，藉助外人，更多窒碍。自不如招僱洋匠，自行安設爲宜。中國電報，似宜推廣各省海口，凡兵船寄泊之處，一律開辦，廣東瓊州之綫，宜逕達越南。奉天旅順之綫，宜逕達朝鮮。總期脈絡一貫，呼應靈通。遇有警事，瞬息可至。奏上，下所司議行。

清代電信建設紀實

·羅雲家·

光緒十年，越南事起，海防危急，設綫北塘以及山海關，遞及於營口、旅順。江督左宗棠則設長江綫以通武漢。粵督張樹聲則設廣西綫以達龍州。而奉天至仁川電綫，亦成於十一年。台灣以瀕海要區，於十四年亦併設水陸電綫。甘一年，中日戰爭孔亟，慮直東一綫有阻，接設老河口至西安。是役，江蘇增上海至獅子林、金山、揚州至淸江、至靑口、鎭江、補浦至通州、泰州以及崇明、江陰、都天廟、至吳淞等綫。以上各綫，皆係因爲海防緊要，而次第安設者也。

三、因邊防備戰而設者

滇桂密邇越南、緬甸，邊備爲急。滇省電綫，初時僅通鄂、通蜀。其與南寧接綫之議，光緒十一年得請而未果行。十三年，滇督岑毓英復奏言：由緬入滇，以騰越爲入境門戶，猶蒙自之於越南也。今英國有開辦通商之請，自當先事籌維。擬就粵西工匠到滇之便，即將省城至騰越一路，安設電線，以通英緬消息。……其時粵督張之洞，亦言：廣西南界接壤滇邊，桂、滇皆西鄰越南；滇則西接緬甸，若僅恃由鄂入滇一綫，傳達電音，設有雷雨折斷電桿，阻滯堪虞，且遇有軍務之際，由滇川滬鄂，展轉至粵，恐有交會壅滯之患。已商之滇督，自剝隘至蒙自，由粵接造，並增滇越之綫。疏入報聞。蓋剝蒙設綫，所以備越南也。騰越設綫，所以備緬甸也。

（二）

早來的嬰孩

—晉陵譯—

「我馬上回來，」我對杜蒂說着，就往醫院裏奔去。除了一個年輕男人坐在桌子邊之外，這家醫院好像已被人所拋棄了似的。「我太太剛剛坐在車上生了一個小孩，」我說：「快點請一個醫生來！」

「這裏沒有醫生，最好開到急診處去，就在轉彎角的地方。」

我跑回車上，此時，孩子又哭了。杜蒂很安詳地倚在車座的椅背上。

（五）

內備警台報字第〇三一號內銷證

自由報

THE FREE NEWS

第八二七期

中華民國僑務委員會發給僑報登記證台僑新字第三二三號
中華郵政台字第一二八二號執照登記為第一類新聞紙類
（逢星期三、六出版半張）
每份港幣壹角　台灣零售每份新台幣元
社長：雷嘯岑
督印人：黃行奎
社址：香港銅鑼灣高士威道二十號四樓
20, CAUSEWAY RD 3RD FL. HONG KONG
TEL. 771726　電報掛號：7191
承印者：大同印務公司
地址：香港北角和富道九六號
台灣分社
台北市西寧南路臺零號二樓
電話：三〇四六
台郵撥儲金戶九二五二

再論紅衛兵和當前世界局勢的發展（上）

何浩若

一、當前世局轉變的關鍵

假如當前的國際局勢會發生重大的轉變，我們以為轉變的關鍵是在亞洲，而亞洲的關鍵是在今天的中國大陸。

當前的世局，仍然是民主國家對抗共產集團的局勢。因為蘇俄倡導和平共存，因為美國要避免核子戰爭，因為共產黨的同路人，左傾的自由份子，儘量宣傳共產集團的下一代可以和民主國家和平相處，許多人彷彿已經忘記了民主國家和共產集團的對立。他們不僅忘記了林肯的名言：「這一個世界不能一半自由，一半奴役」，而且忘記了美國和蘇俄是相互的假想敵國。蘇俄的和平共存，所謂「共垮資本主義，和死戰爭販子（"Co—exist the Capitalists to death and Kill the War—mongers by peace."）當然是一個騙局。共產黨的同路人，左傾的自由份子，說共產黨的下一代可以和民主國家和平相處，更是一種惡毒的陰謀。紅衛兵不就是中國共產黨的下一代嗎？請問美國能不能和紅衛兵和平相處呢！美國華盛頓一位女預言家，狄克遜夫人（Mrs. Dickinson）說毛匪澤東和胡匪志明將於一九六七年失勢，但是美國並不能贏得越戰的勝利，詹森總統將更感棘手，因為將來使美國頭痛的將是蘇俄。我們不信什麼預言。我們不信在一九六七年有一個什麼第六縱隊會奪取美國的政權。但是稍為明瞭國際局勢的人，祇要不是昧着良心為共產黨說話，或是受了共產黨同路人宣傳的欺騙，都知道美國和蘇俄現在仍然是對立的，也就是彼此代表民主國家和共產集團的敵對的敵國。這一點，大家心裏有數，不僅美國的當局，就是民間的一位女預言家也知道。在這裏，我想向讀者報導一點美國在歐洲所設立的空中司令部的組織。

根據一九六七年一月十四日倫敦合衆國際社的報導，美國已經在歐洲設立了一個空中司令台。報導說：

「今天獲悉，美國已悄悄地將一個高度機密的緊急空中「司令台」放入空中，以指揮其在歐洲的二十五萬人。」

官方說，這個計劃美國空軍司令部「絲袋」，與在北美上空的戰略空軍司令部的飛行指揮所「望遠鏡」相似。

他們說，這所司令台的設計目的，是在遭受敵人襲擊，最高盟軍統帥李尼茲及其副手柏其奈將軍的統帥部遭摧毀或與部隊失掉連絡時，立即接管歐洲美軍的指揮。

這所指揮台並在補地下緊急指揮所的不足。該地下指揮所已在李尼茲的最高統帥部和歐洲美軍司令部柏其奈將軍的總部成立了相當時間。

這兩個總部現均駐於巴黎附近，計劃於四月一日以前遷移以遵守戴高樂總統所定的限期。李尼茲的總部將遷往比利時的卡士圖，歐洲美軍指揮部將遷往西德的斯圖格爾。

這個空中「司令台」是裝置於一架波音EC——一三五噴射運輸機中。這種運輸機是波音七〇七的一種改良型。美國人士說，這個司令台是很多電子儀器構成的。實際上亦即李尼茲將軍和柏其奈將軍地面司令部的縮影。他們說，這個指揮台擁有全部裝置可以與全歐洲的美國空軍通訊和下達命令。如果地面管制所遭到摧毀時，並可以指揮轟炸機及飛彈部隊。

這個飛行「司令台」由美國空軍第七一二〇空中管制中隊操縱。

這個中隊原駐於法國中部的查圖若柯美國空軍基地內。該中隊已於數月前移防於倫敦東北的米登豪樂空軍基地。

美國人說，這所司令台是經常在歐洲上空，如果不在空中，接到命令後五分鐘即可進入空中。

他們說，正計劃讓這所司令台永遠在空中飛行。

這所空中司令台的人員被稱為「絲袋管制小組」。官方說，這個小組通常由一位將官與十位參謀人員組成。這架噴射機的操作人員為五名。

本文詳細報導美國在歐洲設立空中司令台，祇希望說明一點，那就是在民主國家和共產集團對抗的局勢中，美國和蘇俄仍然是對立的和敵對的。假如真如蘇俄所說的美國已經和蘇俄和平共存，假如真如共產黨同路人，左傾的自由份子所宣傳的美國和蘇俄不會以戰爭相見，或是說美國並不要戰勝蘇俄（戰不勝論（No—Min policy）），那嗎，美國在歐洲為什麼要如此緊張的設立這一個空中司令台呢？再說明白一點，假如蘇俄是願意和美國和平相處的，為什麼蘇俄要支持北越對抗美國在越南企圖阻遏共產黨侵略的越戰呢？假如我們仍然承認民主國家和共產集團對抗的局勢和美俄的對立，我們就會瞭解為什麼世局轉變的關鍵在亞洲，亞洲轉變的關鍵在今天中國大陸。

二、因為美俄的對立使我們想到默修白里的預言

打開日本海禁的默修白里（Commander Mathew C.perry）在一八五六年三月七日，當他參加美國地理學會和統計學會在哥倫比亞大學所舉行的聯合年會時發表了一篇講演。當日正值克里米亞戰爭結束之時。他以為俄國的沙皇代表獨裁，英美的薩克遜民族則代表自由民主。他以為在一百多年以後，哥薩克人和薩克遜人將再度在亞洲為自由與奴役決戰。他在那篇演講裏面所說的預言是這樣的：

苦不堪言！

行不得啦！

今日与明日

俄毛關係劍拔弩張

蘇俄與毛共的關係，最近尤見緊張。一般輿論均認為這兩個世界罪惡之尤的政權，已瀕臨「絕交」前夕。其實，以它們過去那樣「爺爺」和「孫子」的親密關係，鬧到現階段這樣的情況，已無所謂「絕交」「不「絕交」」，在事實上，已形同敵對的「交戰國」。毛共北平「羣衆」在示威中，燒毀了蘇俄黨政領袖布列茲涅夫和柯西金這兩個「混蛋」紙紮像。這和太平洋戰爭階段，日本軍閥「打倒獛漢」口號中所卑鄙情形完全相同。

以毛共今日的混亂處境，及其「國力」而言，相信，還不敢對其過去的主子蘇俄這樣地毫無顧忌地放肆。然在事實上不但放肆得近於荒唐，大有對蘇俄根本就沒有放在眼中的樣子。可能，毛共在被迫情況下，「裝孫子」也裝不下去了。也就是蘇俄已下定決心要對毛共下手，所以，毛共才不得不採取「以牙還牙，以眼還眼」的一些行動。

日前毛共一批在東歐「留學生」路過莫斯科時，於拜祭毛共的「祖師廟」——列寧墓，與蘇俄軍警及「格別烏」（便衣特務）發生衝突，被打得落花流水，甚至還有幾個負了輕重傷。毛共「留學生」雖高誦「毛語錄」，但在事實上那是屁事不頂，挨打的還是挨打，負傷的照樣負傷。

四日消息，毛共駐莫斯科「大使館」的揭示牌但貼出其「留學生」被毆打的照片，蘇俄派警察前往予以強制撤去。因又與毛共「大使館」人員發生衝突。蘇俄方面在過去，對毛共是採取「容忍」的態度的。但因它在民門已普遍進行反毛宣傳，甚至專為對付毛共復組訓青年，因此，蘇俄羣衆近來已普遍對毛共不滿。毛共駐莫斯科「大使館」四日宣佈：該「大使館」三十一名「職員」（包括三個女性），於三日晚間被蘇俄「一百七十名無賴青年毆打」。

另一方面，北平「羣衆」仍繼續對蘇俄駐俄「大使館」採取杯葛，叫罵和「制裁」等措施。因此，蘇俄向毛共提出了最最（過去至多用一個「最」字，而這次「升級」用了兩個）嚴厲的警告謂：蘇俄人民的忍耐是有限度的，並謂即將採取激烈的行動。

蘇俄已撤退其在大陸的「僑民」，當俄僑登機前，北平「紅衛兵」高舉謾駡克宮主人的漫畫，和呼口號。這真是有效的宣傳手法，必激起蘇俄與毛共向「堅決、徹底乾淨」地絕裂。

相信，如毛林集團進一步對「蘇修」和它在大陸上的「代理人」（反毛「當權派」）進行毫不留情的措施，蘇俄必向毛共下手。這一點相信是毛林集團所深知的。不過，值此反攻勝利在望的日子裏，我們並採取怎樣的態度，倒頗值得檢討。（何如）

自由談

休矣李宗仁

馬五先生

據說，臨老不甘寂寞，靦顏投靠毛共膝下的李宗仁，最近以「美國間諜」的罪名，被紅衛兵逮捕了，在共黨的奴役生活環境中，無所謂是非功過，也沒有什麼法律觀念之可言。每個人祇是利用的工具，一旦利用的價值完了，工具即非消滅不可。朱德、賀龍、彭德懷這些曾為毛共出死力打江山的「元勳」「巨擘」，且被誣為反動份子，加以斐夷，降虜貳臣如李宗仁者，若能逃避共黨的清算鬥爭，得皆壽終正寢，那纔怪！

人生最大的悲哀就是無知，知識譾陋之輩而又熱中於政治生活，滿懷富貴功名的慾念，結果沒有不是以悲劇終場的。李宗仁滿以為過去對共黨留下一身血債的同鄉同宗李濟琛，且能揹着「民主人士」的招牌，而以「民革」的政團首領名義，以病貴為秧歌政權的副主席，以死，「未遭橫禍」，「李故副主席」，他亦不妨「沿襲」，投靠毛共，乞取一官半職，以娛晚景。卻昧於共黨原是以人類為芻狗的義理，時易勢異，本身業已沒有絲毫的利用價值了，共黨豈能豢養一個廢人嗎？

自「紅衛兵」之亂作，大陸上各個所謂民主黨派已遭解散，毛共忙於內部的「奪權」鬥爭，對於一般「民主人士」尚未進入整肅階段，留以有待，而急於先把李宗仁開刀，這當然是有計畫的行動，用意在威脅「民主人士」，不得稍有助長變亂的念頭，同時就是要防範「美帝」的潛力滲入毛共區域，致貽後患。至於說李宗仁的假牙和鞋底上，裝有跟「美帝」通訊的發報機，那是欲加之罪的胡謅瞎扯，否則那位奉命配給李宗仁作「愛人」的某女士，何以不將李氏口中與鞋底的新式發報機取出來作證呢？

李宗仁的本質原是愚昧的，因緣時會，居然一度在政治上成為風雲人物，如其他稍有自知之明，善於藏拙，而不妄冀非份，未始不能克保令名以終其身。只因慾望大過知識，幻想掩蔽了現實，莫名其妙的以生命兒戲，宜乎有此結局。曾記白崇禧將軍於退出大陸前來台灣時，對人說過兩句話：「在中華民國政府之下，祇是個人的休戚問題，在共黨政權之下，那是生命的存亡問題了」。可惜李宗仁沒有這種常識，自尋死路，可憐亦復可哂也。

經李紹風一年半銳意改革
高雄市工商課積弊漸除
公路局高雄監理所長蕭樹川調嘉義
汽車業如釋重負對他作風深惡痛絕

（本報駐高雄記者趙家驊航訊）一向為高雄市民所詬病，議會指責，輿論抨擊的市府工商課，自課長李若雲垮台，新任課長李紹風接長以後，經過一年又半的大事整頓，銳意改革，十多年來之積弊漸除，沉疴已有復甦之望，李紹風說：我不貪污，以身示範，自然風行草偃，不肖之部屬自必檢肅自斂矣。

自本年元月起，工商課成立了一個以便民利民的「服務中心」，該中心確立了幾項中心任務：一、工商登記，免費供應申請書表（按過去登記每家收十多元）二、代填申請登記書表、工商申請登記書表項目繁複，即知識份子見表亦不知從何填起，何況一般市民？三、委託各區民眾服務站，建設衛星服務網，四、解答工商法令，由李課長親自申請人解析；五、編印營利事業登記手冊，內中包括：（一）工廠登記須知，（二）一般營利事業設立登記須知，（三）變更注銷登記等項目。

李課長曾向經濟部，建設廳建議：工商登記管理截然劃分，方可達到一商一證的最後目的，他說：舊辦法已不合時宜，完全是一種形式主義，例如工商登記和管理，「登記」本屬工商課的事；但是警察當局，衛生局，稅捐處，教育科等單位也要過問，殊不知「管理」一項是屬於他們的事，與工商課無涉，現行辦法要「會查會簽」，牽連的單位太多，各有各的法令，一件申請登記案不是這個單位通不過，就是那個機關有話說，工商業者資金，房屋，人工一切準備妥當；但因「管」的機關多，往往一案件，拖幾個月年把，是司空見慣。這種陋習，若按李課長的新構想工商課在兩個小時內替申請者辦好登記，然後將副本送有關機關，讓它去「管理」，如是可以減少業者許多不必要的損失，又可免賄賂費事，叩頭作揖送「紅包」之苦。這個便民利民的措施，工商課正在推行，成效如何，拭目以待可也。

▲公路局高雄監理所所長蕭樹川與嘉義監理所所長胡遠輝對調，蕭樹川執掌高雄理所有年，他的幹部多係他的湖北老鄉，以他為主的這一「班底」的作風，台灣東南部包括澎湖區的汽車業者，對他的「作風」，深惡痛絕；但是均敢怒而不敢言，除非退出汽車業，不吃這碗飯，否則就得聽他們的，你要想通過汽車駕駛執照放試，不管你的技術精湛到何種程度，不讓你通過，你休想拿到執照，反之，根本談不上什麼技術取得執照的又易如反掌，這內中的「道理」，你聽司機們罵起來，煞是有趣。又如申請汽車行，他們會搬出「法令規定」的應有店面寬長度，可是不合「規定」的是百分之百——這話你不敢與他們理論——要論休想通過，而最後「走門路」通過了。這不過是一二例而已，其他各項手續與「規定」，你想通過，你應知「識時務」，否則那等於跟自己過不去。

新任所長胡遠輝與我：談到這些問題，他說：如確這類似情事，他將嚴懲不貸。胡所長在嘉義方面既有改的作法，不悉，他也需要一段時日，他剛接任不久，各方面還未摸出端倪，今後胡所長之所行是否符合所言，徹底革除積弊，樹立新風氣，有待下回分解了。

▲高雄新型屠宰場的預算，被市議會七次臨時會拒絕審查，通過請省府接辦，這一招厲害，議會指該場計劃不週，經營不善，高雄市民投下了千萬資金，結果不僅是賠本生意，而且肉價逞高，肉色灰白，含水量重，不要說「爭取外銷」，即連內銷也大不如前。

該場未開工前，在環境佈置，設備購置上花了一筆可觀的錢，例如花圃、以及價格高昂的龍柏樹；油畫——最令人玩味的是一座大理石的「畜魂碑」，用了數千元，這座碑的用意不悉是「超度亡魂」？抑是「讓人憑弔」？百思莫解。

該場開工迄今，排污工程仍未興建，猪糞擁塞溝渠沒處排出，臭氣熏天，內進者不要說呼吸困難，臭氣直冲，眼睛也難睜開，這在臭不可聞的環境裏，連以往鮮艷的花卉已凋萎，還強調什麼「衛生」與「擴建」？

高市府現在是騎虎難下，究竟是市辦，省辦抑或交民營？目前甚難猜測，錢是「賭」下去了，為何翻本「一」也蝕了，只看市府財政科長沈明川的

▲桃縣中壢鎮，擁有十萬人口以上，工商業發達，交通便利，為台灣全省第一大鎮（縣議會通過爭取升格為縣轄市）「中壢銀宮戲院」是因陋就簡，日據時期的廢棄倉庫改裝的，如該院現代化設備，因受原建築物的種種限制，擁擠不說，桃園縣府，為了觀眾的安全，已下令禁止該院樓座售票，戲院是列入「特種營業」，在管理上有行政、稅務、衛生、治安等多數單位，該院又處中壢的鬧區，自然為有未逮的難處，縣府這道安全禁令，雖已下達多時，該院的樓座，仍照常售票，有人幽默地指出：該院如果安全發生了問題！（上）

看橫掃中國大陸的「紅衛兵」與「文化大革命」

楊力行

一九六五年九月，毛匪在一次匪黨中央的會議上，又會激烈指出：「必須批判資產階級的反動思想」。上述種種胡言亂語，均為毛匪企圖發動「文化大革命」時，事先進行輿論準備之積極部署。

第二是行動階段：一九六五年十一月初，毛澤東鑒於匪黨內部反對勢力強大，如不及時先發制人，勢將危及其本身安全；於是，悄然秘密赴滬，採取行動，由於取得偽國防部長林彪之支持，乃迅即於同（十一）月十日運用所謂「上海黨的組織力量」，嗾使姚文元撰寫一篇題為「評新編歷史劇『海瑞罷官』」的文章，刊於「文匯報」，揭開了批判吳含（日旁，以下同）反黨反毛的序幕，這就引出了以鄧拓為首的「吳南星集團」（吳是吳含，南是馬南邨即鄧拓，星是繁星即廖沫沙）反毛反共的行動與思想被清算鬥爭的導火綫。因之，姚文元的這篇文章可以說是代表毛匪澤東對其派發出的第一個信號槍；同時，也是共匪這次「文化大革命」採取的第一個行動。

繼之以匪「解放軍報」帶頭，連續發表「社論和專欄文章」，揭露以鄧拓、吳含、廖沫沙為首的「三家村黑店」，並攻擊匪黨北平市委的黨報—「北京日報」、「北京晚報」和黨刊—「前綫」、「北京文藝」之「反毛澤東思想」的立場。匪「解放軍報」四月十八日、五月四日先後發表「高舉毛澤東思想紅旗，積極參加社會主義文化大革命」、「千萬不要忘記階級鬥爭」兩篇「社論」，對「反黨集團」撻伐尤厲！後者指陳：「這些人打着紅旗反紅旗，披着馬，列主義、毛澤東思想的外衣，反對馬、列主義、毛澤東思想」；「打着共產黨的招牌，反對共產黨」；「這些人利用黨給他們的職權，把持了一些部門和單位，抗拒黨的領導，通過他們所掌握的工具，進行反黨、反社會主義的罪惡勾當」。這篇「社論」發表之後，無異是對「反毛、反黨集團」下了總攻擊令，各省市把批評「鄧拓、吳含、廖沫沙三家村」搞成一個羣眾運動，各工廠、學校、公社、街道、機關、部隊紛紛召開座談會，口誅筆伐，在宣傳上形成一個高潮。

這一次的「文化大革命」，共匪搞得甚為徹底，他們並不以鬥倒鄧拓、吳含、廖沫沙為滿足，是要將其連根拔起。「紅旗」第七期的文章指出：「誰是積極支持鄧拓、吳含、廖沫沙進行反黨反社會主義的活動呢」？「是誰用各種辦法包庇鄧拓、吳含、廖沫沙呢」？五月二十一日匪「人民日報」也為文指出：肯定是有人指使，有人庇護着的。我們要問什麼人？為着什麼目的？存着什麼野心給三家村黑店發出了營業執照？對這些嚴肅的問題，必須回答」。五月二十三日並指斥「人民日報」刊登郭勛的文章說：「追下去，把三家村徹底搗毀」和「追出他們的後台老闆」。結果是追查到底，追到匪黨「北京市委第一書記」兼偽「北京市長」彭眞，受到嚴重批判和清算，最後連匪黨第二號頭目劉少奇亦受到株連，乃使這一「文化大革命」形成匪黨最高階層的權力鬥爭，情勢非常嚴重。

這一次共匪的「文化大革命」，據匪黨中央正式宣佈：是由陳伯達（組長）、江青（第一副組長）所領導的「中央文化革命小組」負責執行的，從一九六五年十一月開始行動到一九六六年十二月從事整肅以來，上至匪偽中央，下至匪偽地方，被整肅清算的匪偽高級幹部，據不完全的統計已有二百餘人之多，其中犖犖大者，在匪偽中央方面，計有：鄧小平（匪中央總書記）、彭眞（匪黨中央原任總書記及北京市委第一書記兼北京市長）、烏蘭夫（偽國務院副總理及內蒙自治區第一書記兼主席）、陸定一（匪黨中央宣傳部長）、周揚、林默涵、吳冷西（以上均匪黨中央宣傳部副部長）。（十）

桃縣鎮長李發贖職被扣

本報記者黃鴻遇桃園航訊

桃園縣桃園鎮第六屆民選鎮長李發，因涉嫌串通縣府教育科督學邱垂統，向該鎮轄內七所國民學校收取校舍修建費「回扣」二萬元，於本月廿一日被司法行政部調查局桃園站查獲後，亦已分別移送新竹地檢處經開庭偵訊後下令扣押。

桃園鎮長李發，現年四十四歲，曾任桃園縣議員、桃園鎮農會理事長、桃園水利會代表及評議委員等職，他就任將近三年期間，表現良好，確實為桃園鎮民做了不少事情，當此一貪污案暴發後，轟動了寧靜多時的桃縣政壇，地方人士獲悉後亦為之譁然。李發鎮長涉嫌的這件貪污案，發生於五十三年，他當選鎮長不久時，適逢鎮公所編列預算中有一筆國校修建費十萬元將要撥發，他趁機動上腦筋與當時的會稽國校校長邱垂統（現任縣政府教育科督學）串通從其中收取「回扣」二萬元，這件頗為離奇的貪污案，如今已醞釀了三年，突然被治安機關查獲，確實是不簡單，俗說：凡事「若要人不知，除非己莫為」，像這位年輕能幹的李發鎮長，為「貪小利而致於大害」，眞是得不償失也。

據熟悉內情人士透露：李發鎮長曾担任會稽國校家長會長，與當時的校長邱垂統感情頗篤，於競選時，為打垮實力雄厚的勁敵，確實動員了不少「人力」和「財力」。當然邱垂統是義不容辭的儘全力持支，並替他設法借貸了二萬元作為競選費用。古語云：「黃天不負苦心人」，李發終於贏得了鎮長寶座，當選之後為償還上項貸款，遂異想天開將動腦筋在鎮內七所國校身上，經由邱垂統出面邀請七所國校校長在成功國校校長呂芳春家裏開會，當時除中埔國校校長曾秋發（現任大湳國校校長）因病未出席，由該校教導主任代表出席外，其餘都是校長本人出席——桃園國校校長陸明器（現任龜山國校校長）當時的東門國校校長簡衍慶（現任桃園國校長）成功國校長呂芳春，建國國校校長李訓煌，中山國校校長廖秀年，以及當時的會稽校校長邱垂統本人等七人商討這件事，據側面消息說：邱垂統在那次會議中曾向與會人員說明，李發鎮長是大家支持出來的，因競選時負債甚鉅，希望大家在這次修建費項內，設法替他解決一點困難，當時的條件是這樣的，在十萬元內抽取回扣二萬元，恰好是「二成」，雖然每個國校都有部份教室急待修建，各校長為同情李發鎮長的處境，祇好「忍痛答應」，未久鎮公所於第一次撥款時，由邱垂統收齊後（據說僅收到一萬九千元）償還了競選時的貸款。（上）

桃園續份

記者黃鴻遇

▲桃園火車站站長王杰、儀表端方，為人謙和，公共關係也好！每日南上北下的「觀光號」火車進（出）站招呼時，乘客都贊美他為「土紳站長」，但他是絕不馬虎，該站站務員陳添（男）因職務上發生「小過失」，王站長欲將陳某他調，陳某獲息後，以服務該站廿餘年，且全家老少都住在桃園為由，請求免調，王站長在公私兩難下，對陳某說：站務員調動，權屬上級，陳某即拿出新台幣三千五百元，交請王站長，代為疏通（說項），經得王站長的允諾，陳某乃安心工作，於是乎為時不久，陳某又遭調至「七堵站」服務，再向省府有關機關陳情，也無結果，陳某心有未甘，乃時常向王站長討回這三千五百元，連月累旬，鬧個

故鄉新年的回憶

·靜之·

每屆新年，不禁使人懷念故鄉，因爲在大陸未被赤化前，那番過年的熱鬧情況，的確太令人悠然神往了。

每年景象，在一進臘月，便醞釀了起來；大人們要準備清理賬目，孩子們的新衣裳，是必須添製的。房間，院子也要打掃淨潔，香腸、醃魚、臘肉等都一串串地掛滿了。遊子返鄉的心情，也一天天緊迫起來。灶王爺上天之後，年的氣氛更濃了起來；一大籠一大籠的饅頭；帶嘛的，點着紅點的，有動物形態的，饅頭出籠之後，都放在大瓦缸裏。油炸的，油煎的食品，使廚房日夜忙碌着，烟氣，油香，嘻笑，迷漫在整個廚房，這種忙碌，一直要到除夕。因爲母親們在除夕之後，起碼到破五（初五），不能下廚，動刀用剪是犯忌諱的，縱使是掃地，也須由外向內掃，它代表着財寶滾進來的意思，連垃圾也不倒出去。這時候，是母親們一年中最清閒的假期。另外人們忙着去市鎮趕辦年貨，大包小包，大簍小簍的東西，不斷的買回來。這種趕辦年貨的忙碌，一直要到年卅晚。

除夕晚，每戶人家早已貼上了春聯，這時候，風雪正緊，潔白的雪地上，一片耀眼的明亮，襯托出紅色的對聯，彷彿是聖潔中的一點人生之火，在人們心靈中閃耀着欣喜、安慰、祝福的鼓勵。這時，正桌上擺滿了供品，堂屋裏燭火輝煌；古銅的高脚燭台，亮晶晶地閃着光芒。香爐裏點燃起成塊的沉木，烟霧正濃，香氣迷漫。堂屋門口，一字擺掛起的燈籠，迎風招笑。油燈點燃在每個黑暗的角落，通宵不熄，這一切似乎在迎接新春的來臨。

午夜後，家中的大小孩子都洗了澡，並換上了新衣、新帽、新鞋、新襪、裏裏外外，上上下下，無一件不是新的，還有一顆新的心；又大了一歲。

接着老爺爺跪在紅氈上向祖宗的神位叩頭拜，再按照輩份依照男先女後的秩序向祖宗跪拜行禮。輪到最小的孩子叩頭時，媽媽會拿着兒子的手，讓兒子叩了頭，媽媽的嘴裏，會有着極其虔誠的祈禱。

然後，就是向長輩拜年叩頭，份輩最大的穩坐太師椅裏，讓輩份小的挨次一一叩拜，叩頭時嘴裏還要喊着：「給××磕頭。」

頭叩完後，馬上分壓歲錢，輩份最小的與傭人拿到的紅包最多；紅包拿到後，腰包裏滿滿地，樂意作甚麼便作甚麼，大家笑逐顏開地去吃年夜飯。年夜飯有酒菜，熱騰騰的火鍋，擺滿了一大圓桌，這就是團圓的分歲酒。吃喝將盡，擲骰子，搖寶的娛樂開始了，這便是守歲。

將近五更，水餃上來了，因爲人們在雞鳴的第一聲，就要拜年去，拜年是不怕早的，似乎越早越有禮貌。孩子們第一個拜年的，就是老師，給老師拜年，例外是沒有壓歲錢的，但老師的堂屋裏却有一張紅紙和一副新筆硯，學生拜年之後，要在上面正楷寫出一句經書上的話，初啓蒙的學生也要寫上自己的姓名。這算是新春開筆。

新春開筆之後，是孩子們最自由的時候，這時候，一個沒有錯的世界，一切都受着寬恕和祝福。「大年新春」四個字，成了一切爭執的靈符。滿街是新衣笑臉人；下鄉的，進城的趕着牛車，串門拜年，走親戚回娘家的，形成了一片熱鬧，繁華的人流，到處是拱手作揖，一片恭喜發財，紅男綠女，穿梭似的忙着，要過了正月十五以後，年的高潮才算平靜下來。

以上故鄉過年時的那種認真的禮儀，這是我國文化所凝結的花朵，除對生活添增起彩虹的光輝外，也是對人生的祝福，和對後代子孫的責任與鼓勵。不幸朱毛禍國，大陸沉淪，人民都成了「人民公社」的奴隸，那裏再有新年的氣息。但望早日河山重光，讓我們歡欣鼓舞去重溫新年的美夢吧！

新春食譜

趙芳

一年容易，又是新春，在此期間，大家都免不了要大吃一番，爲着吉慶，故菜名多取吉祥，色彩亦要鮮明，茲開列小宴菜單一份，計八菜一火鍋，並將名稱及製作說明如後：

一、香酥鴨：鴨一隻，約三斤至四斤，殺洗之後，整隻放鍋內加少許花椒、八角、薑片及醬油一匙、清酒半飯碗、清水三飯碗，煑至開滾，改用慢火煨一又半小時，汁漸收乾，鴨也很軟了，就可起鍋。再將鴨蛋一隻打散，加入豆粉調成糊狀，將之塗抹鴨全身，放入大鍋沸油中，炸至金黃色起鍋，剁塊上桌，另備花椒鹽沾食。

二、葱油鷄：肥鷄一隻約二至三斤重，殺洗後去內臟，用鹽塗抹鷄身內，葱十數根，薑數片洗淨後塞入鷄肚內，醃一小時，放盆中置於蒸籠內，用沸水大火蒸十五分鐘即好，再將餘汁塗抹全身，即可上席。

三、三絲海參：發泡好之海參六至八條，置鋁鍋內加高湯一碗，用慢火煨煑約一小時左右，煑至湯汁剩大半碗時，即整鍋拿起，再將每條對剖，以熟火腿絲、冬笋絲、鷄絲（或肉絲）共炒，豆粉調好與適量細鹽一起加入即成。

四、四喜丸子：五花肉一斤洗淨去皮切成小碎丁（不要剁），荸薺十數個，洗淨去皮、剁碎。另葱末少許，均置大碗中，加醬油一大匙，酒一大匙，麻油一小匙，鹽半小匙，豆粉二大匙拌勻，醃泡半小時，再將鷄蛋一個調入肉丁內，用大湯勺團成四個大丸子，用油炸至金黃色，再以適量之酒、醬油、糖、葱段（約一寸一段）用開水入鍋，慢火燒燉四十分鐘即可。

五、五福臨門：這一道完全是蔬菜，小紅蘿蔔廿個，去蒂去皮；洋山芋二大個，去皮，切成數個小球，大小與小紅蘿蔔相仿，同入鍋煑十分鐘；小黃瓜三條，去頭尾，每條切爲八段，挖去瓜子，用少許蘇打粉加入開水中煑三分鐘；蕃茄二個洗淨去皮去籽，切塊；圓形麵筋十五個，對剖爲二，用三大匙油炒好，再加入味精、細鹽，用水煑滾後，加入蘿蔔、山芋、蕃茄等炆五分鐘，以太白粉勾芡去鍋。

六：翡翠蝦仁：中蝦十二隻，洗淨，去頭去殼，由蝦背順直剖開一道縫（不要斷），挑出腸泥，涼乾水分；另摘青嫩的油菜（或芥蘭菜）一斤，以取菜心，入沸水中滾兩下，以一大匙豬油加入蒜粒、薑片與菜心爆炒，入鹽、酒、味精攪勻起鍋置盤中。再以五大匙豬油燒熱，一邊將半小匙鹽、一小匙豆粉及酒拌入蝦肉，旺火炒一分鐘，至蝦捲成球狀，色變鮮紅撈起，置於菜心上，紅綠相映，煞是好看。

由一首詩說起

近人王世昭先生有一首詩，描述了海外華僑與中華文化血統的密切關係：

我從五嶺到南洋，處處逢人問短長；
一盞清茗叩氏族，說來總是舊同鄉。

我們常常聽見人們說：「五百年前是一家。」這句話與上面的詩，是同一的涵義，充分表現了華僑與祖國同胞如兄弟若姊若妹的親切情誼。

華僑和華人在海外各地的移殖，有悠久的歷史，他們的祖先來自中國的農村。務勞務實和克勤克儉是中國農民的特徵，海外各地華僑人所表現的勤儉奮鬥的創業精神，即是中國農民精神的發揚。

風俗習慣是一種民族文化的表現。在海外，各地華僑社會生活的風俗習慣，雖然因爲與其他民族相雜處，接觸頻繁的結果，稍有所改變，但大體上仍是保存了中國固有的禮俗。最明顯的，以過新年的風俗來說，華僑和國內同胞完全一樣，都同時過陽曆新年和陰曆新年，而對陰曆新年，都非常重視，大家莫不懷着一種歡樂的心情來迎接這一新春佳節。

新年雜談

陳綺言

在陰曆新年除夕之前幾天，家家都忙於打掃房屋，佈置一新，張貼春聯紅紙，處處是充滿了喜悅的顏色。元旦開始，一律休業三天或一個星期，家家戶戶祭祖拜神，燒香求福，爆竹之聲，此伏彼起，遙相呼應。親友之間，往返拜年，互道恭喜發財，或則互請春酒，或則結隊遊春。在華僑聚居的地區，則有舞龍舞獅的生活藝，以資同樂。彼此表演國術武藝，大顯身手，打鑼打鼓，衆人圍觀，無不興高彩烈，在在表現了中國農村民間娛樂的情調。

筆者幼年旅居印尼西婆羅洲首府坤甸埠，在幼年腦海裏所留下的過新年的印象，眞是大有「爆竹一聲除舊歲，桃符萬戶迎新春」的景象。在海外華僑社會保存歡渡新年的傳統習俗娛樂活動，是中華文化精神風格的一種表現。

黃金萬兩　招財進寶

在海外各地，華僑過新年的時候，大都貼上吉利字句對聯和紅紙，例如：「開市大吉」、「對我生財」、「財源廣進」、「五福臨門」之類的字句。筆者幼年時印象最深刻的則是「黃金萬兩」和「招財進寶」二句吉利語。

爲什麼筆者將這二句吉利語的印象特別深刻呢？因爲他們寫的春聯的人，每每把「黃金萬兩」和「招財進寶」的字句合連寫成爲一個長形和橫形的字體，不大容易認出來。那就是把「黃」字下底和「金」字頭上的筆劃相併合，又把金字底下和「萬」字頭上的筆劃相併合，「萬」字的下半截即是「兩」字的簡寫，如此便把「黃金萬兩」一串連成爲一個長形字了。至於「招財進寶」四個字，則是把「寶」字的上蓋寫成寬大，中間「貝」字與「財」字的「貝」合用，「財」字的「才」與「招」字的「才」合用，然後加上「辶」部寫成長條，如此合寫成爲船狀的字形了。有一年一位叔伯在除夕宴會席間，要正在小學肄業的筆者猜出是什麼字，猜中有賞，所以筆者的印象很深刻。（上）

元宵節在臺灣

李東海

台灣的元宵習俗，都是從廣東福建沿海各地前後傳佈過來的，尤其是閩南的漳、泉二府。可是，這些習俗，傳佈到台灣以後，又逐漸揉合在一起，因此便令人格外感覺得多姿多彩。

張燈、台灣所懸掛的元宵燈，有不少特殊的體制，如：

神燈——在掛在神前的。講究的人家，每位神前總掛一盞燈，大多是琉璃泡，四角垂着絲綴。也有八角玻璃燈，那是用綠色細珠穿絲紮架，每角也垂珠帶。還有蓮花燈，謂取觀音菩薩踏登蓮台的意義。普通人家便買紙質的，價錢較低。灶神火燈，又屬特別型式，放在灶陘上，內燃植物油；也有用元寶燈的。

吉燈——是取吉利用的。像婦女閨房之內，多掛上「麒麟送子」或「榴開見子」燈，有琉璃，亦有紙質。床欄杆上，也掛着紫色燈籠，貼上「狀元及第」四個金字，因爲「紫」與「子」諧音，所以又呼爲「子燈」。

佳燈——是富貴人家的裝飾品。廳堂內外，廊前簷下，都掛着各式各樣的燈。有的是木架揷上玻璃，有的是琉璃垂着絲帶，或方或圓，六角八角，大小不一。還有紗燈和絹燈，繪上各種圖案、花鳥。

桅燈——是鄉村祀土地神用的。豎立桅桿、上掛小燈籠、每層八盞，多者一、二十層。大村莊則有兩桅、四桅不等，晚間燃燭，遠遠望去，如吊火龍，非常美觀。

賽燈、賽燈，其實就是玩燈，也就是燈市、燈會之類。彼此競奇競巧，博取好評；近年在台北龍山寺舉行賽燈並有記分或評選次第。

賽燈多屬花燈，分爲兩種：

一種是兒童玩的——花樣很多，例如鳥獸虫魚，花木器具、故事人物等等。有紙、絹、紗、通草、料絲、玻璃、琉璃等質，晚間點燭，里巷之間，火光閃耀，往來明滅，極爲好看。

一種是大人玩的——例如蚌精、花担、湖船、飛禽、走獸、魚蝦、龜蛇、龍虎之類。有的甚至扮演戲齣，或古色古香，或奇形怪狀，再配以鼓樂，巡遊街衢，任人欣賞。

藝閣、藝閣富有詩意，所以也叫做詩意藝閣。這玩意是從廈門傳來的。

從前的藝閣，多用牛車（後來也改用卡車），搭成一約六尺寬八尺長，四尺多高的平，週圍繞以兩尺多寬的白布，台上則按照古人的名詩或故事、戲目，佈置着山水花木和亭閣的裝飾，其間配置穿着古裝的男女角色，宛似一個活生生的人形櫥子，有的還會吹簫、彈琴、唱曲。

常扮的藝閣內容計有：夕陽簫鼓——唐朝徐元杰的詩意。雪裏吟香——宋朝白玉蟾的詩意。幽篁獨坐——唐朝王摩詰的詩意。霜月雙清——唐朝李商隱的詩意。白衣送酒——宋朝蘇東坡的詩意。採菊東籬——晉朝陶淵明的詩意。

迎火神、在台灣——尤其是北部一帶，每年的元宵夜，各個角落都有迎火神的活動。

所謂迎火神，便是將火神的偶像綁在一頂的轎座上，由兩個赤身露腿喝夠了酒的青年，抬着到處亂跑（很少慢走），跑法是：進進退退，口裏還要唸唸有詞。像一輛紅色的救火車一樣，橫衝直撞，因此，人多「敬」而「遠」之！如果有人逢到火神不避，而衝着他的「桿子」，縱使沒有皮破血流，也一定會皮青肉腫。

凡是火神所到的地方，每家皆備大量的鞭炮來迎接；於是乎火神經過之處，必是砰砰蓬蓬，鞭炮之聲不絕於耳。有時「迎」得熱鬧的時候，硫烟彌漫，磺氣迫人，伸手簡直不見五指。但是鞭炮雖然沿途不斷向火神的轎上亂拋，那兩個赤裸上身僅穿短褲的青年轎夫，却會「有如神助」似的，勇往直前，毫不叫苦——其實是藉酒力助他的傻勁。

（上）

奇才神童孟元文

由名伶于占元所訓練的「香港七小福」，享譽東南亞。在去年來台賀祝總統八十壽，應統一飯店之邀，在夜總會表現百年傳統的優美藝術——平劇，一羣活潑小孩，引起座客一致的贊稱，博得廣大之美譽。他們的表演，有些驚險序幕，滿台縱躍，令人咋舌稱奇，拍案叫絕，是台灣培養劇技的搖籃，尚未有發現此類人才，爲之奇異不止。七小福的陣容如下：

姓名	年齡	行當	
王元泰	十五歲	工武二花	精摔打
周元武	十四歲	工武生	
汪元華	十三歲	工開口跳	精翻跳
陳元樓	十二歲	工淨	
孔元德	九歲	工武丑	
孟元文	九歲	工文武老生	
夏元彪	九歲	工花面	

中國家庭教育協會台北分會，爲籌募兒童藝術發展中心基金，特請七小福陪同北市名票，在三軍托兒所義演一晚，演出劇目，是胡小鳳的演火棍，陳宗揚鍾啓英裴松林的白馬坡斬顏良，係北市的伶票。七小福的幾位，在水簾洞中全部出場，距躍踴蹤，非常活潑，孟元文的美猴王，能翻觔斗在三十餘個，實可駭人，精采已極。

所奇異者，是在水簾洞未演之前，這位九歲奇才的神童孟元文，小小個子，身材矮短，唱打鼓罵曹，確是奇跡。罵曹一齣，爲生行伶工視爲畏途。從前老譚以此戲著稱，譚氏作古，要算叔岩，言菊朋雖唱得不錯，打得不能超越余氏。在台灣伶行能演者，有胡少安周正榮李金棠，以客觀來說，總不能媲美前賢。

小一輩後起的童伶，好像沒有人唱過，不意這九歲的孟元文，却唱來做出的是頭頭在道，也可見培養劇藝，並不容易，何以台灣造就不出這樣的人才？而在香港却能之，問題是否在於師資？

元文的演出，首先是扮相清秀，神氣十足，台步穩重，便予人以好感。唸引子定場特，及叙身份，到了未逢真明主，空負棟樑才兩句，很有表情，接唱元板四句，好在簡練不拖，獲滿場掌聲。進府見曹操，互相對白，意態自然，邊說邊走，姿式也好，兩段二六極爲得神，掌聲四起。第三場所唱，罷罷暫且忍下心頭火，明日自有巧計高兩句頓挫得體，揚天涯一句，更一波三折，甚妙。（未完）

國劇繽紛續錄

娑婆生（一四六）

談過春節

黃國書

世上任何民族都有他們自己的節慶日子，但是在所有的節慶之中，連近年來最爲普遍的聖誕節，也沒有一個節慶有像我們中華民族的春節這樣歷史悠久、意義深長、和多采多姿的。

春節，就是陰曆的新年。自從有陰曆以來，我們中華民族就每年歡渡一次春節了。中國的陰曆是從什麼時候開始的呢？根據歷史記載，夏朝的大禹所頒的曆，就是陰曆，所以陰曆也叫做夏曆。夏朝又在甚麼時代呢？是在公元前二二〇五年至一七八六年之間，距離現在已約有四千年了。換句話說，在約四千多年前，中華民族已在過春節，試問世上還有比我們春節更古老的節慶嗎？

我國領土大部係在北溫帶，陰曆的一年四季分明，節令和農時息息相關，春耕夏耘秋收冬藏，在過去真是我們以農立國的實景，並非文人墨士對仗的文字。所以每到歲尾年頭，正是全國收成後的農閒時期。操勞終歲的人民，乘歲序更新之際，聚親會友，飲宴作樂，一方面要感恩地結算過去，一方面要愉悅地策劃將來，所謂「一年之計在於春」，過春節的意義是十分深長的。

過春節的各種歡慶節目，全國各地的習俗容或小有差別，但是盡興盡歡多采多姿的盛況是舉國相同的。大致說來，從臘月二十三日送灶之日起，到新正十五日燈節之後止，在這約摸三個星期的春節之中，眞是地無分南北東西，人無分男女老幼，不論朝野，不分貧富，都浸潤在過節的歡樂之中。家家戶戶的醮神祭祖，大街小巷的舞龍舞獅，連政府機關也要停止辦公，封起印來與民同樂，到春節以後再啓印辦事。各國的節慶，那有如此興奮熱烈的？

自從民國肇建改行國曆以後，由於時代潮流與現實環境的變遷，過陰曆年雖然已不像過去那樣的熱鬧繁華、曠日費時了；但是過春節，仍然是我們中華民族傳統的最歡樂最吉祥的節慶。不但中華民族是如此，就連在過去曾經接受我們中華文化薰陶的許多亞洲國家的人民，也一樣要過陰曆新年的春節，一樣舉行着傳統的中國式的多采多姿的慶祝節目。這是四千多年文化的一部分，已在我們的身心深處生了根，是任何外爍的因素所不能輕易沖淡的。

我們海外愛國僑胞，身在海外，心存故國，對於祖國的文化更是念念在茲，不敢或忘。所以對於歡渡春節，比目前國內的社會還要重視，還要熱烈。因爲環境的關係，許多華僑青年同胞能夠接受祖國文化的機會並不太多，但是這種可以代表部分祖國文化的節慶，在華僑社會世代相傳的過下去，可使華僑青年不忘根本，熱愛祖國。因此過春節在海外的意義更是特別重大的。

在我們歡渡春節之時，思親懷友，自然會想到今天淪陷的大陸上的苦難同胞。這十多年來，他們過的是衣食不周，極不自由的生活，而目前，中共又發動紅衛兵，利用這些不懂事的孩子，妄想毀滅我國的傳統優良文化；大陸同胞的遭際是更悲慘了。爲了拯救大陸同胞，爲了維護中華文化，趁此「一年之計在於春」的春節，我們應加緊策劃，大團結奮鬥，提早反攻大陸，光復錦繡河山，消滅中共，重建三民主義富強康樂的新中國，好於明年與大陸同胞共渡歡樂的春節。

閒談各地新正風俗

端午

在毛共未侵佔中國大陸前，各個地區都有些特別的風俗，這些習慣，在形式上雖然大同小異，但其目的不外是去舊佈新，得到一個豐滿而愉快的新年。

討債躲債記趣

舊曆年關索債，成爲民間通例。債主提着紙燈籠，四處奔波，債務人則張羅欵項，以清宿負；山窮水盡者，恍如喪家之犬，唯有躲避一途。如能逃過除夕這一關，元旦即告安然無事，債主家賀新歲，一切可以從長計議。

福建福州一帶，避債最佳地點爲浴池。除夕浴池通宵營業，渾身暢快，赤條條了無牽掛，夜歇一宵，便可逃過大難關。因此討債人常提着燈籠，到各浴池挨家偵訪，盼能碰到債務人；但鬪垣溫泉多至數十家，且有人避匿親友家，債主即踏破鐵鞋，也很難找到。遇有在浴池中貴個「狹路相逢」者，一方苦索，一方求饒，常吵鬧不堪。然「孑然一身」，死賴不還，債主也是無可奈何。

此一不成文事例，天眞而饒有古趣。目下告狀之風已盛，債務糾紛儘可訴諸法院，日日均是「除夕」，浴池更不能成爲庇護所了。

守歲吃團圓飯

在大陸上，普遍的風俗，在三十大年夜那天，家家戶戶必團聚「守歲」，「守歲」不但意在迎接新年，而且對舊的年頭表示挽留。在華中一帶，在大年夜吃「團圓飯」前後，一家老小團聚一堂，由戶主將大門關閉，謂之「封財門」，財門一封，不到初一早上，絕不輕易打開。

河南油源縣，除夕時中等人家用紅紙裹木炭兩根放到門框兩旁，貧窮人家便拿一條木棍放到門檻外面，叫做「攔門槓」。又在院內豎了桅桿，上掛燈籠，喚做天燈。

年夜晚之後，大家圍爐守歲，家長按照長幼輩分，分贈「壓歲錢」，有時年老和年幼的人不能通宵達旦，必先「辭年」。才能入睡，禮貌週到的人們，在除夕這一天，也要奔跑一天，向親友們「辭年」，這種辭年，即如拜年。

十二時過後，雞鳴三次，新年已至，如是由戶長「開財門」，燃放鞭炮燒香敬神。湖南一帶，謂之「出天行」，四川一帶有人在這時特到井中取水，謂之挑「金銀水」。台灣也在此時燒紙燃香，敬拜天公。

在除夕，有的地方還要「蒸歲飯」，在蒸籠裏放上些蒜頭、筷子兩種，各擺十二份，閏月則加一份。歲飯中並有歲蛋，以人口計算，每人一枚，吃了歲蛋，大吉大利。（上）

清代電信建設紀實

羅雲家

吉林、黑龍江偪處俄疆，邊防尤其重要。十五年，自吉林省城設綫至淞花江南岸，歷茂興站、齊齊哈爾、布素特哈、墨爾根、興安嶺、黑龍江以達黑河鎮。此係從練兵大臣穆圖善之言而設者也。

十八年，陝甘總督楊昌濬言：新疆西北鄰俄，西北與英屬接壤，文報濡滯，貽誤必多，宜由肅州設綫至新疆省城，及於伊犁、喀什噶爾。宣統二年，桂撫張鳴岐，疏陳設柳邕電綫，凡二千三百餘里。俱得請。

以上各綫，則係因邊防備戰而安設者也。

四、風氣所至各省爭設

最初奏設南北洋綫路，北僅至天津。法越戰事將起，出使大臣曾紀澤請接營近綫電綫，彼謂：可壯聲威以保和局，靈呼應以利戰事。事下所司與李鴻章議展拓之法。鴻章謂：神京爲中外所歸向，發號施令，需用倍切。前於創辦電報之初，顧慮士大夫見聞未熟，或滋口舌，是以暫從天津設起，漸開風氣，其於軍國要務，神益實多。今總理衙門與曾紀澤皆以近綫展綫爲善策，擬暫設至通州，遂漸接展至京。疏上，允行。逾年，津綫遂踰通州達京師。自是厥後，各省咸知電報之利，或本無而創設，或已有而引伸，其首要之區，則陸綫水綫兼營，正綫支綫並設，縱橫全國，經緯相維。直、魯、蘇、粵、鄂、桂、滇諸省，設局多至廿餘所，其餘各省，亦設十餘局或數局不等。

此時電報綫路，其相互銜接之情形如下：

一、京師之綫達庫倫、濟南、太原。

二、天津之綫達奉天。

三、奉天之綫達天津、旅順、吉林。

四、吉林之綫達海參威、齊齊哈爾、奉天。

五、黑龍江之綫達吉林、海蘭泡。

六、江蘇之綫達京師、蕪湖。

七、安徽之綫達江寧、九江。

八、山西之綫達京師、西安。

九、山東之綫達京師、開封、清江浦。

十、陝西之綫達開封、太原、蘭州、漢口。

十一、河南之綫達京師、濟南、西安。

十二、甘肅之綫達迪化、西安。

十三、新疆之綫達蘭州。

十四、浙江之綫達上海、福州。

十五、江西之綫達廣州、蕪湖、河口。

十六、湖北之綫達九江、成都、長沙、鄭州。

十七、湖南之綫達漢口、桂林。

十八、四川之綫達杭州、廣州。

十九、廣東之綫達福州、梧州、九州。

二十、廣西之綫達長沙、廣州。

二一、福建之綫達杭州、廣州。

二二、雲南之綫達漢口、重慶、八莫、南寧。

二三、貴州之綫達重慶。

二四、外蒙之綫達京師、張家口。（三）

早來的嬰孩

——晉陵譯——

發現我開足速度，往一個方向轉彎，走了一半，去。我在一條單行道上，朝着不該行車的方向開我一路按着喇叭，繞着另一個拐角開去。我終於在那裏看到了急診處的招牌。[illegible] B.O.A.（Born-On-Arrival）[illegible]

「讓我來解，」我取過袋子，把袋口的繩子打開了。（六）

一、統一發票給獎辦法：自五十四年四月一日起實施，購貨時請自動向使用統一發票商號索取發票，以免錯過中獎機會。

二、統一發票大小獎額共有七萬多個。

三、統一發票特獎（收據聯末六位號碼與開獎號碼完全相同）不論金額多寡，可得獎金新台幣八萬元。頭獎（收據聯末五位號碼與開獎號碼末五位相同）可得一千元至一萬元之獎金。二獎（收據聯末四位號碼與開獎號碼末四位相同）可得一百元至一千元之獎金。三獎（收據聯末三位號碼與開獎號碼末三位相同）可得五十元至五百元之獎金。四獎（收據聯末二位號碼與開獎號碼末二位相同）可得獎金五元。

四、每月十五日統一發票開獎一次，請注意對獎。

稅捐稽征處

自由報

內傳警台報字第〇三二號內銷證

THE FREE NEWS

第七二九期

中華民國僑務委員會發
台教新字第三二三號登記證
中華郵政台字第一二八二號執照
登記爲第一類新聞紙類
（半週刊每星期三、六出版）
每份港幣壹角
台灣零售價新台幣貳元
社長：雷嘯岑
督印人：黃行審
社址：香港銅鑼灣高士威道二十號四樓
20, CAUSEWAY RD 3RD FL. HONG KONG
TEL. 771726　電報掛號：7191
承印者：大同印務公司
地址：香港北角和富道九六號
台灣分社
台北市西寧南路壹壹零號二樓
電話：三〇三四六
台郵撥儲金戶九二五二

再論紅衛兵和當前世界局勢的發展（中）

何浩若

「強有力的事實所昭示我們的傾向，並不需要聖哲，就可以前知。我以爲美國人將來會用各種的方式向亞洲發展，把他們的統治力量延伸到亞洲東岸。同時我們的敵人，強有力的競爭者的東侵和南進，也會伸長他們的勢力到達中國的沿海和暹羅。這時候薩克遜人和哥薩克人將再度相遇，再度競爭。會是和平友誼的競爭嗎？我以爲不會。代表獨裁與自由的敵對的力量終於相遇，而會發生規模最大的戰爭使全世界看着透不過氣來。這次的戰爭將決定世界的前途，是自由還是奴役。這次戰爭以後，文明人類的命運，不是有理智的自由，便是獨裁專制。」（見一九五六年三月七日紐約時報）

默修白里的預言太準確了，在他所說的一百多年以後，代表薩克遜人的美國果然把勢力伸長到了亞洲的東岸，而代表哥薩克人的蘇俄，也已南侵到了中國。今天爲了自由與奴役的決定，全世界的人類，認了可能發生核子大戰，薩賓透不過氣來。但是默修白里在他的預言裏忽略了一點，而這一點也是當前美俄對抗的關鍵。默修白里忽略了在這一次鬥爭中舉足輕重的偉大的中華民族。

由於默修白里的預言，筆者想到一九二一年一位美國歷史學者的預言。一九二一年的中國正爲軍閥所割據。蘇俄在一九二一年正因爲軍事共產失敗而試行新經濟政策。在那一個時期，中俄兩國的情形是十分混亂的。但是在一九二一年這位美國歷史學者竟大膽的說：「這個世界上有三個國家有前途。第一個國家是美國。美國沒有過去，有現在，有將來。第二個國家是蘇俄。蘇俄沒有過去，沒有現在，有將來。第三個國家是中國。中國有過去，沒有現在，也有將來。」這位歷史學者的預言也和默修白里一樣，到今天實現了。中國不僅在第二次世界大戰以後，因爲在蔣總統領導之下抗日勝利，成爲世界四強之一，而且在今天也舉足輕重可以來解決當前的世局。筆者同意默修白里所講的話，美國和蘇俄的對立，不是薩克遜人和哥薩克人爭霸，而是美國代表民主國家和蘇俄代表共產集團來作一個選擇自由與奴役的殊死鬥爭。假如是薩克遜人與哥薩克人爭霸的話，則毛匪澤東也可以夾持着偉大的中華民族同時反美反俄。也許是因爲毛匪的反美反俄，維持着目前的均勢，那令人透不過氣來的核子大戰才沒有爆發。我們了解美國的當局和人民是要避免核子大戰的。因爲要避免核子大戰才願意和蘇俄和平共存。我們相信除去共產黨和毛匪澤東以外，全世界的人類都希望避免核子大戰的。現在我們可以明白告訴美國假如要避免核子大戰和平共存，這關鍵完全在中國的轉變。目前是毛匪的反美反俄維持着美俄的均勢而不使核子大戰爆發。現在因爲毛匪的倒行逆施行將自取滅亡。假如是中國共產黨的修正主義者打倒毛匪呢？那將變成八萬萬人加核子武器加共產主義的強大力量。也就是說中華民族在共產黨的夾持下，將和蘇俄共同威脅美國。這時候美國希望和蘇俄和平共存亦不可能。這時候共產黨的同路人哲學家羅素將再度勸告美國人「與其站着死，毋寧跪着活」這時候全世界的民主國家和自由人士都將爲共產主義所役奴。反過來講，在今日中國大陸上打倒毛匪的不是共產黨，而是中華民國和中國大陸上被壓迫的人民，則偉大的中華民族，愛好和平與自由的中國人，將和美國合作，變成八萬萬人加自由民主加三民主義的無比力量。這時候蘇俄必定得和美國和平共存，使人類透不過氣來的核子大戰亦可避免。手創中華民國的，孫中山先生曾經告訴我們祇有中美密切合作才能維持太平洋的和平。維持太平洋的和平就是維持世界與人類的和平。兩大民主國家的合作，也就是人類自由民主的保障。

這賊船快沉啦！

HANOI'S CONDITIONS

胡

「我祇有這東西！」

今日与明日

毛共北越開始分裂

毛林集團異想天開，在大陸內部硬想打垮所謂「黨內一小撮走資本主義道路當權派」，並從他們手中「把權奪回來」。自掀起所謂「無產階級文化大革命」以至「奪權鬥爭」大噪大嚷，不覺鬧了半年多，不但「權」「奪」不下來，還附帶着產生了不少對毛共政權極端不利的惡劣影響。其一、在大陸內部，已使毛政黨組織徹底分裂，更使工農生產頻於停頓，交通陷於癱瘓，更重要的一項是，久對毛共極權統治不滿的大陸同胞，已幹起反毛，反共了。其二、在國際間，特別是在共產集團中，毛共已成絕對孤立的「單幹戶」。「毛共「可靠戰友」之一的北越胡志明政權，已顯示出與毛共之間有了裂痕。

曾在支持北越肆行侵略方面應作「聲明」的劉少奇，和放言「我們已經準備好」的羅瑞卿，目前都成了毛林集團攻擊詬罵的「箭靶子」，這對北越不能一點沒有影響。

人們都相信，北越在和戰問題上受毛共的牽制，但在共產國際方面，北越仍是「獨立」一地各行其是。這已經顯示出，毛共與北越自始至終都是同床而異夢。

毛共最近拒絕參加「國際民主律師協會」會議，並致電該「協會」負責人，指是項「會議」係「在蘇修操縱下所搞的陰謀活動」。然「吃」毛共「打」毛共（作戰靠毛共支援）的北越，不但派人出席會議，更在會議席上說不少感謝「」的話。此舉，實無異給毛共一記響亮的耳光子。

去年十二月，共產集團的「國際工會聯合會」，在索非亞開會，在表決應否驅逐毛共「代表」滾蛋時，北越與羅馬尼亞保持中立。後多數通過，使會場變成了叫罵所在。而毛共「代表」不待主席許可即上台「演說」，（其實是罵蘇俄大鼻子（現代修正主義），各代表憤而退場。至此，北越既不「中立」也更不支持毛共了。

最後，毛共「代表」被趕出會場，阿爾巴尼亞也跟着「溜之乎也」，但北越代表却連動也未動。

自毛林集團搞所謂「文化大革命」以來，北越政權在很多場合，表示不贊同毛共的「亂搞一輪」和「痛罵一通」的「政策」。去年十一月北越「總理」范文同電周恩來謝毛共的援助，以及十月、十二月北越政權二次說賀毛共「放原子屁」成功時，始終未提到毛林集團的所謂「偉大創舉」——「文化大革命」。

毛共在國際間已夠孤立，若再失去北越，則它終必由「走獨木橋」而趨於死亡。（何如）

自由談

刑求問題

審訊罪犯使用「刑求」方法，世人皆認爲這是不人道的非法行爲，政府亦三令五申嚴加禁止。可是，刑求的事實依然存在，祇是手段有別而已。舊時用的是拷打和其他的殘酷刑具，傷害人身，甚至於不勝酷刑之痛楚而趨於死亡，亦所在多有。現在社會進化了，號稱爲文明時代，刑求的方法花樣孔多。也很科學，殘害犯人身體的野蠻情形雖不多見，但「刑求」問題原封未動。

眞要屛除刑求惡習，必須從何以發生刑求行爲的根本原因着想，設法改革，庶幾有效。光是指摘或詛咒刑求，由政府嚴令申儆在禁，一概都是些隔靴搔癢之談，不切實際，即言傳的作用亦等於杳也。

發生刑求的唯一原因，就是法律上只注重犯人的口供主義，自古已然，明文規定，不可說是「國粹」流傳牢不可破。試看戲台上表演官吏審案時，總是問犯人招認不招認，若不招認，即傳令「大刑侍候」的情況，殆可知矣。由於口供主義的關係而產生刑求方法，由於刑求的結果，犯人乃隨時翻供，如最近在台北地方法院審訊中的民意代表黃豆受賄案，若干被告就當庭聲明過去的偵訊筆錄，是在「不自由」即刑求的情勢中所說的，表示不負責任。這便是專重口供主義的毛病，乃所謂「自由心證主義」濟其窮，然自由心證這玩藝亦是靠不住的！

英美法律對犯罪者的直接二供幷不重視，美國法律且規定犯人有拒作對自己不利之陳述的自由，因而刑求手段在英美是罕見的，犯罪事實之認定，自有許多正面、反面和直接間接的證據。咱們國家的法律，死抱住口供主義不放，犯人又百分之百的不願自動供認實情，更藉此而翻雲覆雨，前後矛盾，除却利用刑求手段而外，無可如何了！所以，與其空言禁止刑求，何不改革口供主義呢？

與刑求手段同樣不足爲訓的傳統惡法，還有鎖銬犯人手足一事。憲警拘捕盜匪時，爲着防範犯人有逃亡之虞，偶爾對其手足加以束縛，未嘗不可，法院傳訊一個立法委員，幹嗎對他亂加手銬呢？這是公然蹂躪人權的野蠻行爲，却未聞隨時宣傳革新法制的主管機關注意及此，可見改革法制云云，只是一堆廢話而已。

馮玉先生

經過一年來整理經營

張壽賢慨談招商局營運

推廣業務增加收入方面成績尚稱不惡

但營業內情況縱好難彌補營業外虧損

（本報台北訊）整頓後的招商局，經過一年來的銳意經營，各方面均有顯著的成效。尤其該公司受於法令的束縛及其他種種限制，而必欲與時下一般民營航業公司，一爭雄長，自然尚待更進一步的努力，但相信假時日，將會有更大的成效。記者日前走訪該公司董事長張壽賢氏，特發表數點意見，作爲今後該公司營運的方針：

（一）推廣業務，增加收入：招商局之業務，國外比重甚高，去年六月，總公司及基高兩分公司精簡就緒後，即電召駐美代表及東京分公司業務人員返國徹底檢討推廣業務辦法，暫定以六個月爲期，同心努力，盡一切可能，以爭赴預定之目的。根據一年來經營實況，成績尚稱不惡，如非由於國際運價下降，成效當更有可觀。

又攬貨受法令之束縛，不能與民營競爭，久已爲整頓招商局主要課題之一。去年曾就行政措施許可範圍，研究辦法，試圖解決。此一辦法，雖經層呈核准試辦，但收效不宏。原因即在任何行政措施，涉及法律，不能解除其責任，此一「束縛其人之手足，而驅之與他人搏鬥」之形勢，尚非招商局本身努力，所能改觀。

（二）分析成本，減少支出：分析成本，追求利潤，爲企業經營之唯一要務。本上半年整頓工作，除精簡機構，減少人員，推廣業務增加收入外。萃公司上下內外全體同仁之努力，從事於分析成本，減少支出之工作。從每一船舶每一航次之收入與成本，推究行船記帳每一措施之是否適宜，進而尋求其與盈虧之關係。以甲船之經驗，供乙船之參考；以乙船之缺失，備丙船之攻錯。使人人有成本之觀念，事事負盈虧之責任。此一新的措施，施行不久，假以時日，當有更佳之表現。

（三）人才外流，提高待遇：事業之盈虧，除本身經營條件以外，有決之政府決策者，亦有決之於市場者。獨佔性事業之盈虧，加價則反虧爲盈，貼補則雖虧無損。與民營共存之事業，則既受市場供求之影響，又受同業競爭之影響。招商局爲國營事業中非獨佔性事業之一（其他爲紡織與鹼業），既須與國際市場競爭，又須與國內外市場競爭。競爭之條件，人才爲先，故曰「無競惟人」。其他國營事業人才外流，情形固已嚴重，但尚不致發生損害作用，招商局之人才外流，則必然影響行船之效率與攬貨之成績。招商局於此一問題，雖經困心衡慮，力求解決，交通部亦已盡其最大之支持，無如招商局現爲國營事業之一，國營事業管理辦法，既尚未修改，自不能獨樹一幟，不受拘束。故招商局人員之待遇，仍有待於解決。

（四）增建船舶擴張營運：招商局在六年以前，船舶噸位佔全國船舶總數百分之五十，現在則僅爲百分之二十，民營航業隨經濟之發展而發展，招商局則停滯於原有噸位而未能隨經濟之發展而發展。招商局既不能與獨佔性之事業相比，又不能與民營相競爭，本年營業狀況，雖在大力整頓之下，士氣振作，比去年略有起色，但此係強心作用，能持續多久，必成問題。何況營業內情形縱然良好，無力彌補營業外虧損（還本付息年達五千二百萬元以上）則屬顯然。至於攬貨束縛之如何解除？人才外流之如何杜塞？均非短期之所能做到，故招商局目前應急切而且必須全力以赴者爲下列三事：

一、以全部折舊準備，用之於船舶之汰舊更新，使現有營運能力不減少，使成本高於收入之逾齡船舶，早日淘汰。

二、積極增加船舶，以加強現有航綫，開闢新航綫，並承接國外長期貨約，以增加業務量，增加盈餘加大償債能力。

三、請政府明確規定凡國營事業新增加之物資，如新建火力發電廠之石油，將成立大鋼鐵廠之礦砂等，亟應交招商局承運，以確定國營航業之特性。

桃園鎮長李發贖職被扣

本報記者黃鴻遇桃園航訊

十萬元修建費，鎮公所係依各校班級人數爲計算標準分爲兩次撥發，第一次撥出五萬元是在五十三年四、五月間，各校應得數字如后：①桃園國校一萬一千一百元（除回扣實得六千六百九十元）②東門國校九千一百元（因有特殊困難除回扣實得七千二百八十元）③中埔國校五千七百五元（除回扣實得三千四百八十元）④會稽國校四千九百五十元（除回扣實得二千九百五十八元）⑤中山國校五千零卅元（除回扣實得三千零十八元）⑥建國國校五千七百九十五元（除回扣實得三千四百八十五元）⑦成功國校八千二百元（除回扣實得五千二百四十八元）。第二次撥款是同年八月間撥出，因第一次撥款已將全部回扣除去，故第二次各校均按上列分雜全校獲得，至於如何分兩次撥款，目前傳說紛紜，有人說李發鎮長爲恐各校長對上項承諾不能如數兌現，所以要在第一次撥款時連同第二次全部「回扣」拿到才撥第二次款比較妥當，現據鎮公所有關人員解釋說，當第一次款撥出時，因風聞有「回扣」之說，鎮公所對本案爲慎重處理計，除將第二次款暫停撥發，並通過有關國校對該款提出詳細使用計劃，同時有派員調查各校對第一次款實際使用情形，結果計劃書均依限呈出，至於回扣事，因查無實據，所以相隔了三個月將撥發第二次款，上項說法究竟那一種是對的，刻正由辦案人員着進一步的調查。

據記者自有關方面獲悉：此一貪污案可說是醞釀很久了，第一次是五十四年八月間開鎮民代表會時有人提出檢舉李發鎮長貪污欲行罷免，但因未掌握具體資料，以及經李鎮長多方疏導而告「胎死腹中」，這次本案的發生是五十五年十一月九日鎮民代表舉行第八屆第六次大會時，郭三麒代表提出檢舉，說李發鎮長似有貪污瀆職之嫌，請大會組成專案小組澈底調查，經大會通過推由代表會主席黃恭輝爲召集人，由代表郭三麒、黃添恭、郭淨波、楊定城、林阿海等人爲委員負責成專案小組，經舉行秘密會議並邀請鎮公所各有關主管人員列席答詢，會議內容雖未外洩，但由於此項行動及李發的行爲早已爲治安單位所注意，同時涉嫌該案中一位校長自首，故調查單位掌握了有力證據，認爲時機業經成熟，故於廿一日以「迅雷不及掩耳」的行動，先將兩名重要涉嫌人李發鎮長、邱垂統督學、扣押，並傳訊各有關國校校長，據辦案人員說，該案牽涉甚廣，案情重大，刻仍繼續擴大偵查中，發展如何待下回分解。（元月廿二日寄於桃園）（下）

看橫掃中國大陸的「紅衛兵」與「文化大革命」

楊力行

在匪僞地區方面，計有：陳郁（僞廣東省長）、鄧拓（匪黨北京市委書記）、吳含（日旁）（僞北京市副市長）、廖沫沙（匪黨北京市委統戰部部長）、李琪（匪黨北京市委宣傳部部長）、范瑾（匪黨北京市委宣傳部副部長）、宋碩（匪黨北京市委大學部副部長）、汪孝藩（匪黨貴州省委書記）、汪小川（匪黨貴州省委宣傳部長兼貴州日報總編輯）、林大丘（匪黨浙江省委宣傳部副部長）、盧濤（匪黨福建省委宣傳部副部長）、陳虹（僞福建省文化局局長）、李凡夫（匪黨安徽省委宣傳部長）、陶白（匪黨江蘇省委宣傳部長）、李亞軍（匪黨四川省委宣傳部副部長）、余修（匪黨山東委文教部部長）、金沙（匪黨西藏自治區委宣傳部副部長兼西藏日報總編輯）、陸地（匪黨廣西僮族自治區委文教部副部長）、石凌鶴（僞江西文化局局長）、于伶（僞江西文化局副局長）、瞿白音（僞上海市電影局副局長）、程雲（僞武漢市文化局局長）、張進霖（匪共青年團北京市委書記）及曹荻秋（匪黨上海市第一書記兼上海市長）。在匪軍方面，計有：羅瑞卿（匪前公安部長及總參謀長）、陳其通（匪軍總政治部文化部副部長）。在教育文化界方面，計有：陸平（僞北京大學校長）、匡亞明（僞南京大學校長）、李達（僞武漢大學校長）、朱少夫（僞武漢大學黨委第一書記）、鄭思羣（僞重慶大學校長）、柯麟（僞中山醫學院院長）、劉丹（僞浙江大學副校長）、李廣田（僞雲南大學校長）、谷霽光（僞江西大學校長）、顏福慶（僞上海第一醫學院院長）、賀綠汀（僞上海音樂學院院長）、劉志明（僞中山醫學院副院長）、何定華（僞武漢大學副校長）、吳富恒（僞山東大學副校長）、郭小煌（僞鄭州大學副校長）、江定仙（僞中央音樂學院副院長）、劉明源（僞山東師範學院副院長）及著名劇作家僞文化部長兼中央戲劇協會主席田漢暨名劇作家僞華東局文化部副部長夏衍等均已被捕。至於，曾一再肉麻當有趣地認賊作父而大喊「史達林爲爺爺、可愛的太陽、親愛的鋼」之僞科學院院長郎既聾且盲的第一號文丑郭沫若雖曾在這次「文化大革命」中首先我自實行批判，表示認罪，尚未及遭受清算；但「紅衛兵」現已對其指名攻擊，相信亦是凶多吉少，劫數難逃。

第三是處理階段：共匪這次的「文化大革命」運動，乃是全力以赴，歷時年餘，已使整個大陸大翻地覆，毛匪認爲如不及時收縮處理，勢將難以收拾殘局；於是，在其次第剪除異己份子，取得初步勝利之餘。乃於一九六六年七月底經由武漢返回北平，先則舉行一連串會議，從事部署，繼則召開匪黨「八屆十一中全會」，重振旗鼓。該「會」從八月一日開始到十二日閉幕，除「完全追認」毛匪從一九六二年九月匪黨「十中全會」以來所推行的一系列「政策路綫」與措施之外；其主要任務，是在處理「文化大革命」工作。卒經該「會」通過「關於無產階級文化大革命的決定」，作爲今後貫徹執行「文化大革命」之政策依據。

這一「文化大革命的決定」共計十六條，係由新近提升的匪黨第四號紅人、毛匪新寵兒林彪的老幹部、新任僞宣傳部長陶鑄（原名與堅：湖南長沙人，善體毛、劉心意之能言善辯者）執筆，其主要內容：一是暴露「文化大革命」的矛盾；一是承認其內部有阻力；一是規定今後「文化大革命」的進行方針。就前者言：如「第二條」稱：「文化大革命」這一鬥爭遭受重大阻力，所謂「這種阻力，來自那些混進黨內走資本主義道路的『當權派』；同時也來自舊社會習慣的惡勢力」。（十一）

桃園繽紛

記者黃鴻遇

觀衆自願就（樓）座，是出錢找死，沒有話說，萬一有關單位的管理人員（知有禁令），也不幸受害，這到是「因公殉職」還是「疏忽喪命」，就要請求大法官作「解釋」了，這位人士又說：就事論事，縣府有禁令在前，如出了問題，縣府沒有干係。

▲時下各機關、團體，爭取補助作事，理直氣壯地認爲是「能」，如果有「成」，還得大吹大擂一番，拒受補助，作得有聲有色！這是一則值得借鏡的新聞，應該發掘出來：桃縣新屋鄉蚵間國民學校，偏處海濱，以經費的困難！過去連保障學童安全的校門，都付闕如！自去年（五五）七月古恩通校長調主該校後，即極力擴充設備，當記者參觀該校時古校長表示：他每月只有九百多塊錢薪水，要養活全家妻小，決無公爾忘私的餘地，但身爲一校之主，也無作日和尚撞日鐘的道理，該怎麼辦，記者問？他報以：家長老師通力合作是也，的確，該校在古校長到任半年來，教室和辦公室，均油漆一新、誤校門、會議桌、沙發椅、玻璃門窗、保健器材、樣樣齊備、校園花木扶疏，員工宿舍比櫛，處處予人以清新而整潔的印象！據兼管總務的邱阿枝老師說：上述擴整的花費，計新台幣三萬餘元，除在經費項下儘量節餘支出外，學童家長、也樂意競相資助，連黃禮醮鄉長蒞校時，親口答應補助七百二十元（也許是按規定的數字），都爲古校長婉拒了，這可給專門爭補助、打報銷的機關、團體作一面好鏡子。

▲桃園復興路，當台灣等公路的縱貫綫，車輛往來，是「全天候」（每日二十四小時）的流量，其擁擠的情形，是不言而喻，公路局設有「復興路北上候車站」，每日清晨至深夜，候車乘客，時時刻刻，必排長龍，依照交通規則：凡設有車站五十公尺以內者，不得設營私行車（或再設車站），以保乘客安全，公路局這個具有歷史性的「復興路站」正背面，現又出現一家「華盛頓遊覽汽車公司」和該公司的停車場，每當遊覽汽車進出時，公路局的候車乘客，勢必提心吊膽地扶老攜幼而讓道，危險極了！地方人士，一致希望公路局桃園站袁吾成站長，把復興路站或華盛頓公司，擇一他遷，如果仍然不聞不問，出了事情，責任誰屬。（下）

閒話燈謎

·楊興生·

元宵賞燈猜謎，是一件雅俗共賞的娛樂，據說，燈謎起源於宋時，「錢氏私誌」載：「王荊公字謎甚多」，或即爲燈謎。而宋周密著的「武林舊事」亦云：「以絹燈翦寫詩詞及舊京諢語，戲弄行人」。可見宋朝已有燈謎。所謂燈謎者照嘉清錄所載：「好事者，巧作隱語，拈諸燈，燈一面覆壁，三面貼題，任人商揣，謂之打燈謎。謎頭皆經傳、詩文、諸子百家、傳奇小說、諺語、什物、羽鱗蟲介、花草蔬藥，隨意出之」。正如打燈謎詩謂：「一燈如豆挂門旁，草野能隨藝苑忙；欲問還疑終縮縮，有何名利費思量」。

不過，燈謎的盛行，始於明初，據「委巷叢談」說，「杭人元夕，多以謎爲猜燈，任人商略，永樂初，錢唐楊景言，以善謎聞，當時的燈謎，有十門格，即曹娥、增損、摘玉、雙鉤、粉底、正冠、拆字、皓首、素心、重門、閉門、珠垂、解鈴、錦屏風、滑頭禪、無底囊……等。民國初年，文人雅士亦每每以此自娛，甚至抗戰軍興，戰事連年，因此燈謎一事，也日漸沒落。直至政府遷至台灣，文風鼎盛，燈謎才又興起。

燈謎的內容包羅萬象，但大體不外五類：①字謎：謎面不論用多少字，謎底用僅猜一個字，所以又稱「一字謎」。例如：「約十二時」（字一，射「許」）。②四書謎：四書即大學、中庸、論語、孟子等四子書。所作燈謎，專取四書中語句爲迷底。例如：「除夕守歲」（論語一句，射「終夜不寢」）。「不顯爲弟子」（孟子一句，射「辟母離兄」）。③五經謎：五經即詩、書、易、禮、春秋等五經書。所作燈謎謎底均出自五經中。例如：「暮鼓晨鐘」（詩經一句，射「寺人之令」）。「言不止」（易經一句，射「偏辭也」）。「座上客常滿」（禮記一句，射「無虛席」）。④古文謎：係以「古文觀止」的文章爲主，亦有引用史記、漢書者，但須標明出自何書，以便猜謎者有所摸索之途徑。例如：「落花流水」（古文一句，射「作爲文章」）。「含意欲申」（漢書一句，射「未盡所懷」）。⑤詩詞謎：即以詩、詞、曲爲謎，但是，這種謎底多係爲一般人所熟悉的詩詞，且多以「唐詩三百首」「及白香詞譜」爲範疇的。例如：「戒之在門」（唐詩五言一句，射「莫學武陵人」）。「點絳唇」（白香詞譜一句，射「紅了櫻桃」）。除此之外，如：暗猜謎、對聯謎、成語謎、名詞謎等等。

燈謎雖是一種雅俗共賞的娛樂，但由於謎底很多取材於經史、詩詞，非精通此道的人，很難猜中，因此，每逢上元佳節，每見文人雅士，雖看着花燈，也攢眉苦思，連上大家熱鬧的人，也覺得好玩。但有些通俗燈謎不難，多以取「景」涉物爲主，稍加留心，則可中鵠，燈謎不僅對我文化之流傳，發生莫大的作用，即對民間風俗，亦發生莫大之示範。這裏，就筆者之心得，畧供猜謎之方法如下：

①瞭解對方：作燈謎的人，固不乏飽學之士，但亦不無淺識之流，則我們先瞭解作者之身份，然後就其知識程度，而可臆斷謎底之方向了。

作燈謎者固是一項學力和智力的高度運用，但猜燈謎者又何嘗不是一項學力和智力的高度運用，如能把握這中間「高低之差」，只在於一念之差，那就不難獲得了。

②詳察謎面：不問怎樣深奧的燈謎，它表現的方式，都要從謎面上來表示，如能進而默察其含義，雖不中亦不遠矣。再着手推敲的方法，是要從謎面的字形意狀及文義下手，相互映證，然後可中鵠。

③正反想思：作燈謎者，有時反會擾亂猜謎者之思想，而且這種作法亦爲作謎方法之一。因此我們猜謎時，不妨先從正面着想，如不對，必須從反面進攻，旁敲側擊，交相應用，即可鑽隙覓瑕了。

我在美國的時候

曾　山

崇，年來也許是「酸葡萄」心裏作惡，聽別人說「我在美國的時候」：偏偏事有湊巧，愈不愛聽這一句話，而聽這一句話的機會愈多。

唸大學時，學的科目大多是「舶來品」，免不了要上一「留美派」教授的課，因此，一堂課下來，少說也得領教十來句「我在美國的時候」。至於介紹美國的學術思想，而始終不冠以「我在美國的時候」這一句口頭禪的，殆如鳳毛麟角。偶爾與致來了，仔細欣賞一下說這一類話的人表情，大低都是神彩飛揚的，氣概不凡！給我印象最深刻的，還是唸研究所時的一位業師，他開的課是「比較教育」，而講的却是「美國教育」；每當他說到「在美國的時候」這七個字時，我無不抬頭挺胸，一字一拍，聲調鏗鏘，如金石鳴！

總計半生所聽過的名流顯要的，未有不訓誨，不論其講題如何，「當年我在美國的時候」……這一類話者。本人在美國的時候，是否真的見過總理，只他知道，別人無從考證：至於留學美國，別人是真是假，倒不能掩蓋天下耳目。有一次，恭聆某大人先生精神訓話，忽然他說到「本人在美國……」時，夏然而止，在回顧一：……下講台上的陪客，似乎很不自在的壓低了聲調，把一句使人欣羨懾服的話，迅速的改成「在美國觀光的時候」。「在美國觀光」，較之「在美國」，畢竟遜色多矣！

新近有幾個同學放洋歸來，風度瀟洒，氣概軒昂，舉止談吐均有顯著的進步，確實不類吳下阿蒙，令人未嘗不歎服。

「生不欲封萬戶侯，但願一登北美洲」，暇日幸會，聽他們談天下事，先必痛貶「在美國」時弊；繼則暢敘其洗碟生涯。據說上焉者在美國「半工半讀」，幹什麼呢？劊草、洗碟，所爲不一，頗受彼邦歡迎，稍有成就的人，而有出頭之日。至於學社會科學的，此輩只有作工的份兒，永遠衣垢無可浣，面垢無暇洗，蓄髮三千丈，集天下寒士窮酸之大成！次焉者，放棄「鍍金」之初衷，面對現實，「重新做人」，乾脆做起工來，以爲長久之計。「成家立業」，下焉者，承父兄之餘蔭，作公子哥兒狀。吃喝玩樂，各行其是，各得其樂，上中下三類人物，於祖國山河，其先人故物，自不暇留意焉。

天下事最可怪者，莫過於在外國，可以當工人作侍者，非但無損「異類」，卑躬折節，以示所羞赧，反而能津津樂道；「大丈夫能屈能伸」；萬一幸回到自己的出生地，則西裝革履，昂首闊步，不可一世。見了我們這些「土產」，或曰「我在美國的時候」，或曰「……」，甚至連說話都作中西合璧：「一言一語」，莫測高深，故咱們望而生畏！下面有幾句話，奉勸日夜吃ABCD的朋友，以有「劊草洗碟」之志，難道，此間有美國有你求發展之地，只有碟子可洗，自有草皮可劊，求學而去，自然無可厚非。若另有企圖，還是免了吧；十年百年之後，請看那時的祖國究竟是那一種男子漢的天下？等到外國人也說：「我在中國的時候」，則「我在美國」豈不又不吃香了嗎？

新年雜談

陳綺言

可以說，「黃金萬兩」和「招財進寶」是華僑飄洋出海到異域謀生所追求的目標。然而華僑在各地，都是篤守信義，誠實不欺，勤儉自勵，而將儲蓄的，即是以合理的合法的手段來追求黃金財寶，積聚財富的。這一點也即是華僑信守祖國固有文化的傳統，以保存中華民族優良傳統道德規範的表現。華僑常常就是人家說華僑在海外不容易被當地民族同化，其實是因爲華僑能夠在海外保存和傳播中華文化傳統精神的緣故。

所以，在海外歡渡新年的種種習俗和遊樂活動，都蘊藏着血緣的和地緣的關係意味，這正是一種不忘本源的表現。

丁財旺興富貴花開

我們中國人都喜歡丁、財、貴三個吉祥字的。海外華僑亦然。過新年的時候，華僑總是要用紅紙寫些「丁財興旺」和「花開富貴」的吉慶字句，張貼各處。

廣東高要才子之稱的梁寒操先生在抗日戰爭期間，有一次在廣東韶關附近下了汽車到小飯店吃飯，不料消息走漏，慕名而幫集了許多觀衆。他吃完飯之後，即趁機會向他們講話，以深入淺出的方式，說明三民主義就是丁、財、貴三個字。

梁先生講話的大意是：農村人民都喜歡吉祥語，新年的時候，總不忘記寫丁、財、貴三個字。人們的觀念裏是想些什麼呢？不外乎是自然的慾望，第一要丁、第二要財、第三要貴。因爲農業社會很單純，一切工作事物，都靠人爲，非要有人丁不行。但有了人丁，沒有錢財來養，也是不行的，所以必需發財。可是有人丁有錢財還是不行，可能會有貪官污吏土豪劣紳的欺侮，所以要家中有貴人。要家中有貴人，因而要讓孩子讀書，希望孩子們讀書後，能夠得個一官半職，可以拿張名片直接去見縣大爺，那麼便沒有誰人敢來欺侮了。所以，丁、財、貴是一般人們所希望的，怎樣說三民主義就是丁、財、貴三個字？因爲三民主義不是對一家一姓而講的，乃是對中國以及中華民族的全體來講的，我們講民族主義就是要有「丁」，講民生主義就是要有「財」，我們何講民權主義就是要有「貴」。孫中山先生說：「四萬萬人都做皇帝」，這樣大家還不「貴」嗎？

梁先生的淺顯的話題來說明三民主義的眞理，是令我們欽佩的，其實，三民主義的道理，到處可以證明。就拿美國的歷史來看，例如美國開國的獨立宣言，首先承認人類對生存、自由、幸福的追求，而人類求生存是爲了傳種，求自由是爲了保障人權，求幸福是爲了經濟利益，這不就是三民主義所要解決的種族問題政治問題和經濟問題嗎？

個人不能離開社會而生活，個人和家族只有在國家的保護下，才能得到安全的保障。我們人人要希求「丁財興旺」「花開富貴」，同時更要努力實現全民族的丁財興旺，全民族的富貴花開呀！（二完）

元宵節在臺灣

李東海

扛虎爺、土地廟中都有木塑虎形偶像，俗稱虎爺。元宵，各有土地廟的屬區，好事的青年，都會搬出一張桌子，擺在通衢要道旁邊，然後將虎爺放置桌上，以向來往的行人、小販攔捐柴火錢。

直至晚年，又會將虎爺放置小轎上，敲鑼擊鼓，沿街挨門向商店、住戶捐集柴火或柴火錢。這叫做元宵扛虎爺。

跳火、扛虎爺所攔捐或挨捐的柴火和柴火錢，便是跳火的全部材料與經費。

把捐來的柴火堆放在廣場上，宛如小塔，或一堆或數堆；再把捐來的柴火錢，也悉數購買柴火及鞭炮，更高高地堆積上去。到黃昏的時候，又敲鑼擊鼓，鳴放鞭炮，同時將柴火堆點燃，使其熊熊焚燒，然後那些好事的青年，則魚貫輪流從火燄高熾的大柴堆上跳過去，或空手，或執物，花樣百出，這叫做跳火。

踏火、踏火當是跳火的延續；也是玩樂活動的稍爲變換。迨各柴火堆火勢見殺，火舌收斂，恰當餘燼炭紅的時候，再添入募得或購備的活炭，一併攤平，使寬數尺，長丈餘。於是好事的青年，又復魚貫輪流，光足向火炭上踏過去，仍舊或空手或握物，或敲鑼或輩佛，循環不息，直至火力衰微而止。

民間迷信：凡衣服、器物、人畜經過這種火燄，都可辟邪；如能檢回一顆炭屑，也能確保平安。所以跳火，踏火的時候，居民往往要拿衣物去「過火」，並競相搶檢殘餘的柴炭。廈門有一句俗諺，說：「過火頭，飼豬更大牛」，指的就是這回事。

焰火、放焰火原盛行於泉屬，有操此業的匠人，能將火藥以各種方法包紮，使燃燒時放射幅度及花式各有不同。首先分組將其緊繫於竹竿上，以火引貫導；燃放時由下而上，一時火花四射，或高或低，有急有緩，冲天瀉地，盤轉飛旋，聲色俱壯，蔚爲天花亂墜奇觀。

惟焰火製造之精，種類之多，構思之巧，變化之奇，莫過於廣東，台灣的焰火雖然傳自福建，但因揉合了廣東之長，所以老早已凌駕泉屬，例如「龍鳳呈祥」、「鵲橋相會」、「蟠桃大宴」、「八仙上壽」、「張仙送子」、「滿天星」、「萬花筒」等等花樣，的確都是福建所無。

迎子弟班、子弟班即業餘戲樂團，台灣各地都有這種組織。每逢元宵，有子弟組織的地方，便有迎子弟班之舉。所謂迎子弟班，即是延請子弟班遊行或登台演唱。子弟班以戲目爲化裝根據，隨帶鼓樂，巡迴街上，一邊遊行一邊演唱，任人夾道欣賞，燃放鞭炮與贈送紅包，謂之「[illegible]街」。子弟班登台演唱，通宵達旦，任人圍觀，謂之「串戲」。總之，迎子弟班，就是在增添元宵的熱鬧而已。

走佛、走佛，或稱坐佛，又稱弄太子爺、迎玄壇爺、燒韓單爺，都是一音之轉。

所謂走佛，是四個赤裸着上身的壯漢，肩抬着一個和他們一樣的壯漢，高坐在竹椅上，雙手拿着掃帚，沿街招呼，他們則在鑼鼓和鞭炮聲中，大耍花樣，以顯示他們的英勇，雖被燒得焦頭爛額，亦不畏縮。

據說：韓單爺是唐代的土霸，無惡不作，鄉民們到了忍無可忍的時候，遂約好在元宵夜，將他綑綁在竹椅上，用爆竹活活把他燒死，爲鄉中除害。以後，每到元宵夜，就勾起燒韓單爺的往事，爲發洩胸中積忿，總要再來一次燒韓單爺的玩意。（中）

任何一個地方，都有它的風俗習慣，台灣的歷史，雖然淵源於福建漳、泉一帶，但是經過了年代的變遷，所遺留下的習俗，已有不同，但其希望討個吉利，去舊迎新，有一個幸運愉快的來年，則是一致的。這裏報導的，就是台灣民間新正的習俗：

年夜飯長壽菜

一般人家在陰曆除夕的晚上，必定團聚一起，享受一餐豐富的「年夜飯」，席上必陳列一種所謂「長壽菜」——芥菜，要整棵的烹調，是涵着長命和長青不老的吉利的意義。

春節期中，家家必備多種「年糕」，人們稱爲「甜粿」，是用糯米，黑糖，和香焦油製成，上面還點綴一些芝麻，紅棗，有的每塊厚約三寸，寬約兩方尺，重約三十公斤者，可稱巨糕。此外還製有「發粿」，「紅龜粿」，「發粿仔」，「菜頭粿」，「菜包」等食品，它們的名稱，都涵有吉利的意義，用來饗客，是兼具頌祝的善意。

台灣正月初一的習俗

·立人·

陰曆元日，人們除了到親戚家中拜年外，便到各處遊玩。這時，一些民間所組成的「吹打隊」，吹着喇叭、管子、鳴鑼、擊鼓等，挨戶「吹春」；所到之家，必接待他們到大堂上吹奏吉祥的曲子，並酬以「紅包」；此種樂隊，穿梭不息地進出人家，因此是日家家戶戶都是樂聲不輟，平添着無限的熱鬧。

一般的人家，在元旦以後的數天當中，必廣邀親朋，舉行春宴，大飲大嚼，盡情歡樂，男女老幼，毫無拘束。

砰砰砰討吉利

台灣過年，除了吃以外，對於敬拜祖先和菩薩，特別重視，於臘月裏祭罷灶神，初一的凌晨，過了三更，家長開門祀神，一元復始，稱爲「開春」，但大多數人家都是在天亮了，才「開春」的，這時脫下了木屐，換上鞋子，一身更是全新行頭，開門前先要用拳頭在背後「砰！砰！砰！」敲三下，嚇走門外無家野鬼，門開後還要喊道：「正月初一大門開，金子元寶滾進來。」

爲了事事討吉利，所以在新正那一天，也有幾項沿襲的禁忌，（一）不向親朋戚友借錢，免得一年到頭鬧窮。（二）年糕千萬不要煎焦，台語「焦」跟「赤」同音，太焦就怕「太赤貧」。（三）不吃稀飯，台語稀飯叫做「霉」，觸了霉頭就會遇到雨。（四）打掃垃圾，不得棄置室外，而要暫擱桌子底下，這是免得家財隨同垃圾掃地出門。（五）新正不午睡，因「午睡」讀音與「誤歲」的音相近，也例爲禁忌之例。（六）不輕易毀壞用具，萬一壞了，只好用紅紙包起來，於過正之後，念一句「弄破瓦，錢銀一大堆」，然後投到河裏。

張維翰暢談過新年

湯宜莊

監察院副院長張維翰，今年已屆八秩高齡，他平生足跡遍國內。全國三十五行省，幾乎沒有他未去過的地方。東南亞幾個國家，他亦差不多都去過了。他的一「年」，是在各個不同的地方過的。對於各地過年的歡樂景像、民情風俗，他差不多都領略過。張維老雖好散詩，爲國內有名的詩人。他每年過年，必賦詩遣懷。下面這首詩，是他抗戰期間在四川做的，字裏行間，描寫過年的情景，歷歷如繪，非常生動。詩云：「忽驚玉燭滿階除，三載巴渝見雪初。松竹賦齊梅繞砌，山居雖稱歲寒廬。鷹齋守步聽鷄聲，一椀茗鐺香趣倍清，一雪自宜占大有，田疇敷潤助春耕。」來臺之後，乙未年過年時，他做的詩是：「磯頭三弓化綠除，新敷細草如茵，初。松梅移植傍幽竹，玉茗花開憶故廬。隣居漸密有嵩聲，不似年環境清。疏散地多成市集，農田減少慮妨耕。饑溺升斗幸初。惡熾紛紛古若英引進除，凜然正義一伸故把扶桑匹龍蟠。海峽頓傳捷報聲，寰潮澎湃春夜清講。反攻機運隨春轉，祖若六年發戰鼓。」

張維翰說：「兩相比較，臺灣過年的氣氛要淡得多。這固然是國難時期一切從簡，但更大的原因，則是因爲臺灣已經漸以農業社會的型態而步向工業社會。工業社會的人都是繁忙的，謀生之不暇，那裏還有閒情逸緻去講究過年的排場呢？」

張維翰認爲過年氣氛最濃的還是北方。北方過年，差不多從臘月起就開始準備。到了「祭灶」那天，大家都放下一切工作，全心全力準備過年了。

北方的祭灶分官、民兩種。官間祭灶是臘月二十四日，民間時二十三日。劃分得非常嚴格。送灶時用「糖瓜兒」供祭。「糖瓜兒」是用糖採圓而中空的，吃了會黏牙，用這種東西供祭，據說是讓「灶王爺」吃了把牙黏住，上天之後少說人間壞話。祭灶的第二天便開始準備年菜了。殺豬，做很多好吃的菜。這些菜做好之後，便一盆一盆地藏在甕中，冰凍起來。臘月二十八日開始發麵蒸饅頭。這些饅頭和菜量非常多，是準備正月整月吃的。好在北方氣候嚴寒，食物擺個把月也不會變壞。

這樣一直忙到除夕。除夕是過年最隆重的一晚。當晚要祭祖，接財神，接「灶王爺」回來。俗說「灶王爺」也在今天回來。上供叩頭，儀式很多。因此通常除夕的晚飯，都要遲至十時以後才得吃。吃過晚飯以後，小孩便在庭院內外放鞭炮，大人便圍坐爐邊聚賭。過了十二點以後，便是大年初一了。這時闔家大小齊聚了，先分別向天地，財神，祖宗叩頭拜年。然後依輩份的高低拜年，最後是最小的別下來拜，妹妹給哥哥拜年，拜年時長輩給壓歲錢，因此輩份最小的雖然頭叩得最多，而壓歲錢也拿得最多。

拜年之後，老年人，小孩都可以去睡了，但壯年人一定要守歲。這一夜不准熄燈，亦不准做工作，所有的東西只准往裏拿，不准往外拿，即使廢物、垃圾也要等初二才能清除。守歲的人一直要守到大亮。

初一開始拜年，先從本家及鄰居開始，初二開始才到外親處拜年。初七、八，這幾天一直繼續到個人都穿上新衣，盡情歡樂。任何事不做，商家最早在初六才開門，一般都在元宵節過後，正月十六日才開門。歡樂也一直要到元宵節過後，才漸漸淡下來。

除夕夜討彩頭

在山東的農村，除夕夜闔了「財門」之後，門後便用一根粗大的門橫頂住，在入門的地上，鋪滿着谷楷（即稻麥草桿）。據說：谷楷鋪地，是歡迎天神降臨，同時五谷豐可避邪驅魔，天神自是降福人間了。

蘇北的農村，一到除夕夜便用石灰汁入一個稻草編的袋子裏，袋有兩洞，把石灰印在地上，沿着居住的房屋，印滿全是石灰的白點，這是象徵豐收。按照科學理論來說，石灰可以消毒，用來驅除蟲蝎。

大年初一，開門第一件事是「接財神」。很多地方的乞丐，用木刻在紅紙上印成財神，挨戶求乞，而家家戶戶在這一天也樂意施捨。有些人更把一個個發裝成財神模樣，搗在肩上，手舞雙鞭，討些「彩頭」。

閒談各地新正風俗

端午

南京人說除夕是神衆下界的日子，又有獨脚神到人家的床榻散疾病，所以這一夜床帳應該早些垂下，以免受他侵害。又這夜接灶神回到家，先放一塊豆腐在釜上，因些俗人說諸神見這一家只有豆腐在釜上，知道這人家一定窮極，藉此着賞諸神生情惻心，保佑他們下一年變富。

樂陶陶鬧新年

過了除夕，就是新年，新正裏男女老小，個個歡天喜地樂陶陶，心理上一高興，便自然地要和孩子們湊湊熱烘，鬧鬧新年了。鬧新年的花樣很多，比如：燃放花（用火藥噴花）、爆（文武爆竹）、高蹺、提燈、猜謎、敲鑼打鼓、玩火龍、舞獅、送春牛、扮財神……等這些都是。

在江南，有種普遍流行而轉有趣的玩意，叫做「送柴頭」，它是用一根竹竿或樹枝挑着幾顆用紅紙紮着的青菜，另外有一羣鑼鼓隊跟着，沿門挨戶去玩，一面挑着搖幌，一面在唱歌謠：「柴頭向東，糧家（富門）吃勿通（吃不完之意）；柴頭向南，糧戶買房買田；柴頭向西，糧戶吃鴨吃鷄；柴頭向北，糧戶造屋造船。」搖着柴頭，祝着家家吉祥如意，它和北方的「送春牛圖」、臺灣的送「祝賀添丁」形式上有些相似，而含意方面它是比較廣泛的。（中）

春節的民間娛樂

魯生

春節是我國一年裏最重要的節日，不僅有吃的，而且有玩的，因此，各種民間藝術及活動，就應運而生。春節也就益發顯得多彩多姿，熱鬧非凡了。茲特地把具有代表性的民間藝術活動介紹出來，好讓大家拾回一些美麗的回憶。

舞獅：獅的顏色，普通有紅、黑、花三種。紅獅代表勇敢吉門，黑獅表示機警靈敏，而花獅是一種瑞獅。玩的多係紅獅與黑獅。這兩種獅子在製作上，全是紅鬃，綠眼，青鼻子，一副短鬚，顯得分外勇猛。

舞動時分爲地獅與高獅兩種。所謂地獅，就是它的節目全是平地表演；所謂高獅，除地面表演外，同時亦要表演，這兩種表演，總不外是竄高，翻滾、翻觔斗等，有時人家還要看高獅吃紅禮品包），就豎起一條竹竿，在頂端拴掛上一個紅球和一撮香菜，高獅則須高高的疊起三四重人，去取上面的禮物。那些精彩節目，把獅子表演得神氣活現。

舞龍：龍亦有三種：金龍，銀龍，彩龍。通常所舞者，多半是金龍或彩龍。龍身是以彩綢所製，上面綴以金色的鱗片。全身長十餘丈，分二十四節，每節各有一人在下面支持着舞動。龍頭重約二十斤，龍身每節約十斤，舞一場得動員二十幾個人，分班輪流擎起舞動，各種姿態之美，嘆爲觀止。

跟或龍身搖動。舞龍的花樣繁多，有游龍戲珠，金龍出洞，青龍擺尾，黃龍翻身等。年輕的小伙子，跟着鑼鼓的節拍，舉步的。

高蹺：高蹺的玩意比較簡單，不過玩起來亦很熱鬧，扮演們是在兩尺高的蹺腳上，扮演有趣的戲劇，多半是以西遊記裏的人物爲主，表情輕鬆，姿態巧妙，扮演孫悟空的人，演出時才顯得神通廣大。他頭戴鳳冠，身披金甲，手持一條金箍棒，……是鬧滿了大批看熱鬧的人。（上）

早來的嬰孩

晉陵譯

護士伸手在袋裏掏來掏去，取出一隻小小的吸氣器，並把它插在嬰兒的鼻孔裏，接着她洗淨了嬰兒的嘴巴，「你們瞧，這一個小千金！」她說：「孩子，一個女孩！」杜若靜靜地躺在一條毛巾裏，臍帶尚未斷，嬰兒現在還不能自由。於是我的女兒大聲地「哌哌」的哭了起來。

她說：「我真高興！」……？我問護士。

此時一位年輕的……

（七）

小重山　五闋

綠衣

自大陸陷共，流離瑩光，暴政橫施，慘無天日。同胞何辜，罹此荼毒？牛鬼蛇神，恣作威福，黎民百姓，呼號奔命而離家。慈悲歲月，夢魂常繞神州，落落情懷，惟聚合悲鬼賊！

（一）夢還鄉

萬里神州別恨長。昨宵魂夢裏，認還鄉。田園荒草映殘陽。述望眼，不是舊風光。人面更淒涼，家人相對泣，淚汪汪。漫提生計解無方。饑寒迫，高歎瑟瑟。

（二）憶當年

珠海雲山景色妍。故鄉在花地，憶當年。三春逝樂音韻牽。花如錦，人物似神仙。夢到舊家園。繁華銷歇盡，兎狐穿。千村萬落杳人烟。蒼生苦，徒喚奈何天。

（三）紅鬼反

似虎如狼紅鬼兵。無端窮兇惡，只橫行。打家劫舍害生靈。天昏暗，滿地穢羶腥。毛寇罪元兇。殘民兼禍國，尚稽刑。臨亡猶作死顛狰。何能久，氣運即休明。（舊諺「死鷄撐硬腳」，言垂死掙扎也，毛酋末後似之。仍，使紅衛兵作亂，殆此類耳。）

（四）待王師

四野哀鴻憐孑遺。獸蹄踐蹦下，命如絲。人亡家散痛流離。心不死，獨恨力難支。忍痛苦堅持。河清終有日，望何疑。同張淚眼望旌旗。盼義師，奠王師。

（五）慶光華

爲拯同胞脫鎖枷。反時宜遠爆，復邦家。尤須澈底掃妖邪。維文化，庚想正偏差。持荷鳴笳。厲兵兼秣馬，奮揮戈。佇看復旦慶光華。澄清日，歸去話桑麻。

自由報

警備台報字第〇三一號內銷證

THE FREE NEWS

第七三〇期

中華民國僑務委員會發證
台僑新字第三三二號登記證
中華郵政台字第二一二八號執照
登記爲第一類新聞紙類
（半週刊每星期三、六出版）
每份港幣壹角
台灣零售價新台幣貳元
社長：雷嘯岑
督印人：黃行靈
社址：香港銅鑼灣高士威道二十號四樓
20, CAUSEWAY RD 3RD FL.
HONG KONG
TEL. 771726　電報掛號：7191
承印者：大同印務公司
地址：香港北角和富道九六號
台灣分社
台北市西寧南路壹壹零號二樓
電話：三〇三四六
台郵撥儲金戶九二五二

本報啓事

爲配合春節與適應承印工廠工友春節休假，原定二月十一日出版之本報第七二九期，經提前於九日出版。本期（七三〇）仍照原定於二月十五日出版。敬希垂察。

再論紅衛兵和當前世界局勢的發展（下）

何浩若

三、十二月十一日的紐約時報和十二月十五日的眞理報

就在筆者寫這篇報導的時候，蘇俄的眞理報發表了一篇重要的論文，表明了蘇俄對中共內訌的態度。一九六六年十二月十五日蘇俄眞理報的報導說「中共的內訌已經歸結到一個吃飯和革命的問題」（Rice Vesus revolution）眞理報說工人參加了毛這次鬥爭對毛澤東要求增加工資是對中共的一個最大的諷刺。眞理報說中共的工人反毛，蘇俄要公開的支持反對毛澤東的中國共產黨。也就是說蘇俄要以全力支持中國共產黨內的反毛份子。中共的反毛份子，也就是毛匪所指責的蘇俄的修正主義。在中共發生內訌以後，蘇俄曾經不止一次的作此聲明。但是十二月十五日的眞理報却說得特別明白。這說明了蘇俄對中共內訌的眞實態度。蘇俄要中共的親俄份子打倒毛匪澤東，使中國共產黨重歸蘇俄懷抱，來一個共產集團的大團結。也就是上文所講的，八萬萬人掘核子武器掘共產主義來威脅全人類，包括美國在內的和平與自由。在共產集團對抗民主國家的戰略上講，我們對眞理報所代表蘇俄對中共內訌的態度和立場是能了解的。對蘇俄最近要把東德駐軍調到中俄邊境去也能了解。我們所不能了解的是美國紐約時報對中共內訌的看法。

一九六六年十二月十一日紐約時報，以「中國的神祕」爲題，發表了一篇社論，把中華民國和蘇俄同稱爲「毛澤東的外來反對者」。紐約時報認爲目前中國大陸的混亂情形，「可能鼓勵毛澤東的外來反對者直接或間接進行干涉」。紐約時報不贊成這樣的干涉，彷彿說中華民國不應當干涉毛匪澤東的內政。這眞是神來之筆，令人難以了解。現在暫時播遷台灣的中華民國政府是整個中國的政府，是根據憲法由人民自由選舉出來的代表所建立的。這一個政府也是美國所承認的唯一的中國政府。消除共匪暴力，解放大陸被壓迫的人民是這一個政府的神聖任務。蔣總統是中華民國的總統，他要反攻大陸，如何能說他是干涉毛匪澤東的內政呢？林肯是美國的總統，林肯爲了解放美國南方被奴役的黑人，不惜向美國的南部作戰。紐約時報能說林肯干涉美國的內政嗎？再說把中華民國和蘇俄並列「爲毛澤東的外來反對者」也想想入非非。像這樣違反常理的論調是值得我們深入檢討的。

紐約時報是一個世界聞名的大報，不僅可以影響美國的輿論，而且可以間接影響美國的對華政策。爲什麼紐約時報要發表這樣一個不合情理的論調呢？這樣的論調究竟代表誰的立場呢？有人說，這樣的說法顯然是代表美國共產黨的同路人和左傾的自由份子替毛匪澤東說話的。紐約時報當然不是共產黨的報紙，但是紐約時報在過去的國際鬥爭中却爲國際共產黨盡過最大的力量。在美洲，古巴之能完成赤化，卡斯楚之能獲得古巴的統治權來威脅美國，首應歸功於紐約時報，有一個美國共產黨叫默修斯（Herbert Mathews）滲透了紐約時報派到古巴去做記者，經常寫通訊在紐約時報發表，攻擊當日古巴的當局，並且贊揚卡斯楚爲古巴的華盛頓和林肯，就像美國輿論在中國大陸淪陷以前攻擊蔣總統和贊揚毛澤東一樣。（美國國會紀錄這樣說）因爲紐約時報的影響力大，經過默修斯不斷的歪曲報導，卡斯楚才能赤化古巴。這在美國國會的調查紀錄上是有案可稽的。今天紐約時報替毛匪說話，說中華民國是毛匪的外來干涉者，是不足驚異的。問題是我們要深刻的了解美國共產黨同路人和左傾的自由份子所圖謀的還不止此。美國國會的調查會經說使中國大陸淪入鐵幕貢獻最大的是太平洋協會。現在太平洋協會的餘孽，如費正清和其他的左傾自由份子，想再把中國大陸送入蘇俄的懷抱。有人說紐約時報祇是拿蘇俄作陪襯來反對中華民國反攻。事實上美共的同路人和左傾的自由份子是希望親俄的中共份子掌握中國大陸的政權的。他們也有一套說法。他們主要的說法是認爲蘇俄和美國是可以和平共存的。現在中共威脅美國和民主國家，是因爲毛澤東反美。假如親俄的修正主義者能打倒毛匪而和蘇俄合作，而蘇俄又可以和美國和平共存，豈不天下大定？這就是所謂美俄合力對付中共的說法。假如美國政府能接受這樣一個對華的政策，那眞是共產黨同路人和左傾自由份子所夢寐以求的。不過我們堅決的相信美國政府不會接受這樣的一個政策。

（下轉第二版）

自討苦吃

暴君末日

今日與明日

大陸無法安排春耕

毛林集團在反毛「當權派」所謂「經濟主義妖風」的猛烈襲擊下，使工業生產停頓，交通運輸癱瘓，其形勢之糟，誠爲毛共叛亂竄國歷史上所未見。

還不是前述各種嚴重的情況，而是大陸廣大農村在反毛「當權派」利用「經濟主義」所進行的「新反撲」下，所謂「人民公社」以至「生產大隊」和「生產隊」，幾乎是全部從基本上瓦解了。農村的大小反毛「當權派」，利用還未被「奪」的「權」力，唆使「成份好」的貧下中農離開生產崗位，「向工人弟兄看齊」，也來一套「上北京告狀」。復指使「回鄉參加生產」的「下放幹部」，學生和退伍共軍（所謂「復員軍人」），組織如「八一兵團」或「農民赤衛軍」一類的所謂「保皇組織」，與擁護毛林集團的所謂「革命造反派」對抗。所謂「保皇組織」在目前，於大陸農村中佔決對多數，而擁毛的所謂「革命造反派」則佔決少數。以已經「奪權」成功的江西省爲例，這類爲反毛「當權派」後盾的「御用軍」竟達二十萬之多。毛林集團雖狂呼「形勢大好」，但同時也不得不承認，反毛「當權派」的爪牙，一直未停在農村「煽邪風，點鬼火」，進行「招兵買馬」，力圖所謂與「革命造反派」「對抗到底」。

由於廣大農民，分別離開了生產崗位，去冬今春的積肥任務，不但未完成，也可以說一點也未作。特別是所謂「興修水利」，只搞了一部份就按下了。如果不及時把掘開的水道提壩等修好，眼看到了春季，逍雨季來臨實不堪想像。

在反毛「當權派」搞「經濟主義」一開始，各地「人民公社」和「生產大隊」及「生產隊」，不但對生產「管他娘」，今年的春耕也準備放棄了。根本無視毛共提出的「農業生產爲國民經濟基礎」這個方針」，就連毛酋「備戰、備荒、爲人民」的所謂「號召」，也置於腦後；把「公積金」和「集體儲備糧」、「公益金」全都分得「一乾二淨」。更有很多地區，憤怒的農民抱着「吾與汝偕亡」的決心，把肥料拋棄了，把種籽分掉了；甚至有的地區（如陝西省長安縣）的農民，把耕畜賣掉或殺掉，根本就不準備再種田了。

在大陸農村普遍陷於混亂的同時，爲毛林集團所強調要挖掉的資本主義復辟的根子——如農村「自由市場」等，不但未被「挖掉」，反而如雨後春筍到處出現。

春節已過，在往年毛共該在北平「人民日報」上提出諸如「打好備耕這一仗」一類的濫調了；可是，今年毛林集團忙於「奪權」，看起來今年的春耕必發生無法解決的問題。也就是說，今年可能發生缺勞力、缺種籽、缺資金、缺肥料和缺領導的「五缺」現象。如果今年大陸再鬧糧荒，即毛林集團推行的所謂「文化大革命」獲得「勝利」，也必將在經濟方面產生根本無法克服的困難。（何如）

自由談

報紙上的語意學

報紙的言論與新聞，都是批評、報導當前的時事問題，給社會大衆以確切的理解和認識，具有深鉅的教育意義。所以，報紙上登載新聞固應該有所抉擇，即標題、措詞亦須鄭重考慮，不宜掉以輕心的，夫是之謂「可讀性」。

例如台灣最近爲着黃豆進口的賄賂案，法院拘究了一些民意代表，指他們利用職權，收受不法利得。但報紙紀載這項新聞時，竟有將「盜豆」字樣作標題的，乃使賄賂與竊盜行爲混淆不淸了，烏乎可呢！又如大陸上毛共的紅衛兵之亂，是內部權力鬥爭的惡作劇，與反共抗俄毫不相干。各地共幹雖有擁毛、反毛之別，那是他們內鬨，站在自由人士——尤其是中國人的立場來說，實係一邱之貉，無所軒輊的。然而，台灣的報紙上，對於內蒙共黨當權派烏蘭夫的反毛行動，竟有說他是「起義」的，這不是莫名其妙的思想嗎？烏蘭夫祇是反對毛酋澤東的共產政策，即所謂修正主義而已。他並不反對共產主義，充其量只不贊成毛酋的「社會主義總路綫」和「大躍進」觀點，依然是中華民國的內亂罪犯，無可饒恕的。他之反毛，完全是狗咬狗骨的權力爭奪行爲，就自由人類的利害禍福而言，「義」於何有呢？

毛酋曾經大力反叛蘇俄，指其爲修正主義，爲資本主義復辟。俄共亦罵毛酋是馬克斯主義的叛徒。難道我們亦說毛酋之反俄是「起義」？或說俄共之反毛是崇尚自由生活不成麼？

十多年前，有些從中國大陸上逃到海外來的反共人士，對人談到他的流亡淸形，動則說「我是解放後出來的」，我就問他：「閣下既然解放了，還出來幹嗎？」一這證明一般知識份子對於語意學的修養太差，因而在修詞上常常不自覺地發生紕漏，這在個人的言談中，影響尚不大，若出現於報紙上，那就關係匪淺了。我不是故意對同業挑眼兒，祇希望大家在編輯、寫作時，注意語意的重要性，不要損害了報紙所負的社會教育功用耳。知我罪我，非所計也。

馮玉先生

檢討油商行賄案的起訴審理與判決（一）

—本報記者蕭而科—

前言

司法機關調查油商行賄案，始於五十四年十二月二十日，由台北地方法院檢察官馬志鉞承辦，首先偵訊植物油公會理事長林生傳，同月二十四日再度訊問林生傳。至五十五年一月三日，改由檢察官陳志光承辦，經訊問後，林生傳交五萬元舖保釋放。同年五月三十日，復由檢察官周德美簽請將林生傳案移寒股偵辦，即由檢察官李兆欣續辦。

因此，林生傳經司法機關羈押期間之調查筆錄，並未在法定期內提起公訴，而列爲「他」字案件。在五十五年一月三日，調查機關將林生傳移送台北地院檢察官時，並未把調查筆錄隨案移交檢察官。故同年六月十六日台北地院首席檢察官焦沛澍以「北檢沛寒字第七四二八號函調查局台灣省調查處將林生傳訊問筆錄，移送來處」。同年八月九日再度函催速將此項筆錄送處。

林生傳在馬志鉞檢察官偵訊筆錄中，僅說立法委員車馬費二十五萬元。並未說出立委姓名，也未說何時何地何人送錢給誰？林生傳第二次在陳志光檢察偵說佣金兩三百萬元，爲了要政府管制黃豆進口，才動用佣金請立委向有關機關活動。並說：「我經手交給立委林棟五萬元，封中平二十萬元，陳桂清五萬元。我們總幹事（周烈範）經手交給立委徐姓、曾姓共五、六十萬元」。

這兩次林生傳的口供，謂之初供，刑事訴訟法規定初供得作爲採證。但這次口供中之車馬費數字固然不同，且沒有任何一位監委在內。

若干立委主張「他清」

油商行賄案經司法機關偵查後列爲「他」案，而非「偵」字案件，原本可告無事的。該案之所以發兩院若干委員應負最大的責任，自毀立場，此外，台北若干報紙推波助瀾，在相互循環影響之下，而使國家蒙受損害。

去年春夏之間，立法委員們開始質詢五大案之一的日片案。後經立委王子蘭等提案，經立法院會通過，議決改變議程爲「質詢時間」，請行政院長出席報告政府對五大案處理之情形。於是立委們紛紛質詢，由自清而主張他清。所謂他清，就是要行政院代替立法院清查一番，把涉嫌不法之人清查出來，且迫着行政院非查不可。民主國家的國會議員如有涉嫌非法事件，即由國會組成專案小組調查，如屬輕微事件，依國會紀律議處，如屬重大，則由國會除名，若涉及刑事，移送法院審理，但絕沒有要求行政機關清查的事例。如果說有的話，也只有我國的立法院，才有這種別開生面的創例。

就在立法院進行質詢五大案並要求他清的時候，監察院若干委員提案彈劾東亞貸款案，由於該彈劾案中列有五位立法委員及財經首長，因而轟動社會。該彈劾案等於間接證明立法委員確有不法之徒；接着，又彈劾大秦案，說台銀與復興公司有勾結云云。行政院長在此夾攻之下，只好答應下令司法機關調查。嚴院長並說一定做到毋枉毋縱。

法院拘票不得竄改

有人說，假如司法機關不好大喜功，以及調查與偵查程序都合法，而法條引用適當的話，也不致被批評得體無完膚。

油商行賄案之偵查程序，不但瑕疵，且有重大之錯誤。茲分別列舉如下：

第一、司法行政部調查局於五十五年八月二十五日，向台北地方法院首席檢察官聲請搜索票，及拘提李鯤玉、唐貢球、周烈範、林生傳之拘票（台維字第○二五號）。該地首席檢察官於同月二十六日批：「原股核辦」。而承辦檢察官李兆欣於同日批：「核無不合，准予發給」。但司法警察詹益彰在原聲請書上簽：「收到搜索票六張拘票八張」，簽收日期是「八月二十五日」。同一公文書，上面發給日期是「八月二十六日」，而簽收日期反而提前一天爲「八月二十五日」，這已經發生重大的瑕疵。

更嚴重的是：拘提唐貢球、周烈範、林生傳之拘票日期原爲「八月二十六日」，改爲「八月二十五日」。此項違法之竄改，經被告辯護人朱舜耕、李琳律師在辯論庭上指出後，檢察官李兆欣承認是他命書記官改的，他是應調查機關人員之請求而命書記官改的。檢察官依職權有簽發拘票之權，刑訴法第四十條規定檢察官「不得竄改或挖補」，檢察官無權命書記官竄改，否則，即屬違法。同時規定檢察官有權增刪，但須依一定程式。

司法人員疲勞訊問

第二、油商行賄案卷宗告訴被告辯護人，調查機關是怎樣調查被告林生傳等人的？如去年九月一日調查人員王葦（復興航業公司副總經理）、王亢衡（現任交通銀行副經理，前任海外航運聯營處主席）。同日下午五時二十五分，由檢察官李兆欣偵訊。

在去年九月二日檢察官李兆欣偵訊陳士金（招商局業務經理）之前一天，先由調查人員訊問。這就是說，涉嫌被告在檢察官訊問之前，先由調查人員訊問，然後，檢察官再根據調查人員所製作的筆錄、訊問被告。如周烈範、林生傳、唐貢球等人於去年八月二十五日被拘捕後，執行拘提之司法警察並未依照拘票所示，立即由檢察官訊問，直到同月二十六日下午始由檢察官李兆欣訊問後，在公文書上批：「經訊問後，認有刑訴法第七十六條第二、三款情形收押，交調查局帶回繼續查證，限本（八）月三十日下午六時前解送本處」。

比如，立法院於去年九月二十三日上午十一時通過同意逮捕劉景健委員等三人後，調查人員即將劉委員拘捕，先後問話兩次，始由檢察官李兆欣於同日下午三時二十分在辦公室偵詢，晚上十時三十分，檢察官李兆欣在看守偵詢劉景健，並使其與周烈範對質。劉景健在十一小時內，偵訊達四次之多，是疲勞詢問。

這些事實告訴被告本人、及各被告家屬、親友、同事，和辯護人，司法人員偵查被告，不是用科學方法查證，而是用特殊方法取供，這種口供主義，使司法聲譽掃地，使我國法治蒙羞。

口供主義使人叫絕

第三、被告周烈範在審判庭中說：「檢察官訊問之先，先交給調查局人員，因此我的陳述不是自由意旨的話」。「檢察官李兆欣在（台北市）和平東路調查局招待所問我，當時還有調查局人員在場，所以我照自白書（致沈局長的信）的意旨說了」。「我在調查局受到疲勞訊問，是在極不自由意志下說的話，都不實在，檢察官在看守所提我出來，先交給調查局的人員，然後一起問我……」。周烈範並說：「我給沈局長的信完全不實在。這封信是在三張犂調查局夜間二點寫的，我未蓋章。拘留所裏無燈，我被關到，是台北縣調查站的王主任叫寫的；不是一句一句叫我寫的，他給我提供資料叫我照着寫的」。（詳見台北地院一、二、三次審判筆錄）

再論紅衛兵和當前世界局勢的發展

（上接第一版）

假如這個政策實現，將是共產集團的大團結，將是八萬萬人加核子武器，加共產主義，將來全人類的和平與自由會受到威脅，將來這個世界上的自由人，將是「站着死」或是「跪着活」。假如是這樣的話，美國不僅出賣了全世界的自由民主國家，也出賣了美國兩萬萬愛好自由民主的公民。正如默修白里所說的，這是人類對自由與奴役的抉擇，美國人領導民主國家尤其應當特別了解的。

四、世局不堪一誤

再誤

最近有記者問美國國務卿魯斯克中國大陸的情形怎樣？魯斯克很幽默的回答：「恐怕毛澤東和林彪也不清楚！」這自然是對毛林一個最大的諷刺，也說明中國大陸已經混亂到沒有人知道的程度。但是我們同時也要警覺。我們對中國大陸的情形在知道的太少了。假如沒有日本通訊社根據北平街上紅衛兵所貼的大字報上的新聞，和鐵幕內附庸國家零篇斷片的報導，民主國家的報紙上對當前中共內訌的情形將一無所知。紅衛兵大字報的消息是不負責任的，不可靠的。一個國家的統治者不由新聞紙和通訊社來正式報導消息，却靠揭帖和傳單式的大字報來彼此互相攻擊，可以說是徹底喪失了統治權。大陸情形混亂還不止此，堂堂的僞國務院可以因羣衆搶文件而發生流血鬪毆，僞國家主席的夫人可以在光天化日之下被綁架，而且是從僞主席身旁綁去的。像這樣的現象眞令人有「人間何世？」之感。

儘管民主國家對鐵幕以內的情形不太明瞭，就從中共匪幫所正式經由新華社或人民廣播電台所公佈的消息來分析判斷，也可以斷定毛匪的政權必然趨於崩潰。問題是：毛匪崩潰以後，政權將落在誰的手裏？我們的觀察是：民主國家和共產集團再度爭取中國大陸和中華民族，今天已經到了最後關頭。這將是整個人類對自由與奴役的選擇，一個生死存亡的關鍵。

先說毛匪必然崩潰的理由和根據。上文曾經說到毛匪雖然威脅民主國家的和平與自由，但是因爲毛匪反俄，分散了共產集團的力量，也同時減少了共產集團對民主國家的壓迫。蘇俄之倡導和平共存雖不全由於毛匪反俄，但是共產集團分裂以後，不能以全力從事世界革命也是主要的理由。在如此論斷的前提下，也有人主張民主國家應當繼續維持毛匪政權使之繼續反俄來分散共產集團的力量。殊不知這是絕不可能的。毛匪政權已面臨崩潰。我們並沒有特殊的情報來報導讀者。但是我們可以根據已有的事實加以分析。毛匪於一月十二日改組軍中文革小組，任命徐向前爲小組組長，江青爲顧問。這一任命是由中共中央委員會、僞國務院、僞中央軍事委員會和僞文革小組四個機關宣佈的。像這樣一個任命要四個機關來宣佈，充分表示毛匪已經失去了統治權，也破壞了自己的統治系統。我們已經說過，一個政權不能靠幾十萬無知無識的小孩和一個小老婆來維持。毛匪發動這次整肅原是依靠林彪的。自從文革小組分裂，逮捕並清算陶鑄以後，連林彪都靠不住了，那還能不垮台嗎？陶鑄的被清算，應當是毛匪發動整肅以後最重要的一件事。毛匪最大的失策，現在蘇俄眞理報不斷的攻擊的，便是引用自己的小老婆江青。過去江青在中國共產匪黨內是毫無歷史和地位的。她既不是中央委員，自然也不能參加政治局。毛林合作的文革小組除去陳伯達和陶鑄以外却加入了一個關係特殊的江青。陳伯達是始終受毛匪支配的。陶鑄和林彪却有很長的歷史關係，也可以說代表林彪。陶鑄以宣傳部長參加文革小組是有實力的，自然會和江青發生磨擦。問題仍然出在毛林的健康上面。毛匪以垂死之年，確定林匪爲他的繼承人。但是林匪的健康比他更壞，而且許久沒有露面了。是不是病倒了呢？陶鑄是被戲劇學院的紅衛兵逮捕的，自然是江青的部下。江青逮捕陶鑄後是否獲得了林彪的同意呢？造成既成事實以後，毛匪自然要替江青說話，說陶鑄如何不好，陶鑄是文化革命發動以後才竄紅的。他不可能和劉少奇、鄧小平勾結。毛匪支持江青清算陶鑄，在林匪久不露面的情形之下，是否江青有繼承毛匪的可能呢？要知道江青在匪黨的組織內是毫無地位的。中國人又傳統的討厭牝鷄司晨。武則天的時代早就過去了。試問朱德、賀龍這班人能向江青低頭來接受她的統治嗎？毛匪之引用江青比解散總工會還壞。共產黨解散總工會，工人必然反黨。毛匪重用江青，恐怕起碼的共產黨員也不會擁護他了。我們的分析和判斷，毛匪是必然崩潰的。即令能苟延殘喘，毛、林的健康情況，和江青的突起，也必然的使得他們垮台。問題是誰將繼承着中國大陸上的政權。

我們認定世局的關鍵在亞洲，亞洲的關鍵在中國。在民主國家和共產集團對抗的局勢中，民主國家於一九五〇年喪失了中國大陸是歷史上一個最大的錯誤。現在改正這個錯誤的機會終於來臨。對於這一個人類生死關頭的決策，是否一誤再誤呢？這就要看領導民主國家的美國了。假如偉大的中華民族能在共黨的夾持下解放出來和美國及其他民主國家合作，則不僅核子大戰可以避免，而且可以永保人類的和平與自由。假如中國大陸和中華民族在親俄的共產黨統治之下重歸蘇俄懷抱，造成共產集團的大團結，未來的民主國家和自由世界，包括美國在內，便祇有「站着死」或是「跪着活」了！（完）

新年穿毛皮

·三漢·

在大陸上過新年的季節，北風凜冽，雪花飛舞，北方一帶更是江河封凍，一般老百姓早就裹着厚厚的棉衣，躲在家裏圍爐取暖。但是現在的中共的紅衛兵把這些家庭起碼的禦寒措施，也當作小資產階級的享受，在取締之列，則人民之苦，也可想見。

其實，在大陸淪陷之前，許多貧苦的老百姓，也會弄上一件便宜的皮衣披一披，不致像今天之苦。因爲皮衣很耐穿，可以傳好幾代，所以不愁分不到一件。

大陸上產皮毛的地方很多，供穿着的毛皮，可分曲毛與直毛兩種。直毛有海龍、水獺、猞猁、貂、貉、狐、狸、鼠皮等。曲毛爲羊皮，有綿羊與山羊之分。山羊仔羔皮名曰嘩子，皮輕暖而色素，爲一般人所樂用，當年使用銀圓時，一件袍料祇需三十元。綿羊皮有紫羔、血羔、彈羊、剪楂、跑羔等。

跑羔毛長寸許，其毛捲如麥穗狀，保溫力强，適合嚴冬之用。

剪楂——羊每年要剪兩次毛，春季在梨樹開花時，秋季在蘆稷收割後，俗云：「春剪梨花秋剪稷。」春初生的羊羔在梨花剪毛後，不多幾天，宰殺製皮，毛短皮輕，最適於嫩寒初冷時穿用。

彈羊皮出口外，以西口產爲最有名，張家口即盛產彈羊之地。彈羊皮薄毛長約七寸餘，毛曲如電波曲綫狀，細軟好看，眞正西口彈羊每束毛要有七折曲綫。非常輕軟。

血羔，是綿羊之胎羔。把待產的母羊殺掉取出胎羔。名曰血羔。此皮特點，皮薄毛軟，穿起輕快異常。然殺母羊取血羔並非易事，非有經驗之專家莫辦。一般人認爲殺母羔取胎羔是最殘忍的事，這種皮貨，市上不多，因之價頗昂貴。

紫羔，是由綿羊生的紫黑色羊羔。數萬隻綿羊難見得一隻紫羔，所以極爲名貴。市上所售的紫羔皮料，大多係採自白綿羔身上剪下的小塊紫黑皮而連成的，這樣毛皮也很難得，皮質並不差。紫羔是羊皮中最貴者，有時超過狐皮價値。

鼠皮有灰鼠，銀鼠之分，亦屬貴皮，毛短皮輕，適於初冬與交春後穿着。

狸皮價較灰鼠皮稍昂，次於狐皮。

狐皮有草狐、火狐、銀狐等。草狐色黃絨多，屬珍貴皮類，以東北產量較多。同爲狐皮因部位不同，價亦參差：嗉皮（咽喉下部）、青犬（腋下部）較貴，腿皮和脊皮較便宜。脊皮多用作帽子和大衣領。狐皮保溫力强，銀狐（白狐）爲最珍貴之品。

貉皮，黃絨黑毛尖，略似狐皮，但比狐皮稍好看些，價較狐皮略貴，遼北產量最多。貉遇人走到身邊，即四足朝天仰臥，因此有「傻子賴貉子」之諺。此皮外用以製帽，亦宜做襖、褂、袍、大衣。

舍利，亦爲珍貴皮類，產西伯利亞、烏拉山一帶，以我國索倫山產者最佳。

貂皮，亦屬珍貴皮類，常見者多爲東北山裏所產之青龍貂，藍絨黑毛，針[illegible]黃色，爲貂中最便宜者，貂皮作帽子之多，以之作女大衣多將毛縫製在外面。

水獺，產我國東北河內者皮質最佳，以作帽皮大衣領者爲最普遍，價亦奇昂，爲無價之珍品。

海龍，毛絨紫紅色，毛針閃閃發光，一說雪花不落，可惜產量不多，價亦昂貴，一頂海龍帽即價値銀元三百五十元之多。

但是毛皮共黨來了之後，這些毛皮除了供共幹享受之外，其餘已全數出口去交換作戰物資去了。老百姓只有挨凍的份兒。寫到這裏，想到大陸億萬同胞，困在飢寒交迫的鐵幕裏過年，不禁感到愴然。

醫生眼裡的香烟

大知譯

近幾年來，討論吸烟對人類的影響，甚爲受人重視。特別是一般醫學專家，他們努力從事於這方面的研究，得出一些新的結論，對於人類健康，有很大的貢獻。

約在半世紀以前，吸烟已爲一般人所發現是有害於身體的，只是不能清楚地作醫學上的證明而已。製烟在今天已成爲重大的工業，每年各國烟的銷量，佔了一個重要的位置。自從醫學界發表有關吸烟可以引起肺癌的報告以後，烟的銷量會受到一些影響，不過製烟商人又想出了各種防止烟毒素被吸入人體的烟頭，經過廣大廣告，大肆宣傳以後，吸烟的人數，又愈來愈多了。

事實上，發明各式各樣的烟頭，並不能減少烟毒素，也無法防止人們吸入尼古丁。根據美國癌症研究協會所發表的一篇有關吸烟與癌症的報告，使人們知道吸烟與癌症有極密切的關係。

醫學專家們，曾經化了相當長的時間，調查有關生肺癌症的病人，發現其中平時吸烟的，佔了絕大多數。而且吸香烟的害處，比吸雪茄用烟斗來得更爲厲害。

英國醫學界對於吸烟與癌症的研究，也值得世人所注意。在倫敦的英國醫藥協會，曾在過去的五年中，調查了將近四萬男人和女人，發現不少吸烟的人，都患了同程度的肺癌，而且因肺癌致死的人數，常隨吸烟的人數增加，這個事實很清楚地說明吸烟可以使人發生癌症，特別是肺癌。

一般醫生不獨在研究吸烟對於癌症的關係，而且也在研究吸烟對於其他疾病的影響。愛丁基爾醫生，曾研究過烟對於心臟和肺臟方面疾病的影響，他發現患有心臟病和肺病的人，假若平時吸烟，則傷口極難痊癒，病勢也較平時不吸烟的人爲重。由此可見，香烟的確是人類健康的大敵人。

據美國癌症研究協會所調查的結果，認爲吸烟的人患癌症的機會，要比不吸烟的人大二十七倍以上。關於香烟對心臟的損害，也是相當大的，雖然還沒有充分的事實可以證明吸烟可以直接引起心臟病，但是無論如何，吸烟是會影響人體的血液循環，這是所有醫生所公認的。

吸烟的人，其心臟跳動加快，血壓升高，而且患冠狀動脈硬化症的機會，也比不吸烟的人爲大，這是醫學專家最近幾年來所調查的結果。

胃潰瘍在今天也已成爲一種極普遍的疾病了，特別是消化性胃潰瘍，患者人數之多，竟是使醫學界大爲震驚的。究竟什麼原因會使人患上這種消化性胃潰瘍的？在過去總以爲大凡胃酸過多，人就容易患上消化性胃潰瘍，其實根據近年來醫學上的研究，發現消化性胃潰瘍發生的原因，主要係由於胃粘膜長時期受到刺激所致，特別是溫熱的刺激，以及某種毒素的影響。這就使人聯想到吸烟對於胃潰瘍之關係。當然直到如今還沒有一個醫生能找出事實證明胃潰瘍發生的直接原因係由於吸烟，但是很可能吸烟會直接傷害消化系統，則係事實。（上）

拉丁美洲共黨到處碰壁

·德遜·

共產主義在拉丁美洲，已遭受重大的挫折，卡斯特羅的遊擊戰，企圖傾覆他的鄰邦，現正一國又一國的碰壁。事實上，共黨所預期有輕易收穫的地點，到處的潮流都在走向反共或不歡迎共產主義的趨勢。

卡斯特羅企圖在拉丁美洲各國扶植共黨型式的「民族解放戰爭」，現正招致相反的後果。幾乎整個西半球，共黨所支持的遊擊隊和恐怖份子，到處被擊敗，被迫作地下活動，或被遠遠逐入山中，致使他們對於當地的政治穩定或經濟發展，沒有眞正的威脅。

多年來，卡斯特羅傾覆計謀的首要目標委內瑞拉，曾經一度勢力强大的遊擊隊，現正祇剩下零碎的殘餘份子活動。

在秘魯，所有組織的遊擊隊伍，都已在深入安迪斯山區的一次巧妙戰役中被肅淸。

哥倫比亞的傳統性內陸地區暴力情事，仍未根除。但所餘遊擊隊份子，大部份被包圍在離人烟稠密的地區。首都波哥大，在一年之前仍在受恐怖的威脅中，現在市民已不再在恐怖中過活了。

祇有在危地馬拉，共黨遊擊隊仍然是令人煩腦的一個威脅。危國內陸有不少地區，是在遊擊隊的控制之下，而不是政府軍隊似乎無能爲力或不願採取有效的行動。

拉丁美洲反卡斯特羅共產主義傾覆的作戰，距離完結之途尚遠。由古巴輸出的軍火，金錢，宣傳和特務人員，還未完全被封鎖。但除了危地馬拉這個可能的例外，現在顯見共黨及「卡斯特羅派」份子正在亡命中。反傾覆的成功作戰，據有關軍政當局的解說其背景有三項重大的發展：

（一）拉丁美洲的軍警力量，特別是在委內瑞拉，現正初次發展有效的反遊擊戰術，並且贏得各地農民的信心。

（二）在若干國家，現有足夠的經濟社會進步，是以人民最低限度正在開始希望，不用革命的暴力行動，便可以改善生活。

（三）各國共黨與其他極左傾黨派之間，發生尖銳的衝突，致令那些傾覆性運動，受到損害。例如，委內瑞拉的左翼黨派，現已分裂爲二，一派是支持武力衝突的强硬路綫，另一派則是支持和平共存的溫和派。

卡斯特羅的滲透，早在卡斯特羅獨裁者于一九五九年一月奪得政權之後開始。當然，其時並非「傾覆」。他初時在拉丁美洲各國，曾博得不少的擁護者。他甚且獲得若干個民主政府的協助。而今，這些民主政府，却是他所謀推翻的。

到了一九六一年，卡斯特羅主義與共產主義是分不開的。其時，卡斯特羅揚言南美的安迪斯山區，將是發動新「解放鬥爭」的策源地，正如古巴東部的山區已成爲他的革命總部大本營一樣。他不祇空說而已。自從一九六〇年，古巴的軍火，金錢和宣傳即已源源輸入中美洲，委內瑞拉，哥倫比亞及秘魯。至一九六二年，每年有拉丁美洲人多至五千名，在古巴接受宣傳，間諜活動與遊擊戰的訓練。（上）

元宵節在臺灣

李東海

弄土地：弄土地或稱鬧元宵。把土地公的偶像，安置在小轎上，以壯丁二人抬着，助以鼓樂，到各商店門前去迎弄。商店看到「福德正神」駕至，便無不大放鞭炮，以示迎謝。商店因想多討好小轎，在門前逗留迎弄，所以每每不惜大花鞭炮錢，接連燃放上個把點鐘；如果讓鞭炮聲中斷，小轎則就會移過鄰家了。

廟會：廟會的活動節目，也是從閩南傳來的。每逢元宵夜，寺廟裏即張燈結綵，陳列盛開的水仙花盆，以及各種字畫古董，任人欣賞。

廈門的廟會，則並非陳列水仙花盆和字畫古董，而是陳列大燭，所以叫做看大燭。大燭以竹作桿，先紮棉絮，後塗油臘，又加彩繪，豎立架上，於元宵夜高燃寺廟中，以數目最多，體積最長最大者爲勝，高者丈餘，多達數十對，燃時光如白晝，煖氣迫人，通宵任遊客欣賞，以競炫寺廟的「香火鼎盛」與「善男信女盈門」。

吃湯圓：湯圓或稱元宵圓，市面上並不多見，全係家庭自備的應節食品。

湯糰的製法，大團仿傚泉屬，粒直徑約一寸左右。先以炒花生、核桃仁、桔餅等搗碎，拌入糖、蔴、桂花羨凝，切爲一、二公分方塊作餡；又將糯米[illegible]漿，晒乾研成粉狀，置於密籮中，然後把餡一一蘸水投入，持籮力搖，使團團轉，粘遍糯米粉，再蘸水再轉動粘粉，經數十次不等，放入沸湯中，浮即取食，饒有風味。

猜燈謎：猜燈謎是一種韻事，台灣比大陸各地都更普遍地流傳於民間——甚至窮鄉僻壤，至今猶然。

台灣除了詩社特別發達燈謎，風氣的鼎盛不衰，也是保存國粹的重要成果之一。

日據時代，日人醉心研究「漢學」，但却深忌台灣同胞涉獵，惟獨燈謎不禁。所以每屆元宵，即到處競相舉行猜燈謎會。表面上是玩樂，實際上却可視爲保持民族精神的社會敎育。謎面謎底都夾帶地方色彩，並多以四書、五經、唐詩、千家詩、三字經、百家姓、幼學瓊林、詩品、古文、成語等等爲運用資料，極富敎育意義。

聽香：聽香，是喃卜的流亞。

台灣婦女相習在元宵夜的深更裏，偷偷摸摸潛到幽靜的地方聽香。其法，先要在自家的神前燒香，投擲神筶，預卜所要潛往的方向，然後一手握着神筶，一手執着香，走到卜定的方向，去聽人家的聲音或談話，以先入耳的第一句爲準；聽到以後，又須返回神前投擲神筶請示，以卜自己一年的窮通吉凶，或心事期望。「閨事鈎沉」一書：「唐王建集聽鏡詞之說，以卜人間用杓子於元宵夜以卜一年休咎，婦女則常用喃卜者，類似今之聽香」。（下完）

新年拾零

·湯翔·

廣東臘味

廣東臘味是廣東人過年時最喜愛食的醃製肉類的總稱：包括有臘肉、鬪刀肉、金錢餅、臘腸、肝腸、金銀肝、臘肝、臘鴨等；廣東各大市鎮裏都有很多專門出售臘味的店舖開設。每年農曆年前幾個禮拜，便大量趕製應市，各種臘味堆置得滿坑滿谷，採購的人摩肩接踵，盛況空前。

廣東臘味的特色是醃漬時用上好醬油和醇酒調味，而且糖分不多，並和以適量的糖。臘製得宜的，蒸熟時不獨芬香撲鼻，而且保留肉類原來的鮮美；瘦的地方鬆脆適口，肥的部分剔透玲瓏，油而不膩。確是下酒佐餐的佳餚。

廣東臘味的吃法大都是整條或整段，乘飯將好時放在飯鍋裏蒸熟，然後切成薄片（臘鴨和金錢餅，淨瘦肉切成手掌般大小的圓形薄片作成的肉脯等則斬成小塊）來吃。還有一種膾炙人口的吃法——臘味煲飯。是用沙鍋煮飯將熟時，視吃飯人數多少，配合適量的各種臘味下鍋同蒸，飯好後再拿出，然後將臘菜切片上桌。這時飯裏吸收着臘味的濃汁和香味。打開鍋蓋時滿室芬芳，白飯吃起來香留齒頰，其味無窮。但是大陸淪陷後，廣東省人民已再無福消受這項美味了。只有台灣、香港、以及各地僑區，才有大量的廣東臘味吃。

扮燈官

大陸淪陷前的新年期間，魯東盛行「扮燈官兒」的遊藝，自年初一起，直到燈節止，燈官「坐」着轎子巡迴各村。燈官是由鄉民中挑選，要能說會道，粗通文墨，儀表非凡。所坐的寶藍色官轎，是鄉民在臘月裏集資購置的，嶄新轎帷，紅色轎杆，轎頂却是用棒子麵特蒸的頭號「大窩窩頭」，八名抬轎的轎伕，亦穿官衣，頂着麻批染紅的纓帽。

燈官大人的扮像更滑稽了；帽頂是個蕎頭兒，反穿着老羊皮大襖，嘴唇貼着假八字鬍，戴一付用高粱楷、篾和麻稈做成的大眼鏡，羊皮襖外邊繫着條腰巾，上面綴着大烟袋荷包和火鐮火石，手托着長長大烟斗，腳登官靴，吹鬍子、瞪眼、喘吁吁的站在轎中，與抬轎者同一步伐，一路小跑着。

怎麼坐轎的會跑呢？原來這位大人的官轎，雖有窩窩頭做的黃金色頂子，却是無底轎，雖在轎中，行動却仍得煩勞燈官大人的尊腿。

轎前，有持開道鑼者，有扛肅靜、迴避牌者，有舉鳥槍三眼銃者，鄉民扮的衙役三班，最少也不下五六十人，槍聲震耳，銅鑼齊敲，眞是好不威風。（上）

諧聯

兆麟

談到諧聯，趣味無窮，新年無事，我們不妨信筆寫些「趣味」性的妙聯於后：

清朝初年，葉初春在廣東作官，手段酷辣，人民對他敢怒而不敢言。到了元宵節，家家都張掛着燈彩，公共場所，並且搭有燈棚。棚上掛着一式對聯：「霜降遭風，四野難容老葉；元宵遇雨，萬民皆怨初春。」

上聯嵌他的姓，下面嵌他的名字。但是表面上並沒有牽涉到葉的劣跡，所以葉初春看了，也是敢怒而不敢言。

明末清初常熟錢牧齋，因爲沒有替明朝殉節，反而做清朝的大臣，一時輿論對他很不利。當牧齋做明朝重臣的時候，門上曾掛着一副五字聯：「君恩深似海，臣節重如山。」

等到他做了清朝的大臣，人家替他在對上各添上一字，變成：「君恩深似海矣！臣節重如山乎？」

他的生活過得很舒服，造了一座房子叫做逸居堂。于是又有人替他做了一副對聯：「逸居而無教則近于禽獸」，「老而不死是爲賊」。是兩句成語，現在把禽獸和賊來影射牧齋，也算太不客氣了。

前清曾國藩左宗棠都是中興清室的忠臣。左宗棠字季高，性子剛直，才氣橫溢，平生很瞧不起曾國藩，曾國藩却也奈何他不得，一天，二人同在一起飲酒，曾國藩戲對左宗棠說道：「季高！我有一對，你能對嗎？」便隨口唸出：

「季子敢言高？與吾意見大相左。」

左宗棠略加思索，便朗然對道：「藩臣徒誤國！問他經濟有何曾？」

曾聯是把左季高三字嵌在裏頭，單是對這名字已不容易，何況針鋒相對的要把曾國藩三字也嵌在中間呢？按意見相左，便是意見不合；藩臣是大臣；經濟是治國用兵的學問；有何曾是那裏有。一箇說你的意見同我不合；一箇說你雖然做着大臣，但是那裏有什麼治國平天下的學問呢？曾國藩給左宗棠這一對，弄得非常尷尬。

前清的翰林，很不容易考；考取了也很光榮。新翰林對老翰林要叫他做老先生。道光皇帝時候，有一位姓烏的新林，去拜見老翰林，稱罷了老先生以後，兩人便閒談起來。烏翰林存心要討老翰林的便宜便說道：『我有一句對，老先生能對麼？是「鼠無大小皆稱老」。』

老翰林聽了，知道他不懷好意，便答道：『只是難爲了足下，我對：「龜有雌雄總是烏。」』

烏翰林給他這樣一對，不覺雙頰起了紅暈，再不敢冒犯了。

滿人劉蔭烏惲在廣東做官，懶惰愛錢。有人爲他做了一副對聯道：

「烏不如人，只爲胸中無點墨；軍無鬥志，用緣身外有偏心。」

上聯是他不大識字，烏字是鳥少掉一點而來，所以說胸中無點墨。下聯是說居心不正，因爲惲字的偏旁是豎心，所以說他身外有偏心。惲字無偏心便成軍字。這副聯語極盡諷刺之能事。

清末某縣長頂怕老婆，有一次他同朱秀才在一起飲酒，豪興大發，便對朱秀才說：『我有一聯，請你對來！』

「天不怕，地不怕，就是老婆也不怕。」

就是老婆也不怕，意思是說老婆比天地還可怕。雖說不怕，其實怕極了。朱秀才想了一想，答道：

「殺何妨，剮何妨，即使歲考又何妨。」

秀才頂怕的是歲考。他雖說不怕歲考，但把歲考同殺剮並論，並且還進一層，足見秀才看歲考和殺剮一般。兩人各有心事，說來堪博一粲。

丁未年獻歲辭

宗孝忱

律轉陽回勝利年，反攻復國在當前，天時人事交相迫，日月重光照大千。

大陸無端入晦冥，祥光五色燭南溟，人心厭亂天垂象，掃盡欃槍見歲星。

疾首蹙眉歷歲時，九州鵠企望王師，羊年自是祥之兆，歌凱攜觴慰孑遺。

喬木敷榮象形未，白虹貫日適齡丁，正宜北定中原日，一舉功成天下寧。

春節的民間娛樂

魯生

年畫：春節時，每戶人家都愛在正廳上，貼上幾張彩色的年畫。這年畫因印刷精美，題材適合，增強了歲末春初的歡悅，家庭的祥和，以及慶祝的氣氛。在農村社會裏，年畫也實在是過年不可缺少的裝飾品。

在大陸淪陷前，年畫以天津楊柳青的產品最精美，種類亦極豐富，山東濰縣的年畫，雖然有許多題材畫樣是來自楊柳青，但無論其彩色、刻工，都已和當地人民欣賞的習慣、風土、人情融合起來，樹立自己的特色。

唐伯虎的家鄉蘇州桃花塢的年畫，也稱得上爲南方年畫的佳品。

年畫的題材，都以吉利口彩或民間故事爲多，如「胖娃娃耍鯉魚」、「升官發財」、「連年有餘」、「天仙送子」、「玉堂富貴」、「黃金萬兩」等。這些都是取義吉祥、喜慶、歡樂、美好。

窗花：每逢春節，剪紙是家庭所不可少的點綴。也因此，剪紙的內容便以吉祥的東西爲主。

它的題材多富趣味性，全部用紅色紙剪製，因爲我國傳統視紅色代表吉祥。紅色剪製的各種吉祥圖紋，依俗必需在春節前趕製出來，有的貼在牆上，大多數則貼在透明的窗紙上，所以在中國北方把它稱爲「窗花」。

一般剪紙的內容，多以動植物組合，有的取其諧音，有的取其含意。舉例來說：花瓶圖樣，表示「永保平安」，「瓶」、「平」同音；如加上「如意」圖樣，就表示「平安如意」了。又如有的剪成佛手和桃子，再配上石榴便是「多福多壽多子」。牡丹、貓、蝴蝶的圖案，題爲「富貴耄耋」。鵲於梅枝上歌囀的圖案，表示「喜報早春」。其他有「金玉滿堂」（金魚與房屋配成之圖）、「連年有餘」（蓮與魚，配成）等。另外還有表現生活的含有激勵作用的，如春耕、播種、打獵等；用以表現一般知識和歷史傳說的，如山水、花鳥和民間故事、「鵲橋相會」、「老鼠娶媳婦」、「白蛇傳」等家喻戶曉故事。

近年來有許多藝術家從剪紙形式中，注入現代意識的風格，形成一種新形式，非常受人重視。

我國地廣人衆，各地風俗不同，以上所說的是春節民間最普通的藝術活動而已。（下）

閒談各地新正風俗

端午

拜新年談吃吃

拜年是新正一件大事，從前大陸各地拜年，大清早起來，由祖先跪拜開始，一直到祖父母和父母親，昆仲叔侄有一定的程序，一定的禮節，人多的大家庭，要忙碌一個上午。親友拜年，多則住上六七天，小則住上一夜，比及今天，眞不可同日而語了。

臺灣經濟繁榮，人民豐衣足食，當然也不能免俗，政府爲了倡導節約，目前正勸導實行團拜，節省人力物力，但是事實上，拜年的風氣，還是非常盛行。新正裏，除了拜年之外，就是吃喝玩樂了，談到吃，湘南農村兩個習俗，頗堪玩味。

第一是「配碗魚」。此魚別號「燒紙魚」，從除夕就把這隻魚做好，一直到十五元宵才把牠吃掉，平時每飯都把這道菜擺到桌子上，就是貴賓臨門也不例外。「配碗魚」顧名思義只不過配配碗而已，並不許吃的。假如有朋自遠方來，萬一要想嘗嘗魚味的話，那可能弄成笑柄，至於爲什麼不用「配碗雞」、「配碗鴨」，而偏用「配碗魚」，據云是取「富貴有餘」的吉利含義。

第二是讓菜。當親朋來賀年時，少不了要招待一頓飯。誠樸的農夫農婦，都希望客人多吃點，而作客者又要保持斯文之風，緩緩舉著，徐徐下咽。於是女主人開始攻擊，將大肥肉、雞大腿、盡量往客人的飯碗裏塞，客人也不甘示弱。展開全面防禦。如果主人失敗，必定滿臉的不高興；如果客人失敗，雖然不便板起面孔，但是也休想吃得成飯，因爲滿碗已堆得像金字塔，實在無從下箸。主人與客人之間愈爭得熱烈，才愈能顯得出主人的誠意和客人的斯文氣，而今大陸變色，到處有所謂紅衞兵剷除中國文化，當不能再有那種太平景象了。

（下完）

早來的嬰孩

—晉陵譯—

「她很好」，護士答，「寒冷的空氣，比從後面拍一下還要好得多」。

同時，醫生正在檢查杜蒂。似乎人人都鎮定、平靜、不慌不忙，輕手輕腳，我一向以爲這一類的危險之事是非常緊張，手忙腳亂，非常興奮的。那知並不然。當生產已完成之後，護士把嬰兒抱到醫院裏去了。

助手與我去攙杜蒂，把她扶上輪椅，她似乎有一種樂極忘形的樣子。我們把她推進去了。

過了一些時候，護士送來一隻籃子放在杜蒂身邊，籃子裏面裝着我們的女兒。護士說：今後數日，母女兩人可以守在一起了。我們的女兒，生在汽車裏的，被認爲已染汚，不能跟別的嬰兒一同放在嬰兒室裏。因爲別的嬰兒都是按照儀式而出生的。

這對於杜蒂倒不錯，對李娜一定也不錯。因爲，三天後，醫生宣佈他們可以出院了。那天下午，我們這個幸運的人還爬進那輛把我們送到醫院裏來的車上去，慢慢地開回家。

途中，我看到四輛警車。（八、完）

新春即事

成惕軒

億萬衆心歸舜禹，五千年史續炎黃。朝來鳳曆開新紀，笑劈紅箋寫吉羊。

香雪江南何處尋，記從搖落到如今。數枝逗出春消息，先慰蓬山遠客心。

徼外叢山啓蓽藍，連村桑柘綠成潭。回天畢竟資人力，看挽神州萬丈瀾。

漫作張侯鑿空看，三貂嶺上路千盤。重重石隧穿巖腹，始信移山事不難。

三百年來我武揚，揮戈逐虜此堂堂。危時正要弘忠愛，親向崇祠謁鄭王。

霧罨烟汀畫裏行，如絲細雨濕春城。不辭百里迴飈輦，來聽銀濤拍岸聲。

龍場吾敢企餘姚，也爲諸生說敎條。一笑炎荒桃李在，春風絲過道南橋。

環山砥道走轎車，暖日晴烘萬樹霞。共說上林芳訊早，春燈纔了便看花。

自由報
THE FREE NEWS
第一七三一期
內備警台報字第〇三一號內銷證
中華民國僑務委員會頒發台敎新字第三三號登記證
中華郵政台字第一二八二號執照登記爲第一類新聞紙類
（每週星期三、六出版）
每份港幣壹角
台灣零售價新台幣貳元
社長：雷嘯岑
督印人：黃行簡
社址：香港銅鑼灣高士威道二十號四樓
20, CAUSEWAY RD 3RD FL. HONG KONG
TEL. 771726　電報掛號：7191
承印者：大同印務公司
地址：香港北角和富道九六號
台灣分社
台北市西寧南路壹零號二樓
電話：三〇四六〇
台郵撥儲金戶九二五二

從毛共「紅衞兵」之亂看世界局勢

李磐

中國大陸上的「紅衞兵」之亂，愈演愈烈，罔知所屆。美國務卿魯斯克認爲毛酋澤東這種惡作劇的用意何在，不特外面的人莫測高深，即毛酋自己恐怕亦弄不清楚云云。這是歐美人士的看法，無怪其然，我們卻不作如是觀。

權力鬥爭的國際性

毛酋煽起「紅衞兵」反四舊的所謂文化大革命運動，口口聲聲說是要打倒當權派，奪取政治權力，這其間實膺有國際性的鬥爭作用，即跟蘇俄爭奪國際共黨陣營的領導權。所以，毛酋始終認定蘇俄實行修正主義，是走資本主義路線，是跟「美帝」「妥協勾結」，他既要反美，更要反俄。從彭德懷事件起，直到這次「文化大革命」以劉少奇、鄧小平、朱德、賀龍這些老牌共幹爲對象，就是基於要「與俄共爭奪共產國際領導權的原因而然。如果只是爲着毛共內部的權力鬥爭，像朱德、賀龍這些在黨政軍各方面并無什麼權勢的衰老幹部，又何必加以芟夷呢！祇因彭、劉、鄧、朱、賀等人，都不贊成跟蘇俄反目分裂，即非加以排除不可。現時毛共區域內各省市的黨政機構，多不接受毛酋的「文化大革命」主張，表示反抗，實際就是反俄與親俄的思想總路綫關係，對共產主義并無歧見。我們千萬不可抱持着左袒劉少奇的觀念，以爲劉少奇派如果得勢，對自由中國前途便有甚末利益似的，那便是愚昧已極的想法。曾見有台灣報紙對於內蒙共幹烏蘭夫以實力反抗毛酋的奪權行動，稱之爲「義舉」者，眞是奇談！老實講，假使劉派得勢了，大陸上的共產政權依然如故，且與俄共沆瀣一氣，照樣的進行世界革命，反對「美帝」，而在亞非地區擴亂不已。蘇俄倘有中國大陸上六億人民的人力和生產潛力，加之以舉世無匹的新疆石油和鑛產量，不特自由中國的反共復國工作，將有事倍功半之感，即美國領導自由世界的反共前途，亦必岌岌可危，失却信心。那時節，俄帝更可以利用原核子武器的優勢力量，對美國實行威脅、勒索伎倆，藉以獲致「不戰而屈人之兵」的奇效。美國現在擁有核子武器的優勢，且害怕跟蘇俄發生毀滅性的核子大戰，對國際共黨妥協姑息之不遑，等到中俄共團結一致時，縱使不向國際共產陣營投降，亦必畏戰、避戰更甚，祇要俄帝的洲際導向飛彈不射到美國本土來，其他的自由地區雖全部赤化，亦復愛莫能助了。這樣的話，中國的處境，不是更艱危嗎？所以，目前我們若是同情劉少奇派，而希望他們反毛勝利，即無異於盲人騎瞎馬，非墮入深淵不可的！

文化大命的後果

我們不希望劉派勝利，亦決非期待毛酋的奪權運動成功，毛劉都是奴役人民、殘害國家民族的共產匪徒，是自由中國的內亂罪犯，是自由人類的共同敵人，他們狗咬狗式的權力鬥爭，我們固無所軒輊，也不過，毛酋的奪權運動一旦得逞，他跟蘇俄的對立形勢將更尖銳，而國際共產陣營亦將愈趨分裂，這對自由世界是比較有利的。至於中國大陸上六億人民的災難，當然日益深重，澈底陷入「一窮二白」的悲慘境況中，殆可預卜。但經過「紅衞兵」「浩刧」之後，整個大陸地區的生產機能和經濟基礎，皆已摧毁無餘，飢饉災禍決難避免。不特此也，任何一種政權，如真沒有制度，不講紀綱，而專用無法無天的暴亂手段以求生存，決無倖理。毛共左手要反俄，右手要反美，即不可能獲得外援以解救本身的危難，而內部餓莩遍地，民怨沸騰，豈能相安無事？毛酋的最後武器，不外使用共軍以鎮壓民衆叛亂。可是，軍隊的士兵都是來自民間的中國人，都有室家父母和兄弟妻孥，尤其具有與生俱來的人性和良心，他們眼見着自己的親屬戚友呻吟顚連於暴政之下，生死兩難，慘絕人世，豈能無動於衷，而甘心爲毛酋永作工具嗎？一有機會，背叛者必然孔多，這便是中華民國政府弔民伐罪的大好時機，也就是我們不希望反毛份子得勝的原因所在。

毛酋現在加緊反俄，義無返顧，如其他的奪權目的達到後，是不是就會跟俄共公然決裂，大打出手呢？這又是不會的。俄共格於同屬共產政權的生存關係，必不顧同類相殘，而毛共更沒有對俄帝從事實力鬥爭的本能，允其量仍像現時的情形，互相指摘漫罵而已。但俄帝必不忘情於新疆的石油和鑛，總得設法加以控制的。近來新省境內反毛的共軍統帥王恩茂，據說已率領一部分軍隊進入山地從事游擊戰，而原在新省迪化一帶的中國人，因不勝「紅衞兵」之迫害，紛紛逃入俄境者不下十萬之衆。這一大羣反毛的中國軍民人等，蘇俄不特予以支持、收容之，還會妥加組織驅策，作爲爭取新省控制權的適當工具，這套方法是俄帝對新疆運用已久的故技，即令與毛共發生武力衝突，也可誘稱爲中國人自己的內戰，與蘇俄無涉。

國際於是

不理死活

今日与明日

大陸將亂下去

毛林集團所搞的所謂「無產階級文化大革命」運動，自從開始以來，所走的就不是「正路」。所以，一計未售，再生一計；結果，條條「歪道」都走不通。其間，眞可說是一波三折，極盡撲朔迷離之能事。

發展至一九六七年，毛林集團一邊在呼「砸爛黨內一小撮走資本主義道路當權派的狗頭」，一邊糾集蝦兵蟹卒，到處結成所謂「革命造反派」，到處進行「硬摘瓜」式的所謂「奪權鬥爭」。結果，仍是「此路不通」。

據毛林集團先後宣佈，已將山西、安徽、江西、黑龍江和貴州等省及青島市的「黨、政、財、文大權」，統統從走資本主義道路當權派的手裏奪了下來」。

然在事實上，却又根本不是那麼一回事兒。被「奪權」的省份，有的獲得當地共軍的支持，只能局部的控制省城內的機關一部份，而根本未擴大到外縣和農村。譬如一月二十六日「奪權成功」的安徽省，一直到目前，外縣仍都控制在反毛「當權派」手裏。

有的雖然宣佈「已經奪了權」，但那只是象徵性的，不但不能恢復社會秩序，就連散發「緊急通告」一類的傳單，也沒人願意理。南昌市和江西省的「權」，據毛林集團宣佈，已分別於一月二十四日和二十六日「奪」了下來，但「造反」「造」到今日，不但不能掌握黨政機關，就連「江西日報」也仍控制在「資產階級頑固份子」的手中。

至於未「奪權」的地方，相信，毛林集團已無法可施。因爲，到處都是反毛「當權派」的「御用組織」，加以他們都受到「經濟主義」的實惠，有跡象顯示，他們是決心與毛林集團所驅使的所謂「革命造反派」對抗到底的。

特別是東南、西南和西北等，廣大地區，黨政軍首腦已「勾結」在一起，對抗所謂「以毛主席爲代表的革命路線」。西南的李井泉，西藏的張國華、新疆的王恩茂、內蒙古的烏蘭夫，已公開高舉「叛旗」，誓與毛林集團對抗到底。

毛林集團寄希望於共軍「介入」所謂「奪權鬥爭」，但此打算落空了。又希望所謂「革命造反派大聯合」，但所謂「造反派」却意見分歧，四分五裂。

毛林集團的「奪權鬥爭」已無法推進，而社會一片混亂，連今年的春耕都無法進行，看起來，大陸將要長期亂下去。（可知）

美國的如意算盤

英美人士由於害怕核子戰爭，同時又不願見中國眞有統一強盛之日，對於危害世界和平而死硬反對「美帝」的毛共，始終採取姑息政策。初則認爲毛共的第二代可能對西方實行「和平共存」，企圖勸誘毛共進入聯合國，履行國際義務，簽訂禁止核武器擴散條約。繼以毛共不就範，日與蘇俄反目，乃期待中俄共之鬩，相激相盪，終致實行火拼，兩敗俱傷，俄共即不敢問鼎西歐，毛共更無力擾亂東南亞地區，眞正實現「和平共存」的局面……當局者無論是共和黨……武力衝突，因而美國……

被忽視的污吏

有人說：凡是過去在大陸上幹軍需，活路，如今在台灣擔任銀行界營業部門職責的人，都可歸入「格殺勿論」之列，決不寬枉。言雖過激，不無道理。這兩種人有其共通的本質，即讀書不多，知識譾陋，僉夫市儈，皆可混迹於其間，而其作風則以銀行營業部門的最爲愚劣，貽害社會亦最深鉅。

銀行的業務是調劑社會金融，輔助工商企業之發展，完全是爲社會大衆服務的……以銀行爲衙門，以銀行爲當舖……對待上門的客人，也像當舖裏的朝奉一樣……

……貸款，無論是採取甚末方式，總是種種刁難，百般挑剔，絕無絲毫爲社會大衆服務的精神表示。這是普遍的現象。

大概是由於政治上貪污風氣的細菌流行，無孔不入，銀行界也盛行「紅包主義」，顧客登門貸款，如果通達世故人情的，則先把紅包問題密斟妥貼，則一切法定手續皆可通融辦理……縱使主管者無懈可擊……得不到結果……紅包的標準……最低爲貸款總額百分之一，最高爲百分之四……

苟能如此，必告如願以償，絕無困難。紅包主義在台灣，已經成了合法化的例行公事，誰也不覺得稀奇了。咱們新聞記者常常指摘貪污，主張嚴懲，實在是一堆多餘的廢話！

報載一般公營銀行很多呆帳，爲數在若干億元的新台幣以上，咱們過去在大陸上，幾曾聽說銀行竟有鉅額的呆帳的事呢？今日在台灣的銀行乃發生以億計的呆帳，顯而易見的是營業部門與外界的特權階級份子勾結舞弊所致。他們把公帑化爲私有的儻來之物，上下其手，表格手續弄得很完備，受損害的祇是國庫而已。如果說官吏貪瀆，罪在不赦，我認爲銀行職員之公然舞弊，受賄，更應該格殺勿論才對！

馬五先生

……民主黨人也……總不贊同中華民國政府對大陸有軍事……台灣的徵收「國防捐」……

檢討油商行賄案的起訴審理與判決（二）

——本報記者蕭而科——

比如，調查周烈範的筆錄，調查人未簽名，顯與法定程式不合，當然不得採作證據。五十五年八月二十九日的調查筆錄，有這樣的一段問答。「問：據林生傳說，送給于鎮洲的錢，是你和他一同去送的，是否實在？」周烈範答：「實在的。我和他送到濟南路一段于家，送給他親收的，送去的都是現欵。」這樣筆錄，調查人未簽名，與刑訴法三十九條規定不合，且未有數目，更未說明是什麼「錢」「現欵」，美鈔？英鎊？共有多少？這樣的筆錄，怎不叫人嘆爲觀止？拍案叫絕！

變造証據羅織罪刑

第四、變造證據。如周烈範案頭日曆，除其親筆所記事項外，尚有非周烈範親筆之記載筆跡；像該日曆所書「橫」行，其中有「訪某委員」等字樣之原記載，但在「某」委員之「某」上面或下面，加上「某」或「某」等字樣，由於被告在審判中提出强力證據，證明周烈範往訪某委員之那天，適逢某委員不在家，因而露出馬脚。如該日曆五十三年六月十二日記載「林棟不要送」等字樣，便不是周烈範寫的。

比如說，五十四年九月八日，李鯤玉向植物油公會借欵十五萬元，係當場在空白之支付傳票背面書寫：「新台幣十五萬元正，經手人李鯤玉」等字樣，以爲臨時借欵之收據，當時該傳票之正反兩面，除前述字樣外，沒有任何記載與註脚。在審理中經閱卷時，始發覺該傳票正面科目欄與摘要欄，填「執行委員車馬費」「兩筆」，一爲「六十萬」，一爲「二十二萬」。而該傳票背面，在李鯤玉簽收之右角，又另有新顯淡薄之筆色隨便加註三行，一爲「六十萬周烈範經手」，一爲「十五萬李鯤玉經手」，二爲「七十萬林生傳經手」。經李鯤玉辯護人於今年一月五日，請求審判長經同意提示該傳票疑點詰問同案被告林棟油公會會計雷地，據雷地供稱：「在李鯤玉簽收這收據時，原來是空白的。背面三行，這是在調查局時，是他們要我這樣寫的，不寫不行。傳票正面所填的科目，也是我在李鯤玉簽收以後所填寫的」。此項證據書類經「擴張」後，應不得採爲犯罪之證據，否則，違法及違背部令（五十二年八月二十四日）。且與證據法則相違。而「過於羅織」。

自由心証不合邏輯

台北地方法院檢察官起訴書不合推理邏輯，認事用法，違背經驗法則，於是，在審判中笑話百出，李檢察官一而再，再而三的「更正」，實爲罕有的奇聞。於是據，凡有利於被告之證據，即以「不足採信」而否定之；被告犯罪事實之證據不足，即不惜任意逆臆推定，然後以「亦堪認定」之自由心證而行之。

起訴書所認定的主要證據，即周烈範在調查人員「提供資料」而寫給沈之岳局長的信。這封信法院謂之自白書。該自白書所提到的立法委員，除已經提起公訴之徐君佩、姚廷芳、劉景健、林棟、曹俊、郭紫峻、陳桂清、封中平等八人外，尚有立法委員吳××、張××、魏××等十一人，此外，還有中信局儲運處經理丘秉敏及周烈範在自白書中所指「每年三節，每逢各機關銀行禮品，每節約五、六萬元，每人二百至三百、五百元不等」，既未提起公訴，亦未宣布不起訴處分。由此觀之，同一證據之周烈範自白書，檢察官竟自由認部份「不足採信」，部份「亦堪認定」作爲起訴之證據，何厚此而薄彼？

該自白書內容極爲廣泛，曾爲檢察官認非可靠，而對部份人士予以不起訴處分，是則在法理上已不容再憑該內容不可靠之函件，資爲論斷。如檢察官認自白書可靠，而將十一位立監委起訴，則未起訴之部份人士，又是根據甚麼證據與法條而然呢？

就周烈範自白書所列數字而言，便不統一。如收入方面，植物油公會「船運佣金（按：指一、二五%佣金）約一百六十萬元左右，水險火險佣金約三百五十萬元左右，兩共五百多萬元」。若與周烈範在書寫自白書前二天，即五十五年八月二十六日下午三時許，在台北地院檢察官李兆欣偵查庭陳述之「連水險在內有四百多萬元」（包括一、二五在內）的數字相比較，就不相符，差額達一百萬元之多。更與同日林生傳在檢察官偵查庭陳述之「三百多萬元」不相符。林生傳於同月三十日上午十一時在台北司法訓練所偵查庭陳述：「百分之一．二五退佣」，「連水（火）險共三百多萬元。」

因此，該項收入計有：周烈範之「五百多萬元」、「四百多萬元」；與林生傳兩次陳述之「三百多萬元」不相符合。此外，雷地之陳述爲「三百二十萬元左右」（五十四年十二月卅日調查筆錄）。

周烈範自白書所列支出數字計：

「一、支付船運水火保險爭取者共約十七、八萬元。

二、支付限制黃豆開放進口者共約三十餘萬元。

三、支付限制油廠設廠者共約六十五萬元。

四、支付降低關稅稅率者約九十幾萬元。

五、支付公會理監事車馬費共約九十幾萬元（包括每年三節，送各機關各銀行禮品，每節約五、六萬元，每人二百至三百、五百元不等）。

六、支付房租押金者二十五萬元。

七、支付公會裝冷氣修繕各項約七、八萬元。

八、支付理事長（指林生傳）出國補助費十五萬元，車馬費十二萬元。

九、支付經紀人所得稅金者約六、七十萬元。

十、支付其他法律顧問費用約三十萬元左右。

十一、公會其他各項請客交際費用者，二、三年來，約四、五十萬元。

十二、經紀人爲公會辦理領取佣金之獲得手續（費），約三、四十萬元。

以上總計約五百四、五十萬元左右。」這與該自白書所列收入數字又不相符。

周烈範密函矛盾百出

周烈範自白書說「支付限制黃豆進口者共約三十餘萬元」。林生傳於五十四年十二月二十日在馬志檢察官偵查庭陳述：「爲爭取（黃豆）配額，請立法委員幫忙，送立法委員車馬費一萬五千元」。同月二十四日之陳述爲「二萬五千元」。到五十五年一月三日，在陳志光檢察官偵查庭之陳述：「我們爲了要政府管制黃豆進口，所以才動用佣金，請立法委員向有關機關活動。我經手交給立委林棟五萬元，封中平二十萬元，陳桂清五萬元。我們總幹事周烈範經手支給立委徐姓曾姓（按：立法院姓徐姓曾的委員均已亡故）共五、六十萬元。」依林生傳此次陳述之數字計算，僅付限（管）制黃豆進口之活動費（即達八、九十萬元。此外，植物油公會會計雷地在調查中之陳述：「交涉管制黃豆進口支出是四十二萬元」。如此數字之口供，到底對不對，也只有天知道。

周烈範自白書說：「支付其他法律顧問費用約三十萬元左右」，他於五十五年八月二十六日在檢察官偵查庭說：「請律師七年來，花了一六七十二萬元」；同一天、林生傳在偵查庭說：「律師公費七十萬至一百萬元」。公會聘請律師，是由總幹事報經林生傳決定而聘請的，結果，對這兩位公會首腦人物，對律師公費支出的數字，竟不一致，豈非滑天下之大稽，不一致的口供有證據價值嗎？

增添犯罪證據

就自白書本身而言，也是矛盾百出。如「支付限制油廠設廠者共約六十五萬元」，「分送林棟、曹俊、徐君佩、孫玉琳、于鎮洲每人各十萬元。郝遇林十四萬元」，「陳桂清五萬元」。總共六十九萬元」。如「支付降低關稅率者約九十幾萬元」，計有：「理事長（林生傳）支出者約三、四十萬元」，付給徐君佩三十萬元，姚廷芳十萬元左右，劉景健五萬元，陳桂清八萬元左右」。「因此事先後請客交際應酬約十餘萬元」，依此計算，應該是一百多萬元而不是九十幾萬元。從上述數字觀察，該自白書能採信嗎？然而起訴書竟以該自白書作爲重要的直接的證據。在口供主義第一之下，誠如監察委員黃寶實於一月十一日司法節大會，當着司法元老、院長、部長、庭長及推檢之面前，發表演說：「在口供主義下，許多大貪污案件的主犯都逍遙法外，因爲法官憑供論斷，而不用科學方法偵查證據。過去有人說，「犯人抓到了，法律卻跑了」，現在更糟的是：犯人固然跑了，而法律也一起跑了，變成了無法無天！」因而獲得在場司法人員不斷的掌聲。

油商行賄案起訴書所引用之證據部份，檢察官先生既不憑口供主義，更不憑書類證據或補充證據論斷，而憑調查人員或自己想當然的「證據」，此種破世界司法史之創例，殊堪驚詫！

無中生有故入人罪

第一件無中生有的事實：據周烈範辯護人富伯平律師辯論：起訴書略謂：「又周烈範、林生傳、唐貢球串同徐君佩、孫玉琳利用其立法委員或監察委員之身份，要約國營招商局兼海外航運聯營處負責人王亢衡使有關航業機構退還黃豆進口運費美金十二萬元，折取新台幣分用各情，業據被告周烈範、林生傳、王作昌及唐貢球等歷次供述綦詳」云云。「其認事用法，顯屬違誤」。「從各被告歷次（廿六次）之陳述中，並不能看出被告等有要約退還進口黃豆運費之事實」。所謂「要約退還運費」，所謂「業據各被告歷次供述綦詳」云云，「實不知果何所據」。

海外航運聯營處主席王亢衡爲此曾傳喚作證三次，「綜觀王亢衡歷次之證言，獲得兩個結論：（一）王亢衡否定檢察官所認爲退還運費之說。（二）王亢衡强調退佣對象爲植物油公會；海外航運聯營處所給付之八角美金是佣金，而不是介紹費」，但其證言語意，「只是他個人一種想法」，此種個人的主觀想像之詞，詎能作爲他人犯罪之證據？

判決書亦採被告王作昌、唐貢球非自由意志於調查局及偵查中之口供，暨王亢衡在調查局的證詞；與陳士金於檢察官偵查時之陳述，作爲判處徐君佩、林生傳、周烈範、王作昌、唐貢球罪刑之基礎。而王亢衡、陳士金、王章在審判中有利於被告之證詞，則一字不提。各被告提出之反證，並未說明不採信之理由，而以「無可採信」四字輕輕一筆帶過，予以否定。這種自由心證，豈得謂之合理合法？由於唐貢球之口供係傳聞證據，王作昌之詞，亦屬非直接證據，揆之法院以想像之詞，而推入人於罪，假如此項推理成爲判例，則司法行政部每年須增列鉅額經費，大興土木，建囚舍，俾便容納因傳聞而下獄者；各種行業有關介紹者，時應「閉門大吉」；民間習慣上之「居間」，亦應廢止；民間婚姻制度也應革除媒婆，因爲媒妁介紹，亦需要「紅包」；糧食局以米向日本易肥料，所得之佣金，不是也要退還給日本呢？

我們的推檢先生對國際貿易之慣例，佣金如此少見多怪，怎不騰笑中外？我不是苛責法院，因爲各被告已舉出反證，說明美金八角佣金，完全屬王作昌等個人的。且證人王亢衡、王章等亦親自在審判庭供證，徐君佩等沒有使用壓力或影響力。而判決書却說「徐君佩等對王亢衡施以壓力」。何以起訴書認徐君佩、孫玉琳向王亢衡施壓力之同一行爲，而審判庭對孫玉琳部份之王作昌陳述，又認爲「顯難信爲眞實」呢？

立監委員未施壓力

第二件無中生有的事實：起訴書謂：「被告徐君佩、孫玉琳、唐貢球向國營招商局王亢衡等施以壓力，使其退還運費美金十二萬元」一節，並與事實不符，殊與新台幣折合「一八股八分之一」[illegible]。「各事實」尤多疑義。據王章之筆錄：「問：你們退佣關係是否民營公司？」答：「是，我們是民營公司，招商局不受壓力（我不知道）。」（五十五年九月一日調查局與檢察官審判筆錄）調查庭：「問：證人王亢衡，徐委員及孫玉琳有無向你們施壓力？」答：「沒有。」假如有的話，他們利用身份施壓力，人家還要「打招呼」嗎？陳士金：「沒有人打招呼？」答：「無人打招呼」（五十五年八月十一日台北地院審判筆錄）。由此可見，美金八角佣金之給付，並非由於外來的壓力。

美金八角佣金領回後如何分配？據王作昌五十五年八月十五日在調查局筆錄載：「向招商局、復興航業公司、益利輪船公司等三單位領取佣金分配比例爲：林生傳、周烈範共得總數之一半；我（王作昌）與唐貢球共一半，我與唐得之數再作分配，我是半數四分之一，唐得四分之三。」同年八月廿九日，王作昌在調查局之口供：「分配比例爲林生傳、周烈範共得總數之一半，唐貢球所得之一半，我得四分之一。」王作昌同年九月八日在檢察官偵查庭之陳述：「周烈範、林生傳、唐貢球人拿二分之一，我拿二分之一。」王作昌在審判庭陳述：「林生傳八分之一，周烈範八分之一，唐貢球八分之四，我八分之二。」[illegible] 所稱分配付乾淨之說，並無證據。徐君佩、孫玉琳各八分之一之事，起訴書所有收入，留在海外航業運輸經營處，由局所具領人在卷，檢察官查明，與徐君佩、孫玉琳並無關連，至爲明白。而檢察官乃採取傳聞證據，作起訴書基礎，殊難取信。

檢察官違憲偵詢

第三件無中生有的事實：起訴書謂「自五十三年八月起，至五十四年九月止，先後由周烈範、林生傳等分別以現金與于鎮洲等三人各十五萬元」云云。卷查在周烈範於五十五年八月二十八日深夜二時寫信給沈局長之前，林生傳、周烈範之調查筆錄，並無涉及三位監察委員的事實。（未完）

瀛海異聞談

最為年老的女性飛行員

·桑雅·

莎娣邦加早在十多年前曾經說過，當她在六十五歲的時候，就買一張搖椅，同時靠養老金來過活。但是她在六十三歲時突然學習駕駛飛機。慶祝她的六十五歲誕辰時，她帶她的女兒，孫女和她的六個星期大的曾孫女乘搭由她本人駕駛的飛機。她在七十二歲時獲得合格駕駛快過音波的飛機。當她在七十七歲時，駕駛一架太空囊訓練機來慶祝她本人的誕辰。她現年七十九歲，已經有超過七一千個鐘頭的飛行經驗。

莎娣現在美國加里福尼亞州的棕櫚泉城居住。她是一個高長、潤臉而常帶笑容的婦人，有白色的捲髮，身體十分强健，看來像六十歲的樣子。她乘坐F一〇〇超級軍刀式噴射機，衝破音波的界限，當時飛機駕駛人是美國空軍第三〇八戰鬥機隊司令李斯納上校。該飛行隊駐在加州的喬治空軍基地，莎娣邦加是該隊的名譽中校，她會主持自己所擁有的一架飛機的命名禮，該機名叫「莎娣的搖椅」。她會向人解釋那個名字的來由，據說有一個油漆匠曾聽到莎娣在六十五歲時就打算買一張搖椅，當她得到她的第一架飛機的時候，就請她讓他在貯燃料箱外，塗上「莎娣的搖椅」字樣。

莎娣喜歡回憶過去的事情，常對人說：「當我有計劃駕駛一架超音噴射機時我是非常歡喜的，我一定要學習。我習慣用氧氣作呼吸，我經過四萬三千尺的試驗仍能夠清醒，支持下去，經過各種體格試驗，認為合格。在那一天她作十五分鐘的雙人駕駛超級軍刀型機，最高升至四萬六千尺，她單獨控制共十分鐘之久。」

冒險性的莎娣，每年都希望有新的成就。

莎娣於一八八七年在美國米蘇里州的一個農村出生，後來跟在童年時代的愛人邦加結婚，婚後搬到棕櫚泉城居住。她的丈夫經營一間汽車修理店，因為沒有錢來雇請助手，莎娣就讀函授學校的汽車工程科，因她聰明，又肯研究，不久就變成了一個技術精巧的汽車修理匠。她是在加州第一個領得汽車駕駛許可證的婦女，她駕駛貨車載行李和郵件來往離十二哩的火車站。

莎娣對駕駛飛機發生興趣是很偶然的事。在一九五〇年某一天。她碰到她的好朋友的兒子弗德史蔑夫，他是北美洲飛機製造廠的試驗飛行員，莎娣向他開玩笑說：「你認為一個老祖母也可以學做飛行員嗎？」他回答道：「你為什麼不親自找出答案呢？」翌日，莎娣就簽字從他學習駕駛飛機。她勤力學習，成績甚佳，但是她的教師不許她作獨自飛行。她就改而隨着別一個教師，她有奇速的進步，但是她也同樣不能獲得作獨自飛行。她自念本人的經驗充足，必有人在暗中阻撓，果然是她的家人因不放心，恐怕她單人駕駛飛機會發生意外，而懇求那兩個教師不要讓她作獨自飛行。莎娣洞悉之後，就秘密的到聖巴納丁諾城跟另一個教師學習，不久後她就合格獨自飛行了。

莎娣曾作橫過美國飛行五次，也曾飛到加拿大一次。在一九五五年，她駕駛她的「搖椅」，參加國際婦女飛行比賽，從美國首都華盛頓到古巴首都夏灣拿。在將到南加路連那州的科羅倫士城的上空時，突遇巨風，她的無綫電機失靈，她找不出方向，同時燃料又快用[illegible]、她祇有在一個大農場之上不斷打圈子，預備作緊張降落。有些同作比賽的女飛行家已在科羅倫士城降落，她們等候很久，仍未看到莎娣的飛機的踪跡，經已超過時間很久，其中有一個勇敢的女飛行家芬貝拉就駕機去找尋，最後發見搖椅在農場之上打圈，她知道莎娣的無綫電機已壞，就飛到她的前面，引帶她在科羅倫士城安全降落。事後檢查汽油箱，是完全空無所有，她肯定說，她作沒有燃料的飛行約半個鐘頭；她認為那個時間她不過是一個輔助的飛機駕駛員，上帝在駕駛那架飛機呢。

醫生眼裡的香烟

大知譯

此外，患了胃潰瘍的人，假若繼續吸烟，其痊癒時間會相應延長，甚至於成了慢性不治之症；因此一般醫生在療治胃潰瘍患者之際，必然吩咐病人停止吸烟，假若患者不接受勸告，醫生會大感失望的。

關於吸烟對於壽命的長短會有些什麼影響呢？關於這個問題，也有不少的醫生作過研究，其中有一位名叫比爾的醫生，曾在十年中統計吸烟者的壽命，其發現在所有的吸烟的人當中，其壽命能達六十歲的人不到三分之一，但是在不吸烟的人方面，約有一半是可以活到六十歲以上的。換言之吸烟的人，其死亡率比不吸烟的人大得多。

既然吸烟對人體有這些害處，它能引起可怕的癌症，影響心臟病，胃潰瘍等，那麼人們為什麼又喜歡吸烟呢？這是有各種理由的。有人以為抽烟可以鬆弛緊張的情緒，消除身體的疲倦。事實上並非如此。因為烟中含有尼古丁，可以刺激神經，使腺體的分泌增加，特別體內血糖的消耗量加多；血糖含在血液中，每百CC的血液中，約有〇．八到一．二公絲，其作用除營養細胞以外，還可以防止毒素。血糖增加的目的就在抵抗尼古丁的侵害。由於長期吸烟的結果，體內血糖經常被用來作抵抗烟毒，消耗過大，一些與血糖分泌有關的器官，就會呈現衰竭的現象，這時人體更會感覺疲勞。

有人以為抽烟是一種很時髦的舉動，是社交場合中必需的媒介，看見別人吸烟，自己也就不知不覺地吸起。由於吸一枝香烟可以暫時刺激神經，使血糖增加，用以抵抗烟草精的毒素，此時由於血糖增加，氧化作用加速，人體也就覺得興奮；但是當血糖被消耗以後，又需要另一枝香烟來刺激了，否則身體就會感覺不快。這樣一枝又一枝地吸，愈吸愈覺需要，結果成為習慣，要想戒除，就十分困難了。

一些醫生證明，許多吸烟的人，在實際上並不喜歡香烟，也知道吸烟的害處，其所以常常吸烟，而且愈吸愈多，那是由於生理上的一種慣性反應，這種慣性反應係受脊髓神經所支配，大腦並不起作用。故吸烟的人雖然明白吸烟的害處，但是本能地還把烟點起來插入口中吮吸。也有些人，並非喜歡將烟吸入肚中，但是愛做吐烟的動作，認為劃火點烟，一吹一吸是一種因習慣而成自然的動用，仔細想來，是可笑的。由於醫學界不斷提出事實證明，吸烟有很多害處，因此有一些人希望戒絕吸烟並非是一件十分困難的事。

前面說過，吸烟是一種生理上的慣性反應，假若你能在早上拋掉第一支烟，然後在早餐中多吃一點糖或澱粉，以增加肝臟中血糖量的貯存，補充因先前吸烟而消耗的血糖分量，則你不會因身體消耗血糖過多，而求助於香烟了。（下）

拉丁美洲共黨到處碰壁

·德遜·

在那時候，卡斯特羅本人及其蘇俄支持者眞的相信，拉丁美洲的「解放」革命，已有呼之欲出之勢者，有不下六個國家之多。他們的理由是：拉丁美洲之大部，除了大城市之外，仍有半封建的經濟社會結構。農人很貧窮，無有耕地，文盲和飢餓。拉丁美洲的軍警效率低，對于傾覆行動，無能控制，農村人民普遍厭惡這種軍警。還有，在拉丁美洲的國家，多半國內交通貧缺，適正好給予卡斯特羅共黨份子以利用的機會，他們大可以不讓該國的中央政府知曉，從事策劃一切行動。

時至今日，卡斯特羅仍然主張以暴力革命來奪取權力。夏璜拿電台經常播出他的呼籲，促拉丁美洲的共黨採取「革命行動」。但是，現在他所言兌不了現，他的籲收不到成果了。

卡斯特羅在拉丁美洲的失敗，以在委內瑞拉所遭遇到的為最重大。本來，委內瑞拉這個國家，由于它的石油，接近古巴，傳統性政治不穩定，還有龐大而活躍的共黨，實為卡斯特羅的傾覆政策之一個天然的目標。

究竟已有共黨份子多少人滲入了委內瑞拉，無人得知，但無疑地，在西半球方面，有增無減的最廣泛的傾覆運動，則確以委內瑞拉為最。曾有一個時期，委國境內的「民族解放武裝部隊」，成為拉丁美洲的最強大的遊擊組織，最少曾有領袖五百名，在古巴受過訓練。在巔峯時期，這支遊擊武裝隊伍曾擁有五千多名附從份子。

一九六一年，委國境內曾展開大規模的傾覆活動。有一項恐怖運動，使委國首都卡拉加斯及其他城市受震動。恐怖份子之目的，乃在于激起軍人政變，并使總統比丹葛在困苦中建立的民主方式措施，蒙到沾辱。

一九六三年後期，卡拉加斯經常發生恐怖份子所為爆炸案件，幾乎每晚都有發生。恐怖份子的槍手，曾有一個時期，每天殺死一名警察人員。「民族解放武裝部隊」的手段，包括械劫銀行，縱火焚毀倉庫，及工廠，綁架人質，并且用機槍在擁擠的市街開槍掃射，極滋擾之能事。

然而，這種恐怖主義的運動，終歸失敗了。儘管有流血報復的威脅，委國的選民於一九六三年的全國大選時，投票選舉一位繼任人接替比丹葛出任總統者，佔百份之九十有奇。人數以萬計的選民，對于偶然一响步槍開火聲，很少理會，他們在各處投票地點，站立若干小時之久，並未受到保護。

政治觀察家說：恐怖份子已犯了兩大錯誤。首先，他們挑戰的對手——比丹葛總統，是個勇敢的強人，決心反共，致力民主。其次，他們對于委內瑞拉人民的判斷也錯誤了。恐怖所產生的不是惶亂，而是要求再來一個獨裁執政的壓力，雖則「民族解放武裝部隊」一力欲想獨裁，但各民主黨派却獲得更大的支持。

一九六三年之後，「民族解放武裝部隊」即轉入山區，仿照中共的「長期戰」格式。他們已從事擁有典型秘密軍火工廠，由古巴共黨及歐洲共黨接濟的財力及其他協助。還有各大學的左派青年團體充作人力補充來源。至一九六四年，在委國二十個省份中的八個省份，都有遊擊隊活動。政府有效控制的若干個地區，已淪為共黨勢力範圍。

可是，共方這項作戰也趨於失敗了。政府逐步在鄉間進行擊敗遊擊份子，現時比去年更為迅捷。（下）

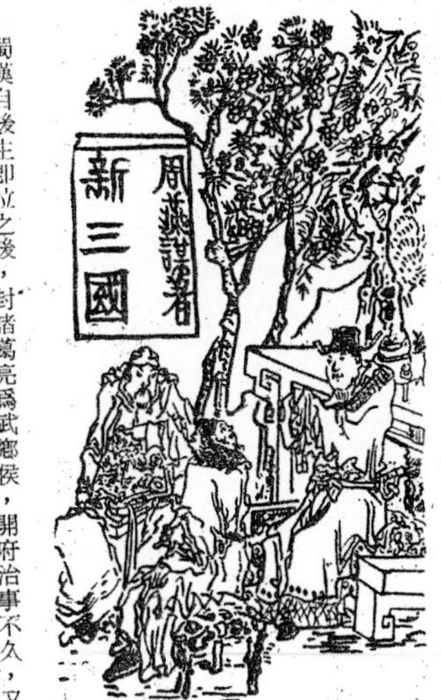

蜀漢自後主即位之後，封諸葛亮為武鄉侯，開府治事不久，又領益州牧，朝政事無大小，由諸葛總攬總裁。南中諸郡叛變，諸葛亮為了統籌大局，暫置雍闓等叛變不管，也由於國有大喪之故，不便加兵。先將外交攪好，小問題便可迎刃而解。諸葛亮不愧是古今大政治家，他認為對東吳『和』比『戰』關係大，對孫氏以『和』為上策。益州南中諸郡叛變事小，只要孫權肯和，雍闓等人就沒有了依賴。自然失去作用，不打自滅。

老實說，孫權之所以願與蜀和，其實還不是基於利害關係？以前他的夢想是：投降了曹家，便可以專心對付劉備和關羽，沒有後顧之憂；可是沒有想到，取了荊州，打敗劉備之後，曹丕竟然三路攻打東吳，戰爭延續到半年之久。事實告訴他，投降了仍然是靠不住的。曹丕對東吳的威脅更大。而事實上劉備未死之前，兩國已經有了『和約』，不過兩國尚未正式派遣使節，敦睦邦交而已。此時諸葛決心與東吳進一步建立軍事同盟，當然一拍即「和」。

諸葛亮便派了一位卓越的外交家鄧芝到東吳去，交換了友好文件，蜀吳二國眞正的「和」了。此後蜀吳二國一直是十分合作，沒有發生戰端。這是諸葛亮外交政策的成功；甚至到他死後，吳國照樣與蜀國合作。東吳不但响應諸葛亮每一次的北伐，而且也做過姜維九伐中原的呼應。就事而論，三國之所以鼎立，也建築在蜀、吳二國的「和約」之上的。中原佔了天時與文化基礎的雄厚，蜀、吳二國必須合力才能抵抗，否則，蜀、吳二國必須合力才能抵抗，否則，蜀、吳二國，一個完了，其餘一國也不可能存在。這是三國鼎立的一大因素。後來蜀國亡了，東吳也相繼滅亡，即是鐵證。

到了建興三年，諸葛亮認為解決雍闓的時機到了。他帶了主力部隊，渡過瀘水，（大渡河）進入越嶲郡（見前）打敗雍闓高定，設計叫高定的部下殺了雍闓；然後又捉了高定，明正典刑。

牂牁方面，他分兵給馬忠，解決了朱褒。又分兵給李恢，到昆明一帶，掃平地方上的勢力。到了最後，諸葛亮親自出馬對付孟獲。

孟獲為永昌郡人，他是漢人或夷胞，尚不可考。不過此人對於夷人有相當的號召力，他又能團結雍闓的殘部。諸葛亮在雲南的西北部與孟獲交鋒，他被諸葛亮活捉了六次，每次都是頑强抵抗，最後第七次被俘，他才服了，死心投降。諸葛亮為什麼七擒七縱？有他的用意。夷人頑强抵抗，證明必須使之心服，否則，殺了頭，其下仍是會叛亂的。「七擒孟獲」是眞，不過不如三國演義的熱鬧。

孟獲眞的死心塌地的服了，諸葛亮待之優厚，施之以教化，且深得其心。在諸葛亮執政之下，孟獲竟官拜御史中丞。夷人很多加入了蜀軍陣營，成為一支勁旅，專打山地戰，號稱「飛軍」。爬山越嶺，神出鬼沒，在諸葛亮六次北伐中，夷軍很有貢獻。

（一〇六）

新年拾零

湯翔

燈官大人出巡，「官娘子」也得追隨轎後。扮官娘子，也是年輕小伙子的拿手好戲，你看他：身穿紅裙紅襖，腦後梳着一尺半長的棒槌形假髻，髻上插兩朵石榴花，鬢角貼着一副俏皮膏藥，兩耳戴的耳墜兒竟是掛紅爆竹，舞着大紅手絹，頻頻向人羣飛媚眼，並作各種滑稽動作，引人發噱。

別因燈官老爺那付德行而瞧他不起，他在新春半個月裏，却是大權在握，令出如山。在其轄區內，每經一村，必召見村、里長垂詢民情，遇到農民當街聚賭者，必予警告。

燈官看到貧窮鄉人，必賞幾吊銅錢。其實，這只是臨時用紅紙書就的空頭支票而已。如果遇到攔轎喊冤者，燈官必鄭重其事的票傳被告人，或遝令三班衙役抓來，小事則約當地父老公斷解決；重大案件，也眞能送到縣城收押。故昔年魯東的扮官燈遊樂，也常能揭發民隱，解決不少寃獄大事。

燈官進縣城時，眞縣長順隨民俗，多遠迎以客禮相待，辭行則循例送紅包。

點喜燈與送寶

大陸溫州一帶過年時，盛行點喜燈。原來鄉下人過日子，省吃儉用，連晚上喜燈也只用一根燈芯。可是怪啦，大年夜裏點起喜燈來，一點也不覺得心痛。

所謂喜燈，是一支支紅蠟燭插在紅蘿蔔做的燈墊上，從穀倉、米缸點到灶洞，從房、客廳點到大門外，裏裏外外，大放光明。這時有些頑皮的野孩子，早就知道誰家的喜燈多，喜燈粗，等您一點上，暗中把您家的喜燈偷走。偷喜燈是討喜的事兒，決不用耽心大人打他的屁股。

還有呐，大年初一開門炮一響，您得準備大量年糕，來打發川流不息的「送寶」的人。這些「送寶」的，能說善道，兩人搭檔，一個手拿米元寶，一個拿着萬年靑，一唱一和，到您府上「送寶」來啦！您聽那大嗓門：

元寶翻一翻，黃金堆如山。好！
元寶浪一浪，黃金滿穀倉。好！
元寶扭一扭，養猪大如牛。好！
元寶揚一揚，養猪大如象。好！

現在您府上就得趕快拿出大塊年糕打發他們走。

接財神

新年一到，家家都貼上了「招財進寶」紅色招子，朋友見了面，總是彼此「恭喜發財」。從這些習俗看來，「財」眞是人人喜愛的了。因此，就順理成章出現了「財神」，而使新年裏最活躍的神，莫過於「財神」了。（中）

張懷芝砲擊空地

夜闌

光緒二十六年庚子五月，義和拳匪入北京，以扶清滅洋爲號召；首於天安門內火教民居，無論男女老幼皆殺之，繼則焚順治門內教堂，又連燒他處教堂甚衆。城門晝閉，秩序大亂。於是袒拳之端郡王戴漪等請攻使館，朝旨命甘軍董福祥部及榮祿所統之武衛中軍圍攻東交民巷，欲盡殺諸使臣，槍聲日夜不絕，屋瓦爲騰，拳匪亟步披髮，升屋而號者數萬人，喊殺聲震天地，時守使館之外兵纔四百，相持卒不能下。董軍武衛軍死者無慮三千人，拳匪亦多傷亡，不敢復進，乃有調武衛分統張懷芝率開花炮隊入京助攻之舉。

李岳瑞春冰室野乘，記庚子拳變軼聞，曾述及此事，據云：「董軍攻使館，十餘日不能下，朝旨召武衛軍開花炮隊入都助攻。天津總兵張懷芝方爲武衛分統，奉檄率部入都，榮相（祿）以城垣逼近使館，居高臨下，最便俯攻，即飭懷芝以所部登城，安置炮位。炮垂發矣，懷芝忽心動，令部將且止毋放，而急下城，詣榮相邸，請曰：城垣距使館僅尺咫地，炮一發，闔館成虀粉矣！不慮攻之不克，慮既克之後別起交涉，懷芝將爲禍首耳！請中堂速發一手諭，俾懷芝得撥以行事。言之數四，榮相終無言。懷芝乃曰：中堂今日不發令，懷芝終不能退。榮相不得已，乃謂之曰：「橫豎炮聲一出，裏邊總是聽得見的。」懷芝悟，即匆匆辭去。至城上，乃揚言頃者測量未準，須重測始可命中。於是盡移炮位，向使館外空地炮擊一晝夜，未損使館分毫，而停攻之中旨下矣！」

按自戊戌政變後，那拉后再起臨朝訓政，首引用其親信戴漪、榮祿、啓秀等入軍機，並命駐紮京津近畿一帶之北洋軍隊，宋慶之毅軍（後易馬玉崑），董福祥之甘軍，聶士成之武毅軍，袁世凱之新練陸軍，改編爲武衛軍前、後、左、右、軍，而由榮祿以首揆自領中軍，節制全軍，此董福祥甘軍及武衛軍得以奉命進攻使館之由來也。

張懷芝，字子志，清末任天津鎮總兵，入民國後，爲北洋皖系段祺瑞之大將，曾任山東督軍，參謀總長等職。據民國二十三年，朝陽學院出版之江庸趨庭隨筆云：「前參謀總長張懷芝子志，日前歿於天津。余年來與子志過從甚密，在滬聞耗，爲之隕涕。子志壯年、識量膽氣，睥睨一世。庚子拳匪熾時，方爲榮相武衛軍炮隊長。一日詔諭榮祿炮轟東交民巷，榮祿立召子志轟擊，子志不奉命，問榮祿：太后眞欲毀使館耶？上諭給中堂，懷芝走卒，不知有上諭。果決意轟使館，請中堂發手諭。榮祿侷促曰：不，太后不聞炮聲，不能覆命。子志笑曰：吾太后欲聞炮聲，此易事耳，今夜當有炮聲。榮祿喜，語子志曰：汝退，好小子，有出息。子志爲榮祿所激賞，自此始。」

此與李岳瑞所記，有詳略異同，許懷芝之機智[illegible]。懷芝一介武夫，[illegible]識丁，而不知[illegible]實有過人[illegible]擊使館，[illegible]在榮祿意，[illegible]嬌和地步，[illegible]不向那拉后[illegible]

懷芝則不求有功，但求無過，而又懼担禍[illegible]

清代電信建設紀實

羅雲家

另於瀕海之區，則設海綫。直隸自大沽達芝罘。江蘇自上海東達長崎，北通芝罘。大沽南達廈門、香港。廣東自香港通海防、新加坡、廈門、上海、馬尼喇。山東自芝罘達大沽、旅順、威海衛、青島、上海。福建自川石山達台灣、淡水；自廈門達上海、香港。

綜計上述陸路電綫之設，凡四萬里有奇，而海綫不計在內焉。

、官督商辦情況

清季電報設局，亦如輪船招商之例：即以商力舉辦，而官董其成，亦即「官督商辦」是也。

津滬一綫，其始倡以官帑，未幾即歸商局。醵資至二百餘萬。而各省電綫不盡由商辦者，良以商人重利，入資則權母子，計盈虧，其於海防邊防，情勢緩急，國內交通便利與否，不多措意也。往往一綫官辦商辦，參互錯綜，大率以官辦補商辦之不足。如兩粵電綫，廣州至龍州則屬官辦，至梧州則屬商人。欽、廉、雷、瓊及鎮南關、虎門則又官商協力。而滇綫一自鄂入，一自蜀入，一自桂入，西迄嘉峪關；甘、新、奉、吉、黑等省；通州至承德等陸綫，又俱爲官辦。

然由滬達粵之綫，本爲防止外綫而設，需費四十萬兩，咸由商局措備。其時香港英人，並欲引綫達廣州，亦賴華合公司，預行設綫至九龍，其陰謀始戢。方華合公司設綫九龍也，華民抗拒，英商阻撓，其勢洶洶，公司商人何獻墀等，排衆難而爲之，不爲所屈，卒底於成。此則與上述商人大異其趣也。

中日戰爭棘手，引褒陽綫千餘里，直達西安，伸京滬軍報，不至梗阻。而張家口至恰克圖一綫，以俄使援約相促，亦由商局集金六十餘萬兩，接綫二千七百餘里，經營至三年之久，工鉅費繁，爲全國之最。此外由商人造成之綫，不能里數。其所裨益，實非淺鮮也。

光緒廿五年，大學士徐桐言電報局獲利不貲，並無裨益公家之實，廷臣亦有以招商電報局，假公濟私爲言者。但下協辦大學士剛毅查復。剛毅時以事赴滬，所疏陳電報局自恰綫成後，[illegible]至鉅，俟有盈餘，歲輸南北[illegible]欵十二萬四千兩。報可。廿六年，廷臣復言電報局利權太重，宜[illegible]員接辦。詔飭盛宣懷按年冊報收支欵目，[illegible]電應免收費。宣懷上疏，[illegible]：「電局本係集華商合衆之力，以與洋商爭衡，旁觀每爲大利所叢，其實析分千百股商之微利。近年則日用及修養綫之費亦日增。上年因中俄條約，接造恰克圖之綫，用費六十餘萬兩，未請官欵，悉係電商集資辦成。沙漠荒僻之區，絕少報費，而常年用數尤巨。至本年應辦之工，因辦理鐵路，蘆溝橋至保定已造成，又須造保定至漢口幹綫。因辦理海防，乃須造寧波至溫州之綫。總理衙門因洋人之請，則須造山東、泰安、沂州之綫。此外各路加綫要工，絡繹不絕。官欵並無可籌，皆借股商之力，以赴公家之急。總局收支，各項賬目，均係按年刊布，各局詳細坐簿，亦任股商隨時查閱。一出一入，衆見衆聞，非如官中所辦報銷，出於一二人之手者可比。原奏所疑各節，似屬不知此中原委。至官報之費，前定章程擬一半報效，一半給貲，期於官商兼顧。持仍不廢，仍宜照舊辦理，以維大局。」報聞。

宣懷其時司輪電兩局，疊被指摘。廿八年，言於直督袁世凱：電報宜歸官有，輪船純係商業，可易督辦，不可歸官。世凱謀諸執政者以爲然，閒於上。尋命世凱督辦電局，候補侍郎吳和喜副之。明詔發還商股，不遽予行。衆商洶懼，爭欲持劵售與外人，宣懷力遏之，乃已。尋詔原有股商，一仍其舊。蓋其時僅易一商股官辦之局而已。（四）

泡菜——菜肴中的君子

期生

在酒席筵上，有的是因人成事的富貴菜，如魚翅，要是沒有鷄湯，即不成其爲美肴；有的是位列通顯的平常貨色，如壽桃，由於人的胃納有限，待到它呈現客人面前，大致觀賞的成份居多，因爲在這以前都是名菜，所以它也跟着名貴起來了，究其實際，並無特出之處，擺在攤子上，還不是一毛錢一個？

就中最爲特立獨行的是泡菜。泡菜之爲物，既不假借他人的聲光，亦不與其他名物在同一時間陳列，可是客人偏偏愛它。懂得食道之樂的人，還在酒席將散之前拿來淸一淸口舌腸胃。這情形頗像村姑壓倒了貴婦。每見此情，中心怦然。

泡菜不愧爲菜肴中的君子。我之所以送它這個頭銜，是不無理由的。第一、它是淸白傳家。不管是泡菜、蘿蔔、黃瓜、辣椒，它的來源都是淸淸白白。第二、它也樸實無華，它本身即有眞味，用不着借重其他珍饈。第三、它是虛其心而實其腹，下罈以前，必須稍晾使乾，然後吸收。第四、它雖然平民化，但並不單調，除了鹽鹵之外，還有旨酒甘糖，比較熱鬧點的還允許擺下少許香料。第五、它有所不爲，日子雖然過得淸淡，可祇見不得骯髒，一沾油膩塵垢，它就寧爲玉碎。第五、它並不媚俗，也並不標高，山珍海錯擺了一桌子，盡是大富大貴，泡菜夾在中間，並無半點自慚形穢的意思，更不求同衆之樂。莊子之類也有超然俊逸的味道，但它像個名士，比不得泡菜平易近人。泡菜並不故示矯絕，而自然淸高，這也是不可及處。

泡菜之爲平民食品，人盡知之，因其所費不多，所以人人皆有一快朶頤的機會。它的好處在於既可送粥，又可下飯，當你一杯在握的時候，與蠶豆花生並陳，亦有和諧之趣。爲人而與泡菜同其隨和，居家治事，無所不宜，人緣兒一定夠好的。

如要研究泡菜何以能在酒席上獨樹一幟的道理，是由於客人油膩吃多了，所樂的轉是淸新，而泡菜獨有其情致。譬如達官巨賈，滿耳朶盡是阿諛歌頌之聲，如有人講出一番與衆不同的道理來，便有一新耳目的感覺了。

宦海堤上，是非圈外，令人常懷泡菜。

元旦感懷

徐德修

紅孩造反地天昏，遙對河山弔國魂，文物半隨征戰盡，那堪秦火又燎原。

又是紅羊劫換年，故都重見義和拳。興亡自有循環理，風雨鷄鳴欲曙天。

內備警台報字第〇三一號內銷證

自由報

THE FREE NEWS

第二三七期

中華民國僑務委員會登記證
台報新字第三三三號登記證
中華郵政台字第一二八二號執照登記爲第一類新聞紙類
（每逢星期三、六出版）（半週刊）

每份港幣壹角
台灣零售價新台幣貳元

社長：雷嘯岑
督印人：黃行豐

社址：香港銅鑼灣高士威道二十號四樓
20, CAUSEWAY RD 3RD FL.
HONG KONG
TEL. 771726　電報掛號：7191

承印者：大同印務公司
地址：香港北角和富道九六號

台灣分社
台北市西寧南路壹零號二樓
電話：三〇三四六二
台郵撥儲金戶二九五二

新春話越戰

．彭樹楷．

越南新年，越美聯軍建議停火四天而反對越共的七天停火要求。

四天也好，七天也好，反正越南短期內和平不了！停火幾天，只是爲從事更大戰爭作準備，所以沒有人樂觀。

本來，越戰在美國國內及國際事務中，不是頂頂重要的項目；在以蘇俄爲首的共產集團中，其份量也不很重；在不結盟國家中，只是藉此提高其國際身份；在毛、越共的心目中，也不是最大的和最後的目的。

本來，越戰在對陣的雙方，都沒有去認眞的打，也沒有去認眞的謀和。越戰的方式，是空前未有的；越戰的目的（眞正企圖），也是前所未有的。

越戰中，誰也不在乎戰場的犧牲，誰也不力求戰役的勝利，誰也不使出最大的戰力，誰都是「網開一面」的不會拼命。

越戰雙方似乎都在笑着打，使旁觀者看來感到很有趣；如果深入研究，那末，越深入便越迷糊！因爲，越戰的本質是什麼？沒人提得出確切的證據！越戰的特性是什麼？也沒有人能夠說出個道理。

我是專治地球物理並兼授太空科學的現役軍官，我曾站在自然科學和軍事藝術立場剖析越戰，得出一個結論：「越戰是一塲科學競技與藝術展覽」。

科學講究的是有系統，是眞、是善、是美！藝術講究的是沒系統（不受拘束）也是眞、善、美！

有系統的眞善美，表現在美越聯軍的現代化軍事裝備和新武器（包括通信衞星和核武器以外的其它各型兵器）之戰略佈署及戰術運用。

沒系統的眞善美，表現在滲透南越的越共原始性游擊戰術和所謂「人民戰爭」的毛澤東思想之運偽鬼話及符咒。

於是，越戰看似單純但卻複雜萬分。所以，動員了許多國家名士智者和領導人物乃至聯合國及教廷，越戰仍是和不了；雙方出動了很多國家的人力與物力，越戰依然勝負難分。

從一九四八年胡志明的越盟攻打法軍開始，十多年來，越戰越打越奇怪，越打越使人眼花撩亂。一九五四年五月，胡志明攻取了奠邊府，造成日內瓦協定，劃十七度綫爲南北越分治後，也許是艾森豪這位二次大戰名將的個人聲望，在他八年的總統任期內，震撼着胡志明有六年潛伏未動。一九六〇年「越南南方民族解放陣綫」成立後，胡志明便積極對南越加强滲透、騷擾並發展游擊武力建立暴力政權，且不斷集中優勢兵力以大吃小個別地佔領了南越政府的防地，並迫使南越軍政退至點綫。一九六一年美國不得不派遣第一批作戰單位到南越正式接替法軍的角色，壓迫胡志明由「速戰速決」改爲「長期的武裝和政治鬥爭」。從此，科學競技及藝術展覽便奠下了越戰長期拖戰的局面。一九六二年，越共以「戰鬥村」對抗南越的「戰略村」，顯然地南越居於下風而使戰略村名存實亡而危在旦夕，直到郝金斯上將臨危受命以援越軍司令親自指揮直昇機載運部隊從空中包圍越共，才穩住陣脚。

可是，就在柳暗花明又一村之際，吳廷琰被殺害，越共趁機加强組訓民衆並大量滲透而使主力增至四萬人，游擊隊超過十萬人，控制了南越三分之二的地方，使南越陷於政治和軍事雙層危急中。一九六四年八月，東京灣事件遭致美機轟炸北越並急增援軍和加强第七艦隊活動，才阻遏了越共的兇焰。可是，胡志明運用政治、外交、內政、以及游擊戰術作「多面型」的戰爭，又使美越陷於困境，直到今天仍是和不成、打不贏的膠着狀態。

現在，雙方似乎都無意打破這種和、拖、戰的長期膠着局面。然而，他們彼此到底爲的是什麼呢？是什麼樣的目的使越共忍受三千磅重量級的戰略轟炸摧毀？又是什麼樣的目的使美國總預算一千三百億美元中巨額美元在越戰中作長期消耗？胡志明憑藉着什麼悍拒和談？詹森因爲什麼將巨大兵力公開在越戰場上展覽而不作有効運用？

美國是被他自己的影子嚇住了。美國的恐懼，正好鼓勵了越共的「民族解放戰爭」和「人民戰爭」的必勝信心！這信心，才使它敢於蔑視和談，才使它樂於做忍轟炸的痛苦。

越戰也許只是未來大規模世界戰爭的實驗場──是一種合政治與軍事、合科學及藝術爲一整體的未來新型戰爭的設計和研究發展。

自由世界必須搶先瞭解這一研究結果，發展出一套眞正大戰的技術。因此，越戰停火四天或七天均不重要，重要的乃是如何把握這四天或七天的時間開拓新機運！

穿那一件？

好戲在後頭！

今日與明日

權力鬥爭帶給毛共的經濟危機

被毛共宣傳走卒捧爲「紅太陽」的毛澤東，自從搞所謂「文化大革命」以來，其馬蹄之亂，爲由他領導的毛共數十年禍國殃民史上所未見。所以，可以說這個「紅太陽」已是接近崦嵫的「夕陽」，雖然「無限好」，但已「近黃昏」了。

毛澤東對這次以權力鬥爭爲中心內容的所謂「文化大革命」，犯了許許多多原則性的錯誤。

其一，無自知之明。毛僞錯誤地認爲大陸上眞的是有絕對多數人「聽毛主席的話，讀毛主席的書，照毛主席的指示辦事」。結果，到了「形勢比人强」的時候，衆叛親離，使老毛成了孤家寡人。

其二，信用奸佞。一個八流「洋戲子」出身、一杯水主義者「江青，雖然是他的「押洞夫人」，但也不該把她放出來「臨朝稱政」。再加上一個眞正壞蛋陳伯達，還能不把所謂「革命」搞糟嗎？毛共「中央文革小組」的領導人，一個接一個成爲「反黨、反社會主義、反毛澤東思想」的「三反份子」，相信這都與江青的跋扈和陳伯達的野心有關。當然，毛共領導層人物，根本就沒有一個好東西，但江、陳之流，尤爲出色。

其三，對敵估計過低。毛僞以爲只要有林彪的「槍桿子」爲他「保駕」，一定可以把所有反毛大小「當權派」一個個「揪」出來「鬥倒、鬥垮、鬥臭」。結果，林彪並不能控制「槍桿子」的多數，同時反毛「當權派」越打越强，以至把行將入木的毛僞拖入了進退維谷的絕境。

其四，踐踏羣衆。毛僞對善良的中國老百姓之摧殘與屠殺，在中國歷史上眞是空前而絕後。所以，當「經濟主義」的「黑風」吹遍大陸後，老百姓都抱着「吾與汝偕亡」的決心，拿起反共反毛，以致老毛的「指示」和「號召」都不能發生作用。這才眞是玩火者自焚。

老毛曾說：「人民的眼睛是雪亮的」。老毛既知人民不可欺，但他却一直視人民如芻狗，不久將來被人民「砸爛他的狗頭」，是他應得的報應，也是必有的結果。

毛林集團對反毛「當權派」的「經濟主義」，雖然下達一項所謂「中共中央關於反對經濟主義的通知」，老毛們已也號召「抓革命、促生產」，但用絲毫沒有發生作用。

目前，季節已屆春耕，而大陸農村所謂「生產領導班子」已完全癱瘓，加上生產資金、種籽已分光吃盡，農具，耕畜已經分散而無法集中或補充，看來，毛林集團所號召的「打響備耕第一炮」，一定落空。

毛共常說：「農業生產是國民經濟的基礎」。而今年大陸「農業有個好收成」的希望，已完全落空。這樣，毛共經濟被拖垮，接着其罪惡政權也非瓦解不可。

（何如）

自由談

作官與做人

馬五先生

偶閱清代名儒桐城吳摯甫（汝綸），爲辭去州牧而改任保定蓮池書院主講事，致其弟詒甫書有云：「吾自少時，心中不甚羨人榮貴，以爲一命之士與王公大人，升無高下，善則一命猶榮，惡則九錫猶辱。平生不俯首，正坐此處把持得定耳。今人升官發財之術，吾盡知之。吾若欲得意，非棄吾所學而學焉，萬萬不可！」吾閱其語，如見其人，眞不愧爲有道君子之言論也。

功名富貴原係人人所嚮往的事，孔聖人亦不免有此慾望，若說有人自出生以來就沒有名利心，那是十足的僞君子，眞小人，決不可信的。問題在出處進退、辭受取與之間，必須保持做人的起碼條件，爲着取富貴功名而昧廉寡恥，無所不爲，那就大可不必。可是，這幷非任何人皆能實踐的行爲，除却讀書有得而外，還需要平日的修養工夫，至少亦要能夠安貧。所謂「爲貧而仕」的下流思想如不滌蕩，根本就是個勢利小人的本質，跟他談氣節，講人格，無異對牛彈琴，徒然浪費精神呢！

明乎此，即知許多高級智識份子，在未投身政界時，一言一行皆不失其爲具有清高節操的士大夫；然一行作吏，便無足觀，一切蠅營狗苟，諂上驕下，不恤人言，罔顧廉恥的勾當，應有儘有，滿不在乎的所以然了。最大的原因就是不能安貧，虛榮心與物質慾望掩沒了理性和智慧，患得患失，自甘墮落，把做人的道理，忘記得一乾二淨，終成爲無恥之恥的臭官僚，而沾沾自喜，恬不知羞。這類的高級智識份子如果滿佈在政界，政治一定腐敗，國事沒有不糟糕的！

吳汝綸深諳升官發財之術，却不肯「棄吾所學而學焉」，寧願拋却錦衣鼎食的州官生活，退爲設帳授學的教老師，淡泊明志，有所不爲。這不但是學問淵深，而其識力和定力也超邁流俗，是足矜式。這類典型的士大夫若在政治上得當以顯，不特國家可卜邦治，即其社會風俗亦必易澆薄爲醇厚，實可斷言。然古往今來的統治人物，能夠懂得此道的就極少，因而士大夫之下流生活亦極普遍，是可悲也。

檢討油商行賄案的起訴審理與判決（三）

——本報記者蕭而科——

所謂「請監委吃飯」，「是交交朋友而已」。尤其調查筆錄，不但使人啼笑皆非，而且幼稚、可憐。比如說：五十五年八月二十九日調查局人員訊問筆錄載，「問周烈範：據林生傳說，送給于鎮洲的錢，是你和他一同去送的，是否實在？答：實在的。我和他送到濟南路一段于家，送給他親收的。送去的都是現款」。且看看林生傳在審判中之陳述：「問林生傳：你又說，為了此事（為了管制黃豆設廠降低稅率）在五十四年間，曾與周烈範到于鎮洲家送過他五萬元（提示筆錄）？答：他拿別人的筆錄，我又照說了。問：你怎可如此馬虎呢？怎可照別人的筆錄說？答：不答。」由此觀之，周烈範之調查筆錄，是根據林生傳的筆錄而說的；那末，林生傳又是根據別人筆錄照說的；則所謂「別人筆錄」是誰的呢？除非包青天再世，否則，今世之法界人士，是無法找出這個「人」來吧？

五十五年十月十三日，因「調卷風波」台北地院檢察官蔣嶸華曾發表四點聲明，為此，立法院曾質詢行政院長嚴家淦對憲法第七十三條之立委在院內所為言論及表決，對院外不負責任的看法和態度怎樣？在十三日同一天下午二時，檢察官李兆欣在台北地院看守所偵訊姚廷芳時，竟根據立法院第三十五會期紀錄第二十頁至第二十六頁原本記載姚廷芳當時發言內容：以及發言速記錄原本第三十頁至第三十一頁有關姚廷芳之發言加以摘錄，這不是破壞憲法規定嗎？

起訴書謂：五十三年「六月二十五日訪孫委員交涉美金八角事」，七月一日訪徐孫兩委員（杭州南路、新生南路）「美金八角」一節，經與卷存原本案頭日曆予以核對結果，前者並無「交涉美金八角事」；後者亦無「美金八角」之記載。該起訴書之「五十三年七月十一日上午赴徐委員公館」「郝委員公館」于委員公館，赴林委員公館請交涉黃豆進口事」，在「請交涉」之下漏列「開放」二字。是起訴書對該日曆似有「踵事增華，移花接木」之嫌。前述事例，能說非故入人於罪嗎？

日曆記載漏洞百出

關於周烈範案頭日曆，列為補強證據之一。但該日曆有非周烈範親筆之記載，且與經驗法則不合。

關於煉油工業限制設廠，係行政院於五十三年三月二日，以台五三經字第一三四九號令自五十三年二月一日起至五十四年一月底止，五十四年一八月復令延長至同年十二月底止。此項延長命令係經修正通過之「工業輔導準則」，由外貿會及經濟部公告。據此可知，五十三年三月二日，行政既已明令限制設廠，且對該油公會極端有利，而該油公會殊無自五十三年三月起，即行活動繼續設廠之理。起訴書與判決書均忽略前述證據，但憑周烈範等非自由意志的供詞，及矛盾迭出、似是而非，並經變造之案頭日曆等件，論列該煉油公會為謀限制設廠，自五十三年三月起，先後商由被告立監委員，向外貿動活關說，云云，顯與事實不符。

至於「改善黃豆及其製品之調節供應辦法」，係外貿會於五十二年九月十四日報行政院於同年十月三日令准公布施行。該辦法對黃豆之進口，統籌供應調節，予以有效管制，限制自由買賣，於政府集中採購後，由植物油公會自行協議各廠配額。而此項協議分配比例，係經外貿會先後於五十三年三月三日、六月十七日、八月三十一日通知核准，後延長有效期間至五十四年八月。五十五年五月十三日又核定延長至同年十二月底止。而該辦法沒有施行期間之規定，亦無每年必須檢討一次的明文。所謂「核定」「延長」者，乃指對油公會協議分配比率而言，與管制黃豆進口辦法並無關聯。而該辦法甫經行政院於五十二年十月三日令准施行，原議案又列為預定五年增產政策，足見不致朝令夕改，影響行政措施之安定及政府威信。起訴書理由欄內載稱：「並有外貿會編述之關於黃豆進口核配辦法，有關資料各一冊可按」。而事實欄內竟又以「依五十三年九月二十五日修正前之貨品管制進口準則，管制進口類之貨品，並無限期之規定，外貿會隨時有權解除是項管制，則油廠之利益，仍有隨時喪失之虞」等語，顯係對前述之「辦法」及「資料」，未臻明瞭，以致立論矛盾，認事謬誤。行政院公布管制黃豆進口於前，而周烈範案頭日曆記載自五十三年三月二十七日起，至五十四年十月二十六日止，分別赴各立監委員家商「活動」、「關說」管制黃豆進口、限制設廠等事宜，寧非背悖情理？毫無可信？尤其關稅稅率之減低，立法院於五十四年八月二十四日通過，政府於同年九月二日公布施行。而周烈範案頭日曆於五十四年八月二十六日以後，尚記載赴各立委家商關稅引，並經檢察官起訴書引用為「證據」，這種不合常理之記載，其證據之證明能力，能說合法證據法則嗎？

刑事判決露出破綻

例如，案頭日曆記載，周烈範往訪于鎮洲者凡廿餘次，其報支計程車費僅祇三次而已。而起訴書引證五次，判決書引證六次。尤其起訴書引證五十四年一月七日晚九時，監察院于委員約商要事之記載，尤多疑問。原記載在「晚九時訪于委員約商要事」之旁邊寫了「五月花」、「米高梅」字樣，這算什麼「要事」？經于鎮洲在審判庭提出後，引起旁聽者數百人之哄堂大笑，因此，判決書不採。但判決書引證該日曆記載六次，有斷章取義及與事實不符之嫌。其原記載：五十三年七月十一日，「上午赴徐委員公館」，「赴郝委員公館」，「赴于委員公館」，「赴林委員公館請交涉開放進口黃豆事」；同月二十五日，「赴榮總訪鄭主任」，「下午赴陸總訪趙署長」，「赴郝委員家」，「于委員家」，「徐曹兩委員家」，「林委員家開放黃豆進口政策事宜」。判決書謂「七月十一日『赴于委員公館請交涉開放進口黃豆事』……同月二十五日『赴于委員家商開放黃豆進口政策事宜』。」這不是用林冠于戴之手法而斷章取義嗎？舉一反三，其他可想而知。法院如此採證，合乎情理嗎？

判決書因採證日曆記載而露出破綻。如五十三年七月二十四日，于鎮洲在監察院開會，但任審議台電公司小粗坑案會議主席；同年九月十九日，他參加監察院中央經濟巡察組，和監委陳大榕巡察經濟部；同年十二月十八日，他出席監察院第八八次院會，這三次所以不在家，而判決書竟認案頭日曆所載周烈範在這三次訪于鎮洲為「可信」。因此，有人說，這證明法院對被告及被告律師之辯論，應注意而不注意，才露出破綻。至於判決書引五十三年八月二十七日該日曆記載：「上午訪于委員、郝委員商請徐林等設法阻止油廠開放事宜」為證。所謂「于委員」，法院何以得知就是于鎮洲之請求與周烈範對質？此足以反證起訴書，判決書牽扯附會，上下不分段，攏統引以論斷。這就難怪于鎮洲在審判庭辯論：「我記得審判長在審理本案中，訊問油公會被告時，曾兩次說：『你們現在不承認過去所說，這不是害人嗎？』審判長當時說這話時，表情非常沉痛，證明這話是發自內心的良心話。希望庭上的法官先生以及其他法官，今後辦理一般人民的案子，都要叫他們盡量的說理辯論，公正無私的處理，使天下無冤獄，這才對得起人民，才能復興國家，才能收復大陸。」

關於案頭日曆記載正確與否的問題：任何著作，除著作人可解釋外，其他非著作人之解釋，不但正確性可疑，其有無解釋之權，還是一個問題。日曆記載人是周烈範，現在不妨看看他自己的解釋。

他在第二次審判庭說：「日曆上的記載有的是每天早上計劃，上班後記載的。但有時候，不一定按照日曆上面的記載去作。譬如，我寫某月某日預備去看某人，到了那天去，我不一定去，假使去的話，被看的人也不一定在家；縱有見到面，也未談到關稅、管制黃豆進口及設廠等三個問題。」

對此也有理論和事實的反證。監委孫玉琳在第二次審判庭陳述：「關於周烈範的案頭日曆，根據他自己兩面的說法，這是他片面的備忘的紀錄，不是他的事實行為發生的紀錄。因此有幾個問題請審判長考慮：（一）是不是他的（也要問周烈範）？按這個計劃去拜訪立監委員？（二）拜訪的時候有沒有見到我（們）的面？（三）即使見到面後所談的事是不是他所計劃談的問題？也許他因思想變化而沒有談到這個（些）問題。（四）即使談到任何問題，我（們）可以有贊成不贊成的意見，究竟我（們）是贊成或反對，從案頭日曆的片面記載完全看不出來，所以從案頭的日曆理論上看來，不能視為一定和我（們）談了問題或是我們一定支持這個問題。就文字來講，文字的意義有法律上不可變更的確定性。我（們）看周烈範的案頭日曆（五十三年）寫開放問題有六次，限制設廠一次，何以六次開放而只有一次限制，可見該日曆的紀錄絕對是衝突的而且是矛盾的。究竟周烈範是何居心？不得而知」。

五十三年案頭日曆記載「訪孫委員玉琳有十九次」，「訪孫委員家裏三十三次」。不知孫委員是立法院的孫委員呢？却是那一個孫委員？五十四年該日曆記載「訪孫委員廿八次」，「訪孫委員玉琳二十次」。還有許多不可解的地方，如五十三年八月四日，該日曆記載：「上午赴孫委員、徐委員商請徐柏園事」。假定周烈範那天上午來商量，下午就請徐柏園嗎？（按：徐柏園作證說：「記不太清楚」）這是不可能的，因為徐也是忙人！如五十四年八月十九日，該日曆記載：「訪孫委員商關稅」。而關稅的問題是立法院主辦，與監察院有何相干？這些，可以說明起訴書與日曆的日期是矛盾的。

會議紀錄違背程式

關於會議紀錄的問題：植物油公會各會議紀錄，原係單頁十行紙記載，然後騰寫，且未經主席簽名，不合會議程式要件。按照內政部頒發之「會議規範」第十一條規定「議事紀錄，應由主席及紀錄分別簽署」。而民法第七十三條明定：「法律行為，不依法定方式者，無效」。准此規定，未經主席簽名之該油公會紀錄，當然不得視為有效之法律行為。若就其內容而言，所謂「有關人士」，亦[illegible]究何所指而云？如謂指涉及之各被告，則起訴之立監委員有十一人，而未經提起公訴經涉嫌者尚有十多人，試問，到底指那六個人？檢察官李兆欣既未按刑事訴訟法第一六一條規定就起訴被告列舉犯罪事實，徒以「其中雖有用語模糊，實以事關活動機密，不無顧慮所致，但情弊所在，極為顯然」，擬制「足可採信為該被告等犯罪之證據」云云。實有欠正當。

據起訴書及台北地院刑事判決所引該會紀錄為「證據」謂：「五十四年七月二十一日，周列範在公會執行委員會報告，『關於關稅之事……等到成功之後再履行』。同年八月二十五日，同烈範在公會理監事會議報告，『直到現在，尚未講到錢的問題』，云云。」觀此紀錄，則該油公會到五十四年八月二十五日「尚未講到錢的問題」，請問，王作昌等所供五十二、三年八月及五十四年上半年送錢之「證據」，顯屬無稽之詞，起訴書和判決書皆以「於五十三年五十四年間或由周烈範經手，或由周烈範、林生傳共同經手，或由王作昌經手致送」三監委或「先後付與」立委，「經林生傳、王作昌、周烈範在偵查中供述明確」為論罪張本。

假如王作昌等所供為「真實」，則該會紀錄應為「不真實」，非真實之紀錄不得執為論罪之「證據」。假如該紀錄為「真實」，則王作昌等之口供即屬虛偽，即不得列為科刑之基礎。這兩者之間，必有其一為非，絕不能謂為兩者都對。

尤其判決書，對周烈範之自白書（即致沈局長的信），竟作不同之自由心證。法院認定限制設廠管制黃豆進口兩事與立委無關，完全是三位監委「利用監察委員之身分，向各該主管機關說說」的。否定周烈範之自白書有關立委部分及否定徐柏園、牛權琯之「沒有任何人向他們活動」的證言，於是形成部份採信部份否定的怪現象。這樣的自由心證，能說合法嗎？能令人信服嗎？

如油公會「致送」立監委員「賄款」的話，何以該公會之支付傳票與賬冊沒有隻字記載？台北地方法院推檢對前述各節，在起訴書刑事判決都未說明，我們不相信這是「司法配合國策」的結果，應該說是法院弄權玩法枉法所致。

周氏密函殊無價值

台北地方法院刑事判決與起訴書，如兩相核對，不難發現其有許多地方之筆調、語句，甚至文字都相同，頗使人有出自一人手筆」之感。同時，該刑事判決本身矛盾之處，一望便知。

判決理由欄謂：「本院查卷附周烈範於上（五五）年八月二十八日致調查局沈局長之親筆密函，文字清晰，敘事詳明，殊非他人所能相強，且於封套上加捺指印十三處，足徵其製作之審慎，周烈範雖於審理中翻異其詞，謂係出自不自由之意思所書寫，然如何非其自由之意思，未據提供足以信其為真正之說明。至於所記載於案頭日曆之事項……類多註明為商談關稅事宜，雖不足證明周烈範確曾每次完成其所記載之行為，然其於記載當時，確曾有此計劃，要屬無無可否認之事，觀諸連續記載多次，謂其全屬虛妄，亦非本院所能憑信，何能指其毫無證據價值……周烈範與各該被告均屬好友，揆諸常情，不致誣攀，是被告（徐君佩、姚廷芳、劉景健、陳桂清、封中平）等所謂未為減低關稅稅率出力之辯解，顯屬無可採信」，云云。則周烈範之致沈局長的親筆密函、記載於案頭日曆之事項及偵查中之口供既有證據價值，何以有三種處分？一種是部份人士未憑該項證據起訴；一種是若干人士未按該證據處刑；另一種是被告徐君佩等竟依該證據判刑。這三種極端不平衡之結果，將何以使人折服呢？

瀛海異聞談

間諜傳遞情報秘法種種

桑雅

假如你是一個間諜，於戰時在敵人的國家活動，當你獲得一種重要的情報，你將怎樣將它送到你的總機關呢？你是面臨一個特務員的一個最主要的問題，當你在間諜訓練所學習時，你的指導教師一定會對你說過：「一個間諜的困難的工作就是解決他的通訊方法。」這是確實的，你是無能爲力偷進軍事處，竊取放在保險箱裏的秘密文件；但不是十分困難，將從各方面採取的片段情報，集合起來；但是你要怎樣才能安全把情報送回家去呢？

無綫電？是的，在有些環境之下，假如你在一個友好的國家活動，你可能隨便使用一架無綫電機。假如你要出外担任特別任務，你可携帶一架手提無綫電機。但經常碰遇到危險，敵人的偵察器可能查出發出電訊的所在地點，馬上通知警察或反間諜人員來捕拿你。

在第二次世界大戰期內，在英國活動的德國間諜携帶輕便和細小的無綫電機，藏在兩個皮喼內。在必要時一個人也可以拿起它。原本是供給兩個人用的，爲着防止被偵察出，兩個間諜乘脚踏車到鄉村的僻處，將天綫掛在樹上，再急速按機的鍵子，拍出他們的電訊。就算被人偵察出時，他們早已逃之夭夭了。

携帶無綫電機也極端受到限制，當受到警察檢查時，不知如何作答。所以採用的方法，從間諜訓練所教導，在第一次與第二次世界大戰期內有用到的，仍然有採用。有些方法是絕對聰明的。

有一個德軍間諜在法國活動很久，在戰後他改入法國籍。他曾向人透露出他的秘密，他很順利先後將幾百個重要情報傳送出去，從未失手。原來他將秘密的消息寫在一張捲烟的薄紙上面，將紙捏成小團，塞在自己的空的左眼框內，再加上一個玻璃的假眼球。假如你是一個邊境的守衛軍人，你也不會想到喝止每一個過境人，讓你去檢查他的眼睛吧。

女人是一個最好的間諜傳訊人，但女間諜多是不敢恭維，往往失敗。她們常常很聰明想出傳遞情報的方法。在第一次世界大戰時期，德軍佔領比利時，但荷蘭是中立國，英國情報局覺得很困難，將情報從比利時偷傳到荷蘭。當各種方法都用盡和失敗後，有一個比利時少女想出一種方法，當她要傳送一個情報時，她就解開她的內衣，叫她的一個朋友，用隱形墨水將情報寫在她的背上，讓它自動乾，她穿回內衣，過邊境到荷蘭去，檢查員毫無發覺。當她跟在荷蘭的英國情報員接觸後，她就再除去內衣，背對着一個火爐，隱形墨水受熱力就再次出現了，情報員將文字或密碼抄錄起來，完畢後，那個少女就去洗澡，非常簡單。

有一個德國女間諜利用一塊朱古力糖來傳遞情報，她將朱古力制成兩邊，在其中一邊挖一小孔，塞進一個小紙團，寫有情報的，然後用燒熱了的刀子將那兩邊的朱古力再次併合。她運用這種方法造出許多情報，但有一次碰到意外事發生，她失手將一塊朱古力糖跌落地上，破碎了，紙團被發覺。一個間諜傳訊員萬不能有這種錯誤的。有等間諜將情報塞入一筒牙膏內，空的鎖匙內，雨傘柄內，帽子的邊唇，一塊香梘內等等。

在第二次世界大戰期內，有一個在德國活動的特務員獲得一些有用的情報，他怎樣將它傳出去呢？他的長官在荷蘭活動，當時荷蘭尚未被德軍佔領，他們就瞞稱是兄弟，在德國的特務員寫一封家信給這個在荷蘭的哥哥，有提及他的兒子威廉是喜歡踢足球和繪畫，附寄一幅給他欣賞，所畫像兒童繪的畫，有天鵝、白燕、畫眉鳥、獅子和喜鵲，其實都是密碼，有提及足球，即表示是照某一種密碼的。

傳遞情報方法是有很多，如一個人走進一間餐廳，將帽子掛起，然後坐下吃東西，後來有一個人進入，將同樣的帽子掛隔隣，當他離開時，將另一個人的帽子戴走，在帽子裏已藏有間諜的情報。

又有特務員將某種重要藍圖縮小繪在信封上，然後用一枚郵票貼上去，遮掩它寄出去。也有能夠寫一千八百個小字，然後貼上一枚郵票去遮掩的。

有一個特務員冒充自己是一個集郵家跟在海外的朋友交換郵票，假如他寄信的地點是在英國的勃特斯茂孚港，加蓋上有那個地方的郵戳，他在函內附有二枚馬丁尼克郵票，兩枚秘魯郵票，四枚智利郵票和六枚哥倫比亞郵票來代替某一型戰艦，照上面的情形，即是在信件寄出那天，在勃特斯茂孚港有大戰艦三艘，重巡洋艦兩艘，輕巡洋艦四艘和毀滅艦六艘。

一個女間諜假裝被沙塵撲入眼，而將眼猛霎，其實她已向在相隔不遠的一個特務員作情報，正像拍電報的密碼。又有將一副撲克牌（紙牌）順着次序搭着，在側面用鉛筆寫上密碼，然後將各張混亂，所寫的密碼就不能被看出來，但在後來再將照原本次序再搭着，那些密碼又再次出現。

有一個女間諜忍痛割傷她的手指，用膠布黏着它，但是所用的膠布是雙層的，中間夾着有一張寫有情報的紙片。

許多人去看間諜鬥法的影片，感覺最有趣味的，不是槍戰或打鬥，也不是有香艷的鏡頭，而是情報遞傳的方法。

颶風貝絲威風八面

若輸

紐奧連斯聯邦法庭裏，主審法官莊棉那威斯頓，向窗外望着。他知道那是什麼一回事。那個受審的薩克遜方武，被控以三K黨的名義活動，他亦聽到那些刮起的大風，會帶來什麼後果。薩克遜方武是波嘉路沙的嘉蘭秦登三K黨員。

事實上這天下午，每個坐在法庭裏的人，都曉得死亡和災難，從墨西哥灣向着他們那兒，風馳電掣的襲來。他們都緊張地看看手上的腕錶，這時剛是下午四點鐘。但是法官正容說：「我準備坐在這兒，直至颶風襲擊，把我們的腦袋擊破，及直至方武先生把眞相說出爲止。」這是去年九月的一個下午。

可是在十五分鐘後，法官需要將這案子押候，颶風小姐貝絲，正在途中。從來沒有一個颶風小姐像貝絲那樣的。貝絲小姐不但急躁而且夾着狂風暴雨，橫掃美國南部各州，遺下的，只是死亡痕迹，和傷心悲哀的記憶。

也許貝絲小姐是史上最大的一股颶風，一些氣象學家也說他們從來沒有見過像貝絲的一股颶風。事實上，貝絲的突襲，使氣象學家，都來不及預防。

在紐奧連斯的華盛頓小學前，比爾法蘭斯在這學校的影子中發抖。比爾法蘭斯在大戰時，於大西洋航海中，兩次遭遇魚雷，他也體驗到恐懼的情形。但是，當尖銳的貝絲小姐雌威大發時，他也驚得發抖，呆了起來。漸漸地，他才走進學校中，擠滿了黑人男女老幼，他們的眼睛無不充滿着恐懼的神色。

比爾法蘭斯從海員轉業貨車司機。雖然，安全地進入華盛頓學校，可是，他却想着他的新婚妻子嘉芙蓮。他們結婚僅兩星期，嘉芙蓮在家裏，正看着結婚時，親友送給他們的那個鐘，她想，比爾就快回家了。可是她的想法錯了。（上）

亞洲的糧食危機

晉陵譯

當一九六六年行將結束的時候，亞洲地區却發生普遍的谷米荒的警號。對亞洲人民來說，這簡直是一項難堪的諷刺。因爲亞洲是這個世界的最主要產米區，而且一九六六年又是「國際米年」，在過去一年的時間中，大部份出產米稻的國家聯合一致地展開一項極富意義的運動，目的是將最新的耕種技術傳授農民，讓他們運用這些科學的方法去增加米稻的生產。然而，亞洲地區去年在「國際米年」行將結束的時候却發出普遍的米荒的警號！

一九六六年的「國際米年」的長遠目的，是令到米稻的生產量，能夠在科學化的處理下追上迅速增加的人口需求，特別是亞洲區內的有增無已的人口需求。然而紀錄顯示：在去年裏，產米成績最好的，却是以產小麥爲主的澳洲及歐洲。

事實上，一項米的危機已經存在。本季亞洲稻田的收割工作，現在差不多已經完成了。全世界各區產米的總成績，不見得特別好，只是平平穩穩而已。據聯合國糧食與農業組織專家所作的估計稱：預料這一季裏面的全世界產米總量大約是一億六千三百萬公噸。然而，跟一九六四、六五年度同季中的產米總量相比較的時候，顯然是遜色的，因爲當時的產米總量是一億七千萬公噸。不過就另一方面來說；本季產米總量却較上一季的一億五千六百萬公噸成績進步得多。

在大部份以吃米爲主的地區內（印度北部各省例外），這次普遍鬧米荒的現象，並非由於歉收而引起，而是由於白米市場發生若干次動盪的事件而導致的。在去年十月的時候，被公認爲全世界供應白米最多的泰國，宣布完全停止白米出口。據稱：泰國採取是項措施的原因，是爲了在上一季裏面，該國將谷米售出的數量過多，因此，泰國境內的白米市場呈現米荒的跡象。直至最近，曼谷政府才宣布恢復白米出口——但要領取准許證。

在世界上居第二個最主要的白米供應地位的緬甸，在過去數年的時間中，白米的輸出量一年比一年減少。在過去，緬甸每年輸出的白米超過三百萬噸。可是到了一九六二年的時候，白米輸出量却降至一百七十萬噸的程度。在一九六六年間，輸出白米只有一百一十萬噸而已。觀察家預料：在一九六七年內，緬甸白米的輸出總額，可能跌破一百萬噸的大關。（上）

新三國

周燕謀著

七一、曹丕入寇東吳、孫權疑城却敵

諸葛亮平定南方之後，在蜀中有兩年內治，整軍經武、講武修文，軍資糧食充足，「國以富饒」，積極準備北伐。在此期間，諸葛亮把蜀國治理得井井有條，經濟、財政、農業，突飛猛進。典章制度，宏規大具。

曹丕在黃初三年九月，親自到廣陵，東吳人心大恐。孫權情急智生，乃在長江江西地區，建築疑城，自石頭至江乘一帶，在江邊要點設了疑兵疑營，用木槓爲車，疑兵用葦席爲衣，塗了采色。他這種僞裝疑兵，却把曹丕騙過了。魏軍自長江西望江南，見此情形，不敢進攻。曹丕很感慨地說：「江南有人才，未可圖也」。於是回師。

曹丕在此次觀察了一下江南，也是他最後一次的望江南，被疑兵騙過。孫權也在此時休養生息，革新文治，他也仿照古制，親自受田，行躬耕之禮，以獎勵農事。此時丞相孫邵已死，顧雍繼任丞相。軍事方面，仍以陸遜統籌。在鄱陽只有一點小亂子。有水寇彭綺，自稱將軍，率衆萬人，攻掠諸縣，不久即平。這是魏黃初五年，吳黃武五年，公元二二六年的事。

魏文帝七年春正月，曹丕將幸許昌，許昌城門無故自崩，以爲不祥之兆，曹丕很不樂，遂不入城。這確是不祥的徵應在他身上。就在同年正月初十日，曹丕回洛陽。同年三月，曹丕大興土木，築九華台。（即天淵池中之九華殿），就在同年夏天五月十六日曹丕病重，於是召中軍大將軍曹眞，鎭軍大將軍陳羣，征東大將軍曹休，撫軍大將軍司馬懿等，同時進宮接受遺詔。

關於曹眞這位「中軍大將軍」，本傳中則爲「中軍將軍」，此「中軍大將軍」乃是雜牌貨。漢制的大將軍只有一個，起自漢武帝起用公孫敖爲之。

陳羣是歷史上有名的制九品官人之法的人。羣字長文，許昌人，他的祖父陳祖，父親陳紀，都做過漢朝的官，也很有點名聲。陳羣被曹操辟爲司空掾。曹丕即位，累官拜尚書，創制九品官人之法。

曹休字文烈，曹操的族子。曹丕征東吳，拜征東大將軍，現官揚州牧。

司馬懿字仲達，也是歷史和曹操一類型有名人物，其行爲陰奸詐甚於曹操。陳壽不敢直稱其名，而以晉之謚號追書稱司馬宣王。司馬懿河內溫縣人，此人多權變，魏國初建，懿爲太子中庶子。後來和諸葛亮成死對頭，屢與諸葛亮相峙於中原，孔明不得志，可知此人軍略權術非等閑人物。

曹丕臨危託命遺臣，囑以輔政大事。又遺命宮中淑媛、昭儀以下宮中女子，遣之回家。（淑媛、昭儀，宮中女官，位次於夫人）大事咐託已畢，就在第二天五月十七日死於嘉福殿，年紀四十歲。可惜他死在壯年，就離開了他一手篡來的漢室江山，一共只做了七年的皇帝。此後的曹魏皇帝，就一代不如一代了。過了一個月，即同年六月初九日，下葬於首陽陵。即今河南偃師縣首陽山南。（一〇七）

新年拾零

·湯翔·

當大陸還是自由之日，接財神日子，通常南北各地都是在新年初二，但江南則在初五日。而以江浙各地接財神的儀式較為隆重。像蘇州謂初五日是五路財神的誕辰，祭財神時除牲醴爆竹等物外，還有算盤，銀天秤等物，並且桌上還置刀一柄，上放一錠食鹽，據說，取其諧音「現到手」。有的地方的商店，是夕還設有「財神酒」，以宴夥友。浙江湖州更有一種很滑稽的傳說：祭財神是不太長久的，因為財神是不穿褲子的，其下體裸露着，祭時如太長久，財神恐怕會因害羞而發怒。這眞是太荒唐了！江蘇壽春的習俗，於初四接財神。具三牲肴蔬，謂之財神請酒，內設魚頭，神菇茹等物以取吉兆。他們更以香火灼財神的臉叫做「火財神」。或者說：「火財神即是活財神」，這眞是自我陶醉了。

旺火盆

我國北方新年的習俗，大年初一五更天，家家戶戶要在院子裏，擺上一隻「旺火盆」。旺火盆多是一隻大鐵鍋，一來燒的不壞，二來鍋比盆大，可以多放柴火。旺火盆裏的柴火不是劈柴，而是用「芝蔴桿」。農人們每年將芝蔴收過後，把桿子晒乾存起來，專門作「旺火盆」的柴火用。因為芝蔴桿不易吸收水份，本身又有點油質，所以燒起來才會「旺」，火光也特別大，尤其燃燒起來像燒竹子，像鞭炮一樣，剪剪啪啪有響聲。相傳天宮有隻九頭鳥，常常出來作怪，後來被二郞神砍去了一頭。這一隻剩了八個腦袋的鳥被砍之後，每逢大年初一五更天，在空中到處亂飛，牠那隻被砍去頭的脖子上的血滴到誰家，誰家在這一年便要倒大霉。生起這個「旺火盆」在院中燃燒，火光很大，九頭鳥看到火光，便不敢在這院子的上空飛過了。

新年民歌

在農曆新年的起迄為正月初一到正月半。在這十五天裏各地都按照習俗做着不同的事，即一地的風俗也頗不一律。但閩南新年裏，每天的節目，都由一支民歌道出來了：新年初一榮，初二停，初三無姿娘（閩俗道天是新嫁娘歸寧日），初四神落天（註：閩俗初四有迎神的儀式。），初五神下降（註：閩臘月二十五天神下降，巡查一年人間事，初五是復查的日子。）初六另空（註：「另空」者，指「沒有事」的意思。）初七七元，初八團圓（新嫁娘回夫家，故云。）初九天公生（註：玉皇上帝生辰，閩北不盛行。）初十藍相生，十一請子婿，十二返去拜（賀年的客人都在這天回家），十三食唵糜配芥菜（註：唵糜即「粥」。），十四結燈棚，十五上元暝，十六牛相生，孝大人（是供的紙像），過了又過天鄉（即「清醮」）。（下完）

孰實為之，孰令致之

·李獻廷·

國府遷台，已歷十九寒暑，全國上下，以同仇敵愾、復國必成之信念，勵精圖治，在政治、軍事、經濟各方面，均有劃時代之進步，洵為可喜之現象。惟天下無十全事，如易經所云，宇宙間，常是陰陽、反正兩面，相輔而行，社會中，善惡、眞假，宗教上，眞神、魔鬼，亦常並存。此相對原理，一以別善惡、分是非，作一比較，一以示磨煉、利競爭，世界與社會，方能進化和改良。是故光明中難免有小瑕之處，亦善良社會所不免，吾人似未可苛責也。

但在為政者言之，仍應盡力之所及，以掃除邪惡之一面，以保護善良。更應視情形如何，勿顧忌干涉自由之嫌，而大刀濶斧，採取斷然手段行之，方使奸人歛跡，邪惡遠颺。當時即使遭受物議，只要立意正確，事後必能獲得諒解。値茲反攻前夕，一年之計在春之際，特將美中不足幾點，提出一談。

（一）惡醫：最近立法院，曾討論密醫問題，應否放寬限制，尚未定論。但本人以為，醫師應重醫德，否則即為惡醫。凡屬惡醫，無論正密，均在取締之列。例如癌症，各國尚無根治良方，而台北報刊中，以「專家」自稱者有數人，其中之一，因治死某報人，受輿論攻擊，然其騙得之財，絲毫無損，官府亦未過問，坐視病人繼續受騙。惡醫雖惡，放任者豈能無過？如此尊重自由，將使自由蒙羞矣。

（二）惡補：國校兒童惡補，早為各方所詬病，雖經主管機關，屢次討論嚴禁，不惟未減，反每況愈下，以往從五六年起始者，今從二三年即須開始。升學考試者，多有程度以外試題，使得家長們不能不補，為達升學目的，不能不犧牲兒童健康。所以然者，不外斂財以供享受耳，病根不去，即使免試升學成功，不能達到畢業分數，仍是枉然。此種現象，有謂由於待遇不足，生活困難所致者；少數人或係如此。但人之慾望無窮，本省工商繁榮，社會安定，水準自然提高，進而可談享受。試觀各大醫師，收入並不非薄，而仍開私人診所者，豈生活均難維持乎？如查銀行存欵，各項投資情形，即可明瞭一切，捨本逐末，永難絕跡也！

（三）惡少：因歐風東漸，崇洋心理作祟，少數青少年疏於家教，學校教育又偏重於科學，東方禮教文化，已棄如敝屣，又受西洋打鬥片之影響，遂養成太保形態，成羣生事，為社會之瘤，乃在往昔農業社會中，所稀有者，曷勝浩嘆。此等惡少年，未成年者多，法律上又難科重刑，其家長亦不受刑責，遂得任意胡為，善良之少年，亦受影響。今當局已提倡固有文化，對此項少年，先應以恩威並施，家長連坐方法，積極設法糾正，以免小瑕之玷！

以上三惡，可名之為三害，在此安定社會中，不應使其片刻存留。希望立法機關，特為此三害立法，惡醫殺人者死，與盜賊同科。凡自我宣傳為絕症專家者，應不秘其術，效則申請國際獎金，不效則處刑。鼓勵檢舉惡補教員，查明予以免職。升學試題，應在課本以內。並早日實施免試升學，不能畢業者，易地補試。對於惡少年，不論成年與否，與成年同罪，並連坐其家長。語云「治亂世用重典。」不可與盛世同論，尤不須顧及他人之觀感如何，只要立意純正，公而無私，便可放手做去。三害既除，百病自消。善惡雖然並存，但結果仍是邪不侵正，歸向光明。否則放任不顧，滋生蔓延，一發不可收拾，將令人有「孰實為之，孰令致之」之感矣。謹以此為歲首之談！

清代電信建設紀實

·羅雲家·

六、收歸官辦情況

光緒卅四年，郵傳部設置已二年，將以全國電報局為實行部轄之計。郵傳尚書陳璧奏言：「電報為交通全國機關，各國電報之權，皆操諸國家。中國電報創始，原歸商辦，而光緒初年商股微薄，仍賴官辦以為補助，非完全商辦也。歷年獲利約計五六百萬，果使全國交通推行無阻，則富商即可富國，亦何必別議更張。乃觀商綫所至之處，皆屬市鎮都會，而邊遠省份如雲、貴、廣西、甘肅、新疆，商人以無利可圖，均推歸官辦。雖商力實有未遑，而顧私利，忘遠畧，實悖朝廷立部之初心。衡以中國近狀，自非改為官辦，無以定區劃之方，即末由收擴充之效。東西各國，電綫如織，策應靈通，故伏莽方生，旋就撲滅。中國電報無論要荒，即腹地稍僻者，亦多缺而未舉。一旦有事，道途修阻，聲息不通，實於軍務有礙。現當百廢維新，外交內政，關係非輕，稍滯交通，輒於扞格。近年來科布多，川藏、蒙古、閩浙、江西、蘇松，紛紛請設電綫；本年四月，奉旨迅設貴陽至義興電綫；又陸軍部以秋間江鄂各軍，在安徽會操，請設安慶至太湖電綫；外務部請設川藏通印度電綫，以為收贖英人江孜綫路之張本；湖北官電局以賠累不堪，請改歸部辦；紛沓至來，均為不可稍緩之圖。核計各省請設各綫，不下萬有餘里。工程當在一百餘萬以上。且此萬餘里中，皆荒村僻野，報務不多，揆一綫即賠一綫之本，修一里即虧一里之費。前此添設雲貴二邊省電綫，各股電商尚慮虧損，今統籌荒瘠之區，更近著手，至利則歸己，損則歸公，恐亦無此情理，此展綫之宜歸官辦也。各省綫路待修者衆，朽敗難支，而陝、豫、閩三省尤甚。設遇軍興倉猝，何堪設想。現在遴員調查，通盤籌劃，尚有應修近鐵路者。有關係交涉，亟須先佔者。有文報日多，應行添綫者。次第修舉，工費浩繁，需銀約五六十萬兩。此項巨欵，即盡括商股餘利息項，亦難支抵。此大修之宜歸官辦者也。中國報費昂貴，甲於全球，遠省一二字之費，幾與各國二十字相等。近據寧夏副都統志銳請核減報費，以利交通。又據赴葡部員周萬鵬稱：葡國公會亦以中國報費太昂為詞。自當酌減，使價目與各國畧同，為入萬國電政會之預備。惟核減電費，以歲入三百萬元計算，若減一二成，即在五六十萬以上，若遞減至四五成，或減至與東西洋相等，為數尤多。此事一行，則商股年息恐不可保，餘利更不待言。此減費之宜歸官辦者也。凡此三事，實為電政今日要圖。……臣等擬恪遵光緒廿八年諭旨，改為官辦，籌股還商，即由部備價收贖，於每股股本外，特予加價，以示國家恤商之意。」疏上報可。

八月，電股收贖完竣，陳璧疏言：「臣部收贖商電股，酌核市價賠之，每百兩電股，給予一七〇元。旋復從衆商之請，加價二元。作為優待費，共計二十二萬元，自頒發收贖章程後，旬月之間，共收回商股二萬一千四百餘股，其未到三五百股，委係外埠及內地僻處，遞寄艱難，擬請寬予限期，照章給價，提存現欵，以便續領，仍給優待費，以示體恤。此後即全歸國有，與商無涉，收贖之欵三百九十六萬，臣部暫由路欵借撥，仍須另行設法歸還，以清眼目。」（五）

戊戌聯話

·夜闌·

光緒廿四年戊戌變法，倡自康有為。而有為之受知清帝光緒，實出常熟翁同龢之汲引。若給事中高燮曾之奏請召見，侍讀學士徐致靖之疏薦擢用，大抵皆出同龢授意。同龢自光緒元年乙亥即授讀毓慶宮，為光緒師保二十餘載，又以戶部尚書協辦大學士為軍機大臣，在總理各國事務衙門行走，權重一時。甲午中日一役，同龢主戰最力，以身居帝師，欲佐少主而張國威，然於中日兩國軍事準備，未嘗深悉，遂為時所譏。然其以忠誠結主知，以和平濟寬富，清德雅望，仍為朝野所重，天下之士，胥奔走其門，亦有為之所亟欲藉重以要君者也。

是年四月二十三日，光緒下詔銳意變法，詔下即同龢所擬。然不四日，又下詔斥同龢攬權狂悖，命開缺回籍。蓋太后那拉氏雖已歸政，而母子不協，親貴大臣之守舊頑固者，復從中搆扇，遂生疑忌，特逐同龢以示警。而光緒殊不以為意，仍召見有為，奏對逾十刻，悉稱旨，命在總理衙門章京上行走。自是有為每上摺議論政事，如建議廢八股，與學校、裁汰衙門、廣開言路等等，多獲施行。光緒並賞授舉人梁啓超六品卿銜，辦理譯書局事務，特授李端棻為禮部尚書，王錫蕃、徐致靖為左右侍郎；楊銳、劉光第、林旭、譚嗣同為軍機章京，參贊新政。維新黨人，一時俱獲大用，遂益為守舊者所側目矣！

清廷變法之詔既下，而全國奉行新政最力者，惟湖南一省。時義寧陳寶箴為湘撫，其子三立輔之，黃遵憲為按察使，徐致靖之子仁鑄為學政，均以力行新政為己任，故湖南風氣大開，為各省冠。然維新變法，終以新舊之爭，母子之爭，滿漢之爭，僅百日而政變作，那拉后再起垂簾聽政，幽光緒於瀛台，殺六君子於菜市，下李端棻、徐致靖於獄，康梁逋逃海外，黨錮大興，凡與維新變法運動有關者，無不牽累，或抄家產，或被遣戍，或革職永不敍用，或懸賞緝拿。

方光緒之倚信有為，決心變法，頗為流俗所驚駭；及政變發生，有好事者為聯以嘲陳寶箴、三立及徐致靖、仁鑄兩父子之被禍，以「徐徐云爾」對「陳陳相因」，用成語嵌姓，極為自然。又以「禮部侍郎，兵部侍郎」，對「徐氏父子，陳氏父子」，蓋陳寶箴為湘撫，例加兵部侍郎銜，故云。此聯舉兩者官銜及血親關係而以十六字括之，亦甚渾成。另一聯則更譏而虐，上句為「不孝男陳三立、徐仁鑄，罪孽深重，不自隕滅，禍延顯考」；下句為「草莽臣康有為、梁啓超，未學新進，罔知忌諱，上冒宸嚴」。一以訃告發端，一用殿試策結尾，頗為工巧。蓋時文人，每喜玩弄文字，以快己意，而於是非之爭，義利之辨，往往置諸不論也。

自由報

THE FREE NEWS

第三七三期

內警台報字第〇三二一號內銷證

中華民國僑務委員會頒發僑報字第二三三號登記證
中華郵政台字第一二八二號執照登記爲第一類新聞紙類
（逢星期三、六出版半週刊）
每份港幣壹角
台灣零售價新台幣壹元
社長：曾壽峯
督印人：黃行審
社址：香港銅鑼灣高士威道廿號四樓
20, CAUSEWAY RD 3RD FL. HONG KONG
TEL. 771726　電報掛號：7191
承印者：大同印務公司
地址：香港北角和富道九十六號
台灣分社
台北市西寧南路壹零壹號二樓
電話：三〇三六
郵撥儲金戶九一二五二

中國問題應由中國人自己來處理

．祁　倫．

這條小蛇，如果一直給牠適當的環境，牠會長成大蛇，並且將長成爲小龍，而且會壯大爲大龍！

中共問題，由於蘇俄的支持毛澤東，由於美國牽制國民政府，於是，小蛇成爲大蛇。

由於百年來次殖民地的一旦獲得解脫，民族觀念和國際誘惑，大蛇長了核子翅膀，牠要學飛龍一樣地翻江倒海以及翻雲覆雨。

如果繼續供給牠適當環境，牠會眞的成爲小龍並將壯大爲巨龍的。

這條核子巨龍，將激怒整個世界，也必定要遭到由幻想、恐懼、而變爲憤怒的最殘酷的集力圍攻！然後，巨龍將在羣起而攻情形下被斬成寸長的碎段（按即另一次列強瓜分中國也）！然後，在極酷烈的羣力壓迫下，舉世震驚的核子巨龍將永遠成爲歷史名詞，並且將獲不到同情，也得不到憐憫！

蘇俄支持新疆反毛新聞早經見報，某國扶助西藏反毛亦爲公開秘密，某國勢力重又回到東北想預佔地盤的可恥勾當也不是新聞，某國以香港爲基地對華南的企圖指染也紙包不住火，某國兩邊援助的用心當爲智者洞悉……此外，大軍的包圍佈署，從蘇俄由歐洲增調大軍及核彈佈署於中國整個北方，到印度的雷達陣地中的高射炮與巡邏飛機，再以南越百萬聯軍藉抵抗北越爲名的屯兵以待……——加上五艘美國核子潛艇、多架英國核彈飛機、以及日本的重整軍備……然後，配合國際輿情的孕育——核子禁試、太空法、太空和平條約、反飛彈協調、以及緩和東西方的冷戰，加强文化經濟以及太空科學的往來與合作——國際集團間陣營的調整——蘇俄將可能藉共黨世界會議排除中共、某國將藉貿易及文化交流而暗送秋波……——、誇大所謂「黃禍」以遂其他極盡威脅利誘挑撥等各項措施，無一不在爲集合羣力以對付業經瘋狂的毛澤東，並廣事宣傳毛澤東就是中國，藉以製造中國問題，擴大中國的問題，誇張中國的問題爲世界和平最大威脅！甚至有意漠視中華民國的存在！漠視中國民族本性！製造中華文化本質含有侵略性質並舉元朝「黃禍」以爲證（成吉斯汗輩是侵佔中華最後爲中華文化以人爲本位，以仁爲中心，以倫理爲基礎等所感化而同化爲中國人，他的南征北伐是在受中華文化洗禮以前的事實呵！）……。

這是一個國際惡毒已極的大陰謀！是太空時代科學世界裏全人類最大可恥的落後的野蠻思想！

毛澤東是中國人，但他不能代表中國！他要文化大革命釁橫地摒除中華文化，道絕對不是中國人民的願望！世人不能硬陷全體中國人與世界爲敵，藉此孤立中國人並打算將中國人從道個地球上毀滅之！這是最可恥的思想！

中國人知道德國曾有希特勒，意大利有莫索里尼，日本有東條等人；但中國人絕未將所有德國人當作希特勒，將所有意大利人當作莫索里尼，將所有日本人當作東條！中國人厭恨別人把中國人都當做毛澤東！

德國人曾經反叛希特勒，日本人曾經反叛東條，意大利人更是殺了莫索里尼！現在，中國人已起來公開反對毛澤東，並將殺死毛澤東！

感激世界人民——包括我中國人民，曾經支援德國人民打敗了希特勒，支援日本人打敗了東條，支援意大利人打敗了莫索里尼！

感激世界人民——包括美國人民和蘇俄人民，中國人民需要全世界人民同樣的支援，用以打敗毛澤東小集團！

但是，中國人民絕不容許任何國家的政府有瓜分中國或是毀滅中國的卑劣行爲！時代不會倒流，歷史決不容許重演！

每一個國家都一各有其國家的問題。每一個國家的問題都是關係着人類的世界問題。

具有世界性的國家問題，需要世界人民共同以謀取支助解決之而非加深及擴大之！更不是越俎代庖以謀私慾地犧牲他人——如此，則問題更形嚴重而更危禍世界！歷史已有證明，毋庸多所費詞。

中國問題應以中國人民獨立意志自主行爲處理之，任何强人之爲皆屬不智！

中國問題，需要世界人民的坦誠的合作與道義的支援，任何另有企圖的陰謀均將不能得逞！

中華民國政府是中國人民自由意志下產生的合法政府，中國政府以及義務的智慧和條件解決中國問題的可靠主人，冷漠，不容他人壓制！

我以中國人民一份子作此陳述：「中國問題應由中國人自己來處理」！

一觸即發

神經病

今日與明日

毛共何以撤退中俄邊界軍民？

據前天莫斯科傳出消息說，毛共將蘇俄與內蒙古邊境的駐軍和居民，一律內撤二百公里。在此中俄邊境三百公里地區內，除幾個戰署據點，除毛共派有少數警備士兵外，已完全成爲「無人地帶」。其中，新疆毗連蘇俄卡薩克共和國地帶，「堅壁清野」作得尤爲徹底。無疑，這不是「空穴生風」，因爲中俄邊境的緊張形勢已不自今日始。如果前述「消息」屬實，則俄毛邊界衝突，似乎已無可避免。所以，毛共才撤退邊界守軍，以留有緩衝餘地。

共軍撤退，或許毛林集團曾經冷靜地思考過，如果只在口頭上「强硬」，必會得到「偉大的勝利」，假設眞的與俄發生軍事衝突，即或與俄軍交鋒的毛共軍隊清一色是林彪的嫡系部隊，沒有一個「反革命修正主義份子」混雜其中，相信，也不是俄軍的對手。因爲「人的因素」搞「土法大煉鋼」則可，如以「人海對火海」的，最後必是一敗塗地，「永世不得翻身」。

毛林集團下令邊界共軍後撤，倒沒有什麼值得驚異之處；可是視老百姓如「凍死幾個不足奇」的「蒼蠅」的毛澤東，居然像是「愛民」似的，連邊界二百公里廣濶地區內的居民也後撤了，這一點倒頗値得注意。

其實，只要回溯一下三個月前的「歷史」，就可使人恍然大悟了。自從毛林集團所掀起的「文化大革命」運動波及邊境地區後，在西北邊界地區曾引起極大的混亂。一九六六年冬，新疆少數民族曾有大批成羣結隊的越境逃入蘇俄。毛林集團鑑於此一事實，他們應該深深知道，一旦與蘇俄在邊界上發生軍事衝突，對毛共殘暴統治久懷不滿的邊界居民，必羣起反毛，使毛共在應付俄軍壓力的同時，還要應付「民變」，這樣，或者會發生想像不到的事件，給毛共增加更多的困難。

歷年邊界居民均有集體越境逃入蘇俄的事件發生，毛林集團爲鞏固西北等邊界地區的「國防」，後撤居民，是防範於未然。

但是，接近蘇俄邊界的毛共多數駐軍是，不特別擁護毛林集團的，絕對可能與後撤居民一樣，因爲，他們在毛林集團眼中，也是不可靠的。

後撤共軍，特別是毛林集團大言炎炎，擺起架子拉得很足，但要眞的幹起來，他是無法與蘇俄對壘的，道才眞正是外强中乾的「紙老虎」。（何如）

自由談

奇怪的宣傳術

馮王先生

俄共頭子柯錫金，最近公開聲明蘇俄支持中國大陸上的反毛份子，這是由「陰謀」化爲「陽謀」的老實話，也是從幕後走向台前的定場詞，明眼人看到這項消息，只有微哂而已。

毛酋澤東揹着「反修正主義」的幌子，唆使「紅衛兵」作亂以打擊走蘇俄修正路線的劉少奇派，而名之曰「奪權」運動，就因爲俄共支持親俄派反對毛酋的領導權。我們基於反共復國和崇尚自由生活的利害關係，認爲毛劉都是中華民國的亂臣賊子，是自由人類的共同敵人，無所軒輊的。然就中國以及整個自由世界的前途設想，如果劉匪少奇這羣親俄派獲勝，他們跟俄共聯成一體，聽受俄帝擺佈驅策，則以中國大陸上的人力物力——尤其是地下蘊藏量甲於全球的石油和鈾鑛——加上蘇俄的國力，對亞非兩洲從事反帝反殖民地的世界革命運動，其形勢之危殆，後果之嚴重，寧堪想像嗎？

假使毛酋奪權運動成功，雖然對中國人民的禍害如故，而且將更趨劇化。但他左手反俄，右手反美，處於孤立無援的危境中，內憂外患駢臻，必然敗亡無疑，光是中國人民的反共力量，就可以隨時收拾他呵！因此之故，我們對於毛、劉二酋的權力鬥爭情形，祇能以看「鬼打架」的觀念來衡量，認爲都不是東西。

可是，最近台灣報紙上却出現兩種奇怪的宣傳之詞：一是指內蒙共幹烏蘭夫之反毛行動爲「義舉」，二是聲稱自由中國政府派在大陸上的敵後工作人員，已與劉少奇有所聯繫。這樣左袒劉酋的說法，實在令人莫名其妙。尤其是後一說，不管有無其事，皆不宜夸張其談。若謂藉此可以加深毛、劉兩派間的鬥爭仇視心理，更係笑話，共產黨徒不是那末低能愚昧的。

總之：毛酋的奪權目的如果能達到，中國人民厭受共禍的時間或許會縮短，因爲他之滅亡是必然的。劉酋如得勢，他仗有俄共的支持應變，其爲害中國將甚於毛酋，憑甚末理由和事實，我們在宣傳上爲劉酋張目呢？誠百思不得其解也！

檢討油商行賄案的起訴審理與判決（四）

—本報記者蕭而科—

就周烈範等在審判庭以疲勞審訊爲抗辯而言：司法機關「訊問被告，應出以懇切之態度，不得用強暴、脅迫、利誘、詐欺及其他不正之方法」，此爲刑事訴訟法第九十八條明文所規定。是故「被告之自白（如周致沈局長的密函及林生傳等油商在調查局之陳述筆錄），非出於強暴、脅迫、利誘、詐欺、違法羈押或其他不正之方法，且與事實相符者，得爲證據」，而不是「應爲證據」，乃爲同法第一五六條第一項所規定。因爲同條第二項規定「被告之自白，不得作爲有罪判決之唯一證據，仍應調查其他必要之證據，以察其是否與事實相符」。何況經台北地院處刑之八位立監委員被告，既未自白爲油公會向有關機關活動或關說，而主管黃豆進口之外貿會主委徐柏園、與主管限制設廠之經濟部工業司司長牛權瑄及主管關稅之財政部杜均衡次長在法院供證：並無立監委員活動關說之事實。亦無八位立監委員因這三件事而出具收款之收據，油公會也沒有爲這三件事而支付給立監委員費用之任何帳冊記載的證據，依同條第三項規定，法院即不得推斷八位立監委爲有罪吧？

被告以刑求抗辯

現在，周烈範、林生傳、唐貢球、雷地、李鯤玉等，在法院審判庭中，對於其在調查局之口供，係出自刑求而提出抗辯，台北地院審判庭「應先於其他事實而調查」。最高法院歷年判例；而行政院會令司法行政部明令各級法院謂：「在刑事案件偵查或審判中，倘發現有刑求逼供及以其他不正方法取供情事者，應即交付偵查，徹底究辦；軍司法機關檢察官推事審判官，如有藏匿之不理或延不移辦者，亦應由各該管長官查明情節，依法懲戒」。但對犯罪嫌疑人或其家屬之陳述，如發現有藉口刑求，圖聳動聽聞卸刑責者，亦應依法究辦，以維法治」。（五十二年八月八日行政院台五十二法字第五二六三號令）法院檢察官推事審判官「對於被告有利不利之情形，均應調查」。「對於司法警察機關之初供，應作深入調查，以察其與事實是否相符。」「被告雖經自白，仍應調查其他必要之證據」。「認定犯罪事實，對於犯罪時間地點，既遂未遂，及犯罪實施之情形，一併明確認定」。「不得以臆測推斷爲論據」。「賄賂情節雖近含糊，而率斷爲證據」。「不得以傳聞或憑空揣測之詞而爲事實之認定。證人之證言，須切忌斷章取義」。這些規定，乃司法行政部以台（五二）令刑（二）字第四五六五號令公布的，各級地方法院所應遵行；否則即屬抗命。

台北地院審判庭對油商公會之林生傳、周烈範等數人的「刑求」抗辯，未經調查，何如知其非眞實？監督指揮台北地院之主管長官司法行政部長也未查明情節，或懲戒置之不理的司法官，或懲戒刑求者，或究辦藉口刑求而圖卸除罪責之林生傳等人，是不是亦有失職之嫌？

刑事判決一方面說「案頭日曆之記載雖不足證明周烈範確曾每次完成其記載之行爲」；一方面又認之「何能指其毫無證據價值」。一方面認公會會議紀錄「其中用語雖近含糊」；一方面又「足資認定」。綜觀此類語句，能說不矛盾嗎？

法院認事用法失當

判決書認徐君佩、姚廷芳、劉景健、陳桂清等，「均爲登錄有案之律師，其受聘爲植物油公會之顧問，固曾提出聘書爲證，然亦不能因其爲律師爲顧問而置另一立法委員身分於不顧」，「更不能藉口其爲律師顧問，而認其所得財物爲正當」云云。然又認定「被告林棟、曹俊既均係植物油公會所聘之法律顧問，且均爲登錄執行業務之律師，其基於律師身分爲他人辦理訴訟或非訟之事務，祇須其與立法委員之職務無涉，即難論以刑責」；「縱如起訴書所云」，被告等曾就前述事項，對有關機關有所陳述，與立法委員之身分無關，所得報酬自難指爲係屬基於立法委員身分所得之不法利益」。

如認爲該判決對林棟、曹俊所持身分觀念爲正確；因爲立法委員執行律師業務乃法所不禁，而立法委員以律師身分領取法律顧問費，係合法行爲；合法行爲不得論以刑責。但該判決認徐君佩等「不能因其爲律師顧問，而置其立法委員身分於不顧」的理論，又何以自解？這種不合邏輯的推理，殊堪詫異。同時，假如立法委員徐君佩等爲戡亂時期貪污治罪條例上的「官吏」，那是最大的錯誤。因爲憲法第七十三條規定「立法委員在院內所爲之言論及表決，對院外不負責任」。行政院長嚴家淦代表行政院在立法院鄭重聲明：立法委員職務上之行爲，對外不負責，法院不得追訴其刑事上或民事上的責任。台北地方法院刑事判決竟認「立法委員（徐君佩等）之職務上行爲，不能諉稱表決權爲集體行使而求免責」云云。顯然違背法理。尤其台北地方法院以判決而代替司法院解釋憲法、法律及命令之權，這不是破壞憲政體制嗎？

一判決書既認「限制黃豆進口及新油廠設立，係屬外貿會及經濟部之權，與法院無涉」，因此，徐君佩有關這兩部份之公訴，「爲無罪之諭知」。那就「應與監察院有涉」？否則，于鎮洲、孫玉琳、郝遇林等人，爲何「爲有罪之諭知」？

傳聞證據前後矛盾

所謂共同被告所爲不利於己之供述，固得採爲其他共同被告犯罪之證據，惟此項不利之供述，依刑事訴訟法第一百五十六條第三項之規定，不得作爲有罪判決之唯一證據，仍應調查其他必要之證據，以察其是否與事實相符。如與事實不相符，不得推斷其罪行。

比如，周烈範、林生傳、唐貢球、李鯤玉、雷地等，均在審判庭上陳明，其在調查局所爲之陳述，「係非自由意志之陳述」或「係調查局王主任要我這樣說的」，或「係迫不得已講的」，或「看別人筆錄說的」，或「係他們打我後才說的」；並於王作昌在調查局的陳述「係在精神恍惚，神志不清而亂說的」，故他們的陳述與自白書，如採作證據，即有問題。

如該被告林生傳、王作昌、唐貢球等，在調查中有所謂託付活動致酬，據他們自始陳稱，並非親自經手，均由周烈範辦理，顯屬出於周烈範之傳述，因而其供有無證據價值，是否可信，仍應以周之供詞爲依歸。而周之陳述，出自非自由意志。周烈範供詞中，給姚廷芳的錢就有：「有收據大約是七萬多，沒有收據的給他五、六萬元（偵卷三一頁）」。「付給姚委員廷芳十萬元左右（自白書）」。「我記得給姚廷芳六、七萬元（顧問費，偵卷七宗二八頁）」。周烈範於五十五年一月八日在調查局陳述，「拜託部份立委向各處活動限制設廠、減低關稅，限制黃豆進口，花用一百多萬元」。同年八月二十六日說：「郭××、劉××、吳××三個，眞正到中信局談話。」而其致沈局長函稱：「其付與之人爲六人，各十五萬元，共九十萬元。又有十二人，各十五萬元，一人十四萬元，共付一百五十四萬元」。金額前後不同，付與對象人數不同，姓名不同，總數不同，如此忽多忽少，變幻莫測之詞，顯係任意濫供而非事實，係毫無證據力。

林生傳捏造之口供

林生傳於五十四年十二月二十日說，給立委車馬費兩萬五萬元；同月二十四日說立委車馬費二十五萬元；五十五年八月二十六日承認律師公費七十萬至一百萬元，並承認徐君佩、封中平律師爲公會法律顧問。但其所稱給付之金額及付與人之姓名及人數，不僅自相矛盾，且與周烈範所供不符。有稱交與某姓某姓共五、六十萬元，有付三十二萬元，交某某等轉交六人，有付與八人者，每人二萬三萬五萬不等，有稱送六人者，五十三年第一次各送十萬元，五十四年第二次各送五萬元，有稱送與某某等四人者，送若干則記不起來，有稱請託十人者。如此前後矛盾之詞，並非眞實，自不得採爲證據。

林生傳於五十五年八月二十七日供稱：四十三年及五十四年兩次送給立監委的報酬，「由公會總幹事周烈範送去的」（七卷二三頁）。同月二十九供：五十四年有一次和周烈範共同到于鎮洲家送五萬元。同年九月七日供：「送監察委員多少錢，都是他（周烈範）一個人送去的，沒有向我報告」。「我送給于鎮洲是五萬元，當時我與周烈範一起去」的。同月十二日供：「我經手拿給林某五萬元」，「就與周烈範到于鎮洲地方去，看周烈範拿一包東西，大約是錢，五萬元樣子」。同月十六日供：「我與周去過二次，錢是周烈範放在衣袋裏，他偷偷交給于鎮洲，他們二人是同鄉，他事先沒有告訴我，他（周烈範）說有送，那一定是送給他的」。

綜觀林生傳在偵查中之陳述，或有或無，或是或否，已極矛盾，乃刑事判決望空捏造該林生傳之「五十四年我有一次和總幹事周烈範共同到于鎮洲家送五萬元給于鎮洲，由周烈範將錢而交于于鎮洲」。「我送給于鎮洲是五萬元，當時我與周烈範一起去，于的家在濟南路，當時周烈範沒有說明，事後告訴我的」。「我與周烈範去過兩次，錢是周烈範放在衣袋裏，他偷偷的交給于鎮洲，他們二人是同鄉……」。「共同被告周烈範於檢察官偵查中供稱：「與林生傳一同去的，送給于鎮洲五萬元，亦是五十三年間，是自大送的」等矛盾不符，悖情背理，毫不足取之詞，視若無睹，反以「情節極爲顯然」，資爲起訴判刑論據，豈得謂平？

況林生傳在偵查之陳述係根據「別人說的」，而周烈範又係根據「林生傳之供述而說的」，經林在審判庭陳明有筆錄可按。

王作昌之筆錄虛妄

王作昌在偵查卷三．四九頁筆錄內稱，送徐君佩等六人每人十萬元，時間在五十三年十月前後，但經查附件二內（油公會）五三年分類賬三一頁現金項下，計至五三年九月十一日止，收入借方共計六十三萬二千一百二十八元八角，與支出之貸方金額相同，並無結餘；此後直到五十三年十二月二十日前，並無收支之記載，顯無六十萬元之欵給付徐君佩六人之事。假使以同賬十三頁交際費項下所謂開放黃豆三筆而言，亦僅四十二萬元，並無六十萬元。何況此四十二萬元付與何人？自與徐等無關。並無證據。

王作昌五十五年八月廿三日供，初供爲限制設廠及黃豆管制進口，送立監委五人各五萬元。後稱又有十萬元，已然矛盾不符。而其所指第一次請託活動，或謂在五十三年八月間，或謂五十三年初，或謂五十二、三年間；所謂第二次請託活動，或說五十四年八月前後，或說五十四年上半年事情。所謂送錢，或說五十二、三年八月前後送十萬元，五十四年間送五萬元，或五十二、三年間送十萬元，五十四年上半年送五萬元，或說「五十三年（四月一日）於水泥六樓請客前後，送給他們每個人十萬元」，「錢是周烈範分別送給他們，時間在五十三年十月前後」，「五十四年公會再給每個人五萬元」。尤屬歧異參差，莫衷一是，故王作昌在審判庭中一再辯稱謂偵查中精神恍惚模糊，所供均非事實云云。衡諸該被告自五十四年十二月，即因盜豆案繫獄，被判無期徒刑，情緒緊張、而調查時，又值病中之事實，自堪認定所辯顯非虛妄。

唐貢球於五十五年八月二十五日被捕後，其二十五、二十六日的口供，初稱：「監委方面，我不大清楚」。嗣又謂祗有一人，但均無于鎮洲在內。自同月二十七日以後，忽然又說：「據我所知，監委方面，有于鎮洲、孫玉琳、郝遇林」，已屬前後不符。唐貢球指水泥大樓宴會爲十二人，于鎮洲也有參加，與王作昌所謂十一人，及徐柏園說「于鎮洲、曹俊是否在場，我記憶模糊了，不敢負責」之證詞亦復不同。唐貢球去年八月二十七日說：「聽說五十三年各送十萬元，五十四年確實爲送五萬元」。同月三十日供稱：「數字記不得，公會有賬」。同年九月十二日初供：「向誰關說，我未參加」。續供：「我與林生傳等到經濟部找牛司長要求時，立監委已接頭過」。而牛權瑄則一再否認有人關說。同日說請徐柏園吃飯，「並無提起這件事」。但同月十四日則供：「我記憶中，徐君佩說起黃豆政策請多支持」。然而徐柏園證供：「聚餐是普通應酬，沒有談到業務」。由此具見唐貢球之不利於徐君佩等共同被告的陳述，亦出虛構，毫無事實根據，不足採取。

結語

總之，這次台北地方法院檢察官的起訴書及刑事判決，確有許多不能使人信服之點，就法而言法，若對被告爲有罪之判決，必須要有無法動搖之鐵證，且須合乎經驗法則之事理。由於起訴書判決書本身矛盾百出，不合邏輯，所以稍爲進一步分析，就露出破綻了。

我們檢討分析油商行賄案的判決，其動機係在維護法治精神，希望我國的憲政體制走上常軌，沒有絲毫對人的觀念存在。何況本案將成爲世界憲政史上重要的一頁，我們不能不加以重視的。

（完）

瀛海異聞談

洋人迷信既多樣亦可笑

·桑雅·

　　許多人都這麼說，英國拳王亨利．古栢每次出賽時，手套內必有一隻馬蹄的——這是出術嗎？非也，而是他本人迷信。他認爲馬蹄可以帶給他好運。

　　這方面，他當然否認。且事實上，任何人都不會公開表示自己是迷信的。不過，有一點更是事實，——出賽前夕，他永不讓別人潔淨拳套，而且，走上台之前，左腳的皮靴上必要掛上一枚聖安東尼小徽章。

是真的帶來好運嗎？也許不是眞的。但如果他本人深信不疑，那便相等于是眞的了。是不？

　　根據若干著名的心理學家指出，我們雖然處于科學日新月異的時代，但迷信心理的根深蒂固，比中世紀時，有過之而無不及。這不是信口開河，而是有事實根據的。

　　例如，英倫的大牌足球明星卜洛特，在球場上威風凜凜，踢球往往有如神助，令球迷看得目瞪口呆，但在他的心裏，却有一種不可告人的恐懼。

　　他本人也承認，在踢球那天，他決不會戴球會的領呔的，他認爲這必帶來惡運。

　　他的綽號是「足球界的赫魯曉夫」，這即是說，不但蠻橫，還常常敢胆當來大發牌氣，視台上觀衆如無物。有一次，他竟然在球場上他是一個流氓兒，殊不知，他是相當迷信的。出賽時，他諸多禁忌，有些簡直使人發笑。

　　二年前，著名的女社會學家瑪麗．杜拉頓發起進行調查各階層人士的迷信心理，成績非常美滿，但涉及國會議員時，她便被迫停止了工作。

　　本來，外交家的詞令，是十分伶俐的，但這次，斷然拒絕瑪麗的訪問。他們心知肚明，私人的恐懼心理與習慣性的避諱若被宣揚出去，是會貽笑大方的。

　　不過，瑪麗出盡九牛二虎之力，發現了一個事實——大部份的內閣大臣對于煲熟的豬牛肝，是不大恭維的。爲什麼呢？這也是很難解釋的。這似乎像「魷魚」，炒了的時候，便象徵被解僱。

　　一個專欄作家便這麼寫過：「別以爲受過教育的人士便不會迷信，這種想法是謬誤的。當然噢，農夫有農夫的信迷；同樣，大學教授也有大學教授的迷信，只是他們不承認或根本不知道自己是迷信。」

　　「迷信與科學」是年來最暢銷書之一，其中一章對于此類心理，分析得十分精闢——「有人以爲科學可以使迷信的人的茅塞頓開，這無異是痴人說夢。殊不知，在若干人士的心中，科學根本便是迷信的一種。」

　　「一個人爲什麼要迷信呢？這是一個有趣的問題，但解答並不困難。因爲，天下事不少是被列入神秘的範圍，越解釋便越糾纏不清楚。而且，偶然率與不可知率在宇宙間仍有一個地位的，唯其如此，人類才會有宗教。」

　　「而宗教本身，是迷信的一種。」

　　「可以說，迷信是人類文化的一條支柱。唯其如此，人們的精神可以依賴一些東西而生存。」

　　下面便是多幾個名人迷信的實例——

　　英國著名舞台歌手法蘭奇．華漢，上台與觀衆見面之時，例不與鋼琴師握手的。他覺得，如果一握手，那晚的歌喉便會走樣。

　　歌星法蘭伊菲爾亦然。他灌唱片時，在錄音室內，他從不穿鞋。爲什麼呢？

　　他說：「我要紀念以往的日子，當年在澳洲的下流酒吧演唱，太窮了，赤足賣唱，但因此才被發現。現在撈起來了，我不能把它忘記的。也許，赤足才會帶來我們的幸運吧。」

　　指揮家巴比羅里爵士公開表演那天早上，他十分留意床上究竟有沒有自己的帽子；然後，穿襪是，左腳先穿。這是日常習慣的一種，但他強調這樣才會給他靈感與信心。

　　最普通的洋迷信的是——十三號星期五，打碎鏡子，或碰見黑貓，或在木梯下走過等等。事實上，迷信並不是如此簡單的。經驗告訴我們，迷信心理是相當複雜，神秘莫測的。

　　迷信也有美好的一面。例如，英國一位著名的外科醫生，與病人施手術時，每每喜歡插一束玫瑰花于手術室內。爲什麼呢？

　　他說：「對于我自己，玫瑰帶給我輕鬆的心情，治療病人最忌緊張。對於病人，這象徵一種希望。至於對於女護士，那個女孩子不喜歡花朵呢？她們的工作自然愉快得多了。」

颶風貝絲威風八面

若翰

　　好幾天以來，氣象台的人員，都嚴密地注視貝絲的芳蹤。這個風姐是在大西洋那邊，尖叫呼嘯的吹襲，途經巴哈馬斯，折回而停，瞬即轉襲佛羅里達州的美亞美海灘。

　　好容易到了九月十日那天，貝絲風姐眞的雖成狂襲，風力範圍六百哩，最高時速達一百四十哩，漸漸向着這個充滿羅曼蒂克氣氛的城市紐奧連斯襲來。

　　市裏一家酒店，嘉賓雲集地正高歌「當諸聖操進的時候」，突然地，一聲巨响，整座大厦的屋頂，給掀去了，許多沙石紛紛落下，那些惶恐的生還者尖叫地喚着：「你們跪下祈禱吧！」

　　教堂裏的大鐘，給風吹着瘋狂的响起來。住戶的窗子也給烈風吹毀。街道上，雜物凌空飛舞。許多住宅的屋頂，被吹揭了。近河岸的樓宇，數以千計的住客，紛紛覓地他遷，逃避湧來的河水。不少鱷魚亦隨高漲的河水湧到岸上，在泛濫的街道上游着。此外，不少水蛇，也從河裏湧上岸來。狗隻漫無目的地跑來跑去，不少餓得很的，連鹹水也喝個飽，或向逃命的市民襲擊。

　　整個城市，出現一幅活現的逃亡圖。人們的驚惶，好像意味到貝絲風姐正把這個城市毀滅似的。陸軍工程部報告說，一艘載着六百噸的氯液的不翼而食。如果這批氯液失去的話，那末數以千萬計人們的生命受到氯的毒氣威脅。

　　連接紐奧連斯的河流，四十哩內禁止貨運，陸軍部派出一十一萬六千軍隊，海軍及海岸守衞人員戴上防毒面罩，乘船找尋。這項搜索工作，經過五天的緊張，才能找到，幸而完整無缺，否則不堪設想。（中）

亞洲的糧食危機

晉陵譯

　　這種白米輸出量繼續銳減的現象，部份原因是政治方面的因素。在緬甸，反對派的分子，被放逐到農村地區去。另一部份的原因，是爲了在這些被放逐的分子說服下，緬甸的農民，似乎對於仰光政府用高價收買他們的穀米的信心，已經宣告喪失。緬甸所產的穀米，主要的供應對象是錫蘭。依照一九六六年的雙方契約而論，緬甸應該於去年十一月及十二月供應錫蘭白米七萬四千噸。然而，由於緬甸爽約的緣故，因此錫蘭當局宣布全國陷於緊急狀態中，同時採取激烈的步驟將全國人民的粮食配給額減半。錫蘭首都可倫坡的若干觀察家表示：這項步驟，意味着政府當局正簽署一份自己的「死亡證書」。

　　錫蘭已經派遣自己的粮食部長前往亞洲各地搜購白米，然而他發現其它國家代表正在穀米的市場內「排除輪購」。現在，雖然中共已經答允用二十萬噸米和錫蘭交換樹膠，可是，錫蘭在一九六七年內仍然缺之二十萬噸白米。

　　令亞洲地區發生米荒的最大因素，就是越南戰事。印度支那曾經有一個時期是這個世界上的白米主要出口區。第二次世界大戰爆發前，法國人從越南人手中將過剩的穀米運返法國本土飼餵家畜。現在，由於戰事在南越進行的緣故，因此，炮火令農民紛紛離鄉別井。就另一方面而論，戰爭令農村與城市之間的交通中斷，有時讓稻田落在越共游擊隊的手中。在這樣的情況下，經濟情况：差不多完全倒轉過來，因此，南越成爲一個需要輸入大量白米的國家。

　　進一步來說，印尼已經恢復向穀米市場大量搜購食米的活動，因爲耶加達的新政府已經廢除總統蘇加諾過去那項禁止輸入白米的政策。許多其它國家同樣地輸入更多的穀米。爲什麼呢？爲的是這些國家人口較過去的更形增加了，而且人民的生活標準正不斷地提高。由於入息增加及教育制度改善的緣故，因此，這些國家的人民，不再像過去那樣以植物根，或者粗糙的大麥，燕麥，裸麥，玉蜀黍，及粟米等作爲主要粮食，而有能力購買白米或者小麥等上級的粮食。

　　這些國家人民選擇白米，還是小麥，可能要視乎當地的傳統習慣而作最後決定。不過，就他們的政府而論，却不能不正視如下的一項事實——小麥的價錢較白米廉宜。而且在過去多年的過程中，他們的政府從外國所獲致的粮食援助，主要的就是小麥。不過，正如白米所面臨的求過於供的現象，小麥的過剩現象已宣告消失了。

　　預料一九六六——六七年度的世界小麥總產量將屬破紀錄性的——可能到達二億六千萬噸的程度，較上一季的高出二千三百萬噸。不過值得注意的事實是：在八個主要小麥生產國家內，每一季儲存下來的小麥數量，正降至三千一百萬噸的程度。小麥過剩現象自五〇年初期便出現。可是時至今日，爲什麼這種現象宣告消失呢？主要的原因，是爲了在過去數年的中，小麥的交易數量甚爲大宗的緣故。在一九六五——六六年度中，世界小麥貿易額增至六千二百萬噸的新紀錄，較對上一年多了一千二百萬噸，主要原因是爲了蘇俄恢復大量入口小麥的政策，同時運往其他地區（特別是印度）的小麥宣告增加。至於中共，亦購入六百萬噸以上的小麥。因此小麥的過剩現象不復存在。在這樣的陰影下，亞洲的粮食危機特別令人關懷。（下）

新三國

　　三國時代，曹氏父子乃文學之家，曹丕幼好文學，著作百篇，全書失傳，只散見於太平御覽中數十條而已。曹丕又使王象、繆卜等撰『皇覽』，爲後世勅撰巨籍之先河。（按皇覽實開類書之端，仿呂氏春秋之例也。）陳壽評爲「天資文藻，下筆成章，博聞强識，才藝兼賅」。也很公允。就是一個『篡』字，吃虧不淺。

七二、諸葛亮興師伐曹魏　馬幼常違令失街亭

　　曹丕死後，兒子曹叡繼位，是爲明帝。孫權以魏國新喪，乘機大舉伐魏。孫權就於同年八月間，分二路北伐，一路是孫權自己率領五萬人，圍攻武昌，守將是劉表故將後來降曹的文聘；一路由諸葛瑾攻襄陽。孫權碰到文聘，攻了二十多天沒有攻破，孫權在撤退中，被文聘追擊，畧有傷亡。諸葛瑾攻襄陽，守將乃是司馬懿，不但沒有攻破，反被司馬懿打敗。此二地都是魏之重鎭，故派名將把守，孫權沒有一點得手，祇好罷兵。

　　蜀漢建興五年，魏明帝太和元年，諸葛亮以魏國新喪，大舉伐魏，以十萬大軍進駐漢中，臨發前曾上了一道表章，後世稱『前出師表』。進漢中後並未即時進攻，分兵紮於沔陽。

　　曹魏明帝想以攻爲守，打算翻過秦嶺去打蜀漢。有一位散騎常侍，（等於今之國策顧問）名叫孫資，向曹叡建議，千萬別採攻勢，以免踏曹操失敗之覆轍。孫資說：以武帝（操）那麼善於用兵，在陽平關吃了大虧，費了很大力氣才把夏侯淵的殘部收拾回來。孫資不敢明言說夏侯淵就是進攻被殺的。魏明帝也很聰明，採納了孫資的意見，改取守勢。

　　於是將這件重任交給了夏侯楙，因爲夏侯楙是曹操的女婿，與明帝是姻兄弟，所以將此重任交給他担任。可是這位青年將領，只是靠了裙帶關係，並無將才而且胆量很小。夏侯楙駐在長安，都督關中軍事。

　　魏國軍情，魏延很淸楚，他向諸葛亮請兵一萬人，以五千人作戰，五千人運粮，由漢中向東方順着漢水走，越子午谷，直襲長安。諸葛亮以爲此計太過於冒險，沒有採納。

　　諸葛亮在漢中駐了一年，沒有開始進攻。到建興六年，諸葛亮佯言由斜谷進兵，實際上他派了趙雲、鄧芝二將，領了一支小部隊出斜谷的一條路，而且到了斜谷不遠便停止前進，駐兵箕谷。孔明則親自帶了主力部隊出祁山，進駐甘肅之南。祁山在今之甘肅省西和縣附近，演義上有「六出祁山」之說，實際上沒有「六出」，祁山的。

　　蜀漢的兵到了祁山，勢如破竹，天水一帶的漢陽郡、隴西郡、安定郡，都紛紛响應。這三郡的人民，起而自動驅逐了魏國的官吏，歡迎蜀漢的軍隊前來接收。

　　魏明帝發現夏侯楙胆小，又加派了大將軍曹眞帶兵到陝西郿縣，郿縣的正對面即是斜谷北口，曹眞在此駐了很久，未見蜀漢兵動靜。

（一〇八）

有一次我受邀到鄰近一間學校作畢業典禮演說，朋友對我說：「那還不容易嘛，你就告訴他們成功之道吧！」當時本是開玩笑，却深深銘記于心，稍後常常想到這個問題，後來知以爲確有此捷徑，而且凡人都能辦到。

在美國工業競爭，人材濟濟，年復一年服務人員進修知識，電影應徵及運用各種訓練來適應羣衆，他們結果怎樣？學識、智力、工作能力、專門技術，這些當然都很重要，篳路藍縷，不能一步登天的。人要登峯造極，先要有決心，再加上一種附着力，只用一分力量便可獲得兩倍三倍效果。形容這一處術般特性，只用一個字便可，那便是「誠」。

這個字的原意是整體。在數學上整數是一個數字尚未化爲分數。由此一個誠實的人是不會違逆本性，不口是心非，不說謊話，不言行不一，所以不會與本身立場衝突，那就沒有內部矛盾，它能給予吾人活力與思考，精力旺盛。

成功之道

·雷也同譯·

誠實就是自身美德的表現。若干年以前，一位偉大作家因投資失敗而破產，他決心要償還所有債務，三年之間，他孜孜不倦地工作。某報發起籌募捐款來幫助他，紳士富賈紛紛解囊，這是一項極大誘惑，領受將表示沉重負担的完結；但是馬克吐溫拒絕接受，將捐欵退還給他們。七個月後，他的新書出版，風行一時，如數償還最後欠欵。

誠實具有高度意識榮譽。你雖不是名人，但有自尊心。有一次偉大的韋萊特對美國工程師學會說道：「榮譽的意思是什麼呢？譬如一塊磚因何而出名？爲何成聞名之磚？那必是磚瓦中之精品，是嗎？一塊木板爲何而受珍貴？必爲好材料，是嗎？個人爲何而光榮？其必爲誠實之人。」這就是韋萊特本身寫照。人以自身爲楷模，就是忠于自己。

誠實係遵從良知支配。當馬丁路德被宣判死罪時，對着敵人說道：「違背良心行爲定必不安和內疚。吾乃依公理而行。今立于此，天佑我靈，不作他想。」

誠實具有堅定信心的勇氣，自認爲是的，毅然獨斷獨行，向黑暗反擊。某大醫院手術房一年輕護士首日輪值，他對外科醫師說：「你已移動十一塊棉花了，再用十二塊吧！」他答：「我要把所有移去，立刻把傷口合攏。」「不！」她反對說：「再用十二塊棉花吧。」

（上）

風水與姻緣

·胡實·

南京東北郊的紫金山，以龍蟠虎踞之勢，控制全城。歷代爭奪南京之戰，都以紫金山的得失而定成敗。爲紫金山，南京即爲囊中物；失紫金山，南京即如甕中鼈。所以，研究兵要地理的人，無不重視紫金山爲一天然要塞。另一方面，由於紫金山的地質，含有紫色頁岩層，陽光照映，反射紫金色彩，蔚爲奇景。這種自然現象，引起了佛家的遐想。六朝以來，山門寶殿紛立，林中禪舍雜列，悠揚梵唄之聲，丈六金身之像，又將紫金山變爲佛門仙境。

其後，復因驅逐胡元，恢復中華的明太祖朱元璋，擇此築寢，又引起五百年來堪天輿地的風水先生，爭相重視紫金山龍脈奇秀，不乏牛眠佳地。於是推翻專制，創立民國的國父孫中山靈櫬，奉安於此；一度代理國府主席，並任五院制首任行政院長的譚延闓（組安），也國葬於此。紫金山有了兩位開國偉人，和一位歷史名人的長年安息，更成爲陵園勝地。

依紫金山本位言，孝陵（明太祖）在右，孫陵在中，譚墓在左。孫陵地勢較高，孝陵次之，譚墓幾近山麓。傳說陵墓所在，都有一個風水先生口中的專門名。孝陵爲「獨龍戲珠」，孫陵爲「鳳凰來儀」，譚墓爲「虎嘯風生」。究竟這種專門名詞是否與地形相符，我對堪輿學祗懂皮毛，不敢妄加評論。記得有位精通堪輿的湖北蕭萱（孤秋）先生，卅餘年前，曾與我泛論紫金山陵墓氣勢，語頗精闢。孤秋時任國府監察院委員，曾主勘溪口蔣母王太夫人墓地，爲國內業餘著名堪輿家。孤秋指出孝陵形似蠶台，孤立於表裏烟霞的山色中，已呈「暮」氣；孫陵形似木鐸，雄峙於山之中央，居高臨遠，固可放眼遼闊地帶；可惜暴露過分，略帶「殺」氣。譚墓形似古堡，隱約於雲物間，[illegible]「旺」氣。後來有人聽到這種說法，試圖改風水。在孫陵譚墓間的靈谷寺，建一國民革命軍陣亡將士紀念塔。想用亡羊補牢之策，盡調和氣勢之效。孤秋又向我指出，這個莊嚴燦爛的寶塔，不僅無損譚墓風水，益增譚墓光輝。

祇是譚家下代，將發女不發男。因爲譚墓右手戴上一個鑽戒，顯然必出貴婦。我知譚墓係由孤秋負責主勘，所言不免帶點自我宣傳意味，祇好姑妄聽之而已。

誰知孤秋的「分金」之言傳出，又發生了一段婚姻趣劇。原來組安逝後，僅餘千金譚祥小姐一人。三年服滿，熊天翼、胡宗南和陳辭修諸位，風聞譚祥乃貴婦格局，均表愛慕之忱，相率請求蔣夫人宋美齡女士，作伐玉成。

蔣夫人宋美齡女士，是一位新式媒婆，頗具民主風度，對三人未置一詞品評，僅將相片及家世經歷，統交譚祥自行抉擇。結果譚祥却選中了陳辭修。其中主要原因，是由於陳辭修先祖，中過明末會元，乃會元公的子孫。譚祥自己則爲清末會元公的千金。（組安未點翰林前，是清代光緒甲辰科會元。）在中國舊式婚姻的傳統習慣上，不談什麼優生學，祇知以會元公的子孫，配會元公的千金，始稱門當戶對，珠聯璧合。

陳辭修自娶譚祥，眞是青雲直上，飛黃騰達。到了政府播遷入台，既由出將而入相，又當選副總統，榮任國家元輔。譚祥亦坐上國家第二夫人交椅，果然成爲貴婦。孤秋在卅年前所作預言，不期一一實現。風水之說，似乎也有其科學根據。現在陳辭修先生已歸道山，譚祥女士則已赴美伴隨兒女，回首當年參觀陳譚聯婚往事，眞不勝滄桑之感！

馬連良暴卒大陸

諸葛文侯

平劇名伶馬連良，最近在毛共區域據告暴卒了！自「紅衞兵」之亂作後，馬氏即被指爲「毒草」，可見他決非善終的。一代藝人生息共黨暴政之下，雖願作一安份守己的順民亦不可得，可哀也已。

當民國卅八年毛共竊據大陸之初，馬伶與俞振飛，張君秋、楊寶忠等皆逃避香港，不時獻藝於舞台歌榭間，藉維生計。然香港市民大多數對皮黃劇不感興趣，而劇場租金奇昂，捐稅亦重，每次演出時，全靠事前推銷「紅票」——即人情票（票面最高售價港幣十五元，實際收三五十元不等）方能稍獲盈餘，否則沒有不虧本的。維時馬、俞、張諸伶工，幸得避難海隅之上海聞人杜月笙氏予以贍飲護持，生活勉強可過，馬連良尤受杜氏特別照顧，不虞飢寒。杜氏於民國四十年春間下世後，楊寶忠、張君秋率先接受毛共的誘惑，馳回大陸，繼而俞振飛亦踏上了賊船，唯馬伶仍逡巡不前，且表示願到台灣去。

馬氏之不敢遽返大陸，亦有其隱衷，他於對日抗戰時期，和李萬春在淪陷區媚敵僞政權，奏藝如故，不似梅蘭芳之堅決停演，迨抗戰勝利復員，馬、李乃被列名漢奸中，曾受審訊，前車可鑑，唯恐重蹈覆轍，因而[illegible]。馬氏自杜逝後，深感前路茫茫，親向「香港時報」陳情，擬赴台灣干役，該報社主持人亦樂予贊助，據情勢之先，但念及舊時名伶多染不良嗜好，具有鴉片烟癖，台灣烟禁綦嚴，馬氏入台如因犯禁而罹法網，不如事前說明，讓他到達台省後慢慢戒除烟癖爲是。而得台灣某顯要復信，聲言政府不能爲着一個賣藝人而開放烟禁，官腔凛然大發，馬氏聞之心怦，時報主持人也就不敢替他保險了。馬氏既無力在海外營生，台灣又不能投止，經不住毛共的甘言誘惑，和無可奈何的心情，祇有遄返大陸之一途。這段經過內幕，當時我在「時報」工作，得悉其詳，特爲表述於此。

馬連良的戲劇藝術造詣，社會上早有定評，毋待贅述，假使當年他和俞振飛張君秋等優蹇香港的時候，台灣方面能如今日歡迎那些三流的電影演員——特別是所謂女明星——一樣，將他們接到寶島去，加以照料，讓其重理舊業，兼司教導後進藝人的職責，那末，台灣平劇界的人才，固不致於像現在這樣寥落，即在政治作用上，也頗有關係吧？

馬氏在生時，每向人津津樂道一項平劇演藝的故事，據說：某年他和楊小樓在上海奏藝時，滬濱友輩建議他倆合演「要離刺慶忌」這齣舊劇，教小樓去黑頭，但小樓從未演過此戲，要馬氏先將劇本送他看看，馬如命，而楊氏昕夕應酬極忙碌，臨到登台演出先夜十二時以後，纔將劇本拿出，躺在烟燈旁匆匆閱覽一遍，稍加琢磨，次夕上場串演之際，不但詞句對答如流，身段與表情莫不穩練恰當，毫無生硬粗疏之處。馬氏視爲生平最感榮幸之事，亦可見名伶對於每一劇情的細心體會，揣摩入微，一決不苟且也。

民國四十年秋間，我在香港「利舞台」看馬氏飾演「三娘教子」的老薛保，演三娘的好像是女票友焦鴻英。老薛保瞧着三娘斷機時的一段唱腔，悽惋低徊，不同凡響，令人聞之不覺盪氣迴腸，不能自已。自是即未再見馬氏現身紅氍上矣。俞振飛早傳死訊，馬連良又以暴卒聞，舊日平劇名伶多已凋謝，只有信芳（麒麟童）碩果僅存，亦被謚爲「反動黑幫」，嚴加整肅，皮黃劇藝薪傳無人，勢將由式微而趨於湮沒，可歎可歎！

清代電信建設紀實

·羅雲家·

嗣又上疏，謂：「電政爲交通樞機，圖擴充方期發達。今既收歸國有，應將減費、展線、修綫諸事，次第整頓。而減價爲中外衆目所瞩，非實行籌辦，尤不足以饜人望而廣招徠。擬自光緒三十年正月始，酌減電費二成。以所收商報三百萬元之額計之，即少收約六十萬元，不敷在廿萬元以上。減費之後，報費必增，可供挹注。而一時添綫、修綫，並擴充電話，擬逐漸推廣工程之，預算短額，擬暫由部各路剩餘利潤項下，每年分撥二十萬元，以三年爲限。自第四年起，至第六年止，每年勻還二十萬元，一律還清。一轉移間，路政均歸有着，電政亦可漸興，不煩續借他欵，實收財政統籌之益。」報可。自時厥後，事權統一，呼應靈通。每歲展拓電綫三四千里以爲常，而取值之廉，迴異曩昔。此則非商辦之所及也。

七、設線中若干細節之追述

中國幅員遼濶，文報稽遲，[illegible]遲滯，坐誤機宜，而釀成鉅患。歷朝變亂之起，大率以此。自有電報，舉向來音訊隔絕之弊，一掃而空。[illegible]之倡亂，雲南猛喇游匪魏名高之滋事，均因電報之告警，與軍事部署之迅速，得以立即剿平。而外則朝鮮之二次內訌，越南事變之先事防禦，亦唯電報是賴。此其明效大驗處也。然當創辦之初，鄉僻宥於見聞，外人多所阻撓，艱難曲折，乃克成功。設綫之處，若係邊疆瘴癘，寒外荒涼之地，措手之艱難，什佰於內地。以故在事人員，得邀叙獎，而近省不得援例以請者，此也。

至於意外之損害，其事尤夥：貴州畢節鄉民之折綫；山西霍山鄉民之毀桿；湘省澧州人民誤以電綫爲外人所設，集衆毀棄；陝之靈武、乾州、醴泉、邠州、永壽，甘之涇州，平涼等處，人民謂旱疫爲電綫所致，折毀殆盡。俱由地方官出資修復。其各首犯有論重刑者。廿六年拳匪之變，京師至保定電綫，先爲所毀，京津、京德繼之，山西、河南又繼之。馴至晉、豫、直隸、山東四省境內，蕩然無一綫之遺存。南北隔閡，中外阻塞，消息不通者數月。而外兵盤踞京津，初設行軍電綫，嗣擬設大沽至上海水綫，以大東、大北兩公司主其事。宣懷密行作價，購其機器物料，屬於中國商局，其陰謀竟不得逞。宣懷尋請修復已毀各綫：其經戰事損毀者，商局任之。晉、豫未有戰事，地方官保護不力，甚至指使拆毀者，援畢節霍山之例，分別賠修。報可。（六）

丁未新春書感

蔡俊光

到眼芳菲不欲觀，故園猶報怯春寒。羊羝用壯惟多觸，鷄牝司晨更可歎！負手行吟殊落落，容身言隱且安安。廿年海角魚蝦侶，贏得生涯一字寬。

國破並示德明華僑香江三院諸生

國破家亡賸此身，何當俯仰又因人。孤飛目與雲中鶴，自處心存世外民。陋巷尚尋顏子樂，講壇遙逐遠公塵。知音若在調鐘後，且掩柴扉抱道眞。

千名寄王大

千名幸勿以詩篇，一字吟成慮損年。興至且隨謫仙去，時來不絕買臣傳。凡花競赴三春約，野鶴唯耽一樹眠。重語王郎休著意，明翻數盞亦陶然。

自由報

內備警台報字第〇三一號內銷證

THE FREE NEWS

第四七三期

中華民國僑務委員會登記
台教新字第三二三號登記證
中華郵政台字第一二八二號執照
登記爲第一類新聞紙類
（半週刊每星期三、六出版）
每份港幣壹角
台灣零售每份新台幣貳元
社長：雷嘯岑
督印人：黃行審
社址：香港銅鑼灣高士威道二十號四樓
20, CAUSEWAY RD 3RD FL. HONG KONG
TEL. 771726　電報掛號：7191
承印者：大同印務公司
地址：香港北角和富道九六號
台灣分社
台北市西寧南路壹壹零號二樓
電話：三〇三四六
台郵撥儲金戶九二五二

美國何其不智

彭樹楷

越戰不求勝，圍堵而不孤立，關閉海外基地，凍結核子飛機及核子航艦的發展，停止高超音速戰略轟炸機的研究，減少太空經費，核子禁試，太空和平條約，漠視中國大陸人民爭取自由的願望，前門拒虎後門迎狼的對蘇俄和對付毛共政策……

這些，無一不說明美國的不智！

這些，雖是美國對內及對外的所謂國家政策，但因其無一不影響世界、亞洲、以及中國。因此，乃有論評必要。由於篇幅，僅能作綱領式析述。

越戰不求勝

人間沒有不求勝的戰爭，戰史也沒有不求勝的先例，美國給北越劃定了庇護所，並在每次新行動前公告世界，而且一再申明放棄使用戰術核子武器，甘願在自設的限制下任由美國青年被玩弄於魔掌使犧牲的人數超過美國歷次戰役，似乎樂意於讓自己在原始地區陷入「人對人」的消耗戰之泥淖中……

美國人和世界公民都在問：詹森這樣作法爲的是啥？

圍堵而不孤立

華沙美毛會議，是所有自由世界與毛共外交會談爲時最長、次數最多者——持續十七年，會談一三〇次！

主動地低聲下氣要求交換記者，科學技術資料與人員訪問，商業貿易，「國民」外交，邀請對方科學家參加會議，容許毛共淩辱毒罵，默許自由世界形同援助的貿易優惠及戰略物資供應毛共，兩個中國政策（見於廿一屆聯大表現）……

中國人和世界都在問：詹森這些作法爲的是啥？

關閉海外基地

削減美國駐歐五師兵力及關閉甚多海外基地，爲的是節省那些應該是「必須」的開支去填塞越戰那無底洞，將使友邦及敵人解釋爲美國放棄柏林或爲退出北約組織和其它許多「雙邊」、「多邊」協定的前奏之表示，因而喪失了友邦，增強了敵人，而又無補於越局及世界大局……

美國的友邦和敵人都在問：詹森這樣作法爲的是啥？

凍結核子機艦

一九四八至五〇年間，那些屬於杜魯門的智囊人士，拒絕了一些科學家、作家及僞知識份子不斷企圖阻止美國發展氫彈，並搞出沒有視察的核子禁試；如今，詹森却同意凍結核子動力飛機及航艦的研究發展，而無視於一九六四年那次蘇俄核子飛機的躲避了美國雷達網而飛越美國內陸的嚴重危險！

有誰知道詹森的眞正目的在那裏呢？

停止高超音速飛機

三倍音速戰鬥偵察機F—111的發展，是空軍在節省經費自行發展並經甘迺迪默認的最快速飛機，但是三倍音速戰略轟炸機及四至八倍音速戰鬥飛機的構思却隨甘氏去世而停止了！

這，爲的是什麼呢？

削減太空經費

落後原計劃進度三至四年的「阿波羅」三人太空船，在短缺經費中的急就章，遭至三位太空人的集體喪生；眼看蘇俄月球列車將提前於一九六八年間登陸月球，自願地公開聲明美國無意與蘇俄從事月球競賽，這種置國家榮譽與自由世界集體利益於不顧的作法，爲的是什麼呢？

核子禁試

既在十年前就延誤了新飛機的發展，又在十年後上了核子禁試的大當；眼見既無適當的新飛機承担新任務，又只能以低於蘇俄技術（主要爲飛彈之導引與反飛彈）的核武器應戰，此一危機有何巧法克服呢？那些不惜以任何代價使美國終止核武器發展者的企圖何在？

太空和平條約

太空是籠罩在美國每一平方哩的一種自然環境，從太空而來的偵察，通信中繼，電子反制及反反制，使這個新的危險與威脅，由於蘇俄後來居上的眾多太空偵察，通信，電子反制及反反制技術，美國此時同意與蘇俄來「和平」使用太空，目的何在？

漠視中國拒虎迎狼

漠視七億中國人反毛反共爭自由的行爲，顯示美國眞正智者已不被弄權者重視矣！

與蘇俄協同對付毛共，可謂前門拒虎後門迎狼，乃美國史上空前未有的最大不智，將陷美國於徹底敗亡矣！

分家

這一脚受不了！

今日與明日

毛林集團準備「收」了

毛林集團一意孤行掀起的所謂「文化革命」，雖然他們綳着面孔仍在掙扎着大聲疾呼：「要把文化大革命進行到底」，然在實際上，他們已陷於四面楚歌中，欲進不可欲退不能，放不下也收不了。

目前，在中國大陸上，有三種情況頗值得注意。其一、毛林集團的態度由「硬」變「軟」，並正在摸索「收」的道路。其二、大陸各地反毛「當權派」本來本身勢力就不弱，再加上共軍「介入」反毛，簡直越鬧越火熾，把毛林集團搞得六神無主，惶惶不可終日。其三、處於「中間派」的周恩來，口裏說「革命造反」，然在實際上却是「反造反」。

毛林集團掀起所謂「文化大革命」，打亂黨政等所有機構，繼而出動「紅衛兵」，再由「造反」而「奪權」。他們的「雄心」可眞不小，「遺憾」的是所謂「形勢比人强」，越搞越糟，越來越亂。毛林集團眼看大勢不好，所以，才亟想收蓬。

根據一月廿八日，毛共中央「軍事委員會」對共軍下達的八項命令，和二月廿一日毛共中央對前述命令所作的補充指示，充份顯示出，毛林集團所號召的「大聯合」已完全失敗，所以，「奪權鬥爭」也就不可能順利進行。

毛共中央最近所强調的所謂「幹部政策」，對「犯錯誤」的幹部，不但不再主張趕盡殺絕，更進一步號召他們參加工作。毛妻江青的「軍師」陳伯達，居然對「紅衛兵」稱他反對把被捕的反毛「當權派」份子拉出去戴三角高帽遊街。

更對所謂「造反派」進行控制，對所謂「奪權鬥爭」也强調計劃進行。這說明，毛林集團已開始「收」了。爲什麼「收」呢？唯一的理由，那就是「此路不通」。

在毛林集團準備「收」的現階段，反毛「當權派」却相對地來個「放」——「放」出各種手段，想把毛林集團置於死地。所謂「經濟主義」的「流毒」不但未被所謂「造反派」「肅清」，反而是越泛濫越普遍。毛林集團所號召的「打響春耕生產第一炮」，在反毛「當權派」一次又一次地「反撲」下，農民進入城市，生產資料毫無準備，毛酋就是「眞神」，相信這一「炮」也是無法「打響」的。

居於毛林和劉鄧兩個「對頭冤家」集團中間的周恩來，簡直成了舉足輕重的關鍵性人物。

儘管「紅衛兵」在「大字報」上要「俥爛他的狗頭」，但他還是照樣地「反造反」，他不許鬥爭幾個「副總理」，「紅衛兵」就不敢「鬧」。他在「反造反」中把「財政部」內的「造反派」頭子杜向光（「財政部」副部長）「揪」了出來，命令他不許在「財政部」「造反」。

這等於是，批毛酋的逆鱗。周恩來本是個最大的滑頭，他敢如此「大胆」，說明了毛林集團已將要完蛋了。（何如）

自由談

法律漏洞之一

有一項害多於利的法律明文，我認爲非改革不可，那就是刑法上的賄賂罪規定「與受同科」是也。

在立法的旨意上，原係基於「刑期無刑」之防範未然政策，使行賄者怵於犯罪的後果，自動的不爲苞苴之行，官吏即無索賄機會，用意未始不善，可惜陳義過高，適所以助長賄賂風氣，發生莫大的副作用，政治上貪官污吏之層見迭出，良有以也，豈徒然哉！

人民爲着自身利害攸關的許多事情，必須取得官府裁可或核許時，官吏每每故意刁難挑剔，曠日持久，不予決定，人民無可奈何，唯有乞靈於「紅包主義」，以期迅赴事功。官吏因有「與受同科」的法條，根本即不怕當事人舉發，祇要手續弄得周密，案卷搞得完備，表面上無隙可抵，無瑕可尋，縱使賄賂公行，盡人皆知，亦以沒有人證物證之故，不妨肆行無忌。於是乎，政治界乃搆成大不必法，小不必廉的普遍貪污風氣，恬不爲怪了。試看某些官吏的正當俸祿收入，若按照物價指數，很難贍養一個小家庭的日常生活，然其實際情形，不特生活奢侈，日饜粱肉，且財稱富有，起居豪華。十年前還是一副窮酸相的，或民意代表，既未經營商業，亦未得中彩票，十年後頓成了擁資數百萬乃至千萬元的大富翁，另外尚有外滙存欵者，頗不乏人。請問他的財富是從那兒來的？如果沒有「與受同科」的惡法存在，這般貪官污吏的醜惡面目，即不愁無從揭露，而與天下人以共見了。

不錯，依常理言，官吏縱想索賄，人們若不願意行賄，他亦不能硬要，這是不通又不通的廢話，等於說貓兒好偷吃魚蝦，江河湖海若不產魚蝦，它就無所施其技了；也等於說娼妓倚門賣笑，男人如不願意去嫖，她亦不敢強姦的，通乎不通呢？人民因事向官吏賄賂，原係迫不得已的忍痛行爲，又加以「與受同科」的罪責，使他受了害亦不敢申訴，這種法律漏洞，就是無形中鼓勵官吏貪污的一大因素，恰與老子所謂「法令滋彰，盜賊多有」的義理相符合。假使把「與受同科」這項不近人情的法條去掉，我敢担保，政府雖不嚴令中儆貪污，情報機關亦不必多所偵查，而貪官污吏亦將自然減少的，不信，試試看！

馮王先生

歷經三年艱難險阻的工程

台灣北部橫貫公路通車

其林蔭之勝山谿之險與高空吊橋之多 為台灣觀光勝景所未見極誘人極迷人

（本報記者黃鴻過桃園航訊）台灣北部「橫貫公路」，全長七十一公里，在移山填谷、鑿石穿道，歷經三年的艱難工程後，業已正式通車，沿途山谿之險，林蔭之勝，高空吊橋之多，實為台灣觀光勝景所未見，誘人極了，迷人極了。

台灣省的地勢，以中央山脈為東西的「天塹」，過去行旅，如懶於步行，必須繞道南北兩極乘坐汽車，費時之苦，概可想見。自政府遷台後，鑒於民生主義「行」的需要，首先建築「中部橫貫公路」，接着開闢「北部橫貫公路」。這條公路以桃園縣的復興鄉為起點，直抵宜蘭縣的棲蘭山（均山地鄉），全長七十一公里，在我退除役官兵的辛勞工作下，歷經三年歲月，現已正式通車。七十多公里的公路工程，並不算長，但，在拔海幾千公尺，加上懸崖削壁、急短溪流（台灣河流甚短）中開闢一條公路來，就相當的艱鉅了。在日據時代，這條公路，終因工程的艱難，那「畫餅充飢」的計劃，只好付之海市蜃樓！還是我中華民族，有披荊棘的精神，才能開闢這條康莊大道。

這條北部橫貫公路，自桃園復興鄉經角板山、高義閣、萱原、梵梵而達宜蘭的棲蘭，其間崇山峻嶺、懸崖陡壁，處處深谷、節節隧道、座座吊橋的興建，歷經三年的艱苦工程，才能完成。這十二座吊橋工程之大者是：復興橋、長一五二公尺，巴陵橋、長一六〇公尺，大漢橋、長一七一公尺。均為鋼纜高懸河床四十公尺以上，尤以大漢橋兩端石壁對峙，隧道相通，特別壯觀。巴陵橋高懸河床四十八公尺，只有天在上了。沿途原始森林，遮日掩月，修竹生存。怡情適性，奇花異卉，告訴人們的時令，排排梯田，給與人們的耕耘，滾滾溪流，給與人們的智慧（智者樂水）……這種種幽麗的風光，怎不令人神往呢？

論經濟和軍事價值：原始森林（檜木居多，是價值最高的木材），有一萬二千公頃之多，蘊藏煤礦約九百七十多萬公噸，其他硫化鐵礦，尚無確切的估計。現在交通便利，可以開發了。在軍事運輸上，更不必繞道自基隆至宜蘭單行道（來往不能同日）的蘇花公路，又何等便捷！再說，原始森林，單伐不植（幼苗），亦足可經營三十年以上。

台灣電力公司，以北部橫貫公路完成，也計劃分別在該路的高義閣、玉峯兩處興建水庫，利用大力柯和高坡二川的水源發電，以裕民生，山區常年大宗產品，還有茶葉、花生、水菓，畜牧事業，也大有可為。北部橫貫公路的交通，屬平地和山地的連貫性，這也使中部東西橫貫公路囿於山區的交通所望塵莫及也。

四季如春的台灣寶島，時時有花香，處處是公園，現在又增加了北部橫貫公路後「來」居上的「玉帶」（七十多公里長）公園，凡我海內外的同胞們，該都有高度的遊興，祇要由台北公路局西站，乘直達汽車至台北縣的三峽，再換搭北部橫貫公路的汽車，就能尋幽探勝了。

聯合服務面面觀

本報台中記者 玉永亭 航訊

國民黨聯合服務的工作，在春節之前展開。這種一年一度的收攬民心的工作，是一個政黨討好人民最佳的措施，貧窮老百姓是很歡迎的。在每一個角落裏，記者都曾發生過感人的佳話，記者曾撰寫報導。但是隨着服務工作人員觀察所得的印象，仍有不少值得檢討與改進的地方。

此次服務工作人員可謂辛勞備至，但主辦單位的負責人員祇是坐而論道，動口不動身。大多數是以黨部的一紙命令，命令各單位派遣人員參加服務。老實說：「國民黨聯合服務」，應該是黨工人員直接為民服務，這才算是「國民黨聯合服務」。否則祇是一紙命令，叫人去工作，黨工人員却坐在辦公室打電話，下命令，那就不很值得恭維了。

台中的服務工作，某國軍部隊表現最佳，全體官兵，大家動員，一致響應義舉。國軍愛民助民的工作，比黨工人員做得有聲有色，實幹硬幹，動手不動口，恰恰與黨工人員成為強烈的對照。

某部隊為民服務的工作，表現優良，電視公司為了傳播好人好事，特派人前往攝製影片；不料某部隊接獲服務站幹事之通知，按時等候工作人員之拍攝，但因時間未聯絡好，因此未能攝入鏡頭，以致引起大家的反感。以為服務的人員未能負到責任。祇是「坐打電話」，未能做到身體力行。

今天很流行「形式主義」，黨工人員也不例外。各級單位一層應付一層，上層也是應付了事。此次聯合服務之前，中央黨部派江國棟委員來中部視察，縣黨部大加準備，排演了各項節目，打算表演給上面視察人員看一看。但可惜視察諸公似乎忙於應酬，本來安排了一天的視察節目，可是諸公祇停留了二小時，走馬觀花了事，揮手驅車而去。使大家感到白忙幾天，毫無意思，徒勞無功。

記者們也接到聯合服務的邀請，但縣黨部新聞負責人對記者也有軒輕，對記者也有大、小報不同的歧視。這是什麼作風，令人費解。

看橫掃中國大陸的「紅衛兵」與「文化大革命」

楊力行

第三條指出：在這次「文化大革命」中，有許多單位的負責人，很不理解、很不認真、很不得力。「怕」字當頭，害怕惹禍上身。甚至有些單位被「混進黨內的走資本主義道路的『當權派』」把持操縱。第七條指陳：有些學校、有些單位、有些工作組織的負責人，認識不清，不分青紅皂白，把革命群眾打成反革命，均是極端指責匪幹思想偏差，不肯熟讀「毛澤東語錄」、不能活學活用，犯有嚴重錯誤。並祖承：「文化大革命」遭受阻力，應該加以大力克服。

就後者言，他對今後「文化大革命」應採行動路綫指示甚詳。第六條規定：在辯論中必須採取擺事實、講道理、以理服人的方法，對於持有不同意見的少數人，也不准採取任何壓服的辦法。……即使少數人的意見是錯誤的，也允許他們申辯，允許他們保留自己的意見。在進行辯論的時候，要用文鬥、不用武鬥」。第七條規定：「大學、專科學校、中學和小學生中的問題一律不整。……即使是真正的右派份子，也要等到運動後期酌情處理」。第十條規定：「學制要縮短、課程設置要精簡、教材要澈底改革。……學生以學為主，兼學別樣，也就是不但學文、也要學工、學農、學軍，更要隨時參加批判資產階級之『文化大革命』的鬥爭」。第十一條規定：「在報刊上點名批判，應經過同級黨委討論，有的要報上級黨委批准」。第十二條規定：「對科學家、技術人員應該採取團結、批評，結團的方針。對於有貢獻的科學家和科學技術人員，應該加以保護」。第十四條規定：「一定要把這場大整肅，作為促進生產的動力」。使這場的「文化大革命」「工農業生產獲得雙重勝利」。第十五條規定：「部隊的文化大革命運動和社會主義教育運動，按照中央軍委會和總政治部的指示進行」。第十六條規定：「在無產階級『文化大革命』中，要高舉『毛澤東思想』偉大紅旗，實行無產階級政治掛帥。要在廣大工農兵、廣大幹部和廣大知識份子中，開展活學活用毛主席著作的運動，把『毛澤東思想和語錄』作為『文化大革命』的行動指南」。這種種規定，固然是匪黨中央對當前的「文化大革命」工作方向作其詳細的規劃。但實際上，也正是說明了這次的「文化大革命」已是出了問題，必須及時加以處理，立即針對他們過去所犯各種錯誤，分別提出糾正、限制，免得他們重蹈覆轍。可是，大中小學校教師被迫自殺者已達五千人之多！

最值得我們特別要提出的，就是其中第九條規定：「文化革命小組、文化革命委員會和文化革命的代表大會，是群眾在共產黨領導下自己教育自己的新組織形式。它是我們黨同群眾密切聯繫的最好的橋樑，它是無產階級文化大革命的權力機構」。又稱：「文化革命小組、文化革命委員會、文化革命代表大會不應當是臨時性的組織，而應當是長期的常設的群眾組織，它不但適用於學校、機關，也要在基本上適用於工礦企業、街道、農村」。很顯然的，共匪業已「決定」將其所謂「文化革命運動」視作一個長期的「文化大革命」鬥爭運動，而「中央文化革命小組、文化革命委員會和文化革命的代表大會」，亦今是後執行這一任務的長期性的常設機構。

共匪「中央文化革命委員會」業已正式成立，直屬於匪黨「中央政治局」，由毛澤東親自兼任「主席」。其「委員」名單如下：一、毛澤東（匪黨中央委員會主席）、二、陳伯達（匪黨中央政治局常委）、三、江青（毛匪之妻兼副主席）、四、陶鑄（匪黨中央政治局常委兼宣傳部長）、五、康生（匪黨中央政治局常委）、六、王任重（匪黨中央政治局中南局第一書記）、七、劉志堅（匪軍總政治部副主任）、八、張春橋（匪黨上海市委第一書記）、九、萬里（「紅旗」副總編輯）、十、關鋒（「紅旗」副總編輯）、十一、齊平如（「紅旗」副總編輯）、十二、林杰（「紅旗」高級幹部）、十三、蕭望東（偽文化部部長）、十四、姚文元（上海解放日報總編輯）、十五、穆欣（北平光明日報總編輯）、十六、唐平初（匪人民日報總編輯），十七、謝中（匪對外文化友好協會副主席）。

當前共匪的「文化大革命」工作和毛記「中央主流派紅衛兵」的活動，全由該一小組策劃進行和直接領導。

七、文化復興運動是我們反攻復國建國勝利的保證

西元一四五三年的歐洲「文藝復興」運動為西方文化開拓了生機蓬勃的新境界。同樣的，我們今天由總統倡導的「文化復興」運動也將為中華文化及東方文化乃至全世界文化，創造新的機運，開拓新的境界。許多中外權威的歷史學者和文藝家他們恆謂「文藝復興」的基本精神，為「人性的覺醒」；而我們今天對準毛匪在中國大陸胡搞非為「文化大革命」之「黑旋風」而發起的「文化復興」運動的基本精神，則「為人性的發揚」。（十二）

桃園各鄉鎮農會

虧損逾千三百萬

（本報記者黃鴻過桃園航訊）一般農民的血汗、地方派系的「溫床」，桃園全縣的各鄉、鎮農會，合計虧損新台幣一千三百餘萬元，其中蘆竹鄉虧損高達五百餘萬元之巨。陳長壽縣長，被省府予以「記過」處分。

桃園縣所轄十三鄉、鎮，除山地的復興農會，於去（五五）年春間開始告成立外，其他鄉、鎮農會組織，均具有歷史性，組織也算龐大。在理論上，農會不過是一般農民的單純團體，為什麼全縣「齊一步伐」，會虧損累累呢？其因素大概不外兩端：其（一）鄉、鎮農會隨時可得到政府各種生產補助，或低利貸欵，會員本身也許在各種「便利」（也許是規定）下，每把自己辛勤所獲的餘積，也應存入農會的「信用部」（開立戶頭，並得使辦理存、放欵，用為票據法未承認的「準支票」），為基層人民團體最具經濟實力、金錢往來較為方便機構之一；（二）農會產生理事會，理事會產生理事長，但雖一切行政業務的實權，而操在總幹事手裏，總幹事的人選，多是不辦救粟的白領（不是農民）階級，這和公司的總經理對董事長負責，是有異其「趣」的，他們多以地方派系領袖人物唯命是從，否則，縱令爬上了總幹事這把交椅，也隨時有下台的結果！那能一心一意為農民服務。

總幹事既握農會一切大權，或存心為自己派系來吮吸農民的「血液」（或為自己的所不願為，無抗拒的力量），因此，實際上單純的農會團體，就成為地方派系的溫床。各派系在爭取農會中的理監事席位，並不是多就能感到滿足，其重要者，為其活動地方政治投資、各種選舉「暗」（「支出」）。如此的一來，他就形成了農會「永遠的難填，無底深淵」，虧累多由此而起。

桃園全縣除桃園鄉、鎮農會中，黃乾生總幹事（歷任十多年了）經營得法，沒有虧損，和山地的復興鄉農會，始於去（五五）年春間成立外，其他十一鄉、鎮農會，在五十四年度以前，合計虧損新台幣一千三百餘萬元之巨：（一）蘆竹鄉虧損五百餘萬元，爭取了「冠軍」！（二）楊梅鎮虧損二六五元〇、（三）龜山鄉虧損四八七元一〇、（四）中壢鎮虧損一一九、（五）七八龍潭鄉虧損二六九五元、（六）八德鄉虧損三二元一五〇、（七）新屋鄉虧損五七六元〇、（八）大溪鎮虧損一四四元〇、（九）大園鄉虧損五五〇八六、三五九、三九八元、（十）觀音鄉虧損二二五三三五元、（十一）平鎮鄉虧損九八一五六五元。

蘆竹鄉農會虧損五百餘萬元，遷延數次改選，桃園縣長陳長壽也以「人關係」受了省府「記過」處分。這是同時的「統計」，各鄉、鎮農會的數字，是五十四年度以前的，現在已有些新的農會業「信用部」暫停經營，但仍在新換了據，不少農會總幹事，虧損中的，有些倒閉的農會人士，透露一姓名的鄉鎮農會人士，以為地方派系把持農會，目前雖是台灣全省普遍的現象，但沒有桃園縣的如此之甚。也許以往不如果加強輔導，也不會醸成種種地步，今天，蘆竹鄉農會受了虧損五百餘萬元，陳縣長為（二）委曲了「記過」處分，未免是不公平的。他對任內各鄉的事，但目前「起死回生」、鎮農會的輔導作業，是刻不容緩了。

瀛海異聞談

紐約有妓女專接外交官

·桑雅·

讓我把自己的遭遇和盤托出罷！我怎樣成為一個祇接外交官的應召女郎呢？一切都是很偶然的，起初祇是賺些「的士錢」，後來我殺入這個圈子安之若素了。

我姑且稱自己的名字叫琳達史湯吧，今年廿四歲，出生於美國中西部的一個小鎮；高中畢業後，來到紐約，一心想做女演員不成，結果走上了派對女郎的路徑去。我是無意中加入的，我的同房海倫有一天晚上，叫我去參加一個派對，她根本沒有說過有錢給的。那是在一座大廈的華麗天台舉行的舞會，喝喝酒及聊天，做人的談伴而已。離去時我的女同房給我廿五元。她笑着說：這是你的「的士錢」，我們是這樣稱呼這種金錢，現在你是派對女郎了。

我知道女同房每星期參加幾次派對的，雖然我急需金錢，我實在的不想接受，但後來很快打動了我的心，我改變心腸，去做派對女郎了。首先我曉得派對女郎與衆不同，并非等候電話的「出鐘小姐」，到酒店去做一宗快刀斬麻的肉慾交易；亦并不是在街上逛着兜搭陌生尋芳客；亦非在東區的酒吧獨坐，等候看中的男人上前打招呼。派對女郎不是娼妓，是一種付費的女伴，男人給我廿五元至五十元，陪他們去看戲或上夜總會，或參加聯合國外交官員的雞尾酒會，各階層的人物都有。我起初並不需要跟別人睡覺，我是有選擇權的。

倘若在酒會中有男人問我可否即晚封相，如果我一口拒絕了，他們與我握手「拜拜」了事；假使我接受了做他們的臨時枕邊人，那麼視環境而定，我的「的士費」馬上從廿五元漲至一百元。與他們出街一遊，常有現欵贈送。讓我正視這件事吧！我老早已不是處女，那麼接受一瓶香水與情人共宿，與接納一百美元與外國外交人員住一夜，實在是沒有什麼大區別的。

那是一次相當興奮的派對，我記得數月前，在一個駐聯合國的阿剌伯國家的外交官的私邸，一片中東氣氛，參加舞會的有數十人。一個阿剌伯人先給了我五十元，然後把我介紹各官員認識，他們是歐洲人及中東人。我注意到一個大房間，佈置華麗，好像電影裏的中東宮殿，那阿剌伯人悄悄對我說：「等一會如果有人接納你的話，你大有機會一親芳澤的好風光。」

我是躍躍欲試的。我何嘗不想浪漫一下？未幾一個印度人過來，他衣冠端正，操着正確的牛津發音英語，談了一會，他問我對於印度火麻葉是否有興趣？這是「正宗貨」，吃了飄飄欲仙。稍後，我已不能自持了，任他擺佈，他把我帶進那個中東宮幃佈置的大房去。還有其他的女郎在內，她們都侍候着一個外交官。未幾，一個身段苗條的女人在表演艷舞了，她的動作細緻，使女人看了也心癢癢。最後，我們也跳舞了。以後我祇是在不知不覺中，被他脫得一絲不掛，任他擺佈。

在這個派對中，我撈了一百美元。好處是永遠不慮警察搜捕，這是外國外交官員的私邸，除非受邀請，警察不許進內。如此安穩，也是我決定專門做應接外交官的應召女郎的主因。他們畢竟是有身份的人，並不常常瘋狂地大玩特玩，僅是偶而為之而已。通常祇開雞尾酒會應酬一下，邀請了我們出些「的士費」，目的是使場面更為輕鬆些。此種場合還有些不是派對女郎的婦人。從此，我還能到聯合國總部去找那些外交官。

某星期五下午，我與海倫到聯合國總部去，對接待處的職員說：「某非洲大使約了我見面。」她用電話問內部，然後再對我說：「某大使在見客。沒有男人伴隨着女人是不准許在此逗留的。不過你持着這張卡片，可以等候至大使出來見你。」歷久也未見他出來，聯合國的警察在監視着。海倫對我說：「他昨天晚上與我在一起的，他說這時間可以來。」

（上）

颶風貝絲威風八面

若翰

馬路上的電源電線，在颶風瘋狂襲擊下，無不斷墮地上，把下面走過的人電死。直升機的機師說：在水上掙扎逃生的人，驚惶之色，是難以形容的。他們相爭的攀拿垂繩。

在一間緊急的收容所，滿是泥濘，深及足踝，兩名修女，雙目紅腫，顯然睡眠不足，她們不停的照料那些孩子，和替他們在來不及消毒的浴盆中洗澡。

六間高級中學的學生，自願的幹着令人不忍卒覩的工作，他們到市裏的居房搬那些堆積如山的屍體貼上記號和做辨認工作。

在華盛頓學校裏的那個唯一白人比爾法蘭斯，他自言自語的說要離開那裏，回家救救妻子。可是當他走不了多遠，學校的梯階，充斥鱷魚和蛇，使他無法前行。學校外街道為泛濫洪水所淹沒，浮着許多折了的樹木和雜物，及不少的汽車。但是，他為救妻心切，也顧不得許多，聳身跳進水裏，幾經辛苦，終於在一小時後，他回到家裏。

他發覺妻子渾身濕透，她底濕濡的頭髮，貼垂於肩膊，站在騎樓發抖。在她的臂彎裏，躺着一個黑人孩子，那是她在暴風雨的洪水中救出的。比爾法蘭斯有點不悅，忍不住地問：「嘉芙蓮，你和我只結婚兩星期，現在我們竟然有一個孩子，而且還是個黑色的。」

嘉芙蓮漫不經意的微笑說：「比爾，你能給孩子和我找些衣服來暖體？我想孩子要吃牛奶或其他的東西了，現在不曉得他的母親在那裏？」

比爾法蘭斯認為要回到華盛頓學校去，雖然洪水時刻的上漲，但他背着那黑人嬰孩，兩夫婦在千辛萬苦中，來到華盛頓學校，由嘉芙蓮緊抱着孩子，比爾法蘭斯則往找東西。

突然，學校大堂的入口，掀起一陣騷動。人們高聲地緊張的叫着：「給些水我們喝，我們要水！」他們向着一羣到來巡視的官方的人員叫着。為首的一個，是身裁高大、面長的漢子，在燈光的照耀下，人們認出這是美國總統詹森，他們由華盛頓乘機飛來視察災區。

詹森總統視察颶風刼後的紐奧連斯、巴頓盧治，及其他由這裏至美密西西比河進口處等地的災情。

詹森總統看見了比爾法蘭斯的情形，即讚他們夫婦行為，足為模範。

接着總統下令把所有的汽水及其他的飲料，需先運到災區。陸軍部的貨車，將汽水運到紐奧連市，及其他的貨車，第一批要先去送到華盛頓學校。

那些黑人對於總統的措施，無不感激流涕，在哀傷的面孔上，流露喜悅的神色。

在颶風刼後，當局即進行善後和清理工作了。

在刼後的災區，為善與為惡者，有昭彰的分別，有許多士多的東主，撥出食物，贍與災民，和收容他們，絕不索取分文的報酬，這種行為，仁義可風。但有些却乘機發財，把麵包高抬至售價每塊兩鎊。

倫敦的股票經紀，捐助二億五千萬鎊，作為救濟這些災區的居民。總計紐奧連斯市死了七十三人。

至於比爾法蘭斯和嘉芙蓮，已遷往加拿大生活，由於他們無法替那黑人孩子找回父母，他們把他收養過去，當作自己的孩子。

（下）

偉大間諜二一一六號郵檢員

若翰譯

在倫敦陸軍部郵政檢查局的同人中，他是檢查員第二一一六號。表面上，他是個法國籍加拿大人，長着一撮小羊鬍子，他的態度是多麼的謙虛。

他除了說得一口流利的法語外，不但能說德語，非洲語及英語，而且也很流利。即使印度語，也半通。對於非洲桑西巴附近的斯瓦希利人，更十分瞭解。於陸軍部郵政檢查處中，他是個相當傑出而有用的人。上司給許多機密的資料給他處理。

這個二一一六號檢查員，用心良苦，他是從加拿大的蒙特里爾遠道來英國，主要的原因，就是從事協助英國的作戰任務。但是，骨子裏，他的同僚和上司，壓根兒不曉得他是通敵，暗中幫助敵人的。

二一一六號檢查員的眞實姓名為朱里斯・施巴。他根本是德國人，出生於西里斯亞。他報稱是法籍加拿大人，不過是掩人耳目，及使人不會懷疑他的身份罷了。相信，有史以來，朱里斯・施巴是最偉大的間諜。事實上他從來沒有給英國逮捕。

說他是個傑出的間諜，實在不為過的，因為他從來沒有接受間諜方面的專門訓練，而且全是自行策劃，個人行動，絕不受德國的間諜組織約束。還有，他完全不受報酬，出於義務的。

朱里斯・施巴的驚人事蹟，可以從最近一本由朗奴施孚所著的書中窺尋出。朗奴施孚在第二次世界大戰中，是英國的間諜。他在書中指出朱里斯・施巴是個罕見的人物，而且是出於自然的間諜。

在一九一四年，第一次世界大戰時，朱里斯於兩個月內，偷渡進入英國，經多方的鑽營，進入陸軍部郵政檢查處工作。他藉着工作的關係，他把許多重要的郵件，予以延宕；因此，德國可以把當時新發明的無綫電器材專利品購得——那是最神奇的一種新發明的眞空管。

朱里斯利用種種方法曾將戰時海外運給英國的原料，每年最少減了四十萬噸。在任期間，他創設了新而從事澈底檢查船隻的辦法，這獲得上司的讚賞。其實朱里斯運用澈底而繁複檢查的方法，阻宕運輸工作，但是他的上司，却沒有領悟到如此引起極大的延阻。

（上）

快馬傳到洛陽的消息說：諸葛亮已經佔了漢陽、隴西、安定三郡，地方人民都紛紛叛魏投降。魏明帝及一班文武，一時驚惶不安。最後魏明帝親自御駕出征，到長安坐鎮。憑這一點看來，尚不失為曹操子孫。

另外，魏明帝又派了張郃領了五萬騎兵，到甘肅去牽制諸葛亮。張郃趕到街亭——這小小地方，却因馬謖之失守，諸葛亮斬之而得名。平劇『失、空、斬』是好戲，演義還更加熱鬧。街亭就是今甘肅秦安縣東北，原名街泉亭，漢初設街泉縣，後漢廢縣。

蜀軍前敵指揮官正是馬謖。此人『才器過人』，那是諸葛亮的讚美。諸葛亮非常賞識他，因此給他重任，領兵作為先鋒。兩軍戰於街亭，馬謖違了諸葛亮節度，舉措不定，捨水而上山，不下據城而守。張郃斷絕蜀軍的汲水之道，再攻擊蜀漢兵，馬謖大敗，士卒離散。馬謖剛愎自用，誤了大事，十分可歎。幸而王平還自保了一千多人回來。

此時諸葛亮已到了西縣，也就是西城，即演義上所說『諸葛亮西城弄險』『空城計』的地方。探馬報來了不好消息，前鋒馬謖失守了街亭。諸葛亮馬上把西城的老百姓全部遷走，留下一座眞正的空城。但不是『空城計』。下令以急行軍退兵回漢中。雖然失了街亭，蜀國在此役却收了一員大將，正是蜀漢晚期的棟樑——姜維。

姜維字伯約，天水郡人氏。伯約少孤，與老母相依為命，事母甚孝。幼好北海鄭康成之學，在天水郡太守幕下做了一名上計吏。上計吏即州郡地方政府向中央政府上計書的官兒。又做過州郡從事。他的父親姜冏在本郡做過功曹，因羌戎叛變，死在亂兵之中。姜維有匡扶漢室之志。孔明出祁山，維隨太守馬遵同行。蜀漢軍突至，馬遵疑姜維有異心，潛走上邽；姜維追去上邽，不料吃了閉門羹，走頭無門，於是投降蜀漢。見了諸葛亮，彼此十分投契，相語大悅。諸葛亮命姜維做了丞相府的保管署長。他的老母却被魏軍拘禁起來。

張郃追趕馬謖，趕到西城，祇剩下一座空城，諸葛亮實行了「堅壁清野」。張郃有五萬之衆，沒有糧食，只好等待後面補給接濟。因此才給諸葛亮一個安全撤退的機會。這就是家喻戶曉的『空城計』的史實，並不是諸葛亮坐在城樓觀山景，彈七弦琴，故作神秘；而且對方的主將是張郃，不是司馬懿。司馬懿此時尚駐防在河南南陽，離西城約幾千里路。演義離譜太遠，識者可為一笑。

馬謖失了街亭，是違反軍令所致，諸葛亮依軍法，揮淚斬了馬謖以示衆。但對於馬謖的家小身後，特加優待撫卹。馬謖乃馬良之弟，以荊州從事隨劉備入蜀，曾任緜竹、成都縣令及越巂太守，諸葛亮深加器重。可是劉備在臨終時對諸葛亮評論過，劉備說他「言過其實，不可大用」。但諸葛亮則以為不然，常加重用，和他談論，甚至談至通宵達旦。諸葛亮用為參軍。當諸葛亮首次北伐，衆論以為必委此重任於宿將魏延或吳壹，不料諸葛亮違衆拔馬謖統大軍為前鋒。

（一〇九）

成功之道

·雷也同譯·

他說：「我負責，開始縫綫。」她大聲說：「你不能如此做，應該替病人設想。」醫師笑了，舉起病人腿部，露出第十二塊棉花，「就依你的吧！」他考驗她的誠實性，她的確具有此美德。

誠實並非強迫，從某方面來說，這是主要的一點，沒有人能強迫你遵照自己而行，沒有人能強迫你和影響你，沒有人能使你服從你的意識，誠實的人隨心所欲。

在二次大戰時，我方部隊正橫越法國，一位美國陸軍上校和古普車駕駛員開錯車，駛入迎面來的德軍裝甲車隊中，兩人躍出車外，找好掩蔽，軍曹在路邊灌木叢中，上校躲進暗渠裏。德軍發現軍曹，向他開火。上校原是很容易藏着不動的，但他並不如此，走近爬出來，用手槍向坦克和機關槍射擊，結果終于殉職。軍曹做了俘虜，後來說出了這個動人的故事。上校爲何要這樣做？責任感和不屈服意志超過自身安全。

困難，有的。眞誠爲甚麼這麼罕見和珍貴？但是由最後的收穫看來，那是値得的，那不過只佔了其中一小部份罷了！

勇敢，誠懇予人以奮鬥精神，迎接挑戰，打倒不平，爲造人造福，日新月異。誠懇的人具有信心，忠于自己，不會無中生有懷疑自己。

百折不撓，誠懇表示不可動搖的決心，臨危不屈的精神。邱吉爾曾說：「永遠、永遠、永遠決不屈服，除非在正義和光榮面前。」其人處世，正如斯言。

從容不迫，據我所知誠懇的人都是臨危不亂，自强不息的，具有充沛鎮定能力，忍受任何挫折與不義。福斯第克告訴我們，一八五八年林肯的朋友曾勸告他不要在參議院作競選演說，林肯答道：「如果義不容辭，我必需作此行，讓我與眞理同在。」他始終從容不迫，終於照辦了，兩年後即當選爲總統。

誠懇使吾人在多方面獲益：友誼、信任、讚賞、尊敬。値得欣慰的，是凡人類都有趨向于「誠」的本性。

個人如何學習得到它？我認爲沒有肯定答案，第一步你要從小處訓練自己，注重名譽，比如：沒有不便的話，不要扯小謊，不要背地講人壞話，不要假公濟私等。

這些看來都是小事情，當他得到之後，却有支配你的能力，你會發現凡物皆有主旨，不可違逆。

這就是成功最基本方法？是的。這是一條捷徑，不管名譽、金錢、勢力，只要你獲得「誠」，你便邁入成功之路。（下）

台灣之最

·謝光·

一、最有毅力的大學生蕭經琳，男，湖南湘鄉人，現年五十歲，曾任陽明山莊職員，於民國四十年考取前台灣省立師範學院（現改爲師大），當時官拜陸軍中校，以現役軍官格於規定無法入校，歷經數任教育部長保留學籍十餘年，於民國五十五年以陸軍上校退役，重入師範大學教育系就讀，與廿餘歲之小伙子同窗，半工半讀，成績優良，開我國良好之教育先例。蕭君現已在美國紐約入大學專攻營養學。

二、最佳天才女鋼琴家陳必先，現年十六歲，於民國五十六年元月廿日在西柏林參加孟德爾遜國際音樂比賽榮獲前三名，也是台灣最小的留學生。

三、最佳音樂指揮郭美貞，女，廿六歲，於民國五十六年元月在美國紐約榮獲密屈波格斯國際音樂指揮競賽首獎，也是我國參加國際賽第一個女音樂指揮家。

四、最長時間抒情歌后紫薇，從民國卅七年開始在台北民本電台叫「爵士社」的節目起，於麥克風前展開歌喉生涯，連續迄今廿年，且歌聲歷久不衰。

五、最高的工資，是盜伐國有林木犯林爵，被法院判罰金折算勞役，一日計台幣八一、四一三元，合美金爲二〇三五元。

六、最高年齡爬最高山者楊森，現年八十七歲，曾官拜陸軍上將，現任中華民國體育協進會理事長，於民國五十五年秋順利攀登標高三千九百九十五公尺的台灣玉山頂峯。

七、最高年齡零售獎券之老人張永木，現年九十七歲，其妻高香鶯九十四歲，結婚已七十年，夫婦健康情篤，且家道小康，子孫數十，四代同堂，終日以步行零售獎券爲樂，月入台幣三千元，既運動又賺錢，經其售出之獎券，有五十萬特獎五個，其他大小獎不計，自台灣愛國獎券發行以來，彼出售獎券從未間斷，台灣銀行總行曾以薄禮相贈，以資獎勵。

八、最長時間一對戀人，是桃園縣大溪鎮一位八十四歲老翁邱接金，業樟腦油商，與六十二歲的黃乃，從民國廿二年開始相戀，歷經三十餘年，至民國五十六年二月一日，才在大溪鎮結爲連理。

九、最佳廚司彭長貴，是譚廚曹進成的傳人，因爲我國政府第一任行政院長譚延闓講究吃的藝術，彭廚從幼科班出身，以富貴火腿，湯泡魚生，左宗棠雞，畏公豆腐等名菜經美國著名雜誌以圖文刊載，聞名全球。

十、最不幸的女學生　台北市北一女高中學生王曉明，品學兼優儀表出衆，曾任該校儀隊指揮，於幾年前一次車禍重傷昏迷不醒，輾轉床第數年於茲，去年秋美國紐約 ST. Uincent S Hospital 致信王家，願意澈底檢查和治療，但必須交醫藥費四千美金，其他皆免。現已結滙三千元，餘款籌措乏力，無法啓程，其母趙女士哀呼「天可憐可憐我的孩子，我的眼淚已快流光了。」眞使人汯然欲淚。

吳摯甫與京師大學堂（上）

諸葛文侯

桐城名儒吳汝綸（摯甫）係曾國藩門下士，曾氏任直隸總督時，援爲冀州牧，頗著政聲。李鴻章督直時，延主保定蓮池書院，對北國文風多所開創，由帖括制藝一變爲經世之學，作育通才不鮮，聲譽彌隆。

光緒廿七年清庭創立「京師大學堂」——即北京大學前身——伊始，時李鴻章已逝世，吳決計南歸，吏部尚書湘人張百熙（野秋）慕吳氏名，堅請就任京師大學堂總教習，吳以「十慮」理由遜謝之，張則「長跪以請」（見吳氏年譜），吳仍謙辭，而張氏竟未獲吳同意，即奏請清帝任命吳爲總教習，並賞加五品卿銜，見諸上諭。吳依然長慮却顧，不欲拜命，然張謂：「今摯公已奉朝命，若再固辭，是不翅劾弟於廷也」，大有強迫就職之勢。當時新任直督袁世凱亦堅留吳氏繼續主講蓮池書院極懇摯，吳左右爲難，對朝命表示默認，但要求先赴日本考察學制，俾資借鏡，張尚書自表贊同。

吳之固辭總教習，蓋有隱衷存焉。據其年譜所載諭兒書云：「張雖見愛，其辦事尚少閱歷，我實老神短，彼乃爲我覓幫辦，張自用人，豈能幫我？且兩人同辦一事，必至各執意見，世言督撫同城，或相忿爭，官同印，妻妾同夫，皆成仇敵，故辦事必一人爲主，乃可成也……張不惜傾身下士，亦但爲名耳，其主見固亦自是而不虛心者也。又其人出榮相（榮祿）之門，再與我相見，皆云榮相亦請我爲然。前與我言，將奏加三品卿銜，今賞加五品卿銜者，聞榮相謂初來不必過優……然足見其人唯榮相之指麾也。李希聖（亦元）妙才也，張尚書欲用之，榮相指爲康黨，遂止不敢用。張李湖南同鄉，然尚如此。吾此舉必以能脫爲貴，若不能脫，非幸事也！」（下畧）

維時直隸士紳魏鍾瀚等，聯同保定蓮池書院學生一千二百人上書吳氏尼其行，挽留主講如故，而李鴻章之子季高昆季來函，邀請吳氏回滬作其家庭教師，願給以與蓮池書院同等之束修，吳傾心於李氏家塾之西席，以其清閒少應酬，而薪金又優厚也。擬赴日本一行後，再辭去大學堂總教習。然張百熙聲明「不能遂辭教習」，然吳日記亦有「張尚書來訪，至東游歸不入學堂，則主客各執一議，不能定也。」

光緒廿八年五月，吳偕官派隨員紹英、榮勳，日人中島伯成，暨其自攜學徒二人，放洋赴日本考察學制，日本朝野人士久慕吳氏名，自日皇以下，禮遇優渥崇隆，得未曾有，逐日宴會交作，詩酒唱和不輟。日人對漢學有根柢者皆來參預，中有森槐南（名大來），乃日本第一流漢學家，曾作「精養軒燕集歡迎吳先生」古風一首，極有份量，不愧爲大家手筆，詩長不錄。

吳在日本滯留至是年九月中始歸國：每日除赴各級文武學校參觀外，夜間由「文部省」——即教育部——延請教育專家，分門別類作專題講演，用力至勤，與一般走馬看花式之官式考察作風迥異，足見其平日爲學治事不苟之一貫精神也。吳曾趨謁當時日本總理大臣伊藤博文，談教育問題，伊藤謂：「貴國事勢岌岌，即今實力興學，五年速成，已有鞭長莫及之勢」，吳認爲「其言極危切，聞之心悸」。蓋彼於未出國之前，即向權貴公卿等，昌言必效法西方注重實用科學之旨，廢科舉，改學堂，以救一時弊，其思想與見解胥異於一般以科舉起家之頑固學究也。

三十三年東三省綫，再毀於日俄之戰。洎三十四年，總督徐世昌修復之。此爲已毀復修各綫之大畧經過也。

電報之利於交通，與鐵路相輔而行，缺一不可。然鐵路需費過鉅，每有興築，擬假外資集事，非如電報工省費輕，商力已足舉辦。其借外債而成者，僅滬烟沽正副水綫而已。光緒廿六年，外兵方據京津，謀設大沽至滬水綫，宣懷以其侵我主權，密向承辦之大東、大北公司購歸商局辦理。方是時，兩公司因利乘便，故昂其價，中國官商交困，復絀於力，於是購價作爲息借，分三十年償還。殆迫於勢之不得已也。先前外人在中國設綫，由商股購回者，如丹國所設之淞滬陸綫，德國所設之京沽幹綫鐵路至天津支綫是也。

電信非僅達於國內而已，必行馳於域外，而其用益宏，於是與外國亦通綫焉。若英、若法、若俄，均先後與訂通綫之約，並分訂聯合其價攤分費之約，以相約束也。

八、培育人才與電報電話之併行

電局既日漸擴充，培養人才乃爲急務。清於光緒六年設

清代電信建設紀實

·羅雲家·

電報學堂，嗣分設按報、測量等諸塾，以宏造就。廿五年，並設電話學科，以附益之。

電話初名「德律風」。宣懷於廿五年疏言：「德律風創自歐美，入手而能用，着耳而得聲，坐一室而可對百朋，隔顏色而可視聲……故創行未三十年，徧於各國。其始止數十里，現已可通數千里。新機既開，不可禁遏。日本德律風，統歸遞信省。學生敎於一堂，機器出於一廠。中國之有德律風也，自英人設於上海租界始。近年各處通商口岸，洋人紛紛謀設，吳淞、漢口則請借桿掛綫矣。厦門則請自行設綫矣。電報公司竭力堅拒，但恐於我。防備不早，補救何從。現在官報恐難籌措，臣與電報各商董再四熟籌，惟有勸集華商資本，自辦德律風。與電報相輔而行，自通商口岸次第開辦，再以次及於省會，各郡縣，庶幾可預杜彼族覬覦之謀，保全電報已成之局。」報可。自是天津、京師、上海、奉天、福州、廣州、江寧、漢口、、長沙、太原等地皆設置電話。此則連類所及者也。

各國使臣，將赴總理衙門要求，又滋口舌。一經應允，爲患甚鉅。況西人耽耽逐逐欲攘我電報之權利，而未得其間。沿江沿海通商各埠，若令皆設有德律風，他日由短綫而達長路，由傳聲而兼傳字，勢必一縱而不可收拾。不特中國電報權利必爲所奪，而彼之消息更速

總之，有淸之世，自光緒五年設電綫於大沽北塘海口炮台，西達天津始，自是厥後，歲展月拓，迄宣統初，綫之通電者，凡九萬餘里，歲入約達一千萬，而延寄軍訊，數萬里外，瞬息立至，裨益國防實深且鉅。可謂其創始也艱難，其成功也不易。事在人爲，國防建設諸端之創辦，類皆如此也。（七·完）

軍犬「喬」的故事

○綠窗○

我不敢担保這故事是眞實的；但說故事的老憨，爲人正直，在同學心目中，信用卓著。我想除非是眞實的，他不至於捏造。況且還由於我的挑逗他才講的，要捏造也來不及。

暑假期中，貪戀校園的寧靜，我留在學校裏，每天挾着書本，到那裏閱讀一些。昨晨早飯後，彎過宿舍圍牆，遠遠的一對男女並肩在足球場的草坪上漫步，一隻蒿青色的大狼犬，繞在他們身畔，我忽然發現校工老憨，在一排排桑樹旁，手持剪刀發楞，兩眼盯着那隻狗。爲了好奇，我近前打趣了一句：

「老憨！好棒的狼犬？」我挑逗着要他講出狼犬的故事。

「曾經滄海難爲水！」老憨慨嘆了一聲，終於開始了：

民國三十四年，我是軍中一名上士排附，日本人投降以後隨軍自陝西渡河，沿同蒲、正太，出了娘子關。十月底從石家莊到達北平，駐防在豐台車站。這裏是平漢，平綏各綫投降日軍的遣送集中站。（一）

內警台報字第〇三一號內銷證

自由報

THE FREE NEWS

第七三五期

中華民國僑務委員會頒發登記證僑新字第三二三號
中華郵政台字第一二八二號執照登記為第一類新聞紙類
（逢星期三、六出版半週刊）

每份港幣壹角
台灣零售每份新台幣元

社長：雷嘯岑
督印人：黃行富

社址：香港銅鑼灣高士威道二十號四樓
20, CAUSEWAY RD 3RD FL. HONG KONG
TEL. 771726　電報掛號：7191

承印者：大同印務公司
地址：香港北角和富道六號

台灣分社
台北市西寧南路壹零壹號二樓
電話：三〇四六
台郵撥金戶九二五二

從蘇卡諾交出全權看印尼政局

·宋文明

一九六七年二月廿二日，印尼總統蘇卡諾正式發表聲明，將全部權力完全交於內閣主席蘇哈托。從此蘇卡諾雖仍保留印尼總統的名義，并將聽取蘇哈托向他所提的行政報告，聊為總統名位作象徵，而其實際權力則已喪失盡淨。至於今後他能否繼續保有這一總統名義，那就要看印尼政局更進一步的演變如何了。假若蘇卡諾能繼續保有印尼總統的名位，直至明年舉行大選為止，那他在這一段期間，就無意離開印尼，并準備要在大選中捲土重來，設法重新收回這個權力。假若在未來數月之內，事實證明蘇卡諾無法繼續保有印尼總統名位，那他就得離開印尼，前往其他國家過流亡生活，果如是，他的政治生命，也從此完全告一結束。所以從蘇卡諾失掉全部權力，直至明年大選，這一期間，他是否仍繼續保有印尼總統名義，不論對蘇卡諾個人或印尼政局來說，都是一件十分重要的事情。

既然蘇卡諾的繼續保有印尼總統名義，對印尼政局關係如此重大，何以印尼軍方不斷然行動，杜絕後患，而要留下這條尾巴？這種原因，一是由於不可能，二也由於不願意。就前者來說，一年多來，蘇卡諾在印尼一般羣衆中的聲望雖已受到重大損害，但并沒有把這種聲望完全予以消滅。甚至就在印尼軍方內部，還有一大部份力量，公開或不公開的繼續對蘇卡諾實行效忠。在這種情形之下，印尼軍方的反蘇卡諾派若採行太激烈的手段，把蘇卡諾一腳踢開，勢將引起印尼陷於全面分裂的危險。再就後者來說，不論蘇卡諾近年來的國內外政策如何偏頗差誤，不符合印尼實際需要，可是由於蘇卡諾以印尼國父身份連續統治印尼二十一年的結果，已在印尼全國形成了一種偶、成為印尼國家生命中的一項穩定因素。若印尼一旦突然失去這一穩定因素，以印尼的地域遼闊，宗教及民族的複雜成份，則今後印尼能否堅定維持過去那種大一統的局面，就不能沒有疑問。所以縱使印尼「新秩序」的倡導者對蘇卡諾如何深惡痛絕，而國家現實利益高於一切，終亦情願為蘇卡諾暫時保留印尼總統的名義。

在蘇卡諾一方面，他亦自信在全印尼一般羣衆中有相當聲望，所以年來不論耶加達的學生陣綫如何示威遊行，一再要求蘇卡諾下台，亦不論印尼軍方如何利用對政變份子的公開審判，間接對蘇卡諾發出警告與威脅，而他仍處之泰然，表示耶加達的這一切作法不足反映整個印尼的想法。於是當去年印尼諮商大會提議重新舉行總統選舉時，他即昂然表示，舉行這種選舉應越快越好，意指他對印尼人民的意向頗有信心。就由於蘇卡諾本人的這種自信與態度，所以就有人認為，假若蘇卡諾不肯認輸，而寧願印尼陷於全面內亂，堅持不交出權力，印尼軍方對他也莫可奈何。那麼蘇卡諾何以最後還是向軍方低頭，自願讓出全部權力？

要瞭解蘇卡諾這一用心，我們必須先要瞭解今日印尼實際狀況。今日印尼除了因一九六五年的政變及政變後的屠殺，在人民心理上造成了一種嚴重的創傷之外，整個國家亦正進入大動亂的前夕。其中尤以經濟衰敗，物資缺乏，物價飛漲，及貪污風氣的盛行，對一般人民影響更大。其他也由於人與人之間的缺乏信任，各政黨各宗教團體及領導層中爭權的激烈，以及各島嶼區域主義的重新抬頭，也使印尼的政治不安日益加劇。在蘇卡諾未交出權力以前，學生陣綫及軍方，有意把這一切責任都歸之於兩元領導，歸之於蘇卡諾。可是現在把所有權力交於蘇哈托後，將來這種責任又要歸之於誰？所以蘇卡諾的存心，就是隨着政府權力的交出，也希望把印尼現在所有的這些難題一齊交給蘇哈托却應付。假若將來蘇哈托有能力解決這些問題，使印尼渡過難關，鞏固自己的統治，蘇卡諾便無機可乘，過些時候，他就會自願從政治中完全退出。假若將來蘇哈托無法解決這些問題，致印尼政情更形惡化，領導層中出現重大分裂，則蘇卡諾自會見機而作，設法重新捲土重來。不過照蘇卡諾的所想，未來蘇哈托能解決這些問題的機會并不太多，軍方長期執政的可能性并不太大，所以在他內心，他認為此次交出全部政權，只不過是作一種緩衝之計而已。

印尼軍方并不是不知道蘇卡諾這步棋，也并不是不瞭解讓蘇卡諾繼續保有總統名義，對它們的政權就具有幾分的威脅。但印尼軍方除了因上述不可能與不願意兩種理由，繼續允蘇卡諾保有總統名義之外，它們在這一問題上，也存有別的想法。即印尼軍方認為，迫使蘇卡諾交出全部政權，為一年多來與蘇卡諾進行鬥爭的最主要一項行動，當這一行動宣告完成，蘇卡諾便如甕中之鱉，大勢已去，不可能再與軍方作鬥爭。而且即使蘇卡諾已交出全權，在他尚未完全離開印尼政壇以前，軍方也不放棄對他的鬥爭。換言之，印尼軍方的打算，即在於：為了政治安定的理由，它們暫允許蘇卡諾保有總統名義；但必須使用一切手段，繼續搞垮蘇卡諾的聲望，絕不使其有重操印尼政權的機會。所以未來期間，縱使蘇卡諾只保有總統名義，而不過問實際政務，印尼軍方困擾與攻擊蘇卡諾的行動，將仍會層出不窮的。

總之，自蘇卡諾交出全部政權，而仍設法保留一個總統的空名之後，印尼的政治鬥爭便進入了一個微妙的新階段。在此新階段之中，蘇卡諾和軍方，都在挖空心思，作政治賭博。蘇卡諾的賭注，下在未來一年半載之內，這個軍事政權將以各種壓力而趨於崩解，最後將重由他來收拾殘局。而軍方的賭注，完全下在時間上面；認為時間對它們有利，時間越久，蘇卡諾的聲望亦越來越低，最後將不攻自倒，一切自會落在它們手中。

所以分析到最後，印尼政局的全面性決定，主要就看未來一年半載的變化。軍方可在這一期間表現其真正的統治能力，蘇卡諾亦將在這一期間决定其政治生命的最後成敗。

與虎謀皮

你走一步我跟一步！

今日與明日

毛江大退却

經過半年為非作歹的紅衛兵，到目前為止，已經開到荼靡了。毛共中央已經下令禁止紅衛兵滋事，勒令還鄉，中小學準備開課，到時不回校就讀的紅衛兵就會被開除學籍，變成了紅乞丐了。

毛江這一對賊公賊婆，妙想天開發動紅衛兵來奪權，不僅是中國歷史上最大悲劇，也是一場最大的鬧劇，但胡鬧的局面畢竟是鬧不了太久的。當紅衛兵發動之初，贊成的人還較多，後來則愈來愈少，及至最近兩月，連林彪也在暗中反對；於是紅衛兵就鬥爭林彪手下大將，陶鑄遭殃於先，蕭華被抄家於後，引起了共軍高級頭目的普遍憤怒，差點在北平發動兵變，演一齣活捉毛澤東的現代戲，多虧周恩來五鼓起身召集一羣憤怒的頭目開會，才算把局勢平下去。從此以後，毛澤東不能不把大權交給周恩來，採取分段退却的方式了。

苦矣紅衛兵

毛澤東、江青這次發動的紅衛兵運動，對人民生命財產、國家的文物古蹟及一些共幹的生命，共遭到多大的損失已無法統計。單說紅衛兵自身的遭遇，却也是一場大劫。

毛澤東開始發動紅衛兵串連時，最初半月時間可以隨便乘火車、乘船、乘汽車、吃、住全部免費，到了北平有地方住，并未受到折磨。但是半月之後，由於串連的紅衛兵太多，全部火車運他們還不夠，整個客運貨運全部停止，主管此項業務的共黨大頭目提出異議，毛、江、林、周諸酋會商之後，决定禁止紅衛兵免費乘車船，要他們步行「長征」，各地共幹乘機也不再供給食宿，於是紅衛兵厄運開始。據傳在第一階段，凍餓而死的紅衛兵數達五十萬，毛共為此特地組成一個掩屍隊，在鐵路兩旁開始埋屍。

以後紅衛兵到了各大城市之後，在無衣無食無住無藥情形之下，一開始在北平城內就病倒十萬紅衛兵，加上各大城市算在一起，我們以最保守的估計，大概這次紅衛兵被毛澤東謀死的總在一百萬人以上。

死了一百萬人在毛澤東看來，眞是不值一笑，尚不到土改的十分之一。但是在我們看來，此一數字多過整個台北市，超過香港本島的二分之一，若是同外國比起來，有十二個馬爾代夫，兩個茅里塔尼亞，就是比起中國本土的外蒙同西藏，也相差無幾。我們不能不承認這批冤魂是中華民族的優秀兒女，如果不被毛澤東謀死，其中也許不知有多少楊振寧、李政道，興念及此，眞覺毛酋將來千刀萬剮皆不足蔽其辜了。（何如）

自由談

法律漏洞之二

法律的作用應該是維護社會安寧秩序，保障善良人民的。但由於法律諸多漏洞，被惡劣之徒所利用，結果常常產生着打擊好人、縱容壞人的副作用。如筆者曾在本欄指出政治上的賄賂行為，因有「與受同科」的法條關係，反而助長官吏貪污慾念，肆無忌憚之外，尚有刑法上誣告罪一項，亦因「判例」的紕漏，助長一般惡人的誣告之風，妨害善良風俗，摧殘國民道德，莫此為甚！

凡是虛構事實，意圖使他人受刑事或懲戒處分，向該管公務員誣告者，處七年以下有期徒刑，這是刑法上硬性規定的條文，一是皆以事實和證據為本，沒有甚末伸縮餘地的。可是，乃有所謂最高法院「判例」也者，認為從事誣告行為之人，如係由於傳聞、想像或懷疑心情而然的，即不負誣告罪責。這種惡例一開，於是乎，任何重大情節的誣告行為，皆藉這項惡劣的判例作護符，儘可胆大妄為，依然逍遙法外，刑律上的誣告罪明文，即等於廢紙了。何以見得呢？

譬如：我隨便向法院或治安機關，虛構事實，說某人是盜匪、流氓，常有殺人越貨以及其他各種非法犯禁的行為，訴請主管機關查究。假使稍有事證可稽，被告即難逃法網；但羌無故實，信口雌黃，故意毀壞他人的名譽信用，亦不負誣告之責，儘可辯稱這是得之傳聞，或是自己想當然的揣測，或者說對方與我有仇怨，懷疑他將要殺害我，不得不向官府預為申告。這在所謂「判例」庇護之下，百無禁忌，不受法律制裁，却不問其內容與動機如何。因而刑法上明文規定的誣告罪，自然永難成立，受之者唯有忍辱含冤而已。

蓄意陷害他人的誣告行為，因有惡例掩護，可以肆行無忌，使受誣者無從得到法律的保障，而惡性重大之徒，難以誣告他人為常業，亦復悍然為之，滿不在乎，這不是專門打擊好人，縱容惡人嗎？一道判例即可以把國家頒訂的大法成為廢紙，實視高級官府以命令變更法律的禍害尤烈。行政機關以命令變更法律，總是限於特定事項，其妨害社會秩序，摧殘國民道德，影響一般人心的後果，决不及任意誣告而不負法律責任之嚴重廣泛也。

似此弊害昭彰的惡例如不剷除，而妄思藉法治精神以正人心、厚風俗，那就是何典所說的：「放屁放屁，眞正豈有此理！」

馬五先生

既可代訓練更不會鬧罷工 台灣勞力充沛水準高超 僑胞投資絲毫無用顧慮

・華僑社稿・

一

衆多的外人和華僑回國投資者，都對台灣的勞動力表示存疑。因爲，在國外的人士，誰都知道台灣有投資的良好條件，如土地、電力、用水以及低廉的人工；但對土地、電力、用水、乃至於稅則都可有法令和規章依循，唯有勞動力始終找不到可靠的資料。

雖則內政部也依據了經濟成長情況在作有計劃的職業訓練工作的推行，經合會也搜集了很多資料，勞動力調查小組也提供了很多調查報告，但這些都沒有台灣省社會處國民就業輔導室所提供的資料來得可靠。不過這個單位，只是埋頭在做，而沒有作成有系統的報告，因此使外人，尤其華僑回國投資對勞動力發生了存疑。

回國投資，無疑的，任何工業，都需要勞工。但台灣的勞工到那裏找？能否找到理想的熟練工人？對這些，任何一位回國投資設廠的僑胞都到處打聽，但也從沒有找到門路。所以在這裏打算介紹台灣的勞動市場。

二

負責台灣勞動市場調查、設計、輔導工作的社會處國民就業輔導室，最近正打算編印一本小冊子，以中英文對照，供給回國投資設廠的華僑們作參考用。

在這本小冊子中，將說明台灣勞工在工廠主與勞工中間，和外國各地情形不同的一點：台灣勞工與工廠主是勞資合作，不是工廠主僱用了勞工，一切就得勞資對立，而是由政府從中協調。說得明白一點，台灣的勞工與工廠主是談勞資合作，如何增加生產，增加雙方的利潤的；所以回國投資絕不怕勞工會鬧罷工，而影響生產。

在這個優點說明後，也特別指出台灣的人力充沛。這不是台灣人口多以及失業者多，而是台灣由於土地政策的成功經建成長得快，很多人力被作有效運用，因此有很多人力正等待新的企業、工廠去僱用。何況台灣因爲經建促使了國民生活水準提高，生活安定，物價平穩，工資相當的低廉，這在生產事業的成本上是一大有利條件。

在台灣的勞動力，由於政府推行社會福利政策，使勞動力有選擇工作的機會，而技術並不是限於一種。當華僑回國投資設廠，如果事先能知道需要勞工的技術，負責國民就業輔導的機構，還可以代爲訓練。代訓練的勞動力，是經過考試、選擇後受相當嚴格訓練的。在台灣已有很多工廠在雇用代訓練過的勞工。這些經過訓練的勞工，不但生產技術相當優秀，連他本身的水準也超過一般的。對未來設廠生產的前途大有裨益。

三

這些年來，台灣教育的普及和水準的提高是衆所週知的，在這些教育的措施之下，台灣的勞工因教育水準提高，也直接使他們的工作水準提高。因此，這些年來，台灣生產的產品品質年年提高、改進，尤其是外銷物品。因爲台灣市場有限，華僑的回國投資設廠，必須要求其能外銷，所以台灣勞工的教育水準提高，對外銷產品的生產，是很有效的。

台灣省社會處國民就業輔導室何以要如此針對回國投資華僑作成這份勞動市場報告呢？主要也是政府推行社會福利政策，配合台灣社會結構的改變實際狀況，能使每個人找到一份使自己更愜意，也使生產效果更高的工作，這也是使台灣社會要安定，而使生產更有效。

目前爲了這份台灣勞動市場報告做得更完整，在全省設立了：台北、基隆、台中、台南、高雄等五個國民就業輔導中心，另外還設立了八個工作站，切實掌握勞動市場上的動態，使投資人對勞動力的雇用有安全感。

所以，華僑及外人來台投資設廠，對於勞動力的問題，是毫無存疑的必要的。

看橫掃中國大陸的「紅衛兵」與「文化大革命」

楊力行

我中國國民黨中央評議委員兼總統府資政陳立夫氏，挾其新著「四書道貫」由美返國，恭祝 蔣總統八秩華誕，響應中華文化復興運動，奔走呼號作學術性公開演講數十次，強調中國文化的精華就是「誠、仁、中」三字。我則認爲我們源遠流長內聖外王之傳統文化的中心思想，可以用一個「仁」字做總代表，無論在倫理道德方面、在民主觀念方面、在科學知識方面，莫不以「仁」字爲出發點。孔子說：「仁者，人也」。錢穆教授說：「仁，人心也」。人有此仁心，始得爲人；故「仁學」乃是人學與心學之合稱。孔門論仁，旨在「克己復禮」、「仁以爲己任」和「力行乎近仁」。孟子論仁，以義爲本。荀子論仁：「盡小者大，積微者著」。文天祥、唐才常、譚嗣同等先烈知仁行仁，尤其前者的「衣帶贊」和後者的「仁學」均重在「智以知仁，勇以行仁」。他們的「成仁取義」，影響宋末與民元前的民心士氣至深且巨。此中國文化之精華也，如今卻爲國人所忽。須知仁是發揮人性、培養人格、維護人權、充實人生的法寶。仁之於倫理，爲「盡己之性」，亦即本乎人性，講求合情的倫理道德，建立合理的倫常關係。仁之於民主，爲「盡人之性」，亦即尊重自己和他人的人格，在平等與博愛的基礎上，確立權利義務的平衡制度。仁之於科學，爲「盡物之性」，發展格、致、誠、正、修、齊、治、平之一貫大道的智能，增進「利用厚生」的國計民生福利。倫理、民主與科學，原爲我中華文化的固有基礎，亦即三民主義淵源所自的本質：民族主義的本質是倫理，民權主義的本質是民主，民生主義的本質是科學。我們今日所致力的「文化復興」，便是要在既有的「人文精神」的基礎之上，加以發揚光大；而其基本精神乃在於「人性的發揚」，蓋「天命之謂性，率性之謂道，修道之謂教」也。觀乎今日外國人士日益重視中文，能無愧哉！

「人性的發揚」在止於至善，乃爲「至仁」。毛匪的毀滅文化、絕滅人性，乃爲「至不仁」。「以至仁伐至不仁，必勝」！我們都是受過中國文化薰陶的人，必須要知道目前的忍耐，雖是痛苦，但結果將是甜蜜，最後更便是勝利。「文化復興」也就是建立三民主義新文化的開端，他將爲我們反攻復國和建國大業奠定必勝必成的基礎。

八、附錄毛澤東與江青

江青原名李雲鶴，小名江青，藝名藍蘋。凡四十歲以上的人，也許還記得在抗戰以前，她與在上海電通公司搞電影「塲記」的唐訥在濟南所演出的那幕自殺的喜劇吧！她原籍山東諸城，而家住濟南，父親早逝，寡母年邁，當爲傭工，無子，僅有二女：長女李雲露嫁給小丈夫王營牛，俟因她「紅杏出牆」而他亦氣死於戰前濟南。小寡婦不知下落。

江青現在正確的年齡，雖不十分清楚，但距花甲已不遠，因其離濟去滬入電通公司作三等演員時，據其濟南寒人鄰居言：已是二十三歲的妙齡。她有一張漂亮的面孔，和一個窈窕的身材，有小聰明，又好出風頭，證之她在延安「魯迅」（周樹人）藝術學院」肄業時之所以能獲得毛賊種的注意和垂青，就可見一斑了。尤其是她與毛賊種宣佈同居的那一天，而採取連毛賊種都會臉紅的閃電作法，更可見其相當精明和很是潑辣了。其經過實情如下：

有一天，正是中共頭子們正在一窰洞中開會熱烈討論着某一個問題的時候，叫囂之聲達於洞外，這位穿着人時的山東婊子並沒有經過守衛者的阻攔，就闖進了會議室（十三）

桃園續紛錄

本報記者黃鴻遇

△桃園縣長陳長壽，五十六年上半年度的例行「出巡」已於本（二）月廿四日開始，每一鄉、鎮、排定一天行程，當他抵達一處時，在集會中，必有人向縣太爺討「債」，巡視的第一天，在桃園鎮的「座談會」中，鎮民代表郭淨波列舉自五十三年度起，縣府對該鎮應發的補助費，累計新台幣三百餘萬元；郭代表又說：該鎮爲縣治所在地，建設落後，就是沒有錢，希望陳縣長重視地方建設，不要空口說白話，把這筆大欵，即予核撥。大溪鎮也有補助費一百餘萬元沒領到，鎮長陳義樹，也在簡報中，請求陳縣長如數發下。全縣十三鄉鎮，由此類推，陳縣長眞是「債台高築」了。有人打趣的說：縣府累欠各鄉鎮道麼多的「公債」，好在是「補助欵」，各鄉鎮沒有組織「債權團」的權利，否則，縣府大門，不被法院「查封」才怪呢？但又鄭重地指出：既是補助欵，自有預算來源，陳縣長常常强調：建設大桃園，一鄉一鎮是大桃園不可分割的整體。則地方建設補助費，連年拖着不予核撥，實在使不得。

△桃園縣境，擁有三十四所公、私立中等學校，以全縣六十萬人口計，中等教育是相當地發達。但以縣府當年所核發獎學金數字所顯示，其教育的「成就」仍然不太理想。原因雖多，而主持校務行政者，不能說完全沒有檢討的餘地，大致道來：有些常跑台中（教廳所在地），間或以「情面難却」，在「衛生麻將」「桌上入局，也可以說是「道上梁山」，贏了，可給「局主」的公子小姐買糖吃，輸了！有「金馬號快車」和「觀光旅社」車旅費，打「公差」報銷作補貼，反正都能增進公共關係。有些愛在縣衙中進進出出，有些只求無過，能平安地混到領「退休金」時，於願已足。當然，大多數校長，是以教育爲己志的，此間縣立大崙中學校長鄭國棟，他出身師大，年富力强，饒有幹勁。該校于五十年七月開創，當時只有學生（秋季招收新生借地上課）而無校舍。由鄭校長艱難經營下，現在已是頗具規模的學府了，問業績如何？是德、智、體、羣四育平衡發展，據鄭校長告記者：他是囿于「教育」的小天地裏，不善交遊，如論他常接近的「朋友」，只是全體老師和十多班學生了。你以校長之尊，難道全校學生都能指姓喚名嗎？記者問。他又說：這就是他疏于外界聯繫的原因，每天要幾節上課，要輪次和學生個別談話，經過三年（畢業了）的師、生生活，難道還不認識每一個學生嗎？他反問。並指出：該校去年應屆畢業生的升學率，遠超過了預計的效果！身教言教，固然是治學的原則，如鄭校長這樣的實教勤教，希望有些專門坐校長室，好交際的校長們，也不妨試試看。

△台灣省的衛生環境，在世界自由地區，是夠得起大拇指的，這有聯合國調查資料可閱。由小的範圍說：全省歷年來「衛生競賽」的評定，桃縣的成績，在夏立廷局長領導下，年年保持「冠軍」，使夏局長足以自豪！桃園和中壢兩大鎮，不獨爲桃園政治、經濟、文化、交通中心，人口約佔全縣總額三分之一，該兩鎮的菜市塲，有寬敞的新建築物，舊有的仍堪適用，也許是管理上的職責問題？處處菜市場，是亂極了，髒透了，臭死了！無論大晴或下雨，談到上菜塲，大家都是皺眉苦臉，作無可奈何狀！菜市場與人們的日常生活，是息息相關，對身體健康，影響很大！是以一致希望賢勞的夏局長，協調有關單位，加強督促各菜市的攤販們，注意環境衛生，才好。

嘉義中學職員自殺 帶給該校校長麻煩

（本報嘉義航訊）民國五十五年八月八日上午十時投宿台北市延平北路久大旅社服毒自殺死亡者，係尹隆泉，三十九歲，江西人。彼原爲省立嘉義中學掌管校產職員。死者於同年在校時與同校教員黃汝鶴感情不睦，因細故發生口角幷動武。身材較差之尹隆泉結果遍體鱗傷，憤而面告周校長必須解聘該員以資洩恨。詎料黃員爲司調局嘉義站前站長所推薦，故礙難所准。死者聞後，在極度憤慨下最後將周校長平時購置校產浮報不實之校產清冊在夜抄錄二份，翌日以脅迫性向校長攤牌，如不解聘該員將向司法機關檢舉。周校長基於本身利害，與死者協商，最後由周校長以新台幣若干萬元，收回該員所持校產清冊乙份作爲離職酬金。

尹隆泉離校後，手中仍持有校產清冊乙份，死者自殺時除留有遺書外，另有一份省有嘉中校產目錄乙份。此案由警方偵查後，獲得該項資料移送司法行政部調查局繼續偵辦中。

周校長貴州人，中央大學歷史系畢業，其岳父爲清末翰林，民初時曾在萬耀煌將軍主政湖北省時任專員，台灣省前教育廳長劉先雲爲當時省府主任秘書。周校長携眷來台後，憑藉上述關係由其夫人奔走劉府，四四年間先派花蓮省中任校長，民國四七年調嘉義省中連任迄今。

該案發生迄今將近半年，仍無下文，是否周校長運用其政治關係，或在此錢能通神的情形下就此算了，則尚不得而知。（蔣蓋民寄）

瀛海異聞錄

電單車成了追求新利器

桑雅

從前在美國的女人出街,叫她:「到我那福特牌汽車那邊去,我在等你!」似乎是很好派頭的事。現在時代進步,反而汽車追女人不吃香了。征服女人最有利的工具是電單車。

佛羅烈達州潘沙哥拉城,有一個憂慮的母親把她的十七歲女兒,帶到一個精神學家的診所去,因為她偶然發現女兒的信,文字內容猥褻,那些字句似乎是描寫造愛的動作,信內說:「我忽然覺得全身輕飄飄然,有一陣極爽快的舒暢,好像把我帶到另一個境界去,一切都是在動的感覺……。」精神學家與這少女談了片刻,安慰那個做母親的說,她不過是在文字描寫乘電單車的輕快而已。她開始有了一個駕電單車的男朋友。

在紐約舉行一次女學生的非正常民意測驗,她們都一致認為駕電單車的男仔,最為性感及有吸引力。歐美許多地方正被一般電單車風氣吹遍。加拿大托朗多省,有一個青年祇憑一部日本出品的電單車,使一個年輕主婦寧願跟他私奔;英國利物浦發現廿世紀的「蔦絲花夫人」(古代裸體騎白馬的婦人),她全身除了一把披肩的長頭髮,身無寸縷地駕駛電單車。

歐美在進行一場社會革命,數十年前用汽車追求女子,莫不得心應手的。在客廳的大沙發,與女人情話綿綿的時代,已一去不復返,代替的是用電單車作追女人工具。談情說愛擁吻的新場所,是郊外的葱綠草地或河濱樹下。一位中西部的精神學家說:「電單車突如其來地吃香,是男人逃避現代生活過份嚴謹約束的新方式;對於女人而言,是性自由的一種方式。」

美國東部一間學院的指導員也說:「你不必是金賽博士也可以看出這個跡象,校內最靚的女生,最願意與有電單車的男同學出街。那些放蕩的人物已放棄汽車,採用電單車了。據我所知,有兩個輪子的男人,在追求女的成功比率,較之擁有四輪的人數為更大的收穫。」西海岸一家電單車代理商說:「綿羊仔百分之九十,是售給年輕的男生,他們為了愛玩,而且玩的一定包括有女仔在內。」

統計數字雖不大清楚,可是據調查所知,女仔最喜歡「搭車尾」,她們的一雙玉臂擁抱着前面的男仔,其舒服可想而知。現在已有了各種的「電單車女郎」。女人愛電單車,受電影的影響,不無關係。女貓王安瑪嘉烈是常駕電單車的。而女仔搭了車尾,幾乎已屈服及任由擺佈了。芳齡十八的比蒂坦白地承認,與她出遊的男友會計員伊里奧是駕電單車的,常把她載到郊外一個好似馬克吐溫筆下的河船去,她欣賞接吻、跳舞及一切。有了電單車,不必借助酒精力量刺激。

柏特歷絲亞,十七歲,承認她的男友外表不大吸引人,談不上英俊,但他擁有一部電單車,她對他的印象改觀了,她說:「學校的生活煩悶,太過自動化,在放學後,我與愛迪駕電單車去找消遣的地方,自然有性衝動的感覺。我們到了郊外,草地上有着許多青年男女,大家接吻及愛撫,未及於亂。其實我們不一定是壞透的,有一次,我與愛迪在路上,被旁邊掠過的汽車濺得滿身是泥濘,我倆進一間汽車旅館去更衣,愛迪替我抹乾淨身體,我倆在花洒下彼此洗身,當然我是有需要的。」

她說她與愛迪是友誼的經驗,關於少年男女的性事太被誇大了,這是許多人不明瞭的事情,有時她認為那些卅歲以上的人,才是心腸骯髒呢。精神學家認為柏特歷絲亞未成熟,但情緒上還是健康的一個少女。專家也說:「我們需要認識,世事變遷太快了,有時比我們的想像更快。昨天社會上認定是不正常的事情,今天在各地正普遍地實行着。電單車狂的風氣,情形正是如此。」

佛蘭是電單車迷的第三種少女,她今年芳齡十八,住在阿拉巴瑪州一個小鎮。她也是涉及「兩輪子性革命」的女仔,她通常是獨駕電單車,逃避她對於性煩惱的感覺。佛蘭說:「我是一個身裁較大的女子,相當堅強,常可打敗男仔。後來我發覺這是交不到男朋友的原因。我也有一個密友,不過并非男仔,那麼除了騎電單車外,我還有什麼消磨時光的辦法呢?我將要進大學攻讀體育系,將來做體育教師,社交生活太狹窄了,除了朋友瑪莉,就是電單車。」

電單車可以觸發少女的情慾衝動,也是事實。據世界著名的婚姻作家雲韋利醫生說:「電單車的震盪是有節奏的,可以刺激女人的性慾衝動,也許初時并不是色情的慾念,但後來變為一發不可收拾了。如果有機會的話,他們就作性行為。」

紐約一位有名氣的心理學家說,有許多女人患了冷感症,怎樣也無法體驗暢快,他建議這些女人去騎電單車。不少女人經過一段時間,已能體會高潮。這醫生是建議她們在晚間就寢之前風馳電掣地騎一次電單車,由此證明是可以有色情的刺激了。

紐約有妓女專接外交官

桑雅

但未幾有兩位拉丁美洲人過來,自我介紹一番,自稱是拉丁美洲某國的代表團團員。我們接受了他們的邀請,到第五街一所大廈去,那是一個雞尾酒會,擠滿世界各國包括蘇俄人。

熱鬧了一番,派對快完了,南美洲人在我的手袋內塞了五十元;問我是否可以晚上十一時見面,吃一頓夜深的晚飯?我爽快地答應了。是晚與他渡過了,翌晨他離去時,給我一百元。這是我與其他娼妓有不同的地方:許多阻街女郎是要養父母丈夫兒女的,她們有一個共同特點,是對於男人非常憎恨,與男人作肉體接觸毫無興趣可言,簡直是麻木,一切的興奮不過是作狀而已,越快把他們殺青越好。

可是我對於這些事情,可以說是相當欣賞,除了賺那一百美元不說,我能與那些外交官、明星及有趣的人物,作肉體接觸,是有真正享受的。他們把我帶到許多地方去遊玩,從法國的利維里拉以迄墨西哥的阿卡巴字,都有過我的足跡。既免費遊歷,還有款存進銀行。

不過,我要留意被美國聯邦調查局的特工人員跟查。他們恐怕我是個間諜,雖然說不定應召女郎裏有間諜。我絕對不是,因為雖然好撈,最後我還要擇人而事的,希望組織一個家庭,放棄應接外交官的迎送生涯。(下・完)

偉大間諜二一六號郵檢員

若翰譯

因此,一直沒有懷疑朱里斯為通敵行動,所以他能夠向德國那些偽裝戰艦提出警惕,將英國高速的戰艦戰艇特點,報告德國,於是英國的高速戰艇,無法發揮其威力,致失却作用。德國的偽裝戰艦揚威海上,這些偽裝戰艦表面上像一艘漂浮的汽輪,但骨子裏却裝上重砲,隨時把浮出水面的潛艇擊沉。

朱里斯曾將許多英國的高度秘密消息,通知德國。然而,那些消息,並不是常常及時送達德國,使德國及早作準備的行動,這是英國的大幸。

雖然他供給德國有關英國的機密消息,是那末多,可是所用的供應方法,過於緩慢和簡單。他將一切資料,放進德國戰俘集中營的信件中,而以他底印鑑「陸軍部檢查員二一六號」寄出。

德國情報組組長華爾脫聶哥拉上校,派出一個曾飽受訓練的瑞典美女,前往英國,作朱里斯的助手,可是她為人粗心大意,不顧朱里斯的警告,終於失手被擒,被當局判處死刑,後來多方上訴,卒取銷死刑,改判終身監禁。幸而她沒有把朱里斯捲進漩渦。而他倆人的行動,却相當成功。

在一九二一年,那是第一次世界大戰結束後十三年,朱里斯撰寫回憶錄。在英國情報組的總部裏,高級的情報人員,無不為之羞愧得滿面通紅,無地容身。以一個改着明顯的德國名字的男子,竟能逃過他們的指縫空隙,而在英國裏大顯神通?當然那是歸咎於疏忽了。還有什麼話可說。

當第一次世界大戰爆發的伊始,朱里斯正在美國,正像許多在一九一四年的人一樣,他是沒有護照的。可是他竟能夠順利地,通行無阻的,經加拿大蒙特里爾進入曼徹斯特。在當時進入英國的手續,必須經由在南非的英國機構,簽發兩張證明書。而那時只知他在波亞戰爭中,曾担任翻譯工作,並沒有提及他的國籍。

根據朱里斯在南非替英國服務的紀錄檔案中,可能提及他是德國人的;然而最失策的處,當朱里斯向倫敦陸軍部郵政申請求職時,應該調查他的身份的,可是沒有向他調查,致讓他潛進作其秘密的通敵工作。

然而,他的通敵報酬,終於自食其果。當英國進行徵兵時,他為了要逃避兵役,便吃下一些可以產生心臟病症狀的藥丸,以患心臟病為理由,請求免役,當局信以為真,予以批准。

但是朱里斯却不曉得這些誘發症狀的藥丸,真的能使他培養了真正的心臟病。於一九三二年,他在心臟病突發下,不治斃命。一代間諜,就此收場!(下)

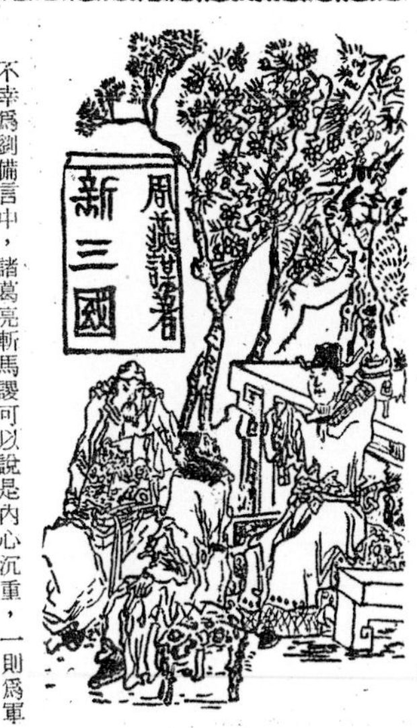

不幸為劉備言中,諸葛亮斬馬謖可以說是內心沉重,一則為軍令樹威嚴,一則感慨未信劉備之言,三則街亭之失,影响北伐甚重。由此觀之,劉備知人尤勝於諸葛亮。劉備前拔魏延為漢中太守,眾論譁然;可是魏延身當重任,勝任過之。劉備之知人,可以用「知人善任」來評論,實在毫無遜色。其他劉備所用之人,無不各得其所,各得其用。

街亭一戰雖不是和司馬懿直接對抗,但司馬懿却在另一方面立下了一次大功。這是他一着很精彩的傑作。

七三、司馬懿獨斷擒孟達　諸葛亮大軍出散關

孟達是法正的小同鄉,在關羽被暗算時曾經提到過的。他在關羽危急之時,作了投降將軍,做了曹家的官,在湖北房縣充任新城太守。曹丕死掉後,孟達頗想回歸舊主,諸葛亮進兵漢中,首次北伐,便與孟達暗通聲息,諸葛亮鼓勵他立功回歸舊主,並保證他回來的生命安全。

孟達知道司馬懿在南陽,如在房縣造反,司馬懿必來討伐。但是孟達計算:司馬懿是受洛陽節制,如獲消息,先要報告洛陽,等洛陽的命令,然後出兵。從南陽到房縣,以漢代的里程計算,約一千二百餘里之遙,從南陽到洛陽來回又一千六百里,往返路程總共有二千多里,至少用快馬傳報,也要一個月時間,司馬懿的兵才能到達房縣。孟達與諸葛亮暗通聲息已經很久了。他動手也比諸葛亮早兩個月,不知司馬懿已獲得此項緊急軍情,也可能魏國對這位降將,早有提防也未可知。司馬懿得知消息,他根本不向洛陽請示,司馬懿可以說是老奸巨滑,他懂得制敵機先,先發制人。不用請示,他便獨斷獨行了。馬上出兵討孟達,而且在孟達尚未動手之前,早將他的部隊偷偷運出了南陽。在演義上說是孟達給諸葛亮的送書信者被司馬懿的探子捕獲,獲得情報的。這也是想當然耳的穿鑿。結果孟達造反僅七八天,司馬懿的兵突臨城下。孟達死守了十六天,等待諸葛亮的救兵,但救兵到了木蘭寨,便被魏兵擋住去路,不得前進。孟達怎抵得住司馬懿的精兵?結果被司馬懿俘擄殺了。

孟達這人缺乏頭腦和警覺:自己是一個投降份子,在荊州做了糊塗事,在此又重演故事,沒有提高警覺:自己是一個投降份子,一舉一動有人監視着。如果孟達計算精明,晚點動手,待諸葛亮兵出祁山,收復三郡之際,洛陽文武正當慌亂之時動起手來,正相呼應,雖不敢斷定必然成功,至少不至於死在司馬懿之手。

另一方面,諸葛亮沒有料到馬謖會有如此飯桶。幸虧他施行堅壁清野,丟了空城,跑的快,才挽回了頹勢。宿將趙雲與鄧芝的兵,在斜谷方面與魏軍發生一次遭遇戰,勇敢沉着的趙老將軍,得全師而返。

身為統帥的諸葛亮,十分慚愧,為了樹立軍威,以身作則,自請降級,改為代理丞相,統領如前。(一一〇)

東北的花會

·東菜·

近幾年來，對於「花會」問題我曾請教過東北的故老和朋友，他們供給了很多寶貴的資料，再加上自己一些零碎記憶，抄錄在一個本子上，卻始終沒有整理。現在把它寫出來，也許可以幫助讀者更多的瞭解。我覺得這些資料還頗值得珍視，因爲即使在東北故老之中能記完全的，恐怕也不會很多了。當然，時間既久，人事全非，那麼就要請讀者加以教正了！

「花會」的會名，爲三十六門是不錯的，但後來也有三十七門，乃至四十門的。大概三十六門是基本的，其他則是另加的了。在這裏我把它們的名字和所代表的東西寫在下面。

（一）音會（觀音），（二）萬金（有錢的人），（三）河海（和尚），（四）元吉（道士），（五）三懷（衙役），（六）九官（唱戲的），（七）火官（打鬮的），（八）永生（收生婆），（九）吉品（官吏），（十）安士（尼姑），（十一）紅春（妓女），（十二）入山（瞎子），（十三）板柜（棺材），（十四）明珠（寶珠），（十五）日寶（小孩），（十六）汗雲（王八），（十七）根玉（男性生殖器），（十八）太平（天子），（十九）茂林（教書先生），（二十）天龍（強盜），（二一）龍江（海盜），（二二）至高（飛賊），（二三）必德（小偷），（二四）上招（馬賊），（二五）只得（鑽洞小偷），（二六）青元（媳婦），（二七）青雲（姑娘），（二八）井身（打水的），（二九）有利（貫寶人），（三〇）占奎（女光棍），（三一）坤山（老虎），（三二）正順（打漁的），（三三）天申（打柴的），（三四）元桂（廚子），（三五）福祿（放牛的），（三六）同同（兔子）。除以上三十七門外，又有加天皇（天神），地皇（地神），人皇（人神）者，共爲四十門。

三十六門會名，爲了便於記憶，還流行着一首歌，每一言一句代表一個會名（最後一句「在外邊」三字除外），那個歌是這樣的：

「晉萬河元，三龍九大永吉安，紅八板明日坤，正汗桂福光，合在外邊。三必上只肯，雲井有占」

押會的人們，既然是以占夢「觀景」做爲決定寫封的依據，而會名之中有很多性質相同的「河海」「安士」等都屬僧類，假如夢到一個似是而非的東西，難以確定屬於那一門，怎麼辦呢？於是又編出了一些性類相同的會名，分成若干組。若夢有所得，爲避免押獨門發生錯誤，把它們歸納爲一組的統通押上去，這樣會免得有顧此失彼之憾。

師師生生

·賈星源·

胡適之先生曾在「富貴不能淫，貧賤不能移，威武不能屈」底下增添了「時髦不能動」一語。余現以站在教書崗位而來一個東施效顰，也在「君君、臣臣、父父、子子」，下邊接續上「師師、生生」四個字，作爲師生之間不可或缺的風度和精神。顧不免有點「狗尾續貂」之嫌。要知道教育爲立國的根本，非如此則不足以陶鑄人才而有所成就，更不足以培養國基而有所建樹，這爲我們教師者和莘莘學子們的先決條件。

所謂「師師、生生」者，乃是教師與學生要各守其道，各安其分，各竭其智，各盡其能，一字不肯疏忽，一句不可苟且，一言不得放鬆，專心致志，衆首一堂，共讀共研，期能有所成就和創造，庶不負國家興學施教的目的，亦是我們師生本身分內的天職，責無旁貸的義務。

諺云：「有其師，則必有其生」。也就是說有名師，才有高徒。這話我既不否認，也不苟同，只是有一部份理由而已。例如以孔子之爲師，而竟有宰予的不可教，冉求幫助季氏的聚斂；由此看來，雖有聖人爲師，其於不向上的劣生，亦屬無濟。自必師生雙方都能各盡其在我，守道安分，以教以學，才可以啓發新知識，造就新人才，創造新時代。國家的需要在此。教育的眞諦亦在此。否則僅祇教師一方面克盡厥職，教學不倦，而學生方面則多以置身於學爲美名，博取畢業證書爲榮譽，上課時「一心以爲鴻鵠將至，思援弓繳而射之」。馴至言之諄諄，而聽之藐藐，甚且交頭接耳，談談笑笑，甘作害群之馬。此所謂「自暴者不可與有言也，自棄者不可與有爲也。」似這樣的劣生，即我至聖先師孔子復生，恐怕又要喟然歎曰「吾末如之何也已矣」。

溯自遜清末葉，興辦學堂，實施新式教育，迄今已七十餘年之久，何以我國的教育尚趕不上東西各文明國家，一切的一切均瞠乎人後？其主要因素，實是師生之間不能親愛精誠，缺乏「師師、生生」的風度和精神。教師每多敷衍塞責，學生相率因循苟且，我行我素，各長各風，形成似教非教，似學非學，不生不滅，不死不活的癱瘓狀態；而只是一味收繳學雜費，買賣鐘點費，類似一種商品教育。過去這樣，而今猶昔，興言及此，曷勝浩嘆！

要想發展國家前途，自非在教育上放一異彩，開一新紀元，由小學而中學，而大專，而各種各級學校，全體師生都能各安其「師師、生生」之本分，各守其「師師、生生」之正道，實難奏效。此外還須學校和家庭通力合作，打成一片，家長勉其子女，校長教師彼此互勉，教師要堅定其畢生盡瘁教育的志願，並具有有教無類的胸襟，學生當以國家的瓌寶，民族的命脈，時代的寵兒，社會的核心自居自任。我全國所有的各級各種學校的師生，果能本着「師師、生生」之大道，相因相需，循序以進，自必收到衆志成城之功效，達到百年樹人之目的，國家前途，實利賴之。

清代地方官吏之舉劾

·夜闌·

清代有關地方官吏之舉劾，各省布政使（藩台）雖有用人之權；按察使（臬台）雖有指使之權；然舉劾之全權，仍悉操之督撫。咸同以後，此風尤爲特重。惟舉劾之中，有須布按司具詳爲據者，亦有逕由撫疏奏，奉批旨，始行知兩司者，大抵以深爲多。至舉劾之類別，大要如次：一曰大計：定例三年舉行一次，全省中自道員以迄學官雜職，皆入舉劾範圍。然祇以實缺人員爲限，候備人員則不能列入案內。被舉者曰「卓異」，列卓異者必然有異政也。得卓異者，則須送部引見。引見後，大都回任候升。末季以後，得此舉者，亦不必升遷，遂相憚於遠行，不請赴部，長官亦不相強，遂成虛名矣！劾者分三種：一曰年老官，暮齡衰朽，或病聾瞽也。二曰不及官，才不稱職者也。三曰不謹官，貪酷不法者也。年老官多以原品休致，不及官或降用或竟褫職，不謹官，則無不褫職者。每屆大計，先由布按兩司將舉者某某，劾者某某，陳明督撫，始會銜具詳，督撫核定後，先將銜名考語榜示，始行出奏。

二曰到任甄別：清例督撫到任三個月後，須舉行到任甄別。合全省實缺、候補道、府、同、通、知、縣、佐貳、雜職，即逕由督撫辦理，無須由兩司會詳。此等甄別之案，在光緒前，被舉者多送部引見，引見後，必予召見，末季以後，則皆傳旨嘉獎而已。劾者分別輕重，實缺者或開缺另補，或休致，或降用，或竟革職；候補者，州縣以上，或降用，或職革；佐雜無階可降，大都革職。凡革職者，如情節重大，或加永不敘用字樣。

三曰年終甄別：每屆年終，亦應由督撫合全省實缺候補大小官員，擇尤分別舉劾一次。由督撫專辦，奉批旨後，始行知兩司。被舉劾者，所得與到任甄別同。惟年終甄別，布按兩司均應入考，以官階較崇，職責特重，所得考語均應美滿；但[illegible]常，必致開缺，另候簡用。故兩司考語，一涉平常，即與參劾無異。四曰專案舉劾：遇有特別褒獎之人員，則由督撫專疏臚陳其服官之政績及可破格任用之理由，請予以升擢；被劾者或因某事案，則全疏臚陳顛末，及其謬戾所在，請予懲處。此等舉劾，較爲鄭重，被劾者固無不照准，被舉者亦無不生效。其他無須奏請之獎罰，則悉由督撫主之。尋常有勞績者，最優給予酌委一次，次則記大功幾次，再次則記功幾次。有過失者，最重則停委三年，或一、二年，次則記大過幾次，再次則記過幾次。其記功記過，俾行知布政使於官冊上註明，無實際之損益。至州縣官之處分，以劫案爲最嚴重。清例劫案滿三個月，不獲匪首，或所獲不及全案匪數之半，即須開參，大抵視破案之遲速，以罰俸及降級任用爲等差。若劫案一夜連劫三家，地方官即應撤職留緝。解任後，尚不能行，須會同後任將案破獲後，始能離任。若匪衆劫城，地方官無不立被參革者。此可以觀清代封疆大吏考核所屬員司之大略矣。

吳摯甫與京師大學堂（下）

海嶠譽談會

·諸葛文侯·

當吳氏在日本考察學制時，清廷駐日公使蔡鈞，因禁止中國留日學生自由投考軍事學校如「成城」「振武」學校等（士官學校須由政府保送），全體留日學生譁然反對，且有憤而退學歸國者。據吳氏日記指出「廣東學生有毅然欲退學者」云，[illegible]，此稱「衍鴻」，不知衍鴻[illegible]孰是？[illegible]歟？）蔡鈞[illegible]孫中山先生領導之革命團體同盟會已在日本成立，留日學生多同情革命黨，蔡使仰體清廷意旨，偵察、管制留日學生言行甚嚴密，然日本政府殊不以蔡使之作風爲然，對蔡頗輕視，[illegible]界聞訊大譁，抨擊不遺餘力，[illegible]吳氏[illegible]是年（光緒二十八年）八月二日，留學生吳稚暉（敬恒）爲使館無理，率領學生[illegible]，蔡竟呼日本警察予以拘捕，摯甫尤爲不直蔡，據其日記云：「晚歸聞吳敬恒被警視廳捉捕回國，與蔡鶴（似係蔡孑民）夏悌山往見蔡公使論之」；「三日晨起，聞日本解吳敬恒歸國，敬恒途間投水，復折還回。文部參事官田所美治來談，許爲轉求文部挽之。晚歸則聞午二點吳敬恒等已起解。吾目見此變，一籌莫展，憤懣無極」。

泊是，蔡鈞對吳氏特寒其位，乃串同吳氏隨員榮勳——當國貴胄慶王（奕劻）權相榮祿之親屬——馳書清廷，謂吳率留學生倡革命，而由榮勳作證，因之榮祿亦不慊於吳。慶王與榮祿揚言「吳某乃爾，還當重詳」。幸有吳氏之另一隨員紹英（越千）亦滿人，守正不阿，常以書致慶王與榮相，爲吳氏剖釋事實，力闢誣謗之非，得告無事（以上見吳北江所撰紹千傳）。

吳在日本未歸國之前，曾以長函致北京張尚書（百熙）報告考察情形，對當時文教事業力主改革，建議廢科舉，興西式教育，注重自然科學，提倡簡體字，且謂「欲得教育之實效，非大減功課不可」。此在今日言之，了無新義，然在七十年前，出之於以科舉起家之人，允屬難能可貴。尤其提倡「省筆字」——吳氏稱爲「簡體字」——一項，可謂開風氣之先之大膽主張也。張百熙能以謙恭下士之風度，堅請吳氏担任京師大學堂總教習，自非一般官僚人物所能望其項背，然吳氏雖譏其下士亦爲好名，然三代以下唯恐不好名，張氏殆視滿朝頑固低能之鐘鳴鼎食者流，遠矣！

吳於光緒廿八年十月三日歸至上海，即南行回皖，料理私事，並爲[illegible]喪葬事宜有所襄贊，且撰墓誌、神道碑文等，又爲桐城學堂而悉心擘劃，對京師大學堂總教習職務，始終不感興趣，而京朝公卿之間對吳氏觀感亦不若往日之推許矣。吳有寄北京諭兒書云：「汝十八日來書，謂張尚書盼我等語，殆是中島（即隨吳赴日考查之日人）所言，中島不能知中國人情之變也。大約張尚書並無倦意，惟政府主持學權，張殆不能自主。昨得常濟生書，謂袁慰帥（世凱）到京，告人謂大學堂請我爲非：……張香帥（之洞）亦有指參學生……，濟生勸我宜於此時函致管學辭退……去年袁澁任時，留我甚堅（按係留主保定蓮池書院）我固辭不就，彼遂挾嫌至此，此公叛今上（指袁爲戊戌政變告密），叛李文忠（鴻章），何論老夫！聞張巽之語人曰：政府所以恨吳某者，以經濟叢編所言皆民權革命，此局吳某所開，其議論皆吳某宗旨也。此語蓋不獨傾我，且又擠華北譯局，此等人皆腹有鱗甲，不可近也。張尚書當無此等猜忍，若堅執不就，其怨我亦必甚，亂世眞不易處」。次年正月十二日，吳以病卒於家，得年六十四歲，京師大學堂總教習一職迄未就，然一切規模與課程原則，『早已詳擬計劃具報張尚書，大概因其思想主張過於新穎，不爲朝貴所喜耳。

諸葛文侯曰：吳汝綸以名儒尚節操，不善阿諛權貴，而其思想器識又迥異流俗，鶴立鷄羣，非有大智大勇之政治家，固不能識其才，致其用。吳氏縱不遽逝，而當腐敗之清庭，亦必然不致爲國求賢，重用吳氏，可斷言也。

內警台報字第〇三一一號內銷證

自由報

THE FREE NEWS

第六三七期

中華民國僑務委員會領發
台發新字第三二三號登記證
中華郵政台字第一二八二號執照
登記為第一類新聞紙類
（半週刊每星期三、六出版）
每份港幣壹角
台灣零售價新台幣貳元
社長：雷嘯岑
督印人：黃行奮
社址：香港銅鑼灣高士威道二十號四樓
20, CAUSEWAY RD 3RD FL.
HONG KONG
TEL. 771726　電報掛號：7191
承印者：大同印務公司
地址：香港北角和富道九六號
台灣分社
台北市西寧南路壹壹零號二樓
電話：三〇三四六
台郵撥儲金戶九二五二

國家安全會議成立後應有之作為

郭甄泰

毛共現時在外交上到處碰壁，孤立無援，地理上反美反俄兩面作戰，內政上紅衛兵作亂，四海鼎沸，經濟上任憑老百姓沒褲子穿也要發展原子彈，實實在在已到了窮途末路，四面楚歌的地步。我們在此地等了十八年，天天說反攻大陸，現在應該是反攻的時候了。但反攻需要有準備工作，無準備的反攻仍然是說說而已。現在國家安全會議已成立，其主要任務即為實行反攻大陸，在反攻之前，究竟應該有何種準備？怎樣作為？謹就管見所及，據述概要。

一、造成舉國一致的聲勢

反攻大陸為一種聖戰，中華民國絕續之戰，台灣省存亡之戰，恢復祖宗疆土之戰，保存中國歷史文化之戰，拯救七億五千萬同胞之戰，保持東亞和平世界和平之戰，因此，全國上下必須不分黨派，不分男女，不分老幼，不分地域，全體總動員，對中共作決定性之鬥爭，肝腦塗地，死而無悔。現在台灣有恆產者，安居樂業，生活水準提高，對政府感戴之誠，隨處可見，但同仇敵愾之心尚待加強；無恆產者，求田問舍豐衣足食，亦有目前成就，但滅此朝食之氣，甚已奄奄一息。自非團結各方樹立天下為公、匹夫有責之政風，不足以振奮人心，造成舉國一致之聲勢。

二、健全立監兩院尊重憲法政治

憲法為中國政治之基礎，立監兩院又為中國憲政之象徵，無憲法即無中華民國，無立監兩院即無憲政。現在兩院組成人員，因時間過久，業已老化。先就立院言之，出席院會為委員天職，但重要會議，經常不足法定人數，許多委員或久不出席，或簽到即走，實屬尸位素餐，玩忽職守。其次中央民意代表，均為國士，應當先天下之憂而憂，後天下之樂而樂。但部份委員或行為有慚清議，或要求限於利己，致使院譽蒙羞，自主生玷，對於政府不能發生監督功能，對於輿論不能發生領導作用。推其何以致此，主要原因有二：一為限制過嚴，一為個化太久。前者主要為限制委員提案，凡有提案須經中央黨部許可，等於閹割立委職權，凍結全國部份精英之才智，致使許多有為人士，趨於消極，趨於營私；後者主要為禁止候補立法委員遞補，違反戶樞不蠹，流水不腐原則，致使立委蟬聯十八年，形式上祇減不增，實質上自生自滅，無法收新陳代謝之效，如此抑制，如此看輕，而欲期望其數十年如一日，起衰振敝，有所建樹，自高品格，以愧國士，期望寧非緣木求魚，期望過奢？現在勘亂機關的國家安全會議業已成立，中央民意代表增選補選辦法即將頒佈，亟宜依照兩院委員選舉罷免法，將立監兩院之應遞補者，予以遞補，應增選者，予以增選，應補選者，予以補選，儘量增加新血，並解除限制，俾令自由獻替國家大計，俾使立監兩院在憲法上之職權與地位，得以完全恢復，安全會議將可能動搖憲政體制之憂慮，可以因此消除。振奮民心，一新國際耳目，胥於是賴。

三、起用青年幹部，實行一人一事政策

現在政府各機關，冗員充斥，兼職人員又多，暮氣沉沉，守成有餘，銳氣不足，缺乏開國氣象。台灣自光復以來，受中國大學教育者以萬計，大多屈居下位，無法展布，亟宜擇其優秀份子，分級分類施以嚴格的愛國訓練，破格提拔，俾能在短期之內接棒担負復國任務，並嚴格實行一人一事政策以專責成。同時對於老朽人員，甚至老而不朽人員，則宜特定優待退休辦法，加增其退休金，並予以退休後之生活保障，勒令退休，一以加強現有公務人員之新陳代謝，俾能改新政風，開拓復國機運，再以寬籌非常時期公務人員之退居生活，以示政府於重用新人、銳意復國之外，並篤念勳勞之至意。

四、加強政治反攻

民國五十二年五月哈里曼說：「余認為蔣總統承認無法希望以少數人員進攻大陸而加以收復，余意以為此處之任何希望，必須來自中國大陸之不滿」。現在大陸紅衛兵作亂，黨團幹部，農民，工人，互相殘殺，人人自危，將來必將演變至軍隊方面，互相衝突，不滿已極，甘迺迪總統所說的「一夜之間中共政權即可能崩潰」之時期即將到來。新疆、內蒙，毗鄰蘇俄、外蒙，現在新疆軍區司令員兼該區匪軍政委，匪黨第一書記業已公然反毛，蘇俄總理柯錫金復公然宣稱予以同情，西藏與內蒙反毛勢力，均甚強大，哈爾濱，黑龍江一帶反毛勢力亦甚得勢，衝突每日發生，大陸上共匪內戰不能倖免，四分五裂之局面業已形成，必須遵奉「三分軍事，七分政治」之原則，加強政治反攻，號召大陸上反毛勢力向我方靠攏、倒戈，以收內外呼應，羣策羣力事半功倍之效。

五、做好美國外交

我國反攻戰略所需美援之輪廓，主要為後勤之補給與空軍之掩護，舉其大者，不外下述數項：（一）摧毀共匪核子設備。（二）供給大批船隻。（三）維護海峽安全。（四）軍援新式轟炸機、戰鬥機。（五）供給若干師陸軍現代化裝備。（下轉第二版）

滾蛋

無法立足

今日與明日

毛澤東欲收帆

從許多跡象來看，毛澤東對文化大革命已想乘機收帆，暫時不再擴大，過了春耕再說。因為目前大陸各地共幹均受到紅衛兵的衝擊，人人朽不能自保，過去為惡之念自然斂跡甚多，鄉間老百姓乘機大肆破壞，最重要者為怠耕。此事一旦發生，毛酋感到異常驚惶，因為一九六二年慘劇記憶猶新，如果再現於今日，毛酋不僅會被推倒，而且可能會被憤怒的羣眾生劏。毛酋有鑒於此，目前惟一要求是展開春耕，未了的文化大革命留待將來再說。

反對派態度強硬

由於毛酋有意要退卻，對反對派也不得不採取讓步態度，重要者如倡言「奪權三結合」，各地組成的革命委員會，一定要有當地幹部參加，其故即在此。具體事實如已被鬥倒的李雪峯，最近又派赴天津主持工作，就是明顯地向反對派讓步，其他又如貴州，參加奪權的有毛共貴州省委書記、偽貴州省長李立，此人在貴州坐第二把交椅，僅在第一書記賈啓元之下，此次也參加了奪權，說來十分滑稽，李立本是當權的人，此時又要奪權，不知道究竟向誰去奪，是不是右手奪了權交給左手。

現在已有跡象可以看出，像李立這種行動在各省非常普遍，說不定又是當權派的「陰謀」，因為這樣作實際上是把孫猴子鑽進了牛魔王的肚裏，毛酋自然不會看不出，不過頭痛醫頭，腳痛醫腳，正所謂明知不是伴，事急且相隨了。

問題在秋後

當毛澤東與反毛派初次展開爭鬥時，反毛派就提出秋後算賬的口號，當時毛酋自仗有槍桿子在手，對這句話並不太重視，到了現在覺得這句話成了偉大的預言，秋後歉收出現了大飢荒，到時全國人民揭竿而起，輕則推翻毛酋，重則要全部消滅共黨，毛酋到此，不能不讓步，承認形勢比人強了。

就今年而論，將是中華民族否極泰來，國家撥亂反治的大好時機，凡我國人皆應萬衆一心，共同為光復河山而奮鬥，庶幾對祖宗及後世皆有交待。可惜的是在廟堂上只見到滿目官僚，作事競以不負責任、互相推諉為能事，社會上風紀敗壞，驕奢淫佚，反攻口號雖然喊得響，但為反攻而作事的人根本沒有，文藝方面反共文字已絕跡，流行的是三兩個黃色及流行小說的女作家作品，電影公司競拍電影，觀衆趨之若騖，何嘗有一絲反共心意存乎其間？讀「桃花扇底送南朝」一詩，可怕也。（何如）

自由談

人種戰爭

十餘年前，我在香港某報寫的社評中，曾經說過這樣一段話：「總有一天，全世界的有色人種，一定會聯合起來跟白種人作戰的」。此非偏激之言，乃鑑於西方白種人士那種不可講通，不堪承教的優越感，認為勢所必至，理有固然。

時至今日，所謂「黃禍論」的觀念，猶深中於英美一般高級知識份子的頭腦之中，英國著名史學家湯恩比的著作裏，即公然歧視黃種人。前任香港總督葛量洪曾在美國說道：「十九世紀是英國世紀，二十世紀是美國世紀，廿一世紀就是中國世紀了」。這話的內在涵義并非恭維中國人，而是耽心中國人將要翻身起來，不復接受西方人的領導箝制，因而向西方人發出警告呢！美國的黑白人種衝突，不斷發生，而南非洲那種嚴酷對待有色人種的措施，尤堪驚駭。最近澳洲的國防部長公開聲言越南人和中國人都應該制裁打倒，以致激起菲律賓總統馬可斯的憤懣不平，取消其訪問澳洲之行，以示抗議。馬可斯總統信乎其為人傑也，真堪敬佩！

目前最受白種人嫉視的，首為咱們中國人。西方列強在過去百餘年間，挾其資本帝國主義的勢力，利用不平等條約的關係，始終對中國實施「分而治之」的策略，不願意中國人有統一獨立的生活。自共產黨竊據中國大陸後，對中國人的嫉視益甚。英國當局於二次大戰後，反對中華民國政府參加舊金山的集體對日和約，美國當局不贊成中華民國政府對大陸採取反共復國的軍事行動，表面理由儘管很多，實際還是不願意中國統一獨立的觀念作祟，也就是「黃禍論」的迷魂湯中了毒！現在美英人士寄望於中俄共真正破裂，要想假俄共合作以打倒毛共，使中國恢復到數十年前軍閥割據的分崩離狀況中，稍紓「黃禍」的憂懼心情，其他的說法都是瞎扯淡而已。

因此之故，我認為未來世界的隱患，不是民族競爭問題，而是人種歧視問題。我們中國人的傳統性格，原係愛好和平的，以幾千年來的歷史事實，足以證明了。假如白種人歧視有色人種的無理思想不改變，中國人實逼處此，勢必被迫而領導有色人種，以與白種人抗衡較量一番，我敢預定這場鬥爭的名稱為「第四次世界大戰」，姑妄言之，以待事實印證焉。

馬五先生

高雄加工區發展不理想
設廠尚不足原計劃半數
工人工資過低亦引致各方面的抨擊

（本報記者趙家驊高雄航訊）經濟部高雄加工出口區，原計劃在該區內爭取設廠一二〇家，經兩年來的宣傳，截止目前設廠者不過五十二家，與理想的數字尚有一大段距離。若該區不可能在兩三年內達到以上數字，它的存在大可懷疑。該區對外宣傳：一二〇家工廠設立後，每年可為國家賺取好多外滙。又說加工出口區的設立在中國可謂前所未有，對經濟的發展與促其成長有極力的助益，將可使三萬人就業，解決社會問題等效用。南部地方人士，對該區亦寄予極大希望。豈料事實不是那麼簡單。茲試舉一例證之：

該區處長謝貫一，在第一次記者招待會上答覆我提到的未來工資問題，他說：「本區工人待遇不宜過高，高則與社會勞工待遇差別，失去平衡；也絕不至過低，低則不足以仰事俯畜」云云。目前該區工人待遇，卻低到二三百元，低過政府勞工法規定之四五〇元。誠如高雄就業輔導中心說：加工出口區管理處對於工人的待遇根本沒有一套計劃，他們爭取工廠的設立就是以「工資低廉」，「進出口免稅」為號召；可是只就一個工人最起碼的生活費說吧，吃飯每月至少須要三百元，租用破房子住也要一百元，交通費百餘元，零用及醫藥費百把元。換言之，一個人也必須每月七八百元才能維持生活，不談養家活口了。

并舉出事實說：香港華僑大地製衣工廠對工人很好，他們是按件計酬，好的每月賺一千多元，差一點的甚至做不到三百元，該廠也給予政府規定之最低工資四五〇元。如此一來，招來了其他廠商的忌恨，竟聯合起來對付該廠。又說最壞的是該區第一家開工的運通公司，每日工資低到八元，每月不到三百元，違反勞工法，莫此為甚。

高雄就業輔導中心，對加工出口區對工人的待遇低極表不滿，據某人士稱：該區處與廠商之間有一種默契，據說原來在與廠商簽約時，工資壓得極低，廠商權衡利害，認為台灣工資低，勞力過剩，是發財的最可靠憑藉。而該處的觀點：是聽其自然發展，工人供過於求，工資自然降低，反之自然增高。該人士憤怒的指出：加工出口區的眼裏只有資本家，沒有工人，他們只管爭取大老板的光臨，工人的死活管他娘。他又進而分析：該區管理處不啻幫助資本家剝削榨取工人的血汗。這樣性質的廠商，地方人士並不歡迎，工人也極為不滿。這樣，出口區的價值可以概見了。工人待遇的高低，可顯示國家經濟的狀況。而工資提高，購買力亦因而增加，如此消費增加，刺激生產，這樣才可促進社會的繁榮。最後他說：該區管理處，自造一個天地，官僚作風十足，說話不算話，對工人的住，食，交通，醫藥，保險等等問題，對工廠都有管理監督之權，可是他們不管。我們只有將事實反應上級了。

加工出口區對工人的待遇，刻薄，榨取剝削勞力，已引起南部各縣市地方人士的不滿，及輿論界的指責。此間軍管處長尹銘春分析說：加工出口區設置的目的，重點在製造就業機會，至於加工原料的進口，與台灣經濟沒有什麼好處。他說：對工人待遇的釐定，應該參照國內外工人的待遇，絕不能幫助大老闆剝削工人。這一點，他們應該檢討。至於工人的交通問題，他說：該管理處運用交通處的壓力，迫使我們闢一條專綫，每個工人每日來去兩趟，交通費不過五毛錢，比軍、公、教、學生，的季票都低。他強調為了工人，我們犧牲點倒無所謂，但管理處應從根本上令飭工廠自備交通車，長期供應。我們的虧損太大，這是每個市民的財產，不容任何大機關壓迫我們。

按該區處長謝貫一為廠商大老板的住宿問題，曾數度赴高雄縣大貝湖風景區擇地，均見諸報端，却從未聞對工人的住宿問題做過什麼事。可見他眼裏是只有資本家沒有工人的。據該處發言人吳延賢稱：本區聘有勞工專家，擬定各項計劃，為工人解決住宿、交通等問題。計劃——這是他說的——就算有，還之不行，等於空口說白話。按該管理處之高級職員均住台北，高雄不過是他們的獨身寓所而已。又據吳延賢說：謝貫一是經合會的參事，執掌管理處是在「賣老命」云云。

加工出口區管理處自處長謝貫一以下，大部份職員均係基隆市（謝曾任基隆市長多年）政府的老幹部。謝貫一這個班底據稱堅強，所以謝到台北，這裏他儘可放心，自有人替他「代拆代行」，他也落得一個清閒。有人說加工出口區是一個「特別區」，說他把基隆市政府搬到高雄來了，因此有人說高雄市有「兩個政府」。地方人士對該區已不發生興趣。該處屬經濟部，這個「大招牌」初來還可以唬一下，現在原形畢露，若不善自腳踏實地澈底解決問題，加強內部管理，協調勞資關係，不僅該區將來無人上門，該處的存在似乎是多餘的了。

此間人士批評謝貫一，說他是搞政治的，根本不能辦實業。政治可以買空賣空；實業則非腳踏實地按部就班的做事不可。可是這一點，管理處未免使南部人士大失所望。今後該處如何解決工人生活所需諸問題，如何與南部地方人士和諧相處，如何掃除官僚作風（按謝貫一口口聲聲反對衙門化），如何注意產品品質的提高，打開外國市場，才是最要得緊的。

國家安全會議成立後
應有之作為
（上接第一版）

（六）組織飛虎志願軍，協助我軍作戰。（七）補充彈藥及其他軍需物資。（八）接濟我軍大批糧食、醫藥。

凡此種種，美國如已決定援助我國反攻，均可優為之者，應於事先取得協議，以期必勝。

六、結成東北亞聯盟

亞洲問題須由亞洲各國自己解決，夙為亞洲有識人士所倡導，現在亞洲各國又以日本印度兩國為最重要，而就吾國反攻大陸言，如無日本之協力，在兵力及武器補給上亦難獲得充分之援濟。日本人口據美國編印「美國陸軍手冊」，為九千三百萬人（現已接近一億），自十五歲至十九歲之男性，估計約為二千三百萬人，其中適合軍隊或服軍方勞務者，約有一千八百五十萬人，除了維持日本經濟所必要的總人口約需一千五百萬人外，軍隊所需人員，不虞有缺。在第二次大戰期間，日本的動員記錄，約有七百萬男性投入戰爭，如有必要，此項動員記錄，仍然可以實現。次就工業力言，日本工業現居世界第四位或第五位，核子武力亦正在逐漸發展，一九六七年即可能有自行製造之人造衛星進入太空；對於我國反攻所需武器之大量補充，均可隨時供應，毋待他求。現在日韓早已復交，日本軍力已可與大韓民國軍力銜接配合，如能及時組成中日韓軍事聯盟，則反攻大陸，在軍事上即可謂為業已成功一半。顧此項聯盟如何促成，諸如日本憲法之修改，中日軍事上之互助，在東北方面以及他方面，收復大陸之合作等，均非輕而易舉之事，需要兩國之大政治家高瞻遠矚，從亞洲百年大計上着想，予以協商。凡玩小技巧，僅顧目前現實小利益者，均不足以語此。

七、國民工作機會平等

現在勘亂機構國家安全會議，業已成立，其組織中設有顧問委員會，規定「其委員由總統選聘，隨時個別或集會諮詢國家建設計劃及國家安全大計有關之事項」。在野黨及無黨派人士，當然有被網羅之可能，亦即有貢獻意見之機會，顧慮甚為周到。但現在國家用人尚有黨籍的限制，凡非執政黨黨員很難獲得公務員之任用，前據報載彰化有一無黨籍者欲在當地充一消防隊員職位，亦不可得。此種現象顯示吾國國民權利有黨員與非黨員之分，並不平等。政府對於國民待遇如有差別，自難能使人民心悅誠服，萬衆一心，齊一步驟。值此反攻前夕，對於此項看似小事而實非小事之偏差應予改正，以示大公昭恢宏，藉廣招徠。

以上七端，均係我國反攻大陸以前應有之措施，亦即國家安全會議成立後應率先考慮之大政方針。此中關於內政者，縱不成立此國家安全會議機構，固亦可隨時付諸實施；關於外交者如對日、韓外交政策，均係關係國家安危百年大計之重要決策，則非以政治上有強大勢力，軍事上有專門知識為領袖之統帥機關，不能担負此項重大責任。統帥部之領袖，如僅在政治上有強大之勢力，缺乏軍事知識，則不能發揮統帥部本來之價值。如僅有軍事上之知識，政治上之實力薄弱，不能控制行政院及國論，則事事均受牽制，實無軍事機關實際上之價值也。國家安全會議以蔣總統為主席，顯已具備上述二條件之資格，依照國家安全會議組織綱要第二條，對於動員戡亂大政方針及國防重大政策有決定之權，安全會議主席認為可行之事項，一經裁決，即可命令有關機關立予實行，其必能高瞻遠矚，顧及世界全局，國家環境，以最高之智慧，最大之勇氣與魄力，為國家作撥亂反正之舉，為子孫立百年不拔之基，收復大陸，期於現在，為功為罪，付諸歷史可也。

看橫掃中國大陸的「紅衛兵」與「文化大革命」
楊力行

劈頭就向與會的匪首們作了一個突擊式的驚人聲明，連毛賊磕坐在「主席」枱上也都為之尷尬萬分而臉紅脹了。她說：「今天很對諸位不起，使會議暫時不能繼續下去；現在，我所要宣佈的就是：我已與毛澤東同志同居，願意在這裏獲得諸位的承認，如今諸位都是在場的證人。」這是一個連毛澤東都意想不到的突擊姿態，於是，這一幕戲劇式的「先行交易，擇吉開張」的窰洞婚禮，便在匪首們張口缺舌中完成了。

回頭再說江青在「魯迅藝術學院」作學生時，非常用功，每次毛「主席」在「魯藝」中的講授，她多能詳細記錄下來；並且，在下課後，她總要携着筆記去晉謁毛「主席」，讓他看看她的筆記是否有誤？她之所以能獲得老毛子的垂青、愛憐、同居和結婚，其關鍵也在此。

江青的家是住在濟南城內按察司街的一條小巷內，家有老母、姊姊。其姊姊李雲蘇出嫁小丈夫王瑩牛後，江青和老母相依為命，幫傭渡日；但却在濟南完成了小學和初中的學業。在家境窮困之下，總算難能可貴了。女大十八變，她為了一個偶然的機會，忽然到了北平之後，又在一個偶然的機緣下，認識了亦官亦商的趙太倅的弟弟（忘其名），少女春心經不起紈袴子「愛情」之挑撥的，何況她原是放浪不羈地野慣了的，便與這位趙家二少爺實行同居而作了準商人婦。

背離舊好再結新歡：從此她在北平的社交場合中非常活躍，紅杏出牆，人盡可夫，於是，便又與趙家二少爺疏遠了，另外結識上了一位天津的富商何某；後來唐訥在濟南所演的那幕自殺喜劇，就是因為江青兩度離濟去津，會晤那位舊情人花花公子何某的緣故。

唐訥自殺的翌日，江青由津返濟，唐訥幸已獲救未死，兩人言歸於好，便雙雙離[illegible]赴滬，仍操其電影工作者之業，唐訥亦然。抗日戰爭發生後，她和唐訥又鬧翻了：唐訥去美，江青內遷，輾轉潛入延安，終於作了「中共主席」毛賊種的第三個壓寨夫人。民國三十四年春，抗戰勝利前夕，由於當時美國駐華大使赫爾利少將的安排，江青隨同毛「主席」雙雙飛抵重慶，那時她的絕代風華，誠不可一世也。如今名列中共秧歌王朝王后，又是「紅衛兵」的代理「總副司令員」兼共匪「中央文化革命委員會第一副主席」及「中央文化革命小組第一副組長」和「解放軍總政治部最高文化顧問」，是大陸婦工頭子，更在「一人之下，萬萬人之上」了。且看這些亂臣賊婆們，還能橫行到幾時？

八、毛澤東的醜惡出身

毛澤東原是位於長沙南門外私立妙高峯中學初中畢業後，考入湖南巡警學校，因犯竊盜罪被開除後，又考上南門外書院坪的湖南省立第一師範學校。其校長是後來以盜竊故宮古物聞名的前北京政府工商總長及南京國民政府農礦部長後任故宮博物院院長易培基。國文老師是留法的勤工儉讀老學生徐特立，也就是後來秧歌王朝的文教部長（活了八十多歲）。毛在校成績除國文尚差強人意外，其他各科都很差勁。他的同學曾於民國十六年五月參與長沙馬（二十一）日剿共運動，來台後在師大和師大附中任教十餘年，現已退休仍住師大附中宿舍的楊國經老師，及前在瀏陽南鄉文家市任興德鎮鎮長十餘年，以剿共聞名，現在台北市南京東路五段開設一爿雜貨店，僅在高小時曾代教過我一小時珠算的老師，民國四十三年五月逃出大陸，率眷由港來台後即迎居我家半年多的吳千芝（鹵谷）先生，都能道其詳。

（十四）

瀛海異聞

能知未來的第六感舉例

桑雅

布朗太太是做着噩夢，就在那半昏迷的狀態中，她聽到一個孩子的啼哭聲。布朗太太四十六歲，住在蘇格蘭斯那的布列顛。那個時候，她「看見」一個六七歲的女孩從斜坡走下來，朝着她走來。而那女孩的右邊，是一股黑雲，在空間盤旋着。在她耳邊還聽到一個聲音：「全家在屋子內呵！」

布朗太太嚇了一跳，馬上醒過來，把身邊的丈夫搖醒，對他說：「有可怕事情快要發生嗎。」

這是一九六六年十月廿一日上午四點鐘，一切都顯得那麼平常。那晨早稍後，他們夫婦兩人駕車前往修威茲渡週末，在途中停車吃午餐，扭開收音機，便聽到發生在阿伯芬的悲劇——山泥傾瀉，埋葬了一間鄉村小學，情形與布朗太太在夢中所看見的相似。

這還不算奇，竟然有二百人呈報也預先「感」到一及「看到」這悲劇會發生。而這宗悲劇，有一四四人喪生。

那麼人們確有預知未來的能力嗎？這便是千里眼嗎？

在蘇格蘭，已有不少研究此類第六感覺的，而且，已有很悠久的歷史的。對于某些人，一生中祇發生一次，另一些人自己相信常常有這種超人能力的。

當大悲劇發生時，常常有若干人是預感到的。這也是事實。科學家稱之爲「超覺」（英文縮寫爲ESP），好幾個科學實驗都證明人類確有一種心靈雷達，能夠穿過時空的。

是如何顯示的呢？有時是透過夢境，像上述的例子。亦有時在工作或駕駛中，腦海中也會浮現另一個景象的。哥達爵士遇到的事，便是一個顯著的實例了。

有一年，哥達將從上海駕機飛往東京，啓程前夕，他忽聽到一個聲音，對方向那人說話內容，顯然是他當作死亡的；他乃向那人問個詳細，那人說：「我看見機上你與三人擁機身亡，其中一個是女人。」

他聽後頗安心，因爲他知道自己駕駛的飛機，祇有他一個人而已。第二天，竟來了三位不速之客，一個人赫然是一個女人；在途中，遇了一場暴風雨，乃被迫緊急降落。幸虧沒有人死亡。這是不幸之中大幸。

一九四七年十一月間，一位荷蘭人不停做夢，夢見三六八四這幾個數目字。他醒來時，他便聯想起那可能是彩票的號碼，于是他設法買到這個號碼的彩票。後來，他果然中獎了。

一九六二年時一位專欄作家布郎奴，也有此類的經驗——他從未遇過馬場，但他在夢中，看見馬匹，及聽到一個聲音，那是「百靈鳥」。第二天他報上看到「百靈鳥」是一匹將出賽的馬的名字。他乃對隣人約翰提及此事，對方乃大笑，說：「這是一匹大冷門，沒有機會跑出的。」可是，結果是跑出了。

皮禮斯萊是英國著名的劇作家，他也有一個奇異的經驗：在一次夢境中，他彷彿坐在一個劇院舞台之前，眼前的景象是非常特殊的，筆墨難作形容。數年之後，他訪問美國阿里桑納州的大山谷，那是一個早晨，滿山濃霧。

他是如此憶述：「我靠近欄桿坐一會兒，等待着霧逐漸消散；突然，開朗了，然後我看見彷如坐在劇院舞台之前，從樓上望下去的樣子，一切一切的景象，像夢境中一樣。料不到幾年前我已預見這大山谷的奇景。」

此類的故事是不少的：又例如一位倫敦少女，在戰時的街頭走過，抬頭一望竟看見一座從未看過的醫院，她突感到無限哀愁，潸然下淚。戰後，她與一女友同住，後來女友病倒，在同一的醫院逝世。那少女竟然能預見廿五年後發生的事，說出來眞是難叫人相信。

更奇的還有：波士頓的「地球報」的記者拜倫一天午睡，夢中看見一個海島受地震影響而沉沒，島上居民哀號之聲驚醒了他。他醒來，無法忘記，他乃忍不住把夢中所看的情況，詳細地寫下來，還胡里胡塗寫上該島的名字——派拉立，在爪哇附近。全個故事打出來後，加打「重要消息」這幾個字；這不過是貪玩，於是他又倒頭入睡了。值班的後生不知內裏，乃把這文稿遞給編輯，編輯乃當新聞刊登，讀者看後，頻頻打電話，查詢，結果打電報給爪哇那方面，沒有回音。於是，編輯乃準備刊登向讀者交代的歉啓。可是到截稿時間，消息傳來，爪哇的卡拉加林島果然是地震而下沉！但爲什麼拜倫會稱它爲派拉立島呢？再過一年，才有專家指出原來該島的名字是如此，該名已沒有採用一百五十年之久了。

一九三九年十二月七日的早上，美國印第安那州奧雲維爾的居民，均發覺在一間小學門前的行人道上，有幾個大字「勿忘珍珠港」。當時沒有人知道是什麼意思。殊不知，兩年後同月同日，便發生了珍珠港事件，日本發動侵略的開端。是誰預知而寫下那幾個字呢？這個謎將永無人能揭露的。

逃出鬼門關

路加譯

一道咆哮的命令，向射擊隊施發，接着爆起一陣機關槍的槍聲，跟住，更寧靜得如死寂一般。

那個滿面于思，頭髮蓬鬆的男子，蹲在紅軍守衛室的地板上，很清楚的聽到那些震人心弦的槍聲，他想：「下一次要輪到我了，我到了生命的盡頭了。」

這是一九四五年二月的一天，博馬斯德被那些充滿仇視的蘇俄軍隊誘捕，他是澳洲南威爾斯邊境的中士。蘇俄軍隊是爲所有喪生於納粹手中的人復仇。可是沒有誰會相信博馬斯德是個澳洲人。

機關槍的槍聲又再度響起來，跟住有一個嚇人的尖叫，便又復歸於寧靜了。

博馬斯德凝望的看着那些休班的蘇俄軍隊，擠在守衛室裏。差不多一千次了，博馬斯德自問：究竟他這番行動是否值得？他從波蘭里茲諾的戰俘集中營逃脫，經過千辛萬苦，和納粹軍捉迷藏地匿伏，終於越過納粹的邊防綫，到達盟國的俄軍先頭部隊。現在他絕望的想着：「盟軍？他們不會比德軍好多少。」這時守衛室的門洞開，那些蘇俄軍隊，即刻站起立正，一位蘇俄的紅軍上校走進來，他的腰間掛着黑槍袋，套着一根手槍。他以德語高聲喝問：「那個囚犯在什麼地方？」

「我在這裏，」博馬斯德立刻以德語回答。在集中營好幾年，他學懂不少德語。那位上校朝他身上打量，同時把啣在口中的一根長烟拿下，先用德語，繼用英語說：「我接到報告，說一個英國的戰俘逃脫，走到這兒。現在我們發現你是個納粹黨人。」（一）

象之種種

黃也儒

說起象來，必須認清牠是亞洲象，抑是非洲象。由於亞洲象比較的容易捕捉和馴服，所以我們可以斷定平常在動物園或馬戲班所看到的多是亞洲象。有一個比較容易的方法可以分辨你所看見的象是亞洲產的還是非洲產的，那就是看看牠的耳朵。亞洲象耳朵小，樣子像一幅印度的地圖；非洲象耳朵大，而且能到離地面一半高。非洲象通常身軀高大，亞洲象的身體則結實強壯。

一頭幼象剛出生時，大約重二百磅，高約兩呎十吋左右，數分鐘後，即可站立，不久便可步行。

一頭搖搖擺擺六噸重的大象，看來很是笨重，像是被那龐大的身體所累。其實象可以運用鼻子去檢東西，是非常靈巧而準確的。象的鼻子實是自然特殊的創造：多數人以爲那鼻子是一個管子，用來吸進水和食物的；實際上，象鼻乃是一種手、臂、觸鬚及吸水的混合物。象並不用鼻子吃東西，鼻子祇是把要吃的東西檢起來塞進嘴裏，用鼻子吸水，通進喉嚨喝就是了。象的鼻子一如人的雙手。人稱雙手萬能，象的鼻子亦復多能的。有人說象有多重，牠的鼻子就有多大的力。

我說象的鼻子是多能的，一點也不錯。試看：當象過木橋時，必先將鼻子在橋上壓一壓，以試橋基的載重力是否受得起牠的體重。再說，牠的鼻子可將一株茶碗口大的樹連根拔起，也可以在地上拾一枚繡花針。牠還用鼻子來折樹枝，在空中嗅敵人的氣味，攀摘高樹的果子，吸深淵的水通入口中。牠的鼻子既然如此有用，所以頗爲自負。

象很敏感，有一次，在動物園內，曾經有人見一頭雌象把鼻子伸進一個孩子的口袋內，因爲牠知道裏面有塊糖！

象也是貪吃的動物，二十四小時內，牠大約臥下來小睡兩次，其他的時間，便不斷吃東西。一頭普通的象，每天要吃一千一百五十磅的東西。

象在遠古即受人類的重視，而且加以利用。在二十世紀的今天研究非洲象的特別多。尤其在印度阿森省的人，最善馴象。當牠長到五歲，體高約五呎，便開始接受工作的訓練。到牠十六歲時，已開始工作了，當時只運輕易的東西，但到了二十四歲時，成爲壯丁，便要正式入森林運樹木了。一象到三十歲，是氣力的高峯，一直維持這個黃金時代至三十八歲。到六十歲時，工象便告退休。每一頭工象，每週工作五天，老象和有孕的雌象，則星期三休息。細何的象，由六月工作到三月，此外的時間是休息的。又因爲大象最怕熱的緣故，所以，當牠在雨水中工作時，特別高興。

象也有牠的弱點，就是牠的鼻子的根基和耳孔。這就是牠要害的地方，只要這些地方中彈，象便倒斃！

我們常把象稱爲「大笨象」，其實除了牠的龐大身體確屬笨重外，牠的工作能力和用處是多麼的大啊！尤其是牠那得天獨厚的鼻子，運用起來，一點也不笨。

趙雲也連帶受到處分，由鎭東將軍降爲鎭遠將軍。關於馬謖的死，據諸葛亮傳，則爲「戮謖以謝衆」，是被斬死的；又據馬良傳（附謖傳），則爲「下獄物故」，是下獄因病而死的。又據「襄陽記」，蔣琬和諸葛的一席對話，「天下未定，而戮智計之士，豈不惜乎？」由此看來，又是被戮。馬謖違犯軍令被斬是可信的。

諸葛亮自街亭失利之後，乃考微勞，甄烈壯，引咎自責，將自己的過失佈告天下。他這種自勵反射的精神，古今有幾人能做得到？歷史上說他「厲兵講武，以爲後圖，於是戎事簡練，民忘其敗」。諸葛亮之所以爲諸葛亮，眞了不起的人物。他雖然有街亭之失，也是他平生最大的一次用人不當所遭的敗績。等到「民忘其敗」的時候，爲時不到一年，就在同年冬十一月間，實行他第二次北伐。此時江東的孫權打敗了曹休，魏國又增援東下之際，爲軍事同盟的守信，共同討伐曹魏，又上了一道表章，即歷史上所稱的後出師表。後人有懷疑「後出師表」有問題，還引起一些爭論。因爲該表不見於「三國志」，乃見於張儼的「默記」和「漢晉春秋」；同時在表中，稱喪亡軍官有趙雲等七十多人，按趙雲本傳所記，趙雲死在建興七年，諸葛亮的「後出師表」則在建興六年冬。祇有這一點小疵。按三國志錯誤的地方不少，筆者曾寫過一篇「後出師表」考證一文在本報發表，言之甚詳，在此不再多說。諸葛亮一共北伐了九次，可能在以後出師時上的表也未可知。因在他幾次出師中，上表的記載只有一次，故有人說「後出師表」是曾人的揑造，但詳按該表除此之外，別無可議之處，同時也無揑造的必要，也不能因多一篇出師表少一篇出師表而有損於諸葛亮，所以不必再鑽牛角尖。

此時諸葛亮獲得的軍情，在陳倉（陝西寶雞）只有一千多守軍，就出兵進攻，把陳倉包圍；想不到守陳倉將領是一個硬幹的郝昭，守勢得法，諸葛亮曉以大義，終不肯投降。而且用火箭燒掉諸葛亮進攻的雲梯，又用繩子繫了巨石，壓斷諸葛亮的衝車，最後還在城牆裏面造起平行的城牆。諸葛亮在城外掘地道，郝昭也在城內掘地道，可以截斷城外的地道。如此一來，諸葛亮簡直無法攻破；此時魏國的救兵又到，諸葛亮只好退軍。

七四、追蜀軍王雙送死，詐降魏曹休設命

援軍的將官名叫王雙，乘諸葛亮撤退之際，來一次追。諸葛亮早有準備，就在中途設下埋伏，斬王雙於馬下。不想在撤退中尚打了一次小勝仗，斬了一名大將。

當魏吳交兵時，諸葛亮得到情報的時候，魏吳的軍事行動已經成爲定局，吳國大勝。因爲當時交通十分不易的，如果有電報，那麼蜀吳聯合上下其手，曹魏江山恐怕早完了。此一次戰爭是值得一書的。

未動手之前，孫權先是使他的鄱陽太守周魴假投降。周魴字子魚，是吳郡陽羡人，少好學，舉過孝廉，做過縣長，素以剿山寇著稱，有功升丹陽都尉，黃武中，升鄱陽太守。（一壹一）

東北的花會

·東萊·

會名分組的種類很多，這裏所記的恐怕並不十分完全，不過也可見概略了。「三醜」：合同，汗雲，紅春。「三孤」：崑山林，有利，福孫。「三林」：根玉，太平，茂林。「三李」：汗雲，日寶，明珠。「四打」：正順，天申，井身，火官。「四大家」：太平，萬金，吉品，有利。「全五子」：九官，入山，合同，紅春，安士。「六盜」：天龍，龍江，上招，至高，只得，必德。「六張」：九官，火官，萬金，河海，三懷，元吉。「六女」：青雲，青元，紅春，安士，永生，占奎。「六陳」：永生，吉品，安士，紅春，入山，板櫃。其中「三李」「三林」「六張」「六陳」等，不知原意何在。

會局裏有一些術語，譬如賺了錢，叫做「打腰」，賠了錢，叫做「抬亢（石旁以下同）」。打腰是得意，發跡的意思，東北有一句話，形容某一人發財、升官、得意時，往往說「他打了腰啦！」而哈爾濱一帶又愛加上一些形容詞，說「打了一條龍的天腰！」會局在開會時，會主必定喊「××（會名）打腰」，這門會最好對他最有利，而喊聲之中也暗含向神明祈禱勝利的意味。至於「抬亢」呢？說明這句術語是個甚麼東西。在北方蓋房子砌地基，都是用一張圓兩頭平齊的石軸，（圓周直徑約一尺半左右，高約齊腹）綁上繩索木架，由四五人抬着一面歌唱一面往下硾（歌唱是為了動作齊一），那石軸就叫做「抬亢」。抬亢往下硾，普遍叫做「硾亢」，那樣「抬亢」的意思是說會局賠錢，乃出大家用賭注把他打垮了的。

會局第一天開會，一定要出吉利的會名，例如「萬金」「吉品」等；如果遇到「抬亢」的情形，一定要出「板櫃」，因為「板櫃」是棺材，諧其「財」音，以取吉利。或者出「晉會」，以求觀音大士來拯救。出會時，會主並不是只喊一個會名，有時喊到三個。他喊第一個時，例如喊「坤山打腰！」他一邊喊一邊查看押會群衆的反應，如果喜形於色的人多了，他就知道要賠錢，再喊第二個，一直到他認為有把握時，纔宣佈確定。這些動作，經常有押會的人是懂得的。一些押錢多的人，往往躲在門外，以免被察看出形色來。只有，婦孺們沉不住氣，纔形色外露。「討封」的方法太多了，至於有的婦女們竟把三十幾門」會，封放在棉襠裏，讓過路的男人伸手掏出一個來。據說有一個人常到「亂葬崗」去「討封」。（下）

海嶠書談薈

甲午中日戰役與李鴻章

諸葛文侯

前清光緒廿年（公元一八九四年）甲午中日戰爭之役，雖以朝鮮問題為搆釁基因，實係新興日本資本帝國主義必然之趨勢。蓋當時沙俄經營西伯利亞甚亟切，進而染指於吾國東北地區，與日本向外擴張之野心直接抵觸，而英國急思利用日本以制俄，縱無朝鮮問題發生，日本諳悉清政窳敗與軍力孱弱情形，亦將製造口實以挑撥戰禍也。

事變之初，清廷執政人物以大學士翁同龢為首倡，洶洶主戰，而一般素負清望之朝野名流，咻然附和，非戰不可，唯李鴻章一人力倡和議，致被朝野上下斥之為通敵誤國，曾由清帝明令免去本兼各職，並予以「摘去三眼花翎」頂戴之處分，北京且流傳「李二先生是漢奸」之歌謠，衆口悠悠，積毀銷骨，鴻章一時無申辯之餘地。彼固知清廷原有創建海軍之經費，大部分已被慈禧后移作修築頤和園用途，十年來未曾添置新軍艦一艘，而陸軍亦陳舊不堪勝對外戰爭之任，明知其決無倖理也。然光緒帝方銳意圖強，聽信主戰派虛憍激昂主張，對李氏老成謀國之見解不予措意，李孤掌難鳴，惘然受謗而已。

戰事發作前夕，李氏曾探詢日本和解條件，日方索款六百萬兩，李允二百萬，繼增至三百萬，而朝議不許；及平壤陸戰敗績，英俄兩使斡居間調停，則勸出二千萬兩；迨旅順海戰不利，岌岌可危之際，有言和者，日方已索五萬萬兩矣！戰局潰敗後，清廷乃命鴻章以全權赴日本下關媾和，日方仍索賠欵五萬萬兩，旋李在下關遇刺，國際輿論譁然譏之，日本以兼得台灣割地之益，將賠欵減為二萬萬兩，此非李氏口舌之爭所致，殆其被辱流血之代價也。

吾人今日根據當年各種實際情況與資料，認定李鴻章之避戰政策，允屬未可厚非，即彼於戰事終結時，暗中慫恿沙俄出面，聯同英法各國，迫使日本放棄其侵佔，遼東半島要求，以及後來與沙俄訂立密約，施展「以夷制夷」策略，利用國際間之矛盾因素，期得保全本國利益於捭收捭擊之秋，用心亦良苦也。

戰敗後，李氏奉命與敵人議和，當日主戰最力之公卿士大夫等，雖噤不出聲，然心中孕恨李氏仍甚，尤以直隸布政使閩人陳寶箴（右銘）最為突出。緣有蘇省南通州名士范肯堂者，時任李府家庭教師，賓主亦極相得，范與右銘之子陳三立締姻，以其女妻三立之子師曾，而右銘因恨李，竟迫范辭去李教職，意氣用事若此，殊堪駭笑。另有皖省學人吳摯甫（汝綸），適在保定蓮池書院担任山長，陳右銘以藩司身份，過書院訪吳，談及甲午戰役（時在乙未六月），彼此竟破口忿爭，互相詆訐，尤為咄咄怪事。茲摘錄吳氏致陳藩司函，以見當時清流士大夫恩怨深刻之一斑焉。函云：

頃承枉過，引與談說近事，至為榮幸。鄙論創立海軍在醇邸既出之後，欲避二王進退，發自清議，未論李相（按指李鴻章）是非也。執事遽有孝子慈孫等說，聲色俱厲，傍觀錯愕。某深知執事忠憤勃鬱，痛恨國恥，積不能平，有觸即發。但聲色加人，施之敵以上，則為氣節，為正氣不撓，施之敵以下，則為謾罵。若某者，以退休下吏（按吳歷任直隸深、冀兩州牧），留滯此土，又不自揣量，僭與諸公分庭抗禮，非荷優容，何敢忘分攀附？雖伏草野，於世事多不通曉，尊論謂不佞以濁流自處，亦殊不然。近來世議以罵洋務為清流，以辦洋務為濁流，某一老布衣，清濁二流皆擯棄不載，頃故以未入流解嘲也。前接范肯堂信，謂執事甚知不佞，與日去留當為執事稍一躊躇。肯堂知某以家事將南歸，故來書及此，士伸知己，聞此亦為氣王。某雖皖人，未受李相薦舉，其來直隸補深州，乃曾文正所成就，例補冀州，則李相疏題耳。然竊觀李相措注，無甚刺謬，若國勢積弱不振，殆非一人之咎。私懷此議已久，要未敢直陳於執事之前者，以其為不入耳之言也。某少孤立，無鄉達先知攀聯，於時，生平知遇，前惟曾文正，後惟李相，今雖外議藉藉，某誠不能隨衆波靡，為吹毛之議，詘已退之人。但無心富貴，豈復作權門之孝子順孫哉！漸忝謬據竊此席，執事久忿恨吾國敗辱之恥，積怨李相，無所發怒，還怒不佞，則某竊知罪矣！請從此辭，遲速唯命！

我也談談文化復興運動

·賈星源·

當此毛林小集團正在大陸大搞其所謂「文化大革命」，不遺餘力，恣意瘋狂的毀滅我中華五千年來固有文化之際。可是我自由中國，則瘏口曉音，大聲疾呼，號召「文化復興」運動。針鋒相對，適成反比；這足徵毛匪的倒行逆施，是到了垂死掙扎的地步。而我方基於「為往聖繼絕學，為萬世開太平」先哲遺言，作出一項因時制宜，對症下藥的神聖任務。假使作得徹底而本固枝榮，而開花結實，那麼綱常倫理，四維八德，自必又為我同胞們所拳拳服膺，並可進而兼善天下。

不可諱言，大家都知道我中國文化的確衰落了；溯自海禁大開，歐風東漸，一直在衰落，加速的衰落，一落千丈、萬丈，且不知伊于胡底。究其癥結，探其原委，則在於一般人盲目的崇洋，即所謂「什麼東西都是外國好」，甚至還說「美國月亮比中國圓」，可笑亦復可悲！他們的腦海中，總認為惟有走洋人路線，才有出路，才能出人頭地。就以目前台灣社會來說，不僅許多青年學生存此幻想，而竟有不少作父母的亦均希望其子女出國留學，一旦鍍金回來，即可以成龍、成鳳，因而大家都拼命的汲汲於學習外文，拋棄本國文化於不顧，興言及此，曷勝浩歎！

盲目的崇洋，是中國文化致命傷，我中國的文化領域大半被洋化篡據了。長此下去，恐怕再過幾十年，連中國的書報雜誌都看不懂，甚至也懶得看它一眼了。為今之計，惟有奉勸社會上一班盲目崇洋份子，大徹大悟，革面洗心，不再存有崇洋自卑感。試問做一個中國人，而輕視中國文化，拋棄中國文化，還能稱得上受過教育的知識份子麼？筆者並非不重視吸收外國的科學知識，外國的科學知識要吸收，更要急起直追，迎頭趕上，期能與歐美並駕齊驅，民生賴以富厚，國家隨之強盛。但自家的固有文化，也要隨時隨地加深研究，才能夠做到，中西滙通，取精用宏，對國家有所貢獻，對社會有所建樹。

「亡羊補牢，尚未為晚」。我海內外男女同胞中的讀書種子，知識份子，大家要各付出無比的代價，抱定「文以載道」的決心，戮力以赴，持之以恆，從事這項「文化復興」運動。我認為在此時、此地，確是一項神聖使命，萬不可陽奉陰違，或會而不議，議而不決，決而不行，重蹈以往覆轍，所謂五分鐘熱度罷了。願與大家共勉之！

光緒皇帝的兩個忠臣

吳文蔚

遜清光緒皇帝，在滿清皇室中，可以說是一個最倒霉的皇帝了。他一生都處在憂怨抑鬱之中，外侮頻仍，內荒連年，長期軟禁，傀儡當場，身不由主，一切都由母后擺佈，名義上是個皇帝，實際上連一個平民的自由都沒有，戚戚終世，就這樣地活了幾十年。像他這樣的遭遇，使後世讀史的人，實在不能不替他惋惜而與他表同情的啊！

光緒一生最值得使他慰藉的是有兩個忠臣，一個是他的老師——以後曾居於相位的翁同龢；另一個就是侍候了他一輩子的太監王商。這兩個臣子，對光緒忠心耿耿，患難相共。人生貴知己，雖則他是皇帝，在他終世的憂鬱之中，有此二位心腹忠臣，也可以說得上夠安慰的了。

翁同龢一生為光緒做了幾件大事，第一件是推薦廣州將軍滿洲親貴長敘的兩個女兒給光緒納為妃，這就是以後的瑾妃和珍妃。尤其是珍妃，特別受光緒寵愛，同時珍妃對光緒也十分體貼賢惠，以後就因此遭受隆裕皇后的嫉妒，在義和團之亂中，西太后聽信讒言把她推入井中淹死了。

第二件是引進康有為策劃新政維新，實行君主立憲，這就是歷史上的戊戌政變。本來這一次變法行將成功，其所以失敗的原因，就是光緒錯把袁世凱當做心腹，結果反吃了袁世凱的大虧！從這次變法失敗，光緒就失掉了自由，不再主政，國家大事依舊復操於母后手中，而光緒也被囚於瀛台，長期軟禁起來了。

王商是光緒皇帝的近侍太監，自光緒進宮第一日稱萬歲爺吃百樣菜起，一直到光緒合眼時說萬歲爺歸天了止，王商都侍候在他的身邊。光緒之死，一直是一個謎，究竟是怎樣死的？是害甚麼病而死？誰也不知道，其中奧秘，只有王商心裏有數；不過，權臣當道，他是不敢說出來而已。是以王商只能以淚代言，當光緒咽氣的當兒，王商兩眼流淚，嚎啕慟哭，哀惋的喊叫：萬歲爺，萬歲爺，萬歲爺歸天了！

王商對他這位服侍了一生的皇帝，表現了最大的忠忱；把龍袍給光緒穿上，然後跟隆裕皇后同跪在光緒皇帝靈前，竭盡了他的忠貞。

奇怪的是光緒皇帝駕崩之後，西太后的壽命也僅只有一天了。顯然的，光緒之死，關係是少不了包攬大權的惡監李蓮英的。

軍犬「喬」的故事

。綠窗。

日軍的裝甲部隊，在這裏待命。那時我們的連除守防外，還負有北平西郊巡邏的任務，每天要日本裝甲部隊，調派兩輛坦克車備用，代表着勝利後的氣派。

日本裝甲部隊裏，有一條狼犬，名叫「喬」，長得同這一隻差不多，老敢用手指了一下。只是通身烏黑，油光放亮，眼睛上有兩縷白毛，叫做「四眼狗」。由於每天調車的緣故，「喬」對我慢慢熟了。

日軍遣離豐台的前夕，衛兵進來說：一名日本軍人，牽着「喬」到我們排裏來，比手劃腳說他們今晚被遣送，每人只携帶隨身的行李和飯盒，此外，一切都要繳庫，特來把「喬」送給我們。說話時，這日本兵的表情很悽愴，心裏十分難過。最後用手撫着「喬」的頭，說了一陣日本話。「喬」蹲在地上，雙目無神，它大概也領會到這是生離死別的滋味。（二）

內政部台警字第〇三二號白銷
自由報
THE FREE NEWS
第七三七期
中華民國僑務委員會頒發
台教新字第三二五號登記證
中華郵政台字第一二八二號執照
登記爲第一類新聞紙類
（半週刊每星期三、六出版）
每份港幣壹角
台灣零售價新台幣貳元
社長：雷嘯岑
督印人：黃行審
社址：香港銅鑼灣高士威道二十號四樓
20, CAUSEWAY RD 3RD FL.
HONG KONG
TEL. 771726　電報掛號：7191
承印者：大同印務公司
地址：香港北角和富道九六號
台灣分社
台北市西寧南路壹壹零號二樓
電話：三〇三四六
台郵撥儲金戶九二五二

我們不應避免「好戰」之名

・彭樹楷・

「有人說我們好戰，我們應當避免。」

這是嚴兼院長在立法院答覆委員質詢時說的話。

外交部魏部長在立法院外交委員會爲泰、菲、馬三國發起擬邀毛共與北越開越戰和平會議時也說：「我們應當避免『好戰』之名。」

是誰說我們好戰？

我們是好戰者麼？

我們應該避免好戰之名嗎？

說我們是好戰的人，如果他不是無知，便準是共黨或共黨同路人！

因爲，我們不是戰爭的製造者！也不是戰爭的發起人！

只有製造戰爭和發起戰爭的人，才是名實相符的好戰份子！也才是眞正的好戰者！

只有以戰爭爲目的而又以戰爭爲手段的人，才是應該被唾棄的好戰者！

我們，中華民國，曾參加過戰爭，例如孫中山先生的推翻滿清，蔣總統的濟除軍閥統一全國和八年抗戰以及剿共戡亂等是。然而，我們都是被迫作戰！歷史已經爲我們作了眞實的見證，並爲世人所週知，毋庸我在這裏多所詞費！

因此，任何說我們中華民國是好戰的人，如果他不是沒有歷史素養，便是愚蠢無智！

詹森沒有因爲有人把越戰稱爲「詹森的戰爭」而退出越南，爲什麼我們在自己國土上懲罰國賊叛逆而要避免好戰的譏栽？英國、蘇俄也常被人說是好戰者，如今英軍仍留在遠東，俄軍依舊駐防歐洲！爲什麼我們從事剷除叛徒的國內事務硬給我們貼上好戰的招牌而居然使我們畏手畏腳？別人姑息那小皋反美、反俄、反英、反日、反印而高叫狂呼世界革命、人民戰爭的暴徒，我們可不能長期容忍他們那種以中華國運和民族命脈作賭注的瘋子行爲！

所以，我們要阻遏這種暴行，我們被迫必須起而行動！爲中華國運和民族命脈以及爲避免世界重蹈大戰戰禍，我們的起而迎戰，是「執干戈以衛社稷」的中華傳統文化繼承者的正義行爲！

這樣正義行爲而被稱爲「好戰」，我們應該欣然領受並感到榮幸！因爲，華盛頓、孫中山、出兵韓國的杜魯門，以及參加越戰的詹森，都是這種情形的好戰者！

應戰，乃是強者的表現，是正義的伸張！而對妖魔，只有「寧赤不戰」的羅素之流才是懦夫！中國不是懦夫的社會，這由戰爭時寧死不屈的史事可證，「寧爲玉碎，不爲瓦全。」正是中國文化的傳統精神。

十九世紀及以前，西方學人對中國文化傳統誣爲含有帝國主義的侵略性，並舉出元朝的「黃禍」證明中國在強盛時期即向外侵略。

廿世紀及近年來，他們明白了他們的前輩之謬誤！因爲，他們瞭解中華文化正統思想的特質是以人爲本位，以仁爲中心，以天下一家的大同世界爲理想，以及內聖外王一貫之道……完全沒有侵略的思想。

元朝的成吉斯汗是征服中國而終被中國文化同化的中國人，他的南征北伐是沒有受到中國文化陶冶以前的事，正如今日毛共小集團雖是中國人卻違背並圖消滅中國文化的狂妄情形同！中國文化本質沒有霸道的好戰思想，却具備王道的應戰精神——中國古代，即講究國之大事「在祀與戎」。祀是祭祀天地、祖先，戎是執干戈以衛社稷的抵抗侵略。如此，人人是天使，人人是神侍，立身處世，無時無地，不是可「質諸鬼神而無疑」的。

毛共竊據大戰，對內全民皆兵積極備戰並搞文化大革命及紅衛兵大造反，向中國文化及世界文明挑戰，對外推行世界鄉村包圍世界城市搞人民戰爭與世界爲敵；如果把阻遏毛共這種瘋狂的行爲稱爲好戰者，他即使不是毛共黨徒，也準是別有心意的毛共同路人！

對於這種人的話，沒有重視的必要！如果把這種鬼話當作人話而認起眞來，那末，不上當，也要吃虧！

在國際上，眞理雖說存在，強權卻最爲實際！

我並不同意「大炮底下出公理」這句話的涵義；但在面對蠻橫、強悍、暴戾的毛共戰爭狂徒，整個世界顯得軟弱無能不敢面對現實之際，我中華民國勇敢的獨肩大樑，乃是値得歡迎鼓舞的！然則，又何必計較好戰之名的存在與否？即使那些純以一己私利翻雲覆雨強將好戰之名加於我們頭上，我們也應以此爲榮而無愧於眞理及正義！所以，我說：「有人說我們好戰，我們不應避免！」

多點來，快點走！

一觸即發！

今日與明日

大退卻與大崩潰

毛幫「文化大革命」已經作了一次大退卻，見於政策方面者，廢除了上海與北平的人民公社。此一組織與過去的農村人民公社固然不同，與曾經擬議的城市人民公社亦迥異。毛酋一九五八年所發起的人民公社，無論組織何等龐大，其重心仍在經濟；此次所成立的上海、北平人民公社則爲一政權組織，基本權力與僞市人民委員會（市政府）相同，也就是毛酋所倡的奪權行動，把平、滬兩地僞市政府行政權力奪歸新成立之人民公社。

但此種人民公社組織體系又與僞市政府不同，其形態與巴黎公社相同。僞市政府爲一行政組織，但要秉承上級（中共僞國務院）命令辦事，而公社則根據組成份子會議決定事項辦事，變成一個獨立機構，若以毛幫慣用術語則爲獨立王國。試想此一制度如果推行，誠爲謝酋富治所說僞「中華人民共和國」將變成一個聯邦制公社集團了。因此，毛酋雖然愛玩弄新奇名詞，到此也不得不同意解散兩地人民公社，改由一個委員會接掌權力。此爲制度方面的退卻。

人事方面又大量起用舊人，第一個被起用者爲李雪峯。在毛幫嘍囉攻倒彭眞之後，正式攻擊劉鄧之前，李雪峯成爲一個重要靶子，在此時期，所貼攻擊李雪峯大字報之多，當佔第一位，雖然未見毛幫正式公佈撤銷李雪峯一切職務，但相信已被監禁。不意毛酋在走投無路之際，又拉出李雪峯，派往天津對付反毛份子。此爲毛酋政策的一大轉變。

繼之又將吳德、劉建勛、唐平鑄等起用。這三人都和李雪峯一樣，是在毛幫第一回合鬥垮彭眞及其一幫之後，從各地調去北平接替反毛份子職務，不意轉眼之間成爲反黨份子，飽受凌辱。此時繼李雪峯之後又被拉出任職，今後相信更有許多被鬥份子將會步這批人的後塵，從階下囚再變成座上客。此爲人事方面的退卻。

毛酋所以採取退卻政策，自有其不得已處，若非山窮水盡無路可走時，以毛酋個性應不至出此。問題是此一行動是否眞能挽救其個人及中共的全面崩潰？我們的看法是未必。

人總是人，雖然共產黨員與眞正的人有一段相當大的距離，但只要人性未全泯，未變成一架機器之前，對於毛酋這種愛之升諸九天，惡之墜諸九淵的作風，相信無人不寒心的，也決不會再爲毛酋出死力。大退卻決不能挽救全面崩潰的厄運。（何如）

自由談

談發揚固有文化

馮子先生

毛共在大陸上搞「文化大革命」運動，要把中國數千年來的固有文化徹底剷除掉，咱們反共，要發揚固有文化，反其道而行之，這纔是反共的要着，深中肯綮。朱舜水所謂「滅虜之策，在事事與虜相反」，此物此志也。

可是，「復興中華文化」這題目很大，內容亦很廣，究竟如何着手進行？怎樣規畫設計？有無先後緩急的層次？應該妥爲研討而釐訂之。否則博而寡要的侈談復興文化，人云亦云，莫名其妙，結果又只是喊喊口號了事，不會有甚末實效的。口號標語政治的時代早已過去了，我們的頭腦必須稍爲科學化一點纔好吧？

輓近百餘年來，西方功利主義的文化思想滲入吾國，一般士大夫靡然從風，欣然嚮往，爲着馳逐功利，貪圖享受，乃將中國儒家所重視的禮義廉恥之立身行己守則，認爲迂腐不足道。大家在生活與生計上，皆以攫奪爲目的，以鬥爭爲手段，一切非禮蔑義，昧廉鮮恥的行爲，肆無忌憚，所謂做人的道理，誰也不復顧及了。這纔是招致神州陸沉之禍的基本原因。今日如欲發揚固有文化，我認爲首先就得申儆全民，講求做人的道理，這工夫可從兩方面入手。

對於下一代的青年人，應以教育工作爲主，現行的學制，必須加以改革，德育智育並重，師資的品格尤宜注意。對於一般社會大衆，除乞靈於具有社教功用的輿論力量而外（現時輿論界的本質與作風亦須整飭一番），即爲政治人物的「身教」作用，因爲現代的行政官吏最不講究做人的道理，民衆耳濡目染，習以爲常了。只要把那些言行極其卑污苟賤，不知人格節操爲何物的官僚佞幸之徒予以斥退，則風聲所播，士習必卜不變。

唐太宗在花園內欣賞一株嘉樹時，侍從之臣宇文士及亦從而讚嘆之，太宗怫然曰：「魏徵常勸我遠佞人，不知佞人爲誰，今得之矣！」今之居高位者，若能效法唐太宗這種作風，對於復興中國文化的效用，比開辦一百所從政人員訓練班的影響力還要大呢！

文化的涵義很廣泛，我們要及時發揚它，祇有從大處着眼，小處着手，身體而力行之，纔不致於徒託空談，湊湊熱鬧便算盡了復興固有文化之能事。不審昌言復興文化的先生們以爲何如？

台灣輿論抨擊法官濫用職權

。本報台北航訊。

法院不得強迫刑事被告作不利於己之陳述；沒有直接證據不得推斷其罪行；證人之個人意見或推測之詞不得作為證據；檢察官公訴被告犯罪事實，應負舉證責任；此為民主法治國家保障人權之通例。

根據法律規定，傳聞證據，可以作為證據，但不得作為唯一的證據。被告自白，可以作為證據，也不得作為唯一的證據。飯後茶餘之閒話與街談巷議及道聽途說，以及治安機關密報，均不得作為科罪之證據。

但我們的法院情形怎樣？

徵信新聞報在「評油商行賄案判決」之社論中謂：「現代法律首重客觀具體事實，無證據可求，縱然明知此虎該打，也只能忍而不發。這不是主張縱容惡人，而是為了維護一個更重要的事物：人權。因為無證據而「打」，雖然對此時此地的某人某事，或可有大快人心之效，但這樣一個先例建立起來之後，終可能使許多無辜的人於不知何時的將來被誤入於罪。現代人權觀念之所以不容隨便入人於罪，便是如此。我們一向主張維護人權，並進而主張如不能建立具體客觀證據，則寧縱而不問者，也正是為此。」(本年一月二十九日)。

立法委員陶希聖先生在中央日報發表一篇「張韻淑案的法律觀念」之評論，他認為：「張韻淑之地方法院與高等法院歷次審判，完全依賴傳聞證據和自白。而歷次判決的理由全是由此推想出來的。若是這兩種證據有疑問時，如無旁證支持，即失去其證據力。我認為這兩種證據皆有疑問。」陶委員極憤慨的抨擊法院說：「我研究法律多年，從未聽說法律可以荒謬至沒有找到第二犯罪人(黃焜平)而遽然判決那是否犯罪還有疑問的第一人(張韻淑)為共同殺人罪的。」(二月七日)

司法機關摧殘人權

經驗法則告訴國人，檢察官指揮司法警察偵查刑事案件，往往採取警察機關與檢察官交互偵訊之方式，使由非法刑求供詞成為合法之證據，這是公眾所週知事實。審訊刑事被告使用「刑求」，世人都說這是不人道的非法行為，監察院常提案糾彈，行政院亦三令五申嚴禁刑求；可是，刑求的事實依然存在，祇是方法與手段較過去進步而已。為什麼刑求不能禁止？問題發生在我們的法院只注重口供主義，而口供又是我們的「國粹」傳統，儼然牢不可破。

張韻淑案固然離不開刑求，這乃是社會所週知。現在我們來看看另外的幾個轟動的大案子，亦復如斯。

據法院官文書載：「嘉義縣政府職員胡能晃，因被株連蘇玉衡案，於五十一年十一月二十一日下午三時左右，被嘉義調查站以借提名義，派一帶有眼鏡年青力壯之職員(據說姓王職書記)，自(嘉義地院)看守所以刑鐐銬扣將被告胡能晃雙手扣住，用小汽車載到嘉義市忠義街一一〇號調查站辦公處。初在東面右邊房內立正約一時後，再帶到西面接客室。斯時，有肥大之人員，渠自稱曾在東京讀日本警官校特務科，聽說係姓周即該站主任，一聲令下，王書記即將被告胡能晃反扣，周主任則以被告胡能晃時有批評政府為藉題，用力舉手打腳踢，勢如大敵，王書記及另有楊秘書亦助勢施以暴行。被告胡能晃全身被打得頭暈目眩，經約一小時後，復被帶至北面廳房，令被告胡能晃坐下，用刑鐐鎖扣將被告胡能晃扣在桌腳，並要其寫自白書。此時除王、楊兩人外，另有一不知姓名之職員前來參加輪流監視，不准閉眼一睡，疲勞審問整夜，迫寫自白書，使被告胡能晃疲倦難堪。至次日(同年月之二十二)天亮，此時雖曾叫來豆漿一碗，洋麵包兩片要胡能晃充飢，胡能晃因不堪如此淩辱，企圖以絕食了結此生。王書記又謾罵壞蛋、無賴，並加以毆打，繼則強要胡能晃承認曾有向蘇恐嚇索款。胡能晃思蒙受不白誣陷，故予以否認。王書記怒氣沖天，又不分皂白，令胡能晃手捧算盤，向天伸直，並用半蹲半豎之姿勢站立，稍有動搖，即拳足交加。有時還要胡能晃坐在大籐椅上，將雙手扣在椅腳，使胡能晃動彈不得。楊秘書則在旁助陣，並謂：還有夾指夾槓及放電刑等等加以恫嚇，其痛苦實難形容。胡能晃不堪遭受如此淩辱及威脅，曾企圖以算盤撞擊胸部自殺，而被搶下。復被責罵以自殺相威脅而遭毒打。整日飽受疲勞審問、暴行及威脅，直至二十二夜八點左右，周主任復來詢問口供，由王秘書筆錄。胡能晃在此求生不得，求死不能之環境下，只有權作冒認曾向蘇以恐嚇並索款等供詞，目的在求早日離開該站，以免再遭毒打。待胡能晃供認後，周主任為防止推翻前供，即打電話聯絡承辦檢察官(張錦鴻)及書記官(陳天讚)來調站，在周主任楊書秘書王書記三人監視下，於該站會客室由檢察官再作偵查筆錄，直至是夜(廿二日)九點，始由檢察官、書記官及法警將胡能晃送返(法院)看守所，使胡能晃毫無據實作供之機會。如此口供，實不得採作認定犯罪之依據」。

桃縣校長花酒案 議員陳情請澈查

(本報記者黃鴻遇桃園航訊)督學「喝了花酒，辦案一「指無實據」，議員見箇明白，說「官官相護」。桃縣中壢(下同)鎮各國民學校校長集體進入酒家案，曾經轟動一時，迄今新、舊兩年，該案以不了了之。桃縣議員陳金昌，向台灣省府主席黃杰陳情，請求派員澈查究辦，以維師道，並肅官常。

桃縣中壢國民學校校長集體進入酒家，大喝花酒案，縣議會，極表重視，在去年(五五)年的一次大會中決議：推出五位議員組成專案調查小組，並推陳金昌議員為召集人，經為時數月的多方調查後，作成詳細的調查報告，由縣議會函請縣府查辦。縣長陳長壽，則派縣府教育科督學吳英俊，再度專責澈查時，該鎮各國民學校校長，深諳「食色性也」之慾念和將心比心的道理，乃將吳督學又請上酒家(按台灣的酒家，與過去大陸上的高級餐廳、旅社……名目酒家有別，這兒純係色相徵逐的場所，政府嚴禁公、教人員上酒家)，以校長的「人情」，和酒女的色相在「杯觥交錯」中，吳督學也忘掉了一切，祇以「查無此事」向縣府簽報復命，該案結果，也就「如擬」而不了了之。

陳金昌議員對「官官相護」(國校長義務教育，校長是官派)的頹感特高，當吳督學接受各國校校長邀進中壢「佳人小吃部」及在新都酒家叫來酒女秋香向吳督學陪酒時，那幕卿卿我我的「溫柔」情態，也瞞中窺見清清楚楚；果如陳議員所料，該案自縣議會函送縣府查辦後，迄今新、舊兩年，仍毫無結果。陳議員認為吳英俊督學，有包庇失職之嫌，復列舉該案「事」「證」，向省府陳情，請求黃主席派員澈查究辦(或令飭桃園縣府改由秘書室另行指派專人查辦)，以維教育風氣。

據陳金昌向省府的陳情書中指出：(一)桃園縣中壢各國民學校校長，集體喝花酒，當時在酒家中，酒女左擁右抱，以及酒賬清單，均拍有照片為憑，事實昭然，無庸置辯。(二)校長為人師表，其一舉一動，影響很大，公然忽視禁令，集體尋歡買醉，敗壞教育風氣。(三)桃園縣教育科督學吳英俊，奉命調查該案，不顧職責所在，復又接受各國校校長在中壢「佳人小吃部」招待，並向新都酒家叫來酒女秋香陪酒，盡情享樂！即以「查無此事」了案，其違法失職，實令人痛恨。(四)陳情人與各國校校長及吳督學，毫無私人恩怨，意在國家義務教育前途設想。(五)請求省府派員及令飭桃園縣府改由秘書室或檢核室另派專人澈查究辦，以維師道，並肅官常。

看橫掃中國大陸的「紅衛兵」與「文化大革命」

楊力行

毛澤東在一師時，因為品學都差，所以被易培基勒令退學後，便向時在長沙荷花池的長沙師範任教的章士釗(也曾是毛澤東肄業妙高峯中學時的國文老師，後任北洋政府司法總長，並且是李宗仁出任副總統代理總統時，和張治中、黃紹竑、邵力子諸逆奉派赴北平的和談代表團團員，時到香港主持統戰工作)求助；於是由章士釗函介並助以旅費銀元二十元，到了北京，在國立北京大學圖書館充工友。由於他工作勤奮，頗獲教授們和學生們的青睞，尤其得名教授如胡適之、陳獨秀、李大釗、任叔永和楊昌濟的好感。因為他們需要什麼重要參考書時，只要打個電話到圖書館去，便由毛澤東立刻檢出親自送去。如此時間既久，好感自生。於是毛澤東便很順遂地成了北大社會學系的旁聽生。更由於早晚都在兼館長的楊昌濟教授家中幫忙些瑣屑事，於是他和楊教授的獨生女楊開慧小姐(北大哲學系學生)接觸頻繁，情感日增。益以楊教授無子，因此就將他招贅為婿了。毛澤東既然作了楊家的入幕之賓，他活動的範圍也就逐漸擴大。其後在所謂「援韓志願軍總司令員」楊勇(世峻字知恥，小名桶仔，湖南瀏陽南鄉文家市人，楊利生飯館老闆故楊貴蟬之第三子。里仁高等小學畢業，瀏陽初中肄業，長沙妙高峯中學亦未畢業，民國十九年七月二十七日共匪陷長沙後，從二等匪兵作到「貴州省人民政府主席」，現充共匪副參謀總長兼北京軍區司令員，官拜大將。其妻林鳳為林彪之胞妹)部下充政戰官，在北韓作戰時陣亡的毛賊子毛岸英，及現仍健在大陸作上包子太子的次子毛岸青均為楊女所出。

陳獨秀旋離開北大，南下至滬，名為執教勞動大學，暗中則組織「中國社會主義學會」，和蘇俄革命領袖列寧搭上了綫，秘密從事中國共產黨的地下活動，他函招毛澤東前往協助。不料毛匪到後來竟將陳獨秀踢出了中共的創辦人及中心領導者的地位，再經過李大釗與李立三和陳紹禹及張國燾等人的過渡領導，即由他自己攘奪主地取而代之了。

其實，毛澤東文不博古通今，武無搏雞之力，而今日如此禍國殃民，甚於洪水猛獸者，蓋其來有自，良非偶然。古語說：「十年樹木，百年樹德」；「人看積小，馬看蹄爪」。所謂「文野仁暴」的君子和小人的殊途，譽賢與盜匪之分野，則視其先前所樹之德如何？與其積小行徑之善否以為斷。當毛澤東在學校肄業的時候，案上常積塵盈寸，書籍文具零亂不堪，平日囚首垢面，不修邊幅，經常睡眠三、五日夜不起床，亦不飲食；一起床又常三、五日夜不睡眠，諸如此類的不正常生活行徑，不一而足。識者謂毛澤東所作所為，多不近情理，將來其不為奸賊也幾希！毛澤東係湖南湘潭西鄉雲湖橋人，與監察委員陳大榕先生是同鄉。毛母黎氏原先嫁給王某，後來被先祖後娶改嫁毛澤東生父毛順生為妻。事情經過是這樣的：毛母黎氏年輕時，頗具姿色，後因王氏子體質素來孱弱，不到半年餘王夫，即患癆病，日夜臥床不起，動彈不得。而她却正在青春年少，自然難熬難奈。雲湖橋距毛家村處，適住有一個無賴子毛繼祖，游手好閒，無所事事。於是尋花問柳，以勾引良家婦女為能事。(十五)

細訴刑求

金遠詢等

據蘇玉衡案有關之國大代表前國民黨嘉義縣黨部主任委員金遠詢，於五十二年五月三十日致黨中央委員會「報告」中，有這樣的一段話：「本案在偵查中編劇導演，故意出入，因濫用職權，羈押於先，乃文致周納，起訴於後。審判結果，雖為無罪之判決，但違背採證之法則，故為不實之認事，且措詞畫蛇添足，逾越審判範圍，損害個人完整之人格」。這段話，將法院檢察官之偵查與法官之審判眞相，說得淋漓盡致。

金遠詢代表在「對蘇案偵審之透視與檢討」一節本中指出：「五十一年「十一月二十二日，客枕夢酣，突聞打罵而驚醒，天已拂曉矣。早餐時，(嘉義調查站)周主任告我：老曹(按：指嘉義地方法院前首席檢察官)只管辦本黨(指國民黨)黨員，像青年黨的胡能晃，競選(嘉義)市長失敗後，以發動罷免蘇玉衡之姿態，向蘇勒索鉅款，老曹竟不扣押他，以後檢察官也問不出名堂來，現在我把他搞出來了。我(金遠詢)說：胡能晃醞釀罷免蘇玉衡之說，我快要離開嘉義時，亦有所聞，周主任怎樣把他(胡能晃)搞出來的呢？周(主任)答：這個王八旦，平日言論荒謬，我還不揆他？晚餐時，有人報告胡能晃絕食相抗。周主任說：我才不怕哩」。

按：當時金遠詢任於嘉義調查站之隔壁。

金遠詢與周主任之「自白書」，應列為歷史文獻。金遠詢之記載，足以證明有的治安人員，是如何蔑視人權及摧殘人權，是如何漠視憲法與法律對人權保障之規定，是如何有恃不恐而無法無天。捶楚之下，何求不得？更足以說明胡能晃之刑求抗辯乃鐵的事實。然而法院不但未依法先就刑求部分加以調查，且以刑求之口供作為判罪之基礎，這能怪有人對懷疑法院的公正嗎？(上)

遠海異聞談

催眠術在美有嶄新妙用

·桑雅·

美國佛羅烈達州倫理催眠訓練所主任麥考萊說：「催眠多年來被一股神秘氣氛所包圍着，但現時已被商人接納為一種有效的自我改善的技術了。」無論公司執事人、售貨員、股票掮客及其他商界人士，都運用催眠改進他們的記憶力，在無數人的面前發言亦有信心。催眠是如何休息的秘密。

其中一位最熱心催眠的人，是洛杉磯貸款人服務公司總裁阿倫蘭特，他曾參加美國催眠學會的訓練課程，改進他的集中力。他說：「如果我運用催眠之術，訓練售貨員，可能減輕費用三分之二，通常祇費三百至五百美元，可以透過催眠術造就一個推銷人才。」但是美國醫學協會指出，祇有職業性的醫生或精神學家，才有資格訓練自我催眠。

世界重量級拳王克萊，被謠傳藉催眠的力量打敗對方。可知催眠的力量。多數人發現自我催眠，是很容易操縱的，另一些人則覺得較為困難。學習自動催眠的最快捷的方法，是去訪問一個使用催眠術的醫生或心理學家，兩三次即夠了，遵照他們指示的簡單方法，可進入深刻的昏迷境地。誘導自我催眠，必要運用一個眼睛注視固定目標物、一張圖畫或天花板的一個斑點都行，最好是放在圖碟上的點亮臘燭。放在一個圓形碟上，可以看來舒服些，燭動的閃動火焰，能產生最佳的催眠效果。

一個人陷入了催眠狀態，不是停留在一個固定之深度的，昏迷狀態有起伏高潮，在最深的階段可能如置身波浪，好像沉入浪濤中，然後又緩緩地升起來。如果有此感覺，無疑已造成一個良好的深度。催眠的狀況通常分為輕度、中等程及深度的催眠，好處極多，你會發覺在白晝的生活更為輕鬆。許多人不知道的是，催眠可消除疲勞。倘若你下班之後，晚上還有應酬，那麼自我催眠，陷入昏迷片刻，再醒來自會精神奕奕了。

自我催眠在身體疼痛時，用途最大。當你在牙痛時要去看醫生之前，或因為遇到意外，身體創傷，產生催眠的麻醉作用，減少身體痛苦。患癌症的人痛楚甚烈，這些病人有時不能長期施用鎮靜劑，醫生已教導他們用自我催眠麻醉法，使他們去世的最後幾個鐘頭，減輕痛苦。

自我催眠對於讀書，可能有非常大的幫助。如果你能維持催眠狀態而張大着眼睛，你能在昏迷的狀況下攻讀，催眠下的集中力，能吸收新的資料，增加記憶力，在催眠下考試有極好的成績，義大利已有過試驗的證明，一個教師把全課室內的學生都施了催眠術，在醒來後，就講解的項目，向他們發問，全部能答出來。

想戒掉一些惡習慣嗎？眞是談何容易的事，但運用催眠可以奏效。上了極重烟癮的人要戒吸香烟，相當不易，多數經過一個相當痛苦的體驗，亦未獲成功。烟癮發作時，糖菓香口膠暫時做代替物，亦未能壓抑吸烟的慾念。用催眠術戒烟，到後來感覺有吸烟的需要時，當浮起了對抗的念頭，內心一好像在說：「我不再吸烟，我不需要如此。」用催眠戒烟的人，三個月後想不出烟仔是什麼味道。

身體太胖，從醫學觀點而言，是腺分泌的問題，需要施以治療。但是根據醫學所知，身體毛病而致體胖的例子，祇估肥人因素百分之二，大多數人是吃過多量而至身體發福的，當然可以施節食法，把過重的幾磅除去。要明白大食的起因，多數是強迫性的，并非受自我約束及意志力量控制得到的。在煩惱時，他自然奔到廚房的冰箱去找食。節食對于肥人來說是討厭的字眼。祇有用催眠法可補救，而且方式簡單。把減肥的理由都寫下來，知道了動機是很重要的，寫出各種理由幫助了你的潛意識，留下此印象，受了催眠術之後，飲食習慣改變，體重減輕。

催眠可治療種種的頭痛。許多人患頗劇烈難受的偏頭痛，此類頭痛以女人患的居多，必然發作的。偏頭痛是經過一段時期她們抑壓着某些情緒而產此種痛楚，催眠術可以治癒。

催眠術使不美女人感覺自己靚了。有一個家庭主婦一直都不受丈夫一瞥，她求診於精神學家馬丁柯尼，申述自己如何不在丈夫眼內。醫生對她說，可以令她自己覺得是伊莉莎白泰萊或蘇菲亞羅蘭，他向她施催眠術，并且說道：「你比較烏蘇拉安德絲更性感……。」她以後沒有了自卑感，丈夫對她恢復昔日的熱情。想感覺自己是個百萬富翁，催眠術亦可以做得到。費城男子亨利，猛開十萬元五十萬元的支票，其實他并無銀行戶口的，他受了催眠後有此舉動，因為他想嘗嘗百萬富豪的滋味。

伊斯坦布爾「牛背海峽」

晉陵

很久很久以前的神話上說：「亞洲地方有一個神，愛上了歐羅巴姑娘；但是神是不能愛世人的，於是神就變成了一頭白牛，引誘歐羅巴姑娘騎在牠的背上，一同逃走。後來終於走到了一個海峽，大白牛負着歐巴小姐泅水而過，到了海峽對岸，把歐羅巴姑娘放下來，變成今日的歐洲大陸。」以上的神話，雖然有人不相信，但是白牛渡過的海峽，至今仍稱為牛背海峽。此牛背兩字，在希臘文中讀音而不用「牛背海峽」的名字。

博斯普魯士海峽，寬僅半哩，和達達尼爾海峽（僅一哩寬），控制了黑海到地中海去的通路，戰略上非常重要，蘇俄的黑海艦隊受其監視着，不能自由進出兩海間。

在歐羅巴姑娘登陸的地方有座城。在羅馬帝國成立後的一千年，有一位皇帝名叫康斯坦丁，他是第一個信奉基督教的帝王，他把國都自羅馬遷到此地，從此以後，此城便叫君士坦丁堡，先後為馬其頓帝國，東羅馬帝國和鄂圖曼帝國的國都。現在改城名為伊斯坦布爾，也稱君士坦堡。

牛背海峽在伊斯坦布爾附近，彎曲如牛角，因此又叫金角灣。在金角灣上有一座大橋名叫格萊塔橋，這是世界上著名的大橋之一。

歐羅巴原文的意思是「地方是日落的地方，而亞洲（即神話裏所說的白牛和歐羅巴姑娘來的地方）則是日出的地方。

因此，這條「牛背海峽」成為歐羅巴和亞洲的分界綫，伊斯坦布爾也就「牛背海峽」一截成兩半，一半屬於亞洲，一半屬於歐洲，因之兩部份的風俗各異。正如英國當代文豪毛姆所說：「伊斯坦布爾的歐、亞兩部份，正代表着歐亞文化的不同。」

逃出鬼門關

路加譯

博馬斯德想向這位軍官解釋清楚，但當他正欲以半通不通的德語說着之時，一個哥薩克族士兵扛着一挺手提機槍，指住博馬斯德，槍尖很貼近他的軀體。突然博馬斯德靈機一觸，想到了一個主意，「我是個英國人」，他差不多要哭出來：「你瞧啊，你底陸軍處境十分危險的，敵軍正朝高嘉斯的一座橋進發，這是我為你們憂心。」

紅軍上校深深的慢慢地吸了一口烟。「說下去吧！」他冷靜的說：「你曾看到一隊護衛貨車的德軍？」

博馬斯德曾見到，他告訴那位紅軍上校，說那些載着護衛隊的貨車旁邊，有着白色北極熊的徽號。紅軍上校認為有些相信他的話，便吩咐屬下，弄點食物，給博馬斯德吃，他這才獲他們給予一塊燒鵝肉，而在盤問的過程中，紅軍上校分別用英語及德語問話。

最後，上校揮手示意那持槍的哥薩克士兵轉云。同時吩咐說：「把他看管着，我們在早上時，看看他是否眞正的英國人。」這對博馬斯德來說，煞是個恩赦。

在守衛室外，又响着槍聲，蘇俄的大兵，正進行他們底駭人的復仇。博馬斯德雖然獲得暫時的安全，但是他無法保證不會喪生他們的機槍下，除非他能說服他們，使對方相信自己是個英國人，而非納粹黨員。

稍後，另一位紅軍軍官進來，他說着德語，告訴博馬斯德將會解往他們底陸軍總部，押解他的，是個騎高大滿面雀斑的哥薩克士兵，騎着一頭騾子。這個士兵拿着來福槍，示意博馬斯德在雨地上，走在他的前面。博馬斯德雙足冰凍得很，而且濕濕。雪水從靴裏壓出來，歷經辛苦和拖着蹣跚的步履，終於來到一座宏大而堅衛森嚴的樓宇。

博馬斯德的心，仍然沉重得很。在樓宇裏的天階，擠着多少頭髮蓬鬆，雙目憔悴的百姓。所有的男子，都是入伍而齡壯丁。這些將成為紅軍復仇的對象。

押解博馬斯德的哥薩克士兵，要這些人排出一條通路，讓他通過。他們行到天階盡頭，那兒有一扇門，而且出現更多武裝紅軍。渾身冷得發抖的博馬斯德給帶進一間很大、舒適、陳設不錯的房間，裏邊裝置一個相當昂貴的火爐。

在辦公桌前，坐着一個身軀肥碩的蘇俄軍官，他穿上一套剪綫得精美的制服，制服上一配着鑲金邊紅色底的徽章。那蘇俄軍官正坐於翻閱一些文件，稍後他站起來，迎着博馬斯德，很禮貌的說：「對不起，吸口香烟，請隨便坐下。」

博馬斯德的耳朵，很難以相信他，這位蘇俄軍官操着的英語，帶着很純正的牛津口音。然而，博馬斯德感到這是情報組人員，許多那些通敵者所進行的。那軍官盤說：「果然當然不出他所料，你是英國人，但我很想你能夠詢問你所說是否正確。」

「證明？」博馬斯德吶吶的說：「我一離開英國差不多五個月，試問我是個英國人的證據，已失怎樣能提出證明呢？」

事實上，當時的博馬斯德滿面于思，頭髮蓬鬆，渾身污穢不堪，他底靴子，已經由足趾部份至腳跟，一切的一切，壓根兒就不像個英國兵。要他自己證明是英國人可就難了。（中）

新三國

周郎著

他向曹休假投降，曹休此時是魏國的揚州牧。曹休信以為眞，周魴請曹休從壽縣攻安慶，作為周魴的接應。曹休一面報告魏帝，請派司馬懿同時去打江陵，派賈逵去攻巢縣之南的東關。

曹休帶了十萬之眾向安慶進發。東吳的陸遜早已帶了兵在安慶之北相城等候多時了。曹、吳兩軍展開大戰，吳軍以逸待勢，陣勢有了準備，魏軍大敗，死傷萬餘，輜重車輛也被吳軍俘獲一千餘輛，牛馬不計其數。幸得賈逵援軍趕來，佔領了相城以北的夾石（北峽山），才替曹休打通一條退路，否則他全軍覆沒也不一定。曹休吃了此次大敗仗，回家一氣之下，發疽而死。

但是蜀國的諸葛亮遠在漢中，消息梗阻，晚了一步，沒配合得上東吳的軍事行動。不然，魏國的危險是很大的。如果諸葛亮讓魏延去子午谷或者武關冒險一下，說不定局面更可改觀。可是，諸葛亮一身從不冒險行事，陳壽也批評說是他唯一缺點。屢次北伐未能成功，有人認為就是他不能冒險之故。其實諸葛亮觀察當時世局形勢，比任何人都遠大，他並不是不清楚。他在出師表中有「坐以待亡，不如伐之」的話，他的北伐，也可能是以攻為守。如但諸葛亮出師表「今歲不伐，明歲不戰」，也就是「坐以待亡」的死路。所以諸葛亮有生之日，做到「鞠躬盡瘁，死而後已」，已經是難能可貴，無可苛責的了。再從蜀漢的內部來看，也有問題。當諸葛亮一街亭之敗後，朝內便有人主張和平，還有人制肘，李嚴便是最力的一個。他使得諸葛亮北伐遭受鈍挫。

李嚴字正方，是南陽人，在劉表麾下做過秭歸縣令，劉表死後，他投奔劉璋，做成都縣令、護軍，帶兵抵抗劉備於綿竹，在那裏投降了劉備。劉備派他做了犍為太守，之後升興業將軍，兼掌兵權。當劉備北取漢中時，後方出了一個大亂子，妻(邑旁)縣（四川三台）有馬秦、高勝二人，聚集了數萬之衆的土寇，造起反來，擾亂到資中境內。李嚴頗能應變，即刻帶了手下現有五千人馬，迅速打平二路賊寇，馬秦、高勝被活捉斬首。劉備在前方固可不操心，後方也沒有驚動人民。劉備深為器重，即刻給了他「輔漢將軍」的頭銜。後來劉備病危於白帝城，不但將阿斗託孤了諸葛亮，同時也託孤了李嚴，可見他對於李嚴的見重。諸葛亮為丞相，李嚴是「中護軍，統內外軍事」，職權僅次於丞相。劉備讓諸葛專管文治，以讓李嚴治武功，要諸葛亮在成都治理內政，要李嚴鎮守白帝城，以防禦東吳。

後主即位以後，諸葛亮兼了益州牧，職權才大了不少。建興三年，諸葛亮平定了南方，威望才非李嚴可比。諸葛亮秉政，對外交方面，東吳已結為軍事同盟，他那一着非常成功。李嚴也就無再留守白帝城的必要，被調到重慶，担任支援諸葛亮北伐重任。此時他是前將軍的頭銜。

諸葛亮初次北伐，李嚴沒有出問題，以後他對諸葛亮有所制肘，再碰到善用兵的司馬懿，使諸葛的北伐受到莫大的打擊。

（一壹二）

英國越獄能手 愛爾佛軒斯傳奇

大知

一九五三年，愛爾佛軒斯因倫敦的美浦斯傢俬公司的二萬八千英鎊劫案，控方指他是主謀，被判十二年的監禁。自服刑開始之時起，就是他與法例、訴訟的糾纏的開端。一九五五年十月至一九五八年六月之間，他先後三次自監獄及法庭中逃脫。他的出走，是志在引起公衆的注意，當然並以洗脫罪名爲最終目的。

一九六二年八月，主辦這一件劫案的蘇格蘭場警司史巴克斯退休之後，在「星期日畫報」中發表當年的回憶，隱言軒斯的服刑是罪有應得的。

軒斯經過九年來對法律書籍的研鑽，把握這一個機會，通過律師勞夫，控告史巴克斯誹謗。

證明他的觀點是正確的責任，現在落在被訟人史巴克斯的身上。一九六四年七月，史巴克斯敗訴，軒斯獲得一千三百英鎊的賠償。史巴克斯提出上訴，但隨即撤回。除賠款之外，他並要繳付訟案及撤回上訴的一切費用，估計總數達一萬五千英鎊。軒斯亦獲假釋；不過其後他的取消控罪及重審的要求，都被駁回。

愛爾佛軒斯生於一九一七年。幼時，在教養所中受管教。戰時，他從英國坦克兵團中逃亡，以後亦多次入獄。

一九四七年，他與一個碼頭工人的女兒碧史篤尼結婚，據他說，自此即革面洗心。軒斯開始做剩餘物資的生意，後來又經營一家拆卸公司——他自認雖然有時涉手於非法邊緣的交易，但是基本上都是合法的。他有一子一女。

去年十月，軒斯所自撰的、敘述這一宗哄動英國的案件的始末的「蔑視法庭」一書出版。他自謂，他的不斷興訟，並非在於貶損英國的法律。他祇是與受命主持正義的人爭執而已。以他們處理他的多次訴訟的手法去看，他相信，他們在廣義的和非法律的意義上說，已經有犯蔑視法庭之罪。

在他的專書之中，自然不免提及他的三齣逃脫合法拘留（而非逃獄）的好戲。他唯一最強的是並無同謀在內。

一九五五年十二月，他服刑所在的洛定威監獄，有一個大模規逃獄的計劃，其中一個參與的人，是三十歲的柏斯法蘭明。這一個判刑八年囚犯，自己另有一套獨行的計劃。

大規模越獄起來之前兩日，逃獄用的兩條鎖匙爲獄警搜獲。柏斯改而獨自進行。（上）

票友晚會彙談

李献廷

爲了提倡固有文化，在新年前後，台北有幾場票友的國劇晚會，現在將精彩的表演，特別提出彙報，雖屬明日黃花，亦可見本省票界之盛況也。

（一）在中山堂看李淑嫺女士的清官冊，自金牌調寇起，至夜審潘洪止，誠如蘭石先生所言，她的身段做表唱念，很有溫如的味道。尤其辭句方面，照蘭石先生的意見，修改得很通順。按以往普通的演法，在唱「朝臣待漏五更冷」一段元板之後，有唱元板到底，或是改爲散板的。寇準向空無一人的金殿上，自說自話，然後由一名太監，從下場門送出聖旨，他接過聖旨轉身下殿，即上八賢王。這無異是一個冗場，不太需要。李女士唱：「有寇準打從東華門進」，後即下場，上八賢王，接唱「站在午門等寇卿」，寇準再捧聖旨上場，二人相遇，頗爲合理簡便，這種演法，可爲劇隊參效改正。本人向以爲國劇中有不少欠通的詞句，和不合理的場子，爲了振興文化，無妨大胆予以自我修正，相信不但不受攻擊，反受歡迎，如果一味守舊，崇奉偶像主義，將不能配合時代，先賢地下有知，也必不以爲然。希望李女士今後能負此重任！

（二）師大學生晚會，由蘇國鑫演出五花洞的胡大炮，隨後他又演出定軍山的張部，多才多藝，的是難得。飾眞假潘金蓮的陳琪瑞、李家珍、吳昌麗、蔡詩愛四人，也是唱腔美妙、嬝娜多姿。飾武大的同學，蹲的也夠辛苦了。鄭義鍾和鄭飛兩位，分飾梅龍鎮的正德和鳳姐，平穩無疵。鄭飛尤其老練。定軍山是王馨東的嚴顏，傳武光的黃忠，謝揚世的夏侯淵，這三位都是學生名票，王傳二位，都是名鬚生關文蔚的得意弟子，這齣戲是經她排練的，演來果然不凡。尤其傳同學是本省人，有此成績，更是難能可貴。至於謝同學，則是武生當行，名重一時。劉家驪的孔明也能圓滿頂下來，可見學生票友，有後來居上之勢！

（三）台大也有一場晚會，是武家坡、春秋配、梅龍鎮、寫狀、斷橋等五齣。值得一提的，是李望錦扮春秋配的乳娘，給姜秋蓮和李春發生色不小，所謂「紅花須要綠葉扶」其理在此。接着是王馨和蘇可勝的梅龍鎮，蘇同學是該社社長，會戲很多，崑亂都有一手，[illegible]白素貞的戲，可見她的功力不凡。而名小生票友李景嵐，也應邀助陣，先演寫狀的馬派戲，後演斷橋的許仙，自然是鼓勵後進之意，使得這場晚會生色、有聲有色、劍味無窮。

（四）工專禮堂的晚會，先是蘇國鑫演出轅門射戟的呂布，[illegible]金祥瑞，潘有德扮白槐，演來頭頭是道，值得稱讚。大軸是空城計，更是費力不討好的戲，陳德夫扮孔明，陳次敏扮司馬懿，都能夠平安渡過，確是不易。工專的戲，本人初次欣賞，看後確能繞樑三日，擊節不已！

（五）藝術館的晚會，除由班串超廷求壽外，接演三娘教子，是賈厚英的三娘，常表誠的薛保，常小妹的倚哥，三人通力合作，唱做俱佳，祇是常小妹稍有緊張而已。

教子之後，是陳慧貞、向蘊華、佟樹聲三人的永樂觀燈，陳女士是登台多次，嗓音純厚、有味，她扮永樂帝，完全依照馬派路子，做表是一派帝王氣，很是對工。向蘊華也是關文蔚的弟子，台風甚好。佟樹聲和他的兄弟佟樹藩，都是名票，兒淨、弟生，算得是戲劇之家，他扮一名穿宮內監，奉旨去王龍酒館，傳白簡見駕，氣派雄赳，京白響亮，確是頁配。大軸是名武票鍾啓英和陳夫人的千里送京娘，此戲憶昔大鵬演過一次，是一齣冷門戲，二人的邊耍邊唱，配合得很嚴密，陰送一場，京娘的鬼步，具見功夫，希望遇機，再演出一次。聞陳夫人在大陸，曾和名伶同台多次，宜乎有此成就也。

（六）政大的晚會，除四郎探母之外，有名劇評家申克常女公子佩芸，演出三擊掌的王允，唱做老練，不愧名家之子。申君琴藝甚佳，對於余馬兩派，及青衣，均有研究，桃李頗多，並善編劇本，希望爲其公子，多有施教，定可以出人頭地也。特爲之記。

「馬弔」與「撲克」

仲山

現今所流行之「撲克牌」，亦名「派司牌」，或曰「外國紙牌」，爲時髦嬝娛之一種。舉凡「橋牌」、「索哈」、「打百分」、「接龍」、「檢分」、「三公」、「拉黃包車」、「捉烏龜」、「打羅宋」……等遊戲，皆從此牌變化而來，此牌之嬝樂價值由此可知。今日嗜者甚多，而知其眞實起源者，則極鮮。筆者願就所識考證之。據近人杜亞泉氏所作「博史」，謂西人撲克牌即本國之「馬弔牌」。其說甚新，茲引述如后，以佐考證：

「予驗西洋紙牌與吾國古代之馬弔牌，有相當之關係，因其類似之處甚多。如馬弔牌爲文錢、索子、萬貫、萬萬貫四門，各門自一至九，凡九張；西洋紙牌花式亦爲四門，各門自一至十，凡十張；所差甚微，一也。馬弔牌以一與九爲大張；西洋紙牌亦以一與十爲大張，二也。馬弔牌以百老、紅千、萬萬爲最尊；西洋紙牌亦有K、Q、J之三大張，均相類似，三也。馬弔牌中大張多繪人形，西洋紙牌亦然，四也。

「予以此告西友某君，某君則以社會上日用淺近事物，東西洋社會中近似者甚多，蓋人同此心，心同此理，創作或相偶合，不必盡於模倣。予亦以某君之言爲然；然以爲創作之事物，偶合點必不至如此之多。因查閱西洋詞書，知西洋紙牌，實起源於亞洲；於十字軍戰爭時流入，且與印刷術之流傳，大有關係。於是予之疑點，由是證實矣。」

又云：「十三世紀，十字軍戰爭時期，在中國則爲南宋。此時中國之馬弔牌，尙稱葉子。其流入歐洲，實爲中國之紙牌與印刷術流入歐洲之媒介。十四世紀之初，中國紙牌始輸入歐洲。十五世紀之初，輸入印刷術；而其先導者，則非書籍而爲紙牌。現尙有保存於德國博物院中者，係從吐魯蕃傳入，其形製與天啓馬弔牌尙相近似。可見天啓以後之馬弔牌，面目固然無大改也。」

以上杜亞泉氏所言，極有見地。是則「撲克牌」——外國紙牌，並非西人所創，——其本來面目，實乃「國粹」——馬弔牌也。

曾國藩之風趣

夜闌

曾國藩爲清代中興名臣，世人述其嘉言，紀其遺事者夥矣！然皆以其軍事政治之成就爲鵠的，且以國藩得文正之諡，並多以爲理學之儒者，實則國藩平素雖制行方嚴，秉性方正，但有時亦非常詼諧，趣味雋永。此不僅平居宴處時如此，即在軍情緊急時，亦能處之泰然，不失常度。當同治十一年，國藩被困祁門，左右或逃避，乃傳令曰：「賊勢如此，有欲暫行他去者，支給三月薪水。事平仍來營，吾不介意。」左右皆衝感，不肯去。李鴻章嘗居國藩幕府，曾語人云：「在營中時，我老師（指曾）總要等我輩大家同時吃飯，飯罷後，即圍坐談論，證經論史，娓娓不倦。吃一頓飯，勝上一回課。他老人家又最愛講笑話，講得大家肚子都笑痛了，個個東歪西倒的，他自己偏一些不笑，以五個指頭作把，只管捋鬚，穆然端坐，若無其事，教人又笑不敢笑，止又不敢止，這眞被擺佈苦了。」（見吳永庚子西狩叢談）此種旣莊且和之妙用，亦可見國藩立身待人，剛柔互濟之一端。

國藩治家，以勤儉爲主，其見於家書、家訓及崇德老人年譜者，不一而足。雖臻通顯，而於保持勤儉之家風三致意焉！故勉弟及子姪輩，莫不敬憚之。曾氏家書家訓，世所常見，惟崇德老人年譜係其季女紀芬所自訂，流布似不甚廣。紀芬適衡山聶緝槼（仲芳），曾任蘇、皖、浙三省巡撫。民國三十一年十一月，紀芬歿於上海，年九十一。其自訂年譜（同治二年，十二歲）云：「余幼時頭上常生瘡，留髮甚遲，十一歲始留髮。因髮短年稚，須倚丁婆爲余梳頭。其時方行抓髻，須以鐵絲爲架而髮纏之。余聞而以意做製，爲之過大。文正見而戲之曰：『須喚木匠改大門框也。』」文正平日對兒女極嚴肅，惟亦偶作諧語。

文正又嘗對歐陽太夫人云：「滿女是阿彌陀佛相」。阿彌陀佛者，湘鄉語老實相也。」按湘俗謂小者爲「滿」。崇德老人寫家庭瑣事，殊有趣致，益見國藩對兒女教育，於肅穆之中，仍富有慈藹之情，其偶作戲言者，正如冬日之可愛耳！

據裴景福河海崑崙錄云：「許仙屏（振褘）中丞工書，深於柳誠懸。撫粵時，告予曰：曾文正嘗言作書要似少婦謀殺親夫。人多不解，公曰：『旣美且狠！』可謂形容盡致。」是國藩措語之妙，直出人意想之外。又瞿宣穎（字兌之，湖南善化人，清大學士瞿鴻機之子，崇德老人之婿。）亦謂：「曾文正喜詼諧，其日記中親記一事云：『有建德李把總文書一通，面用移封，余戲於移對上題十七字令云：團練把總李，行個平行禮，何用移封，敵體！』又其督兩江，嫌公牘上所用官銜太長，亦自題一絕於其上云：『官兒儘大有何用，字數太多看不清；減去數行重刻過，留教他日作銘旌。』亦見日記。」凡此均爲國藩之雅趣通達，而不失之刻薄纖巧，若目之爲故意做作，則大謬矣！

軍犬「喬」的故事

○綠窗○

日本軍人又簡單說明：「喬」曾受過嚴戒訓練，對於搜索也擅長，希望我們好好飼養牠，每天可飼以兩器湯汁米飯，吃多了身體肥胖，會失掉靈性。最後示以指揮的方法，灑着淚走了。

第二天清早，我牽着「喬」到日本軍駐地轉了一遭，憑弔日本軍閥窮兵黷武的悲哀下塲，「喬」在每一房間裏，挨次嗅了一陣，無限依戀地仰起頭來，失望地跟我走回。從此牠死心塌地屬於我，任何人喚牠，親近戲，都不理會。此後夜間查哨，我總帶着「喬」沿途搜索，牠那電炬一般的雙目，在夜霧裏像兩盞小燈籠，使人膽寒。我覺得帶着牠處理任何情況都放心，慢慢也摸熟了牠多方面的靈性。

一次，我拿手槍在郊外打靶，有意試試「喬」對槍聲的反應，不料忽略了兩百碼外的一隻綿在吃草。槍聲響處，牠像一縷黑烟，疾竄而去，把白綿羊拖翻在地。我緊追喝止，牠已將綿羊摔了幾個觔斗。還好綿羊頸毛厚長，未曾咬傷。我首次發現牠的兇猛，以後對牠便特別經心。

刖來我曾經想：只要天下眞太平，我什麼都放棄，只帶着「喬」回老家去，作爲抗戰八年的勝利紀念。（三）

內備警台報字第〇三一號內銷證

自由報

THE FREE NEWS

第七三八期

中華民國僑務委員會頒發
台教新字第三二三號登記證
中華郵政台字第一二八二號執照
登記爲第一類新聞紙類
（半週刊每星期三、六出版）
每份港幣壹角
台灣零售價新台幣貳元
社　長：雷嘯岑
督印人：黃行富
社址：香港銅鑼灣高士威道二十號四樓
20, CAUSEWAY RD 3RD FL.
HONG KONG
TEL. 771726　電報掛號：7191
承印者：大同印務公司
地址：香港北角和富道九六號
台灣分社
台北市西寧南路壹壹零號二樓
電話：三〇三四六
台郵撥儲金戶九二五二

論愛用國貨的國民運動

——兼論國父的經濟實業思想

·羅雲家·

上

數十年來，我們在報章、雜誌及標語上，或電台，電視、口號中，都曾看到、聽到「愛用國貨」這句話。一般有識之士，於演講、談話間，大聲呼籲「振興實業，愛用國貨」的愛國熱情，更是達到舌敝唇焦、鞠躬盡瘁之境！像中華民國開國之父孫中山先生，他就是畢生熱心提倡振興實業，指導同胞愛用國貨，言行一致，鞠躬盡瘁的典型代表。惜乎我們這些自命爲實行三民主義的信徒，大家都對他的遺教口是而心非，陽奉而陰違，因而使得實業不振，經濟不景，國弱民貧。言念及此，凡有血性良心者，能不扼腕浩嘆？

筆者不才，素以使用國貨爲光榮，現在家中之電扇、電爐、電熨斗、電壺，大同產品也；電鍋，立體產品也；電唱機、收音機，聲寶產品也；各種日光燈，東亞產品也；他如唱片、腳踏車、毛綫衣、西裝、大衣料、被褥、毛毯、鋼筆、墨水、化粧品……等等，亦莫不皆爲「土貨」（國父語）焉。不特此也，愚每見一些愛在國人面前講「洋話」、打「洋腔」而恬不知恥的「朋友」，除了暗笑其幼稚外，總要憤然瞪它一眼，才覺痛快。此無他，國家興亡，匹夫有責。生爲中國人，即應對國家之興亡，社會之榮衰，負其應盡之責；亦即當以講中國話，穿中國衣料，著中國鞋襪，坐中國車輛，用中國貨物，爲其愛國盡責之表現。若一切皆以模仿「西崽」爲榮，則不啻忘本忘國，是所謂「洋奴」者也。尤以今日列強侵略他國，恆以政治、經濟爲其前驅，而吾人之「崇洋」心理，則適足以助長外人經濟侵略之陰謀。是以，凡我同胞，應知國富民強不自兵強馬壯始，而係基於每一國民對於國貨的充份信心與熱愛喜用爲前提。蓋舶來品皆係奢侈品，舶來品亦係看不見的吸血蟲。一個國家的外貨入口超出土貨之出口愈多，國民的經濟愈枯竭，國家的經濟愈無法平衡，長此以往，鮮有不導乎民窮國亡者也。

然則，愛用洋貨既遺害如此之大，何以若干人願置堂堂皇皇之中華民國主人而不爲，反甘爲經濟滲透我國之洋人爲奴隸，而不自覺呢？揆其原因，蓋因不明：（一）經濟力的壓迫在今日戰爭中的重要性；（二）何以國貨可以成爲民生必需品；（三）何以舶來品必然保留着奢侈品的性格，有以致之。茲特就此三方面，依國父遺教加以申論，藉資拋磚引玉焉。

中國積弱主因及其富強之途徑

近百年來，我國之所以積弱不振，原因固多，然探究其中主要原因，當首推外國經濟力之壓迫爲第一。

國父孫中山先生，其畢生爲革命而奮鬥，不解者，亦因有鑒及此，擇善而固執也。茲摘錄有關遺訓於后，以見一般：

（一）中國最大漏巵：國父說：「吾國今日之困難，莫不知爲實業不振，商戰失敗。二三十年以來，外貨之入口超出土貨之出口，每年常在二萬萬以上，此爲中國之最大漏巵。遂至民窮財盡，舉國枯涸，號爲病夫。愛國之士，怵然憂之，莫不以發展實業爲挽救之方矣。」（中國實業當如何發展）

（二）生產力強者恆富：國父說：「至於一國之中，土地不論大小，人口不論多寡，其生產力強者恆富。」（道路爲建設之要端）

（三）門戶開放主義：國父說：「現今世界日趨於大同，斷非關門自守所能自立。但開放門戶，仍須保持主權。」又說：「現在各國通商，吾人正宜順此潮流，行開放門戶政策，以振興工商業，如日本即採開放主義者。」又說：「興利之事亦很多，最要緊的是修鐵路，開礦產，講求農業，改良工藝數大端。但要想實業發達，非用門戶開放主義不可。……凡是我們中國應興事業，我們無資本，即借用外資本，我們無人才，即用外國人才，我們方法不好，即用外國方法。物質上文明，外國費二三百年功夫，始有今日結果，我們採來就用，諸君看看，便宜不便宜？」（見政見之表示，及建設兩大要務演講詞）

（四）保護稅法：國父說：「現在各國對於外來經濟力的壓迫又是怎樣對待呢？各國平時對於外國經濟力的侵入，都是用海關作武器，來保護本國經濟的發展；好比在海口上防止外來軍隊的侵入，便要築炮台一樣。所以保護稅法就是用關稅去抵抗外貨，本國的工業才可以發達。……保護稅法的用意，是將別國的入口貨，特別加以重稅；如進口貨物值一百元的，海關便抽稅一百元或八十元，各國的通例都是五六十元。抽這樣重的稅，便可以令別國貨物的價貴，在本國不能銷行；本國貨物無稅，價值平，便可以暢銷。我們中國現在怎麼樣的情形呢？……關稅不特不來保護自己，並且要去保護外人。好比自己挖了戰壕，自己不但不能用去打敵人，並且反被敵人用來打自己。所以政治力的壓迫，是有形的，最顯著的，人也容易看見的；經濟力的壓迫，是無形的，一般人都不容易看見，並且還要加重力量來壓迫自己，所以中國自通商以後，出入口貨物之比較，有江河日下之勢。……換句話說，就是十年以後，每一年中國單貿易一項要進貢到外國的，是十二萬萬五千萬元，汝看這個漏巵大不大呢？」（民族主義第二講）

（五）保護商業者：國父說：「夫百貨之成於農工，而運於商，以此地之贏餘，濟彼方之不足，成其功也，亦商。故泰西各國體恤商情，只抽海口之稅，[illegible]……」[illegible]……如此而欲百貨暢流也，豈不難乎？」（上李鴻章書）

「這個方向走！」

自我陶醉

蘇加諾垮台

今日与明日

統治印尼凡二十一年的蘇加諾終於在全國上下一致攻擊之下，黯然去職，今後命運如何尚難判定，如得與恩克魯瑪一樣長期流亡異國，都算是萬幸了。

戰後的世界，由於民族主義的興起，美俄的爭衡，於是在亞非兩洲出現了許多政治掮客，其中著名的有五人，即蘇加諾、納薩、恩克魯瑪、尼赫魯加上歐洲的狄托。除去狄托不計，其餘四人，論到爲禍世界之大，首推尼赫魯，但危害其本國之深，却以蘇加諾爲最。

假若以蘇加諾比現代中國人，似乎毛澤東只能得其三分之二，即好色與破壞成性；但毛尚不貪財，蘇加諾在三年前已經美國雜誌宣佈爲世界十大富豪之首。毛尚無緣無故掀起文化大革命，自己造自己的反，蘇加諾則無端與共黨合謀發動政變，謀害陸軍六將領，終於釀成大禍。陸軍六將領被殺，共黨三渠魁也先後被處死，剩下一個蘇加諾猶復吉凶莫保，孽由自作，蘇毛二人實在是難兄難弟。

印尼政治協商會議罷免蘇加諾之後，推舉蘇哈圖代理總統，看來印尼情形當可安定。蘇哈圖此人雖是軍人，却穩健沉着，觀其對付蘇加諾，政治手段十分老到，印尼有此人當政，也是東南亞之福。

印度大選

印度大選已經揭曉，國民大會黨遭到慘敗，議會多數席位損失了一半，各省則失掉了八個省的政權。所以如此，有其內外因素在。內裏方面印度的飢荒日漸嚴重，無法解決，好幾個省的人民皆變成餓殍，老百姓不懂得什麼政治理想與口號，大家所希望者只是吃得飽而已，不能使老百姓吃得飽的政黨，自然就受老百姓唾棄了。

對外方面尼赫魯生前所創的中立路線，左右敲詐逢源，到此也徹底破產。國際上空喊口號搖旗吶喊的國家已越來越少，尤其美俄之間冷戰解凍，已無政治掮客活動餘地。這些都使印度的價值越來越低，再加上毛共的威脅，更增加了印度本身的困難，就算尼赫魯不死，今天這個局面他也一定束手無策，何況其女英迪拉，[illegible]地，壞心思尚沒有尼赫魯多，更難應付了。

就印度這個國家的全民來說，實在是人類的包袱，一千年也不能自給，永遠靠世界上富裕國家施捨過生活，加之政府又好高騖遠，不從改良農業，增加生產着手，却一味發展工業，近且要製造原子彈，似此種不顧事實，只騖虛名的政策，其最後後必然要受到選民的唾棄了。（何如）

自由談

支配慾作怪

人的支配慾望是沒有止境的，古今來許多禍亂災害，都是由於人的支配慾作祟所致。吾國哲人老聃、莊周主張人類生活聽其自然進化，無爲而無不爲，確有至理存焉。可是，他們的哲理敵不過人類支配慾的恣肆橫決，始終未能實現。自從西方功利主義之說興，人類的支配慾更如火上加油，無可戢斂了，相激相盪，乃產生以極端支配爲主旨的共產主義，又叫作社會主義，貽禍至今爲烈！

愛好自由生活原是人類的天性，爲防範過分自由的流弊，而以政治力量作有限度的節制，義所應爾。詎料一般享有統治權力的當局者，即乘機儘量發揮支配慾，而美其名曰「統制政策」，對於社會生計與羣眾生活，漫無標準的肆行統制，樣樣都要干涉，却自命爲民主自由的憲政之治，寧非咄咄怪事！

民主憲政的起碼條件爲言論、出版之自由，然實際上常有文字獄之興起，且禁止報紙自由創刊。知識份子沒有博覽羣書之自由，乃至於青年學子進學校讀書，也受到統制支配，志願肄業文科的，將他分發到性質完全相反的科系去，無端斲喪青年求智的志趣，不知埋沒了多少天才！藉口「統制經濟」以防止自由競爭的弊害，把許多工商企業歸諸「公營」，設立許多衙門式的機構，浪費公帑，毫無成績，甚至永久虧蝕賠本，亦無所謂，反正是耗費公家的金錢，何足道哉！

共產主義和法西斯主義、納粹主義，是名異而實同的極權思想產物，無所軒輊，用意就在充分發揮人類的支配慾，把人當作無機體的工具，一舉一動，一言一行，都在政府管制之列，這是違反人性的，所以激起了人們的反抗心理，而以自由主義爲反共的抗毒素。因此，在反共的自由社會中，對於法律上賦予羣眾的自由人權，必須有合理的尊重與保障，若干不必要的管制玩藝，例如冒着與民爭利之名而實際只是賠本的公營事業，如於法無據的限制新辦報紙，如有害無益的大專學校新生統一考試分發等類措施，皆以廢除爲宜。此外還有若干好管閒事的政令，不勝枚舉，神而明之，存乎其人，反共前途之成敗利鈍，基於是也。

馮王先生

台灣輿論抨擊法官濫用職權

。本報台北航訊。

凡是具有中華民國國籍之一切人民，不分男女、宗教、種族、階級、黨派、職業，在法律上一律平等。即在法律上受同等之待遇，享受同等之權利，與負担同等之義務。此為憲法第七條明文所定。現在我們反共抗暴戰爭，是以民主反抗極權，以自由反抗奴役，以平等反抗階級鬥爭，以法治反抗非法的戰爭。法治是我們立國最大的武器。所謂法治精神，其意義：是法律之前人人平等；命令不得變更法律；各有權限不得踰越。故推行法治，須要有良知的好人來行使，則民主憲政才可步入正軌。但事實正與此恰恰相反，乃我國憲政前途的致命傷。

人民權利不可侵犯

假定說，人民因行使政權而被控於法院受刑事判決，試問，還有什麼民主憲政可言。人民因參政權依法選舉代表與中央官員及地方各級政府自治人員，人民亦有被選為代表與官員之權。同時，人民有能免其所選出之代表與官員之權。這是憲法第十七條所賦予人民之政權，誰都無法剝奪或限制。

政府有能，人民有權，這是孫中山先生政治思想中的一個基本原則。就現代政治趨勢言，一是全民政治，一是專家政治。所謂全民政治，就是人民能管理政府。所謂專家政治，就是政府有能力為人民服務。參政權是人民的基本權利，為民服務是政府公務員的義務。就學說言，政府是為保障人民自由權利而設，如果人民對政府之服務表示異議，則以選舉或罷免政府官員來改革政府，此乃民主憲政之精義所在。中外歷史告訴我們，由於政治家個人性情特別的表現，如商鞅欲使秦國富强，廢井田，開阡陌，所以刻薄寡恩，而主張嚴刑峻法如福祿特光明俊偉，而倡自由之說，係因路易十四死後，人民厭惡專制，所以自由之說係基於當時人民之需要而產生。由於政治家的理想發揮，如王荆公之變法不成，並非其法不善，乃因用人不當，引起正人君子之反對；如柏拉圖亦因不滿當時政治，而產生的「理想國」政治思想，亦非完全憑於空想。由於政治家受前代制度及典章文物之影響，如蕭何之約法三章，如孟德斯鳩的三權分立學說，其政治思想，一方面受前代的影響，一方面基於時值嬗變之秋。由於當時不同的環境激盪所產生之政治思想，如馬其利與墨索尼里之個性相近，所以前者主張霸道，而後者則倡政治獨裁。綜上觀之，政治思想係基於以上四種原因而產生。現代的政治思潮，則尚民主、自由、法治、平等，及自然科學等學說。

因此，人民行使四權而參政，政府係為保護人權而設。孫中山先生說：憲法是國家的組織法及人民權利的保證書：「憲法在政府中的作用，好比一架機器」，政治上的憲法，就是支配人事的大機器，也是調和自由和專制的機器」。所以人民不得因行使罷免權，而受司法機關之控訴；在野黨和在朝黨人在法律上應一視同仁，在政治上應享同等待遇，政府不得歧視，也不應歧視，否則，不但違憲，而且自毀長城。

奉命不上訴的笑話

例如奉命不上訴案之所以發生，便是由於程序上之不合法而鬧出「歷史性」的笑話。檢察官黃向堅提起公訴之唯一證據，也是根據以不正方法而又毫無事實的「自白」；相反的，台中地方法院與台灣高等法院台中分院宣判李國楨（前南投縣長）無罪，其依據是：「李國楨之自白，雖為證據之一種，但必須與事實相符者為限。若其自白顯有疑義，而審理事實之法院，就其職權調查之所得，仍不能證明其自白確與事實相符，其自白不得據為認定犯罪事實之唯一證據」。起訴書認定被告李國楨在南投縣長兼任協進省府疏遷委員會主委任內，於四十五年二月，竟與縣府地政科長兼委員會業務組長何西就勾結，不將省府撥下第一期疏散工程用地價欵新台幣二百五十九萬三千八百八十五元六角三分存於公庫，擅自分存台灣土地銀行、第一銀行、彰化銀行、華南銀行四行之南投分行生息圖利。四十六年三月四日命何西就取該公欵息金八千元，交渠携往台北為應酬及私人活動之用。又於四十五年八月間，允許何西就幫忙沈金村等三人變更地目（變畑為田），四十六年元月前後收受何西就代沈金村等致送賄欵，共新台幣三千元，應構成違背職務收賄，及對主管事務圖利罪嫌，不外以對於上開事實，均認為論據」。所謂「認為論據」，即非法之「自由心證」。「然被告李國楨於審判時則堅決否認供稱：「我沒有提取八千元利息情事，在保安司令部偵查中所供是不得已說的」，又縷舉其原供可以疑竇之點甚多，不能採為論罪之唯一證據，請求調查其他必要之證據，以察是否與事實相符。……至於何西就代沈金村送賄欵一千元交與被告之妻手收。又代劉萬得曾送賄二千元與被告李國楨親收部份，審判中被告李國楨及何西就與李國楨之妻吳美玉等，均一致否認其事。起訴理由謂被告曲循人情，率允農戶申請變更地目。訊據證人王順流、謝隊、高連均一致證稱：變更地目非李國楨所過問」。「且農民申請變更地目，初步向地政事務所申請，地政事務所彙集申請書，預定日期，前往勘查後，認為合格者裝訂成冊，送縣政府地政科，再會同粮食事務所，縣稽征處覆勘，如認為合格，會報縣長判行，報省政府備查。最後判行雖係縣長，但事實上均由秘書代行蓋章等情，亦經證人須榮彥、曹鑫結證在卷。」而「何西就前後所供既有二千元與三千元之不同，而稱送欵時間亦有四十六年元月與六月之差別，至每次送欵之來源，為極雜亂無章；更有悖情理者，曾編行賄一千元尚未賄送至何西就之手，何西就焉有提前代為賄送之理。……本案所訴被告李國楨部份，其自白顯有可疑，並經調查與事實不符，或已提出反證，證明其自白非眞正事實，固不能置予不問，仍採為論罪之基礎。犯罪不能證明，應為無罪之論知」云云。（台中地院四十七年四月三十日刑事判決四十七年度判字第一六六二號）。

非法偵訊受到鼓勵

台灣高等法院台中分院刑事判決署謂：「何西就自四十七年元月二十九日（在保安司令部）開始稱……四十六年三月初李縣長以去台北用欵，向我索要該項利息八千元，當時我私人亦需用欵，在三月四日由第一銀行提出一萬一千五百八十元，除交李縣長八千元外，其餘三千五百八十元由我私人化用云云，但查何西就於四十六年三月四日向第一銀行提取一萬一千五百八十元，固有該銀行之對賬單在卷可稽，而該宗欵項，係給付農民即業主簡鴻章等四人之土地價及補償費，業由該銀行職員張慶昌於同日經手發給簡鴻章等四人，並經該簡鴻章等四人蓋章具領，有支付清單，及省府疏散工程處購買土地地價及補償費收據存根在案可證，並傳喚農民簡鴻章及銀行職員張慶昌等到庭，經其具結證明屬實。」因此，該高分院駁回台中地院檢察官黃向堅之上訴。該奉命不上訴案經過將近九年的時間，李國楨總算很幸運被宣判無罪。（中）

桃園縣發生的奇案

人已死了四十年 竟然獲准建戲院

（本報記者黃鴻遇桃園航訊）人已死了四十年，還能獲准建戲院。桃園縣府此一「便民」奇案，引起土地關係人李雲棠等四人向監察院、省府等有關機關陳情，請求保障其合法權益，並轉飭桃園縣府，將失職人員，向社會作公開的交代。

陳情人李雲棠（住桃園縣龜山鄉公西村一五○號）、蔡居、冷復生、關晴吾等，均係退役軍人，於五十四年十月間，集資在桃園縣龜山鄉買得土地五百坪，興建「華聲戲院」；在動工期間，和鄭天宏發生糾紛，經縣府及有關單位勸導下，李雲棠等所領「建築執照」，暫時申請撤銷，以免事件擴大。現在此一土地上，已為鄭天宏建成一座「宏聲戲院」；因此，該一事件，遂演變為：「強佔」、「偽造文書」及死人領用建築執照……的多端是非了。地方一般人士議論紛紛，其關係人李雲棠等，也到處陳情，請求主持公道。

據陳情書中指出：（一）陳情人等，於五十四年十月下旬，集股在桃縣龜山鄉苦苓林復興街購買土地五百坪，價欵計新台幣二萬五千元，作為興建「華聲戲院」用地。

（二）陳情人等，早於五十四年十一月廿八日，向桃園縣府申請核發「華聲戲院」建築執照，於次年二月十五日，發覺該項執照（府建執照字第○五三號）被人冒領，除當即提出異議外，並登報聲明作廢。

（三）陳情人等於五十五年三月四日，檢同登報啓事，復向縣府建設局土木課，申請補發該項建築執照。時逾一年，毫無下文。

（四）陳情人等申請補發該項建築執照時，主辦單位表示：建築物離營區太近，非經國防部核准，不能興建……藉詞拖延。而鄭天宏復以賴詢善等七人（其中已死亡三人）名義，擅刻他人（包括死人）私章，加蓋於「土地使用權狀」上，向縣府申請核發在陳情人等所有土地上建築「宏聲戲院」（更名）之建築執照。其中死人賴詢善、陳子福、賴金信等三名，已經死亡四十年、二十五年及十二年，也能獲准發給「建築執照」，此乃一樁「空前絕後」的奇案。

（五）鄭天宏向縣府提出之「土地使用權狀」上連署計七人，除三人早已死亡外，其中陳文桂已向桃縣刑警隊提出否認，並謂其死人中的「賴詢善」實為陳詢善，姓名並不相符。乃縣府主辦單位不察實情，死人申請執照，竟為活人核准，開「陰陽往來」之創舉。此一案件，縣府主辦單位自始即參與其間，決不能推說不知死活。

（六）陳情人等，請求有關機關，轉飭桃園縣府，迅予吊銷鄭天宏的「宏聲戲院」建築執照，依法補發陳情人等的「華聲戲院」建築執照；並將失職人員對社會作一公開交代。否則，陳情人等決不罷休云云。

看橫掃中國大陸的「紅衛兵」與「文化大革命」

楊力行

在此兩情吸引之下，一拍即合，而圓野鴛鴦之好夢。陳倉暗渡已非一日，濮上桑間時有這一對野鴛鴦的蹤跡。

有一天，鄉間演戲酬神，其時正在上演「水滸傳」上「武松殺嫂」前半部，描畫惡霸西門慶迷戀巧妻常伴拙夫眠的潘金蓮，由王婆穿綫，三個狗男女會同謀殺以賣燒餅為業之佝僂的三寸丁武大郎的悲慘故事，極為逼眞。黎女觀賞後，心領神會，歸與毛繼祖密謀，欲速王氏子之死，而遂其雙宿雙飛，長久夫妻之夙願。果然，一夜之間，王氏子便一命歸陰了！事後，雖然王家村人交頭接耳，路議巷語，憤憤不平；但是沒有毛家村的人多勢大，而且毛繼祖是個有名的無賴，誰也不敢惹他，所以大家都敢怒而不敢言。只可憐王氏子，父母早亡，又鮮兄弟叔伯，尤其沒有像「行者」武松那樣的「打虎英雄」弟弟，在獅子樓上樓下將姦夫搗首把淫婦剜胸剖腹的快舉；只有沉冤莫白，無人替他報仇雪恨了！

王氏子被謀殺以後，黎女假意哭奠一番，亦如潘金蓮之假哭武太郎一樣，然後歸寧娘家。不久毛繼祖央媒人說合，正式迎娶過去。是日也，曾有好事者在毛宅大門「喜」之下，用黃土寫上一聯語云：「一場新喜事，兩件舊東西」！毛、黎這一對狗男女，雖然氣憤，但亦無可如何。因為他們原是先姦後娶的，黎氏早已孳種暗結，所以不到幾個月工夫，就產下了一個男孩——毛賤種，是一對狗男女偷情相姦的結晶品，頗為聰明伶俐。七歲上學時，因時值清季，鄉間尚無像現在的小學，只有蒙館私塾，毛繼祖將他的賤種送上私塾時，恭請那位何老夫子替他取個響亮名字，何老夫子稍加思索後，便笑容可掬地向毛繼祖父子說：「這小毛子就命名為毛澤東字潤之吧」！並且還假意將「澤東字潤之」的意義解釋一番說：「澤者，恩澤也；東者東亞也；潤之者，教養也」。意思就是說：「這小毛子很聰明，只要好好教養他，將來自可澤惠於東亞這個大國也」。毛繼祖聽了哂嘴大笑，並且連聲讚嘆老夫子有學問，這個名字既有意義，又很響亮，於是獻上紅包修禮，並命賊種小毛子雙膝跪下，正式拜師上學了。同時歡天喜地將何老夫子命名的那意義經常講給村裏人聽。但那位何老夫子和鄉村中人都在暗中好笑，因為他們早已知道這小毛子的醜惡來歷，取名「澤東」寓有雙關的意義，蓋「澤」與「賊」諧音，「東」和「種」同韻。就是毛澤東這傢伙的母親和無賴子毛繼祖私通所生出來的孽「種」呀！（十六完）

瀛海異聞談

偽造郵票大王勞爾德恩

桑雅

現年七十七高齡的勞爾德恩，是比國出世的墨西哥人，他不特能偽造郵票，還能偽造各種郵戳，使專家也上當。

勞爾德恩經把他大部份的生命致力於替需要珍奇東西的人們製造珍貴郵票。

美國集郵學會主席維拉說，勞爾德恩在墨西哥美利達城製作假郵票的過程中，曾使世界各國的集郵家們遭受數百萬美元的損失。

那學會於元月五日在費城的記者招待，把所藏的一部份影鐫板、圖畫和勞爾德恩所偽造的郵票展出。

這次公開展覽，是由於不久前達成協議，勞爾德恩爲了收一筆未經透露的現款，曾答允洗手不幹，並把他的材料移交給學會。

勞爾德恩是公認的偽造專家，不獨偽造郵票，而且還偽造各種郵戳、複印，郵票欠資附加罰款或者作廢的印記。

他更改造祇值數分錢的普通郵票，使許多專家都受騙。他售出索價數百美元的偽郵票，有一些賣了數千美元。

郵政的印記，通常是用來註明那些作廢的郵票，但是也可以顯示各種郵遞方式，幷且通常包括城市的名稱和郵遞日期。

勞爾德恩的大部份工作，用於製造十九世紀的郵票。他現年七十七歲，歸化墨西哥已經有三十多年。二十年來，他成爲美國集郵學會的調查對象。

由於各項調查的結果，美國郵務部在一九四七年對勞爾德恩發出一道假的命令，以便設法制止他工作。後來，在一九六五年八月所發出的一項假命令，停止了由他在美利達城的組織遞送郵件，以及停止把郵件由美國投遞到他的手裏。

勞爾德恩不久前在美利達城所簽署的自白書裏面，說明「由於他的技巧之故，曾經製造用來偽造、翻印，和竄改的工具和裝置」。自白書是協議的一部份。根據協議，勞爾德恩担承不再幹這種生意。

集郵學會的調查，是由學會執行秘書伏斯上校和貝爾兩人進行。學會獲得一六三六件各種郵票印記的彫刻複製品，那是勞爾德恩用來在許多國家的郵票上蓋印的。這些郵票，大多數屬於拉丁美洲。

伏斯上校說：勞爾德恩所創造出來的東西，其眞正的價值尚未估計。他移交給那個學會的物件中，有數千枚蓋有那些複製印記的郵票，在美國市場裏，可能賣得數千美元。

移交給學會的許多鐫板中，有一塊用來蓋上一九二五年洪都拉斯第一次空郵罰欠資的印記的。世界上最珍貴的航空郵票，是來自洪都拉斯和這次所發行的。實際上，祇一份這種郵票爲人們所知道的。現時市值，三萬美元。

集郵學會調查所揭發的一項事實，就是他的許多製品，都曾經由有權威的專家們發給證明文件，說是眞確不假。

勞爾德恩沒有破壞墨西哥的法律，因爲他對墨西哥郵票的複製品，都是不再適用的。不過，墨西哥官員們對美國集郵學會阻止他作僞的努力，有莫大助力。

移交給學會的彫鐫板，有一半以上是用來印製墨西哥的郵票的，幷有一百多塊彫鐫板是供作印製尼加拉瓜、海地、巴拿馬、和薩爾瓦多等國郵票之用的。有一部份用來印製其餘拉丁美洲國家的郵票。

其他國家的郵票，史勞爾德恩加以竄改，如：十九世紀的阿富汗、波斯和數個印度土邦，以及西班牙、阿爾巴尼亞、德國、義大利、羅馬尼亞、和聖馬林諾。此外，幷有英國聯邦（加拿大）許多區的郵票，和紐芬蘭、新布倫斯威克，及英屬圭阿那、牙買加、伯慕達、巴巴多斯羣島、星加坡、和英屬東非在十九世紀所發行的郵票。

伏斯上校和貝爾兩人，都是對這些國家郵票歷史的權威人物，許多複製郵票印記，近來之所以被發現，就都是他們努力的結果。

英太子查理士的財產

文質

在公元一三三七年發生的一宗事，使到查理士王子成爲一個大地主，同時也是英國最富有的青年之一。在這一年英王愛德華三世創設一個康和公爵食邑來支持他的長子黑王子。經過六個世紀以來，在傳統上，這種收入歸英國的王位承繼人，封號是康和公爵。

查理士王子是當今擁有這個爵位的人，在這個名下的地產約有十四萬英畝，大過倫敦城市與附屬區，差不多兩倍。內附有西斯里島羣的許多個在康和區最佳的農場和在英國西部別的適宜種植的土地。尚有生產較差的地方八萬英畝在達特摩串，那裏就是那個著名的監獄所在的地點，現今地主就是查理士王子。在那裏居住的人包括有謀殺罪犯和幾名郵車大刼案的匪徒。其他較爲適意的地產，有蠔場、錫鑛場、花崗石場和一間學校。

照在一三三七年的英國憲章所頒佈，康和公爵有權接收任何一艘漂流到康和海岸沒有人承領的爛船；同時凡在康和逝世的人，沒有留下遺囑，或沒有親屬的，他的財產都歸康和公爵所有。

康和公爵更佔有在倫敦四十英畝很值錢的地產，這就使到查理士王子擁有幾大座摩天樓建築物，包括有住屋、商店，其中一間是女子美容院、一個餐館和幾間店旅，又有一個球場。

查理士王子既然有這樣多財產，他的每年收入究竟有多少呢？

在十五年前，英國國會曾選出一個委員會來處理與報告康和公爵名下的每年約莫的收入九萬英鎊，委員會提議將每年的收入撥出九份之一，待查理士王子在滿足十八歲時領取，其時他在每年可領三萬鎊，到成年之後就可領到整個收入。有許多投資是用王子的名字，預算當他到成年時，那筆投資可值二十五萬鎊。查理士王子的每年收入將可增加到十五萬英鎊，乃由其母英女王代領的金錢，像女王本人的收入一樣，也是免納稅的。王子所擁有的地產，價值不斷增加，可使得那個在英國富有青年也隨着愈爲富有。

英政府對王子的收入一向保持緘默，直到一九六四年十二月才作首次報告，因爲有一份英國雜誌亂寫一通，指查理王子是一個「乞丐王子」，藉此以作糾正，以免再以訛傳訛！

逃出鬼門關

路加譯

那個蘇俄軍官的耐性很大，他再燃點另一根香烟吸起來。看着失望而呈窘態的博馬斯德。

博馬斯德不斷的思索，因爲這是生死的關頭，要是無法證明的話，那末他的性命，便危在分秒的了。最後給他想起了一些證據，他記得自己收藏着一封皺紋百摺的信件，那是他幾經辛苦才保存下來的，同時這封信是由他底母親在英國帝雲郡的依壓廿比市寄給他的。還有，在信封中放着兩張也許多年前在受訓時與同袍合攝的相片。他不禁懷着一綫希望說：「相信這封信可爲我證明吧？」

博馬斯德拿出那封信來交給蘇俄軍官，軍官看了信封一眼，細看了相片後，又翻過來，看看其背面，一會兒說：「這是任何人也可以從英國戰俘身上取得的照片。我現在問你，你究竟住在英國什麼地方？」

博馬斯德期期艾艾的說：「我住在康和老郡的里斯奇特市。」

蘇俄軍官立刻叱喝說：「康和老郡？那末你一定曉得比里茅資了。里斯奇特離比里茅資多少哩？我要的是道路的距離，快說。」

這問題眞的使他愕然。事實上他熟悉這兩城市的路徑，但是由於他惶惑和有點混淆的，就是不知那究竟是卅四哩，卅三哩還是卅五哩。然而他的生命無疑是維繫於一個數字上，絕對不能稍有差池的，終於他回答是卅四哩，但他急速的補充說：「我通常是從帝雲港乘船去的，這條水路約十九哩。」

蘇俄軍官的神氣好像鬆弛了許多，顯然博馬斯德是很熟悉那兒的地方；然而，許多德國間諜，亦很熟悉各地方的地形。這位軍官在辦公室裏踱步沉思，突然他咆哮的下令，四名士兵跑進來，他們手裏都握着湯姆生槍，把博馬斯德帶出辦公室在進入走廊，引帶他進入天階。他曉得他的生命將到盡頭，跟其他的人的命運一樣，喪生於機關槍下。

在震慄和驚惶中，他憶起有一樣東西，可以挽救他的生命。同時，過去都是由於這樣東西，使他嘗到不少的苦頭，因爲這是證明他爲英國人最有力的證據。

當行到天階時，他驟然地把自己的恤衫解開，露出胸膛說：「你們看看我的胸口，現在你們相信我是英國人吧！」

那些蘇俄士兵驚訝的凝視着他。他們看到他的胸膛出現一些紋身，刻着英皇喬治五世和瑪利皇后，皇帝和皇后之間是一面英國國旗。蘇俄士兵正看得口瞪目呆之際，博馬斯德繼續將衣服解開些，露出蘇格蘭，北愛爾蘭和威爾斯的徽號，全是他在香港時，由藝術家替他在胸膛上刻上紋身的。

那個蘇俄的高級軍官，用手細緻的摸着博馬斯德的紋身，檢驗其究竟是否眞正的紋身。當他檢驗後，露着喜悅的神情說：「你胸膛上刻着這種紋身，不會是個納粹黨員。現在，可以釋放了。」於是博馬斯德便逃出死亡關。（下）

新三國

七四、諸葛亮收復兩郡　魏文長勇敗魏兵

建興七年春天，諸葛亮繼續再幹。先派陳式率領一支兵到甘肅之南，一舉收復武都、陰平兩郡。魏國命郭淮來救，諸葛亮親自率兵對付援軍，在甘肅的西北建威，把郭淮打退，打了一次大勝仗。後主聞報，才將他的「代理丞相」恢復原職，仍舊「實授丞相。」

建興八年，諸葛亮保了李嚴的兒子李豐做了江州（重慶）太守，李嚴升了驃騎將軍。命李嚴帶兩萬兵，到漢中。可是李嚴恃勢向諸葛亮要脅，說「司馬懿等他去魏國開府。」以如此的話去對付諸葛亮，而諸葛亮也就忍了，大度包容，並以李嚴領丞相府政務，代拆代行。以李嚴的兒子升任江州都督。諸葛亮肯如此爲李氏父子安排，正是他的容忍與委屈之豐度。由此可知，諸葛亮的一生事業，並不如一般人想像那樣順利。

諸葛亮要全力對付魏國，又要後顧一切。他知道後勤對於前方軍事成敗影響極大，他命李嚴父子担此重任，是因他父子有此才幹，而且又是託孤之臣。可是後來問題出在李嚴身上。

後勤佈置好了，諸葛亮又幹起來。派魏延領兵入西羌中。魏國派後將軍費瑤，雍州刺史郭淮兩支軍前來夾攻，與魏延戰於平陽谿，被魏延殺得大敗。

諸葛亮表魏延由鎮北將軍升爲平西大將軍，假節。（假節，即皇帝把節杖借給他，以節制別的官吏）並封爲南鄭侯。南鄭侯是縣侯，比鄉侯、亭侯、關內侯都高。諸葛亮此時還是鄉侯，論侯爵還低於魏延。因此頗衰驕傲。因爲他是曾受到劉備重用的宿將。他第一次鎮守漢中，連張飛都爲之失色。而今在前方諸將中，老將趙雲已死，他却獨傲羣將，大有己才用之不盡，人皆不如我的氣慨，後來遭禍，莫不由此自取。

魏國的大將軍曹眞，知道諸葛亮厲害，便親自到洛陽坐鎮，並請魏明帝增兵，好與諸葛亮一決雌雄。魏明帝升曹眞爲大司馬驃騎將軍，把司馬懿從荊州調了回來。魏明帝對懿說：「西方事重，非君莫可付者。」又升司馬懿爲大將軍。在戰策上是分四路去包圍諸葛亮。由曹眞、司馬懿、張郃、郭淮等四將，各領一路，分別由子午谷、房縣、斜谷及祁山等地會師漢中。在魏國方面，不得不如此，一旦再敗，長安也就難保了。看情勢是十分嚴重的一次出兵。

諸葛亮獲得情報，知情勢不妙，即刻將佈署的部隊全部調回漢中集結，又新造了二座城池，一名漢城，一名集城，作爲漢中的犄角之勢。此二城地址，在今陝西褒城與固城附近。漢中當時名叫南鄭。

諸葛亮的戰畧是以逸待勞。他這一決策很高明，人少對人多，最忌諱把兵力分散。在山地作戰，兵過於分散，連絡困難，不易呼應。諸葛亮佈署好了，等待司馬懿前來。

誰知一連等了幾十天，沒見司馬懿、曹眞的一兵一騎前來。諸葛亮沉着的等待着。（一壹三）

英國越獄能手 愛爾佛軒斯傳奇

·大　知·

當時，軒斯在木工部謀得一職，正在造一個九呎高的門框。這個門框，輕易可以改成一把十五呎高的爬梯。

柏斯自送煤槽爬上獄內的廣場，利用門框合成的爬梯，越過圍牆。軒斯祇不過「死跟」。在監獄外接應柏斯的朋友，將他們送往倫敦去。

軒斯乘船逃往愛爾蘭的都柏林，希望在英國要求引渡時，怕英國警方再證明他的有罪。同時，他運用當地聖三一書院的圖書館，開始鑽研法律，並且做些拆卸的生意。

一九五六年八月，他在輪船公司收取他的妻子寄往的工具時，落入警方所預佈的陷阱。

次年，軒斯轉在法庭內動腦筋，因為有一種不成文的法律是，犯人進入法院之後，隨行的警員，就將他的手鐐除去，跟着就會帶他去員工餐廳內飲茶，然後到廁所去，之後才帶他入法庭。

六月廿五日，他憑一個出獄的同囚在餐廳樺下預置的一條適用於廁所的鑽孔及一把銅鎖，反將兩名押解的警員，鎖在廁所之內。

事前，他扮成先行替警員開門的習慣，一待警員走進廁所，他一個轉身，就把門關上，鎖上。更加在事前佈置的兩個鎖扣上，套入一把法院並無鎖匙的一把銅鎖。

軒斯得到他的弟弟的接應，駕車到畢士灣，擬乘飛機再到柏林。在機場的警察，誤把他的弟弟當他。他就以譚馬士鄂尼路的名字，受捻協助愛爾佛軒斯自法庭逃亡。不過，隨後到當地押解他們回倫敦的警員，其中一個已認識他，所以這烏龍不久就發覺。

軒斯在查姆斯福監獄沒有住上一年，又於一九五八年六月一日逃出。

據他所說，這一回他跟着一個名叫佐治屈京頓的潛入被服存儲室，室內有一個倉口可通到浴室去的通路，屈京頓用鎖匙打開盡頭的雙重閘門，他就尾隨走到獄內的廣場。在監獄外面，他們駕駛一輛預先佈置的汽車，逃到根德郡的一個農莊內稍住。分手之後，軒斯經利物浦逃到北愛爾蘭的貝爾法斯。

在三個半月之後，佐治在倫敦近郊的海布頓跑狗場被捕，軒斯則在貝爾法斯享受自由二十個月，終於以私運汽車逃稅，又再落回英國警察的手中。（下）

旅遊記趣

雷也同譯

某天下午傍晚時分，在夏威夷國際機場，一位身裁矮小，長衣面紗的婦人，由中東乘機抵達，她靜靜地與乘客站在關卡前，突然間看了掛鐘一眼，拼命跑過側門進入機場；或許有人會懷疑她是走私客，海關人員追近一看，她跪在跑道上，口中唸唸有詞，朝麥加而拜。

這阿拉伯婦女是噴氣時代旅客，當新世界與舊世界在天空交接期中，常常有些互相驚異的景象。從我第一次環球旅行以來，便有這種感覺。

飛向中東機倉中，是一所引人入勝的人種陳列室，却沒有專書和指南。一邊坐的是芝加哥商人，在看股票行情報告，一邊是威爾斯商人，在講如何返回紐約州西部地方。不遠有一位土耳其人，拿着黃色發亮唸珠在數，一位阿拉伯人收拾起動身時狼狽相，安全帶扣在外衣內，連空中小姐都看不見。

抵達東京時，一位嬌小玲瓏的中國婦女進入機艙，手提一籠小雞，說了一大堆有趣的話。她本來是想坐船回去的，講來講去她的意思很明顯：假如小雞在返香港旅途中生蛋的話，應該是她的，而不屬於航空公司。

幾乎每次航程，旅客總遺留下一些「紀念品」：照相機、雨傘、筷子、扇子、帽子等，（莫萊先生的灰呢帽在開羅丟在機上，環繞地球兩週後，又在西貢找回。）又在各大都市機場，很多異種高貴旅客赤足企立在海關——他們來不及找尋放於座位下的皮鞋和拖鞋。洗手間時常發現外衣。國際走私客怕辨認出眞面目，抱衾掩面，在漆黑或黃昏時進出。

在曼谷飛向新德里間，一對泰國夫婦送我一些可口水菓，他們正在隨身帶一大批，菓葉包藏；後來我吞食葉糜時，才知道只是裝璜，不可以吃的。

空中服務生不久通知我要小聲一點。旅伴們常常送我該國圍碟，作為臨別紀念，我有時邊吃邊瀏覽風景，不知不覺把海蛞、蚱蜢、羊眼珠和魚頭都送進肚裏。有一次一位非洲客人大眞的從行李包中拿出煤油爐，在地板上烹起茶來，眞是飛機上難得的盛事。其他的人拿出水壺，根據古老回教儀式，脫下拖鞋，先洗脚，再進飲。

在不同的兩個機場，我發覺候機的飛印度旅客，手托兩個相同盒子，從不放下。曼谷海關官員告訴我，印度人通常把親屬骨灰，用盒子裝盛，一路緊握着，放下就是褻瀆。清晨班機由新德里起飛，一位年輕印度媽媽和四個小孩入廁，便門扣得太緊，結果無法走出來，服務生拿工具來，才把門打開，處理得十分鐘定。據說曾有遠東旅客匆忙中將小孩遺留機上。

空中服務生說出噴射時代旅客笑話：某酋長搭機去比魯，沒有起飛前非常着急，便叫同族送行人進跑道，推機起行。

飼養家常常想把愛獸帶上飛機，如猴子、蛇、熊等。一位美國攝影家在印度，因為他的七隻鸚鵡不許上機而大發雷霆。在德黑蘭，一頭初生的當家豬，却被海關查出並非泰國豬，被迫改走海路。

西柏林機場有一次感人的故事，一位矮胖德國人帶來一頭愛叫的豬，要買兩張去漢堡的機票。他是東德逃出來的農民，這是他逃奔自由的隨身財產，懷着極大同情心，售票員也不得不拒絕他的請求，但是毛豬乖乖地進入鐵籠，經海運到漢堡機場，與農夫歡聚。

世界上各大機場旅客行李超重鬧得面紅耳赤的別扭場面常有。有位職員嘆苦經道：「很多旅客在手提皮箱包裹過磅時，順手帶進兩三件，我一向他討行李費，他竟一無所知，連[illegible]都不知道。」但是[illegible]德黑蘭和君士坦丁堡，一些從中東[illegible]來的客人，活潑的[illegible]一點低微的物[illegible]西方人[illegible]行李份量[illegible]雨衣口袋[illegible]捲藏旅行包[illegible]東方式長袍[illegible]起伏，新興民族獨立思潮[illegible]在今日治時代[illegible]追隨國際旅客呢？（譯自讀者文摘）

完成足夠反攻的力量

吳文蔚

反攻的力量，是一種鐵的團力。團力是凝合一切反攻措施的總體力量。我們一開始反攻：即須拿這總體的團力一下子把匪偽政權打垮，使我們的政權很快的在大陸建立起來，以達成收復失土，還我河山的神聖使命。

反攻是一種力的對比，我强敵弱，一攻即破。力之所指，順勢順風，事半功倍；軍之所向，簞食壺漿，以迎王師！我們所說的力，即是包括這種趨勢在裏面。包括了這種趨勢的力量，方能謂之足夠。故足夠的反攻力量，實係含有我們本身的總體團力，再加上敵區人民的順勢向力。否則團力一遇到背向阻障，就會變成逆力。逆力的阻障，是會大大的削減我們的總體團力數字的。故在反攻之前，不得不予以縝密的估計。

力的區分，可分為有形的與無形的兩種。有形的力，是我們本身的實力；無形的力，是敵人給我們的一種助力。敵人的助力，是敵人的惡貫滿盈，衆叛親離，力量消長，以助我勢。這種助力，可使我們順水順風，團力倍增，以收巨效！

有形的力，可分四種：一是粉碎力，是屬於軍事的，一旦反攻開始，軍事力量必須一舉粉碎敵人的抵抗。二是支持力，是屬於物資的，也就是屬於經濟的，即是說在未粉碎敵人前，我們的經濟供應，必須能夠支持我們不致中斷。三是制止力，在我們進行攻擊時，必須有制止敵人來摧毀我們的力量。四是轉變力，是屬於政治的，在反攻時預計可能遭遇的種種逆境，使逆力變為順力，以助長我們的攻擊。

在無形的力中，又有一種力是吸收力。吸收力是有磁性的吸引體。一切逆力一遇到這種磁性的吸引力，便馬上就會變成了順力。這種磁性的吸收力，是與敵人給我的助力，併行不悖的。

我們把這種有形的力與無形的力，綜合起來，總稱之為王政力。孟子曰：「使民養生死無憾，王道之始也」。明白些說，反攻的團力，即是用王政的力量。

王政力量的實施，必須朝野上下，全國一致，每個人都要表現出大智、大仁、大勇的精神來，以充分的表現出人的效用，方克有濟。智是知錯，仁是認錯，勇是改錯。有大智、大仁、大勇的人，才能知人知物，仁民愛物，除暴去汚，知錯，認錯，改錯，才能增長除短，得到人民的同情，政治上，幸福人民，制度上公平合理，以幸福人民。公平合理的施為，必然會得到人民的愛戴與擁護。受愛戴擁護的政權，就是王政的發展。發展王政的政權，無論敵我轄區的人民，一定都願為此政權的存在而拼命犧牲。

在此將行發動反攻的前夕，我們一定要快速的完成了足夠的反攻力量，以發揚我們的王政，使人力充分的表現我們的精神力，物力充分發揮出我們的實力，以穩固我們的經濟力來，以加強人力物力的表現，組織力以使各種能力，都變成總體的反攻團力。

我們完成了足夠反攻的力量，我們就要以王政向大陸進軍！

悼名劇評家朱揆初先生

·李献廷·

台北市名劇評家朱揆初先生，號揆初，嘉興人，乃書香世家，幼承庭訓，深知為人之道。中年以後，歷遊大江南北，以文才橫溢，待人忠厚，交遊頗廣。平生尤好平劇，所有南北伶票，均曾賞識，對於戲路，極中肯綮，研究特深，經常為文評介。

自隨政府來台後，揆初先生供職金融界，暇則在各報刊發表平劇文字，並不避勞怨，費財費力，主辦雅歌集，定期舉辦集會，每次集會數百人，場面空前，數年以來，不稍間歇，故深獲佳評，均以名劇評家名之。而在多年之集會中，伶票間多有接觸，不相識者相識，已相識者交誼更為接近。並常籌劃票界演出，鼓勵劇隊合作，排解菊界糾紛，實為菊壇中一味甘草，不可多得之人才。其自身也甘願以「傻子」自居，不以他人之毀譽為念。這種精神，確是難得。他對於戲劇界的功勞，實不可沒。

不幸的是，當茲文化復興，需才孔亟之際，揆初先生竟於三月一日淩晨二時，突因心臟麻痺不治。噩耗傳來，菊壇震驚。他享年六十有六，遺有遺孀暨子女五人。從此人間少一「傻子」，一片散沙，領導之人，凡屬知者，莫不悲痛。

好在以一個人而論，一生福祿已過，稱為長壽。而況彌留之際，毫無痛苦，也算得是修來之福，堪以瞑目矣。為吾人後學，應繼揆老遺志，復興固有文化而努力，以不負相知之意。茲略述所感，以誌不忘耳。

聞各界訂於三月十二日上午九時，在台北市立殯儀館公祭。港地知友，可請如期致唁。

軍犬「喬」的故事

○綠窗○

秋收季節，割大豆的兔子，在原野上，「喬」一定是一個好助手。我回味兒時的愛好，不禁興緻勃勃。

不料三十五年秋，共軍的和談烟幕放完了，我軍由居庸關進入察東，短期內如秋風掃落葉，追擊到察省蔚縣的「北口」。「喬」沿途在戰火中陪伴着我，幾次在戰況緊急中，越能發現牠的潛力，牠就警戒性比哨兵機靈得多，夜裏牠指示敵蹤的方向。我想：若遇機會與共軍打一次肉搏仗多痛快。

三十六年元旦之夜，我連奉命入山，索相距十五公里的「下戰里」，沿飛狐峪前進。遍山積雪，料峭嚴寒，四野寂靜，靜得可聽見雪花的飄落聲。第一排任尖兵，我帶第一班搜索，「喬」跑在搜兵的先頭，走路中顯然緊張起來，鼻尖沿雪地一陣狂嗅，「喬」，我立即意識到這動作不尋常，蹲下去拂開積雪，赫然是兩顆手榴彈！還有幾團鮮濕的馬糞沒有結冰。我細心觀察，憑經驗判斷，肯定不久之前有人馬從此經過。我一面將發現的情況向連長報告，進一步又辨認馬蹄的形跡。狐狸縱然狡猾，這次也逃不出「喬」的智慧。

牠精神抖擻起來，雙耳直豎，陡坡路滑，峯迴路轉，距離「下戰里」只隔一個山角，衝鋒槍都上了頂膛火，個個警戒着每秒鐘都可能猝發的戰鬥。共軍做夢也想不到，風雪大年夜裏，國軍會尾隨捕捉他們。幾團馬糞，我看成為追命符的索魂使者。再前進，「喬」的情緒反常，一時超前，一時伏地狂嗅，顯出從來未有的焦躁不安。

山角，拂曉，我們的陰雲仍濃，戰事的驟發，衝鋒槍向敵人哨兵同時射擊。但一陣脚下突起的旋風。[illegible]（四）

自由報
內銷警台報字第〇三二一號內銷證
THE FREE NEWS
第七三九期
中華民國僑務委員會發證
台報新字第三二三號登記證
中華郵政台字第一二八二號執照登記爲第一類新聞紙類
（半週刊每星期三、六出版）
每份港幣壹角
台灣零售價新台幣貳元
社長：雷嘯岑
督印人：黃行書
社址：香港銅鑼灣高士威道二十號四樓
20, CAUSEWAY RD 3RD FL. HONG KONG
TEL. 771726　電報掛號：7191
承印者：大同印務公司
地址：香港北角和富道九六號
台灣分社
台北市西寧南路壹壹零號二樓
電話：三〇三四六
台郵撥儲金戶九二五二

論愛用國貨的國民運動

——兼論國父的經濟實業思想

羅雲家

中

（六）保護工業：國父說：「我們要解決民生問題，保護本國工業，不爲外國侵奪，便先要有政治力量，自己能夠來保護工業。中國現在受條約的束縛，失去了政治的主權，不但是不能保護本國工業，反要保護外國工業。這是由於外國資本發達，機器進步，經濟方面已經佔了優勢，在經濟力之外，背後還有政治力量來做後援。」（民生主義第四講）

（六）國之貧富在貨之多少：國父說：「夫國之貧富，不在錢之多少，而在貨之多少，並貨之流通耳。」（孫文學說第二章）

（七）排斥少數資本家：國父說：「夫吾人之所以持民生主義者，非反對資本，反對資本家耳。反對少數人佔經濟上之勢力，壟斷社會之富源耳。」（民生主義眞義）

（八）富強之大經：國父說：「夫人能盡其才則百事興，地能盡其利則民食足，物能盡其用則材力豐，貨能暢其流則財源裕。故曰：此四者，富強之大經，治國之大本也。四者既得，然後修我政理，安我規模，治我軍實，保我藩邦，歐洲其能匹哉？」（上李鴻章書）

（九）提倡國貨：國父說：「印度是已經亡了的國家，尚且能夠實行不合作；我們中國此刻還沒有亡，普通國民對於別的事業不容易做得到，至於不做外國人的工，不去當洋奴，不用外來的洋貨，提倡國貨，不用外國銀行的紙幣，專用中國政府的錢，實行經濟絕交，是很可以做得到的。」（民族主義第五講）

（十）以工商發達爲本務：國父說：「此後民國必以工商發達爲本務，將來可望致太平。」（民生主義之實施）

（十一）振興實業：國父說：「我們的國家……統一之後，要解決民生問題，一定要發達資本，振興實業。振興實業的方法很多，第一是交通事業……第二是礦業……第三是工業……。」又說：「近代世界文化宏規，蓋以實業爲首。」又說：「中國實業之開發，應分兩路進行：①個人企業；②國家經營是也。凡夫事物之可以委諸個人，或其較國家經營爲適宜者，應由個人爲之，由國家獎勵，而以法律保護之。今欲便利個人企業之發達於中國，則從來所行之自殺的稅制，應即廢止，紊亂之貨幣，立需改良，而各種官吏的障礙，必當排去，尤須輔之以便利交通。至其不能委諸個人及有獨占性質者，應由國家經營之。」又說：「余將使勞工得其勞力所獲之全部。將來中國之實業，建設於合作的基礎之上。政治與實業皆民主化。每一階級，皆依賴其他階級，而共同生活於互信互愛的情形之下。」（見民生主義、復田頌堯函、實業計劃、與鐵路計劃等遺教）

（十二）歡迎外資：國父說：「倘能知此，則欲解決資本問題，易如反掌矣。其法如何？曰歡迎外資而已，亦即歡迎機器而已。此回歐戰各國以製造戰用品而擴張其機器千百倍於前時，今戰爭停止，其所擴張之機器已多投閑置散，無所用之。若我歡迎此種製造之利器，以發展中國之實業，正出歐美望外之喜，各國必樂成其事。此資本問題之容易解決者也。」（中國實業如何開發）

經濟力的壓迫在現代戰爭中的重要性

如所週知，自古以來，無論中外，經濟力的壓迫一直均爲各國當政者最重視的課題。蓋侵略者爲實現其野心，無不皆以政治壓力與經濟壓力爲其伐人之國，掠人之地，劫人之財，擄人之民的兩支利刃，並恆以經濟壓力爲其先鋒，而後繼之以政治壓力；由暗鬥改爲明爭。外國戰史姑置之不論，僅就吾國近年切身所受之痛苦加以檢討：如中英戰爭，中日戰爭，中法戰爭，中俄戰爭，中英法戰爭，乃至八國聯軍戰爭等等，便無一不皆與經濟有關。特別是中英鴉片之戰，更可以作爲列強擅於使用經濟壓力，企圖迫人亡國滅種之典型代表。英人經由東印度公司大量輸入鴉片於中國，目的一在賺取中國人之錢財，二在戕害中國人之身心；假以時日，國人骨瘦如柴，中國經濟崩潰，屆時發動政治壓力，輕而易舉，即可毀滅中國而有餘。若中國政府明令禁烟，明智之士如林則徐輩，雷厲風行，嚴格執行，促使英國經濟壓力遭致嚴重之阻礙，英國政府即藉口亞羅船事件，悍然使用政治壓力，對我發動戰爭。他如中日之戰，原因雖多，然日本基於係一島國，爲謀控制中國大陸無窮盡之資源與廣大之人力，俾獲得巨大的經濟利益，以解決其本身之人口壓力與經濟恐慌，當亦爲一要因。回憶當時若干同胞，大多喜用洋貨，使外國人賺飽了我們的血汗錢，從而鼓勵了外人覬覦、侵略、欺凌的野心而不自覺。

法令的大紕漏

我曾經談過兩點法律上的漏洞，認爲須加改革。茲再指述一項綜合性的大紕漏，希望大家考慮一下。

自從民國十六年國民革命成功，國民政府在南京奠立以來，直至卅七年實施憲政之治爲止，經過了軍政、訓政時期二十年，頒訂各種法令不少。這些基於軍政與訓政關係而頒佈的法令，有許多地方皆與憲政生活不合，亦即與憲法精神有所扞格。憲法上明文規定「法律與憲法抵觸者無效」，然咱們照樣沿用如故。這不是一大紕漏嗎？

法令乃是羣體生活的軌範，必須隨着時代而有所損益，政體如有變革，法令即須同時修改以適應之，是謂「法治主義」。我國現行憲法實施後，政府即應通盤籌畫，把過去那些不合時宜的法令，爬疏剔抉，經過立法程序，分別釐訂纔是。祇因共黨稱亂，戰禍發作，一時無暇顧及，良非得已。自中樞遷移台灣，歷時將近廿年了，政局安定，不聞鋒鏑之聲，正是促進憲政之治的大好機會，何以對於這種關係人民切身利害與國家聲譽所在的法制，悍然置之度外，存而不論呢？行政當局爲着施政便利計，不欲多所更張，情有可原，然代表民意的立法機關，亦曠職棄責，熟視無睹，則殊令人惶惑不解了！

由於軍政、訓政、憲政時期的各種法令，一體通行，無所抉擇，若有人究問咱們：國家的政體本質是那一類型，似乎很難自圓其說吧？法網如此繁複苛密，人民的權利義務即不容易獲得合理保障，官吏便可以拈出一項法令來，就可以爲所欲爲，肆無忌憚，但我們又都常強調這是民主憲政生活，寧非自我諷刺乎？

法令與政體必須表裏符合，相輔相成，纔不愧爲法治國家。否則共黨所謂「人民民主專政」之說，亦可謂爲民主憲政之治，這不是笑話嗎？法令的小漏洞固然需要改革，大紕漏更不能忽視。區區愚見，質之負有立法責任的民意代表諸公，於意云何？

馮先生

今日與明日

無法控制

中間剝削

法國大選

法國大選已經揭曉，戴高樂派損失慘重，僅以一票之多在國會領先，暫時成爲多數黨，未來政府勢必要邀請另一黨派組織聯合內閣不可。

戴高樂派在選舉中所以失敗，主要因素有兩點：第一，外交政策不得人心。戴高樂現行的反美親俄政策，在國內雖然得到左翼人士的擁護，但大部份法國人對美國皆有深厚感情，自不以此種作法爲是。前年戴高樂在總統選舉中受挫，未能在第一次選出，已看出其聲望之下降。戴派既沒有獨立的政綱政策，完全憑了戴高樂一人的聲望維繫，戴高樂本人既然威信下降，屬於他的黨派自然就走下坡了。

戴派在這次選舉中最大失敗是外交同國防兩部部長落選，顯而易見受到反美的國防、外交政策的影響。

戴派失敗另一原因與選舉法有關。根據現行憲法，選舉分兩次進行，第一次無人得到過半數當選的選區，第二次重新投票重選。如此則所有候選人可以互相聯合，推出一個候選人使之當選。戴高樂當年創這項選舉法是在對付共產黨，因爲共產黨在國會中是孤立的，大家可以組織起來對付。果然在第一次選舉中大收奇效。第四共和國時代，法共在議會中擁有一百五十議席，爲第一大黨；到了第五共和國第一次選出議會，法共議員僅剩下十名。這次情況恰得其反，左翼各黨派包括法共在內集合一起對付戴派，於是戴派遭到慘敗，能維持一票多數都要算幸運了。

柬埔寨內爭

久未在國際上出風頭、鬧笑話的施哈諾最近在國內又有笑話傳出。三年前由於施哈諾拒絕接受美援，改向俄法要求援助，蘇俄未答應，法國雖然答應了但數字並不大，而且有停頓之勢，於是引起柬埔寨內部經濟恐慌；施哈諾恐怕再惡化下去會引起國內反抗，破壞了他的社會主義政策，於是命令陸軍參謀長朗諾組閣。這本來也是權宜之計，並無不可。可是他又異想天開，仿照英在野黨組影子內閣例子，在國會內也組成了一個影子內閣，專門對內閣政策加以批評，這一來就引起了現內閣的不滿。

影子內閣一人員都是屬於施哈諾黨內的左派人士，他們不能干涉到內政，總是覺得不平，於是發動羣衆示威，反對內閣政策。目前尚未結束。

施哈諾此人行將五十，但始終不脫孩子氣，永不能成熟，是很使人不解的。（何如）

台灣輿論抨擊法官濫用職權

○本報台北航訊○

誠如李國楨辯護人富伯平律師在「追加上訴理由狀」裏謂：「就李案而論，上訴人李國楨在台北保安司令部受訊時，由四十七年二月七日上午十時起，一直連續訊問至翌晨（即同年月八日）天亮；疲勞審訊之餘，又復一再威脅，精神體力，均感不支。此時之自白尚有何任意可言？至偵查階段，其方式尤爲詭秘。蓋本案保安司令部送案之日期，台中地方法院檢察處收案之期，以及承辦檢察官（黃向堅）之起訴日期，均爲四十七年二月十五日。送案與收案，同一日期，在今日交通便利之台灣，固不足道；而如此繁雜之案件，卷厚盈尺，被告達十六名之多，該承辦檢察官竟於半日之間，完成偵查起訴之一切手續，寧非怪事？（按：該起訴書長達一萬多字）其所以如此，蓋因該項偵查工作，係由檢察官在保安司令部爲之者；偵查當時，且未表明檢察官之身份，但此詭秘之方法，要難謂非不正！上訴人對於檢察官上訴理由書所謂係出於不正之方法，已經一再提出抗辯，乃原審（按：指台灣高等法院）忽視法令，竟以許義烱之密告，推論上訴之關於刑求之抗辯，係屬遁詞，已嫌武斷」。

由此觀之，檢察官偵查案件，以詭秘之方法進行，當時竟未揭發其內幕，且逍遙法外，甚至受到鼓勵而升官，誠不可思議。

李某幸運　胡某倒霉

胡能晃案與李國楨案，其偵查方法正是如出一轍，但法院本諸自由心證之結果，對李國楨刑求之自白，傳聞證據與密告，均不採信而宣判其無罪，反之，法院對胡能晃有罪之判決，則以刑求自白與道聽途說及密告爲基礎。兩相比較，能謂之「法律之前人人平等」？胡某何其不幸也。

二月一日生效之新刑事訴訟法，對人權保障方面較前週密，但有一位未透露姓名之法官，對大華晚報記者表示其個人之意見：「雖然檢察官已經不能『延長羈押』，但仍有一個變通的辦法，即是遇有問題重大的人犯，由檢察官開出押票，將他收押，經警方偵查後當夜收押於看所守入所紀錄；第二天再由警方備函借提，解到專案小組偵訊，但到了晚上，再送回看守所。這樣做，在手續上雖比較麻煩，但却合乎法律的原則（二月十九日）」記者認爲萬萬不可這樣做，因爲「先抓人，後找證據」的作法，已經不足爲訓，民主政府之不足貴，便是寧縱千百個嫌疑犯，而不能無證據亂抓一個人。此乃基於人權第一（下．完）

桃園中壢鎮　昇格縣轄市

（本報記者黃鴻遇桃園航訊）桃縣中壢（士旁，下同）鎮，爭取升格爲縣轄「市」，業經台灣省府委員會議通過。該鎮現有人口十萬以上，教育發達，經濟繁榮，交通便利，甚合設市條件。唯一切公共設施，亟待努力建設。

桃縣中壢鎮，依去（五五）年底的人口統計，已有十萬二千〇五四人，較之十年前，約增加三倍，目前爲台灣全省第一大鎮，鐵路和公路南、北主幹的「縱貫綫」穿入該鎮市區中心，另有桃園、新竹兩縣 汽車客運公司 競相營運，聯貫鄰近各鄉村，交通極爲方便。全鎮面積，約七千平方公里，地勢大抵平坦，東北隅有台灣北部中央山脈作屛障，可怕的颱風、地震、和洪水……，也很少受到災害。尤以石門水庫完成後，更無水荒的威脅！其面積分配，以「台甲」計算：（一）水田五一二六甲五〇三七，（二）旱田六〇〇七甲〇三九五（現有石門水源灌溉，多可成爲水田），（三）建築物基地三二四甲九六二八，（四）山林五七甲八七一八。（上）

張啓仲遺禍台中市

台中市記者吳積平

假如你從外地來，當步出台中火車站時，你可看到車站廣場正前方，有一棟三層大樓，建築不圓不方，位置不倫不類，像一塊擺錯了地方的積木。這就是過去、現在和將來，都深使數十萬台中市民感喟嘆息，搖首無語的台中市公共汽車大樓——亦是因掛圖案貪汚被判五年徒刑，而被停職的市長張啓仲在任內私而忘公的大手筆之一。

公車大樓早就建好了，張啓仲亦早因另案貪汚而停職了，記者無意翻老賬，更談不到落井投石。但是，因爲公車大樓建築而產生的問題，迄今尚未解決，甚且有日益嚴重，終至不可收拾的可能。所以，這裏不得不作檢討，也不得不呼籲有關當局迅採妥善措施。

台中公共汽車公司是民營的，在民國四十七年和台中市政府訂下契約，取得經營權，爲期是廿年，至民國六十六年一月卅一日止。公車公司一次捐獻市政府官股卅萬元，亦就是說：市政府不過是該公司十分之一的小股東而已。所以，台中市公車，既不是公營，亦不是官督民營，雖勉强可說是公私合營，可是私九公一，公股究竟起不了作用。這在全省各縣公用事業中，確是一個突出而特殊的現象。

公車公司在台中市既爲公用事業，又爲獨佔經營，十年來獲利無數，董監事的荷包麥克麥克，腦滿腸肥！停職市長張啓仲原爲該公司董事長，該公司因認張氏對該公司有「功」，一次致送慰勞金即達三十萬元。此中玄妙，實非局外人所能瞭解。

整理火車站廣場，肇因於配合省運會在中市舉行。市府當時擬定計劃：拆遷站前民房商店，但公車公司及豐原客運公司則准將原停車站就地改建。這個計劃，民間認爲厚此薄彼，怨聲載道。市議會亦不同意。可是，張啓仲一意孤行，並曲解省府命令以爲盾牌。公車公司更乘此時機，趕工興建大樓，而市府亦於土地租約尚未訂立時，「省有地九坪，市有地五十餘坪」，即違法趕發建築執照，以與該公司配合，企圖以既成事實，阻塞各方抗議。張啓仲對於其曾任董事長的公車公司，可謂仁至義盡，愛護備至了。而這棟萬口交斥，千手所指的「大樓」，亦就這樣的矗立起來了。

談到被拆除的車站廣場民房商店，他們被迫遷到雙十路末段路側去了。但只准搭空棚子，不准建屋。拆遷戶們，原都是車站前水菓或其他攤販，爲了生活，他們拆遷後照常推車挑担，到車站廣場去做生意。不過，他們已從固定攤販變成流動小販，而隨時隨地與取締的警察捉迷藏，甚至發生糾紛。同時，爲了住的問題，他們亦就原有的空棚子圍起壁牆，蓋上屋頂，形成了一批新的違章建築。看情形，發展下去，當雙十路需整修時，這批違建戶又需大批經費才能安置拆遷了。

這便是停職市長張啓仲「私」而忘「公」的最佳傑作，亦是台中市民選人不當的後果。

美國有人故意漠視毛共的威脅

前美駐日大使芮考艾報告亦可作如是觀

○華盛頓通訊○

一國之土地及人口的多寡，不可能正確地反映它的國力大小。但根據地理環境而製成的傳統性地圖，常表現中國大陸是一個巨無霸，而日本則是侏儒。所以「我們經常很易對中共的實力和它對鄰國存有的威脅問題估計過高。」這是芮考艾最近向參議院外交關係委員會報告時說的話。

一些參議員對於芮考艾這個說法并不輕易相信。田納西州民主黨參議員歇尼很想知道芮考艾爲何有此說和否定了美國情報人員謂中共在核子和飛彈方面「發展神速」的報告的原因。愛阿華州共和黨參議員希勸陸伯也提出詢詞：「中共的威脅是否可以置諸不理？」

芮考艾博士是在東京出生的美國人，曾任美國駐日本大使，現在哈佛大學的東亞研究中心任職。他說他沒有漠視中共的威脅之意，但他對中共的實力提出新的估計。他的見解表現在他特別設計，以人口和產品來表示實力的兩幅地圖上（那兩幅地圖是以一九六四年的統計數字爲準，但說至一九六七年仍基本上正確）。

芮考艾說道：「這個單純的空間關係的世界，有其本身的正確性。在人類征服大海，吃力地在陸路上步行以前，它接近於一個眞實的世界。但它却遠離我們現在實際生活的世界。它的定形主要是由人類自己和他們所能生產的東西而產生，其次才由於陸地和大海的區域去決定。」

「我不會提議漠視傳統的地圖。但我們不能讓它們在單純的空間關係上的强調表示，使我們印象中的世界人民變了形。它們可能使我們誤以爲比較芬蘭小得多；而日本看來則是中共和蘇俄這兩個巨人影子下一個微不足道的國家。」

「我的兩個地圖和其他普通地圖都不能夠完全表現出我們現在的世界情形。這事還牽涉到其無了期的因素，例如：氣候、天然資源、地勢、語言、文化、思想、態度和歷史。不過，我的兩幅地圖最少可以有助於糾正一些錯誤的觀念。」

「我們沒有完全正確人口統計數字。不過，我們估計上的錯誤，大概不會超過百分之十，最多也不會超過百分之二十。這些錯誤都不會使地圖上人口的一般比例變形的。」

「從人口分佈地圖來看，使人吃驚的是世界一半人口居亞洲東部和南部。兩個人口巨無霸的中共和印度，跟它們的原來比例相差不大。但日本和巴基斯坦則膨脹得十分大。即使是東南亞那些所謂小國，以至韓國和菲律賓等國，看來都是人們意外中的大國家。這地圖顯示，中共和印度是世界兩個舉足輕重的巨物；但事實上能影響世界局勢的却是美國和蘇俄。」

「一幅全國產品的地圖，可以更接近地看清楚實際的世界政治和軍事關係。從這幅地圖，可以顯示兩件事。第一是美國和蘇俄兩國是兩個實際的巨人。另一則是遠北地區——美國、加拿大、日本、蘇俄、東西歐與澳洲和紐西蘭——和落後的南方地區——南美、東南亞和非洲等地，兩者比較起來有天淵之別。

「我們發現中共的產品幾乎是日本的兩倍，但這個看法是不甚正確的。每一國家都必須用去一定數量的產品來養活人民。大陸人口有七億人，故消耗了產品的一大部份；而日本因爲人口較少而消耗也少的關係，可以把大量產品另作別用。所以日本在經濟上比較中共强得多。除了中共、蘇俄和印度三國外，日本的全部產品比較全部亞洲國家，由以色列至印度一帶各國產品的總和，還要多些」。

芮考艾說道：「最近發生的事件，經已顯出大陸的情形是怎樣落後和動亂。統一的世界共產集團橫掃亞洲這個威脅經已消失了。而中共政權的阻嚇力也漸趨貧弱。中共在一個長時期內仍不過是一個擁有弱小核子武力的侏儒而已。即使是美國袖手旁觀，不加理會，它也不可能在二十年內或較長的時間內向蘇俄挑戰。」

記者按：美國不斷有人故意漠視毛共對世界和平的威脅，亦有人挖空心思，造爲理論，藉爲那種故意漠視者，找出「根據」。芮考艾上述說法，正屬此類。這當然是大不利於自由世界的，用特揭而出之，藉資警惕。

讀者投書

我們建議國家安全會議聘請法律專家担任顧問

馬五先生：

我國最近依憲法設國家安全會議，其任務爲建設計劃，總動員，及主持戰地政務。這些，當然包括反攻前、反攻時及恢復大陸國土後三個時期在內。

民主制度，法律在一切之上。不過，如有戰事，在緊急必要時，命令可以代替法律，即使現行法律與命令衝突，命令應高於法律。

但是，非到必要時，這種措施，不肯輕易運用，亦不可輕易運用。

又因爲戰爭一開始，第三國（無論友邦與敵國）之生命財產與其他有關問題，必直接或間接發生影響。

所以，我們建議在這個安全會議內，必須聘請法律專家担任顧問。尤因與其他國家，因戰事而發生各種問題，爲不可避免的，我們應聘請享譽國際法壇之法律權威性的人物出來担任。鄭天錫、顧維鈞環似乎老了些，吳經熊、呂光、梁鋆立輩似可在網羅之列。然乎，否乎，有請明教。

馬尼拉華僑謝休等十二人敬啓

一九六七年二月廿日

滬海與總談

美國潘金蓮露芙史奈德

·桑雅·

年青貌美的女子露芙史奈德，坐在電椅上拍的一張最後照片，成爲紐約本世紀的最聳動新聞圖片。這張圖片是在行刑手扳動電掣之前頃刻拍下來的，這一份早報刊出的照片，是一名觀看執行死刑的記者，暗藏着占士邦攝影機偷拍的。

這張可佈的照片，恰巧說明了女死囚露芙所犯的罪狀是如何駭人，堪稱是刑事案記錄上罕見一宗冷血謀殺案。這個蛇蠍婦人殺死了丈夫，再背叛了情人。露芙嫁人的動機已是不良了，她爲了取得生活的安全，嫁給一個年齡超出她兩倍的男人。起初她覺得是快樂的，對于這個選擇似乎覺得不錯：一個佈置華麗的家庭，許多金錢使用，且生下一個小女孩。

不久，她開始感覺不滿足了。露芙需要新的刺激，開始夜間出街，故意引誘男人，尋求片刻歡樂。丈夫在家懵然，以爲自己的年輕太太，與同樣年齡的女子交際或消遣而已！這也是她晚上出街的口實，他是信任她的。令人不可思議的是，這個丈夫相當夠大方，任由太太出街不加過問，如是者過了十二年。露芙邂逅了脂粉客周德格萊，這個卅五歲的男子，是一名「戰將」，兩人公然搭上了。

格萊並非是一個不務正業之流，他是一個流動商人，有妻室及女兒。他初次結識露芙時，是在外間做生意，頗爲孤寂，一方面又担心業務不前，在此不安的情形下，很容易與主動進攻的史奈德夫人勾搭上的。最初，他以爲不過是一個陪伴吃晚飯的女人，總比一人呆坐爲佳。自然露芙是很容易引誘他入房的。旋即署施小計，欺騙家庭，兩人在外面雙棲雙宿，過了痛快的幾個星期。格萊仍是相當憂慮的，以致不斷喝酒。她則不斷鼓勵他。當他酒醒時，她告訴格萊，丈夫如何虐待，情形嚴重，有謀殺他的念頭。

逐漸沉迷在她的健美肉體上的格萊，竟然相信露芙的謊言，說服了他答應合夥動手謀殺史奈德。她計劃了一個天衣無縫的鬼計，裝作丈夫是被小偷打死的，如此這般，去掉了老頭子，而且可領取他的三萬美元人壽保險，及席捲全部財物。她叫他買一瓶「哥羅方」及一條鐵棍與一條掛照片的鐵綫。

進行謀殺之後，她故意帶他去參加一個打橋牌派對，格萊則躲進丈夫的屋內，當丈夫倆返家，用迷藥把他弄暈，用鐵物把他打死，又動手用鐵綫把她細綁起來，作被賊切狀。但是第一次企圖下手是失敗的，格萊畢竟不是殺人的材料，他在等候時，神經緊張，喝了一整瓶的威士忌酒。當史奈德返抵家中，他已醉倒了。幸而露芙又出急計，對丈夫說這個醉漢是誤闖入屋的，對于他們沒有害處，把他放走了事。

下次準備下手時，格萊已躲在屋內，露芙事先把所有的酒櫃都鎖着。史奈德入睡後，她叫他入房。可是格萊并非歹徒出身，要動手殺人全身發抖，以致受害者也醒來了。他毆打史奈德時，老史反抗。露芙迫得合力把丈夫按着，而被打死。然後，格萊用鐵綫把她捆着，用物塞口，使警察以爲是賊切。次日上午，警察抵達現場，看見露芙被綑，史奈德頭部破裂斃床上，屋內的衣箱翻得異常淩亂，貴重物件全部失去，幾乎相信是賊切了。露芙離開警署時，還哭哭啼啼，她曾描述兩個爆竊匪，如何入屋行切并將丈夫毆斃。

可是百密也有一疏，當警察再三盤問時，發覺她供述的賊人模樣，前後不符，才起了很大的懷疑。

警察又找不出爆竊匪撬門入屋的痕跡，而且發現廚房亦被搗亂，這一點最爲可疑。經過詳細的檢查，露芙失的皮草大衣及飾物，均在床底或在衣箱後面，警探遂將露芙拘捕，再進一步查閱露芙的日記內，發現她屢屢提及格萊的名字。警察旋又將格萊逮捕歸案，此狠毒的婦人指格萊策劃謀殺的，并且向她施恐嚇，要脅她協助進行殺人。

但是格萊也詭計多端，他出示了證明，當案發時身處距離紐約二百英里外的地方與一個女人幽會。他的證據是寫一封信給朋友，告他約一個女人背着妻子尋歡樂。不過此案爆出，那個朋友不替他隱瞞了。最後，格萊供出一切，此對狗男女一起受審，露芙無法抵賴，最後判處死刑。

露芙出賣了情郎，還不甘心受死，她拜托律師暗中通知母親，設法救她。她的母親要求露芙行刑後的屍體，不要動，準備送到一間療養院用氧氣立即灌救。可是當局偵知此計劃，堅持要在行刑後舉行屍體剖驗，如此一來，這個惡毒女人無計可施了，結束了她一生的醜惡生命。格萊亦伏誅；他要求妻子原諒他，并且寫了十一封內容動人的信，在女兒廿一歲以前，每年寄給她一封，都是教導她要做好人的箴言。

蘇格蘭場的人物及其工作

·魯呈·

在荷里甫的荒地發現的被殺死的六歲女孩子嘉露屍體，七年仍未捕獲兇手，這使主辦這案的蘇格蘭場偵緝總警司戴維斯，迄仍明查暗訪。但他說：「這案毫無綫索。」

未破獲的謀殺案，時常都是蘇格蘭場十大巨頭的討論題材。蘇格蘭場的高級人員都曾在警察服務二十年以上的，他們在偵查謀殺案方面都是專家。不過，不管怎樣精明，很少偵探能夠誇說可以百分之百破案的。

今日蘇格蘭場的高級人物，紀錄最佳的是隊長阿科特，及副隊長杜魯斯。阿科特捕獲A六兇手韓拉蒂，杜魯斯曾經摧毀那臭名四播的「救主」淫業組織，並曾因在偵查浴室謀殺案中建功，而獲傳令嘉獎。

像戴維斯坐着思索那女孩子被殺案，杜魯斯仍然想緝捕在貝斯華特及諾丁格山殺死六個女孩子的兇手傑克。這案發生時，杜魯斯是謀殺案偵緝隊主任，雖然他最後推論兇手已死，但這一個推論，不是像他那般的偵探所能接受的。他每月仍到兇案發生地點的警局，討論發現的任何新的偵探，從一個「候命」者來不知有什麼案造。偵緝警司高爾德準備回家與妻子一起吃飯，突然有人到他家裏對他妻子說，他已往發到安地古出去查案，高爾德夫人說：「我嫁給一個警員，我準備忍受一切艱苦；但如果我能有較多時間與他相聚，那是多好呢。」（上）

阿根廷假期狂

柯開清

阿根廷休假日之多，可說是全世界之冠。除去五十二個禮拜日，廿六個星期六（星期六以半天計算），以及國定紀念日（平均一個月裏有兩日），並扣除個人的年假，一年當中總共剩餘約有二五〇日可算爲工作日。這對於第一次到阿根廷的旅客，眞是一件值得驚異的事。公家機關或銀行除了國定紀念日和星期日放假外，星期六也照常休息。學生一般祇上半日課，星期六又全日休假，寒假是從七月九日（阿國獨立紀念日）起約十日暑假，已佔據全年的四分之一強了。無怪此地的小孩子和青年們，都長得結實健壯，豈不使受着惡性補習的一般香港和台省學生所羨慕之至嗎？

在假日前一天，人們的工作情緒，自然開始鬆懈下來，直到假日高潮過去那尾聲，還是到處蕩漾着。譬如週末他們顯得異常興奮活潑，計劃着預備妥翌日的糖果麵包和享樂節目。禮拜天到了，上自各機關學校，以至所有商店（少數餐館或咖啡室除外）連各處市場一律關門休息。如果不休假，將受同業者的不客氣干涉。有不少的人，瘋狂於賭賽馬、看馬球，場內是人山人海，快樂而又緊張地擁擠。也有泡咖啡室清談的。大多數的人則湧向公園草圃或到郊外的牧場，或在樹林底下野宴，各自生了火烤牛排、炸香腸，香味撲鼻，一雙雙一對對，邊唱邊跳着，或成羣打打球，歡聲四起，其樂融融！

星期一了，尚有不少商店依然緊閉其門，靜悄悄地，好像還未從昨日的陶醉中清醒過來。如果一週裏或者一個月當中，有幾日宗教或國定紀念日，那麼這一週或一個月，人們工作的情緒，必會散漫，而工作效率更會低落無疑。即使阿國京城外有的是一望無際的肥沃荒地原野等待着開墾與種植，有的是綠油油的草地森林等待着利用，他們仍舊僅爲生活的必需才工作，誰又情願放棄那些快樂的假期，來多爲生產盡一份力呀！這似乎應歸咎於人的天性「懶」吧。阿根廷確是富裕的，有台灣省七十七倍的廣大土地，而人口則僅有台灣之二倍，生活優裕，自然嚮於講究享受。難怪她們自認爲阿國是「福利之國」，得天獨厚，是值得驕傲慶幸的。

阿國與其他拉丁美洲國家一樣，又以「明日」著名於世。即無論處理任何事情，經常以「明天」處之。譬如本星期三是休假日，而你希望在本星期一或二到某機關趕辦某一件事，結果你總無法稱心過了週三假期再說，不就是一個有力的藉口嗎？

阿京「先鋒報」曾經發表社論「假期狂」一文警惕阿人：如阿國假期之多，不論農工商等各方面，除非出現奇蹟，是無法與世界各先進國家比美的。此種習俗原可擬訂法律加予限制，如此則必先有熱誠愛國的政治家們大力倡導，但此類不畏責難的政治冒險，幾時有幾多政治家自願抉擇？他們不是正須要人民的擁護嗎？該報又以諷刺的口吻說：最可靠的挽救辦法，該是如何以科學化的方法，訓練人民愈工作，愈多增產，百尺竿頭，更進一步，使得大家在工作進行之同時又可陶醉於優美的旋律中。這樣該使大家心滿意足了吧！此亦所以阿人常把自己的短處，以「福利」的美名掩飾。

新三國

周燕謀著

司馬懿、曹眞等在中途遭到大雨，山路滑滑，想待晴時再前進，兩軍都在等待着。

魏國的朝廷之中，有不少大臣在紛紛議論，認爲此次軍事行動是不應有的。如司空陳羣，太尉華歆，少府楊阜，散騎常侍王肅（王朗之子）均爲反對此次用兵的人。魏明帝一見一般大臣都反對，才下令班師。魏軍徒勞而返。

七五、諸葛亮二出祁山　司馬懿損兵折將

建興九年，諸葛亮二次兵出祁山，他一共有二次出祁山，演義說他「六出祁山」，是他六次北伐，變爲「六出祁山」。其實他只曾「二出祁山」。

諸葛亮二出祁山，即第五次北伐中原。此次諸葛亮帶了王平出馬，攻打祁山。王平字子均，巴西宕渠人，先隨杜濩入洛陽，曾隨曹操征漢中，曹軍敗而降劉備，拜牙門稗將軍。建興六年和馬謖守街亭，王平爲副先鋒。馬謖舍水上山，違孔明節度，王平規諫不聽，馬謖不能用其計，遂失街亭，士卒星散，只有王平所領一千人馬，鳴鼓佯攻，張郃疑有伏兵，不敢進攻。於是王平得徐徐收拾馬謖的散兵，全師而返。諸葛除了斬馬謖外，其餘尚有將領張休和李盛二人，又奪了將軍黃襲之兵，將其兵交王平統領，於是更見重於諸葛亮，加拜參軍，即前馬謖的職位，統率五部，旋加拜討寇將軍封亭侯。

此次出祁山、以王平領軍別攻南圍。魏國派司馬懿取代曹眞迎敵諸葛亮，張郃迎敵王平。諸葛亮聞司馬懿來了，甚爲高興。他高興什麼？司馬懿善用兵，他爲什麼還高興？我想他一定想打敗這唯一的對手，才好進一步北伐。如果司馬懿始終在後方策劃，反而沒有機會。於是諸葛亮留下部份軍隊攻打祁山，自己率領大軍到天水西南的上邽城找司馬懿。恰巧司馬懿也帶了人馬離開上邽，宣稱要到祁山找諸葛亮。這二人彼此早互景仰，很想會一會。司馬懿只留下費曜的四千兵守上邽。

諸葛亮到了上邽，司馬懿已走了，失之交臂。費曜的四千人經不起諸葛亮一擊。但諸葛亮目的在找司馬懿，不在費曜，勝了費曜一陣，收兵去追司馬懿。

原來司馬懿根本不是到祁山去打諸葛亮，他是放的空氣。由上邽到祁山，應當向上邽之南邊去，而且聲言要找諸葛亮，可知司馬懿說找諸葛亮是假的，諸葛亮要找司馬懿才是眞的。司馬懿確實是很怕諸葛亮。他聲言找孔明，卻帶兵向東而去。等到諸葛亮追上去，司馬懿知道不能再跑，就上山紮營，準備固守。守了不久，這時賈詡尚未死，在他軍中，也許是奉了魏明帝之命來督師的。賈詡便對司馬懿說：「你怕諸葛亮如老虎一樣，難道說不怕天下人恥笑」？

司馬懿聽了很不高興。他帳下諸將，紛紛請求出戰。司馬懿不得已，一面命張郃去打諸葛亮南邊的王平，自己帶兵攻打諸葛亮的大本營。

（一壹四）

關懷別人。自己得益

·大知·

人生，無論在平時或戰時，都可能面臨到若干不幸的遭遇，使得生命不堪忍受。據心理學的分析，戰勝此類不幸的唯一法則，就是必需要求助於我們人類潛在的力量與勇氣，或是將我們生活的目標與希望轉而寄托到另一個人身上或事業上去。須知，有許多人，就是藉着這種法則克服了精神與肉體的雙重痛苦，有時所得甚至於超過了我們所可相信的程度。

在美國亞利桑那州有一位八十高齡的老人，他患着病，但他的家人遭受到印第安人的伏擊與屠殺。他與五歲的孫兒從叢林中爬行至安全地區，然後，這位祖父背着孫兒，在沙漠中經過了兩三天的步行，才獲得援助。祖孫倆都活下去了。

生命恰似一條滿佈荊棘的小徑，危機迭現，坎坷重重，隨時都可能陷人於難，以預測的境況之中。我們祇有經常學習如何能善自應付不幸與失望，尋求如何去求助於人類潛在的力量與勇氣，恃其渡過難關，化險爲夷。

不幸，有許多人不僅從不知道利用此種力量與勇氣，甚至根本不知道它們的存在。所以，他們的生命僅是建築在騷動的基礎之上的。

我認識一位五十左右的百萬富翁。他因經營失利，財產損失四分之三。他因而精神破產，終日寡歡，萎靡不振，怨天尤人。終將其餘年在寂寞無義中虛度。

相反的，我還記得一位年僅卅五歲的年輕醫生。他大約是我廿年前的同事。在一次例行的體驗中發現他患了無法施行手術的肺癌，醫生告訴他大約還可以生活一年左右；他非但毫無憂懼之色，反而繼續愉快而努力地工作，直至他無法支持爲止，死得那樣從容！

由此可知，我們可以訓練自己，使我們在必死時能死得從容而無憂懼。孩子們也應該從童年起即開始教導，使他們瞭解死是人生必然的事，既然無法避免，就應該有勇氣從容而安祥地面對它。

當然，人生最大的不幸，莫過於我們所愛的人死去。丈夫或妻子的死亡，對任何一方都是難忍受的不幸；尤其如果這一對夫婦已是四五十年以上的伴侶。但是，我們必需時刻有所準備來接受這種不幸的來臨！我們應該用一種哲學來作武裝自己，使我們能有勇氣而對着這種人生中無可避免的別離。

在我童年的時候，我們鎮上有一位八十高齡的老醫生。他患着嚴重的關節炎，行動很不便。有一天，他的相偕五十六年的終身伴侶，突然離他而去，留下這位老人孤苦伶仃。一天晚上我去拜訪他，發覺他並未表現氣餒、悲傷的樣子。（上）

鍾靈毓秀紀南嶽

自在

世人但知贛之匡廬，浙之莫干，豫之雞公，爲避暑勝地；殊不知湘之南嶽（衡山），景物之雄奇，亦不亞於上述諸山，且有過之。祇以僻處湘南，雲水遙梗，致履蹤稀渺。惟自鐵路開通後，遊者日多，漸爲外方人所樂道。

南嶽居五嶽之一，係隋代開皇九年所詔定，脈起廣西，蜿蜒於湘資二水之間，獨衡山秀起，綿連鬱勃。山圍約八百餘華里，盤踞衡陽、湘鄉、湘潭，長沙等縣之境，羣峯七十有二，以嶽麓爲其尾，衡之迴雁峯爲其首。峯之最尊者有五，曰祝融，紫蓋、天柱、芙蓉、石廩，杜甫詩所謂：「衡陽五峯尊」，即指此也。其中祝融居中，海拔二千二百四十華尺，高踞五峯之冠，山勢磅礴，端偉雄奇。

南嶽氣象萬千，若登祝融之峯，見遠近諸山，無不環拱相向；而祝融獨嵯峨屹峙，羣峯俯伏，如在履舄。俯視湘江，宛轉若帶，風帆點點，隱約可辨。觀雲海則尤奇，有時雲氣瀰漫，瀰漫峯間，如海洋浩無涯際，忽然風捲雲馳，如巨浪排空，海飛山立，俄頃之間，變化萬端。故山中氣候，晴雨莫測，往往晴、霧、雨三者上下相間。再攀百步雲梯，梯級就山石鑿，層疊縈紆，皆峯巒深刻，此爲登祝融必經之徑。繚繞攀援而上，即登祝融之巔，峯上之土封寺，有「望日台」，遊客竚立觀日，一輪初昇，雲霞五色，如潮推湧，燦爛奪目，嘆爲觀止。

南嶽林木繁衍，翡翠蔽天，古松蒼翠。其最著者如「紫竹林」、「觀河林」、「金雞林」、「藏經殿」、「水月寺」等處。山多溪澗，沿叠石下瀉而成瀑布，其引人入勝者，爲「水簾洞」，「絡絲潭」，「白龍潭」，「黑龍潭」等，或瀑折奔注，如匹練懸空，或擊石濺沫，如雪花飛舞，或急流驚湍，聲如風吼雷鳴。

祝融峯絕頂，嶽廟在焉，奉祀嶽神，石屋鐵瓦，簡陋古樸，然所祀嶽神塑像，偉大莊嚴。湘俗每屆仲秋，多朝嶽進香，絡繹於途。寂靜之南嶽，頓呈喧嘩之景象。

禹王廟在嶽廟之右，規制宏敞，近益葺華。廟前置神禹碑，鐫蝌蚪文，風雨剝蝕，難以辨識。相傳禹王治水，經此獲大書，此南嶽紀大禹治水之功也。

南嶽鍾靈毓秀，不少先賢偉哲，居此講學著述。集賢書院，乃唐末以來李鄴侯、韓文公、朱熹、張南軒、周濂溪諸名賢講學之地。胡文定公書院爲宋代胡安國著春秋傳於此。紫雲書院，爲明儒湛若水講學之所。侯書院，則爲唐李泌故宅，在清季置義學於此。近代聞人續官，多來游臨，一覽風光。佑梯去均建有亭台，以自名名之，其亦人以山傳，山以人傳之意。

前湘省政府，對於南嶽名勝，曾擬開闢計劃，設南嶽管理、工程、森林三局，分掌其事，力圖建設，藉啟幽光。遊客前此投宿寺觀者，今已有南嶽精舍爲下榻處。蓋南嶽勝跡繁，非裹糧作數月遊，不足以窮其妙；然三數日之騁目，忽忽一過，亦得造興也。

筆者遊南嶽，第一次在抗戰前一年，二次在戰後，但均以事羈，未克久留，以爲將來可再作暢遊，不期赤燄高張，神州陷共，南嶽之行，當俟諸光復之日矣。

唐代邊疆曲

夜闌

邊疆樂曲，歷來爲我國音樂舞蹈中的主要成份，此種情形，自兩漢南北朝來即已了然，而至唐時，尤爲大盛。唐書的「音樂志」云：「天寶樂曲皆以邊地爲名，若涼州、伊州、甘州之類。」按唐代的所謂涼州，即今日之甘肅武威一帶；甘州即今之甘肅張掖一帶；伊州即今新疆之哈密縣。實際上尚有其他來自西北邊疆一帶的樂曲，如六么令、柘枝、水調等等的樂曲，則均暫時不在本文討論之列。

按我國西北的邊疆，由於民情風俗的關係，向來均爲音樂發達之區域。唐岑參涼州館中與諸判官夜集詩云：「涼州七城十萬家，胡人半解彈琵琶。」又蔡寬夫的詩話云：「龜茲國王與臣庶知樂者，於大山間，聽風水聲均成音。後翻入中國，如伊州、甘州、涼州皆自龜茲出。」蔡寬夫的詩話，不知是否可靠，但龜茲國在新疆南部境內，自亦應當包括在我國之西北邊疆國土境內。

由於伊州、涼州和甘州這些樂曲，當時在中國境內它的流行情形，實在不下於現今之所謂邊疆民歌。現今之邊疆民歌，其基本上的性格，尚局限於民謠的範圍之內，而唐代當時的涼州、甘州、伊州諸樂曲，再配上中國名士所撰之歌詞，其地位實相當於今日之所謂中西藝術歌曲。如唐人李涉的重登滕王閣詩云：「滕王閣上唱伊州，二十年前向此遊；半是半非君莫問，好山長在水長流」。施肩吾的望騎馬郎詩云「碧蹄新壓步初成，玉色郎君弄影行；賺殺唱歌樓上女，伊州誤作石州聲」。高駢的贈歌者詩：「公子邀歡月滿樓，雙成揭調唱伊州；便從席上風沙起，直到陽關水盡頭」。又如武元衡的贈歌者：「月上重樓絲管秋，佳人夜唱古梁州」（梁州即涼州）；白居易的偶題五絕句：「青娥奏能唱梁州，紅袖斜翻翠黛愁」；以及花蕊夫人的宮詞：「旋炙銀笙先按拍，海棠花下合梁州」等等，即可見其流行之一斑。

伊州、涼州、甘州三曲之中，特別是涼州曲調，聆聽之下，最易令人連想起塞外荒涼的風光，此蓋由於其曲名及其樂曲之情調而引起者（這主要的，自然不包括歌詞在內）。如李頎的聞金吾妓唱梁州：「聞君一曲古梁州，驚起黃雲塞上愁；秦女樓前花正發，北風吹落滿城秋」。張喬的宴邊將：「一曲梁州金石清，邊風蕭颯動江城；坐中有老沙場客，橫笛休吹塞上聲」。高駢的寫懷寄軍有感：「滿眼由來是舊人，那堪更奏梁州曲」。顧況的李湖州孺人彈箏歌：「獨把梁州凡幾拍，風沙對面胡秦隔；聽中忘却前溪碧，醉後猶疑邊草白」。以及薛逢的醉中聞甘州：「行追赤嶺千里外，坐想黃河一曲流。日暮豈堪征婦怨，路旁能結旅人愁。在縣刺史心先死，淚滿朱弦催白頭」等是。

涼州曲亦爲歌舞之一（見唐段安節的樂府雜錄）。唐人薛逢的詩云：「聽取滿城歌舞曲，涼州聲韻最參差」。元稹時聽李周彈箏歌：「祇知伊州與涼州，盡是太平時歌舞」。是則伊州在當時亦爲可舞之舞曲。甘州在樂府詩集中固有唐人所作之甘州歌好幾道。到宋代，在文學中則所謂梁州令，甘州令，伊州偏以及「八聲甘州」等詞作更爲普遍，這也就等於說道此曲調和歌唱，在宋代是要比唐代更爲普遍了。

「春慵」亦可療

我國女詞人筆下，曾有「春起慵自梳頭」，以及「不是春慵」等之句。這就是說女人一到了春天，就有一種懶洋洋困倦之感。這究竟是什麼緣故呢？現在已是仲春了，每一個人的心靈，都會感覺興奮歡欣的；但是，爲什麼正當大自然顯得鮮明可愛時，我們卻會傾向於覺得困倦欲睡，無精打彩的狀態呢？說穿了，倒很簡單，原來自然界，如植物等都非常注意它本身的養料的吸收和排除廢物，在這兩者之間，保持着完滿的和諧或平衡的，但是我們卻並不那樣。

在整個冬天裏，我們都攝取了豐富而濃厚的食物，以保持熱量禦寒。但是，到了春天，我們的排泄系統，卻仍然處於緩慢狀態，因此，使得我們體內可能保有許久碎雜的食物渣滓。無怪乎春天一到來，我們的身體就爲那些廢物阻塞住，而影響到各部器官運行的遲滯，使得我們覺得困倦和無精打彩了。

當然，這種情況是會自動地慢慢改正過來的。因爲由於氣候逐漸變得溫暖，我們會自動地去適應它，而過着比較健康的生活的。但是，在我們應該去做很多的事來加速清除體內廢物和增加活力的時候，倘若我們只坐着等待，這情況就難期好轉了！我們只須誘導我們的排泄系統，那些排泄廢物和毒質的各部器官（肺、皮膚、腎和腸臟），便迅速地步出了它們的冬眠狀態，而忙着去排除堆積體內的廢物了。

那麼我們應該怎樣做呢？第一是吸收新鮮空氣。我們知道，新鮮的空氣會供給我們的氧氣，還可以將那殘餘的腐敗的氣體，驅逐出我們的肺部以外。否則這些陳腐的氣體，就水不會移動，而慢慢地形成了一種有毒的氣體。

其次是運動。運動可增加我們吸進新鮮的空氣，以及呼出污濁的二氧化碳。它還有一種作用，是能夠促進血液循環。這種益處是不可估量的！因爲它是負責把營養傳送到我們身體各部份去的。血管又負責把一切的廢物和毒質輸送到體外。很顯然地，當血液循環通暢良好時，這些吸收和排泄的工作，便能夠做得更有效。不良和緩慢的血液循環，就會影響你時常有冷淡和低落的情緒，這是極端使人困倦的；而最後勢必損害你的從事工作和娛樂的能力。

在飲食方面，最好是減少濃厚的食品，以及澱粉質和脂肪性食物，然後大量進食新鮮的蔬菜和水果，或果汁，以及每日三品脫的開水。這樣便可以刺激在冬季裏懶怠了的皮膚、腎、腸及肝臟。依照上述辦法去做，體內的毒質便會被排除體外，那些昏昏欲睡以及慵怠不堪的情緒，便可以驅除淨盡了。

。朝生。

軍犬「喬」的故事

○綠窗○

近在咫尺，一開始幾乎就是短兵相接。南排丁字形的石屋，高及半身的石牆，都爲共軍據以頑抗，作困獸掙扎；但石牆同時充作我們進攻的掩體，木窗台、厚門板，瞬間都成了蜂窩。「喬」一躍登岩石上撲殺了哨兵，顯然對方並沒有注意到一條犬。「喬」啣出雪地上跌落的共軍武器，繞屋數匝，繼續覓取牠的獵物。我因戰況激烈，竟無法控制牠臥倒在我身邊，這是我的疏忽，想起來就懊悔！

短暫急驟的遭遇戰，正如「二鼠鬥於穴中，力大者勝」。槍彈、手榴彈等近戰武器交織成暴風雨裏夾雜着冰雹，一陣緊似一陣；突然，一顆結束的手榴彈，自屋內投出，轟然一聲，如觸發了地雷竿，濃烟遮住了視綫。我知道，這是共軍利用爆炸的烟幕，企圖突圍的最後伎倆。整排的弟兄隨即躍起衝鋒。一時演成混戰，白雪上傺濺的杜鵑花，共軍哀號中，死亡相繼。突然我半邊身軀失去了平衡，一交跌仆的一剎那，我看見「喬」躍下石牆，直撲向濃烟中。

我看得清楚，右腿右側彈的烟影裏，「喬」同一名手拉白馬的共軍浴血拼鬥！顯然這名共軍的一綫希望是企圖跨馬作一條漏網之魚，却兩次被「喬」拖下來，右手右腿已鮮血淋漓。噓！噓兩聲，共軍垂死之前以手槍向「喬」下毒手！「喬」至死未曾鬆口，適時衝上的弟兄將他俘獲，而「喬」的鮮血已與白皚皚的雪花交融！小股共軍也全軍覆沒。我帶牠回老家的願望破滅了，「喬」卻死得其所，爲殺敵而壯烈犧牲。

（五．完）

自由報
THE FREE NEWS
第四七〇期
內備警台報字第〇三二一號內銷證
中華民國僑務委員會頒發
台敎新字第三二三號登記證
中華郵政台字第一二八二號執照
登記爲第一類新聞紙類
（半週刊每星期三、六出版）
每份港幣壹角
台灣零售價新台幣貳元
社長：雷嘯岑
督印人：黃行寶
社址：香港銅鑼灣高士威道二十號四樓
20, CAUSEWAY RD 3RD FL., HONG KONG
TEL. 771726　電報掛號：7191
承印者：大同印務公司
地址：香港北角和富道九六號
台灣分社
台北市西寧南路壹壹零號二樓
電話：三〇三四六
台郵撥儲金戶九二五二

論愛用國貨的國民運動（下）

——兼論國父的經濟實業思想

羅雲家

撫今思昔，眞是叫人感慨萬千！舉目今日台灣市場，國貨雖見起飛，但舶來品仍到處充斥，一般走私玩法之徒，從空中、從海上交相私運洋貨進口而被破獲者，仍時有所聞，若干有錢的巨賈富商，則一本崇洋心理，任何東西，不論好壞，只要說是外國貨，卽視爲無上珍品；一聽說是本國出產，則雖好亦搖頭不用。殊不知此種昧於事理，欠缺愛國心的結果，適足以招致亡國滅種的危機。因此，我們謀國執政諸公，以及工商輿論界，對於如何促使國民愛國貨用一事，實有集思廣益，研擬辦法，全力推行，藉以蔚成風氣的必要。

而全國同胞，亦應深切體認：不用國貨，拒用國貨，雖不等於卽不愛國，但最低限度是拒絕表現愛國行爲；另一方面，愛用洋貨，雖不等於直接幫助外人對我實行經濟壓力，但間接幫助外人對我實行經濟壓力之罪名是洗不掉的。諺云：先有國而後有家。國先富而後民乃强。覆巢之下無完卵。又云：國家興亡，匹夫有責。匹夫爲誰？卽中華民國之每一國民是也。爲了愛國、愛家、愛自己，爲了抵抗外人之經濟壓力，爲了家富國强，我們都該革除喜用舶來品的不正當心理，從而萬衆一心，愛用國貨。這樣，國家、民族乃至個人，皆幸莫大焉。

何以國貨可以成爲民生必需品

近年以還，台灣許多有識之士，爲發展實業，振興國貨，眞是不遺餘力：他們朝氣蓬勃、埋頭苦幹；他們兢兢業業，慘淡經營；他們不斷改良，不斷發展，使得各種大工業、礦業、交通業、農漁業，乃至各種行業，都已奠定了良好的基礎。這些工商業在政府當局的熱心鼓勵、扶助與良好條件培植之下，其所出產品已漸接近國際標準，特別是若干設備完善的大工廠所出之產品，如鋼鐵、紡織、電器、味素、交通工具……等，不特可供國內軍需民用，且早已銷行世界各地，每年所獲外滙，數字至足驚人。這一方面說明了中國人的智慧，並不低於任何外國人，一方面說明中國人素重之貨眞價實、童叟無欺……等生意美德，一直保持並能發揚光大，故能建立卓越的信譽，贏得國內外用戶一致的信賴。

爲了振興實業，提倡國貨，政府遵奉國父遺訓，訂有各種法規，以管制國民不必需的外貨入口，同時給予工商廠礦以鉅額的貸款，使其資金富裕，增强生產信心；在另一方面，政府嚴格執行保護稅法，而對國產貨品則俾抽取最低的稅捐。由於國貨把握了價廉物美、經濟耐用，式樣新穎、品質優良的許多特點，所以展望未來，我們敢肯定地說：中國貨品必定可以成爲中國國民民生的必需品。同時，其在世界市場的地位，亦將日益提高無疑。

何以舶來品必然保留着奢侈品的性格

所謂「舶來品」者，卽洋貨或外國貨之謂。舶來品須遠涉重洋，自須增加運費於其成本之內；海關須依保護稅法對舶來品抽取其價值的百分之五六十的關稅，此項關稅自須加於其成本之內；舶來品須交由代理商銷售，此代理商爲能不撈點中間利潤，此中間利潤又須加於其售價之內。有此數端，舶來品原本僅值一百元者，吾人購置時則非二三百元莫辦。此舶來品必然保持着奢侈品之性格的主要原因也。其次，舶來品通常係以其所謂質料高貴，式樣新穎爲號召，本來你用的是一九六四年的汽車，現在他在式樣上耍點花槍，裝璜弄點噱頭，一變而爲一九六七年式汽車，價錢却高過你使用之一九六四年式的四分之一或三分之一。你爲了新奇，爲了達到物質享受慾，你於是以低廉的代價賣去堪用的汽車，却以高價購進所謂最新式的汽車。目的同樣是代步，花錢却多了那麼多。試想：舶來品不是必然保留着奢侈品的性格是什麼？其他的理由尙多，限於篇幅，不再贅述。

總之，愛用國貨是國民應有的美德，也是國民愛國應有的基本表現。提倡國貨與振興實業則尤爲當前的重要課題。鑒於國內外有識之士，近來常常討論本題，爰特不揣冒昧，發抒愚見如上。敬祈方家先進有以敎正，則不勝感幸之至。

自由談

談政風

政風之良窳，由於治法與治人的關係者各半，而個人不預焉。

每個從政人員，沒有不想把職務辦好，創建功績的，官僚主義之所以產生，貪汚行爲之所以出現，都是因爲治法與治人喪失了妥當性的結果。國家設官分職，各有專司，分層負責，釐然有別，不許曠廢，毋得僭越，綜覈名實是非，嚴明功過賞罰，務使人盡其才，才適其事，這樣纔是求治的正道。如果職權混淆，體制淩亂，有才者無從發展其抱負，有能者不能表現其個性，大家總以少做少錯，不做不錯爲從政守則，如脂如韋，瞻徇依違，自然而然的就揣成一開會爲服務之本，請示爲負責之本」的官僚作風，決無二致。

至於貪汚行爲之出現，除上述原因以外，卽爲俸祿不足以養廉，有若農夫僅以豚蹄一具祭告天地神祇，而欲取得稻谷充溢一車的收穫，寧非幻想！假使政府對於從政官吏，職責上期之以聖賢，法令上防之如盜賊，行動上驅之若牛馬，然其俸給待遇，尙不及一個沿街替過客擦皮鞋者每日的收入，而以「精神勝過物質」的空疏理論，希望大家枵腹從公，這是近人情的事體嗎？世人談到國計民生的政治問題，卽侈言美國如何如何，不勝欽羨馳慕之情，仿效唯恐弗及。然關於別人養廉懲貪的良法善制，則存而不論，無所措意。例如：美國的行政大員受任時，須宣佈自己的私有財產實況，且須脫離工商企業關係，持有股票亦須售出。官吏如收受人民餽贈禮物，一經發覺，卽非去職不可，杜魯門總統的副官長，因接受別人贈送的一件貂皮大衣，被報紙揭發後，立卽黯然投劾而去。咱們的官員呢，大不必法，小不必廉，紅包與回扣主義盛行，大官得外資的回扣，小官受民衆的紅包，公開而又合法化，誰也不覺得稀奇。間有廉潔自愛，有所不爲的，不但是得不到獎勵拔擢，甚至被視爲不合時宜的怪物或蠢材，歸諸天然淘汰之列。

治法與治人對政風的關係，原係常識所能理解的，何以不能奠立優良的政風，確屬値得愼思明辨的大問題呵！

馬五先生

今日與明日

關島會議

美越兩國領袖飛關島舉行會議，商討越戰戰略，毛共已破口大罵，認爲是「升級會議」，美國方面也放出空氣，說是商量加緊迫越共談和，雖然措辭不同，內容却大體相似。但在我們看來，恐怕不是升級會議而是降級會議。

最近兩月來關於越戰問題有個顯著轉變，自從柯錫金訪英之後，雖然說，英俄之間並未對越戰達成協議，但是，柯錫金必然從中提出條件，交威爾遜向詹森總統轉達，條件內容雖不得而知，其中停炸北越當爲第一項。

接着美國國內所謂鴿派人物就羣起響應，以鴿派領袖自居的羅拔甘迺迪竟在白宮與詹森總統拍案對罵。此等處也可以看出美國一部份左傾人士態度之頑强。

目前詹森總統對抗此種壓力已漸感不支，加之又有許多國際掮客如宇丹之流從中搖旗吶喊，又加上美國總統明年要大選，在內外八方壓力下，詹森總統不能不認眞考慮與北越談和的問題。

就北越方面來看，雖然不能認定其有談和誠意，但最低限度有兩點顯示出北越也在轉變中，第一，北越不再堅持美軍撤出南越作爲和談的條件，而改爲長期停炸北越始可談和。雙方的意見無形中接近了一步。第二，毛共確與北越因和談發生歧見。

目前在美國方面最大難題不在停炸，因爲美國在新年，在聖誕節都曾兩次停炸過，問題是臨時與永久。若是有限期停炸，美國隨時可以接受，但是要宣佈永久停炸，美國方面就有顯著的困難，因爲宣佈永遠停炸之後，北越仍不肯和談到時怎麼辦？或者卽使舉行和談，結果仍然失敗，又怎麼說？這是一項困難。其次美國也不能不尊重越南政府及戰地司令官的意見，因此詹森總統只得東來偕同國防部長，國務卿，新舊任駐越大使，越南美軍司令官，同越南元首、總理舉行一次談判。假若眞的越戰要升級的話，南越方面求之不得，又何須開會？

不過，此次會議的結果，可能達成一種有限期停炸的協議，卽是第一步停炸若干日以談和，談和又若干日爲限，過此卽施行轟炸。這種決定或可勉强使南越當局及美軍司令同意，但是決不可能眞正撮成和談，結果必然是白費一番精神，但詹森總統也可向國民交待，並非我不願談和，而是越共深閉固拒，實在無可如何。

每逢一個國家有內憂外患存在時，最怕的內部不團結，予敵人以可乘之機。美國目前正是如此。使無鴿派出來搗亂，上下一心，越共無隙可乘，也許早就舉行和談了。（何如）

不成曲調

1917

1949

1967

共產主義三部曲

在朴正熙堅強領導下 南韓腳踏實地穩步前進

生產建設蓬勃興起有如雨後春筍 本年五月大選預期現政府將穩勝

（漢城通訊）韓國已有四千年的歷史，日本曾統治它達卅五年之久，於一九四五年始結束。美國軍隊曾於一九五〇年代初期，在那塊土地上作戰。過去，韓國似乎是一個充滿着痛苦的國家。

連續的戰亂與佔據、饑饉和多次的政變，已損耗了它的元氣和資源。這一代的韓國人，正面對着兩個激烈地敵對的部份，那就是共黨的北方和反共的南方。

今天，南韓在建設國家的艱鉅任務中，已能獲得一些信任貸款。但情形仍不樂觀。它正遭遇着亞洲大部份地區中所特有的精神和物質上的問題。然而，南韓仍可作為其他多事與分裂的亞洲國家，包括南越在內，在某種方面上的楷模。

在朴正熙執政六年來，南韓正在建造一種為其他亞洲友邦所羨慕的政治和經濟的基礎。在人口三百七十萬的首都漢城和其他大城市中，工廠和住屋已如雨後春筍，蓬勃建立。新的公路正伸向內陸山區。副總理張基榮最近曾說：「當我們最近在修築一條新鐵路時，我想起了美國的西部影片和征服西部的故事。」

南韓的改變，不祇是在物資方面，也是在心理方面的。十九世紀的傳教士，曾稱朝鮮半島是亞洲一個與外界隔絕的「隱士王國」。現在，韓國正逐漸積極地參與國際活動了。

南韓已派出一萬名工兵和四萬六千名戰鬥部隊赴南越。它又透過亞洲太平洋協會，在促進地區合作中，扮演一個重要角色。最近，朴正熙總統曾接見一個美國經濟代表團，南韓總理丁一權也已赴華府，與詹森總統討論韓國和南越的開發問題。丁一權將要求美國經濟援助，來將駐南越的韓國工兵團擴充至五萬人，使在南韓所負責的防區中，興建學校、橋樑和公路。

韓國復興的主要力量，是朴正熙總統。朴氏原為軍人，於一九六一年的政變中獲取權力。兩年後，他退伍參加總統競選，在一千一百萬選票中，以十五萬六千張的多數而當選。

面對南韓脆弱的經濟，朴氏將膨脹了的貨幣貶值，以低額的賦稅和廉價的勞工來吸引投資，並開始一項五年計劃。為了協助解決國際上的支付，朴氏甚至無視國內激烈的反日情緒，而與日本恢復正常的外交和貿易關係。日本曾因此而給予南韓以八億美元的貸款與補償。

在朴正熙政府開始進行第二個五年計劃之際，南韓正充滿着活力。越戰的需求，給南韓提供了一個巨大的輸出市場，如制服、軍靴、橡膠製品、三合板、建築器材等物品的製造和輸往南越。這項輸出，以及對其他亞洲市場的輸出，使南韓去年的出口貿易達二億五千五百萬美元。為了減少輸入，南韓已於二年前在蔚山建立了第一座煉油廠，該廠現正擴充中。另一座五千萬美元的煉油廠也在建造中，該廠為每年生產一億美元的石油工業提供基礎。一座價值三億美元的發電廠，也正在建造中，該廠於一九七一年建成後，可使南韓的電力供應加倍。朴正熙氏允許報紙和政治家言所欲言。去年九月間，他甚至於一名反對派的國大黨議員，在一場激烈的辯論中，將一罐糞倒在朴氏的內閣部長的頭上之後，也拒絕加以干涉。但是朴氏的容忍也是有限度的。他的政府仍在全國大部份地區中實行從午夜至凌晨四時的宵禁

共。他又制訂嚴厲的反共法律，使保安警察和法庭對付顛覆份子。有一名青年作家曾寫過一本名叫「糞堆」的書，來侮辱美國對南韓的影響。由於他道本小書曾被北韓翻印，他現正受到審訊。

為了對北方保持經常性的戒備，朴正熙在長達一百五十一哩的分界綫上，駐紮了六十萬名軍隊，他們得到五萬名美軍的支持。朴氏又以高木柵封鎖邊境地區，並設立幾百個以十人為一組的斥堠站。即使是郵件，也不准通過

務。緝捕越境的共黨特務的懸賞通告，在全國各地張貼，獎金廿萬元（折合七百元美金）。那些懸賞通告說：「捉拿特務，可成為愛國者，也可成為富翁。」

南韓將於今年五月進行大選。反對派的政治家已在更多的批評政府了。新民主黨總統候選人尹普善說：「富者更富，而貧者更貧，在政府的經濟政策下，小型與中型的商人和農民，正感受痛苦。」

朴正熙承認有一些顯著的問題，包括政府中、下層中的貪污。失業勞工達百分之七，有些女工每天祇賺五角錢美金。去年的國民收入平均每人為一百廿三美元，而台灣為二百廿五美元，日本為七百四十美元。但是饑饉已完全消除了。識字的已達百分之九十。

顯然的，南韓正在前進中。朴正熙政府勢將重獲勝利。他曾在漢城的官邸中說：「並不是所有的政府舉措，都一無差錯。我們在嘗試，我們也在學習。」

台北市政二三事

李献廷 寄自台北

主持市政的官員，為了發展市政，改善民生，常常出國考查，看完人家的諸般措施，以後，寫成了一篇完美的報告，除了在報上發表一番，或是在電視上亮次相而外，終歸是經費龐大，環境不宜，而歸檔了事。論收穫，却是本身遨遊一周，吸些洋空氣，有益健康而已。其實，若論改進市政，而前擺着的問題很多。大的不易著手，市民還能原諒；小的像芝麻粒大的，也不屑一顧，一心想從外國月亮裏找嫦娥，眞令人百思不解。現在先舉出幾粒來，勞神看一下如何？

（一）有一位九十七歲的老人，名叫張永木，住在三重浦，每天從早到晚，在台北繁華街頭，叫賣愛國獎券。據說他已竟賣了十七年之久，樂此不疲。電視上出現過他在街頭叫賣的情形，看到那行人如織，車馬穿梭的鏡頭，眞令人十分担心。怪的是，這一位人瑞，蹈行人潮之中，竟認為是社會上一種光榮，毫未顧慮到他可能遭到意外。雖然說是他出於自願，法律上不能干涉他的自由，但是官方可以勸告方式，請他停止這種「消遣」，並責成他的家人，予以保護，不可袖手旁觀。

（二）街市兩旁的商店，雖然有字號的招牌，門牌編號，是行政上的戶籍規定，不可抹殺；可是，您看繁華街道的商店，有很多是特別裝修的門面，將門牌取消，一連看到十幾家，都是如此。遇到鄉下人來到台北，參考一下街名和門牌的話，將有丈二和尚之感。這一點，雖屬小事，似乎也有研究的必要。

（三）關於市內公車問題，談的太多了，現在是談交通問題。請在人羣熙攘的街道上，如照江街的菜場中，信義路四段的窄小馬路，公車前後左右，受人羣包圍，一邊連按喇叭，一邊我素我行，比螞蟻的跑差不多，那份兒罪是夠受的了。奇怪，這種情形，也無人理會。好像非如此，不足以表示市面繁榮。如果一旦鬧出禍來，責任誰屬？為何不考慮改道行駛？信義路四段，早有另關單行道之議，為何不早日實現？此較比建設地下商場，孰為重要？按說這樣的交通，每天不知道有若干人傷亡，可是倒很少聽到有人受傷，可算是一種奇跡，也算是僥倖。無形中，好像司機和行人，都是在上訓練的課，日久產生效果，才使父母官，得以高枕無憂，安心睡覺。如果十年之中有一天，發生了一件重大車禍，或是那位達官貴人，經常往來其間，便立刻點起馬後炮，而慌不擇路，悔不當初了。台北市交通的紊亂，業已引起別人的注意，但還未看到全貌，如果看到，將會派人來此留學。因為他們的人民，覺得比我們差得遠，每逢節日，便有許多人傷亡；倘若跟我們學習一番，有了實地經驗，一定能減少不少的車禍吧？

以上三點，在市政當局日理千機的眼光看來，確是小得比細菌還小，值不得注意。但萬事應從小處著手，為政者豈可忽容。

桃園繽紛錄

本報記者黃鴻遇

▲量入為出，是一般機關編列年度預算的正確原則，如果發生了「入不敷出」的困難時，在支出預算上，尚有急其急和緩其緩的彈性。目前台灣一般機關，團體，在編列年度預算中多染上「量出為入」的嚴重通病！其原因：（一）力求歲出入預算表面上的數字相差不大，送請議會或有關單位審議時，沒有理由不予通過。（二）運用預算時再可以搬出「急其急」的大套理由來，作扯甲抵乙的方便。（三）審查決算時，已是既成事實的「赤字」，其奈我何！這是時下一般「官兒」們不恤民艱的如意算盤。

桃園縣府年度總預算的驚人「赤字」，已高達新台幣兩千餘萬元。陳長壽縣長，是留學工業出身，他深諳「成本會計」，政費支出，雖然是官取於民，總該有人民付托的政治責任，便實行「節流」；現在正是新年度預算初編的時候，已飭縣府各單位，在支出項下，應該嚴格地予以控制，並大致規定：（一）出差旅費：縣外每人每日七十元，縣內四十元，山地五十元。（二）各單位臨時僱員支給，應以省府核定者為限。（三）臨時工資：每天二十元。（四）汽車保養費，最高不得超過二萬元（包括車胎，電瓶，機件，機油）。（五）公務車油料：轎車，旅行車，吉甫車，每輛每月油料以三二〇公升為限。（六）加班餐點費：職員二十元，工友十元。會議餐點費，不得編列。（七）其他辦公文具的開支，都有嚴格的規定。

陳縣長這一賢明措施，贏得縣民初步的喝采，希望陳縣長，要令出必行。更希望全省一般機關，團體的主持人，要體恤納稅人荷包裏是血汗錢，編列預算時，如果仍然任性「量出為入」亂花的話，台灣有高度的自由民主生活，當心老百姓的選票啊。

▲台灣全省的「地目變更」，依政府規定是：十年調整一次。現有的地目資料，還是日據時期（民國三十三年）的「古」物，那時候，台灣只有五百多萬人口，現在已擠滿了一千三百多萬人。城市中，高樓大廈連雲，鄉村裏，工廠林立，住宅比櫛，學校增建，公路密密麻麻，這都是佔用原有的土地。因此，地目資料，弄得「面貌全非」，在管理和稅務上，不時會發生不可避免的困擾。地政機關，正在全面「調整」，這項「地目變更」工作，定於本（五十六）年五月底以前完成。又因此舉，人民又誤會一旦地目變更後，將加重納稅的負担。陳長壽縣長於新近出巡桃園全縣各鄉鎮時，一般地方人士，多提出這個問題，陳縣長鄭重地解釋說：地目變更，是十年一次，台灣現有的地目資料，尚是二十多年以前日據時期所統計，和現在地目環境，大不相同。他舉例說：該縣中壢（土秀）和楊梅兩鎮的內壢（土旁），埔心等里，原來是人烟稀少地區，現在已是街道曲折，工廠林立，的「新社區」了。那些街道工廠和民房：：不都是關建在原有的土地上麼？在地目未變更前，地籍冊上，仍是水田或荒郊。這次地目變更，純係清查現有土地的實況，與稅務征收，毫不相關。希望大家合作，來完這一重大任務。他願藉此順便向全縣人士釋疑。

▲桃園縣立中等學校，有三十餘所之多。大溪中學，論歷史，它是台灣光復前的產物。正因為如此，校內還殘存一些危險教室（日據時期的木架房子），既不拆除，又未修整，對該校學生的「儀教」和安全影響頗大。這些危房，又包圍，球場四周，好在球場也年久失修，面積狹小，高低不平，雨後仍能「水波蕩漾」，存有「同病相憐」的情景！無如新建的校長室，那麼寬大，那麼堂皇，就有些相形見絀了！該校「傅緯武校長，是「偃武修文」的退役將軍，他自然知道「一將功成萬骨枯」那根本的歷練，出色的球員，是朝夕不能離運動場的，在德智體羣四育並重下，目前該校的體育設備，是較弱一環。據關心教育的地方人士表示：希望傅校長，力加改善，不要使莘莘學子，望「場」興嘆！一「球」莫展也。

桃園中壢鎮 昇格縣轄市

（五）原野二〇甲四九三一。（六）雜種地一五甲七二七二。（七）其他一四九一甲七四〇一（按：一〇三甲一〇一五八八，等於一平方公里）。這是該鎮「都市計劃」面積分配的總和，行將升格為市，也不會有什麼改變。

該鎮工業方面，以年度生產計算：（一）紡織工廠一二家，紗布生產總額一九二、〇〇〇、〇〇〇。（二）製粉工廠二家，麵粉生產總額二七、六五〇、〇〇〇。（三）水泥加工廠五家，水泥管（瓦）生產總額三、八〇〇、〇〇〇。（四）藥品製造廠九家，西藥生產總額二三、九二〇、〇〇〇。（五）碾米工廠五六家，白米生產總額二、二〇〇、〇〇〇。（六）其他工廠三〇五家

商業方面，居桃園全縣的首要地位。農業方面，年產稻穀二九、三二一、七二五，茶葉四三、七〇〇，甘蔗四、四五五、〇〇〇，落花生三四、四〇〇，蔬菜四、五九二、〇〇〇，水果一七七、六六〇（以上均公斤計）；（中）

瀛海異聞錄

透視眼奇人艾恩史提芬

·桑雅·

艾恩史提芬絕不信鬼魂、魔鬼作祟或是第二視覺這回事的，但是在他面前的一扇門右邊，卻出現一幕使他意料不到的情景。他不相信他的眼睛，他看清楚一點，那是透明得像幻燈的底片。他把眼睛緊閉起來，揉了幾下，再張開來看看，那幕奇異的情景，仍然出現前面。

在屋外，整個劍橋恬靜得很，只有鏗鏘的鐘聲，在寺院的黑漆虛渺的上空響着，那是凌晨六點鐘。

艾恩史提芬由於這奇異的感覺，於是不期然的朝近一點看看。

他認爲那是英皇書院小堂底幻影，而這海市蜃樓的景物，卻在他的住宅窗子前幾碼之遙。艾恩史提芬是住在吉斯大廈的頂樓。他所見的情景，宛如真的一樣。

事實上，當時英皇書院的小堂的西面尖塔，在修理中，四周給搭起的棚架圍繞着。

可是，艾恩史提芬卻看到一些怪事，而且給他驟然的吃驚，他感到渾身震慄。他見到的是在棚架中，有一個穿着黑色衣服的屍體，凌空的幌動！當他驚惶的看着那屍體時，他內心不斷的呼出「牧師」的字眼。

艾恩史提芬並非是個具有幻覺的人，他年紀五十三歲了，事業頗有成就，而且是劍橋英皇書院的畢業生，九年來他任印度最大的報章「政治家報」的編輯，而且是個歷史學家，一切都以事實爲根據的。

現在他所目擊的情景，漸漸消逝。他立刻從床上跳起來，穿上衣服，走出屋外，他踏進嚴寒的氣溫中，那時已六時四十分，這天是一九五六年一月的一個上午。

艾恩史提芬忙跑到英皇書院小堂側站着仰望棚架的上面。但是他看不到上面有屍體，凌空懸着。這個時候，英皇書院的助理會計員哥德．史拉特剛來到轉角的地方，他便把自己剛才所見到的事，告訴了他；雖然史拉特對艾恩史提芬的故事，感到有點迷惑，但他認爲那是堆垃圾。史拉特是個寫日記有恆心的人，他把這天早上，艾恩史提芬的話全記進去。

四天之後，那是一月廿二日上午六點鐘，英皇書院一位校役發現了艾維雅斯堅的屍體，躺身於小堂西面門的地上，那是小堂西面的尖塔下面，剛與艾恩史提芬的幻覺地點相同。

這宗案子，由法庭進行研究死因，英皇書院的牧師曉士，在證人台上作證，指出艾維雅斯堅牧師，曾告訴他說感到精神沮喪。在一個星期六的晚上，死者離開了所住博里大廈的他底房子，面對着那間五百年歷史的小堂，登上那螺旋形的梯子。這晚月黑風高，當他爬登了九十五尺，到了樓頂，那兒風勢很大，把梯子和附近的棚架，吹得搖搖欲墜，於是把死者捲跳進黑漆中。

研訊法官將裁定的「在正常心靈受擾下自殺」的判決，紀錄在案。

當艾恩．史提芬聽到了這位牧師的死訊，他自問怎會在這事發生的九十六小時之前，能夠預見的？也許整件事爲虛構而已。可是這不是虛構，而是有史拉特的日記爲證，在事發前四天他將艾恩的話全紀錄下來。

由這次的奇事，使艾恩史提芬憶起他在印度期間，也曾發生過好幾次的預見的事，只是由於認爲是巧合而沒有留意罷了，現在他感到奇怪，同時也領悟起來了，曉得自己實在具有第二視覺。

艾恩史提芬，在倫敦渡了一星期的酷熱生活，便到卓克菲特跟好幾位朋友渡周末，在這天旁晚，他在息薩斯的小條小巷中散步，以呼吸新鮮空氣。

那條路子，他走過了好幾次，當他在這三月天時的夜晚散着步，他內心掂念着在倫敦許多項的事務，他發現那個舊的郵箱已不知去向，這個郵箱，是在一家住宅的牆上的，而那裏的磚牆上，卻留凹陷的痕迹。在第二天早上，由於晨曦的誘惑下，艾恩史提芬到外邊散步，也打同一路徑走着，當他再走過那條巷子時，使他感到奇怪的，他見到兩個工人，正從牆上將郵箱拿去。

蘇格蘭場的人物及其工作

◎魯呈

偵緝總督韋斯特，於一個星期六下午打算過一個寧靜的週末，卻相反，他要冒風浪到巡洋艦且蘭法斯特號去查案。

現在，主持謀殺案偵查組的，是頭髮斑白，語調溫和的萬寧斯，每天坐在辦公桌上研究他的偵緝隊員們所辦的案件。

偵緝隊每一個隊員都輪流值班。一位警司及一名探目值「候命」班。這即是說，這警司必須通知總部他在什麼地方，如果他不能於十五分鐘內被找到，他就要被上司責罰了。

今天，一個謀殺案偵緝組的偵探，前往罪案發生地點調查，獲得現代科學支持。在偵查西倫敦裸女兇殺案時，曾化驗了四千種沙樣本。每個偵探的背囊價值一百鎊，內有現場偵查所需的一切東西，從錄取指紋工具以至手扣、電筒、外科剪刀、吸收鎖匙模型的材料、試管、海綿、毛巾及肥皂等等。

謀殺案偵緝隊的六個探員們閒談中討論是最偉大的偵探。他們一致推舉服務了四十二年的溫斯萊。溫斯萊是蘇格蘭場的四大巨頭之一，曾被稱爲最偉大的偵探，或許因爲破案比其他人多。他是第一個獲得英皇警察勳章的警員。

由於他們工作的性質，蘇格蘭場探員的許多作業保守秘密，所公布的很少。蘇格蘭場總監辛浦森爵士知道過去十年來警察與民衆間的關係不大密切，她希望委派一個負責聯絡的警官，使民衆得以知道蘇格蘭的工作。

奧地利大畫家OK

別懷

像另一個時代的單獨石塊，奧斯卡高科士殊加是我們的時代世界馳名的奧地利大畫家，他現年雖已八十一歲，但是他的思想和作品比較很多人更摩登和進步。奧斯卡高科士殊加在美術方面並沒有參加什麼派別，也沒有依從什麼主義或甚至抽象，雖然他看過了半個多世紀的歐洲繪畫，但是他一向沒有改變過他的宗旨和對象。他的畢生致力於寫實美術，他是一個四海一家主義和博愛主義的實踐者，他得到大衆的敬重而簡稱他做「OK」，這是由他的姓氏和名字的首個字母所轉出來的。

奧斯卡高科士殊加在年輕時原居維也納，在本個世紀開始時，那個奧地利的首都是很繁和複雜，在文化方面有種種新的改變。在繪畫上，嘉士塔夫基林和分離派抬頭；阿多夫當氏在建築發動新的大改革，他是OK的支持和贊助人；名作家由卡路科斯領導；西門富里德的精神分析學；安諾蘇傑里的新音樂；那些新的東西對年輕的奧斯卡高科士殊加，有着很深的印象。他於一九〇八年就在他有份辦的維也納文藝雜誌上，發表他的第一首詩，題目是「夢裏的男童」，附給八幅用彩色石印的插圖。此外他又寫劇本，這些作品後來被認爲對現代德國戲劇文藝頗有的大貢獻。他在同年將他的繪畫送到在維也納舉行的美術展覽會中展出，博得好評。阿多夫當氏認爲他是可造之才，就資助他到瑞士深造。他在一九一〇年到柏林，在「暴風」一定期刊物上登出他的人像畫和「兒手，婦女們的希望」那首詩後，在奧地利和德國的知識份子都推崇OK，認爲是當代的才子。

在第一次世界大戰爆發後，奧斯卡高科士殊加投入德國騎兵隊，積功擢升爲上尉。在軍中他不忘繪畫，曾描寫許多戰場即景，也撰寫許多詩。後來他在戰場受重傷，被送到德斯登城療養，痊愈後，大戰也結束，他就留在那裏的美術學院担任教職，直到一九二四年爲止。他的筆法和調色也改爲更幽雅與平靜。隨後是他的旅行年代，他的足跡遍於整個歐洲，也到過非洲和近東各地。他多繪素描畫和水彩畫，除了人像畫之外，OK對風景畫也很擅長。他在每個歐洲大城市都逗留一個時期，除了訪問各大美術館，參觀個人的名畫收藏，自己找尋繪畫的風景對像之外，他對各地居民的情況也作調查、在德國時，他被叫着「頹廢者」。在他的一幅自繪像，他題名是「一個頹廢美術家造像」，他的眼睛對未來有大的關懷……。

奧斯卡高科士殊加是很幽默的，但是從沒有涉及到他的博愛主義，他有一句名言說：「在我們的短促的生命中每一個時期應試做一個博愛家」。第二次世界大戰結束後，他曾繪有一幅畫，更由自己出資印成許多張標貼紙，送到英國和美國，作一種宣傳，呼籲捐款救濟在歐洲的飢餓兒童。圖畫描寫受苦的耶穌從十字架上俯下，用右手來撫慰兒童，在十字架上有用英文寫出「紀念今年聖誕節在歐洲凍死和餓死的兒童」字樣。

OK很愛青年人，每年夏季在奧地利的薩爾斯堡城舉辦一個暑期美術學校，由他本人主持，各地青年美術學生到來參加者極多，除不收講費外，對環境較差者，更免費供給膳宿，還可支旅費。

今日，這個在奧地利賓殊勒城出生的二十世紀美術大師，備受大衆讚揚，已有三十本專書、七百多份刊物和無數文稿，更有唱片和電影是爲他寫作或製成的。賓殊和維也納都選他做榮譽市民，英國牛津大學給他名譽博士，女王封他做爵士，他在一九六〇年得到伊拉斯瑪士獎。奧斯卡高科士殊加是一個教導人怎樣看到人們的人，奧卡斯高科士殊加是一個繪寫他自己永垂不朽的畫。

新三國

諸葛亮則早已嚴陣以待久矣。孔明聞司馬懿出來了，很高興，命宿將魏延、高翔、吳班三將，分三路迎戰，酣戰了一日，把司馬懿殺得大敗，落荒而逃，正可以用『片甲不回』來寫照才合情。諸葛亮斬獲甚衆，斬了軍官之頭就有三千之多，士卒之頭無數，獲得盔甲五千餘副，弓矢三千餘支。空前一次大勝利，殺得司馬懿心驚膽寒。

七六、追漢軍張郃喪命

劾李嚴償罰嚴明

蜀漢這次大勝利，本可乘勝進攻長安，可恨李嚴在漢中掣肘，未能將糧草充分接濟，藉口天雨、運輸困難，叫人傳話給諸葛亮請『退兵』。這時候諸葛亮已經進展到天水以北去了，聽到李嚴如此說，只好退兵。

李嚴這人說不定眞有私通魏國之嫌。李嚴叫諸葛亮退兵，諸葛亮眞的退軍了，他又感到事體嚴重，如果諸葛亮回漢中，原形畢露如何交代？所以他又造了一個謠言：「糧草充足，爲什麼在勝利後退軍」！不僅如此，他還給後主上了一道表章說：「諸葛亮退兵，大概是誘敵深入，早晚要再一次决戰」。本來李嚴很可能料到諸葛亮不會眞的撤退。如此作法，在戰時應該殺頭的。

諸葛亮開始退軍，司馬懿想乘機追擊，也好撈回大敗之恥。派張郃追諸葛亮。張郃以爲不可，對司馬懿說：「兵法云：圍城必開出路，歸軍勿追」。司馬懿不聽，遂追之。諸葛亮退保祁山，張郃追至木門。諸葛亮早已設下埋伏，以擒張郃。因張郃乃魏國當時唯一之猛將，是曹操五虎將之一，同時，此人深知兵法，如果不除，實爲蜀漢之大患。於是設下埋伏。蜀軍佯退入山，張郃追上山去，被伏兵亂箭射死。司馬懿可說是前後皆敗，損失慘重，尤其損失了一員宿將。

諸葛亮返漢中，對於退軍之事，毫不形於色，暗中搜集前後言論函扎，疏書本末，所有證據，乃奏表聞於後主說：

自先帝崩後，平（李嚴改名李平）所在治家，尚爲小惠，安身求名，無憂國之事。臣當北出，欲得平兵以鎮漢中。平窮難縱橫（東拉西扯的強辯），無有來意，而求以五郡爲巴州刺史。（想割據自雄）去年臣欲西征，欲令平都督漢中，平說『司馬懿等開府辟召』。臣知平鄙情，欲因行之際，偪臣取利也（想趁火打劫），是以表平子李豐督主江州，隆崇其遇，以取一時之務。平至之日，都委諸事（百事不管），羣臣上下，皆怪臣待平之厚也。正以大事未定，漢室傾危，伐平之短，莫若褒之。然謂平情在於榮利而已（一切爲了升官發財爲目的），不意平心顛倒乃爾；若事稽留，（我疑他有私通魏國之嫌）將至禍敗，是臣不敏，言多增咎。

諸葛亮的彈章上，還找了幾十位高級官員副署。於是人證物證齊全。後主遂廢李平爲平民，徙到梓潼郡。李平在諸葛亮逝世時（建興十二年），他在悲感交激之下，發病死了。（一〇五）

關懷別人。自己得益

大知

他極有宗敎信仰，他相信在他死後，定能與老妻見面。他收了一個年輕學徒，協助他繼續工作。就這樣，這位老醫生將深厚的悲哀，化作了爲人羣的服務。

孩子的死亡可說是人生最大的不幸，但如果我們能將我們的感情寄托到另外一個人身上，或是一件事業上去，那末我們仍能將它克服，不然後果眞是不堪設想。在我記憶中有兩件，迥然不同的事實，茲分別敍述如后：

有一個孩子是八歲，他長得非常聰顯可愛，可說人人都喜歡他。不幸，他後來患了小兒麻痺症，不治死亡。他的母親悲痛欲絕，終日以酒澆愁，來麻醉自己。晚上則非服安眠藥，不能入睡，白天則必須服鎭定劑。四五年後，她終於因飲酒及服藥過量而死。

這位女士所遭遇的困難，是她對於自己的生命缺乏目標。只知以自己爲中心，以自己爲本位，而且過份溺愛自己。所以，沒有勇氣來面對現實，應付一切的遭遇與打擊，只要稍經挫折，就會一蹶不振。

我還記得那位女士，在她兒子未病以前所說的話：「假如我兒子死了，我決不能獨活！」當時我對這句話未加批評，但我卻在想：「假如你對於生命或命運，抱着這種要求，那你始終將失望，因爲你無法用手槍指着命運挑戰的，你更不可能要求，在你活着的時候，妳的丈夫、兒女、親朋都得活着，那是決不可能的」。

另外還有一個女人，當她的丈夫死的時候，她的兒子才兩歲，她以做各種苦工來扶養她的兒子，完成她丈夫的遺志。中學時代，兒子成績好，並且獲得大學獎學金。他以半工半讀來協助母親，完成學業。後來第一次世界大戰爆發，他應召加入空軍，不幸起飛失事而死。人家都以爲他的母親會因而失望悲痛，而失去生活的勇氣。但她沒有失望，她把生命的目標轉托到另外的人身上去了。她幫助一位喪妻的男人管家，照顧他的四個孩子。

她工作得很好。她以感情和愛來協助這幾個孩子長大成人。她就是一位知道如何求助我們潛在的力量與勇氣的女人。她也知道生活的目的。所以她有勇氣與信心，面對人生，克服不幸，使她生活得愉快而有益。

生命本是難測而多險的，它不僅過去如此，未來恐亦不能例外。因此，我們一生大小終會遭遇到若干不幸與危險。但我們應該瞭解，可以有方法訓練自己，面對命運克服不幸的。

當你所愛的人被命運從你身旁奪走時，你必需求助於此內在的力量與勇氣的協助，使你先瞭解人生的目的，對你的生活重新安排。你要找到代替她或他的人或事物，把你的感情與希望，都寄托到如何去幫助別人的事業上去；如此，一旦任何不幸來臨時，你都具勇氣去克服它，而安然渡過。（下）

我的媽媽

綠窗

媽姓劉，「劉先生」、「劉老師」、「劉秘書」、「劉校長」……這是媽一連串的稱號。我很少聽到過有人稱媽爲「太太」；固然因爲媽是職業婦女，最重要的還是媽有一股豪邁的男子氣概，無論是思想、作風，爲人，都有男性的表現，所以媽的不屈不撓，堅毅不拔的精神，就影響了我今日獨自在海外求知謀生的力量。的確，以今日，我雖然獲得個小小的學位，也只是一個小小白領階級。

媽生於小康的書香人家，自幼受到良好家庭敎育的薰陶，深明大義，尊老敬賢家，克己濟困，這都是媽的好德性，但媽的性情急躁，口直心快，也常得罪朋友。可是大家都了解媽雖有個閻王臉，卻也有一個菩薩心」，媽認眞負責，誠懇熱忱，所以總受主管的器重，朋友的信賴，媽的古道熱腸，因爲她熱心助人，也常受到人助。媽服務敎育界廿餘年，好勝，求進步的心，從不後人！

公正仗義，好打抱不平，是媽的特性。在公共汽車上、公園裏、電影院裏，媽常是弱者的義務保護人，爸說她「多事」，媽說是「敎育」，只是弟弟爭吵說媽是英雄。媽最善於說服人，女傭最難纏吧，可是我親眼見到阿妹、阿Q……以及最頑固的老媽，已經拿着小包袱和媽結帳……不知媽怎樣開導，她們都無條件放下武器，投降！打開包袱，拿起掃帚鍋鏟，繼續工作。這也由於媽平時的恩威並施，賞罰分明。所以媽常說：對學生要多開導，少懲罰，使他心服，勿以力服。

媽的精神飽滿，談吐風趣，常常有很多趣事，逗得我們大笑不止。每當我們姊妹作夜課疲倦了，她就笑話連篇或高歌一曲，使我們笑得淚水直流！有時竟拉着弟弟跳起舞來，因爲媽是六十公斤的大胖子，我們更覺得好笑，連不苟言笑的爸爸，也被逗得哈哈大笑。這樣，我們恢復了疲勞，媽請我們吃東西，一會兒，媽命令一下，我們又各歸原位，各自習作。來美後，在伊大兩年寒窗，每讀至夜深，仍能繼續，都靠着媽的精神鼓勵。可是，在那種時候，我格外想念媽媽。

寧阿姨常說媽最會利用空間，會設計、會佈置。誠然，我們的家是破舊的房屋，可是媽不僅佈置得整潔有序，而且是別出心裁，花樣翻新。像公司的花紙，那常是媽利用佈置房間的好材料，一個塑泥老人像，一隻引頸長嘴的公鷄……都貼在適當的地方，引人入勝。可是當你掀動玫瑰花或公鷄，會發現牆上破了一個洞；你掀動塑泥老人像，他竟在爲弟弟遮過，原來弟弟把牆壁弄了一塊疤跡。諸君如至我家巡視一週，準可發現媽很多傑作！媽最愛花，所以室內經常有四季鮮花，生氣勃勃，清香不斷。

前接妹妹來信說：「……媽最近不僅喜歡種花，更喜歡養鷄，天天數鷄蛋。有一天，媽正在虔誠做禱告，對我們說，你媽的禱告詞「是人兒健康，鷄兒生蛋，花兒開花！」我和妹妹笑得透不過氣來，弟弟捧着肚子在地上打滾。媽一聲「啊們！」便抓住爸爸大興問罪，結果由我們三人執行命令，挾着爸爸向母像三鞠躬，爸才算了事。「大胆，當心你的肚皮！」痛了，幸而得我在保險公司工作！

我們便是這樣一個有趣味的家庭，媽就是家庭的中心，無怪史伯伯說，只要和媽在一起，精神就振作了，也覺得年輕了！

去國已三年，媽精神依舊，想傑作更多，願媽永遠精神充沛！祝給媽一千個吻！

得天獨厚的白樂天

紫源

宋，勺方作「泊宅編」云：「韓退之多悲詩，三百六十首，哭泣者三十首；白樂天多樂詩，二千八百首，飲酒者九百首。」白氏各體詩歌，傳到後世的，二千八百餘首，這個數字，大致不錯；若說有三分之一涉及飲酒，筆者雖未作精密統計，據讀白集所得的印象，不免稍有誇張。然而白詩涉及飲酒之多，以及他之酷愛杯中物，乃是絕無疑問的。他說：「……飲此杯中物，能沃煩慮消，能陶眞性出。所以劉阮輩，終年醉兀兀。」

他勸人飲酒詩曰：「勸君一杯君莫辭，勸君兩杯君莫疑，勸君三杯君始知。面上今日老昨日，心中醉時勝醒時。」

筆者嘗謂，醺然陶然，物我兩忘，飲酒本身即是一種詩的境界，故詩與酒有不解之緣。我國古詩人幾無人不喜飲，唐李太白斗酒詩百篇，杜子美作無錢賒酒之歎，結果醉死於耒陽，以及有句謂「身後堆金挂北斗，不如生前一尊酒」的白樂天，其著者焉。若以詩與酒爲題材，寫一部「詩酒通史」，恐怕沒有厚厚數冊的篇幅，不能說得詳盡。即如上述「多悲詩」的韓退之，他也頗得酒中之趣的，其醉贈張秘書（徹）一詩有云：「酒味既冷冽，酒氣又氤氳。性情漸浩浩，諧笑方云云。此誠得酒意，餘外徒紛紛。」

白樂天晚年自云「恢心釋梵，浪跡老莊，外形骸而內忘憂恚」，十分曠達。然而他有「不能忘情」及「無可奈何」之吟。他說「麴糵消愁眞得力。」又說「手裏一杯滿，心中百事休」，正如陶淵明詩曰：「酒能消百慮，」杜子美詩曰：「一酌散千憂」。有愁、有慮、有憂，然後用得着消散；無愁、無慮、無憂，才算眞曠達。借酒以澆愁滌慮，這種不能忘情的無可奈何，豈得已哉？

宋張表臣作珊瑚鉤詩話云：「昔退之有言送王含曰：少時讀醉鄉記，私怪隱居者無所累於世，而猶有是言，豈誠旨乎味耶？及讀阮籍、陶潛詩，然後知彼雖偃蹇不欲與世接，猶未能平其心，或爲事物是非相感發，于是有託而逃焉者也。」他對詩人與酒，實有深刻的觀察。

樂天於六十七歲時，退居洛下，作「醉吟先生傳」，自敘平生所好，爲詩、酒、琴三事，謂彭城劉夢得爲詩友，安定皇甫朗之爲酒友，每一相見，欣然忘歸。洛城內外六七十里間，凡觀寺丘墅，有泉石花竹者靡不遊，人家有美酒鳴琴者靡不過，有圖書歌舞者靡不觀。且云：

「每良辰美景，或雪朝月夕，好事者相過，必爲之先拂酒罍，次開篋詩，酒既酣，乃自援琴……放情自娛，酩酊而後已。」

（上）

吳佩孚與張其煌

夜闌

光緒三十年甲辰會試，爲有清廢科舉前之末科，是科得人最盛，顧以時會多故，中道夭折者，頗不乏人。如仁和陸光熙（亮臣），以辛亥遇難（與其父山西巡撫陸鍾琦（申甫）同殉於太原；德化黃爲基（遠生）、蘄水湯化龍（濟武）先後被刺於海外；臨桂張其煌（子武），於民十六任吳佩孚（子玉）秘書長，吳兵敗，自南陽假道鄂北入蜀，中途爲叛將張聯陞邀擊，其煌中彈歿。是皆不得其死者，世亂多才，信不誣也。

其煌少負奇氣，喜談兵。淸末以湖南芷縣令及南路巡防隊統領，受知於雲貴總督合肥李經羲（仲仙）。民三，袁世凱召集約法會議，以其煌與武進莊蘊寬（思緘）以爭恢復封爵案，拂衣辭職，士論異之。其煌嘗自謂平生所長，政治不如軍事，軍事不如文學。蓋天性好讀書，平居未嘗一日廢文字，論學精微，尤致力於先秦諸子，然未嘗輕言著述。善詩，亦不恒作。其題甲辰同年宴樂圖云：「男兒識字眞何補，一第無端上榜來。殿閣膠庠成故事，山林廊廟各奇懷。著書已作他年計，紀盛留看命世材。」廿載舊遊再寄碣，喜聞羣彥抱奇佩韋二律之一：「信是鹿卿未易知，侏儒常飽朔應飢。顧楊毀譽齊歸日，種榮英雄半老時。我命在天同一笑，人間何世足相思。金爐灶盡餘聲動，落月關河臥久遲。」其慷慨功名之意，亦可於言外見矣！

其煌中年而後，自號無競居士，又號嵩叟。其遇難而歿也，吳佩孚於戎馬倉皇道路流離之中，猶自草書焚寄，以代悼念。原書謂：「嵩叟先生冥鑒：先生以忠貫之資，勇幹之才，雖一效績於前淸，然終不見大用於民國。不幸屈身於一敗塗地之鈍秀才，連遭倒戈，窮蹙奔逃。吳某本當死於槍林彈雨之中，乃幸脫凶鋒，而禍及於我至忠至信之嵩叟。昔人有云：移腹心之疾，寘之股肱，今不幸而至是。哀哉嵩叟！痛哉嵩叟！我悔不聽嵩叟前年之忠告，今大事已去，一敗不能收拾。而又累我叟罹此至慘至酷之奇禍。我負叟！我負叟！我欲爲叟復仇，而能力已全失，我早晚自戕，親至泉下，負荊於嵩叟之前，以謝不聽叟言，不庇叟身之重過大罪。我本當爲文以祭嵩叟，並伐石立碑，以表叟墓，顧方寸極亂，烏能成文？再伐石立墓之事，亦非目前能爲，匆促葬叟，已屬千危萬險，尚冀叟之有以諒我也。傷哉傷哉！傾十觴酒，高談天下事，回首猶昨日，而今已矣！尚復何言。佩孚頓首。」其書痛自悔艾，眞情流露，可誦也。

前國府主席譚延闓（組安）氏，爲甲辰會元，於其煌有同年之雅，交期素篤，聞其歿，曾輓以詩四律云：「一別眞投筆，三年只枕戈；有書長不達，無命欲如何！生死交情見，孤寒涕淚多。哀屍餘馬革，悽惻向江沱。」「辛苦依人計，艱難烈士風。前知悲郭璞，從事異臧洪。未必謀生拙，獨憐殉友忠。」「縱橫湖海氣，今日竟途窮。」「少年曾並轡，中道各揚鑣。鷹集飛常屬，驊騮意苦多[illegible]可已[illegible]可招。」「夙昔誰知己，平生誤感恩。意[illegible]室空瓶罄，儒俠粟在，恩情篋有書存。[illegible]魂，[illegible]痛哭更何言！」其煌於民元後，曾佐譚氏幕，緣分最深，[illegible]南北殊途，故晚年詩有「中道各揚鑣」、「平生誤感恩」之語，實深惜之。然觀於佩孚焚書之眞摯，一死一生，乃見交情，則其煌拼以一身酬知己者，亦正非無因也。

紐約道上往來

遠志

由華盛頓至紐約的道上，火車、汽車的馳騁都較流水爲迅速，置身其間的我們，對於四周的景色，幾有日不暇及的感慨。在進入原子時代的途中，普通的交通工具，雖還沒有應用原子能，而形容「車如流水，馬如游龍」的交通動態，時代已經遠隔了一千多年，似乎有了悠久的距離；但是，實際上在這條大道上，一些頻繁的往來，也還有些依稀彷彿。

在我遊美期間，從某一城市到另一城市，大都是從天空中乘飛機往還。記得一次飛抵克利夫蘭機場時，來迎接的克利夫蘭藝術博物館館長李雪曼先生，說我是時髦客，乘着飛機旅行。其實，乘飛機並非我的本意，我倒是慣於步行作遊覽的人，連坐汽車也覺得過於迅速，嫌沿途景色，轉瞬即逝，不能仔細的領畧。可是，我留美的時間有限，能利用作參觀旅行的時間更屬有限。

（一）

內警備台報字第〇三二號內銷證

自由報

THE FREE NEWS

第一四七一期

中華民國僑務委員會登記證
台教新字第三二二號登記證
中華郵政台字第一二八二號執照
登記為第一類新聞紙類
（半週刊每星期三、六出版）
每份港幣壹角
台灣零售價新台幣壹元
社長：雷嘯岑
督印人：黃行審
社址：香港銅鑼灣高士威道二十號四樓
20, CAUSEWAY RD 3RD FL.
HONG KONG
TEL. 771726　電報掛號：7191
承印者：大同印務公司
地址：香港北角和富道九六號
台灣分社
台北市西寧南路壹壹零號二樓
電話：三〇三四六
台郵撥儲金戶九二五二

未來的世局與中華民族的前途（上）

何浩若

一、「二十一世紀將屬於中國人」

「二十一世紀將屬於中國人」這一句話不是筆者說的，是曾經做過香港總督的英國人葛量洪說的。筆者的意見恰好與葛量洪相反。筆者認為二十一世紀不應當屬於中國人，應當屬於全人類。中國人應當在二十一世紀對人類的自由與和平有最大的貢獻。

打開日本海禁的美國人默修白里曾經說過：「強有力的事實所昭示我們的傾向，並不需要聖哲就可以前知。」他也曾準確的預言哥薩克人和薩克遜人，將於二十世紀代表獨裁與自由的敵對力量，發生規模最大的戰爭來決定世界的前途是自由還是奴役。筆者在本報也曾報導過一個美國歷史學家在一九二一年所作的預言，說未來的世局祇有三個國家最有前途，這三個國家便是美國蘇俄和中國。但是這些預言雖然準確並不突出。最突出的要算葛量洪的預言。他說「二十一世紀將屬於中國人。」葛量洪做過三任香港總督，對中國的情形十分了解。他退休以後訪問美國。紐約工商界的企業家歡迎他演講。他開始便說：「十九世紀屬於我們英國人，二十世紀屬於你們美國人，二十一世紀將屬於他們中國人。」英國人自稱十九世紀英國的國旗永遠見得着太陽。說十九世紀屬於英國人，美國的聽眾是能了解的。說二十世紀屬於美國人，他們更能了解。但是美國的聽眾恐不會了解何以二十一世紀將屬於中國。當時便有人問葛量洪是不是說中國共產黨。葛量洪肯定的說，中國共產黨一定會失敗的，他講的是整個的中華民族。他詳細的解釋他的看法。他說當二十一世紀到來的時候，這一個世界上將有十萬萬中國人。這十萬萬中國人的刻苦耐勞努力奮鬥的精神遠勝過英國人和美國人。他以海外移民為例，說明中國僑民的偉大。他說世界上的華僑，在清朝和民國初年從未獲得政府的保護。他們出國的時候連護照都沒有。他們既沒有移民的計畫，也沒有移殖的川資，隻身到海外去謀生，克勤克儉，在若干年以後，便能掌握着當地的經濟權。他以東南亞為例，說從印尼、馬來西亞、星加坡、泰國、越南，到菲律賓，全是如此。他說英美的僑民在政府保護之下，有殖民的制度，有最惠的條約，有軍事的支援，但是成效並不如華僑的優異，更不能取得當地人民的合作與信仰。他說到英國何以能在十九世紀稱霸，是因為十九世紀的動力是蒸汽，發動的原料是煤，英國在十九世紀產煤最豐，有「黑英國」之稱。二十世紀已經進入電氣時代，主要的燃料是汽油，而美國的汽油產量最富。二十一世紀將為原子時代，原子動力的資源是鈾，鈾的產量以中國的新疆和拉達克最多。根據這些理由，葛量洪認為二十一世紀將屬於中國人。當時的聽眾很同意他的說法。他這一篇演講，會載入美國國會的記錄。

美國國防研究院基於研究發展的精神，對於未來世局的發展是十分注意的。該院有訪問團的組織，每屆研究員都要分組訪問世界各地區作實地的考察。一九六六年美國國防研究院的訪問團在訪問泰國印尼馬來西亞越南及其他東南亞國家以後來到了台灣，訪問了中華民國的國防研究院。由於中美兩國傳統的友誼，兩國的國防研究院的師生舉行了一次懇切的座談會。在私人談話中他們也曾談到葛量洪的演講和他們這次在東南亞各國所看到華僑的情形。美國國防研究院的訪問團正式向我們提出了一個問題，他們問我們回到大陸去以後，對亞洲各鄰邦的政策怎樣。這個問題當時是由筆者作答的。筆者告訴他們中華民國的政策是遵循孫中山先生的遺教的。孫中山先生的民權主義是人不壓迫人，民族主義是民族不壓迫民族，民生主義是階級不壓迫階級。我們對於民族問題的政策，不僅國內各民族一律平等，對於我們的鄰邦更要以平等的地位和平共處。在談話的時候筆者坦白的告訴他們，我們不同意葛量洪的說法，二十一世紀不應當屬於中國人，應當屬於全人類。我說強國爭霸的侵略時代已經過去了。世界各民族應當對人類未來的和平與自由來一個競爭，看那一個民族貢獻最大。為了將來人類的和平與自由，我中華民族一定要首先打倒危害人類和平與自由的中國共產黨。關於這一點，我們是希望和愛好和平與自由的美國合作的。

二、核子武器變更了現代國家的戰略地位

我們雖然不同意葛量洪二十一世紀屬於中國人的說法，但是我們絕不否認中華民族在當前世局中的重要性。未來的人類如何才能避免核子大戰獲得永久的和平與自由，也有待中華民族的努力。我們在這裏可以補充葛量洪所列舉的理由，說明在今天紛爭的世局中，中華民族不僅舉足輕重而且是解決紛爭的關鍵。核子武器變更了現代國家的戰略地位。在這一轉變中，不論世局怎樣演進，中國已經成為世界最大的強國之一，而且無法改變他的地位和重要性。

現代武器的發明是和國際局勢有着密切的關係的。當葛量洪說「十九世紀屬於我們英國人」的時候，我們不能不承認英國在十九世紀的末年和二十世紀初期的海上霸權。那時候海上作戰的主要武器是主力艦。第一次世界大戰以後把英美日的海軍定為五五三的比率。這時候主要的武器仍然是主力艦。正因為如此，日本才甘冒大不韙來偷襲美國的珍珠港。日本的偷襲成功了。可是第二次世界大戰，因為飛機的發展，海戰的主要武器已經不是主力艦而是航空母艦。

「照毛澤東指示去做！」

「有什麼出奇？」

今日與明日

毛共想在港滋事

自從澳門葡萄牙人向毛共屈服，毛共得利之後，又將目標轉向香港，最近假借一艘輪船海員與船長打鬥之事大做文章，偏偏公司當局又賠了萄牙人的賠款，向毛共工會幹部簽了道歉書，於是大小毛幹，各色毛報一齊囂張起來，又歸功於「毛澤東思想」！實際上毛澤東思想正在大陸飽受煎熬，眼看春耕無處下手，毛軍要出動槍桿強迫農民耕種，其後果可想而知。毛幹竟然此時又想在海外滋事，並非毛幫的強盛，實在是色厲內荏，故意充好漢而已。

自從陶鑄被鬥倒之後，海外毛幹惶惶不可終日，所有銀行百貨公司重要幹部，人人懷中揣了一份「毛寶書」作為張天師靈符，有人看見時就掏出來讀，藉此表示忠於毛澤東，與陶鑄、趙紫陽等黑幫無關。雖然如此，仍然不能自信，就想找機會生事，藉此立功以贖過去與黑幫勾結之罪，恰巧碰上對手又同葡萄牙人相去無幾，竟然接受了毛幹的要求，此例一開，今後必然還有接二連三的事端發生。

毛共乘機搗亂

就當此時，毛共又對美艦來港休假事大放厥辭，向英國提出抗議，恍如美國軍艦就要利用香港進攻大陸似的。這種行動在英國人看來自然不值一笑，在中國人看來，覺得毛幫除在無聊之外尚有一種無可如何的動機。

目前毛酋所一手掀起的文化大革命已經深陷泥淖，無法自拔，內部紛爭愈來愈嚴重，毛酋不僅地位不保，生命亦陷入朝不保夕之境，窮極無聊，竟想向海外生事以轉移目標，但海外已無處可生事，越戰更不敢插手，唯一可以生事的只有香港，明知不能得手，但亦不會吃大虧，這是毛幫的如意算盤，所以命令毛幹在港囂着叫罵，抗議美艦訪港。

本來此種無聊事已非一次，過去所提抗議都被英國政府拒絕，此次抗議必然要得到同樣之後果，無非是為了轉移目標，疏導人民的怨氣。

海外毛幹隨着叫罵，表面看來十分起勁，內心也十分悲哀，因為他們今天的生命財產基本上是寄託在要反對的帝國主義身上。帝國主義者是他們的護身符，但是他們卻要高喊反對，真的帝國主義者撤退了，恐怕他們還要想盡方法逃去其他帝國主義領土上以求庇護！明乎此，就可以看出毛幹在海外張牙舞爪，大聲疾呼，說穿了不過是玩猴戲而已。（何如）

自由談

述而不作

馬五先生

記得三數年前，將總統訓示政府文武百官，要以「新速實簡」為服務守則。於是乎，各機關首長翕然景從，一次又一次的召集會議，研究政治革新方案，熱烈非常，首長們每在公共場合演說，擬訂的計畫亦不少，必聲言要遵從總統訓示，切實做到「新速實簡」的行政效率，決不含糊。然而，回顧事實，除却在口頭與文字上宣傳一陣外，依然是泄泄沓沓、因循敷衍如故也。事證多端，不遑枚舉，當年大家像煞有介事的表示奉行總統訓示，原來是鬧着玩兒的！

最近由於大陸上毛共厲行「反四舊」的摧毀中國文化運動，蔣總統乃號召國人復興中國文化，台灣各界亦熱烈響應，大家把「復興中國文化」一詞句掛在嘴上，而以政界人士特別起勁，喧嚷不已，結果是否又係徒託空言，鬧着玩兒呢？我很懷疑。

「文化」的涵義很廣泛，不似行政效率之「新速實簡」那樣單純。今日要復興中國文化，應該如何着手，怎樣進行，並非隨便談談就能夠發生效用的。中國傳統文化思想最注重做人的道理，而以四維八德為立身行己的準繩，且需要具有領導群倫的士大夫以身作則，躬行實踐，庶足以移風易俗，激濁揚清，發揚中國文化的優美性能，光被四表，福利民生。這項工作既艱鉅，又要持之以恒，更須藉政治力量來切實推進。只是口裏說說，搞些標語傳單，開開座談會，寫寫宣傳文字，就算是盡了復興中國文化之能事，那就不如不彈此調。假使社會上一般非禮蔑義，昧廉鮮恥之徒肆無忌憚，政治上一派詐偽貪殘，朦上欺下之風不能滌除，而喋喋然侈談復興中國文化問題，我敢肯定的預言：將來又是我們湖南話所謂「扯卵談」的作用，廢話一堆而已。

根據十餘年來的歷史經驗，台灣方面有一種公式化的風氣經常流行着，即每逢將總統對政治上有所指示，大家便一窩蜂似的囂然響應，大力宣傳一番之後，表示實行了領袖的主張，實際沒有那回事，擱着玩兒的。這次的復興中國文化運動是否跟過去一樣，述而不作，虛應故事，且聽下回分解罷！

高雄港務局長 李連墀有將調職說 地方人士聞而稱快

公路局高雄監理所積弊深重 新任所長胡遠輝決加以革除

（本報記者趙家驊高雄航訊）

（一）此間最近盛傳：高雄港務局長李連墀將調招商局服務，地方各界人士對他的被調大為稱快，因為自李連墀長港務局數年於茲，接二連三的出了不少岔子：諸如冒領工資案，牽連了許多人；如市港區域劃分爭辯案；如三、四號碼頭浮木收取租金案；如港區建築，不按正規手續向市府申請建築許可執照，而向省方申請建築案等等，地方人士對他甚為不滿，市府與市議會亦大不諒然。最近進口黃豆被盜案，乃證明碼頭棧埠管理之鬆懈，尤其影響國家體面，外國人交相指責的船席碼頭調配不公，進出港口船舶的延誤時間等等問題不一而足。還有擴港工程的興築，動輒數千萬元，以沉箱，石頭填海，等於拿鈔票向海裏丟，拋了多少，誰也莫明其妙。有人說：填海工程是李連墀局長與擴港工程處長張連榮的傑作，究竟丟了多少鈔票到海中，應該成立一個施工監督機構，俾明眞象，否則這「無底洞」是不易填滿的啊！

你聽港務局的職員們說：李連墀履任之初，什麼都要管，頭髮沒梳光，鬍子稍長一點，他說你不修邊幅；經常巡視碼頭，見工人們起坐未合規矩，他也訓斥。港務局的職工與地方人士同一看法，說他現在是看上不看下，所以既不能領導同仁，又與地方人士不睦，認為他在港務局已到了人地不相宜的地步。

招商局這一個航政機構，一蹶不振，每況愈下，現在正需積極整頓，若他以軍人出身的作風，臨危受命，可能還可收一時之效，至於能否「馬上治天下」，端視他的看家本領了。

高雄港務局這個台灣第一大港口，頗受國際重視，該局包括三大部門：港務、航政、棧埠。這三大部門之下又分若干部門。它們的效率不能談，花業却不少；在開闢新高港計劃之擴港處與採購課，尤使外人側目。現在擴港與興建碼頭之聲甚囂塵上，將來結果如何，尚待事實證明。

（二）公路局高雄監理所的業務，本屬中央管轄範圍，現在以權宜之計，委托省辦。新任所長胡遠輝有意整頓積弊深久之高雄監理所，但他感到所長沒有人事權，這話究竟是事實抑或託詞，不得而知。

監理所每年檢查車輛兩次，汽車，機器，三輪車，摩托車被檢查者，都說這是他們的好時機，須要準備準備。否則通不過。

關於汽車的編號，你聽車主罵起來，咬牙切齒，譬如二三四五六號，就必須「打點」，否則給你編個四四九四九〇號。他們的迷信「四九」的「四」與「死」同音；「九」是「九泉」之下；「〇」是「完蛋」之意；他們為了圖個吉利，也就不惜一切了。

又如檢查車輛，叫你開到檢車場，檢車場是「禁地」，除了檢驗人員與司機外，不容任何人進場，車開進裏面，司機一經「補交」，馬上「OK」通過。在檢車場的外面大書了一幅公告：「考場重地，非報考人員，請勿在此逗留，違者以妨碍公務論究」。又冠冕堂皇的書了一幅公告：「凡本局人員如有勒索徇私舞弊情事，希當事人據實檢舉，以便究辦。並對檢舉人負責保密」。像煞有介事，誰敢說公路局或監理所不廉潔嗎？

胡遠輝所長說：很難抓到證據。因為老於此道者，做得天衣無縫，不露痕跡，況且致驗場不准外人內進，否則即以「妨礙公務論究」？這罪名唬嚇司機確是夠了。但是公路局監理所是政府機關，「防民之口，甚於防川」，他說這種積弊須待慢慢革除肅清。最後他希望記者，提供他更多資料，俾作改善云云。

（三）高雄港務局公共關係室主任劉楚楓，本是各機關公共關係室主任中，最神氣的一位，他辦公共關係也好，發佈新聞也好，見了所謂「大報」記者，就矮了半截，新聞稿甚至送到記者之手；但對於「小報」記者造訪，經常擺出一副像欠了他半吊子錢一樣，問他有沒有消息，答覆：「沒有」，斬釘截鐵的樣子，此時他的眼睛跑上了額頭，變成了望之儼然的「要人」了。可是，有些「大報」的記者對他印象並不好。

劉楚楓過去是高雄市政府民政科長，因事（內容容後續報）被上任市長陳武璋打入冷宮，現任市長陳啓川上台後，趕他去，不得已投靠他的同鄉李連墀，李畀予公共關係室主任重職。可是公共關係辦得一榻糊塗。若李連墀他調成為事實，他的現職恐怕亦是保不住的。

日本經濟成長率高

估計本年度國民總收入 將達九百八十二億美元

○東京通訊○

日本工商業，目前確是現一種充滿活力的新境界。現時最大的顧慮，一如日本銀行的董事長所說，工商業似乎進展得太快了。可幸，日本政府已經預料到將來產生的不良後果，已預備從官方的條例着手，來約束這過份的刺激。

對目前狀況做過一番研究，再以國際經濟來分析，大家都毫不猶豫的肯定，日本經濟憑了既活躍、又雄厚的活力，不難成為美國、蘇俄以下，居世界第三位。

不過，這種預言固然是值得興奮，但一般日人，都為了必需品價格上漲而蹙額。不過，受薪階級還有一點值得安慰的地方，就是將來的生活中，他們都會有自己的自用汽車。

祇是，他們的理髮收費，已經從一百日元漲到五百日元（相當於由二角八仙美金，漲到一元三角九分）。

日本工業生產成長率雖高，但日本國民每年平均收入七零九美元，生活水平祇列於世界的第二十一位。日本新的所得稅將于今年施行，每家免稅額達到二千美元，顯示實際生活水平較前高。更重要的是：普通日本工人的退休金，在新稅案中，免稅額是一萬八千五百美元。這種安全再保證固然不錯，可是，在一九六六年，工人仍受物價上升百分之四點六所打擊。這一比率，據日本銀行統計，是十年來最高的。

日本經濟企劃廳估計，在本財政年度裏（將於三月三十一日結束）的進展，可以增加百分之九點三。屆時預計在下一財政年度裏，將維持增長百分之八。

據富士銀行的估計，一九六六年至一九六七年度的全國國民總收入，將達九百八十二億美元；而一九六七至一九六八年度，將增至一千一百一十七億美元。增長率為百分之九點二。

目前西方經濟發達的國度裏，如果增長百分之三的話，已算很健全。日本對付經濟挑戰，使很多專家驚奇於他們的經濟是最具活力的。日本在漁業和造船業方面執世界牛耳，在鋼鐵和汽車製造業，則居第三位。同時專家相信，日本今年工業生產也會增加百分之十一至十五，出口增百分之九點二至十三，入口增百分之十三點三至百分之十九點六。

豐原農會包雙案掀起大風波

本報台中記者王永亭航訊

記者前兩次報導的豐原農會總幹事雙包案，現在又有新的發展，掀開了內政部長連震東涉嫌違法瀆職。台中縣議員廖艮墻、王地和王賜等三人，聯名向監察院檢舉：台中縣政府農會輔導課長白鐵兵，前省農林廳長張憲秋，前內政部長連震東等三人，處理豐原鎮農會總幹事邱秀松繼續留用一案，涉嫌違法失職，請依法彈劾；涉及刑事部份，移送法辦。

自擬自批欺瞞縣長

該檢舉書說：邱秀松過去曾犯違反森林法及行賄兩罪，分別被判有期徒刑六月確定在案。後來違反森林法部份，被判決免訴。他于五十三年七月被聘為豐原鎮農會總幹事後，被人檢舉資格不合，因曾被判刑，五十四年一月間，曾經縣府依法命令解聘。邱秀松申復說，他違反森林法已被判免訴，應屬無罪。四月十四日，主辦農會業務的白鐵兵課長，未經課員簽擬，擅以課長身份，「自擬自批」，欺瞞縣長，以「輔鶴建輔字第二五五三一號」函致省農林廳說，邱秀松違反森林法判刑一案，既經更審判決免訴，其違反各級農會人事管理規程第二十條各款之規定，「原因似已消失，擬准繼續留用」。但免訴並非無罪，法有規定，而且邱秀松另犯有行賄罪，課長對此一字不提，顯然有意庇護。

張憲秋亂批失職

農林廳長張憲秋，不懂法令，也未審查，顯係庇護違法失職官員。檢舉書稱：五十四年二月十一日以農組字第三九〇〇號呈內政部說：「豐原鎮農會總幹事邱秀松曾為木材行負責人，於民國四十年間因被訴盜伐林木案件，涉嫌違反森林法，經二審判刑，於審理期間，又因向司法人員行賄，於四十六年間又經高等法院判處徒刑……行為不端……台中縣政府五四、一、廿三府令解聘，查無不合」。但是，張憲秋身為農林廳長，負責全省農林工作，對台中縣政府後來擬准邱秀松繼續留用的請示，是否合法，自應慎重考慮。而張憲秋不但對於免訴之法律名詞不加研究，對於行賄罪行未予審查，即貿然批以「可以備查」，致造成目前的糾紛，有失政府威信。甚至，台中縣府五十四年四月十四日的請示，省農林廳即於四月十六日以「農組字第一四三二〇號」函復，准予備查。前後往返僅三日，其行文之神速，前所未見。以此看來，張憲秋與白鐵兵和邱秀松之間，顯有幕後文章。

前內長曲解法令

內政部長（前任）連震東綜理全國內政大權，對於全國各級農會人事管理規程第十五條規定，總幹事資格必須「品行端正、成績優異」一點應有深切瞭解。其品行是否端正，有賄路的人，不難明瞭。但連震東對張憲秋於五十四年四月十六日的批示，竟不加思索，貿然認定邱具有總幹事資格，已屬違法；而且對於大法官解釋的行賄不影響公職候選人資格之解釋，又予曲解，認為不抵觸農會人事管理規程第二十條各款規定；對於省農林廳五十四年二月十一日農組字第三九〇〇號呈內政部所說的內容，竟毫不加考慮，自不能謂無失職之嫌。

兩位議員打退堂鼓

調處豐原農會總幹事的五人小組，是由豐原鎮選出之五位議員組成。該小組於十七日召開小組會議時，有兩位議員打退堂鼓。對於檢舉書，何河坤議員不簽署，另一位議員袁深不缺席。據廖艮墻議員說：他們經大會授權後，曾調閱所有案卷，結果發現上述人員有不當之處。他們此次是以個人身份提出檢舉。

本報前有二次報導，關於邱秀松之雙包案，可作參考。

桃園中壢鎮昇格縣轄市

教育方面：理工學院一所，學生一九一四人，工業專科一所，學生六〇〇人，公、私立中等學校一二所，學生計初中部六、九二二人，高中部四、二六三人，國民學校一五所人學童一八、〇六九，在升格為「市」以後，其稅收有必然的調整，暫且擱下不談。

建設方面：在現況下，也只有「髒」和「亂」來形容了，如該鎮的主要街道：中正路中段，還是車輛往來的「單行道」（實在太窄），其拓寬計劃，因商店住戶，意見未臻協調，拖到至今未決。由中山路通往興南市場的三仙巷，也同樣沒有拓寬，聯貫市區東、西兩岸的中興橋，車輛同時往來，時常發生「接吻」的鏡頭，危險極了！中央路修了半截，仍未打通，新生路也有一改車輛單行道，地下排水系統，有待溝通，一下大雨，市面幾成澤國，正在興建的圖書館，已拖下了兩年，尚未竣工，沒有公共廁所，消防設備、也不充實，新建的中央和興南兩個市場，多數房屋，仍在作「國民住宅」，有關單位，似乎沒有加強勸導商人去利用和發展，相反地，現有的第一、二市場，是每日擠得水洩不通，且時時是：髒和亂在「競賽」！各大街小巷的環境衛生，必須加強改善，唯有三層樓房的鎮公所，將來換上「市衙門」的招牌，頗不顯為寒酸。

省府九一四次委員會議，業經通過：中壢（土旁，下同）鎮改制為縣轄市，已達到了該鎮全體鎮民多年來一致的願望，改制後的市政建設，須待加倍的努力！據某一地方人士表示：（一）中壢地方派系色彩，素稱濃厚的，這次爭取升「市」的成功，是團結合作的象徵，（二）升市以後，其市容更非一般鄉鎮而並論，有待大家的建設方面努力，（三）地方建設經費，多以「三對等」方式（省、縣補助及地方籌措）為來源，縣府每難配合（補助款拖延不發），影響頗大，（四）中壢升市後，要特別提携，希望縣府來建設桃縣的新中壢，顯出新市容。

（下）

瀛海異聞談

英法加拿大的賣水生意

·桑雅·

在香港，人們都流行地說水爲財。這種說法，一點沒有錯。像世界上各城市的自來水，不就等於水可以出售生財？自來水的售價極爲廉宜，人們並不感到其可貴，但是除了自來水之外，眞正的還有賣水這行業的，而且業務十分蓬勃。像其他的食物一樣，水可以入瓶，也可以用罐頭或囊袋裝載。

在加拿大，有一婦人，直接從龍頭裝水，一罐一罐的賣給買水的人，源源而至，她竟因賣水而發了一筆財！她大有應接不暇之勢。

前來買水的人，大部份是露營人士、機師，及拯救隊伍的人員，因爲他們如果沒有了食水，便遭遇渴死之虞。

在法國，每年售出的水，數以百萬瓶計。這些水是取自伊雲和維德兩等地方的。在過去，人們購買那兒的水，原因對當地的食水，沒有信心。可是現在却不同，在這科學昌明和進步的時代，食水的供應，獲得極大的改進，像巴黎，就是我們的一個最具現代食水供應設備的城市。但是平均每個巴黎市民，都寧願以十便士購買一品脫瓶的水，平均每家庭每人一星期喝飲這種瓶裝水，約爲十仙令。

在英國的人，也是喜歡購買瓶水喝的。像馬爾雲泉水，每年出售逾一百萬瓶，每奈的脫値一仙令六便士。這些水是來自一家商行的私人清泉。

上次英女王到西德訪問時，她的行囊中也有好幾瓶馬爾雲泉水。一位宮庭的發言人解釋說：「這並不是說女皇不喝本國的食水，她只是喜歡馬爾雲的泉仙水而已」。

不少人堅持以馬爾雲泉水，注進花瓶裏作爲供養鮮花，他們認爲馬爾雲泉水能夠使盛開的鮮花，保持較久。另有些英國人則以馬爾雲泉水，作漱口刷牙之用。

每個英國人，許多人，於到外地時，全[illegible]志龍蒙水，每安士售七便士，幾乎是爲了情感的緣故。

一個美國人，需要大量的水，他想買相當的英倫海峽的水，以注進其在西雅圖的湖，但當他曉得英倫海峽的水，和太平洋的水一樣，他把這個念頭取銷了，因爲太平洋離他的居住地點，僅數哩之遙。

英國最出名的水爲蘇格蘭水，訂購這種水的訂單，有如雪片般飛來，因爲人們以這種水釀製威士忌酒。

好幾年來，英國的火車貨卡，於夜行時載運着數千萬加侖的蘇格蘭水，前往倫敦的酒廠釀製威士忌酒。此外，這種水運往世界各地銷售，每品脫售一仙令九便士。

一些蘇格蘭公司，多利用天然清泉的泉水，但有一家公司却利用供應格拉斯哥地區的商業用水。這些和家庭主婦從水喉所取的水一樣。這公司的主持人是蘇格蘭人唐奴奧克和占美波德，他們同是四十多歲的人，而且以前沒有賣水的經驗。他們過去只是農場建築顧問而已。唐奴奧克解釋說：「當戰時，我在馬爾他島，由於用當地的水，混和威士忌，往往使威士忌變質，使我感到驚詫。因此，給我靈機一觸，想出一個好主意來。」

去年裏他們的出品面世，結果在市場上十分搶手。像洗頭水般的一包包用囊袋裝着食水，這可以直接使用，可也以將之冷藏結成冰塊。這間公司將食水運售十五個國家，由越南至秘魯，都是他們的顧客。他們希望每年輸出海外的水，價逾一百萬鎊。

在英國，囊裝的水，每袋約値兩個半便士，輸往海外的則可高至一仙令。

這兩個蘇格蘭人的賣水業務，成爲國家一宗龐大輸出的生意，曾獲得菲臘皇子的讚揚。

菲臘皇子在前往美國作出口貿易的訪問中，他向當地人士演說：「任何國家，都可以誘說外國人向英國的格拉斯哥買水，事實上，格拉斯哥差不多什麼東西都可以出售的。」

瑞士兒童村巡禮

苑邨

一輛遊覽大客車上坐滿了來自維也納的東方遊客，有日本人、韓國人、印度人、埃及人、波斯人、斯洛伐克人、中國人和請客的主人——瑞士人。我們的目的地，是阿卑查爾邦中一小村，也就是世界聞名的兒童（以裴斯塔洛齊爲名的）村。車子從斯派赫開出，繞着曲折的山路（都是高級路面），到達了特羅根村，而裴斯塔洛齊就是特羅根村中之村，在山腰下了車，因爲兒童村不許車輛駛入，我們只好冒雨步行。

經過請求，兒童村特派了一位小姐爲我們引導參觀。兒童村不是可以自由參觀的，這位小姐行前再三叮囑我們團體行動，不可亂闖進任何一座建築物裏去。

在兒童村辦公室的門前，響導小姐先講了兒童村的簡單歷史：

「裴斯塔洛齊兒童村是建築在名叫克布里斯的小山麓邊。這裏靠近特羅根村，屬於阿卑查爾邦，海拔九百五十米，從這裏可以下望二十里外的善登湖，可以東眺奧國境內的阿爾卑斯山。它的全部面積是八公頃（即八萬平方公尺）。這裏名叫村，但是沒有眞的行政組織，只有一座特設的郵局。（一個郵筒，賣郵票，有郵戳而已。）整個的村子是由瑞士人民特別捐贈（也有一些私人自動捐助的），村中的建築物是來自十七個國家的友誼的幫助。」

「兒童村一共有二百五十個兒童來自法、奧、德、意、英、瑞、匈、希、芬蘭和西藏等十個不同的國家或地區，英、法、希、意四國兒童各有兩家庭，其餘兒童也分別有他們同一語言的家庭。每個家庭都有一對夫婦（他們必須與兒童使用同一語言，他們的子女也必須與其他兒童共同起居，而這對夫婦也就是大約這十幾名到二十幾名兒童的父母和教師）他們每天使用他們的母語教導兒童讀書，但德語是他們共同的語言。

「兒童村名爲裴斯塔洛齊村，在於同時推進裴氏教育的理想，進一步促進世界不同的民族相互了解。兒童村成立已經十五年，雖然收容的多是失去家庭的兒童，但教育課程上的措施，却僅是把這孩子養大成人而已。」

她發給我們每人一張兒童村的歷年活動紀錄，在那上面可以看到一個有趣的事實，就是波蘭和匈牙利在二次大戰後，都有難童來到兒童村。但是在一九四九年就被共黨政府給接回去。所以今天兒童村裏已不再有波蘭孩子。而匈牙利的孩子則是一九五六年十月革命後進來的第二批。（上）

自行車冠軍貝莉爾小姐

·遠呈·

英國的足球員，經過多年爲爭取世界杯而苦練後，征服了世界。但是，如果他們兼有其他的工作，他們的成就怎樣？能夠與英國的世界自行車冠軍貝莉爾賓敦比擬嗎？

貝莉爾在同一時間担任三種工作——其一是每年在體育運動中替世界婦女爭光。她獲得六次世界自行車比賽冠軍，而且繼續不輟的練習。

她是一個廿九歲的家庭主婦，有一個丈夫要服侍，有一個十歲的女兒要照料，有一間在伍德里斯福的三個房間的住宅要料理，在一個農莊有一份專任的工作，以及有一張使許多運動員都難免氣餒的訓練時間表。

她怎樣應付呢？知得最清楚的是她的丈夫查理賓敦。是他鼓勵貝莉爾進入自行車的世界。

十五歲的時候，她買了一輛自行車。三年後，她與會把一輛輕自行車借給她、而且介紹她加入自行車會的一個青年文員結婚。她第一次參加一百哩自行車比賽，祇是討好他。後來她愛上了這種運動，繼續下去，獲得五次世界冠軍和一次世界公路賽冠軍。

她的丈夫說：「貝莉爾那麼喜歡騎自行車，我祇有變成了她的助手——司機、機械員、洗濯工人和看管孩子傭僕。有些時候，貝莉爾對於每週三百五十哩的訓練生厭。她說，她要退休了。但是，稍作休息之後，她又騎上自行車去了。」這是貝莉爾承認的事實。

貝莉爾在離家八哩外的一個農莊工作。她說：「騎自行車，走八哩路，使我興奮呢。我每天七時起床，替查理和丹尼斯預備了早餐，吻別他們上班和上學去後，我跳上我的自行車，到農莊去工作。工作完畢，我騎自行車返家，燒飯，做些家務，並填寫參加比賽的表格。每逢星期一、星期二、星期三及星期四，我於晚上作二十五哩的騎自行車練習。週末，我到本國各地旅行或參加比賽，然後騎自行車返家。有些時候，我想放棄一切，但時常都有新目標吸引着我。最初是英國的廿五哩、五十哩及一百哩冠軍，繼之是世界三千公尺冠軍。去年，當英國的男子自行車選手被淘汰了，貝莉爾克服了她的老勁敵比利時的蓮黛絲，贏得第五次冠軍。一九五七年，她贏得世界公路賽冠軍——成爲第一個同時擁有兩個世界冠軍榮銜的女人。

一九六四年，她在東部縣郡自行車協會的試賽中，使一百一十五名男子自行車好手羞愧得面紅。她以兩小時四分二十九秒的時間完成五十哩的路程。男子的最佳紀錄是兩小時六分四十一秒。

自行車協會的職員並不鼓勵這種事情。但貝莉爾要向她自己證明某些事情。她承認說：「那就是麻煩，我時常都要向我自己證明某種事情。」

貝莉爾在出發參加比賽之前，不會塗唇膏，但爲家人編織絨綫衫。這是她保持鎭靜的秘方。

新三國

李平廢爲平民後，諸葛亮爲其子李豐寫了一封至情至理的信，使得李豐由衷感動。後來李豐官至朱提太守。（朱提，音銖提）諸葛亮之賞罰，可以說是「賞者人皆以可賞，罰者，自無怨言」的境地。此從諸葛亮的劾李平奏章上可以見之。

七六　諸葛亮造木牛流馬　司馬懿暫忍辱偷生

諸葛亮在五次伐中原的時候，已經開始使用木牛流馬了。首次遇到司馬懿，給他吃了一次大敗仗。司馬懿自從大敗一陣，折了宿將張郃，不敢輕舉妄動，紮在渭南一帶地區，堅守不出。

建興十二年春，諸葛亮率大軍出斜谷，以流馬運糧，首先佔據武功，在今陝西郿縣西南。諸葛亮每次北伐，都是吃了糧草不能接濟的虧，所謂『己志不得伸』，北伐不能克奏凱功，也是蜀漢不能久事偏安的原因。諸葛亮上次以『木牛』運糧，此次又改爲『流馬』運糧。木牛、流馬究竟是何物？三國演義也沒有造謠，是有根據的事。諸葛亮本傳說得很明白：『亮性長於巧思，損益連弩，木牛、流馬皆出其意。』諸葛亮木牛的造法：（見諸葛亮集）

木牛

木牛者，方腹曲頭，一腹四足，頭入領中，舌着於腹，載多而行少，宜可大用，不可小使，獨行數十里，羣行二十里。曲者牛頭，雙者牛腳，橫者爲牛領，轉者爲牛足，覆者爲牛背，方者爲牛腹，垂者爲牛舌，曲者爲牛筋，刻者爲牛齒，立者爲牛角，細者爲牛鞅，攝者爲鞦軸。牛仰雙轅，人行六尺，牛行四步。載一歲糧，日行二十里，人不大勞。

流馬

流馬尺寸之數：筋長三尺五寸，廣三寸，厚二寸二分左右同前軸孔，分墨去頭，徑中二寸。前腳孔分墨二寸七分，孔長二寸廣一寸，後孔去前杠分墨一尺五分，大小與前同。後杠孔去後腳孔分墨二寸七分。後載尅去後杠去後杠孔分墨四寸五分。前杠一尺八寸，廣二寸，厚一寸五分。後杠與等板方囊二枚，厚八分，長二尺七寸，高一尺六寸五分。廣一尺六寸。每枚售米二斛三斗。從上杠孔去筋下七寸。前後同。上杠孔去下杠孔分墨一尺三寸，孔長一寸五分，廣七分，八孔同。前後四腳，廣二寸，厚一寸五分，形制如象，靬長四寸，徑面四寸三分。孔徑中三腳。杠長二尺一寸，廣一寸五分，厚一寸四分，同杠耳。

演義也是根據「諸葛本集」，與此相同。看了它的尺寸，十分茫然。我們可以肯定一句話：「木牛、流馬絕不是自動的東西」。是一種人力推拉的車子，『轉者爲牛足』觀之，足會轉，當然是輪子無疑。四足就是四柱，四柱並四輪。「方者爲牛腹」，正是運糧食的車箱。『獨行較快』，羣行較緩慢，因單獨行無滯澀之碍，羣行猶如列車，故多阻碍，故行來較慢。

（壹一六）

伸張肌肉運動

·仲之·

愉快休憩的伸張，正如牠等面上的提示。如果你照做，保險你會覺得休憩與鬆弛，尤其是一種諧和的感覺，使練習的人，不論男女老幼，都樂此不疲。實行這種動作的人，要求充份的自由，和從容不迫的時間｜｜那怕你祇有三五十分鐘，像來幾次呼吸的那麼輕鬆。寧靜思考，精神集中，以及柔和忍耐。因此，這套愉快休憩的伸張，最好是在你上床睡覺之前，來依次進行。不過這是要歷久不輟，不能一曝十寒。有一個學生說得好：「我可以做這套動作一整天，而絲毫不感覺疲倦。我最喜歡的從這一套動作中所感受的感覺」。

提到做這套動作，你要仰臥在地板之上，或者是硬的板床就行。先將你的膝頭彎起，將腳板平伏地貼在地板上面，彎起雙膝的角度，要達到最大的槓桿作用程度。你可以試將腳跟、腳板，和腳趾都完全地輕輕地壓着地板。不用太着力，否則不使你筋肉內部過份緊張。但是用力太小，也不足以使你的內部筋肉能夠活動。你應該感覺得雙足與臂之間，有直接的關連，這兩部份的肌肉，能夠休息以及輕輕地壓着地板。左腳與右腳之間的距離，應採取充份擊杓球的姿勢。

那時候，你的雙臂，可以在你的身旁放軟攤手。那麼你可以停頓下來了，讓你的肌肉感覺到有了舒適的安排，而且那樣的位置，又十分舒服。你的事實上的目的，讓你的全條脊椎骨，由對正喉嚨的一節起，到尻骨那節止，平伏地貼着地板。到了這個時候，你可以開始動作了，方法因人而異，主要是每一個人的運動，認為最容易的方法進行，就長遠鍛練下去，使各部份都得到刺激的活動。

有一種開始的方法，是當你仰臥下來，進入休息的位置時，將脊椎的中部對正肚臍眼的反方向靠貼地板。這時要讓你的身體自然尋找貼着地板的位置，比較用太多力來使脊椎貼着地板較妥。有時，你可以慢慢地舒徐地將驅體搖擺，等脊椎自然放平，這樣可能容易一些。到了脊椎舒徐地擺落地板，那麼，你的身體其餘各部仍然留在鬆弛狀態。如果你硬生生地用力將脊椎壓貼地板，你的肩膊和頸項，會引起過份緊張的反動。如果你一面舒徐地壓低腳板，貼到地板，而肚臍眼的反方向對正脊椎，你會感覺這種動作，可能幫助其他的動作。

另外一種的開始方法，由收縮腹部的肌肉入手，如果你又用太大力，你可能發生了不必要用太多力和太緊張的情形。這種方式是要混合舒徐地抽緊腹部，同時收縮腹肌這一步動作，是要在腹肌動作時，其餘的身體各部份放鬆和不移動。有一點要留意觀察的是集攏起腹部的肌肉。任何人都知道腹肌隆起時，腹部是不會凹進去的。（上）

熱愛生命

綠窗

「啊，將我揚起！來，像一個波浪，一朵雲，一片葉！我墮落在人生的荊棘上！我淌血」。

這是英國浪漫派詩人雪萊的名句。學生時代讀過之後，一直深植於心。每逢我精神沮喪，對生活感到厭倦時，這節詩便會從靈魂的深處躍出。反覆低吟，頓覺一股生命的活力又從乾枯的心田汩汩湧出。

想想，一個對生命缺乏熱愛的人能夠寫出像「西風賦」一如此緊扣心弦的傑作嗎？明知人生坎坷，世路崎嶇，明知在我們短暫的旅途程上，遍地荊棘，滿佈陷阱，明知活着有時比死去需要更多的勇氣，仍舊昂然赴人生的戰場，跟命運搏鬥，這需要何等澎湃的熱情與對生命的眞摯的愛！

對生命的熱愛，是活力的泉源。一個具有豐富臨床經驗的大夫會告訴你，欲醫治一個身罹絕症，其內在的堅強的生存意志與慾望，遠比任何藥品，具有更大的效果。

對生命的熱愛，也是青春的燃料。一個人，不論年齡多大，祇要他一日熱情洋溢，胸中燃着愛的火燄，他就一日年輕。唯有當熱情乾涸，心灰意冷；唯有當心扉永閉，不再接受希望與美的訊息；而腦海亦被悲觀厭世的冰雪所覆蓋時，他才算是衰老了。

對生命的熱愛；更是一切藝術創造的原動力。若非在愛的激勵之下，一個作家怎麼深入現實，以眼睛去觀察，以心靈去體驗人生的各種滋味，吸收各式各樣的經驗？就拿海明威來說罷，他就是一個活力充沛，熱愛生命的典型。他喜歡冒險，不惜向死神挑戰；他屢次參加戰爭，接受炮火的洗禮；他所生活的世界是何等遼闊：從非洲的原始森林到西班牙的鬥牛場，從汪洋大海到白雲藍天。由於他熱愛生活，他的生命充實而光輝，而表現於筆下的人物，才能有血有肉，遠非空泛虛浮的作品可比。

因此，熱愛生命吧！也許你的生命充滿了缺陷；也許你的生活被貧窮所折磨，心靈被痛苦所嚙蝕；也許在你的頭上籠罩着陰雲，肩上背負着苦難；也許你已遍體鱗傷，身心勞瘁；但仍讓你的生命飛颺起來，讓你堅信：能夠活在這個世上總是幸運和甘美的。

得天獨厚的白樂天

。紫源。

出遊的時候，「舁中置一琴一枕，陶謝詩數卷，舁竿左右懸雙酒壺……如此者十年，其間賦詩約千餘首，釀酒約數百斛，而十年前後賦釀者不與焉。」

他自號為醉吟先生，是有說明的。據云：「醉後醒，醒復吟，吟復飲，飲復醉，醉吟相仍若循環然。由是得以幻夢身世，浮雲富貴，幕席天地，瞬息百年，陶陶然昏昏然，不知老之將至。古所謂得全於酒者，故自號為醉吟先生。」

唐代酒類甚多，宋葛立方韻語陽秋，以酒色來分，云：綠者如白樂天所謂「傾如竹葉盈尊綠」，黃者如老杜所謂「鵝兒黃似酒」，白者如樂天所謂「玉液黃金巵」，碧者如老杜所謂「重碧酤新酒」，紅者如李賀所謂「小槽酒滴珍珠紅」。樂天十年間釀酒數百斛，常喝的「家釀」，大約是白色的糯米酒，他「詠家釀十韻」云：「釀糯豈勞炊范黍，撇蒭何假漉陶巾。常嫌竹葉猶凡濁，始覺榴花不正眞。」言白酒勝於碧酒和紅酒。他盛贊此白色米酒之佳：「甕揭開時香酷烈，餅封貯後味甘辛；捧宜明水從空化，飲似陽和滿腹春，色洞玉壺無表裏，光搖金盞有精神。」又有嘗新酒云：「尊裏看無色，杯中動有光。」然而他也喜歡黃酒，有句云：「世間好物黃醅酒，天上人間白侍郎。」

酒過量是有礙健康的，樂天沉湎麴蘗，酒對他的身體有了什麼影響，倒是一個有趣的問題。

樂天身體原非十分強壯，他於四十餘歲，任江州司馬期間，致書元微之，有云：「既壯而膚革不豐盈，未老而齒髮早衰白，瞥然如飛蠅垂珠在眸子中者，動以萬數。」但在作醉吟先生傳，六十七歲之前，似乎沒有什麼十分嚴重的疾病。不過如此高齡，豪飲和狂醉，當然於健康不相宜，首先爲他担憂的，是他的太太和姪子，勸他少飲。可是這位老詩人態度十分頑強，作詩拒絕，此詩題曰：「家釀新熟，每嘗輒醉，妻姪等勸令少飲，因成一長句以諭之。」詩云：「君應怪我朝朝飲，不說向君君不知。身上幸無疼痛處，甕頭正是撇嘗時。劉妻勸諫夫休醉，王姪分疏叔不癡。六十三翁頭雪白，假如醒黠欲何爲？」

太太的勸戒，大約一而再，再而三，而老詩人好酒如故，在醉吟先生傳中，用一番自以爲是的理由，提出駁辯，他說：「妻孥弟姪，慮其過也，或譏之，不聽，至於再三，乃曰：凡人之性鮮得中，必有所偏好。吾非中者也。設不幸吾好利而貨殖焉，以至於多藏潤屋，賈禍危身，奈吾何？設不幸吾好博奕，一擲數萬，傾財破產，以致於妻子凍餒，奈吾何？設不幸吾好藥，損衣削食，鍊鉛燒汞，以至於無所成有所誤，奈吾何？今吾幸不好彼而自適於杯觴諷詠之間，放則放矣，庸何傷乎？不愈於好彼三者乎？此劉伯倫所以聞婦言而不聽，王无功所以遊醉鄉而不還也。」

（中）

「挑菜節」

紫篩

前人有兩句詞說：「自過了燒燈後，都不見踏青挑菜。」這是寫的二月初二「社日」又名「挑菜節」的情景。挑菜而作為節日的名稱，可見這不是日常的家務操作。當春悄悄來到的時候，黝黑的田間，在不知不覺中多了無數深綠色的點子，各種野菜野草鑽出泥土來爭取它們的生存空間了。野菜的數量並不見得多，味道也不必比園蔬美，但人們都高興去挑，就連平時很少拈鍼弄綫的深閨小姐們，也欣欣然去湊熱鬧，這無疑是春天的氣息，引得她們走向戶外。

薺菜是屬於冬天的，春二三月以青蒿的嫩頭，最為風味佳勝，蘇北的時令諺說：「二月二日，挑蒿兒。」就是指的它。古人講野草，以「蓬」、「蒿」並稱，蒿是一種有點像艾或野菊花的高大的野生草本植物，除了燒火以外，沒有實用上的價值；但它剛頂破了土一二分長的嫩頭，却有極強烈的清香，挑回來洗淨搗爛，和着糯米粉蒸的糰子，既香糯適口，那種綠沉沉的顏色又十分嬌，很容易勾起人的食慾。於是，當春風解凍之後不久，蘇北濱海地區的原野裏，就遍是挑蒿兒的女人了。

除了蒿兒以外，還有一種有趣的東西，那就是茅鍼。茅草野生在田土上和河岸邊，它宿根上僅剩的寸許長的枯黃敗葉間，每年二月以後就漸漸挺出芽來，這是深綠色的苞葉裹着的一支支的茅穗，像一根倒插向天的細長錐子，尖端微帶一點老紅色，隨手一拔就起來，剝開來，穗上的一根根白芒還沒有成形，併攏了像一根二三寸長的絲絛，白嫩、柔軟、微微有着珍珠般的光澤，嚼在嘴裏有點兒甜，誘人的清香自然不用提了。女人、小孩子，都喜歡去拔茅鍼，一把一把地，就地取材用苞葉紮住，除了生啖外，還可以和麵粉煎甜餅。這種風味帶着野趣，絕不是郇廚上珍所可想望的。城裏人想吃，雖可以在鄉下親戚那裏得到一些，或者偶而可以買到幾把，但拔茅鍼的趣味仍是無法領畧的。

挑蒿兒和拔茅鍼的季節，正是個懶洋洋的春天，但因為踏青挑菜，趕走了春困，並且增多了女人們一個社交的機會，有傾寫不完的話都在田野裏交流。那時候，柳絲上已綻出了嫩綠色的芽，大家都喜歡折幾枝柳枝，揷[illegible]嫩地慢慢地向[illegible]皮就聚攏在枝梢尖端，恰好由點點嫩綠色的芽均勻地布在外面，成了一個有柄的[illegible]的犂。

夜的禮讚

綠窗

落日的光輝，披照着大地，天邊的晚霞美麗如錦，黃昏是如此的美好，只是太短暫了。隨着時間的消逝，夜神姍姍的拖着她灰黑的長袍，又來到了人間。

我喜歡夜晚，尤其是明亮的月夜，我常常獨自漫步田野，讓清涼的微風拂着我的頭髮，我的身體。月華瀉地，好似給大地蒙上了一層稀疏的銀紗，配合着田裏此起彼落的蟲聲，構成了一幅美麗的圖畫，置身其境，能不有心曠神怡，飄然出世的感覺嗎？

雨夜別有一番情調，它給予人們的感覺，也因人們的遭遇、心情而各不同。它使孤獨的人加深了幽鬱之情，使離家遠行的人興起了思鄉之念，使寂寞者更感愁悶，使失戀者更加痛苦；但也有人喜歡雨夜，認為雨夜富有詩意。其實這只是因為人的心情相異，所發出的感觸不同而已啊！

有人認為夜是個罪惡者，在它的懷抱裏，產生出許多罪惡來。其實這種觀念是不公正的。難道白天就就沒有產生過罪惡嗎？

我愛夜，我願在夜的懷抱中安睡。

紐約道上往來

○志遠○

如果把參觀博物館的重點，都消耗在迢迢的道途中，是不値得的，而且不可能的。所以我這次遊美，對於風景名勝，都列入不重要的節目裏；連世界七大奇景之一的尼加拉大瀑布，我由波士頓西飛的途中，在水牛城上空，從雲霧蒼茫裏僅有的一瞥而已。

在美國的一般長途旅行，除了不畏辛苦，不問時間，願意自由自在地駕着汽車就道外，大都是利用飛機作交通工具。因此陸上的火車和汽車，也和海上的輪船一樣，退化到着重於運輸貨物的主要業務裏，把客運降落為副業。

我從華盛頓至紐約，前後往來，曾有五次，却都是經由陸路，三次是火車，兩次是汽車。

第一次是在五月十三日，利用例假到紐約去看朋友，上午十時半從國家藝術館前往聯合車站，原擬搭乘十一時開行的賓雪佛尼亞的電力火車，急忙地購票，預備登車，誰知車站上的鐘還祇十時，不受華盛頓國都夏令時間的拘束，仍甲未變更的時間。

這讓我在車站裏各處巡禮了一小時。好容易等站上的鐘快走到十一時，月台上的鐵柵門開了，我便隨着一些旅客前進。在星期六的例假中，旅客也是那麼稀少，月台上顯得相當的冷落。過柵門既不查票，上車也不對號，各自選擇所喜歡的座位。車是分特等和普通的兩等，普通車裏都有一間吸烟室，那是對面靠着窗的兩排椅子；普通座位都是兩人並坐的位子，分左右兩列，但大都是一人獨佔兩人的位子，也還沒有坐滿。不知道爲了什麼理由，讓我們在車裏又休息了好久，直到車開動，看看我的錶，已經十一點半，未開車便誤了半小時。

列車是由電力車頭拖動，開車後，車行頗快，頃刻間，已離開市區，駛向郊外。這時一位着制服的老年隨車換票人員，來把每人的車票收去，另換一種車票，夾在每人的座位前的靠背上或窗柱上票的顏色是以到達站來區別的。

（二）

內警台報字第○三二一號內銷證

自由報
THE FREE NEWS
第二四七期

中華民國僑務委員會登記證僑新字第二三二號
中華郵政台字第一二八二號執照登記爲第一類新聞紙類
（逢三、六出版）
每份港幣壹角
台灣零售價新台幣貳元
社長：雷嘯岑
督印人：黃行書
社址：香港銅鑼灣高士威道二十號四樓
20, CAUSEWAY RD 3RD FL. HONG KONG
TEL. 771726　電報掛號：7191
承印者：大同印務公司
地址：香港北角和富道九六號
台灣分社
台北市西寧南路壹壹零號二樓
電話：三〇三四六
台郵撥儲金戶九二五二

未來的世局與中華民族的前途（中）

何浩若

因爲這一轉變，日本竟是枉費心機，終於在中途島一戰一敗塗地。但是日本的投降，不是受了航空母艦的威脅，而是因爲廣島長崎的兩枚核子彈。核子武器的發明斷送了日本再度成爲強國的命運。從此疆域狹小的國家如英國和日本，在未來的戰爭中，已經失去了作戰的地位，更談不上是世界的強國了。

在核子戰爭中構成強國的條件首先是疆域廣大和人口衆多。必須要有幾百萬平方公里的土地和幾萬萬的人口才能經得起核子武器的考驗。這一個廣大的疆域還需要良好的地理位置和豐富的天然資源。單祇這些條件還不夠。這一個人口衆多疆域廣大的國家必須有進步的科學技術和工業能力，同時還須有良好的軍事設備。因爲人類的智慧相差有限，後面的兩個條件，祇是時間問題。根據社會進步的原則，落後的國家遲早會工業化的。至於科學技術的發展，假以時日總可以造出同樣的洲際飛彈。構成原子時代強國的條件最難能可貴的還是前兩項，必須要有幾百萬平方公里的土地和幾萬萬的人口，而且這廣大的疆域還須有良好的地理位置和豐富的天然資源。這一條件是天賦的。今天人類已經進化到一個民族無法强蠻的侵略和佔領另一民族的疆土。假如一個國家有衆多的人口而沒有資源豐富位置適宜的廣大的疆域，在核子戰爭中便要受着天然的限制。這一限制，不像科學進步和軍事設備一樣，可以拿時間來解決的。拿這些條件來衡量現在世界上所有的一百三十多個國家，祇有極少數的國家能合標準。美國是合乎標準的。蘇俄是合乎標準的。中國有七萬萬人口比美國和蘇俄多了三倍。以疆域而論，中國有一千一百四十一萬八千一百七十四平方公里，佔亞洲四分之一，和全世界陸地十三分之一的面積爲世界第二大國。至於位置的優良和資源的豐富更有優越的條件。中國的儲煤量在一二〇億KWH以上，超過了美國和蘇俄產量的總和。不論中國現在的科學技術和軍事設備情形怎樣，這些都可以拿時間來解決問題的。第二次世界大戰以後，因爲上述的條件，中國在蔣總統領導之下已經成爲世界四强之一。在大陸淪入共匪鐵幕以後，毛匪要挾持着這一偉大的中華民族，同時反美反俄，也爲美國和蘇俄所極端重視。中華民族在未來世局中所佔的地位已經確定了，而且無法改變他的地位和重要性。

三、未來的世局應當爲人類爭取和平與自由

當二十一世紀到來的時候，這個世界將變成怎樣，我們不知道。再將時間縮短一點，二十年以後或十年以後的世局將如何轉變，我們也不敢斷言。但是我們知道人類的需要。人類需要自由和平，人類不需要核子大戰。人類根據不自由毋寧死的原則，祇有爲保衛和爭取自由才有戰爭。毛澤東是好戰的。他不惜殺死全世界三十萬萬人的三分之二來完成共黨的世界革命。他在「列寧萬歲」的小冊子裏說：「要在人類文明的廢墟上重建光芒萬丈，十倍百倍千倍於今日的文明」。但是首倡世界革命擁有核子實力可以發動核子大戰的不是中共而是蘇俄。因爲毛匪反俄，分散了共產集團的力量和團結，蘇俄才倡導和平共存。假如一千一百萬平方公里的土地和七萬萬中國人重回蘇俄的懷抱，爲蘇俄所奴役，那時候的民主國家包括美國在內，如其不「跪着活」，便無法避免核子大戰了。毛匪澤東爲了爭取共產集團的領導，也曾倡導「膚色大戰」，要聯合有色人種和白種人對抗。但是這是違反中華民族的傳統的。中國人不僅愛好和平與自由，而且特別有正義感，對於膚色大戰，我們根據孫中山先生的遺教，曾經屢次的聲明「不問黑白，但問是非」。我們要透過皮膚看人類。我們要透過階級看人類。孫中山先生和林肯一樣，主張自由平等與博愛的。我們要從愛的立場來消弭種族與階級的仇恨於無形。我們不能強調種族和階級的仇恨來進行屠殺。我們認爲有遠見的政治家應當用和平合理的方法來消弭種族間的歧見。我們認爲支配未來世局的主要力量，不是種族仇恨而是如何爲人類爭取和平與自由。我們要避免核子大戰和保障人類的自由，就必須打倒共匪暴政，讓七萬萬人口和一千一百萬平方公里的中國和美國團結一致，迫使蘇俄和我們和平共存。因爲毛匪的倒行逆施，這一個爲人類爭取和平與自由的願望很快就可以實現了。就在這個時候，忽然有人倡導白種人應當根據種族的立場，先解決有色人種，讓蘇俄來奴役中華民族，解除了黃種人的威脅以後，再讓白種人來支配這一世界。這就是現在國際間醞釀的「以蘇俄制毛」的謬論。

四、種族歧見與白種人的團結

支配未來世局的主流是爲人類爭取和平與自由。這是大多數有理智的人類所努力祈求的。但是在這一主流之外有兩股逆流。逆流之一是國際共產主義者。自稱爲眞正的馬列主義者，要以武力革命，不惜殺死人類三分之二來完成共產主義的世界革命。共產主義革命成功以後，人類便喪失了自由。所謂修正主義者和共產黨的同路人，雖不立刻主張核子大戰，僞裝和平共存，却主張美俄聯合制毛，讓親俄的中國共產黨奪得政權以後，和蘇俄合作。但在共產集團大團結以後，他們將不惜以任何手段來完成世界革命。到那時候，人類也一樣的將喪失和平與自由。

自由談

人才與國運

馮[illegible]先生

自古迄今，幹政治生活的各色人等，他們平日立身行己的風格，總不外乎三種型態：一是對上忠敬，對下謙和，正色立朝，不激不隨；二是有時做上面隨時，奉公守法，毅然有所不爲；三是一味諂上驕下，不知禮義廉恥爲何物，蠅營狗苟，無所不爲。

第一種人皆係讀書已通，胸懷福國利民的抱負，總想在政治上有所表現的賢豪之士，而與太平盛世時代爲最多。他們一心一意以能「致君於堯舜」爲職志，出處進退、辭受取與之間，沒有私人利害觀念存在着，穩重老成，矜式自飭。因而政治亦比較修明，人民得慶安樂，國家的建設事業多有可觀者，如漢代的文景之治，唐代的貞觀之治，都是由於這類人士在朝的關係而然。

第二種人是讀書有得的奇才異能之士，功名心雖然甚切，但尚氣節，惜羽毛，非其人不事，非其時不出，勇於負責，堪任艱鉅，政策如不能行，立即拂袖而去，決不留戀。平日對待僚屬，謙和有禮，然對於長官，常不憚直言極諫，表示鞠躬盡瘁以報知遇的心情。這類人物多見之於創業垂統之際，亦即革命打江山的時代英雄左右，如管仲、諸葛亮乃其最著者。次如滿清中興名臣胡林翼、左宗棠、彭玉麟等人，亦庶幾近之。

第三種人都是些利慾薰心，不明大義，不識大體的鄙佞之徒，昧廉寡恥，無所不爲，祇要有官可作，有勢可乘，有財可得，任何卑污苟賤的勾當，皆肆行無忌。平日事長官如奴，侍權貴如妓，對僚屬如神，御人民如太上老君，他們心目中只是注意個人的休戚榮辱，無所謂國計民生問題。這類人物每爲昏庸或暴虐的統治主所寵信，國家危亡之秋，他們亦就更得勢，所謂「國家將亡，必有妖孽」是也。最顯著的例證，即爲南明情形。

根據上述三種政治人物的進退起伏，以推究國家治亂興亡之所以然，古往今來，歷驗不爽。人才與國運息息相關，不能爲國求賢，去私去蔽，而欲創建大業，振興國家，眞是豈有此理也！

不像樣

顧此失彼

今日與明日

「無政府」狀態

經過幾個月的奪權鬥爭，到了目前，大陸的工廠礦場已陷入無「政府」狀態，這是毛幫控制下的上海、青島、江西、浙江、安徽、新疆等地電台廣播供認的。其實此項情況，在海外人士來說，毫無意外之感，這在毛幫開始奪權時，已在人們意料中。事情很簡單，中國俗語有句話「隔行如隔山」，不是本行的事就不易了解，假若是勉強去管外行的事，沒有不僨事的，歷史經驗，屢驗不爽。而當時所謂的「行」與「行」之間，差別甚有之，但分工尚不若今日之細，目前即使同行，若不是同一部門尚且不能作另一部門的事，舉例言之，以紗廠而言，車間工人就不能作漿洗的事，其他更無論矣。毛澤東對於近代科學知識根本沒有，腦子裏所想到的，仍然是三十年前在井岡山到延安的一段生活，那時只要有小米加步槍則無事不可爲，缺糧可以驅兵士去南泥灣墾荒，缺錢可以打土豪，沒有外滙可以種鴉片，凡是需要的東西靠着槍桿皆能辦到；直到今天毛澤東仍然憧憬着過去那一段好日子，所以沒有辦法時，又把軍隊搬出來，以爲只要有步槍，就無不可爲之事。

派錯用場

毛澤東不知道，軍隊可以墾荒，可以綁票勒贖，可以種鴉片，獨獨不能開機器，更不懂得如何採礦，也不懂怎樣管理工廠礦山。毛澤東把他們當成萬能，和他自己一樣的萬能，於是遇到困難就派軍隊到工廠裏去，這一來權是奪到了，可是奪到了權却無法行使。拿槍桿子可以奪得機器，但是槍桿子却不能開動機器，眼見一架一架機器變成了一堆一堆的廢鐵，這時才喊出無「政府」狀態未免太遲了一些。

行將自斃

毛酋此次在大陸所掀起的文化大革命，無疑地是他最後一次導演的鬧劇。在毛酋一生害人的運動不知搞出來若干次，但是以害人始而以害己終的，却只有這一次，正所謂天奪其魄。大陸形勢的變化，可以想見的將會出現分崩局面，在此種情況下，可能出現許多割據地區。對我們反攻復國大業自然是有利，但如何利用此一形勢，却也頗不簡單。政府當局應當針對此一局面釐定政策，原來設計的光復方案是否合用？也不無問題。總之，未來局面的變化是複雜而微妙的，我們必須謹慎的抓住機會，萬不可再讓它輕輕的溜過去。（何如）

桃縣鄉鎮建設在在需款 紛紛要求縣政府想辦法

縣府總預算建設經費寥寥無幾 陳長壽下鄉巡視歸來一籌莫展

（本報記者黃鴻巡桃園航訊）台灣省府主席黃杰，下令規定各縣、市長，每年下鄉巡視兩次，藉以尋求民隱，加強爲民服務。桃園縣縣長陳長壽，本（五十六）年度的第一次巡視工作，已告結束。全縣各鄉鎮所提出的問題，概略分述於后：

桃園鎮：（一）縣府應撥未撥欵，計有三百餘萬元。（二）該鎮爲縣治首善之區，穿越台灣全省公路縱貫綫的復興路（一車行四綫道）——道路第四期工程，及火車站前拓寬工程，其遲遲不能興工，其原因爲有五十餘戶應折除的業主，要求申請國民住宅（遷居）未經核准，請求縣府協助。（三）桃園每一街道路面，每年要補修一、二次，約需工程費新台幣十餘萬元，鎮公所無力負担，請縣府補助。（四）虎頭山公園，爲省府劃定爲全省四大公園之一，內部雖早具規模，但通行道路尚未闢建，有碍觀光事業之發展，請縣府設法開闢一條康莊大道。

中壢鎮：（一）有七大要項，九大懇求，十四大工程，請縣府設法解決（按該鎮已奉省府委員會通過改制爲縣轄市，整理市容，各項費用，特別龐大）。

大溪鎮：（一）請縣府早完成大溪中學一心分部獨立，以利教育。（二）請求興建大溪零售市場。（三）北部橫貫公路入口站，請設在大溪。（四）石門水庫至員樹林公路，請早日鋪設柏油路面。（五）興建「興福圳」工程，地方配合欵早已籌妥，請縣府早日發包，以利灌溉。（六）該鎮已經核准之補助欵，新台幣一百餘萬元，請縣府早日撥下。

楊梅鎮：（一）富岡、瑞埔兩國校之危險教室，請縣府早日撥欵重建。（二）新成公路請鋪設柏油路面。（三）楊新公路工程，公路局已發包半年，請轉請早日竣工。（四）該鎮農民，積欠田賦實物代金、地價谷、生產貸金等，居全縣之首位，以致鎮庫財政調度困難，請縣府按期補助。（五）該鎮原定地目等則，已超過現有價値，不合調整對象，請減低幅度，藉以減輕人民負担。

大園鄉：（一）縣府核定或請列預算該鄉道路鋪設柏油路面補助欵計一百六十六萬三千零三十八元。（二）請求縣府解決國校教室，二部制（上、下午分班上課），增建教室問題。（三）請建議省府，在竹圍海水浴場，設立水產職業學校。（四）竹圍漁港第七期興建工程，請早日興工，以免漁船遭受颱風災害。（五）竹圍港市應分爲漁港、觀光、商業、工業、住宅、學校、綠林等區，請早日公佈實施。（六）其他建設尚有五項之多。

蘆竹鄉：（一）××演習受損補助費一百餘萬元，請轉請早日撥下。（二）興建民衆集會所、圖書館工程費三十萬元，請縣府補助。（三）請復興該鄉的農會，每年請核發補助費三十萬元。（四）南崁至美竹道路鋪設柏油路面，請補助十萬元。（五）八角店至中福鋪設柏油路面，請補助四十萬元。（六）新莊至茄冬鋪設柏油路面，請補助一百五十萬元。（七）上（下）海湖鋪設柏油路面，請補助四十萬元。（八）南崁至桃園，請劃爲工業區。

龜山鄉：（一）坪頂地區，標高二五〇公尺，面積八、六〇〇公頃，經常缺水，無法耕種，其抽水工程，請早日興建完成。（二）建國一村低窪地帶，常被雨水淹沒，請早日修建下水溝。（三）請速增建（遷）國校教室、課桌、廁所及教員宿舍。該鄉現有教職員計一五四人，宿舍總計僅十一間。（四）請設工業學校一所。（五）請撥專欵，爲貧民施診。（五）該鄉公欵，存入鄉農會四十七萬元，因農會虧損太大，不能提取，影響財務甚鉅，請縣府核撥本（五六）年度之分配欵十一萬元，以應鄉公所開支。（六）興建民衆服務分社，請縣府補助二十萬元。（七）該鄉農會，虧損二百餘萬元，已奉命整理，請縣府核撥二十萬元，由鄉公所轉借該會周轉。（八）該鄉山多地少，近年來工廠（新工業區）及軍眷村大量增加，田上面積，愈來愈少，田賦收入大量減低，無法編列年度預算，請縣府核撥專欵補助。

八德鄉：（一）請縣府核發八德至大楠公路鋪設柏油路面的補助費。（二）該鄉大楠街新建街道及排水溝工程費，請縣府補助八十萬元。

復興鄉（山地鄉）：（一）復興台地，現僅有衛生隊員一人，請增設一人，以利觀光事業。（二）山林保留地籍管理業務，現由建設課兼辦，請增設管理技工三人，以專責成。（三）該鄉人口已逾一萬人，請增設戶籍員一人。（四）北部橫貫公路，請在復興設起點站，便利觀光遊客。（五）請轉請石門水庫管理局，在石門湖上，設公共交通船，以利山胞交通。

龍潭鄉：（一）龍潭至新埔，請改爲縣有道，以利保養。（二）三林至石門國校公路，請鋪設柏油路面，以利觀光事業。（三）該鄉興建第二市場，請向省府借貸「公共造產」費四十萬元。（四）修整孔子廟、聖清亭及抗日七十三烈士公墓，闢爲該鄉公園，請核撥補助費三十萬元。（五）石門農田水利會，對該鄉「高低楊湳區」，因欠繳水電費，拒不放水，請縣府協助，轉請該會放水，以利春耕。（六）該鄉大坪，三坑、安佳、大（小）竹坑原有道路，被石門水庫所淹沒，請轉請新闢道路，以利交通。（七）石門國校，現有學童一七〇〇人，廁所太少，請予增建。

平鎮鄉：（一）請改建東勢，宋屋兩國校危險教室。（二）籌建新勢國校，請縣府補助十萬元。（三）楊梅中學平鎮分部，請縣府撥欵補助，早日獨立爲平鎮中學。（四）中壢至東勢，埔心至關路缺兩公路，請列爲縣有道，以利保養。（五）新明、中平、開明、金陵等路，鋪設柏油路面，請縣府撥欵補助。（六）北勢屠宰場，依規定應爲縣有，以利管理。（未完）

「初中入學、加考體育」面面觀

（一）

·張忠建·

二月底，台灣省地方教育行政座談會，在台中舉行，出席有各縣、市、鄉、鎮校長，初級中學暨省立高級中學校長，及省、縣、市各級教育行政人員等，教育廳廳長潘震球，曾就計劃在高、初、中學入學考試中加考體育一科，藉以促進中、小學校體育的正常教學，消滅惡補，提高學童身體健康水準，和出席人員交換意見。

當時省教育廳廳長潘震球報告：加強體育教學，已經刻不容緩，前者教育廳在民國五十三年已擬訂一項「改良體育方案」，一方面促使社會上重視體育，藉以對學校發生良好影響；一方面加強學校運動競賽的活動相配合。可是實施兩年以後，道種提倡誘導的方式，在學校中，尤其是國民學校，抑並沒有收到顯著的效果。提倡和誘導既然對促進中、小學校的體育教學沒有幫助，教育廳於是經常和體育界人士交換意見，結論：決定研究試行，以考試的方法，迫使學校重視體育教學。當時，座談會中，尚有：縣市初中與國校加強連繫要點的一些議題，而以「如何加強體育教學」是最引人注意問題之一。

潘震球報告問振興

二月底，教育行政座談會剛畢，潘廳長因接受美國國務院昨年的邀請，定期訪美，考察美國各州的州立學校教育發展情形，並經由東京，往南韓，接受韓國建國大學榮譽法學博士學位。授贈學位儀式，預定三月四日在漢城該大學舉行。

題外短言，可與本報讀者小談：潘之岳父朱揆初，即本報多年作者婆娑生，今年六十六歲，曾於二月十一至十三日，經潘氏夫婦接往中市祝壽，遨遊日月潭名勝。朱氏身體素健，乃於二月廿七日因感冒起病，次日胃口不佳，未能進食，又不進公保醫院診察，突於三月一日晨二時因心臟病謝世。潘氏夫婦侵晨趕來台北奔喪，潘氏因行程已定，二日向教育部閻部長辭行，順便將教育行政座談討論各項結論當面報告，即搭機赴東京。

女立委質詢「惡補」

三月七日星期二，女立委楊寶琳質詢：「如何消滅國校惡性補習？」

閻部長答復：消滅國校學生惡性補習的原則，是實施志願免試升中學方案。教育部目前正在積極研究進行道項方案。在志願免試升學方案實施以前，教育部正積極採取三項措施，以消滅惡性補習。

（一）國民學校採取「分科教育」，以代替過去的「導師包辦」制。道項「分科教育」，是教員分別担任某一科教學，如同中學的教員一般。此項制度已經在台北市各國校試行了一年，效果良好。

（二）規定國校學生在規定的課程之外，在校補習一小時，由教師指導，並酌收費用，以消滅惡性補習。

（三）在升學考試的評分中，加入體育成績一項，並將先在台北市試行。教育部現正就道項新辦法施行上的技術和標準等問題，邀請專家研議中。

在立法院會場旁聽的記者們，聽得道種重要的質詢和尚未成「形」的方案，便公開出來了。

省市教育機關申明

立法院三月七日的質詢，次日見報。潘廳長雖已出國，教育廳爲負責推行縣市國民教育的機關，遂於三月九日宣佈：「今年初中入學考試，加考體育」。將指定台北市、新竹縣、台中市、高雄市四個縣市先行試辦。道項試辦，今年不計算成績。國校學生畢業前，舉辦體育測驗，將指定一個縣市試辦，也暫不計算成績。

逃出鐵幕的史達林之女

美國爲政治原因竟拒其入境

·紐約通訊·

即使在今天，也很難想像史達林是個有家庭觀念的人。像許多蘇俄領袖一樣，他對他個人的生活，好像是處理一樁國家機密一樣。據悉，史達林有三個兒女。邱吉爾曾見過他們中的一位，那是史達林的獨女施維特拉娜，她曾於一九四二年在克姆林宮中擺設餐桌。之後，就很少聽到她的消息。史達林於一九五三年逝世後，她更是銷聲匿跡了。

上星期，施維特拉娜已逃出了生天，在新德里的美國大使館中出現，宣佈她已背叛蘇俄。

她要離開那個曾被她父親的鐵拳統治了卅年的國家的決定，對西方來說，是自卅八年前托洛斯基離開蘇俄以來，最重大的一樁蘇俄人的逃亡事件。

史達林的兩個兒子，一個死於戰爭中，另一個死於一九六零年初期。所以，施維特拉娜是史達林唯一現存的兒女，相信她對克姆林宮的內幕，較爲熟悉。

她生於一九二六年，她的母親艾麗露娃是史達林的第二任妻子，於一九三二年在神秘的環境中死亡。有人說，她是自殺。有人則說，她是在史達林的暴怒下，被他親手開槍殺死的。

在第二次世界大戰期間，施維特拉娜曾在莫斯科大學唸書，她在填報父親的職業時，曾寫上「職業革命家」。她每天由司機開車送往學校上課，始終與同學有所隔閡，格格不相入。最後，她獲得俄國文學士學位。離開學校後，在莫斯科社會科學學院任教，以後又從事翻譯工作。

據說，她與她父親關係是極爲親密的。有一次，當她離家時，史達林會寫信給她說：「我沒有妳，感到很寂寞。」信末的簽署是「小爹爹」。一位蘇俄人士於今年三月初曾說：「史達林時常聽他女兒的意見。」

據悉，施維特拉娜至少曾結婚四次，有人說她曾結婚兩次。她有兩個兒女，兒子約瑟夫，今年廿二歲，在莫斯科唸醫科；女兒艾卡特麗娜，今年十七歲。

她最近的一次婚姻，是於幾年前開始的。她邂逅一位在莫斯科一個蘇俄出版機構中工作的印度籍翻譯員巴里茲星。他當時五十六歲，是印度外交部次長迪尼斯星的叔父，於去年十月間在莫斯科逝世。施維特拉娜獲准將他的骨灰帶往印度。（上）

瀛海異聞錄

世界肚臍眼——復活節島

桑雅

在一九六五年年初時，有一個國際科學考察團去到復活節島，任務是研究那個海島的居民，有關醫學對他們的影響，這個人態學的研究乃屬國際生物學程序的一部份。

復活節島被選是有幾個原因的：它的居民少但是有固定性，人數約一千名，足夠在短時間內的研究。那個海島的離開南美洲二千哩，跟隔法屬島大溪地的距離是相等的，它是在世界上最孤單而有人居住的海島，每年有供應船從智利開到那裏一次。由於這樣孤立，所以影響島人的條件都是在那個海島，所以產生平衡狀態，適合做一個活動的化驗室。

復活節島的直徑約為十二哩。島人都聚集在亨加羅亞村居住，其他地方是用來牧羊，那個牧羊場曾由英國人所經營多年，現歸智利政府，它就是那個海島的統治者。在島上約有五十名智利人，多屬軍人，對發展在馬達維利建築飛機場有關係。曾經有人談及在那裏建立一個國際航空站，想跟大溪地競爭成為在太平洋中部的一個主要站。

最初訪問那個海島的歐洲人是荷蘭航海家駱芝，他在一七二二年抵達。那一天是復活節，故他叫那裏做復活節島。英國探險家庫克船長在十八世紀後期到過那裏，在當時島上土人叫他們的地方做「地必吐奧地希奴亞」，意即「世界的肚臍眼」。駱芝曾在他的航海日記寫他對那個海島的最初印象，以為是巨人所居住的海島，直到天亮後才敢登岸。後來他發覺那些巨人都是用石頭雕刻成的。那共有六百多尊，有許多尊是四十呎高。它們名叫「摩亞」，這是在世界別的地方沒有的。關於它們製造的經過，和其在人種研究上的重要性和種種神秘，曾引起許多人的辯論。

海島的原始居民本身也是一種神秘。有人認為他們是屬在秘魯的茵加斯民族。在早時有外地的移民從各方面到那個海島來，南海的玻里尼亞人對他們的外貌和品性的影響很大。他們是相貌生得好的民族，率直和熱誠，容易商量，有幽默感。對物質的擁有是頗少的，他們的衣服，通常是跟過往船隻用土產交換得來，週時保持得很整齊和潔淨。

年紀老的島人在他們的模糊而半帶古怪的生活着，他們認為阿古阿古或是幽靈在海島各地都有，跟他們的日生活有關。對於他們過去就是現今，當談及他們的祖先何杜馬杜亞帶着早期的殖民來到這裏，他們認為是在最近發生的事。其實他的船約在五個世紀之前，泊在美麗的雖那堅那海灣。

在同一時期，島上曾發生兩大派人士的浴血戰，貴族或被叫做「長耳朵」在賓琪火山麓間被屠殺，祇有三個人生存。在島人當中，現今仍引以為榮，從他們的血統來追尋是那三個倖存者的第十二代的後裔，他們會講出「長耳朵」怎樣被驅逐到他們用來做防衛，燃燒着柴薪的深坑。許久以來，外人還以為那不過是一種傳奇故事，但是在不久以前，挪威考古家希耶達在賓琪火山附近尋到一層木炭，研究出它的年代竟跟島人所講「長耳朵」遭屠殺，他們是留存者的後裔，計算起來是符合的。現今年紀輕的一代，對舊日的傳統，不大感興趣，他們想對這個世界有更多的認識。近年來，他們可自由乘每年來的船往智利。在從前他們要乘坐木船，照着晚上的星朵作領導方向，歷六個星期的艱苦航程，若沒有遇到意外，才能抵達大溪地。

復活節島人的家族有穩固的聯結，家庭雖大，老幼很快樂的共同居住。他們有一個禁忌，最近親是不能聯婚的。現在過六十歲的人極少，大部份居民是二十歲以下的。人口日正增加，但是沒有顧慮，因為地方的發展，食料也能自給自供。島上沒有人犯罪，因此，沒有警察或法律，只有制度。島上沒有商店和市場，沒有貿易，只有多少以物易物。

有頗多男子在維亞提亞農場工作，有些是智利政府的僱員，但大多數人是隨自己的時間去捕魚，有時去種植。他們多數的精心，是用木頭雕刻，製造出許多小型的摩亞，託在智利的親戚，或跟到來訪問的海員交換別的東西。

復活節島人的醫學上的情形使許多科學家覺得難以解釋。他們是一個很強健的民族，在太平洋島嶼中，在那裏已經沒有癩病存在。但到今天仍有一種多怪的病症，名叫「高剛果」，好像一種流行性感冒，常在一艘從外來的船隻到訪問後十四天就發生。島人認為這是一種傳染病，是一種無可避免的代價，通常有人不治而死。

復活節島人跟文明世界極少有接觸，在前年從加拿大來的考察團，他們到後十四天，安然無事。各團員並不奇怪，因為他們知道在幾天後，祇有一艘智利船會帶來「高剛果」。在期待中，有一艘智利戰艦開到，十四天後，島上發生那種傳染病，考察團員都受到傳染，他們雖已注射抗劑，也未能防止。染病的團員及島人的血液被抽出後，送到加拿大麥基爾大學化學室研究。現在有不少人擔心，假如在復活節島的飛機場完成之後，對島人的生命也會否有更多的危害，因為新的病症會傳入，島人因欠缺自然的抵抗力，很容易受到傳染，故現在作很細心的免疫研究，使島人得到保障。

音樂——以色列的統治工具

安呈譯

在一塊飽經憂患的小小國土上，人們已知道音樂能夠打破種族的隔閡，他們利用它來形成一個和諧的國家。

在過去十年內，每年有來自七十餘國的移民十萬名，湧入以色列；來自伊拉克、伊朗、庫特斯坦和摩洛哥的東方人，黑黝黝，穿着帶有頭布的外衣；成千成萬來自德國和東歐的無家可歸的人；來自印度和敘利亞、蘇俄和南非的人。使得這情況愈加複雜的是，境內原來已有一百〇三個阿拉伯社區。現在，阿拉伯人的村落像鹽似的撒在移民居留區內。像目前以色列這樣五方雜處的情形，可說是絕非其他地區所可比擬的。

在一個面積僅有新澤西州（八、〇八四方哩）這麼大的國家裏，這麼多不同的民族如何能夠和睦相處？以色列的政府如何能夠鑄冶這個國家？

重要的步驟之一，是所有的學校都教希伯來文。但是學校大部份只能影響年輕人。那麼，如何教育其他人們呢？

不久以前的一天晚上，我跟着一位四十歲，戴着眼鏡的伊薩·麥隆，驅車駛過以色列的荒原。麥隆是以色列第一流的作曲家，他在故國的波蘭他的原名是麥克羅夫斯基。這位作曲家正要指給我看，以色列已發現了什麼樣的一種具有奇效的工具，用以融合它的各種各樣的文化。

將近九點鐘光景，我們的車子開到一個小小的猶太人的村莊，寂靜的路上，有懸在電桿上的燈泡照亮着。全村大約兩百名的人口。女人們穿着花花綠綠的布裙。男人們穿着卡其布長褲和淺色的香港衫。當麥隆跨下吉普車的時候，大家都向他喊着「夏倫！夏倫！」（Shalom，這個字的含義是和平，在以色列語中兼有哈囉和再見的意思。）

學校的大屋子裏，村中男女老幼坐在板凳上，滿滿的，坐了一屋子。他們是歐洲、亞洲和非洲人，他們全部鼓掌，以示歡迎。過了一忽兒，有一個帶着手風琴的男子站在羣衆的中央，麥隆舉起雙臂，像音樂指揮要領導一個樂隊似的，羣衆迸發出「Haev Nagila」的歌聲，一種活潑的民謠：

「讓我們笑笑鬧鬧，
讓我們笑笑鬧鬧，
讓我們笑笑鬧鬧，
願我們快快樂樂！」

這些來自許多國家的人民，以熱情和歡樂的心情在一起歌唱。他們唱波蘭調子、俄國調子、葉門和阿拉伯的歌。唱的雖然都是低調子，但沒有一首是憂鬱的。差不多唱了一小時，最後唱起以色列的國歌來。（上）

瑞士兒童村巡禮

苑郁

她打開辦公廳，右側的一座大廳，是兒童們的音樂會場，也是運動場。孩子們有一個兒童議會也設在這裏，門前貼着許多議程，並且用不同的顏色來代表各個國家。如意大利為淺綠，德國是黑色，英國是藍的，瑞士是白色等等。牆上還貼了許多兒童照片，也許是競選宣傳廣告。

雨停了，她領我們在兒童村的街道上繞了一圈。她說兒童村剛開始時，僅有一幢白色的樓房。現在，山坡上下已經形成了一個小村落。她指給我們，那裏是郵局，那裏是飛機模型陳列場。兒童村中也不乏藝術品，村首那一隻石雕的大熊，就是一件美麗的作品，那也許是象徵阿卑查爾邦的。而這小村中的所有樓房，也都一律是阿卑查爾式的。

在兒童餐廳前面，她停下來，告訴我們說：「每個家庭都有它自己的廚房，每天早上，家庭的母親要為孩子們準備本國口味的早點。村中另外請兩位女工幫助她們料理家事。中晚兩餐，她們要在兒童餐廳中的大廚房中煮飯，每一個家庭都有它自己專有的炊具。」

廚房的下層是電動的。

她帶我們進入一個希臘家庭，屋子裏是十足的希臘情調，牆上懸着希臘國旗，還有許多幅希臘古代廢墟和海景的照片。幾個孩子圍在桌子上玩牌，對我們的訪問，毫未理睬。一個孩子倚在牆角上，我問他是誰教他的，他說每一兒童都要學一件樂器，這是兒童村的規定。

這個家庭共有十六個孩子，母親也正在家，但她並未招呼我們。室內是一個農家的陳設，一切齊全，但很簡單。四個孩子住一個寢室，牆上懸着孩子們的書包，那都是上等皮革製成的。寢室裏也懸着裴斯洛齊的照片。家裏有電話設備，孩子們可以用電話找另一個家庭的小朋友談天。（中）

新三國

周[illegible]著

建興十二年，諸葛亮出斜谷，順利進抵武功渭河。因其地方較平坦，河流多，諸葛亮改用「流馬」。流馬應是一種水運舟船，注意是「流」字。渭水流域今日尚有一種快船，名叫「快馬」，可說是「流馬」的後代子孫。船頭可能裝了馬頭形，以示與民船不同，舵如馬尾，槳如馬足。可能它的製造方法上巧妙一點，但絕非機動的船可知。

諸葛亮有了運糧的工具，則可以將糧食源源運往五丈原。他每次北伐，均感軍糧不濟，以致影響進兵。此次遇到司馬懿，不得不作此準備。此外，他又在五丈原一帶實施兵工開墾的屯田政策，自種自食，冀可以長期作戰。司馬懿的對付方法，就是深溝高壘，避不交鋒，任憑諸葛亮怎樣辱罵刺激挑戰，他都不理不采。

就在此時，東吳孫權為了配合諸葛亮北伐，也驅了十萬大軍，攻打魏國的合肥和新城；同時又命陸遜、諸葛瑾各帶一萬人攻打襄陽，孫韶、張承去攻打廣陵、淮陰。

諸葛亮佔據武功和五丈原（在當時武功縣治之西）地區，屯田兵工建設了農村。耕種的士兵，與老百姓打成一片，安然融洽，兵的成績非常成功。在此與司馬懿相持了百餘日，諸葛亮好多次挑戰，司馬懿都死人不出戰。他吃過諸葛亮的大虧，很怕和他打仗。諸葛亮甚至派人送了他女人的衣服以羞辱之，司馬懿仍不出戰。但是，他帳下諸將卻受不了這樣的悔辱，紛紛請死。司馬懿為了安撫眾將的情緒，假裝發怒，要與諸葛亮拼個你死我活。可是他是假的。何以是假的？司馬懿說要戰，但稍堅守是文帝之命令，要戰，必須請示明帝方可。司馬懿老奸巨滑，他真的上了一道表章，請魏明帝准戰。明帝派了衛尉辛毗仗節為軍師以制之。此時姜維對諸葛亮說：「辛佐治仗節而到，賊不復出矣。」姜維不愧為一代名將，他的觀點和諸葛亮不謀而合。諸葛亮說：「彼本無戰情，所以請戰者，以示武於眾耳。將在軍，君命有所不受，苟能制吾，豈千里而請戰耶！」諸葛亮和姜維都料定了司馬懿不會出來。如果要和諸葛亮見個高低，何必千里去請示呢！由此可見，魏國對蜀採取守勢，實乃國策。以往魏國與蜀之戰，往往吃虧。從曹操起以至那時，死了大將有夏侯淵、王雙、張郃等，司馬故不戰也。

七七、五丈原諸葛盡瘁　死孔明退活司馬

蜀魏兩軍在渭南地區僵持了三四個月之久。不料諸葛亮已經生病。前方一位統帥生病，當然有奏章關於後主；後主便派了尚書僕射李福到前方省覷，同時尚有國家的後事相詢。當李福到了五仗原，諸葛亮尚未死。李福探病，並請示後事。諸葛亮對李福說：蔣琬可繼任我的後事。李福未等諸葛亮死，他便匆匆而去。過了幾天，李福又跑了回來。亮聞李福又回來，對李說：「我知君復回的意思了。近日來我們雖談了許多話，但沒有決定性，你再回來，是要我作決定罷了。關於你要我決定的事，公琰是適宜的人啊。」

（一壹七）

伸張肌肉運動

・仲之・

現在你可以準備將你雙臂，伸出過頭。不放在地板之上。有兩個位置，給你擺放手肘，其一是使雙手觸沾地板，然後將一隻手指輕輕壓在另一隻手指之上，於是手指握牢手指，直至做完全套運動。其次是將手肘提離地板，輕輕將手指交織起來。這兩種擺佈手指的位置，自會發生輕微不同感。可能你要分別試勻兩種，然後看看那一種感覺和怎樣運用你的身體其他部份。這兩種擺佈手指的方式，都是很理想的。

如果將手肘沾觸着地板，那你的肩膊壓低得多一些。隨着這種動作，同時將最下的脅骨間格拉入，並向內收縮腹肌，你壓低肩膊並將脊柱上部份再壓低一點，那麼，你會感覺整個肺部區域，起了很大的擴張感覺。你並且應該得開始在下腹部有拉拖的感覺，而且繼續拉得更深入，彷彿腹肌向上移往軀體的樣子。

跟着的動作，是將腳後跟着地板。慢慢地移動你的彎了起來的右腿。（你稍後時可以用左腿做同樣的動作。）當你移動腿部時，用力收縮腹部，一定要使你肚臍反方向對正脊椎，沾觸地板。吸入和伸張你的肋骨，將擺在地板上的兩臂伸出，手肘不沾着地板，並且繼續伸直你移動中大腿的膝蓋。盡量讓你的全條脊骨放在地板之上。

當你感覺到你的背部較低部份從地板提起上來，在你繼續移動腿部時，便應重頭再來過，糾正你的動作。讓你的脊椎比沾着地板的脊骨稍為提高一點，形成弓形，然後將腹部吸入，盡量收縮腹肌，使胸骨離開臀部，吸入和伸張。這時候讓雙臂與肩膊，連成一氣，向上伸出，協助肋骨從臂肌拉開。

再次，在你將右腿放回原來位置之前，務要多將腿部伸直幾次。在收縮腹肌時並在極度收縮之際，延長時間。這時候，可能因呼吸也受到停止的影響，但是你必須盡力收縮腹肌，到了不能再忍受之時，再徐徐恢復呼吸。然後再伸出左腿，動作照右腿運動時相同。

最後，你要將彎起兩個膝頭的腿部，向左右放下，慢慢地再伸出去。這時候，要注意的是集中力量收縮腹肌，盡量吸入。到了不能再忍受時再將雙腿放下，自由地靠着地板。

還有是展開雙腿向外時，慢慢地將軀體向相反方面，輪流的擺動；但要記着脊骨時時要沾着地板，不能脫離。同時又要收緊腹肌，恥骨提向上一些，而腿部則仍然放鬆，任其自由。

這一套運動，如持之有恆，保險有意想不到之樂趣。（下）

法庭軒渠錄

詠譯

在法庭裏，一位高貴氣派的紳士，當庭把穿着的長褲子脫下，小心翼翼的將它摺起來，掛在證人台的邊欄上。他的舉動使庭上三位女性，忙伸手將眼睛掩起來，在這個時候，他又換上了另一條長褲。

這個當庭換褲的紳士，是一間公司的董事，由於他拒付給裁縫匠的賬單，而遭控於英國的米倫法庭。而剛才他換褲子的動作，就是他提出自辯的反駁證據。

他當庭換上了裁縫替他所製的一條褲子，解釋爲什麼不付值的原因。他向法庭指出原告裁縫匠，所縫的褲子手工認眞不行，以致褲不適合穿着。他的當庭表演，案終得直。

主審法官咸美頓，論在內庭再表演一次及檢驗褲子，結果那裁縫匠自動同意撤銷他的賬單。

在英國的法庭裏，始終保持着傳統的莊嚴氣氛，不像美國那末隨便。所以如果男子進入法庭，不結上領帶，婦女不戴帽子，往往很難獲得法官的印象，而對其同情的。上述的一宗褲子官司，就是那個被告人打扮整齊，而對其案子有着莫大的幫助的。

當然，法庭沒有明文規定一個進入法庭的人，要穿甚麼衣服；但是，那些代表律師和大律師，都提醒他們的當事人或證人到法庭時，穿上適當的服裝。

一位律師解釋說：「這種情形，宛似軍營裏的檢閱似的。法律界人士，深知一個人的衣著，特別是被告人，足影響裁判司或是法官的。這種情形，並不是偶然，而是千眞萬確的事。如果進法庭裏的人，沒有結上領帶，和站在證人台上，雙手插進褲袋裏，這給予法官的印象，認爲其對法庭及其本身的情形，不大重視。自然地此無疑是對他自己不利的。」

一九六四年在高等法院裏，有一位與訟人，當庭表演脫衣的動作證供，但不獲法庭的注重，反而引出案外生波。

當時他只穿內衣褲及鞋襪出庭，向庭要求被告人賠償五十鎊，因爲他的外衣褲除下給法庭。可是當他只有內衣褲的時候，法庭立刻控以褻瀆法庭的罪名。

上述那位律師又說：「婦女也像男子一樣，進法庭注意衣著。雖然自從第二次世界大戰以來，一切似乎鬆懈下來，但是法官對於婦女的到法庭來的儀表，極端重視，認爲她們到法庭，應該和到聖堂一樣莊嚴的。一般來說，婦女常常戴帽到聖堂裏，因此，她們應該也戴着帽子進法庭。」

「一位法官堅持說：一位母親帶女兒進入公衆的畫廊裏，應該替女兒戴上帽子。

當一位大法官回答關於婦女是否應戴帽進法庭的問題時，說一個婦女，不管其頭上是否戴上帽子，應該隨其喜歡。

四年前一位婦女，在一宗離婚案中出作證人，當她出庭時，穿着淺藍色的褲子，和鮮艷顏色的花恤，主審法官堅持該位證人當回家，換過適當的衣服再到庭。

許多時一些法官都想打破成例，過去有一位裁判署法官，於酷熱的一天，只穿運動外套，和開領的恤衫，出庭審案。同僚認爲他的打扮，不大好看，但是那位法官解釋說：「我爲什麼要這樣抑制自己，和作爲呢？我才不哩！」

一位大律師說：「在法庭裏要穿整齊端正服裝，那是最普通常識。事實上並不只是法官才注重衣着的，連陪審員亦懷着同樣的觀點。換言之，人的衣着會影響他們。」

許多法官並不是懷着先敬羅衣後敬人的勢利眼光，而是爲了維持法庭的莊嚴。香港雖然沒有英國的法庭對於衣着那末嚴格，但是身爲一個良好的市民，進入法庭，却亦應該尊重法庭的莊嚴。

李端棻二三事

夜闌

貴筑李端棻（苾園）視學粵中時，得梁啓超，讀其文，詡爲未易才，倩王仁堪爲蹇修，以妹許之。其愛才重士可見也。戊戌時，李爲禮部尚書，故李梁分則師生，親則郎舅，以附於變法革職，與張蔭桓同時遣戍新疆。

春煊自大成性，聞而怫然，既而肅然揖而言曰：「師門訓誨諄諄，敬聞命矣。敢不自勉！抑弟子亦願貢一言：朝廷以吾師觸國法，使荷戈西域，原來朝廷之詔命，遣關外者，不能滯留於關內，丈夫可死則死，何能稱病而羈留不去，以蔑國法？春煊祖宗無文，罔識忌諱，但心有所思，用敢率直言之，進吾師有以教之。」

端棻默然，拱手謝受教。數日後，即摒擋行裝，不計病憊，西出玉門，升允苦留不獲，厚賂之而別。

端棻既遠戍，不一年拳亂遂作，乘輿播遷，痛國亡之驟落，國權之淩夷，發爲歌詩，以抒忠憤，辛丑後遂被赦回里，旋掌教貴州書院，猶復以獎勵後進，開風氣爲已任。黔中鐵路礦產，數國爭欲投資，端棻首倡自辦，以杜外溢。以光緒卅三年十月十二日病逝。逝前數日，猶寄書啓超，曰：「昔人稱有三歲而翁，有百歲而童。吾年雖逾七十，志氣尚如少年，天未死我者，猶將從諸君子之後，有所盡於國家也！」生平制行方正，而和以待人，自奉淡泊，而博施濟衆。服官數十年，嚴絕苞苴，杜絕侵冒。其總督倉場時，覩漕運之極弊，抗疏盡撤漕倉諸官，而自乞退職爲之倡，時論賢之。

卒後，啓超在日本，馳書述哀，並銘其墓。

時交通不便，八千八百餘里，行時兩月餘，抵蘭州遂病。端棻年老，陝甘總督升允，爲請於清廷，暫留蘭州養病，獲准，遂止於蘭州。升允素善端棻，時照沫及之，供張得以無缺。

岑春煊曾執贄於李，時任甘肅布政使，特走謁，執弟子禮甚恭。春煊跅弛不羈，又恃才狂放，旁若無人，李常規之，故師弟之間，不甚洽。某日，岑登門謁敘，復肆口品評時政，端棻以逋臣，屢觸憂讒，因語之曰：「君以貴介登仕版，儀態言語，令人有士別三日之感。而做京官與做外官，又復不同，所謂君子豹變也，甚盛！甚盛！惟昨督過談，謂君實大聲宏，微惜才華太露，如時惕於滿招損，謙受益之訓，前程豈可限量？至論朝政是非，此時似不宜率爾發言，萋非之誚，可懼也！毋貽噬臍。」云云。

得天獨厚的白樂天

○紫源○

樂天詩中，往往以「弘農郡君」的官式頭銜，稱呼他的太太。近年有人爲文，說白氏伉儷生活很不和諧，且謂這位弘農郡君，不賢惠、不盡婦職、多愁善哭，性嫉妬云云。白氏有句云：「妻愁不出房」。又曰：「兒啼婦哭不聞聲」。多愁善感，或許是事實。但力勸丈夫不要貪杯，則不能說她不賢惠，這她豈不克盡了婦職嗎？至於嫉妬，乃人之常情，豈能苛責弘農郡君。樂天不僅好飲，而且好色，集中贈妓之作甚多，家中也養有歌妓，甚至跟婢女也有些不乾淨。他有一婢出走，嘗作詩貼榜招尋，句云：「舊恩漸自薄，前事悔難追。籠鳥無常主，風花不戀枝。今宵在何處，惟有月明知。」此婢出走，當然可能由於太太的嫉妬，但所謂「前事悔難追」，此外自有不少曲折的隱秘。

樂天太太的妬忌，却是實情，樂天有「戲問山石榴」一首，借山石榴以嘲諷其妻，詩云：「小樹山榴近砌栽，半含紅萼帶花來；爭知司馬夫人妬，移到庭前便不開。」

這位生活放浪，嗜酒如狂的老詩人，畢竟在作「醉吟先生傳」的第二年，六十八歲，冬十月甲寅旦，得風痺之疾，作病中詩，序云：「體癢目眩，左足不支。」一詩有句云：「肘痺宜生柳，頭旋劇轉蓬。」言肢體痲痺，頭腦昏昏，如在搖旋。照現代醫學說起來，這可稱爲高血壓，絕對不宜飲酒。可是樂天並未戒酒，他吟酒的詩有云：「一足任他爲外物，三杯自要沃中腸。」又云：「故紗絳帳舊青氈，藥酒醺醺引醉眠。」說也奇怪，他從此還活了七年，到七十五歲去世，不能不說這位老詩人的得天獨厚了。（下）

談張天師

仁厚

在江西的貴溪縣的西南，有個龍虎山，山上有座建築宏偉規模龐大的上清宮，那兒的主持就是現在的張天師。

天師祖先的原本修眞地方，是四川青城山。青城山上有天師洞，俗稱常道觀，爲東漢張道陵修眞得道之號，因爲他所傳的是天師道，於是後人便稱之爲張天師。

一般人的觀念中，認爲道教中最權威而萬能的，就是張天師，因爲他會畫形形色色的符，尤其帶有兩顆「江西龍虎山天師印」和「除妖驅邪永保千秋」的大印時，便更認爲靈驗，只要把它貼在家裏，妖魔鬼怪就會退避，永保平安。俗傳那兩顆璽是什麼皇帝御封過的，因此人們也就越法的相信了。

江西省有許多縣份多山，山林裏濕熱蒸鬱易患疫病，每遇這些病症發生，當地居民多認是妖魔作祟，于是去請天師來設壇作法，唸咒劃符，斬妖降魔，用符來驅邪，用什麼「靈藥」「仙丹」甚至香灰來給病人醫病。

按張天師的畫像，在清朝時民間曾一度把它當作門神貼過，那畫像上是左手拿着法鈴，右手持劍，穿着繡的八卦法衣，騎着黃虎，虎眉中的王字，據說是經過成千潛功而生出來的……。

紐約道上往來

○遠志○

每到一站，便由這位換票人員口喊站名，接着就把要下車客人持着的票收去。這些換票報站的制度，我想，或許是實行已久，到現在還保留下去；也許是不重視客運業務，而不加以改進的緣故。否則，在美國目前，處處節省人力的時代，但在這列車裏，爲什麼竟不利用廣播器？這些都是令人莫解的。這次，也是我第一次在新大陸坐火車，最初，不僅對換票、報站感到新奇。其他的一切，也都一樣地感到新奇。例如窗外的景色；堆積如山，當作動物的汽車車身；死人的大墓地旁附有一片死狗的小墓地；路旁有不少的汽車隊窖拖車，集中起來居然像一村落。再看看車內的景色，各色的乘客，黑白雖沒有顯明的分座，但仍各自拘束着；推着小車的小販，販賣各種食物！——漸漸地回想到當年所乘的各種火車，從初次離開家所乘的京漢車上，初次踏上歐陸所乘由馬賽經巴黎的車上，以迄七七事變後由廬山經南京所乘京滬通車上，渡海峽而乘往倫敦的車上，而引起一幕一幕的往事憧憬。尤其是使我難忘的，是逃出北平城的車上，那是在民國二十六年七月二十八日，北平失守的第三天，才從那座彷徨不忍去的北平城逃出，終於乘上平津車而離去。那是在午夜後三時，提着簡單的小箱子身上連一張名片都沒敢帶，便和同伴們如逃犯般進到東門站，在黑暗裏摸進了車廂，但先我們而至者已大有人在，雖則可幸能佔得一席地，但是人越來越多，行李也跟着把車廂塞滿，直到天亮後七時開車，不僅是坐無隙地，而且動彈不得。（三）

內備警台報字第〇二二一號內銷證

自由報

THE FREE NEWS

第三四七期

中華民國僑務委員會頒發
台敎新字第三三二號登記證
中華郵政台字第一二八二號執照
登記為第一類新聞紙類
（每星期三、六出版 半週刊）
每份港幣壹角
台灣零售新台幣貳元
社長：雷嘯岑
督印人：黃行審
社址：香港銅鑼灣高士威道二十號四樓
20, CAUSEWAY RD 3RD FL. HONG KONG
TEL. 771726 電報掛號：7191
承印者：大同印務公司
地址：香港北角和富道九六號
台灣分社
台北市西寧南路壹號二樓
電話：三〇三四六
台郵劃撥帳戶九二五二

未來的世局與中華民族的前途（下）

何浩若

關於這一逆流，本報在「再論紅衛兵和當前世局的發展」一文中已經詳細報導過。現在我們要說明的是另一股逆流。這一股逆流也一樣的主張美俄聯合起來解決共匪，但他們所根據的理論不是共產主義，而是種族歧見和白種人的團結。

任何人都無法否認十九世紀的末年和二十世紀的初期是白種人的天下。農業民族重視身家安土重遷，是愛好和平的。最好的例是愛好和平的中華民族建立一道萬里長城來保衛自己而不去攻擊敵人。遊牧民族是好戰的。亞洲的遊牧民族蒙古人也曾打到了歐洲，征服當日的俄國，但是蒙古人後來受了宗教與花柳病的影響沒落了。歐洲的遊牧民族却幸運的下海當了海盜，以殖民者的姿態出現，在十九世紀和二十世紀的初期，替白種人打天下，差不多征服了整個地球，這就是有色人種被侵略和受侮辱的時期。也就是英國人在上海發明「中國人與狗不許進入公園」的時期。但是人類是有理智的。人不能壓迫人，民族不能壓迫民族，階級也不應當壓迫階級。

在第二次世界大戰以後，歐洲的幾個帝國都完全崩潰了，在亞非兩洲的殖民地也大部解放而成了六十多個新興國家。不幸的是領導共產集團的蘇俄，以赤色帝國主義者的新姿態出現，奴役了東歐和亞洲的許多附庸國家。國際局勢雖然有了變化，而使若干被侵略的弱小民族（幾乎全部是有色人）獲得了自由，但是少數的帝國主義的餘孽，仍然保持着他們的優越感和種族歧見，並且隨時暴露出來。不久以前，澳洲的國防部長主張徹底解決越戰。為爭自由而反共的主張徹底解決越戰的很多。但是這位國防部長的理由並不重視反共，而是因為有色人種是異族（Because they are different）而必須予以打擊。賢明的菲律賓總統馬可仕就憑這位國防部長的這一句話而取消了澳洲的訪問，因為他也是異族呵！一九五五年四月十八日在印尼的萬隆舉行了第一次亞非會議。南非共和國的總理斯屈韋 T. G. Strijdom 在演講的時候說：「印度和其他東方人絕對不會幫助西方民主國家作戰，最大的期望祗能期望他們守中立。」他的意思是們有色人代表東方，白種人代表西方，共產主義代表東方，民主國家代表西方。反共就是反東方，因此東方人不會幫白種人反共。這是最無理的說法。首倡此種說法的，是種族歧見的理論者英國歷史學家湯培。他在一九五三年五月二十九日為了紀念君士坦丁堡陷落的五百週年紀念，在美國外事雜誌上撰文說共產主義是繼蒙古人、土耳其人來自東方的第三次侵略。湯培把馬克斯變成東方人，蘇俄變成東方國家，不過這一錯誤的說法已經普遍的為人接受。台北的報紙也說中華民國是西方國家。湯培的說法是有作用的。我們現在報導一點湯培對種族歧見的理論。

湯培是首倡種族歧見的理論家。他主張白種人聯合起來對付有色人種。所謂白種人聯合起來對付有色人種，就是美國和蘇俄聯合起來對付共匪。不過他所謂對付共匪，並不是反共產主義，而是反有色的中國人。他對曾受白種人的侮辱要起來報復（其實愛好和平主持正義的中國人並不要報復）的中國人有着無限的恐怖。他的理論，筆者在「國際現勢之分析」一書中有詳細的敘述與批評（見該書一四〇頁至一五一頁）。在這裏，我們祗能作一簡單報導。

遠在一九六四年「美國新聞和世界報導」週刊的記者訪問英國歷史學者湯培（Arnold J. Toynbee Jr.）問他美俄能否合作？抑將以戰爭相見？湯培認為美俄之間有一共同利益，那就是他們獨佔着核子武器。因為有此共同利益，可以維持世界秩序，美俄一定可以合作。記者問他假如共匪和其他國家要發展核子武器呢？湯培坦白的說：美俄應當聯合起來對付共匪，共同摧毀共匪的核子設備。湯培說：「我認為美俄目前有此力量，但是他們如果再等上二十年或二十五年，他們就無法再控制共匪了！」記者問他假如蘇俄不放棄共產主義的世界革命，美國如何能和蘇俄合作呢？湯培說：「假如人們都堅信他們的主義還要將其實現，那嗎美俄的團結便不大可能了。但是所有主義都是可以冷藏的，我從來不對主義看得那樣有悲劇性」。湯培接着便引基督教放棄世界末日的理論，和回教放棄一手執劍一手執可蘭經向非回教徒作戰的理論，證明共產國家一定放棄世界革命而主張美俄合作。記者問他有色人種是否會和白種人作戰？他說在美國的南部和南非將來會發生最可怕的事，但是最可怕的還是中國人。他說在十九世紀還沒有另一個民族受過中國人所受的侮辱。現在他看到反應了。現在所有的中國人都在不顧一切的要恢復其原有的惟我獨尊的世界地位和野心。很明顯的，湯培要主張白種人團結起來對付有色人種，便要說中國人如何可怕。同時要美俄合作，便要說共產黨會放棄世界革命如何的不可怕。有關湯培的說法，我們在這裏祗能簡單的敘述。現在我們要報導一點紅衛兵倡亂以後，美國的種族歧見者對中國前途的主張和看法。

湯培在一九六四年主張美、俄聯合對付共匪，假如共匪製造核子武器便應合力予以摧毀。湯培說：「但是他們如果再等二十年，或二十五年，他們就無法控制中共了」。湯培所說的二十年或二十五年，完全是時間估計的錯誤。自從共匪歷次核子試爆以後，距離飛彈已有長足發展。一九六七年一月二十六日美國國防部長麥納瑪拉宣佈也許共匪在一九六七年就可能有洲際飛彈。這自然不是肯定的說法。（下轉第二版）

「坐不下了！」

「到冰箱去吧！」

今日與明日

奪權停止爭權未已

目前大陸毛共所鼓動的奪權運動，大體已告停止，報紙上除去鼓吹毛酋思想之外，不再談論奪權的事，可知奪權運動已告一段落，最低限度目前已經結束。

毛派停止奪權的原因，客觀的因素是受了天時的影響，毛酋思想雖然「萬能」，但捧着毛語錄無論怎樣讀，絕對讀不出糧食來，此點是大家所公認的。就連江青也不能否認，因此，只得放下奪權，加强春耕。現階段萬事無如春耕急，如果糧食收不到，就算毛酋語錄真的放金光，仍然不能飽肚皮，老百姓餓死自不妨，到了毛兵毛幹皆要挨餓時，毛澤東就算再搬到避彈汽車裏住上一年，也難逃劫數也。主觀的因素是毛派在農村實在奪不了權，就已經宣佈奪了權的省份來看，權還是在反毛派手裏。試以山西省為例，山西省的革命委員會主席竟然是原任副省長劉格平。說起劉格平此人倒不是無名之輩，他是毛共中委，本身是回族人，在毛共九十八名中委中（一九五六年八大選出之數），只有兩名屬於少數民族，第一是烏蘭夫，第二就是劉格平，其餘如賽福鼎、韋國清之流均是候補中委。劉格平憑此資格在毛共黨政部門迭任要職，担任過寧夏回族自治區主席，幹了一段時間之後不知何故，突遭整肅，兩三年中杳無聲息，直到一九六五年中共報紙才透露他已下放為山西省副省長。像劉格平這樣一個中央委員級的幹部遭受整肅，可以斷言是反對毛澤東，否則任何錯誤皆不會處分得如此之重。毛共此時無計可施時，竟然把劉格平這一片浮萍當作救生艇抓住。劉格平肯不肯救毛澤東，固然是一個絕大疑問，就算劉格平不記前嫌，仍然要為毛澤東賣命，但他在山西究竟又能發揮什麼力量。同樣的情形還見於北平的李雪峯、吳德，東北的宋任窮與潘復生，奪來奪去，權仍然在反毛派的手裏，毛酋對此可能也覺得敗興，索性下令停止奪權了。

奪權未奪得成功，內部的爭權却在發生，就各種跡象看，以周恩來為首的官僚派，以林彪為首的軍人派，與以江青為首的宮庭派，正展開三角鬥爭，三角情形猶如三國，各自為戰，互不配合，是否是毛酋故意擺下的棋子，讓三方面鬥爭，可坐收漁人之利不得而知，但是無論如何，竟然擁毛派內部又分成三方面，而且已經展開鬥爭，對毛朝來說，無異是喪鐘敲得更響。因為毛派現有力量聯合一起尚無奈反毛份子何，一旦再三分去二（最後必然如此），又怎樣抵擋劉鄧派的進攻，更何況强大的人民已躍躍欲動？毛幫分裂得越徹底，其滅亡也就愈快了。（何如）

自由談

談懷才不遇

馬五先生

社會上有些懷才不遇之士，總不免自傷淪落，隨時表示憤世疾俗的牢騷心情。古人說，「行有不慊於心，則反求諸己」，如果把政治生活的本質和從政的道理認識清楚後，也就無所用其牢騷不平了。

君不見娛樂場所的情形乎？要想取得好的座位，欣賞戲藝，至少亦不致落後向隅，摒諸門外，太上是多花錢購買「黃牛票」，其次是趕早到戲院門前排隊，候輪次買票，對號入座。政治界即是一座戲劇場，你要置身於其間，除非朝中有貴人提拔，或者和權要顯宦發生裙帶關係，再不然，即具有「豐沛子弟」的資格，乃可不坐在家裏等官做，否則你縱然才高八斗，學富五車，若不能到處鑽門路，找關係，降身辱志以乞取奧援，就休想幹政治生活，安葉隨份報國，得當以自顯。現在不是漢末的三國時代了，諸葛亮雖然有，用缺之劉備，三顧茅廬以求賢的往事，祗是茶餘酒後的聊天資料而已。

現代的政治術語，有所謂「人事關係」一詞，妙用無窮，這其間包含着若干意義，諸如小派系關係，生殖器關係，同鄉同學關係，特種訓練關係等等，皆屬於「人事關係」的範疇。沒有這些人事關係之一項，然又不習奔競之術，用希望在政壇上得佔一席，那就如同想看戲劇而不知買黃牛票，或親自去排隊購買入場券的情況一樣，鮮有不向隅的，發牢騷何益乎？

政治生活原係人類最艱的玩藝，自古已然，於今猶烈。如要從政，即須尋覓人事關係，切忌講人格，有自尊心，以為自己滿腹經綸，當國者應該明揚仄陋，訪求而徵辟之。殊不知前面所述各種「人事關係」的羣聚孔多，已感難於安插了，那有讓外面人隨便擠進來佔據座位之餘地呢？

因此之故，凡屬熱中政治生活的人，先得弄清楚現代作官的門檻，慎思明辨其竅要，然後戴着一副假面具，四向逢迎干求，或許可能擠進政壇，博得一官半職。發牢騷不特無濟於事，甚至招來意外煩惱，大可不必。

高雄東方工藝專科學校 創校甫經年規模已粗具

目前已設工業設計工業管理等五科 計劃增設電機工程等并擴充為學院

（本報高雄航訊）私立高雄東方工藝專科學校創校已逾週年，目前已略具規模，台灣南部人士熱切期望其三年有成。該校校長許國雄博士，熱心教育，不惜毀家建校，（按許校長家住本市六合二路五九號，該路是高雄市精華區，除許之房屋低矮破舊外，四週皆聳立高樓大廈，相形不免見拙。）經一年來的慘淡經營，該校已在雄縣大湖鄉，建築了廿二間教室，此一成果，嘉惠了近千的莘莘學子。他說：他們侷促斗室不以為苦，該校學生有求學之所，他感到極大的滿足與安慰。其抱負可見一斑。

該校設有的科系，目前計：一、工業設計科：二、工業管理科：三、化學工程科：四、食品製造科：五、美術工藝科。

許校長說：社會人士對本校「工藝」這一名稱缺乏深刻認識，認為「工藝」僅限於手工藝的狹隘範疇。殊不知「工業與藝術」是將兩者揉合一體，以「工」為體，以「藝」為用的綜合性教育，消泯工業單調機械之味於無形。這亦該是本校教育的特色。

許校長對該校的理想是：俟第二期建校工程完成後，將增設電機工程，電子工程，建築工程等科，進而擴充為學院。

他擬於本年十月赴美考察教育。為了中西文化交流，除已獲得前紐約市長施格納之襄助外，取得密切配合的尚有蘭塞拉爾工藝學院，西佛吉尼亞工藝學院，路易安娜工藝學院，羅斯工藝學院等。

東方工藝專校是一所培育科學藝術實用人才的學府，如何配合社會需要，造就人材，俾學以致用，是該校今後努力的方向。假以時日，樂觀其成，南部人士尤所厚望！

未來的世局與中華民族的前途

（上接第一版）

但是據美國參議員傑克遜透露，美國中央情報局局長阿姆斯曾在參議院作證，作如下的報告：

一、中共「最近」即將把射程千哩，可攜原子彈的飛彈，在其邊疆佈防。

二、七十年代，中共可望產製洲際彈道飛彈。

三、七十年代，中共可能發射人造衛星，而成為亞洲第一個參加太空競賽的國家，全世界第四個參加太空競賽的國家。

四、中共目前從事軍備的最高優先是「洲際飛彈與氫彈」。目前的紅衛兵運動，並未產生阻撓其國防工業發展的跡象。

阿姆斯的報告和麥納瑪拉的透露一樣的，並不一定正確。但是因為這一報導引起了國際間的傳說，說蘇俄將要在最近摧毀共匪的核子設備。自由中國的台灣，也有此項說法，為什麼呢？因為射程千哩的飛彈不能威脅美國，祇能威脅蘇俄，最好由蘇俄去摧毀他。其實照種族歧見論者的主張，假如真的實現了，美國不僅不援助而且要妨礙自由中國的反攻，而且要援助蘇俄去侵佔中國大陸，則羅布泊的核子設備大可不必事先摧毀。蘇俄控制中國大陸以後，還可以用那些核子武器來對付美國呢！種族歧見論者主張美、俄的白種人團結合作先解決有色人種，然後再由白種人來解決世界糾紛，只是一種行不通的想法。困難的問題，是誰來解決七萬萬中國人？美國以民主國家領導的地位，又有着悠久的中、美傳統友誼，如何能出面佔領這一千一百萬平方公里的中國呢？即令美國這樣做，會不會蹈日本的覆轍一敗塗地呢？假如美俄真要合作來解決有色人種的威脅，美國便祇有把七萬萬中國人交給蘇俄了。假如這樣的話，我們要正式告訴美國的種族歧見論者，七萬萬中國人不是任何力量可以屈服的。毛匪澤東是一個道地的共產黨員。他是中華民族的叛徒。他的反俄是因為七萬萬中國人不願向蘇俄屈服。假如種族歧見論者希望蘇俄來奴役七萬萬中國人，這七萬萬中國人將會與蘇俄合起來先打倒美國然後再打倒蘇俄。但這不是人類所祈求的。未來的人類需要和平與自由，不需要種族之間與階級的仇恨。我們誠懇的相信絕大多數的美國人都和林肯一樣主張自由平等博愛，為未來世界和平而努力。領導民主國家的美國政府，更不會受種族歧見論者和共產黨同路人左傾自由份子的蠱惑來出賣民主國家和美國公民。我們相信愛好和平與自由的美國人民與政府會和七萬萬中國人合作來打倒共匪，消滅共匪暴政。共匪暴政消滅後，蘇俄也會和民主國家和平共存。七萬萬人的中華民族是有前途的。他的地位和重要性非任何力量所能改變。我們不威脅任何人，我們祇希望對未來的世界和平與自由有最大的的貢獻。（完）

「初中入學、加考體育」面面觀

·張忠建·

（二）

發言人又說：為加強全民體育的實施，促進四育均衡發展，該廳曾邀請體育專家多次集會研究，決定在初中入學考試中，加考體育，及國校學生畢業前，舉行體育測驗。

這項體育測驗的辦法，正由專家們參照世界各國同類考試的辦法，詳作研究中，考試的項目，尚未作決定，惟須符合下列標準，以發生積極的誘導作用。

（一）測驗成績的高低，不受天賦潛能的影響，人人須從學習和練習中，提高其成績。

（二）評分標準客觀。

（三）測驗動作，須具多方面基礎。使兒童不致在生活和興趣方面，造成片面發展現象。

（四）設備費低廉，使鄉村和山地國校，也可負担其費用。

（五）考試方法，簡單易行，考生衆多，不致發生技術上困難。

（六）測驗項目不超過國校體育課程標準範圍。

十三日教育廳發言人繼續說：初中入學，加考體育的辦法決定前，該廳仍將邀請專家及教育行政人員會商後決定，以期集思廣益。

又說：有關體育考試的項目，體育專家的意見：

（一）男生：

（1）仰臥起坐分腿伸膝起坐三次

（2）虎跳一次

（3）前後滾翻各一次

（4）跳繩一次

（5）爬竿

（二）女生：

（1）仰臥起坐，分腿伸膝起坐三次

（2）走低平均台

（3）前滾翻二次

（4）跳繩八次

（5）踢毽子四次

（三）半殘兒童：就下列十項，任選五項

（1）仰臥起坐

（2）前滾翻

（3）頭手倒立

（4）手膝撐雙臂屈伸

（5）單槓引體向上

（6）走低平均台

（7）踢毽子

（8）單足跳

（9）爬竿。

（10）轉身跳

（四）病患兒童及全殘兒童，改考體育衛生常識。

台北市教育局向記者談：已決定開始籌劃有關體育考試的各項工作，俟教育部正式公佈：「初中入學，加考體育」後，台北市即可於今夏開始實施。教育局並計劃在三月底以前，對國校六年級的二萬九千餘應屆畢業學生，先做一次體育的測驗，作為正式考試時的參考。又說：體育考試的成績，將加入聯考成績之中；亦即在目前入中學考試，算術一百分和國語一百二十分之外，另加體育的分數。體育考試所估的分數雖不多，但在聯考時，錄取與否之間，就在一分或半分之差，所以體育成績所估的比例雖少，對聯考卻有舉足重輕的影響力。

以上所談，雖在部、廳以外；卻能講出癥結之所在。

逃出鐵幕的史達林之女

美國為政治原因竟拒其入境

○紐約通訊

她對於兩個月前到達印度，顯然的，她在印度逗留期間，決定不再返國。三月上旬，她前往駐新德里美國大使館，告訴大使館衛兵說，她是「史達林的女兒」，要求在美國獲得政治庇護。起初，這位吃驚的守衛不相信她。但在新德里與華盛頓交換電報後，她的身份立即獲得證實。但這却使美國感到為難。如果在幾年前，華盛頓會張開雙手歡迎她。但是現在，這椿事會使蘇俄如被淋潑冷水一樣的難堪。所以，駐新德里的美國人員奉命拒給施維特拉娜簽證進入美國，但願意盡力在其他方面幫助她。

在施維特拉娜進入美國大使館後數小時，她就在一等秘書萊耶爾的陪同下，驅車前往新德里機場，購買二張前往羅馬的機票，飛往義大利首都。她在羅馬的鄉村別墅中住了四天，美國的有關方面却在極力為她獲得一項前往歐洲中立國家的入境簽證；美國希望這樣做，可以向蘇俄表示明白，美國的中央情報局並未干預施維特拉娜的變節。終於，瑞士政府同意給予施維特拉娜以旅行簽證。一位瑞士發言人說：「艾露麗娃女士（施維特拉娜的護照是用她母親的姓氏），曾要求在瑞士作一臨時性的休養。據調查所得，她並未涉及政治活動，因此她的請求已獲批准。」

當她到達日內瓦機場時，記者們曾圍住她問：「你準備在瑞士獲政治庇護嗎？」施維特拉娜的臉上曾泛起一絲笑容，但他似乎在輕輕地搖着頭。於是，她登上一輛汽車，駛往伯爾尼。伯爾尼是瑞士一個山區度假勝地，那裏到處有溜冰場和安靜的小村落。

為甚麼史達林的女兒會決定離開蘇俄呢？從印度傳出的一些消息說：她害怕返國後，她的生命有問題。但有一個較為微妙的解釋是：她在她的父親於一九五六年被赫魯曉夫大力指摘與抨擊之後，精神上大受打擊，近十年來，神經都不大正常，至今仍未復元。她在莫斯科的兒子約瑟夫，於記者造訪時曾說：史達林的逝世，給她的母親以重大的精神上的打擊。他說：「這是自然的，她是史達林的女兒。她愛他，正像任何兒女愛父親一樣。」（下）

桃縣鄉鎮建設在在需款 紛紛要求縣政府想辦法

縣府總預算建設經費寥寥無幾 陳長壽下鄉巡視歸來一籌莫展

新屋鄉：請了先行貸放肥料，（一）後湖「四分谷」（肥料換谷），以利農業增產。（二）地目等則調整，請從寬處理，以符實際。（三）請迅速完成「蚵殼港區」農地重劃第三期工程，以利春耕。並請核撥專款，修建該區道路。（四）請縣府爭取「洋菇」、「蘆筍」加工，在該鄉設廠，藉以輔導青年男女就業。（五）請聘僱農業專門人才，下鄉指導農耕技術。（六）東明至何間道路鋪設柏油，請縣府撥款補助。（七）請改建危險教室，以策學童安全。（八）請早日設立新屋中學永安分部，以利教育。

觀音鄉：（一）請修建大福川橋樑，計工程費三十萬元。（二）請核撥改建富源村大圳橋工程費二十萬元。（三）請核撥全鄉鋪設柏油道路工程費十萬元。（四）請挖掘大堀川港，以利漁業。（四）該鄉水田面積，冠於全省，請加強空中噴藥，藉以防除稻苗萎黃病，以利增產等等。

上項地方當前急務，不過是舉其犖犖大者，其中絕大多數的建設工程費，幾乎都是：省、縣、鄉鎮以「三對等」方式為來源。省府是最有錢的機關（年度預算，多有盈餘），縣、市政府，是「十室九空」（桃園縣府的預算「赤字」，已高達兩千餘萬元），其基層建設工程，又多為縣府補助款，配合不上。如該縣桃園鎮，已有三百多萬元（核定的）至今尚未領到。據陳縣長表示：縣府的年度總預算，計新台幣一億八千餘萬元，教育經費支出，就高達百分之六十（憲法規定百分之三十五），建設經費，僅三百餘萬元，縣府實有心餘力絀之感。因此，有些既定建設工程，無法興工。他又說：國校義務教育的負担，縣府已盡了最大的努力，希望家長及熱心教育的人士，多予協助。

陳縣長這次「出巡」，雖是行程匆匆，總也算能加深全縣一般實況的瞭解，作為今後施政的參攷，可以權衡「緩」、「急」。全縣民衆，一致希望陳縣長向建設大桃園，闊步邁進。如果年總預算中，其建設經費，仍然只有區區的三幾百萬元，那就是說「大話」，不合實際遠甚了。（完）

瀛海異聞談

心漏女病人一再創奇蹟

．桑雅．

喜蓮．甘絲蒂躺在英國格拉斯高的一間醫院的病床上，撫摸着手上那新近訂婚的戒指。這枚戒指，剛剛在兩小時前套戴在手上的。然而，當她靜靜的躺在病房的床上，心裏感到深以為異的，就是她是否可以結婚。

喜蓮．甘絲蒂的訂婚，那是她故意冒着生命的危險，一意孤行的。她根本面臨着瀕於死亡的邊際。不管怎樣她都無時或已地，希望能夠回到她的家裏，及投到愛人的懷抱，過着一個正常、愉快、幸福和健康的婦人的生活。

第二天的早上，是一九五九年十二月裏的一個歲寒的日子，二十歲的喜蓮．甘絲蒂張開了眼睛，注視着那組手術醫生。這羣醫生，經過五個鐘頭施手術，替她的心臟上的一個洞孔補塡起來。她患了心漏症。

她聽到有人說：「你的情況良好，你的情況很順利。」

她的朋友和鄰居，咸認為奇蹟。但是他們不曉得還有奇蹟跟在後頭的。

因為在四年中，這位妙齡女郎，跟死神挑戰，已經是第二次了。喜蓮．甘絲蒂住在格拉斯哥高布區一幢灰色的石屋裏，當她進入學校裏念書，即告訴她，是與其他的學生不同的。因為她的心臟有點毛病。所以校方不許她玩遊戲、奔走、或其他生理上的鍛鍊及體操。

醫生經常檢驗她，同時他們和她的父母言談閃縮，使她感到迷惘。她的苦惱是往往想起一些孩子的童年的事。但是醫生却認為她將來有一天，可能會和別的人一樣的。

然而喜蓮．甘絲蒂却跟惡劣的命運掙扎、搏鬥，她自行訓練，學習其他人所能幹的事，像幾分鐘的體操，短途的跑步，有時甚至加速步伐回家，本來她應該以慢步而行的。

喜蓮．甘絲蒂加入女童軍為童軍領袖，她年紀較長，她不理身體的疲倦，反而常常跳舞。在跳舞課程班裏，認識了夏利．史佛特，他是在格拉斯哥萊斯路斯工程工廠中任工程師；自邂逅起，即一見鍾情，很快的踏進愛河裏，互相熱戀起來。

她將自己的心臟不良的情況告訴他。但是他說這些對他沒有多大關係。他不但愛她，而且還想跟她結婚。

因此，喜蓮．甘絲蒂要求醫生替她施手術，她說她要過新生活，和要結婚的。她說那些醫生會警告她那不會如願以償。要是不成功，即會失敗，甚至性命也因此丟掉的。可是她堅決的要施手術。她這樣做，無非是為了她自己，她的父母和她的愛人夏利．史佛特。

在施手術的前夕，喜蓮和夏利舉行訂婚了，這是在喜蓮出院前五個月的事。

在出院的一天，夏利挽着喜蓮的手臂。醫方的專家對於喜蓮的康復，大表驚異，附近的鄰居已在宅前歡迎他們了。

當她出院之後，逾一百人捐血給格拉斯哥的血庫，因為感謝那些血液，給予喜蓮的新的生命。

在一九六一年的十月，喜蓮和夏利兩人結婚了，但是醫生却向他們警告：「你們不能生孩子，因為這會引致喜蓮死亡的。」

然而當他們婚後，她很渴望生個孩子，為了這個原故，她得再要冒險一次。而且，即使再次冒險，她也不會感到恐懼的。她曉得如果他們有一個孩子，則他們的生活更幸福和更美滿了。

所以喜蓮要求醫生替她施手術，可是為醫生拒絕。他們警告她說，如果再次動手術，這會使她喪生的。她極力哀懇。同時認為可以過幾年才動手術，身體會比較更健康一點。可是醫生始終不答應。

渴望生孩子，是喜蓮最需要的。她為了想生孩子，又鼓起她的勇氣，不想「受騙」。因為過去她已獲得一次勝利，她認為這回也可以成功的。

在一九六二年，她告訴正為她憂慮的父母，說她已懷了孕。他們聽了當然憂上加憂，同時夏利也十分担心。他們只是把這種憂慮蘊藏於心裏。分娩前幾個月，她回到醫院去，由院方醫生予以嚴密的觀察和照料。

一九六三年的四月，喜蓮產下一位女嬰，重六磅，取名蓮達。喜蓮高興得很，因為她們母女均安。最使她安慰的，她獲得第二次的成功。

而那些醫生莫不認為是奇蹟。他們聽到這消息時，無不口瞪目呆。

現在蓮達已經三歲了，她和父母住在格拉斯哥告羅福區市議會的樓宇。從她的情形看來，證明那些醫生的看法，委實錯誤了。

不過喜蓮說她以後不再生孩子了，雖然一名兒女是不足的，可是碍於健康，不敢再嘗試。一個不是已很足夠了嗎？然而，她很感謝醫生的精湛手術，和自己的信心，及家人的照料。

不過她認為在過去所給予她一項教訓，那就是無論怎樣，不要埋在哀傷，給哀傷屈服自己。當自己有了信心和決意之後，世上沒有一宗是不可能為的事，奇蹟往往會出現的。

瑞士兒童村巡禮

苑邨

不過，我發現孩子們（至少是在這個希臘家庭裏）並不太快樂，他們的臉上顯得那麼呆滯。我不知道他們在上課時是否如此。我覺得我們的入室參觀，眞等於是侵犯了孩子們生活的自由。我相信這會更使他們感到自己並沒有一個眞的家。參觀了希臘家庭，滿足了我的好奇心，却使我對孩子們產生了由衷的歉意。

經過的每一個家庭，大多是兩層樓房，門前有花圃，有為了懸掛本國國旗的旗桿。小村四面都是並不陡峭的山坡，那位小姐說，「冬天是兒童村最美麗最快樂的季節，孩子們可以在山坡上滑雪，每個家庭都有暖氣裝置，大人們可以憑窗賞雪景。」

兒童村新落成了幼兒園、中學部。她告訴我們兒童村的合唱團，曾經多次到瑞士各大城市去演出。她證實那吹簫的孩子所說的不錯，兒童村孩子每個人都必須學一種樂器的。

在小山頭，新落成的籃球場上，西藏的孩子們正由一位西藏的家庭媽媽領着玩球。他們是一九六一年初才到達兒童村，都還不能說好德國話。我請求准許我和孩子談幾句話，但是也許我的面孔太像在西藏的「解放軍」了，孩子們嚇跑了。

回路時，經過西藏的家庭，那位家庭父親正從家裏走出來，門前是藏文寫的家庭名稱，沒有人可以讀出來，這也是兒童村裏眞正的外國文。那附有鷄場、羊羣。據說兒童村的鷄場，一年可以供給四萬個鷄蛋，差不多可以自足了。

離開兒童村時，天又降雨。我不敢相信在今天的世界上，兒童村能起多大的作用，不過，我也很驕傲，那就是在兒童村宣傳資料上所引用中國先哲的名言，那是有道理的：

「燃起一支微弱的燭火，勝於對黑暗的詛咒。」（下）

音樂——以色列的統治工具

．安呈譯．

在這樣一個快樂的團體裏，居然有來自世界各地的心情憂鬱的難民們，居然有不久以前拒絕居住在一起的人們，這簡直是令人難以相信。顯然的，今晚上，音樂把他們融化在一起了。麥隆對我說：「在歌詠會中產生的善意，不至於在音樂結束之後就消失的。人們不會一星期裏有一個晚上在一起唱歌，其餘的時間彼此作對的。」

在隨後的幾個夜晚，我在許多別的小鎮市，在小村莊和集體農場鄉村裏，也目睹到同樣的情景。人們發現在一起歌唱，是如此强有力的，能使人團結的力量；因此，已有一百三十個居留區組織了歌詠團。按照目前政府計劃，到一九七〇年，至少有兩百個。這個計劃的主要主持者來自紐約的「美國以色列文化基金會」。

一九五三年，麥隆任命為「移民、少數民族及邊境居留地音樂計劃委員會」主任後，他設法在八個鎮市組織歌詠隊。但是許多民族團體拒絕與別的民族聯合在一起——譬如，受有教養的德國人與目不識丁的摩洛哥人，覺得他們之間毫無共同之點。那時，麥隆一次只能在一種民族中集合四、五個人來唱——幾個奧國人在一個村莊裏唱奧國民謠，幾個波蘭人在另一村落中唱波蘭小調。不過，那只是他工作的一個開端而已。

往往聽到了歌聲，就有一小羣好奇的聽衆繞在校舍的窗子外面，黑暗中諦聽着，時常有人側身走進屋子——準備一遇阻力，馬上溜走。但是音樂把他們迷住了。麥隆熱烈地歡迎每一個人。漸漸地，一種新的具有同好的感情產生了。

很奇怪，在一個長時期裏，最堅決反對這個計劃的愛好音樂的葉門人，一種驕傲的，聰明的，愛好藝術的人民，他們却担心太有教養的歐洲人，會恥笑他們的簡單的民間音樂。麥隆訪問了一位有學問的葉門老師，他答應教這位作曲家許多葉門的民歌。其中有的是十九世紀的天才作品，他們只會唱，不會寫。

這位老師一邊唱，麥隆一邊用鉛筆把它的音符寫下來。這些曲調大概還是第一次被人製譜，寫在紙上。數週後，麥隆在葉門人的一個村莊舉行了一次露天演唱會，他只唱葉門民歌。村人們大為驚奇，而且非常得意——他故意唱錯的地方，也引得他們發笑了。他們糾正了他的錯誤，教他如何正確地唱他們祖國調子。不久之後，他有了一個歌詠團。今日，在以色列各地，葉門人起勁地在十多個混合歌詠團裏唱歌，把他們的歌聲和着那些來自其他國家的歌聲。（十）

新三國

周棄子著

李福說：「公百年後，將琬可任大事。我此又回來者，請問蔣琬之後，何人可繼大事者？」諸葛亮說：「文偉可以繼之？」文偉費禕之字也。李福再問其後，諸葛亮已不能說話了。

諸葛亮逝於建興十二年八月，那一天史無明文。諸葛亮留有遺命，死後葬於定軍山，因山為墳，塚可容棺而已。斂以時服，不須器物殉葬。同時上了後主一道表章，這是在未死時草就的了。他的表章說：「成都有桑八百株，薄田四十五頃。子弟衣食自有餘饒，至於臣在外任，無別調度，隨身衣食，悉仰於官。不別治生，以長尺寸。若臣死之日，不使內有餘帛，外有贏財，以負陛下。」

諸葛亮說得上是「鞠躬盡瘁，死而後已」，一身清白。文治武功自有公論。他的言教書奏，都是可誦的作品。本傳附有「諸氏集」目錄，以及餘壽、荀勗和嶠等於晉泰始十年奏上表文。諸葛亮集共二十四篇，凡十萬四千一百一十二字。可惜早已散佚。今坊間所傳之『諸著武侯文集四卷』，附錄二卷，「諸葛故事」五卷，乃清人張澍所編，不是原作。有沔縣版本行世。

評論諸葛亮的言論，歷代史家沒有病言，多為讚語，只此一點，翻徧中國歷史，無有出其右者。在此仍以陳壽之論最為允當：「諸葛亮之為相國也，撫百姓，示儀軌，（法度規範也）約官職，（約，省而不濫也。）從權制，（權制，權宜處分）開誠心，布公道。盡忠益時者，雖讎必賞，雖親必罰。服罪輸情者，雖重必釋。游詞巧飾者，雖輕必戮。善無微而不賞，惡無纖而不貶。庶事精練，物理其本。循名責實，虛偽不齒。（齒，收錄也）終域於邦內，咸畏而愛之。刑政雖峻而無怨者，以其用心平而勸戒明也。謂識治之良才，管、蕭之亞匹矣。然連年動衆，未能成功，蓋應變將略非其所長歟？」

有人為了「連年動衆，未能成功，蓋應變將略非其所長歟」幾句評語，而大打筆墨官司者，都沒有抓住根底。以為魏延請兵冒險進，偪長安，諸葛亮不准，謂其無冒險權變兵略非其所長，皆非中肯之論。前有所及，蜀、吳二國不能克魏，非人力所能，實乃天命。蜀以「人和」，吳持地利，而能偏安數十年，實乃難能之事。諸葛亮六次北伐，無非以攻為守，吳亦莫不然。雖有復興漢室之志，其奈天命何？魏國勢大，遠非蜀、吳兩國所可企及。中原文化、人力物力，都不是蜀、吳兩國所可望其項背的。在當時情勢，只有魏國內部有變化，然亦只限於魏國朝廷政權的更迭，政權更迭，老百姓沒有多大痛癢。漢家的天下，到漢末已無令人滿意懷念的地方。張氏弟兄的「蒼天已死，黃天當立」的口號，乃是反映一般平民的意識。那時的老百姓已不如漢代盛世的擁戴。光武中興正是人民對漢家朝廷的懷念之表現。儘管曹氏篡漢，人民普徧沒有反對的表示。何況曹氏父子尚把政治搞得像一個樣子，曹氏的政權，遠非漢末諸帝所可企及。無論文治武功，都是後漢不可企及的。（一壹八）

昨年十月，故都「工人劇場」繼名伶麒麟童、言慧珠、李少春，遭匪「文化大革命」之後，馬連良、李和曾、袁世海等名伶，他被指責為「反革命份子」。不久，慧珠與少春不堪折磨而死。誰知今年春初，連良也以自殺聞！馬伶若死，胡堪哀惜！

憶前數年，梅蘭芳之死，連良曾填詞以弔，調寄「踏莎行」：上款稱：哭畹華兄！

今日個愁風淒雨瀟瀟！
縱草木無知，也號啕！
昨夜彷徨中庭思君好，
氣結聲咽苦良宵！
義兄聞道早，
穆桂英高舉帥旗飄，
紅娘老去枝未凋，
信有那絢爛新葩待爭嬌。

秋風淒雨，草木同悲，聲咽終宵。蓋此詞知連良苦悶欲吐之言。今不幸而自殺，引起世人感嘆！蓋棺論定，不免哀悼一番。

平劇續紛錄

哀馬連良！

桂良

連良為回教信徒，二十五年他偕黃桂秋、葉盛蘭、楊寶忠等抵南京公演，我和他們遊宴，都是在回教館南門外的馬祥興，內橋的金鈺興，除了看戲見面以外，白晝很難會見他。他那時開兩處旅館，還有一處烟窟，同吃晚飯或宵夜和郊遊卻是餘興了。

他是富連成連字輩的高材生，初演戲學賈洪林，所以白口吃重之戲，為他擅長。他出科後，仍在廣和樓排日演出。後來三科譚富英漸露頭角，他即離都南行。他那時正倒嗓，初到上海，未受觀眾重視，只唱「三戲白牡丹」一類戲，甚不得意，幾難立足，於是再南走福州、廈門，聊以混生活。京朝派名伶，南到閩省演唱，迄今祇馬一人。想見他開拓的勇氣。八閩士女對於平劇之感與趣，他未始非馬之遠來有以啟發也。

他於民十以後回故都，噪音漸復，勤於調練，開始排演本戲於「中和園」「慶樂園」等處。如：鴻門宴、硃砂井、棉山、四進士、一捧雪、借東風、蘇武牧羊、黑驢告狀等，皆全首全尾，故與叔岩戲路雖不同，卻因別出心裁，不落陳調窠臼而受觀眾歡迎。

亡友同文朱揆初（娑婆生）嘗談：連良的文武老生新本戲，是余叔岩不肯唱，言菊朋不會唱，高慶奎白口不及馬，而馬肯倚友編戲，祇可讓他。他自民十五年起，漸漸竄露頭角，及民十八年，國民革命軍完成北伐底定北平後，他便名噪一時。自彼年以後，南北交通既無阻，恒先報上海各大唱片公司之錄播馬派唱片者，某某公司民國十八年特請馬連良老板唱「廣太莊」之類。（一）

弔娑婆生

桂良

本欄長期作者娑婆生寫「國劇續紛續錄」，閱十數年，截至二月份止，至一百四十五期，其於梨園逸事，敘古論今，娓娓如數家珍，深得海內外讀者欣讚，方期皮黃劇藝藉先生生花妙筆，發揚光大，得慶中興。孰知先生竟於三月一日晨猝染心臟病溘然長逝！享年六十六歲，曷勝痛惜！

先生浙江嘉興人，年十五歲（民五），隨其尊翁入都，封翁因青年人必喜遊玩，則聽戲為正當娛樂，乃命君報名當時王君直所辦最著名票房「春陽友會」為會友，從孫化成（養農）習老生，與余叔岩程硯秋同在該會研習劇藝。民十七南返，即入銀行界，先在鎮江、揚州，後由九江往漢口。民廿任中央銀行武昌辦事處主任以迄抗戰之初。抗日之戰既起，先生攜繼室及二子益、謙與女兒菊貽（適潘震球今台省教育廳長）走湖南、江西、閩西各省，仍執故業。勝利後，攜眷入台灣，任台灣銀行放款科科長，洊升一等專員職。中間遣長次兩子赴美留學，皆已成名，有孫二人。

先生名肇祖，字揆初，號滌秋，筆名娑婆生聽梨等，為台北劇評界先進。生平因愛好平劇，對平劇藝術之鼓勵發揚，不遺餘力，其所撰劇評文字，十餘年來散見海內外報章雜誌，成為寶島平劇界發揚、維護之主力。宏撰「劇壇瑣話」，編伶界鬚生民初以後系統表，述譚派人物、憶汪孫，談劉賈汪王，推崇紅豆館主（溥侗），讚余（叔岩）。琳瑯滿目，美不勝收。各報連載文字，可謂無遠弗屆。君於業餘撰述之暇，且從事平劇各種活動之實際工作，如上海遷台之「雅歌集」及崑曲同期、票房等處定期聚會、事前之安排邀請，尋覓場地，籌備茶點，早到遲退，整理紀錄，莫不任勞任怨，忙前忙後，有時尚須斥私囊彌補虧損，其風義有足多也。

陳定山先生曾云：「揆初老友歲首春正來台中，婿女為之祝壽，余時方作雀戲，亟起讓之，君謂：『不必，特來給你拜年。』又說：『去年您七十整壽，為何不舉行？請約一日子，我們有很多朋友為你舉觴。』並約元宵節後去。數日前又得余信，約三八，尚未及復，而揆老已歸道山。噫！何其遽也！憶民四十一年票演蕭太后上朝，同商八蕃官，今已去其四[illegible]王泳庵（華報前社長）、陳鴻年、揆初也。而今存者四人：包緝庭、劉嘉猷、朱鵬[illegible]

閒堂大笑，不料雁行折翼，萬雨若星，執紼送君留僅四！百歲誰為壽？便今朝玉樓赴台，俯看塵世須彌，為問鶴駕長辭，酒徒如慧（口旁）、孤吟除我尚餘三！

定公再輓揆老：以敦厚作文章，梅花謝後，又弱一個。天胡不容仁者壽？寄閒情於月旦，菊部尊先，互推元老。生來信是戲中人。

集郵大王李東園，是孫派著名宿票，亦有輓揆老長聯云：公本達人，樂天知命，視世事如戲場，比菊壇若人生，真耶幻耶？無非黃粱一夢。遽聞仙逝，天奪吾友，不禁終夭深抱憾！死原是謎，古今一體，寄蜉蝣於天地、寓萬物於逆旅，禮也樂也，皆係大塊文章。妙筆奇葩，蓼莪歌廢，每思陟岵永啣悲！

東園再輓揆老以詩云：

祇為琴韻藏悲調，意馬心猿走斷橋；悽慘商聲旋律變，沉痛皆因失故交。自來知音世間少，忍碎綠綺鳳尾焦；傷哉曲高和亦寡，淒涼黃土滿蓬蒿！

筆者輓揆老聯曰：燕市相偕聽歌，啟我領悟孫派流風，慧質逸才，而今知音能有幾？海陬同時遵難，得公宏撰劇壇瑣話，名言讜論，永教後輩思無窮。

東園見鄙聯，低首沉思，若有所感，喟曰：「言之有物」，因續輓詩一章：

同聲輒相應，同氣則相求。同是避秦客，論交十六春。高山流水曲，動我竊聽朋（四十一年冬，初識於中華路小廣寨茶社）。中郎已逝去，有誰賞焦桐？伏櫪悲羸馬（自悲）伯樂難再逢！猿啼悲落雁，同賦斷腸吟。花木隨人老，涕泣淚沾襟。悵望人琴渺，能勿樑木悲？春風拂面友，知音有幾人？來此空枉費，情意付東流。英靈渺茫去，徒留土一坵！

娑婆生之喪於三月十二日在台北市立殯儀館開弔，租用該館最大之行誼廳。弔客約分三大類：（一）銀行界同事與友人。（二）北市伶票界：雅歌集，星期六票房，崑曲同期，二五票房，空軍國劇社，國劇欣賞委員會，教育部國劇社，及南港中研院票房等，約二百餘人。私立復興劇校師生，大鵬高材生嚴蘭靜、郭小莊等，伶人祇周金福一人。（三）教育界：副廳長以次，各中小學校長等，師專學生一隊，為弔唁教授潘夫人而來靈前行禮。娑婆生身後哀榮備至。

附圖：娑婆生今春與程派小名旦古愛蓮合影

李經方之受謗

夜闌

光緒二十一年乙未，中日馬關和議之役，李鴻章奉命為全權大臣，携其子經方偕行，世論對李氏父子多不諒，訾議者尤衆。經方，字伯行，鴻章長子，然嗣子也。其本身父名昭慶，鴻章之季弟。鴻章四十無子，乃以經方為嗣，後雖生子經述、經邁，經方仍為嗣子如初。鴻章開府北洋時，經方以舉人納貲為知府，分省補用，未之官，常侍鴻章於節署。鴻章既手戡髮捻諸難，功績威望震中外，舉凡清廷對外通商締約諸大端，鴻章以一身任其衝，而外人亦樂與交涉。經方耳濡目染，亦漸明所以折衝壇坫之術。又陰習英吉利語言文字，曾紀澤一見奇之，為言於鴻章，以竟其學。

據紀澤「使西日記」光緒四年壬寅九月十七日云：「至李相署，與李伯行一談。伯行聰慧絕人，從朱靜山習白狄克學英文英語，甫期年，已能通會，再加精進，必可涉覽西書新報之屬矣！西文條例雖極繁密，然於盡處，輕重分寸，不甚入細，故較華文為易。子弟口齒明亮者，盡課之暇，日令兼肄西文，三五年便可通曉。伯行志意專篤，手操鉛筆，口誦話規，孜孜不倦，初時甚自隱秘，惟余與吳摯甫知之。近日李相始有所聞，余勸相國因延師而教之，以成其志。」蓋紀澤實與獎他焉！

其後，經方於光緒十一年從劉瑞芬出使英、法、義、比諸國為參贊；十六年冬，拜出使日本大臣之命，居二年，丁母憂歸國。未幾，中日起衅，清海陸軍均敗績，鴻章遂為國人所集矢，且兼及經方，並舉而遲其惡詈。吳摯甫「李文忠公神道碑」銘詞有云：「有舌燒城，以國傾公」。經方亦不免衆口鑠金之勢焉！其間，清議之抨擊，尤為大觀。諸臣論劾，涉及經方者，如甲午八月，張仲炘彈：「經方以八百萬兩開銀行於倭，認倭王女為女，並定為兒婦。」九月，翰林三十五人聯名謂：「外間並有傳聞李鴻章有銀數百萬，寄存日本山茶煤礦公司，伊子又在日本各島開設洋行三所，以致李鴻章利令智昏，為倭皋，聞敗則喜，聞勝則憂。」十二月，安維峻劾謂：「李經方乃倭逆之婿，以張邦昌自命。」乙未四月，易順鼎謂：「李經方前充出使日本大臣，以己資數百萬供給倭人，購船備餉，其所納外婦，即倭王睦仁之甥女。其奸詐險毒，誠不減蔡京之有蔡攸，嚴嵩之有嚴世蕃。」其見惡於時如此。

迨馬關和約成，清廷命經方為割台使，似有意以窘之。經方以病辭，嚴旨斥其藉病推諉，倘因遲延貽誤，惟李經方是問，李鴻章亦不能辭其咎之語。乃不得不扶疾從事，交割既竣，鴻章父子均甚黯然。是年十二月，鴻章奉派使俄賀加冕，並往英法德美等國聘問，請以經方隨行，原奏謂其幼習西國語言文字，曾充駐英參贊，遊歷歐美各國，於風土人物，往來道里，均所熟諳。又所請旨：「馬關之役，勢處萬難，所有請旨遵行各事，實非李經方所能為力。局外不察，橫騰謗議，[illegible]洞鑒」云云，可見當時謗此議之可畏也。光緒三十四年，經方復充出使英國大臣，詔以其婿楊述祖為隨員，[illegible]中止。後使還，官至郵部侍郎。民國二十三年，歿於大連，年八十。

春風寨上桃源

綠窗

歲月匆匆，忽而又是一年的春天，而且春已過去大半了。先春姐，許久不見，我是多麼想念你，特別是在這春天。我不知道你是如何想法，在我，到香港已十七個寒暑，從來不曾覺得什麼時候是春天，什麼時候是秋天，除了颱風給我的可怕印象之外，春、秋、冬是無可劃分的。譬如現在吧，幾日陰雨，甚至一場驟雨，馬上就得穿冬大衣；連着出兩天太陽，冷飲品的生意就興隆起來，滿街的短袖旗袍，甚至短褲也上市了。此地所謂春天，就在這忽冬忽夏之間，悄悄無蹤，接着就是炎炎惱人的颱風了。

也許人們對於短暫的，不易捉摸的春光，更感覺可貴吧？幾個禮拜以後，花園可熱鬧啦！最近，杜鵑還在點綴這仲春吧？年年杏花比花多，想找個假期的日子，去清靜的欣賞一下，卻又不可得。其實我在此地還沒有見過櫻花呢！倒是青島齊魯大學的櫻花，使我久久不忘。提起櫻花，從前我在河南讀小學時，我那一班就叫「櫻級」，還有「桃」級、「杏級」等等，那時候我真不喜歡「櫻」字，因為筆劃多，太不好寫。而且我又沒見過櫻花。

我們總是有談不完的瑣碎往情。提起大峽山，我又想起從前我曾住過的，四川萬縣的一個山寨了。那是個寂靜純樸的好地方，只有幾百戶人家。還有寨主呢，寨上半數都是他的佃戶。後來抗日戰起，卻變成我們這些「下江人」的世外桃源了。寨內寨外都有梯田，竹籬茅舍，豆棚瓜架，整個寨子都被綠色籠罩着。繞着寨子還有好多桐樹。二月初春天最冷的時候，據說是凍桐子花天，桐花要經過嚴寒才得開的。等到枝枒開鑽出一個個杏黃色的小蓓蕾，開放美麗桐子花，春的序幕，才揭開來！

漸漸的草兒綠了，樹葉也抽出新芽；接着，漫山遍野的菜子花開得金黃耀眼，田隴間胡豆花和豌豆花也都盛開。（上）

內備警台報字第〇三一號內銷證

自由報

THE FREE NEWS

第七四四期

中華民國僑務委員會頒發
台教新字第三二三號登記證
中華郵政台字第一二八二號執照
登記爲第一類新聞紙類
（半週刊每星期三、六出版）
每份港幣壹角
台灣零售價新台幣貳元
社長：雷嘯岑
督印人：黃行寶
社址：香港銅鑼灣高士威道二十號四樓
20, CAUSEWAY RD 3RD FL.
HONG KONG
TEL. 771726　電報掛號：7191
承印者：大同印務公司
地址：香港北角和富道九六號
台灣分社
台北市西寧南路壹壹零號二樓
電話：三〇三四六
台郵撥儲金戶九二五二

美對亞政策現出轉變端倪

宋文明

一九六七年三月初，美駐東亞洲各地的使節，在菲律賓碧瑤，舉行了一次爲期四日的例行檢討會議。這一會議結束以後，主持這一會議的美主管遠東事務助理國務卿彭岱，會陸續訪問越南、印尼、馬來西亞、星加坡、緬甸、泰國及寮國等，與各國政府領袖舉行會商。彭岱這次訪問，與過去數次訪問的最大不同之點，便是上幾次的訪問，都是以美國的盟國及反共國家爲主，而這次訪問，則顯然是以中立國家爲主，並且首次前往雅加達一行。

彭岱這次訪問對象的轉移，除了表示美國對東南亞地區的中立國家開始予以更大的注意外，也還有更深一層的意義。這種意義我們可從下述這些報導中得知其梗概：

（一）在這次碧瑤會議中，它們除了檢討越戰、中國大陸及印尼等這數項重大情勢外，還特別重視區域合作的發展，并決定由美國協助這種區域合作。

（二）三月十七日彭岱在星加坡談話，聲明美國將聽任亞洲國家自行決定其對外關係及自身之間的區域合作。

（三）三月十八日彭岱又在仰光談話，聲明美國歡迎目前亞洲領袖倡導亞洲各國進一步合作的趨勢，并由亞洲國家自行決定其發展與合作程度。但他也特別指明：「目前的趨勢不是結盟，而是反應共同經濟及文化期望的合作。美國不計劃在亞洲締結任何新的聯盟」。

由上面這幾點簡單的摘錄，我們便可以看出，美國今日的亞洲政策，已有某種程度的改變，并趨向於更大的變化。尤其對於亞洲國家間的區域合作，中立主義，及亞洲國家的對外關係諸點，美國似已作了一項重要的變更。茲就這三者畧加剖析如下：

（一）在亞洲國家的區域合作方面，直至一九六六年初以前，美國除了維持它與亞洲國家間既有的雙邊和多邊協定以外，對其他一切區域組織運動，完全採取一種漠視與否定的態度。它既不認爲這種區域組織有何需要，亦不認爲這種區域組織能發生作用。可是自一九六六年初以後，美國却突然改變態度，轉而支持亞洲國家間的這種區域組織。由於美國改變態度，所以亞洲與太平洋國家才能召開一次部長會議，也才能組成「亞太理事會議」這一新興組織。日本能召開另一項東南亞部長會議，亦得力於此一形勢的變化。而這次碧瑤會議，又在這一方面更進了一步。它不僅對亞洲國家間的區域組織表示更大的支持，而且在不締結新的軍事協定這一基本條件之下，美國將聽任并鼓勵亞洲國家建立更多的區域組織，建立各種型式及各種程度的區域組織，換言之，美國早日對亞洲國家間的區域組織，已採取一種完全開放的態度，一視同仁，來者不拒。

（二）在對中立主義方面，自甘迺迪政府以來，美對東南亞中立主義的態度雖已趨於積極，希望能乘勢利導，逐漸使其合乎美國需要，但并不採取一個全面肯定的立場。可是這次彭岱訪問印尼、星、馬及緬甸各國，而與各國政府作密切諮商，并在這些地方相繼大談區域合作之道，足見美國已對這些國家的中立地位，不再存有任何的顧忌。其意義即是說，不論這些中立國家組成區域組織，或這些中立國家與其他反共國家結成的區域組織，亦都在美國贊成之列。

（三）在對亞洲國家的外交關係方面，過去美國都一直採取一個積極干與的態度，除非這些國家對外的行動能與美國保持一致的立場，或不違反美國的重大利益，否則，美國即要出面過問，阻止亞洲國家任意與共黨國家相接近。如美國過去一再勸說日本不要和大陸作太密切的貿易關係，便是一個最明顯的例證。但是，現在由於美國已改變了對亞洲國家區域組織的態度，改變了對中立國家的基本看法，所以也相繼改變了對亞洲國家外交關係的立場。在過去，美國堅決反對亞洲國家與共黨集團相接近，而現在則已對共黨國家的關係開放了大門。三月十七日彭岱在星馬發表這種談話的第二天，大馬總理拉曼便公開聲明，該國將與蘇俄商建外交關係。這表示在彭岱的訪吉隆坡之行中，它們已商談了這一問題，并已獲得了美國的贊同。就和馬來西亞這種情形一樣的，在澳洲宣布承認外蒙以前，據報紙所傳，直接有關方面并未事先獲得通知，但華盛頓則早已獲悉此事。足見這種種發展，與美國的態度，是有相當的關聯。

由於美國對亞洲區域組織、中立主義及亞洲國家的對外關係諸方面已改變了態度，所以我們也可更進一步預料，從今以後，美國不僅將積極支持亞太理事會及東南亞部長會議等這種種區域組織和運動，而且也可能支持擴大現有非泰馬之間的東南亞協會，以能包括所有東南亞國家。但在這種作法中，美國將不支持任何軍事性的結合。美國這一態度，似乎遠比過去的爲堅强。至於在亞洲國家的對外關係上，美國似已表明，若有其他亞洲國家嘗試與共黨接近，甚至企圖承認外蒙等等，美國亦將不加阻止。

美國這一轉變的到來，原因亦非一端。但其主要因素，不出如下三者：即（一）基於亞洲國家本身的經濟需要，如非律賓與美優惠商約於一九七〇年滿期後，它勢將在其他地區尋求市場，以解決問題。美國對此情形，已無法勉强維持。（二）印尼局勢的轉變，已消除了亞洲國家內部一分裂傾向及內顧之憂，所以美國已不再對中立主義懷有恐懼。（三）中國大陸內部的混亂，減低了亞洲國家外部壓力，并獲得了一個機會，足爲共同的長遠前途作打算。

所以美國對亞洲政策的這種初步轉變，亦含有積極與消極的兩種成份，全看各自運用，并不一定具有絕對的利害性。

「又有機會啦！」

「打破飯碗！」

今日與明日

毛共反對「升級」

經過短期沉寂之後，毛共的反劉少奇行動又告升級，最近幾日北平街頭又到處發現反劉少奇的大字報，還有示威行動，要求罷免劉少奇的職務，逮捕治罪。

對劉少奇的攻擊，以前僅限於其個人的行爲，如騙婚、遺棄、生活奢侈，用金褲帶圈，金鞋拔子，在被政府軍打得東奔西跑時，尚要副官每天找一隻老母鷄吃等。最近的攻擊却撇開這些私人的事情不談，着重在兩點，第一、抨擊劉少奇著「論共產黨員修養」一書是株大毒草，號召黨員不要再學習這本書，以免「越養越修」。本來劉少奇的著作除「論共產黨員修養」之外尚有「論黨」，「國際主義與民族主義」，過去皆列爲黨員必讀之物，後者是反狄托之作，當時史達林曾命令翻成俄文向東歐各國散發。劉少奇後來所以扶搖直上，越過周恩來、朱德之前而坐上第二把交椅，也就與他的理論家頭銜有關，因爲中共高級頭目中，就沒有其他的人對馬克思、列寧學說眞的看過一遍，自不敢下筆去闡揚馬列思想，只有劉少奇有此資格。毛林一派既然要打倒劉少奇，必須先把他的著作打倒，否則更不容易。

第二點指劉少奇與政府有關係，特別指出薄一波等人被拘捕在監獄時，是劉少奇命令他們向政府輸誠，簽署一項反共宣言，因此獲釋出獄。此項事件眞象如何，尚待確定，但是，即使全是眞實，也不見得就犯了毛共的規章，因爲在抗戰前後，毛共會向反正投誠黨徒號召「投降不是叛變，潛伏勝於作戰」，則劉少奇命令薄一波等人簽署反共宣言，也並無過失。此日抄這些舊賬，正見毛共想加劉少奇之罪，確實找不到不少口實。

彭真也升級

劉少奇的親密戰友彭眞自被逮捕後，許久未見發表有關他的消息，最近紅衛兵的戰報忽然又發表彭眞許多材料，直接稱之爲彭賊。中共高級頭目獲此稱號者，尙以彭眞爲第一人，行見反毛頭目個個都要被冠上「賊」的稱號。政府一貫稱諸共酋爲匪，而毛共却自承爲賊，其實匪還算高一級，作到賊更是下三濫了。

由公佈彭眞的材料來看，尤其是女護士揭露彭眞每晚娶按摩的事，可見共酋諸人生活之荒淫。此種生活尙不止彭眞一人，目前反毛份子私生活均被揭露出來，而親毛份子則隻字不提，可是任何人也都明白，大家生活水準相差總不會太遠，否則彭眞早就出事了，何待今天？（何如）

自由談

宇丹可以休矣

馬五先生

聯合國秘書長宇丹，在其新近所提和解越戰三步驟的建議雖爲美國及南越政府所接受，但却被北越共黨政權所一口拒絕之後，仍然不死心，且進一步的主張美國實行「單方面停戰」，以期帶來越南的和平。宇丹所根據的理由是：「在人類歷史上空前富强的美國，是能夠亦應該這樣做的」。

宇丹是在公然的拿難題給美國作。

且勿論美國將如何答覆他。亦且勿論宇丹要美國「單方面停戰」的前提是如何的似是而非，根本站不住脚。該研究的是：假定美國一如宇丹所希望的做了，是否就可以和解越戰？

打仗是雙方面的事。要不打，便亦得雙方都能手纔行。這是三尺童子亦了解的常識。現在的越戰，既不是美國和南越先動手打人，而是北越政權先之以在南越造亂，繼之更驅遣其正規軍進入南越，才造成今日兵連禍結的慘劇的。宇丹對此經過當然明白。況且，即以其所提和解三步驟的遭遇看，要繼續打下去的，并不是美國和南越政府，而是北越的共黨政權以及爲它撐腰的諸外國共產黨政權。它們那一方既然存心非打不可，就算美國和南越的武裝部隊都乖乖的聽宇丹的話，實行「單方面停戰」了，對方却繼續逞兇，又將怎樣能夠帶來和平？宇丹不亦說是「單方面停戰」的美國在遇到攻擊時可以還手嗎？如此，彼一攻擊，此一還手，還談什麼和解？怎能得到和解？宇丹能保證美國「單方面停戰」後，對方亦不再攻擊嗎？果能如此，那就接近於宇丹所提和解三步驟的第一步驟了；而宇丹那個提議是已被北越拒絕了的，其做不到，彰彰明甚。

然則，宇丹要美國「單方面停戰」，誠然是拿難題給美國作，若論其價值，乃是不值半文錢的。再者，北越又不但拒絕宇丹所提和解越戰三步驟，它們的宣傳喉舌，且把宇丹罵得狗血淋頭，說他是在勾結「美帝」騙和！僅爲爭取製造頭條新聞的野風頭而不惜給共產黨徒侮辱，唾面自甘，亦未免代價過高了吧？宇丹可以休矣！

桃縣驚人暴行案

縣民鄭天宏胆大妄為至極
糾衆衝入建設局毀物傷人

（本報記者黃鴻遇桃園航訊）桃園縣民鄭天宏糾衆數十人，集體衝向縣府建設局，毆傷縣府官員、警察、新聞記者十二人的「暴行」案，經警方捕獲疑兇鄭某等八人移送新竹地檢處偵辦，其中七人，立獲交保釋放。受害人身受重傷的商工日報記者劉洛文，向台灣高等法院檢察處，請求移轉管轄。一時轟動台灣社會。

鄭天宏為請求縣府建設局，核發他新建的「宏聲戲院」營業執照，縣府以該院建築用地的「土地糾紛」（該案本報於三月十五日已作報導）涉訟未了，依法暫時不能核發「營業執照」。鄭天宏認為：縣府留難他，即惱羞成怒，聲言要找陳長壽縣長「算賬」！竟於本（三）月廿日上午九時卅分，糾合男、女羣衆四十餘人，衝進縣府。當時適陳縣長因公外出，再轉往建設局，將該局重重包圍，鄭天宏乃糾合彪形大漢十餘人，衝向該局辦公室，以「瘋狂式」的行動，見物便毀，見人便打，連公用電話綫都被切斷，辦公室玻璃窗戶及玻璃板，搗得碎片滿地，公文紛飛，一時風聲鶴唳，猶如一個「慘烈」的戰場！被毆成重傷輕傷的縣府官員、警察及新聞記者，達十二人之多。台灣社會，糾衆行兇事件，雖在所難免，但鄭天宏等糾合男、女四十餘人，在光天化日之下，公然衝進地方的最高行政機關——桃園縣府行兇，並毆傷十餘人，實屬聳人聽聞，台灣各報，多以十欄（段）標題，作頭條新聞報導。

當日鄭天宏在建設局行兇時，曾區武陵派出所主管羅恕人率同警員趕到現場制壓，鄭天宏等恃人多勢衆，與警察對抗；及至大批警力增援時，始將行兇的鄭天宏（男，五四歲，住桃縣龜山鄉公西村復興路八十號），方杰、張景軻、耿玉和、葉福添、陳德雄及婦女陳李却、陳金蓮等八人捕獲。其他羣衆見勢紛紛逃散，正由警方追捕中。

被毆受傷名單：（一）重傷四人：劉洛文（商工日報記者）左腿折斷，左臂破傷，鼻樑破傷，左腰青腫，傷勢嚴重。並被搶去照相機、手錶、鋼筆等物。穆培義（警員），趙光山、林國俊（均縣府工友）。（二）輕傷八人：游進益（土木課長），王景源、楊錫麟、邱進川（均建設局技工），黃明域（縣府職員），李歲（安全室主任），高鵬飛（刑警副隊長），王俊夫（新生報記者）等。

縣警局長張周天，極為震怒，於當日下午四時，將鄭天宏等八人，依搶奪、傷害、毀損、殺人未遂、妨害公務、公然侮辱等六大罪嫌，移送新竹地檢處偵辦，其中除方杰一人被收押外，其他七人（包括疑兇主角鄭天宏）立獲交保候傳。鄭某並揚言：他們（指警察）有什麼了不得，還不是沒事嗎？這消息傳出後，一般人們都感到突然，搖頭不已。

被害人劉洛文（重傷）已向台灣高等法院檢察處提出申請：鄭天宏與新竹地檢處首席檢察官係同鄉，並且「關係密切」，應予廻避，請求移轉管轄，以期法律公平之處斷。同時縣府在廿一日的「公務會報」中，出席人員，感到人人自危，沒有保障，並一致請求陳長壽縣長，對該案妥為處理。陳縣長發表談話：縣府官員個人，對處理公務時，縱令發生錯誤或違法之處，縣民應依法提檢舉或控告，不能糾衆打人。他並說：縣民鄭天宏數十人，衝進縣府打人毀物這種暴行，自有法律公平的裁判，希望大家安心工作。

桃縣地方治安，一向良好。鄭天宏等數十人，在光天化日之下，公然集體衝進縣府毆人毀物，此一暴行，不但給桃縣治安紀錄塗上「污點」，也是台灣社會未聞的事情。民主與法治，是人民一致所應遵守的。

台中市議會拾錦

○台中市記者吳積平。

警察執行違警罰鍰，有獎金可領，而所領獎金往往有超過每月薪津所得者。警察為了獎金關係，「認眞」取締違警，有時達到了擾民的程度，不但嚴重損害了警察的聲譽，亦嚴重損害了警民之間的感情。台中市議會第六屆八次臨時聯合審查會中，有二位議員曾就此加以強烈抨擊，同時他們還擱置了市警察局違警收入的預算。市警察局長則列舉數字，說明了去年七月至十二月間，中市取締違警一萬零九百三十件，比其他四省轄市都少；每件平均罰鍰二十一元三角，亦遠較高雄市的三十七元五角為少。

違警罰法本來就屢經法界人士指為違憲，而獎金制度，更與立法意旨相背馳。有關官署不予修訂糾正，其故安在？

議會閉幕前，各議員均收到台中全市國民學校校長連名宴請帖子，大家認與本市教育捐開征事有關，且認各學校經費有限，不必亦不應如此浪費，而教育捐開征與否，亦非「請客」一番，可以決定的。部份校長事後表示：這是[illegible]聯誼。平日不燒香，臨時抱佛腳，一般看法，各校長如此「好客」，顯有幕後策劃人了。

台中市政府主計室卓主任，及該室許股長，平素對於預算審查，似嫌疏忽，對於省令似亦未加注意，在議會審查會中，因某項課業費被移作建設費，主計主任答復審查議員詢問為「不可以」。而許股長則答稱：「不得已」。矛盾立見，議員無不感到莫名其妙。

市政府土木課陳課長在市議會審查會中，為說明建設殯儀館預算編列事，一再以日語發言。與會議員認為政府官員在議會內，公然以外國語發言，不但失態，抑且有辱國體。紛予指摘。

預算審查會中，林副議長並非主席，但當審查議員發言時，林副議長每唸唸有詞，或作「不以為然」狀，或作「不屑」狀。致引起部份議員諸多不滿之情緒。

台灣省第六屆中上運動會，市府編列補助預算三萬元，全省舞蹈比賽會，亦補助一萬三千元，市議會均予通過。以寶貴的建設經費作不關痛癢之事，市民頗有微言。

台中市議會通過向外縣市在中市就讀學生徵收特別費，理由是：不讓外縣市學生分享本市教育經費。該議案經送市府辦理。但，該議案是否與現行法令有牴觸？議員諸公似未致慮及此。

五六年三月十七日寄。

台北市議會的反應

台北市議會三月十四日主審教育部門的審查會，特別就初中入學考試加考體育的問題，作專題討論。

專門學體育的女議員張四英認為體育測驗項目太多，體育老師們不一定全會，如何來教學生？她主張男生考體育，女生考舞蹈。

市議員荆鳳崗說：教育當局在今後一年中應一面著手準備，一面督促各校加強體育教學，到明年才實施。

陳鄭岐議員表示：加考體育，不可採用計分的方式。他主張在聯考錄取新生以後，再做體能測驗。

最後作成四點結論，送教育當局參考：

一、對初中聯考加考體育一科，用意至善。

二、本市多數國校，體育器材設備是否完備？場地是否敷用？師資有無此種技能？皆不無問題。

三、體能科測驗項目宜簡單，評分須客觀。

四、此項實施應延至五十七學年度辦理；如在五十六學年度實施，應以不計分為宜。（按：教育廳已宣布，今年為試辦，不計分。）

「初中入學、加考體育」面面觀

·張忠建·（三）

社會一斑與論反應

閻部長在立法院答覆立委楊寶琳「如何消滅惡性補習的質詢」，謂教育部將取三項措施，相信是參考多年來各方面的意見。但亦不無研究之處：

（一）國校「分科教育」以代「導師包辦」制，在台北各校已試行一年，效果良好。我們自應支持其繼續推廣。惟參加升學考試的科目，只有兩個：國語和算術，乃是熱門課程，因而其他各科如常識、體育、勞作等科，將無人過問。那末合法補習的用意，仍將是為了應付升學考試。

（二）規定國校學生在規定的課程之外，在校補習一小時，由教師指導並酌收費用，以消滅惡補；睽其用意，乃在把不合法的無限度惡補，變為一小時有限度的合法補習。所謂「酌收費用」一語，我們認為也有其限度：因為國校本是義務教育，「酌收費用」在理論上是講不通的。如果以學生人數為單位，每人收費三十元，一班學生六十人，即高達一千八百元，已遠超過其他軍公人員之薪給，實有聚斂之嫌，也違反了給與規定，是很不合理的。

（三）在升學考試中，除智能、體育外，還要考察他們平日的操行。

一般人談：「初中入學、加考體育」的構想，可沖淡惡補，又收到鍛鍊身體的目的，一舉兩得。只要學校不因為加了體育時間而延長惡補鍾點的辦法來彌補，這方法便可以推行，以後再逐漸改善。

現在「初中入學」考試已定自六月二十四日，只有三個月，距應屆畢業期只兩月有餘，此一社會注意的問題，如何發展？將拭目以觀之。（完）

「鳳陽花鼓」獲激賞

△國聯公司蒐影幕彩色古裝新片『鳳陽花鼓』，已經完成了配音和剪接工作，據看過這部影片的人說：該片成績很好，尤其是甄珍和鈕方雨的演出更是令人激賞。

甄珍在『鳳陽花鼓』一片中唱作俱佳，同時她的打花鼓尤予人以深刻難忘的印象。

鈕方雨在『鳳』片中飾羅靈男，以反串姿態出現，瀟灑不凡。

鈕方雨最近沒有新戲，但却在台北演出平劇，仍是非常忙碌。任何地方的勞軍晚會或團體集會餘興節目都希望有鈕方雨出現，義演一兩個節目。

甄珍和鈕方雨的私交很好，她們合演的『天之驕女』就搭配的很好。她們聽說『鳳陽花鼓』成績很好都非常高興。

『鳳』片的導演朱牧是一個肯苦幹的人，該片能有這樣的成績，朱牧所花費的心血是有代價的。

台灣影壇新聞輯要

李翰祥與「冷暖」

△李翰祥目前正在執導另一新片『冬暖』，他說：「我一定盡我的力，使這部影片有好的成績。」

『冬暖』的演員包括歸亞蕾、田野等人，都是會演戲而又苦幹的好演員。他們對於李翰祥的印象是：充滿了作事的精神，不絲不苟。

『冬暖』到目前為止已經拍了七千多呎的底片了，原則上已完成大約二分之一。該片大部份的戲，均在三峽拍攝實景，一兩日內，並將在台北中央市場拍攝大場面的菜市場實景。

『冬暖』是一部充滿了濃厚人情味的影片。

鈕方雨、李登惠携手客串

△國聯公司新近完成的影片『黑牛與白蛇』，有相當好的成績。

該片由林福地執導，江青、田野、金滔、孫越等主演，是根據楊念慈的小說改編，即將推出上映。

在這部片中，國聯公司多才多藝的兩位紅星：鈕方雨和李登惠客串了一場戲，兩人唱作俱佳，搭配得當，為該片增添了不少光彩。

鈕方雨不僅以反串戲走紅影壇，更是一位平劇名伶；李登惠則以演技著稱，對唱戲亦頗有造詣。她們兩人能携手客串，眞能令觀衆一飽眼福。

瀛海異聞錄

英國計劃興建空中監獄

·桑雅·

英國當局，正擬進行建造一座無法逃獄的監獄，以囚禁國內的最兇惡的罪犯；然而要怎樣才算是最高保密的監獄，有些人認為建一座島獄，最理想的地點是在蘇格蘭、威爾斯或是康和老等區對開的火域島嶼，這樣就可以解決英國當前最傷腦筋和最嚴重監獄牢固問題了。

其實，將一些罪惡滿盈的囚犯，監禁於島嶼的獄中，早已經不算是新穎的主意了。

像拿破崙，曾給囚於依爾伯島上，享受方面倒算奢侈；又如馬嘉里奧斯大主教，當塞浦魯斯恐怖份子進行恐怖的運動時，這位身為希臘領袖的主教，曾經恐怖佈子，囚禁於施西里斯島上。

然而，目前英國當局，正考慮以島嶼為監獄的計劃。可是過去曾有三個國家經已試用島嶼，而現在全部關閉不用了。這三個國家，就是法國，美國，和丹麥，它們經過考慮後，認為不能將男女囚犯，困禁於孤島上，這實在是不合人道。還有，這不單只是囚犯的問題，亦是負責看管囚犯的男女獄吏及獄員，他們像囚犯一樣的需在孤島中生活，所不同的，為彼此的身份問題而已。

法國原在南美法屬圭亞那的魔鬼島建有監獄。魔鬼島實在有三個島，其名誤改為「伊斯杜沙鹿」（健康島）。囚犯圖越獄的，不是死於森林和沼澤，或斷頭台，便是死於鯊魚出沒的水域。法國當局發現生活在島上的獄曹，和那些囚犯一樣漸漸變成像動物一樣。於一九四六年，在國人與論指責批評下，當局遂將這島獄關閉。

在一九三四年，美國把三藩市海灣的比里根斯海島，改為最牢固的監獄，成為世界惡跡昭彰的地方，這就是雅嘉杜拉斯監獄了。沒有一個逃獄的人，能夠生存的。過去這座監獄總計有廿三名囚犯越獄，十二名立刻被捕回，五名中槍斃命，一名沉溺而死，還有五名假定溺斃；因為由這島到內陸，需游泳一又四份之一哩的海域。

到一九六四年，羅拔甘廼迪成為美國總檢察官，便下令把雅嘉杜拉斯監獄予以封閉，主要的原因，就是維持這監獄的經費日增，可是骨子裏，感到雅嘉杜拉斯監獄成為最可惡的名字。

丹麥也有一個小島監獄名叫史博羅高，數以百萬計的遊客，前往哥本哈根的乘艇的航程中，也經過這個島獄的。但是這個島獄是男人禁地，因為這監獄囚的不是男犯，而全是女犯。

在丹麥，這女人之島，專因禁那些最頑劣的女犯。由於社會人士對這島的意見和觀念，使丹麥在不久之前將之放棄。從曾經興辦島獄的國家，先後放棄這種牢獄看，則英國是否會步它們的後塵，建造一座新的島獄？如果有這樣的計劃的話，必會引起與論的反對。

針對懲罰的改造措施的倖活同盟會，深信島獄會引致許多人們的困難，獄吏和囚犯的親友，於嚴寒的惡劣天氣下，他們很難往島上探視的了。在這種對島獄的興建計劃不表贊同的聲中，有人建議建造一座很好而又牢固的監獄，那就是向空發展。事實上，這項計劃，過去是沒有人嘗試過的。

目前雲斯高夫監獄，佔了倫敦廿六畝，這地盆最少值一千萬鎊，而實頓維理則佔地十畝。

現在那些監獄設計者已考慮向高空發展建一座監獄樓堡，這跟郵局的樓堡大廈差不多，矗立空際，高約三百呎，而地面所佔的地方不多。

一位考慮與建空中監獄的工程師表示，從最高度的保安的觀點看來，這個主意頗合乎需要，同時也可以靠近主要的城市。在空中監獄的基層各扇大門，可予以嚴密的守衛，和以電子控制。給關在這監獄裏的囚犯，有權獲得各種的方便。

現在空中監獄的圖則在草擬中，同時需用許多的專家，以便空中監獄，達到盡善盡美的階段。

音樂——以色列的統治工具

。安呈譯。

在林達機場附近的一個移民社區裏，我聽到一個歌詠團，裏面有來自二十四個國家的青年在歌唱。在尼夫阿福特地方，一個「老人之家」裏，我聽見來自十七國的歌手在合唱，他們的年齡平均在七十歲以上。在另一城市，我聽見有一百個來自二十餘國的兒童的合唱。七年之內，歌詠大會在以色列已變得如此普通，現在時常有地區性的「歌唱會」，來自十多個城市的歌唱隊在一起表演。還有全國性的比賽大會，唱得最好的團體可以得到獎品。

一天晚上，在滿月的光輝下，我觀看數百人在基利特右特廣場上集合，他們合唱了一首讚歌：

「我將讚美你，啊，我主，用我的真心真意；我將表現出你奇異的工作，我將快樂，因你而喜悅，我將歌唱讚美你的名，啊，你，最高的主！」

一會兒之後，他們又笑着唱麥隆的最受人歡迎的調子，「紫娜，紫娜」：「出來吧，姑娘們，來看那些阿兵哥。」「不要害怕呀——不要躲藏！」

我們根據一個最簡單的原則而行事：「音樂是人人能懂，人人都能享受的國際語言。」麥隆對我說：「它在精神上，在情緒上，把人民聯合在一起。我們正利用它為工具以形成一個和諧的國家」。（下，完）

創制立法的郵界學人 劉承漢先生

施有強

抗戰以前，交通界有衆所熟知的三老——王輔老（輔臣）、韋作老（以黻，作民）、章篤老（篤臣）。本年度退休的郵政總局副局長劉承漢先生，不單是郵界聞人，在交通部門中，亦有承老之稱；並非因他地位崇高，主要還在他對郵政事業立法創制的豐功偉績，以及他對人處事的誠懇公正，受人崇敬，由「口碑」也足見其人望了。

先生從小便聰穎好學。他父親是江蘇省東臺縣有名的儒醫，不幸與他母親俱都很早謝世，由兄嫂撫育成人。二十四歲畢業於金陵大學商科，以第一名考入上海郵政管理局，當時是Clerk相當於現今的高級郵務員。雖然已經學成業就，處身在十里洋場的花花世界，却從未徵逐聲色犬馬，公務餘暇，又在東吳大學讀比較法學。不久兄長又故世，一家沉重的担子，就由他獨力撑持，終又以最優異的成績，獲得法學士學位，不過却因家累，犧牲了庚款留英的深造機會，至今尚引為憾事。

先生法學的造詣，不僅表現在學術上，同時表現在實用上，成為郵政中樞交通部法規委員會負責草擬郵政法草案人選，經立法院審議通過，由國民政府於民國二十四年七月五日公布（但因當時郵政規程——現已改名郵政規則——尚未制訂，所以法案雖然已經公布，但實施不能不有所待；又由先生起擬郵政規則，呈奉行政院核定，由交通部於民國二十五年十一月三十日公布，郵政法方經國民政府明令自同年十一月一日起施行。」由此一段郵政立法史實，只有行政作用的基本法規，乃係由先生所一手訂定的。

我國郵政事業的創辦，雖然比較各先進國家要落後幾十年，但制度健全，基礎穩固，經營得法，服務週到，却一向飲譽於世界。說到制度基礎，最重要的要算人事法規，「徒法不能以自行」而成為具文，郵政事業之獲有盛譽，郵政人事制度之膾炙人口，先生之功實不可沒。他在擬訂基本法規之後，更受知於交通當局，調部派充人事處幫辦，主持制定郵政人事管理規則，於民國三十二年六月一日由交通部公布施行。全文計七十一條，附則共二百七十一條，舉凡考試、任用、派職、服務、調遣、資用、保證、退職、復用、薪俸、津貼、公費、加班、時薪、考績與特殊考績、升級加薪、獎懲、請假、各種旅費，以及養恤、福利等等，綱舉目張，全都有詳細規定。其中尤以考試用人，杜絕倖進；資歷與職分並面配合；考績分年與特殊，以資適應年資增俸與功過獎懲直接生效於年度薪級的升降；差旅費的嚴實報銷，不苛不濫；以及養恤、福利的週全合理。此外，更訂定甄審辦法，使無法再用考試來衡量工作經驗與領導能力的高員級以上人員的升遷，用無記名投票方式來取決，建立考評紀錄，高員級以上人員，要由前後任主管分別考評，作成紀錄，以避主觀好惡的偏差，公平正直，合情合理。這些都是郵政人事制度的精神所在，使從業人員心無旁騖，努力進取，後顧無憂，頑廉懦立，養成敬業樂業、以事業永業的心理，事業基礎賴以鞏固，也是由先生所造成的。先生在郵政，真可說是治法而兼治人，立法創制，奠基固本，對於國家事業的貢獻，不是一時一事，是可以垂諸久遠的。

三十八年，匪禍猖獗，京滬受到震動，領袖暫停視事，和戰大計未決，政府下令各機關禁止疏遷。先生為恐變起倉猝，郵政總局在國際郵政關係上，是負有履行公約權義的對象，萬一被匪劫持，政府將喪失郵政的國際立場，因與二三高級同仁密商，簽准組織西南郵務視導團，由先生率領駐廣州，為暗渡陳倉之策，未雨綢繆之計。果然郵政總局雖也被匪席捲了大陸，但視導團當即携印信與全部檔卷，恢復總局的體制，撤還到了臺灣，行使原有職權，履行國際權義。這一策劃舉措，纔保持住延續幾十年來的中華郵政正統。（上）

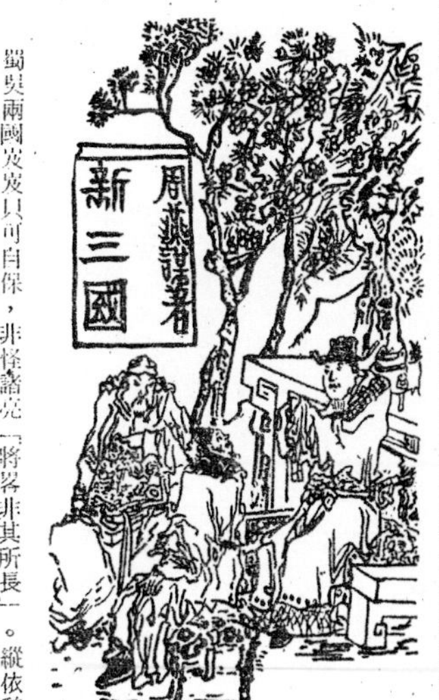

蜀吳兩國岌岌只可自保，非怪諸亮「將畧非其所長」。縱依魏延冒險一擊，充其量只局部性的一次勝仗而已。蜀漢如日方中，是在關羽未死，東有荊州之地，曹操已有遷都之議的時候。可惜的是龐統死的太早，把諸葛亮抽調入川，使得關羽孤立。關羽北向宛洛，則荊州空虛，為吳所乘。不然，吳國不取荊州，關羽北向宛洛，劉備出漢中，下長安，以鉗形攻勢進取洛陽。如孫權也在安徽北上合肥，則曹氏的天下就沒有了希望。此種形勢沒有構成。所以諸葛亮北伐之不得志，其勢使然也。

諸葛亮只活了五十四歲。他在太和二年以後，不斷北伐。太和二年，是入三國鼎立後的第九年，他死在建興十二年，即入三國後十五年。以後二十九年，是在蔣琬、費禕、姜維三人手中過去的。諸葛亮死了，不僅對於蜀漢是極大的損失，也使得三國此後的歷史暗然無光。他死之後，國際政治舞台上像樣的人物，只有司馬懿一人而已。然而司馬懿究竟算是反派角色，不能和諸亮同日而語，甚至比曹操更壞。後人論奸臣，都把曹操列為巨魁，其實司馬懿應當居首席。只怪寫三國史和著書的人，都為他迴護太多，三國演義却把曹操奸得過火。死後幸與不幸，豈可得而預知哉！

諸葛亮死了，問題也就多了。現在先說活司馬懿被死諸葛嚇退的一幕。

諸葛亮死後，楊儀已安排退軍的佈署，本來沒有發喪，但是保秘不夠，百姓們紛紛為之哀悼，互相傳播。司馬懿聞聽諸葛亮已死，便帶兵追趕，姜維勸楊儀反旗鳴鼓，突然出現諸葛亮羽扇綸巾的派頭，好似對司馬懿進攻的態勢。魏軍一見大驚，以為諸葛亮又在弄鬼，而且諸葛亮究竟死沒死，尚是個謎，在魏軍中有一種怕諸葛亮的風氣，司馬懿本人亦在數。司馬懿一見，不能不防，只好斂軍而退，不敢追擊。於是，蜀軍結陣而退。等到蜀軍入了山谷地帶，然後才正式發喪。

此時渭南一帶的百姓流傳着一種諺語：「死諸葛走生仲達」。有人將此事告知司馬懿，司馬懿說：「吾能料生，不能料死故也」。「蜀軍退了，司馬懿才帶兵進了一程，審視了諸葛亮的營壘處所，不禁歎道：「諸葛亮真天下奇才也」！結果趕了一程，見不到一個漢兵，才收兵回去。關於「死諸葛走生仲達」一事，演義有所本，非虛構也。

七八、議退軍楊儀定計　阻歸路魏延喪身

諸葛亮一死，蜀軍中就鬧出大問題，這是看過三國演義的人所熟知的事。羅貫中杜撰「魏延腦後有反骨」，諸葛亮死了他會造反。這是小說家之言，讀者不可信。魏延造反，這是三國史上一樁公案。事件之造成，乃由於魏延與楊儀二人不和，魏延也並未造反，祇是「主戰」；楊儀主和。第二因素是魏、楊二人相爭雄長所至，現在先介紹一下魏、楊二人的大概。（一壹九）

逵良之所以成功：（一）戲路淵博，腹笥極寬，生行的戲，幾乎十有八齣能排演；不過有專重唱工的戲，他以本錢不夠，儘力避免。（二）因學賈有成，故擅於道白，如演「審頭」「審潘」「四進士」「胭脂褶」等齣，均噴口蒼勁，斬釘截鐵，可算得嘴裏乾淨。（三）他善行腔，獨得仲字訣之變化：伸字訣，即哭頭放高，拉長腔調一拖，而以纖巧之聲調出之，繞梢時來一個頓挫。他以往素質不正，功夫不深，火候不純；乃近十年來，空氣中傳播，則頗醇厚而入蔗境，回味無窮。

尤其是連良以往，每演一劇，咬字有時不正，頗不中聽；學馬票友，却故意要學他的怪音，要知他是犯了大舌頭缺憾，何以會喜抱關？可謂風尚所趨。在民廿五以後，卅年前，故都學馬成風，而以「借東風」最為普遍，「勸千歲」與「鄗塢縣在馬上」……一兩段，尤為家弦戶誦，風靡一時。

平劇繽紛錄

哀馬連良！

桂良

連良為人，自員聰明，每次南下，自知不能獨挑大樑，必選邀精良的搭配，與名拳手。當他在中和園時期，旦角用王幼卿，淨角借重郝壽臣，故能享譽蒸蒸日上。小生葉盛蘭於富連成出科後，拜程繼仙門下，於是文武崑亂無所不能。馬既組織「扶風社」，便拉葉盛蘭為臂助，故「群英會」、「八大鎚」、「狀元譜」、「監酒令」（十老安劉）等戲，皆能合演得有聲有色，相得益彰。然他於民三十八年前後往香港布律底演出，演出的時日就很少；因為上海人到香港的不多，廣東人多數看不懂皮黃戲劇，逃難過境客誰有閒錢去欣賞？某次，他在星期日場，報演全本群英會帶借東風，僅僅賣出十八張票，只好由前台開柵請客，豈不慘哉？

連良雖然閱歷很深，跑的碼頭也多，在香港時，大戶人家有喜慶壽宴，他也送份子，親往道賀。在那種場合，偏有些不識相的來賓，故意找把京胡，先由幾位男女青年票友唱起來，目的是要主人挽他唱一段。果然，他便毫無難色地站起來，開口便唱幾句很精彩的快板或散板，唱完了，闔堂掌聲，賓主大樂。

其實他也有不肯屈服的個性，像他在抗戰之前，已受上海新光大戲院院主內慶榮之聘。內要他捧女票友華慧麟下海，引起他的反感。二十七年在故都向日偽公演元末抗暴劇「串龍珠」兩天，都是不肯向惡勢力低頭的表現。（二）

清明寒食介之推

漁翁

一年一度的清明節，又告來臨。清明前一日，曰「寒食」。據荊楚歲時記：「去冬節一百零五日，即有疾風暴雨，謂之寒食，禁火三日。」到現在雖不甚流行，而由於這一節令，是紀念高風亮節的義士介之推，所以仍為一般人所記憶。

這故事發生在二千五百九十餘年前，正是春秋時代，晉獻公聽信驪姬之讒言，譖太子申生及公子重耳。獻公大怒，殺太子申生，重耳聞風逃到蒲城。獻公發兵攻蒲城，重耳即逃至北方狄國，隨行者，有狐偃、趙衰、顛頡、魏武子、司空季子等；當時介之推雖為隨從之一，但地位較低，不能與上述五人並列。

重耳在流亡中，由北狄而衛國、齊國、曹國、宋國、楚國、秦國，一共有十九年之久。雖隨從者不少，而要以介之推為最忠誠者。在淪落之際，介之推割股以饋重耳，其始終扶持，至忠貫日月，義薄雲天，為最難能而可貴者。

迨重耳得秦楚兩國之相助，回返晉國，進寶座而為文公，論功行賞，而祿不及於介之推。之推雖不汲汲於富貴，眷於至虛榮，但已瞭解文公之為人，可與共患難，而不可與同安樂，乃寫「龍蛇歌」以明志，奉母偕隱綿山，即今山西沁源、靈石、介休三縣交界處，矢志不作出山想。

史記：「晉侯賞從亡者，介之推不言祿，祿亦不及。推從者憐之，乃懸書於宮門曰：『龍欲上天，五蛇為輔；龍已升雲，四蛇各入其宇，一蛇獨怨，終不見處』！」又據劉向新序載之推詩曰：「有龍矯矯，將失其所；有蛇從之，周流天下。龍入深淵，得其安所；有蛇從之，獨不得甘雨」。雖與史記不同，而幽怨之情，猶流露於字裏行間。

此歌聞於文公，一念及割肉之恩，不禁天良發現而求之。求之不得，竟下令縱火燒山，意在催其出谷。誰知之推誓不出山，遂抱木而死於火坑中，時在三月五日。文公哀之，令國人禁火三日，以資追悼。同時，將所抱之木，尚未燒枯者，製以為屐，每懷從亡之功，輒撫視其屐而歎曰：「悲乎足下！」辭見「東方朔瑣語」。

筆者，以文公求賢之方，應效文王訪賢，載太公於後車；即不然，如劉先主之三顧草廬，若再不出，士各有志，可聽其自由，又何必作此鹵莽之舉？「我不殺伯仁，伯仁為我而死」，文公難辭其咎焉。

再說之推既不言祿，何必作龍蛇歌以刺文公，使其難以為情，而必須求而得之為快！為之推者，應如嚴光之於光武，傾談一夜話，而歸隱綿山，使文公稍慨於懷，而不致迫切追求，庶落得身名俱泰。計不出此，而必以一死以彰文公之惡，亦可謂擇善固執之至！然而，孟子有言：「生，吾所欲也；義，亦吾所欲也，二者不可得兼，舍生取義」。之推之所為，殆亦義重於生也歟？故後人稱為義士。

鹿耳門今昔

。夜闌。

三百餘年前的台南，在赤崁（山頭，下同）樓（即荷蘭人所築的「普羅文」）以西，就是大海，帝亞城。由赤崁樓往北往南，海岸綫漸向外屈折，包成一個大海灣，灣口有一連串的島嶼屏障在外。由于這一緣故，灣中的水域，就形成一個寬約五公里，長逾二十公里的內港，我國史書上稱之為「台江」。

這一連串圍成台江水域的大小島嶼，最北的名為隙仔港，次為北綫尾，面積最大。北綫尾之南的一連串島嶼，由一鯤身至七鯤身，前後相聯，中間並無可供船隻出入的水道。由台灣海峽進入台江水域，在荷鄭時代，共有兩個出入口，在北面的是隙仔港與北綫尾之間的鹿耳門，在南面的則是北綫尾與一鯤身之間的「大港」。

荷蘭人竊台之初，鹿耳門港濶而水淺，而且底多硬沙，容易觸礁擱淺，所以船隻視為畏途。「大港」則水深可容大船出入。荷蘭人佔據台灣後，為了要控扼出入台江水域的航路，特地在一鯤身建築熱蘭遮城，城上架設大炮。外洋船隻如要經由大港進入台江水域，其必在城上炮台的監視之下。

防務是相當堅固的。荷蘭佔據台灣，前後卅八年。在卅八年當中，地理情況當然會有許多變化：鹿耳門水道之逐漸被海流淤深，便是變化之一。荷蘭人沒有注意到這一情況，而荷蘭通事何斌偏偏又把這事秘密地報告了鄭成功，於是鄭成功當初為了顧慮大港航路受炮台封鎖而不敢攻擊台灣，此時便敢於利用荷蘭人的防禦薄隙，於四月一日黎明時，到達鹿耳門港外，乘潮漲水深，將全部艦隊順利駛入台江水域，完全避免了熱蘭遮城炮台大炮的轟擊威脅。等到鄭成功的艦隊進入了台江水域，在安平的熱蘭遮城與隔海的赤崁城已被切斷連繫，鄭軍在赤崁城西北的禾寮港（今台南忠義路附近的大排水溝為其遺址）登陸，荷軍首尾不能兼顧，其海軍又被鄭成功的艦隊所敗，荷蘭人因此不能避免其失敗的命運。

荷鄭時代，台南的繁榮，完全得力於海口通航的便利，那時由台灣海峽進入台江水域的大海船，可以直駛赤崁城下卸貨。今台南赤崁樓西的民權路大井頭遺跡，乃是昔年的海船繫舟之處，劉家謀海音詩道：「舊跡空餘大井頭，敗蓬斷纜可曾留？滄桑變幻眞彈指，徒步同登赤崁樓。」

在荷蘭時代視為台江水域主要出入口的「大港」，自鄭成功驅走荷人之後，已逐漸趨於淤淺。康熙廿二年施琅平台水師戰船就必須由鹿耳門駛入台南。乾隆年間所修的台灣縣誌則說：「安平鎮大港，在台江西南赤崁城之西，紅毛時巨舟悉從此入泊於台江。自鄭成功由鹿耳門入台，後遂淤淺。今惟南路貿易之船，經此，巨舟不得入矣。」（上）

春風寨上桃源

綠窗

那淡紫色蝴蝶狀的花朵，眞是別有風韻！造物者對於一株非觀賞的平凡小植物，都用了如許的匠心呢。那些花兒滙成一片花海，在暖洋洋的陽光下，蒸出一種甜甜的香味，蜜蜂蝴蝶成羣的在花間飛來飛去。池塘裏水漲了，浣衣女也換上了單薄的春裝。她們跪在塘邊的青石板上，邊搗衣裳邊談笑，把紅紅綠綠的身影映在水面上，笑語蕩漾在充滿花香的空氣裏。

記得嗎？那時候是民國二十八年至三十年間，日本飛機轟炸四川可厲害，我母親為了怕我在市區受驚，一定讓我輟學在家。於是我又進了寨上惟一的學府——「江南補習學校」——你和你的甥女都是在那裏和我有過同窗之誼的。提起那所學校，想必也記得很清楚，同學們有二三十位，從初小到高三的都有。

那位校長、老師兼工友的徐士明先生，原是東吳出身的高材生，但因流浪他鄉，求職不易，就當起猢猻王來了。那學校校址叫「萊園」，是賀寨主的別墅，有小亭，有荷池，有古老茂盛的紫藤花架。冬天有高及屋簷的山茶樹、臘梅、紅梅、綠萼梅都盛放了，那種淡雅的景色和幽遠的香味，使我們如在仙境。春天，紫藤、海棠、杜鵑，迎春等等的花兒，更是開得如霞似錦，熱鬧極了。除了上課時間，我們總在園子裏，花樹下，談笑、唱歌、徘徊、沉思，編織我們少女時代綺麗的夢。

那時候我們也跑警報的。空襲警報響了，在漫山遍野的菜花和胡豆花的田間穿過，躲到中寨門和後寨門那些天然的岩洞裏時，那裏有一點兒怕意？只不過是隨着人們跑着好玩罷了。如果像城裏人那樣，天一亮，只要是晴天，就背着細軟，帶着乾糧往防空洞跑，我們是在天堂了。

所以我說在萊園上學和到外面躲警報，都是享福。一般的春天，兩般的況味，我對這些都十分喜愛。認為是生活的一種享受。你却說菜子花香得膩死喇，太陽又晒得頭發暈，而且每天上課就只有國、英、數，沒有音樂、美術、和體育等好玩的課程，坐冷板凳，煩都煩死了，何樂之有？然後，我們總是爭論不休。告訴你，直到現在，我對於「萊園之春」寨上那一段時光，還是極其懷念呢。

算算看，那已是二十多年前的舊事了！眞是往事不堪回首！從抗戰到大陸陷共，以至於來港，幾乎可以說我們生命上的春天，就在兵荒馬亂中，不知不覺的消失了。現在你我都是兒女成羣，或者可以說是「綠葉成陰子滿枝」的年紀吧。這些年來，我家的幾個學生（一高中兩初中一小學）向我說：「媽媽，我們快放春假了，老師說我們去沙田旅行。」那一個又說：「媽媽，老師說我們這次去大埔，要不要我去？」另一個也說：「我們班上去大嶼山，媽媽，買份好野餐給我，我要帶錢給你買紀念品，還要照相呢。」這些話使我感慨極了，恍如我弟妹向母親說的一樣。往事歷歷如昨，孩子們已這樣大了！先春，我不知道你是否和我一樣。先春，你拖着三個小傢伙，一天到晚，在家裏忙得團團轉；我呢，案牘勞形之餘，還兼着了燒飯理家的差事，生活也如上緊了弦的弓，說不定，像這樣長年緊張下去，會得精神分裂症的。現在我鄭重的請你，偷它個半日閒，去看花去！杜鵑還開得滿地紅，再不去就只有落紅了，難道說春天眞的已不屬於媽媽們了嗎？

借平時大家都忙，難得見面，遊遊春，找個山明水秀的所在，談談，吃吃，帶着你的三個小孩子，我帶着我的，和外子，我們三個人玩的也不算太多。我就準備吃的：牛肉、滷蛋、香腸、包子等，嘗嘗看，如今我做了十年廚娘，是否比當年高明，你只要帶着一顆愉快的心來就成。你有些什麼意見？先春，兒時遊伴，到目前能見到的還有幾人？我多高興你我能重聚，希望你立即給我回信。（下）

紐約道上往來

○志遠○

在大家都要逃命的時候，誰也不能作任何講究，也就不敢聲張；便連天天見面的熟人，在車裏打照面，祇當作不相識，彼此不敢交談，因為都怕牽累，誰也不知道將要發生什麼危險。這樣，大家祇得連人帶行李，都成了罐頭裏的沙丁魚，悶熱在裏面，僅有提心吊胆地希望早到天津。可是，每到一站，却停留半天，等候日軍通過。在沒有日軍守衛和監視下，有些胆大的人，從車窗進出，到站上去活動一下，但在過道中間的人們，却就如監禁般進退兩難。這時車中人，固不談飲食，便連大小便也不能解決；偏我在那時正鬧腹瀉，在毫無辦法下，祇得任其順流而下，甚至一而再，再而三，竟沒有人發現異味！可見當時的大家情緒，是除畏懼外，再也沒顧到別的。平時二小時的行車時刻，當時却費了十小時，直到下午五時才算平安抵達天津老龍頭車站。（四）

內備警台報字第〇二二一號內銷證

自由報
THE FREE NEWS
第七四五期
中華民國僑務委員會頒發
台教新字第三二三號登記證
中華郵政台字第一二八二號執照
登記爲第一類新聞紙類
（半週刊每星期三、六出版）
每份港幣壹角
台灣零售價新台幣貳元
社長：雷嘯岑
督印人：黃行審
社址：香港銅鑼灣高士威道二十號四樓
20, CAUSEWAY RD 3RD FL, HONG KONG
TEL. 771726　電報掛號：7191
承印者：大同印務公司
地址：香港北角和富道九六號
台灣分社
台北市西寧南路壹壹零號二樓
電話：三〇三四六
台郵撥儲金戶九二五二

越戰是什麼樣子的戰爭（上）

·祁倫·

越戰，是一場很奇特的戰爭，既不是西方電影中常見的方陣古戰，却又有時候出現那種面對面的打法；又不是傳統的陣地戰，却又有時候爲佔領一個基地或爭奪一個山頭而敵我分明地打得天翻地覆；也不是純軍事武力戰，因爲有時候雙方用口比用手多；更不是純游擊戰，因爲有時候越共來了却不打，打了却不走、走了却又回過頭來幹一陣！越戰，是這麼一場混合古今中外各種戰法的怪戰，是使用人類各時代以及未來戰場使用的最原始和最新型的武器的戰爭。照美國名軍事記者史坦貝克所說，越戰是一場使人難以明瞭的，混亂的摸索戰——沒有前後方，難分敵和友，到處有戰爭，隨時有拼殺。現在，筆者擬根據兵學知識，冷眼旁觀地試行分析越戰眞象——越共戰法特質。看看越戰到底是一種什麼樣子的戰爭，是如何困住了美越聯軍和卅八個援助南越的國家。

越共戰法特質

（一）越共在南越打的不是純軍事武力戰。

南越六十萬大軍，美軍超過五十一萬，其他各國聯軍也不下五萬人，對付僅有正規軍七萬人，政治作戰幹部五萬人，後勤支援隊一萬餘，民兵及游擊隊共十二萬人的越共，勝利應該是屬於具有絕對壓倒優勢的越美聯軍的，更何況聯軍又掌握海空絕對優勢！

但，越共在南越打的不是純軍事武力的陣地戰！他打的是一種新舊合一的、奇特的、以人民和情報爲主的「人民整體戰」；是一種隱藏自己、暴露敵人、四處滲透、全面戰鬥的「捕捉戰」。

對於具備上述特質的戰法，「老的情報戰作法，已經不足應付了。」美國「軍事評論」一九六六年八月號一篇題爲「越戰中的戰鬥情報業務」一文如此說：「由越共叛亂戰的初期階段起，越南政府軍一直是尋求越共基地的中心情報問題的所在、滲透路綫及方法、戰術思想、編制、裝備等。但直到現在，這項努力成效並不理想。」該文又說：「越共的行動，一直顯得神出鬼沒，近於神話傳奇。……」

因爲越美聯軍未能在情報上勝過越共，所以越戰在強大軍事壓力及巨額經濟建設支援中，依然未能出現開創式的新局面。

（二）越共在南越打的不是純游擊戰。

美國一九六六年六七月至一九六七年六月的越戰年度經費，超過兩百億美元。其中用於非直接軍事戰經費高達數十億美元，從事復興農村、革新政治、安定社會、嚴密組織、重賞懷柔、滲透佈建（打入越共內部分化離間）、經濟封鎖、推展心戰、組訓民衆、編練地方自衛武力、配合正規軍對戰略和戰術基地與交通綫的警戒措施、公共衛生、以及部署情報網、以游擊戰戰法機動地實施各項反游擊戰等作業，用以對付越共的滲透、顛覆、破壞、奇襲、奔竄、突擊、機動、恐怖、騷擾、以及對民衆的威脅，勝利應該是越美聯軍的！

但是，越共在南越打的不是純游擊戰。他打的乃是一九二八年八月國際共黨會議所作決議的「那種戰爭！」該決議是：「轉變帝國主義的戰爭爲國內戰爭，首先掀起羣衆革命，其次情況許可，共黨立刻利用機會將羣衆組成游擊部隊，發動國內戰爭。在戰爭進行之中遇有情況允許時，立刻組織民族革命的游擊部隊」。

共匪遵循這種戰法，竊據大陸後的次年（一九五〇年），即派遣所謂顧問指導越共。韓戰後，共匪並增派大批黨政軍幹部向越共推銷毛共「人民戰爭」的思想和戰法，也就是一九六六年美總統詹森宣佈的「爭取人民的戰爭」。

越共在以人民戰爭取人民的戰爭中，特別重視全民情報戰的運用和發揮其高度技術——不擇手段地運用一切新和舊的方法、運用一切新和舊的敵人、使用一切新和舊的工具、動員一切人力物力，不求速戰速決、但求有效收穫來贏取情報戰的勝利；以情報戰的優勢，支援軍事武力戰的劣勢，並圖轉變此劣勢爲均勢乃至優勢，藉長期戰鬥的全民戰爭以期達到其全盤的「民族革命解放」戰爭之最後勝利。

越共戰略戰法

從上述越共戰法特質之分析，可得出下列四項越共戰略指導要領——

（一）打破敵我平衡力量：越共和聯軍軍事力量無法對比，但其政治作戰幹部，却運用分化敵人軍民、破壞聯軍間團結、擴大南越政府與其盟國間矛盾，並在地形運用中竭全力以爭取局部優勢，利用平時的教育、訓練、演習、技能和戰備上爭取對敵鬥爭的主動，在戰場上運用快速行軍及隱蔽作戰（包括夜戰和近戰）積極地作局部性的突破敵我平衡，在精神士氣上爭取以鎰稱銖的有利態勢，在國際上爭取同情，並爭取敵方軍民的憐憫，以期全面的打破敵我平衡力量。

（二）改變敵我優劣形勢：越共的叛亂戰爭，在軍備和武裝力量方面居於劣勢，雖有俄毛北韓東德以及其他共黨的援助，但仍難扭轉與聯軍對比的劣勢，故必須從爭取民心士氣和各方輿情以及軍事局部優勢等方面，設法爭取均勢，再由均勢轉變爲優勢，以補軍事劣勢之不足。也就是說，越共知道他在火力上居劣勢，所以就在人力上爭優勢；在兵員數量上居劣勢，則在質量上爭優勢；在空間上居劣勢，則爭取時間上的優勢；在「國力」上居劣勢，則爭取國際輿情的優勢。……這樣，不但期以抵消自己的劣勢，並足以增長自己的優勢，進而利用這優勢，對準敵人最大弱點處，施以各項襲擊以及廓清作戰。

開始工作

「有人看得懂嗎？」

靜觀其變

今日與明日

劉少奇已完

最近毛共突然發動對劉少奇的攻擊，就目前情形來看，劉少奇之垮台已成定局。因爲過去毛幫對劉的攻擊雖然嚴厲，總還留一點餘地，而今則是一切都不顧忌，所能羅織到的罪狀，戴上的帽子全用上了，照這樣說法，劉少奇不特與政府當局有關係，甚至於美國、蘇俄也均有勾結，竟然集「國特」——美特、俄特於一身，世間有這樣身份的人，已夠滑稽，竟然能鑽進毛共內部坐上第二把交椅，試想毛共還成個什麼東西？素以組織嚴密的共產黨，竟會如此的鬆懈，假若世界上有人相信這種宣傳的話，這人一定不知道共產黨爲何物，否則不會有這樣怪人怪事出現。

毛爲何必欲打垮劉

毛酋何以定要打垮劉少奇，目前有許多傳說，例如說恐怕劉少奇篡位，恐怕劉少奇鞭屍。但是別人爬到劉少奇的地位同樣也可以篡位；至於鞭屍更無法預防。我們可以斷言，假若中共僞組織還有十年壽命，無論何人繼承毛酋皆一定會將毛酋鞭屍，即使江青眞的繼承也是如此。原因很簡單，大陸老百姓十幾年的怨氣若不讓其發洩，必然會變成火山爆發，後來渠魁，爲了保護自己何惜乎毛酋一付臭皮囊？赫魯曉夫鞭史達林之屍只是鞭其名，將來共酋若鞭毛酋之屍，可能似伍子胥鞭楚平王，眞的把毛酋從墓中翻出來焚骨揚灰，以平民憤。所以毛酋若以恐懼鞭屍而整肅劉少奇，亦是心勞日絀之事。

既然兩點都不是，毛酋此時要整劉少奇，基本原因恐怕還是一種忮心所使，終於演變成不可收拾之局。衆所周知，毛酋自一九五八年發動大躍進以來，無一事不徹底失敗，而無一件不是靠了劉少奇、鄧小平等人從後收拾始得轉危爲安。而毛酋的爲人向來記怨不記恩，對他有再大好處皆無用處，可是有睚眦之怨却非報不可。劉少奇、鄧小平竟然遮了他的風光，如何得了！這是劉少奇、鄧小平受打擊的主要原因。至於以後的演變，到了目前的地步，恐怕也非毛酋所能逆料。

同歸於盡

毛酋可以鬥倒劉少奇、鄧小平，但是決不能全部清除劉鄧手下的人，留得劉鄧職位，大部共幹還投鼠忌器，一旦將劉酋整肅，則手下人沒有了幻想，將來的反抗一定較目前更烈。毛酋對現局已無法控制，一旦發生大變，勢非全部崩潰不可。所以說毛酋的行爲，從頭到尾都是害人害己，最後將鑽在自己佈置的甕中活活燒死。

（何如）

自由談

教育上的怪事

台灣教育界的「惡性補習」風氣，早爲社會人士所詬病，輿論亦指摘不已，教育官吏更隨時聲明要嚴加查禁。可是，惡補之風盛行如常，一般學生的家長雖不以爲然，但爲着兒女免於失學之恐懼起見，祇好忍痛犧牲金錢，照樣讓兒女們從事「惡補」，甘飲毒粥。

如何消弭「惡補」怪象？朝野人士議論孔多，頭頭是道，實際盡係隔靴搔癢之談。人口逐年激增，而學校太少，無法容納所有的適齡兒童，每年皆有若干萬計的莘莘學子向隅而泣，即使小學生實行免試升學，還是不能解決問題。至於高中與大專之「人浮於學」，情形尤爲嚴重，固與惡補無關也。

國民有要求接受教育之權利，政府應該按照人口比例，廣庠序之教，有計畫的增設學校，同時獎勵私人興學，妥爲監督輔導，這樣纔是治本之策。光是查禁「惡補」，以及玩弄大專學生統一考試分發之類的把戲，乃係不得要領，治絲益棼的官樣文章，自欺欺人，徒滋紛擾而已。

台省人口增加率雖不是幾何式的進展，但毫無疑問地是異乎尋常的「激增」現象。政府限於財力，未能遍設官學，儘量容納應受教育的國民，即應宏獎民間私人興學以資救濟纔是。顧主管機關對於私人興學一事，不特不予便利，相反地多方挑剔留難，唯恐學校太多了，這是基於那種理由和事實而然的，實在莫名其妙。若謂防止濫開學店，藉以斂財，政府儘有糾察監管之法，在蕞爾島國之中，決無耳目不週之處。就算是開設學店，也比較坐視千千萬萬青年子弟失學的弊害爲輕吧？

更可怪的是限制私人興辦大專學校，世界各國從未聞有這種阻遏文教事業發展的奇怪措施，所爲何來，令人難以索解。學校與報紙皆不許私人創辦，然又提倡「復興中華文化」，這眞是「前面賣生薑，後面喊不辣」，抑何可哂耶！

人口問題若無妥當的對策，台省青年子弟失學的情形祇有日趨嚴重，一方面人滿爲患；一方面沒有受教育的機會，這後果如何，大家想想看，將來責任究竟誰屬？災害所及，何以自淑呢？怪事處處有，台灣特別多，夫是之謂「國難」！

馬五先生

桃縣欠水費案十三萬件 法院強制執行需時八年

新任水利會長許下賞格要求快馬加鞭

（本報桃園記者黃鴻過航訊）強制執行十三萬件，爲時需要八個年頭；「水龍王」「願助」「盤纏」，愈快愈好，執達吏辛勤工作，每案五元。這是一項「急性子」的法益要求，也有趣味。

桃園農田水利會，所屬灌溉系統和輸水設施，爲台灣全省二十餘農田水利單位之冠，並贏得國際人士（包括水利專家）來華訪問參觀該會時的交相稱許。尤以石門水庫（原係該會水源，時感水荒）建設完成後，長年水源充沛，渠道縱橫瀠濚，大有「誰把洞庭移到此，教人何處覓瀟湘」之概。該會灌區各農戶，歷年積欠水費：舊欠一千六百餘萬，新欠四百餘萬，合計新台幣兩千多萬元，約爲十三萬餘件的欠戶者。新任會長簡欣哲接事後，即着手清理水費的積欠，將這十三萬餘件的案子，一併移請新竹地方法院「強制執行」。依照規定：每日只能辦理五件，以十三萬餘件來執行，計算需要八年時間。簡會長心急了，認爲時間拖得太遠，特訪晤法院當局，商請把這十三萬餘件的積欠水費二千餘萬元案，能加速全部收回，就願於該欵中提出六十萬元，作爲執達人員旅費的補助。每件執行案，以五元計算。他並籲請欠戶合作，早日全數收回，謂對該會水利建設，極有幫助，且大家有益。

溜池三千口 請開墾種稻

△石門農田水利會灌溉區內，現有廢棄「溜池」三千一百七十九口，總面積爲三、一一五公頃，迄今未加利用。省議員業寒青等建議政府，發還業主開墾，以利水稻增產。

這些貯水溜池（即池塘），自石門水庫給水後，已無存在價値，都位於桃園西、南平原，闢爲稻田，利益甚大（每年均可兩熟）。省府主席黃杰，於五十四年四月二日巡視桃縣時指示：化溜池爲良田，變無用爲有用。經省水利局和該會勘測結果，這些溜池，尚需保留六六六口（面積一、八八二、五四公頃），予以擴建，俟其擴建工程完成後，其他廢棄溜池二、五一三口（面積一、二三二、四六公頃），始能發還業主開墾。因此，已拖延幾年，未能利用，甚爲可惜。省議會曾經通過：廢棄溜池發還業主開墾在案；桃園縣籍省議員業寒青、張富、許新枝等三人，特聯名向政府建議：力行增產報國，是政府的重要決策，該項廢棄溜池，不是價値的廢棄，而是利用的改變，應予加速處理，發還業主開墾。

上山下海（開發山地和海埔新生地），政府正在大量投資，謀求增產，這些廢棄溜池，記者曾實地參觀，都很平坦，如早日闢爲稻田，效益極大，主管機關，確應予迅加考慮。

衛生冠軍 原來如此

△萬物有開花結果的自然季節，女人有鬥艷的「時裝季節」，台灣環境衛生，也有「季節」。在年度競賽中，成績優良者，有金牌可拿，有獎狀可得。桃縣環境衛生紀錄，歷年列爲冠軍，現在也要向「髒」「亂」進軍了。連例行的「妓女」身體檢查，都有些無案可稽。

台灣各大城市，目前都在向「髒」「亂」進軍，有電視銀幕實況，有報章大字標題，足證環境衛生髒亂的嚴重。所謂：「環境衛生不前」，是全省各縣市一年一度的競賽，幾年來，保持桃縣「環境衛生」「王座」。省府改善環境衛生督導團，蒞臨桃縣督導了三天，事前各機關、團體，趕加夜班，把公廨的門、窗、戶、[illegible]

廊堆積木材，凌亂不堪。公廁不清潔。文昌中學飲食部，缺少防蠅設備。（四）其他鄉鎮環境衛生，多待改善。有這許多多的有待改善，在今年度的「環境衛生季節」競賽中，桃縣是否仍能穩拿「金牌」，猶在其次，但願進軍「髒亂戰」，千萬不能停止！否則督導團走了，大街小巷又髒又亂了，大家看到了不？

在南越的另一種戰爭

。本報特譯。

美國總統特別助理柯默先生，負責配合美國方面之努力，協助南越爭取「另一種戰爭」與建立繁榮的社會。柯氏最近著文，論述「另一種戰爭」的發展。全文如下：

越南共和國與現在的情形，在歷史上是少見的。這個國家同時在進行兩種戰爭。一種戰爭是全世界報紙每天報導的。「另一種戰爭」沒有那麼喧動聽聞，但對南越前途一樣重要，却沒有受到應有的重視。

「另一種戰爭」包括南越在內外敵人交侵、肆行恐怖活動與迫害的情形下，如何藉美國之助來建立一個現代社會的工作在內。這許多內外敵人企圖拖殺南越的農業和工業。他們企圖對社會和政府官吏，教師，醫生等爲社會進步而工作的一切人士作有系統的殺害，來破壞「另一種戰爭」的目的。去年一年，越共便暗殺了近千名的文官。「另一種戰爭」的重要也是如此。

加強南越經濟，代議政體的進展以及人民對政府增加信賴，都是遏止叛亂和侵略的有力武器。還有，美國認爲幫助建立一個自恃的國家，是美國部隊可以在敵人侵略停止時，迅速撤退的一種最強有力的保證。

「另一種戰爭」差不多影響到南越平民生活的各方面。它要滿足這個國家的衣食和其他重要進口的需要。它要遏制通貨膨脹。它又包括農業和工廠的現代化，改善公共行政和照顧難民在內。那是指發起一個大規模的公共衛生計劃，醫井，供給更多電力和建學校。

這許多事情都是重要的，每一件是一種基本概念的一部份。這是建立一個國家的概念，國家則要得到南越人民的效忠，使他們委身於一個能應他們的需要和合法訴苦的政府。

南越人民已逐漸信賴他們的政府了。例如，去年背棄越共組織響應政府「招撫」計劃的人數，已增至二萬零二百四十二人，一九六五年是一萬一千人左右。

去年南越另一件重要事情，表明人民相信民主方法，和他們深歡參加代議政體。去年九月百分八十以上的登記選民，在企圖破壞這次選舉的越共支持者所進行的威脅和恐怖運動下，還是紛紛前往投票處選舉一個制憲議會。

「招撫」計劃的日益奏效，以及民衆踴躍參加制憲議會選舉，是南越一九六六年中兩件最令人鼓舞的發展。去年還有一個時期南越政府採取大刀濶斧的措施遏制通貨膨脹，從而獲致較長期的經濟穩定。南越政府將其貨幣貶値的勇敢決定，以及和美國採取聯合行動增加資助商業進口貨，都對穩定經濟大有幫助。

南越是一個農業國家，所以增加糧食供應是「另一種戰爭」的最重要工作之一。越南和美國專家正盡力努力恢復農業生產，使這個國家可以重新成爲亞洲食米輸出重要國家之一。去年有一百五十萬畝（六十萬公頃）的穀物經過植物病蟲害防治。七萬八千畝（三萬一千公頃）獲得灌溉。

南越獲美國和其他三十餘國之助，在教育和公共衛生方面，即使在越戰中，也獲有巨大的進步。在一九六六年，建成了四千六百間新課室，訓練了四千名新教員，分散了八百萬冊教科書。幾個國家派出的志願醫療隊伍協同處理一千二百萬人的傳染病預防。這許多隊伍還治療了五十多萬越南人的各種疾病。

儘管迄今的成就會令人喜悅，但那些從事「另一種戰爭」的人都明白仍有許多工作要做。他們明白要打勝這場仗以建立一個更穩固，更健全，更好教育，更民主的國家，不是一蹴可幾的。

有個重要問題，也是「另一種戰爭」的重要目的之一，便是「綏靖問題」。這是使南越農村區域獲得和平與安全的艱鉅工作。沒有人以爲這項工作是輕而易舉的。好多年來越共部隊都是對百姓施以恐怖和威脅手段。所以效忠政府的鄉民，由於他們公開表示支持政府會有危險，不問可知，他們表示懷疑，是非常謹慎的。

可是今年已有五萬七千南越人受過「綏靖」或「革命發展」技術的特殊訓練。他們已編成五十九人一隊，回至他們的本省去恢復秩序，使農村回復正常生活。今年將訓練更多這種隊伍。

將來和平恢復，侵略威脅消失以後，那些從事「另一種戰爭」的人，將繼續工作下去，直至南越成爲一個眞正強大和繁榮的國家，能夠自立爲止。

寶島零縑

本報記者 王永亭

忙和亂

台灣這十幾年來，由於步向工業社會的途程上，造成一種混亂和忙碌的現象；由於「忙」，而呈現緊張的狀態；由於緊張，而呈現「亂」的狀態。那些人最忙？無可否認的，朝中的官員忙應酬，有開不完的會，有應付不暇的邀宴，有走不盡的拜訪。

其次是學生最忙，無論大中小學，學生都是忙的不亦苦乎！學生在「升學主義」情況下，一天忙到晚。功課繁重，競爭激烈。由是「惡補」成風，戕害學子身體。但任憑如何大聲疾呼，「學店」照常「惡補」不誤。蓋升學第一，管他身體不身體。父母願子女成龍成鳳，忙也不知不覺了，視爲應該與當然了。

再次，另有一種人也在忙。那就是一些生活無虞的悠閒階級，他們忙於遊山玩水，忙於「四人小組會議」，通宵達旦，忙此不疲。忙於今朝有酒今朝醉，且把台灣作南京，這又是一種忙法。

其次是「亂」。有人說「亂」是由於農業社會步向工業社會的現象。似乎言之成理。房子拆的在拆，建的在建；馬路鋪的在鋪，挖的在挖；道路改的在改。因此，交通之混亂，亂做一大片，亦可謂「亂七八糟」也。

更不可原諒的亂，是智識份子的亂。目前台灣有一種不良的風氣，凡是有恩怨的人，往往亂飛紅帽子，「紅帽子亂飛」，誤人爲「漢奸」，爲「匪諜」，智識文化界中，此風最爲熾烈。一文化人士，心眼之小，氣度之狹，實在令人難以置信。亂飛紅帽子的結果，是人人自危。在此時此地要翻老帳，許多政要大人先生的地位都得動搖。在此團結人心反共復國之聲中，這種「亂」的風氣，實在是給政府「幫了倒忙」！

臥薪嘗胆

有一階層人士，是「悠閑」份子，這類人士實在太閑了，他們盤踞顧問、參議、委員等等要津，臥領乾薪，既不簽到，更不用上班，到了月底，可以睡在家等「薪」來。這眞正是『臥薪』嘗胆的正解。臥而有薪，於是乎閑得無聊，甚至於終日沉浸在武俠小說的書本裏。「開卷有益」云乎哉！在台灣的確是一個非常可怪的社會現象，那就是一種太閒。忙與閒的結果，就是亂的成因。忙中出亂，閑了也是閑得無聊，於是乎便亂動心機，作無聊的勾當，亂子也就出來了。所以有人主張「治亂世，用重典」呢！

多多少少

台灣十幾年，有多有少。人口越來越多，澎漲得十分利害，一年要增加一個高雄市一般的人口之數。試問台灣能容納多少個高雄市？

台灣腳踏車之多，在亞洲可能奪得冠軍。近幾年來，摩托車也在漸漸增加之中。由於腳踏車、摩托車之激增，造成交通之紛亂，也是一大主因吧！

由於交通的發達，人口的增加，學生越來越多，多的不可開交。無論什麼學校，不愁沒有學生，所以學校有「學店」之雅號，名爲興學，其實是「興學爲致富之本」，也是名符其實呢！

學生多，學校少，於是「惡補」也多，老師賺錢也「多」，鈔票誰恐多？「多多益善」。

根據最近教育當局統計的報告，由於惡補之多，學童們的近視眼也越來越多。可就「多多不善」了。

其次是等而下之的多，那就是娼妓多。台灣娼妓之多，可以奪「世界杯之冠軍」。台灣每一個鄉村都有所謂「酒家」；酒家既多，娼妓也多。台北的風化區也多是更不用說，還有許多地下娼妓，地下旅館，應召女郎、阻街女郎、侍應生等等，眞是「多多不善」之尤！

遠海異聞談

巴黎的幽會時間發明家

·桑雅·

巴黎的街道交通壅塞狀況是世界上最壞的。而交通壅塞搗亂了巴黎人的偷情時間。巴黎的商人，再不能如以前那般，於下辦公後，先到情婦家去與她暢叙幽情，然後趕於七時半返抵家門，與妻子家人共進晚餐。警察雖然多方設法以解決交通壅塞問題，卻不成功。督察卡爾維特說：「情形愈來愈難控制。試想想，那些於下午七時離開情婦家的人的狼狽情形吧！一壁跑，一壁穿衣服，一壁跑到他的汽車去，為了要在七時半返抵家門；在路上爭先恐後，縱使不至發生意外事件，也要八時或以後才返抵家門。他的妻子可能不給予歡迎的一吻，或許用空罐子投擲他呢。」

但是，做丈夫的遇到了救星。一個名叫利奎特的卅三歲的出口代理商想出了解決辦法，而他的辦法逐漸的普遍採用了。利奎特的妻子希蓮精於烹飪，而且養了四個孩子。他們住在歐柏維里爾郊區。他也有一個外寓在市區，他通常於下午五時前離開辦公室，到黑市夫人范朗妮家去消磨兩小時，然後驅車返家與家人同吃晚餐。因為街道交通愈來愈擠迫，他回家的一段路程愈來愈長，使他的妻子希蓮等得焦急，初則埋怨，繼而責罵。一晚，因為車輛特別擠迫，利奎特返抵家時已近九時，希蓮沒有埋怨或責罵，却於丈夫開門時，把一隻小孩子尿盂向他迎頭擲去。他的頭皮破裂而流血，被送往醫院。

在醫院養傷期間，利奎特整日沉思，結果想出一個方法。交通擠迫狀態既無法改善，祇有把幽會時間改為下午二時至四時。這在范朗妮來說，沒有什麼不方便，而在利奎特來說，每天能夠及時返家吃飯，可以恢復他與妻子間的和平關係。這是利奎特提倡的下午二時至四時與情人幽會的新風俗，但他和其他的奉行者很快發現新的困難問題。最麻煩的是郵局的截止收信時間。巴黎的郵局每天下午四時截止收信，這使下午與情人幽會的商人們於四時趕返辦公室時，要匆忙的簽署信件，以便當天寄出。因為時間太過匆迫，有些信件時常趕不及當天寄出。利奎特覲訪郵政局長，把實情告訴他。郵政局長接納了利奎特的意見，把截止收信時間由下午四時改為七時。這項修改，大獲商人們歡迎。巴黎商人刻在進行籌備在歌劇院廣場設立一個利奎特銅像——他一手拿着一枝筆，另一手拿着一束玫瑰花，一隻腳踏着一個汽車輪，嘴角露出勝利的微笑。

幽會時間的更改，也引起了巴黎的家庭主婦們的一連串的反應。她們不特喜歡她們的丈夫現在依時返家吃晚飯，而且有機會可以有婚姻以外的事件。正如一個住在郊區的家庭主婦說：「幽會時間改為下午二時至四時，以及假髮，對現代生活有重要的貢獻。你於早上吻別離家到巴黎市區上班的丈夫，告訴他你打算去理髮；相反的，你留在家裏，祇打電話給理髮師來拿假髮去梳理。你於下午二時在家歡迎你的情人。當你丈夫回家的時候，理髮師已把你的假髮送回來了，你戴上假髮，丈夫沒有懷疑。這是多麼方便呢。」

法國女作家薩岡在她最近的一本小說中寫道，「在巴黎，沒有人再在晚上做愛；每一個人都太累了。」最近，薩岡訪問紐約市時談及下午二時至四時睡床時間，說「……這裏似乎還沒有這種風氣。」

非都路的太子餐廳為招徠顧客，凡光顧「大全餐」的，餐後，可到樓上睡房小息。因此，商業區和銀行區的其他餐廳，也步它的後塵，在樓上增設舒服的睡房。

外國三種浴室風光

歐陸式，丹麥式與二氧化碳式

嘉陵譯

許多人對於礦泉浴或是健康浴感到神往，同時認為這種沐浴，有着相當的益處和快感。然而真的有着快感嗎？這兒把一個男子所體驗這些所謂健康之浴的經過，詳細的介紹出來。

我（作者佐治．高連自稱）第一次的嘗試歐洲式的沐浴，是在盧森堡格蘭德治湯池，那真使我[illegible]不已。像我這個門外漢，尤其是這間浴室，沒有一個說着和我一樣的言語，全是混淆不清的體驗。

最初，我給帶進一間空洞宿舍式的房間裏，那兒有着二十張漆上白油的鐵床，那個侍役，不發一言，給我指着其中一張床，及沿着床緣牆上的一些鈎子，掛着許多衣服，我立刻領悟到是怎麼的一回事。

我穿了一雙粉紅色的紙質拖鞋，同時慢慢的把身上衣服脫個清光，以尋求進行沐浴的適當步驟。我隨着侍役，進入一間大而圓的大堂，那兒有二十來個赤條條的漢子，而且還有各種的湯池和浴缸。那個侍役也由於言語不通，無法向我表達指導的步驟。於是唯有自我照料。我在室裏漫步，向其他的沐浴者請教第一步的程序。他們都只顧幹着自己的步驟，因此，只有聳聳肩作回答。最後有一個給我指向一個房間，那裏的橫樑騰出蒸氣，我步入一個十呎丁方的房子，裏邊充滿冒汗的蒸氣。

室裏有四個男子，他們坐在木板椅上，每人喝着一瓶檸檬樣的東西。他們好像不大高興我，似乎不願讓我看到他們那龐大的腹部。我曉得他們也許說英語的，可是我不想向他們打聽。沒有一人告訴我作這種蒸氣沐浴，究竟需多少時候。可是我看到牆上的壁鐘，於十五分鐘後，我的鮮紅色的皮膚，滿是水珠（或是汗珠），向下而流。接着，我跟隨那四個胖子，走進一間寬大的房裏，那兒每個人都曉得怎樣做的，只有我完全陌生。

一會兒，一個瘦削的男子，發現我是個門外漢，便指着一個花灑給我看。我依着他的指導而為。當我站在花灑之下時，我發現一個男子，看來過去一定曾在軍部服務，但是他的腹部較胸膛為大，他跳進一個冰池裏（約華氏四十二度），約幾分鐘後才出來。他緊咬牙關，好像要把空氣嚙咬似的，然後作深呼吸，挺起胸膛的上下蹲着，接着把肩部盡量向後擴張，像要將胸部挺出腹部似的，可是無濟於事，他的身子笨重得很。

當我冲洗過身子之後，有兩名男子在一個十呎乘十五呎的浴池中鬆弛着。我繼續又作另一次的沖身，便躺在一張長椅上，等候給我按摩。我看見有兩個按摩員，他們曾替卅多名顧客按摩，包括肥瘦，年老和年輕的顧客。替我服務的按摩員是個體育的藝術家。他使我感到詫異的，他先拿了一碗暖水，傾進載着一種好像藥式的軟性肥皂的器皿中，着我躺在按摩枱上，而以那些肥皂水澆在我的身體上，才替我按摩。在按摩時我的肌肉，給抽搐和猛力擦着，然後用一軟刷，在皮膚上擦着，這時我才領悟到一頭馬在給刷子洗擦時的感覺。

我體驗了三項過程，第四項顯然是沐浴。我見過那個人屏着呼吸，從那個冰冷湯池鑽出來。我溜過這關。（上）

創制立法的郵界學人

劉承漢先生

施有強

先生係於民國十三年十一月一日入局的，服務郵政已超過四十年。除最初在上海郵區，抗戰期間曾一度出長甘寧青郵政管理局外，幾乎一生都在郵政總局中樞，操持大計，而所致力，只是幾項關係郵政基礎與傳統的犖犖大者，就在近一兩年，他將屆退休的年限，還時常以鞏固郵基，使郵政將來能正常發展為念，主持成立郵政博物館，着重在蒐集中外古今有關郵政的各方面資料，以便利研究發展；督導編訂郵政辭典，及整理郵政法規，尤其內部一般處理辦法，無論局級大小，員額多少，處理手續與程序必使趨於劃一，以利業務推展；編纂郵政戰地政務教材，籌訂郵政戰地政務實施計劃，以適應當前反攻與將來重建的需要。其他項細，不容細說。但是先生一生功業，不僅表現在郵政事業上，他在交通界而有「承老」的尊稱，也自有其可資崇敬，足以表述的地方。

先生除曾一度借調交通部充任人事處幫辦外，抗戰期間，又應當時交通部長的徵調，兼任交部參事，算來也已十有八年。兼任期間，先後又協助完成了民用航空法、鐵道法、公路法、電信法、海商法等法案；連同當初的郵政法，在交通行政法案上，可說「無法不有先生」。而十餘年來倡議國營事業採用「公法人組織」以達成企業化目的，雖然時機未到，恐怕不能在他任內樂觀厥成，但已引起朝野人士普遍的注意與研討。

先生並在公忙之餘，不廢筆耕，廿餘年前便曾建議編纂郵政叢書，他自己除一般講詞及零篇碎簡外，先後著有郵政法總論，郵政釋義，民用航空法論，交通行政法原理等書。近年更致力編撰一本海商法，預計將逾數十萬言，現已完成其半，將來書成問世，必然地要成為交通法上的一本煌煌巨著。在我國交通法著作方面，先生也算是一位多產作家了。先生的學術造詣，不僅國內聞名，國際太空法學會，我國先後當選為會員者有三人，而先生是箇中第一人。

先生的家庭，雍雍穆穆，可說是詩禮傳家。夫人畢業於上海大夏大學教育系，能詩，子媳、婿、女五人都留學美國，三個博士，一個碩士，一個準碩士。現在身邊的只有幼子一人，也已是準學士了。滿庭芳，一門秀，承老雖老，心事可了。此後優遊歲月，頤養天和，多福多壽，定可克享大年，康強逢吉。謹以此為先生祝。（下）

新三國

周[illegible]著

魏延是以「部曲」隨劉備入蜀的。（「部曲」，本為部隊的編制的名目。據漢書百官志說：大將軍營分為五部，部下有曲，曲下有屯。後漢末，有些驍梟兵士，永遠跟隨着大將，就變成不屬於國家建制的軍隊，如民初軍閥的部隊同一性質。所不同的，部曲有半奴隸性質。）魏延勇猛過人，兼有謀略。屢有戰功。尤其劉備最為賞識。因此，此人便矜驕自滿。此時諸葛亮一死，以地位，論能力，他都是冠於羣輩。同時他竭力主戰，謂不能因一人之死而廢國家大事，他說：「丞相雖死，吾尚見在。府親官屬便可將喪還葬，吾當自率諸軍擊賊。云何以一人死，而廢天下之事也！」而且，諸葛亮病危時，召楊儀費禕姜維等三人商定了秘密退軍之計。此次兵出北谷口，魏延本是先鋒，離諸葛亮大本營只十里。按照諸葛亮的計劃退兵，是很正確的。諸葛亮在世時也知道的是，他死之後，沒有人是司馬懿的對手；同時他更知道，蜀漢之連年動眾，祇是以攻為守。死後要撤軍自守，這是必然的國策。諸葛亮在生時，他知道魏延是主戰積極的，而魏延的地位也比眾人高，尤其知道魏矜驕，素與楊儀不和，有水火之勢。他死後魏延一定不會聽楊儀的。魏延是武人，楊是文官，武官靠打仗，愈打魏延的地位愈高，楊儀當然妒忌。但楊儀是順諸葛亮的意旨而行。魏延本非造反，目的在和楊儀鬥爭。諸葛亮病危未召魏延密商，也是顧慮魏延主戰，不肯退兵而然。若無此顧慮，諸葛亮一定會召魏延一同密商的。楊儀退軍，按照丞相的遺命佈署，是魏延斷後，姜維次之。按照軍隊行軍序列，進攻時，先鋒最要；退軍時，後隊改為前鋒，前鋒則改為後衛，這是行軍一般常識。但魏延因與楊儀不和，魏延說：「我是何人，楊儀算什麼東西，要我為他護軍殿後！」此時魏延便打算阻止楊儀退軍的行動。在此之前，魏延曾做了一個夢，夢他頭上生角，就將此夢情請教卜夢的官兒趙直，趙直詐稱：「夫麒麟有角而不用。此不戰而賊自破也。」退而告人說：「角之為字，刀下用也。頭上用刀，凶甚矣」。此事載於三國志魏延本傳，並非虛構。

楊儀等決定按預計佈署，恐魏延不服，派費禕前去問魏延的意見。費禕對魏延委蛇，魏延信以為真，同他商量，安排那些軍隊應該留下，某部應該護送棺柩退軍。魏延而且起草了一個軍令，請費禕連署。費禕說：「楊長史是文官，不懂軍事，相信他絕不會違反將軍的意思的。不如讓我先回去再和他商量一下」。費禕快馬加鞭離去。費禕走後，魏延就後悔不該放他去。派人追趕，可是已來不及了。魏延派人探聽虛實，楊儀等已整軍待發，打算是將魏延一枝留屯原地。魏延一聽大怒，便拔營先發，想先去阻止楊儀的「歸師」。楊儀大軍伐木開路，晝夜兼程，緊跟於魏延之後。魏延的兵到了南谷口，擋住了楊儀的歸路，魏延所過棧道完全燒毀，使楊儀等不得急行。而且到了南谷口，便派軍攻擊楊儀。後主問侍中董允，留府長史蔣琬：楊魏二人如何？可是蔣琬、董允二人同齊保證楊儀沒有問題，魏延則無人講話。於是後主疑魏延造反。楊儀命王平在前迎擊魏延。（一二〇）

平劇績紛錄

哀馬連良！

桂良

芮慶榮原係上海黑社會的新八股黨份子，是個詭計多端，心狠手辣的人物，和黑貓舞廳搗亂，曾於舞興正濃，黑暗裏放小蛇黃鱔於舞池中，斷了人家的財路。當時提起「火老鴉阿榮」，圈裏圈外的人對他都頭疼。他在甯波路創辦新光大戲院，為招徠觀衆，就派人從漢口約來馬連良的「扶風社」全班人馬，名為「重金禮聘」。當連良面交該社全體演員名單給慶榮，芮說：我是一禮全收，不過要請馬老板給我幫個忙。馬說：不知有何吩咐？芮說：我有個過房女兒華慧麟，她想下海，就請您給捧一場。連良雖然機警，因為出乎意料之外，一時推卻不得。連良回到旅館，越想越不對，更無半點辦法不接受芮的提議。既然推卻不了，便得照芮預定的計劃辦事，後台管事開來的大軸戲碼，都是：「打漁殺家」、「武家坡」、「龍鳳呈祥」、「汾河灣」、「四郎探母」等偏重生，旦對子戲的戲碼，看得連良作聲不得。在如此一來，把多年為他跨刀的黃桂秋便擱在一旁，還要每天和華慧麟先對詞、再合唱。他弄得一肚子蹩扭，無處發揮；雖然，他也常出入黃金榮、杜月笙之門，心中有蹩扭，早晚要發作，在一夕之間他擺了華慧麟，火老鴉却也作聲不得。這就看出他不甘屈服的精神了。

連良有一晚和華慧麟合演雙齣好戲「汾河灣」「法門寺」。二人先分飾薛仁貴和柳迎春。在戲中柳氏逃入窰洞時，唱西皮搖板：「急忙關上寒窰門」，仁貴接唱「賢妻休要膽怕驚」，「這是你丈夫轉回程」，柳氏唱的一聲唱流水板：「先前說是當軍人，如今又說夫回程，說得明來重相認，說得不明罪非輕」。仁貴聞明後，叫板：妻呀！西皮搖板：「家住絳州縣龍門」。接唱：段三條腿：「柳家村上招了親」，然後由柳氏接唱元板：「聽他言來喜不盡，果然是我夫轉回程，開窰門重相認」（白）薛郎我作手相迎介。連良這一段唱腔於是心長唱畢，兩句搖板後，即回到窰內，在連不在場中，她便唱三條腿，出了窰門相當手相迎，她如此無從唱板，作何作唱元板，把一戲中華慧麟一把抹，即相、那知激怒了前排看客，拿起磁茶壺茶盞杯早已飛上舞台，隨着怪聲叫好。二人也就無精打彩，將汾河灣草草演完。「法門寺」，連良的趙廉，慧麟的宋巧姣，劉連榮的劉瑾，馬富祿的賈貴，在「叩閽」一場，賈貴唸畢，巧姣所呈寃狀，待交給太監來唸，賈貴將狀紙付於他，搶進，趙廉一把：「訟為何告此難刁狀」出彩的機會，（到三了）。把老詞

大閨女坐轎

綠窗

「大閨女坐轎」，「頭一回」。這是一句歇後語，也是說明遇到任何一件事的第一次，都叫做「頭一回」。因為大閨女只要一坐上轎，那麼准是出嫁沒錯。在北方鄉間只有閨女出嫁，才能乘坐花轎，並且也只能一次；如果再醮，那就無此特權了。花轎出發時，前有執事，吹吹打打，後有女家親朋護送，那個熱鬧勁兒，也真夠新郎新娘神氣的了，勿怪古人把結婚叫做「小登科」。

大閨女出嫁前，母親先要教她學女紅，和做兒媳婦的規矩。嫁前一二天，女的便不敢多吃帶湯水的飲食，只吃些雞蛋和量少而營養多的東西，道是因為怕坐轎裏，和做新媳婦的那天，拉屎撒尿。試想一個大閨女頭一天到婆家，人生地不熟，便開口問人家屎尿，該多不好意思，不比時下新娘那麼不在乎。新媳婦由下轎到坐新房，一直得保持點矜持，不要說大聲說話了，就連個屁也不敢放。那麼新媳婦有屁怎麼辦？真有屁時，誰也擋不住了，但絕不能「通」的一聲讓它響着出來，有屁時總得拿捏一點，讓它零星的不要響聲的出來。因此有句歇後語叫「新媳婦放屁：零揪」。所以做新媳婦總然在心裏高興，但是這份罪也非受不可。坐在新房還不能左顧右盼，看看什麼新奇，或新房的佈置；如果這樣，准有人指指戳戳，說新媳婦不正經或不老實之類的壞話。

北方的女人都會作麵食，像包餃子、蒸饅頭、趕烙餅、烤火燒，尤其對趕麵條更是拿手。因為麵條有寬有細，有厚有薄，新媳婦當大閨女時，便得學會；學會了還要求精。打新媳婦那天起，有四天的清福，在第五天頭上，就要「試工」了。試工時的頭一炮就是「趕麵條」。如果頭一次的麵條做得好，那麼新媳婦這一炮就算放響了，以後公婆姑嫂，對她自會另眼相看。否則的話，便會遭到背後批評和白眼，炎情可就慘重了。

新媳婦新婚之夜，是無法睡覺的，一則是小兩口兒說不定還是「頭一回」見面，這一天中連話也不曾說過，那能就在一個床上睡覺呢！何況這一晚由「鬧洞房」結束起，一直到天亮，窗戶外面不管夏日炎炎或雪凍臘月，都有人不斷地在「聽房」，聽小兩口兒玩什麼花樣。新媳婦縱然有意思，也不敢放肆，總要堅守防綫。但還有最大的原因，就是新房內有一盞「長命燈」，長命燈是一夜都不能熄的，否則，便是不祥。燈裏點的是煤油還好，若果是花生油或棉子油，再用通草心或棉花搓成撚，那勢非要經常撥弄不可，甚至隔個三幾十分鐘或個把小時，便得撥弄一次。新媳婦要是因為打個盹而一睡不醒，長命燈若是熄了，那麼新媳婦才罪大惡極，公婆怨懟，旁人批評，嗣後家有不幸，新媳婦永遠脫不了關係，要倒一輩子霉呢！北方鄉間婚嫁，多在冬春農閒時候，平常結婚都要請個風水先生擇個好日子。但由祭灶臘月廿三日起，到舊曆除夕這七八天，都是「丁日丁卯，當時就好」的黃道吉日，那一天都可嫁娶，也免得請風水先生花錢。莊稼人處處節省吃，處處打算，穿不窮，因為「打算不到就受窮」呀！所以這個時候結婚的最多，出租花轎和吹鼓手的也最忙，同時這也正合了「有錢沒錢，娶個媳婦過年」的話頭。

新年前後結婚，在正月初五這天，新媳婦一定得在婆家。正月初五俗稱「破五」，「破五用了娘家的，不死公公就死婆婆」。所以新媳婦這天一「在婆家，算是「避嫌」，以免一不小心觸動娘家的「約」，遭到公婆的忌諱呀！

鹿耳門今昔

夜闌

話雖如此說，台南附近的漁舟仍因路近而取道安平大港，加以安平在清初是水師副將的駐紮地，人煙稠密，與台南的水上交通往來頻繁，所以「鹿耳春帆」與「安平晚渡」仍是早年的台南八景之一。加上「赤崁夕照」（山頭，下同）「夕照」與「鯤身集網」，其背景可說都不出當時的台江水域。

台南沿海的地理變化，除了大港之日漸淤淺之外，另一方面由於地殼上升及河流挾帶的泥沙沉澱，日積月累的結果，整個台江水域與鹿耳門水道都有逐漸淤淺的趨勢。康熙卅八年，杭州人郁永河到台灣中來探硫，所作「台灣竹枝詞」中有一首，描寫由台江水域乘船至台南的情況說：

「雪浪排空小艇橫，紅毛城勢獨崢嶸；渡頭更上牛車坐，日暮還過赤崁城」。

據原詩的註解，由於赤崁樓外水淺沙淤，大船須停於遠處，小船亦不能靠岸，必須用牛車接駁。這種情況可以想見台江水域中，因水淺而航行不便之情況一斑。由於此一原因，從鹿耳門進入台江水域的海船，便必須覓深水綫行船，以免觸沙擱淺。當時所用的辦法，是在可供大船出入的深水處，插立紅白相間的小旗指示航路，這種小旗俗名稱之為盪纓。乾隆時的巡台御史張湄有詩道：

「鐵板交橫鹿耳排，路穿沙綫幾紆迴；浪花堆裏雙纓在，更遣漁人嚮導來」。

由乾隆經嘉慶到道光，中間又經過七八十年的時間，台江水域的淤淺情形日見嚴重，由鹿耳門到台南的航運也愈來愈不便，終於到了道光三年的七月間，南部台灣發生大颱風，溪河暴漲，鹿耳門附近的曾文溪洪水泛濫，挾帶了大量泥沙填注在台江水域中。

這一片面積達一百平方里的台江水域，在洪水退卻之後，竟然已全部被泥沙填為平陸。道光四年三月，台灣總兵觀喜的奏疏中有這樣的話道：

「上年七月風雨，海沙驟漲，當時僅覺軍工廠一帶沙淤，廠中戰艦不能出入。乃十月以後，北自嘉義之曾文，南至郡城之小北門外四十餘里，東自洲仔尾海岸，西至鹿耳門內十五六里，瀰漫浩瀚之區，忽已水涸沙高，變為陸埔。」

台江水域變為陸地，台南的海岸綫因此立刻移伸到安平海外，卸貨用小船接駁。這是一個大轉變，台南自此失去海港的地位，其商業利益逐漸讓給北面的淡水，南面的高雄，光緒間來台的何澂曾有詩道：

「南旅北滬盡繁華，滄海桑田信不差。萬疊銀沙翻急湧，一條鐵綫鎖長沙。暗礁林立排龍骨，文港參差列犬牙。為問昔年天險處，盪纓無復舊了义。」

這詩說明了安平海外的海岸綫，因水淺礁多而致船隻畏險他往，乃是造成淡水與旗後（高雄）商業繁榮的原因。台南的地位因此一落千丈，而台江水域也成為歷史上的陳跡，而鹿耳門自然也不能留下水道遺跡了。

自道光三年到現在，荒漠的平原，久已成為田疇廣闊的人煙稠密之地，如何還能看得出鄭成功進兵台灣的蹤跡呢？鹿耳門在從前本沒有「運河」，鹿耳門水道「運河」一名，尤非昔日運河遺址。安平古堡（荷據時的熱蘭遮城）以南的億載金城，乃是光緒元年沈葆楨任欽差大臣時所築，與荷蘭人截然為二事。繼述如上，不敢說有所發明，不過是根據了史實來一次說明更正而已。（下）

法國小說家左拉之死

○紫雲○

法國自然派小說家左拉，不僅以其作品赤裸裸地暴露社會的生活，把社會的不平之事筆之成書，而且還付諸行動；轟動法國十二年之久的所謂「德雷富斯上尉的賣國奸賊寃獄案」，主角是當法國時參謀本部的軍官，據說他與德國駐法使館之間，有間諜買賣的行為，而予德雷富上尉以軍職判刑處分。其實這是眞正的間諜誣害他的，所以為了罪證的問題，鬧得法國人舉國惶亂；同時也激動了當時許多愛國志士的義憤，不顧任何危險，主張重審德案，以伸法國民族的正義。但此種言行，都遭惡勢力的打擊與壓迫而失敗。

一八九八年初，好抱不平的左拉，也忍不住心頭的積憤，就挺身而出，在巴黎「太陽報」上發表了：「我控訴！」一文。當時左拉在世界文壇的聲譽，正是巔峯的狀態，因為他的小說多被譯成各國文字，而且大受讀者歡迎。德案因他的呼籲，無異是對政府挑戰，因為他揭發了德案的陰謀、詐欺和贋造等勾當。他的控訴文一經刊出，竟使太陽報增印達三十萬份之多。

左拉由於對德案主持正義，的確吃上了官司，在幾經受審後，左拉不但沒有勝訴，反而科了一年監禁，罰鍰三千法郎。這樣一直到一九○六年，德案總算水落石出，但不幸的是左拉未及寃獄大白，而已於一九○二年在他的寢室裏中煤氣而窒息去世。

現在法國作家特羅耶（Henri Thoyat），對於左拉之死，認為其中不無可疑，究竟他是被謀殺或是慘遭不幸呢？

左拉死於一九○二年九月二十九日。這一天，當警察進入這位法國著名的作家的住宅時，他們發覺左拉在寢室的地上。原來是煤氣把他窒息了，因為煤氣爐的管子是堵塞了的。左拉的夫人躺在床上，得以獲救。

特羅耶的懷疑，是他最近在一次電視廣播中說的，他說左拉因憎恨德案，雖然無人能肯定是意外致死或被謀殺，但後者甚有可能。當然，現在要控訴兇手，無法搜集足夠的證據。不過另有一個證據，那就是現年八十五歲的美國人華林頓道遜，當時曾對左拉之死向許多報紙詳為報道。

道遜說，由於警察的光顧之後，那夜左拉沒有入睡，覺得房間裏有特異的氣味，就走到爐旁去。不久，他即倒在地上，因為爐邊的煤氣比空氣重，所以是最危險的，而左拉之死，只不過是一二分鐘的時間。當然，我相信這是不幸的事件，但我總覺得詫異，為什麼這個爐管是堵塞了的？也許這就是謀殺的佈置。

紐約道上往來

○志遠○

下車後，我們這一羣逃犯，仍不知道飢餓和痛苦，還有力量如衝鋒般跑到金剛橋上，在無法交驗通行證困難下，更若狂瀾巨浪，突過安南兵的阻攔，湧進法租界。現在想來，這與柏林和香港的難民，也有些相彷彿。這不絕的乘車回憶，使我不知不覺地已經到達了紐約外圍，新澤西州的紐寧車站，便是紐約對岸。頃刻間車已進入隧道，回憶已不能繼續下去，大家都在準備下車。車已在赫德遜河底前進，前進到曼漢頓島中心的賓雪佛尼亞的地下車站。

這次我赴紐約所乘的火車，因為天氣還涼，外面還下着小雨，車裏的空氣調節也還適宜。但在七月二十四日，因與紐約都城博物館洽商展覽會場等問題，也是乘着十一時的直達車，卻使我悶熱難當，脫下上衣，汗還在襯衣裏流。這使我不解，為什麼不把空氣調節整得適合些？因此，第二天從紐約回華盛頓，再也不敢領教，而改乘「灰獵狗」汽車了。（五）

內政部警台報字第〇三一號內銷證

自由報

THE FREE NEWS

第七四六期

中華民國僑務委員會頒發台僑新字第二三三號登記證
中華郵政台字第一二八二號執照登記爲第一類新聞紙類
（逢星期三、六出版每週刊半）
每份港幣壹角
台灣零售價新台幣元
社長：雷嘯岑
督印人：黃行寶
社址：香港銅鑼灣高士威道二十號四樓
20, CAUSEWAY RD 3RD FL HONG KONG
TEL. 771726　電報掛號：7191
承印者：大同印務公司
地址：香港北角和富道九六號
台灣分社
台北市西寧南路二號二樓
電話：三〇四六
台郵政劃撥儲金戶九二二

越戰是什麼樣子的戰爭（下）

・祁倫・

（三）轉移敵人的既定目標：在政治、外交、軍事等方面，轉移敵人的既定目標，導使進入錯誤方向，乃越共戰略上主要戰法及手段。例如政治上以所謂「越南南方民族解放陣綫」爲越共叛亂戰爭的決策和指揮機構；在外交上必須以該機構爲代表而不親自出面；在軍事上則全力避免在敵人預期的目標上決戰，並進一步以欺敵、誤敵，使敵人預定的目標，成爲一個空靶，甚至使之成爲一個又一個的絆腳石，相反地卻迫使敵人在其未能預期與不願戰鬥的區域作戰，俾誘敵投入陷穽之中。

（四）增加敵人內部矛盾：越共從來不放鬆爲敵人製造矛盾、運用敵人矛盾、擴大敵人矛盾使之惡化及更惡化，藉以削弱敵人力量，分裂敵人力量，消滅敵人力量，使能由以增加自己的力量。

以上四項越共戰略戰法，無一不以情報戰爲主！有迅速而正確的情報，才能知己知彼以打破敵我均勢；有迅速而正確的情報，才能了解敵我優劣態勢而改變不利於己之態勢；有迅速而正確的情報，才能獲知敵方既定目標，而後才能轉移敵人的既定目標；有迅速而正確的情報，才能了解敵情製造矛盾、擴大矛盾、運用其矛盾以削弱其戰力。所有上述情報，越共又以效法毛共情報戰故技爲主。

越共戰術戰法

分析越共戰術戰法，可由下述六項指導要領歸納之：

（一）政治戰爲主，軍事戰爲從：越共絕不打沒把握的武力戰；其軍事戰之前，必先進行政治戰，並俟政治戰積有相當成效而又爲政治目的所心需時，才從事軍事戰。

（二）政治戰與軍事戰的交互運用：在對敵政治戰中，採取聯絡次要敵人孤立主要敵人；在對敵軍事戰中，則打敗次要敵人削弱主要敵人。

（三）打消耗戰，避免大會戰：越共軍事戰術戰法，首重持久性的消耗戰，其戰法爲——

（1）顛覆：利用潛伏、隱蔽、滲透、擾亂、譁變、內潰、癱瘓，以動搖敵人組織，癱瘓敵人士氣

（2）打擊：俟顛覆戰具有成效，即聚集劣勢軍力，造成局部優勢，以主動、奇襲、猛攻、速決的戰法，打擊敵人；但並不攻佔陣地，且避免攻堅硬打和死拼。

（3）擴張：俟各處打擊具有成效，則擴大戰果，造成四面八方和敵前後的消耗戰，以打擊敵方士氣，擴大戰果。

（4）發展：選擇易守難攻的險要地形建立武裝基地，發展和組訓民衆强化基地之鞏固與安全，秘密地在機動中求生存，在戰鬥中求發展，並以爭取民衆爲主要任務。

（5）壯大：運用羣衆配合機動武力，乘敵分隔分離時，以襲擊、伏擊等手段，予以各個擊破；並以基地外的武力襲擊敵的側背與後勤設施，打破其圍攻，或以主力迅速進出敵後要域或兵力薄弱區域，積極破壞，迫敵撤退然後返救；並乘勝奇襲敵人；如狀況不利，則以一部與敵週旋，並破壞基地一切設施，主力適時分散，迅速轉進另一基地。

（6）配合正規戰打游擊戰：越共主力轉至另一基地後，並非意味被擊敗，而係以退爲進，並在情況需要時，立即配合正規戰從事游擊戰，因以永保戰場主動，因時因地因敵制宜、臨機應變地使敵在攻佔其基地後，既不能守，也難於動，然後俟機反撲以殲滅之。

以上六項越共戰術的戰法，說明其主要戰鬥原則在於主動、欺敵、靈活、奇襲性、以及計劃性，其對靜態敵方基地或營區，則取突擊方式；對動態敵方部隊或運輸車隊，則採伏擊方式，藉以伏擊手段達成突襲目的，以突襲行動達成伏擊目的。

越共情報戰作法

從越共戰略的戰法和戰術的戰法，可以分析越共情報戰的作法要領和技術優缺點是——

一、優點

（一）全面佈置：越共黨政軍三大情報系統中，均能由內面外遍及全面；尤以黨的情報組織，普遍深入至軍政和羣衆中，並滲透至中立團及敵方核心，建立廣大的情報網。

（二）指揮統一：越共師承毛共以黨領政、以政領軍，其情報[illegible]屬黨方，故能掌握運用各個情報，靈活運用各種組織，從事其必需的情報工作。

（三）控制嚴密：越共不論何種作戰，[illegible]以恐怖、屠殺、以及一切殘酷手段，嚴密控制。

（四）力量集中：[illegible]，不擇手段，集中一切人力、物力、財力，向所需之情報方面全力以赴。

（五）全面動員：越共一如毛共，凡黨員必爲情報員，凡足跡所到，即展開情報活動，視需要而予搜集、偵譯、偵探、竊取、收買、乃至武裝搶刼等以蒐集各類情報；或是佈置內應，巧爲挑撥離間及散佈謠言；或以假文件、假計劃等欺騙敵人；或以詐降打入敵方內部佈建敵後諜報網；或運用社會關係對敵進行策反等工作；或是長期隱伏，待機而動。

二、缺點

（一）組織鬆懈：越共情報組織雖採全面佈置和普遍深入，但因黨政軍三大系統的彼此矛盾尖銳，暗中鬥爭激烈，故基層組織不夠嚴密。

（二）人人自危：由於統一指揮，以黨領政，以政領軍，所以軍不滿意政，政不滿意黨，黨不滿意政和軍，彼此監視忌恨，使人人均在朝不保夕中討生活。

（三）反情報過嚴：互不信任，且隨時存有恐爲敵諜所陷，致所獲情報，不易適切運用，致常失時效。

（四）設備不夠：越共最缺蒐集情報的工具如電子偵竊系統、光學、化學等通信器材、圖片判讀、地形辨識、電子計算機等。

（五）人員素質差：越共黨員情報員，多爲出身農村的文盲，反應遲鈍，動作粗魯，言詞粗俗。

（下轉第二版）

亂路不通

合作純熟

今日與明日

施哈諾又出花樣

最近由於柬共黨游擊隊襲擊柬國警察站，打死柬國警察，引起柬埔寨人反共示威，於是那個小兒科的元首施哈諾也出來發表一篇演說，聲稱要同共黨攤牌。

施哈諾自認有一個「絕招」，就是中國人百年前的以夷制夷的辦法，過去强迫英美簽字承認柬埔寨的中立，若不承認即與中共結盟，並且指天誓日，賭咒發誓，限定英美承認的日期，過了這一天就去北平找毛共結盟。英美當局對這個「小兒科」實在無法接受，當時也就未予理會。在世界的人士都到了限期屆滿之時，都在注意施哈諾的行動，結果他自己又發表一篇聲明，說出雖然英美不肯保障其中立，但也不準備與中共結盟，於是一場鬧劇，未開幕就散場了。

這次施哈諾要反共，居然反其道而施之，聲言如果共黨再侵擾柬國，也將考慮請求外國援助。此一外國是誰？施哈諾未說，但可斷定不是施哈諾的宗主國法國，因爲法國與毛共目前是友非敵，以法國去嚇唬毛共，當然無效，所指的外國，顯然是美國，於是西方報紙又傳出施哈諾要轉向了。

不可對此人存希望

施哈諾這篇談話發表沒有三天，又發表一次談話，聲明絕不會因共黨侵略而與美國和解，於是又使對施哈諾抱有希望的人，頭上澆了一盆冷水。

對施哈諾這個人，任何人都不可存有絲毫希望，此點毛幫似乎比西方國家認識的清楚些。中國有句俗話「對症下藥」，外交方面也是如此，想拉攏某一國家當權者，總要了解他的嗜好才易下手，施哈諾的嗜好是愛出風頭，什麼國家大計，人民生活都沒有出風頭重要，假若隔了三個月世界報紙上看不見他的名字，大概他就如芒刺在背，一定要想辦法使報紙上刊出他的名字。過去從反美用功夫，如責罵美國，親近毛共，進一步拒絕接受美大使國書，與美國斷絕關係，命令駐聯國代表團不得擔任聯合國任何會議的委員及一切職務（但是又不退出）。這一類把戲鬧完了，反美方面再也玩不出花招，於是又作態來一次反共，用意就在於要報紙發新聞。達到此項目的之後，恐怕毛共據此開罪，於是又來一個大轉變，聲明絕不投靠美國。實際上施哈諾今日真的要投靠美國，美國當局都不能不仔細考慮，恐怕過了幾月他風頭出盡，又拿美國來作文章。這種人居然當政十幾年，雖然柬埔寨是個小國小邦，但也足見人才太少了。

（何如）

自由談

小題大作

馬五先生

史達林的女兒史薇拉娜，從印度走到瑞士，表示暫不返蘇俄去。西方國家！——特別是美國——的輿論界頗爲震驚，美國方面且透露史女有意向美國要求政治庇護，然華府當局害怕因此開罪俄共們，未便允許，只聲明將來可讓她入境旅行，小心翼翼，可謂至矣！

處在共黨暴政之下的人，不堪壓迫而乘機投奔自由地區，乃是人性之自然歸趨。自從蘇俄與東歐各個共產政權成立，直至毛共竊據中國大陸以來，這類投奔自由世界的人以千累萬，不計其數，東德每天都有逃入西德者，蘇俄曾有若干軍政界的重要幹部逃到英美，而英美亦有些外交官吏潛赴蘇俄，甘作共黨順民的，這類事情，業已見怪不怪了。美國如果接納史女的政治庇護要求，亦未見得就會激怒俄共，觸發核子大戰吧？爲着不可必的政治利益，而犧牲維護人類自由生活的傳統精神，何苦乃爾！

談到個人投奔自由對共產政權的政治影響，實在[illegible]，否則東德的共產政權早就應該崩潰了。共黨以人類爲芻狗，使用摧毀人性的殘暴方法來統治人民，光是少數人逃出鐵幕，共黨並不在乎的。當年匈牙利全國人民掀起反共運動，而實行集體戰鬥，同時呼籲美國予以聲援，而華府當局漠然無動於衷，讓俄共的大軍從容鎮壓，血洗匈牙利後，美總統艾森豪說了幾句歡迎匈人到美國避難的廢話。這次史女縱然公開取得美國的政治庇護，俄共亦將「當作無事一」，華府當局之瞻前顧慮，實在是多餘的。

共黨是專靠暴力以維持生存的野蠻集團，它除卻向實力低頭之外，一切法律、條約和協定，盡係廢紙而已。至於別人的批評、指摘或嘲笑，更屬無所容心。所以，史薇拉娜是否真的脫離共產祖國，要求自由生活，並非甚麼了不起的重大問題，美國輿論界基於維護人類自由的傳統精神，贊成政府對史女實行政治庇護，固屬應有之義，白宮官員唯恐因此而妨害美俄邦交，那就不免小題大作之嫌了。

今後幾個月內越戰將更激烈

——紐約通訊——

　　僅在兩年多以前，美國並沒有派遣一兵一卒駐在南越。當時駐在這個印支半島國家裏面的只是美國的軍事顧問；他們的工作，並不是在戰場上和越共游擊隊打仗，而是斯文有禮地訓練南越的政府部隊怎樣對付共黨部隊，同時靜靜地支付一切戰費。

　　然而時至今日，這場越南戰事已經迅速地「升級」而差不多變成美軍對共黨部隊的武裝衝突。兩年多以前，美國沒有一個正式的戰鬥兵駐南越，而現在，被派遣到這個印支半島國家進行越來越激烈戰鬥任務的美國地面部隊，已經增至四十一萬八千人。另一方面，平均每個星期有一百七十五具美軍屍體被空運回國安葬。至於戰費，每天大約是六百萬美元。然而頗富諷刺色彩的地方是：對美軍來說，這場越戰正有增無已的「升級」，然而對西貢政府陸軍來說，卻是繼續不斷的「降級」。為什麼？為的是在一九六六年裏面，南越的正規部隊在作戰方面表現毫無鬥志的態度，因而美國及南越雙方的軍事當局決定讓他們專責綏靖的工作，至於實際的搜索，出擊，及殲敵等戰鬥活動，則絕對大部份地落在美軍的身上。他們於兩年多以前訓練南越政府軍去扮演的角色，現在多由自己去担當。

　　在美軍沒有担當實際的及全部的戰鬥任務之前，華盛頓當局曾經滿懷希望地以為在美軍事顧問的協助下，同時憑着優越的美國武器裝備，西貢政府部隊便可以擊敗越共游擊隊。到了一九六五年初的時候，二萬三千名美軍被派遣到南越去。他們負責駕駛載運西貢政府部隊前往作戰的直昇機及運輸機，處理後勤補給的工作，同時在掃蕩越共游擊隊的戰事中出任軍事顧問。

　　在過去，美國軍事顧問曾經推行如下的一項計劃：說服南越政府軍進行反游擊活動。這些軍事顧問將南越部隊分成若干小隊，叫他們在晚上作戰及出擊，同時向越共游擊隊聚居及經常出沒的地區進行小隊的殲滅戰。美軍事顧問這項計劃的目的，就是將南越部隊訓練成越共游擊隊一樣神出鬼沒的人物，從而達成消滅後者的目的。

　　然而由於南越部隊表現不佳之故，因此，令駐當地的美國軍事人員受到初期的傷亡。時至今日，沒有人再提及該項計劃了。南越境內的戰事發展規模越來越大及越共游擊隊的實力因北越軍南下而大告增強之的緣故，令那些反游擊戰術變成落伍與無用。越共游擊隊實力劇增的原因之一，則是南越政府軍在戰事爆發的初期無法消滅小股的敵人。

　　當越共游擊隊於一九六四年末期開始發動猛烈的攻擊時，他們向政府軍的基地圍攻，同時將一營一營的政府部隊消滅。當時華盛頓當局派遣美軍前往南越的最初目的，只是扮演衛隊的角色。當第一批美國地面部隊於翌年三月八日抵達南越境內的時候，華盛頓當時發表的聲明，僅謂這些美軍的角色「是有限度的」，重要目的令那些一向負責保安工作的南越軍隊，能夠全心全力地展開掃蕩越共游擊隊的活動。

　　美國國防部當時不可能已經計劃令美國軍隊直接地介入越南戰事，因為當時華盛頓當局仍然抱持如下的樂觀態度——南越政府部隊能夠被挽救過來。可是當一九六五年迅速地過去的時候，被越共游擊隊消滅的西貢政府部隊宣告有增無已，因此南越部隊的士氣繼續走下坡。在這樣的情況下，美軍直接介入越戰，成為無法避免的趨勢。不過這種趨勢的發展是相當緩慢的。參加直接軍事行動的美軍，來自駐峴港的第三師海軍陸戰隊，及駐邊和的第二旅傘兵。

（未完）

桃園續紛錄

本報記者黃鴻遇

　　▲民主政治生活，老百姓有充分的自由權利，在政治活動中，對，為政當局，固然是盡力維護他，不對，必先引「規」一據「法」來開導他，直至執拗不顧法律時，始予懲罰他。因此，憲法所賦與人民的訴願權，似乎大家都運用得滾瓜爛熟了，舉凡個人自私之利，團體公共之爭，大家都喜歡由遞送陳情書（即訴願）入手，只要費一張薄紙，一枚郵票之微便行了。這麼一來，各級機關衙門，所遭受「陳情」的困擾，是有「陳」必答，據「情」必轉，「申覆」「核示」……很多名堂。此間石門農田水利會長改選，國民黨桃園縣黨部已辦理黨內候選提名登記，有該會現任會長翁瑞鉅和總幹事廖金榮。論政治環境，翁多官場往來，廖有基層力量，大概沒有黨外人士出馬逐鹿，誰爭取黨內提名，就能穩登下（四）屆會長寶座，彼此的支持者，各為其「主」，也分別向省和中央黨部陳情，這樣地「為他人作嫁衣裳」，不是民主生活的可愛麼？苦的是：桃園縣黨部……申覆……核示……工作，進「水晶宮」（競選會長）不甚於「百里侯」，各路（地方派系）政治英雄們，不得不據「理」力爭，來維持地盤，揖讓之風，暫時是無人肯加理會了。

　　▲桃園某機關的財政主管，掌握年度收支預算，近新台幣兩億元左右，銅臭的架勢，不必詳加介紹，大家都會想到，他年逾不惑，瘦骨嶙峋，滿面于思、着舊西裝，穿破皮，扮演得一幅窮酸相，不知者，以為他是一位儉約好「公僕」。然他深染「窮人之疾」，太太不在身邊，難耐客中寂寞！在衙門外面，租了一棟房子，指定一位美麗而迷人的女工友，朝夕替他打掃。工友拿公家的錢，沒有拒絕主管所指示的「不一」字。有一個傍晚，他熄滅了電燈，燃起了慾火，在兩人勢均力不敵（女弱）的情況下，來一個「近水樓台」，害得這位美麗的羅敷，羞憤地啜泣了多。日在人事環境僧多粥少中，高、普考試及格，尚待列冊候用，縱使在職晉級，也要經過升等考試的今日，財神爺畢竟神通廣大，給她馬下封官（工友升職員）藉報一夜風流！記者並不是有意揭發別人的陰私，是提供走出廚傍的職業婦女們作小心謹慎的參攷。

　　▲桃縣有竹圍、永安兩個漁港，後者為潮水港，位於該縣西隅的新屋鄉。竹圍漁港的最後（第七期）建設工程，行將完成，這天然漁港建成後，有海水浴場，觀光旅社，製冰工廠，及漁業需要的設備，一概齊全，其發展前途，極為遠大。據悉：縣長陳長壽，也在該港投下巨額資金，建造十餘艘漁船（每艘設備約新台幣五十萬元以上）。永安漁港，受退潮的限制，漁船不能自由出入，受來潮的沖激，有泥沙的淤積，連漁船停泊也困難，雖有抽沙設備，目前仍未盡如理想，生活在該港的漁民們，紛紛指責縣府不公。陳縣長說明：竹圍漁港是他這一任期的優先計劃，必須在任內完成，現在快竣工了。然而漁港關係國家經濟發展和漁民生活甚大，希望陳縣長在下（五七）年度預算中，對永安漁港建設工程費，多予編列。

臺南縣存在了些什麼問題？

本報記者震君

　　最近一位台南縣玉井籍縣議員劉武雄，在六屆八次臨時大會動議組織專案小組，調查牽涉甚廣的收取紅包案，未獲通過，憤而辭職。於是使平靜已久的台南縣政壇，掀起一片漣漪此事雖已成明日黃花，但其蘊蓄的政治派系糾紛依然存在。由於此事已鬧得滿城風雨，莫衷一是，亦可窺見從政人物的恩恩怨怨，然此自非縣民之福。

偽造學歷　事出有因

　　縣長劉博文自本屆當選以還，是否做了些事？記者相信縣民衆目共覩，毋須乎在這裏多說些什麼。他三年前當選縣長時，即被人檢舉偽造日本大學畢業學歷，差幸沒事。據聞：乃係政敵所為。而事實上劉縣長有否其事。應該明白。這種糾紛的困擾，相信劉縣長會力加檢討。因此不能怪責政敵借故打擊他罷。假使只圖獎狀拿得多，騙選民，反正法律又未訂騙選民應處徒刑，那又算得了啥？由此，亦可見台南縣政之一斑了！

　　從劉博文視事，先後安插了額外與額內秘書六位，其間不是妻舅姻親，就是助選功臣，彼等在縣府權勢，已壓過任何主管，連主任秘書也望塵莫及，被放在一邊坐冷板櫈，只有批批例行公文而已，應有的權限卻沒有賦予呢。

　　台南縣府共有九位秘書，除曾夢華、劉倫卿、郭鴻疇是數朝元老外（也是正式編制額秘書），其餘悉係新人。按正式編制上有五位秘書，有總核稿、機要、及核閱各單位文稿的秘書，其中依法除機要秘書與事務股長可隨縣長進退外，其他是不可任意更動的，因是之故，產生了什麼額外秘書、兼用秘書等名目。尤其曾夢華為四朝元老，肚子裏很有點墨水，國學造詣頗深，一手毛筆字寫得刮刮叫，不僅未得發揮，整日與板櫈、報紙結下了不解緣。劉倫卿、郭鴻疇亦如是。這三位正牌秘書的才幹，縣太爺並不欣賞，彼等亦安之若素，遑年頭飯碗要緊啊！

功臣親戚　衆生畫像

　　機要秘書張德，縣太爺之舅老信是也，學識雖有限，做起事來倒頗胆量很大，舉凡人事、經濟，張德都有絕對性的權力，是縣府頂尖人物。

　　總核稿郭志超，是劉縣長競選時之主持人，由於在縣太爺任職教育科長時，郭為副手，沾上了歷史，故受劉縣長倚畀殊般，上任之初，因無實缺秘書，以兼秘書執行總核稿，五十五年間經過縣長「巧妙」安排，始為正統，據說在縣府員工心目中，不獲佳評、人緣太差，且身兼多職，還要教書、替縣太爺搞搞上級公共關係，郭秘書的聲勢，連主任秘書亦自嘆弗如。

　　兼秘書楊啓瑞，正式底缺在工業策進委員會，任總幹事。此君也與縣太爺沾點裙帶關係，在整個縣府來說，亦是很走得通的人物。

　　新聞股長兼秘書謝博文跟隨劉博文縣長歷史最久，從劉縣長任司法機關典獄長，乃至台南縣教育科長，縣長，他也一步一趨往上爬，由看守、科員、到股長兼秘書。平時不但司新聞發佈工作，且替縣太爺處理公私應酬函件，暇時兼做內外「包打聽」。唯此君年少氣盛，未能珍惜此僥倖得來的前程，專走旁門左道。乃據傳聞：每逢縣府徵用人材，或國校任派教職員，悉由謝博文安排。職司新聞股長兼秘書，卻未搞好公共關係，對新聞界竟認有大報小報之分，規定遵守約束五項，才有政令宣導費補助，（公廣告刊登）查其內容分：一、從不刊登本府政令宣導資料者。二、對本府各項施政作不翔實之報導者。三、非本縣登記發行不及一年者。四、新聞紙發行中斷、雜誌未能按期出版者。五、不合本辦法第二條之規定者。乍看起來，倒真冠冕堂皇，若一認眞研究第二、五兩條，就有商榷的必要了。概括的說，誰家不睜眼的搖筆桿朋友敢掏臭事，你就別想沾到政令宣導費好處。

（上）

越戰是什麼樣子的戰爭

（上接第一版）

　　（六）控制殘酷：越共情報人員雖享有特權，但若稍有過失，即慘遭非刑。

　　（七）特務橫行民不聊生：越共所到之處，特務橫行，其基地更是由於全面情報部署而成特務世界，人民毫無自由，敢怒而不敢言地待機待變。

　　三、特點

　　越共情報戰的優點常使自己反受其害，但其特點則無反效應，所以值得重視。

　　（一）情報配合國策——以統一越南國策之宣傳掩護情報，以情報支援國策，爭取南越人民及世界輿情。

　　（二）情報配合政治——以政治宣傳掩護情報，以情報支援政治爭取人民向心及歸心。

　　（三）情報配合軍事——以軍事鞏固情報點，發展情報線，拓擴情報面；以情報鞏固基地支援軍事拓展。

　　（四）情報配合戰地政務——以情報推展戰地政務，以戰地政務支助情報網之建立。

　　（五）情報配合經濟——以經濟情報支援民生經濟建設，以經濟建設支援情報發展，以破壞敵方經濟建設。

　　（六）情報配合商業——在整個南越地區推行「亦商亦情」以担負情報任務；并以之掩護情報使人員自給自足。

　　（七）展開人人情報，推行全面策反工作。

　　（八）情報重點佈署——在南越政府及聯軍間各級決策及指揮機關，軍事學校，生產運輸單位，各軍事部隊，各軍民通信郵電交通機構以及人民團體中，作情報重點佈署。

後記

　　河內在毛共指使下企圖攫奪南越，其所進行的戰爭方式，是所謂「人民戰爭」，的「民族解放戰爭」是以政治戰、經濟戰、滲透、顛覆、破壞、暗殺、分化、騷擾、紊亂、大吃小、小困大，以及古今游擊戰與正規戰的混合作戰的「摸索戰」。其中，又處處以情報戰之爭取人民打擊對方士氣為先鋒。越美聯軍，必須在這方面謀求對策以打破其戰法，才能肅清南越地區之越共叛亂份子！

（完）

瀛海異聞錄

改名換姓亦有幸有不幸

·桑雅·

約翰梅利上次爲了競選共和黨議員，便改了另一名字——雅梅利。結果如何呢？這位熱中政治的明星慘敗，在六萬三千八百八十二票中，只獲得一千五百六十人支持他。今次，他再競選，但恢復原來的名字。他本人承認：對于改名換姓能帶來好運的事實，他是深信不疑的，雖然有人視爲一種迷信。以約翰梅利爲一例，改名換姓似乎是一件易事，但事實上，並不如此，有些國家這種手續是十分麻煩的。至于澳洲，像美國一樣，只要你大聲呼喊承認一個新名字，那便搞掂了。在競選大會的期間內，只要你肯花四塊錢，姓名地址可以一同在幾分鐘的時間內改掉，眞是快過打針。

換言之，如果你想換成冰哥羅士比，納京高，伊利沙白泰萊之類名人的名字，也一樣可以辦到的，只要你能保證不利用這些字來棍騙，在法律上，你可以成爲冰哥羅士比第二了。

在澳洲，不少怪名是特別改成的，例如，一個男人名叫雪梨港，本身已是不平凡了，他還不滿足，最後還改了貓王皮禮士萊，而他的職業是寫字樓擦地板工人。

不過，不少人爲了易上口，才改換新姓名的，這樣，方便交際。當別人請教尊姓大名時，連自己的名字也無法唸得清楚，那豈不是笑話？

而且，就算唸得清楚，但由于名長或太難唸，對方是不容易記在心裏的，這樣，若要給人一個良好的印象，那便難了。在處世的原則下，這無疑是吃虧的。

信不信由你，有人爲了改姓名而帶來離婚的悲劇。事情是這樣的——年前英倫告羅士打郡的一個男子名域高（搖擺的意思），追求一個同姓的女人，追到手了。不過，女方提出一個條件，認爲他要改名才嫁給他，理由是怕別人叫她做域高夫人。

域高先生乃只得改用母親的名字活曼。但婚後，友人依然喜歡稱他太太爲域高夫人，爲了這小事，大家爭執起來，最後婚變，他于是恢復用域高。在離婚證書上，出現這麼的一行字——活曼（又名域高）改名域高（原叫域高）。如果不知底蘊，眞是使人看了一頭霧水。

一個人改名換姓，其中必有原因的，最顯著的例子是未婚而生育的女人，她們爲了日後的生活，爲了自己的名譽，改名換姓是值得同情的。

有一種人却有改名癖的，例如，最近利物浦的一個足球迷，生下女兒後，竟替她前後改名十二次之多，每次都是他所崇拜的球星的名字，後來，他這麼對人說：「我希望日後我的女兒也要踢足球哩。」

另外有一個球迷，全家大小都改用了一隊球隊的名字，因爲該球隊是聯賽中獲得冠軍。眞是妙人妙事。

凡是喜歡改名換姓的人，都不外爲了追求一種榮譽，正如人們轉換環境一樣，人望高處嘛。

上週倫敦有一個名叫羅拔遜的男人，他要求在姓之前多一個「洛特」的名；而所謂「洛特」原來是爵士之意，那麼，別人叫他時，第三者聽來便像羅拔遜爵士了。

雖然如此，人口登記局依然無法阻止這類人的。

三年前，在墨爾砵，電視台舉辦一個有趣的節目，出獎金徵求名字讀不出音來的人氏，結果冠軍之人，便是臨急去註冊處改名的，後來查出，乃取消。

對于影星來說，名字是十分重要的，例如，茱地嘉蘭的眞名是蘭葛絲根，試想想，如果她用眞名，能否一炮而紅，也成疑問的。如東尼寇蒂斯的眞名很難唸，叫史偏爾特斯，如果他不改名，這必然影響他的事業的。

難怪一些新星爲了改名，傷透了腦筋，正所謂名不正，言不順，我國俗語也有云：「人唔怕生壞命，最怕改錯名。」

歐陸式，丹麥式與二氧化碳式

外國三種浴室風光

嘉陵譯

由按摩員引導回到像宿舍的房間，他用兩張毯子將我裹起來。這不但使人們感到鬆弛，而且還製造人體的蒸氣浴。我第一次嘗到歐洲式沐浴的滋味，感到相當愉快而興異樣的感受。我發覺根本沒有什麼儀格的方式，而每一間浴室，其沐浴法均有出入。我決意單獨進行研究其中的妙處，及怎樣眞正治療疾病的效果。

你曾見到一些患黏膜炎病的人們，他們的呼吸比常人爲困，治療這種疾病，最佳就是以礦泉水，經過高度的儀器，予以提煉，成爲一種藥液，噴過頭部和呼吸系統裏，而施以治療。

在一天下午，我抵達白[illegible]鎮川，那是一條以自然風景優美及交響樂出名的村子。我原想在這裏沐浴的，可是爲時已晚了，可是我仍然可以預約在第二天凌晨作「二氧化炭（石旁）」沐浴，及在下午又接受按摩。於黃昏時，則到外邊欣賞交響樂的音樂會。

第二天早上十時，我去到一間佈置不錯的酒店，在櫃面之前，我取出預約沐浴證，接着由一個穿着白色衣服的胖婦歡接，她只曉得說一個「請」的英文字。他引導我走過一條廊子。不久她在大堂的一個櫃子中，取出一瓶深色的液體，我們拐了好幾個彎，最後到了第三十一號房，她向我微笑着，點頭的說：「請」。

我進入一間房，那房子大得足可容納廿人，在房的一角，有一張床，此外還有一個浴缸，可容一頭馬兒。那個胖婦把一些木板放在缸上，木板底下，綁上一條膠管，一端是接到上面的一個箱，那像是氧氣或乙炔箱，她扭開一個水喉，熱水注進缸中，她將那瓶深綠色的液體，傾進水裏，瞬間，升起像杉樹的氣味，充滿整個房間。當浴缸注滿水後，把上端那個窗子，開關扭開，缸底下的膠喉，噴出氣來使缸裏的水，升起氣泡。胖婦把一個自動計時鐘上了鍊，向我示意，如果鐘響時，即拉動附近的一條叫人鐘的繩子，這樣她會進來把氧氣箱喉關掉。她以手勢告訴我一切，向我微笑，然後放一柄短梯子，靠近缸邊，讓我由梯子走進浴缸。缸裏有些扶手，這樣不會使我滑墮下去，此外還有一塊巨型的凉墊子，可以讓我把頭擱仰的。膠喉衝出的氣體，使缸裏的水，不停的滾動，使我有着說不出的快感。（中）

死掉的馬林諾夫斯基

·遲邱·

據四月一日合眾社莫斯科電：蘇俄國防部長馬林諾夫斯基元帥，已於昨日以癌病逝世。遠在一九五七年十月，馬林諾夫斯基，即以國防部副部長，繼朱可夫元帥之後，升任部長迄今，業已整整十年，得以年近古稀的六八高齡「壽終正寢」，亦云幸矣。

馬林諾夫斯基，身高六尺，體格魁梧，一八九八年生於烏克蘭敖德塞城，父親是曾任火車司機和小學教員的公教人員。自幼因父母早亡，伶仃孤苦，孑然一身，侍童工爲活。一九一五年投身帝俄軍隊，旋改隸紅軍；廿三歲參加蘇波之戰；廿八歲加入共黨，被保送法命茲軍校受訓，至三十二歲畢業。一九三五年春，日俄兩軍在諾門坎衝突，馬林諾夫斯基在朱可夫元帥指揮下，統率哥薩克騎兵，與關東軍司令官植田謙吉大將，參謀長磯谷廉介中將指揮的日軍，展開激戰，使小松原二十三師團軍覆沒；迫得日皇陣前易將，改以梅津梅次郎大將接替植田。

第二次世界大戰，朱可夫西調莫斯科，和提摩盛科元帥分任中路南路司令官，保衛赤都；所遺遠東紅軍統帥職，即由馬林諾夫斯基担任。一九四一年史達林格勒保衛戰，他又奉檄西援，率五十萬遠東兵團解圍史城，因功升任大將。一九四三年秋冬，他指揮柯瓦勒克上校一個團，首先突入高加索門戶羅斯托克，旋復與柯涅夫上將，瓦圖丁大將，三路攻克烏克蘭第二十城卡爾夫，擊潰德國大日耳曼師團組成的８８軍團。史達林下令莫斯科二百廿四尊大炮，各鳴炮廿響慶祝。一九四四年二月，德俄戰場，正轉入最嚴寒的冬季，希特勒又開始重蹈拿破崙覆轍，轉勝爲敗。馬林可夫斯基亦反守爲攻，被調任烏克蘭第二戰綫司令官，担任南路指揮，在聶伯河泛濫的河岸，迭克阿波斯托佛城及尼科波爾，并「水淹七軍」，使德軍七個師葬身波濤，潰不成軍。旋復乘勝長驅，追奔逐北羅甸兩國，俘虜德軍十四萬二千人，佔領匈京布達佩斯，與烏克蘭第三戰綫司令官托爾布元帥會師。

一九四五年八月九日馬林諾夫斯基又東調來遠東服役，與華西列夫斯基元帥，分進合擊，三路向日本關東軍進攻。參戰三日，日本即宣佈投降。他乃縱兵大肆掠奪，在呼倫，張北，哈爾濱，長春，瀋陽強姦婦女，搶刼物資；并於空中俘虜了溥儀，直至十一月十二日，我東北行營主任熊式輝飛抵長春，兩度與之接洽國軍登陸葫蘆島、營口接收東北九省主權；但遭共軍阻擊，乃改在秦皇島上岸。旋我東北外交特派員蔣經國，提議由國軍空運一師至長春，陸運兩師至瀋陽。馬林諾夫斯基又以「如經濟合作問題不獲解決，俄軍將無限期留駐東北」以難我經濟特派員張嘉璈，一面拆卸價值六億元機器，裝回俄國；復將繳自三十萬日軍武器，資助中共，助長叛亂。馬林諾夫斯基卵翼中共軍成長後，始由長春撤往哈爾濱，至四月廿五日，撤退回俄。一九五〇年韓戰爆發，馬林諾夫斯基又東來赤塔，暗中發號施令，驅中韓兩國人民爲炮灰。一九五六年，繼柯涅夫出任紅軍總司令，翌年出掌蘇俄國防以致病死任上。

新三國

魏延犯了最大一個錯誤，就是不應該聽說楊儀開始撤兵，便慌了手腳，而且阻止蜀軍歸師。此事乃是大忌，魏延不懂當時士卒心理。蜀漢軍大部爲川人，在外征戰多年，早想回去，魏延豈非犯了大忌？等王平出馬見陣，對魏延答話，王平先來個心理戰，面對魏延將士大聲說：「諸葛公亡身，屍尙未寒，汝輩何敢乃爾！」魏延士衆聞聽說是魏延反了，自知理曲，將士便一鬨而散。魏延一見心慌意亂，趕緊帶了兒子和數名親兵奔漢中而去。魏延往漢中去，可見他並非是造反。如果造反，他應向魏國去。楊儀又派了馬岱追至漢中，將魏延捉住斬了。這種作風，根本有問題。魏延地位是前將軍假節，又是縣侯，照理應當回歸成都處理，然何就地正法！其中楊儀當有理曲的地方。如果非是，則是楊儀「以公報私」無疑。何況把魏延首級送到楊儀面前，他用腳踏住魏延的首級大怒的說：「庸奴復能作惡否？」同時夷殺魏氏三族。

後主派了蔣琬率宿衛諸營急赴漢中，行了數十里，魏延的死訊到了。蔣琬聞之，方知魏延並未「北附曹魏」，但人已死了。魏延死了，也是蜀漢一大損失。魏延之敗死，失在其矜驕，素與諸將不和，故一旦有事，都無人爲他說話。吃了大虧。所謂「驕必敗、傲必亡」是也。但是楊儀心狹，以洩憤而假公報私，後來也不得善終。走上自殺的道路。

七九、楊儀狂妄自殺　蔣琬雍容乃大

魏延演的是一幕悲劇，從這一事看來，他驍勇有餘而謀略不足。他應該讓楊儀撤退，自己的部隊屯駐不動，暫時各行其事，然後再上表後主，辯明諸葛亮並無以一人之死而撤回討賊之兵的遺命，同時可以據五丈原諸葛亮屯田之所實行屯田。何況諸葛亮在生之日也說過：「漢賊不兩立，王業不偏安」的政策，按照諸葛亮的遺命，應該是奮鬥到底。他不如姜維，姜維後來屯田避禍，就比魏延高明得多。

楊儀在退軍時除了異己的魏延，自以爲己功甚偉，諸葛亮死了，妄想繼承諸葛亮的職位。可是後主却任命蔣琬爲尙書令，兼益州刺史，不再設丞相，沒有給楊儀做任何掌有職權的官。從這一點看來，魏延之死的經緯，後主已經知魏延並非造反，如果魏延是造反，則楊儀實爲一大功臣，繼任諸葛亮的將不是蔣琬。楊儀返成都後，後主僅發表他爲空頭無權的中軍師。楊儀當然牢騷滿腹說：「如果丞相逝世的時候，我把軍隊拉走，投奔魏國，那裏像今日這樣地位呢！」費禕根據這些牢騷話，向後主密奏了一本，後主便將楊儀免官，流放於漢嘉郡。（四川雅安）到了雅安，他又上書痛罵，後主派人拘捕問罪，楊儀只有自殺了之。

蔣琬字公琰，零陵鄉湘人。劉備取零陵，琬以州書佐隨劉備入蜀，除廣都縣長。劉備常巡行廣都，見蔣琬不理衆事，每日沉醉於杯中物，劉備大怒，要治他的罪。時諸葛爲軍師將軍，對劉備說：「蔣琬社稷之臣，非百里之才也」。

（一二一）

外國宮廷拾趣

·良縣·

「……很難說，什麼邏輯學可以幫助一個人思想？不過，讓我打個比喻吧。」一教授向一個學生說：「假使有兩個人從烟囱裏爬出來——一個清潔，一個骯髒，那麼誰去洗澡？」

「自然是髒的那個了，」學生答道。

「記住，」教授叱責說，「清潔的那個看到髒的那個是那麼骯髒，反之也是這樣。」

「現在我知道了，」學生答道，「清潔的那個看到朋友那麼骯髒，所以他洗了澡，我對吧？」

「錯了，」教授滿不在乎地說：「在邏輯教我們：兩個人同爬出烟囱，怎麼可能一個乾淨一個骯髒？」

△[illegible]……浣熊……追到……一棵空……煙出來了，……牠咬死了一條大蛇……浣熊怎麼……[illegible]

教授說：「對了，你必能成為律師，不要讓別人扯轉了證據的主要綫路。」

△著名的已故哈佛大學校長伊利奧特（一八三四——一九二六），某晚做一羣教育家的主賓。「請允許我恭賀您在這個大學裏所造成的奇跡，」其中一人說，「自從您當校長之後，哈佛已經變成了知識的倉庫了。」

「這是事實，」伊利奧特大笑。「但我實在担當不起。這只因為大一的學生帶進來的多，而大四學生帶出去的少了。」

△這件事發生在波士頓大學裏。[illegible]

△[illegible]大學老校長戴某退休之際，勸告將要繼承他的青年人說：「這件職務相當簡單，你所需要的，是設法弄來你所需要的錢，然後釣魚去。」[illegible]青年人接受了他的勸告，[illegible]那條老河流，[illegible]那人說：「什麼？」[illegible]那條河，一年前就乾涸了。[illegible]

編者按：「哀馬連載」續稿未到，暫停一則。

愛花的人

紫雲

愛花而成癖，非情性中人不能。此等超越尋常的行徑，或不免為世俗所譏，甚至目為花癡、花癲（陸放翁詩——「走馬碧鷄坊裏過，世人喚作海棠癲」），然較之沉淪黑籍，迷戀牌桌者，同是嗜好，其高雅與鄙惡，則判若霄壤矣。

美的欣賞，必須具有高度智慧和藝術的修養，一窩蜂式的湊熱鬧、瞎起鬨，即使「一城之人皆若狂」——白居易牡丹詩句，亦徒使名花蒙塵耳。揚州府志云：「大平園中有杏數十株，每開，太守張宴，一株命一妓倚其旁，立館曰爭春，宴罷或聞花有歎息之聲。」雖是神話，抑是花的知音，一聲長歎，勝於痛罵。

心血的灌溉，精神的護持，知疼著熱，浹肌淪髓，如良伴、如益友，人花合一，須臾不離，凡可以示愛者，無所不用其極，這纔是真懂得賞花者。

後齊漫錄：「宋蜀時，禮部尚書李昊，每將牡丹花新枝分遺朋友，以興平酥同贈曰：『俟花凋，即以酥煎食之，無棄濃艷。』」及於花謝以後，可謂體貼周至，葬花腹中，與情語中「心坎兒上溫存」之意不謀而合，看似無情却有情，是從無可奈何中想出來的無法之法。

紅樓夢中葬花故事，膾炙人口，後人因納蘭性德飲水詞中有「葬花天氣」之句，而推斷黛玉即納蘭的化身，確否存而不論，但因不忍眼見繁華飄零的慘狀，而生欲以「一坏淨土掩風流」的癡想，遠在宋代吳文英風入松詞中，已發現「愁草瘞花銘」之句，不過曹雪芹更大大地借題發揮一番而已。而且一般愛花者多情有獨鍾，此則只有汎愛兼愛精神，充類至義之盡，允為天字第一號的花癡。

梁書：「何遜作揚州法曹，廨舍有梅一株，常吟詠其下。後居洛思之，請再往；從之。抵揚州，花方盛開，遜對樹彷徨終日。」這是歷史上最早的有愛花癖者。

花史：「鐵脚道人嘗赤脚走雪中，興發則朗誦南華秋水篇，嚼梅花滿口，和雪嚥之曰：『吾欲寒香沁入肺腑。』」愛梅痴極，轉似瘋狂，此中消息，俗父固不足以知之。

宋張功甫有梅圃，中植梅三百餘株，築堂數間，名曰玉照，花開時留宿堂中，日夜觀賞。並著有梅品及梅花廿六宜。此則不僅愛花，且能為花作宣傳，花而有知，亦當引為同調。

古今談概：「張籍聞貴侯家有山茶花大如杯，度不可得，乃以愛姬柳葉換之，人稱為花淫。」賤人而貴花，雖在奴隸制度盛行之封建社會中，亦為罕聞，殊不足為訓。

五代吳越時，錢仁傑酷好種花，不事人事，人號花精。明人唐繼最愛梨花，每花開時，摘花簪戴頭上，帽簷為之壓損，甚至頭不能舉，人稱為花癲。

東坡集：「黃州定惠院東小山上，有海棠一株特繁茂，每歲盛開，必攜客置酒，已五醉其下矣。」未免有情，誰能遣此，瀟灑如東坡，猶有此花癖，遑論其他。

古人愛海棠者，除東坡外，尚有陸游及彭淵材，陸游有詩云：「綠章夜奏通明殿，乞借春陰護海棠。」一痴想痴語，不愧「海棠癲」的綽號。彭淵材以海棠無香為恨事，以蜀郡嘉定州海棠獨有香，推至目為佳郡。李丹授昌州，議者以去家太遠，改鄂州，彭淵材聞之，吐飯大樂，往謁李曰：「誰為大夫謀去此佳郡？」丹驚問之，曰：「海棠無香，惟昌州獨香，非佳郡乎？」以花為官位遷調與否之抉擇依據，在人事紀錄上是特殊的，何遜為自己，還有可說：彭淵材強預人事，連飯都顧不得吃，一念愛才，儼然是周公吐哺胸懷。

香祖筆記：「明陶成與其戚朱升之赴會試，距試期僅三日，忽聞張家灣某巨公家丁香花盛開，謂朱曰：『子盍從我遊乎？』李不可，陶獨買小舟，逕造其家，痛飲花下，五日乃去，遂誤試期。榜發，升之中式，比還鄉，陶以丁香詩賀之。」捨棄一第，換來五日稱心如意的遊賞，倒也值得，看他用丁香詩賀人中進士，足證其毫不後悔也。

夢醒的時候

仁厚

清晨，坐在窗前，白茫茫的一重薄霧，沒有新鮮的景物填入腦子。

昨夜片斷的夢，雜亂地翻騰着，抓不住一個重點；我夢見門前有人替我們築起了一條柏油大道，從這個偏僻的鄉村，一直通到很遠，很遠……終於，我有了一部西德名牌的汽車，四季成套的西服，一本銀行的存摺，住的早已是鋼筋水泥的一小棟，今後不必再耽心颱風的侵擾了……好漂亮！潛意識中作祟的自私劣根性！我似乎曾經完成了一部巨著，毫未嘔血的大部頭，出版商搶購，再版、三版、五版、十版……英譯本、法譯本、德譯本……諾貝爾文學獎金，竟唐得出人意料！夢，一個接一個，展着罩紗似的綠色翅膀，像一個個誘人的小精靈，飛繞在床的四週。我醒轉過幾次，沮喪着，直到恍忽地捲入了一口古老的深井中。漆黑、靜寂、陰森、冰冷……我直着喉嚨呼救，聲帶却失去了作用。這是一個被人棄置了的古井，沒有人會來汲水的，完了！焦急、恐怖、異想……我渴望這只是在夢中。啊，感謝上蒼的大公鷄！它把我從古井中救了出來。迷惘中，我立了一個誓，今後，我再也不討厭它那高揚的啼聲了。

太陽，驅散了迷漫的霧氣，窗外的景象漸漸地清爽了起來，前面不遠處的一排尤加利樹仍舊挺在那兒，田疇裏一片綠色，微風吹過，草葉上的露珠映照着萬陽，跳躍着銀色的閃光，一切都是真實在在的。遠處，一個小黑點子在蠕動着，像是新[illegible]大銀幕上爬着的兩個螞蟻。那是兩個油漆工人，前幾天我曾經走過那兒，見到他們在給大棚廠的屋頂刷揉迷彩，那種不規則的黃綠相間的圖形。我曾在心底裏竊笑過這兩個可憐的傢伙，爬在如此龐大的屋頂上，用這種笨拙的法子，一刷子一刷子的把油漆往屋頂上抹，什麼時候才能完工？可是現在，呈現在我眼前的却令我吃驚了，偌大的棚廠頂，已經塗滿了三分之二以上的迷彩。他們依然在屋頂蠕動着，看樣子，很沉得住氣，並未要把它塗完不可。嗯，是的，當然他們會把它塗滿的！突然，我覺得，惟有像我這樣的聰明人，才會把他們當作笨蛋。除了夢中，天下本來就沒有一蹴可幾的事情啊！依稀中，金字塔，萬里長城、大運河、百科全書……一塊一塊的大理石，一筐一筐的黃土，一筆一劃，一個一個累積起來的字……直到此刻，在迷霧退去後的窗前，我終於明白了世界上一個最簡單的成功的道理。一切的怨言，牢騷，氣憤和不滿，都成了多餘；擯棄我的，並不是時間，而是自己遺忘了自己！這真是一個可悲的笑話，偏有人愚蠢地去製造它；不信？我就是一個！但願我是咱們這一羣中唯一的一個！抬頭，遠眺，棚廠頂上，不規則形的迷彩好像又多了一點，兩個小黑點仍舊在笨拙地蠕動着。

西沙羣島史話

夜闌

西沙羣島，我國舊名「七洲洋」，亦稱「十二弧」，史記宋事本末有稱「七星洋」及其他史書亦有稱「七星洲」、「九洋洲」者。島在我國瓊崖以南，為南海三沙之一。（三沙乃東沙、南沙、西沙。另有中沙羣島，僅有其名，並無一個島嶼露出海面，只是一羣礁灘，不能與三沙並列。）

西沙羣島距越南海岸凡二四〇浬，距瓊州、榆林港僅一五〇浬，就地理形勢言，亦與我國較接近。全島係由十五個大小島嶼組成，分東西二羣，東羣七島，西羣八島，面積較廣者為林島，約四方里有奇。諸島除石島外，均為珊瑚島，星羅棋佈，或隱或現，為南海商旅必經之地。

南海三沙羣島之屬我國版圖，早在秦漢以前，「大清一統志」云：「古城在西南海中，為周越裳地，秦為林邑，漢為象林縣，屬日南郡。」古之古城，林邑，象林，即今三沙羣島，漢代且曾設縣，其為我國領土，自無可疑。漢伏波將軍南征時，即曾到該島。晉書有云：「林邑國……其南則馬援鑄柱之處也，去南海三千里。」宋元以後，南海羣島與我國接觸頻繁。「方輿紀要」云：「宋大禧二年，古城使臣國人言廣州，或風漂船至石塘，即累歲不達，石塘在崖州海南七百里。」按石塘即西沙羣島，清代史書亦作「千里石塘」、「長沙石塘」。明成祖永樂年間，三保太監七下西洋，曾再度佔有西沙羣島。「瀛崖勝覽」、「星槎勝覽」二書，分誌其事，頗為詳賅。民國二十六年，馬廷英先生發表「珊瑚成長所需年代之考證」一文，即言：「在西沙羣島活珊瑚礁下，約五英尺處，發現有永樂進寶銅幣。」可為三保太監親至其地之佐證；其為我國之版圖，彰彰甚明。

民國十年，日人池田在西沙羣島成立磷礦公司，後被國人察覺，經政府循外交途徑處理，日人始罷。十七年，中山大學組織西沙羣島調查團，由教授沈鵬飛率領前往，查勘地察，並供開發意見。廿二年，法軍為鞏固越南外圍，強行竊佔西沙之林島。二十八年，法軍戰敗，西沙羣島復為日軍強佔，至太平戰爭結束，日軍戰敗撤退，西沙始重歸祖國版圖。民國三十六年十二月一日，內政部正式核定公布南海中屬於我國領土的西沙羣島，劃歸廣東省政府管轄，西沙羣島屬崖縣治下，自此以後西沙主權問題乃告確定。

紐約道上往來

○志遠○

灰獵狗汽車，從紐約五十街車站開出，經過林肯隧道，離開市郊以後，轉到快車道上，以每小時七十英里的速度馳騁。在這條來往各四綫的快車道上，沒有紅燈，也沒有平交道，車子雖多，不僅來與往的各走一邊，中間有草地或樹木隔絕着；就是同一方向的車子，各就各車的本能，快的走中間，要慢的靠邊走，第一綫有車阻攔，改到第二綫去超過，再回到第一綫。四綫的界綫都是連續不斷地，各走各的綫，各儘各的速度，互不相擾。

而且，路面平坦，車輛快，很少顛簸，大家嚴守禁止噪聲，車雖多，很少聽見叭喇等嘈雜的音響，一路上還是那麼靜寂；祇是，風馳電掣般的一輛跟一輛地各色汽車飛奔得如穿梭般。灰獵狗汽車，不僅空氣調節得很適宜，窗上的玻璃都是綠色的，對於外面的陽光毫不覺得刺目，如同戴太陽眼鏡似的；至若座位舒適，尤其餘事。這一段二百餘英里的路程，沿途均不停留，三小時餘直達華府。以視當年在大後方，乘着木炭汽車，大家擠坐在行李堆上，任憑風吹雨淋太陽曬的滋味，和鄉野路旁，等候着拋錨的老爺車修理的情景，真是不可同日而語。

（六、完）

自由報

THE FREE NEWS
第七四七期
內備警台報字第〇三一號內銷證
中華民國僑務委員會發
台報新字第二三三號登記證
中華郵政台字第一二八二號執照
登記為第一類新聞紙類
（每週星期三、六出版）
每份港幣壹角
台灣零售價新台幣貳元
社長：曾曉岩
督印人：黃行實
社址：香港銅鑼灣高士威道二十號四樓
20, CAUSEWAY RD 3RD FL. HONG KONG
TEL. 771726　電報掛號：7191
承印者：大同印務公司
地址：香港北角和富道九六號
台灣分社
台北市西寧南路壹壹零號二樓
電話：三〇三四六
台郵撥儲金戶九二五二

從核子武器看當前世局（上）

——論防止核子武器擴散條約及反洲際飛彈計劃

何浩若

一、日內瓦裁軍會議與防止核子武器擴散條約

核子武器的發展影響了當前的世局——也無疑的會影響到未來的世局。一九六七年二月二十一日在日內瓦召開的裁軍會議——討論了美國和蘇俄所草擬的『防止核子武器擴散條約』。現在這個裁軍會議已經停開了。防止核子武器擴散條約並沒有順利的獲得通過而變成一個相持的僵局。在會議中有一個突出的現象，就是爭論的雙方不是美國和蘇俄而是美國和德國。在這次會議中美國和蘇俄彷彿是合作的站在一條線上，而反對的一方面却是以德國為首的現在還沒有核子武器的國家。連續了十六年的裁軍會議，原有法國參加的。後來因為核子禁試條約的關係法國退出以後，便祇剩下十七個國家了。但是法國的席次仍然保留着，彷彿虛位以待似的。法國既未參加核子禁試，自然也不贊成防止核子武器的擴散。因為法國沒有出席，代表沒有核子武器的國家反對這個條約的，是西德。蘇俄對核子武器散佈到西德的恐懼和顧慮最大。假如西德不同意，蘇俄也不會同意的。因此這一僵局祇好留待美國和西德去直接交涉。不過美國負責人，據報導，仍然相信這個條約在今年年底可以簽定。假如我們透視這個條約的內容和討論的經過，我們便可以瞭解當前的世局是在如何的轉變。

甲、反對防止核子武器擴散條約的理由

美國和蘇俄所草擬的防止核子武器擴散條約，無疑的是趨向於核子獨佔。這個條約，不僅要防止核子武器散佈到沒有核子武器的國家去，就是為和平用途使用的核子爆炸也不准沒有核子武器的國家舉行。祇有美國和蘇俄才有為和平使用舉行核子爆炸的權利。這個條約的內容透露出來以後，日本的外交次長就立刻宣佈日本將保留為和平使用的核子爆炸權力。他說：『原子能的和平用途，祇是時間問題而已。非核子國家不應被剝奪這項權力。』但是問題的癥結並不是在和平用途方面。主要的考慮，從利害來說，是在國家的安全方面。一個非核子國家，假如受到核子國家的攻擊將毫無自衛的可能。為了非核子國家的安全計，便祇有請求超級核子強國來保護。保護的途徑當然可以用結盟和條約的方式出之，並不一定就是從前所謂保護國。但是這個國家如永久不能享有核子武器便永久要受核子強國的保護，這就大大的傷害現代國家的自尊心。即令非核子國家都同意接受這樣的保護，因為世局的複雜，保護也有問題。法國和中共是反對核子禁試的，更不會接受什麼防止核子武器擴散條約。假如非核子國家受到法國和毛共的威脅，還是請美國保護，抑是請蘇俄保護呢？除了請求保護以外，還有一個方法，那就是從前的瑞士一樣宣佈中立。但是從前的瑞士還可以宣佈武裝中立，現在有了核子武器，普通的武裝毫無用處，便無所謂武裝中立了。最可怕的還是核子勒索。一九六一年赫魯曉夫曾說過，今後一旦發生第三次世界大戰，其核子毀滅性戰爭，將不限於美俄國境之內。照赫魯曉夫的說法，請求保護和宣佈中立都沒有用。

最重要的，還是核子武器改變了獨立國家的地位。一個獨立國家假如沒有核子武器，便彷彿沒有獨立的主權。至少在國際間對有決定性的政策不能作有效的發言。再說明白一點，沒有核子武器的國家便很難稱為獨立國家，更不能稱為強國。但是人類的知識相差有限。科學的發展祇是時間問題。現在沒有核子武器的國家將來一定會有的。除去美國和蘇俄以外，英國法國和中共雖說發展的程度不如美俄，但是都有了核子。工業發達的國家如德國和西歐諸國都已接近到有核子的境界。這次擬定的防止核子武器擴散條約規定，非核子國家連和平使用的核子爆炸都不能有，假如非核子國家要作和平試爆必須由美國或蘇俄供應核子。

乙、核子分享與核子獨佔

我們從不同的角度去看當前的世局，便可以得着不同的結論。人類所需要的是自由與和平。站在人類的立場，為保障和平與自由，領導民主國家的美國和領導共產集團的蘇俄應當是對立的。現在美國和蘇俄合作來禁止核子武器擴散，是為了和平來和蘇俄合作呢？還有為了獨佔核子武器來和蘇俄合作呢？假如是為了和平而合作，蘇俄是否會放棄世界革命來保障人類的和平呢？假如蘇俄的和平共存祇是一種烟幕，美俄合作禁止核子武器擴散，而勉強非核子國家接受，首先受到影響的是民主國家的團結，不僅北大西洋公約，就是歐洲的共同市場，恐怕都要解體。進一步講，禁止核子武器擴散，也並沒有解除核子大戰的威脅。蘇俄還是一樣的可以向美國發動核子大戰。但是因為禁止核子武器擴散而使民主國家的團結解體則是蘇俄所日夕祈求的。是否要利用這個防止核子武器擴散條約來分散民主國家的團結呢？這是值得我們研究的。

必須先說明核子獨佔與核子分享的經過。說到核子分享，首先發生於中共和蘇俄的交惡。據說赫魯曉夫原來是允許中共分享核子秘密的。但是當蘇俄發現毛共在核子潛力的發展中有了成績的時候，便拒絕與它分享核子知識與技術，並且停止一切的經援。中共和蘇俄的爭吵，這是見之於蘇俄和毛共正式公文的。美國和英國關於核子發展曾簽訂過合作研究的條約。但是後來英國才知道研究是一回事，說到核子武器共享，美國並無意使得英國成功。結果失望，這使得英國非常自力更生重新建立了一個單獨的發展計畫。這個計畫雖有相當成就，終於無法趕上美國和蘇俄。

流氓風

表情十足

今日與明日

毛共黨內投票問題

這兩日來本港大部份報紙皆刊出日本讀賣新聞在東京發出的消息，據該報駐平記者透露，毛共政治局常委會舉行會議，討論罷免劉少奇的事，結果毛酋以六對五佔先。據說政治局常委中擁毛者除毛酋本人外，尚有林彪、周恩來、陳伯達、康生及李富春，反毛者為劉少奇、鄧小平、朱德、陶鑄、陳雲，恰是六對五的局面，於是劉少奇敗下陣來。

這則消息若就表面價值來看，自然十分聳人聽聞，相信許多外國報紙也會作為頭條發表的；但在中國人看來，尤其是稍為了解毛共內幕的人聽來，不免有滑稽之感。

毛酋一生從不知何事要講道理，更不必說少數服從多數了。當然中共也有過投票選舉的事，而且經常舉行，不過要在毛酋估計絕對優勢條件下，始可進行，如民國三十八年九月「政協」選舉偽政權「主席」，確實是投票選出的，那次毛酋得了全票，其中政協委員毛澤東也投了「國家主席」候選人（只此一名）毛澤東的票。可是要在這種情形是選舉。在不能絕對控制情形下，毛酋決不同對手投票定輸贏。事情非常顯然，中共黨章規定每四年要舉行全國代表大會，八大第二次會議舉行於民國四十七年，按照中共黨章四十九年應舉行九大，到今天十大都已過了，結果如何？明年要舉十一大了，但在於毛酋自己批准的黨章，也就把他一腳踢開！要說此日能免劉少奇會投票，真是不可想像的事。萬一當周恩來乘權或李富春倒過去，又當如何？此種說法真是齊東野人之語了。

真情如何？

情況很顯然，毛酋此日不必說投票，就算召開一次批判劉少奇的中委會議，也未必肯舉行。因為只要有公開辯論的機會，劉少奇就可以佔上風。

毛酋日前辦法是把劉少奇與外界隔絕，軟禁在其家中，雖然王光美被紅衛兵屢次牽出淩辱，却始終不讓劉少奇公開露面，就是怕保皇黨乘機作反。

照目前情形看着，劉少奇的地位早已喪失，但在名義方面，毛酋要想罷黜他，却非走捷徑不可，因為劉少奇的「主席」和毛酋一樣，都是經過「選舉」的，此日要去掉他，自然要罷免，但這個會議如何召集，又是一個難題。

可以料到，毛澤東目前苦思焦慮的不是與劉少奇投票決勝負，而是怎樣投票推倒劉少奇。必須了解這一點，才能懂得中共投票的意義。（何如）

自由談

慄慄危懼

馮正先生

「反攻復國」、「打回老家去」，這是一切流離轉徙在台灣和海外的中國人共同的願望，似乎毫無疑問的。可是，據我大胆假設、小心求證的觀察所得，有一部分人士口裏儘管人云亦云地高呼反攻復國口號，內心上幷非如此。何所見而云然呢？讓我分別道來：

凡在政治上飛黃騰達，背景雄厚，而其生活很優裕的鐘鳴鼎食者流，他們幷不希望政府回到大陸去。理由很簡單，政府一旦光復中原河山之後，政治制度和人事，必有一番更張改革，那時候，願意從政的人不知其數，具有真才實學的幹練之士，自然脫穎而出，為民服務，在能力比賽、新陳代謝的原則下，進賢退不肖，義所應爾。像目前政府在台灣一方面實行人事凍結，一方面為着防止匪諜滲透的關係，不讓外面人隨便進來的情形，必然不復存在。於是乎，舊有這般既得利益集團的特權份子，即將喪失憑藉，跟大家一樣的要靠本領吃飯了。如今他們在台灣的高官厚爵，穩如泰山，政府偶爾改組，亦不過如同打麻將然，換換座位而已，換來換去總不外是那些小數的人，無論公私生活都舒服極了，他們不樂意「出喬木而入幽谷」，實為人情之常。

其次就是一些利用官商勾結的關係，在台灣大發其財的富商鉅賈，也不希望回到大陸去。因為回去之後，私人的財富雖然可以移轉，但須另起爐灶，重新幹起，且不容易取得獨家專利的特權，如某某兩大民營企業，只許他們兩家獨霸經營的現象，絕對不行了。教他們基於救國救民的大義，放棄特權厚利，贊助政府反攻大陸，可能嗎？

此外，凡是在台灣社會上稍有辦法的官商各界人士，莫不沾沾於求田問舍，準備終老是鄉。八九年前，我在台北跟一位政治要人討論反攻大陸問題時，他慨然道：「老兄，你我還想回大陸嗎？算了罷，讓兒女們回去好了。」這種苟安偷惰心理，過去我們在八年抗日戰爭時期，何嘗發現過呢？把南宋在臨安（杭州）行都的歷史紀錄看過之後，返觀今日中華民國政府行都所在地的台灣社會狀況，真不勝其慄慄危懼之感啊！

今後幾個月內越戰將更激烈

—紐約通訊—

美國海軍陸戰隊在開始的時候派遣二三十人組成的小型巡邏隊，前往峴港以南的越共游擊隊基地進行試探性的攻勢，同時擴展勢力範圍。後來，美陸戰隊發動第一次，也是最成功的一次兩棲攻勢——「星光戰役」——在一九六五年八月，陸戰隊在朱萊以南的灘頭登陸，另一方面則動用直昇機將敵人「包圍起來」并發動攻擊。在這場戰役中美陸戰隊有五十九人陣亡，另一百五十人受傷。這是美軍被調往南越以來，直至當時爲止的最高傷亡數字。至於在是項戰役中，被擊斃的越共游擊隊有九百人之多。

經過「星光」之役後，美海軍陸戰隊曾經多次地運用同樣的戰術去圍剿敵人。然而在其後的一連串兩棲出擊中，美軍却很少和越共游擊隊發生遭遇戰。理由可能是這樣：美軍發動「星光」之役時，事前沒有通知南越高級指揮部。後來每次發動出擊前，却將行動計劃照會該指揮部。很明顯地該照會導致消息洩漏。時至今日，南越當局仍然發生軍事秘密消息被洩漏的事件。

美國的傘兵開始如下的軍事活動——在西貢附近從事一天的直昇機出擊活動，然後在西貢西北三十哩的「D」戰區叢林內從事歷時一周的出擊戰。這種按步就班的戰鬥活動，直至目前爲止，已經成爲初次抵達南越的美軍必經的熟習階段。

美軍和敵人展開的主力戰，於一九六五年十一月爆發。當時美國第一空中騎兵師部隊在德朗河谷和來自北越的正規陸軍發生激熱的遭遇戰。結果，美軍死二百四十人，受傷的逾百人。至於對方的傷亡數字則超過一千。在一九六六年的越戰中，由於戰事愈趨激烈的緣故，因此，美國地面部隊在南越的傷亡數字成正比例地增加。至於在北越上空被擊落的美機數量，亦告增加。現在，一九六七年的最初三個月已經過去了，在這三個月的時間中，美軍和越共游擊隊及北越正規軍展開的戰事，可以說是越戰爆發以來最激烈的，因此兩個星期前的美軍傷亡數字之高，已經打破紀錄——超過一千人，其中陣亡的超過二百人。一般人預料：在今後數月內，越戰將更加激熱。（下）

性教育愈快推行 對於社會愈有益

港方政議員胡百富醫生認爲

（本報訊）香港應該推行「性教育」，這直接能減少社會罪犯的紀錄。性教育愈快推行，對於社會愈有益。胡百富醫生這樣說。

胡醫生爲公民協會會長、市政局議員，他以「性教育」爲題，在維多利亞聯青社例會中發表演說。胡醫生指出，「性教育」絕對不是淫褻性的問題，它應該是屬於「生理衞生」中的一個科目。我們要正視的是在性態度和性道德這兩方面上。因爲，一個人尤其是孩子們，如果對這個問題一知半解，在黑暗中摸索，因而壓抑、困惑、徬徨，這正是引致犯罪的一個重要的因素。

接着，胡百富醫生演繹開三個問題來解釋，就是第一、由誰來施教？第二、在什麼年齡施教？第三、怎樣進行性教育？

對孩子們施行性教育的，不外是父母和教師。但胡醫生認爲：父母處於尷尬地位，且多不懂得專門名詞，所以，這職責最好還是讓教師們來執行。

至於什麼年齡應該施行性教育呢？胡醫生說：「一個人無論男女，從出世時開始，就有了性的感覺，所以它應該是從出生以致死亡的一種長時間積累的學問。一般來說，小學生在入學開始，以至十六歲發育完全以前，都應該施行性教育。」

第三個應該怎樣去施行性教育的問題，胡百富醫生說：它不需要是一個獨立的專門課題，而是可以依附在其他的科目上同時進行。例如在公民、經濟的科目裏，由人口的分配、夫婦制度、出生率死亡率、節育和家庭計劃、社會犯罪等，都可以聯繫到性教育的問題；又例如文學、宗教以至歷史等，同樣可以導致性教育智識的灌輸。在文學方面，各時代和各種語文的偉大文學作品，許多也觸及這方面。爲了充份了解和欣賞這些作品，學生們需要這些關於性的知識；同時，除非他們有健全的知識，否則他們一閱讀這些書時或許會構成一個錯誤觀念，或者被誘惑去作某些罪惡的事。

在宗教的訓導我們或許發現性行爲的實例。聖經中有「子宮」，「姦淫」和「割禮」這些字。教師解釋這些字的意義，因此可於某一程度上給予性教育。

胡醫生表示：說到歷史，說它可能是性教育的一個方法，似乎很荒謬。但是，歷史的研究不限於帝王和戰役的記載。在不同時期，有過控制或統治一個王國的女人，例如埃及的克金奧柏特拉以及中國的武則天和慈禧太后。所有這些和其他的歷史的事跡，均可被利用協助訓導性教育。在同一方法中，其他的學習科目也可作這種訓導的用途。

胡醫生概括地說：我們不須爲性教育而規定一定的時間，一定的科目。它應該適宜的把性知識灌輸給學生。這裏，我們要賴教師們自己決定何時是介紹這種訓導的適當時間。胡醫生最後稱：性教育也繫於社會背景，而在香港，居民擠在一個很小的地區，附帶性性教育有如衞生教育，肯定的有一個重要的地位。應該怎樣做呢？不用說，它需要很慎重的研究。鑒於那驚人的兒童犯罪率，胡醫生並强調說：我的意見是，性教育愈快推行，對於社會愈有益。當然，它的效果要經過長時間才感覺得到；但是，如果我們不開始做，我們將永遠不能改良現狀。

臺南縣存在了些什麼問題？

本報記者震君

因此記者不禁想到劉武雄辭職案的種因，除元月一日大華晚報有一篇較爲詳細報導外，其他只說劉武雄硬要辭職，內中因果却付之厥如。是否謝博文依其日夜與新聞界相處之便，獲得護身機會，這倒使人不能不懷疑在玩弄手法。若只圖多數人稱好，便有少數人批評也「管他媽的」！總結起來，還是合算的話。然則老百姓眼睛是雪亮的，紙總包不住火呀！這樣子的耍法，無疑把劉博文的政治生命斷送了。謝能混到今天的地位，還不是憑其弟婦爲劉妹之關係。俗云：「朝中有人好做官」，誠不欺人也。

劉杭、安策賢，二位額外秘書，都是兼的，本身另有職務。安策賢是合作室股長。儘管他們並非正牌師爺，但在縣太爺跟前，却是言聽計從呢！

劉博文競選初期，很多推心置腹的功臣，源源背道而去，是何道理？劉博文心裏有數。除此之外，目前智囊功臣，難道其中就沒有頗能辦事的嗎？話又說回來，實在如滄海一粟。如事務股長梁德山，較爲獲得人緣，論才幹頗突出，學識亦不惡，未進縣府前，任職國校校長，年紀也輕，而劉博文所賦任務，只是買辦型，發揮不了作用。

紅包疑案 惹惱議員

去歲年終台南縣議會第六屆八次臨時大會，議員劉武雄臨時動議組織專案小組，附議人有黃文魁、顏秀英、王連興、張靜南議員等四人。經記者多方採訪，詳情如次：

議會第六屆六次大會縣政總質詢時，曾有議員提出質詢，理由共二點：一、有人持署名「台南縣長劉博文」字樣之匾額，向南縣各級學校高價推銷。二、據聞：南縣地政科、戶政科、家畜診療所，各級學校人事調動，非法收取活動費案。有關單位未迅速將實情公佈，致引起民間不良反應，影響政府威信。爲明瞭該案內容實情計，應由議會組織專案小組，協助調查；若係事實，應將全案移送有關機關嚴辦，以正政風，而維政府之威信。

在六次大會時，縣太爺肚中有數，表面裝聾作啞，暗地裏提心吊胆，故利用此空檔時間，暗中聯繫已派議員。所以在八次臨時大會，劉武雄動議案竟遭到無情否決。他一氣之下，憤而掛冠，已見諸台灣各報，旋經慰留，結果他還是走了。

銷售匾額 豈容亂扯

該案雖遭議會否決了，但治安機關却未忽略匾額案之發生，於是乎，展開一連串調查、訪問。據透露經過情形是這樣的：署名「台南縣長劉博文」恭錄或寫的「總統訓詞」、「國民學校法」、「教育宗旨」三類匾額，一共銷售一百餘面，售出價格每面以新台幣四百九十元、五百元或千元不等，國校與中學價格亦互有差異。至於匾額成本不值百元，其盈利數字是悖乎商業行情的。已經售出約達七萬元之譜，該匾額且蓋有劉博文私章，此私章乃係一般應酬用的，究係何人保管，讀者見前文自會一目了然。而事情係在台南縣一日發生，縣太爺却謂確又不知有人擅自以他名義搞此玩意。據悉：此案已移司法機關辦理，可是檢方認爲只是一般商業行爲，不構成犯罪要件，終予不起訴處分了事。因此紅包案也沒有下文了，豈能抹殺得了事實，這樣亂扯縱無負刑責，道義上

一位記者議員王基鎮，夢想發洋財，塑國父紀念銅像，每個以三百元賣與各機關學校。此一銅像成本值一百四十元，賺錢不過一半。而王係民意代表，本身又是買賣人，結果還是吃上官司。兩相比較，何啻天地之分！

未來選舉 更趨激烈

劉博文在本屆縣長任內，有些地方做得還像樣，如通過修建官邸、購置宿舍，自願放棄購買交通車，一時博得輿論好評，縣民喝彩。然用人不當，智囊功臣顢預胡來，亦是事實。結果毀多於譽，徒自增加煩惱，引起縣民煩言，這又何苦來哉。

三年以來，府會合作無間，此次劉武雄議員爲愧對選民，摔紗帽求去，已引起選民及在野派的不滿。更何況沈議長在去歲黨部委員選舉中，未獲當選，使地方人士大感意外，咸認劉博文故意出此，以這次委員選舉事關下屆提名，在競選策略上，冀圖先聲奪人，爭取多數席，把沈水德先擠掉。此沈與劉間難免有些那個。自此沈之原屬劉地盤之北門人士對劉亦意見相左，且在野派新化前縣長胡龍寶，玉井前議長廖乾宣，新營本屆落選人廖耀乾，對劉都沒有好感。本來目前談論選情，似乎言之過早，但這些跡象顯示，在未來選舉行情上，劉博文勢必走向下坡路。下屆台南縣長選舉不難預測將更激烈與混戰一場了。（下）

桃園縣下年度預算 赤字高達四千餘萬

「教育特捐」征收率可能大大提高

（本報記者黃鴻遇桃園航訊）桃園縣府五十七年度地方總預算草案，業經編成，「赤字」高達新台幣四千餘萬元。其中調整公教人員的待遇，便需增加支出一千八百餘萬。縣府向省府請求補助，財政廳說沒有錢，將由「教育特捐」項下，提高征收率爲百分之三十，以資彌補。

台灣省各級機關的年度預算，是由每年七月一日起至次年六月底止。如今，必須在六月份以前，提交議會審查通過後，才能實施。桃園縣五十七年度地方收支預算草案，業經編列，計有四千餘萬元的「赤字」。自本（五十七）年七月份起，調整公教人員待遇，和中小學校自然增加教職員，這項人事費的支出，便必需增加一千八百餘萬。因此，縣府預算的赤字，是步步升高。財政科長張明正曾會同縣府有關官員，向省府請求補助，財政廳的答覆：沒有錢。據悉省府說沒有錢的原因，並不是有錢不給，是由於台北市將自本（五十六）年七月一日起，升格爲院轄市，稅收劃分的影響，致省庫收入，每年將減少十一億元之鉅；縣市政府請求補助，勢成愛莫能助了。

據張科長表示：縣府的新年度預算，依據各單位編列草案彙計，有赤字四千餘萬元。向省府請求補助，既是沒有錢的答覆，只有「自求多福」，由開源節流兩方着手，能緩的暫緩。他又說：在縣府各單位的預算草案中，勢將削減二千餘萬元；尚有二千餘萬元的赤字，是難以削減的，其中用人費就高達一千餘萬元。這是自今年七月份起，調整公教人員的待遇，分文不能削減。

縣府目前征收「教育特捐」，其征收額爲百分之十。爲了彌縫預算的赤字，勢必提高征收額。張科長稱：教育特捐提高爲百分之二十，縣庫收入可增加八百餘萬元；再提高爲百分之三十（立法院通過的最高額百分），可增加收入一千四百餘萬元。如此，對新預算的編列，就能解決問題了。

縣長陳長壽，早有撙節開支的指示。眞能杜絕浪費，則果爲正當的支出，征收教育特捐酌予提高，納稅人爲縣府救窮，也是應盡的義務。

瀛海異趣談

球星太太可為亦不可為

·桑雅·

他們說，沒有人是他妻子眼中的英雄。工業大亨、辦公廳經理或商店管事，或許嚇怕在那裏工作的其他人——但與他結婚的那個女孩子知道：他祇是一個男人。

足球員也是如此。在球迷們看來或許是十萬鎊的神人，但他們眷屬知道：他們像任何其他的人一般，有人類的弱點和困難問題。

事實上，他們的家庭要為他們在球壇的聲譽付出代價。有些球員很難相處的。他們或許憂慮他們的狀態，因受傷而容易發怒，或者因為微妙的轉會談判而鬱鬱不樂。

但是，不管一個足球明星是怎樣能夠隨遇而安的，他的妻子需要極大的容忍和慰藉丈夫的能力，然後能夠保全美滿的婚姻。

球星的妻子，時常獨守空幃。這不是他的過失，卻因球會要球員集訓。例如英國盃賽的足球英雄喬夫．赫爾斯特在溫布萊，十萬人欣賞他的精彩的射球表演。另四億電視觀眾，在世界各地看他的球技。但他的妻子朱迪斯，卻為了喬夫當天的成功，而付出了最大的代價。

她說：「在世界盃足球賽舉行前兩個月，以及比賽進行期間，我丈夫祇在家裏度宿三宵。他住在漢邱治的一間酒店，離家祇是幾哩路，但我不能看他。當我在球場坐在觀眾座看他踢球，他縱然看見我，也不會向我揮手。曾經有一次，他沒有出場，實際上我獲准與他同坐在一起，與九萬其他的觀眾在一起，直至後來他們叫他一起到酒店去。當然，他會打電話給我，但這與丈夫在家的情況完全不同。」

寂寞是一位足球明星的妻子所要接受的。另一件事使她傷心的卻是球迷們嘲笑她的丈夫。赫爾斯特夫人說：「這使你氣憤。喬夫在世界杯足球賽之前，不是世界的紅星。現在，他們愛了他。但仍有一個球迷高聲嚷道：『這個世界杯足球明星赫爾斯特，以前究竟是個什麼東西？』我真想打他幾拳。」

英國足球隊隊長卜比．摩亞的妻子田娜，有一個困難問題，那就是怎樣使她丈夫避免球迷們包圍。摩亞夫人以前是一個模特兒，她說：「他們有時蠻不講理的。我們現在再不能舉家外出了，卜比可能抱着嬰孩羅拔達並攜着兩包東西，但球迷們仍然期望他給他們簽名於紀念冊上。當他離家出外比賽時，我要學習過寂寞的生活。有些時候，我的球星丈夫因担憂會被球會革除而心神不屬，他的妻子却知道的，雖然他不想把心事告訴妻子。」

托丹咸的蘇格蘭國際球星麥基的妻子伊莎寶，於每次球賽完畢，在家裏很怕聽到電話聲。她曾經兩次接到電話，說她丈夫斷了腿，已被送入醫院。她說：「我担憂這樣的事情會再發生。每次我丈夫參加大場比賽之前，我讓他獨居一室，沒有無綫電收音機嘈醒他，不准孩子去騷擾他；但是，每逢比賽，我總是放心不下，直至我丈夫平安無恙歸來為止。」

一個女孩子嫁了足球明星，或許是其他的妻子所羨慕的，但有些球星的妻子發現，她們沒有什麼值得羨慕的地方。科文特利城球隊經理占美希路的第一位妻子，結婚了十一年，終於一九六一年離婚。她說：「當占美在富爾咸球隊出賽，星期六早晨活像走綱綫。他像許多其他球員，在球賽前時常非常緊張。最輕微的事情，可能影響他在球賽中的演出。曾經有一次，星期六早上剛吃光了牛油，占美光火了。他把事態擴大了。甚至在我們結婚那天，足球控制了我們的生活。占美同布倫福球隊簽了合約，這球隊剛在當地比賽，占美要去賽球。因此，宴會決定縮短時間，並請賓客一起去布倫福去看球賽，九十分鐘，占美忘却了他的新娘。我們沒有時間去度蜜月，因為占美不肯停止訓練超過三天。」

一個足球員的妻子要知道的第一件事，是球賽必須繼續進行。第二件事却是她的地位次於足球。

英國人被警告吃得太多

一位英醫生謂為拿刀叉自掘墳墓

·倫敦通訊·

照英國教授李察．波多夫研究的結果，英國人吃得太多，喝得酒和茶太多，但運動却不夠。他說，英國人是世界上的老饕。他認為英國人喝茶休息時間應該是十五分鐘，將使精神振奮，血液流行。

這位教授最近在英國調查過各種階級人士，其中包括事務員、律師、巴士司機、醫生和工人。他認為巴士司機的體格是最差，律師次之。他們貌似良好，實際是許多因為生活過於舒適而引起心臟病。

一名英國醫生說得好：「我們拿刀叉自掘墳墓。」

英國三十五歲至四十四歲的男人（英格蘭及威爾斯），于一九六五年間患心臟病而死的共三萬六千名。十年前，不過是二萬五千名。過度體重是心臟病的主因。

太肥的原因很多。例如：英國人返工時由家裏駕車到火車站轉乘地底火車，放工時則在車站取回汽車駛回家。在寫字間時，他們乘電梯上落而非步行。在家裏剪樹枝或草坪時，用自動機而不用手剪。在可以增加體重而致削弱心臟的。

有些人現在連擦牙都是用自動機的，所以他們甚至毋需使用手腕力。

醫學家對於這樣的懼力工夫有什麼感想呢？布勒梳醫生說：「它使人越懶惰，國民健康會受影響。」

他又說：「懶人往往會體胖，肥胖的人比別的人死得早。體重比正常重量縱然畧高，也會減短壽命的。」

飲酒也會使人肥的。許多英國商人和一些青年人現在都嗜杯中物。布勒梳醫生說他也飲酒，但他節制食量來對銷因飲酒而增加的熱力單位。

二千名受過調查的工商業巨子中，幾有六百名是過肥的，有二百名則過瘦。過肥的人飲食過多，過瘦的人則操勞過度。

但英國的肥人並非全部是大亨之流或者是巴士司機。後者患心臟病的機會比終日爬梯的巴士售票員多三倍。

為了身體健康，到健身室健身的人，平均每天有六百名。他們初學時間有面有憂色的。許多人是腹大便便的。

體格適合而名列前茅的是馬戲班的人，以及廿五歲至四十歲的婦女，尤其是在家裏終日忙碌的主婦。

一九六五年裏，英格蘭和威爾斯因心臟病而死，年在三十五至四十四歲的女人共一萬二千名。這種人的死亡率，近二十年來日見下降。

一位健康專家說：英國許多入學年齡的女學生體格非常不適，因為她們不幫助母親做家務。

不過，運動並不是使身體適合的唯一方法。英國醫學會出版一本小冊子，教導主婦們怎樣料理丈夫的飲食，而不致使他們過肥。

體重約一百六十八鎊的人，如果他是個白領階級的話，平均每天應該吃二千五百熱單位；如果他是個海軍、海員或要用體力工作的人，則晚餐：稀湯，炸魚或煎魚，白菜或其他蔬菜，乳酪，合計為六百三十五熱單位。

在寫字間工作的人，還可以再吃五百九十五熱單位而毋須担心體格不適，因此他大可以喝六瓶半品脫庄的啤酒。

如果用體力工作的人，他再可以多吃一些食物或多喝一點酒。如果他是嗜酒的，他可以加十二品脫，吃四千三百五十熱單位。

每天要吃二千五百或四千三百五十熱單位的食物，究竟可以吃些什麼東西呢？一位醫生主張男人可以吃的東西是這樣：早餐：熱蛋兩枚，牛油烘麵包一塊，蘋果一枚，橙和麥皮之類一碗，合計是八百熱單位。午餐：肉食，相當份量的青豆和馬鈴薯一個，生果沙律，合計是二百七十熱單位。

不過以四海為家的海員則不可加酒了，他應多吃幾個馬鈴薯，增加體力。

普通婦女比白領階級男人應少吃四百熱單位，但有幼孩子的母親，大約應多吃六百熱單位。

外國三種浴室風光

歐陸式，丹麥式與二氧化碳式

嘉陵譯

在我露在水面的身體旁，滾出不少水泡，我幾乎疲倦欲睡，我真的怕睡着和頭部滑在水中。半小時過後，計時鐘的響鈴大作，我拉動那條繩子，於是那個胖婦，走進來把氣箱的蓋子關上。我絕不覺得絲毫尷尬，因為我全身浸在肥皂沐之下。

假如有人曉得說英語的話，那末對方一定會提醒我，在進行二氧化炭（石旁）的沐浴後，應該休息下來。可是沒有人告訴我，所以我行到公園去時，四肢酸軟無力，雙腿宛似繫上千斤重物，無法舉步。於是跑到附近一間餐室，喝一杯酒，提提神。

把各種沐浴，留待最後享受的就是丹麥浴。在哥本哈根的衛生浴，是最奢侈的。最初是將溫潤的蒸氣的溫度，升至華氏表一百三十度，然後再調整乾的熱氣，溫度達一百七十度；在這時由按摩員以肥皂和肥皂液替顧客沐浴與按摩。繼續進行冷水湯池，及用大毛巾洗滌，最後的用大毛巾裹身，引進一間私人休息室休息。假如有興趣的話，可由丹麥美女替顧客修甲和修脚。

在哥本哈根享受丹麥式的沐浴，那種感受，真是無以上之。也許這種沐浴，未必就優於歐洲式的沐浴，但是在丹麥，曉得怎樣使顧客有賓至如歸之感。事實上，他們能夠說英語，不像歐洲式的浴室，沒有人懂說英語，使我們說英語的人猶如一個啞吧！（下）

新三國

蔣琬為政，以安民為本，不以修飾為先，劉備因見重諸葛亮，僅免其官而已。蔣琬被諸葛亮推薦之後，一夜夢在門前有鮮血淋淋的牛頭，其意甚惡。召占夢者趙直圓夢，趙直說：「見血者，事分明也。牛角及鼻，公字之象，君位必當至公，大吉之兆。」劉備晉位漢中王時，升為尚書郎。建興元年，諸葛亮開府成都，辟為東曹掾，舉茂才。建興五年遷參軍。不久，諸葛亮駐軍漢中，蔣琬與長史張裔，同留丞相府。建興八年，代張裔為長史加撫軍將軍。諸葛亮幾次北伐，蔣琬都能足食足兵，後勤無虞。諸葛亮曾經密表後主，說：「蔣琬託志忠雅，當與吾共贊王業者。若臣不幸，後事宜可以付託」。所以諸葛亮死後，蔣琬繼諸葛亮職務，實得力於蔣琬之推薦。

蔣琬繼尚書令不久，旋加行都護假節領益州刺史，直遷大將軍錄尚書事，封安陽亭侯。諸葛亮新喪，遠近驚恐，惟蔣琬出類拔萃，處羣僚之右，既無戚容，又無喜色，神色舉止亦如平日，由此衆望咸歸。諸葛亮屬意於蔣琬，並非偶然。所以楊儀妄想，實不知自量。蔣琬大器穩健，豈楊儀所能望其項背！

蔣琬做了大將軍，派了劉備的大舅子吳懿都督漢中，負起抵禦曹魏的重任。劉備有好幾個舅子，因他娶過不少太太。吳懿是吳皇后的哥哥。劉備取了成都之後，孫夫人因政治因素，被孫權接回東吳，才納了吳氏。吳后前任丈夫是劉璋的哥哥劉瑁，劉瑁早死，吳氏寡居。吳后原籍陳留（河南開封），生得很美，相者以為大貴之相。後來果然貴為皇后。

吳懿並不長於軍事，全憑國戚之關係，蔣琬用他，是用其忠耿可靠，除此沒其他可取。蔣琬命吳懿鎮漢中，是為自保的政策。他也知道北伐是徒勞無功的；因諸葛亮幾次北伐，勞師動衆，都沒有收穫，何況蔣琬呢？我想蔣琬以及後繼的費禕都有同樣的看法。正是「非不為也，是不能也」的時勢。

司馬懿因諸葛亮之死，不戰而收復渭河諸地，也不敢再冒險，「得隴望蜀」了。司馬懿也想過，以曹操的善用兵，尚不能越過秦嶺，而且兩次進兵漢中還吃了大虧，他也就知難而退。

在渭水流域屯了三年，蜀國沒有動靜，他被調任新職。原來遼東的公孫淵自立為王，而且勾結了東吳孫權，那是一個新戰端的序幕。

八〇、公孫淵自立為王　司馬懿平定遼東

公孫淵是遼東國公孫度的孫子。此事必須從公孫度說起。公孫度字升濟，本遼東襄平人，即遼東郡治（見前注）。度之父公孫延因逃役遷玄菟，（幽州屬郡，即今遼寧新賓縣北。）玄菟太守公孫琙與度同姓之故，琙子名豹早死，公孫度幼亦名豹，又與琙子同年，琙甚愛之，為之師學，曾舉孝廉，任尚書郎及冀州刺史。東伐高句驪，（即玄菟郡治，）西擊烏丸，威行海外。初平元年，公孫度見中國擾攘，以為漢祚將絕，有志圖王。（一一二）

平劇繽紛錄

哀馬連良！

桂良

臨時抓哏，手指慧麟的巧姣唸道：「本縣的英名，險些斷送你手！」那就是說：慧麟你剛唱砸了戲，害得我捱摔茶壺，險些兒英名付諸流水！一時觀眾都明白了「汾河灣」唱砸了的過失責任，而報以閧堂掌聲。當晚慧麟哭訴於內，決定離班。內也不敢得罪連良，因為「賑錢的夥計是財神爺」啊！

與高慶奎、連良繼四大名旦爭編新本戲之後，他也編排新本戲，如：蘇武牧羊、十老安劉、焚綿山、硃砂井、大紅袍、廣太莊、要離刺慶忌、胭脂寶褶、串龍珠、鴻門宴、白蟒台、火牛陣、春秋筆、黑驢告狀、羊角哀等；又重整舊戲青風亭、三顧茅廬、討荊山、漢陽院、哭劉表、安居平五路、楚漢爭、鐵蓮花、雍涼關等齣；且於民十七年恢復了嗓音，唸唱收放自如，於是漸漸走紅。迨藝傳江南，而伶票爭學，遂有馬派之形成。

在故都，眞正經過連良親授的皮黃藝人却極少。那時內行學馬者，有李盛藻、奚嘯伯，皆走馬腔。最不成材者為言少朋，捨其父菊朋之藝不學，而學馬派，為連良鼓吹之力。那時在天橋戲棚（露天搭棚，下大雨祇有臨時打住。）賣藝之梁益鳴，私淑馬派，唱腔頗有神似之處，某日連良墨鏡借李亦青往觀，大表不滿，蓋因梁學得太逼眞了，把他的缺點擴大，全抖出來。連良也能壓低調門，學麒派之「追韓信」，會在封箱戲中露過。琴師李慕良也學馬，而為馬之正式徒弟，惜唱唸天賦欠佳而改習文場，竟享盛名，能捉摸馬之腔調，而不能自已琢磨，所謂心有餘而力不足也。馬最良，亦私淑馬派，其老生行戲路均不尋常，諸凡「羣英會」「打登州」「一捧雪」等劇，動作與唸唱皆臻上乘，扮相亦脫俗，為學馬派之名伶中出色當行者，然終未大紅。

台灣伶票學馬者，有胡少安、卜世英、哈元章等。少安凡馬之戲，如胭脂寶褶、春秋筆、串龍珠、蘇武牧羊、十老安劉、白蟒台等齣，皆能唱得維妙維肖。元章於失印救火，過府搜府，審頭諸齣之唸做，得雷喜福之寶投，故亦近似。坤票有李淑嫻，曾彩唱淮河營、羣英會、借東風、清官冊、蘇武牧羊，也能唱唸俱肖。關文蔚之青風亭，唱唸做亦宗馬。趙培鑫先習馬，再學余；但偶演「龍鳳呈祥」仍是馬派行腔，可見師承有自。名伶周正榮曾為我言，在上海戲校原來學馬，今以學余、楊為標榜，不免戲路受限制耳！

連良是否想投奔自由？台灣言人人殊，今諸葛文侯於二月廿五日在本版所談：連良自杜月笙死後，深感前途茫茫，不欲遠返大陸，乃親向「香港時報」陳情，擬赴台灣于役，該報社主持人亦樂予贊助，據情為之先容。乃反應之官腔凜然大發：不能為一藝人而開放烟禁。連良聞之心悸，時報主持人也不敢替他保險了。於是通自由之門路既閉，他又經不住毛共之爭取，祇有遄返大陸。文候既在時報工作，故知其經過。設馬得償嚮往自由之願望，台省烟禁既絕，不戒自戒，他何致暴卒以終？可哀也已！（完）

畧談胡宗南將軍

諸葛文侯

胡宗南將軍在生時，我僅僅和他談過一次話，時為民國廿一年夏間，地點是漢口「中央飯店」。迨後由於職業殊途，直至他去世，從未見過面了。因此，我對胡氏的公私生活，實際情況，所知甚少，無從談起。茲篇所述，祇是個人的一些印象而已。

民國廿一年夏間，我奉檄于役設在武漢的「豫鄂皖三省剿匪總部」，下榻漢口法租界中央飯店，見有一位身穿藍布中山裝，袖口很窄而綴有紐扣的青年人，和我對門而居，他的桌上和床上都擺滿了雜誌、報紙、畫刊等，我瞧着頗為注意，却不知道他是何等樣人？私下詢問茶房，乃知他就是國軍第一師師長胡宗南。於是，我跟他每天在旅邸相遇之際，頷首為禮，漸漸熟悉了。他亦獲知我是剿匪總部的秘書，表示親近之意。繼而總部明令派任我為湖北第七區行政督察專員，轄區是共匪賀龍的巢穴所在，匪禍最烈。某日午間，胡氏邀我到他房裏談談，初時我認為他是個軍人，我又不懂軍旅之事，若跟他談政治，恐怕談不出甚末名堂來。但他開口就問我對行政專員的職責有何抱負？我提出若干關於社會改革的意見，如取消苛捐雜稅、嚴懲土豪劣紳，民團實行徵兵制等等，特別是匪患深鉅各地區的土地問題，因為產權和經界都經共匪破壞了，匪患敉平之後，似可重新分配，不必再行還原。他表示很贊成。我說：上級機關未必允許我這樣做吧？他揚聲答道：「你做你的，何必理會那些官僚人物呢？」我笑笑，心想此君的思想是開明進步的人，但作風完全屬於軍人型，對地方行政官吏的權限和處境，尚欠瞭解。談到教育事項，他興趣很濃厚，說他自己是初級師範出身的，在家鄉作過小學校長，因而我纔知道他並非專要槍桿子的老粗，把原始對他的觀感修正了。我倆如此毫無拘束地談過兩次後，他即回到防區去，從此勞燕分飛，再也未曾遇見過。

迨對日抗戰中期，某年夏間他到重慶住了一些時候，我從老友曾擴情兄口中，得悉他是為着婚姻問題而來渝小住的。據說，有要人給他做媒，對象是鼎鼎大名的某二小姐，但他認為齊大非偶，但又未便公然拒却。於是乎，他以親密的戀愛姿態，常常邀約某二小姐同赴郊區游覽，徒步跛涉於山澗之間。某二小姐嬌養慣了，出門時從來就很少步行的，她華服革履，伴着胡氏行走崎嶇之地，已經感覺吃不消了，胡氏又請她到路邊的茅屋小店吃「担担麵」充飢，二小姐更不能下咽。胡氏乃和顏悅色對她說道：「我們軍人的生活就是如此，今天這樣游樂享受，算是頂舒服的生活了！」二小姐聞之很失望，嗣後即與胡氏漸告疏遠，胡氏也就解除了心理上的一大威脅，深自慶幸焉。「曾大哥」跟我談罷這段故事，笑謂：「宗南這套金蟬脫殼之計，硬是要得！」往後他和翟女士結婚，毫不鋪張，許多朋友事前并不知道，以他的地位—戰區司令長官—而表現這樣樸質無華的生活行為，實在值得讚美。

現代的一般軍人，祇要爬到軍長或集團軍總司令地位，就千方百計地想干政，兼任封疆大吏，擅作威福，誤國病民，莫名其妙。以胡氏軍職之崇高，中樞對他信任之專，倚畀之殷切，舉世無與比倫，他若有意干政，要過過「督軍兼省長」的癮，易如拾芥也。然他始終不作此想，亦不憑藉軍權和地位，隨便向中樞保薦行政官員，堅守着軍人的本份，不忮不求，皭然涅而不淄，這就足勵澆俗，垂典範了。

大陸淪陷後，他曾經受到輿論界的指摘非難，台諫御史且提出彈章，但他依然自甘，決無曉曉讙咋的詞色。來到台灣後，不願担任顯職，而以「受命於危難之際」的精神，初到舟山，大陳列島最前綫去綰領戰守的職責，繼赴澎湖列島作防守司令，允符合「人為其易，我為其難」的壯士報國之風格，曠觀現代軍人羣中，像胡氏這種立身行己，不染惡習的究有幾個呢？他的名位顯赫一時，經手的金錢難以估計，然身後家無餘財，也未聞有甚末外滙存在異邦。古人說「文官不愛錢，武官不惜死，則天下治矣」，胡氏既不惜死，亦不愛錢，而身罹國破家亡的災難，這與胡氏無涉，乃是一般文武大員多屬愛錢惜死之流，總使他賚志以歿，而有「但悲不見九州同」的遺恨，豈勝歎惜！

我與胡氏原無私人交誼，偶爾溯徊往事，萬目時艱，想起了他一些過異流俗的高風亮節，印象很深，故不能已言如此。

跳蚤的神奇能力

。紫源。

跳蚤沒有翅膀，却長於蹤跳。成蟲的嘴，能夠刺穿哺乳類動物和雀鳥的皮膚吮吸血液。狗蚤和貓蚤同樣會吮吸人的血液。人蚤則盛見於歐亞兩洲較為溫暖的地方。寄生齧齒類動物身上的跳蚤，往往是傳佈黑死病的媒介，叫人膽顫心驚。

跳蚤對人有害無益，你我見了，自然想手到成擒，加以捏殺。不過，當你我悄然動手的時候，說不定跳蚤早已一躍而起，失了蹤影。

長得健康的跳蚤，其行動表現的確可以稱為奇跡。一隻二又二分之一公厘高度則為一公厘的跳蚤，往往能夠一下跳遠三百三十公厘，而且能夠一下跳高二百一十公厘。也就是，所跳遠度為其本身長度的一百卅二倍，所跳高度則為其本身長度的八十四倍。同時，所跳遠度為其本身高度的三百卅倍，所跳高度則為其本身高度的二百一十倍。

說來叫人難以相信，跳蚤還有另一種叫人驚奇的能耐：連續不飲不食一年半，也不致於嗚呼哀哉。

這是就昆蟲力學所作報告中得到的結論，使若干人懷疑已久的想法獲得了證實，即跳蚤雖小，却的確是擁有超級能力的蟲子，造物主大可引以為榮。

跳蚤的頭好像扁梳，使跳蚤能夠在毛裏迅速走動。跳蚤的身體壯健，披有向後倒生的尖毛或硬毛。

科學家說：「跳蚤和人之間的第一種基本大區別，在於跳蚤成蟲的活動，憑藉儲存的體能（即在幼蟲時期進食儲存的體能）。在幼蟲時期，跳蚤即為一生活動取得所需的食物。結果，跳蚤身子肥胖，儲有大量體能。跳蚤成蟲依然進食，則祇為了生殖而已。

跳蚤雖然是乞人憎的吸血鬼，却另有一種使人稱奇的事，就是能夠加以訓練，大耍把戲。在美國境內，許多蚤戲班都能夠大賺其錢。科學家解釋說：「事實顯然，如果苦心孤詣地再三使跳蚤從事某種表演，這種表演便會成為已定的的條件反應，使跳蚤無從規避。」當然這一點倒算不得什麼「神奇」。

彭玉麟其人其事

——對「彭剛直畫梅不高明」的駁正

羅雲家

衡陽附生彭玉麟，字雪琴，洪楊亂起，參與湘軍組織，統帥水師，曾國藩始終信任之，禮貌逾恒。而彭玉麟一生廉介忠勇，不僅為湘軍中的特出人物，亦為我國近代史上的特出人物。在名位上畧遜於曾國藩，而其特立獨行之節操，或有過之而無不及也。

曾國藩的成功，水師實居其首。而水師的規模，彭玉麟楊載福實創始之。玉麟文武全才，風流倜儻，尤為湘軍的楷模，國藩倚之如左右手，未嘗遠離也。人問湘軍人物，國藩輒以三庵一琴對。三庵者，即楊載福厚庵，李續賓希庵，李續宜淑庵；一琴者，即彭玉麟是也。特別是他的匡時挽刦，決不後人，功成身退，決不事仔，最為難能可貴。蓋為南岳正氣之所鍾，船山精神之復活也。

彭玉麟一生愛畫梅花。他在所畫梅花的畫面上，蓋着不少奇怪的印章，如梅花外史、梅花外子、梅仙外子、七十二峯樵叟、吟香館主人、退省山人、退省庵主人、古今第一痴人、神仙本是多情種等……這些刺眼的字樣，使人見了，眼為之撩亂，神為之顛倒，大家均認為他是一個風流才子，戀愛專家，多情痴漢，美人俘虜。殊不知醉翁之意不在酒，而在乎山水之間也。

近讀台灣某報五五年十二月十四日副刊，有農翁先生所作「彭剛直畫梅不高明」一文，內中曾謂：「我們根據史料，知道彭剛直不但是一個武夫，而且是一個好賭成性的無賴漢，根本不知道什麼是藝術。像這樣一個人居然被人列入畫家之林，寧非怪事？據『清代名人軼事』科名類說：『彭剛直公，不能作楷書，試卷臘正，往往出格，九應黌試，皆坐是被斥。』等語，可知他書法之劣。至於畫梅，據說是為了紀念鄰女梅姑。『清代名人軼事』云：『湘陰彭雪琴宮保玉麐，幼時玉貌風流，丰姿俊雅，鄰女梅仙見而悅之，託媼致意，願委身以從。宮保感其意，頗首肯，後格於勢，事遂寢。女因而致死。宮保傷之，誓願畫梅十萬幅以報……』其實這一段故事經過美化過的，事實並非如此。我們根據另一則筆記所記載，可知其中另有隱情，據記載說：『剛直不論居公署或私邸，輒以「梅雪山房」四字榜其書室，又鐫一小印，文曰：「漢書為下酒物，梅花是知心人。」繫腰際不離身，左右皆不解其故。有里人頗知其底蘊，因語人曰：「剛直少年時，實無行，嗜賭如命，呼盧喝雉，豪興遄飛；又私一鄰女曰梅姑者，情好彌篤，每賭敗，即竊取梅姑之釵環，質錢償負，或更作孤注之資，梅姑雖覺，不以為意，反溫語彭曰：「是區區者何足道哉？但願偕白首，於願足矣。」（一）

「屁」問題論戰

‧王永亭‧

「屁」的問題，大雅君子是不屑出口的。可是，在日本却發生過「屁的論戰」的妙聞。

題目是：「屁」究竟是什麼？確是一個無聲而臭的屁，令人發嘔。但有人放一個響屁，也令人討厭。因此「屁」就成了問題。

日本科學界的「屁的爭辯」，論戰分成二派，一派說屁是沼氣，另一派說屁是瓦斯。他們都是實驗派，但兩派所得的結論並不同。

為了揭破「屁之謎」，太田馨挑選了若干壯男人作為試驗，他們每天大吃豆類，然後在試驗室中，把他們所放的屁儲藏在試驗管中。然後加以分析，發現這些屁中有百分之八十五是氮氣，百分之十二是氧氣，却完全沒有沼氣和瓦斯。

不過，在太田馨的實驗結果公佈後，立即被反對派加以駁斥，指其無稽。因他們化驗結果與太田馨完全相反。他們發現屁中所含的沼氣，達百分之八十。（上）

自由報
內儀警台報字第〇三二一號內銷證
THE FREE NEWS
第七四八期
中華民國僑務委員會頒發
台教新字第三二三號登記證
中華郵政台字第一二八二號執照
登記爲第一類新聞紙類
（半週刊每星期三、六出版）
每份港幣壹角
台灣零售價新台幣貳元
社長：雷嘯岑
督印人：黃行審
社址：香港銅鑼灣高士威道二十號四樓
20, CAUSEWAY RD 3RD FI.,
HONG KONG
TEL. 771726　電報掛號：7191
承印者：大同印務公司
地址：香港北角和富道九六號
台灣分社
台北市西寧南路壹壹零號二樓
電話：三〇三四六
台郵報儲金戶九二五二

從核子武器看當前世局（中）

——論防止核子武器擴散條約及反洲際飛彈計劃

何浩若

巴黎與華盛頓之間的距離，多少是因爲美國不肯支援和協助法國建立所謂「核武力」（Force de Frapp）。從上述核子分享的經過，我們可以瞭解所謂核子的秘密，雖親如英美，自稱爲社會主義兄弟之邦的蘇俄和中共都是無法分享的。美國和蘇俄既不肯和別國分享核子秘密，是否就想核子獨佔呢？這次日內瓦裁軍會議所提出來的「防止核子武器擴散條約」，原是由美國和蘇俄共同商定的。有許多國家很懷疑，美國和蘇俄是否有了默契，想拿這個條約，來獨佔核子武器呢？遠在一九六四年，「美國新聞和世界報導週刊」的記者訪問正在美國講學的英國歷史學者湯培（Arnold J. Toynpee），問他美國和蘇俄是否會發生戰爭。湯培的答覆很怪。他說美國和蘇俄應當聯合起來消滅中共。他說美俄可以合作。合作的根據，就是因爲他們獨佔着核子武器。湯培說：「我認爲美俄兩國的關係將有穩定的改善。他們之間有一巨大的共同的利益！——那就是在目前他們獨佔着核子武器。英國雖也有核子武器但微不足道。假如美國和蘇俄不能就核子問題取得協議，別的國家將獲有核子武器，而使美國和蘇俄連橫的力量沒落。如此他們將會失去控制世界的力量。但是如果他們對此問題團結一致，則足以維持世界的秩序。目前，這是兩國間非常巨大的利益。我想這項利益會使他們團結一致的。」（見拙作『國際現勢之分析』，第一輯一四〇頁）

湯培在一九六四年所說的話並不能影響到蘇俄和美國的政策。但是他的話恰好替美俄兩國所提出來的『防止核子武器擴散條約』作了一個有力的解釋。有人說，禁止核子擴散就如老年人不准青年抽烟，而自己卻繼續抽烟。所謂和平用途也祇是給青年一枝烟抽抽試試，而不准青年人自己有烟。這樣的做法，很難使青年人心服。禁止核子擴散的理由冠冕堂皇的說是爲了世界和平。但是也有人說，現在的核子武器不是一家有，而是兩家有。就算禁止擴散以後，別家沒有，這兩家有的會不會打起來呢？何況並不是兩家有，而是三家有，四家有，五家也有。除去美國蘇俄以外，英國，法國有，毛共也有。既是許多家有，禁一家不如那一家，就不如大家有。這都是沒有核子的國家要說的話，不過不過這樣露骨而已。

再說維持世界和平而禁止擴散，和美俄兩國獨佔核子，這兩種說法之間還有一段距離。蘇俄對禁止核子擴散雖和美國合作，但在日內瓦裁軍會議，卻採觀望態度。西德反對禁止，蘇俄彷彿便對美國說，是你的朋友反對，你去和他疏通吧。美國也不好和西德說，我要和蘇俄獨佔核子。這樣美國便只好讓步了。據今年三月九日合衆國際社從波昂發出來的報導說：『美國軍備管制暨裁軍署署長佛斯特，在日內瓦參加裁軍會議後，於今早飛抵此間時向西德保證，說建議中的防止核子武器擴散條約既不會限制，也不會減少它在和平使用原子能的發展。』但是沒有核子武器的國家並不是獲得和平使用原子能的許可便會滿足的。這個條約能否獲得通過，要看將來的發展了。

內、禁止核子擴散以後是否就能維持世界和平？

依上所述，問題的焦點，不是禁止核子擴散的條約能否獲得通過，而是這個條約通過以後，能否根絕核子大戰，維持世界和平？假如有人問這個條約的提議者，美國和蘇俄，恐怕他們也無法肯定的答覆。理由很簡單，現在可能發生核子戰爭的就是這兩位提案者。單單禁止核子擴散到沒有核子的國家去，如何能防止有核子的國家發生核子大戰呢？老年人不准青年人抽烟，而自己繼續着抽，如何能禁止抽烟呢？人類的目的是要維持和平的。從歷史上看國際間的紛爭，要維持和平，是雙邊的均勢好，還要多邊的均勢好呢？有人把現在對抗的局勢，稱之爲恐怖的均衡（Balance of Terror）。這個均衡失去以後，便會發生恐怖。也就是說，會發生核子戰爭。也有人說，這個恐怖的均衡就快要失去了，因爲蘇俄已經完成了反洲際飛彈的防禦，而美國還沒有。這當然是一件很重要的事。讓我們現在來研究一下反洲際飛彈的防禦計畫吧。

二、反洲際飛彈計畫

反洲際飛彈計畫是最近一個月以來的熱門新聞。據今年二月二十八日台衆國際社的報導，美國參謀首長聯席會議主席惠勒將軍說，他相信在兩年以內，蘇俄將會完成一個有效的反洲際彈道飛彈系統，在莫斯科地區操作。他說美國現在應當採取行動，建立她自己的反飛彈系統。惠勒將軍是在列席美國參議院裁軍小組委員會的秘密會議以後，向記者作此談話。另據本年三月四日合衆國際社的報導，美國國務卿魯斯克也同意考慮設立國際飛彈防禦組織。據說美國參議院建議設立一個國際機構以建立一「北極圈」彈道飛彈防禦組織。魯斯克說他歡迎這種新觀念，但是如何使蘇俄接受，他不敢臆斷。不僅惠勒將軍和魯斯克注意這一件事，就是美國的詹森總統也在不久以前提出警告，說防止核子擴散條約，美國雖和蘇俄接近，但是在飛彈防禦體系的競爭方面，則已達到競爭的「分水嶺」，面臨一無止境昇高的危險。詹森總統是希望蘇俄停止在這一方面的競爭。但是柯錫金訪英的時候，卻發表談話，說任何阻遏反擊的系統，不能視爲軍備競賽。他說：「反彈道與軍備競賽正好相反，它是減少人類可能被毀滅的一個重要因素」。顯然的他不贊成停止這項反洲際飛彈防禦系統的競賽。

根據上述的情況，美國爲什麼不立刻着手建立他自己的反洲際彈道飛彈的防禦系統？據說主要的原因是所需的費用太大了。本年一月出版的美國「時代雜誌」紀，美國參謀首長聯席會議的巨頭曾擬計畫，假如建立一個以「勝利女神Z型」飛彈爲骨幹的反飛彈系統，並建立以力能至大氣層之上攔截並摧毀來襲的「斯巴達」飛彈」以保護美國「義勇兵飛彈」基地，就需要美金五十億元。

不知死活

各散東西

今日與明日

共軍大分裂

共黨一切演變，完全如世人意料，當毛共奪權運動進行最激烈時，並且將權力完全寄託於槍桿時，海外有識之士已斷定毛軍內部遲早將告分裂。尤其是以林彪爲首的一派，實在掌握不了大多數，更不能控制全局。就林爲人來說，在毛軍十名「元帥」中，可以說資格最嫩，一旦要他駕於衆人之上，各方軍酋自然不服。加之林彪掌權之後，所進行的一切「革命行動」，已經非一個正常的人所能同意，在此種情況下，即使親密戰友也會反目，何況只是臨時的結合。

就毛軍形勢來說，擁毛主力是林彪的四野系，實際上是瑞金時代的紅一軍團系統。反毛的是一野系，也就是舊紅二方面軍賀龍部。所以一開始林彪與賀龍就變得針鋒相對。繼而使紅衛兵搞臭賀龍，大爆賀龍的醜史。在當時林彪唯一成功之處，是拉緊了徐向前；這位紅四方面軍出身的元帥，雖然多少年受盡壓抑，但其部下卻在目前十個一級軍區中佔了五個，得到徐向前的支持，陳毅的三野系（其中有些是徐向前舊部）只得守中立，於是林彪佔了上風。但蜜月時間很短暫，目前徐向前、陳毅又同林彪幹上了，因而引起了許多軍區示威，看情形內戰就在眉睫了。

衝突原因

林彪與徐陳衝突據外電報導是由於徐向前、陳毅反對林彪爲毛澤東繼承人。此事眞實情況如何，尚難判斷。但軍委會議卻因發生爭執而停開，可見爭執的嚴重。

林彪作爲毛澤東繼承人之問題，較早傳說已由中委會決定，觀乎劉少奇之自白書，此事並非子虛。此日又何以要提到軍委會議來討論？情形頗爲可疑。依筆者推測，可能是討論林彪繼任軍委主席的事，因此引起衝突，林彪在一怒之下，解除了徐向前軍中文革小組長的地位，改派蕭華繼任。如此一來，紅四方面軍與三野兩系都同林彪鬧翻，雙方比重就由量變到質變了。

此時何以要讓林彪任軍委主席？若非是毛酋已經病重待斃，即使毛酋感於林彪力量太大，尾大不掉，又擺下這一步險棋，是三狗爭食，自己可坐享漁人之利？不管如何，此是最後一爭，過此以往，再想爭的機會大概也沒有了。

今年是中華民族否極泰來的一年，歷史上將會寫下這一年所發的大事。爲中華民族，爲整個人類，都要把握住這個關鍵的日子，萬不要放過它。（如何）

自由談

談敎育統計

最近中華民國教育部發表教育行政事業的統計數字，說是自從政府遷移台灣以來，直到現時止，各級學校的數目，比較台省光復之初，增加了七十多倍，學生人數由幾萬名增加到幾百萬名，每四個公民之中，就有一個學生了。

過去我對於官府發表的任何統計數字與圖表，皆認爲那是騙人的官樣文章，眞確性很有問題。如今世界進化到了科技化時代，西方文明國家——尤其是美國——過事講究統計圖表，非如此就是不科學的落後思想。我爲着力爭上游，不願以昏庸老朽的頑固份子自居起見，對於統計這玩藝不得不稍加注意了。

注意的結果，乃發生一種疑問：台省居民四人之中，就有一名學生，這表示咱們國家的教育甚爲發達了。然而，每年秋季各級學校升學考試後，向隅失學的人數皆以萬計，光是大專學生落第的，便有幾萬人。加果不能使適齡的青年學子，個個有書可讀，即使每十個公民中就有十個學生，也是不值得稱許的畸形現象，這所以構成很嚴重的社會問題。例如大衆詛咒的「惡性補習」風氣，假使小學畢業後，大家不愁升學無路的話，誰還願意虛擲金錢從事惡補呢？

台省人口在近十幾年之中，由原有的四百萬激增到現時的一千二百萬了，觀於每年失學人數之多，即證明學校和人口的供求比例，相差甚遠，當前的急務應該是廣設學校，以解除「學荒」，這纔是根本之計。不揣其本而齊其末，光是玩弄統計數字，於事何補耶？

每年應升入大專學校而告失望的青年不下數萬人，而每年從大專學校畢業出來的失業青年，依最保守的估計，亦在五千人以上。人口逐年增加，這類失學失業的青年亦相應激增不已。政府若不從人口問題和職業問題謀對策，長此下去，終貽後患，不審當道諸公，於意云何？

馬五先生

桃縣平鎮全體鄉民代表 十六人集體貪污被判刑

開歷史先河是否重選須報省決定

（本報記者黃鴻遇桃園航訊）桃縣平鎮鄉，為五十六年度追加預算，鄉民代表利用機會，要求每人支給半年的「研究費」一新台幣一千二百元，由該鄉各國民學校修繕費項下列支的「假報銷」被人檢舉案，鄉長王年龍，各國校校長，全體鄉民代表等三十二人，被新竹地方法院，依戡亂時期懲治貪污條例，分別判處五年以下有期徒刑。尤以民意代表，集體作奸犯科，自我國行憲以來，前無所聞！應否停止其行使職權，或重行改選，桃園縣府，將報請省府核示。

曾經轟動一時，集基層行政、教育首長及全體民意代表之大成的桃縣平鎮鄉「假報銷案」，鄉長王年龍，為五十六年度追加預算，全體鄉民代表，藉機也替自己打打算盤，以鄉公所年度預算中，編列：鄉民代表，每人每月支給「研究費」兩百元，被縣府批駁未准；乃利用審查通過追加預算的機會，仍以每一代表借支半年研究費（一、二〇〇元）為詞相要脅。王年龍以鄉公所無此預算，如果想追加預算獲得通過，更值得「研究」，邀約各國校校長，同意由國校修繕項下作「假報銷」。該案被人向治安機關檢舉移送新竹地檢處偵查起訴，涉嫌該案的三十二個被告，一審判決，沒有一個免刑。其被告名單如次：鄉長王年龍，民政課長謝新兆，課員陳進鑫，出納黃薛錦。宋屋、南勢、新勢、東勢四所國民學校校長陳舉輝、邱湧賢、梁仁添、張木生，教導王年培、湯進兆、鍾陳榜，主計羅欽組、王年鈸、陳進繫，出納鍾紀章、李阿煌，鄉民代表會正、副主席曾義煊、黃阿枝，代表毛慧斌（女）、戴國灝、葉曾梅林（女）、曾盛德、徐新紅、黎阿坤、邱陽寶、劉家綿、林貴明、宋友昌、陳吳如玉（女）、張丙坤、黃鄧羣英（女），張志芬（女）等三十二人。

據新竹地方法院的判決書主文：被告王年龍、曾義煊、戴國灝、葉曾梅林、曾盛德、徐新紅、黎阿坤、邱陽寶、劉家綿、毛慧斌、林貴明、宋友昌、徐吳如玉、張丙坤、黃鄧羣英、張志芬，共同侵佔公用財物，各處有期徒刑五年，褫奪公權二年；被告陳舉輝、邱湧賢、梁仁添、張木生、王年鈸、羅欽組、王年培、鍾紀章、湯進兆、李阿煌、鍾陳榜、陳進繫，共同幫助他人，意圖為自己不法之所有，各處有期徒刑二個月。

該一「假報銷案」，於去年間被人檢舉，經過調查、偵訊、起訴及一審判刑，以被告之多，為時併約半年，頗符新、速、實、簡的要求。被告王年龍（在押）等屬於鄉公所的職員，在提起公訴時，縣府即分別予以停職。各國校部份的被告，縣府教育科長林乾祐，簽請縣長陳長壽核准：俟一審判決後再予處理。據縣府人事主官員表示：俟新竹地方法院的判決書副本送達縣府時，將考慮停職。唯有全體鄉民代表部份的被告，在我中華民國行憲以來，尚無這樣「傑出」的前例，應否停止其行使職權，或重行改選？據縣府民政局長郭禮伯表示：將報請省府核示後，才能處理。據另一位人士戲謔地分析：此一假報銷案的形成：是合「情」合「理」合「法」？全體被告中，校長是「情」願交攏公共關係，鄉長是「理」應通過追加預算，代表是「法」外研究，塞滿自己的荷包。如果曹琨時代的國會「豬仔」議員地下有知，該當向桃縣平鎮鄉這些鄉民代表來「愚性補習」一番。

江青虧負國聯？ 國聯刻薄江青？

江青與國聯杯葛之說，於三月中旬，在台北市若干報紙上經宣揚後，引起各方的關切。大家認為：以江青與國聯過去深厚的關係，不可能會有不愉快的事發生。

四年前李翰祥自港來台，台灣的影迷祇知道李翰祥，誰認識了江青？在李翰祥全力宣傳下，江青之名幾是後來居上。江青雖無西施之美，也無西施之艷，而短短數日之間，江青與西施在影迷心目中已經齊名。

去年底到今年初，江青以懷孕之身參加國聯公司『迴旋』一片的拍攝。這是一部文藝片，江青從參加拍攝，一直到這部片子的完成，并未提出過健康上的問題。因為『迴旋』不是大動作的影片，江青雖懷孕，但也不致勞累到不堪負担的地步，而且為了江青的健康，事先已經為她更換角色。

事前與事後的說法，出入大得驚人。當初，拍這部片子的時候，不要說江青與國聯感情和睦，就是江青的丈夫劉家昌，也與國聯搭上了友好關係。劉家昌不但每天陪他的「西施」去拍片，還自告奮勇為「迴旋」配音。他把台北市各夜總會樂隊裏的最佳樂師都請了來伴奏，也把他姐姐請出來担任「迴旋」的幕後主唱。

有人說：國聯對劉家昌這個女婿深表不滿，這一點的正確性大有問題。李翰祥受江青母親之託，以監護人的身份，把江青從香港帶到台灣，江青與劉家昌秘密結婚，不僅瞞過李翰祥，李翰祥也因此而得罪了影劇記者。直到江、劉拜過天地再去李翰祥家，生米已成熟飯，李翰祥夫婦祇得倒酒為這對新夫婦慶賀。李翰祥並不是不准江青結婚，他當時所以有點氣，因為江青辦這件終身大事，竟瞞過了他這個監護人。再說：如果劉家昌不滿意國聯，他不會進入國聯大門，更不會替國聯的影片配音。假使國聯看劉家昌討厭，也不會讓他在一部新片中插手幫忙。

但江青與國聯之間并非沒有枝節。去年農曆小年夜，國聯公司全體同仁辛勞一載，李翰祥夫婦請大家吃年夜飯，像江青在國聯公司這樣重要地位的人物，當然是被邀請參加的上賓之一。但江青沒去，這倒是常例，并不會令人驚奇。江青有了婆家，她要在自己家中與夫婿歡聚，誰也會這樣作的。所以江青不參加李翰祥夫婦款待的年夜飯，沒有人認為裏面有甚麼文章。

吃年夜飯（二月七日）應該是興高彩烈，而且事事要討吉利，咱們中國人對這個節期重視得無以復加。江青不能去不打緊，但就在大夥討吉利的當兒，江青的丈夫劉家昌用限時專送寄給國聯公司的當家李翰祥一封信，一開頭就把國聯及李翰祥責備得體無全膚，主要內容是說國聯如何地虐待江青，結論是：他的江青要求與國聯公司提前解約。先找理由，再提條件，除了國聯公司，任何外人讀到這封信都會覺得劉家昌罵人的沒錯，提的條件也名正言順。而在國聯公司職員看來，劉家昌這一手無疑地另有文章。再看信後還有江青的附筆，這證明了江青同意她丈夫這樣做的。

討吉利的舊曆年節，李翰祥收到這樣一封觸霉頭的信，尤其寫信人是國聯公司一手培植起來的首當女演員江青的床頭人，這怎不叫李翰祥火冒三丈？

這股悶氣，誰也受不了，李翰祥立即給江青一封信（二月八日寄出），除了數說他提攜江青的經過外，並且提醒江青：她與國聯公司所簽的合約內容，違約者得賠償港幣卅萬元。那天李翰祥的情緒被擾得混亂不堪。

江青於去年八月與國聯公司續約三年，而江青應得國聯公司的酬勞三年合計港幣十四萬四千元（每月四千港幣）。這種待遇不要說在台灣電影圈裏找不到第二人可享，就是一般單位担任高職的人員，受此高薪者也是鳳毛麟角。江青既存心脫離國聯，國聯要留她也沒有什麼意思，提前解約國聯可以同意，問題在違約者一口氣要付出港幣卅萬元，這得看江青的了（上）

讀者投書

自由報社公鑒：久仰貴報言論正確：是非公正。鄙人今有是非不明，眞相黑白莫辨之事，敬請貴報主持公道正義，惠予披露為感。

讀者　王瑞松敬上　四、十三、

王瑞松剖白嫌疑

查此次各報競相登刊所謂瑞松偽造文書涉嫌瀆職壹案，誠恐外界不明眞象，以訛傳訛，願將內情說明，用正視聽。本局職員周大受係前內政部北平警官高等學校畢業，獻身警政工作卅餘年，於卅九年調本局課長，至四十二年調督察長。四十六年間橫貫公路尚未開闢，該員跋涉長途，赴梨山督導勤務，備極辛勞，致患高血壓症，半身不遂。適郭處長任內，乃將其改調額外秘書，佔警員名額。瑞松於五十四年就任，其妻持陳情書來見，言述該員係佔外勤工作缺額，退休年齡將屆，如強使其退休，子女尚幼，俯畜不易，全家生活勢瀕絕境；要求改調內勤職務，延長退休期間。且言該員身體逐漸好轉，輕微工作，亦勉可負荷等語。瑞松以其情殊可憫，亦基於職責所在，乃將其陳情報告，據實轉報警務處。旋經轉呈省府核准改調辦事員職務。嗣後有關公務員應行辦理各項任用送審手續，均由承辦單位依規定程序辦理，分層負責，瑞松亦不必問。今鼎岩王竟虛構事實，意圖誣害，其用心之處，殊為不解。經瑞松於四月六日赴嘉義地檢處應訊，得悉鼎女指定證人為史宗耀、陳啓明、劉斌華（鼎女之夫）等人，始恍然大悟。蓋上述各員，前均任職本局，因故外調其他單位。該員在職期間，經原服務單位考核，其品德操守惡劣，且有因案調查者。竟不自行省察，仍一再要求調派重要職務。瑞松以國家用人，貴在才德，始終未為所動。要求不遂，復蜚短流長，意圖要脅。瑞松一本義正辭嚴，不稍遷就，寧可疾惡如仇，不顧甘為鄉愿。因之彼等則吹毛求疵，小題大做，既藉詞控告於法庭，復惡性渲染於報端。瑞松獻身黨國卅三年，嘗以耿介拔俗自持，守正不阿自勵。個人得失事小，團體榮辱事大。於今以無的放矢之舉動，攻訐長官，此不僅有損警察之聲譽，亦將影響社會之風氣。此事發生，承各長官友好同仁紛加慰問，衷心感激。為求得分涇渭，明辯曲直，用特說明如上，尚祈亮察是幸。

陸軍劇展不言而行

・李猷廷・

晉代士大夫及部分學者尚清談，到處一片月旦聲。它的好處，是提倡了氣節，注重忠貞；但它的壞處，則是言多而行少，如同北平天橋的把式，只說不練。沒有強人出來，大刀闊斧的改良政治，遂使司馬氏的統一大業，不久又趨於分裂，造成五胡亂華之局，使老百姓再受數百年之苦。到了李世民的時代，雖得見貞觀之治，可是這種清淡風氣，已然生了根；再加上部份文人，誤解了孔孟的中庸之道，和老莊的無為學說，演變迄今，遂有遇事推諉，背地說風涼話的劣性，以多做多錯，不做不錯的「哲理」，來掩飾本身的瀆職。儘管口號喊得山響，文章做得再棒，但一究實際，則不外是虛應故事，聊備一格而已。這種作風，往上說，它影響了我國文明的進步，較比歐美落後了一兩個世紀，讓人家著了先鞭；往下說，將和印度埃及同樣，不能夠迎頭趕上，永遠空負一個古老文化之名，只有萎縮，不見遠景，言之殊堪痛心！

所幸的是，目前政治上高級領導者，和社會各角落的有心人士，都已瞭然此種劣性作風，亟待改善，在可能以內以為政不在多言，坐而言，必起而行的決心，在各方面表現出來，才有如今的社會安定，和經濟建設的進步。誠屬可喜的現象。雖然還有多數小地方，仍待加強，但當茲反攻前夕，能夠有如此轉變，已屬難能可貴。即以陸軍劇展為例，可以將小比大，以概其餘。本人願不憚辭費，為文宣揚，以勵來茲。

國防部所屬各軍中劇隊，由於舉辦國話劇等項競賽，無形中提高了民眾對藝術的認識，和各劇隊的更生進步。大家為了金像獎的榮譽，自然挖空心思，編排新戲，增強設備，補充人員，於是劇運振興，文化復活。表面看來，戲劇雖屬小道，但因為它是向社會有力的說教工具，則其功在國家，絕非過言。主其事者，也非行而不言之人不可。由此想到劇隊的最高主管，和各級幹部，以及隊員們，都是適才適所，選拔得人；而該部正副主任及藝工大隊長洪濤的硬幹精神，尤其值得令人喝彩。

這幾位主管，在以往的競賽時期，對各隊的培植工作曾盡到最大努力。五十五年度，除了一般的競賽而外，他們更舉辦過本身所屬各隊的競賽展出，為期月餘，引起劇運高潮，一時佳評紛乍，令人欣慰。今年在未曾宣傳聲中，突然宣佈，仍如上年同樣舉辦劇展，期間自三月二十九日至五月十二日，將及二月之久。聞此次展出陣容，較上次更為充實，有不少改進之處。其中包括陸光、幼年班、大宛、干城、龍吟、火牛、天馬各隊，凡國劇、話劇、台劇、豫劇、音樂、歌舞等等，應有盡有，網羅無遺。尤以幼年班的精彩表演，更能引人入勝。各項戲碼，已見各報，街頭上遍貼海報，戲院門首，懸掛結彩，宛如喜事臨門。更有服裝、臉譜、道具等項展出，尤為動人的傑作。行見人潮洶湧，車水馬龍，猶歟盛況，豈是徒喊口號，只說不練之人，所能夢想得到？

而且此次劇展，所消耗的人力物力，固然不在少數，但它所收到的效果，將難以估計。像這樣眞正做到了文化復興，功在國家，辦事人本身只有付出無數心血，不計汽車洋房的優呆作風，又豈是那以生意為經，享受為緯的人所肯一顧？本文由清談之風，談到陸軍劇展，似乎有頭重腳輕，小題大作之嫌。但萬事應從小處著手，風氣所及，關係至大。如此硬幹的人，使他做任何事，也都有驚人的表現，絕不肯馬虎從事。自由中國正需要這樣不言而行的人，前途庶乎有。

遠海異聞談

三年後的客機啥樣子

桑雅

自從美國第一架噴射機開始試飛，距今尚不到廿五年。在這短短期間，噴射機已一躍而爲主要的空中運輸工具。目前無論軍用民航，均以噴射機爲主；普通的螺旋槳機，早已退居於次要的地位。

現在，有人駕駛的太空火箭，又在試飛階段，預料十三年後，即一九八〇年左右，以火箭推動的太空客機，來往飛行於洲際之間，似乎也是一件必然發生的事。據美國貝爾航空公司董事長范諾夫在其所著「太空的和平用途」一書中預測，火箭推動的客機，以一萬一千哩以上的時速，飛行於太空邊緣，不久必將成爲事實。這種客機的詳細構造若何，因目前尚無完整的設計，難以具體說明。不過，根據現有的火箭及航空技術，可窺見大畧。

未來的火箭客機，應稱爲「助升火箭滑翔機」。其助升火箭，應與現在的洲際彈道飛彈相似，或爲一節，或爲二節。機身由助升火箭射入太空後，然後滑翔至終點降落。這種飛機，以初速爲最大，但每小時不至超過一萬八千哩；否則將成永久的軌道飛行，而不在終點降落。

第一節助升器，可用普通的噴射引擎，使其加速度不致太大。刻有一種設計，主張這種飛機應爲猪背式，機身長八十八呎，翼展一五〇呎，可容旅客卅人。最前面的駕駛艙，可容一至二人，裝有盲目駕駛設備及活動遮熱板，以便駕駛員在飛行及降落時的瞭望。在起飛的最後衝升階段，利用一具火箭引擎，推送其時速至一萬五千哩，並使助升器與機身分離。其推送力約爲十六萬五千磅。

當這種客機完全滑翔，重新進入大氣層時，可利用機身的三角翼滑翔降落。機身是以抗熱物質造成，可耐華氏二千五百度。艙身兩層抗熱板，內部設計所用質料，可與普通飛機相同，唯需有類似冰箱設備的空氣調節系統。

或許有人要問：我們爲什要製造這樣高速的飛機？現有每時一千四百哩倍音速噴射機難道還不夠嗎？要答覆這個問題，吾人必須正視當前國際關係、政治問題及經濟活動等日新月異的轉變，這種轉變。近年特別迅速。到了一九八〇年，各種情況的變化，當不能與今天同日而語。前美國總統艾森豪與甘迺迪，均一再强調國際間日增的依存關係，未來的種種問題，將迫使科學家努力尋求更速的工具，以爲適應，勢屬必然。不僅此也，目下的航空器之多，已使交通管制出現困難。到了一九七五年，直升機與私人飛機，必更加來往頻繁。這些飛機當然均在較近地面的空間活動；其上層，接近同溫層[illegible]

流行英國的巫術

倫運

在一九六七年的今天，在英國仍有巫婦的存在，然而官方的聲明，最後的一個巫婦，已于一六八四年在依斯特被處決了，死者是雅莉絲·摩蘭。到一七一七年，[illegible]與自己女子兩人，[illegible]舉行巫教儀式被控，但被判無罪。于是一七三五年間，英政府立例，凡是被控施法的術士，不論男女，無須被處決。當時著名的法官威廉·布蘭史東甚至這麼說：「如果要否定巫術的存在，正如不聽從大意。」甚至他臨終前，也要說：「對巫術置之不理，猶如丟掉聖經」。

一八一三年，一個名叫愛蒙·鍾士的教士曾著書立說，替巫術辯護。他這麼說：「如果英王喬治二世肯虛心讀讀巫術的歷史書籍，他便不會向國會要求消滅巫術的了。」無論怎樣，到今時今日，巫術在英倫依然頗爲流行，而且逐漸深入民間，在年輕人的心中，顯然起了不少作用，有些所謂派對，便是巫術式的派對。

這種巫術式的派對分兩種：一是拜祭天地，二是神秘結婚：兩者都常常在露天舉行。目前，曼徹斯特的邪教活動最多，三十九歲的亞歷山大·山打士，不但是當地的教主，在歐洲各地，也有「巫王」之稱。他所主持的拜祭儀式，往往是黎明前舉行的；像傳說的一樣，教徒啓程前，每人拿着一把掃把。

這位教主不是獨身的，去年底才娶了一名妻子，她是十九歲金髮的美人愛莉絲，由她負責察看祭壇上的飾物是否齊全。那些所謂飾物，是包括體、劍、小刀、油脂、酒杯及燭台等。

教主是穿黑長袍，其他是穿白袍，由教主在各人頭上灑油脂後，便在草地上圍圈子攜手跳舞了。圈子是用細索做成，然後在出口插了一把古代的長劍。在跳到興高彩烈的時候，他們便脫得精光，不過，這必然是在晚上。儀式舉行地點，不是在山上，便是在叢林裏，遠離其他人群。

另一種是神秘裸體婚禮，我們不妨摘譯一篇文章，作爲大家參考，作者是伊力，他描述在三藩市目睹的怪事。

我是三藩市「撒旦教會」的一名客人，日期是一月三十一日[illegible]的晚上，我被邀請參加一個不同凡響的婚禮。[illegible]搖曳之下舉行婚禮儀式。房間裏的火爐邊，有一個長髮漂亮的模特兒，[illegible]是濃霧迷茫。

主持婚禮的人是安東·里維，據說從前是一個馴獸師，現在卻成了「教主」。他對我解釋說：「這裸女不是騙在祭壇，而根本她便是祭，她象徵世俗與歡樂。」

那麼，一對新人又是什麼人物呢？

新郎是左翼新聞從業員約翰·富門，三十歲；新娘是二十六歲的華迪芙·姬絲，她是紐約市檢察官的千金。

新郎曾經結過兩次婚，都是基督教的儀式；但，姬絲是第一次。

非洲慶伯來大洞

大知譯

一八六八年，有位白種人，從一個住在南非洲瓦爾河附近的巫醫手裏，買到一粒巨大的鑽石。這引起了第一次淘金剛鑽的狂熱。更大的淘鑽熱接踵而至，由於有一所鑽石礦，人口集聚，遂產生了慶伯來初期城。早期，一八七〇年代初期，在瓦爾河東岸不遠處炎熱的草原上，那種大規模瘋狂挖掘的遺跡，今天在慶伯來仍然到處可見。這樣慶伯來鑽石礦就出了名，而且獲得了一個諢號：「大洞」（Big-Hole）。不過，第一號礦井現在已經停止工作了。

距慶伯來不遠，靠向西日克來村之處，尚可見到有一兩[illegible]人物，[illegible]地在其一九四六年以前所遺的私人小礦地上，建築着[illegible]美國西部那時[illegible]硬的掘金者一樣，孜孜不息地用篩子和水在淘取鑽石。窮斑老家伙不時也找到一二粒鑽石，値上一、二磅；這種微小的機會，積聚起來倒也使他們發財的。

當年開鑽石礦簡直等於徒手殲獸一樣的冒險。他們有人曾經參與掘挖「大洞」，此礦井於一八七五年開掘，據說是用手工具開掘的礦井中最巨大的一個。數百個礦工，各在約三十呎見方的礦地上分別往下挖掘，找尋那含有金剛鑽的青石。每一個人掘出來的東西放入吊在鋼綫上的桶裏，傳遞給另外的人去淘洗。礦越開越深，礦口上的鋼綫有如大蜘蛛網。後來，分隔各個礦地的圍牆坍垮了，於是竊盜、强暴、殺害等事層出不窮。

德公司於一八八九年統一了南非鑽石礦的開採事業，以五，三三八，六五〇鎊的代價，收買了原有各礦。而原爲個別作戰的冒險家，都納入了這一個組織。自此，南非的鑽石礦業，盡入於此公司掌握。該公司即由下列四個礦井起家：慶伯來礦、布爾豐丹礦、德比礦及杜吐斯班礦。

慶伯來礦塲地面上大體是圓形的，其直徑約爲一五〇〇呎，在使用現代機器後，豎坑的深度已達三五二〇呎。在它生產壽命期內主要的廿四年間，所產出的鑽石價値達五〇，〇〇〇，〇〇〇鎊。當時一英鎊僅兌五美元，加以目前的兌換率計算，則數字當更爲驚人了。

已廢棄的慶伯來礦塲，爲了招待遊客，現在在礦井邊緣特別建了一個看台。在礦井內積水高至離地面七百呎處（抽水已停止多年，井內之水每月漲高一呎）。假如在井口投下一塊大石頭，須經許久始能聽到石頭擊水的回聲。

在這裏有一所中央揀選所，各礦塲所產鑽石均集中到這裏，由專家分門別類並評定價値。看到一粒粒耀眼的東西，你也許不免要暗自引起遐想：要有多少粒才能博得一個美滿的姻緣？要有多少粒才能贏得一個美人的青睞！

新三國

周遊講者

於是分遼東郡爲遼西、中遼二郡，設置太守，又越海收東萊諸縣，即青州屬東萊郡地。東萊領十三城，治郡爲黃縣，即今山東黃縣東南。又置營州刺史。營州即東萊諸縣地，所以建州設刺史者，以示威而將遼東之强也。又自立爲遼東侯平州牧，（平州即公孫度所據遼東一帶地方，立牧自領，所以直轄遼東、遼西、中遼諸郡，而且亦尊於營州刺史。）追封其父延爲建義侯，立漢二祖廟，即漢高祖、世祖廟。同時假天之命以行權。度違遠天子，故立二廟，遇事得假高帝、光武之制以稱制奉事。設壇祭祀，儼然天子之制。）籍田治兵，乘天子所乘之鸞車，冕天子之冕九旒。（天子冕本十二旒）出入有羽騎（詳前注）。曹操見其勢大地遠，表他爲揚武將軍，封永寧侯。公孫度說：「我王遼東，要你什麼永寧侯」！把曹操表頒他的印綬藏於武庫不用。

建安九年，公孫度死了，其子公孫康篡位，封他的弟弟公孫恭爲永寧鄉侯。建安十二年，曹操擊烏丸，袁尙等奔遼東，公孫康殺了袁尙，獻首於曹操，已見前。於是封康爲襄平侯，拜左將軍。

公孫康死了，其子兆、淵尙幼，衆乃立其弟公孫恭爲遼東太守。曹丕篡漢，拜恭爲車騎將軍假節，封平郭侯。（在遼東郡，在今遼寧蓋平縣南）原來公孫恭是一個閹人，因消陰體弱不能治國。太和二年，（魏明帝第一年，公元二二七——二三三）公孫淵便奪了公孫恭之位。魏明帝即位，拜淵爲揚烈將軍（雜牌將軍也）遼（火旁下同）東太守。淵又遣使臣，南通孫權，結果孫權派了張彌、許晏二人爲使，送了不少金銀珠寶。公孫淵又以爲孫權離他太遠，不能作爲奧援，於是殺了二使臣，收了珠寶。於是魏明帝又拜淵爲大司馬，封樂浪公（幽州郡屬，在今朝鮮平壤之南）持節領郡如故。

景初元年（魏明帝第三年）魏明帝派了幽州刺史毋丘儉，持了璽書去封公孫淵，淵遂發兵迎於遼遂，（在今遼寧海城縣西北牛莊城附近）毋丘儉竟不是他的對手。公孫淵遂自立爲燕王，改元「紹漢」，其意即繼漢正統，表示反魏。置百官，幷遣使持節假鮮卑單于璽，封拜邊民，引誘鮮卑擾亂北方。

如此一來，魏明帝便大爲震怒。此時蜀漢方面無事，才將司馬懿調征遼東。景初二年六月，司馬懿軍抵遼東，淵派將軍卑衍，楊祚等率步騎兵數萬人，屯遼遂，圍塹二十餘里。司馬懿兵到，淵令卑衍迎戰。司馬懿令胡遵出擊，破走卑衍。胡遵越過深塹，直趕至襄平，卑衍奔至首山，即今遼寧遼陽縣西南沙河上。公孫淵再令卑衍反擊，作困獸之鬥。司馬懿大軍開到，大破卑衍。淵軍入城死守。魏軍進抵城下，繞城掘深塹（深溝渠也）以圍之。連下雨三十餘日，遼水暴漲，從遼口乘舟可直抵城下。遼口即今渾河入遼河之口，位於今遼中縣西南。雨止了，司馬懿令環城起土山，修櫓發石，直投城中，又以連弩直射城中。公孫淵危急不可終日，糧草殆盡，人吃人的現象又在此出現，餓死者甚衆。

（一二三）

北平的烟兒舖

京仁

在從前的烟兒舖，只賣了烟為主，屬於用旱烟袋抽的，有老關東烟，鹵花烟，雜拌烟；如果零買去，一大枚，兩大枚，隨便去買，他用裁好的舊報紙，給您一包，就是包的這個包，只有個尖兒。既不方，也不圓，兩頭兩個尖，只要一打開，您無論如何，再不能原樣包上了。也只有烟兒舖，包烟才是這個包兒。

有的老頭兒，講究抽誰家的烟，不惜由西城跑到東城，掏出烟荷包兒，裝一荷包烟，再走回去，權當蹓彎兒散步了。

在早年的北平，所謂洋烟的烟捲兒，並不普遍。一般男女所抽的烟，一種是旱烟，一種是水烟。自己家是抽的水烟旱烟，人來客往，敬客用的，也是水烟旱烟。

抽旱烟的旱烟袋，有的也很講究，烟袋的嘴兒，有的是翡翠的，有的是玉的，有的是冒充的贋品料作的。

烟袋的桿兒，最好是「烏木」的，也有竹子做的，有的是白銅的烟袋鍋兒，白銅嘴兒，用完了，信手一擦，經常是晶光瓦亮。

其次是所用烟袋荷包，在家裏固然隨便烟放到罐盒兒裏都行，一旦出門，老頭兒們用的，還好說，至多緞子做的，黑絲絨做的，外加兩個飄帶兒，也就成了。可是老太太們的烟荷包，兒大女大夠份兒大奶奶的烟荷包，她們出門兒，所帶的烟荷包，可講究了：一定是漂漂亮亮的紅緞子，藍緞子的質料，描龍繡鳳般，紮上許多花兒，裏是裏，面是面兒。加上細細不太長的烟袋，玉嘴兒，白銅鍋，拿在手裏，等於一種裝飾品。水烟袋呢？更講究了，它有男用女用的不同，雖是不同，也沒有甚麼大不相同，只是大小有別而已！

從前買賣地兒，住家戶的一家之主，所用的水烟袋，一律是好白銅的，經常擦的光可鑑人。挾烟用的，是白銅夾子，做的精緻漂亮。烟鍋滿了，或是淤塞有些什麼東西，則一頭兒是烟扦子，一頭兒是烟刷子；加上烟袋上的白銅鍊兒，可是眞有一眼。

坤用的小水烟袋，眞是做得嬌小玲瓏，有的是景泰藍的托兒，在金屬質上，鑲上許多花兒，或山水人物。有的大姑娘出門子，這也是陪嫁的妝奩之一。

可惜水烟，我是外行，不懂好壞。記得好烟絲，金黃金黃的，細過頭髮，帶股兒清香，好像今天「三五」牌烟草的顏色。不曉怎樣炮製的，先把烟葉弄成一大拖子，然後像切麵條兒似的，用刀切下來，用手一抖擻，便是很細的水烟了。記得是經常蓋個菜葉兒，像是宜潮不宜乾，才好抽，才保持香味。（上）

曾國藩的一樁疑案

諸葛文侯

世傳曾國藩統領的湘軍，當年於攻破太平天國首都金陵後，頗有取代滿清帝業的造反意念，而以直接統兵作戰的曾國荃彭玉麟為中心倡導人物。究竟有無其事，迄今還是一大疑問，但可作為茶餘酒後閒談的有趣資料。

令人不無疑問的情況有幾點：一是統帥曾國藩於湘軍攻下金陵後，匆匆由安慶趕到南京大營，並未立即向清庭奏報捷音，而亟亟於親自審訊李秀成。李的供詞內對國藩很推崇，聲稱他可以號召太平天國軍散在蘇皖浙贛各地區的十餘萬戰士，為曾氏効馳驅。後來曾氏奏捷獻俘之餘，竟不遵奉清帝諭旨，而檻解李秀成赴北京，而託詞「防患」，擅予處決，就是害怕李秀成到北京洩漏機密隱情，因為曾氏已將李的原供詞竄改過，纔進呈清帝的。二是曾氏正式奏捷後，彭玉麟、楊載福等勞苦功高的大將，皆表示辭職，繼而曾國荃亦依兄命解甲還鄉，這是突兀而又非常之舉，是為的甚麼？三是清庭對於替它敉平大亂，挽救危亡的湘軍，未及論功行賞，即令飭曾氏造具歷年來的餉項報銷，以憑查核，這是故作難題來威脅曾氏，即係懷疑湘軍或有異圖之故。此外尚有常常與國藩親近的湘省學人王壬秋，素以霸才自許，暗中曾慫恿國藩創造非常的績業。迨曾氏去世，王壬秋所送的輓聯，曾家竟不敢懸掛，聯語中指稱曾氏「平生以霍子孟張叔大自期」，霍光曾有廢立帝位的行為，曾家深恐因此賈禍也。後來，王壬秋挽彭玉麟聯語，彭家亦不敢掛出，王氏日記中皆紀述及此，而其晚年自挽聯語，亦說是「縱橫志不就，空餘高詠滿江山」，足見此公對曾氏一定作過「縱橫」的建議。

儘管有上述這些可疑情形，然曾氏終無不臣的企圖，事實上他如果眞要造反，也很難成功的。首先就是左宗棠必然反對，而統率洋槍隊的李鴻章亦未必贊成，在軍事上極為不利。其次是朝中並無實力人物予以支持，政治上亦缺之勝算。晉代的王敦胸懷異志，朝中又有兄弟王導權勢煊赫，黨羽不少，結果還是失敗。曾氏所處的環境，無論在主觀或客觀上的條件，皆不如王敦遠甚，當然不能孟浪從事。他於深思熟慮，精研利害關係後，毅然接受封侯的委屈命令（咸豐帝臨死遺言，克復金陵者王），而以戒慎恐懼的心情，先教介弟國荃解除兵柄，再以「湘軍不堪使用」的理由，自請遣散，並且不俟朝命裁可即實行之。試看曾國藩初次受任兩江總督，晉京陛見清帝時，慈禧后急忙詢問他「兵勇已遣散了多少」，即知清室對他早有猜忌之心了。國藩讀書有得，力避功高震主的嫌疑，故示其迂拘的理學氣習，乃得持盈保泰，克葆令名以終，而倖免滅門抄家之禍，可謂善於自處也矣。

至於水師統將彭、楊二人於攻下南京後，即表示辭職，據說是不滿曾國荃把南京天王府的金銀財寶，一概據為私有，細載而去，因之忿忿不平。嗣後王壬秋所撰「湘軍志」，中有「江南鐵貨，盡入大營」一語，曾九帥指為謗書，迫使銷燬原刻版，而倩人別撰「湘軍記」乃已。可是，彭雪琴堅決不願作官，所有清帝任命他為安徽巡撫、中樞兵部尚書等顯職，皆堅辭不受，我懷疑彭氏內心上，對清室根本就瞧不起，他與王壬秋都是霸才，且極友善，當年或許密向曾國藩說過「彼可取而代之」的話，所志未酬，祇好採取消極態度了。（完）

武則天是千古罪人嗎？

夜闌

武則天，是唐太宗的才人，高宗的皇后，中宗的母親，一般所公認為淫慝的女皇。

關於武則天的事跡，歷史上記載綦詳，關於她的功罪，大家見仁見智，我以為應該客觀地分三方面去觀察：（一）她所以能專權的造因。（二）她的政治能力。（三）她的私生活。

第一、武則天何以竟能破歷史的前例，造就她的帝位，這當然決不是可以偶然倖致的事情。但是我們也知道：武則天當初只是唐宮中一名普通的侍女而已，並不是夙有野心的人，也並沒有什麼有力的背景或顯赫的門閥可恃，後來因更衣入侍；得太宗之寵，封為才人，地位才稍提高。這是當君主極權時代習見的所謂「聖明天子事」，姑勿追究，但總仍未脫「被玩弄」的身份。所以不久就給視如敝屣，遣入尼庵去了。要是從此遣走，那倒不過是完成又一件宮闈間的無名悲劇而已，倒也罷了；奇怪的是出爾反爾，旋又召入宮中。而高宗以後一輩的身份，躋足為天下法的王儲地位，竟罔顧綱常，先乘機亂之，旋復公然立之為皇后。立之為皇后還不夠，更因高宗本人有風眩之疾，常令武則天處斷國家大事，以致漸漸地養成了武則天的政治能力。設令武則天此時竟大胆地殺了高宗自立為皇帝，試問這個惡果，是不是唐太宗和唐高宗父子倆自己所種下的「惡因」？

但武則天結果並未如此，直待高宗已死，而嗣立的中宗又庸弱的時候，這才廢之自立；其實彼時大權，無形中早已入武則天的掌握之中了，不過再追加一個正式名義，如是而已。

武則天的政治生活中，誠然也是有缺點的，比如說濫賜祿位以及任用酷吏等等。但她有她不容隱沒的才幹。她在那樣封建的時代中，那許多封建的臣屬裏，毅然地當機立斷掌握了最高政權，而且史無前例地奠定了這地位，這是武則天公開表演她政治能力的第一炮。而且無疑地是成功了。

武則天的一生，並無太乖張的措施，而且一再開科取士，論才任用，而名相輩出。公正史人亦承認其能紹貞觀之餘緒。於是使一般頑信着「皇帝至上」以及「牝雞必不可司晨」的君子們失望起來，不得不轉變一個方向，努力從武則天的私生活中吹求出種種跡象來，以證實武則天的淫亂，羅織成不可恕的罪狀，甚至連狄仁傑等，也給牽連在內。

我們姑不來考究這些是否屬實，而假定確有那種事情；再假定那種事情是錯的；我以為這也是近乎人情的錯吧！禮記婚禮中規定，天子能有一后，三夫人，九嬪，二十七世婦，八十一御妻，我們來給他算一算，計共一百二十一名正，其他如貴妃，姬妾等額外人員，尚不計在內。試問跡其初心，與武則天之有面首何異？再假定在皇帝的朝庭中，濟濟一堂的，不是那些文弱書生，與赳赳武夫，而盡是鶯鶯燕燕，試問誰能保證皇帝始終理得否？

但是我們的君子們，在讀歷史的時候，往往心存成見；以本人意識中是非為是非，以致產生了有失公平的褒貶，引起了盲目的附和。於是，西施似乎眞的「沼」了「吳國」，褒姒和妲己也似乎眞的「亡」了周室，而武則天，也就成了歷史上的罪人了。

其時梅姑尚早婚，剛直則娶妻有年，而兩家父母皆不許，事遂不諧。梅姑緣以歿，彭遂引為終生之恨。……」證之王壬秋所作行狀，極言玉麟家庭生活之不愉快，又說他與夫人鄒氏「終身無房室之歡，自太夫人卒後，卒不相面」等語，可知此說不假。」

彭玉麟的為人，他與梅姑、鄒夫人之間的情形，以及彭的畫梅經過，是否如上所述？抑或正與上述相左呢？我們認為有加以研討、分析、辨正與澄清之必要。筆者雖屬湘籍，但既非彭氏後裔之親友，亦非習畫專家，謹依清史，及李少陵先生編著之「彭玉麟」傳（大業書店叢書之四）等資料，寫成茲篇，目的在提供讀者作自我評斷之參考；對於農畬先生，則素不相識，固毫無成見可言也。

彭玉麟其人其事

——對「彭剛直畫梅不高明」的駁正

羅雲家

彭玉麟的少年生活

彭玉麟，湖南衡陽渣江人，生於嘉慶廿一年（西一八一六年，民前九六年）；時其父彭鶴皋正任職安徽省合肥府巡檢（類似今日之縣市警察局長，官敘九品）。其母乃浙江山陰籍任職於安徽省安慶府文案師爺王昀毅之長女著蘭。玉麟及其弟少皋（較玉麟小兩歲），均出生於合肥巡檢公署。

因為父親是警察局長，公務繁忙；母親生了弟弟後沒有再生育，一般人的心理，多少總有點疼「滿崽」，每予嬌養放縱，因而促成玉麟於童年期間的貪玩性習，「甚麼都愛，只是不愛讀書」。

鶴皋夫婦發覺兒子在自己身邊，是無法讀書的，乃於他十二歲時，備了一些禮物，將之送往安慶，由其岳父介紹，寄寓於黃家山梅林附近方志遠（私塾老師，安徽合肥人）家裏，拜師往讀。方志遠是個飽讀詩書，極有抱負的人。其祖先在史可法部下充當文案師爺，於揚州被圍戰中，與史可法同時戰死；死前以血寫下一個「明」字，因此方家世世子孫，便將此一明字貼在祖先神牌之後，以示毋忘明朝。方志遠僅有一個女兒，名梅仙，時年十歲。他教了十多年的書，總想將這血的遺訓交給女兒，或找一個異性的男孩，好好灌輸培植，以達成祖先反清復明的宏願；今日一見彭家麟兒，器宇是這般的不凡，鼻高、眉黑、眼大，自然如獲至寶，可望薪火相傳了。

於是他和梅仙，在朝夕相處，青梅竹馬，兩小無猜，情投意合的環境中，勤讀了四五年書；知識進步，愛情也進步了。彭父與方志遠，看在眼裏，樂在心裏，自然同意兒女的婚事；於是討論到為兒女訂婚，並恭請王師爺夫人（玉麟的外婆）作媒。這王老太太是十分痛愛外孫的，可是她覺得方家人丁單薄，方家之女，子孫不繁，於是有意將她的孫女精玲玲，嫁給彭玉麟。為此，她乃把彭方兩家的八字一壓再壓，等到雙方一再催詢，無法再壓時，才將八字不合的秘密告知。

彭鶴皋與方志遠傷心之餘，自是歎息不已！而玉麟與梅仙的婚事，也就這樣延擱下來了。（二）

「屁」問題論戰

·王永亭·

堅持屁是瓦斯的一派，有力的佐證，是他們曾將儲藏在試驗管中的屁予以燃燒。他們說：如果屁是屬於空氣的話，那不過是僅能引起普通的助燃作用；如果那是沼氣，則是一種可燃的氣體。煤氣所以能夠燃燒，就因為含有大量的沼氣。他們燃燒試管中的屁，結果發現火柴的火頭立即增大數倍，而且迅速燒完。由此證明它是燃燒作用的沼氣。

但是，屁究竟是什麼東西，尚有待於科學家們作進一步的研究。（下）

內備警台報字第〇三一號內銷證

自由報

THE FREE NEWS

第九四七期

中華民國僑務委員會頒發
台教新字第三二三號登記證
中華郵政台字第一二八二號執照
登記爲第一類新聞紙類
（半週刊每星期三、六出版）
每份港幣壹角
台灣零售價新台幣貳元
社長：雷嘯岑
督印人：黃行實
社址：香港銅鑼灣高士威道二十號四樓
20, CAUSEWAY RD 3RD FL.
HONG KONG
TEL. 771726　電報掛號：7191
承印者：大同印務公司
地址：香港北角和富道九六號
台灣分社
台北市西寧南路壹壹零號二樓
電話：三〇三四六
台郵撥儲金戶九二五二

從核子武器看當前世局（下）

——論防止核子武器擴散條約及反洲際飛彈計劃

何浩若

假如建立同一系統來保護美國五十個大的城市，包括防禦原子塵的避難室建築費在內，就需要二百二十億美元。「時代雜誌」給了一個防禦系統的假想圖，經由本年三月六日出版的「國際現勢」週刊翻譯出來。

時代雜誌說，假如美國要建立這樣一個系統，用費當然不止二百二十億美元，而會不斷的增加到不可想像的數字。時代雜誌引美國國防部長麥納瑪拉的話說：「那些沒有受到保護的城市，或保護欠週的地區，其時必然會提出抗議，說他們繳納的稅款被用來保護紐約和華盛頓，而他們卻赤裸裸的暴露在敵人飛彈擊襲之下」。麥納瑪拉估計眞要建立這樣一個系統，將需要十年的時間和四百億美元的費用。

其實爲保護一億二千萬美國人民的生命和財產，四百億美元又算得了什麼。問題並不是在錢。問題是：這樣的防禦系統，是不是眞能防禦核子的襲擊和保護美國人民的生命財產呢？到底保護到什麼程度呢？就在美國對這一問題議論紛紛的時候，在今年的二月二十三日，蘇俄的民防司令翟可夫元帥，在蘇俄陸海軍週年紀念的電視演講中說，蘇俄實際上就無法防禦飛彈對蘇俄城市的攻擊。合衆國際社從莫斯科報導這位蘇俄元帥說到蘇俄反飛彈系統的缺點，以爲使蘇俄城市免於「宇宙火箭」（即飛彈）攻擊的設施等於零。共產黨說話素來是不可靠的，究竟蘇俄反彈道飛彈的防禦系統是不是等於零呢？進一步問：防禦城市被飛彈襲擊的設備是不是眞正有效呢？翟可夫元帥的說法是不是想緩和美國或是欺騙美國，不要美國建立防禦系統來打破當前的恐怖均衡呢？這些問題都是無法作肯定的答覆的。

在這裏，我們不能向讀者報導反飛彈的技術問題，用很通俗的話來說，要摧毀敵飛彈就必須要摧毀敵箭控制系統。美俄相隔五千英里，飛彈雖快，也需要三十分鐘。飛彈的箭路很呆板。現代雷達和電腦的精巧，算出來襲飛彈的箭路，並不是很困難的事；因此防守的一方面可以發出反飛彈的飛彈，來摧毀來襲的飛彈。還有一點，那能透視人體和物體的X光，在眞空界所生的力量特別大，可以使物質中的元子、中子，沸動奔流，或使電波跳躍撞擊亂其系統。因此在眞空界發射的X光，可以發生反火箭的作用。美國和蘇俄一樣早已發明了反飛彈的飛彈叫（Nike-x），蘇俄的反飛彈曾經公開展覽叫（Galoch）。不過美國的Nike-x並沒有大規模的製造，也沒有開始建立一個系統。但是蘇俄便不同了。據情報透露，它在波羅的海以東，北部圈以南，烏拉山以西，裏海黑海以北，都已開始建立反飛彈防綫，並且在莫斯科與列寧格勒已經把反飛彈的火箭台裝置就緒。這些報導，當然使美國朝野震驚，希望和蘇俄妥協，停止反飛彈的競賽。但是蘇俄不肯賣帳。柯錫金還說風涼話，說什麼反擊的系統不能視爲軍備競賽，而且與軍備競賽相反。弄得美國啼笑皆非。美國爲什麼不未雨綢繆，提前發展反飛彈計畫呢？據說美國也有一套理由。美國國防部相信攻勢勝於防禦的國防政策，認爲製造防禦性的武器，不如加強攻擊性的武器使敵人無法防禦。再說防禦城市被襲，必須有防原子塵的避難所，這需要用費太多了。即令美國辦得到，美國的盟邦也無法保護，在失去保障以後，仍然免不了蘇俄的核子武器的威脅。還有一點，光學武器日新月異的發展，[illegible]子武器呢？當然，這些理由也是很有根據而且值得考慮的。儘管如此，假如不能操[illegible]對的勝利，對反飛彈計畫，仍然是無法解決的。

三、我們對這兩個問題的看法

自從中國大陸發生文化大革命與奪權運動以後，美國的左傾份子和種族歧見者都有聯俄倒毛共的論調。前者認爲毛共是反美的，毛共不肯和蘇俄合作與美國和平共存。假如毛共的親俄份子能取毛賊而代之，則中共和蘇俄合作，蘇俄和美國合作，大家便可和平共存。後者的理論則基於美俄兩國的核子獨佔，假如美俄兩國能聯合起來消滅中共，則美俄獨佔核子武器，亦根據此共同利益，可維持世界和平。也許有人說，這兩派的主張，對美國人民和政府的影響並不大。這也許是事實。但是美國是一個眞正的民主國家，政府的政策是以民意爲歸依的。現在首先讓我們看一看民意的轉變。據今年三月八日合衆國際社的報導，美國蓋洛普民意測驗的結果，許多美國人相信一旦美國和毛共發生衝突，蘇俄將會站在美國一方面。測驗的結果，認爲蘇俄將援助美國者佔百分之四十八，蘇俄將援助毛共者佔百分之三十七，其餘百分之十五則無意見。蓋洛普的調查問誰是和平的最大威脅者，並且和一九六一年的測驗作一比較，其結果如下：

	一九六七年	一九六一年
毛共	百分之七十一	百分之三十二
蘇俄	百分之二十	百分之四十九
無意見	百分之九	百分之十九

在一九六一年認爲蘇俄威脅世界和平者爲百分之四十九，但是現在已經減少到百分之二十。在一九六一年認爲毛共威脅世界和平者僅百分之三十二，但是現在已經增加到百分之七十一。這是值得注意的。

這表示多數的美國人認爲現在威脅世界和平的不是蘇俄而是毛共。不過這並不表示美國的人民認爲蘇俄就是絕對友好或較友好。蓋洛普也會把這個問題作一測驗並和一九五七年測驗的結果作一比較。比較的數字如下表：

	一九六七年	一九五七年
絕對友好者	百分之二	百分之一
較友好者	百分之十五	百分之五
較不友好者	百分之廿八	百分之十三
絕對不友好者	百分之四八	百分之七十四
不表態度者	百分之七	百分之七

（下轉第二版）

你死我活

亞非集團

中共

行不動啦！

今日與明日

毛酋怕字當頭

目前毛林江一派正在大鬥劉少奇，可是其中卻發生一個怪現象，就是毛派始終不敢指名道姓攻擊劉少奇，只是吞吞吐吐，抱着琵琶半遮面，醜得很（不是好得很）。

例如清算清宮秘史的文章，前面以質問的口氣說，你要怎樣，你要怎樣。這個你是誰，是劉少奇。又如該文述及一個「偉大的犯人」一系列的罪行，說完了之後，點名說出，犯這些錯誤的人是「他」。他是誰，劉少奇是也。但是毛幫雜誌，報紙卻始終不敢提劉少奇的名字。

再如毛幫報紙雜誌大肆攻擊「論修養」，而此書明指劉少奇所著「論共產黨員的修養」，任何人一看均看出是攻擊這本書，卻又不敢列出全名，只籠統混寫「論修養」三字。像這樣藏頭露尾，算不算好漢行徑？毛酋要別人敢字當頭，而他自己卻是怕字當頭，正是氣壯如牛，胆小如鼠。

毛酋何以對劉少奇尚留地步？以毛酋爲人來說，一向是趕盡殺絕，就在目前還高呼要打落水狗，一些無知小兒，更常唸毛酋歪詩「宜將剩勇追殘寇，不可沽名學霸王」作爲鬥爭的方針。毛酋自己又何以偏要沽名學霸王呢？此中恐怕自有其難言之隱。

劉派勢力仍強大

在毛劉鬥爭日漸深入時，我們才發現到劉少奇的勢力是意外的強大，毛酋在「北京」市委會，在毛共中央政治局清除劉派人物，結果清除一批又生出一批，頗有野火燒不盡，春風吹又生之勢。

例如「北京」市委會，清除了彭眞一系共幹，換了李雪峯、吳德、劉建勛、雍文濤一批人；[illegible]知道批人一到了北平，也變成劉派；甚至比彭眞還要激烈。再如毛共中央，在十一中全會之後，崛起了一個陶鑄，海外人士因毛酋對陶鑄不次超擢，總以爲陶鑄是毛酋的死黨了；誰知道陶鑄一到北平，又變了頭號「保皇黨」。再如僞國務院僅剩的四名「副總理」中的譚震林、陳毅、李先念，是經周恩來保護過關，又經江青當衆宣佈爲好幹部的；現在又被鬥得不可開交，尤其是譚、陳兩酋，看情形很難支持得住。假若這三人再倒，則僞國務院先後十六名總理中，除林彪之外只剩下一個謝富治了。

目前毛系核心人物只有林彪、陳伯達、康生、謝富治，康、謝兩人又受過攻擊，不久將會步譚、陳的後塵。在這種舉黨皆敵的情況下，毛酋想對劉少奇採取過激行動都不能不有些躊躇了。（何如）

自由談

鬼把戲

馬五先生

中國大陸上鬼打架式的毛共奪權鬥爭，冒名爲「文化大革命」，一方面強迫拿「毛澤東語錄」來隣時青誦，要大家相信它是法力無邊救苦救難的神靈符咒吧；一方面又拿出劉少奇早年所寫的談共產黨人修養問題的作品是毒草，到處搜索焚燬，視爲洪水猛獸，甚至於因爲劉少奇談過黨員「修養」二字，乃將毛酋語錄中有「修養」字句都刪掉，表示着「鬥私」「批修」的阿Q精神。這眞是醜態百出，令人不忍卒睹的鬼把戲！

但過去俄共頭目史達林與托洛斯基的奪權鬥爭，表面上還有所謂「一國社會主義建設」和「不斷革命」的思想理論爭執，振振有詞。於今毛劉爭權奪利的口實，乃是所謂「文化革命」，而文化革命的內容又說是「反四舊」，這與劉少奇的論共產黨員修養問題等類馬列思想的八股文字，有甚末相干呢？毛酋過去對劉少奇的著作曾表示讚美，故一般嘍囉們努力學習，現在卻指其爲「反黨反社會主義」的大毒素，豈不是笑話嗎？

在共產黨人的觀念中，固無所謂是非善惡的分別，更都棄正義公道之說，他們除了權力支配慾以外，甚末都不値得考慮。儘量發揮獸性，無所不用其極，我們若以人性的道理來衡量共產黨人的行爲，那便是愚妄的想法。就是他們今天談的社會革命理論和方法，亦係騙取權力的巫術而已。所以，毛劉二酋的權力鬥爭，無論誰勝誰敗，皆與中國人民不相干，依然是中國人的一大禍害。不過，就咱們國家民族的現實利害設想，以俄共爲集團背景的他們跟俄帝流一氣，如果一旦得勢，聯合中俄兩國的人力物力，對自由世界威脅勒索，虎視眈眈，英美的姑息妥協主義必然大爲行時，爲要避免核子大戰，即不惜犧牲亞非自由人類，以期苟安旦夕，而向俄帝「跪着活」，對中國人援助的話亦不敢講，連表面實質的反共救國運動，我們對於毛劉二酋表演的奪權鬧劇，若由於痛惡毛澤東這個禍國罪魁，而期望劉少奇的反共救國運動，即不啻是使中國人陷於更艱危的情勢之下，不亦愼乎！

台灣政壇要聞

使節會議表演插曲
院長訪美有小問題
水利工程涉及政治因素

（本報台北通信）本月七日至九日，外交部召集的駐外使節會議，到會人數不少，除了新近任命的大使保君健等三位，剛回台北述職的彭孟緝而外，幾位出使在東南亞各國的使節如杭立武等，亦臨時趕來參加，另有現在聯合國代表團服務而適逢其會，正在國內的外交官員，一律出席。這次會議的中心課題，據聞是在聽取各個使節對於當前外交工作實況的詳明報告，旨在策劃今年聯合國大會之前，如何預作準備，爭取更多的與國，以應付大會時照例表演的所謂「中國代表權」投票把戲。幾位比較資深的大使如駐土耳其大使保君健（原任駐約旦大使）、駐菲律賓大使杭立武等，發言較多之點。此外談到駐外使館經費問題之際，却發生了一項不愉快的情況，亦可說是使節會議中的插曲。

原來各個駐外使館的經費預算已很緊縮，人員自然稀少（如比利時、土耳其等國的使館，全部不過五六名。），然綜持經費收支的主計機關，在各個使館內皆派有主計員一人，每月開支新公費美金五百元，而其職務乃極簡單，這已經使各個大使們感覺殊不合理了。這些主計員又因其為獨立行使職權之故，平日每與使館人員相處頗不融洽，預算上的經費應該支付或補付的，常常稽延不予，而應該繳還的却毫無通融餘地。因此，各使節跟外交部主計單位很少接觸，公誼既多別扭，私交完全沒有。這次使節會議中，部內主計單位的負責人亦參預其間，某次談到經費事宜，有一位大使對於主計員的服務情形頗有微詞，而部內的主計首長加以辯護。當場那位大使即答道：「我不屑跟你談論，以免斯文掃地！我的話是向部長和各位同寅說的。」會場氣氛忽告緊張了。那位大使繼又謂：「我若是外交部長，一定要函請上級主計機關另派高明人士到部裏來結領主計事宜。」魏道明部長聞之含笑無言；其餘在座的人乃哄堂大笑，場面相當尷尬。事後各個使節一致認為派在駐外使館服務的主計員，大可裁撤；使館每月的經費祇有那末微少之數，何必另設專人管理呢？

行政院嚴院長應邀訪美，定於來月初啟程，日來積極準備一切，頗為忙碌。有人忽然想到一項不大不小的問題，一時不易解決：即嚴氏究竟是以副總統身份訪問華府呢？抑係以行政院長身份前往？若屬前者，白宮須待以副元首之禮，當嚴氏抵美時，美方應由副總統韓福瑞到場迎接；若係後者，即由國務卿魯斯克出面相迎足矣。但美方原來說是邀請「嚴院長」，我方自不便將上述意思再向美國表示；可是，這又是關係國際禮儀上的問題，不能不顧及。據聞將通過美國駐華使節，讓他跟白宮商洽決定之。

在嚴氏出國期間，行政院日常政務，由副院長黃少谷代理，不成問題。唯黃氏兼任國家安全會秘書長，另外還有中常委的特定任務在身，每天已夠忙了，光是出席各種重要會議，就得透不過氣來，再要代理行政院務，實在吃不消，但又義不容辭。即此可見政治要人的生活并不怎麼舒服，體力稍差的，只有嘆苦經的份兒！

與石門水庫同等地位的台南曾文水庫，籌備了兩年，花錢不少而尚無頭緒，經過情形，本報業已報導。最大原因就是日本兩家公司搶着担任設計工程的問題糾纏莫決。最近已決定由日本「工營株式會社」負責辦理，設計費為美金乙百八十萬元，合同亦已簽訂，不會再生變化了。這筆經費原來是向美國「世界銀行」借貸的，利息為五厘。嗣因日本方面願以四厘五毫的利率借給我們，乃貸日欵了。工程和器材即由日本設計供應。可是，日本人的水利工程技術，次於美國，而若干重要機器，日本亦不能製造，仍須購自美國。將來如果出了毛病，損失必然很大。為着貪圖「五毫」利息的便宜而冒了大危險，殊堪顧慮。

關於工程設計費，當初日本的兩家會社：「工營」索取美金三百萬元，而另一家「電源會社」聲稱，祇要二百五十萬元就行，旨在搶生意。「電源」是民營的，財力人力皆比「工營」雄厚，不賺錢亦無所謂。「工營」是「自由民主黨」的黨營企業，去歲「自民黨」要人岸信介來台北訪問時，曾為「工營」說項，我們為着國際政治關係，祗好答應交由「工營」辦理。經過長時間的協商，我方主張該公司不妨多多雇用我們的技工，藉以減輕薪資和旅費的支出額，這纔將設計費降為美金二百八十萬元成交的。據說，將來我們還要聘請美國水利專家作顧問，以審核「工營」的工程設計是否夠標準？為着政治原因而增加許許多多麻煩，未免太不經濟吧？（大元於台北）

初中入學加考體育近訊（上）

張忠建

（本報台北特訊）本報七四二期起，連載自由中國三月初因女立委楊寶琳質詢：「如何消滅國校惡性補習」而為新聞記者於會場得知後，台灣省教育廳新構想：「初中入學，加考體育」之新聞，遂為海內外社會人士所注意。茲綜合各方意見，報導於次：

省教育廳兩種意見

省教育廳主任秘書薛光祖向記者說：「初級中等學校入學考試加考體育辦法草案」，乃是潘振球廳長未出國以前的一種構想，現在的草案，僅是一個輪廓，尚非具體可行之方案。現正在審研究中，將徵求中小學校教師們的意見。他又強調說：初中入學加考體育，教育廳研究的重點，將儘量要求所考的項目，人人會做，絕對無危險性。至於國校學生，在國校肄業時期，曾參加縣市以上的運動會，而成績特佳者，其升學時的體育成績，是否可以免試？亦在研究中。此項辦法如實現，可以鼓勵國校學生普遍重視體育。

體育輔導專家意見

省教育廳於三月底，邀集參加體育輔導的教授和專家，包括：台大包和滿、蕭保源；政大鍾人傑，袁徵導；教育部體育委員會王復旦；教育廳林鴻坦；師大楊基榮，焦嘉誥；成大沈慶雲，王大琛；輿大賈智林，謝暉禧；幹校趙國慶；體專周鶴鳴，方瑞民等兩度深入本省中、小學校輔導體育的三十餘人士，在台北集會，繼續討論：「初中入學、加考體育」。他們大都對於教育廳的新計劃，表示支持。他們認為：「初中入學，加考體育」，可以誘導國校教育人員、學童及學生家長對於體育的重視，而導致四育的均衡發展，在目前來說：未始不是一個很好的辦法。至於辦法草案擬具的考試項目（見七四三期），他們認為原則可行。還有考試的方法，時間的控制，他們建議：要多加研究，以期易於推行。

在集會後，省教育廳表示：初中入學，測驗體育，將在台北先選測一所國校，並邀請體育專家和中、小學校教育行政人員就試驗結果，加以研討，藉以訂定易於推行的測驗辦法，再交由台北、新竹、台中、高雄、四縣市試辦，以利推行。就上面談話推測，「初中入學、加考體育」之普遍推行，勢將在明年。

中小學校教師意見

台北教育局四月初奉教育廳令：對於本年度初級中學入學考試加考體育辦法草案，徵求修改意見。教育局即指定：市立大同、市女中、萬女、仁愛、大直等初中，及市立老松、中山、西門、太平等國校，於四月七日指派教師代表，在市立女中，召開討論會議。各中、小學校代表均踴躍發表意見，他們一致認為有幾點須要改進：

（一）本年度初中入學考試，加考體育，雖然是試辦性質，但還是要計算分數，否則就不如不辦。如果僅試辦而不計分，學校及考生都不會加以重視，難免敷衍了事，結果便收不到什麼效果。

（二）考試的項目應該按照國校體育課程中的舞蹈、田徑、球類、技巧、其他等五大類，每類指定六至十個項目，並且在考前的一年前宣佈。此外，在考前一週內應由每一大類中抽取一項（總共五項），決定做為測驗項目，始較為公平。

從核子武器看當前世局

（上接第一版）

根據上表在一九五七年美國人認為蘇俄是絕對不友好的佔百分之七十四，到現在已經減為百分之四十八。但是這並不表示蘇俄對美國友好而只是有些美國人認為蘇俄在十年前是絕對不友好而現在則是較不友好。絕對不友好和較不友好其不友好則一。據此，在一九五七年認為蘇俄不友好的佔百分之八十七，而在一九六七年認為蘇聯對美國不友好的仍然佔百分之八十六，十分之八以上的人們，並沒有多少變動。

認為蘇俄對美國不友好，何以會有人認為一旦美國和毛共發生衝突，蘇俄會站在美國一邊而不援助毛匪呢？那是這些人認為蘇俄對毛匪比對美國更不友好。被測驗的人認為百分之七十一的人認為毛共是世界和平最大的危險，並不是蘇俄威脅世界和平，是觀察錯誤或是受了錯誤的宣傳。毛共現在並沒有足夠的核子武器來威脅世界和平。在大陸發生混亂以前，它還有相當力量。但是現在的情形完全不同了。不論毛匪政權成功與否，他的威信業已掃地，那裏還談得到威脅世界和平呢？為什麼有些人要儘量宣傳毛匪威脅世界和平？第一是把反美的責任推在毛共身上，把毛共打倒了，中共的第二代就可以和美國和平共存。第二、必須要說毛共威脅世界和平，才好聯俄倒毛，使親俄的中共分子奪得中國大陸的政權。其實毛共匪政權支離破碎，自顧不暇，何能威脅世界和平？所謂威脅世界和平是指核子大戰，祇有蘇俄才有此資格。我們所研討的問題，主要的對象都是蘇俄，而不是毛共。我們以為要維持世界和平，並不是要維持永久的恐怖均衡，而是要增強民主國家的力量，減少共產集團的力量來強迫共產集團和我們和平共存。防止核子擴散祇是世界和平的枝節問題。蘇俄並不能代表共產集團防止核子擴散到毛共去。其餘的附庸國家一時還沒有發展核子武器的可能。蘇俄明知防止核子擴散將會在民主國家發生問題，是否要防止核子擴散來拆散民主國家的陣容呢？再說美俄兩國獨佔核子並不一定就能維持世界和平。現在的核子武器確實是為美俄兩國所獨佔，而沒有大規模的擴散，何以美俄兩國不能在反洲際飛彈的計畫上獲得協議呢？我們的看法以為這些都是枝節問題，我們認為，世局的關鍵在亞洲，亞洲的關鍵在中國。因為毛共同時反美反俄，毛共反俄削弱和分散了共產集團的陣容，蘇俄才肯和美國和平共存。假如美國聯俄倒毛，讓親俄的共匪份子獲得中國大陸的政權，將變八萬萬人加共產主義加核子武器無比的力量來威脅世界和平。假如民主國家能支援中華民國反攻大陸，則將是中華民族和美國結合，成為八萬萬人加三民主義和核子武器來強迫蘇俄和我們和平共存。我們認為要維持世界和平，防止核子擴散和建立反飛彈系統，都是枝節問題。要維持世界和平，就必須打倒共匪暴政，解救中國大陸來分散共產集團的陣容和加強民主國家的力量。（完）

江青虧負國聯？
國聯刻薄江青？

國聯公司的這件家務糾紛，李翰祥當然十分傷心，但事到這個地步，李翰祥也無話可說。自答覆了江青一封信，又把這件事向律師交待之後，李翰祥就一直保持緘默。

即使到了報紙公開了江青責難李翰祥的新聞之後，李翰祥還是不表示意見，而且說：他過去愛護江青，如今亦然，江青有孕，他不想影響江青的情緒。李翰祥並非對此事的發生無動於衷，局勢既已如此，他只是硬着頭皮逆來順受。

李翰祥這一次忍氣吞聲有他的看法；（一）江青是他一手捧起來的，說什麼也不能公開打擊他培植出來的人。（二）報紙上一股勁的攻擊他，如果他要公佈真相，或作更正，這等於駁斥影劇記者，樹敵更多；所以只能在私下把事情經過向影劇記者解釋，而且還得說明并非要求報紙更正。

既然國聯與江青之間沒有什麼大不了的深仇大恨，江青的丈夫劉家昌為什麼要替江青解約？提出這些問題，我們可以從幾件事實來體會其中真相：江青在台灣電影圈裏具有影后地位，劉家昌與她結婚，為了江青的地位，不得不放棄國賓的夜總會裏的歌唱工作；江青自完成「迴旋」一片以後，以待產的理由向國聯請假，照合約規定，因故不能工作請假者，留職停薪；這小兩口暫時都沒有固定收入，劉家昌為了配合他太太的才藝，同時也為了他個人事業上的發展，已獨立籌組康昌影片公司，並且在某報上見過的新聞：將由江青担任第一部戲的主角。這就可以說明了劉家昌何以要國聯背「黑鍋」，負「虐待江青」之罪嫌，以解除約制江青的國聯合約了。幕裏文章就不難猜。（下）

滄海與趣談

誰是全世界第一多產婦

·桑雅·

當羅莎．沙奴又一次懷孕，產下第廿五個孩子，——九磅重的女孩，健康正常，認識她的人都說：夠了，夠了，太辛苦這位媽媽了。

羅莎眞是一個了不起的媽媽，幾乎史無前例。她是義大利人，在一條鄉村蒙地美杜居住了許多許多年了。

羅莎今年四十四歲，她對于生育似乎毫不厭倦，而且，還帶着一個大笑容對她的親友說：「我還要生孩子，再生六個吧。只要上帝允許我生孩子下去，我便快樂的了。看我，一直這麼健康，不會患病，一點也不疲倦呀。」

老實說，如果羅莎眞的一直不肯節育，再生多幾個孩子的時候，她確可以稱爲舉世無雙的。當然，世界紀錄是什麼，還沒有人清楚。因爲只有還在世的才會有紀錄，還有別的因素而不便留下紀錄的。

根據最新的統計，世上生孩子最多的女人是俄國籍的華茜勒，她曾生下六十九名子女，孖胎的十六次，三胎的七次，四胎的四次；不過，不少是在嬰孩時期便夭折的。可是，這不是一個官式的統計，華茜勒的子女生存的只有廿七個，她是于一八七二年逝世的。

而現在的羅莎，廿五個子女依然是活生生的，兩名大約已結婚，目前已做爸爸，另一個女兒也嫁了人。

羅莎與沙奴是于一九三九年結爲夫婦，當年她們兩人均爲十六歲。他們所住的鄉村，是在那不勒斯城以南五十哩。

沙奴是一個農夫，兩人住在一間石屋裏，面積很寬敞，雖然陳設簡陋；另外有廚房，睡房內的床是大大的。

羅莎婚後，一年便生下一個，只有一年停爲止生育，因爲她丈夫服役。他歸來時，又恢復「生產」了，這次是孖胎，這無疑可算是一種補償。

已結婚的子女目前是在瑞士居住。他們的一家人生活得很愉快，在那條鄉村內，他們是被認爲最幸福的家庭之一。

羅莎的子女，大部份是在隣人協助之下而生育的，只有近三年，才正式進入醫院接生。

試想，廿五年來，每年生一個，這個速率，是驚人的。人們對這麼多孩子的觀感，除了投以驚奇的眼光外，還會這樣想：「這未免多了吧！她們的生計又如何維持呢？」

以澳洲來說，一個母親產下十六個孩子，已算是最大的一個家庭了。一九二五年間，澳洲的十二萬八千名母親在醫院留產，其中六四四名是十個孩子的母親，其他的數目如下：十二個孩子的一七七個，十三個孩子的八十四個，十四個的四十二個，十五個的十九個，十六個的六個，十七個的兩個，十九個的也是兩個，至於廿五個的，還未有此紀錄。

我們不妨看什麼統計不統計，一個女人究竟能生育多少次呢？

還是讓活特教授來解答這個問題吧，他是澳洲蒙那殊大學執教的。他的答案是：懷孕與生育雖然是受時間的限制，前後最快也需要七個月，因此，一年生兩個的現象是不會有的。

「有一些國家，十二歲的女人已早熟，到五十，仍有生育的能力，所以生孩子，一直到五十，最多能懷孕三十八次，計算起來，一胎可以有八名的嬰。那麼，懷孕三十八次，並不是表示生三十八個孩子，因爲另一方面由於種種外在的因素，如果毫無節制，不少婦女，世界人口早已「爆棚」了。」

最近，英國產有一個了不起的母親，名叫瑪嘉烈·哥洛夫人，她丈夫是伯明罕的一個金屬工人。去年她已產下第廿三個子女，其他是女兒，不過她已有十二個男孩子，兩個已逝世。

還有一個紀錄——八〇〇年的一個英國女人，曾生下三十九個子女。

德里個半月所見所聞

·綺雲·

我來到馬德里才一個半月，自然觀感所及都是膚淺的。但，就是這些皮相的見聞，已是令人頗有清新之感。

初入西班牙的第一個印象，就覺得這個國家的人民，對外國人，尤其是來自自由中國的我們，是親切友善的。我們一行五個中國人，自香港搭乘郵輪啟程西來，一路上將近一個月的海上生活，悶死人，也氣死人。路上經過多處與我們沒有邦交或是不友好的國家，來自台灣的旅客，是不准登陸的；眼看其他國家旅客們愉快的上岸遊覽，我們却只能憑欄遠眺，當時的心情，眞是沉痛得很！

到了法國的馬賽，算是登了歐洲的土地。在那裏改乘火車，直駛西班牙的巴塞隆納。在兩國交界處，換上西班牙的火車。西國查票的以及檢查行李的人員，聽到我們是從台灣來的時候，他們對我們的態度，就親切得像家人一樣，使我們一個月來的緊張生活，有了鬆懈的機會，心神頓感安定不少。他們在各種手續上，也給了很多的方便。

在赴巴塞隆納的火車上，我們坐的是臥鋪，一個房間坐八個旅客。在我們所坐的臥鋪裏，有一個西班牙青年旅客，他問我到西班牙學什麼的，我說是學音樂的。這句話不要緊，他竟把別的房間的同伴都叫了來，有彈吉他的，有提琴的，有的唱歌，有的跳舞，幾乎把所有的西班牙流行歌曲，都唱給我們聽。西班牙人在跳舞時，旁觀者要隨着節拍手，這在電影中已看到，今天算是親自嘗到這個滋味。這是另有一種技巧的，他們拍法，果然拍出來聲又大，手又不痛。

音樂聲，拍手聲，驚動了很多乘客，老的少的，擠在門口。他們不但不厭討，並且也參加歡舞。就這樣手腳齊鳴的鬧了五個鐘頭之久，若不是車到了巴城，他們還不停止呢。自台灣同來的兩位小姐，早已不耐的進入夢鄉，我也沉沉欲睡，但，他們仍然是興高彩烈的。

樂天，好客，愛音樂，可以說是西國人民的天性；這與我們內向，保守，文靜的民族性，是個強烈的對比。以後，在由巴城赴馬德里的火車上，又碰到兩位西國旅客，他們雖沒有歌唱，用十分健談，一會兒談那個，一會兒又談我們，表現得非常爽朗而熱情。幾小時的辛勞旅程，就這樣輕鬆的過去了。（上）

一個衣冠楚楚的中年紳士，心神不定的一再看他的手錶。飛機從西德往南美，中途站起飛的時間已經過了，但是仍然遲未起飛。他回頭看看，機門仍然開着，隨機的空中小姐在機門口，手持鉛筆核對旅客名單。

這時，兩個身材魁偉的西裝客，匆匆的走上了飛機，前面的一個，氣喘着對空中小姐說：「對不起，汽車中途拋錨，所以誤了時間。」後面的一個則掏出兩張機票來，交給空中小姐驗看。

中年紳士見狀，暗暗鬆了一口氣。知道飛機是爲了等這兩人才遲開的。現在他們趕到了，飛機大概立刻就可起飛了。

突然，一雙有力的臂膀，用力的從後面緊抱住中年紳士的上半身，中年紳士的一雙胳臂，也被抓得緊緊的動彈不得。接着站在機門口僞裝讓空中小姐驗票的人，跑了過來，搜走了中年紳士上身上暗藏的手槍，並用手銬銬住他的雙手，抓了起來，押下機去。

這個中年紳士名叫白雷斯，兩小時以前在西德搶了一家銀行，然後搭機逃逸。由於他

設在巴黎的國際警察總部

○伊根斯○

事先安排得極爲妥善週到，所以他順利的逃離了西德國境，却再也想不到竟會在國境外被捕，而且竟然落網得那麼快。這完全得歸功於國際警察總部的驚人工作效率——兩小時以前，西德的一家銀行發生劫案後，西德治安機構立即把案情電告國際警察總部，並把被劫銀行中電子防盜照相機所拍得的劫匪照片，用無綫電傳眞機送到國際警察總部。國際警察總部立即以無綫電傳眞機把匪徒的形貌及案情，通知六十個所屬會員國，並命令各國警察機關對二小時以前從西德起飛的飛機加以調查。罪案果然迅速破獲，那名劫匪還沒來得及化用他搶得的任何一文錢。

前面所介紹的這一國際警察總部設於法國巴黎。從外表看來，它的所在地只是一幢極平凡的樓房，但是它却與全世界的警方有密切的聯絡，任何一個爲非作歹之徒，只要國際警察總部下令追緝，那他便百分之百的難逃法網。

國際警察總部共有四十九名罪案專家，都是今日世界上第一流的幹探，但他們從不直接參與緝捕罪犯的工作，他們只是指揮所屬會員國的警察機關，如何設法破案，並把破獲罪案的資料，製成檔案，備做參考。

國際警察總部，到目前爲止，共有六十個會員國。其中半數以上的會員國都和總部有直接收發電訊的設備。任何一個會員國，都可隨時要求國際警察總部協助偵案。每一個會員國，也有義務隨時受總部之命，協助其它會員國偵案。某一疑犯一經捕獲，即由逮捕地所屬國家暫行拘押，等引渡手續辦妥，即移交有關國家。

不過對於政治犯、軍事犯、宗教犯和種族糾紛，國際警察總部是不過問的。國際警察總部對世界最大的貢獻，是對各國僞鈔鑑別與對國際販毒案的防止。

新三國　周麟書著

部將楊祚投降。同年八月初七日，有大流星長數丈，從首山東北墜入平襄城東南。同月二十三日，公孫淵所部全部潰散，情急，乃偕其子公孫脩及數百騎突圍東南走。魏軍急追之，至流星落處，斬公孫淵父子。魏軍攻入城中，從相國以下數千人，皆被殺死。將公孫淵首級傳示洛陽。司馬懿平定公孫淵所屬之遼東、帶方、樂浪、玄菟等地。

當公孫淵尚未滅亡時，該地出現所謂不祥之兆。有狗頭戴巾，穿了絳衣，跑上屋頂；有小孩被蒸死；襄平有婦人生肉塊，有頭眼口喙，無手足而能動彈。當地有諺說：「有形不成，有體無聲，其國滅亡。」這是當時民間的迷信如此。姑妄述之。

公孫度起於後漢靈帝中平六年，西元一八九年佔據遼東，至淵凡三世，共五十年而敗滅。因其割據稱雄數十年，在三國時代，可算是一大事，故不能捨而不言。

八一、曹爽專權寇蜀漢　王平善戰敗魏軍

司馬懿得勝回師，身望又高一層。景初三年正月魏明帝曹叡逝世，沒有太子，繼位的是抱來的兒子曹芳。魏明帝遺詔以司馬懿爲太傅，曹眞的兒子曹爽爲大將軍，共同輔政。魏國的政權實際上是落在曹爽的手中。他是大將軍，假節鉞，都督中外軍事，錄尚書事，又加侍中，集軍政各職於一身，封武安侯。（武安縣侯，食邑一萬二千戶）曹芳是明帝抱來的養子，是誰所出史無明文，有人說是任城王曹彰的兒子，這是曹家家族秘密，外人不得而知。青龍三年，公元二三五年，立爲齊王。

曹爽位極人臣，入朝不趨，可劍履上殿，贊拜不名。司馬懿爲無權之太傅，乃出於散騎常侍丁謐的畫策。他知道司馬懿是一個陰謀家，不可給他實權。太傅地位崇高，但是一個虛銜，此職位又不是常設的，鍾繇曾經做過此職。司馬懿是第二位。曹爽在丁謐的策劃下，一手抓盡軍政大權，內外一切奏章，須先經他審閱，然後由他決定可否。司馬懿對丁謐這人恨如眼中之釘。曹爽的幾個兄弟，都封大官：曹羲爲中領軍，曹訓爲武衛將軍，曹彥爲常侍侍講。（侍講之官，在唐代開元十三年始正式設置。在前只有漢桓帝時張酺數次侍講於帝前，（靈帝，以楊賜爲侍講，當侍講於光華殿。故只有「侍講」之號而已。）因「侍講」一名，在歷史上很少見，故略加說明。曹爽弟兄把持了一切軍政大權，出入禁中，顯赫一時。此外，以前被魏明帝不喜歡的人物，如南陽何晏，鄧颺，李勝，沛國丁謐，東平畢軌等，都重加重用。大致這些人物，都是擁曹爽派的。

鄧颺獻議曹爽，如要立威名，只有併吞蜀國。他力勸曹爽伐蜀，爽納其議。但司馬懿反對，可是他何能禁得了大權在握的曹爽？就在魏正始五年，西元二四四年，蜀後主延熙七年，諸葛亮死後整整十年，親自帶了七萬人馬，抵達長安，再進入駱谷。駱谷在陝西屋縣西南，與斜谷，子午谷同爲著名隘道，谷長四百二十里。（一二四）

北平的烟兒舖

京仁

烟兒舖除了賣葉子烟之外，還賣檳榔。這種東西，我可見過，也「加過」！

這種東西，圓不溜嘰的，紫紅顏色，有栗子的大小。價值很便宜，一大枚記得能買三四個，小圓球兒似的。吃的時候，沒有整個兒吃的。

烟兒舖裏，預備有個「小鍘刀」，你買好了檳榔，可以叫掌櫃的，切成兩瓣或是四瓣兒。用紙包好，帶回去。

檳榔買到家，最好在爐子旁邊烤一烤，烤的似糊不糊的，吃到嘴裏更覺香了！小時候，聽他們說，吃檳榔可以消食化痰。專治打飽嗝、吐酸水、助消化、去惡味。我說句不得人心的話，俺們那塊土兒上的，有點愛吃零嘴兒，眞有幾十歲的人，糖葷豆、大酸棗，不離嘴兒的，檳榔其一而已！

此間的檳榔，也仔細看過，一塊小劈柴似的東西，另一塊小樹葉兒，再抹點兒石灰似的東西。看吃的人，嚼得其味津津，一歪子，吐出一口血淋淋的口水，怕死人的！不像話，也太難登大雅之堂了！

就這小劈柴、小樹葉，加石灰的檳榔，我早在廿餘年，曾嘗過一次。在抗戰第二年，從香港，奔昆明，路過越南的海防、河內，晚間瀏覽街頭，到處找尋「新鮮罕」看！

河內有賣這種劈柴加石灰的檳榔，見人家都買着吃，我也來一塊。往嘴裏一吃，好傢伙，酸辣苦澀，五味俱全，幾乎作嘔。唉！眞沒有這份口福啊！

烟兒舖還帶換洋錢，記得最清楚的，是一塊錢換四十二吊。掌櫃的，拿起洋錢，先在櫃台上一摔，噹郎郎（口旁）的一響，這是好洋錢。如果一摔，巴渣巴渣的不響，這是「悶板」，如是換四十吊，卅八吊，隨他說了，不願意的得上別處去換。

記得如給家裏換錢，是換的銅子兒，以便一個個的慢慢化。如是自格兒換，第一是換「毛票」，彼時只有一角或二角的毛票，是連五角的都沒有。其次是換輔幣，也是一角二角兩種，以便往「、披」裏一裝，帶着方便。

一塊錢換四十二吊，一毛錢換四十二枚，你猜聽肉市廣和樓，有在科的有馬連良、譚富英，要多少錢？這麼，只有不到大洋五分的十六枚。

單拿廣和樓說，從十六枚，十八枚，二十枚，而一毛，而兩毛，而四毛。從二科的尾，到大三科、小三科、大四科、小四科、五科……

從這兒說，我們的生活，自來就是上漲的。從記事兒，一直是漲。不過近三十年是跑馬式太快了，從來沒有聽說低落過。兩塊錢的炮車洋麵，都說貴了，但是我也沒有吃過落到一塊六一袋兒的洋白麵啊！（中）

大字報與三字報

○胡實○

現在大陸流行的大字報，有的貼在牆上，有的加插漫畫，有的鋪在地面，幾乎成為宣傳方面的有力武器。其實大字報並非現代產物，祇不過舊貨新嘜而已。例如官府向來貼的佈告榜示賞格，學校向來寫的壁報標語漫畫，民間向來出的招貼壁畫地狀，可說盡屬大字報的性質。但是，將這種官民宣傳形式作一綜合運用，並改稱為大字報的，還是應該首推最愛吹牛的中共宣傳家。

大字報是一種手寫宣傳品，在印刷術進步的今日，本來早應退休。可是由於製作易，出版快，在印刷條件缺乏的艱苦流動局面，如打游擊時期，倒不失為宣傳上一種權宜辦法。尤其在這種局面，將手寫宣傳品改稱大字報，無異效法舊北京人的「說大話用小錢」。既能掩飾寒酸窮像，又易嚇唬荒野無知。同時藉口有報紙的流行，更可表現人窮志不窮的氣概。眞所謂「身寄山谷，眼看全球，脚踏荊棘，心懷天下」。至於在造反時期，發難的一方，因為抓不到場館，通訊社和廣播電台，迫而以大字報暫充代替工具，也是未可厚非。如果局勢既定，依然恃大字報為宣傳方面的有力武器，這就無異是開時代的倒車了。

大陸大字報的作用，在我們局外人看來，有好有壞。好的方面，可使世人看到中共當權派的「洋相」。如劉少奇背不出毛語錄，鄧小平日夜沉迷橋牌，朱德愛集蘭花佳種，陶鑄揮霍擺濶，都是大好內幕珍聞，遠非什麼中共問題專家權威也者，所能料及夢及。壞的方面，種類太多。差不多梭梭出報，處處是報，使人廢寢忘餐，難終全篇。兼之內容離奇，有的人拉出去又打進來，有的人打進來又拉出去。使人讀後迷惘，難知主流和本質所在。

大字報的主要目的，大陸在把造反派的政策，透過宣傳，變成羣衆的行動。而其製作技術，更須按照毛語錄，即開會，講話，演說，寫文章，作決議，都應當簡明扼要。可惜事實上，大字報很少談政策，却充滿小資產階級意識，專門攻擊個人。大字報的文章，並不講求精簡扼要，多數都愛拖泥帶水。表面上為毛澤東奪權，實際上反毛澤東思想，這種對立矛盾的產生，令人莫測高深。

記得辛亥革命武昌起義，黎元洪也出過大字報性質的三字報。當時民軍與清軍，隔長江漢水對戰，勢形危殆。適同盟會的戰鬥英雄黃興，由上海及時趕來參加。黎元洪立刻寫了幾張「黃興到」的三字報，貼於牌匾板上，派人肩着，鳴鑼分赴武昌四城遊行。一時民心士氣，大為振奮。

黎元洪出的三字報，不僅政策鮮明，詞意簡要，而且以報就人，並非以人就報。這位素來被人視作傀儡的菩薩，想不到宣傳技術方面，另有一套高明手法，實在值得愛出大字報的人學習。

羅貫中筆下的典型人物

○周燕謀○

中國古典小說家最高的藝術，就是把已死去的歷史人物重新估價，重新塑造，使已死去的歷史人物『復活』，使讀者聞其名，即如見其人，使讀者誤認歷史小說中的人物，就是正牌的歷史人物。其實這應該是歷史小說創作的人物，與死去的歷史人物大大的不同。熟讀三國演義的讀者也許認為我是瞎說。下面以號稱歷史小說的巨擘——「三國演義」為例，讀者便知道羅貫中是怎樣在創作小說人物了。

創作歷史小說人物，比完全虛構杜撰的人物更不容易，這和寫歷史小說比寫現代文藝小說更困難一樣。試觀今日寫文藝小說的作家不知多少，但是，寫歷史小說而能成「家」的實在寥寥無幾，使是「難」的證明。所以說要把歷史上死去的人物「復活」，而且能活生生地成一個典型人物，活在讀者的心目中，是必須經過作者的大匠手筆，高度的匠心纔能辦到。羅貫中可算得是一個大手筆，他有獨具的匠心，他為我們創造了幾個中華民族公認的典型人物。他纔眞正的把關羽、張飛、諸葛亮、劉備、曹操等人「復活」了。他是怎樣的塑造使之復活的？讓我先從關羽說起，因為他是羅貫中創作最突出，最成功和不朽的一個。

看過「三國演義」的人，提到關公，就如見其人：面如重棗，單鳳眼，臥蠶眉，五綹美髯，騎赤兎馬，使靑龍偃月刀。這是羅貫中塑造的小說人物，而非歷史人物。而三國志關羽傳中，絕找不出這樣子的人。演義中的關公和三國史中的關羽可以說是面目全非。但是，羅貫中塑造的關公，是煞費苦心的，他翻了不少的古籍、筆記和民間傳說，搜集了許許多多的「竹頭木屑」。他的關公藍本，是五代時趙忠義所繪的「關將軍起玉泉寺圖」。五代時，蜀王曾延丹靑妙手趙忠義，繪關將軍起玉泉寺圖，其事見於「益州名畫錄」。並非子虛烏有。因其一生忠烈義勇，民族精神尚崇德報功，關羽死後，關羽已由忠義祠進入武廟，登上神國的領域；

因此，不但關公狀貌有了藍圖，而且關公玉泉山顯靈更有了根據。普淨為關公之同鄉，也有了着落。明郎瑛的「七修類稿」引「桑楡志」說：

「關侯聽天師召使（張天師），受戒護法，乃陳妖僧智覬，宋佞臣王欽若附會私言。至於降神助兵諸怪誕事，又為腐儒收册，疑以傳疑。予以為既為神將，聽法使矣；解州顯異，有錄據矣；諸所怪誕，或黠鬼假焉，亦難必其無矣。……玉泉顯聖，羅貫中欲伸公意，既援作普靜之事，復糅合傳燈錄中六祖以公為伽藍之說，故僧家即妄以公與顏頁為普安侍者。殊不知普淨為公之鄉人，曾相遇以禮。」

看了這段考證，我們知道普靜實有其人，是關公的同鄉。因為釋道二家，都強拉關公為其教下神將。道家強拉關公為取戒護法尊者，是「陳妖僧智覬」；釋家則以「傳燈錄」以及佛祖道載，斷章取義，附會下元朝僧人普安身上。誤以普安為普靜。蓋其時釋道二家早已爭取關羽為神，夾雜不清。羅貫中不取釋道二家之說，採取了比較超然，而又與關公同鄉的普靜。因此三國演義中，關羽過五關所遇之普靜，和玉泉山顯靈所遇的普靜，羅貫中都有了着落。但是，這種素材，却不是容易得來的。（一）

彭玉麟其人其事

——對「彭剛直畫梅不高明」的駁正

羅雲家

彭玉麟的父親在台肥任巡檢太久了，總覺得自己沒有功名，又不願自己的兒子久客他鄉，就誤了前程，於是在玉麟十七歲那年，決定返回衡陽。途中曾偕家人暢遊黃鶴樓，岳陽樓，岳麓山，衡山；然後回到故鄉渣江，買了五六間茅屋住下。鶴皋曾於衡陽長沙等地活動差事，均無所成，終因貧病交加，回鄉不到兩年，便一命嗚呼。

彭玉麟於離皖返鄉這一年，由於婚事的受阻，父親的失業與患病，以及住地的遷移，沒有好好讀書；於父病重，鄰人請來巫師驅鬼之夜，他聽到父親對飲泣中的母親交代的話：「我死之後，希望妳好好管教兒子……如果放鬆一步，他將來必是個敗家之子。」因此，他於遭受失怙之痛，别離之苦以後，立即痛下自立自強的決心；一面保持與梅仙的魚雁往還，互傾情愫，一面足不出戶，日夕埋首於經史子集之中，發憤讀書。彭母見子如此，心中自是歡喜，乃暗中將僅有的首飾衣物，典當了十多串錢，叫他前往衡陽石鼓書院讀書。不到一年，學問大進；旋於十九歲那一年參加衡陽縣試，中了秀才。知府高人鑑，提學使陳增，讀其文，見其人，均驚嘆不已；當即予以[illegible]勵，許為國士。

二

依上所述，可見農禽先生所說的前列各點，有若干地方是值得商榷的：

一、好賭成性問題：他在十三歲以前，容或有小賭的毛病，但說不上「好賭成性」。十二歲以後至十七歲五年間，是住在管教嚴格的私塾老師家裏，且又在與梅仙熱戀之中，有時候偶爾賭博一下是可能的，但說成為「好賭成性的無賴漢」，那就未免太武斷了。

二、方梅仙較彭玉麟小兩歲，他倆共住共讀的年齡，男的是十三——十七歲；女的是十一——十五歲。其時為尊重禮教的封建社會，婚姻由父母作主，更須八字相合。梅仙上有父母，左右又有同塾的十多個男女同學，豈能容許她「濫語彭曰：『是區區何足道哉？』但願得偕白首，於願足矣。」這一類私話？她是一個年未及笄的小女孩，而父親又是個窮教書匠，能有多少釵環首飾供玉麟「竊取」？是以前述「每賭敗，即竊取梅姑之釵環，質錢償負，或更作孤注之資」。實在令人難以置信。

三、玉麟旅皖十七年，其父均任合肥巡檢，他的衣食、讀書費用、零花錢等，自不會成問題吧？怎可以說成是「無賴漢」呢？還回故鄉渣江後，雖有大約一年的時間未能用功讀書，而與一些「不良少年」往來，使其父於貧病交加、自感行將逝去前，交代其母，說對他若不嚴加管教，將來會成為一個敗家之子。但我們要曉得：「敗家子」一語，乃是湖南人的口頭禪，與今人斥責晚輩「沒有出息的東西」同義；何況他有父母，有家室，讀過四書五經，翻過莊老韓墨諸家之學，唸過史記漢唐宋之文；且知父親謀事未成，又得了「咯血」病（怕是癆病？）。至於家中積蓄越花越少，十七八歲的大孩子當亦清楚。（三）

淺談櫻花種類

本產中土移日而盛

○紫纓○

櫻花本產中土，舊籍如本草等亦曾載及（如櫻桃即係櫻之變種）。古時移於東土而特盛。後來且被崇為彼邦之國花。陽春三月，萬花如海，如雲、如霞之燦爛。茲畧述其種類如下：

櫻之種類頗多，並且富於天然變種及園藝變種的特性。在東土最常見而最多之櫻，就是山櫻。山櫻中開白花者，名為白山櫻，開紅花者，名紅山櫻。

「白山櫻」：分布在東土北部至南部，但是最多之處要推中部。其苞葉有紅色、茶色、淡黃色、綠色等，所以其嫩芽亦有上列各色之區別，此係該花之特徵。尚有花序之狀態及花朵之位置也不完全相同。花序有長者亦有短者，花朵有多者亦有少者。除了花梗有長短之外，花朵之大小，花瓣之形狀，雄蕊之數量，也各各不相同，還有花瓣畧微呈現粉紅色，花朵亦微有香味，且花梗有不少毛茸附着其上。所以每當山櫻盛開季節，大有每株山櫻，各具有不同之態的感覺。（一）

內備警台報字第〇三二一號內銷港

自由報

THE FREE NEWS

第七五〇期

中華民國僑務委員會登記證台教新字第三二三三號
中華郵政字第一二八二號執照
登記第一類新聞紙類
（半週刊逢星期三、六出版）
每份港幣壹角
台灣售價新台幣貳元
社長：雷嘯岑
督印人：黃行置
社址：香港銅鑼灣高士威道二十號四樓
20, CAUSEWAY RD 3RD FL. HONG KONG
TEL. 771726　電報掛號：7191
承印者：大同印務公司
地址：香港北角和富道九六號
台灣分社
台北市西寧南路壹壹零號二樓
電話：三〇三四六
台郵撥帳戶金九二五二

中國人對中華文化應有的認識

祁倫。

我們是中國人。中國人理應對中華文化有基本的認識。這個基礎，將使我們明白我們是一個頂天立地的中華兒女，使我們成爲不偏不倚、不媚不傲的堂堂正正的中國人！

別奇怪那些星星、月亮、太陽在中國何以黯淡無光，也別奇怪那些「明星、學人、政客、財閥」以及一切「過氣」份子何以紛紛「認賊作父」地不願自己是中國人。

黯淡無光的決非星星、月亮和太陽。認賊作父的中國人絕對無損於中華文化！這，只是時代的錯誤；只是正常演變中的反常現象！星星、月亮和太陽仍是光潔耀亮的，那些獲有兩或多種國籍的中國人依然是我們黃帝的子孫！這是一個簡單的認識，不需要具備太空知識和中華文化素養。

如果具備了太空知識及中華文化素養，那麼，我們就認識了地球大氣現象，也就認識了中華文化的特質，因而便能「悟道」進而「得道」「得道者多助」。

於是，我們將因而承繼中華文化，復興中華文化，發揚光大中華文化使照耀着整個人類世界！國籍的不同，地區的不同，語言文字的不同，都無損於中華文化的光芒，並有助於此永恒性、世界性萬丈光芒的閃耀！至於那些來自中國的多種國籍的中國人，他們的本質，便是闡揚中華文化的活動示範教材！如同今日的德裔美人和德裔俄人所推動的太空科學競賽；而德國的太空科學，又導源於十三世紀中國人發明的火箭！

毛共之所以要搞「文化大革命」，是因爲他眞正認識了中華文化！「聖人之治天下也，先文德而後武力。凡武之興，爲不服也。」（西漢劉向「說苑指武篇」）「文化內揖，武功外悠」（東晢補亡詩）「觀乎人文，以化成天下」（易賁卦彖傳）這些都是「槍桿子出政權」的毛共的死敵！不來一次「大革命」革掉這種文化，豈不是與「毛澤東思想」相違背麼？「順我者昌，逆我者亡」。「毛共」「文化大革命」的根本原因在此！

美國八十多所大學及一些中學甚至小學校，紛紛成立了「中國語文課」，學習和研究中華文化（見紐約「華爾街日報」一九六七年三月十六日在其第一版的報導）！這是因爲美國領導者眞正認識了中華文化！因而由政府撥款獎勵美國青少年，從中華文化的「人文主義」中瞭解生的意義和死的價値；從中華文化的「道德主義」來修養身心以節制其言行；從中華文化的「理智主義」以重思想求其生活的合理化；從中華文化的「民本主義」擴大其民主政治範圍至福祉人類；從中華文化的「法治主義」健全其法治社會；從中華文化的「格物」與「厚生」素養中開拓自然科學並節制其用途和目的；……所有這些，都是物慾橫流的美國（又豈只是美國一國？）所短缺者！在一個爲了一些毫無意義的事而紛擾不安的社會裏，中華文化的「無用」和「無爲」，應該是唯一的良法妙方和福音了！

蘇俄把它準備送人登陸的月球地點取名「孔子」，又正式使偏向民生，又可說明蘇俄領導者也認識了中華文化的「足食、足兵、足信」（孔子語）、「黎民不饑不寒，王道之始也」（孟子語），因而也開始注意人民的生活了，並且，蘇俄還據此批評毛澤東「文化大革命」的愚蠢已極！眞的，蘇俄在這方面確實有資格批評毛共，而且，它的「和平共存」，不論內心眞意如何，比起毛共的「世界革命」「人民戰爭」這種霸道，確是反中華文化「內聖外王」（及「以德服人」）的另一種說法，要予世人更多好感的。

文藝復興，是中華人文主義在歐洲的首次闡揚，因而發展出個人主義，自由主義，以及民主主義；博愛，自由，平等，是中華文化「仁」爲本體在法國的闡揚，因而發展成爲今日世界潮流主流；民主政治，法治精神，是中華文化民本主義和法治主義的具體表現，另以中華文化中的「誠」爲其動力，因而使野蠻國家成爲文明國家，使野蠻民族成爲文明民族（中國人之所以受非洲歡迎，實賴於中華文化的仁、誠爲源泉）；……

聯合國着手推行的許多世界性事事物物，無一不說明與我中華文化的「世界大同」最高境界的構思相吻合。例如聯合國教科文組織，農糧組織，衛生組織，原子能和平用途，國際開發組織，以及各種國際法之釐訂，都是人類在摒棄狹隘的國家觀念而協力同心往「世界大同」之坦途邁進的說明。

放眼四海，今日人類已覺醒於中華文化「道德爲本、科學爲用」，進而開創天下太平，四海一家的局面！生爲今日的中國人，能不以此爲榮而理應起而認識中華文化乎？

鬼打鬼

中共

自尋煩惱

中共　蘇俄

今日與明日

毛共局勢更混亂

據東京方面消息，毛林一派共酋最近組成了一個六人委員會執掌政權，名單是周恩來（主席），陳伯達（外交），李富春（工業）、李先念（財政貿易），劉伯承（國防），陳毅（留用）。這項消息本身就相當可疑，次日又經毛共掌權派否認。不過空穴來風，不會無因，毛共內部可能已經改組，只是改組的情況未必便如日本方面消息所報導的這麼簡單。

毛共今天的行政機構實際上已經癱瘓，別的不說，僞國務院在「文革」之前原有十六名「副總理」，除去罷黜了彭德懷，死了柯慶施，也還有十四名；到今天來說，未出問題的只有林彪同謝富治兩人，剩下搖搖欲墜的李富春、李先念，十之八九要倒下的是陳毅同譚震林。其餘全完了。

至於各「部會」大部份共黨黨員部長均被打成黑幫或遭受批判中，少數由投共份子担任的「部會」，第一副部長也必然是毛共黨員，這批人大部也出了問題。在這種情形下，要想推動全國的政治，那就非另組一個發號施令的機構不可，所以說僞組織方面有一個小型「國務院」出現，是不足爲奇的。但組織縮小不致於簡單到只有六人，更不會由陳伯達掌外交，劉伯承掌國防，這一點若非紅衛兵大字報寫錯，就是日本記者抄錯。

北平也未能控制

最近毛共在北平組織了一個革命委員會，由謝富治任首領，代替了原來的毛共「北京市委會」及僞「北京人委會」（市政府）。這個機構包括了共幹，共軍，工人，農民還有漁人，可以算是應有盡有。但是，不知道這樣一個亂嘈嘈的機構究竟能發生什麼效力！更妙得是屢次被黜再起的吳德又當了副主任。吳德的思想是否眞的脫胎換骨，大是疑問；假若吳德再運動其中一部份人走劉鄧路綫，是不是又要把這個「革命委員會」解散，再組新機構呢？

毛澤東、林彪費了九牛二虎力氣，也出動了槍桿子，可是到現在仍然無法控制北平城內的行政，還要日日變換花招，由此可見，毛林派在共酋中間，不僅是少數，而且還頭重腳輕，有上級無基層，所以奪權奪來奪去仍然是一句空話。

毛酋的地位今天建築在一個微妙的情況下，如果劉少奇當初逃出了北平，則反毛力量早在劉鄧指揮下和毛唱對台戲，毛共就分裂了。假若毛澤東一動手把劉少奇殺了，則反抗毛力量無所顧忌，必會起而反抗。偏偏劉少奇就落在毛澤東手上，死活不得，才暫時壓住了火山口。不過，這種情形維持不了太久的。（何如）

美國於第二次世界大戰後，躍居全球自由國家的盟主地位，他的對外政策，反共祇是消極防衛而已。所以，爲着反戰而不惜向俄共集團委曲求全，力求安協，避受屈辱亦在所不惜。對於反共措施，除却消極地搞些貢獻出的集體安全公約，或雙邊的安全互助協定外，同時又規定任何締約國，如不取得美國同意，不許單獨採取反共的軍事行動，一面以原子武器供應集體防衛或安全互助之需，却緊緊地抓住使用原子武器的權力不放，形同裝飾品，備而不用，實際在某些安全互助地區內，甚至連汽油亦嚴密管制着，唯恐某一自由國家從事反共戰爭，連累了美國，拖它下水。一種畏戰反戰的心情，昭然若揭。

當然，任何一個反共國家，并不期望美國專爲着別國的生存利害關係，而隨便從事戰爭。同時，國際共產集團蠶食自由世界的革命陰謀如其是有限度的，美國現行這套策略，亦屬未可厚非。然國際共產主義者的最終目的，是要奴役全球人類的，美國更是它們欲得而甘心的頭號敵人，如果亞非自由地區皆赤化了，美國還能夠掮着「門羅主義」招牌，遺世獨立而過着安全繁榮生活嗎？

岌岌可危

二次大戰前夕，希特勒跟英首相張伯倫進行妥協陰謀時，誓言他決無問鼎美洲的意念，藉以安定美國的疑懼心情。可是，羅斯福總統眼光如炬，認爲納粹極權主義有如瘟疫然，到處侵襲，沒有止境的，他倡導「防疫」運動，先教美國人民覺立反極權的心理防綫，繼之以「租借法案」援助反納粹主義諸友邦，最後美國即挺身參戰，毅然以全世界反納粹陣營的統帥自任，終將希特勒帝國打倒，使美國的國勢蒸蒸日上，而構成「萬國衣冠拜冕旒」的自由世界「上國」地位。假使羅斯福當年不明瞭納粹極權主義的本質，畏首畏尾，安協苟安，等到希特勒帝國左手消滅蘇俄，右手宰制英倫後，美國就於[illegible]之無日，要想起而抗衡，也就來不及了。

有人說，二次大戰後，美國以超等國力而由二三流的政治人物綰領國政，誤人誤己，自貽伊戚，中國大陸之淪入鐵幕，韓戰之屈辱下場，即其明證，現時越戰的形勢又有重蹈覆轍之象。共產主義與納粹主義是生物，我們瞻念美國前途，眞不勝其岌岌可危之感想也！

馮王先生

一牆之隔與西德判若雲泥
今日東德不啻人間地獄
舉目一片蕭索恍如戰爭剛剛過去
人民生活痛苦最大願望奔向自由

（柏林通訊）東德與西德只有一牆之隔，其間却是共黨統治與自由世界的分水嶺，何啻天淵之別？

在柏林東九英里的東德鄉村「萬鐵斯」鎮，那裏附近有一處最不平常的特區。該特區乃半森林地帶和一片草場，四周圍以高牆，內有屋宇約十二座，每座各有房子十間至十二間。

這些屋宇的建設十分考究，內有意大利的大理石，法國和比利時的器具，西德的玻璃物件以及各來自外國的藝術品。

特區的四周有警衛隊一百六十人，日夜輪流巡邏，防護嚴密。他們的武裝配備極佳，很多人均有手提機關槍。

該特區即爲東德共黨高級幹部的居處。他們喜歡住在一起，而且需要住在一起。他們的居處窮奢極侈，距離「人民」太遠了。他們的作威作福，僅次於他們的頭子華特郁勃烈滋。

東德共黨頭子華特郁勃烈滋的住宅在史考菲田，位於柏林北三十二哩的地方。他的家就是一個小王國，包括有：林園、湖沼、玻璃花圃、游泳池、射擊場、排球場、大會議廳、電影院，以及許多房屋。他常在這裏舉行秘密會議，和他的幹部及爪牙在一起。

對於這兩處堡壘式的「巢穴」，歐洲名作家若望遜在他的著作裏曾說：「東德共黨們願意建築他們自己的集中營。」

共黨統治東德，至少也總算有了「集中營」。他的首都不但用了一堵不名譽的牆圍住了它的人民，且在西面邊界，佈置了八百六十英里的警戒綫，以機關槍向東德自己的地方描準，使人民不能越雷池一步。

東德成爲「秘密警察」的國家，數以千計的政治犯被囚於牢獄裏，大有人滿之患。共黨頭子華特郁勃烈滋的獨裁式的作風只是苦了人民，不但和「孿生兄弟」的西德大相逕庭，且其專橫與高壓亦比東歐其他國家爲尤甚。

今日東德地方好像是一個麻木的人，身體儘管粗壯，但神經已趨分裂。二十二年來華特郁勃烈滋倚蘇聯以自重，所作所爲只想和西德遠離，而成爲一個永遠與西方分家的共黨政權。據他說：「社會主義的東德和帝國主義的西德，是永不復合的。」

由於華特郁勃烈滋的錯誤的觀點，今日東德所見到的，所想到的，甚至所嗅到的一切事物，均與西德截然不同。

共黨認爲東德是從毀滅中重建起來而步向將來的有希望的國家。華特郁勃烈滋拜倒蘇俄，他把所有的希望都寄託在「老大哥」的身上。

蘇俄的一個統帥指揮着東德的二〇〇、〇〇〇人的陸軍，六〇〇架飛機的空軍及二〇〇艘艦隻的海軍。

蘇俄的大使經常參加華特郁勃烈滋所召集的政治會議，左右會議的一切決策。東德的出口業的百份之七十二是向東的，所有旅遊的人亦多東行。

三五〇、〇〇〇人的蘇俄軍隊駐於東德，在東德的心臟區建成了「小俄羅斯」、「小烏克蘭」及「小高加索」。

東德與西德只有一牆之隔，但兩邊人民却完全置身於兩個不同的世界。西德夜間萬家燈火，繁華熱鬧，夜生活多采多姿。但東德入夜後漆黑一片，冷寂如鬼域。即日間亦現出荒涼、蕭條，有如刦後的城市。

歐洲有一個記者在刊物上作報導，寫了這幾句：「第二次世界大戰已經過去廿年，但廿年後的今日，你若在東德旅行，你會感覺到戰爭好像只是昨天的事。」

東德的城市已無復昔日的情景，街道上行人寥若晨星，商店大都倒閉。鄉村交通用的是馬車，農田裏沒有機動的耕種工具。所有景象似乎時間已倒退了四十年至五十年。

此種退化與隔絕狀況，完全係由「圍牆」造成的。東德與西德只是一牆之隔，但它已與全世界隔斷，所連繫者僅爲一丘之貉的他們共黨自己的圈子。

華特郁勃烈滋稱這道一堵圍牆爲「反法西斯的防綫」，用以囚禁了東德的人民，阻止他們的奔向自由的企圖。然而，他雖用了最毒辣的手段對待逃亡者，仍不能阻遏他們的冒險的嘗試。自一九六一年圍牆建立以來，東德人民以種種方法越過封鎖綫而逃入西德者亦大有其人，其中不幸而遭共黨哨兵槍殺者一三七人。

「不自由，勿寧死」，東德人民不會受到死刑的威嚇，他們只窺伺機會，計劃逃亡，希望能夠脫離了牢籠。

東德的人民今日絕無自由，青年人的思想且亦受到控制。

東德青年不准有「披頭四」的髮型，不准奏西方爵士音樂，不准跳牛仔舞。

最近共黨更厲行隔絕的政策，所有西德及自由世界的刊物禁止輸入東德境內。即尺寸較爲放寬的共黨國家的書報，如捷克及波蘭的刊物，亦在禁止之列。

雖然共黨頭子華特郁勃烈滋以七十三歲高齡，不會永遠作爲東德的領袖；但他的繼承人可能還是跟着這一條死板板的軌迹走，不讓人民有越越出「圍牆」的一天。於是，東德的人民今後也就沒有好日子過了。

初中入學加考體育近訊（下）

張忠建

因爲所訂的新辦法中有偏項目，都偏向於「技巧」方面的緣故。

（三）評判的標準，應該訂得明白而確定，只能有對和錯兩者。

此外，他們認爲：如果考試，只限於這「技巧」方面的五項，而這五個項目都是不難做到的，那麼，是否會導致學校平常根本不上體育課，而在考前，再來一次「惡補」？那就不得而知了。

家長們觀念的一斑

十餘年來，國校學童在惡補與升學考試的重壓下，患已到了慘不忍睹的狀況。有人把今日「惡補」比作上一世紀鴉片其爲禍之烈，可以想見了。有人住在台北市郊大坪，看見附近許多美軍眷屬子女放學回家，嬉戲活潑，天眞可愛的情景，再看自己子女們垂頭喪氣回家，一語不發，寢食俱廢，伏案做功課的慘狀，輒不禁爲之酸鼻！

最近我們學童家庭中氣象有點改變了，學童們在作功課的時候，也常抽空離在桌上，雨手一擺，作：「仰、臥、起、坐」的運動。家長們問：「爲什麼不再專心唸書了？」據答：將來到聯考時要考體育，老師叫他們每天練習。

消息傳來、家長們紛紛議論，有的贊成，有的反對。

持反對論者，認爲現在聯考只兩門，惡性補習項目，只有國語、算術兩門。如再添此措施，勢將加補體育一門，將令學童們心力交瘁，受害更深！這種看法，有些人信以爲是；但看了學童們運動之後，觀念頓加改變。因爲在休息方法中，有一種名爲：「工作變換法」：於作功課的勞腦力時間中，間歇地作些勞力動作。這樣動作，與其說是「使學童心力交瘁」，不如說：是可使他們心力平衡。而且一力不能二使，一堂不能兩用。在學校裏加些體育時間，就須減少些上課時間。如此安排，補習之惡性自可減少。故此有少數人唱高調：體育固然重要，升級或畢業時認眞地考好了，又何必加在聯考項目之中？但在今日升學主義盛行之際，如不在聯考時加入，平日，誰去理會？

有些家長們主張：初中入學考試的體育項目，應佔總成績百分之二十，另國文科百分之四十，算術科百分之四十。如此，才能看出重視國民健康與德智育教學的平均發展；假如體育項目祇佔百分之五，學科好的學童，根本可以放棄體育而不在乎；但如果提高到百分之二十，任何人便非得重視不可了。

國校、家庭、今日所見

最初決定：「初中入學、加考體育」的考試項目，如單槓、爬竹竿、踢毽子等，都是小朋友們習愛玩的。如今國校當局一聽說要加考體育，便通知應屆畢業學童們加緊練習運動，這一下子，可樂壞了他們。不但他們，那些六年級以下的學童們，也都大家跳繩，踢毽子。更以跳繩爲普遍，因爲購置很便利。高年級的最愛學爬了上樹（爬竹竿），這也是台省國校學童一種新風尚。在運動場上，看見兒童們的興高采烈，笑容歡呼，抵補了他們在家低頭伏案時不少的愁眉苦臉。

（完）

桃園續紛錄

本報記者黃鴻遇

▲死猪！警伯懶得管黑貨、御史正要查，百頭私宰一函「道」破。台北市屠宰公會理事長張添壽，收購死猪冒充好肉轉售圖利，被警方破獲究辦。

桃縣離台北市首善之區，只有一山（龜山）之隔，私運極爲方便。因此，桃園縣境的「私宰」，甚爲猖獗。幹這勾當的人，並不以「漏稅」而滿足，還專門低價收購死猪、病猪（俗稱瘟猪）、老母猪圖獲厚利。有人向監察院檢舉，據監察院轉函桃縣警察局指稱：桃園縣民檢舉桃縣境內有人收購死猪、病猪和老母猪圖利，冒充好肉應市或灌充「香腸」，有傷人們身體健康，警察不予理會……，桃縣刑警隊，據函展開調查：傳問涉嫌的吳阿球（男，三五歲，桃縣人，住中壢鎮芝芭里一鄰三三」鄉）據吳某供認：半年以來，收購死猪、病猪及老母猪一百餘頭（每頭價值新台幣一百餘元，按好猪毛重每台斤一三、四元，再加屠宰稅每頭約三〇〇元，每頭好猪以百台斤計，成本約一千七、八百元），均轉售給台北市屠猪公會理事長張添壽（男，住台北市民權西路七七巷一七弄二九號）或冒充好肉應市，或轉售灌充「香腸」。據警方表示：這屬於「違警」處罰，除張添壽部份，移送台北市警局外，吳阿球等一干疑犯，依法處理。這又引出有趣的問題：火腿、香腸……爲有錢有勢階級饋贈的禮物，和鑽營官場，走裙帶關係，作送紅包（裝在火腿、香腸盒中）的盾牌，這些呼婢（台灣稱下女）蓄妾的富貴人家，他們怎知道是過着「瘟猪」生活哩。

▲罪有應得，情有可原，法有可憫，以致有司恩准延期下獄，律師義務撰狀請赦，宗親發起募欵繳罰，這宗可憐的「罪犯」故事，傳遍了台灣社會，獲得人們的同情。

桃園縣民陳德仁，於去年因病死亡，因經營煤礦失敗，生前以乃妻陳吳秀枝（住桃園鎮大林路光明巷一二號）名義，向銀行立戶，開出空頭支票計新台幣三十餘萬元。在法律上，陳婦自應是代罪的「羔羊」，經基隆地方法院，以「違反票據法」裁定：服刑勞役一年，基隆地檢處，票傳陳婦報到服刑，乃當面向曾華松檢察官泣訴：家中還有五個孩子沒有安置，是否能請求延緩執行坐牢？曾檢察官極爲同情，將她飭回，並贈送路費五十元，限一星期後再去投到服刑。又指示：只要坐牢半年，再繳罰金四千元，就能了案。陳婦把孩子分別安置於外婆和鄰居家，隨帶最小的三歲幼兒（交監獄托兒所照料）依限入獄服刑。陳婦表示：法律之前，人人平等，毫無怨言。出獄後要好好撫養孩子作良好的國民。

自陳婦的服刑消息傳出後，台北有一個失敗商人，他的妻子絕裙而去，陳婦的表現，使他很感動，親自送給她一千元，指明代繳罰欵。桃縣陳氏宗親會，發起募捐支援。基隆一位名律師，義務爲陳婦撰狀，請求減刑或免刑。還有許許多多的善心人，都樂意支助這個肩荷六口之家的可憐的寡婦。犯法服法，本無可彰揚之處，報導出來，意在讓一些貪官污吏和作奸犯科的人，玩法逃法，躲躲藏藏，不敢面對現實，使其無地自容。

▲台灣省的國民學校，分智、仁、勇三等。勇等班數最少（十二班），教室最新（鋼筋水泥造），智等班數最多（二十五班以上，如台北市老松國校，計有學童一萬餘人，爲全世界最大的國校），教室最舊（日據時期木造）。桃縣計有國校一百三十餘所，全縣十三鄉、鎮各智等國校，都有年久失修的危險教室，有一校多達十餘間者，這些「危樓」，樑木壞，瓦蓋翻，牆壁裂，窗戶穿，不能擋風遮雨，尤在其次，影響學童安全，則危險性太大了。

據某幾位校長告記者：他們的國校，危險教室，分別有十餘間之多。修建教室的經費，由各鄉鎮自籌，或縣府核撥，沒有明確的規定，他們奔走呼號，仍是徒勞無功。他們又說：自去（五十五）年立法院通過法案：教育特捐，可附征百分之三十，且自同年七月份起，已開始附征。桃縣每年這項收入，計有新台幣幾千萬元。教育特捐，顧名思義，不作其他用途，一點一滴，都得用在教育。桃園縣民，一致希望縣府，從速改建危險教室；即使萬一力不從心，亦應先行拆除，以策安全。

香港字花案近月大減少

（本報訊）警方拘捕賭字花案，自去年十二月破獲一間總機關後，業已顯著減少。該次破獲，曾在九龍各地拘捕三十九人，並於正月十六日至四月十日在法庭審訊，成爲本港歷史上此類案件審訊時間最長者。結果有卅七人各判罰欵三百元或入獄一月，一人證據不足獲釋，一名十五歲的男童警告後開釋。

此案審訊期間內，據報，字花活動似已銳減。統計顯示，去年十二月起訴字花案四百一十六宗，一月爲四百三十九宗。今年正月破獲三十三宗，而二月則只有二十六宗。

瀛海異趣談

西人婚禮迷信尤過東方

·桑雅·

在「進步」的西方國家，許多方面都踏進新的時代。許多生活習慣，逐漸「破舊立新」。但是仍有許多地方，極爲保守和迷信。單就結婚來說，講究「意頭」和避忌不吉的迷信，不讓東方的國家。

如果是準備安排了一切的結婚的計劃和儀式之後，往往會整個給推翻的，那些媒人，或是保守的人，就會着新人選帶上玫瑰色的戒指，而不用閃閃生光，晶瑩奪目的鑽戒。及至張治用以往的習慣。

如果選購一枚鑲貓眼石或珍珠的戒指，戴在左手的第三隻手指的話，就會帶來悲哀，其實，這些戒指，嚴惹人稱讚和注目的，誰也希望有這些戒指作爲結婚不可少的飾物；但是一些迷信的人指出，這些戒指會帶給夫婦間的不幸，把眼淚帶給他們。其實這種說法，極爲無稽的，因此那些不是迷信的人，便不相信這種意頭，他們認爲最佳的莫如破除這風俗。同時選購結婚戒指，首重於欵式美觀和大方，誰去理會其習俗怎樣。

許多人結婚，舉行宗教儀式的話，必選一些美麗而小型而有苦像大閘的日耳曼禮拜堂行婚禮，因爲他們認爲在攝影時以這些爲背景，相信會很好看的。可是那些上了年紀的守舊婦女，認爲經過那扇大門，其中一人，會於一年內死去的；要是命運之神，大發慈悲，一雙夫婦，可獲生存於世，但是他們的婚姻，就不會幸福的。

最近一雙幸福愉快的老夫妻，舉行金婚紀念（結婚五十週年），他們和他們的子孫，都是在村裏那座有苦像閘門的禮拜堂舉行結婚儀式的；這樣，在迷信方面，他們應該任何一人早已死亡或是不會幸福的；可是情形却相反，可見迷信不足守的。

此外如果以交叉雙劍的習慣方式爲婚禮，在迷信上，有許多不吉的預兆的。當然，這是很荒謬的。

又如以一盒手巾，送給情人爲禮物，那是不好的兆頭。據說這無異跟結婚的願望揚巾道別。根據那些迷信的人說，人們無論怎樣破除迷信，都沒有用的，違反了意頭，凶事總會降臨的。

當新娘穿上整套的結婚禮服時，而讓自己看到全身這樣打扮的話，就不會吉祥的。但只要將手套除去，便可以破掉這種不吉的事。有一位名叫杜麗茜雅．荔芝的女士，她說當她於婚禮後，步出禮拜堂，人們告訴她，說她不守一切的傳統舊習。但是她一笑置之，還高高興興的與新郎一起拍照留念。一位幹員的女友對新娘說：「我無須穿一襲新衣裳參加你的婚禮，如果一雙情人同拍照的話，那末他們必然訂婚不成的。

可是英國的皇族，每當舉行婚禮，報章上必有照片刊出，而並沒有多少對皇族的夫婦，發生決裂的。

在準新娘方面，有着許多避忌的事。像不能穿戴綠色的東西，不能在星期五結婚，不能在五月結婚；因爲五月結婚，將來所生的孩子，必然夭折，或是殘廢的。但是瑪嘉烈公主却是在五月裏舉行婚禮的，難道她眞的給迷信的說法，不幸而言中？

那些迷信的人，從來不敢犯禁忌的事。所以他們總是按照習俗辦事。

譬如未婚的男子，從一株掛冠樹，折下一樹枝，再將這樹枝，一折爲二，每人收起一枝。據說，可以使他們經常聚在一起，相親相愛。

當然，許多陶醉於愛情的男女，常常都希望能夠聚在一起，永不分開；他們下意識的迷信起來，像永遠不敢踐踏一隻螢火虫的。因爲踐踏一隻螢火虫，會危及他們底愛情，甚至會引致所深愛的人死亡了。

假如當舉行婚禮朝祭台前行去時，突然有一條蜥蜴，大蛇或是一頭兎子，在新娘新郎面前經過，這意思是說他們的婚姻，不會美滿幸福的。

在另一方面來說，住在城市的很難看到蟾蜍或是豺狼，否則能夠保證婚姻幸福的。

大部份的新娘，於結婚的大日子裏，總是喜氣洋溢的。但是迷信的人說，做新娘的，不能高興的，他們認爲如果新娘在結婚之日不痛哭流淚，那不會交好運的。還有，如果在「落之後舉行婚禮，那末新娘的幸福愉快生活，多極也有限了；同時，將是子嗣斷絕，或是早死的。

另一項迷信的說法：如果婦女兩眼的眉毛，連生在一起的，那末她一生中，都不穿上嫁衣裳的。

當然，上述的迷信，只是取其意頭而已。如果人人均依循迷信的習俗，一切幸着吉利的事，豈不是人人永遠幸福愉快，怎會有離婚的數字日增的現象？

馬德里個半月所見所聞

·綺雲·

親切和好客，在到了馬德里以後，也經常體驗到。有一天下午我出去練琴，沒有帶傘，剛出來五分鐘，就遇到傾盆大雨，連忙跑到一個門口避雨；樓上窗口正好有兩個西人在往外看雨，我向他們做一個表情，意思是沒有關係。又過了一會，其中一人問我要傘嗎？我點點頭，他立刻下樓來拿把大黑傘給我，讓我用，等太陽出來再還他。我因急用，就不客氣的拿走了。他僅道出他的大名，並沒有問我的姓名住址。後來我去還傘時，驚動了全樓的男人，都跑來看這位中國小姐。他們會說英語、德語，我說我僅會英語、國語，西班牙語僅會一點。他們說要時常交談，才會進步，希望以後常常來往，交個朋友比較好。我說：「這句話的意思，等我回去查好字典，明瞭以後，再來答覆」。說老實話，西國青年們這種熱情法，我們東方女孩子是多少有些不習慣的。

這裏的習俗，兩人見面時要抱頭痛親一番，臉貼臉的左邊一下，右邊一下，不這樣不能表現出友好來。我們初到時，這樣親來親去，弄的臉紅了，慢慢的也就習慣了。

彼此見面一定要打招呼，在我國那種冷若冰霜的態度，在這裏不但不受歡迎，且易引起誤會。「禮多人不怪」這句名言，用到這裏管保吃得開。無論識與不識，見了面：「早晚，日安」和「再見」一定要說的。如果能海闊天空的聊上一聊，更能贏得友誼。有一次，到一家醫院去，一個女護士本來臉孔拉得很長，當我向她說：「早安，再見」後，她馬上就天眞的笑了起來。

馬德里的生活程度與西班牙幣值，和台灣相比，是生活程度要高，幣值要低一點。譬如地下火車票一元，公共汽車二元，電車一元，計程車起碼五元，與台灣相差不多。但是一般來說吃的較好，也貴。就以我們住在修道院的伙食來說，主食自然是麵包，有魚、肉，蛋，水果包括香蕉，梨，蘋果，葡萄等等，一個月的伙食，要合一千五百元左右，稍高級一點的要達三千元之多了。

這裏的晚飯，通常要到十點鐘才吃，夜生活很長，這與我們的情形不同。他們因爲晚睡，所以早晨起床較遲，於是電影院的早場，票價特別便宜。

馬德里的小費制度很兒，處處要小費，對我們留學生來說，是一大威脅。到代賣郵票的地方，買五元郵票要付六元，航空郵簡一個六元，却要付六元五角，這雖不能說是小費，但是稱之爲經辦人的佣金，大約不會有問題。

治安良好，雖不能說夜不閉戶，偷搶之案，似不多見。但是單身女郎，尤其外國小姐，在晚上十時後，最好不要單獨留在街上。當地的警察，對於外國人非常注意，他們都調查很清楚。

大體看來，西班牙大約已有三十年沒有戰爭了，生活安定，社會繁榮。固然沒有西德那種新興工業猛濟的氣象，也沒有法國那種浮華靡爛的風氣，這是個可愛的國家。

馬德里的小姐說，眞不如台灣的小姐們幸運，不但不能被一個以上的異性來追求，甚至要幾位小姐追求一位男士。（中）

謎樣的修女生涯

三木譯

修女的生活，在近年來亦成爲荷里活製片家所搜羅的題材之一。年前，在本港先後上演過的「艷尼歌聲」和「仙樂飄飄處處聞」兩片，都曾對修女們的日常生活，有一個簡單的素描。這兩部電影的作者，都是以喜劇的手法，將片中的修女描寫成一個既風趣而又活潑的人。有人批評這兩部片影作者，是沒有深入研究修女的生活，他們只是注重描寫修女活潑的一面，而忘却了報導關於她們嚴肅的一面。比如觀衆們希望知道現代的女子爲何要當修女呢？修女日常的生活是否如外人所想像中的清閒舒適呢？在修女中是否仍有性慾的存在呢？當一位修女最重要克服的困難是什麼呢？這些疑問，相信是廣大讀者所殷切需要知道的。爲了解決這些疑問題，美國一本權威性的雜誌特地派遣了一位專欄記者，往愛爾蘭一間修女學院訪問了一位修女導師，請她爲讀者解答這些問題。

我（本文原作者丹尼斯何利曼）得到了社方的安排，在愛爾蘭馬利修女學院見到該院的主持人——瑪嘉烈導師。瑪嘉烈修女是一個慈祥的長者，她是由羅馬教廷派來訓練見習修女的導師，年約五十餘歲。

在談話中我獲悉瑪嘉烈從事這項神聖導師的職務已達二十年之久，經她一手訓練而成爲修女者不計其數。

「瑪嘉烈修女，請問來此修行的見習修女都是出於自願的嗎？若然，她們當修女的志願，是在幼時抑或在年長時建立的呢？」我將話匣子打開。

「我可以斷言，他們來此修行完全是出於自願的。至於她們當修女的志願，大都是在兒童時就立下決心了。（上）

新三國

周燕謀著

到明代因防盜賊，才將此隘路阻塞起來。曹爽命氐、羌人作力伕役供運輸。氐、羌不堪其苦，牛馬騾驢多累死，老百姓及夷民叫苦連天，飢餓載道。

此時蜀漢的將蔣琬正病重，大敵當前，才將大將軍位職交給費禕。守漢中的重任換了王平。王平字子均，巴西宕渠人。本養於外家何氏，初姓何，故李嚴傳中稱何平。王平先在曹操營中充校尉；操征漢中時，投降先主，累建軍功，是一名能征慣戰的宿將。王平沉着佈署，把前鋒推進到駱谷中間的興勢城。王平守軍不滿三萬人。此一役雙方諸將都有爭論。王平命護軍杜參據守興勢，平爲後拒。若魏軍分兵向黃金，王平便千人自山下臨。後援方面，大將軍費禕從成都相繼而至。

魏軍方面，見蜀軍因山固守，兵不得進。參軍楊偉（字世英、馮翊人）爲曹爽陳形勢，叫曹爽急速退兵，不然將敗無疑。鄧颺李勝則主張進兵，二人爭於曹爽面前，曹爽很不悅。但見蜀兵固守險要，無計可施，於是退軍。在途中遭費禕派的伏兵，殺了一陣，大敗而回。

王平料敵正中，不失爲宿將。此人一生戎馬，身爲將軍，手不能書，三國志說他只認十個字，但他口述，使人記之，皆成義理。使人讀史記、漢書，聽後皆能明其大義。論說不失其義。王平遵行法度，言不戲謔。

八二、曹爽專橫壓司馬　仲達陰謀竊政權

曹爽寇蜀，大碰釘子，回到洛陽以後，他毫無愧色，依然作威作福，過着驕奢淫逸的生活，以爲一切大權都在我手，他人其奈我何！他萬萬料不到一位陰謀家正在暗算着他。

曹爽是個庸物，全靠曹氏門宗的關係。但曹操一手拿下來的天下，全葬送在他的手中。如果不是曹爽當權後作威作福，司馬懿父子何能竊去曹氏的天下？

司馬懿在魏國雖然展露頭角很早，但他爬起來却是很慢的。曹操在生之時，了解他的才能，也知道他有心術，始終沒將兵權交給他。因曹操看出司馬懿「狼顧」的習慣，心術叵測，（狼顧，便是如狼那樣調頭向後面看，角度是一百八十度）他在曹操手下不過當一名祕書。關羽圍樊城，威震華夏，許昌驚恐，曹操準備遷都之時，司馬懿勸他沉着，結孫權以襲其後，襄樊之危因此得解。因關羽得志，孫權必不願意也。此計曹操很佩服，可是也使曹操對他不放心。所以司馬懿爬起來慢的很。

曹丕篡位，由於與其弟曹植失和，將親近宗室都疏遠起來，不但不加重用，而且監視他們的行動。只有兩家遠房本家，曹眞和曹休二人受到信任。司馬懿於此「間親用疏」的政治環境下，逐漸抬頭，做到撫軍大將軍的地位。到曹丕死時，他以撫軍大將軍的資格，居然與曹眞、曹休、陳羣等同受顧命（託孤之命）魏明帝即位後，司馬懿便升到驃騎大將軍，坐鎮南陽。（一二五）

北平的烟兒舖

京仁

烟兒舖在從前，三間門臉兒，金字牌匾兒的很多，現在再談「烟兒舖」，像說古似的，因爲頭一個，旱烟袋被時代淘汰了！其次水烟袋，也好像傷風的鼻涕，叫人甩了！掌櫃的聽戲，旁邊站着拿水烟袋的小徒弟的場面，也沒有了。

水烟旱烟，已爲大家秋扇之見捐，「烟兒舖」可不也就跟着不靈了？不過它仍作一度之掙扎，水烟旱烟不是吃香了麼？洋酒不是得寵了麼？來得快的掌櫃的，都變更戰畧了！

洋烟吃香，賣烟捲兒，還不是一樣做買賣？一變而爲「烟葉」成了副業，櫃台裏，都成「花花綠綠香烟盒」了。

這時記得最「滋毛」的烟捲兒，有翠鳥牌、大嬰牌，人稱大小孩兒，小燕牌，有一兩枚買十支一包。

中等的烟，有「小粉包」，許多喊它「小大英」，這是筆者從十六歲開蒙的捲烟兒，確是眞好眞香。

「大粉包」，又粗又好，烟葉金黃，而且是機器口，帶金字兒。

「大哈德門」，「小哈德門」太冲，這種烟我對它印象極壞，不但味道強烈，有一年我在瀋陽日本站，見一座「白麵舘兒」，吸毒的人，都用這種烟捲兒，打高射炮，活槍斃的樣兒！

再一種是「大聯珠」與「大聯珠結線」，也抽不少日子。是因爲它內附一種畫片，是「封神榜」全套，如能集齊，是可換「座鐘」、「腳踏車」等物，但是誰也沒有「姜子牙」，花錢買賣價值很高了！

彼時的高級烟，不記得許多牌，只知有「大炮台」、「司令牌」，無非是些英美烟草公司出品。彼時牌子多，有好有壞，有貴有賤，小大由之，任君嘗試。不像現在，價錢太死，好的太好，貴的太貴，選擇的領域太小了！

從「烟兒舖」，又想到「鼻烟」，這是戒烟戒酒，在「理兒」的八方太爺，一種嗜好。鼻烟是怎樣做法，底裏詳情，我說不淸，你原諒！

只知也是烟葉兒，晒乾壓碎，搓成麵兒，過羅後，再參進若干種香料，再經若干種炮製，而成鼻烟。「鼻烟」是往鼻孔裏聞的功用，和抽烟捲兒一樣，也都一樣有癮！

鼻烟有紅顏色的，有綠顏色的，有黃顏色的，買的時候，論幾錢幾兩，好的比好香烟還貴得多。

聞鼻烟和抽烟一樣。會抽烟的，抽一口，快活似神仙；不會抽的，一邊兒咳嗽去吧！對鼻烟有癮的，不聞很難過。如不會聞的，偶爾聞一鼻子，能打不完的「噴涕」！聞鼻烟的人，太髒了，鼻子裏是鼻烟，口腔裏也是鼻烟，肺裏是鼻烟，吐痰也有鼻烟。上嘴唇是鼻烟，鼻子兩旁的面上，也是鼻烟！（下）

憶黃季寬（上）

諸葛文傑

據報載消息：投共的廣西名人黃紹竑（季寬），因爲受不了中共的凌虐作踐，最近在北平自盡了！這是他自作自受的下塲，並非意外。不過，黃氏原係現代軍人羣中比較具有政治頭腦的人，才華亦不平庸。他作過我的直接上司，相處尚好，如今聽說他死於非命，總不免引起懷舊的情緒，爲之悼惜一番。

黃氏和李濟琛二人，係世俗所謂「桂系」集團人物中之佼佼者，他在廣西的聲望和事業，都是李宗仁白崇禧的老大哥，李宗仁當年以桂軍「支隊長」地位，被陸榮廷派壓迫而陷於危難境地時，紹黃氏支援贊助，纔慢慢爬起來的。他與李白合作統一了廣西後，頗有建樹，但與中央政府立異，世稱廣西三巨頭。到民國二十年秋間，他悄然離開廣西，投効中樞，受命爲內政部長，這是我認識黃氏之始。某夕，我在前皖省主席陳調元先生私邸中，遇到黃氏和唐生智熊斌等正在客廳裏聊天，主人對黃氏替我介紹寒暄後，唐孟瀟提倡搓麻將，教我參加，我說有黃部長在座，我是僚屬，不敢放肆。黃笑謂：「我還未就職，同事的關係尚不存在。來，玩八圈罷！」他這種不帶官僚惡習的隨和態度，使我暗加讚美，對他頗有好感。他到內政部服務時，我曾經向他請教辦理地方自治的要訣如何？他剴切說明廣西地方自治的辦理情況後，特別強調兩點：一是民有的自衛槍械，凡屬報由官府登記烙了印的，無論如何不可再予以收繳。二是地方上的公共財產如「社倉」和「祠堂產業」之類，政府切不宜隨便處分。這兩點若不能遵守，地方自治就絕對辦不成功的。往後我奉命在外省作地方行政官時，便依照他的指示行事，果然很有效驗，證明他的見解很正確。

民國廿一年秋間，內蒙古各盟旗以德王爲首領，暗受日本軍閥教唆支持，醞釀獨立自治逆謀，將有異動。中樞顧忌日本帝國主義者藉故挑釁，對內蒙採取懷柔政策，特派內政部長黃季寬前往內蒙宣慰，目的在安撫德王，曉以利害，教他不要上日寇的當。黃氏組織宣慰使團出發執行任務，把內政部編審室一位女編審員譚惕吾調在宣慰團工作，兩人在旅途中竟生曖昧關係，內政部同人聞之譁然不滿，對黃氏頗多微詞。譚女係靑年黨員，尚在待字之中，既承黃部長眷愛，引爲幸事，洎後即與黃氏親暱不移，使其不能妄萌始亂終棄之念，而黃氏的聲譽坐是乃大受損害矣。但黃氏深罹「寡人之疾」，習與性成，非此不樂，迨抗日戰爭期間，他在浙江省主席任內，又與某僚屬之妻有染，穢聞喧騰，遐邇皆知。

對日戰爭勝利結束後，黃氏卸去浙省主席職務，別無下文，鬱鬱寡歡，然不甘寂寞，常與李濟琛過從，不時奔馳於京滬平津之間，爲李宗仁策劃政治問題，蓋宗仁此時担任「北平行營」主任，鷹揚華北，頗思有所作爲也。現行憲法頒佈實施伊始，黃氏一面慫恿宗仁競選副總統，另由中央提名黃氏爲立法委員候選人，志在攫取立法院長。越卅八年初，大局逆轉，將總統引退，繼而政府南移廣州，李宗仁代行總統職權，黃與華中軍政長官白崇禧擬乘機開拓政治新局面，掌握中樞政權，方法是以團結兩廣力量爲主要手段，支持當時的行政院長孫科，但須改組各行政部門，網羅新人，而由黃氏出任立法院長，因原屬立委且奄有競選院長資格與勢力之陳立夫吳鐵城，均已出任行政院政務委員，再沒有能夠跟黃氏競爭的對手了。大計既定，即由黃氏馳至香港，邀請李任潮到武漢去指導進行。白崇禧則統率廿萬桂軍保衛湖南，屛蔽兩廣，不讓共軍南下牧馬，襲取西南各地區，廣東方面的軍政大員亦贊成這項計劃，白長官且派了一師兵力到韶關協防。

彭玉麟其人其事

——對「彭剛直畫梅不高明」的駁正

羅雲家

以此而觀，說彭玉麟在婚事受阻，家遭變故，心情煩燥、苦悶的一段短時間內，會變得消極、貪玩、更野、不上進的事是有的，但批評他是個「無賴漢」，那就有些過份了。

四、截至玉麟與梅仙的婚事，因外婆的從中作弄未成，兩個人肝腸寸斷地分離兩年後，到他考取了秀才爲止，玉麟沒有結婚，梅仙也沒有死。前述「其時尚早婚，剛直亦娶妻有年……梅姑緣是以歿，彭遂引爲終生之恨。……」云云，更是莫須有的事。不僅如此，方梅仙且於廿一歲時，千里迢迢地獨自自安慶來到衡陽，在他的恩人陳老太太的安排玉成下，用「一子雙祧」的辦法（鶴臯先生有一兒弟，自幼游泳溺斃，無嗣；而玉麟的夫人鄒氏，婚後三、四年，均未生子），使他們兩個有情人終成眷屬。此是後話，容續爲詳述。

五、玉麟讀書，雖在十二歲以前貪玩，十七歲至十八歲因故消極一段時日，而變得更野一些，但是他的天份極高，吸收力極大；於石鼓書讀攻讀一年後，他的文章已是「下筆千言，有如神助」，老師當即勸他參加縣試，一試即中了秀才。以後和陳秋圃等同往長沙應考過二三次舉人（係鄉試，非童試），未被錄取是實。至其書法，吾人自其同治六年（西一八六七年，民前四五年，時彭氏年五十一歲）所作之「訓子孫惜福」觀之，亦不「劣」。可見前述「彭剛直公不能作楷書，試卷往往被斥出格。九應童試，皆坐是。」一的話，也是有問題的啊。

彭玉麟的雇員生活

彭玉麟考取秀才後，家中舉行了一次盛大的歡宴，知府、提學使、地方士紳、親戚以及他的少年朋友，到了百把人；彭母的高興，自是不用提了。接着，就有不少的老太太們前來爲他說媒，「男八字，滿天飛，女八字，七日歸」——沒有好久，他的八字和一個鄒姓姑娘的八字合上了，彭母遂即準備爲他擇吉成婚。他因爲早與梅仙有情，所以曾經哀求其母暫緩結婚。彭母告以自丈夫死後，身體日壞，「我若多一個得力的助手，或者還能多活幾年，不然，我……」彭玉麟原是個孝順的靑年，眼見母親每天洗衣燒飯，紡紗績蔴的情形，有時爲了家用，還要挑着菜担，往市塲發賣，以致弄得身體虛弱，飲食減少。在此種情形下，他又怎能過份執拗，違抗母命呢？於是在哭泣中，勉強同意了這宗婚姻。同時在結婚前夕，致函梅仙，詳述一切，請她饒恕他的負心。

婚後，果然再也見不到梅仙的片紙隻字。爲了紀念過去的一段相思，他在後山上種了不少梅花。後來鄒氏生了一個女孩，樣子多少有些像梅仙，因此就給她取名「一方」；有蘇東坡「望美人兮天一方」之意。他以爲這一相思公案，自此可以告一段落了。但是他不能，仍會時時想着她，在夢囈中呼喚她的名字。日子久了，鄒夫人也就明白了，彭玉麟無法隱瞞，於是把事實一點一滴地都告訴了鄒夫人。鄒夫人不特不以此責怪丈夫，且暗中代他請求彭母允許把梅仙接到家中來。彭母却以「胡說，胡說！」一代替了不准。時彭玉麟適自外面歸來，聽到「胡說」二字，以爲妻子得罪了母親，急忙跪下代妻子求情。（四）

羅貫中筆下的典型人物

。周燕謀。

羅貫中爲表現關公的神勇，不惜改變歷史，張冠李戴。他把孫堅斬華雄的事，記入關公的功勞簿，特別製造了一回目，叫做「關公溫酒斬華雄」，寫了華雄回營酒尚未冷；同時爲了對士大夫的不滿，說關羽斬華雄的時候，還是一個小小的馬弓手，袞袞諸公所派的大將，個個落馬，而關羽站在一旁冷笑，笑那一般諸侯袞袞諸公之無能。這是爲了襯托關公之勇而安排的。爲了節損篇幅，不再引原文。

關羽只有斬顏良，沒有誅文醜。但爲了表現關公之神勇，誅文醜的一筆也記在他的身上。但是，我很佩服羅貫中的苦心，搜集到了前人的竹頭木屑。因宋時已經有關公斬顏良又誅文醜的記載。宋人洪邁的「容齋隨筆」說：「關公手殺袁紹二將顏良文醜於萬衆之中。按三國志本傳但有殺顏良事，文醜非公所殺也。乃宋時即有此說，則今演義流傳，亦有所本矣。」（按淸人俞樾「茶香室續抄亦引）

按文醜之被殺，是在魏武紀，爲曹軍所殺。此時關羽亦尚在曹營中。但關羽本傳之「刺良於萬衆之中」，却寫得驚心動魄。而誅文醜的事則史無根據。故羅貫中只得採取洪邁的筆記，生色不少。

過五關斬六將，更是增益了關公神勇。按過五關根本是揑造杜撰。斬蔡陽的傑作，是劉備的兵將所殺，而且與關公斬顏良事不在同一年。劉先主紀中明白的說：「紹遣先主將本兵復至汝南，與賊龔都等合衆數千人。曹公遣蔡陽擊之，爲先主所殺。……」這又是羅貫中更改歷史，張冠李戴的又一傑作。

爲了發揚關公之「義」，在一百二十回目中，總共用了五個義字，劉關張三人共佔兩個，關公獨佔兩個，張飛佔一個，其餘並沒有一個以義稱者。至於正文內明提暗指的義，更多到不勝枚舉，處處以義感人服人，不僅是對故主，朋友，甚至於對敵人寇仇都以義待。羅貫中在關公身上淨化體現了崇高的倫理觀念，使關公成爲一個完美的典型軍人。他在中國人的心目中是象徵着「義勇」之神，關公之廟貌徧天下，受人崇拜，羅貫中可以說是神化關公的一大功臣。甚至連赤兔馬、靑龍刀，都一齊鷄犬升天，成爲特徵。由此可見三國演義中的關公，與三國史上的關雲長，是大有區別。羅貫中爲塑造一個典型的武將，其中心觀念，在「義」「勇」二字上面，爲此，他大膽的更改歷史，歪曲歷史，揑造故事，站在寫小說的觀點來看，他應該算是一個大手筆，大匠心。其他各朝代的通俗歷史小說家，沒有一個比得上他，實非過甚其詞。

羅貫中將思想形相化、具體化的理想帝王，那便是仁慈而禮賢下士的劉玄德。在他的理想形相化的極意襯托下，同時又塑造了一個人人痛恨的奸雄——曹操。這兩個具體形相化的正反派人物，在此並論，以便比較。（二）

本產中土移日而盛

淺談櫻花種類

。紫纓。

「紅山櫻」：盛產於東土中部以北，一直分布在北海道、庫頁島等地。它的特徵是花朵爲鮮艷的紅色，苞與萼相互連結一起。白山櫻的花朵，多少也帶些淡紅色，但濃度不如紅山櫻的鮮艷，苞與萼也不相連結。

「彼岸櫻」：除山櫻以外，比較最普通的，即屬彼岸櫻。是一種枝幹較爲碩大的櫻樹，花朵是白色或粉紅色，較爲小棵。此種櫻花，盛產於本州九州等地區。（二）

內備警台報字第〇三二一號內銷證

自由報

THE FREE NEWS

第一五七期

中華民國僑務委員會頒發
台政新字第三二三號登記證
中華郵政台字第一二八二號執照
登記爲第一類新聞紙類
（半週刊每星期三、六出版）
每份港幣壹角
台灣零售價新台幣貳元
社長：雷嘯岑
督印人：黃行麐
社址：香港銅鑼灣高士威道二十號四樓
20, CAUSEWAY RD 3RD FL.
HONG KONG
TEL. 771726　電報掛號：7191
承印者：大同印務公司
地址：香港北角和富道九六號
台灣分社
台北市西寧南路壹壹零號二樓
電話：三〇三四六
台郵撥儲金戶九二五二

分析日本東京都的選舉變化

。宋文明。

一九六七年四月中旬的日本地方選舉，在戰後日本政局發展中，是一項重大事件。這次選舉所以成爲一項重大事件，主要就由於在這次選舉中，東京都知事一職，由傳統的自民黨之手，轉入了社會黨之手。自戰後開始以來，由於這一職位一直由保守黨人所控制，所以東京便成了穩定日本政局的一項重要力量，在此期內雖屢經險惡風潮，而日本政局得能在基本上保持不變者，東京都的未會落入左翼勢力之手，實具有很大的作用。可是在這次地方選舉中，日本社會黨及共產黨所支持的美濃部亮吉，竟以約達十五萬票多數，擊敗自民黨及民社黨所支持的松下正壽，而奪得東京都知事一職，使戰後二十年來的這一政局穩定因素，便發生了驟然的變化。

從社會黨方面來看，這是自二十年前它們一度組閣執政而旋告失敗以來，在日本政局中所獲得的一次最大勝利。這次勝利的作用，僅次於在全國大選中獲得組閣多數。所以日本社會黨現在雖然在野，而經由這次東京都知事選戰的勝利，無疑已建立了一個有力的中途站，開始向全國性勝利的目標作努力。假若它們此後運用得當，不犯錯誤，這一地方性勝利，將使日本社會黨居於較前更有利的地位，以便在下屆大選中獲取更大收穫。

我說東京都的勝利將替社會黨建立了一項有力的中途站，將爲未來更大勝利鋪路，主要基於：

（一）東京佔有日本全國總人口的九分之一，而又爲日本政治，經濟及文化中心，全國精華集中於此，對整個日本具有一種樞紐作用。所以社會黨控制了這一全日本最精華最有領導地位的地區，就等於控制了日本人力與財力的一大部份，取得了一個強大的政治根據地，可以由此發動更大的政治活動。我們可以想像到，社會黨據有這一基地以後，勢將要派出大批幹部，插進東京都府所屬各領導機構，并將在此發展組織，吸收更多黨員，擴大黨的經濟基礎。所以結果，不僅社會黨在日本國內處的聲望將由此突形提高，而且也將使它的政治實力由此驟然獲得擴充，足以與自民黨作更有力的競爭。

（二）東京由於擁有日本總人口的九分之一，所以在全國性選舉中，它也佔一個非常重要的份量。因此社會黨獲得對東京都的控制以後，經過人事及政策方面的，自由操縱運用，它同樣也可進一步去影響東京都地區的中央參衆議員選舉。雖然美濃部亮吉這次的獲勝，在許多方面頗得力於他個人的因素，而且自民黨在東京仍爲一個最大的政黨，社會基礎非常深厚，絕不可能輕易動搖，但我們也不能不承認，任何一個掌握政權的政黨，不論在中央或地方，祇要它能充分行使憲法規定上的民主權利，自由運用，它也必能獲得若干特殊的便利與機會，足以改變已往的既成局面。現在任何政黨的選舉中比其反對者具有較大獲勝機會，基本原因就在於此。所以日本社會黨控制了東京都，它也便有更多機會與可能，去影響這一地區的國會議員選舉，連帶擴大社會黨在參衆兩院的席位。這種影響究竟多大，沒有人可作武斷預言，但這種影響可能性的存在，乃是一個無法否認的事實。

（三）東京是日本知識份子及左翼力量的大本營，也是社會黨的主要基礎所在。因此社會黨的控制東京，對於日本的知識份子及左翼力量來說，正猶如魚得水，如虎添翼，爲它們帶來了一個千載難逢的黃金機會。在過去二十年，東京都的日本知識份子，始終懷有一「在野」的感覺，左翼力量更受到排擠壓抑，所以多次它們想興風作浪，製造事件，卒爲當朝的保守派勢力所制服。可是現在社會黨控制了東京都以後，日本的知識份子與左翼力量不再感到它們與政治相隔絕，而是受到政治權力的保護，并互相協合一致。在這種情形下，新成立的東京都政府，若要把一部份知識份子如教師組織會員，及一部份勞工力量如勞動組合會員，帶進它的機構以內，更進一步擴大它們間的共同聯繫，也并不是不可能的。同時，將來如再發生一如一九六〇年前後由左翼力量所領導的大規模示威運動，反對延長日本與美國間的安保條約，則東京都政府亦可採取一種便宜措施，隨意運用。如是，這種羣衆運動將可對日本中央政府及國會構施更大壓力，也更能實現社會黨的政策目標。

可是在相反的一面，也有若干因素，無形中在發生一種緩衝作用，使社會黨在行使東京都政權時，也自然而然不致過份趨於極端。這種因素，主要者則有：

（一）美濃部亮吉雖由社會黨及共產黨共同支持而出，其本人思想亦相當左傾，但他畢竟不是它們的黨員。因此美濃部亮吉所主持下的東京都政府，其政策的路綫，雖不出社會黨的基本政綱，但他會將極力避免社會黨組織的影響，而要設法儘量表現出一種獨立派的作風，以沖淡黨派色彩。

（二）在一個眞正實行民主政治的社會，以選舉決定政權，任何政黨都要留心注意其政策的反應及結果。因此社會黨控制東京都以後，它爲了保持在選民中的聲望，替未來長遠前途作打算，它也不能操之過急，鹵莽從事，而要遷就大多數選民的實際需要。

（三）美濃部亮吉本人爲一有名的經濟學家，頗注重實際的問題，而且他在過去的文章及電視廣播中，一貫以解決人民生活需要爲中心，而不尚空談。所以在他主持下的東京都政府，正如他在競選中所強調的，將集中力量於解決交通，住房等問題，要把市政本身辦好，如飲水及衛生環境等基礎問題。[illegible]這點，尚在其次。對日本與論[illegible]他提出呼籲，予以拒絕，也不會予以忽視。

總之，這次日本東京都的選舉變化，爲本年度日本政壇上的一件大事，也是戰後二十年來的一項重要發展。但這種發展將來對日本政治發生若何影響，還要看各種情勢的演變，尚不能下貿然的結論。

各有任務

苦命嘍囉

今日与明日

毛酋亮相

毛澤東、林彪、周恩來、陳伯達、康生、李富春等六人接見四省二市革命委員會負責人的照片，這張照片與出，由共報上刊新聞之發佈，引起了幾項有關的問題。

第一，這六名匪酋就是今日共幫的當權派，早些日子東京方面傳說的六人委員會可能指此而言，但經過幾次傳佈，以訛傳訛，竟然把李先念、劉伯承、陳毅加進去。李先念與劉伯承近況如何？不得而知，但陳毅決無翻身機會是可以斷言的。因爲劉伯承與朱德關係太深，在共軍中聲望也高過林彪，最近毛派攻擊抗戰期間的百團大戰，就是對劉伯承指摘，毛林此日絕不會拉進最高統治圈子，更不會讓他負責國防。

第二，這次毛酋親自出馬「接見」四省二市的代表，雖然共報大吹大擂，歡呼勝利，但是任何人都可以看出目前共幫把大陸分成二十一個省五個省級自治區，兩個特別市，加在一起是二十八個單位，共計奪了六個，連四分之一都不到，又何況此日挺身出來奪權的黑龍江省委第一書記潘復生，山西省「副省長」劉格平都是犯過錯誤，受過嚴重處分的人，此日看風轉舵，若是純粹投機，其害尚小，若是假投降眞臥底，準備下一步的攻勢，則毛林派更危乎殆哉。

印尼又反華

最近印尼一羣暴民又大肆反華——搶掠之外更加殺人，華僑財產生命皆無保障，世間悲慘之事，無過於此。印尼華僑所以落到這一步田地，毛僞政權要負百分之百的責任，若非毛幫策動印尼共黨政變，殺害六名陸軍將領，印尼人的仇視華僑心理，將不會激起，此次的大規模迫害華僑事件就不會發生。在印尼軍民發動反華時，毛幫若妥善應付，也不致將事態擴大，可是毛幫個性卽惟恐天下不亂，竟然假造印尼陸軍扣留僞駐耶加達總領事徐仁一事，在北平大舉示威，包圍印尼「大使館」，於是事情更無法收拾，印尼政府先下令驅逐毛共的「代辦」及「總領事」，毛共也驅逐了印尼駐北平代辦與一位高級外交人員，印僞外交關係到此已不絕如縷。

毛幫所以要把印尼風潮擴大，可能還有一種陰謀：迫使華僑在印尼無法生活只得回大陸去，到時生命財產皆落入毛共掌握，可以任意擺佈。

如何搶救印尼華僑，是當前外交當局一大課題，我們切盼政府能拿出辦法來。（倚如）

自由談

毛共的末日形相

最近關於毛共奪權運動的新消息，有下列幾項：

徐向前反對毛妻江青過問軍中「文化革命」一事，說她不懂軍情；徐又不[illegible]林彪作毛酋的繼承人。「紅衛兵」的大字報[illegible]。僞外長陳毅又受到「紅衛兵」的攻訐，主張燒死他。[illegible]望重。這表現毛共軍中一般資深的老幹部、曾經立下汗馬功勞的，都成了反毛派，只有一個林彪爲着想作毛酋的繼承人，表面上還站在毛酋的一方。

紅衛兵對劉少奇儘管經常攻擊侮辱，但劉并未能[illegible]，且劉要求毛酋召開中共全體中委會，跟毛酋正式辯論。這證明劉的潛勢力很不弱，專憑一些紅小鬼之叫罵咒駡，沒法打倒他們。以劉爲首的元老重臣們——亦就是中共黨高級幹部——，十之八九都是反毛派了，剩下一個騎牆份子周恩來，決不會一跟毛酋共存亡，殆可斷言。

俄共頭子史達林在生時，憑藉黨的權力，把一般老布爾希維克的文武幹部大加屠戮，依然維持着布黨統治局面，到他死後雖遭鞭屍運動，然對俄共政權并無危害。今日毛酋既不能控制軍隊，也不能控制黨，陷於衆叛親離之境，乃欲以旁門左道的法術，利用乳臭小兒所謂「紅衛兵」胡鬧，今天綁架甲共幹游街，明天揪着乙共幹公審，一會兒指某共幹是走資本主義路綫的罪魁，把他撤職究處，一會兒又說他是「毛澤東的親密同志」，教他再起當權，而且讓毛酋的老婆主持「文化革命」運動。轟轟烈烈地鬧了一大半年，不但是談不到「文化革命」，即毛酋的奪權希望也很渺茫。這樣的搞法如果可以平治天下，那就太過於離奇荒誕了。

共產黨所恃以生存發展的潛能，即在其嚴密的組織體系，及其嚴格的紀律，黨權高於一切，一切權力屬於黨。如今毛共的黨已被破壞淨盡，和紀律皆已由紅小鬼們無法無天的橫行霸道，爲毛酋爭奪政治權位。這比較滿清慈禧后利用義和拳以反抗洋人，打倒維新派的作法更低劣可哂。宗教家所謂「上帝要毀滅一個人，必先使他瘋狂」之說，毛共的末日還會遠嗎？

共黨神話不攻自破

蘇俄人民犯罪率遠超過自由國家

賣淫販毒走私偷刦色色俱全

一個人的教育，環境，遺傳與不健康的本質對於犯罪有何影響？依據正統的馬克斯教條，所有犯罪者百分之九十九皆由於不良的環境而「教導」犯罪。社會的不公平，階級壓迫，剝削與嫉妒以及小資產階級觀念，就馬克斯的說法，這些不安定的特性都與造成犯罪趨勢有關，應當加以譴責。不公正的法律，使有產階級要將無產階級的社會地位降低，而鼓勵犯罪。

依據共黨的說法，在一個社會主義的社會中，就不應該有流氓，惡徒，壓迫與剝削，以及不公正的法律存在——同時也沒有犯罪的事。只有百分之一因病態與遺傳的犯罪是可能的，皆起於他們的精神病或突發症，與他們的一時困惑心理。

列寧，蘇俄的創建者，曾於一九一七年說：有十年的共產主義教育與環境薰陶，將足以創造一個新的人類型式，完全是一個道德的與有教育的社會，同時並受到公正法律的保護。一切犯罪的傾向與引誘，將不復困擾「蘇俄祖國」。

自從「極光」號巡洋艦對彼得格勒冬宮（即該共和政府的所在地）發出有名的排炮，發動共產主義的背叛以來，已五十年過去了。這正好像那些空炮彈，僅能造成一種聲響，而不傷人（實際上那次背叛事件中被排炮攻擊幾乎死傷殆盡），所謂要造成完整的蘇俄人那種共產主義理論，仍然只是留下一種理想而已。共產蘇俄已經過三代時間在共產主義之下成長起來了，但是蘇俄犯罪率仍高過任何「墮落的資本主義國家」。例如紐約的中央公園常被引述爲一種「資本主義」犯罪的處所，若與莫斯科的梭科尼基或高爾夫公園相比較，眞不算什麼一回事。至於列寧格勒或基輔已經比聲名狼藉的芝加哥的犯罪率高出甚多。

這並不是一些無法說明的爭論。米契爾．伊薩卡遜博士現爲台拉維夫一個有名的犯罪心理學家，當他於一九五六年遷回以色列以前，曾經是莫斯科律師學院的一個高級人員。伊薩卡遜博士在這十年研究間，他聯同其他一些曾對蘇俄內部犯罪統計很熟悉的猶太移民，編成一項完整的蘇俄犯罪研究報告。這是一種眞實而客觀的報告。伊薩卡遜博士也確信共產主義實際上已消除許多如列寧所稱的犯罪原因，但他又補充說，蘇俄共黨在另方面也促成了其他的許多犯罪原因，這使蘇俄在共黨的控制下比在沙皇統治下更糟。

莫斯科今天比紐約需要更多的警察。但若從莫斯科的居民六百五十萬人而竟有警察四萬一千八百名，與八百萬人口的紐約只有警察與偵探人員共二萬七千五百人相比較，證明莫斯科的警察無能應付這個「世界第一個社會主義國家」首都的犯罪。所以莫斯科曾有一種輔助警察的設置，在一九六六年，數十萬莫斯科青年人都被強迫加入這種輔助警察單位服務，以對抗與解決犯罪問題。

另外有一種已經證明爲烏托邦的幻想：那就是在一個理想的共產主義國家中，警察只用來協助老年人走過繁忙的馬路，將迷失的小孩子送回彼等的父母以及處理使一種性犯罪的人數減少。一項由以色列的犯罪心理學家與律師們對蘇俄的犯罪案所作的研究，乃獲自他們移居前作蘇俄公民多年來個人的經驗與知識而產生的結果。爲了他們對共產社會秩序的徹底觀察，米契爾．伊薩卡遜博士及其人員，曾經加強自一些蘇俄的技術性的雜誌上搜集資料，使他們的研究工作繼續與現實情況保持接觸。

當蘇俄的獨裁政治已經確定建立以後，其內戰的動亂情形都過去了，恐怖的史達林時代即開始了。但當時大多數的人民已將道德拋在腦後，同時並使這個國家的「剝奪」體制成爲他們自己所有物。那些人即未立即察知在史達林的勞動營中可能還有一個歷經慘無人道的待遇後唯一的生存者，因而記錄下了這個營中各種犯罪的型式。

第二次世界大戰造成另一次的無法紀錄。克里姆林宮再度受到嚴厲的壓迫利用罪犯作戰。

在一九四五年七月，史達林會命令貝利亞淸除這種下層社會，但是警察與保安部隊不夠應付，於是瓦薩利．梭哥洛夫少將的第二騎兵團調來莫斯科駐營於莫斯科公園。這次大規模掃蕩罪犯份子行動，一直延到九月底。有數逾七十萬人無身份證都被檢舉。其中近五十萬人被驅逐至西北利亞的勞動營。有四千多人被處死刑。

犯罪在蘇俄有了一種顯著的轉變，這與赫魯歇夫時代的經濟復元有關。早先的搶刦與謀財害命都是社會上通常所見的犯罪。現在基於新的生活條件，所以那種下層社會的勾當多爲販賣麻醉品，走私黃金與鑽石，汽車盜竊，銀行打刦，贋品的製造與妓娼的賣買——甚至在官方的統計也報導這種「無產階級」蘇俄社會有了「資產階級的傾向。」在一九六六年，單只莫斯科學院即有超過八百名學生都因酒精類、麻醉品或不道德行爲的案件而被捕。

「對蘇俄說，蘇俄人在這方面是與其他的國家相等或者更壞，暫不必多所爭論。惟自夏娃與亞當的長子謀害其弟伯亞而後，犯罪與兇暴的事件已經件隨人類社會以俱來。」這是伊薩卡遜博士與其他人員共同研究蘇俄犯罪者的結論：「我們不必假定來苛責蘇俄政權存有我們一樣的這些問題。但是使我個人感到迷惑的是共產黨人皆僞善與矯飾。他們都願承認經對社會的再教育再改造與再變形的工作失敗了。他們現在只知爲蘇俄犯罪潮而譴責「墮落的西方影響力」。西方的衣服，唱片，跳舞，電影，雜誌刊物，以及其他在太陽下的每一件東西，現在都被譴責爲無法紀而蔓延及蘇俄人民。他們不願或者不能把握這事情中心，他們已由其他無法犯罪的原因取代了那種犯罪的正統根由，貪婪與嫉妒仍然在共產主義的蘇俄相習成風，正如他們生活在沙皇統治下一樣。在特權階級與受特權支配的階級兩者之間，仍是懸殊很大的。

高雄近事

本報記者趙家驊

▲高雄港務局頃又發生冒領工資案：係碼頭工人勾結倉庫管理員與督工員集體舞弊。現該案將擴大偵查，預料所牽涉的人員更爲廣泛。港務局長李連墀聞訊，又表示：「極爲重視」與「極爲震怒」。兩年前之冒領工資案尙猶未了，而兩年後又來一次歷史重演，這不能不令人深感驚詫了。

該局某人士說：李連墀出身海軍，是學「供應」的，所以他不懂港埠，航政……這一套學問。他進一步指出，若非港灣專家，這個全省第一大港口的積弊將很難消除，而開闢第二港口即不易收到事半功倍之效的。

▲經濟部高雄加工出口區管理處處長謝貫一氏，在美國考察途中，因心臟病猝逝，噩耗傳來，此間親朋友好，莫不悼惜，尤其該區管理處同寅，更悲痛莫名。

謝貫一是加工出口區的催建者，所謂開創不易，他離高北赴美之日上午單獨接見我，他說：已辦妥登記工廠商爲六十四家，已開工者有十餘家，他的理想是在該區爭取設立一五〇家工廠，創造三至四萬人就業機會。我問他此次赴美、歐各國考察，是否爭取外國人或華僑在加工區內投資設廠？他說：是的。問他該處人事編制爲八十餘人；但目前所員工不過五、六十人，爲何不依法足額？據謝氏說：「我要使管理處本身企業化，一個人作兩個的事」。在他答覆我加工出口區將來是否能夠做到合乎理想這項問題，他坦白的說：「目前我們正在摸索階段，由因前所未有，沒有把握」。現謝氏以上三點答覆，我們可以了解他是以鞠躬盡瘁，死而後已的精神在幹；目前創業未半，而中道謝世，眞是可惜！

在衆所矚目的誰是接替者？副處長羅鵬展氏，本是應邀赴美而被謝氏挽爲助手者，或者謂若由羅氏扶正，該管理處之人事局面不致有多大的變更，否則不僅羅氏將高飛遠走，全部走馬換將，難免調遷，在所難免也云云。

崇基工商職校的綺麗遠景

本報記者王永亭

台中清水鎮郊外附近，是一個風景秀麗的地方，海闊山秀，兩相輝映。在那兒求知的青年學子，飽賞着大自然的美景，使他們身心愉快，體魄強健而活潑。只要你步入崇基的校地，便可居高臨下，鳥瞰沿海一帶的鄉村，宛若一幅山水繪畫：鎮市、村落、盡在眼底。這兒沒有城市的繁囂，而有城居便利之交通，且無僻壤之荒陋，兼而有之是農村的優美。實爲青年學子進修學藝，敦品勵學之最佳園地。

崇基工商創辦的初衷：是鑑於台中沿海人口稠密，工商繁榮，對工商人才，至感缺乏，乃應地方人士之敦請和要求，配合建教合作，培養工商專門人才，並謀解決失學失業人口之劇增，形成嚴重社會問題。教會鑑於教育的重要，乃決定設校，對青年學子施以管教合一的仁愛教育，提供正確的信仰及人生觀，藉以培養高尚之品德與優良之學行及熟練之技術。

規模宏大、收費低廉

該校之創建，曾耗資新台幣一億之鉅。計劃興建的辦公教學大樓、科學館、體育館、禮拜堂、學生活動中心、宿舍、餐廳及新式合符國際水準之運動場，實習工廠等。

該校設有高工部，有下列各科：電子修護科、機械修護科、機械製圖科及建築製圖科，專招初中畢業生。另有五年制工職，設有電子修護科。足見該校爲一所頗能符合社會實際需要的學府了。

該校除了按教育部規定收費不另苛擾外，另設有淸寒獎學金，就學貸款及工讀助學金等，使淸寒學生得以完成學業。另一與其他各校不同的最大特色，即是使學生能獲得純熟的技術，運用學校之實習工廠，代理廠商，從事直接生產工作，藉以增加學生收入，手腦並用，以收教用合一之效。同時學生之出路可因此而無慮無憂。沿海一帶爲中部工業中心，公司行號及工廠林立，人才缺乏極多，紛紛要求與該校訂立建教合作之合同，學生肄業期間，利用假期到各行號、公司、工廠實習，畢業後即可參與生產工作，畢業就業密切配合。除此之外，該校學生如能深造者，設有「深造獎學金」，鼓勵深造及出國進修。

地方人士寄予遠景

這一所規模宏大的職校，師資優良，經驗豐富。在施老先生的指導下，本着以下方針努力前進：

加強思想教育，建立三民主義中心思想。

推行民族精神教育，啓發愛國的革命熱忱。

嚴格實施生活教育與管教合一制度，培養青年的正確人生觀。

訓練青年學以致用，雙手萬能。

訓練優良熟練技術，提高工作效力。

技教合一，培養工商專才，配合國家建設之目標。

容納有志向學及失學失業青年，培養國家社會未來之力量。地方人士對於該校規模之宏大，教育方針之正確，莫不寄甚大期望之遠景。

港貨去銷東南亞

減退殆成既定局

（本報訊）截至近日爲止，東南亞各地入口商向港採辦雨季售銷應時貨品，已漸屆尾聲階段，根據南綫辦庄商家報告，整個出口生意表現，殊不理想。接單數量要比去年同期減少。一般對於即將接踵而來的蒲節買盤，也不敢寄於過大的期望。

本港對東南亞各地出口生意的減縮，並非始自最近，即以今年雨季應銷貨單退步而言，也已經是連續幾年加是了。雖然個別性地區如南越和印尼等地來單，就有頗爲不俗的成績，但這僅屬於特殊因素所支持形成者而已。平均看來，驟起驟落的變化太大，貿易商反而覺得生意難做。雨季前本港對東南亞出口，去銷的都屬於應時的貨品，其中佔量最多的就是雨傘、雨衣、雨帽、雨鞋、家庭用品，塑膠器皿、衣著物等類。此外，還有若干食料什貨，建築材料，工業原料，器皿，衣著物等

由於今年新春過後不久，星加坡、馬來西亞和泰國已提前落單購買了較多的各類雨具，所以到了近月這類港產品去銷反見減少。至於食料什貨，建築材料和加工業原料的新單開來，比較去年是有很大程度減少的。

辦庄商人分析今年雨季貨品去銷東南亞各地減少的原因，認爲主要有三點：第一是許多地區市場的表現都不理想，人民購買力疲弱，有關的入口商存貨多數不能沽清，未急於向港補購。第二是近年來許多地區都對輸入貨品有很大的限制，除了高關稅政策之外，還實施固打額，故港貨去銷有很大的阻礙。第三是各該地區的商場銀根緊短，直接令到商人補充訂貨受了一定的限制，況且港辦庄的銀根同樣緊，在各地貨款調返頗爲遲滯的情形下，一般辦庄對於信用付貨的信心不大，即使接入訂單，如果沒有信用證開來，就寧可少做些生意，這無形中又使得去貨數量減縮不少。

滬海異聞錄

歐洲人對醫藥食古不化

桑雅

在歐洲，當看到一個牛山濯濯的人，頭部宛如初生的鷄蛋那末光滑，如果問他的頭部為什麼會這樣光滑，相信他會說那是由於孝順的原故。那說，因為在他年輕的時候，很順從母親，於是常常給母親用手撫摸他的頭部，而將頭部漸漸撫光。當然這種說法，也許是開玩笑的。但是像許多光頭的人，他們卻誤信一種理論，認為他們的禿頭，是由於常常戴鴨帽引致的。這實是荒謬絕倫的解釋。

然而，世界上許多荒謬絕倫的事，輾轉相傳，宛如傳教一般，成了深信不疑的事實。檸檬汁會消除雀斑，魚對腦部有益等理論，都足教人嗤之以鼻。

拿魚對腦部有益的理論來說，一般人認為海產的食物，可以增進腦部的組織。據說魚是一種有益腦部的食物，因為魚蘊着磷質的原故。可是沒有任何資料，認為魚會影響腦部的。

然而，以魚介紹給那些專用腦的人們作為食物，原因是魚比較易於消化，其肉比較清淡一點，同時用腦的人，多坐寫字樓工作，運動自然較少，消化力當然不會很強。

許多人都會生一些腫瘤的，根據數以千計的人的說法，係由於給蟾蜍爬過而起的。但說假如觸及醃肉、石蠟或一些行布藥，便會痊癒。事實上那些腫瘤是良性的，如施以適當的醫療很快會痊癒的。

然而有許多人，把腫瘤割去，將一些血滴進去，和放上一些頭髮，以為這樣會治癒這毛病呢！

給蛇咬傷的話，人們相信喝些威士忌酒，便會將蛇毒除掉。但是事實剛相反，喝威士忌酒非但不會除毒，反而會刺激心臟，加速毒素隨着血流，遍流全身。因此，與其給蛇咬傷後喝些威士忌酒，倒不如不理傷口，這樣危險性不會那末快速蔓延。

硫黃，重碳酸鹽，糖漿被認為是一種「春天補藥」，所以一些父母卻不敢將這些東西給他們的孩子吃。

人們相信咀嚼烟草，能夠防病；生菓的核仁，會引致盲腸炎。其實都是無稽之談。

同時，肺結核和癌病，也不會遺傳的。

許多人深深的迷信，認為堂兄妹或堂姊弟結婚，將來他們的兒女，神智必然遲鈍的。實則如果父母的智力是超人的，則他們的兒女，獲高度智力的機會是很大。

有些婦女認為孩子的痣，是由於在懷孕時給動物驚嚇而起的。或是由於很渴望吃桑子、櫻桃或是時菓等，而無法滿足食慾亦會生痣的。其實，這都荒謬之至。

人們認為蠔在夏天是不宜給人吃的；又以為一碗熱湯，在冷天使人溫暖，或是在飯餐之間，作小食吃些點心，將會有礙消化系統。

其實，一年四季都可以吃蠔的。再說到熱湯，在冷天喝進肚裏，可以給予立刻而短暫的溫暖。可是在冷天裏吃沙栗，也會使人體溫暖的。體內的溫暖，並非爐灶所生的熱力，而是食物中的卡羅里（熱量單位）使人體保持溫暖。

在飯餐之間，吃些點心，這不會影響消化系統。且根據研究，工廠工人中，在飯餐之間，吃些點心，反而有益，因其減少飢餓影響神經，而能增加工作效率。

一些人認為袋裏，手襪或襪子放着一個割開的洋蔥，會治療頭痛。其實絕沒有效的。此外肥醃肉，咀嚼香烟和蛛網，有人認為施於傷口上會收治療功效。實則非但不會加速痊癒，反而會使傷口發炎。

人們還相信要等到遇溺的人，在第三次浮出水面，始予施救。但是大部份的人，在沉溺時能夠露出水面一次已經是很幸運了。

德里個半月所見所聞

綺雲

物以稀為貴，男士們在這裏較少，小姐卻是一羣一羣的，因此，男孩子就變成被爭取的對象。

這裏的小姐們都很漂亮而摩登，她們打扮得如同電影明星一般，梳着巴黎式最新流行的頭髮，出去赴約以前，從頭到腳都要刷洗一遍，並且使用刮刀刮汗毛腋毛，香水噴的滿頭，白天出來也化很濃的粧，但是化得極為技巧，使人看了並不反感。那種美麗、活潑的姿態，就是我們女性看了，也難免不心猿意馬。

由於男孩子較少的緣故，馬德里的小姐們對於外國男士也非常好感，尤其是對中國人更是喜歡。甚至連從美洲非洲來的黑人，也可以交上漂亮的小姐。

她們都很開通，往往會單刀直入的問你願意做朋友還是NOVIO？（這個字的意義近於我們的「愛人」）兩個人交了朋友後，如認為滿意，就問你願意不願意跟她更好？如果男的方面已有NOVIO了，就說我已有了；以後大家還是朋友，就不再提這個了。有的留學生已高掛不結婚的免戰牌，仍有西國小姐在打主意。

馬德里的男士們很不守時，往往一差就是個把鐘頭，常常看到小姐們在街上苦候男伴。在大學裏念文學的小姐們，一個個花枝招展，香氣撲人，以吸引男生的注意。她們上課時，總是坐在最後一排，取其行動方便也。

這裏大學的小姐們都很大膽，有時招待男士們在宿舍裏玩，弄出很多笑話來。據說：西班牙的男士們做情人最好，做丈夫就不靈光了。

這裏的西班牙小姐曾經問到我怕不怕大陸赤共，我說不怕。我告訴她們，大陸赤共在大陸上的同胞，食不飽，行動不自由，受壓迫，受剝削，遲早要爆發革命的；大陸赤共現在沒有蘇俄為後台，但我們有自由國家的援助，又有像西班牙這樣友好的國家在精神上的支援，我們有什麼可怕呢？她們聽了，不禁與我擁抱起來，貼臉示愛了！（下）

謎樣的修女生涯

三木譯

「當然亦有一部份是在她們成長後始發覺有此需要的。不過，有一點是相同的，就是她們都是受到了全能上帝的指引，捨棄了世上的繁華，來跟隨上帝。」瑪嘉烈修女答道。

「有人說，修女是不敢面對現實的逃世者，妳對此點有何評論呢？」我不厭其詳的追問下去。

「關於這點，我可以說只是世人的一種誤解而已。其實修女的生活，亦並不全與世人脫節，你只看今日的修女都加入了護理病人，救濟貧民的工作，就會明白了。不過我們都是根據神的旨意去行事，這種和世人是有點不同。」瑪嘉烈修女答道。

「在你們的生活中，并沒有愛的存在，你同意嗎？」我說。

「對不起，我並不同意你的說法。我們每天都生活在愛的旋律中；不過，我所指的愛是上帝所倡導的博愛，而非男女間的愛情。」瑪嘉烈修女答道。

當我這一個問題被瑪嘉烈修女駁回後，我又從另一方面去向她發問：「瑪嘉烈修女，妳說妳們的心目中是沒有男女之愛的存在，請問在一般見習修女的心中，她們是否有性慾的存在呢？」

瑪嘉烈修女略頓了一會，答道：「關於這一點，我可以說在她們的心目中是仍然有性慾的存在。不過，我們現在正設法去為她們清除心中的慾念。我們認為，性慾並不是生理的需求，而只是心理上的需求。而這種心理上的需求，是會受到外間的刺激而控制的。比如男女混在一起，她們心理上的需求會特別殷切，但是若同性聚在一起，這種心理上的需求是會大大的減少。同時，這種心理上的需求，是會被工作，時間，運動等逐漸消滅的。」

「然則妳認為在見習修女心目中的慾念可以完全被撲滅嗎？」我問道。

「噢，不，性慾是經常存留在人的心目中，她們尚未能掌握撲滅之道，但她們已能把性慾減至最低限度。同時，我們相信全能的主是會盡力幫助她們的。」瑪嘉烈修女說道。

「對於見習修女，妳們是採取什麼辦法去幫助她們消除心理上的慾念呢？」

「我們訓練她們崇拜上主，用工作，讀書，各種活動，去轉移她們的精神，使她們不再受慾念的引誘。你若要看這些見習修女的生活情形，我是可以帶你參觀她們工作的情形的。」瑪嘉烈修女說。

瑪嘉烈隨即由會客室領我到見習修女的工作室去參觀她們的工作。在工作室中，我看到見習修女們正全神作各種的工作：包括學習護理、縫紉、烹飪、音樂、及各種運動。在瑪嘉烈修女的引領下，我還參觀過這些見習修女祈禱、進食的地方。她們對於我這個陌生者的光臨，一個都未有露出驚惶和詫異的顏色，由這一點，我可以看出她們都曾受到過嚴格的訓練，深懂應變之道。

「瑪嘉烈修女，請問我可以和幾位見習修女相談一下嗎？」我問道。

瑪嘉烈修女搖了一下頭，並說道：「對不起，根據此間的規定，見習修女是不能接見任何訪客的。」

「你可以解釋一下其中的原因嗎？」我追問道。

「現時，對於她們是一個極重要的時期，她們是被考驗中。她們正在全力的去習慣過着靈修的生活。在這個期間，是絕不適宜受外界打擾的。」瑪嘉烈修女答道。

「請問她們的一般年齡是多大呢？」我又問道。

「她們是各種年紀都有的，由本院所規定的十七歲起的女子，都有權申請加入當見習修女。在我們這裏，有一位見習修女早已是數個孫兒的祖母，另外有一個則是寡婦。」

「然則這些見習修女每天花在祈禱的時間是多少呢？」我問道。

「集體性的通常是早晚各半小時，不過，個人進修的則不在此限。」瑪嘉烈修女說。

「這些見習修女能否申請還俗呢？」我問道。

「在見習期間，她們是隨時能申請還俗的。」「通常而言，只有三份之二的見習修女能晉正式修女的行列，有三份之一是由於自動申請還俗或是未能通過院方的考試而告退。」瑪嘉烈修女最後回答說。（下）

周義譯著

新三國

孟達造反，他立了大功，擢升大將軍。之後，司馬懿担任了抵抗諸葛亮的主帥，他雖然常吃孔明敗仗，但能夠守住魏國疆土，使諸葛亮之志不能伸，也是一大功勞。如果不是他，諸葛亮很容易便打進長安洛陽了。魏國沒有司馬懿，諸葛亮北伐可能成功了。

諸葛亮死後，司馬懿平定遼東，其功甚大。明帝病重時，原先是將大將軍屬意於曹宇，以為司馬懿是不可靠的人物。曹宇不敢担任，才將重任交給曹爽。司馬懿為太尉，是明升暗降。不久又改為太傅，實權才完全取消。

曹爽庸碌，碰了蜀漢大將王平的釘子回來，奪掉司馬懿的實權，而又不加戒備，以為司馬懿年邁，不會有所作為。司馬懿也就倚老賣老，偽裝老朽。曹爽派了一位親信人物李勝前去試探，趁發表李勝為荊刺史，向司馬懿辭行的機會，去探視司馬懿究竟如何。司馬懿是老奸巨滑，知道李勝乃曹爽的親信人物，假裝老態龍鍾樣子，表演畢眞。他向婢女指示自己的嘴巴，表示要喝水，婢女拿了粥來。司馬懿接過了粥，喝的時候，故意將粥送到口的旁邊，弄得上身都是稀飯。李勝說：「我來向太傅辭行，因為奉了聖旨，命我回本州去做刺史，尚望太傅予以指教。」司馬懿故意裝聾作啞的回答說：「你要回幷州麼？好。那裏的胡人很多，你可以多立大功。」李勝說：「不是幷州是本州」。司馬懿又裝聾作聵的回聲說：「對，對，本州很重要。」李勝回去，將以上情形報告曹爽。曹爽聽了，對司馬懿更加放心，以為他命已在旦夕之間的人了，何必介意？

可是曹爽沒有料到司馬懿是偽裝的。老奸巨滑的司馬懿卻暗暗在陰謀着政變的計劃。司馬懿派了自己兩個精明能幹的兒子在暗中活動，運動了洛陽城裏的軍人，勾結城裏的流氓，陰謀不軌。

魏正始十年正月，一日曹爽伴駕到洛陽南邊九十里外去遊玩，順便去謁魏明帝的陵。司馬懿就命令兩個兒子開始行動，首先出其不意打開武庫，奪取武器，把洛陽佔領，關閉城門，不讓曹爽進城。司馬懿便以太傅的資格，假藉皇太后郭氏的命令，免去曹爽大將軍的職務，叫一位高柔代理大將軍。曹爽聽到消息，驚皇失措。有人勸他把小皇帝帶到許昌去，再號召四方勤王之師，對司馬懿聲罪致討。曹爽眞是庸物，不敢決定。司馬懿派了代表和他談判：「只要他把政權交出來，仍然准他回洛陽居住，私產完全發還，侯爵仍舊保留。」曹爽躊躇了一夜，到第二天早上，才把佩刀摔在地上說：「罷了，我至少仍然是一個富家翁」！接受了司馬懿的和平條件。將小皇帝送回洛陽。回府不到幾天，司馬懿就加他一個謀反的罪名，滅他三族。可歎之至，曹爽眞是一位庸奴。司馬懿也夠狠毒。

八二、司馬懿大權在握、老王凌取禍自殺

司馬懿夷殺了曹爽三族，小皇帝曹芳立即拜司馬懿為丞相，老奸巨滑的司馬懿還佯裝不受。但是朝政大權卻間接直的抓在手裏。司馬懿不愧是一個大陰謀家，自己仍然做他的太傅。（一二大）

賭徒羣相

○大知○

在一列由紐約開往芝加哥的火車廂中，有四個搭客正在聚精會神的利用撲克來打發時光的時候，突然之間，他們的賭局被推門聲打斷，八隻眼睛同時往門外一看，發覺有一個衣著整齊的青年站在門口說：「朋友們，請原諒我的唐突，我可以參加你們的撲克遊戲嗎？」車廂內的四名搭客，不約而同的向這個推門而進的青年身上打量了一會兒，各人的面上均未曾露出反對的顏色。最後其中一位名叫約翰嘉士的站起來說：「很好，我們都不反對你加入這個賭局，但我們正在玩『闖過一百萬大關』的撲克遊戲，你有興趣加入嗎？」「噢，玩甚麼也好，反正我獨自一人無聊極了，來和你們湊湊高興也好。我的名字叫亨利高勒，你們稱我亨利好了。」

那個自稱亨利高勒青年，坐下後隨即在褲袋中取出一束簇新的廿五元面鈔，總值約為五百元，此外還將一束束的百元大鈔堆在枱前。那叫約翰嘉士的隨即為亨利介紹其他三位賭友與亨利認識。原來約翰嘉士乃一名商人，此行乃是和他的三位友人往芝加哥選購貨品，各人的身上都袋有幾萬元現欵。當約翰嘉士和其他的四名賭友說明了注碼後，他們便開始利用撲克去玩他們的「闖破百萬元大關」的遊戲。這天亨利的手風奇佳，無論是做莊家或行家，幸運之神總是降臨在他的身上，當火車抵達芝加哥車站的時候，亨利已贏了二萬二千元現欵。約翰嘉士與他的三位朋友，都是大輸家，對於這位自稱亨利高勒的青年那種贏錢的手法，最初他們是畧有疑心的，所以在賭局完畢後，他們曾聘請了一個私家偵探，去追查亨利是否一個大老千。但追查的結果，是出乎約翰等四人意料之外，亨利並不是一個老千，不過他有一個怪僻的性格，就是最喜歡在火車上賭博，而別的賭場，他是絕不涉足的。他怪誕的行動，曾引起不少警探注視，但經過嚴格的追查後，發覺亨利每次在火車上與搭客們聚賭負，並沒有施展旁門左道手法，而且是有勝的；其中有一次他曾在由芝加哥往畢士堡途中，贏了近四萬美元，但亦有一次他曾在數小時的火車旅途中，輸去了近六萬美元的欵項。後來，火車上的搭客給亨利高勒一個渾號，稱他為「火車上的豪賭客」。

賭博，數千百年來一直是人類認為最夠刺激而又最緊湊的一種玩意。打開賭博的歷史來看，遠在公元前二千三百年，就有明文記載着關於人類賭博的史實。當然，在那個時候，幣制尚未確定，古人所用的注碼，並非是以金錢為單位，我們可以推想出他們所用的注碼，自然免不了他們當時認為寶貴的東西，比如牛羊、日用品，房屋，衣物等等。（上）

憶黃季寬（下）

諸葛文侯

詎料李宗仁白崇禧的親信幕僚黃啓漢劉仲容之流，都是共諜，他們已將黃李白這項密謀報告毛共了。迨卅八年春夏之交，黃季寬來到香港時，毛共已將李任潮先期誑赴北國了。黃氏撲了一場空，且受到何香凝的詰責，大為沮喪。未幾，廣州吃緊，中央政府遷赴重慶，蔣總統入川督導軍事，白健生亦放棄衡陽，率大軍遄返廣西，復至重慶向蔣總統請示機宜，而李宗仁竟棄職潛去美國，桂系巨頭們開拓政治新局面的計劃，終告幻滅了。

黃季寬偃蹇海隅，殊不自聊，他誤以為毛共所宣傳的「四階級聯合政權」之說，真有其事，加以李任潮函札誘惑，毛共統戰分子又從而游說之，乃與賀耀組在香港替毛共進行「策反」工作，糾合七十幾名政治界的垃圾人物，宣言「起義」投共，誣謗國民黨及其政府領袖的各種政治過失。我當時基於良心血性，即在「香港時報」著文痛責黃賀二人過去都屬出將入相的中樞要人，又是國民黨的中央委員，黨與政府的一切措施如有誤國病民之處，你們這般要人難道就沒有責任嗎？如今時局敗壞了，竟將失敗的責任推到別人身上，自己還要以「民主人士」自居，為共黨張目助勢，可謂恬不知羞也矣。過了兩天，黃與賀貴嚴舉行記者招待會，聲稱他們過去對國事的意見和主張，當局者概不聽取，他們自不負失敗的責任。這完全是對我所寫那篇文章的答復。某日，我在渡海輪中遇到賀貴嚴，他悻悻然語愚曰：「我知道你在此地幹的甚末工作」，頗有取瑟而歌之意。我慨然答道：「我在國民黨的報館裏當總主筆，前幾天詰問「貴公」（我作過他的僚屬）和黃季寬兩位老長官的文章，就是我寫的，很對不起，為着公誼就顧不得私情了。」他憮然而別。這時候，許多逃難在海隅的中國人！連同過去以國民黨為衣食父母的所謂忠貞份子在內，瞧着國民黨及其政府走下坡路，一個個裝出「民主人士」嘴臉，逢人就大罵國民黨及其領導人。然區區這一硬漢，處此危難之際，依然不信邪，明目張膽的站在國民黨立場說話，滿不在乎。等到美國第七艦隊東來台灣海峽協防了，那般在海外大罵國民黨，甚至搞過反動勾當的人，紛紛進入台灣，藉着小派系作用，又成為黨政界的忠貞分子，飛黃騰達，睥睨一時，我呢，因為隨時寫文章鼓吹民主自由思想之故，竟被視為異端人物，受到不少的歧視打擊，這證明政治上沒有絲毫的公道是非觀念存在，豈有此理！

黃季寬接受李任潮的招邀，走回大陸去，目的在參加「民革」，藉着李任潮的關係，取得「民革」副主席地位，以期慢慢扶正。否料「民革」要員朱蘊山之流根本就反對黃氏參加，而毛共分子奉派加入「民革」的，更為之推波助浪，聲言要清算黃氏的政治舊帳，李任潮亦就愛莫能助了。黃氏碰了這次釘子，心裏自然很懊喪，某次和王崑崙等參加「政協會議」出場時，黃氏披着黑色斗蓬，循石級而緩步行進，王崑崙笑謂：「看你這裝束很像老將！」黃毅然答道：「是呀，我們現在亦就是倚靠老將生存的！」一種抑鬱不平之氣，溢於言表。

在「桂系」四個巨頭中，黃氏的性格和李任潮同一類型，外表比較含蓄隨和，而內心頗有城府，亦多計謀。他在對日抗戰結束後，初因政壇失意而與李（宗仁）白復合，繼因大陸淪陷，蹉跎癱瘓，誤以為毛共的「四階級聯合政權」之說，或許可靠，他和李任潮憑着「民革」招牌，政治上尚有可為，絕對沒有料到自己會陷於自殺的下場，這是智識愚昧之故，李宗仁將來也免不了同樣結局的。真正懂得共黨本質的只有白崇禧，卅八年他在海南島對朋友說過一段話：「到台灣跟國民黨相處，祇是個人的榮辱問題，到大陸和共產黨相處，那便是生死問題。」李任潮、李宗仁、黃季寬都不及白健生的智慧，有如飛蛾之撲燈火，自尋死路，可憐亦復可哂也！（完）

羅貫中筆下的典型人物

○周燕謀○

作者為了表現劉備這理想帝王，又襯托一個人人痛恨的反派人物奸雄曹操，不惜使用歪曲、改正、增補、捏造、誇大的手法；這種手法就叫做演義，也叫做創作。他表現理想化的帝王，着重在仁慈、禮賢、義氣、信義、愛民八個上面。三國演義提到劉備，「玄德終是仁慈的人」。為了劉備的仁慈，不惜張冠李戴，硬把劉備怒鞭督郵的事，戴在張三爺頭上，同時又可刻繪張三爺的粗猛。三國演義第二回：「張翼德怒鞭督郵」，劉備反而站出來講情，你說妙不妙？如果讀者看了三國志，也許為張三爺鳴不平。歷史上的「怒鞭督郵」是劉備的：

靈帝末，黃巾起，州郡各舉義兵。先主率其屬，從校尉鄒靖討黃巾有功，除安喜尉。督郵以公事到縣，先主求謁，不通。直入縛督郵，杖二百，解綬繫其頸，著馬柳，棄官亡命。

裴松注引「典畧」的記載，大同小異。打朝廷命官是劉備幹的，在三國演義中便是張三爺的傑作。劉備反而為之講情。不然，粗猛的張三爺還要把督郵打死。這是為了表現劉備仁慈；同時也是作者痛恨當代的貪官汚吏，借張飛之粗性為之。其他表現仁慈的：如「劉玄德攜民渡江」，不忍棄掉民眾，情願吃敗仗。又如取劉表的荊州，孔明屢次勸他當機立斷，此時不取，後悔莫及。但劉備終是「吾不忍也」回答。取劉璋的益州也是同樣論調。龐統亦勸他在酒席筵前殺了劉璋，玄德終不忍下手。

「三顧茅廬」博得千古美談。連關羽、張飛都不耐煩了，先主解之曰：「孤之有孔明，猶魚之有水也，願君勿復言」。羽、飛乃止。我國的讀書人都希望各個帝王都能屈身下士，所以太公八十遇文王，孔明感劉備三顧之恩，鞠躬盡瘁，死而後已，都成千古美談。兩人第一次見面，作者借諸葛亮之口就說：「總攬英雄，思賢如渴」。羅貫中本人便是一個不得志的文人，所以他有自況諸葛亮之嫌。有人說羅貫中是元末有志圖王者之一人，明王圻「稗史彙編」記載，此可作為註腳。

劉備的義氣，更不用說了。自從劉關張三個異姓兄弟結拜之後，也成為千古美談，影響後世人心甚大。民間凡是結義的人，都要跪拜他們。後來關羽遇害，劉備不顧國家的安危，不納諸葛亮、趙雲一般大臣的諍諫，毅然興師問罪，堅決要和孫權拼老命。不重社稷，而重義氣的行為，在三國演義以前，任何小說都沒有人寫過。劉備答覆諸葛亮等說：「朕自桃園與關張結義，誓同生死；不幸二弟雲長被東吳孫權所害，若不報仇，是負盟也。」再則說：「雲長與朕猶一體也，大義尚在，豈可忘也」。劉備更不以富貴而忘義，玄德說：「朕不為弟報仇，雖有萬里江山，何足為貴！」又說：「關張二弟桃園結義時，誓同生死。今雲長已亡，孤豈能獨享富貴」！（三）

彭玉麟其人其事

——對「彭剛直畫梅不高明」的駁正

羅雲家

準上以觀，則王壬秋所謂「他與夫人鄒氏終身無房室之歡」的話，亦是屬於臆斷之詞了。

他與鄒氏的新婚生活雖很美滿，但貧窮的壓迫無法承當，幸有一位同科秀才唐秀崖，在縣城工作，每月提出一部份薪水來接濟他，始免挨餓。後來唐秀才死了，他曾寫詩哭之：「白髮頻添游子淚，黃金深感故人情。」為了生活，他硬着頭皮當謁賞識他的高知府；高給他介紹駐於衡陽的協標營，充當一個專門寫字的雇員，每月的薪水是四兩五錢銀子，等於一個士兵的待遇。當時他沒有其他的好路可走，於是就接受了這工作，幹一幹再說。

由於他曾學習過刀槍技擊，又考取了一名秀才，使得他在當日的軍隊中，儼然是一名文武全才的人物。加以他待人誠懇，工作勤奮，不特雙刀耍得好，常常充任教練，並且又手不釋卷地讀着各種兵書。這樣，他不僅與誰都混得來，同時也很為營中的官兵所看重。

道光末年（西一八五〇年，民前六二年），土匪李沅發股，侵入衡陽邊境，大家都嚇得東逃西跑。當軍政紳商集會討論對策時，議了半天，沒有離開「關」字和「逃」字。關是關着城門，等待救援；逃是爺死娘吊頸，各人顧性命。彭玉麟年不過廿一二歲，適担任會議的紀錄，他見着這情形，遂起立發言：「這股小小的土匪，最多也不過二三百人，我們能湊足二三百人，便可將他擊潰，用不着怕！」高知府素來賞識他，經一番詢問後，採用了他的建議。於是衙門湊調了一百人，四鄉湊合了一百人，協標營湊合了一二百人，由協標派了一位管帶指揮作戰，彭玉麟便成為臨時的參謀長。

這一仗打下來，他們不僅活捉了土匪數十人，且將匪徒一直追到湘桂邊境，活捉了匪首李沅發，然後才拔隊回城。一下子，使得二十多歲的他，一躍而成為三十萬市民共仰的大英雄。

不久，協標營奉命他調，彭玉麟因而開始失業。東找西覓，才在一家阮姓的鹽舖裏充當一名家庭教師。全年的薪俸，少到只有銀子三十兩，僅能勉強餬口而已。

家庭教師的清苦生活約莫過了二三年，才由好友陳秋圃（秀才，皖籍）介紹給其母，而充當「裕湘」米店的伙計，年薪增至一百二十兩。一年多後，裕湘的生意開始大為發達，一躍而為衡陽米業之首。陳家母子覺得彭玉麟確是經營有術，乃將另一當舖「恆茂」，也要交由他獨力經營。玉麟謙辭之，最後是讓他專管當舖的業務，年薪的銀子，亦加了六十兩。於是他的運氣來了，「彭老板」的大名在衡陽市上，已是振振有聲，他的母親與妻子的歡欣，當是不言而喻的了。（五）

本產中土移日而盛

淺談櫻花種類

○紫櫻○

「枝垂櫻」：是由彼岸櫻變種出來的一種櫻木，它的枝葉好似柳枝一樣，細長而下垂，花朵與彼岸櫻大致相同。不論枝垂櫻或彼岸櫻，其花朵的顏色，皆有紅、有白，白色花朵名為「白彼岸」、「白枝垂」，紅色花朵名為「紅彼岸」、「紅枝垂」。

「里櫻」：大部份是種在庭園的一種櫻木，開放大瓣而美麗的花朵。里櫻的花瓣有單的，但雙瓣的比較更多，在日本稱為「八重櫻」。

「八重櫻」：多半是二三十朵連結在一起，非常美觀。其中有一種名為「菊櫻」者，花朵竟有五六十朵，乃至二百餘朵連結在一起的。但花瓣非常的細小，像鱗片狀的小花朵。里櫻花朵的顏色，可分為紅、白、紫紅、黃、綠種種，並有互相不斷變化的現象。（三）

內備警台報字第○三一號內銷證
自由報
THE FREE NEWS
第七五二期
中華民國僑務委員會頒發
台教新字第三三三號登記證
中華郵政台字第一二八二號執照
登記爲第一類新聞紙類
（半週刊每星期三、六出版）
每份港幣壹角
台灣零售價新台幣壹元
社長：雷嘯岑
督印人：黃行審
社址：香港銅鑼灣高士威道二十號四樓
20, CAUSEWAY RD 3RD FL. HONG KONG
TEL. 771726　電報掛號：7191
承印者：大同印務公司
地址：香港北角和富道九六號
台灣分社
台北市西寧南路壹零號二樓
電話：三○三四六
台郵撥儲金戶九二一二五

贏取越戰的新途徑

彭樹楷

越戰是「有限」目標的「有限」戰爭。

有限目標是勝利；有限戰爭應該是將戰火局限於越南境內的傳統式的戰爭行爲。

可是，越戰雙方均無勝利的徵兆。並且，越戰正步步升高且有蔓延越南以外地區的趨勢。

爲確保越戰局限於越南境內不使其蔓延，便需要在亞洲建立一個仿效北大西洋公約組織的亞洲集體安全的防衛戰鬥體系。

爲贏取越戰的勝利，正領導爲數達四十個支援南越的國家之美國，便必須檢討亞洲全盤態勢，進而擬訂爭取勝利的新途徑。

本文係就軍事觀點，分析越戰給予亞洲的態勢，美國國防政策和越戰策略的檢討，以及贏取越戰的新途徑之構思，摘要陳述個人的看法、想法和作法，以就正於方家。

亞洲的態勢

越戰使東南亞直接受到威脅；中共配合其侵略目標而擴大其核子冒險所作的努力，已嚴重地危及整個亞洲的安全。一九五八年的台灣海峽風雲有再度出現可能；一九五九年控制西藏後對印度的戰爭行爲和戰爭威脅便一直存在；一九五九年至一九六五年期間，加强其征服寮國與南越之努力，和以政治手腕使柬埔寨與西方脫離，以及另一次印尼共黨政變事件等等，均可能死灰復燃，使亞洲地區更爲不安和危機四伏！如果到一九六八年間，中共核子成軍並服役後，這種不安和危機便將格外嚴重。

雖說美國的海空打擊力量，足以應付遠自西巴基斯坦綿經澳大利亞與紐西蘭南端，再經太平洋諸島而至白令海峽的廣大區域，由沙漠至沼澤森林，從群島而至大陸邊緣的任何侵略，但這只是以來自潛艇與飛機投射核彈能力而言；如果以傳統作戰的諸因素來說，美國所表現的力量並不足以贏取勝利。更何況美國與這一地區的盟國欠缺統一的目標——國家目標未能符合聯盟集體目標的要求。而且，美國的目標也沒有和盟國的目標相配合（南越國家目標是統一整個越南，美國則只是阻遏共黨於十七度綫以北便是如此）。更由於自中共竊據中國大陸後的一連串侵略，均未引起美國嚇阻政策下的報復行爲，因而使共黨無視於美國的所謂嚇阻與報復，同時也使這個廣大地區的國家領導者及人民對美國的信心爲之動搖。這，便是造成亞洲持續不安定的主因之一；也是鼓勵侵略的最重要支持者！

甚至，越戰成爲亞洲長期戰爭的開始，也是美國徒具嚇阻及報復虛名所導引而來的悲劇。

亞洲的態度，便是失望和恐懼所帶來的不穩定狀態。是一種正在戰爭及準備戰爭而又不敢放手戰爭的痛苦悲劇演員。

以上所述，爲自由地區各國呈現的態勢。

至於北越、中共、以及其他各亞洲國家的共黨暴亂，直到目前爲止，仍是繼續依賴軍事正面作戰以外的其他秘密作戰方式。中共的「文化大革命」和「奪權鬥爭」，並未削減這種對外秘密作戰的努力；北越也沒因爲遭受空襲的嚴重破壞而停止對南越的秘密作戰。因此，其他亞洲的各國共黨，便都受到鼓勵，他們在不致激起其政府嚴格制裁，和不致激起美國較大報復的情形下，加速其勢力的擴展。

這種由莫斯科或北平毛政權所鼓勵的赤色侵略，並沒遭受認真的、有力的阻遏，因而使各自由亞洲國家的政治與軍事均勢，產生了不利於自由亞洲的反應。馬來西亞在英軍保護下，共黨的暴亂並未減少；担負不列顛國協防衛上消極任務的澳大利亞，業已從事武裝部隊迅速現代化的重建，但其類似美國F—三及A—4F等最新高速攻擊性戰術飛機及其它新裝備，並未壓制住澳共的暴亂和中共日益迫近的威脅；日本一方面急速建軍擴軍用以阻遏共黨威脅，另方面却又加强對中共和越共的商務來往用以賺取更多外匯，但是日共及其同路人的勢力正日益高漲；印度因爲一九六二年及一九六五年的中共入侵，使他從「不結盟」的國策脫變爲拉住英美、拖着蘇俄兩面討好的政策，但印共却藉粮荒、巴基斯坦事件、中共入侵而得到極大發展；……。

以上所述，爲共黨給亞洲各國造成的紊亂態勢。

亞洲的態勢，造成亞洲大戰亂的鋪路環境，這又豈只是亞洲人的共同悲劇麼？

美國政策檢討

曾於一九五七年至一九六〇年任美國參謀首長聯席會議主席的丁寧將軍，近著「既無自由，又不安全」一書，對美國國防部長麥納瑪拉及其所持政策，痛加抨擊。他說他爲美國國防軍事權力日益集中於一文官部長之手深感不安；他說美國在越南最大的錯誤是給北越政府所在地及通到中共的後勤支援綫成爲庇護所；他說美國削減歐洲駐軍將被敵人及友邦解釋美國放棄柏林、或爲退出北約組織的前奏之表示；他說美國對於中共日益增强的威脅沒有採取任何行動爲愚蠢；他說美國應該不再重視那些反核子、反越戰、容納中共的少數僞知識份子的言論；他批評美國忽視太空軍事潛存能力爲最大不智；他說麥納瑪拉不應堅持發展昂貴的只能作一或兩種用途的新飛機，而應接納軍事專家和將軍們意見，發展多種用途的價廉新飛機，以一種接替老舊的B—52及B—58的新型轟炸機；他說國防部長拒絕海軍建議建造第二艘核子母艦爲膚淺。丁寧將軍沉痛地指出美國的安全依靠一條飛彈馬奇諾防綫爲最大危險的冒險；

在「既無自由，又不安全」一書中，丁寧將軍最後提出對職掌美國國防政策的麥納瑪拉忠告說：「國防政策一項必須的要素，似乎是最高層完全而細微的控制趨勢，這種趨勢是隨着麥納瑪拉而來的」丁寧將軍接着警告道：「國防部長在國防組織中，關於業務管理的一般政策、管理程序、及在軍事觀點歧異的裁定中，當然應該居於最高地位。

醜態百出

安眠不得

今日與明日

劉少奇仍未倒

這一週來，毛幫對劉少奇的攻擊又緩和下來，劉少奇依然屹立未倒。經此一役之後，可以看出毛幫對劉少奇確實已無咒可唸。目前情形十分簡單，毛幫要把劉少奇趕出政治局，最少就要召開一次中委會；若要把劉少奇趕出中委會或趕出黨，就必須召開九大會議；若要罷免劉少奇僞政府「主席」地位，就必須召開「人代會」。而毛澤東與林彪今天都怕開會，「人代會」與「九大」不必說了，就是開中委會恐怕也湊不夠過半數。

既然各種辦法都行不通，毛幫目前對付劉少奇只有一個辦法，就是發動大批無知青年對劉少奇展開人身攻擊，攻擊劉少奇賣國，叛黨。並派了十名紅衛兵住進劉少奇家中長期滋擾，用意在迫使劉少奇精神崩潰無法抗拒，最後只有自動宣佈辭職。

可是劉少奇在共幫中廝殺半生，過去全靠鬥爭別人起家，任何鬥爭技術皆精通，毛酋這一套把戲他那有看不出來之理，既然看得懂就不難應付。於是無論紅衛兵怎樣鬧，甚至拉他遊街戴紙帽，依然置之不理，抱定「笑罵由你笑罵、好官我自爲之」之心。這一來毛酋就無法下手，局勢所以又緩和下來。

我們要有個打算

毛幫崩潰已是指顧間事，將來首先崩潰的當是僞中央，如有擁兵自固的毛軍軍閥，勢必要產生一種割據局面。在此情況下，我們應如何招撫，要事先有一個打算，不能以勝利時解決僞軍的這麼容易，事情也並不是如此簡單。

最近消息僞青海軍區副司令員將該軍區司令員逐走，我們不禁想起民國初年張作霖逐走段芝貴的情形，袁世凱不得已假以節鉞，以後各省紛起效尤，北洋割據局勢因而形成，雖經北伐徹底東潰，但也擾攘了十七年。今日情況複雜更甚於往日，要想一舉廓清確實不易。

不過，在政府方面也應該有所行動以昭示國人，對於大陸這個火藥庫，是讓它自燃呢——還是我們從中燃放一根火柴，促其早日爆發？尤其是海外僑胞，對此更感關切。政府即使不能馬上行動，也應當示人以必動之勢。但是反觀朝野上下，依然歌舞昇平，大家所關心的不是國家大事，而是某女作家著作拍成電影是否有賣座把握。從文藝到電影充滿了三角戀愛、四角戀愛的香艷故事，沒有半點戰鬥氣氛，有人寫反共文字反而被識爲八股。這種情況使人懷疑到眞的大陸土崩瓦解，老百姓簞食壺漿以請王師時，究竟政府及大部份大員有沒有興趣再回大陸，更不必說一刀一槍打回去了。（何如）

自由談

聯合國所謂「確定侵略定義委員會」也者，最近像煞有介事在成功湖舉行正式會議。我國代表張明純發表演說，認爲悉現時的國際情況，很難對「侵略定義」達成確切的解釋，盼望大家不要爲着聽取宣傳性的講演而定期召集會議，不如長期休會之爲佳，蓋聯合國維護世界和平的效力，不致因這項會議之召開與否而有所增減也。這眞是一篇辭嚴義正而綽具幽默感的絕妙好詞，殊堪讚賞。吾國出席聯合國各種會議的代表，素來總是表現敬陪末座、洗耳恭聽別人說廢話的態度，這次張氏居然作出不同凡响的讜論名言，得未曾有，政府應該傳令嘉獎纔是！

聯合國瞎扯淡

聯合國成立迄今，對於維護世界和平的神聖職責，幷未發生絲毫作用，每年開會幾個月，除却專供三數强權國家的代表表演鬧劇，或作宣傳場所外，就是設置許多委員會，讓大家廢話連篇，消遣歲月，以便向會員國收取會費。迨有强凌弱、衆暴寡的戰禍發生時，即噤若寒蟬，連維護和平的空話亦不敢說了。如俄帝派大軍屠殺匈牙利人民的往事，便係鐵證。

談到「侵略」問題，更是瞎扯淡。當年韓戰伊始，聯合國大會決議認定中共爲侵略者，明令譴責，出兵討伐。詎口血未乾，美國以聯合國聯軍統帥地位，對中韓共侵略戰犯，竟從事屈辱的和談，嗣後美英各國且再三懇求中共進入聯合國，狐埋狐搰，使聯合國的信譽蕩然無存了！時至今日，聯合國又要組織所謂「確定侵略定義委員會」，即不否定過去聯大會議認定中共是侵略者的決議爲胡說八道，這成甚末體統呢？

聯合國如其還不願意收檔，我建議今後不必重彈「和平」「正義」這類濫調，令人聞之肉麻。爲着裝點「世界政府」門面，便於徵收各國的會費計，不如設置一些冠冕堂皇而又輕鬆逸豫的機構，例如「建設月球新社會委員會」「改進世界大都市觀光事業委員會」，以及「聯合國總部娛樂場所籌建委員會」之類，讓大家隨時開會「扯卵談」，聊以報銷經費，也免得搖惑世人的視聽，詎不懿歟！

馬五先生

基隆海洋學院趣聞

院長向教職員六代表下跪　系主任亦向教授施某長跪

（本報台北通信）台灣省立基隆海洋學院，自中央政府遷移到台省以來，一直由李昌來氏担任院長職務，過去若干年間，因該校規模不大，內部尚稱安定。唯自去歲該校實習工廠發生勾結商人、私製罐頭出售漁利事件後，校譽頗受影響，社會人士對該院主持人不無微詞，而校內教職員尤多不滿。迨去年年終，李院長將歷年來照例發放教職員之福利金三千元，藉詞還債，拒不發給，乃激起同仁公憤，曾推舉代表六人當面質詢理由，李院長謂校方積欠建築費五十萬元無從彌補，只得將福利金挹注之。然主計人員即聲明預算規定之支出項目，依法不能移作別用，衆人聞之譁然，要求院長非將福利金照案發給不可，否則將向省府陳訴，以明是非。一時羣情激昂，大有相持不下之勢。李院長卜通一聲跪在地下，向諸代表拱手告饒，請予原諒。時代表忽見院長下跪哀求，不忍再行追迫，相率嘩然退去了。

詎料院長向教職員下跪之風氣一開，該校某某系主任亦師承院長故智，演出對教授下跪的趣劇。原該系主任最近私將合格教授之功課，給予一不夠資格之黑市教員担任，被該系老教授施某發覺，一面提出質問，同時向省教廳檢舉，指爲非法舞弊。該系主任理屈詞窮，亦向施某長跪，請予諒宥，但施某置之不理。教育廳接得上項呈控後，正式函詢施某是否眞係彼之呈詞，施氏復文承認確屬本人所爲，乞予依法徹究。下文如何，尚未可知也。

院長李昌來聲譽殊不見佳，與教職員相處更不融洽，歷年來內部糾紛亦迭起，然其地位並未動搖。據聞得力於承包該校各項建築物之工程師暗中支持，蓋該工程師的尊親係省府要員，一言九鼎，愛屋及烏，綽有維護之潛能也。我聞如是，不悉確否？

桃園續紛錄

本報記者黃鴻遇

▲桃縣一個二級」機關的首長，自台灣光復時，他揚鞭走「馬」，即渡海來台，担任地方接收工作，在先入爲主的幸運下，就爬上了這把交椅，現在是以「五朝元老」（以縣長任期計算）自居，生薑是愈老愈辣，行政「花樣」，也是愈久愈多，他屬下約四、五十人，和他相「好」的，並不太多，對有些不合理的作爲，有時候會無心地信口道出來。按一般情形，公務員的薪餉袋上，是要分註：受領人應領若干，應扣若干，實領若干，一人一袋，務使人人有個明白。重衞生，變爲鈔票上的細菌有得出納人員（數鈔票裝餉包）的健康吧？規定：每人每月一張支票，然票面只能填寫「實領金額」，「應領」，「應扣」，因「過」繁不及備載。以致全體員工，也就「莫宰羊」（台語不知道的意思）了。大家不無微言！使用支票面額，並無基數的規定，三百五百，銀行照樣兌現，只是感到記賬的麻煩，累向這位首長建議：員工薪餉，請求整數提取。總是沒有反應，莫可奈何！但銀行也是星期例假，那麼，員工憑「票」領「薪」，只有在辦公時間內進行，好在這個機關，離銀行不遠，全體員工，只以四十人計算，經過排隊、掛號、記賬、數錢，問「名」（例由取欵人答支票面額），領欵……，進出銀行，每人以十五分鐘計，每月發餉時間，即佔用辦公時間十小時。這條老爺「衙門」，雖沒有公事好忙，但，強人作不該作的事，仍是費「心」而不討好也。再說，裝餉包，是出納人員的職責，何必浪費時間，麻煩銀行，獨出一格來受人非議呢？不知道這位「五朝元老」能改「邪」從良麼。

▲鑽營而至戀棧、失職而至貪污，是官場中由來難以拔絕的黑道，厚顏觸法，乃心甘情願，與入無干。目前台灣的宦海中，在人事凍結，不死不休的老「成」「暗」「戀」情況下，想得一官半職，談何容易！君不見有些人鑽充一個（中、小學）校長，不惜傾家蕩產嗎？鑽充一個（鄉、鎮）農會總幹事（由理事會投票通過），花費幾萬元一票嗎？縱令直接民選的地方官兒，有些也得仰仗香烟、肥皂、味精……肆應之力，明知爲法所不許，那是另外的一章，如果擠入官場，又爲法定任期所限，更不惜搬出兒女、老婆或小舅仔再來競選，其本人甘願委身以待（降居秘書等職）：這種怪例很多。這裏却有一則「掛冠求去」的新聞，說風說雨，記者只作事實的報導。

桃園縣治所在地桃園鎮長李發，最近爲了一個屠宰攤位所困擾，正式向縣長陳長壽辭掉鎮長不幹了。是否獲准，仍不知道。事情是這樣的：桃園鎮有一個屠夫，向鎮公所申請在該鎮中正路永和市場設一獸肉攤位，已花了活動費新台幣一萬餘元（屠夫說的），時逾一年仍無下文。這個屠夫認爲：已花了錢，攤位無着，質問鎮長是不會錯的。（上）

港銀行存款增加有七原因

創八十五億餘元新紀錄

（本報訊）儘管近年來本港許多工商業的處境非佳，連帶影響到廣大市民的就業與收入情況不如理想，但是，本港各銀行的存欵吸收却依然不斷增加，一般的儲蓄風氣相當熾盛。截至今年一月底爲止，各類存欵總數已達到八十五億三千多萬元的高峯紀錄。這一情形正好反映了目前香港經濟發展的矛盾現象。

根據港府的統計：今年一月底全港七十六家銀行的存欵總額是八十五億三千零七十九萬多元，再創有史以來的高紀錄，其中包括了活期存欵二十七億二千六百多萬元，定期存欵三十八億二千四百多萬元，儲蓄存欵十九億七千九百多萬元。上述數字證明了香港的一般儲蓄風氣仍然十分熾盛，而廣大市民經過年前的空前擠提事件以後，對於銀行也恢復了充份的信心。

但是如衆所週知，近年來香港的許多工商行業的處境非佳，影響所及，使到市民的就業和收入不理想，爲什麼銀行的存欵數字却能增加呢？這豈不是一種很奇怪的事嗎？我們把成因綜合起來分析一下，就可以發覺這情形正好反映了目前香港整個經濟活動中的矛盾現象。第一：市民的收入雖然很多都比較以前減少，但他們正因爲要作較長遠打算，日常的開支是更加節約和更有計劃了，稍有餘錢都存到銀行以備不時之需。第二：香港工商各業活動年來多屬不景，房地產市尤其疲滯，以往有很多市民稍有餘錢均作營業打算，而現時都告縮手，寧可暫時採取觀望態度。第三：中外各銀行業務競爭劇烈，以最近統計，連同總分行及其他辦事機構，銀行單位共有三百一十多個，遍佈港九新界各區，對於一般市民及工商業的存放都相當便利，吸引他們的興趣。第四：有不少的工商企業單位都鼓勵屬員儲蓄，平日薪金發放亦經由銀行辦理，使有關戶口不斷增加。第五：各家銀行仍然以高利息和優良的服務態度來吸引市民參加儲蓄以吸收市面游資，無論集體或個人金錢存入銀行益衆。第六：東南亞各地的局勢動盪不安，有許多資金逃調本港，但在港市又缺乏出路，便暫時存入銀行儲蓄。第七：以往有些小市民階層或家庭婦女，喜歡把黃金、美鈔、珠寶等放到保險箱中存放，但近年來他們覺得把現金存入銀行反而可以收取利息，故逐漸改弦易轍，轉而作活期或定期的儲蓄存欵，相應地令到銀行吸收的存欵增加。

以正常的情況而論，銀行吸收存欵逾多，就顯示出其業務越有發展；但實際上由於對於工商各業的授信還沒有放寬，頭寸缺之可靠的出路，方面利息的負担却不斷加重，另無形中也就使到一般銀行的營業不易獲利，處理非易，甚至還有矛盾重重的感覺。由此，我們也就可以很容易發覺到目前香港經濟發展中的阻力以及困難所在了。

毛共「奪權」鬥爭軼聞

本報特稿

中國大陸上的「紅衞兵」之亂，方興未艾，毛共內部的奪權鬥爭把戲，尚不知如何收場。但在這歷時半年以上的毛劉兩派爭奪權力的醜惡作劇中，有若干未見「大字報」揭露過的軼聞，殊堪發噱，值得談談。

朱德賀龍爲甚未反毛

朱賀二人都是替毛酋出死入生、共患難、打江山的心膂幹部，何以變成了反毛分子呢？這原因有共同的，亦有個別的。共同的就是抱怨毛酋堅決主張撤消他們的「元帥」軍銜。當年毛酋認爲共黨的軍隊不應該有「官定」的階級制度，違背了共產主義原則，必須撤消「元帥」「大將」這類封建式的軍階。朱賀之流的軍人不以爲然，但毛一意孤行，朱賀以及其他同類的「元帥」「大將」皆快快不樂，尤其是賀龍，自信曾爲毛酋立下了汗馬功勞，連一個「元帥」虛銜亦不能享受，怨望更甚。再加以彭德懷事件，毛酋不採納賀的平反意見，使其深具兔死狐悲之感，這亦是個別的反毛因素。

朱德的「全國人民代表會議」委員長職位，當初毛酋認爲「人代」一分子多屬劉少奇鄧小平派，而朱庸懦無能，不肯將此項要職付託於朱（人代會委員長原係毛酋兼任的）。然朱向毛担保無問題，定要毛酋交出這項兼職，由他承乏。朱就任後，內部人事完全不動，仍爲劉鄧勢力所控制，因而毛酋雖欲「依法」通過人代會以罷免劉少奇的僞人民政府主席職務，竟不可能，始終不敢召開「人代會」，乃大罵朱德是「蠢豬」，終於不得不乞助於紅小鬼、大搞其「奪權」運動，指朱德是「黑幫」分子，列舉了十餘大罪狀，連朱德一向對人稱呼毛酋爲「老總」這一名詞，亦羅織爲罪狀之一了。

陶鑄意外失算

陶鑄原屬「四野」林彪的幹部，但他自從「廣東王」」後，跟劉少奇鄧小平時相過從，非常親密，他是湖南人，有「喜歡寫些歪詩呈給「毛主席」」獻媚。當紅衞兵之亂發作時，劉鄧即提議教陶接替僞宣傳部長之職，認爲藉此可使林匪不致趨於極端反對劉鄧的立場，亦可緩和毛酋的猜忌心情。迨陶北上就職後，竟與劉鄧合作，毛酋爲之震怒，詰責林彪，林謂「我不知道他壞到這步田地」，祇好急忙撤去陶的宣傳部長，交由紅小鬼們加以鬥爭淩辱。陶如不離廣東的反毛勢力將更鞏化的。後來毛林雖將陶在廣東的親信黨羽趙紫陽整肅了，但粵局仍無法控制，本月（四月）中旬廣州舉行的「交易會」，若不是周恩來親自到粵垣調處，對僞省長陳郁多方安撫妥協，交易會就要開不成的。因此，現在劉少奇鄧小平深悔失算，而陶鑄亦從此無法脫出紅小鬼的魔掌了。

陳毅狂唸「毛語錄」

陳毅在北平被紅小鬼拖到鬥爭大會中，教他當衆背誦「毛澤東語錄」，他朗誦了「陳毅是本黨的好同志」這一句後，紅小鬼大譁，他乃說明這是「毛主席」某年某日，在甚末場合講的這句話，請紅小鬼們翻查對不對？紅小鬼斥其爲自吹自擂，還要他另誦「毛語錄」，纔能過關，陳當時請台上的紅小鬼先唸幾句「毛語錄」再說，他聽罷，反問紅小鬼：「毛主席這些話是在甚末地方、爲何原因而說的」？紅小鬼對答不出，他即解析毛酋說這些話的時間、地點和用意所在，歷歷如數家珍，表示自己是「毛主席」的忠實信徒。紅小鬼一時無以難之，乃指陳的老婆張茜是反革命分子，跟她的兒子陳小魯一鼻孔出氣，陳不得已，發表跟張氏要「劃清敵我界限」的聲明，這纔暫免整肅之禍。現在他已被踢出於「軍事委員會」，雖仍然保有僞外交部長地位，但要看周酋恩來能否掩護他到底？否則仍難逃整肅的命運也。

紅衞兵抄家的收穫

紅小鬼造反之役，曾經在北平、上海、廣州各地實行「抄家」，計在上海抄出黃金二百餘噸，多半都是共幹所有的。又在上海、北平抄出文藝工作者夏衍家私藏鄭板橋繪畫精品四十多幅，同時在共幹陳式法家抄出「揚州八怪」的書畫眞跡幾十張，在僞國務院副秘書長齊燕銘家抄出關黃石圖章大小百餘塊，另在廣州「作家協會」理事長歐陽山家抄出上等外國料子做成的西裝乙百多套。這表示一般有辦法的共幹們貪污腐化生活情況，跟舊社會人士並無二致，即證明所謂「文化大革命」運動只是瞎胡鬧，藉以封財殺人而已，人性是永遠不能泯滅的。

劉少奇最重大的罪行

毛酋最痛恨劉的事有兩樁：一爲去年毛共中委會決定派遣「工作小組」赴各機關進行整風工作時，奉派人員盡係劉少奇鄧小平系的反毛分子；二爲劉曾批准天津富商宋佩英以美金二百萬元外滙，名義是作對外貿易，然宋某携欵由香港走往南美，再不回來了。所以，紅衞兵之亂初起時，毛酋還有意維持劉少奇的面子，繼而發現這些事實，乃唆使紅小鬼對劉猛攻了。

傳奇人物阿丹拿的傳奇事功

○本報資料室○

「不肯向歲月低頭，不爲成功縱壞，處逆境也不屈服，在他本人在生時，經已是一個傳奇的人物。」這可作爲在上月十九日逝世的前西德總理阿丹拿的蓋棺定論。

那個西德大老，在納粹攬政時，曾失去官職，更被捕入獄兩次。但他眼見德國的無條件投降，但他運用他的智能，竟療治好西德的重傷，引帶那個國家得到經濟繁榮和政治安定，軍事與政治跟大西洋集團聯結，更作初步踏入聯合歐洲。

康力阿丹拿於一八七六年正月五日在德國科隆市出生，父親是一個法院推事。阿丹拿在年輕時就很勤學，他除了獲得獎學金之外，更半工半讀，先後在費爾堡大學，慕尼黑大學和波昂大學畢業，所讀的是法律和經濟。畢業後他曾在科隆法院任職，後來又做律師，頗有名聲。他在一九〇六年參加政治活動，在一九〇六年與一九〇九年曾任科隆副市長。在一九一七年升任市長，在職前後十七年。任期內他將舊的科隆變成了一個現代城市，開辦大學，綠化各地，設立運動場，在一九二五年舉行一個盛大的博覽會，在一九二八年舉行世界首屆報業展覽會。

阿丹拿在一九一七年到一九三三年任德國中央黨主席。當希特勒在一九三三年掌政後，阿丹拿因一向反對納粹的，就失了官職。他在家種花來過日子。但他在一九三四年無端端被德國秘密警察所捕入獄，後被省釋。但在一九四四年又被捕，那天適遇他結婚二十五週年，他跟他的妻子同被囚於離科隆不遠的監獄。阿丹拿會回憶說：在納粹監獄中，有一個同囚的人對他說，你已經六十八歲，你的生命已不要緊。阿丹拿回答說：我還要做很多事，需要活更多年。其後果然應驗，他做了十四年西德總理，他在過了他的九十一歲壽辰才離開這個世界。

在納粹淪亡後，阿丹拿在一九四五年六月再出任科隆市長。當時那個城市是由美國佔領。當科隆移歸英國的佔領區後，阿丹拿也去職，轉致力於新組成的基督教民主聯合黨的活動，他任該黨主席。同時任英管區的諮詢委員會委員。阿丹拿在一九四九年五月向法國、英國和美國的佔領軍首長建議，在他們的管區組成西德意志聯邦共和國，後簡稱西德，由各專員代替軍政長官。在一九四九年十月，在德國的蘇俄佔領區也成立共黨東德政府。

一九四九年九月十五日西德大選，基督教民主聯合黨獲勝，阿丹拿被選爲西德總理。蘇俄見阿丹拿大權在手，他在經濟和國防方面，必定會投入歐洲集團，就着東德總理高德和向阿丹拿建議組織一個全德國的國會，容納所有民主黨派，保證東德會和西德一樣獲得自由。阿丹拿看出高德和係蘇俄所差遣的傀儡，想他離脫美國，他不會上當，就回答說：當他解決西德的國防問題後，他會很高興來討論德國統一的問題。外國觀察家咸認爲這是阿丹拿的畢生的大傑作。英國著名政治漫畫家大衛羅對此事也繪有一幅精彩的漫畫。

阿丹拿在一九五三年九月六日及一九五七年九月十五日西德大選都獲得勝利，蟬聯總理職。他在一九五一年至一九五五年曾兼任外交部長職。他在一九五九年擬競選西德總統，他的總理遺缺擬交由經濟部長艾哈德擔任，但他後來又改變初衷，嫌艾氏不能勝任。阿丹拿辦事極認眞，凡自己可能做到的事，多不想假助於人，所以有很多人反對他，他會認爲他是獨裁者。他本人也知道這一點，他曾經說過：「我祇有希望，當大家看清楚那些大驚小怪和急速要辦的事時，他們將會說我已經盡了我的責任。」

一九六三年十月十六日，西德大選，艾哈德得多數票獲勝，被選爲西德總理。阿丹拿就請國人支持那個新的政府。阿丹拿退休後，息影田園，以種玫瑰花自娛。他曾結婚兩次。前妻在一九一六年逝世，生有兩男一女；後妻在一九四八年逝世，生有兩男兩女。阿丹拿有孫二十多人。他是一個虔誠的天主教徒，所以他的哲學頗受在萊茵區的天主教傳統的影響，與反對普魯士主義而趨向西歐的自由與文化思想。他最愛聽舒伯特與海頓的音樂。假如他不是踏入政治的途徑，他說：我一定會做一個偵探。他有許多對法律上的著作，他獲得許多間大學的名譽學位，包括政治、經濟、科學、法律、哲學和醫學等。他又得到許多國家的獎章。他曾任西德許多間大工廠和企業組織的董事。他很儉樸，勤於工作，當他做西德總理時，常常在半夜仍然埋頭苦幹。德國人給他的渾名是「老傢伙」！他聽到也不以爲忤。這個老傢伙，並不是尋常的一個，他對他的國家有着極偉大的貢獻。

勞動節的由來與生產的重要

○賈星源○

西曆一八八四年，美國工人深憤勞工界狀況之痛苦，因而集合工友，共謀改良勞工生活，要求實行每日八小時工作，八小時教育，八小時休息的「三八」制。特在芝加哥召開會議，並約定於一八八六年五月一日舉行大規模的示威運動，屆時美利堅合衆國所有勞工份子，蓬蓬勃勃的踴躍參加，人數達三十萬左右。美國資本家有鑒于這樣的盛大運動，且是最合理一種要求，遂次第承認「三八」制；這一項運動終告圓滿解決。

「三八」制最公道完善，最體貼人情。美國實行後，勞資雙方很少糾紛發生，而又感情日篤，合作無間，生產量隨之大增。風聲所播，遐邇響應，到了一八九〇年，各國的勞工份子，紛紛從事這項運動，要求實行「三八」制。各國資本家迫于大勢所趨，相率先後承認，遂于是年五月一日，舉行慶祝大會，嗣後即成爲國際勞工界「五一」勞動紀念日。我國于民國七年國父在廣州任軍政府大元帥時期，亦定「五一」爲勞動節紀念日。每年如期熱烈舉行慶祝。

「勞工神聖」，何等尊崇，何等高超，蓋以供給人類生活所必需的物品，完全賴勞工界而產出。工人爲社會上最重要份子，謂之神聖，亦不爲過。美國立國短短一百數十年，而能以領導世界，成爲惟一強國，實由其工業發達，生產豐富所致然。現代戰爭，打仗是打物資的，某一方物資充沛則勝，某一方物資不足則敗。例如第一次大戰，德國的失敗，並非軍事不利，而是物資缺乏；第二次大戰，日本物資已陷于恐慌地步，即不用原子彈轟炸，亦必無條件投降，不過時間稍遲而已。

現在領導自由民主聯合陣線的美國，天然物資豐富，再加以工業發達，生產力大，舉世鮮能望其項背，故近年以來，不僅生產落後國家，仰賴美國救濟，即號稱工業先進國家的英法，亦須美國援助，所謂天府之國，罕有其匹。回憶第二次世界大戰，德國進攻蘇俄，勢如破竹，史達林當時岌岌可危，叫苦連天，哀鳴求救，如非華盛頓方面傾大量物資，軍火源源支援，聯軍出兵，蘇俄早爲德意志所滅，何至今日尚有蘇俄的赤禍！

（上）

商船王國—賴比瑞亞

都塔

最近百多年來，擁有世界最大商船隊的國家—英國，其高踞首席的地位，已被西非洲的一個小國賴比瑞亞取而代之。懸掛賴比瑞亞旗的油船「多利峽谷」號最近失事沉沒，雖使懸賴比瑞亞旗的商船噸位數，減少了六萬一千二百六十三噸，但這仍不影響其爲世界上擁有最大的商船隊的國家。

賴比瑞亞祇是西非海岸的一個小小的國家，總面積不過三萬七千平方哩，全境大部爲森林所掩蓋，土地荒蕪，沼澤遍佈。實在一個欠開發的國家，早於一九四七年，尚無一艘懸掛賴比瑞亞國旗的商船，最大不過是一些漁船；但時移勢易，二十年後的今天，懸掛紅、白、藍三色的賴比瑞亞國旗的現代化商船隊，總噸位竟達二千一百多萬噸。據英國商船總會最近發表統計：一九四八年，懸掛賴比瑞亞國旗的商船祇有兩艘；現時，該國旗下的商船已達一千四百三十六艘，排水量總計二千一百五十萬零二千噸。而懸掛英國旗的商船雖有四千艘，但總噸位祇有二千零五十三萬二千噸。以噸位計，懸英旗的商船比懸賴比瑞亞的商船少了約一百萬噸。

該項統計續顯示：在賴比瑞亞註冊的商船，百分之五十是屬於美國人的，前述最近失事沉沒的那艘「多利峽谷」號巨型油輪，即是其中之一。

爲什麼賴比瑞亞旗下會擁有那麼多商船呢？英國商船總會表示：這是賴比瑞亞對外國船主的註冊懸旗，大開方便之門的緣故；實際點說，這是大開「方便之旗」。賴比瑞亞一如其他開「方便之旗」的國家如巴拿馬、洪都拉斯等，對美國人經營的商船，特別放寬，可以令他們輕一些稅款，同時也可使他們不受硬性規定，要用那些高薪的美國海員。自從第二次世界大戰以來，賴比瑞亞的船舶形像即有改變，不再像以前那樣最大的不過是漁船，一些幾乎沒有航運價值的舊船，加上一些不及格的船上職員和受着可恥待遇的水手，就來尋求賴比瑞亞國旗的托庇。

因此，到門羅維亞（賴比瑞亞首都）碼頭旁邊那間建築奇怪的註冊的船舶，其眞正的船東，絕大多數不是賴比瑞亞人，這就是其最大的奧妙之處了！

任何一艘商船在門羅維亞註冊，祇要交了註冊費和領了賴比瑞亞的國旗後，其他就可一概不管了。而賴比瑞亞對於其旗下的船舶的一切，也多不予過問。自一九四五年以來，也祇有兩宗撤銷註冊；而對船舶的抽稅，安全，和工資條例等，也都不嚴格執行，更甚的是有關船舶和貨物的交易時常可以在海上進行，而門羅維亞的船政當局也不干涉。所以，這個連一條鐵路也沒有的西非小國，在其旗下的船舶竟然高踞世界之首，其奧妙就是大開「方便之旗」！

新三國

周燕謀著

以他的爪牙高柔代理大將軍，又保薦了一位老臣王凌補了太尉之職。王凌是漢司徒王允的姪子。王允被李傕、郭汜殺了以後，逃出長安，回到山西祁縣。李、郭敗滅後，被舉爲孝廉，歷任縣令太守，受到曹操器重，做了丞相府的科長。在曹丕、曹叡的時代、做過交州刺史、青州刺史、揚州刺史、豫州刺史。曹芳即位，升他爲征東將軍，假節，都督揚州諸軍事。東吳大將全綜率數萬衆攻打，被王凌打退，小皇帝封他爲南鄉侯，拜車騎將軍，儀同三司，准他與司馬懿、司徒、司空擺同樣的儀仗。司馬懿知道王凌與曹爽親近，但因其爲老臣，做過若干州刺史，故吏很多，地方潛力甚大，他的女婿令孤愚又是兗州刺史，故司馬懿一則是收攬人心，一則也是安撫作用，也可以說是怕他的潛力。所以司馬懿做得很漂亮。玩政治也是一種藝術，看各人的玩法，司馬懿玩得巧妙，不流血的政變獲得成功。

令孤愚看到司馬懿殺了曹爽，小皇帝做了司馬懿的俘擄，他就主張另立楚王曹彪（曹操的兒子）爲帝，建都許昌，與司馬懿對抗，令孤愚派了心腹去對王凌說，王凌遲疑不決。司馬懿聽到耳裏，裝着不知道。這就是他的老奸之處。所以他讓王凌來坐這最高的名位，其用意也就在此。

到了魏廢帝嘉平元年冬天，令孤愚病死；再過了一年，司馬懿才公佈令孤愚「謀反」的罪名和檔案，帶了兵討伐王凌。王凌毫無準備，更談不到抵抗，只有自縛請罪。司馬懿爲他解了縛，恕他無罪，却又派了人把他送回洛陽。經過項城老友賈逵的祠堂，感到自己年近八十，再活也沒有幾年了，就在賈逵的祠堂自殺而死。但是司馬懿却仍不饒他，捉拿了所有與他有關的人，嚴追窮訊，因之誅滅了王凌的三族，連楚王曹彪也被誅戮。所有曹家的三公大臣，無論是誰，通通集中到洛陽，加以軟禁。司馬懿恐怕曹氏王公在外面會作怪，故而一網打盡。司馬懿的醜惡面目才完全暴露出來。有人以爲這即曹家的報應，歷來都有人如此看法。其實，司馬懿的奸狡醜惡，比曹操厲害十倍。曹操雖以漢獻帝爲傀儡，但天下是曹操打下來的。說實在的，曹氏的天下是打下來的，而不是從漢家偷來的。曹操對待劉氏子孫，從來沒如此殘忍。所以，歷來論「奸雄」都以曹操爲巨擘，其實司馬懿應列爲奸臣巨魁。

司馬懿殺了王凌以後，常常夢見王凌前來索命，過了四個月就死了。雖然死了，以後的政治舞台，仍然是他兒子兒孫在表演主角。

魏國的政治舞台，自從曹操死後，續之而得志的是司馬懿父子。從此以後，忠君愛民的心地，光明磊落的行爲，完全看不見了。所賸下的，只是些自私自利，爾虞我詐，奸狡刻毒的行爲。幾千年來，社會道德眞有令人觥憂之感。但是，這絕不。

（一一七）

賭徒羣相

大知

過去，有一個東方人，他更曾以自己身上的手臂作為賭注，若是他在賭博中輸了，他就會將手臂割下作償。在印度一些村落中，至今尚盛行一種驚人的賭博法，就是以其妻兒作賭注。在打賭中獲勝者除了能有權佔有對方的家財外，並且有權佔有對方的妻兒。在美國西部印第安人部落中，更有用自己的生命作為賭注，在打賭中獲勝者有操縱負方生死的一切權利。

打賭這玩意，可謂無奇不有的。第二次世界大戰期中，有兩名軍曹，打賭羅斯福能否在競選中獲勝。當時一般的盤口是四比一賭羅斯福獲勝。這兩個軍曹所賭的注碼，並非什麼金銀財物，而是指定負方必須在山上挖一百個方圓二呎深兩呎的狐洞，如果是擁羅斯福的獲勝，負方要挖狐洞一百個，反之若是賭羅斯福倒灶的，負方要挖狐洞四百個，因為當時的盤口是四與一之比。

前面說過，在今日美國西部印第安紅人的部落裏，有些印第安人是極喜歡以自己的生命作賭注的，他們認為這樣才配稱大丈夫。他們相信若在賭博中失去了他們的生命，日後他們的靈魂是可以登上天堂的。在今日這個文明社會中，以自己的生命作賭注的事固不多見，但亦不能說是完全沒有；在若干年前，芝加哥一間下級的酒吧中，就曾發生過一段以自己生命的時間來打賭的故事。

事緣有一個名叫畢士柏的賭徒，他是一個患有嚴重心臟病的人，他的私人醫生彼得，曾多次勸他放棄他的酗酒和豪賭生涯，但是畢士柏總是當作耳邊風。一次彼得又來到畢士柏慣常喝酒的地方，對畢士柏說：「老友，我看你還是儘早放棄你的酗酒習慣，因為根據我最近跟你的診斷結果，若你再繼續酗酒下去，你的壽命決不會超過廿四小時。」「朋友，請不要再對我說這些恐嚇性的話」，我實在聽得夠了。看看我目前的神態，不是很好嗎！你說我若再酗酒壽命就不會超過廿四小時，讓我們來一個打賭罷。」畢士柏始終脫不了他的賭徒本色，他對彼得醫生說，讓我們打賭一萬元如何。如果我在廿四小時死去，我就甘願輸一萬元給你，反之如果我在廿四小時內不死，你亦得輸我一萬元。二人說好，隨即各自開出一萬元的支票，交由公證處理。

畢士柏為了表示他的英雄本色，並在酒吧內連喝了兩大杯酒。時間一分一秒的過去，廿四小時的期限到了，畢士柏仍然未有死去，他依照諾言贏得了彼得醫生一萬元的賭注。豈料當他取得那張支票時，心臟病突然暴發，但他在臨死前，仍然對彼得醫生說：「老友，你的看法錯了，今次還是我贏了。可惜我未有機會花這一筆賭注。」（下）

天才與狂妄

晉陵生

如果世界有絕對正常的人，則這些人確是難能而可貴的。普通的人或多或少都有些怪癖和缺陷，不過和他們接近的親友相處日久，習慣了便熟視無覩罷了，但世界上的天才人物，則不但表現其最高的智慧，且也暴露其幾近妄狂的怪癖。誠如十七世紀的英國文壇一代宗師的德來登，所說：「天才與狂妄是最親近的聯盟，兩者之間，只是一綫之隔。」

十六世紀至十七世紀初葉，法國最偉大的政治家黎塞留；居常每使他的親友感覺困惑的，就是他竟以一匹馬來自兄，不但常宣諸口，而形諸聲音和行動，在人前仿效馬的嘶鳴、騰躍及疾馳等舉動，恬不為怪。你說他瘋癲嗎？當年在歐洲政壇上，他是著名以智取勝，為法國立下不少的殊勳。

十八世紀獨佔英國文壇的詩人約翰遜，不近人情的習慣多極了。其中如在進食中間，必將他禱告詞喃喃不休，方能下咽；當他外出散步時，必以他的手杖指着路旁鐵欄杆，一根一根來數，半途如發覺數錯了，必回頭從新數過；他進門時，應該那一邊，先踏脚入去，他是有一定的，如果不對，便立即縮回，再用像軍操換步的動作，把脚步調整好，然後進去。

音樂家尤多癲狂的意念：四歲能作曲的奧大利音樂家莫札特常常談及，謂有神靈站在他肘上，命令他去預先製作他自己的喪禮進行曲；十九世紀波蘭浪漫樂派巨匠蕭邦常被家裏的蒼蠅激怒，而致瘋起來；樂聖貝多芬也有個怪癖，是無論在什麼天氣，都要作冷水浴。浴時，歡喜把水向四處散潑，弄到全房都是水溶溶的。

美國獨立革命的巨人兼文學科學家佛蘭克林，平生有一頑固的意念，就是認定把身體暴露在寒冷中，是達到健康的捷徑。他每日絕早起來，雖在最嚴寒的早上，也要裸體在寢室內踱十分鐘，然後穿衣服。晚上不但不肯蓋頭而睡，並常準備着四張床，稍為感覺暖一些，便要換床，遞次更換，周而復始，不冷不休。

偉大的學人常有怕火燒死或為妖怪襲擊者。如十八世紀英國詩人，曾以八年時間來「撰」一首「誄詩墓畔吟」，而名噪一時的格雷，就常說有妖怪在他身邊出沒。有個惡作劇的人戴着面具進入他的房間，嚇得他從窗口躍出，跌下水缸，不能起來。

十六世紀法國懷疑論派哲學家蒙旦，和十九世紀英國詩人拜倫，都是思想卓越的偉人，但却是迷信的奴隸，對夢兆與先徵，都深信不疑。蒙旦在星期五從不動筆，而對于「十三」這個數字，則避之有如瘟疫。

十七世紀詩人約翰唐尼的行徑也很怪異，他的房間經常放着一副棺材，以作生命無常的警覺。且為使自己對這意念深信不渝，每逢單日，便入棺材臥幾分鐘。

十八世紀法國小說家巴爾扎克，如果在他身邊沒有一枝燃着的蠟燭，便一個字也寫不出，即在白晝，也不例外。

十八世紀末，德國詩人席勒的最得意傑作，是在冷水浴時完成的。還有一個最適宜於創作的場合，就是把雙脚放在一大冰塊上。

十九世紀德國神學大宗師內安德，有一天返到家門，尖聲大叫：「我已跛了！」一家人為他檢查一遍，他的雙脚完好無恙，但他仍堅持說他是一路跛回的。其後他有一個晚上，失足踏入水溝裏，當他提步再走時，仍以為還有一足陷入溝裏，故一直作跛子的姿態，而不自覺。

世界上絕對正常的人是那麼少，而不正常的人這麼多，如果不正常的人就是天才的話，倒是我們的願望了！

彭玉麟其人其事

——對「彭剛直畫梅不高明」的駁正

羅雲家

這年底，陳秋圃特為他修建了兩間房子，彭玉麟晚上歸來，便在新房中讀書、寫字，有時則到窗外摘了梅花，學習畫梅；並借陳秋圃赴衡陽市上，搜集梅譜，又函長沙、武昌等地友人，代為搜集，「於是彭玉麟畫梅的決心，從此乃定。」（李著「彭玉麟」傳，頁五二）

準此以觀，彭玉麟之與梅花結緣，先是在安慶黃家山與梅仙嬉戲於梅林間歷四五年，嗣後在渣江家屋的後山上，親手種了不少的梅花，如今又住在窗前栽有梅樹的地方，因觸景生情而開始學習畫梅；並且請教好友陳秋圃，又於衡陽、長沙、武昌等地，到處搜集梅譜。習畫之時，他的年齡也不過廿四、五歲。「以我們的估計，他畫梅花，至少有三十年之久，十萬枝之數，不會相差太遠。據聞當他酒醉之後，所畫梅花，愈有精神。吾友朱玖瑩（按：係湘籍，現任財政部鹽務總局長）他在幼年時，曾見彭玉麟住在船上的蚊帳，滿滿的盡是梅花。」（李著「彭玉麟」傳，頁二一二）我們能說他是一個純粹的「武夫」？能說他是「根本不知道什麼是藝術」的「粗人」嗎？一個畫梅三十年，具有作品十萬枝的繪畫者，將之列入畫家之林，又有什麼可怪的呢？較時下一些自詡為××專家的一無行」一者，靠了法令的「死角」，以及某些有利的因素，到處招搖撞騙，又豈可同日而語耶？

就在彭玉麟事業身心都好轉，暇時習畫梅花之際，方梅仙於淒清的歲月，淡淡的梳妝中，不怨天，不尤人，一心一意的等候時機；好不容易地自十六歲熬到了廿一歲。方志遠雖是十分同情自己的女兒，可是教導婚配，是每一個父母應盡的責任。人言嘖嘖，謠啄頻頻，方志遠也就忍無可忍，和他的女兒作了一次決定性的談判。

方梅仙回答父親說：她不要出家，也不要招贅，除彭郎外，更不要下嫁任何人。「爸爸不是常說彭某是個有膽識的青年，將來必定可以為國家，為民族，有所貢獻？為着實驗爸爸的眼力，為着實驗我自己的信心，我決定要往衡陽一行。」方志遠再也沒法攔阻，於是託請了一個熟識的鹽船，帶了一些簡單行李，送女兒到江干，彼此哭泣着告別。梅仙經過了二十餘日的風波，終於安抵衡陽，然後寄居在一個同鄉的鹽商家裏。梅仙纔央人打聽到玉麟近年的所作所為後，她潛往渣江，觀察彭的家庭情形。當她在絕望中認定有了希望時，這才鼓起勇氣，前往恆茂當舖。

因為她與玉麟的老板陳老太太有同鄉之誼，於是就在陳老太太的協助安排下，有情人終成眷屬，以「一子雙祧」的名義，順利地與彭玉麟結了婚，並拜陳老太太為乾娘。婚後，彭玉麟於渣江鎮上另建了一間茅屋，屋週遍植梅花，並親題「吟香館」三字於其室前，用為吟詩，飲酒，待客之處。（六）

羅貫中筆下的典型人物

周燕謀

在此之前，關羽違了軍令，義釋曹操，一方顯示雲長義氣，一方面表示軍法敵不過義氣。因劉備說情，與關張共同生死，把軍法凍結。劉備為了義氣，可以犧牲妻小，犧牲軍法，犧牲社稷，犧牲富貴，犧牲生命。如此犧牲，同胞骨肉弟兄尚難辦到。羅貫中又將曹氏弟兄相逼特意寫來反襯。曹子建七步成詩，與曹丕即位後逼死曹熊的兩則故事，來與劉、關、張異姓兄弟作一對照，更顯出結義兄弟之可貴。如此反襯可謂妙極。

羅貫中一面表現理想帝王，一面則顯示一個「奸雄」。他寫劉備、曹操二人的出世，我們作一簡單的比較，便明白羅貫中是怎的手法來創造人物了。演義的原文不必引出，我們也可看到兩個不同的正反人物。

羅貫中理想的帝王，是天生的貴相，兩耳垂肩，兩手過膝，目能自顧其耳，面如冠玉，脣如塗脂，出身皇族，性寬和，寡言語，喜怒不形於色，素有大志，專好結交天下豪傑。羅貫中筆下的「奸雄」則是冒作宦官的姓氏，欺父誣叔，天生奸相。二人對照一下：一個開始就被稱為「英雄」，一個始就稱為「奸雄」；一個性寬和，一個有「權謀」；一個寡言語，一個多機變；一個天生貴相，一個天生一幅奸相。這樣一對照，可知羅貫中手法之高明，不是大手筆莫辦。同時他在六十回中，更具體的表現理想帝王和痛恨的奸雄，借劉備口說：「今與吾水火相敵者，曹操也。操以急，吾以寬；操以暴，吾以仁；操以譎，吾以忠。每與操相反，事乃可成。」羅貫中有了既定旨趣，處處在兩個正反派人物的身上互相襯托，這不是高明的手法麼？

羅貫中還有一個一舉三得的手法。他寫曹操在赤壁戰敗後，經過華容道上，將「公大喜」改為三次奸笑，而每次的笑，結果都是損兵折將。最後幸虧遇到仁至義盡的關羽把他放走了。這樣一改，一則顯示曹操的慘，二則表示曹操的奸，三則襯托關羽的義，一舉而三得。這不是創作的最高藝術麼？由此可知，羅貫中為了創造這兩個正反派人物是怎樣在歪曲事實，改正事實，選擇事實，誇張事實，附會事實。而且在以後其他的人物，如諸葛亮、張飛、孫權、周瑜、魯肅、司馬懿、王朗等人物，莫不是以此類手法來創造。

羅貫中理想中的「賢相」是諸葛亮。我以為他自己以諸葛亮自況。在中國文人中，論際遇，諸葛亮算是最好的。一般文人，在不得志的心情下，最羨慕他。他的出現，羅貫中用兩回的篇幅來描寫他。（四）

淺談櫻花種類

本產中土移日而盛

紫櫻

黑櫻的分類甚多，在日本室町時代即已出名，可說具有悠久的歷史。此種花樹，花瓣重疊而稍帶淡紅色，雌蕊變二片小葉由花心發出，至為名貴，且具優雅的風格。現在東方到處可見。此外屬於黑櫻種類的，尚有「一葉」、「關山」、「松月」、「鬱金」、「御衣黃」等，自古屬於名貴品種。

「五色櫻」：現在東京市荒川堤上，有一處比較集中種植的櫻花，乃最著名的五色櫻，錯綜繽紛，為賞花人所必須一觀者。

「染井野櫻」：明治初年，在東京普遍種植一種櫻花，俗稱吉野櫻。但與吉野山之櫻並非同種。吉野山之櫻，乃屬於山櫻之一種；染井吉野櫻則是另外一種櫻花，但何時移植到東京，至今莫名其究竟。據傳說係東京染井邊之花店中培養種植，然後出售於市上。它的繁殖力甚強，到處可以栽種。現在日本全國均已普遍見到。特點是開花的季節，枝幹無葉，花簇緊湊，因而非常美觀，特別受人欣賞。

「富士櫻」：不像山櫻的富於變化，及其優雅的風格。但富士山中所產，及其他山麓森林中生長的，名為富士櫻。

「深山櫻」：日本東北地方，深山中生長的，名為深山櫻。（四）

內銷證：台警備字第〇四一號

自由報
THE FREE NEWS
第七五三期

中華民國僑務委員會頒發
台敎新字第三二三號登記證
中華郵政台字第一二八二號執照
登記爲第一類新聞紙類
（半週刊每星期三、六出版）
每份港幣壹角
台灣零售價新台幣貳元
社長：雷嘯岑
督印人：黃行騫
社址：香港銅鑼灣高士威道二十號四樓
20, CAUSEWAY RD 3RD FL.
HONG KONG
TEL. 771726　電報掛號：7191
承印者：大同印務公司
地址：香港北角和富道九六號
台灣分社
台北市西寧南路壹壹零號二樓
電話：三〇三四六
台郵撥儲金戶九二五二

贏取越戰的新途徑（下）

彭樹楷

但是他不應不顧職業軍人的判斷，任意行動！更不應該發動壓力，以封住職業性專家的嘴吧！這不僅有違吾人標榜之言論自由，且將危及國家安全！」

隨着美國國防政策所表現的越南策畧，也已受着美國國內及美國盟邦所批評的。

美國總統對越戰的目的，業已明白宣佈爲：「美國之目標乃係協助越南人民抵抗共產侵畧之鬥爭。美國的目標並非軍事性者，蓋不求摧毀敵人及要求其無條件投降，而係求和平及相互所能接受並能保證南越長久和平與自由之停戰。」詹森總統又稱：「一旦吾人達成此一目標時——本人確信，吾人必能達成——則吾人不僅業已協助一勇敢民族維護其獨立，且亦明白示知共產黨徒，吾人之決心與能力足以阻止任何類似之侵畧行爲。」

上述美國的越戰策畧表現於軍事行爲者，是以無限戰力打有限戰爭。而此戰爭並非軍事性乃係維持容許北越存在的南越獨立的政治目的。

沒有人會懷疑美國的巨大毀滅性戰爭能力，也沒有人懷疑美國在越南戰場上的決心。只是，美國參與越戰的軍事行爲之目的並非軍事性的求取勝利，以及爲此非軍事性的求勝而下定的決心，令世人感到迷惑與不安，也鼓勵了共黨在東南亞地區的活動和越共的頑強拖戰！

美國這種越南策畧，也許就是它那「彈性反應戰畧」的運用。就戰畧單純目的言，美國是成功的，因爲它將戰火局限在越南境內，它有效挽救南越的危亡，並在高度軍事技巧的運用方面阻絕大量越共的南滲和補給增援，也削減了南越森林中越共的隱藏所，近來並有效的削弱了北越的國防工業能力……。但是，美國的投資幾乎高出北越損失的二倍至六倍（單以戰費言，美國每年是兩百億美元，其中並不包括卅八個國家的援助南越費用在內，而北越每年才五十億美元，其中並且包括了蘇俄與中共的軍經援助），飛機的損失率高達百分之一．六（離最大熬忍量百分之二只差點四；）而且至今還看不出有扭轉戰局的預兆，因而迫使美國不得不「到處低聲下氣地求和」（高華德議員語）。

有實力而不運用，這是缺乏意志的表現。美國似乎又走了回路，回到南北戰爭後那些年代的老路了！美國在南北戰爭後迅速增強了國力，但它在國際事務方面却沒有較爲相稱的發言權，原因乃是沒有運用實力的意志。雖說美國會根據它巨大實力擬訂了嚇阻政策，但它在韓國、在蘇彝士運河、以及匈牙利革命事件中，其嚇阻力量的壓力，仍不能阻止戰爭的發生！這種只說不行動的嚇人政策，相反地鼓勵了共產黨煽動及支持內部叛亂乃至公開侵畧，如希臘、黎巴嫩、金門、古巴、剛果，以及多明尼加等。甚至北越的悍拒和談與繼續滲侵南越，也是受此嚇阻政策的鼓勵！更何況美國一再表明支持南越並非要擊敗北越！

如何贏取越戰

亞洲現有防禦組織的條約不夠充分，東南亞公約的意見分歧，條約又規定每一分會員國有權否決集體行動（見該公約第四條第一節）；美澳紐公約又缺之必須的方法，對廣大之威脅範圍提供迅速而一致的反應；其他雙邊條約又未具備集體行動的强制力。這些條約又以美國的承諾爲基礎。美國在此一地區雖有抵抗共黨的決心，但却缺少意志，而且美國的國防政策及由越戰策畧顯示的意圖，並不符合亞洲人民共同心願，因而所有條約便難獲得亞洲自由國家的認同支持，自也難獲得各國對美國的諒解與信心。特別是美國在越戰中不求勝利的政策，乃是自由亞洲所難了解及支持的。更重要的乃是美國對中共圍堵而不孤立的政策，尤其嚇阻了亞洲反共的決心和勇氣。至於隨着美援而加給亞洲國家的種種美式干預，也大大地刺傷了亞洲人的自尊。在戰場上，美國兵士是世界第一流的勇士；在辦公桌上，美國政策擬訂者，却抵銷了美國軍人、學人、科學家、工商企業人士的種種努力成果。

現在，亞洲人希望美國的決策是贏取越戰，消除赤禍！亞洲人也警覺到必須自己動手來解決自己的問題。這項希望緊迫得要在一九六八年中共核子成軍前完成！因此，一種亞洲式的北大西洋公約組織和在亞洲明確地劃定圍堵赤禍的堅强界綫，便在呼之欲出情形下展開協調工作。若干內部遭受共黨政治顛覆陰謀所困擾的亞洲國家，面對中共日益迫急的核子威脅，咸感一項適向亞洲集體安全防禦同盟戰畧尚屬必要。除此國際局勢轉變潮流的情勢，世界事務重心業已由歐洲移至亞洲，敵人的侵畧，已使整個亞洲迫切需要建立一項有組織的堅强防綫。在這防綫裏，最具反共經驗的中華民國，可提供反共鬥爭政治作戰的訓練人才；工業最具基礎的日本，可担負亞洲軍火庫的責任；東南半島豐富的物產資源，是最佳的反共作戰後勤補給；印度、印尼，將提供大量作戰兵員；澳大利亞的國防科學工藝和戰畧地位最佳的地理環境，是支援反共作戰的最佳後方基地；從韓國到巴基斯坦，小型武器的積藏，佔世界第一位；但是，這些力量都沒有統合的組織予以行動一致的運用。因此，韓國、非律賓、台灣海峽、泰國、寮國、緬甸、印度、馬來西亞、印尼、東埔寨、星加坡，到處都有共黨叛亂的發難。越南是當今世界上最具危險的熱戰場；中共的近三百萬「解放軍」和更多的民兵，是當今世界上最大的隱憂。因此，亞洲人需要集中亞洲反共力量，用來贏取越戰的勝利，和徹底摧毀中共偽政權！

（下轉第二版）

唯恐天下不亂

行不得也

今日與明日

天安門上新仕版

五月一日勞動節，北平共酋年年此日要在天安門上亮亮相。蘇俄情形也是同樣，史達林在世之日，每年五一及十一月七日（十月革命紀念日）是蘇俄兩大慶典，至於過年則從未舉行過慶典，其他節日更無論矣。

蘇俄每年兩大節日，在紅場上要懸出魔宮諸酋的像，第一位自然是史達林，不必說了，其次幾名，尤其是二三四五幾個位置是最接近史達林的人，也是最有希望的繼承人，變動却最大，有的人今年在第二名，到了下年就跌到第五名，不久可能被擠出政治局或者神秘病死（如日丹諾夫），或者無緣無故失蹤（如伏茲賚勝斯基，以後證明被史魔處死）。當時西方國家對鐵幕裏的事，尤其是克里姆林宮權勢鬥爭，可說是一無所知，唯一能看出消息的就靠俄共一年兩次掛像來決定。

毛幫神秘性比史達林時代的俄共自然少得多，除去有時突發的整肅事件外，一般情形都還算固定，如政治局有多少委員，每個人坐第幾把交椅，大概是不變的。不過到了去年八月舉行十一中全會之後，對於毛共黨中央的政治局委員及候補委員，究竟是那些人，大家都要靠猜謎了。這次天安門羣酋亮相，總給人一個清晰的概念。

三結合與大聯合

毛澤東的三結合，到目前爲止，可說是完全失敗。嚴正算來，算去算去三結合奪了權的，仍然只有四省二市，其他地區再也攻不下。目前毛酋似已轉變方針，就是拉攏大部份打擊小部份，除劉鄧陶三人已列入必須打倒之列，決不寬假之外，尚有彭真、羅瑞卿、陸定一、楊尚崑及賀龍，也列入十惡不赦之內，其餘就一律從寬了。試看這次天安門上亮相，朱德、陳雲、譚震林均參加了，這三人是被紅衛兵攻擊反黨反毛的份子，居然也能登上天安門，這決不是毛酋的寬大，實在是無可奈何，不得不向事實低頭了。

但是，此種大聯合的構想，也只是一場夢，基本上就沒有實現的可能。此處姑不說朱德，陳雲會不會仍爲毛酋賣力，就以實際情形而論，各部門也都被毛酋破壞淨盡，想恢復也難了。例如偽國務院有四十七個「部」「會」，「部長」失蹤的就達二十三個，有些雖然在天安門上露了面，但也早被指爲準黑幫，如陳毅（外交）、廖承志（華僑）李先念（財政）等人皆是。在這種情形下，毛幫的行政究竟怎樣推行，眞是不能想像的事！無論毛澤東變什麼把戲，想把摔破的茶杯變成新的，總是不可能的。（何如）

本報啓事

本報承中央研究院近代史研究所贈送專刊三種：

1. 中國官紳反教的原因
2. 中日廿一條交涉（上）
3. 西方曆算術之輸入

謹此致謝

社長雷嘯岑啓

自由談

可欣慕的艾德諾

馮王先生

西德前任總理艾德諾去世了！他以高齡普壽而撒手人間，可謂了無遺憾，將來他在歷史上的地位和聲光，永遠是燦然的。

二次大戰後，艾德諾因爲素來是反對納粹主義的健者，得英美法佔領軍之認可，出任「科隆」市長，未幾駐防該市的英國軍方人士，說他才具平庸，難勝復興之任。他蕭然去職，新組「基督民主黨」，乃從事復國運動，艱困備嘗，乃得執掌國政權，發展抱負，終使西德迅速復興，成爲西方自由世界陣營中舉足輕重的一員大將，決非偶然。他把西德首府設在人口不到十五萬的波恩小市鎮，旨在擺脫英美佔領軍的過事牽掣阻礙，放手做事，也就是立志要憑着自己的能力，使祖國從敗亡的命運中重建起來。有志者事竟成，他的願望終於及身而實現了。

科隆市在戰時所受到的戰禍特別酷烈，全市區的建築物除却一座古老的教堂外，皆被炸毀了。越一九五八年筆者旅行該地時，市區建設煥然一新，完全現代化，一位市民很驕傲地向我說：「我們還要感謝英國人在戰時的大肆轟炸科隆，否則何致有今日這樣的新面目呢？」實則艾德諾更應該感謝英國佔領軍當年逐斥他作科隆市長這一著，因此激起他發憤自强的勇氣，克奏復興祖國之功，所謂「知恥近乎勇」者也。

艾德諾重建德國的結業，是從七十歲以後的時期纔開始創進的，在他組黨開政以前，只不過一名普通的公職人員，應在退休之列了。可是，他不甘以碌碌無所表現而終其身，致與草木同腐，經過千辛百煉的艱苦階段，把國家的生命拯救起來，證明他是個有爲有守的大政治家。近人每以年齡關係爲衡量政治人才之標準，認爲凡屆年逾六十者盡係不堪任事的昏庸老朽之輩，虛矯偏激，以偏概全，而置其人的精力才幹於不顧，觀乎艾德諾與英國大政治家邱吉爾，皆在晚歲成就之非炳事功，不知作何感想；有何說詞呢？中國今日亦有艾德諾、邱吉爾一流的政治家嗎？爲之執鞭，所欣慕焉。

宜蘭接連發生飲酒中毒案
街談巷議大不利於專賣局
社會人士認爲專賣局有整頓之必要

（本報記者　忠道台北航訊）値茲國家經濟突飛猛晉，國民所得日益富裕，菸酒消費等級提高之際，台灣省菸酒公賣局菸酒專賣之收入大爲增加，對國家財政自應有所貢獻。可是事實卻不盡然！幾天來自宜蘭羅東地區連續發生五起飲太白酒中毒的疑案後，此一駭人聽聞的事件，頓時成爲街談巷議，甚囂塵上的大新聞，怵目驚心，引起社會人士的重視。人們談「酒」色變，消費者大爲不滿，異口同聲指責：「國產烟酒的品質有問題」。認定有整頓之必要。

宜蘭羅東地區，自四月二十日至二十五日，連續發生五起酒精中毒疑案，已暴斃的三人是五結鄉的林大爐，林阿立及利澤村的黃拭珪；另有冬山鄉的邱順興及曾金傳，則引起眼神經急性炎。

據警方調查：他們都曾喝了由繼分裝酒瓶的太白酒。三名死者的共同症狀是頭痛、呼吸困難、視覺消失、瞳孔放大、全身發冷汗及不省人事。林阿立甚至手指尖部發黑。從發病到死亡，均在二十四小時之內。

台灣省烟酒公賣局，似乎流年不利，由於太白酒中毒疑案的滿城風雨，乃又導致盛傳該局王紹堉局長與中美聯合實業公司有密切之關係。中美公司由美商供給原料，所產製的濾嘴頭專賣予公賣局，形成獨佔市場，每年獲利逾千餘萬元。因其濾嘴頭比洋烟短，致人們均謂王局長有「袒護」之情事。

凡事偏聽則差，兼聽則明。記者爲求翔實公正之報導，乃專訪王局長求證。

據王局長說：宜蘭縣所發生的五起飲酒暴斃疑案，其所剩餘的酒，已經警方驗過，並非該局零售商的太白酒，可能係私酒。但另外他卻不否認與中美公司有密切的關係。

他說：中美公司產製濾嘴烟頭與公賣雙方買賣往來，關係當然密切。依其貨品價格每年下跌看，可斷言雙方並無大問題。且全省產製濾嘴烟頭之工廠，現已增至兩家，焉有獨佔市場之情事？

按國產烟酒，乃屬專賣之公營事業，二十年來，以其管理辦法與人事制度欠週，衙門氣味重，上、下級之間官僚性太濃，只知等因奉此，少有積極發展，企業化的進度如同牛步，致使烟酒品質，無可改進。成本過高，亦未予調整。雖與洋烟酒相比致有部份市場爲洋烟酒所取代。如今，又有太白酒中毒案發。該局是否在落伍或退化？

台灣烟酒公賣局，倘能清明作風，公正無私，力行實踐，改善品質，嚴格檢驗產品，力求降低成本，從事推廣銷路，對國民立信示範，以堅定消費者信心，使大家深知國產烟酒，並不下於任何洋烟酒。否則，縱有專賣亦非全面的，對國家財政的裨益也就不會太大。

印尼女僑生陳嘉文
一度在大陸幾被磨死
欣獲入台學習針灸

（本報台北航訊）上月（四月）中旬由南洋檳城回到祖國行都所在地台北的印尼僑生陳嘉文女士，她過去曾被毛共分子誘惑，赴大陸以「僑生」資格求學，實際是過着奴役勞動生活，病侵尋，而共區醫藥缺乏，幸得一針灸教師替她治療，未遂喪生。她想盡方法，經過若干周折，而在檳城的伯父家中居住。上月中旬，經僑委會根據陳女士請求來台灣的志願，准她回到祖國，並且給她介紹著名的針灸醫師吳惠平學習針灸之術。吳醫師即在台北鐵路招待所設宴招邀各界有關人士，由陳女士舉行「拜師」典禮，儀式甚爲隆重。並且有比利時籍的畢德林博士和畢黎安妮博士參加。右圖爲陳女士拜師後與吳醫師夫婦攝影。

寶島雲煙
本報記者王永亭

黃牛猖狂

近幾年來，由於社會的繁榮，國民所得的增加，人民對於娛樂的享受，也逐漸提高，這是我們努力的好的一面。可是隨之而生的各種『黃牛』也逐漸增加，與人們收入享樂成了齊頭並進與日俱增之勢。隨便屈指一算，各種「黃牛」不下數十類。凡是「熱門」的買賣，都可產生「黃牛」的掮客。

最多「黃牛」的地方，就是娛樂方面。各電影院有「黃牛」，其中男女老少都有，只要是好一點的片子，莫不有黃牛混雜其中。平劇「黃牛」，也很猖狂，只要戲碼好，前一日已將票子搶購一空，漫天要價，甚至超過原價一倍以上的。任憑你有什麼辦法，他是人，他也有購票的資格，警察也把他們沒辦法。

籃球黃牛，只要有好球隊比賽，黃牛便嘯聚售票口，甚至爲了盤據地盤，縱然不賺錢也出售，以免其他「黃牛」到此盤踞。

最近新崛起的有「舞廳黃牛」。近年來由於大家有志一同的儘情享樂，「今朝有酒今朝醉」的人生觀日益當時得令，歌廳也成了沉醉之鄉。有不少的「歌迷」，爲了捧場，搶購「佳座」。因此「佳座」就成爲「黃牛」必爭之地。一張票子原價二十元，加上黃牛的壟斷，又得增加一倍的代價。但在那些鈔票用不完的人們來說；九牛之一毛，何足惜哉！

其次是神通廣大的「黃牛」。

第一是「司法黃牛」。這種牛神通廣大，勾結官包攬訴訟，罔顧人權，上下其手，動輒上萬。有錢可使鬼推磨，他們經常出沒的地方，大部份是各級法院及律師事務所。

第二是「地政黃牛」。此種牛類，大部份爲「代書」或地下代書之類人物。買賣土地，手續麻煩。有的地政官兒故意刁難，冀想敲取紅包。因此，代書黃牛便應運而生。他們辦理各項手續，駕輕就熟，加上和地政官搞通，一切手續可以從簡。據報載：有某代書一年辦過一千餘件土地買賣！可想而知，其他案件代書也可辦過一二百件不成問題。由於土地代書有利可圖，地政黃牛也就日益猖狂了。

這後二「黃牛」，是由於有些官員的顢頇所產生的結果。如果做到「便民」的要求，此類黃牛便自然消滅無遺。

太保太妹
小醜跳樑

太保太妹也隨着「江河日下」的社會風氣如「雨後春筍」，到處都見成羣除結，流竄於公共場所，舉凡茶室、酒店、咖啡室都是他（她）們的窠穴。

近來一陣阿哥哥洋風吹到寶島，於是阿哥哥裝阿妹妹裝，以爆炸之勢出籠，招搖過市，路人側目。他（她）們三五成羣如一陣暴風捲地，呼嘯來去。隨着阿哥哥裝，而大跳阿哥哥舞，如醉如痴、如癲如狂。眞不知天高地厚，今日何日了。有人多瞧上一眼，動輒飽以老拳。市人只有側目而已。

養女「新聞」

養女之多，台灣可奪世界冠軍。據說養女風俗，乃日本統治所遺留下的陋習。台灣社會的家庭，子女衆多。據科學性的分析，乃是由於亞熱帶氣候的關係。平均每家人戶，總有六七個小孩之多，一對夫婦養了十幾個小孩的也是司空常見的。自己有了女孩，往往送給人撫養，而自己又收養別人的女孩。你養我的女，我養你的女，長大之後，則以之作爲搖錢樹，賣去酒家、茶室、或淪爲娼妓。養女的命運，多半是悲哀的。報紙上時常有所見，簡直不是新聞了。爲了杜絕改良此一陋俗，早有『養女保護會』的成立。乃最近有議員，將一位已從良的女子，保出保護會復淪爲娼的新聞！如此代議士，眞是一件「世界新聞了」。

桃園繽紛錄
本報記者　黃鴻遇

日昨到鎮公所，當着李鎮長大吵大鬧，還揚言要「宰人」。李鎮長依「妨害公務」報請治安單位把這個屠夫抓走，豈料又開罪了一些支持屠夫的地方士紳，他們認爲：抓走屠夫，就是抓破他們的臉皮，給李鎮長來一個難看。李鎮長以閉氣難受，憤而向陳縣長辭職，寧願鎮長不幹，以示抗議。雖經鎮公所高級職員和一些鎮民代表，紛紛挽留，李鎮長仍處于洩氣的皮球狀態中，意志消沉。（中）

贏取越戰的新途徑
（上接第一版）

亞洲問題是需要亞洲人自己來處理的，當然也希望亞洲以外世界各國竭誠的予以支援，特別是國際反共領導者的美國的支助——一種如同支持北大西洋公約組織的支助！尤其是面對中共核子恫嚇之際，亞洲集體安全組織需要美國的核子保護傘。

但是，當前最爲迫切的問題，便是確定越戰的目標，是統一越南和澈底清除越共叛徒！軍事戰爭的目的應該是軍事性的傳統觀念——贏取戰爭的勝利！美國應該認識此一需要而不可繼續違反亞洲人的心願。同時，亞洲集體安全組織建立後的首要任務，便是動員亞洲集體力量消滅越共，協助重建一個獨立而統一的越南。如果中共胆敢與整個亞洲集體安全組織爲敵而出兵北越，便應該勇敢地支助中華民國反攻大陸！

對付悍拒和平的越共，便只有以戰止戰唯一途徑！傳統式作戰拖得太長，時間因素便會扼殺美國及其盟邦在越南的種種努力。

對付以核子恫嚇的中共，美國及其盟邦便不應將摧毀中共核子工廠的時間再行延後！美國國防部長麥納瑪拉曾向北大西洋公約組織提出警告說：「一九六七年，中共會有力量向西歐發動一次核子攻擊。」（見美國空軍雜誌去年八月號）爲什麼不在中共發動核子攻擊前摧毀其核子能力？目前正是最佳時機，也是一舉解決亞洲赤禍根源的最後機會！（完）

瀛海異趣談

電影明星半數吃藥渡日

·桑雅·

最新的藥丸，不論它對你有刺激作用，使你感到良好，舒服，或使你食慾不振，這些話題，都成爲好萊塢人士津津樂道：根據一九六六年的調查，每兩個著名影星中，就有一個要服藥丸的。

任何一個大明星都有一些情緒上的問題，身體過重或過輕的，都在服藥。有些已服食多年。他們根據情緒上的需要，或體力上的需要而服藥，有些已被安眠藥，鎮靜劑，醒覺藥，開胃藥之類弄壞了身體。有些明星則聲稱適當的服食對身體並無影響。

服食藥物，在好萊塢被人談論之繁多有如談論天氣一樣。如雲尊信，在拍攝新片中體重大減，他參加一次晚宴時對人笑道：「今晚我沒有服藥丸，所以我能大嚼一頓，盡情享受了。」他的話，意思是說，假如吃過藥的話，他就不能吃東西了。就雲尊信的情形來說，他用催眠來解決吃的問題，他說：「我以爲香烟會使我食慾不振。香烟和藥丸於我都是味同嚼蠟了。」

好萊塢由外國輸入的最熱情艷星露珊娜且魯絲，也要服藥。她的製片家說：「她的體重日漸下降，這對銀幕是最好不過的。」露珊娜拍片前，一如許多明星那樣，需要減肥，把過重的幾磅減去，使身體苗條些。不過，她說：「我不需要繼續不斷服藥減肥的，因爲拍片一開始，我就會瘦了。我喜歡食所有意大利菜式，我知道自己不要操心；因爲只要需要，我隨時可以向醫生請教吃減肥藥，迅速減輕八磅。」

芝莉舉鍾，在未同丈夫連斯李芸路離婚之前，也爲體胖問題鬧得情緒不寧，爲了遏止食慾過盛，她從醫生處拿了一些藥丸及食物表，結果很快就減了五磅。她很講究身段的苗條均勻。芝莉是一個聰明的女子，她知道這些藥丸服多了會形成習慣（每天用膳前一小時半服下，就會令人不想吃食物了）所以，當她體重減輕之後，就不再服。她認爲有需要減肥時，就到美容院或健康院去求教，或者通過做體育運動減肥。

諾星彼得斯拉，比利荷頓也爲減肥問題而傷透腦筋。他們感到，在拍片前，一定要迅速減肥，因爲，大家都熟知的，在鏡頭前，一個人看來會胖二十磅。彼得斯拉患了一種心跳病，據說，他的病是由於吃藥而引起的。

古士美信前是影美拉則說：「我騙自己健康，而不願苗條。」

最有趣的減肥故事，要算是電視紅星羅拔米勒頓了。他是個大肥佬，體重三百七十五磅，後來，他服藥使得體重減至二百七十五磅，前後相差一百磅，而他並沒有感到什麼影響。他說「藥丸並不使我敏感，我用的是制止食慾的藥丸，在醫生指導下，一直減肥，減至我所需的體重，才放棄服藥。」

大衛羅臣醫生在好萊塢開設一個辦事處，爲鬧各種情緒的人們服務。他說：當「藥丸」對健康發生時，常常是危及生命的，催眠是最後的法寶。大衛醫生用他的高明催眠術，治好不少藥保明星。

一位不願透露姓名的大明星解釋她爲什麼做藥保的原因時說：「我，作爲一個職業女性，是不會快樂的。除非我的外表被好萊塢人士讚美，也就是說，被社會上的一般人傾慕。如果同我工作的人，認識我的人，不以爲我美麗，我就會失去面子，失去事業，失去一切了。我曾經節食，酗酒來消除我的煩惱。別的人呢，即設法束腰，要說出她們的名字，數以打計。這些明星差不多是自我毀滅。有些女人能把愛情提得起放得下，這些女人，正如我在一首詩裏談到的：「你既不哭得眼淚流乾，也不盡情歡笑，不過，作爲一個眞正偉大的女星，你得經歷各種悲歡離合的情緒。」

珍曼絲菲對人說：「你住在一間狹窄的房子而駕駛一架小型福特私家車。後來你有了一座房子，而駕一輛較豪華的私家車。接着你有了一間大廈，大廈又建有游泳池，你扶搖直上。你不願再住一間狹窄的房子和駕小型福特車嗎？」

珍曼絲菲接下去解釋大明星要做藥保的原因說：當她同丈夫米奇赫格泰鬧翻時，她日間要到交易所，晚上要登台，她的兒子又被人綁票，所有這些不愉快的事故，使她要藉助安眠藥渡日。翌日起床，她又要服醒覺藥來刺激精神。她的醫生告訴她要小心處理，否則她會失常。珍曼絲菲有堅强的意志力，她從不放過一次的演出機會，結果她戒絕服藥。

「常離婚的問題完結了，所有的情感創傷都完了，我的心平靜下來，我再恢復了正常的生活。我不再服藥了。服藥眞是很危險的。」

杜唐納許、金露華、莎莉溫德對藥丸的問題回答得很敏捷，杜唐納許說：「一個自負的人，他是很敏感的，他不喜歡被人傷害，一不如意，就要靠藥物來彌補。」

金露華說：「我的婚姻始終得不到美滿的收場的，惟有藥物彌補我的孤寂空虛。」

許多大明星，都由墨西哥帶藥丸入美國。不過，此刻藥物進口條例已有了修改，一般明星都說：「今天新的條例禁止任何人由墨西哥帶藥物過境，如果你帶一小盒走私入美國，你就會被捕。而可怕的頭條新聞立刻就在你身上發生。」

動勞節的由來與生產的重要

賈星源

共產主義國家是滅絕人道，而以人作工具使用，不論貢獻能力大小，生產物品多寡，一律是最低限量配給，使勞動與享受脫節。失去勞動鼓勵，解怠能力使用，結果限制了生產發展，造成了社會枯窘。七零八落，十室九空，此勢之所必至，亦理之所當然。

澗自中共匪幫竊據大陸以來的所作所爲，較其他共產主義國家爲尤甚，例如所謂「人民公社」，蘇俄不敢爲，該毛匪竟而爲之，直視人民如牛馬，遑論什麼「三八」制？現在又藉搞無產階級文化大革命，大肆鬧僞，不僅分裂了僞政權各級機構，而且癱瘓了一切農工業生產。目前鐵幕內的匪幹和人民，大家都抱定「時日曷喪，與汝偕亡」的決心，因而到處有反毛組織，正如秦朝末年，一戍夫一呼，天下土崩」。

昔人云：「雖有智慧，不如乘勢，雖有鎡基，不如待時」。今勢有矣，時至矣，反攻大陸，光復河山，正其時也。

現在是國家工業化，機器代替人力時代，我政府遷台以來，提倡投資興工，獎勵生產建設，且早在十年前已將紙業，水泥，工礦，農林四大公司，轉移民營，旨在「導致土地資本入於工業之一途」。近數年來因從事工業人員的努力改進，我台灣工廠的產品，非特數量激增，即質的方面，亦率多符合國際市場的標準；國家前途，實賴之。

今欣逢「五一」勞動節紀念日，興奮所致，不揣淺陋，書此便覽，聊作慶祝。（下）

法國小餐廳凋殘零落

業中人慨述滄桑

星輝

甚至比英國的啤酒吧或美國的「藥房」更多，法國的小餐室時常是某些人的天堂。這是獨一無二的國民機構，包括夜總會、寫字間，及「家外之家」。據巴黎聖喬明街的布拉塞利立普的老板卡塞斯說：「法國人在那裏招待賓客，做生意，寫詩和小說。如果他是著名人物，他到那裏去讓人看看他；如果他是寂寂無聞的，他到那裏去看別人。他在那裏討論藝術、文學、哲學和政治。」但是，時移勢易，法國的小餐室也營業不前。

小餐室歇業。祗在巴黎，每年有二百間歇業。在各省的小餐室歇業率大致相同。在過去十年來，法國共有三萬間小餐室歇業。歇業的不祗是那些鋅皮屋頂酒吧的後街小餐室，而且有些是更大規模的，例如於一九三○年代在湛普斯伊利賽開設的「選擇」，以及曾經是畢加索和莫迪格里亞尼常到的地方的羅敦迪。上週，在巴黎戲院區的神話的餐室之一的馬德里餐室，重張旗鼓，但已改換美式裝飾。以前法國詩人時常在這裏飲酒，但穿着海軍裝的侍應生，現在忙於在雜誌架與化裝品櫃台之間，檢取香蕉條糖了。

餐室老板門伸訴，工資、課稅，和社會保險費的提高，逐漸的侵蝕他們的利潤。但是，這個伸訴，與今日法國人似乎再發現他們的家庭的事實相比，却有小巫見大巫之感。在戰後時期，他們每天進入小餐室，因爲他們住在簡陋的房屋或者沒有什麼事情做。現在，他們有電視可看，有電冰箱冷藏白酒，可以在家自己享樂或招待親友。此外許多法國人現在喜歡儲蓄，以購買更多和更佳的傢俬，或者購買一輛新汽車或度愉快的週末，不再把錢花於小餐室。

常客顧而之他，改變了小餐室的整個性質。據里維拉的安地貝斯鎮的法蘭歡斯酒吧的老板巴拉爾說：「我恐怕這趨勢是不能扭轉的。」巴拉爾的競爭者，有些裝設了電視，因爲「有些人喜歡它而有些人反對它」。巴黎的四間最大的餐室——佛羅里、巴克斯、高波里及杜斯馬歌特斯——的老板們都承認，他們或許要改業，認爲「藥房」是可以賺錢的。這目前止，巴黎有五間「藥房」，比美國的規模更大，通常合併經營餐室和百貨商店。他們吸引大批顧客，因而餐室老板們獲得結論：主要的是忙碌的法國人，快速的適應新的文化。

周穀譯著

新三國

任何一種社會現象，總沒有突然而興，也沒有突然而絕的。雖然在其衰敗垂絕之時，總還有一二人出而爲神龍掉尾的奮鬥。這和日落時的餘暉一般，流連光景的人，更覺得其可愛。

司馬懿死了，但是魏國的國祚並未好轉。而且更有危如纍卵之勢。司馬師以「撫軍大將軍錄尚書事」的頭銜，繼續掌握政權。明年，即嘉平四年，司馬師晉位爲大將軍。這一年，孫權逝世，享年七十一歲。

八四、孫權家務攪不清，骨肉殘殺多冤魂

孫權死於神鳳元年夏四月，活到七十一歲，後來兒子即位謚曰『大皇帝』。七月葬於蔣陵。蔣陵即今南京紫金山。紫金山昔名蔣山，蔣陵即因蔣山而得名。

孫權病危，召駐守武昌的諸葛恪。此時恪爲太將軍領太傅假節。又召中書令孫弘領少傅。太常滕胤，將軍呂據，侍中孫峻等，囑以後事。次日即逝世。孫弘素與恪不睦，孫權死時，想密不發喪，以矯詔誅殺恪；但將此事告知孫峻，孫峻轉告於恪，於是諸葛恪以請孫弘議事爲詞，在席前將孫弘殺了。

諸葛恪乃諸葛瑾之長子，幼聰慧，才思捷敏，少即知名當世。可惜此人才器雖不亞於諸葛亮，而氣量則遠不如。他的忠心也和諸葛相同。孫權死時恪爲顧命之臣。他是繼陸遜的重任。陸遜是繼呂蒙，呂蒙是繼魯肅之後，魯肅是繼周瑜之後。這是吳國的幾位台柱人物。

諸葛恪矢志消滅曹魏，可惜他的軍事知識與政治知識都很淺薄。他當權七八月之後，魏國便派了他的本家諸葛誕來攻打。諸葛誕字公休，也是琅邪陽都人，也是漢司隸校尉諸葛豐之後裔。諸葛誕率了七萬人伐吳，攻打巢湖的東興堤。諸葛恪以四萬人打敗了諸葛誕。

第二年他便對魏國採取攻勢，不惜動員全國人力；領二十萬人去攻打魏國合肥的新城，圍攻了兩個月，不能攻下只有二千人把守的城池。新城守將是張特。諸葛恪這次丟人丟大了。他的軍隊又鬧水土不服，痢疾瀉肚，二十萬人病死了一半，只好退兵。

諸葛恪回到建業（南京），仍想擢士重幹。但爲朝野人士所不滿，他的脾氣又壞。尤其是孫峻很想幹掉他。孫峻以前曾經是教過他的人，他是孫權的遠房姪孫。孫峻在特地安排的宴會上，暗佈武士，將諸葛恪殺害。

代之而起的是孫峻，與諸葛恪同爲「顧命之臣」。此時是孫亮在位。孫亮是孫權的小兒子，是潘氏所出。提起孫權的兒子，牽涉到他的家務事很多，在此不能不作一段補白，因雖是家務，却是一國之君的家務，關係吳國政局，故不得補敘出來。

孫權十九歲繼承孫策，二十七歲打勝赤壁之戰，三十八歲暗算關羽，襲取荊州，投降曹操封南昌侯、驃騎將軍領荊州牧，四十歲曹丕封他爲吳王，再度升爲大將軍，使持節督交州，領荊州牧事。（一一八）

平劇繽紛錄

漫談「戲關」

○桂良○

如今從學，可說是文武合一，如同中古時代，不會開科取士以前，單日學文，雙日習武一般。

文聖人孔夫子的戲齣很少，大約祇有：「問禮」、「師佗」、「見麟」、「夾谷會」、「泣顏回」、「陳蔡圍」、「子見南子」幾齣，採自四書，家語中的故事。

武聖則關壯繆與岳武穆並稱。

戲劇之「關戲」，不論崑腔、徽調、或皮簧，全係按三國演義中各回目而編戲；惟「關戲」中：「斬熊虎」、「斬貂蟬」、「臨江會」及神化戲等不在其中。

「關戲」演：「桃園三結義」、「斬華雄」、「許田射獵」、「斬車胄」、「屯土山」、「白馬坡」、「誅文醜」、「掛印封金」、「灞橋挑袍」、「遇廖化」、「東嶺關」──斬孔秀──「斬韓福」、「沂水關」──斬卞喜──「鎮國寺」、「斬王植」、「斬秦琪」、「臥牛山」──收周倉──「斬蔡陽」、「古城會」、「臨江會」、「漢津口」──有馬童而無關平、周倉。「華容道」無馬童而有關平與周倉。「戰長沙」、「單刀赴會」、「水淹七軍」、「刮骨療毒」、「走麥城」、「玉泉山」、「捉潘璋」約卅齣。

「關戲」因年時而順序，穿戴由簡而繁，觀眾印象由淺而深；故「關戲」齣數雖多，而愛好欣賞者，如歷數家珍的瞭然。

關羽之臉譜，是紅底整臉，兩條臥蠶眉，壓在丹鳳睛之上，眼梢特長。額上有一條冲天紋，鼻樑上有一蝙蝠形。鼻窩之右，點一黑痣，表示扮演者，不敢眞像其面貌，而用痣點破之。

「關戲」一大半都是武戲，用角很多，最重要的配角是油花臉當行的周倉，因爲關羽的舞蹈塲子和一些特殊的工架亮像，都要靠周倉來烘托配襯。

關羽戴的盔頭，名叫「夫子盔」，有大小兩種。他穿的行頭，無論是：[illegible]、靠、箭衣，一色是綠的。他紮靠時不紮靠旗。自「封五虎」以後，扮關羽角色，便改穿淡黃色靠，是爲了增加蒼老的色彩。

台北自昨年由「大宛」劇團名武生李桐春以「紅淨」角參加軍中文藝，公演「關戲」而獲得「金像獎」以後，觀眾們以「關戲」究應列爲「紅生」抑「紅淨」，爲茶餘酒後之閒談。

按徽班如程長庚、漢劇如余洪元，皮簧如王鳳卿皆以生角演「關戲」，彼等尙無「紅生」之專稱。三麻子（王洪壽）打造夫子盔，崇事增華，加入馬淌子，而變成文戲武唱，專以工架見長。寢之既久，此派遂成今日「關戲」典型，遂有「紅生」名詞。

惟上海武淨，如劉奎官，陳永奎多能演「白馬坡」。在台灣名淨王福勝之子王少洲係架子花臉，當與驕生金鳴玉合演「戰長沙」之關羽，皆有前例可參證者。

革命元勳焦達峯

諸葛文侯

辛亥武昌起義後，首先響應，而且悉索敝賦，傾其人力物力以援鄂的，即爲湖南，光復湖南的元勳是焦達峯，他做了四十九天的革命政府都督，乃爲亂兵所戕害，同難者尙有副都督陳日新。這原是吾湘內部的人事變亂，決不能因此而湮沒焦氏推翻滿淸帝制，開創中華民國的豐功偉烈。然時至今日，不特未聞民國政府對此開國元戎有所崇報，一般人士且不知有焦氏這樣一位革命先烈了。這事之不平，莫逾於此。湖南人固無負於中華民國，我要舉其所知，談談焦達峯的革命史事，以彰正義焉。

焦氏並未參加孫中山先生領導的同盟會，他原係以「反淸復明」爲職志的哥老會──或名「三點會」──的湖湘地區首腦人物。辛亥武昌革命義旗高舉後，湖南立受激動，革命氣氛充滿各階層，而聲譽卓著的革命英雄黃克強遠在海外，缺乏適當的領導者。焦氏乘機崛起，糾合會黨力量，迅在長沙實行造反工作，巡撫以次的淸朝文武大員，聞聲驚惶失措，紛紛逃遁，僅巡防營統領黃忠浩尙作困獸之鬥，旋被革命志士殺之於城樓上，反革命勢力乃全部崩潰了。焦達峯受推戴爲首任湖南軍政府都督，這時他的年齡不過卅歲，資望與閱歷皆甚淺，全憑一股革命精神和勇氣以擔當大任，一切行政措施多凌亂不上軌道。但他鑑於武昌革命政府的孤危形勢，亟亟組織援鄂軍剋日出發，而將自己所能指揮的部隊和親信幹部，一律投入援鄂軍，黃克強先生就是靠着這部兵力，在漢陽對滿淸軍打了一次勝戰。當援鄂軍編組時，副都督陳日新（年齡比焦都督大）曾對焦說：「自己的兵力和幹部都派赴遠處了，後方倘有緩急，得無顧彼失此之虞乎？」焦謂：「爲着革命前途的成敗關鍵，不必計及個人利害」。充分表現着革命黨人的俠義精神。後來他就是在沒有兵力防護之下，被陰謀政客暗算而亡的。焦氏爲出身草澤的青年人，又無行政經驗，他在四十九天的都督生活中，所作所爲，諸多缺失，長沙一帶的舊時官僚政客和紳士們，對他都抱有輕蔑、嫉忌的心情，加以黃忠浩部屬之仇視，相率密謀倒焦，擬擁戴當時在職的湖南諮議局議長譚延闓承之都督職位。乃勾通駐防益陽的巡防營管帶梅馨，將其所部士兵三百餘人喬裝平民，暗藏短銃，揚言係來長沙慰勞焦都督的地方民衆，逕至督署被謂，焦欣然接見，立被格殺於公廨中。副都督陳日新適騎馬在市上彈壓米價風潮，亦遭這羣亂兵包圍擊斃了。於是，譚延闓即由官紳各界以一面敦請擁護，一面脅迫強制的手段，出就都督之位。梅馨雖然立下了劃除焦陳的大功，但未獲得重賞高酬，只作過一次湘西鎮守使而已。迨民國三年湯薌銘奉袁世凱之命，入湘接任都督，梅氏舉家避地滬上，晚年臥疾垂危之際，忽然囈語大作，聲言：「焦都督呀，你不怪我，我是被動幹出那項叛逆行爲，代人受過的，請原諒我吧！」

辛亥武昌革命之役肇起，假使不是湖南立即響應，且派兵援鄂，其他各省皆觀望不前，而黃克強即未必急速趕到武昌督戰，武昌的革命勢力難免不陷於曇花一現的下場。焦達峯率先策動湖南反正，並以實力應援武昌，這對於當時的革命局勢，影響極大。允屬開國元勳無疑，後人自不宜因爲他中途失敗，且非同盟會中人之故，就把他對中華民國的大功勞予以抹煞，這是太不公道了。

彭玉麟其人其事

──對「彭剛直畫梅不高明」的駁正

羅雲家

第三天，梅仙即抹去脂粉，親往廚房中煮飯炒菜，煎藥侍奉母親。第二年端午節後，梅仙爲彭家生了一個男孩，乳名慶兒，隨後取名永釗。由此可見彭的家庭是愉快的，梅仙不但沒有死，且爲彭家生下男孩子，從而延續了彭玉麟那光輝的生命哩！（按：永釗爲彭玉麟的獨子，因病於光緒四年逝世；生有子見紳、見綬、見綍及女桂秋）。

道光末（三〇）年，洪秀全在廣西金田村，結合饑民，組織太平軍，一路打到柳州。第二年，即咸豐元年，便已打到湖南境內，兵力也由三、五萬人增至二十萬人。淸政府的軍隊既不能作戰，淸廷乃下急令，詔派各省地方耆紳四十七位，倡辦團練，保衛地方。曾國藩便是其中之一。第三年，太平軍圍攻長沙，曾氏率團丁千餘人死守，太平軍猛攻不得逞，乃繞過長沙攻岳州，下武漢；一年之內，打到金陵，建立了太平天國。曾國藩既已守住了長沙，聲名遂大播。於是在長沙魚塘街，設了團練總局，嚴格整訓部隊。後因遭到駐防軍提督鮑起豹之忌，乃將團練改爲湘軍，率部遷往衡陽，並開始編練水師，用以配合陸師作戰。

在太平軍攻長沙前，曾遣一個支隊約三千餘人進攻衡陽，想不到即遭到彭玉麟所率臨時組成的五千鄉丁，於離城七、八里的山隈中予強烈的抵抗。於是敵人在陣亡百餘人，被俘卅餘人，損失若干物資文件後，不再進攻，順便在江岸擄了幾十隻大小帆船順流而去。彭玉麟急調三百勇士，駕筏追趕了一陣，奪回一部份船隻，才奏凱回城，備受市民熱烈的歡迎與慰勞。知府立即將情呈報上峯，湖南巡撫得訊，對彭玉麟曾大加獎譽。曾國藩雖聞知有這麼個彭秀才，但因母喪未久，又加以忙着辦團練的事情，一天到晚，籌兵籌餉，所以也就未曾找過他。

不久彭老太太逝世了，彭玉麟將母葬於渣江山麓，和其父的墳墓相距咫尺，辦完喪事後，他日夕號泣於父母墓旁者數十餘日。因恆茂業務關係，不能耽誤太久，不得已帶了妻兒，返回縣城，照常工作。

曾國藩練兵，是靠了一本捐簿。一天，國藩檢視捐簿，忽然發現「恆茂當舖」捐銀八千兩！」其時八千兩銀子，可以買到一萬多担穀子，他那能不驚奇！於是第二天就親自拜訪這當舖的老闆。一談之下，知道這八千兩銀子是彭玉麟代爲作主捐的，加以他倆彼此均早已互相仰慕，同時又有思想開明的陳老太太在旁玉成，所以使彭玉麟立即答應了曾國藩的「請共治湘軍」的徵召，並且提出不求保舉，不受官爵的要求以爲條件。這就是曾彭交往的開始，也就是彭玉麟創造偉大事業，並成爲淸季四大中興名臣之一的開始。

玉麟以附生應召入伍，把總而至統帥，十二年間，創立水師，練成勁旅，出洞庭，克鄱陽，奪姑山，下采石，轉戰長沙六千里，無役不與，無攻不克，身先士卒，創痕累累，厥功之偉，不亞胡、左，而淸廷所報，亦如其功。（七）

羅貫中筆下的典型人物

○周燕謀○

自諸葛亮出現後，三國方面的一切活動，都直接間接歸到他身上；甚至他死後，故事的發展，還是由他主宰。自諸葛亮出場，作者一切精力都集中在他身上。爲了表示他才華卓越，不惜抑壓周瑜、魯肅、王朗、司馬懿等人；同時由司馬德操和徐庶等人，以客觀的姿態出現來讚揚他，說他有管、樂之才，說他好似一條「伏龍」，得之可安天下；又說：「此人不可屈就」，就是教劉備親自去「枉顧出山」。他出山之後，一幕一幕就大顯身手，自「定三分隆中決策」、「博望坡軍師初用兵」、「荊州城公子三求計」、「諸葛亮火燒新野」、「諸葛亮舌戰羣儒」，（按此事乃是捏造）「孔明用智激周瑜」、「用奇謀草船借箭」、「七星壇諸葛祭風」（捏造）「諸葛亮智算華容」、「孔明一氣周公瑾」、「諸葛智辭魯肅」、「孔明二氣周公瑾」、「孔明三氣周公瑾」等等，可以說都是作者讓諸葛亮展現神機妙算的卓才手法。尤其是「草船借箭」、「祭東風」，乃是作者在正史之外所搜的竹頭木屑，來襯托他的理想人物。到赤壁之戰前諸葛亮是在青年時期，如日方中。以後，在劉備死後，自「托孤」時起，又是諸葛亮以主角的姿態出場。「七擒孟獲」，「空城計」，令人叫絕。「死諸葛嚇走生仲達」等等，都是令人擊節的傑作。自他死後，蜀國內部仍受他的影響，他的「聯吳伐魏」的決策，仍然爲蔣琬、費禕、姜維等遵行不變。故近人李辰冬氏說三國演義是諸葛亮演義，不無道理。作者筆下的奸雄──曹操，也是令人叫絕的手法。曹操在正史上是一位雄才大略，文章蓋世的人傑。但他在羅貫中的筆底下，簡直成了「狗雄」人物了。多的不必引說，只看三國演義回目造句，便知他如何在跟曹操過不去。他的作用，便是使讀者看了稱快。下面請看回目吧：（只看曹操的敗場）

「曹孟德敗師渭水」、「曹阿瞞許田打圍」，（表示其奸）、「禰正平裸衣罵賊」、（痛罵曹操一陣）「國賊行兇殺貴妃」（表示其奸），「關雲長義釋曹操」、「曹阿瞞割鬚棄袍」、（慘敗）「左慈擲盃戲曹操」、（玩弄手法）「討漢賊五臣死節」、（反對其專權）「曹阿瞞兵退斜谷」、「傳遺命奸雄數終」。其他不估回目的，還有不少。同時在回目中，大多數是稱「曹阿瞞」；「阿瞞」是他的小字，其次是用「奸雄」，或用「漢賊」，都是用不好的名稱。作者利用楊修的口說曹操的傑作：「濮陽遇呂布」、「宛城遇張繡」、「華容遇關公」、「潼關遇馬超」、「赤壁遇周郎」等等，都是指出曹操的慘敗。（五）

本產中土移日而盛

淺談櫻花種類

○紫櫻○

「緋寒櫻」：台省阿里山中固有的櫻樹，名爲緋寒櫻。按緋，絳色爲緋，其花必赤。筆者於數年前曾遊阿里山，惜乎花時過了，在慈雲寺只見一二株八重及吉野櫻，緋寒櫻早已謝落。

以上所列櫻花，其大別已有十六種之多，在山林、平野、公園、道旁、以及私人花園、庭中，甚至齋內案供等，均須依照櫻之天性、軀榦、姿態等，以爲適當的佈置，庶不失其美觀，更能有引人入勝的妙趣。

爲配合山林的風景，惟有種植山櫻，比較適宜。山櫻的粗枝小葉，着花艷麗而衆多，遠望較爲熱鬧（不宜近看），可以增加風景的點綴，而予遊覽者以更多欣賞大自然的興趣。如彼岸櫻、枝垂櫻、里櫻、染井吉野櫻等，則宜種植於公園或庭園中。

里櫻是適合種植於庭園中的一種，不可移植山林、或平野。染井吉野櫻，是屬於現代式的櫻花，所以適合種植於公園、道旁、動物園等處。彼岸櫻、枝垂櫻等，孤芳自賞，饒有古色古香的一種靜穆氣氛，宜植於佛寺、廟宇的庭樹旁邊，庶可增加超然而高雅的情趣。櫻花，亦如人物要適得其所，方能益顯其美妙！（五、完）

內備警台報字第〇三一號內銷證

自由報

THE FREE NEWS

第七五四期

中華民國僑務委員會頒發
台教新字第三二三號登記證
中華郵政台字第一二八二號執照
登記為第一類新聞紙類
（半週刊每星期三、六出版）
每份港幣壹角
台灣零售價新台幣貳元
社長：雷嘯岑
督印人：黄行齋
社址：香港銅鑼灣高士威道二十號四樓
20, CAUSEWAY RD 3RD FL. HONG KONG
TEL. 771726　電報掛號：7191
承印者：大同印務公司
地址：香港北角和富道九六號
台灣分社
台北市西寧南路壹壹零號二樓
電話：三〇四六
台郵撥儲金戶九二五二

中央級民意代表任期問題（上）

·郭甄泰·

一、國大代表與監察委員任期問題

中央民意代表任期，依憲法之規定，文字上均不相同：國民大會代表任期之規定為『第二十八條，國民大會代表，每六年改選一次，每届國民大會代表之任期，至次届國民大會開會之日為止。』立法委員任期之規定為『第六十五條立法委員之任期為三年，連選得連任，其選舉於每届任滿三個月內完成之。』監察委員任期之規定為『第九十二條監察委員之任期為六年，連選得連任。』政府自大陸淪陷，播遷台灣以後，為尊重憲法，維持法統，以固邦本起見，對於中央民意代表自不能不予以保全，及後因反攻大陸，尚有所待，無法改選，對於中央民意代表之任期，遂又不能不予以延長。同時，依照憲法，國民大會代表，因規定為『每屆國民大會代表之任期，至次届國民大會開會之日為止。』自動延長若干年，順理成章，依法固無限制。至於監察委員，雖憲法上規定其任期為六年，並無但書，但依照監察院監察委員選舉罷免法第二條之規定，『……在各省市議會未正式成立以前，首届監察委員依憲法實施之準備程序規定，由各省市現有之參議會選舉之，其任期以各省市議會正式議會選出監察委員之日為止……』，其任期可為一年，亦可為一年半，亦可為十年或其以上，祇要各省市正式市議會尚未成立，其任期之性質與國大代表相同，亦可延長至任何時期，均無需畫蛇添足，另作說詞。現在所成為問題者，僅為立法委員之任期問題應作如何解釋而已。

二、立法委員任期問題

中央民意代表中，國大代表與監察委員，雖均可自動延長，立法委員則顯異於斯。立法委員之任期，在憲法上明定為三年，其但書僅有『其選舉於每届任滿三個月內完成之』，據此是否可以延長其任期，則莫衷一是，言人人殊。有人認為按理解釋，此條應為雙軌之條文，即必須下届立法委員能依法於期滿前三個月完成選舉後，原任立法委員始能於三年期滿後解除其責任。有人認為不無疑義，應請大法官予以解釋。意義並不明顯，因之立法院於其四十年五月期滿之後，行政院逐年予以延長，及四十三年一月二十九日，又經大法官會議予以解釋，謂：『在第二届委員未能依法選出集會與召集以前，自應仍由第一届立法委員繼續行使其職權』。立法委員之壽命，遂因此得以繼續延長，原文如下：

『憲法第六十五條規定立法委員之任期為三年，第九十三條規定監察委員之任期為六年。該項任期本應自其就職之日起，至届滿憲法所定之期限為止。惟國家發生重大變故，事實上不能依法辦理次届選舉時，若聽任立法監察兩院職權之行使陷於停頓，則顯與憲法樹立五院制度之本旨相違。故在第二届委員未能依法選出集會與召集以前，自應仍由第一届立法委員監察委員繼續行使其職權。』

此項解釋中顯然有一重大問題，即繼續行使職權與延長任期之意義是否相同。如意義相同，則立監兩院，仍為憲法上之機構，如不相同則發生下列問題：

A憲法實施之準備程序規定，首届監察委員任期以各省市議會正式議會選出監察委員之日為止，如繼續行使職權並非延長任期，則憲政實施程序應自然無效。依法憲法實施程序為實行憲法之步驟，乃憲法之一部份，大法官似不會予以改變，亦無理由予以改變。

B監察委員選舉罷免法『第十三條監察委員出缺後，繼任人之補選日期以命令定之，繼任監察委員任職至原任期屆滿之日為止』。如繼續行使職權並非延長任期，則監察委員六年任滿之後，縱然出缺，亦不能補。處此監察委員人數零落，情緒低減之時，新血無法補充，顯非所宜，對於反攻復國基地一般人民之願望亦不符合。

C『監察院為國家最高監察機關，行使憲法所賦予之職權，實未可一日中斷』，此為行政院致司法院函中所公認，如繼續行使職權並不謂為延長任期，則監察院已非憲法上之監察院，委員亦已降為政府官吏，實為憲政政治之玷辱，與政府尊重憲法，尊重監察院之旨趣，大相逕庭。

D立法委員在四十年五月七日以前，其由立法委員候補人遞補為立法委員者共有一百一十二人，依照立法委員選舉罷免法第四十五條：『立法委員經罷免後，由候補人依次遞補，其任期至原任屆滿之日為止……』如立法委員任期已於四十年五月七日屆滿，其後已無任期，則已遞補為委員之一一二人，自應於四十年五月七日之後，喪失其立委資格，退出立法院。

E國民大會代表及監察委員的任期，因國大代表可因憲法上和憲法實施準備程序有明文規定，任期並未屆滿。至於立法委員之任期，因為『其選舉於每届任滿前三個月內完成之』之解釋，可以任意穿鑿比附，頗有聚訟餘地。照政府解釋立法院任期三年已滿，現在開會係屬維持法統，行使職權。如此則現在之立法院已非憲法上之立法院，在第二届總統、副總統選任以後，已有一院，降為事實上之機構，其一切決議及所製成之法案已失去其法律性，整個立法院，已失去其法律上之根據。人民於必要時，可以不予承認，影響所及，實非淺鮮。

三、大法官解釋仍有疑義

大法官之解釋，係根據行政院之公函，公函原文，大概如下：

A『……惟前國民政府三十六年一月一日公布之憲法實施之準備程序，其第三項規定為：依照憲法應由各省市議會選出之首届監察委員，在各省市議會未正式成立以前，得由各省市現有之參議會選舉之，其任期以各省市正式議會選出監察委員之日為止。監察院監察委員選舉罷免法亦有相同之規定。

勾心鬥角

出醜

今日與明日

送嚴副總統赴美

中國副總統兼行政院長嚴家淦五月七日啟程訪美，預定九日到達白宮，與詹森總統以下美國大員舉行會談。

嚴副總統訪美雖然不是最近決定，但是卻在此時動身，其中自然是選擇了最佳的時機。嚴氏與詹森總統會面談些什麼事，我們不得而知，但是可以斷言必然要談及共區現況及反攻問題。因此，我們希望嚴氏同美國當局會談時要切實說明以下幾個問題。

第一，毛偽政權絕對並非不可推翻，其內部之脆弱，超過了世人所想像之外。這次紅衛兵之亂，不僅暴露了毛共內部派系鬥爭劇烈，而且也看出地方幹部之貪污腐化，對任何事務皆無處理能力，一旦失去黨的支持，頓時變成了木偶。這種行政人員平時處理行政事務已經不足，若遇到外力衝擊，立時就土崩瓦解。

第二，今天世界大局的關鍵在中國，除非中國政府光復大陸，消滅了共偽政權，則世界上永無和平之可言。美國今日在南越所付出的人力財力，假使肯分出一半給與中國、助中國反攻大陸，則今日長江以南早已光復，越南問題迎刃而解。二次大戰後，由於南斯拉夫轉變，杜魯門的第四點計劃始能重建希臘，擊敗希共游擊隊，前例具在。捨釜底抽薪之外，別無良方。

第三，中國政府光復本土的之戰爭，是中國內部的平亂戰爭，既不能牽涉到外國，也與任何軍事盟約無關，即在十年前，蘇俄也不會因此參戰，而在今天更不可能為毛共火中取栗。而且今天俄毛之間也到了勢不兩立之境，俄國更不敢、也不會因毛共而掀起世界大戰。美國一般恐共病者堅持中國政府光復大陸即會引起三次大戰的讕言，若非無知，就是別有居心。

第四，中國决不可能一分為二，在歷史上前例太多，南北朝中分一百七十年，結果還是要統一。今天情形是我不滅共，共必滅我，假使予毛共以休息時間，若干年後若使其攫取了台澎金馬，則東南亞將無一處安樂土，美國到時想不打核子戰爭亦不可得了。

以上四點，願嚴副總統詳細說明，不必自餒，亦不必搞謙。今天的遠東情勢，美國需要我們者多，我們需要美國者少，論道義，我們應以先覺覺後覺，論利害我們也應當向美國開出價錢。

國運已達否極泰來之境，當國者應當運用一切智慧促使局面早日展開。億萬父老，佇聽好音，願嚴氏勉之。（何如）

自由談

學人的醜態

曾經表示願意接受共黨奴役統治，亦不贊成戰爭的英國學者羅素，最近為着反對美國派兵到越南討伐越共，竟在瑞典首都倡設所謂「越戰戰犯法庭」，嗾使幾個國際共黨間諜，自拉自唱，聲稱要傳訊美國務長官魯斯克。這不但是無聊已極，而且令人聞之肉麻透頂！

老悖的羅素這套把戲，并非新鮮玩藝，而是襲取卅年前美國學人杜威，為着俄共頭子史達林謀殺政敵托洛斯基那樁震驚世界的事件，特在紐約倡設「國際法庭」以偵查托洛斯基死難之眞實原因的故智。擬於不倫，可謂品斯下矣。

凡是讀過羅素壯年游歷蘇俄後，對俄共政權的觀感錄，以及他所寫的「自由與組織」這部名著的人，都相信他對共產主義本質，及其世界革命的殘暴手段等等，具有深刻的認識和瞭解，決不否定共產主義者是以暴力革命為信條的。詎料他晚年由於害怕原子戰爭的單思病，乃拼命提倡投降主義，希望共黨征服全世界自由人類之後，施行「仁政」，寧肯「跪着死」，也不願自由人類跟共黨站着鬥爭。幼稚愚昧乃至於此，謂非老悖昏瞀，其誰信之？

如果共產主義者眞是「和平革命」之輩，羅素這種毫無理性的反戰思想，尚能自圓其說，世人誰也不會樂意過烽火生活的。共黨明明是好戰分子，羅氏却要求自由人類對共黨採取輿櫬投降的不抵抗主義，而乞憐於共黨施行「仁政」，這不是老糊塗嗎？

美國之參預越戰，原係基於全球自由人類的生存利益不惜犧牲的義戰，許多自由國家皆唯力是視，與美國一致行動，唯有羅素的祖國口惠而實不至，心裏贊成越戰，表面「坐地衝鋒」，又加之以羅素這次胡鬧瞎搞「戰犯法庭」的醜劇，這除却替英國「丟架」以外，別無所獲，一代學人的晚節墮落若是，可悲也夫！

馮乙先生

求和努力一再碰釘子以後

越戰已告進一步昇級

美國的作法只是逐漸「旋緊羅絲釘」

瞻望前途戰事勢必拖一個頗長時期

（西貢通訊）這星期來，已有明顯的事實表現，越戰又再進一步昇級了。美軍已擴大對北越目標的轟炸，向來不炸的米格機基地已開始遭受空襲了。若干北越的工業中心，也不斷遭美國海空軍轟炸了。

所有這些都是對於數月來斷斷續續的和談空氣的否定。

美國所以把越戰昇級，是關島會議的結果。當時，詹森總統還抱着和談的一綫希望前往開會，華府當局前此仍然堅持駐越美軍祇能有限度的戰爭，列出北越若干重要地區，如工業中心，米格機基地，和接近北越首府河內或海防港的設備，俱在豁免轟炸之列。但由於本年三月二十一至二十二日美越首腦在關島會議之際，北越首腦胡志明答覆詹森總統和談建議的原函由河內揭露之後，已使美國當局消除了和談的幻想，轉而加強越戰以謀壓服越共。

照現時的跡象，很顯明的，美國對越戰將不放鬆，戰事一定繼續打下去，將是消費更多和死傷更重的戰事。

和談已經處於比以往任何時期更暗淡的境地。美國總統在關島會議中的態度，對於戰爭的節奏是要加強，但加強的程度卻未能使領軍將領和南越盟友認爲滿意。他仍然主張採取慢步推進方式。

在目前和既不能，勝又未定的局面之下，美總統詹森以身兼三軍統帥的身份，不欲作過於急激的速戰速決行動，因此，越戰現已入於逐漸加強的時期。

雖則進一步的作戰昇級是在關島會議決定，但實際的軍事政策的實施，已在今年二月間謀求繼續休戰未有結果之後開始。

美國當前的新戰略概要如下：

關於空戰：在北越的冬季風季過後，空軍的攻擊即加強。向北越出擊的架次多了。B五二型重轟炸機，亦已從關島抽調一部駐在距離越南更近的泰國了。從前所不轟炸的非軍事目標，如北越的電廠，工業區等，已開始被炸了。而前此華盛頓方面恐懼可能引起大戰，招致俄共介入戰爭，以不欲多犧牲美空軍人員生命爲託詞而免予轟炸的河內附近米格機基地，現亦已成爲轟炸的新目標。現時美軍尚未獲華府當局解禁的兩大目標，祇有海防港及不得超過距離中共邊境二十五哩之內。

關於地面戰鬥：美軍將加強對越共巢穴地區的掃蕩，湄公河三角州越共強固盤據地將是一大目標。爲了展開地面戰事的需要，駐越統帥魏斯摩蘭將軍已返美京要求於原有約十五萬人之外，增兵四十萬名。

綏靖工作，是特加重視的另一種「戰爭」，希望在鄉村之間清除越共，並謀農人的合作。這種鄉村綏靖工作原是由南越政府負責的，但現時美軍已親自出馬作反游擊戰，並且介入的人數日漸增多。

美國當局經過關島會議之後，對於與北越談和的希望大爲減退，同時，也下了決心要以實力壓倒共黨，以求最後的光榮和平。因此，美國在和談立場上更堅強了，已經沒有軟弱的態度，和接納不利條件的傾向。

但由於人力與物力的消耗太大，也許是美國一向不欲越戰進一步昇級的主因。

根據統計，美國在越戰中，每日要消費六千萬元，而人力的損失，平均每星期有一百七十五名美國人死亡，和八百多名受傷。美國當局儘可能不想使損耗超過這個水平，所以就就不願意過於擴大戰事。

力持對共黨全面作戰的南越總理阮高祺，對於美國有限度作戰的立場是不滿的。據內幕人士透露，阮氏在關島會議中曾坦率地向詹森總統質詢幾點：

「河內的軍事目標不得加以轟炸的限制，到甚麼時候纔解除呢？」

「越共以柬埔寨爲庇護所，得以在該國補充和整編，然後又再來南越作戰的特殊方便，何時纔可終止呢？」

「北越利用寮國境內的補給綫，何時纔加以制裁呢？」

「等到甚麼時候，纔不讓北越從休戰劃界綫地區越界向南越滲入軍隊和武器呢？」

這些一針見血的詢問或要求，詹森總統都不作明朗的答覆，事後他的助手曾加以解釋說：「所有這些提議，都曾加以考慮，並未遭受拒絕，祇是暫時存案留待，將來需要之時辦理。」

從上述阮高祺總理的要求和美方的答覆看來，美國當局目前對於越戰是採取把羅絲釘旋緊，而不欲作激烈的擴展，而成爲緩進式的逐步加強作戰，憑龐大的火力把北越和越共打到抬不起頭來。

在這樣情形之下，瞻望前途，越戰將要拖一個很長時期，那是可以斷言的。

論台北直轄市的編制

·羅雲家·

擬議中將自七月一日由台灣省轄的台北市，改制爲行政院直轄一事，有關方面正在積極籌備之中。內政部對於院轄台北市的編制，報載已於四月十二日召集有關單位會商，決定將甲乙兩案即日呈報上級核定；兩案之間雖有出入，「但大體維持廿四個一、二級機構，計爲二室、十局、七處、一廠、一指揮部和三個委員會」（見聯合報）。筆者從事組織、編制研究工作有年，爲期發揮組織功能，提高行政效率，同時革除現行若干業務上的混淆不法，與機構上疊床架屋之弊病，爰特基於本國國情，世界潮流，改制需要，及蔣總統對組織原理等訓示，提出一得之愚，以供有關當局採擇。尚祈高明有以指正，幸甚！

新舊兩案的編制比較

台北市現行編制計爲七局：民政、教育、衛生、工務、社會、警察、財政；七室：秘書、新聞、主計、人事、檢核、市長辦公、安全；二處：公共汽車管理、稅捐稽徵；二委員會：水肥處理，國宅興建；一廠：自來水；一部：民防指揮；一科：地政。擬議中的新台北直轄市的編制，則爲二室：市長辦公、安全；十局：地政、經濟建設、民政、財政、教育、工務、社會、警察、衛生、公用；七處：環境衛生管理、人事、主計、新聞、秘書、公共汽車管理、稅捐稽徵；一廠：自來水；一部：民防指揮；三委員會：國宅興建、水肥處理、設計考核。

自上述兩案比較觀察，可知：

（一）新增的機構，有①經建局及②公用局。

（二）原單位升格的機構，有①秘書處，②地政局，③新聞處，④主計處，⑤人事處，⑥環境衛生管理處。

（三）改名的機構，有①獨立的稅捐處改隸財政局，②獨立的自來水廠與③公車管理處改隸公用局。

（四）改名的機構，有檢核室改計設考核委員會。

（五）沒有變動的機構，有①市長室，②民政局，③財政局，④教育局，⑤社會局，⑥安全室，⑦工務局，⑧警察局，⑨衛生局，⑩民防指揮部，⑪國民住宅興建委員會，⑫水肥處理委員會。

（六）就一二級機構總數而言，原爲廿一個，現爲廿四個。（除經建、公用兩局外，另將原隸於衛生局的環境衛生管理課，提升爲與衛生局平行的處。）

（七）除新增機構外，其他升格、改隸、改名和維持原狀的單位，其職掌都未變。按：新增之經建局，主管農林、漁牧、糧政、工礦、商業及水利事項；新增之公用局則主管自來水及公共汽車。

（一）

遏止「性的犯罪」

本報記者 李忠道

人類已從原始的野蠻時代，進入現在這個光怪陸離的時代。

月來台灣各報社會新聞，連篇累牘，令人大有眼花撩亂慨嘆世風日下之感。

永和鎮兩位花甲老色狼，竟於光天化日之下，分別非禮五歲幼童及未滿十四歲女郎達七人之多，日前均爲台北地方法院依妨害風化罪從重判刑。

「性」變態的色情狂男子，近來歷在北市仁愛中學附近的復旦橋下潛伏，專以誘惑過路女生及女職員，逞其獸行而橫施強暴。

一個十七歲的不良學生洪賢明，闖進台北市日新國校女生廁所，向一個年僅七歲的二年級女生強行非禮，經該校教職員發現追捕後送警，現該案已由警局處理中。

台南縣白河鎮一位六十歲的老和尚，竟也色膽包天，日夜強姦十二歲女童。致使另一老和尚懸梁自盡。

年來社會發生一連串「性的犯罪」，實不勝枚舉。像永和鎮溪洲戲院女童王秀美被姦殺命案等，眞是觸目驚心，轟動一時。

爲維持善良風俗，澈底檢肅黑社會份子，確保地方安寧，最近，台北市警察局除雷厲風行地消滅黃色禍患；包括搜查黃色書刊、取締黃色場所及火燒淡水河邊的鴛鴦洞等措施外；各地警察機關並商討有效辦法，嚴格執行。

基於此，人們實應瞭解「性與犯罪」的關係，從而便於防患未然。

孟子說：食色性也。性是本能的，天賦的，自然的。

然而，性與文化、性與社會、性之涉及文化、社會方面者至重且大。一個英國社會評論家說：「文化是黴毒的化身，性的一切現象與文化大有關係。」

綜觀人類自古至今，爲性愛而犧牲其生命，演成最大的罪惡，成爲性的悲劇者，實亦不知多少。

所以，性的偉大，性的神秘，誠屬不可思議。性的魔力有如魔法一樣，可以支配人的一生，可以左右人的命運，可以影響社會，甚而危害國家。而人類在性的金字塔下，創造了今日的文明，建設了今日的文化。幾千年來，人類卻在這個性的永續不變的輪轉下，綿延不息的演化發展着，而直至今日，性還是人間最大的謎，世界上最舊的亦最新的惟一的謎。

誠然，性的魔力是無比的強，性的妙味亦是無比的甜，任何人都要受它洗禮，作弄與支配。但在比蜂蜜還甜的性的享樂之花蔭下，常潛有犯罪的荊刺；在尋求性之甜蜜的途中，常有陷入人世之迷宮與牢獄的危險；尤其在這黑暗與光明交替的時代。

關於「性的犯罪」的法律問題，應由法院裁判，毋庸置疑。但此等犯罪竟爾層出不窮，查其原因，實乃人性與教育有問題。人類雖亦有獸性，然以其先天的智慧秉賦和後天的教育作用，究與禽獸有別。前述的色情狂男子姦殺少女等罪行，專家均認家庭教育的關係最大，所謂太保、太妹、阿哥哥之流，與乎橫施強暴的兇頑，都是以家庭教育爲基因，而以母教的責任尤其重要。許多不肖子弟，多半由於母親平日溺愛縱容纔養成的，事實繁多，不可勝計。

因之，凡作之親與作之師的人，尤其教育部門的負責人，對我國固有傳統文化，實應特別提倡，實踐力行，更須示兒童以模範。

基於「性與犯罪」的關係，不少的學者專家亦多認爲「人性本惡」；面對復興文化的今日，對壞人須用重典，殺一做百，或可望遏止人類獸性之勃發。

桃園續紛錄

本報記者 王鴻遇

但對方的支持者則說：李鎮長有案未了（按李發爲該鎮六所國校修繕費的兩萬元回扣案在新竹地檢處被押交保候傳中），這番辭職，不過是怕增加麻煩的姿態。孰是孰非，不必管它，在官「門」緊閉，死而不休的今天，李發卻有勇氣辭職，當屬絕無僅有的新聞。

▲桃園縣府五十七年度的地方總預算草案，歲出入爲新台幣二億零九百餘萬元，除提高「教育特捐」征收額爲百分之三十（法定最高額，上年度爲百分之十）來滬注外，仍有八百餘萬元的「赤字」，將於下（五）月間提請縣議會審議，完成法定程序，成爲正式年度預算。在這個空間，據悉：已積極地展開內、外的「運動戰」了：（一）對內：各單位仍在作利「己」之爭，最重要者，厥爲「出差旅費」的一項，每月卅一天（大月）。台灣有些機關職員，對出差旅費，有報銷三十三天的「太空」紀錄，因此，差旅費成爲必爭的「權利」。（二）對外：想順利通過年度預算，也必需要和民意代表拉交情。民意代表，對政府年度預算，雖沒有增加之權，在預算範圍內，有孰重孰輕的增減方便。在議會中，民意代表又有「主張」和「附和」兩種份量，事前，對前者必需妥爲協調——「場外交易」——（求得支持），新年度預算的「細目」，暫不必談，即建設經費，較上年度的三百萬元，又減到了一百餘萬，以桃縣十三鄉鎮來分配，區區之數，能建設些什麼？縣長陳長壽口口聲聲要建設大桃園，眞是笑話！一般縣民，希望議員諸公，於審查新年度預算時，應該作愼重的增加，最低限度，也不能少於上年度的三百萬，否則，明年是地方大選年，不論縣太爺也好，縣議員也好，選民也會有愼重的「預算」，到時候給不要選民遺棄啊。

（下）

滬海異趣談

著名音樂指揮家賈拉珍

桑椎

有些人認為赫拔溫賈拉珍是當今仍然生存的最偉大音樂指揮和有最大魅力的音樂家；但有些人認為他祇是一個音樂司理人，有計劃、傲慢、頑固和不易捉摸的人。他受景仰、妒忌和批評，但常常為人談起。

在戰後的音樂世界，賈拉珍佔重要的地位。他是事業的一個能幹的建設者，他造出他自己的音樂帝國，中心在柏林、米蘭和薩爾斯堡，更伸展到整個歐洲，美洲，甚至遠東。他在三年前放棄了維也納當時他是國家大歌劇院的藝術指導者，因意見不合，一怒離開那個城市。

有一個時期，他專心於一種計劃，將日內瓦加入他的帝國，他希望能夠達到他的多年來的夢想，組織一個國際性的歌劇團，集合世界上最優秀的歌唱家和音樂家，產生最佳的演出。可惜他找不到支撐他的人。現今那個音樂大師的計劃是在他本人出生的地方薩爾斯堡來做他的新中心，在今年的復活節期內，開始演出三部瓦格涅的歌劇和一連串的音樂會，演奏巴哈、柏克多和貝多芬的樂曲，有很大的收效。他本負責這個薩爾斯堡計劃的經濟責任，他打算在今年的後半期到紐約去表演。

據赫拔的哥哥胡庚——一個物理工程師和風琴能手說：「他從年輕時期起，已常常要是第一的了。」他的父親是一個醫生，也是一個出色的業餘音樂家。赫拔在一九〇八年四月五日在薩爾斯堡出生，在五歲時就開始學彈鋼琴，不久就變成一個音樂神童。甚至到今天，他仍有時在音樂會作鋼琴獨奏，或在由他所指揮的樂隊中，担任彈鋼琴。當在薩爾斯堡學成後，他在十九歲時即任在烏爾奄城的音樂指揮。他最崇拜的人物是托斯卡尼尼，他曾從薩爾斯堡乘腳踏車，走了二百一十哩路去看托氏的表演。在烏爾奄城七年之後，那個年輕的音樂指揮接受渥陣城的音樂指揮。為着這份職位，要他加入納粹黨，這個步驟幫助他在德國的戰時有安定的生活，但也使到他在戰後的初期有很多的麻煩。他並不是接受失敗的人，在戰爭結束後他就返回他的祖國建立一個更光耀的事業。

賈拉珍在綵排時是很認真的，他用簡單和短的話句作提示。他沒有大聲或多作閒話，有時雖帶有諷刺性的幽默，但是從來沒有用手擊桌子，用指揮棒打別人的身體，或者在表演時責罵人。賈拉珍的集中精神和遵守紀律的能力是驚人的，他在三十歲時就開始瑜伽訓練，在每天未吃早餐前一個鐘頭。他就練習一番。當他在開始指揮時，面向樂隊，閉着雙目，據說這也是一種瑜伽的練習，能夠幫助他運用他的所有的能力。賈拉珍並不是像其他的音樂指揮，週年都很忙碌，他需要長久時間的休息和預備他的新演出工作。他有極好的記憶力，聽衆和音樂員都羨慕他能夠記入那麼多複雜的作品，包括瓦格涅的歌劇。但是很奇怪，他對數目字的記憶倒很差，他的朋友懷疑他記不起他自己的電話號數。他愛好機械，他很喜歡試驗舞台的燈光設備。他對他自己的跑車和私人飛機的機件都能修理。他也能修理他的孩子所玩的玩具。他有兩個女兒，伊薩貝拉六歲，雅麗貝爾三歲，都是他的三任太太、一個從前法國模特兒伊麗特所生的，他們是在倫敦時結識的。

賈拉珍現年五十九歲，由於他的臉是受太陽所晒近褐色，有運動家那樣的瘦長體格，他看來未到那個年齡。他對衣著頗為講究，幾年前他曾被選在維也納衣著最佳的男子。他愛好駛小帆船、游泳、撬雪和爬山。他的一個朋友說，他對那些運動都很精巧，他可以做教練而謀生的。在外表上看，他有點害羞，有內向的性格。他的好朋友說他是忠誠、仁慈和最肯幫助別人的人。他跟伊麗特的婚後生活愉快，為着使她歡喜，他甚至答應在一九六四年補行在教堂的婚禮。

賈拉珍憎惡參加宴會，他認為是花時間和消耗精力。他對飲食是很隨便的，極少到餐館去，從來沒有到過酒吧或夜總會。他在表演完後，自己駕汽車返家，煎幾隻雞蛋充飢，步行一段路後，就上床睡眠。他需要七個鐘頭的睡眠，但很早就起床了。

賈拉珍也是一個很能幹的生意人，他善於投資，都能夠獲得大利。但是他對美術不感興趣。他在許多地方都有自置的屋宇，而他最喜歡在瑞士聖摩利茲的別墅。

作為一個音樂指揮，賈拉珍仍算是年輕，在他的同業中，許多要到年紀老時才能達到他們的事業的高峯。經過多年的經驗，加上他本人的聰慧，許多人認為赫拔溫賈拉珍在將來能夠追隨得上他最崇拜的偶像：音樂指揮大師托斯卡尼尼。他的前途是無可限量的。

俄京美式酒吧的滄桑

辛周

那一座建築物原來是一所停屍處，是一座兩層的紅磚建築物，位於沿莫斯科河旁的克魯泡特金堤岸，一九一七年建成，剛剛趕上大革命。後來，它用來作一間學校的校舍。到一九四〇年的時候，它已破舊不堪。可是，那時卻來了一些很有生氣的住客：在四十年代初期，美國駐俄軍事代表團獲得了這座建築物，來供美國辦理租借法案事務的人員居住。

美國人員一遷進這座建築物，二樓上便出現了一間酒吧。不久，又弄來了一具電動唱機。差不多在一夜之間，這座美國人的宿舍，成為了這個頗為沉悶的城市的最活潑的聚集處，美國大兵，跟他們的蘇俄女友隨樂狂舞，蘇俄的爵士音樂手也參加同樂。後來，美國的外交人員組織了他們自己的樂隊（初名克姆林宮歡聲，後來因蘇俄外交部不滿這個名稱，而另改別名）。每一個人，從各大使至各大使館的秘書們都在克魯泡特金堤岸會所，參加社交，看牛郎影片，玩牌或聊天。

冷戰發生了。這美國人宿舍，在一個公開對西方敵視的城市中，成為了主要的西方綠洲。蘇俄警察阻止俄人進入這宿舍之內。

近年由於東西方關係再度融和，這座宿舍也逐漸熱鬧起來了，到這俱樂部來的，大部是較年輕的外交人員、秘書、外交人員家屬和遊客的保姆。他們進來在酒吧喝喝輸入的啤酒（五十科普）或威士忌（七十科普），和聽聽直至最近都還是蘇俄唯一的電動唱機。

邇近，這綠洲終於乾涸了。蘇俄當局下令它於新年關閉，因為這座建築物已決定拆卸，作為擴濶沿克魯泡特金堤岸公路工程的一部份。因此這俱樂部舉行了一次除夕大舞會（直至清晨七時才結束），把懸掛在酒吧的美國國旗除下遷出。

他們現在怎樣呢？這大部要看俄人而定。蘇俄迄今沒有興趣讓美國人租用新的地址。同時，英國大使館開設的較小和較幽靜的俱樂部，又有人滿之患。美國人在莫斯科沒有了電動唱機（英國人不想他們的酒吧有電動唱機）的去處，所以希望蘇俄終會讓他們租用新的地方。

華僑文苑序

蔡俊光

竊嘗言之。世局之盛衰興廢。轍繫于士風之良窳正邪。此中消息。屈信相感。若立尺表以驗寒暑。不差毫釐者也。蓋士為人羣社會之中堅。得之者昌。失之者亡。是以盛漢初唐之明君。其所以淹有天下。蔚成郅治者以此。魏晉宋明之末主。其所以傾覆社稷。顚沛至死者亦以此。史迹斑斑。炯然在目。

民國肇造逾半世紀。大方虧喪。喪亂弘多。厥故安在。此無他。實乃由於一國士風之亟流於墮落使焉。夫士既不務其清高之本業。日惟奔走於形勢之異途。處穢汙而不羞。觸刑辟而不顧。卒至壞國喪家亡人猶不知悔。可悲孰甚。昔魏司徒董昭疏陳末流之弊有云：「竊見當今少年。不復以學問為本。專更以交游為業。國士不以孝悌清修為首。乃以趨勢游利為先。合黨連羣。互相褒歎。以毀訾為罰戮。用黨譽為爵賞。附己者則歎之盈言。不附者則為作瑕釁。凡此皆法之所不取。刑之所不赦。」斯言誠洞澈不良士風遺害之酷烈者也。

華僑書院中文學會諸子。年來矻矻於道藝之窮研，欲舍貴而為賤。欲舍富而為貧。欲舍逸而為勞。將以求天下之紀不忽。文章之不壞。其志亦大可嘉尚矣。循此以往。殆將一振當世士風之頹靡。而為國家宏開新運之先兆歟。夫大風起於青蘋之末。浩瀚江流源於濫觴。是或足以喻諸子志行之所詣。自非尋常者也。茲學會諸子又彙集其近年志道游藝之所得。刻劃成冊。名曰「文苑」。始謀於予而屬一言以序之。予嘗以為立於淫亂之國。君子道困。有言不信。因輔然相告曰。多言多敗。多事多害。子其慎之。嗣念「篤信好學。守死善道」之論。亦先哲所以垂訓萬世者。故士君子務義行道。斷斷然。奔奔然。守之不失。雖赴湯火。冒白刃可也。何暇計成敗利害哉。況乎文之為德也大。吾人立於從虧持載之間。待夫之而不講。則其言將何以垂世行遠。此必不可也。卒乃更其議。前而進之曰。命。吾子。汝往哉。天之方蹶。無然泄泄。予雖德薄。亦當盡其灌灌之誠。相與並力鼓勞風之扇游隳也。

丁未春三月　序於九龍客次

新三國

周燕謀著

四十一歲打勝劉備於猇亭；曹丕要他派兒子入朝為「人質」，孫權不派去，兩國翻臉。曹丕派兵攻打他；孫權只好攤牌，不奉魏之年號，自行改元為「黃武」。但仍照做曹丕所封的「吳王」。過了八年，蜀吳聯盟成功，他才稱帝，國號為吳是根據曹丕封「吳王」而來的。年號黃龍。從四十八歲到古稀之年，足足做了二十多年皇帝。

他做了二十二年皇帝，却沒有立皇后，到七十一歲才立了潘氏為皇后。孫權的元配是一個縣長的女兒謝氏，是由其母吳夫人之命娶的。後來他又愛上了另一位表姪女徐氏，深得寵幸；謝氏不悅，因而失寵，好在她死得早，沒有生育。徐氏的祖母是孫堅的妹妹，她的祖父名徐真，和孫堅為世交，她的父親徐琨，又是孫策的好友，有功官拜平虜將軍，封廣德侯。徐氏本來已嫁陸某為妻，陸早死守寡，孫權偏愛上她。後來，因孫權風流倜儻，徐氏吃醋，將她擺在蘇州的金屋裏。

孫權最喜歡的第二位女人，是步隲的小同鄉（淮陰）。步氏生得美，又不吃醋。而且她還為孫權介紹美女，所以孫權甚愛之，二三十年如一日，到孫權五十七歲時才死去。生下兩個女兒，大的名叫「大老虎」，小的名叫「小老虎」，名字甚怪。大老虎嫁給周瑜的兒子周循，把周循尅死了，又嫁給將軍全琮。小老虎先嫁將軍朱據，朱據因事被殺，後改嫁劉纂。孫權不立皇后，是為了步氏，因他有意立步氏為后，而朝中大臣多數支持徐氏，因太子孫登為徐氏養大的。這些大臣不過是為了政治因素而然，以為太子即位，便是元勳了。可是孫登究竟是那位夫人所出，三國志無明文交代。後立一位山東夫人王氏所生的孫和，和為權的第二子。孫權頗有心立王氏為后，但王氏與大老虎感情不好，常為大老虎的事情被孫權痛罵。有一次孫權病了，大老虎在孫權那裏說王氏有高興的樣子。孫權大怒，他這一怒，就把王氏嚇死了。

另外還有一位河南的王氏夫人，為孫權生了一個兒子，名叫孫休。河南籍的王夫人雖亦有寵，但那山東籍的王夫人却是太子的母親，故不能不讓她三分，乾脆搬到湖北公安去住，後來死在公安。

還有一位貧寒出身的潘氏夫人，鄉女氣量狹小，但是此妹有天賦的獻媚的工夫，後來竟把其他幾個夫人打倒了。她的兒子就是孫亮。在孫權六十九歲的時候，她有法子使孫權廢掉第二個太子孫和，改立她的兒子為太子。第二年，卽孫權七十歲的一年，孫權便立她為后。到孫權死的一年，孫權病重的時候，她大胆想垂簾聽政。這當然是她後面有人在教她這樣做，不然她懂得什麼「垂簾」聽政。因她有狐媚手法，激怒了宮中的宮人，一齊動手將潘氏勒死。不過繼承孫權的大位者仍然是她的兒子——孫亮。

諸葛恪受顧命輔太子孫亮繼大位時，小皇帝才十歲。歷代許多娃娃皇帝，很少不出問題的，孫亮也不例外。孫權死後，吳國從此多事，幸好都是內部的政變。

（一二九）

平劇繽紛錄

平劇「入川」

○桂良○

「平劇」的演變，很是巧妙！在乾隆五十五年，江南四大徽班尚未進舊京之前，早有四川伶人魏長生挾其技藝先入故都。他把花旦的「蹻工」帶到北方，除了崑腔班子以外，皮簧和梆子班的花旦行，都望風而從，踩起來蹻。有人見過最初「蹻」的木腳樣子，上面火烙印「重慶某某號製」，才知道「蹻」工果係川戲班傳入故都。

誰知道，大約二百年光景，吸收過川戲的平劇，在民國二十六年以後，大隊伶票、人馬，打着鮮明「平劇」的旗幟，一同進了四川。

「平劇」何以入川？正如抗戰之前，國民政府有個水利機關名稱「導淮委員會」。當時水利專家們的意見分為兩派，委員會一派主張導淮河引淮水，流入長江，以資宣洩，並可肥沃淮河兩岸。有一派主張疏濬淮河，並導引入海，方可永澄淮河災患。兩方議論紛紜，多見於報張。而抗日戰爭已起，兩派高論，皆因抗戰緊急，都未能實現。在政府有計劃，疏散政策之下，「導淮委員會」便遷移入川。該會委員長陳果夫與工程師將會址建立於綦江。在綦江做了攔水壩，把洶湧多灘的綦江，化成平坦寬潤的水面，調節航運，軍糧民食都便利一時。有：「導淮入川」媲美「都江堰水利」的佳話。

平劇「入川」最顯著的是：山東省立劇院院長王泊生、吳瑞燕夫婦率領了平劇隊、話劇隊、管弦樂隊全體師生（祇跑了一個江青，原名藍萍，那是例外），近有百人由津浦、隴海轉平漢鐵路，到了漢口。時在廿六年底，連演「岳飛」新歌劇十天，然後搭輪船去重慶。在重慶市小樑子鄒容路賃居，並設小劇場演戲。泊生不但勇於作勞軍公演，且抱定主義不推銷紅票。以一個堅強平劇隊的公演，便能養活那些人，和新聘的老師及訓練新生的教育和生活費。二十八年又建大劇場於熱鬧的黃家埡口。較之今日台北私立復興劇校大不相同。「復興」祇有一組單純的平劇隊，五二年末去美國公演數月時，師生吃苦，大家過得很正常。等到載譽歸國，校長兼營一套「唐伯虎三笑」秋香，失敗自殺未死，而獲有關方面之同情；每月津貼新台幣拾萬元。公演時不能增行頭，不公演也不敷數十人之生活費。故此次「文化局」之成立，將改「復興」為國立戲劇專科學校。以「復興」和抗戰時期百般困難之山東省立劇院相比，誠難同日而語也！

上海名票友朱聯馥、戎伯銘（文武花旦蹻工最佳）曹會禮等，南京名票楊畹農、歐壽南，山東名票王振祖（復興劇校校長）張鳳樓梅派名琴票喬無戰，徐州名票孫世馨（張凡之師）等先後在重慶為勞軍而露演。平劇「入川」之陣容有如是者。

天下無不是的父母？

○李献廷○

台北市目前正在進行整潔運動，除了徹底消除髒與亂外，更將那些不良少年、地痞流氓，統統肅清。人們看到那些不良少年，年歲不過二十歲上下，被捕以後垂頭喪氣，可憐兮兮的樣子，因而想到他們所以弄成如此結果，是他們生來便是如此？還是受後天不良的環境影響所致？以及是誰的責任？

古人有云：「天下無不是的父母。」許多的家長，便利用這句話，將責任推得一乾二淨。不是說子女們天生的惡劣，便是說學校沒有盡到教育的責任，或是說這個社會風氣太壞，他們的子女受到傳染所致。但細加分析，則這句話要分兩方面來解釋，才能得到正確的答案。

這個問題，如果就生養的一方面來說，是絕對正確的。因為子女是父母的骨血，個體的延長，生命的持續，天性上有不可分的關係。無論父母是好、是壞，是忠臣孝子、或是奸邪強盜，對待自己的子女，總和別人不同，都有慈愛的心腸，沒有傷害的意思；即使一時發生錯誤，或偶有責打，也是出於善意。所謂虎毒不吃子，就是此意。而為子女的，祇有盡孝敬之道，苦口諫勸，絕對不能滅倫犯上，美其名曰大義滅親。祇有共黨世界才有子女鬥其父母的鏡頭。目前台灣省的為人父母者，為子女的將來費盡心血，補習考學，疾病照料等等，較之以往，不知增加負担若干倍，其絲毫不問代價的慈愛精神，無與倫比。因此這「無不是的父母」一語，該是做子女的口誦心惟的名言，毫無疑問的了。

但是另從教育一方面來講，這句話就要大大的打折扣了。因為子女從母體落生以後，是純潔的，先天上的好壞，完全是父母的遺傳。說他是天生的如何如何，也就是說父母本身的如何如何，既非另受空氣的傳染，也不是什麼煞星下界，那他的好和壞，完全是自己的翻板，不能怨天尤人，其理至明。至於後天的好壞，則是受環境薰陶，耳濡目染，潛移默化所致。這其中自然包括家庭、學校、社會等等，而以家庭為最重要，父母是首當其衝的。

嚴格的說來，夫妻結婚以後，在未生育的一段時間，是最快樂和自由的。等到第一個子女誕生，便是拘束的開始，也就是責任心的增長，除了隨着年歲的增長以外，父母在一切的行動中，都要有良好的表現，不好的話，不能當其小子面前說，使在其幼小心靈中，給上不美的影像。父母好比一面鏡子，子女有如一張白紙，這一切的圖案，都操在父母的手裏。比方說他們學會說話，學會罵人，並不是要正式的教給，而在潛移默化中得來的，他們自然就會了。這「自然」二字，就是這裏所談的主題，往往為做父母的所忽略。試舉例言之：

（一）父母在孩子面前爭吵打架，嘴裏說話帶髒字。

（二）父母不整潔，東西不放原處，房間任意亂丟。

（三）叫孩子告訴來人，說媽媽不在家，撒謊騙人。

（四）囑咐孩子不要排隊上車，趕快搶兩個位子。

（五）叫孩子路過人家門首，摘些花帶回來。

（六）孩子在路上拾了東西回家，父母很喜歡的說他能幹。

（七）孩子受老師責罵，或是和別人打架，就替孩子出氣。

（八）父母很忙，或是通宵打牌，使孩子失去照顧，在學校的成績也不過問。

（九）給孩子零錢花，飲食不定時，買玩具不幾天就扔，睡眠不定時，東西吃一半也滿地丟，養成浪費習慣，疼愛不得法，變成溺愛。

（十）帶孩子拜訪人家，隨便拉開人家抽屜，而不制止。見人沒有禮貌，認為是理所當然，不加教導。

以上這幾項，是普通常見的，請問為父母的，曾否留意過？不但有些人未曾留意，反而認為是小事一樁。如此任其自然發展，日後孩子出了事，便諉之於「天生」二字。如此想的人，[illegible]

彭玉麟其人其事

——對「彭剛直畫梅不高明」的駁正

羅雲家

自教諭，而縣丞，而知縣，而知州，而知府，而按察使，而巡撫，而提督，而侍郎，而漕運總督，而通商大臣，而兵部尚書（猶今日之國防部長），玉麟委婉請辭，始終不就。馴至忌功妬賢之輩，劾以「抗詔鳴高，開功臣驕蹇之漸」，不得已，而奉召入京，然其不願作滿官之本衷，仍不稍移。

當金陵光復，洪楊覆滅，清廷論功行賞，予以優旨褒揚，加官晉爵之日，玉麟則上疏請辭侍郎本職，其言曰：「臣墨絰從戎，創立水師，非敢曰移孝作忠，直以先父會受朝廷一命之榮，臣母時以忠義相勗，當多難之日，義不得徇私情也。臣素無家室之樂，安逸之志，治軍十餘年，未嘗營一瓦之覆，一畝之植，受傷積勞未嘗請一日之假，終年風濤矢石之中，未嘗移居岸上，求一日之安。誠以親服未終，出從戎旅，既難免不孝之罪，豈復為身家之圖？臣嘗聞士大夫出處進退，關繫風俗之盛衰。臣之從戎，志滅賊也。賊已滅而不歸，近於貪位。長江已設水師提鎮，責有專司，臣猶在軍，近於戀權。改易初心，貪戀權位，則前此辭官，疑於作偽。三年之制，賢愚所同，軍事已終，仍不補行終制，涉於忘親。四者有一焉，皆足以傷風敗俗。夫天下之亂，不徒在盜賊之未平，而在士大夫之進無禮，退無義。伏維皇上中興大業，正宜扶樹名教，整肅綱紀，以振起人心，臣豈敢稍犯不韙，以傷朝廷之雅化？仰懇天恩，開臣兵部侍郎本缺（開去本缺，則其所有兼職，自隨之解除），回籍補行終制，靜養病軀，得以醫治，則報國之日正長，斷不敢永圖安逸」。

嗚呼，此為何等言語！何等事功！何等氣慨！何等志節！求諸廿五史，能得幾人啊！

同治八年（西一八六九年、民前四二年），彭玉麟奏准回家養病。同治十一年，清廷忽然下詔，諭令彭玉麟巡閱長江水師；直至光緒十六年病故，先後担任水師巡閱共達二十年之久。其間除巡閱工作外，並於光緒九年法軍侵犯越南，光緒十年法軍侵犯台灣、福建之際，奉詔赴廣東，會籌邊防。此外，關於朝中重臣疆吏案件，清廷亦多命他查辦。如左宗棠、劉坤一、涂宗瀛、張樹聲等，皆名震一時，亦嘗被人參奏。玉麟案治，務存大體，不為谿刻，時人多稱之。

光緒十六年（西一八九〇年，民前二二年），此一代偉人，與世長辭，享壽七十有五。噩耗傳出，舉世震悼，追贈太子太保，予謚剛直。出喪之日，江南各省，均派代表參加。執紼者萬人，號泣之聲盈野。時名儒王闓運作聯輓之曰：「詩酒自名家，更勛業燦然，長增畫院梅花價；樓船欲橫海，恨英雄老矣，忍說江南百戰功。」

清史稱彭玉麟，剛介絕俗，素厭文法，而治事輒取法外意，不通權貴，而坦易近直，無傾軋倨傲之心。每出巡偵官吏不法，輒劾懲，甚者以軍斬之然後聞。故所至官吏皆危慄。民有枉，往往盼彭公來。朝廷嘉之，亦多所聽從。而京察屢加褒叙，倚畀過於封疆。生平奏牘皆手裁，每出為世傳誦。性愛梅，詩書皆超俗，文采風流亦不沫云。」這一定評，可說是面面週到，却無中心論斷，畫龍而未點睛。最後所云文采風流，係指彭玉麟與方梅仙戀愛史，而未加以明白指出。實則彭方戀愛史，在當日王闓運日記中，已屬有記載，故至今猶不斷見之於小說筆記中，並非一般人所想像中的風流秘史也。

章太炎對湘軍人物，素無好評，獨對彭則例外，說他「……尤有硬，治軍極嚴，數從民間官長淑慝，人民疾苦……沿江至今傳其德望。」近人更有以「至人」稱之者。莊子曰：「至人無己，神人無功，聖人無名。」一個人的事業做到「無己」的境界，談何容易。而彭玉麟知能優為之，實足以震古而爍今也。（完）

羅貫中筆下的典型人物

○周燕謀○

在顯示曹操心術又厚又黑方面，更有精采的傑作。如誤殺呂伯奢全家，還說「寧教我負天下人，休教天下人負我」。這顯示了曹操是如何心黑手毒，令人痛恨。

寫曹操為了安定軍心，故意教倉官小斛發糧，軍士皆怨曹操。操乃召倉官王垕曰：「吾欲向汝借一物以壓衆心，汝勿吝。」垕曰：「丞相欲用何物？」操曰：「欲借汝頭，以示衆耳。」垕大驚曰：「某實無罪」。操曰：「吾亦知汝無罪；但不殺汝，軍心變矣。汝死後，汝妻吾自養之，汝勿慮矣。」垕再欲言時，操早呼刀斧手推出門外，一刀斬訖，懸頭高竿，出榜曉示曰：『王垕故行小斛，盜竊官糧，謹按軍法』。於是衆怨始解。」如此一改，更顯得曹操心狠手毒和他的機詐陰險，令人髮指。

羅貫中寫曹操的忌賢妒能，也有不少花樣。如收殺楊修時，補叙一段，顯示曹操是如何忌妒才能。楊修本以交構曹植而收殺。但作者來一連串暴露曹操忌妒才能。演義說：「操嘗造花園一所，造成，操往觀之，不置褒貶，只取筆於門上書一『活』字而去。人皆不解其意。修曰：『門內添活字為濶也，丞相嫌門濶耳』。於是再築圍牆，改造停當，又請操觀之，操大喜。問曰：『誰知吾意？』左右曰：『楊修也。』操雖稱美，心甚忌之。」

「又一日，塞北送酥一盒，操自寫『一合酥』三字於盒上，置之案頭。修入見之，竟取匙與衆分食訖。操問其故，修答曰：『盒上明書一人一口酥，豈敢違丞相之命乎？』操雖喜笑，而心惡之。」「操恐人暗中謀己身，常吩咐左右，吾夢中好殺人，凡吾睡着，汝等切勿近前。一日晝寢帳中，落被於地，一近侍方取覆蓋，操躍起拔劍斬之。復上床睡，半晌而起，假驚曰：『何人殺吾近侍？』衆以實對。操痛哭，命厚葬之。人皆以為操果夢中殺人，惟修知其意，臨葬時，指而歎曰：『丞相非在夢中，君乃在夢中耳。』操聞而愈惡之」。「操欲試曹丕、曹植之才幹，一日命各出鄴城門，卻密使人吩咐門吏，令勿放出。曹丕先至，門吏阻之，丕只得退回。

（六）

內警台報字第〇三一號內銷證

自由報

THE FREE NEWS

第七五五期

中華民國僑務委員會頒發台教新字第三二三號登記證
中華郵政台字第一二八二號執照登記為第一類新聞紙類
（半週刊每星期三、六出版）
每份港幣壹角
台灣零售價新台幣貳元
社長：雷嘯岑
督印人：黃行審
社址：香港銅鑼灣高士威道二十號四樓
20, CAUSEWAY RD 3RD FL. HONG KONG
.TEL. 771726　電報掛號：7191
承印者：大同印務公司
地址：香港北角和富道九十六號
台灣分社
台北市西寧南路壹零號二樓
電話：六三〇三一
台郵撥儲金戶九二二五二

中央級民意代表任期問題（下）

·郭甄泰·

第一屆監察委員既係依據上項規定所選出，在各省市正式議會未依法選出第二屆監察委員以前，第一屆監察委員之任期是否以屆滿憲法規定之六年而當然終了？如以任期屆滿六年即當然終了，則就憲法精神言，五院之制缺一不可，監察院為國家最高監察機關，行使憲法賦予之職權，實未可一日中斷。在第二屆監察委員未依法選出集會以前，有仍由第一屆監察委員繼續行使職權之必要。案關憲法及有關法規疑義，似應送請解釋。

B『復查立法院委員任期憲法第六十五條規定為三年。第一屆立法委員任期至四十年五月七日屆滿，彼時以既無法辦理選舉，而掌理解釋憲法事項之司法院大法官會議又尚未在台灣開會，而代表人民行使立法權之國家最高立法機關復不可一日中斷，乃不得不採權宜措施，經行政院會議通過，建議總統核可，由總統咨商立法院贊同由第一屆立法委員暫行繼續行使立法權一年。繼於四十一年及四十二年均循同一程序延長其繼續行使立法權之期間各一年。此項延長繼續行使立法權之期間，又將於四十三年五月七日屆滿，而事實上無法辦理第二屆立法委員選舉之障礙亦尚未掃除。在第二屆立法委員未依法選出集會以前，自仍須由第一屆立法委員繼續行使立法權，以符合憲法五權制度之精神。但此項繼續行使立法權之措施，尚未經憲法解釋機關之解釋程序，似應一併送請解釋。』……

細觀此項公函，頗有強迫大法官將立監委任期解釋為繼續行使職權之意態。憲法實施之準備程序中，既已規定首屆監察委員之任期，以各省市正式議會選出監察委員之日為止，意正詞明，毫無含糊之處；即既稱『……是否可屆滿憲法規定之六年而當然終了』，又繼謂『如以任期屆滿六年即當然終了』，『仍由第一屆監察委員繼續行使職權之必要』，故意曲解，彰彰明甚。至對於立法委員，則在其公函敘述立法委員任期一段短短三百二十餘字中，稱『繼續行使立法權』之字眼者凡五見，滿篇均是『繼續行使立法權』，對於其但書：『其選舉於每屆任滿前三個月完成之』則一字未提。大法官雖欲另作解釋，亦勢有所不能；卻不料因此害了立法院，並因立法院連累了監察院。擱置了十幾年，沉寂已久。現在因為監察委員丘念台病故需要補選問題，枯木生春，又被重新提起，其原因有三：

A丘念台係台灣省籍人，台灣省現在又為中華民國反攻復國基地，份量甚重；但台灣省中央民意代表人數之比例則甚輕，有人出缺，本省人當然非爭不可。中央為顧及輿情，亦非補不可。

B監察委員非立法委員之為候補制度者可比，係由省議會選舉產生，台灣省議會現在完整無缺，且經常開會，對於應有之選舉權，當然不願放棄，不能放棄。

C監察委員中具有正義感而且知法者大有人在，對於毀損監察院地位與權益之措施，自不欲憪爾而息。

四、解決之道——重新解釋

憲法第七十八條明定：「司法院解釋憲法，並有統一解釋法律及命令之權」。一經大法官會議之解釋，除仍有疑義，得咨請再解釋外，行政機構無故為出入之權，無延擱執行之理，現在各方對於大法官之一途。謝院長「認為四十三年大法官會議對立法委員與監察委員任期的解釋並無錯誤」，那是對的。但「繼續行使職權」，是否即為延長任期，或等於延長任期，或並非延長任期，則並無明確說明。現在既有疑義，若謂「不願重作解釋」，那就是逃避責任了。我國憲法現在雖然祇有軀殼，但依然值得珍視，中央民意代表雖然價值已被貶抑，但亦無法揮棄。由行政院或立法院或監察院或其他有關機關，請司法院重新解釋一下，使其名正言順，毋授人民以反對中央民意機構之口實，毋貽歷史家以行政院摧殘憲政之批評，令大家心安理得，事理上大體能說得過去，也就算了。至於說有人建議放棄監察委員選舉罷免法，依照動員戡亂時期臨時條款，另定補選辦法，那是捨正路而不由，勢必將治絲愈棼，越弄越亂。

假使另定辦法之後，有人說台灣省對於反攻復國，出錢出力最多最大，值此非常時期，應特定條例多選出若干個國大代表，監察委員，立法委員，也是很公平而且很合理的，請問建議另定補選辦法者，將如何辦理？此外尚有一比較嚴重之問題，即立法院如無憲法上之合法地位，則關係甚大，且有嚴重後果。當四十三年修憲問題發生時，國大代表有人指出：「因為現在的立法委員既是任期早已屆滿，不合憲法規定的立法委員，而提出憲法修正案，當然不安」。又有人說：「立法委員因解釋而延長任期，實為值得研究的重大問題。國民大會修改憲法是完全合法的，我們不容許有不合法的機關參加進來。」更有人說：「行政院以大法官會議之解釋中『繼續行使職權』並非延長任期」為理由，認為立法院業已變質，不合理。信如是，則立法院現在已為事實上之立法院，而非憲法上之立法院；立法委員已變為政府之官吏，變質以後而非民意代表，其議決之法律及議案是否有效，均將成為疑問，以之修憲，事有合法地位？「會對立法院之法律地位，紛紛多事，將來此種事例，再發生，勢必無法加以指摘，乘機熟計，切宜注意為是。

自討苦吃

自尋煩惱

今日與明日

成都大打鬥

據毛幫紅衛兵大字報透露，成都紅衛兵擁毛派與反毛派發生大決鬥，死傷人數超過一萬。其他各省情形雖無如此嚴重，但鬥爭浪潮也在逐漸擴大。即以山東省為例，山東是毛派已經奪到權的四省二市之一，毛報對於山東省的「奪權勝利」更是津津樂道。但據今天傳來的消息，山東省的反毛派也在展開反撲，擁毛派已經招架不住，無若駐軍參加，擁毛派可能會失敗。

四川的大決鬥將會影響到整個大陸，而武鬥一旦開始，想結束都難。看來這一場文化大革命，將變成武化大革命，革毛澤東自己的命。

四川形勢將更緊

據傳毛幫已將李井泉免職，改調張國華入川組織「革命委員會」，原有之西南局及四川省委會若非被解散，也是停止了活動。假若此一消息屬實的話，四川就非發生內戰不可了。

有一點要特別指出的，四川省的反毛，可說是大家一條心，黨方的李井泉（西南局第一書記）；廖志高（四川省委會第一書記），政方的李大章（偽四川省長，中共四川省委書記），軍方的黃新庭（成都軍區司令員）一致反毛。尤其黃新庭負責指揮川藏軍隊，勢力雄厚，張國華有什麼辦法能取這一羣人而代之？何況西藏本部更是不穩，張國華也無力抽調大量兵力入川。

中國古語說：「天下未亂蜀先亂，天下已定蜀未定」。看情形共區之亂，一定要先從四川開始，目前的死傷一萬人的行動不過是小焉者也。

假使四川發生了內戰，滇黔亦在所不免。直到今天，雲南方面對毛酋的文化大革命始終抱一種冷淡的態度，內心可以看出是反毛的；四川一有風吹草動，滇黔必然要聞風響應。如此，毛幫西南大事去矣。

我們怎麼應付

政府當局宣佈大陸一旦有變，三個鐘頭就可以赴援，此語在海外人士聽來，均感到鼓舞，眼見告廟有期，收京不遠了。不過，我們仍然有項疑問：究竟在什麼情形下才能確定大陸是有變？像成都這樣大打鬥，假若再進一步兩派共軍也打上了，算不算是有變？是不是予以增援？第二，政府援助地區是否也有規定，沿海有變即派兵援助，至於內陸省份如四川，雲南則不在此例？這兩點希望政府能說得更明白些，也讓大陸反毛份子有個打算。（何如）

自由談

美總統詹森最近對於一些美國青年反對越南戰爭的游行示威情形，發表演說，認為在民主社會中，任何人皆有反對某一事項的自由，但也有讓別人作答的自由。他不談越戰的是非，祇說任何問題皆有正反兩面的看法，社會即因此而進步發展。這是表現真正的民主思想與作風，值得世人讚美效法也。

美國出兵越南遏制共黨侵略暴行，是經過國會認可的國策，民眾似不應該公然採取反對的行動，尤其是在言論上表示異議亦就夠了。然美國一些青年人任意游行示威，反對既定的國策，而政府當局基於法定的自由人權，也就讓他們發洩其偏激的意見，游行示威一下，不加干涉。結果呢，游行示威一下，各自散夥，政府當伊無介事，我行我素。人權伸張了，國策亦無損害，這便是民主自由的社會生活。

假使白宮當局指那一小撮的反戰示威分子違抗國策，搖惑人心。甚至加以為共黨張目助勢的罪名，依法究處，亦復振振有詞，未可厚非的。可是，因此而引起若干意外的煩惱與不良後果，所得決不償其所失。美國人民既享有法定的言論自由權利，他對政治問題無論贊成或反對，祇要沒有妨害公共安寧秩序的動亂行為，自不妨聽其自然。如果他們的言論與事實不符，政府亦有答辯駁復的自由，怕甚末呢？

不滿現狀乃是促進社會向上發展的內燃力，而任何政府的政治措施，亦絕對沒有十全十美的情事，民眾關於某些庶政得失表示不滿的意見，提起大家警惕之心，對政府殆有相反相成的作用。何況發表不滿現狀之言論的，大多數總是說過就忘懷了的，如其說亦不許說，那他的反感即更甚，相激相盪，勢將由「反對」而趨於「反動」，終致釀成橫決的結果，亦不稀奇，為政之道，豈應如是耶；

一項政治課程

詹森總統這番言論，在先進的民主國家內，原屬老生常談，人所共喻。然在學習民主生活的落後地區，卻是一項重要的政治課程，所以我要提出來談談。

馬五先生

自謂三分一，抱怨受掣肘

高市長陳啓川無精打彩

傳港務局長李連墀有意再幹六年

高屏部份蕉農指控周芳杞等不法

（本報高雄記者趙家驊航訊）高雄市長陳啓川，日前應記者之請發表兩任市長任內感想，他說：「高雄市彈丸之地，有三個機關：一個是屬於中央的加工出口區，一個是屬於省府的港務局，一個是高雄市政府；是鼎足三分，我只有其一」。

我問他：（一）港務局與市府爭奪港市劃分範圍如何？（二）三、四號碼頭由港務局收取浮木租金，省府居然准許；而市府要求愛河運河浮木收取租金，省府拖了經年而不允准，其故安在？（三）港務局建築申請不經市府批准，而逕向省府申請，是何道理？陳市長對我以上三點不作正面答覆，只搖頭嘆氣說：「我橫直剩了年把就卸任，管不了那許多啊」。一旁坐着的主任秘書黃麗川說：「港務局建築申請必須經過市府許可，否則以違建論，省府已有命令下達」云云。

陳啓川主持高雄市政兩任，將於明年六月屆滿。縱觀他任內各項施政措施，有關高雄市民權益之事，盡力爭取，雖然有時關係「頂頭上司」，也據法令事理力爭。議會對他在大原則上也盡力支援。但他最感頭痛的是港務局不時與市府發生摩擦齟齬。他的智囊某人士稱：陳市長現在抱持消極態度，不是沒有原因的。來自「橫」的與「縱」的，若非掣肘，那是干預，如是叫他如何施展？他服務桑梓的理想與抱負，到頭來俱是一場「空」。言下頗有為陳啓川作不平之鳴的樣子。

▲由於台灣工業發達，經濟繁榮，人民生活富裕，進出口貨物頻繁，高雄港吞吐量自然遞增，港務局的收入，去年盈餘一千七百餘萬，大肆宣傳謂為「空前」。

據該局某人士稱：「一任六年的港務局長，行將屆滿，李連墀有意蟬連一任。他將這一千七百餘萬元，悉數繳公。至於倉庫的簡陋與破舊，他不興建與修理；港內的拖船都是不堪使用的「老貨」，他不汰舊換新。（按：巨輪離岸出口，須小拖船拖拉，一條拉不動，來上兩條，甚至有三條者）貨物的裝卸、起重及運輸設備都不合現代國際港口的需要。因此某船務公司主管說：「李連墀是『伙計抱着元寶睏—守財人』」。並說如希望李局長把高雄建設成為現代化的國際港口，等於是痴人說夢。又稱：「李連墀守成有餘，開創不足。是耶非耶？你們局外人那裏知道！」

▲高屏地區部份蕉農，指控高雄青菓合作社理事主席吳振瑞及青果聯合社理事主席周芳杞，涉嫌違法在日虛設行號報價，引起日本反感，而對我香蕉輸入故意施用手法，以圖報服。我國香蕉在日本輸入價格，民國五十四年每箱為八元美金，五十五年降為七元；犧牲國家利益，損失國家外滙，共達三億元以上。立監兩院經濟委員會接受此項請願案，將依法處理。

高屏地區蕉農控告對象尚有東方辦事處經理徐德郎，青菓社副理蔡坤山等，涉嫌向商人收取佣金或回扣，並侵佔公欵開設百樂滙公司，涉及合管處一位姓許的課長。

此一檢舉事發後，吳振瑞，周芳杞，均避重就輕的在報端發表談話，有所辯Ｘ。截至目前，立監兩院經濟委員會對此尚未發表調查處理報告，眞象如何？尚須俟諸來日。

按台蕉輸日，壟昔獨霸日本市場。台蕉中尤以高屏地區香蕉品質最佳。近年中南美蕉打入日本市場，台蕉銷日大受威脅。尤值得堪慮者，為美日商人在非律賓植蕉，且植蕉的範圍廣大，資金雄厚，不久即可供應日本市場。因此目前青果業者惶恐萬狀，不得不設法提高品質，改善包裝及運輸等問題。

去年因香蕉運抵日本腐爛而被拋棄海中，致使蕉農損失不貲，這對各部門負責人是一大教訓。今後蕉業界在日本市場獨霸勢不可能，若能平分銷路已屬幸運；因此，盲目的生產，終將導致蕉賤傷農的厄運。

台蕉銷日過去因為獨佔，於是不知注重品質，這是人謀不臧，信用掃地。現在由於競爭，迫使蕉業不得不與人一爭雄長了。這是一自我檢討的最好機會，願吳振瑞，周芳杞，蔡坤山，能以蕉農的利益為前提，不必兢兢於自我利益。今後台蕉在日是否能與外人分庭抗禮，端視我們的作為與運用了。

論台北直轄市的編制

·羅雲家·

新編制內容的分析

當我們擬訂一個機關的編制時，必須注意到下面幾個原則：

（一）系統力求分明，組織力求簡化，職掌力求明確。

（二）業務相近，性質相同，等級相當之單位，其組織銜稱，應力求一致。

（三）各單位之內部組織，以不超過三層為限。其上級組織應力求緊縮，中間機構應儘量減少，基層單位應力求充實。

（四）各單位內部組織之設置，應兼顧人員設置之經濟，與業務分工之合理；凡業務性質相近之單位，應儘量歸併，以減少駢枝重疊現象。

（五）業務單位之組織，以能開展業務為準；事務單位之組織，以適合事務上之最低需要為準。

同時，總統在「組織的原理與功效」中訓示我們：「組織就是配合。但這配合並不是拉雜湊攏的意思，乃是有計劃、有目的、有條理、有系統、有規律的，很精密地聯繫組合起來，使能發揮其最高度的力量，以達成其共同一致的目的。」又說：「在組織運用上，必須顧到時間的緩急、前後、快慢，空間的上下、四週、遠近；時空的配合愈緊密，則組織愈健全。反之，組織愈鬆弛脆弱，愈不能達到預期的目的。」同時指出集中統一，萬衆一心；調節互助，聯繫一貫；分工合作，協調一致；為組織的三大原則。

基於上述組織的原則，我們對擬議中的直轄台北市新編制，有以下的感想：

（一）一級單位太多。

立法委員張希哲考察琉球（按：琉球由沖繩、宮古、及八重等三個羣島組成，面積約為台灣的十五分之一，人口九十餘萬，其首府那霸市人口約二十四萬，佔琉球全人口的四分之一），指出美國統治琉球的民事政府，琉球中央政府及那霸市政府三機構的組織均符簡化原則。如上述第一個機構，僅設一高級專員，下轄政治顧問，正副民政官，執行官，以及連絡、教育、司法、衛生、福利、經濟、公共工程、勞工、安全、主計、法律事務等局，和一個裁判所，另有兩個民事工作隊。此為美國治理琉球近百萬人口行政機關之編制概況，其一級單位未超過十二個也。上述第二個機構，亦僅設琉球政府主席，副主席，下轄總務、企劃、警察、文教、稅務、法務、建設、社會福利、農林、勞動、通商產業等十一局。此為琉球政府治理其近百萬人口之編制概況也，其一級單位亦未超過十二個。上述第三個機構，僅設市長，兩個副市長，下轄總務部（設總務、人事、課稅、徵稅、土地、戶籍六課及港務所、車輪管理所），企劃部（設庶務，企劃調查，主計三課），經濟民生部（設庶務、工商觀光，農林水產，民生、保健衛生，勞政等六課），建設部（設庶務、計劃、建築、住宅建設、土木、下水道、區域整理等七課），水道部（設庶務、經理、料金、給水、工務等五課），消防部（設消防警及總務、警防兩課），全部職員約一千二百餘人。此那霸市政府之編制概況也，其一級單位只六個。

總統告訴我們：「一個合理的組織，在結構上有它一定的層次和所屬單位的限度，循着這個層次及其所屬單位組織去發揮它的機能，達成它的任務。……至於每一層次機構的直屬單位，亦有限度，不能超過其指揮和管制的能力。例如各級軍事機關，其所指揮直屬的單位以五個為標準，最多亦不可超過十個單位。……故健全的機關組織標準，實為健全的機關組織與黨部軍隊社會以及人民自治能力的依據。我們黨政軍各方面的組織，是不是有這樣一個合理的層次和管理單位的標準來運用呢？這是大家應該研究的……至於縱的層次劃分，則應以便利指揮監督為主要條件。

（二）

（本報台北航訊）亞盟執行委員會一九六七年會議於五月八日上午揭幕，由亞盟理事會兼執委會主席谷正綱主持，澳、日、韓、越、泰及我國代表均出席。九時至十時舉行預備會議，通過會議議程，並經泰國代表維本博士提議全體起立為亞盟中國總會故秘書長益民默念一分鐘。

十時三十分起舉行第一次會議，首先由主席提議，全體代表肅立為世界被共黨奴役迫害而犧牲之人民默哀，然後由亞盟秘書長崔南德斯報告會務，接着由會議主席亞盟理事會主席谷正綱致詞，並按英文字母順序由各國代表相繼致詞並報告各該國反共活動近況。

世界反共聯盟首屆大會

決定九月下旬在台舉行

世界反共聯盟第一屆大會及亞盟第十三屆大會會期暨中心議題，經於五月八日下午在台舉行的亞盟執行委員會第二次會議討論決定。

世盟第一屆大會定九月廿五日起至九月二十九日止在台北舉行；九月卅日起至十月一日止，則連續舉行第十三屆亞盟大會。

亞盟執行委員會並同時決定：上述世盟與亞盟兩項會期，如因籌備情況及國際間客觀情勢需要，須予變更時，得由負責籌備單位徵得亞盟執委會過半數單位的同意，作變更會期的決定。

世盟第一屆大會中心議題為：一、檢討當前國際形勢，研訂本聯盟現階段應有的奮鬥目標與共同作為，以維護人類自由與世界和平。

二、亞洲為當前世局的鎖鑰，在毛澤東製造「無產階級文化革命」造成中國大陸極度混亂情勢之下，如何促進亞洲集體安全，積極支援越南共和國及其盟軍贏取越戰勝利，爭取世界正義和平。

三、增進自由國家與反共力量間之緊密團結與合作，及在各該國家間實施文化貿易交流，加強技術互助，加強民主建設，社會福利，暨反共鬥爭經驗之交換。

四、成立聯盟秘書處，籌建世界反共宣傳中心，積極強化本聯盟組織，聯絡，與對共心戰工作。

五、推進各地區區域組織之建立，暨研討下屆大會日期，地點，與召集國。

六、發表大會宣言，表達本聯盟對共產威脅日益增加之現勢，提出時局之主張及努力方針。

高雄加工出口區管處

新任處長吳梅邨

侃侃談抱負作法

（本報高雄記者趙宗驊航訊）經濟部高雄加工出口區管理處新任處長吳梅邨，在交接典禮中致詞說：設立加工出口區有兩大目標：一、創造就業機會，將來可使三萬人在本區就業。二、賺取外滙，促使經濟的成長。

他表示此次接長加工區管理處，上峯要求他的是：「只許成功，不許失敗」，因此他感到責任重大，誠惶誠恐。他指出：要在七十公頃的土地上創輝煌的成就，增加三萬人就業，須投資三千萬美元。他特別強調他要在經濟史上創一先例，相信會成功的。

事後我請教他的信心所根據的是那些條件？他答覆：（一）步步改進；（二）排除阻碍；（三）水電，土地，工資價廉；（四）與未開發地區（如東南亞，印度等地）接近。

我問他除帶來主秘晏益元外還帶來了什麼人？處內人事將來是否作全盤的更動？他說：除主秘外未帶什麼人。將來會按照他們的志願與內部的需要，酌量調整。

他補充說明三點：（一）今後我們要主動爭取設廠，加強投資；（二）擺脫官僚作風；（三）更進一步簡化各項手續。

最後他表明他的抱負時說：我擬向工業花園方向走，獻身國家同胞，因為經濟的振興也是革命事業重要的一環云云。

滬海異聞錄

美藝員紛往大專校掘金

桑雅

這是一九六五年二月的一個星期日晚上，在百老滙主演舞台劇「金童」的小森美戴維斯，抽空前往新澤西州一處近郊作單人表演。這個被譽為出色的歌星，從不怯場，但這次登台，却還爲緊張。結果，他還是上台演唱，而且還在台前與觀衆侃侃而談，相處甚歡。

究竟小森美戴維斯為什麼會在演唱前這樣緊張呢？原來他這次是在施頓賀爾大學演唱，聽衆都是大學生，而他却自小失學，有生以來這次尚是首次踏進大學的校舍。不過，小森美戴維斯不久便發覺大學裏面的觀衆對他的態度，與其他場合並無異致。於是，他在該大學演出後，隨即在西點軍校和馬里蘭州立大學演唱，目前又計劃往各大專學校巡迴演唱了。

其實，許多藝人都有過這樣的經驗。由於代價高，加上其他的因素，許多藝人現已轉向各大專學校進軍。例如，諧角積克里安諾，當他某次在施頓賀爾大學表演，原定十五分鐘的，結果欲罷不能，表演了四十五分鐘。事後，他表示大專學生很易相處，而且理解力高。

另一個曾於兩年內在五十間大專學校作巡迴表演的諧角金布列治，也表示願在學校表演，而不願到夜總會每晚要表演兩三場。老牌諧角尼浦西羅素，也寧捨夜總會而取學校，曾於一季內在四十七間大專學校表演。他說：「在學校裏，觀衆的年齡，問題和興趣都相差不遠；但夜總會的觀衆却包羅萬有，要取悅他們十分吃力。」

娛樂界向大專學校進軍，是於一九六〇年開始的。當時，各大專學校都被一股智識和熱情的熱潮所掩沒，流行歌和玩足球，喝啤酒等有同等地位，差不多每一個學生都設法弄一具「結他」。學生先是購買職業歌手的唱片，進一步便要聽這些歌手演唱。至於學校當局，對這種課餘活動，也不反對。

為娛樂界向學校開市場的先驅，是由三個大學生組成的「京士頓三人合唱團」；由於這種新行業有利可圖，其他愛好歌唱的業餘歌手，便紛紛組成合唱團前往學校演唱。隨着至於老一輩的歌手，自然也不落人後，向學校進軍。

現在，各大專學校也可以和夜總會及電視爭短長了，理由是他們也可以有同樣多的聽衆。許多大專學校的禮堂，可以容納一萬三千至一萬六千人，學生們祇要每人科欵兩元，便有一筆可觀的錢來聘請藝人。各大專學校所以經常請藝人到學校表演，還有三種作用：第一、經常可以使學生有正常的娛樂；第二、可以作為溝通社會的橋樑；第三、可以籌款。

且說藝人的甜頭，在學校表演一場，可以收入一萬元至一萬五千元。叫座力强的藝人，通常先收七千五百元定洋，然後再與門票收入多少分賬。

娛樂界現時不獨「入侵」各著名大學，即使規模較小的大專學校，也介入這種狂熱中。例如「攔路賊四人合唱團」，曾受聘在一個小鎮表演，這個小鎮人口祇有八百八十人，但其中却有八百人是與該地的大專學校有關連的。他們在一小時之內，把學校的體育館佈置成演奏廳，他們的熱情使該合唱團大為感動。

美國的大企業公司，鑑於這種情形，亦助長這種文娛活動。他們聘請藝人來為適合青少年的商品宣傳。福特公司最先實行這種寓營業於娛樂的政策，百事可樂和可口可樂，亦不甘後人。這些大公司，實際上等于資助各大專學校，減輕學生們聘請藝人表演的負担。

「恐懼病」有新的認識

良生

我認識一位太太，她非常害怕地下通道。她一直住在一個名叫樂哈頓島上，島上的主要通道都是些隧道。每週她要為着避免鑽地道而坐幾小時的汽車。有時她和丈夫去郊外訪友，她丈夫就要駛出多少哩路以外去通過一座橋，而不願意費幾分鐘時間鑽地道。她說那種牆壁並不是像要倒下來，而係似乎要擠得她透不過氣來。

一位兩肩寬濶，儀態雄壯的建築工程師，非常難為情地告訴我，他很害怕飛蛾和蝴蝶。有一次，他在一所房屋的樑上工作，一隻蝴蝶飛來，他幾乎掉了下來。他覺得這種恐懼不但使他害怕，而且也是一種羞辱。他也承認『蝴蝶不致傷害我，但我已經具備了這種恐懼的感覺』。

我的一位朋友的六歲女孩，只要聽到機器腳踏車的聲音就變得非常神經質。她們家離市鎮很遠，鄰居們多半以這種車輛代步，每一次車子走近時，她就驚慌失措，衝到媽媽懷裏，顫抖着，哭泣着，一直要到車子走過很遠為止。這個小孩過去並沒有被這種聲音嚇唬過，所以她父母根本弄不清為什麼這種聲音會嚇倒她的。『牠使人發抖！』這是小孩唯一的解釋。

上面三個例子，心理學家稱之為交替恐懼。——不合理但非常頑固的一種恐懼。對於事物或情況的本身雖無真實的威脅，但身受者都遭受神經上的打擊，而無法解釋。這種恐懼心理有許多種，有些已定了名稱。例如上述的婦人害怕地底通道，稱之為陰暗地帶的恐懼。有些人感到在空曠的場合不舒服，稱之為空曠地帶的恐懼，有些人害怕高度，稱之為高空的恐懼。

雖然名稱無法概括，但還有其他普遍的恐懼心理。對於老鼠、針、血液、貓、紅色的肉類，交叉的街道，汽車的疾馳、孤獨、在大庭廣衆中說話等等事物的恐懼，是時常容易發生的。對這些恐懼的事物，其實都沒有什麼足以致成傷害的；而如果加以研究，則我們可發現並非這些現象使我們害怕，而是牠所給予我們的一種不愉快又不可解的恐懼感覺，使我們害怕。

正如同大多數由無意識精神狀態所產生的問題一樣，我們的對事物的恐懼乃是一種交替恐懼。——那就是說我們利用牠們來消除我們心底真正的恐懼。但牠們並不像大多數心理紛擾狀態一樣，牠們却大半是依附於生理感覺的事實上。一個陰暗地帶的恐懼的人，乃是回憶一種身體上的感覺，多半是一種受束縛受壓迫的感覺。對於高空和空曠地帶的恐懼者，乃是記取一種掉下來的感覺。一個人在孩提時代是時常會跌倒或掉下來的。（上）

疑難症應由國家醫

今人

自今迄古，醫學在社會上的地位，極關重要。以往的中醫，和現在的不同，在神農時代，傳說他曾嘗百草以定藥性。華陀氏的外科手術，不下於現代，祇是設備不及而已。張仲景的傷寒論，也是經過種種考證而來。可見古人雖然沒有現在的文明，但他們都有高深的研究精神，才能造成數千年的文化。不意近幾世紀的中國人，只知保守，不事研究，授徒時還要留一手，一代代傳下來，所餘無幾。晚近歐風東漸，科學昌明，中醫在這光亮眩耀之下，只有閉目養神的份兒，不能和西醫一爭短長。古人有知，將難瞑目矣！

目前中國的西醫，因為難免受中國人惰性習染關係，守中庸之美德，以不多事為主，再加設備的缺欠，沒有良好的立法，遂都老氣橫秋，以生意為重，極少創造績業。對於普通的病，固然沒有問題，但遇有疑難的病，熱心的人，還可以試驗一下，不成就推掉了。不熱心的人，一看就馬上推掉不管，連試驗都不肯做。像這種醫生，還能談研究創造嗎？他們不明瞭，他們所以學成醫，不是單靠他父母的供給，才要靠政府的培養，而政府的錢，就是國民的血汗。即使是單靠他父母的錢，那些錢也是從國民組成的社會而來。所以學成之後，要有為社會服務的義務，也就是一種報答的行為，豈可祇知賺錢而不顧病人的存亡呢？

西洋人也許不如我們文化的高深，倒有一種傻幹精神，無論公私立醫院，遇見疑難的病例，自然的興起研究的行動，關鍵不在乎生意的好壞，而要把握這個疑難的機會，成為充實自己的經歷；更重大的，醫院將要求將病人獻給國家，全體研討其病源及治療方法，沒有家人的自由。以國家的力量，免費研究成功之後，才可造福同病之人。因此，王曉民的送美醫治，他們曾經盡力研究治療，即是此種精神的表現。

反觀我們則差的太遠，除了最近台大有心臟手術的成功，和腎臟移植的可能而外，對於疑難症的研究，究有幾人？坊間的治癌廣告，却頗不乏人，為何不為他們申請諾貝爾獎金？主管機關為何予以漠視？

近有某君，中年體素健，一年前覺左足不得力，漸漸上升，全腿無力。旋右腿亦痠，肌肉削瘦，但不麻痛有感覺。經中西醫診治檢查，照像驗脊髓等，均無異狀。現已上升至胸部，兩臂亦無力，肺部萎小，倒臥床榻，轉動困難，胃口既壞，呼吸須靠養氣，成為全癱之狀，危在旦夕。他得此病，事出突然，經年以來，耗費財力，猶其餘事，經過名醫檢治，均不詳其病源，有名為肌肉萎縮症者，亦有說是運動神經硬化者，莫衷一是，誠為遺憾。夫人終須一死，但病而不知其名，豈能瞑目？現在台北空總醫院，作最後掙扎中，所幸主治醫師，非常熱心，日夜研究，尚無定論。似此病例，台灣似僅一人，為奇特之症，可否請主管機關，接受此人作為「國家一病人」加强研究？蓋苟有所得，亦同病者之幸也！

新三國

周燕謀 著

如果外在來了強敵，吳國早就滅亡了。幸好外面各國內部有問題，沒有大舉攻伐。

諸葛恪被孫峻陷害以後，娃娃皇帝孫亮懂得什麼？任憑孫峻擺佈了，他只不過做一小傀儡。孫峻被拜為丞相，大將軍，都督中外軍事，假節。孫峻一旦權在手，便任性瞎攪，殺了不少他不順眼的大臣，又與孫權的女兒大老虎私通，把小老虎殺死。

孫峻當權時，魏國方面正是司馬師專政。毋丘儉、文欽二人不滿司馬師的跋扈，於是以壽春為根據地，豎了反旗，一面聯合東吳為外援；結果，被司馬師打敗，毋丘儉戰死，文欽投奔東吳。後來文欽勸孫峻伐魏，尚未出發，夜夢為諸葛恪所擊，因此恐懼而生病死了。時為孫亮太平元年，孫峻只活三十八歲。他害死諸葛恪，心裏時懷鬼胎，故人謂之「報應」。（孫亮太平元年，即蜀漢後主延熙十九年）

繼孫峻政變之後，孫琳也效法之。孫琳字子通，是孫峻同一個祖父的弟兄。孫峻死了，孫琳是侍中武衛將軍，領中外軍事，代知朝政。他和孫峻一般的跋扈，諸將領大臣均表不滿。其中有人謀殺孫琳。孫琳第一件，是殺了反對他的人物，第二步是廢掉孫亮，改立孫權河南籍夫人所生的孫休。又是一次政變。

孫休即位後，當然是孫琳做了丞相，大將軍兼荊州牧；但不到兩月，孫休設法將跋扈的孫琳殺掉。是年，即孫亮的太平三年。孫琳當權共兩年。

孫休做了七年皇帝，死的時候，將兒子託孤給自己的好朋友丞相濮陽興與左將軍張布。不料這兩位顧命元老却偏聽別人的話，廢掉孫休的兒子，另立廢太子孫和之子孫皓為帝。孫皓即位以後，吳國只有坐以待亡了。吳國的政治，只是一家人互相砍殺的歷史，沒有足道之處。

八五、司馬師專權霸政　毋丘儉起義壽春

曹魏方面，雖沒有東吳孫氏的骨肉相殘，但曹氏的政權，早已成為了司馬氏的政權。朝中大權自曹真的兒子曹爽攪壞以後，便已旁落在司馬氏父子的手中，以後繼魏明帝的皇帝有曹芳、曹髦、曹奐，實際上一切發號施令，都出自司馬懿、司馬師、司馬昭。曹芳是魏明帝曹睿抱來的兒子，是否為曹家骨肉大成問題，但在名義上總算曹家的子孫。魏國的曹芳，先後做了司馬懿、司馬師的傀儡。

司馬師繼司馬懿之位，曹芳的政權在司馬師手中。曹芳漸長大，也懂得點事了，對於司馬師如此專權，當然心有不服，後面也有人教他除掉司馬師。到齊王的十五年，中書令李豐，張皇后的父親張緝，共同密謀除掉司馬師，用曹爽的姑表兄夏侯玄代他。又因事機不密，或者是司馬師早暗佈了特務，事機洩露，都被司馬師殺掉。曹芳同時被廢，另立魏文帝的曾孫高貴鄉公曹髦為帝。過了一年，揚州都督毋丘儉及揚州刺史文欽二人反對司馬師，稱兵聲討事件發生時，司馬師割除眼上之瘤不久，創痛甚劇。（一三〇）

平劇繽紛錄

田漢編演「新戰長沙」

○桂良○

前期漫談「關戲」，因憶及抗日戰爭，「長沙會戰」既勝利結束，時早期話劇運動，重要人物田漢，以軍事委員會政治部第三廳少將設計專員，正在故鄉長沙。他見蔣委員長於十月十六日在衡山南嶽舉行第三次南岳會議，召集桂林行營主任李濟琛，第三戰區司令長官顧祝同，四戰區司令長官張發奎，六戰區代司令長官孫連仲，七戰區司令長官余漢謀，九戰區司令長官薛岳及參加會戰的諸將領們，中樞要員計有副參謀總長白崇禧，軍令部長徐永昌，侍從室主任錢大鈞，將星如雲，濟濟一堂；他特地用舊瓶裝新酒的辦法，編了一齣：「新戰長沙」應景好戲，來宣揚此役諸將領的功勳，以激勵士氣。演員們是平劇的穿戴。

主將薛伯陵的穿戴，仿征東薛仁貴及朱仙鎮岳元帥的打扮：白盔，閃白，參謀長吳逸志中將羽扇綸巾，儼然諸葛孔明的扮像。當薛元帥升帳，調兵遣將時，副帥羅卓英、楊森、王陵基等，以下衆將官，盔甲鮮明，都站立兩廂侍候。關麟徵面如重棗，丹鳳眼，臥蠶眉、夫子盔，綠蟒，青龍刀，美髯飄逸，一似乃祖漢壽亭侯關雲長再世。張耀明、陳沛、夏楚中等軍、師長，被點卯時，俯身抱拳一拱，口稱得令，便手接令箭，隨鑼鼓點子而下。那時的敵酋十一軍團長岡村寧次，由武二花臉串演，狐尾翎子，改扈靠，掛一字鬚，率司[illegible]雞蛋簡單臉譜的日將八員上陣。敵我兩軍分由上下場門登場，打十二股檔，結果，日軍棄甲拋戈，敗陣而逃。薛元帥把手中大槍一揚，喊一聲：追！三軍便持槍追擊，把日軍趕過新牆河北岸。我軍鳴鑼收兵，大獲全勝，奏凱歌而幕落。觀衆們鼓掌，歷久不衰，興奮之至。

該「新戰長沙」平劇，除了在長沙南門外二里牌第九戰區長官部演出外；關麟徵也曾在金井總部舉行會議時，邀劇團前往演出，以娛全體出席軍、師長，使他們觀看自己全是台上的劇中人在現身紅氍毹上。

田漢那時就因編「新戰長沙」而著盛名於故鄉，雖然那時他已是三十年代的左翼作家，具有代表性的典型人物，曾幾何時？匪偽「解放軍報」於昨年底發表攻擊田漢的文章，列出他的五大罪狀：「賣身投蔣」「圍攻魯迅」「效忠國民黨」「賊性難改」「叛變投敵」，並指責田漢在一九四八年鑽進匪黨後，一直瘋狂地反黨、反社會主義、反「毛澤東思想！」

田漢因一九六一年前所編之「李慧娘」「謝瑤環」「海瑞罷官」被匪之文化大革命稱為：「三棵大毒草」而遭清算，當時幸未翻出田老大曾編「新戰長沙」耳！

人間的距離

仲山

（一）

在一個地方住了一段時間，當每次離開，想到自己將在那些熟悉的人的記憶裏漸漸抹去，自己的聲音將不再為那些人記起的時候，我常常感到一種空虛的悲哀。

有一個詩人唱道：「我們如海鷗之與波濤相遇的，走近了。海鷗飛去，波濤滾滾的飛開，我們也分別了。」的確，人是健忘的。在一起的時候，還會記起有這麼一個人，看見時也能聽到一聲呼喚，或幾句答語；但是離開了，便像秋天裏一片落葉，夜空中一顆隕落的星，什麼人都不會注意的。這就是人與人間的距離。

（二）

有一次我觀中國戲劇，當看到所謂「落難公子」真個落到只好抓下臉皮，與乞丐結拜兄弟，一樣的站在人家的門口，一樣的一副大吞大嚼的吃相，那種人性的變化的流露，我不禁為之深深感動，而嗟嘆人與人間，原來都是如此相近的了。

然而這情形，似乎只限於「落難」的條件下，我就看到一個大概是下人，為了在已故的主人靈前流了一滴眼淚，表示自己的一份忠心；而被少爺小姐們看見，却認為此舉有辱先人，結果拳交加，滾了出去。

從這兩個故事間，我又看出了一種不同的人與人間的距離來。

（三）

其實人與人間無處不存在着距離，即使是種習慣或極小的事物，也都會構成一個距離。

人類的互相殘殺，是空間給我們造成了距離，做父親的一代將不能瞭解兒子的一代，是時間給我們造成了距離；貧富間的不相接近，是虛榮心給他們造成了距離；官民間的隔膜，是階級觀念給他們造成了距離。……

（四）

於是人類的笑聲消失了！活在這人間，就感到寒冷與寂寞了。

有島武郎曾說過這樣的話：「在我的周圍，習慣與傳說，時間與空間，築了十重二十重的牆，有時覺得要氣閉了。但是從那威嚴而且高大的牆隙間，時時望見驚心動魄的生活或自然，忽隱忽現，得見這個的時候的驚喜，與看不見這個了的時候的寂寞，與分明的覺到崗看不見了的東西，決不能再在自己前面出現了的時候的寂寞呵……」這也該就是千萬個人共通發生的苦悶的心聲。托爾斯泰，那個努力要使貧富聯在一起的善良老人也曾說：「在我們，富人與窮人間，老是隔着一堵虛僞教育的牆壁；在我們能夠幫助窮人之前，我們必須先推倒這堵牆壁。」

有島武郎認為要推倒，重重的牆，「除藝術之外，再沒有別的了；」托爾斯泰則以為宗教才能負起這個艱難的使命！

（五）

藝術、宗教，這也就是說，惟有「愛」，才是推倒這重重的牆的原動力，才是通過這距離的唯一橋樑。

是的，愛能使人聯結，互相瞭解。然而愛有時也有罪了。

拉瑪爾丁愛上了漁家女郎葛萊齊拉，但因為不能擺脫虛榮心，終於離棄了她，親手埋葬了自己的幸福，而讓以後的懺悔的眼淚滴在這上面。卡丘莎，也因為階級的懸殊，而不能走上來與她的愛人涅赫留道夫攜手。屠格涅夫筆下的梨莎，那個虔敬的姑娘，則因為教育和周圍的習慣損害了她，使她不得不離開她那已有了妻子的愛人萊佛爾支甚而進入修道院，讓自己的青春蒙在一件尼姑的黑袍裏面，隨四周環繞着的仙香的雲霧而消逝了。

愛反使他們離得太遠了，於是我感到茫然。

（六）

「復活」裏一個女孩說：「我覺得很冷，人與人間是相隔得多遠呀！」此刻，我又彷彿聽到這聲音，一陣寒顫從心底直衝到面上來。戶外是販菜塲上人羣滙合成的噪聲，但我放下筆，把頭埋下來，却聽到自己心上的歎息。

海外談薈

從李宗仁投共談到程思遠

諸葛文俊

李宗仁在美國住了十餘年的寓公後，晚節不修，忽爾投身毛共膀下，世人多認為他是受了「桂系」投共分子程思遠的蠱惑而然的。其實不確。有個避地海外的李氏舊部，曾於李妻郭德潔死掉後，赴北平省親李德鄰，在李府居留了四個星期，據他遣返海外對人說，有一天，他和程氏談到李的所屬，李氏談到自己投共的經過，說他於一九六三年（民國五十二年）就決計投奔大陸的，但因其妻郭氏極端反對而未果，後來郭氏要求瑞士醫疾，纔乘機說服她。後李對着程氏說道：「外人都說我是受了他的勸誘纔回來的，實在並無其事！」程亦默然。

筆者在海外從各方面查詢李德鄰投共的內幕情形，殊不簡單，但與程思遠確不相干。他只是臨時奉毛共命令，於李氏夫婦到達瑞士後，由香港馳往迎接，順便「從龍」而已。蠱惑李氏的另有人在也。原來李當年以代總統地位棄職潛赴美國的基本原因，是由於卅八年白健生率領廿萬軍隊回到廣西後，跟李氏在政治上立異了；宗仁的政治資本已蕩然無存，而當時台灣局勢亦岌岌可危，美國國務院且下令撤退在台灣的僑民，揚言「台灣且夕即將陷落」。他深感前途茫茫，乃採納甘介侯一流人的主張，攜其妻孥玉帛——計有美金十餘萬元，另有早已由其兒子李幼鄰經手存在美國的金元約為六十萬元，外帶一批古董字畫！放洋赴美。他卜居後，於彼邦新澤西州，購置房屋乙所，另資由郭德潔開一餐館，以營業不佳，經過三五年之後，手中持有的十餘萬美元，全都用光了，唯有依靠兒子經手的存款接濟。然其子係原配所生，素與郭氏不睦，對老父的感情亦淡薄，每月僅給老父生活費兩百元而已，李固無可如何，郭氏則交謫備至，李氏心情為之頹喪極了。是時忽有一華人在李宅緊隣購屋居住，以其同係中國人，李又不懂英語，亦樂與本國人交談，慢慢地由相識而來往親近。該隣居華僑自稱姓溫，廣東台山人，對李聲言他是經商的，但見面即談政治，溫謂商人雖不搞政治，却不可不懂政治，否則經商沒有不蝕本蕩產者。李氏認為溫某的見解殊不錯，復覩其態度很誠摯而恭謹，乃引為異鄉知己，傾蓋結交。由於生活困難之故，李氏曾將所藏古董字畫，拜託溫某代為銷售，溫慨然允諾，不問李氏所交出的古玩是真的抑係贋品？一律付以高價。於是，李更感紉溫某之隆情厚誼，視同雪裏送炭的恩人。然李氏所能出售的古玩字畫亦係有限度的，維持了三數年的生活費用後，已無生財之道，兒子仍不肯多給錢供養，郭德潔更枝憤填膺。這時候，溫某洞悉大好機會已來臨，即以甜言蜜語，昕夕向李進行「統戰工作」，說「毛主席」歡迎他回到國內去，接替李任潮的「民革」主席職務——因為何香凝，程潛之輩都領導不起來，唯有「德公」纔可以勝任愉快云云。李氏窮困無聊，而郭德潔適罹癌症待醫，溫某復餽以醫藥費（當然是毛共方面給予的），乃藉此說服郭氏，悄然投奔大陸了。李謂他之投共與程思遠無關，即此故也。

程思遠實係白崇禧的親信，與李關係不深，其人其事，亦有可述者。（上）

植間之，問於修，修曰：「奉君王命而出，如有阻當者，竟斬之可也。」植然其言，及至門，門吏阻住，植叱曰：「吾奉君王之命，誰敢阻當？」立斬之。」於是曹操以植為能。後人有告操曰：「此乃楊修之所教也。」操大怒，因亦不喜植。」（以下從略）

以上一連的「忌之」、「大怒」、「惡之」、「愈惡之」、「大怒」……等等的用辭，可知作者之所以表現這些故事的原因，無非在顯示羅貫中為表現曹操陰險奸詐篡奪之心，將荀彧、許攸、崔琰等人之死，根據曹瞞傳誇大而羅織之，將曹操篡漢之心顯現無遺。因其文長，不再多引。

羅貫中筆下的典型人物

○周燕謀。

羅貫中筆下的其他人物，如孫權、周瑜、魯肅、張飛等人，都和三國史實的面目全非，「與公瑾交，如飲醇醪」的周郎，却變成為氣量狹小猜忌的人；有大政治家的才略的魯子敬，也變成了呆頭鵝。

寫歷史小說創作人物，是要把一個實際人物，創造另一個理想人物，必須單取一種性格來描寫，才能顯得人物的突出和人物的特性。作者選定某種理想人物，賦以某種性格後，還得把某種性格誇大。不過，意象小說家與歷史小說家選擇的性格稍有不同，前者在實際社會，後者在史事的範疇。歷史小說人物，就是死去的實際人物，所以歷史小說家則可以在近乎情理的範圍內，用當代實際社會的情形來渲染他的歷史人物。羅貫中筆下所創作的人物是很成功的，因為三國演義的人物，比任何歷史小說人物更生動，而且又近於史實。

以文學的藝術看來，羅貫中能將高超的思想形相化，具體化，不僅人物理想具體，同時也表現了他的題旨。劉備、關羽、諸葛亮等人物，恰恰代表了我國理想中的帝王、宰相、軍人的風範，而啓發人類的向上心態，這種思想，就是高超的。他的一切竹頭木屑材料，都是爲某種人物而設的。雖然竹頭木屑車載斗量，如果剪裁不當，也不生動，反而有畫蛇添足之嫌。羅貫中在這種方面都非常成功，三國演義的大多數人物，個個栩栩如生，沒有人不知道。我們只要提張飛，是一個什麼樣子，聞其名即如見其人。至今「三國演義」中的好多人物，都活在我們的心目中。就憑這一點，羅貫中就和三國演義中人物一樣的不朽了。

（完）

談番石榴

○勺海○

番石榴的祖家是在熱帶亞美利加，現在除台省外，廣東、廣西、福建、瓊崖等地也多培植。在熱帶的東南亞，則因生長繁殖迅速，一年四季都可以吃到它。番石榴係桃金孃科，番石榴屬，為常綠灌木或小喬木。凡是氣候溫暖，不擇土質都可栽培。它的枝幹淡褐平滑，葉子為橢圓形，對生，葉脈凹入頗深，質厚而有香氣，背面密佈銀白柔毛。初夏開五瓣白色花，雄蕊甚多，雌蕊只有一枚，柱頭淡綠色。果實為漿果，農曆六月末始上市。

番石榴，又名雞屎菓、番捻、花捻、黃肚子。潮州人叫做「[illegible]仔」，台省人和客家人叫做「拔仔」，惟考查起來，實為英名「白子」（Guava）的轉音。但是，粵俗稱番石榴却叫做「女人狗肉」，原來這種水果的味道，甘美有如狗肉，而且女人們特別喜歡吃它，所以才有這個幽默的名稱。（上）

內警台報字第○三一號內銷證

自由報

THE FREE NEWS

第六七五期

中華民國僑務委員會發給台教新字第三二三號登記證
中華郵政台字第一二八二號執照登記為第一類新聞紙類
（半週刊每星期三、六出版）
每份港幣壹角
台灣零售價新台幣貳元
社長：雷嘯岑
督印人：黃行奮
社址：香港銅鑼灣高士威道二十號四樓
20, CAUSEWAY RD 3RD FL. HONG KONG
TEL. 771726　電報掛號：7101
承印者：大同印務公司
地址：香港北角和富道九六號
台灣分社
台北市西寧南路壹壹零號二樓
電話：三○三四六
台郵劃撥儲金戶二九二五

太空核武器條約的論評

·彭樹楷·

一九六七年元月廿七日，美英俄三國，在莫斯科簽訂一項禁止太空核子武器條約。這是繼一九六三年莫斯科核子禁試條約以來，東西方首次達成的武器管制協定，也將邀請其他各國參加簽字。由於廿一屆聯大於一九六六年十二月十九日曾經贊成這項新的協定，所以預料也將如同核子禁試條約一樣，獲得絕大多數國家的簽字參加。在毛共全力發展核子武器——包括必須穿經太空的洲際飛彈之際，美俄首次達成核武器的使用管制協議，其企圖及遠程目標——聯合世界輿情制裁毛共——當為世人所洞悉，故毋庸多所詞費，而僅就太空科學與核武器技術立場，對太空核子武器禁止的實際效用試予論評，以求正於方家。

太空區域及界限

非常遺憾的是，在人類即將登陸月球的今天，有關太空的定義和界說，還是各有各的說法。因此，我不知道這項禁止太空核武器條約是根據下列那種說法——

（一）生物學家的說法：中緯度約一萬呎以上處為太空，因如無護身裝備，人類不可能生存一分鐘以上時間也。

（二）氣象學家的說法：中緯度六百哩及一千二百哩處曰內太空及外太空，因內太空之稀薄空氣不再有天氣變化，外太空之空氣分子將溢出地球大氣層也。但，上述高度又因自然因素而有變化。

（三）太空地理學（Geografhy of Space）或天誌學（Spatiography）：一類以地球為基點，有月內太空、月外太空；火星內太空、火星外太空；金星內太空、金星外太空；如以地球為基點時說金星內太空，便是指介於地球軌道與金星軌道之間的空間。一類以太陽為基點，如說金星內太空，便是指介於金星軌道與太陽間的空間——以上為軌道天誌的說法，似乎不適用於核子太空條約。以下又有所謂引力天誌的說法，是根據各天體的引力力場與天體間相互吸引情形來解釋，太專門而不切實際且變化多端，更不適用於核子太空條約。

（四）通俗說法：目前太空器多航行於距地球海平面一百哩以上之所謂地球軌道太空，所以一般人則以一百哩為太空之界限，而無內太空、外太空、月球太空等區劃。

假如太空核武器條約以一萬呎為太空界限，則今日所有核彈飛機便應被禁止。

假如以六百或一千二百哩為太空界限，則該條約係專指太空器核武器系統而言，美俄今日尚無核彈人造衛星或太空船；而且從太空投拋核彈既費時間又易受反制，根本就無人發展此一太空核武器。

假如以一百哩為界限，則今日洲際核彈及即可服役的航空太空核子飛機（蘇俄已有核子動力航空飛機並具反雷達技術曾於一九六四年侵入美國未被雷達偵知）便將受到條約的約束！果如此，不獨毛共洲際核彈將受到阻遏，美俄洲際核彈亦將受到阻遏，實乃人類福音。

如果太空核條約對太空界限沒有明確劃分，則該條約便形同具文。

武器定義與技術

所有用以殺傷有生物及摧毀無生物的工具便是武器。所有構思、設計、製造、運用、反制上項工具的人為工作與自然物質的改變利用等便是技術。

因此，核彈及載送核彈工具、導引核彈的電子系統、裝置電子系統的工廠和基地，便都構成核子武器。

因此，用以偵察地面核武器的人造衛星和雷達預警系統，便都是反制用的核子武器。

假如太空核條約所稱的核子武器不僅限於核子兵器——直接致人與物以傷亡破壞者曰兵器——那末，蘇俄核子動力飛機便應廢棄！美國核子衛星便該禁止！雙方的洲際核彈及製造工廠、基地……便都要廢棄才是！其他簽字國亦然。

假如該條約包括反制核武器的工具在內，則偵察衛星、軍用通信衛星、陸海空用雷達預警系統等等，一律應該受到條約約束而禁止使用！

評論

我們樂於見到東西方的武器管制首次達成協議，尤其是核子武器，更為重要的又是太空核子武器！

我們並不樂觀地將人類希望寄托於這個連太空定義、界限、區域都未達成一致看法的太空核子武器禁止條約。

我們希望能由大多數國家批准此條約而使核武器的蔓延受到阻遏！但這須憑人的真誠而非一紙具文的條約！

得物無所用

1

2

觸礁

文化革命

今日与明日

毛共製造暴動

連續三日的新蒲崗、東頭村暴動，現在已經充份證明是毛共份子所策動。在暴亂進行時，毛共份子且親臨指揮，僱用無知小童及無賴擲石、放火，每擲石一塊，代價一毫，至於擲汽水瓶、打警察、縱[illegible]價若干，尚未見報紙刊載，但預料將高於擲石子若干倍。毛幫所謂的羣衆，民意，原來只值一個毫子。

就這件事起因來說，原本簡單，新蒲崗人造花廠的勞資糾紛，既然勞資雙方不能自行解決，就應當提交勞工處仲裁，最後再無辦法，也可以告之於法院。但是，所謂勞方舍正路弗由，却糾集人馬阻止廠方開工，這就違犯了香港的法律。雖然如此，警察也並未加以干涉，只是派人維持秩序，直到來了一大批「革命羣衆」，破壞了當地的法律秩序，警察才不得不以武力維持治安。

事情的經過，香港三百多萬市民都看得清清楚楚，我們現在有幾點要提出質問的：第一，香港人造花廠罷工工人不過百人，而後來打鬧新蒲崗的竟達數千人，這批人從哪裏來的？誰使他們來的？第二，打前鋒的是兩間左派學校的小學生，這些十幾歲的兒童與香港人造花廠的勞資糾紛究竟有何關聯？怎麼用得着他們出馬？這兩間學校究竟是在辦教育，還是專門訓練小暴徒？當地政府，尤其是主管教育部門，對這樣的學校，必須作一切實調查。是否應該讓他繼續下去為社會訓練暴徒，也應有一決定。第三，暴動事件未息，居然出現了一羣自稱為代表的人物，到港督府提條件，要求賠償損失，並且大唸毛語錄，一如在澳門時。這裏要問的，這批代表是誰選出的？他們代表什麼人？若是代表一羣暴徒，他們首先要負起指揮暴動的責任。說到賠償，暴徒方面有什麼損失，而真正被燒的私家車，被焚的巴士，被破壞的佛教學校，被搶刦的徙置區職員宿舍，才真真地應該得到賠償，應該由這幾名代表來負責賠償。

到了最後，終於圖窮匕見，毛僞「外交部」出面向英國代辦提出抗議，要香港政府接受毛共駐港代表所提的條件。我們代表廣大輿論立場，我們支持香港政府，絕對不能接受毛共半項條件，我們四百萬市民都寧為玉碎，任何虛聲恫嚇皆不能理會。倒是在此地專門搞風搞雨的人物，這次既然查出來，就應當送他們回去「幸福的祖國」去過「幸福的生活」，不必再生活在英帝「法西斯」統治的地區，這樣彼此都有好處。（何如）

自由談

香港不是澳門

馮王先生

連日來，香港和九龍地區不斷的發生少數工人騷動事件，還有些小學生亦被人玩弄參預於其中。顯而易見，這是毛共導演的鬧劇，旨在試探當地政府是否像澳門葡萄牙人一樣的愚魯無能，容易脅迫就範？

英倫政府已由陸軍大臣發表談話，說明對香港的安全要負責維持，必不放棄，這便是對毛共的明白答復——英國決不似葡萄牙一般的懦種相！事實上，即令英國今日願意放棄香港這塊殖民地，毛共亦絕對不敢接收的，祇是隨時製造一些糾紛，困擾當地政府，迫使其向澳門看齊，事事聽從它的意見，經濟上成為它的外滙寶庫，政治上去名取實，暗地裏由它發號施令，儼然太上皇。所以，他們特別强調「澳門事件的勝利」之說，洋洋自得。英國能夠輕易屈服嗎？

可是，共黨遇事是只講暴力，不講理性的，英國若以其傳統的「紳士派」作風跟共黨打交道，決無倖理，試看英倫派駐北平的外交官，除却博得「美帝的幫兇」這項罵名外，十餘年來發生了甚末作用呢？十年以前，毛共在港九掀起的「歡迎親人」大暴動，其情勢之嚴重，比較現時的鬧劇超過百倍。但港督葛量洪聞訊從日本趕回來，採取强硬對付策畧，毫不妥協，滿天雲霧，即歸消散了。

共黨的所謂「鬥爭」魔術，就是製造宣傳口實，藉以搖惑社會人心，張之以勢。你若想息事寧人，他就得寸進尺，釀亂不已；你如果不相信邪，唯力是視，他就「降低縮沙」，無所施其技了。香港居民三百八十萬人以上，十之七八都是屢受共禍的政治難民，對毛共決無好感，這是香港社會的一股安定力，政府當局擁有這項政治資本，應該妥為運用，必能消弭動亂，化乖氣為祥和。否則魔障乘虛滋生，將有應付不暇之虞，到時候噬臍莫及，悔之晚矣！

偽造文書及違反所得稅法
台南煙酒配銷會總幹事 陳晚吉等廿七人被起訴

（本報記者李忠道航訊）台灣省烟酒公賣局台南分局瀆職嫌疑案，被告台南烟酒配銷聯合會總幹事陳晚吉等二十七人，已爲台南地檢處偵結，分別依偽造文書及違反所得稅法罪嫌而被提起公訴。此一利用公賣局制度有缺憾及法律上漏洞所產生的集體舞弊案，各界均至表重視，咸認省公賣局職權混淆，體制凌亂，非重新改革不可。

據起訴書指出：被告陳晚吉係台南烟酒配銷聯合會總幹事，綜理該會一切經費，每年按烟酒配銷金額百分之二，向所屬第一、第二、新化、麻豆、佳里、學甲等六個烟酒配銷所抽取佣金，充爲該會會費。計自四十八年至五十四年，每年所得會費三萬元至九萬元不等，竟任意化用，作爲交際送禮之資，而於事後報銷，登載在職務上所製作之現金日記表等，足以生損害於該會。

被告謝星夢係南市第二配銷所主任，蘇孝述爲總幹事，蘇芳椿爲業務幹事，林錦鍾爲主計幹事，黃培得爲幹事，賴聰明爲出納，韓勵鍔、許澤水爲前後任監理人，張德仁、張哲甫、黃斌一、馬德旺、葉再來、周石興、林政博等均爲助理員，林月華等爲工友，先後共同執行該所烟酒配銷事務，謀圖多得補助費（即佣金），竟利用台南公賣局對機關部隊福利社並無考核之便，而自四十八年至五十四年期間，冒用空軍官兵福利社、四四〇七部隊，氣象台及陸軍一六〇三、五六七三、五一四三、八一七等部隊名義，將烟酒配銷與烟酒零售商，香烟攤販吳錫玲等十人，使彼等免負担銷售烟酒所徵的稅捐，增加利潤，而願意多爲購買銷售，其方法爲吳錫玲等人購買烟酒時，先後分別由業務幹事蘇芳椿或張哲甫、黃斌一、張德仁等人填寫上列部隊名義的烟酒配銷通知單，而在背後註明吳、陳、嚴等姓名以爲識別，交由中購人持向知情的賴聰明繳款，再親自或由總務幹事黃揺得、馬德旺、葉再來、周石興等領取烟酒，再分別由前後任知情的林政博、吳斌一、林月華等，登載於其業務上製作的第二配銷[illegible]謝夢星，總幹事蘇孝述，主計幹事林錦鍾，業務幹事蘇芳椿，監理人許澤水、韓勵鍔等蓋章，分送台南烟酒公賣局分局及稅捐處，足生損害於政府稅捐課征。

被告吳錫珍，陳施偶盛，嚴銀，蔡添丁，許麗珍，陳許棋群，吳登財，李再輝，林境科等均爲烟酒零售商或烟酒攤販，明知在銷售於酒應依所得稅法規定，繳納營利事業所得稅及綜合所得稅，竟於四十八年至五十四年間，先後多次接受第二配銷所的幫助，冒用部隊機關名義，記載於在所製作各種表冊上，移送稅捐處，致該處無資料可對被告等課稅而逃漏所得稅。

以上偽造文書、逃稅等案，均經台南市警察局查獲移送法辦。

社會情況既有變化，則制度亦當有所興革，而行政當局即須同時改革以適應之，俾防止偽造、逃稅等流弊於萬一。今被告等竟利用台南公賣局對機關部隊福利社並無考核之便，而冒用各部隊名義，將烟酒配銷與烟酒零售商及攤販等十人，使彼等免負担銷售烟酒所繳的稅捐，以增加利潤，而造成損害政府稅收，妨害國家利益。足見烟酒公賣局制度之不完備，使汚吏有隙可尋，肆行無忌，於是乎乃構成大不必法，小不必廉的貪汚風氣，而恬不爲怪了。

國家設官分職，各有專司，而幹部實乃決定一切，絲毫不爽。然省公賣局尚能恪遵總統昭示：「革新，動員，戰鬥。」本此精神以革新制度，則必能嚴明功過賞罰，使人盡其才，才適其事。（五月八日寄自台北）

毛共奪權鬥爭中的幾個共幹

—鄧小平，蕭克，江青—

潔庵

現時被毛酋當衆指爲反毛集團「黑幫」首領之一的鄧小平，原係民國初年赴法國的「勤工儉學」份子，是時年方十八歲，他籍隸四川廣安縣，眞姓名叫「鄧澤高」，到巴黎參加中國共產黨的組織後，甚受周恩來賞識，曾經替中共當時在巴黎出版的「赤光」週刊担任油印工作——因爲沒有漢字鉛印工具！——鋼板字寫得很精緻，油印亦清爽，頗爲閱者所讚美，享有「油印博士」的綽號。

周恩來旅居法國時，担任中共「歐洲總支部」書記，他的親信助手是李富春，後來周酋奉共黨調回本國服務，對於歐洲總支部書記職位，人皆以爲必由李富春承接之無疑，然周竟推介鄧小平接任，足見其與周酋關係之深厚。他化名「鄧小平」，是回國來從事顛亂活動開始的，以後就一直使用化名了。

民國卅九年劉伯承（四川開縣人）率領共軍竄據川東，在重慶成立「軍管會」，鄧小平是「政委」，所有偽軍管會的一切外來重要文電，劉酋皆須先送交鄧氏拆閱，方敢核辦處，即因鄧有周酋恩來的背景，不能不特別尊重也。自從「紅衛兵」之亂發作迄今，周酋皈示中和，曾爲李富春鄧數等說話支持，敎紅衛兵不要隨便騷擾財經、外交諸行政機關，表面上不提鄧小平的言論，內心實對鄧猶有好感。明乎此，將來毛酋的尊權運動如果獲得最後勝利，周恩來亦終歸是要被批評整肅的。

同屬反毛「黑幫」人物蕭克，曾任共軍軍團司令員，秧歌王朝封之爲上將。他是湖南嘉禾縣人，與筆者同鄉里，家貧甚，父親以雇農營生。蕭於民國五六年間入舊制初級中學未畢業，即離家流浪在外，展轉投入毛共集團，過着軍旅生活，隸朱德部下，父母健在，但少音問。越民國廿四年，毛共從江西瑞金突圍向粵桂邊境流竄到川黔一帶之際，蕭率領約莫一團僞軍，由贛邊竄湘南的郴縣、桂陽縣，經嘉不入廣西境時，纔跟他的父親在桂陽途中晤面一次，然過門而未入其室家，蓋別有其原因也。

嘉禾壤地狹小，人民聚族而居，全縣十五萬人口之中，李蕭二姓佔半數以上，蕭姓係小族。邑中士紳們聽說蕭克率共軍要經過桑梓之地，害怕受到殺人放火、打家刦舍的災禍，乃集議派代表響告他的父親，敎他趕快馳往桂陽縣等候其子見面，囑其率軍走過本縣時，不許有刦掠燒殺行爲，否則將來他的老命絕對活不成的。乃父本係鄉愚貧農，謹遵長事，終於說服了他的兒子，迨共軍竄過縣境，果然很規矩，縣城亦避不進入，匆匆忙忙假道往全州去了。

迄民國卅六年，蕭克已洊升爲兵團司令階級的將官，統兵竄擾華北平津地區。他有個嫡堂兄弟蕭武惠（廣州中山大學畢業），曾赴華北晤及蕭克，告以乃父年老家貧，生活艱苦，在鄉村的破屋也傾圮不能居住了，要他寄些錢接濟老父。蕭克答道：「沒有房子住，就可以借住廟宇祠堂，我那裏有錢接濟呢？」武惠回到南京告訴我這段經過，我說，「蕭克可算是個眞正的共產黨！」「像這樣的幹部，毛酋亦不能容，不亡何待哉！

毛妻江青，初到延安時風頭甚健，曾跟一姓王小伙子極親蜜，時張國燾任「陝甘寧邊區政府」主席，江青常偕王姓小伙子到張主席的辦公室閒談，二人當着張的面前，不拘形迹，行動殊猥邪。一日張以事忙，憎其煩擾無狀，指語王曰：「以後未過下午五點鐘，你們不要隨便闖進來，就誤我的公務！」江青厲聲謂：「你把我當作水滸傳上的一丈青嗎？」態度頗爲潑辣。後來她和毛酋勾搭上，那王姓小伙子即不知所終了。當江青與毛酋熱戀時，國燾太太協同若干高級共幹的「愛人」，爲毛妻賀子珍鳴不平，對毛酋頗興問罪之師，責其無情無義，却因此害了賀子珍，毛酋一怒將她送到蘇俄去「養病」，從此一去不復返矣！如今江青竟成了毛酋「文化大革命」的領導人，權威烜赫，不可一世，許多資深而卓著勞績的高級文武共幹們，聽着江青這種「牝雞司晨」，畫還淫威的情形，想起她的身世與品格，內心上會服帖嗎？即此一端，毛酋偽政權之瀕臨末日，不言而喻了。

論台北直轄市的編制

羅雲家

大抵層次加多，則管轄的單位減少；因此監督易於週密，但命令傳遞，不免延擱，因而指揮欠靈，三級五級的地方制度所以爲人詬病，其理在此。層次減少，則命令易於傳達，指揮較爲便利；但因管轄單位加多，監督上恐又不易週，清末主張廢省存道，最近要求縮小省區，其理亦在此。總之，指揮監督兩方面應當兼籌並顧，恰到好處，這一點更不能不取法於生理組織了。」（同上）

台北市原來的編制，其一級單位爲廿一個，高雄縣的現行編制，一級單位亦多達十八九個，其他各縣市的情形，亦皆大同小異。是以，我們的縣市政府編制，其一級單位之衆多，並非台北市如此，即其他縣市亦莫不皆然。這是値得我們檢討的地方。茲以擬議中的直轄台北市編制爲準，其一級單位，不特較總統指示的「五個到十個」多出一倍強，且較那霸市多出二倍半，較琉球中央政府多出近一倍，較琉球美國民事政府多出近一倍。一級單位太多之後，顯而易見的弊病將是：

（一）指揮監督不週，管制能力大減。（試想二十多個業務單位，再加上次一級機構——那麼多個「區」，僅靠一位市長，一位主秘，怎能有效達成指揮、監督、管制、協調、考核……等目的？）

（二）內部協調趨於困難，各一級單位間職員合作的程度亦必減低。

（三）業務劃分容易混淆不清，爭功利，諉過害之情形勢必增加。（報載商民請領執照的事務，有三個單位爭着管；又謂老百姓申請在淡水河採取紅虫，亦有兩個單位爭着管，即其顯著的例子。）

（四）各種費用加多，各種設施增多。多一個一級單位，就是多一個官署，多一個一級正副主管。於是乎相繼而來的，是必須增加行政、文書、事務人員；增加主管官邸、座車及特支費；單位辦公費，辦公廳、辦公桌椅、公文箱櫃、保險櫃、會議室、値日室、電話，一般作業設備（油印機、號碼機、打孔機、打字機、鋼版……等）；康樂設備（電視機、收音機、電唱機……等），他如對內對外應酬的增加，人事費用的增加，……可說是不一而足。

（二）若干單位宜予裁併。譬如環境衛生管理處、水肥處理委員會，皆屬衛生範疇，用不着別立門戶，宜予歸併衛生局；分別成立環境衛生管理處，或曰糞處理處（兩者或曰科，或曰組皆可）。又如國宅興建委員會可以歸併工務局（宜改名爲公共工程局），成立國宅興建科（或曰組）；原爲監督國宅興建，使不發生流弊所組成之委員會，乃一臨時性監察機構，需用時以行政命令發佈之，事畢撤消之，委員皆兼職不兼薪者，用不着列入編制。他如社會局可歸併成立社會科，一如。再如人事處、秘書處、新聞處、安全室，可合併成立一總務局，分別成立行政科、人事科、秘書科、兵役科、新聞科、安全科。果如是，則其一級單位減爲十三個，與美國治理琉球之民事政府，與琉球中央政府相差不多。而這樣做，亦就能夠符合總統的訓示「組織的原理」之精神；從而亦能發揮此一組織之功效了。

擬議台北市編制之新貌

基上所述，這裏試擬議台北直轄市編制如下：市長、主任秘書（即幕僚長），下轄市長辦公室一，設計考核委員會一，總務、主計、公用、經建、民政、財政、敎育、公共工程、警察、衛生等十局，民防指揮部一，合共一級單位十三個。能如是，則上述缺點必可消失或大爲減少，行政效率則可相對增加。至於其他各省轄市、縣之編制，亦宜比照總統上述訓示，及改進後的台北市編制之精神，重加檢討改進之。此爲福國利民之大課題，謹願當局欣然採納，則幸甚大焉。（三．完）

高港煙波

本報記者趙家驊

▲高雄港務局，這個包括數千員工的大機關，其單位之多，不下數十個，不僅在本市各機關中，無出其右者，即在台灣，也是相當可觀的。又稱爲「國際港口」，它的名氣可眞不小。無論外國的港灣專家，觀光旅客，政府顯要，要來台灣南部，必參觀高雄港，而上級大員及省議會來高港巡視攷察者，更以絡繹不絕，不可勝數。他（她）們新巡視與攷察的，無非是簡報，招待遊港，最後進住該閣最豪華的招待所，請她（她）們大大的享受一番而已。

▲美國貨櫃巨輪「有利廉捷斯號」預定五月十七日自紐約駛抵高港，將載來體積重廿噸裝有雜貨的貨櫃八個，在高港卸下。此一消息到達，忙壞了港務局，曾經召開了一個「研究貨櫃裝卸儲運及費率等問題座談會」。（上）

瀛海異趣談

太空探索與接觸星球生物

·桑雅·

人類跟地球外界生物的初次接觸，可能永遠不會發生，也可能是近在眼前。人類的巨型無線電望遠鏡，可能從深遠的太空收到信息。但是，談到完成人與一個或許不存在的種類間的聯絡方法，人類仍然停留在起步階段。這正是太空科學家担心的課題，因爲他們認爲雙方或許有很多事情要告所對方，却沒有一個共同的表達方式。

一個被提出的克服此種困窘的方法，是研究與地球上其他生物的通信。但是究竟是那一種生物？爲了簽覆這問題，美國國家航空暨太空署，已經作成決定，那就是海豚。在該署每年撥贈的八〇、七〇〇美元的援助下，此項與海豚通信的研究工作，將由佛羅里達州神經生物學家約翰．李里博士負責（按：李里博士自一九五五年以來，一直研究海豚）。

相信人類在今後十或二十年內，將與另一種生物通信，李里博士認爲海豚的可能性最大。他的理由是，海豚的腦部較人類複雜，牠們使用一種快速言語，包括尖嘯聲，馬蹄聲與鴨叫聲等。牠們能怪聲怪調的模仿人的談話，甚至學會細微的音調變化。李里博士不斷利用計算機分析海豚「談話」的錄音帶，以探求代表一定意義的海豚語言。「牠們的智慧能與人類比匹，」他表示。「我們可能從牠們學到與地球外界生物聯絡的基本技術。」

這種技術顯然對太空科學家頗有幫助。雖然無人預期人類將訪問另一太陽系內的居住者（此種旅行可能需要好幾百年），他們未放棄利用無線電通信與之連絡。在無線電問世以前，所有關於與地球外界生物聯絡的建議，本質上都是不出視覺範圍的：如利用巨鏡與探照燈打訊號，或在森林地與農村刻劃巨大的幾何圖形。

隨着有力無線電送波器的發展，人類有了更切合實際的通信計劃。剩下的問題是要播送些什麼信號到太空星球上去？最精密的計劃之一是荷蘭數學教授漢斯．佛魯登瑟設計的。被稱爲靈果語（Lincos，即宇宙語）。這計劃以普遍接受的數學觀念作基礎。目先，佛魯登瑟教授把「大於」的觀念教給地球外界的生物，他的教法是用無線電波先後播送五個「比普」（Peep，如雞短促而尖之鳴聲），一個不同的信號——或許是一個「維特」（Tweet，鳥鳴聲）。他重複這組信號，直到收聽者用一「維特」回答。同樣的，「小於」，「等於」，「加」，「減」等的觀念亦可以教給他們。最後，佛魯登瑟教授希望播送一種複雜的語言，然後着手向太空「函授」物理學、生理學，甚至倫理學。

西維吉利亞州格林本克城國家無線電天文觀察台佛朗克．特萊博士，提出一種更簡單的計劃——電視傳眞。這計劃根據電視圖片可以被分裂成微小光點（Light Dot）的原理。這些明暗程度不同的光點，可以被變成相配稱的不同信號，如小點、長點、拼號、週率、或數字，然後把它們當作無線電信號播出去。特萊博士希望，宇宙生物能夠了解這個原理，與根據收到的信號重新構造出我們的電視圖片。

然而，此類智巧的計劃，繫於一個脆弱的假設，即宇宙生物能像我們一樣地思想。或許他們能夠；但是另一個想像得到的問題是，數學與歸納推理可能使宇宙生物覺得陌生而難以了解。這樣看來，研究人與海豚通信的方法自有其可能的價值，因爲對於人類，海豚可能像火星生物一般的奇怪（譯者按，此指研究彼等的語言）。換言之，人類對海豚語言的了解，可能幫助太空科學家探求人與宇宙生物的通信方法。

「目下我們不期望任何一隻海豚教我們如何跟火星生物談話，」不久之一太空署官員說：「我們祇是試圖譯出牠們自己的談話。」然後發生些什麼，自然要看牠們說些什麼了。

漢堡恒巴利街「櫥窗美人」

○森然○

前往德國旅行的遊客們，絕不會放過往漢堡一行，因爲在漢堡的恒巴利街內，可以參觀到世界獨一無二的「櫥窗美人」。所謂「櫥窗美人」，就是把娼妓們放在陳列品用的櫥窗上，任尋芳客自行選擇。這種公開式的娼妓制度，至今仍在德國保留着。

本港的市民，對於恒巴利區的「櫥窗美人」並不會感到陌生，因爲年前在本港上映過的「世界夜生活」及「歐洲夜生活」中皆先後映出了幾個大特寫鏡頭來介紹這個蜚聲世界的紅燈區。在銀幕中出現的美艷妓女，只不過是片場的臨記，在恒巴利區眞正過着迎送生涯的娼妓，是否會和觀衆在銀幕上所見的一般美麗呢？這一點相信是廣大讀者所殷切要知道的。本文是節錄原作者柏拉力在最近訪問恒巴利街之後的一篇報導，在文中他把這個蜚聲世界的紅燈區描寫得淋漓盡致，讀者可從中了解今日的恒巴利街的一般情形。

恒巴利街是一條很短的街道，全長不過數百呎光景，至於路面的寬度，約達十八呎。

在街口處，設了一道綠色的木圍牆，牆上開了一個僅可容一人閃身進去的小門。在小門的上方，漆上了一行用德文寫的白字，經我請教帶我來的導遊解釋，此行德文的意思乃是凡未滿廿一歲的青年不得進入此門。當我（原作者柏拉力）進入了這度小門後，恒巴利街給我的第一個印象就是兩旁屋宇內所傳出的紅色燈光。街內每一間屋宇都有個寬約七呎乘八呎的大櫥窗，在櫥窗的中央，都有一個穿得非常肉感的女子，打坐在一張扶手的椅子上，正在儘量施展她們的媚態，去吸引進入街來的客人。放眼看去，這些「櫥窗美人」好像鑲在鏡架中的一幅油畫似的，亦好像陳列在櫥窗的服裝模特兒一樣，唯一不同者，就是這些櫥窗，是沒有鏡屏設置的，只得窗框一個。經導遊的解釋：「櫥窗美人」不設鏡屏的緣故，是予窗中的美女有機會直接與尋芳客在窗前討價還價，同時亦可以避免紅色燈光與鏡屏間的反射作用，而妨碍美女向客人眉目傳情的效果。

過去，我曾從在美國方面放映的夜生活片集中看過此間的櫥窗美人，她們大都是綺年玉貌的美女，但今日我所接觸到的櫥窗美人，絕比不上我以前在銀幕上所看到的來得美麗，就算屋內的陳設和櫥窗的佈置，亦沒有如電影所描寫的華美。我行盡了整條恒巴利街，只發覺過有兩三個「櫥窗美人」一尙可以過得去，其他的都是尊範不堪承教的女子。同時我發覺這些「櫥窗美人」，年紀大都是中年以上的婦人，年紀在十七、八歲間的只有三、四個而已。（上）

「恐懼病」有新的認識

·良生·

一種蛇和鼠的行動狀態，使我們身體內也自然發生一種蠕動而生恐懼。任何東西搖幌都會使我們不舒服，因爲我們將牠與身體的感覺合而爲一。上述我朋友的女孩的例子裏的機器腳踏車，或是一隻昆虫，一隻小鳥，街市下面鐵道或地道的震動，甚至梵啞鈴的聲音等等，都屬於這一類。事實上任何人有時候都會遭遇一種強烈的交替恐懼。如果你離開一所房子，當你回轉來檢查是否關閉煤氣，水管或電燈時，你就會經驗到這種交替恐懼。但在大多數情形下，我們都忍受得住，因爲牠們出現的程度都不太明顯，只偶爾表現得很強烈而已。

但當這種恐懼心理，到達一種嚴重損害我們精力或是長時間縈繞腦海的狀態時，那就必須要採取行動了。所謂採取行動，也很簡單，就是要面對恐懼的象徵。一位婦人常常不肯乘電梯，但有一次在一家百貨公司裏身不由自主地被人擠上了電梯，在上昇時她眞感到恐懼，但到達一半時，她才發覺她的恐懼是全無根據的，而且她還很欣賞這種昇降了。到了第二樓後，她更是興高彩烈，一直上昇到那家店子的頂層。

作家羅林會說過爲了克服對蛇的恐懼，他自己到一個豢蛇的地方去，他要求自己去實地觀察蛇的行動，甚至用手去抓起蛇來。

另外一個克服交替恐懼的方法，即是去幫助別人。一位我認識的歐洲女人，她對於血液很害怕。在戰時我知道她被關在集中營，我想她一定怕得要死了。但到戰後，我再看到她時，她說由於接觸到別人遭受痛苦，而使她忘記了她自己不合理的恐懼，而整個禁閉期間，她都是在看護那些囚犯的。這個例證當然比較特殊，但我想許多患有這類恐懼的人，都可以到醫院去作義務工作，爲他人工作，使他人需要她們的幫助，那末他們的恐懼當可以解除。

第三種消除交替恐懼的方法，乃是「眞正的」恐懼消逝之後，自動趨於消逝的。不過這種情形在生活上不易遇見。一個年輕的女演員，曾跑過很多地方，她有兩種交替恐懼，一種是怕高地，另一種是怕掉在火裏。當她到達一個新地方，然後她要跑遍所有的角落，尋找出萬一失火時的出路。事實上她這些都是由於她對於性慾的恐懼以及她自己對性慾的感覺。最近她與人深深相戀而結婚，蜜月時她和丈夫爬到一個村子裏的一座高塔上去，結果她的恐懼不存在了。（下）

以其事重大，非得親自出馬不可。另外又下令飭豫州刺史督諸葛誕豫州諸軍，從安風津向壽春進發，征東將軍胡遵，督青徐二州諸軍，絕其歸路。司馬師屯兵汝陽，令各軍堅守不戰。

毌丘儉字仲恭，河東聞喜人，其父毌丘興在魏黃初爲武威太守。儉初襲父爵爲平原侯文學，做過魏明帝的尚書郎、羽林監、洛陽典農、荊州刺史、幽丹刺史度遼將軍（討公孫度時），使持節護烏丸校尉，平定遼東封安邑侯，還左將軍假節監豫州諸軍事，領豫州刺史（一領、即兼也），轉鎮南將軍，其後與諸葛誕對調，毌丘儉轉鎮東將軍督揚州，諸葛誕轉鎮南將軍督豫州。

文欽因爲是曹爽的小同鄉，「驍果粗猛」，數有戰功，累官揚州刺史前將軍。毌丘儉和他二人共同抵御吳太傅諸葛恪攻打新城一役，建立了交情，以後情感日密。因見司馬氏專權日甚，於是假太后詔，公佈司馬師的罪狀，傳檄諸郡，起義聲討司馬氏。以壽春爲根據地，同時還設壇插血爲盟，以老弱守城，毌丘儉和文欽引五六萬人渡淮西，到了項城，毌丘儉堅守，文欽在城外爲游擊隊。

司馬師統督中外諸軍討之，又使諸葛誕督豫州諸軍，從安風津向壽春會師。征東將軍胡遵，督青州、徐州諸軍出安徽譙縣，絕其歸路。司馬師自屯兵於汝陽。命將軍王基爲前鋒，據南頓以待之。下令諸軍只堅守，不得與戰。毌丘儉、文欽進退維谷。以淮南將士家均在北方，因此士衆之心沮散，投降者很多，只有淮南農民願爲毌丘儉拼死一戰。司馬師又派兗州刺史鄧艾，督泰山諸軍萬餘人，形成包圍之勢，又派驍騎攻擊，大破文欽。毌丘儉在城中，聞文欽敗，十分恐懼，乘夜突圍出城，路上士卒衆散，到了愼縣，左右人馬只有數十騎，毌丘儉與小弟毌丘秀及孫重匿於水邊叢草中。爲安風津都尉屬下一個民兵射死。此小人物史上有名，他名叫張屬，將毌丘儉首級獻上，一個民兵平地封侯。毌丘秀及孫重投奔東吳去了。毌丘儉的兒子毌丘甸，爲治書侍御史，先知丘儉謀反，乃先行逃到新安靈山，結果也被司馬師派兵斬了，夷了三族。文欽也投奔東吳。吳以文欽爲都護假節鎮北大將軍幽州牧封譙侯。這是第二個擁有兵力反對司馬師的人。

司馬師出兵前已患眼疾，割了眼瘤不久，以其關係重大，不得親自出馬。得勝回朝後就嗚呼哀哉了。司馬昭繼承了其兄的地位，其行爲專橫跋扈如出一轍，所以不久又有諸葛誕的反抗。

八十六、諸葛誕反抗暴政　司馬昭壽春屢兵

司馬昭專政兩年，又在毌丘儉的揚州又掛起了反抗他的旗幟。這就第三次反抗司馬氏專治獨裁的事件，此人就是諸葛誕，也是二年前參加圍剿毌丘儉、文欽反司馬氏的人。他又在同一地點舉起義旗。

當毌丘儉敗死後，因爲諸葛誕在淮南駐得很久，復以他爲鎮東大將軍，儀同三司，都督揚州。吳國孫峻、呂據合同降將文欽來攻壽春，禦敵有功，轉爲征東大將軍。

諸葛誕因與玄颺係至親，見王淩、毌丘儉反抗司馬氏被夷三族，心不自安。

（一三一）

平劇繽紛錄　雁門關之謎

○桂良○

三關口」「小放牛」牧童哥唱道：「什麼人把守三關口？」村女答唱：「楊六郎把守三關口！」究竟是那三座關口？

辭海告訴我們：山西代州志：唐朝置關於代縣西北雁門山絕頂。元人入侵時將雁門關廢去。（進出方便）明初移今所，兩山夾峙，形勢雄險，自古爲戍守重地，與甯武關、偏頭關爲山西省三關。

楊六郎所把守的三關，如依他家之說，不必在山西境內；但依戲劇所傳：遼、宋對峙多年之經過，則「雁門關」應爲他在某一時期把守三關之一。

中華自秦、漢以來，沿長城阨置關隘，皆爲塞北强胡乘虛侵入。匈奴、胡人、遼、金、疆土雖廣。俱屬遊牧部落，是侵略者，那會築關自守？且引用漢人之關名？更無兩個關口南北對峙，相隔「九龍飛虎峪」而彼此同一名稱，如「雁門」爲關名者。

我們遊「山海關」，關口向東，所以當年的軍閥張作霖，人稱爲：關外王。遊「居庸關」，關門外便是「北口」。遊「娘子關」裏，登「宿將樓」則知關口外向西北。因爲我們的遊蹤俱是各自各關以內出發的，可見中國古今各處關口，如同槍口一般，俱是外向的。

今再談「四郎探母」的劇情和發展，此劇對於「雁門關」口的方位却是向南開的！怎見得？

教育部四十三年底改良的「新四郎探母」劇詞：四郎坐宮，白：聞聽老娘押粮來到「雁門關」口……四郎唱：辭別公主跨走戰，淚汪汪哭出了哇「雁門關」。太后唱：大胆木易盜將令，私自出關爲何情？四郎唱：……把守關口莫偷閒……國舅白：今有木易駙馬，降順南朝殺死蕭天佐，大破飛虎峪，帶領宋兵殺奔「雁門關」來啦！

各地關口之險隘，爲防敵之據點，故關口之方向，不能倒置。遼、金、利在侵略，不重防守，八寇便是「進關」，初無據關自守之必要。

元人入侵時，如果「雁門關」對他有利，何必廢置「雁門關」？打開古今中華地圖一看，從北向南從東向西，祇有進關。那有從北向南，從東向西反是出關之理和事實？

瓊瑤的老太爺講中華通史：徽宗時遼都燕京（今北平），故探母引子：被困幽州思老母……當年燕京即在「幽州」地界。何以四郎、八郎口口聲聲要說：「出關見娘」呢？

試想從幽州的燕京，到代州的「雁門關」，往返關山，回程數千里，戲詞有：「五鼓，天明即刻還！」之句，如彼時有噴射機可乘，其庶幾乎？！

戲說戲話，勉成此篇。惟筆者並無意商榷教育部修正「新四郎探母」的戲詞；因戲劇性究屬與歷史性不同，而吾人祇是背背戲詞而已。

博古通今孫詒讓

○夜闌○

瑞安孫仲容詒讓，孫衣言子。衣言以翰林起家，詩古文雄一時。官國子監時，諸屬國遣人來學京師，衣言並教之，學成歸國，故衣言詩文流播海外。有遜學齋集行於世。詒讓幼承家學，博通經傳，少有神童之目。弱冠舉鄉試，爲張之洞所取士。五赴春官不第，遂一意古學，精研卅年，著周禮正義，墨子閒詁等書。爲文精遒雅正，其治經說字均淹有諸家之長，爲世所稱。

當時，吳越間學者，有德清俞蔭甫（樾），定海黃元同（以周），與詒讓同稱樸學大師，爲士子所宗。平陽宋平子（恕）與詒讓爲姻親，章太炎與平子交，故獲與詒讓接。平子不務修飾，麻衣垢面，五六月着棉鞋，嫉趨世之士如仇讎，外恭謹，恂恂如鄙人，人多舉爲笑，而平子無慍色。及與人談學術，則剛稜四注，談者皆披靡。太炎嘗以詒讓學術問平子，平子不欲言，而又不能非也。會康有爲作新學僞經考，詆古文爲劉歆僞書，太炎素治左氏春秋，聞詒讓治周官，皆劉氏學，因以爲問。詒讓曰：「是當諱世三數年；荀卿有言：狂生者不胥時而落，安用辯難？」旋康以變法失敗，其學亦絕。

嘗謂周官一書，不越政教二科，政教備，「故四海之大，無不受職之民，無不造學之士，不學而無職者，則有罷民之刑。賢秀挾其才能，思賤賣其忱悃，咸得以自通於上，以致純太平之治。」又謂：「政教之宏綱微指，實能貫百王而不敝，豈有古今之異？其所爲政教者，務博議而廣學，……咸與此冥符而遙契。蓋政教修明，則以致富强，若操左契，固寰宇之通理，放之四海而皆準也。此又古政教必可行於今之明效大驗也。」又以墨子實篤於政教，引墨子語魏越所云：「國家昏亂則語之尚同，國家貧則語之節用、節葬，國家憙音沈湎，則語之非樂非命，國家淫僻無禮，則語之尊天事鬼，國家務奪侵凌則語之兼愛非攻，今書雖殘缺，然自尚賢至非命二十篇，所論畧備，足以盡其旨要。……」詒讓見國勢貧弱，深以「果得賢者採用，禮治國家，用墨子書，務節用，講戰守，何患不富强？」皆精賅可取。

太炎被禍時，曾欲從海道避溫州，以捕網密，未果。詒讓謂：「吾雖無能取決於胆，猶勝諸薦紳怯懦者。」將延章居於其家，不果。晚年，曾主溫州師範學校，充浙江教育會長，清廷徵主禮學館，亦不起。光緒三十四年卒。

從李宗仁投共談到程思遠

海嘯樓談薈

諸葛文侯

程氏籍隸桂省，初中畢業後，投入第七軍某團部任文書上士，經過一段時期，得桂省名人黃權推轂，洊任第七軍軍部文書上士。越民國十八年，第七軍軍長由楊騰輝升任時，南京中樞某要人密函楊軍長曉以大義，暢述軍政軍令必須統一之必要，盼楊勿事事受人羈勒，有以自見。楊將此函交秘書保存，程瞥及，急鈔錄原件向白崇禧告密，白大驚，轉達李宗仁，迅將楊騰輝芟除之。從此白氏視程爲心腹之士。時桂軍最高統帥稱「正副總司令」，由宗仁與黃紹竑分別担任，而另設「前敵總指揮部」安置白健生，白即擢升程思遠爲其總指揮部的准尉司書。程以表演「盜宗卷」告密手段，總由士兵階級（文書上士）晉陞爲尉官，洎是追隨白健生左右，蛻成重要幹部了。白氏頗思提拔程，使其在政治上有所發展，但限於學歷太淺，無法轉任文職的正式官吏，祇好在軍中効力，逐漸遞升爲尉官校官級的科秘之類的職位，然與李宗仁並無深切關係，唯以上述告密功績，李對程頗具好感。

在民國廿五年以前，廣西始終不奉南京國民政府統治命令，倡言自治，常招邀各方失意人士到桂省工作，特別拉攏左傾分子，蓋李任仁（歷任廣西文教界首要職務暨省參議會議長）劉斐（李白的高級軍事幕僚）皆係老牌共產黨員，從思李白藉左傾分子聲勢見重於時，積蓄政治資本以待天下之變，因而托派分子黃公度乃得任桂省建設廳長職。然黃公度以「客卿」關係而躋膺顯職，桂系諸文武僚屬皆抱不平，指黃氏係共產黨人，將貽桂省後患，噬臍莫及，社會人士亦嘖有煩言。黃公度爲表明心跡起見，建議省府派遣青年幹部赴意大利留學，研究法西斯政制，藉資參考，並乞李白推介幹員承其乏，白健生即舉薦程思遠以應之，宗仁亦同意。黃公度乃揚言於衆曰：「我若是共產黨，豈肯主張省府派員出國去研究法西斯主義嗎？」實則法西斯主義與共產主義在本質上是孿生兄弟，黃氏之言只能誆騙無識者。後來李宗仁終於親率士兵，擒斬黃氏於其私宅中，其情與本篇問題無關，茲不贅述。

省府既斥公帑派員赴外洋留學，且限於研究專門問題，則奉派人士必須具有大專學校出身的資質，方合體制，程氏只是初中畢業生，不中程式，但因他是白總指揮最賞識的人才，黃公度主張由省府令飭廣西大學給程一張畢業文憑，俾便填寫資歷。詎廣西大學校長槃珠祺堅拒不從，謂堂堂最高學府不能作此違背教育法規之事，而省府以勢成騎虎，強其照辦，槃氏即憤而辭職，旋由新任校長如法泡製，程氏方欵段出國留學，此民國廿四年冬十一月間事也。（中）

爲關壯繆的謚號剖白

○周燕謀○

關羽的「謚號」曰「壯繆」，歷來曾打筆墨官司，對於文字學欠缺素養的讀書人，是很容易誤解的。關羽死後劉備始正帝號，由於他急於爲關羽報仇興師伐吳，崩於白帝城永安宮。對於他那出死力打江山，恩若兄弟的雲長，沒有來得及追謚。後來到後主景耀三年，始追謚關羽爲漢前將軍「壯繆」侯。「壯」字沒有問題，「繆」字便令人發生誤解。因爲「繆」與「穆」古代通用，後漢以前多用「繆」，三國以後的唐宋以下，則多以「穆」作「繆」。「繆」字有四種讀音，也有六種不同的意義：

甲、莫侯切，音「謀」。其意爲「結也」。莊子庚桑楚：「內韄者，不可繆而捉」。成玄英疏：「繆者殷勤也」。釋文：「結也」。崔向曰：「綢繆也」。殷勤亦綢繆也」。三國志先主紀：「羣下推先主爲荊州牧，治公安。權稍畏之，進妹固好。先主至京見權，『綢繆恩紀』」。就是此義的解釋。

乙、基幽切，音「樛」，絞也。禮記檀弓：「衣衰而繆絰」。疏云：「絞、謂兩股相交也。」

丙、里摎切，音「繚」。其意爲繆繞。漢書司馬相如傳：「繆繞玉綏」。注云：「繆繞，相纏結也。」

丁、莫祿切，音「穆」，同穆義。孔子家辦樂：「孔子有所繆然思焉。」注云：「謬然深思貌」。關於此穆義，在下面再引他書詳釋。

戊、密宥切，音「謬」。其義爲誤也。禮仲尼燕居：「不能詩，於禮繆。」注云：「繆，誤也。二義「詐也」。漢書司馬相如傳：「臨邛令，繆爲恭敬。」注云：「詐也」。亦作「謬論」之謬也。就是此義誤了「壯繆」。一般淺識文字者，則以誤認「壯繆」爲「惡謚」。眞誤上加「謬」也。按「繆」音「謬」，又爲姓氏。

己、吏耀切，音「嘯」。爲「蟉」的或字。見「集韻」。「繆」字如上各義已備。下面專釋「壯繆」。

按照「謚法」、「壯繆」之義爲「克亂不遂」，「武功不成」，「布德執義」，「中情見貌」之意。絕非「謬論」「詐欺」、「荒謬」之義甚明。下面再請古人來作辯解吧！（一）

紀曉嵐妙對

○夜闌○

紀昀字曉嵐，清朝乾隆年間進士。爲人博學多聞，旁通百家，而且生性坦率詼諧。有關他的軼事，流傳甚廣；至於他的聯對，尤其工巧，且均用深入淺出的筆法撰成，從無晦澀難懂的語句。

清高宗五旬壽誕，紀昀撰聯爲：「四萬里皇圖，伊古以來，從無一朝一統四萬里；五十年聖壽，自茲以往，尙有九千九百五十年。」以廣大的幅員對帝王的萬壽，工整妥貼。

另賀王述菴侍郎八十壽聯爲：「盾鼻弓衣，行世文章皆事業；屏風團扇，還山官府即神仙。」賀袁簡齋壽聯爲「藏山事業三千牘，住世神明五百年。」也均切合工巧。

他爲龔翹伯觀察所撰的輓聯稱：「地接西清，最難忘樞密院房，公餘茶話；恩深南徼，惜空留昆明池畔，去後棠陰。」爲董太夫人所撰輓聯稱：「富春江萬古青山，阡表長留，慈訓能成賢宰相；聽雨堂九年絳帳，食單親檢，箇恩最感老門生。」追懷帳前，情感眞摯。

某日紀昀問及門生李玉桂的寓所，李生答稱：「小寓松筠菴」。紀昀便以金瓶梅的回目對成聯語爲：「李玉桂小寓松筠庵，潘金蓮大鬧葡萄架。」可謂既諧且謔也。

自由報

內警台報字第〇三一號內銷證

THE FREE NEWS

第七五七期

中華民國僑務委員會登記證
台澈新字第三三二號登記證
中華郵政台字第一二八二號執照
登記為第一類新聞紙類
（半週刊每星期三、六出版）
每份港幣壹角
台灣零售價新台幣貳元
社長：雷嘯岑
督印人：黃行蕾
社址：香港銅鑼灣高士威道二十號四樓
20, CAUSEWAY RD 3RD FL. HONG KONG
TEL. 771726 電報掛號：7191
承印者：大同印務公司
地址：香港北角和富道九六號
台灣分社
台北市西寧南路壹壹零號二樓
電話：三〇三九六
台北郵政信箱二一九〇號

從軍事觀點看反攻大陸（上）

・郭甄泰・

今年為反攻大陸決定年，今年如不反攻，殆將永無反攻之日。在反攻之前，大陸情形如何？吾方應作何種準備？應採何種戰略？宜為未雨綢繆之計，始能決勝千里之外。謹述愚見，以供採擇。

一、反攻大陸第一期應有之戰略

反攻大陸主賴政治，但最先必須賴軍事上最大之一擊。而此最大之一擊，又須自佔領一灘頭陣地開始，並須於佔領此一灘頭陣地保持相當時期，使大陸上七億五千萬之人民相信中華民國國軍不會再撤退時告一段落。佔領灘頭陣地，因中國海岸綫甚長，擇弱而攻，隨處均可登陸，尚不甚難，但亦並非易事。第一中國海岸綫雖長，但因補給及空軍支援關係，當然應以金門、馬祖為跳板，限於閩江口以北至長江以南之海岸綫為最佳目標，敵人於此一帶駐有重兵，建有空軍基地，在此登陸建立灘頭陣地，首先須使中共軍隊被牽制在東北邊境，朝鮮半島、新疆、克什米爾、中南半島邊境，使其不能應援，次須掌握東海之制空權，使敵人空軍之攻擊，海軍之干擾，歸於無效。就二次世界戰爭中之登陸戰言，如挪威之戰，西西里之戰，意大利南部之戰，我方如不能在登陸處之天空獲得絕對制空權，欲以戰鬥艦派遣兵員登陸，實已不復可能。第三須準備充足，魏德邁將軍說：「打仗是一件最花錢的事，特別是這種大規模的灘頭登陸戰，一場戰爭可以把十幾年獲致的經濟繁榮與外滙儲積一次用光」，除非有絕對把握的勝利，萬萬不能輕易動作」。並非故作危言。至於固守灘頭陣地，亦需有相當條件，第一需斷絕敵人前線部隊之援軍，破壞其後方之交通；第二須抵禦敵人之人海戰術；第三須掌握空中之制空權，遏制敵機空中之轟炸。毛共現在福建沿海一帶佈置有正規軍四五十萬，另外尚有預備隊一二十萬，人數與我正規軍力約略相等，必須以優勢空軍先粉碎其水路交通綫，使其無法增援，次並須炸毀其兵工廠，倉庫，供應基地，以減弱其戰鬥能力。其次關於地面作戰，空中優勢，亦甚重要。一九四三年英國蒙哥馬利將軍曾說過：「檢討過去戰役，無一次在空戰失利下，能在地面上贏得戰爭。」第二次大戰初期，德國以十八天擊敗波蘭，三十九天擊敗法國，四十一天壓迫法國作城下之盟，均為德國以空軍轟炸之結果。韓戰中，共匪接受和談，亦係共黨的精銳部隊，在慘重的空中轟炸之下，自己並無空中支援，不能夠照常作戰之結果。現在雖有人說亞洲式的戰爭，空權的作用，極為微小，但在大規模、固守灘頭陣地的立體作戰中，空軍力量則顯能發生決定性的作用。

次就共匪慣用人海戰術言。人海戰術係一種落伍戰術，近自戰術飛彈、原子炮發明後，在大規模之立體戰爭中等於自殺，已不可能發生效用。我方陸軍裝備，如能現代化，配有旺盛之火力，則人海終將遭受慘重之失敗，殆屬無容置疑。但敵軍在我固守灘頭陣地時，對我登陸大軍必將利用人力優勢，使用人海戰術，猛烈反撲，亦為想像中當然之事。共匪於五十四年八月一日曾揚言：「一旦與美國發生公開戰爭，將使用人海戰術。」解放軍報八月一日社論中亦說：「我們統治了大陸上六億五千萬人民，有這些人民作後盾，不怕美國發動任何形式的戰爭。」「有人民羣衆作依靠，是我們最大的優勢……。幾億民兵形成的大海，是任何武器所不能摧毀的。」共匪對美國作戰之構想如此，對我軍之反攻亦自然的會採取此項戰術。對此我方非有巨大之火海，不足以攖其鋒，據美國退休之陸軍准將奚爾最近說：「中國部隊需要新式裝備，尤其是海軍與陸軍中的。」「現在所需要的是加速中國武裝部隊的現代化」。殆即指我軍須增加火力而言。因此之故，以大批轟炸機轟炸敵人交通綫，兵工基地，以大批戰鬥機掩護我軍作戰，擊退敵人轟炸機與敵人之飛行運輸車輛，以旺盛火力制遏敵人之人海戰術，在固守灘頭陣地時，均顯為我方所必需具備之條件。

二、反攻大陸第二期應有之戰略

灘頭陣地鞏固後，次即為擴張戰果，「分兵前進」，澈底消滅偽政權。依據韓戰時，共匪所訂戰略，仍係以守勢消耗民主國家及台灣光復大陸的進攻兵力，其計劃為：

（一）以蘭州至迪化一綫為最後根據地，由蘇俄大量空軍分駐迪化、哈密兩地，作為作戰骨幹，向東增援及補給皆利用空運，同時趕速完成由蘇俄直通蘭州及隴海鐵路的國際綫，使負陸地補給之責。

（二）蘇俄戰術空軍主力預計在中國大陸上空與日本基地及太平洋上西飛的空軍，不斷進行決戰，以保障烏拉山、庫次拉次克基地及中共西北基地之安全。

（三）東北保壘為一獨立單位，戰時歸併蘇俄遠東第六方面軍戰鬥序列，主要任務為對日作戰，並擊破來自日本的三棲進攻。

（四）以陝西關中為中共的未來政治重心，首都設於西安，或遷回延安。中共精銳的戰略預備軍亦集中關中，俾為攻擊移轉的準備。

（五）山西、四川，將分別形成兩個保壘，屏藩關中，於必要時，作必死戰。

（六）以豫西與陝西為游擊戰攻擊地，牽制進犯關中的民主軍隊。

（七）以中原（魯東豫東皖北一帶），兩湖，雲南的半圓形中間地帶為長江南北的大規模運動戰地帶，準備決戰，不使民主集團軍隊進入西北基地。

（八）沿海各省，除上海、寧波、福州、廈門、汕頭、廣州、北海諸港，劃為前進空軍及潛艇基地，暫予孤守外，其餘地區均劃為游擊地帶，各軍區主力，必要時，退入此地與城市據點，呼應作戰，儘量牽制登陸之民主集團軍隊。

自由談

一誤不宜再誤

馬五先生

毛共在中國大陸上的奪權把戲，已經鬧過半年多了。究竟真象如何，自由世界人士誰也不敢作「權威觀察家」的分析論斷，因為大家所看到的消息來源，只是由日本記者根據所謂「紅衛兵」的街頭大字報，若是摘錄，經過當地的毛共檢查後纔發出來的。而「紅衛兵」的大字報又由於幕後指導者隨時發生變化，意見紛歧之故，說法并不一致，一會兒宣告某一共幹已被整肅，一會兒又聲稱他已奉派新的職務；今天說要燒死某人，明天又說某人是「毛主席的親密同志」；光怪陸離，莫名其妙。所以，自由世界人士對於這場鬧劇的一切觀察評論，可說都是暗中摸索之談，就是一般號稱為「匪情專家」的報導批評，亦係想當然的主觀論斷為多。

至於美國那些「遠東問題專家」如費正清之流，對毛共這次的「文化大革命」惡作劇，亦很少發表議論，我認為這不是他們由於資料缺乏，而係實在想不出理由來替毛共辯護，祇好悶聲不響了。

不過，不管「紅衛兵」之亂伊於胡底，咱們千萬不可完全寄望於大陸人民之揭竿而起，推翻共黨暴政，或者期待着毛共的軍隊內部發生變亂，自趨消亡，這都是惰性觀念。沒有外來的力量打擊，不特大陸上的一般老百姓無竿可揭，造不起反，就是共軍中的覺悟分子，也在特務嚴密監視之下，很難自動的採取反叛行動。如有外來的實力壓迫——即軍事進攻，無論規模大小，共軍的官兵纔有乘機倒戈起義之可能，軍隊不發生變化，毛共的偽政權殊不容易自斃的。

目前大陸上一片混亂情形，很難平息，這是毛共偽政權成立以來最危險的時候，我們決不宜以「坐山看虎鬥」的心情，無所作為。過去兩次大好機會——韓戰暨後來的大飢荒——我們因為受着國際間的牽制，都錯過了，這次再要蹈徇自誤，必貽後悔莫及之憂，我們再不能俯仰由人了！

引蛇入屋

各有所忙

今日與明日

除惡務盡釜底抽薪

十天以來，毛共在香港掀起大暴動，已經影響到每一個善良的居民，鑒於目前的情況，我們謹向香港政府與居民提供三點意見。

十天來的暴動結果，警局捕人數百，警察本身也傷了數十，對於香港警察除暴安良的決心，執行任務的精神，我們由衷敬佩，但是，照目前的方式欲敉平暴亂，恐怕有所不能，因為所有被捕的暴徒，百分之九十九都不是主犯，若非一些無知學生、青年，就是「僱傭兵」，由擲一石子一毫到扔一塊大石兩元，皆是花錢買來的，毛共每年在港吮吸港人血汗達二十多億港元，以之在港收買暴徒，可說用之不盡，取之不竭，但香港警察決不能長期同暴徒捉迷藏。而且這種暴動一月兩次，半年以後，勢必把香港造成死市。為保衛香港四百萬居民生活，我們建議香港當局不必再同一批職業暴徒費手腳，應該找出他們的背後牽綫人，顯而易見像專門搞風搞雨的工棍，在商而不言商的奸商，打着文化招牌專門散佈謠言的特務，一網捉齊全部送過羅湖橋，讓他們去他們的天堂過幸福的生活。凡是不喜歡香港政治的人，把他們送出香港，這是天公地道的事。

起來支持香港政府

這次香港政府對付暴徒的行動可說仁至義盡，在這場大暴動中，除去一個死因不明的青年外（就其傷勢看，是被暴徒擲石擊死的），未死亡一人，警察本身傷了數十人，每一個良善居民都應當對警察工作致以敬意。我們希望能發動一個百萬人簽名運動，簽名支持香港政府平亂。凡是不願受毛共凌辱、控制的人，一齊起來簽名支持香港政府，我們誓與香港當局共存亡，寧為玉碎不為瓦全，對警察的平暴行動更是絕對支持，大家應該組成一個慰勞團到醫院去慰問受傷警察，捐款救濟被暴徒破了家的居民，喚醒誤入迷途的青年。這一切一切都等待我們去作，有志氣的中國人，不要怕惡勢力，挺起胸膛與毛共對壘，我們不怕共則共必怕我。

與毛斷絕一切關係

從今天起，願港九居民下定決心與毛共割斷聯系，不買毛貨，不看毛戲，不聽毛播，不向毛區滙款。凡是與毛共有一絲一毫利益的事我們皆不作，實地作到有我無毛，有毛無我。在這場鬥爭中我們要認清一點，就是毛澤東生存下去我們必死，毛澤東及其邪惡勢力徹底被消滅，我們才能活得下去。生死當前，沒有中立，願大家勇敢站起來。（何如）

羅馬尼亞有意結歡西德
歐共團結受到嚴重打擊
捷克「卡羅菲法里」會議無結果收場

。倫敦通訊。

由於羅馬尼亞和西德眉來眼去之故，因此，歐洲共黨國家的團結受到破壞。為了恢復團結，因此，歐洲共黨領袖最近在捷克的「卡羅菲法里」地方舉行會議。然而會議閉幕後，並沒有如願以償。

當時參加該項會議的，是自二十四個共產黨的領袖，做會議東道主的當然是捷克共黨。令人特別注意的地方是：該項歐洲共黨領袖會議提早一天閉幕。為甚麼會提早一天結束會議？據「卡羅菲法里」地方的官員表示：那是為了所有參與會議的人物，對於重大的問題，較初時所預料的更順利地達成一致意見的緣故。然而這分明是一種砌詞。事實上並非如是。

這次歐洲共黨會議的主要任務，是要想出一種辦法，阻止西德的外交攻勢，以免歐洲共黨團結受到進一步的腐蝕。在該項會議開幕前，籌備的工夫曾經花了一段悠長的時間，而且各共黨領袖之間曾經進行痛苦的及唇焦舌敝的爭論。另一方面，早在大會宣告正式開幕之前，每一個被邀請出席的共黨國家均接獲一份宣言的草稿。這份宣言草稿準備在大會席上表決通過而成為一項正式的文件。然而，嚴重的問題來了：羅馬尼亞和南斯拉夫認為該項宣言草稿，不會獲致全部出席者的支持。

當羅馬尼亞和南斯拉夫的共黨領袖對於若干準則表示反對的時候，克里姆林宮的領袖甚至妥協到表示願意修改那些準則。據若干東歐人士表示：到了最後一刻，羅馬尼亞似乎可能參加該會議的原因，就是為了克里姆林宮上述態度的改變。因此之故，如果證明「卡羅菲法里」會議對於各主要點較最初預料的更早地達成協議的話，唯一的解釋就是：羅馬尼亞與南斯拉夫當時根本不想出席該項會議。

那些參與「卡羅菲法里」會議的共黨領袖，當時表現的一致態度，是以較早的共黨文件做基礎，尤其是以一九六六年七月的「布加勒斯特宣言」做基礎。當時該項宣言確立東歐國家對德國問題及歐洲安全問題的一致地遵循的政策。

然而，亦為了這項「布加勒斯特宣言」，羅馬尼亞藉口認為對西德建立外交關係是正當的行為，因為該宣言呼籲歐洲國家之間關係正常化。進一步，也為了這項「布加勒斯特宣言」，尤其是為了該宣言所列舉的反對西德的部份，因此，被東德共黨頭子烏布列特利用，作為抨擊羅馬尼亞與西德建立外交關係的藉口。

基於上述的各點理由，因此，我們現在很清楚地意識到：這項「卡羅菲法里」會議重新認可「布加勒斯特宣言」這一點，分明顯示與會的共黨領袖，根本沒有達成舉行「卡羅菲法里」會議的最初目的——恢復歐洲共黨國家的團結。毫無疑問地，共黨國家的評論員一定會發出如下的論調：「卡羅菲法里宣言」針對歐洲安全問題而發表的見解，就是一項清楚的政策聲明。然而，這些共黨評論員針對「布加勒斯特宣言」而下的評語，當時何嘗不是一樣地認為那是一項清楚的政策聲明？

如果保加利亞及匈牙利再次的想步羅馬尼亞的後塵而與西德建立外交關係的話（保加利亞和匈牙利曾經有一個時期真的想這樣做），那麼，「卡羅菲法里」會議後發表的那項新聲明，沒有一點地方能夠阻止這兩個東歐共黨國家步羅馬尼亞的後塵。

蘇俄的外交，由於受蘇俄那種沒有彈性的聯盟制度所限制的緣故，因此正使用十九世紀的外交方式去獲致十九世紀的政治目的——例如保護蘇俄的領土，從而對付克里姆林宮所假設的來自德國軍事襲擊的危險。然而，時間是不斷變遷的。西方世界國家和若干東歐國家迅速地發展的新社會及政治關係，已經令蘇俄逐漸地落在自己的若干盟邦的背後。

舉例來說，義大利共產黨參加「卡羅菲法里」會議的原因，主要的是為了想在該項會議席上提出令整個歐洲地區內那些開明的共黨人士大感困惑的迫切問題——如歐洲合一，美國與所有其他國家之間的技術懸殊有增無已，馬克斯信徒與基督信徒的新接觸等等是。為使到部份的上述問題有機會在「卡羅菲法里」會議中舉行討論的緣故，因此，義大利共黨分子準備在德國問題上面採取走蘇俄路線的態度。另外，義大利共黨分子曾經促請羅馬尼亞和南斯拉夫的代表，前往「卡羅菲法里」地方參加那項共黨領袖會議。義大利共黨分子甚至希望和羅馬尼亞及南斯拉夫三國組成一個集團的核心部份，從而令別的國家意識到新世界的出現。

當蘇俄最近紀念列寧九十七歲冥壽的時候，蘇俄政治局委員基利曾經重申克里姆林宮的一項古老需求：所有共產黨的意見，必須清一色的一致及團結。他說：「特別是在目前這個階段中，全世界共產黨的思想及見解必須清一色的一致團結，這一點是非常重要的。」然而，甚至像保加利亞那樣畏懼蘇俄的東歐國家，却越來越明顯地受到羅馬尼亞榜樣的鼓勵而設法為自己的前途而打一條出路。

進一步，甚至捷克的共黨領導階層人物，雖然為了歷史上的理由而與波蘭及蘇俄保持最密切的關係，却贊成與波恩恢復正常的關係。

上述的一切，就是中歐及共黨世界的政治現狀實際情況。蘇俄及其他死硬派的東歐國家，要扭轉這種新的趨勢的話，將屬徒勞無功。

高港煙波

本報記者趙家驊

會中對於裝卸能力，充分暴露該港設備之不能適應時代的弱點：諸如：吊桿不能吃重；卸貨儲運費率之攷慮釐訂；搬運貨櫃貨物之碼頭工人人數及工資的研擬；決定前鎮河附近興建一座貨櫃專用碼頭，向美國購買新式碼頭裝卸機具等等問題；弄得該局手忙腳亂，倉皇失措。據該局某人士稱：貨櫃問世早在五十年前，設若一個港口沒有裝卸貨物的設備，必將在海運競爭中被淘汰。現在人家貨櫃要來，咱們才創議建興貨櫃碼頭，港務局對外宣傳為「國際港口」，其實距世界港口的規模還有十萬八千里！他進一步指出，李連墀只知道把每年的盈餘向上繳，對於港埠設備的陳舊簡陋，根本不管，目前貨櫃來港，就是對高雄港的一大攷驗。

▲高雄港務局下屬有三大主要部門；一、港務組；二、航政組；三、港埠管理處。港務組下設港灣、繫船、號誌三課，統由港務長冉鴻翮總其成，副港務長孫文全輔之。以上三課，最為航運公司，船務代理行，外國船約所詬病的，是繫船課。該課掌管全港船席的調配權，船支能否進港、靠碼頭或停靠浮筒，全由繫船課決定。船隻出港與否，必須取決於繫船課，否則即罰以下次不准靠碼頭之處分。權力之大無以復加。據某熟稔內幕者稱：船隻進出港口，在手續上也有所謂「書面申請」，但自始即流於形式，不過是港務組所作之「官樣文章」而已。真正船隻進出港口所憑的是竊竊私語。他進一步指出：任何船支在未定碼頭或浮筒前，其他手續都得擱淺，因為他們所持的理由，是船隻進港後不能掛在天上。也即謂不得繫船課的同意，一切免談。

據冉港務長告訴我：高雄港的深水碼頭有廿一座，浮筒有廿二座，船席因過擁擠，有些碼頭或浮筒可以停靠兩隻船。又據繫船課長禹國球稱：每月進港船隻平均近三百條，即此可知碼頭與浮筒的爭奪是必然嚴重的。

船隻進港不能立刻裝卸，其損失噸位小的船每日約五百美金，大則兩千美金；如果調配不公或徇私舞弊，這是大好時機，在這個節骨眼上，只要能靠碼頭，船公司與代理是不惜一切的。可是這項有關國際聲譽與國家體面政府威信的重要調配允許權，卻交由兩個辦事員孫漢全，林明鏡及兩個雜工郭清水，徐德發之手。這四位人物是馳名國際的「四大金剛」。有人說我們是「科員政治」，今日港務航政變成了「雜工港政治」了。不信請打聽船務公司與代理行，你就可以得到內幕中的內幕。（下）

論地方自治法規的修正

羅雲家

台灣省縣市地方自治，自民國卅九年開始實施，迄今已歷十七年，其歷史雖不能謂為很長，但亦不可謂為很短。在此期間中所實行的各種自治人員選舉，雖說每次都有較前一次的若干進步現象，予人以振奮的感覺，但若細加檢討，不特距離理想的境地尚極遙遠，而且較之歐美民主先進國家的既有成就，仍然是停滯於「瞠乎其後」的階段。使愛國有識之士每念及此，總免不了要長噓短嘆一番。

地方自治的主要大事，就是國父念念不忘的「選賢任能」問題；而選舉地方自治人員的根本依據，則為地方自治法規。法規週密詳明，真正使選舉達到「選賢任能」的目的，則地方自治成功了一大半。是以地方自治法規的良窳，勢將嚴重影響地方自治的成效。蓋因良好的地方自治法規，為良好的地方自治人員選舉之張本，良好的地方自治人員選舉成效，為良好的地方自治成果之張本；良好的地方自治成果，為良好的民主法治社會之張本。由此可見地方自治法規，於地方自治上之重要性為何如了。

台省地方自治法規

台灣省實施地方自治，訂有六種主要法規，即：（一）台灣省各縣市實施地方自治綱要；（二）台灣省各縣鄉鎮縣轄市代表會組織規程；（三）台灣省各縣市議會組織規程；（四）台灣省各縣市公職人員選舉罷免規程；（五）台灣省選舉監察委員會組織規程；（六）台灣省妨害選舉罷免取締辦法等是。上述法規曾先後作過四次修正，每修一次，自然各有若干程度的進步；然則若干缺點還是繼續被發現，於是不得不作第五次的修正。

這第五次修正作業，省政府有關部門係自五十三年冬即着手擬議，到最近已經定案，不日即將送交省議會予以審議。依據報章雜誌的報導，修正的條文中，已有多項引起各方的討論，例如：（一）候選人教育程度提高問題；（二）廢票辨別問題；（三）候選人年齡限制問題；（四）候選人消極資格之規定問題；（四）助選流弊問題；（五）「無人競選村里長時，得予指派」問題……。為期此一重要自治法規於此次修正中，在兼顧國情，憲法，現實要求，及符合廣大民意的前提下，獲得至當的修改起見，爰特不揣冒昧，提出個人的愚見，藉供省議員諸公參攷。

廢票鑑別問題

以往選舉開票，最困擾選務及監察人員的，就是廢票鑑別的問題。按現行規定：（一）投票人以無記名單記法行之，由選舉人於選票內刊刻候選人姓名上方格內任圈一人；（二）選舉人於領到選舉票後應立即至圈票處自行圈選，圈畢將選票投入票櫃，不得將選票攜出投票所；（三）圈選時係用一空心圓形之小竹竿（如小楷毛筆竿然）蓋紅印油行之。由於印油不易乾，而選舉人圈誰亦不願第三人得知，且為易於將選票塞入甚小之投票口起見，所以都是圈罷便予折叠，而後匆匆投入票櫃。於是若干選票上遂產生了圈復印的情事。此種複印誰有效，誰無效，不僅選務人員的見解難以一致，即使是監察人員乃至法官（訴訟時）亦難遽予認定。結果是甲地某種程度的複印認為有效，而乙地則否；乙地認為有效，而甲地則否。因此造成了選舉不公平的結果。此次修正由民政廳長統一規定在圈內加刻文字或符號，以杜流弊。這原是早就有人提議過的意見，甚為可取；惜省府前未採納。此一修正案可能也會為少數別有用心的人士所不滿，但是，個人深切希望明智的審議諸公，能予照案通過。

限制積極資格問題

這次修正案中，最為地方政治人物所關心的，是那限制候選人積極資格中的兩項規定：其一是規定縣市長不得超過六十歲，鄉鎮及縣轄市長不得超過五十六歲；其二是規定縣級以下民意代表須中等以上學校畢業（依省府四十四年的一項解釋，中等學校，係指高中以上或舊制中學同等學校者）。

一般報導，指出省府此次修改地治法規具有兩大含義，那就是第一在使青年的一輩，有更多的機會担任地方行政首長；第二在於提高地方民意代表的教育程度。吾人自右述修正之規定觀察，表面上自不得不謂其然。可是細加研究，却有商榷的必要。

先談縣市長的年齡問題。在原來的公職人員選舉罷免規程中，規定年滿廿五歲者，得申請登記為鄉鎮及縣轄市長候選人；年滿卅歲者，得申請登記為縣市長候選人。並無最高年齡的限制。另在憲法十二章選舉、罷免、創制、複決中，第一三〇條規定「年滿二十三歲者，有依法被選舉之權」。亦無最高年齡之限制。此外，現行公務人員退休法第五條規定：最高退休年齡為七十歲，自願退休年齡為六十歲，限齡命令退休年齡為六十五歲。

為達到「用新人，行新政」，及發揮「新陳代謝」，與「去蕪存菁」等作用，限制地方行政首長之最高年齡有其必要，且亦並非違背憲法。蓋憲法一三〇條全文是「中華民國國民年滿二十歲者，有依法選舉之權。除本憲法及法律另有規定者外，年滿二十三歲者，有依法被選舉之權。」問題是為這規定一經通過，將來担任縣市長者，頂多只適合五十五歲以下的人，鄉鎮長頂多只適合五十一歲以下的人，蓋因他們的任期均為四年，可以蟬連一任，是以假定五十七歲參加縣市長競選，或五十三歲參加鄉鎮及縣轄市長競選，做了一任之後，因受年齡限制就無法再參加競選了。由於上述年齡的人不能競選蟬聯，若干人乃耽心這年齡的人士，申請候選的比例一定很少，亦即認為這可能是地方自治上的一種損失。因為地方行政首長，所需要的是「老成練達」「老成持重」的人；所需要的是行政工作經驗豐富的人。（上）

瀛海異趣談

人類腦子發展方與未艾

桑稚

人身上的一切機構，以腦部的强力發展，是區別人類與多數動物，包括人猿在內。例如婆羅洲的長肢棕巨猿，雖然具有與人類形狀相同的腦子，表面亦有皮層，但以小方公分量度之下，僅及人腦的四分之一。腦的結構亦不同，它的神經細胞的安排，及無數的交織連貫，相去更遠。人是生物中唯一擁有十二億至十五億的腦細胞或神經細胞的。

腦神經細胞系統，可以視爲一個龐大的電子資料中心，它的構造如此複雜及精細，較之現在最大的，有數萬條電路的電算機，尚複雜一萬倍。人類尚未知道自己腦內的電路，倘若瞭解的話，及能夠把它詳細地繪在紙上，像一張技術藍圖，恐怕需要一張數方哩的大紙。

腦的生長不僅與整個身體成比例。當腦子生長時，大腦的加速擴張，與腦子的其他部份比較，是顯而易見的。腦子的個別部份，并不是同時發展的，腦子有些部份主宰了初級與身體自動的作用，例如呼吸。腦子有三個部份的發展，較其他部份更早，其他較複雜及智慧作用（學習與記憶）部份，發展較慢。換言之，可能以時間階段來分析人類的腦子發展。腦子的各個部份，可以拿一個金字塔做比擬，每一層比較下面的一層更爲複雜。而最複雜的是腦皮層，每一方公厘的表面，有細胞一萬二千個。

腦研究家及生物學家，覺得有興趣的事情，是人類的整個發展，及個別動物的發展，包括腦部的那些部位最先發展，然後逐漸伸至腦子內部，而在某一過程中，有或多或少的「壓縮力」，而變爲細小。西德法蘭克福的麥克斯普蘭克腦部研究院的史巴滋教授，把這個過程稱爲「內傾變化」。最後發展的腦子部份，形成腦的表層，把較早發展的腦部份遮蓋着。

史巴滋教授以動物與原始人的頭蓋骨，作觀察及比較，證明後者的頭骨仍在發展過程中的，尚未達到最後的形成。尤其是那些大猩猩與人猿的頭蓋骨仍模糊不清。以他的見解，這表示人猿的腦子發展是未完全的。那麼人類又如何呢？是否此理論適用於人腦？換言之，是否人腦亦未達到它的發展最後階段呢？多數生物學家，視人腦是一個完整及發展成熟的器官了。它的形狀及內部結構，再沒有深一層的重要變化了。

但是其他的科學家則另有論調，例如威尼斯的腦科專家伊康諾莫，遠於一九二○年代，已認爲人類的腦子在進行深一層的發展中。新的器官已在腦皮層存在，人類將有新的及夢想不到的超自然能力。史巴滋教授亦同此意見，認爲人腦是一個尚未完成的器官。科學家孜孜不倦地研究，已收集了事實支持他的理論。

那麼腦子的那一部份是最遲發展的呢？腦子仍在發展狀態中的可能部份，是新的腦子皮層。史巴滋教授已獲得下述的事實，支持他的說法：在靈長類動物（人、猩與猿等）的智慧發展中，新的腦皮底層發展最後。新的腦皮底層從發現的原始人遺體中，已知是尚未發展完成。腦皮底層也是在胚胎中的腦子最後發展的部份，該部份顯出了人類蓋骨效果的最高程度。

此外，新的腦皮底層，并非如我們以前的忖測是靜止狀態的。史巴滋教授說：「今日我們知道腦皮底層兩邊受傷，不致發生感覺作用及機械作用，或講話與智慧受損，但會影響性格與個性，此是人類的最高才能。」因此，史巴滋教授達成了令人興奮的結論：「人腦皮底層的最新發展，可能在人類的發展中，扮演一特別角色。」

人類的器官發展，需要很長時間，人腦在未來的數千年，不會預期有重大的新演進。不過可以確定，將來的人，因爲腦皮底層繼續生長，質素大爲加强。如果此理論確實，史巴滋教授可能對「超人」理論的年代，作出最大的貢獻了。

約旦南部的古怪婚俗

仁厚譯

在約旦南部的玆高得巴薩地方，流行着一種偷偷摸摸的古怪婚俗。那裏的人，所住的都是簡陋的茅舍。在白天，待嫁的女孩子，都坐在門口，好讓那些正要物色對象的男子去選擇。每當一個男子看中了一個對象後，他便央人前往做媒，說妥了一切條件後，並不能立即娶親，他必須在一個黑暗無光的夜裏，偷偷地摸進了該女子的香閨，就在當晚和那個未婚妻先來個試婚。第二天他們就可舉行一個隆重的婚禮了。假如當他偷進入女子香閨的時候，被人發覺了，那麼，他就只好自嘆倒楣，因爲這一婚事，便給勾銷了。

因此，許多女子當她們不喜歡這宗婚姻的時候，他們便設計把新郎陷害。原來，當親事說妥後，在月初或將至月尾的一段時間裏，那女子的閨房，都時刻燃着一盞小油燈，而且故意將窗門打開，等到家人都睡着了，她便將燈火熄滅，好給那個想偷香的未婚夫一個暗號，讓他爬進來，完成好事。可是如果她不喜歡這頭親事時，她在家人尚未睡覺時，便把燈吹熄，新郎以爲時機成熟，便欣然爬了進去，他便因此而中計了。故此許多較細心新郎，在他看見燈熄之後，絕不會貿然地爬進去，他會多等一些時候才爬進去，因爲那時候連新娘也都會耐不住地進入夢鄉了。這個「花開等郎來」的待嫁少女，在這一段期間裏，全身都赤裸着的。那裏的男人，他一生的積蓄，可能就在結婚前便花光的，因爲他們的婚禮都是很隆重而又很鋪張的。有錢的人，在進入廟堂的大路上，鋪着金幣，窮的人也一樣要鋪上較差的銅幣，這樣新娘新郎從上面走過，直到神像前面。婚禮完成後，賓客們便將那些金幣或銅幣帶走，作爲紀念品。此外新郎還得負起宴男女雙方親友的担子。因此當一個新郎，實在不是一件容易的事情！

納塞爾點火下的中東局勢

憎恨之火去週在中東各地焚燒，用洋火點火的人是埃及的納塞爾。在阿丁，投擲手榴彈的親納塞爾的恐怖分子，在那英國殖民地的街道上跑來跑去，失掉控制。在也門北部，一個政權靠埃及佔領軍支持，依照納塞爾的意見行事，使美國遲疑不敢與它斷絕關係。甚至在怯尼亞，納塞爾的妙手也是可見的，因爲怯尼亞陸軍發現了埋在公路的埃及地雷。不過，納塞爾仍有他自己對所發生的事件的解釋，在開羅的一次演講中，他居然說「對我們的戰爭，是美國領導的一個大戰爭。」

納塞爾很少放過他的阿剌伯兄弟。他攻擊沙特阿剌伯的費沙爾王爲一個「英美特務」，「像蛇一般伺機噬人。」他指摘約但的哈辛王爲「中央情報局的一個僱員」。把共產黨的「帝國主義的工具」的帽子蓋在他的敵人頭上，他叫突尼西亞的鮑圭巴總統和伊朗王做「祇是美國工具」。他指摘亞丁政府的人員爲「賣國賊及特務分子」。再走遠些，他指他所不承認的西德「臣服於美國」。總之，他與前來訪問的共產黨東德外交部長溫薩爾討論建立外交關係。

在他爭取對阿剌伯世界的絕對控制權，而粉碎那些溫和分子如費沙爾及哈辛等的鬥爭中，納塞爾亟需一隻代罪羔羊。在過去兩個月內，他經準備與美國作外交對抗，埃及經濟，原本因他的海外冒險行動而瀕於破產了，但因在蘇彝士灣及西部沙漠意外發現大量油藏而改進後，把他的計劃付諸實行。這些油藏，將使納塞爾本年賺九千萬美元。迄一九七○年，每年約賺一億五千萬美元。夠諷刺的，這些石油是美國的油公司發現的，並將由他們承購。

這樣的受到鼓勵，納塞爾感覺夠强大，可以向沙特阿剌伯伸展，或許囊括波斯灣的油產豐富的小王國。他的手也向南伸，越過亞丁灣，他有那裏援助那些自稱佔領怯尼亞的怯尼亞北部地區四分一的蘇瑪利恐怖分子。政府於發現埃及援助叛徒後，要求納塞爾停止援濟他們，並說它將與敍利亞開戰，除非邊界的衝突停止。

當英國去年給亞丁殖民地獨立，納塞爾聲明無意派軍隊進入亞丁，但他所支援的恐怖主義組織，已使英國無法從亞丁或它所隸屬的南阿剌伯聯邦作有秩序的撤退。他們拒絕與英國支持的政府合作。相反的，納塞爾主義的南也門佔領區解放陣綫，刻在訓練五千多人的軍隊，準備於英國撤退時接管。甚至不久前英國人開始疏散第一批眷屬八千人時，阿剌伯極端分子恐嚇要傷害他們的婦孺。那些恐嚇，迄仍祇是恐嚇，但在各地被殺的阿剌伯人達二十人，其中七人是兒童，他們所乘坐的學校巴士被埋藏於公路的地雷炸毀。迄目前，本年內被殺死的一百人中，有幾個英國士兵。

爲防止納塞爾的進侵，約但的哈辛王去週到德黑蘭去，與伊朗王商談。本週，比較溫和的沙特阿剌伯費沙爾王，到倫敦去籲求更多的軍械援助。費沙爾（他的國家也充斥着親納塞爾恐怖分子並曾被埃及飛機轟炸）說：「不管怎樣不願意，我們也要保衞我們自己。」英國人刻在協助費沙爾增强他的陸軍，並建立一個空防系統。在倫敦，費沙爾預期請求英國暫時不要以軍械援濟也門的保皇黨游擊隊，庶使這些游擊隊在沙特阿剌伯準備好作戰之前，不致與埃及和納塞爾在也門的傀儡攤牌。

新三國

周蘋謀著

於是廣結士衆，厚養親附者，又招揚州俠士數千人爲死士。就在吳甘露元年冬天，東吳有攻徐州的計劃，諸葛誕趁機向魏朝廷請以十萬兵以守壽春。司馬昭知道他部下的軍隊可以抵禦吳軍有餘，何以請兵十萬，司馬昭早對他起了疑心。於是司馬昭將他內調，看他反應如何，如果他不回朝，便有問題，如果服從內調，再作打算。

就在吳甘露二年五月，徵誕爲司空。誕奉詔書，更加恐懼，乾脆豎起反旗，召會諸將，反抗司馬昭。親自帶兵攻打揚州刺史樂琳，（樂進之子）破了揚州，殺死樂琳。進一步收了淮南淮北等縣，實施屯田，官兵共十餘萬，聲勢浩大。再加上揚州新收的兵約五六萬人，聚集糧食可支一年，閉城自守。一面派了長史吳綱，帶了他的小兒子諸葛靚，到東吳請求外援。東吳朝廷大喜，於是派了將軍全懌、全端、唐咨、王祚諸將，及降將文欽等三萬衆，祕密進行援助諸葛誕，拜他爲左都護假節，大司徒，驃騎將軍青州牧壽春侯。魏國的鎮南將軍王基奉命包圍壽春，沒有包圍住。結果吳國的文欽、唐咨帶兵入壽春相助。六月，司馬昭親率大軍二十六萬之衆到淮討之，兵屯丘頭。使王基及安東將軍陳騫等，四面包圍，圍了數重，又使監軍石苞、袞州刺史州泰，（州、怪姓）以兵在城外爲游擊隊，以防東吳援軍。文欽數次出擊，不得出。吳將朱異帶兵前來增援，東吳援軍總指揮是孫琳。以州泰作戰不力，把他斬了。壽春城中糧食因援軍之增加，漸漸不支。諸葛誕的心腹將領蔣班、焦彝竟叛變降魏。

司馬昭又使反間，以奇變說吳將全懌等，懌等開城降，城中震恐，不知所措。三年正月，諸葛誕大作攻擊器械，易守爲攻，欲突圍而出。攻五六日。司馬昭在城外築圍壘，比城牆更高，居高臨下，以石及弩箭往城內投射，勢如雨下，死傷甚衆，屍體堆積如山，血流盈塹，攻之不得出。城內糧食將盡，偷出投降者日衆。文欽建議諸葛誕，將北方人放出，留下南方士卒及吳軍，以省糧食。諸葛誕不聽。由是文欽與諸葛誕不和。文欽本與諸葛誕不睦，只因昔日利害關係的相同而搞在一起。此時事急相疑，諸葛誕請文欽計事爲名，乘機將文欽殺了。文欽之子文鴦、文虎在小城中據守，聞父被殺，帶兵去找諸葛誕算帳，中途士卒盡散，弟兄二人只好越城而出投降司馬昭。諸將請殺文鴦、文虎，司馬昭說：「文欽及其二子，皆罪當誅；然鴦、虎以窮無所歸，而且城尚未破，殺之則堅其志。」於是赦之。使他弟兄二人帶兵到城上喊話：「文欽之子猶不見殺，何況爾等」！城中降者更多。文鴦文虎封爲關內侯，城內士卒且驚且喜。諸葛誕等不知所措，無計可施。司馬昭親自指揮攻城，城內守兵已不加抵抗。諸葛誕單騎率麾下數人從小城門突出，司馬昭部下司馬胡奮猛烈攻擊，諸葛誕被亂兵所殺。夷殺三族。城中諸葛誕部下數百人，坐在地上不降，自請殺死。他們對魏軍說：「爲諸葛公死，死而無憾」。其得人心如此。吳軍將領唐咨、王祚及諸裨將，都自縛請降。諸葛誕以甘露二年五月反，三年二月敗死，前後只九個月。

（一三二）

平劇繽紛錄

麒派馬派「鴻門宴」

○桂良○

「鴻門宴」雖然不是一齣冷戲，但有南麒北馬之分，戲名雖是一個，而兩派演出則大不相同。馬溫如不習慣光着嘴巴唱，麒老牌獨喜唱光下巴戲，所以同一齣是「鴻門宴」，馬飾亞父范增戴相貂，香色蟒，白滿；郝壽臣的西楚霸王項羽，黑蟒，黑滿，閃黑蟒；姜妙香的張良，戴道冠，寶藍褶子；二路小生扮執戟郎官韓信，戴七星額子，穿大鎧；馬春樵的樊噲虎頭靛加小額子，左手盾牌，右手執刀，黑花箭衣；吳彥衡的項莊，光嘴巴，打硬紮巾，白花箭衣。馬派所編綱目是：沛公還軍壩上，項羽自王關中，范增軍中觀星，食言鴻門設宴，劉邦冒死赴宴，范增狂賣心機，項羽舞劍伏殺，項伯起舞維護，子房護駕脫險。他所編的高潮，在項羽大擧入關，范增觀星一場，馬扶風有大段唱工，無盦冷之場。此齣描寫「鴻門宴」之起因，計訂鴻門，誆來劉邦，即席殺却，永除後患。不料酒席筵前，范增三舉玉珮，項羽竟若不聞不見。范之情急及失意，馬派描摹細膩。最後於萬般無奈情形之下，乃唆使項莊舞劍，意在沛公；誰知項家出了漢奸項伯，說道：「劍必雙舞」，於是急轉直下。

抗戰前，麒老牌爲了捧他的門人陳鶴峯，有過一次麒派老生大會串，戲碼就是「鴻門宴」。麒老牌自演范增，陳鶴峯的張良，高百歲的項羽，李如春的樊噲，王富英的項伯，錢麟童的韓信。這一擧由麒老牌爲首之大會串，當時轟動上海，陳鶴峯由此走紅，雖然他蹶了一隻腿。

此戲的張良雖不太重，但極討俏，進鴻門時，翻衣領，拍子，做表捨生忘死闖入鴻門赴宴，在這種身段中刻劃出張子房之膽大心細。故今日麒派老生演「鴻」劇都是去張良，再接演「追韓信」的蕭何。

「軍藝中心」國劇隊五十六年元月二日起在「干城」公演，三日晚場即由麒派老生周麟崑先演「鴻門宴」，也不例外的光嘴巴飾張良，再接演「追韓信」。

二夕，由徐蓮芝、曹復永、曲復敏、張義奎等合演「呂布與貂蟬」，由「連環計」「鳳儀亭」起，迄徐蓮芝再反串呂布演「白門樓」止，唱、唸、歌、舞，十分繁重。

四夕徐蓮芝雙齣好戲「打櫻桃」與武旦林萍雙演「泗州城」及曲復敏的「搜孤救孤」，文武帶打，的是好戲。

五六七八各夕不贅。

「拿鋤頭來」

○紫薇○

小時候，大概是由於不明事理，而又天性好奇的緣故吧？不管看到或想起甚麼事情，我總愛向長輩們問長問短，嘮叨個沒完，常常因此招惹得他們不耐煩，說我話多，討人嫌！因而，招致來許多無趣。父親是對我唯一比較有耐心的；可是，他往往被一連串沒個完的「爲甚麼」逗得無名火起，每當他被我問得冒火的時候，總把眼睛一瞪，生氣地說：「拿鋤頭來！」

「做——甚麼？」當他第一次說拿鋤頭來的時候，我還莫名其妙，少不得囁嚅地問他。

「挖根呀！」他一狠，原來是句諷刺話兒，嫌我太盤根究底了。自此，每當我的問題一多，父親對我一聲「拿鋤頭來」時，我便會乖覺地止住了口。儘管對於想要知道的事情還不得要領，也不敢再多囉唆，只好強忍着那份兒好奇心，嚥口唾沫，把它埋藏在心底，算了。

因此，當我年齡稍長，逐漸懂得些事理的時候，便暗暗地給自己立下了個規矩：將來自己有了孩子的時候，我一定要好好地回答他們的問題；自己穿過的「緊鞋子」，決不能讓他們再穿！隨着年齡的增長，見識稍廣，書也多讀了幾本，更覺得我這個規章立意十分正確，完全符合現代兒童教育權威者們的論調，因此，不禁沾沾自喜，暗地裏爲自己未來的兒女們慶幸不置。

曾幾何時，我不但成了家，而且小傢伙們接踵而至；他們好像早已知道了我暗自立下的那個規章，而迫不及待地要求向我提出他們的問題似的，眞是父子間「心有靈犀一點通」，直樂得我心裏癢癢地。

最初，我總覺得以自己親身的經歷，再加上二三十年來的學養，利用深入淺出的解說，簡單明瞭的話語，來解答孩子的問題，定可使他們心滿意足，茅塞頓開了。那知道，事情可沒有那簡單哩！孩子們的問題，根本毫無軌跡可尋，有時候問得「荒唐」可笑，有時候問得有板有眼，有時候又問得出乎人意料之外。但是，仔細琢磨起來，不論「荒唐」也罷，出乎意料也罷，却不無道理存在。有時，一個看似極其簡單的問題，竟含有極深奧的哲理在內，要答覆這些問題，實在不是一件容易的事情。怪不得當年父親要喊「拿鋤頭來」了。

十多年來，從孩子們牙牙學語，能用幾個字湊成簡單的問句開始，直到現在，最小的孩子都入學了，老大已進初中，對於他們的問題，始終仍在困擾着我。常常，雖然絞盡了腦汁，竭盡了機智，仍不能圓滿的回答他們，眞是抱歉之至。唯一值得安慰的是，我始終沒有對他們吼過「拿鋤頭來」！

今天，我又遇上了一連串的困惑。

七歲的老三，在院子裏玩得正高興，忽然跑到我的面前來了。

「爸，蜘蛛是益虫還是害虫？」他突如其來的問我。

「是益虫。」我肯定的回答。

「爲什麼？」

「因爲牠會捕食害虫。」

「蜜蜂呢？」他又問。

「也是益虫！」我又肯定地回答。

「爲什麼？」

「因爲牠會釀蜜給我們吃。」

「那麼，蜘蛛爲什麼要吃蜜蜂呢？」

「咦——」我有點覺得奇怪。他把我帶到了院邊的樹上，指給我看，原來，一隻蜜蜂撞進了一個蜘蛛網中，被蜘蛛當作了食物，正在那裏大嚼。我怔了一下，立即告訴他：「是那隻蜜蜂不少心，誤撞入蜘網裏去了。」（上）

海嶠叢談

從李宗仁投共談到程思遠

諸葛文侯

程氏到意大利居留了一年多，而蘆溝橋事變發作，中日戰爭繼起，全民一致抗禦外侮，程亦於民國廿六年回國參加抗戰行列，自署「博士」頭銜，儼然學者專家氣派。李宗仁白崇禧固不明底細，認爲非復吳下阿蒙，刮目相看，初辟之爲廣西綏靖公署政治部主任，人皆以「程博士」呼之，聲華藉甚，但他究竟有甚末眞實的才學技能足資稱道，始終是未知數。

迨香港被日寇侵佔，粵省垂危，程氏異想天開，竟以綏靖公署政治部名義，倡設「保衞兩廣大同盟」，自任大同盟主席，發佈宣言，擬訂組織法，明文規定：「凡兩廣軍民兩政機關，皆受大同盟指揮監督」。維時桂省府主席黃旭初見之駭然，急致電話於程氏，限他在半小時內，務須將宣言與組織法規收回焚燬，毋得胡作妄爲。黃語程曰：「你要指揮我，固無所謂，南寧的戰區司令長官（張發奎）你敢指揮嗎？」眞荒唐！」這便是程博士回國來第一次表現他在意大利研究法西斯主義的新猷，不過如是，以致大撞其板，自討沒趣，殊出意外，亦可見他在意國呆了一年多的研究心得爲何如矣！有人說，他是否完全認識法文字母，尚屬疑問。至於「博士」頭銜，吾國人凡在歐美讀過書的，不管時間長短，也不問他是進的 Collage 或 University，甚至於只在外國游歷了若干時日的，回國來皆以「博士」自封，不僅程氏有然。反正別人不會浪費精神，向外國調查虛實的，此即中國西洋博士之所以滿街走也歟！

程氏鬧出這番笑話後，聲價頓告低落，桂省綏靖公署不久撤消，他那政治部當然隨之結束，李白亦未給以重要職務。既而中央創立「三民主義青年團」，各省需有人參預其役，白健生乃囑程氏代表廣西參加。三青團組織處長康兆民（澤）以程係西洋留學生，號稱博士，又爲李白的幹部人物，極表重視，簽請團長派爲組織處副處長，是爲程氏于役中央政事之濫觴，從此即以青年團中央幹事資格，奔馳中樞與廣西之間，雖碌碌無所表現，然各方人士皆以李白幹部看待他，他亦藉着這種關係，贏得青年團高級位置外，後又被中樞提名爲行憲的立法委員。民國卅六年他在南京供職三青團，偶遇着三青團同志鄭捷的愛人（一說是未婚妻）石泓女士，不惜橫刀奪愛，罔顧同志道義，京滬報紙紀載甚多。時愚主持南京和平日報筆政，擬爲文斥其無行，旋以本報社長黃少谷係三青團中央常務幹事，有所顧忌而罷，但個人因此殊不直程之爲人，故始終未曾相識也。

大陸淪陷後，程偕石氏婦人流寓海隅，其前妻蔣月華與女（藝名林黛）亦同時避難香島，互作尹邢之避面，偶或林黛演電影，成名後，據聞常資助其生活費，彼姝遽死，程署名爲之撰書墓碑，貽譏通人，李宗仁恬不爲怪。程在海外仍以李宗仁親信相標榜，然舊日與李白黃（季寬）關係最深的旅港桂籍名人如黃旭初，夏威，黃華表，張任民、馮樹，鍾紀，黃同仇等，皆與程不通往來，即此可知李宗仁否認其投共係受程勸誘之說，並非虛語。唯程氏假藉李白關係向毛共出賣風雲雷雨，作其晉身投靠之階，則爲無可懷疑的事實，可憐亦復可哂也。（下）

為關壯繆的謚號剖白

○周燕謀○

明人郎瑛（仁寶）對「壯繆」解釋正謬甚詳。他在「七修續稿」卷四說：「…但傳公謚壯繆，乃爲不學者所疑。當讀爲『穆』，如秦繆、魯繆是也。予已辨于『繆』字下。謚法『壯』爲『克亂不遂』，穆爲『執義布德』，此非神之行乎？」

按照郎瑛的解釋，十分公允。關羽一生行誼，正可作北征曹操而蹉跌，至以身殉，是「克亂不遂」；關羽一身的大德，以「義」爲最著，時人和後人都公認，也最崇敬他這一種「執義布德」的德行。謚之曰「壯繆」（音穆）誰曰不宜？世人不知，疑爲惡謚，是無識不學之過也。郎瑛更有精闢的辨解，他在同書卷三說：「繆字有四音：『穆』音則爲「繆」，『妙』音則爲『姓』，『綢繆』則爲事情也，『紕繆』則爲『背戾』。綢繆、紕繆、姓、人知而用之；穆爲謚，漢以上人識之。故關公謚繆，今人只知爲背戾之義，以謚之不當也。殊不思秦繆、魯繆、大傳『序以昭繆』，皆是也。宋以『繆』謚秦檜，故晉欲謚何曾，武帝不從？豈肯以繆謚關乎？觀張飛謚可知也。」

郎瑛之解已經夠詳細了，同時釋明古今字音義之演變；繆、穆已經大白，可是，作者尤以爲未足。反對者以爲作者是「孤證」，所以不妨再引一些專門性的「爵謚」之著作，和專考「壯繆」的歷史學者的東西來作我們的定案。先請郎瑛同時代的學者張萱來解答。張萱首先駁斥淺學者之繆論說：「傳云帝（關）剛而自用，戾以取敗也。千載之下，卒無一人出半語爲表暴者，至令帝與賈充（宋之漢奸）許敬同科，予竊冤之。」他斥陳壽說：「壽曰：『樊城之敗帝實自取；荊州之失，蜀之大事去矣。以繆爲謬，固宜。嗟嗟！帝死而荊州失，此非帝失也。帝圍樊城時居江陵供軍資者糜芳，壯聲援者，傅士仁也。二人者，憾帝積之，不悉相救，更鬪帝還欲置之法，故二人入吳間迎權。夫受鉞矣，不用命者誅，仁、芳逗留，不當問乎？不即問之，語復宣洩，以啓叛心，帝計誠左。以此毀帝，謚以不美，則當時未聞有此議也。余閱志，趙翊軍（趙雲）之謚順平也，甚議甚詳，當時議謚，殊不草草。且張新亭（張飛）謚桓侯矣，馬（超）謚威矣，黃漢升（忠）謚剛矣，諸公皆出羇（指關公）下者，皆得美。帝之忠勇，蜀之朝野誰不傾心？禪（後主）雖昏庸，豈昧于帝乎？公議謚時，景耀三年也。姜伯約輩，豈有憾於帝，而故加以不美之謚法哉？」（二）

搔格肢可以致命

○芸復○

格肢在人類意識上的反應是很有趣而難以解釋的。當你惡作劇時，你格肢一個人，直到他求饒而後止。但你必須小心，玩笑不能開得太厲害；因爲在某種情況下，據研究此一問題的權威者報告，人有時可能因此致死。

通常開玩笑的搔癢的地方，多以兩腋爲目標，意在逗鬧取笑，認爲並無傷害。但目前認爲可導致一種嚴重現象，由之，我們的精神、生理上的本能，都受到侵害與困擾。此一玩笑多在人們未防範情況下爲之，遇有心臟病嚴重者，有死亡可能。又如患嚴重神經衰弱者，亦可能因而受到驚悸，情緒益形變態而增加其病症。同時腋下可以說是人身最脆弱部份，它不是經常爲人們垂着兩臂衞護着的麼？所以無怪專家肯定地說：被搔癢的笑與自發之笑顯有差別。

格肢的起源，並非爲開玩笑而發生。據說是古老時代，祖先用以激怒敵人或虐待俘虜的動作，由於習俗流傳而演變爲今日的格肢了。（上）

自由報

THE FREE NEWS

第八五七期

內備警台報字第〇三一號內銷證

中華民國僑務委員會發
台僑新字第三三三號登記證
中華郵政台字第一二八二號執照
登記為第一類新聞紙類
（半週刊星期三、六出版）
每份港幣壹角
台灣每份新台幣貳元
社長：雷嘯岑
督印人：黃行藝
社址：香港銅鑼灣高士威道二十號四樓
20, CAUSEWAY RD.3RD FL. HONG KONG
TEL. 771726 電報掛號：7191
承印者：大同印務公司
地址：香港北角和富道九六號
台灣分社
台北市西寧南路壹號二樓
電話：三〇三四六
台郵撥儲金戶九二二五

從軍事觀點看反攻大陸（中）

郭甄泰

綜觀此項計劃，可知中共在我方反攻時係以蘭州為其最後根據地，西安為其戰時之首都，作最後之決鬥。其假想前提為「中」俄友好條約有效，在我方反攻大陸時，蘇俄必將予以馳援。現在中共與蘇俄業已決裂，不特「中」俄友好條約，等於廢紙，而且邊境時有糾紛，隨時均有衝突之虞。筆者前時在從反攻大陸看蘇俄動向一文，曾預言我方反攻大陸時，蘇俄將採取下述態度：『第三種、與美國夾擊中共。第二種、隔岸觀火視若無睹，俟我反攻大軍正擬渡江時，從事武裝調停。第四種、陳兵中俄邊境，明為支持中共，實則乘機佔領東北與新疆，坐收漁人之利，係蘇俄在第二次世界大戰終了時，攻擊日本關東軍之翻版。就蘇俄言，可以兵不血刃獲得勝利之果，就我國反攻戰畧言可藉此牽制中共之大批陸軍，亦極為有利。』

現在蘇俄陸續向遠東增兵，並在遠東、中亞一帶，設置中程飛彈，三月六日柯錫金演說曾公開要求推翻毛澤東。我方一旦反攻大陸，蘇俄極可能於採取上述三種態度之一之外，視國際上之環境及我方之運用如何，逕與中共直接發生衝突。民國四十四年蘇俄與中共曾協議修築西部鐵道連接線，阿拉木圖以東一帶，蘇俄業已完成，但迪化至蘇俄邊界約長二百五十里一段，中共迄今尚未動工。由此可知中共之前述預定戰畧，現因俄毛關係惡化，必已有所改變。復次，另外尚有一項最重要之事實，即中共業已貯有原子彈，一九六七年復可能造成中程電導飛彈。自去年八月以來，青海湖新建的原子基地已進駐了一大隊俄製IL—二八型轟炸機，並有一批比較高級的駕駛員在該基地接受施行原子突襲訓練，由於地理上的關係，蘇俄西北利亞大鐵道以南的全部地帶，外蒙古，中央亞細亞的主要軍事目標，特別是蘇俄為對付美國洲際飛彈而遠設在烏拉山東南（新疆西北）的主要核子工廠，都遲早將劃進共匪短程飛彈的威力圈內，兩方面的戰略對峙形勢，必將日趨緊張。蘇俄現在面對中共瀋陽軍區之「遠東軍區」，與面對中共內蒙軍區與北京軍區之「外貝加爾軍區」，配置有兵力十七個師，面對中共蘭州軍區與新疆軍區之「西北利亞軍區」，面對中共新疆軍區與西藏軍區之「土耳其斯坦軍區」，配置有兵力廿二個師，合由東德東調之兵力計之，蘇俄環繞中共北面的部隊，已超過四十個師，大部份均為機械化部隊，駐於外蒙附近。加以新疆方面中共鞭長莫及，蘇俄由此長驅直入，立可威脅迪化蘭州。因此之故，中共在我軍反攻大陸時，其最後之根據地，已不可能設在蘭州迪化一綫，前述預定戰畧，勢非改變不可。以現在情勢度之，其戰時最後根據地，為便於固守，可能設在四川，政治重心為便於指揮，可能設在山西。我方第二期戰畧，除運用政治方式極力策動大陸反共部隊及武裝民衆內應外，復應針對該項戰畧，分由山東半島登陸，雲南方面衝擊，方能以達到犁庭掃穴消滅匪偽政權之目的。

三、如何打勝第一仗

我方反攻大陸勝敗最重要的關鍵是建立灘頭陣地的第一仗能否成功。這一仗若成功了，最後勝利的訊號即到達了，反攻復國即可以說是成功了一半，所以說第一仗最為重要，非打勝不可。但是如何纔能打勝呢？筆者的看法是：

（一）摧毀中共核子設施

中共的核子中心設在蘭州包頭與迪化。蘭州有中共的鈾濃縮廠，具有龐大電源，如將蘭州電力的三五%用於製鈾，每年可製出原子彈四十枚。包頭最初的鈾年產量，每年可製原子彈二至三枚，現在為鈾生產設施所在地，迪化為中共原子中心之一，設有鈾精鍊工廠。至於有原子爐反應設備的地方，則有迪化、蘭州、重慶、武漢、西安、包頭、天津、北平、瀋陽等。製造飛彈的工廠為重慶、西安、太原、南京、長辛店、瀋陽、齊齊哈爾，飛彈試驗場有酒泉、寶鷄、包頭、北京及東北的白城、黑河、雙城子。以上各地最重要者為蘭州、包頭與迪化，在反攻之前非先予以摧毀不可。現在有摧毀此核子設施能力者，以俄國為最大，蘇俄有力的火箭部隊與壓倒性的轟炸部隊，現均已集結遠東中亞，圍繞中共邊境的四十師地面部隊大部均為機械化部隊，從外蒙邊境至蘭州為八百哩，至新疆羅布泊為六百哩，至包頭為四百哩，至北平為七百哩，均在蘇俄飛機一兩小時，機械化進軍兩三天的行程之內，至於蘇俄新疆邊界俄軍距離中共新疆核子基地更近，摧毀中共主要核子設施，易如反掌。其次為美國，美國摧毀此等核子設施時，如用空軍則須穿過許多防空網及攔截火力，然後返防。轟炸機以琉球為基地，轟炸迪化時須飛行一千五百哩以上，以泰國宇太坡為基地轟炸迪化時，亦須於回程時空中加油，護航的戰鬥機，由於燃料限制，問題更大，勢須採用核子轟炸始能避免重大犧牲。第三為我國空軍。此則必須增加長程重轟炸機，新式戰鬥機，商借友邦空軍基地，並不惜犧牲，方能達成任務。

（二）保持空中優勢

中共空軍現有飛機，據去年八月美國及我國情報人士報告：「現有飛機三千架，其中約三分之一，因零件缺乏，無法使用。正規機隊包括一千三百六十架米格十五及十七，六十二架米格十九及二十一，主要轟炸機共有三百二十四架。」另有海軍飛機三百架均為米格十七及十五。

悔之已晚

「沒你的戲！」

今日與明日

黔驢技窮！

毛幫在香港滋事，到了目前確實是無兕可喻了，這幾日的情況發展，應特別指出有四點：第一，本欄上期要求港九居民一致起來支持政府，致截到本文執筆，已經實現，當然這絕不是拙文之功，實在是人心所趨，大家的想法相同。在所有二百幾十個社團中，最值得讚美的是「小販公會」，大家都知道香港小販一貫與警察立於敵對地位，假若說警察與某一個階層結下寃仇，應該是小販，而不是左派所說的工人。按說小販應該起碼支持左派暴徒才是，結果適得其反，小販竟然也起而支持警察，看來有點奇怪，說穿了也很簡單，警察對小販的作風只是好不好的問題，左派暴徒的鬧法是讓不讓人活下去的問題，兩者相較，小販為了生存，只有起而支持警察！小販如此，其他可知！左派暴徒的羣衆何在，光靠驅使一些無知兒童，花錢收一批爛仔，安能持久？

第二，英國政府對毛共的態度强硬到異乎尋常，外相布朗對毛共抗議不僅拒絕，根本就不願置復。此間毛共暴徒，內心裏希望「偉大的祖國」撐腰，結果「祖國」的外交人員也碰了釘子，毛幫暴徒自然感到氣餒。

第三，由於毛幫虐待英國駐上海的外交人員，激起了所有在北平的外國使館憤慨，決定集體抗議，並指定由瑞典、波蘭、柬埔寨、肯亞四個大使起草，這四國是代表共產集團、歐洲、亞洲、非洲，可說是有相當代表性。其中波蘭是共產國家，竟然為了「英帝」而向「兄弟國家」提抗議，已經是自有共黨政權以來所未有，至於柬埔寨，人所共知是毛共的忠實走卒，施哈諾一向奉周恩來若神明，此時也反顏相向，毛共的外交失敗，到了這次可能眞個徹底輸清了。毛澤東可能還不信邪，周恩來、陳毅卻不能不着忙，於是，北平反英示威就消沉了。

第四，香港政府已經忍無可忍，在全港市民有力支持與督促下，開始對左派份子採取約束，禁止非法集會！雖然左派份子對此仍然蔑視，但顯而易見，他們將會受到懲罰。

不過，我們覺得香港政府對左派暴動份子的處置，仍然[illegible]顧腳，並非釜底抽薪之計，即使逮捕了三五百人，也不足寒若輩之胆，反使他們耀武揚威，自逞英雄。唯一根本解決辦法，就是查明領導份子立時驅逐出境。當年「三一暴動」的「迎親人」事件，若不是遞解出去一個莫[illegible]，以後幾年不會如此風平浪靜。前事不忘，後事之師，願港府注意及之。（何如）

自由談

談「小人儒」

古之所謂「儒者」，指一般讀書明理的士大夫，現代叫作高級知識份子。孔子教導他的門徒，說是「汝為君子儒，毋為小人儒」。社會上一般人心目中理解得到的，即「君子喻於義，小人喻於利」是也。所以，孔孟這兩位儒學大宗師，總是教人在日常生活中要辨別義利，不可隨便的。

怎樣纔算是「君子儒」呢？禮記上指示的「儒行」篇那些思想行為，庶幾得之矣。至於「小人儒」的本質為何，孔子沒有具體的說明，但他指斥少正卯「信僞而辯，行僻而堅，順非而澤」這幾句話，可作註釋。少正卯敢跟當時貴為魯司寇——大法官——的孔丘作對，自係一個高級知識份子無疑也。

「小人儒」與普通社會人士之所謂「小人」有別，後者多是未曾讀書的謭陋之輩，遇事但求得佔小便宜，玩弄小花樣，滿足自己的私慾，爲害人間尚不大。前者却不然，因爲他畧有知識，表面上居於士大夫之列，在社會上滿口道德仁義的腔調，暗地裏常幹着男盜女娼的罪惡行爲。他儘管是個貪官污吏，却對人大談其建設廉潔政府的道理；他曾經作過叛國的勾當，却慣說別人對國家不忠貞，動則給別人扣上國際間諜的帽子；他儘管二三其德，趨炎附勢，投機變節，一是皆以自私自利爲本，却隨時裝成賢人義士的模樣，招搖賣弄，欺天下人以無知。這種「小人儒」之貽害流毒於社會，防不勝防，視普通的「小人」嚴重多了，少正卯即係此中的典型人物，因而孔聖人要將他置之大辟，以昭世人炯戒。

後世的「小人儒」，林林總總，隨時隨地皆有產生。凡是「君子儒」得勢的時候，社會上正義即伸張，人心多醇厚，而國家必然出現郅治與隆盛氣象，否則風俗澆薄，是非混淆，天下沒有不大亂的。衷考今日吾國共禍猖獗的基因，它得力於現代「小人儒」的幫助殊為深鉅，大家試檢查近五十年來的文教與政治史迹，思過半矣。大家若要復興中華文化，首先應該從剷除「小人儒」着手，藉收正人心，厚風俗，纔是深中肯綮的有效方法，光是博而寡要的喧嚷「復興文化」，無益也。

馬五先生

專制必然產生罪惡

共黨特權階級生活糜爛驚人

維也納通訊。

捷克布拉格的警察，根據密告，於淩晨搜查一間豪華住宅。他們發現一間捷克鋼鐵廠的經理薛克，坐在一張有手靠的椅子上，一手拿着一杯香檳，另一隻手拿着一塊燒火腿。兩個半裸的女孩子，坐在他兩旁的椅子手靠上。另一個同樣袒露的女孩子，正在想爬上他的大腿。客廳裏還有一打布拉格的高級官員和十七個半裸的女孩子。他們由飲酒作樂進而開無遮大會。警察突如其來，使到其中有些人吃驚，但客廳裏唯一穿着整齊的大腹便便的人，喝問警察爲什麼闖進來。他是捷尼，憤怒的說：「這派對領有特許證的，如果你們橫加干涉，我保證你們會惹麻煩」。那警官看了捷尼出示的特許證，當晚離去。翌日，他請示上司，所得的答覆是：「重要的經理有權怎樣過他們的私生活。」那些特許證祇給與西方人談生意的宴會，但有些時候，經理們也可招待其他鐵幕的官員。那警官對這事非常不高興，當天又接到當晚將有另一個派對的密報，他於是去見一家報紙的編輯和政府中的一些朋友，告訴他們決定怎樣做。當晚，他拘捕了那些參加派對的人，這事震驚了共產黨世界。

羅馬尼亞的「人民日報」最近調查在共產黨國家出現的「商業的性活動」，包括了捷尼案和其他個案。據指出，問題在於怎樣控制大商業的性賄賂。這問題是共產黨國家開始採用「西方的經理和商業技術」所引致的。這些技術，已使以前一年比一年衰落的共產黨國家經濟，變成自給自足。但是，除了改變行政方式之外，共產黨人也改變了私人生活方式——包括荒唐派對及商業化罪惡。在西歐和美國，藉酒色以促成交易，並不是時常被認可的，但許多人認爲需要的，是要自己決定關於那些事情如性道德，還是選擇什麼職業，或應否工作，喜歡那種美術和音樂等等的道德標準。

。但在共黨世界，情形卻不同了。「人民日報」說：「這種不道德的生活，不特腐蝕這些特權份子，而且破壞共產黨國家的基礎」。

捷尼終於難逃法網。雖然法庭未能傳所有與這案有關的著名人物到庭受審，但幕後的整肅使到四十七人調職——包括一位經濟設計部長及七位機關首長。某些西方觀察家說，這次審訊，幾乎使與西方經濟合作的新政策壽終正寢。捷尼刻在服刑，刑期是終身監禁。但是，捷尼的活動的精神仍存於捷克。

廿二歲的未婚的健美金髮女郎安娜華杜，於一九六六年夏間被控訴爲波蘭共產黨國家的敵人。安娜的政治信念與她的鄰人們無異，祇是她參加了十來歲和二十來歲的孩子們的所謂「抗議兵團」的運動。這些青少年的運動，

安娜於去年八月十四日，與二百名波蘭青少年，參加在華沙市內廣場噴泉舉行的午夜裸浴大會。有些全裸，有些穿着紙製或透明膠的泳衣。他們開了唱機，播出樂與怒音樂；他們燃放烟花，並把電影放映在牆壁上。

安娜是共產黨青年團的團員，但她與其他的青年都認爲這個組織與她們所期望的生活無關。她們不想做枯燥的寫字間或工廠的工作。她認爲她父母的生活方式是沒光彩的，不適宜於青年人。她認識了廿五歲的男朋友彼得後，參加了「抗議兵團」。波蘭政府宣佈這個組織是提倡反共革命的「政治」團體。但安娜力稱：「抗議兵團」對政治最不感興趣，祇是要尋求快樂。他們後來進而作性愛實驗。據安娜說：「這是沒有錯的，我認爲祇要你所做的事不傷害別人，那就沒有問題。」但是，波蘭警察卻有不同的看法。他們拘捕了「抗議兵團」派對的安娜和幾個同志。被判犯「違背國家」罪，但幸獲緩刑。其他的被判徒刑，有些刑期長至三十個月。

在列寧格勒，一羣家庭主婦感覺長日無聊，每逢星期三下午進行「秘密的冒險行動」。這些主婦都是軍人眷屬，她們的丈夫在軍部的飛彈科學及戰爭設計部門服務的。他們時常出發演習或參加參謀會議，有時一去幾個月，丟下嬌妻在家裏嘆寂寥。

這批軍眷中有一個上尉的妻子，三十四歲的馬森嘉娃，她與廿八歲的杜洛非嘉娃（另一上尉的妻子），和廿七歲的華茜耶娃（一個中尉的妻子）搞同性戀。後來，她們組織了一個婦女俱樂部，廣徵同志，尋求歡樂。

一天，華茜耶娃的丈夫突然返家，發現他的妻子是一個搞同性戀的女人的領袖。他沒有動火，祇請求她們准許參加這個俱樂部。其後，他還拉攏了其他的丈夫參加。列寧的外交使節團也參加這個「火箭式」俱樂部的派對。

一個攜同美麗妻子到任的法國空軍參贊，也參加了這些尋樂活動。他並着他的妻子替他找情報。馬森嘉娃與這個法國參贊週旋，也向他套取情報，她給他作爲交換的情報都經過蘇俄情報審查的。事實上，雙方的情報都是假的，或故意透露的。不過，這個法國參贊終忍受不住他的妻子投在別的男人懷抱，有一天，神經緊張的打電話向列寧格勒的紅軍情報人員告密，由紅軍情報人員搜捕了這個派對。當紅軍人員把他妻子帶返住所，他已吞槍倒斃了。這事使到俄法兩國高級當局都感覺尷尬。

反修正主義的

阿爾巴尼亞，堅決的反對共產黨國家採取西方的生活方式，但它的假道學於一九六六年九月給一個蘇俄官員戳穿了。這個蘇俄官員在宴會中忍耐的聆聽阿官員批評列寧格勒的醜聞，但當晚却有艷遇。一個健美的女人敲他的門，入內後立即關上了門，在他面前寬衣解帶。他誤會這是阿人款待嘉賓的風俗，於是來者也不拒。翌日，這個女人於沒有人監視他的時間去見他，流着淚的請求他忘記昨晚的事。她說：「我估我要招待所有的賓客：：但後來我發現了你不是中共人員。」這個蘇俄官員查問下去，獲悉阿爾巴尼亞有一個「愛國」青年婦女團，專責服待中共「朋友」。

這個蘇俄官員返國後，報告了這事。聯俄的宣傳機構拿它來作揭破阿爾巴尼亞的假道學的宣傳資料。

西方的專家說，雖然共產黨仍然是共產黨，他們仍然想摧毀西方。但他們也知道了以經商的原理來管理國家的重要。不過，共產黨社會的改變並不是說世界將能保和平。但是，如果共產主義在長期上是行不通的——西方專家們相信它是行不通的——這些新困難問題或許可使共產黨的老闆們認識事實。

論地方自治法規的修正

羅雲家

但話說回來，如不限制候選人的最高年齡，最大的害處，且可預見者，將是「老成持重」「老成練達」者長期據於地方行政首長的寶座；年輕一代的欲想「接棒」，勢將困難重重。（晚輩欲與那般血氣、學識、幹勁、抱負、有勢、有錢、有人緣、有班底的長者相競爭，其不慘敗者，幾希？）而我們的地方自治，難免就會走上「元老之治」，而新人行新政的新陳代謝作用，亦不免要大打折扣矣。

基於上述，筆者願意提一折衷意見以供採擇：即縣市長年齡最高不得超過六十五歲（與公務員限定退休的年齡相同）；鄉鎮及縣轄市長年齡最高不超過六十歲（與公務員自願退休年齡相同）。

其次談到民意代表候選人的學歷限制。原來的選舉罷免規程，規定年滿廿三歲，得申請登記爲縣以下之民意代表，除有消極的犯案或心理精神失常的資格限制外，別無積極資格的限制。於是若干小學程度乃至不識之無的人，當選爲鄉鎮民代表或縣市議員。這些人在議事場合，常易發生的流弊有二：一是看不懂預算的內容；或雖看懂一點，也無能與政府人員辯難，結果被人牽着鼻子走，那「替老百姓看管政府的荷包」的神聖重任，就無形中放棄了。二是不懂各種議案的內容，由於不懂，討論時自然沒有意見，也不敢提出異議。此爲沒有積極資格限制之弊。這次省府所提的修正案，規定今後無論議員或代表候選人，均須檢覈合格，這在原則上當然是對的。問題是若規定必須高中以上始可担任縣以下的民意代表，則不免有違全民政治的精神。因民意代表之難能可貴處，是在於他們能代表不同的階層，爲不同階層之選民謀福利。抑有進者，台灣自光復迄今雖已歷廿二年，但現在縣以下地方自治的中堅份子，仍多屬於卅至五十歲的人，這些人因受日本侵略統治之影響，青年時之就業機會較就學機會爲多，故在素質上，欲求其與現時教育發達後之一般公職人員的水準看齊，事實上爲不可能。（若干年後，則又另當別論）爲了革除往日的毛病，同時針對現實的需要，筆者也樂於提供一折衷案，以便省議員諸公參考：那就是縣級以下民意代表，在學歷上的要求，以初中畢業或同等學歷者即可。

限制消極資格問題

在這次地方自治法規的修正案中，對於公職候選人的消極資格限制，有一項新的規定，即：曾因叛亂或貪污行爲受有罪之判決者，以及受保安處分，强制工作等刑期或執行屆滿，但尚未逾一年者，均不得登記爲候選人。對於這一規定，筆者的看法是：原則上贊成「淨化」公職候選人的品格，同時也理解省政府修正案的苦心。不過，筆者從法理上觀察，深覺一個犯了罪，經法院判決確定，宣告褫奪公權者，在褫奪公權期間內自不能參加選舉或被選舉，可是褫奪公權期滿以後，依法沒有理由不讓他參加候選登記。此外，犯一般刑事案件，而並未褫奪公權、刑期已滿者，如果不能登記爲公職候選人，在法理上也是很難說得過去的。換言之，法律對犯過罪的人，是否能夠候選公職，已有規定。現在修正的地方自治法規與法律發生牴觸；依憲法第十一章地方制度，第一節、省、第一一六條：「省法規與國家法律牴觸者無效」；第一一七條：「省法規與國家法律有無牴觸發生疑義時，由司法院解釋之」等規定觀之，更應請省議員先生們多加考慮，慎重決定爲宜。

他如助選流弊之防止，及無人競選村里長時，增訂「今後視事實需要，得予指派」等問題，各方議論甚多，限於篇幅，茲不贅述。總之，地方自治法規的修正，是件大事，而這是第五次修正了，更見得我們是如何的重視它。唯其重視，筆者乃進言如上，謹望審議諸公多加慎思熟慮，省民幸甚。（下）

桃園紛繽錄

本報記者黃鴻遇

▲自世界上的「硬幣」改革爲「紙幣」流通以來，無論某一國家，或某一地區，或因生活水準的提高，或因國庫收支不平衡，物價總有些微的波動。即使有「金元王國」之稱的美國，也難例外。台灣省的物價，除了「食鹽」的公賣價錢每台斤新台幣一塊六角沒有漲價外，其他物價，也有小幅度的提高。舉例說：政府新建一間中等學校教室，自去年起，其工程費由原來的五萬元增加爲七萬元，這是明令的規定。其他新建建築物，那是主管人員夢寐以求報銷——賺錢——機會了。各級官兒們，大焉者，存入美國銀行，次焉者，也有太太或兒女們的名義在國內各公、私銀行立戶，以避貪污之嫌，落得「潔身自愛」爲上。工作考績，還能保持甲等的評分。報銷爲「揩油」之本，如不知道這「箇中三昧」者，那是少之又少的傻官。

桃園自來水廠新任廠長張新金，在上任之日，沒有雞尾酒會，沒有交接典禮（已兼代該廠有時），記者前往道賀時，他陪同參觀他的鑿井工程，據張廠表示：這口新鑿水井，出水量爲一千度（噸），工程費新台幣十一萬餘元。他又說：在數年前，該廠開鑿一口同量的水井，工程費花去二十萬，幾至相差一倍，不能不算是「奇跡」！不妨讓讀者知道。

▲目前各地治安單位向黃、黑色進軍，是作得起勁，喊得響亮。黃色是指「色情」的販賣，黑色是指地痞、流氓和不良少年的橫行。說實在話，目前黃、黑色的敗類，影響台灣社會的安寧，已臻非進軍不可的境地。因此，治安機關對除暴安良，是責有攸歸，已在作全面的「進軍」了。桃園警察分局長李惟喬，上任伊始，即指示屬僚：警察工作，是管壞的一面（好的用不着管）；聽說外傳桃園是「風化區」，這就是桃園警察的恥辱；決心把「桃園風化區」的污名來去掉，乃不眠不休，向黃、黑色挑戰。也許是「新官上任三把火」？（上）

瀛海異趣談

美國印第安人生活一斑

·桑雅·

一般人的心目中，印第安人是兇悍的，銀幕上的描寫一樣，性好燒殺。其實，隨着時代的變化，一度是備戰的鼓聲及紅人的舞蹈，現在是娛樂遊客的節目了。請看一九六六年的美國印第安人小姐業希亞魯珍，就頗為艷美。她正是印第安人宣傳的一個極好寫照。

多數遊客在美國參觀印第安人的徙置區，大都獲得一支和平烟斗。例如，以東海岸的狄高印第安人族落，他們非但不嗜殺，事實上這個紅人部落從來沒有兇猛的戰士，他們是農人而已，對於戰舞是一竅不通。

在美國的印第安人，生活不必担心，祇要他們是居住在徙置區，每星期可享受美國政府供給十美元的福利金及由政府控制的剩餘農產品貨倉，獲得免費供應糧食。

印第安人的平均壽命是很低的，平均美國的白種男子壽命是七十歲，居住在徙區的印第安人男子平均卅九歲即死亡。不過美國的五千條法律，是不適用在他們的身上，印第安人事務另有二千二百條法例，是專為他們而設的。做印第安人快樂，然而亦不容易，因而有些紅人寧願宣誓，做正式的美國人，悄然離開印第安人徙置區。

美國的印第安人是不必受徵入伍服兵役的，第二次世界大戰期間，約三千六百名納瓦祖斯族紅人，志願被徵入伍，雖然他們祖先并非戰士，亦頗能征慣戰，是獲得國會勳章最多的團體之一。硫璜島英雄也是印第安人。但是今日仍有大多數印第安人，願意繼續做紅人，以便學習他們傳統的技術，例如他們的手工藝製品，是可以售高價的，一張精緻的印第安人地毡，眞正是由納瓦祖斯族手織的，却少如鳳毛麟角。

納瓦祖斯族紅人據說是世界上最懶惰的手工藝工人，他們自己不願動手編織，而去紐約布魯克連區的商店購買毡子；自己所織的地毡出售後，所得的利潤去購買汽車，在新墨西哥州、猶達州、阿利桑納州及柯羅拉多州的徙區，來往行駛，而與他們還住的簡陋房屋，殊不相稱。

在佛羅烈達州的沼澤邊緣，聚居的森林米諾斯紅人部落，則利用他們天才，他們的衣飾已進步則與南美人無異，而外型看來不像北美的印第安人。他們常與鱷魚打架。以前，遊客到佛羅烈達州可以欣賞這個部落的紅人，表演與鱷魚搏鬥。現在美國各地不少公園，不必長途跋涉，可以看到眞的印第安人與鱷魚打鬥。

在所有的印第安人部落中，以東部的芝洛奇族人的外形，不像紅人，而更似世界重量級拳王克萊頗帶黑色。他們早年多聚居北卡羅萊納州的大烟霧山區，此族人比較聰明，已會展開了他們的生意。若干年前，芝洛奇族人已開印第安人產品展覽會了，這是一個不大為人所知的商業週，場內有一切的娛樂節日及紅人舞蹈，少數土人也付入場券參觀。這是一個不大賺錢的生意。以後，此展覽會多數是在每年的十月第一個星期舉行。

後來，這些有頭腦的芝洛奇紅人，把大烟霧山改為一個印第安人式的獨士尼樂園，招徠數百萬人前來參觀遊玩，把整個大烟霧山弄得熱鬧起來。祇要化一元數角，遊客可以拍攝印第安人的全家福照片，欣賞紅人玩奏摩登樂器，如彈結他及拉手風琴。

芝洛奇族紅人在古老的時代，從來不戴兩條羽毛以上，那些羽毛是從火雞尾拔下來。酋長的頭冠也很低；因為他們與多數印第安人一樣，居住又低又矮的泥茅草屋內。這個族人的地區日漸旺盛，他們的工廠，忙着生產正宗的紅人弓箭，讓遊客採購拿回家去。印第安人的工廠又製造「懶佬鞋」，此種便鞋本來是來自紅人穿用的輕便鞋子，不過鞋子，成本較昂：無法與日本製造的競爭。

但是有不少遊客，要在印第安人區域渡宵的，但他們不習慣睡入紅人的用獸皮或樹皮架搭的帳幕。現在芝洛奇族區，居然建造了卅七間汽車旅館，有些是紅人擁有的，少數是自種人經營的，祇要在幾個月的旺季，他們可以撈夠冬天的皮費，甚至可前往佛羅烈達州避寒。一百年前，此族人與白種人婦和，他們現在的衰演，每天有一塲是描寫當日邊界打仗的，他們穿了土人裝擊退進侵的白人。此族人甚至利用了風景如畫的大烟霧山，現在安裝了一種架空椅子，把人送到山頂去欣賞風景。此地的露天戲院上映數世紀前的紅人生活，如此簡單的地區，估計每年可進賬八百萬美元之多。

英各地警署將大加歸併

為應付每天三千宗罪案

英國的警察當局，正致力於合併各地的分支機構，來更集中的指揮。這事使不少高級警官不滿意，並提出辭職。

英國目前每天的犯罪案件約達三千餘宗，這些警官的辭職，不是會使情形更糟嗎？然而，內務大臣曾金斯認為：我們必需冒險一試。

他說：「我已試圖優先考慮一些措施，來協助警方對這種犯罪增加的情況。」

在新計劃中，各市鎮的警署併入郡中，各郡的警署又隸屬某一地區的警署。這樣，使許多警司變成了助理警司，他們的職權削弱，可能到六十歲時，仍然是助理警司。他們有許多人不想呆着等待，而立即退休。

他們的自行引退，還有一些其他理由。他們必需離開居住多年的地方而前往外地。一位名叫尼古拉的警司說：「我必需賣掉我的房子，並中斷我的家庭生活。」

高級警官協會對這項調整，也感憂慮。他們顧慮其他有經驗的警務人員，會步尼古拉的後塵。有的說：「這實際上是降級。」

他說：「我們並不很反對合併，但却會有太龐大的警署。我們認為應考慮各方面的優點，我們希望各警署當局能磋商。我們將爭取那些變為助理警司的人們，不會有財政上的犧牲。許多人準備離職，那是使人惋惜的。」

到明年四月時，現有的一百一十七個警察單位，將合併為四十九個。

這些合併，將使某些警局變成雜亂的龐然大物。今年五十歲的蘭開夏警司成爾克斯說：「新的蘭開夏警署，將有六千七百名警務人員。那將很難管理。」

但是，曾金斯似乎已決心裁併警察部隊。他相信，合併將會提供更大的機動性，並可因集中設備而有更佳的訓練，來對付犯罪案件。

不少地方上的社團和企業機構，也不同意這項合併計劃。

羅頓市的一間公司發言人說：「羅頓是本郡中唯一的大工業城市，但羅頓的警署却要併入貝得福市警署。我們需要有自己的警察部隊。羅頓要付出七萬鎊來維持這支新的警察部隊。」

羅頓各社團曾表示反對合併，但為有關方面拒絕。

負責安排合併工作的，是羅斯頓警司，他也是高級警官協會的委員。

他說：「協會已表示他們對當前的組織，感到滿意。」他也獲得一些警官的支持。有八千會員的中級警官協會的一位發言人曾發表談話，批評不滿合併的警官。

發言人說：「他們應該知道，某些變動將是不可避免的。我們對某些人的離職感到遺憾，但我們並不對他們的離去感到憂慮。我們有許多優秀的人才來接替他們的職位。」

馳名的U二間諜機

昔旻

波度可能很易經過街頭而不為人認識。他架着金絲眼鏡，短短的紅頭髮，全沒有出衆的相貌。誰會曉得他是飛U二型「空中間諜機」的呢？

他談及去年遇飛彈時說：「它是美麗好看，衝來時似烟花」。那三度白烟是他去年到越初次使用的「地對空」飛彈。當時，波度正駕着「U二」型機。那天似有人知道我要飛行偵察，一彈在機前爆發，兩彈未達到飛行高度便墮下。從前駕着黑色神秘機，本來沒有人曉得，祇是另一飛行員鮑萊斯失手，跌落蘇俄。這是半噴射滑翔機，從事不禮貌的攝影，因它飛得很高，至于能飛多高，迄今依然是秘密。」

主持「U二」型機計劃的人，相信沒有一名飛行員能駕駛此機超過兩年，因人體難以抵受。可是，波度却飛了八年，曾負責到古巴攝蘇俄飛彈陣地。

他追述一九五七年情形：

「當時我們是盲目去作志願人員，有新的飛行方法。」他於一九四三年加入空軍，曾參加第二次世界大戰，又曾駕駛能載核子彈的「RF——八四K」型機。

波度在狄里奧初見「U二」型機時，「他曾對自己說，我究竟搞什麼？」這種飛機完全與別不同，從未在圖片見過，也沒有人知道作什麼用」。後來到洛夫連基地，在機上試飛，「我驚奇這飛機的性能，我幾乎不能相信它的力量這樣厲害」。

他不久便學懂一些重要事實，例如飛行衣似鬼襲般緊緊貼在身上，是由一家造女人胸圍公司製的。面罩緊緊，全不似今日太空人員所用的。過度疲乏也是另一威脅。「飛行時，飛行員忙個不了，一邊要看偵查鏡，一面要顧着飛行的航綫。飛機本身要飛得極其準確，稍差錯，地面上便差了三英里。飛行時由自動駕駛協助，使速度不能快慢逾二哩。飛行員又要照顧許多控制儀器。這種飛行，消耗精力。下降時，由機旁疾駛着的指揮車予以指示，駕駛員飛完一次七時半到八小時的飛行後，會輕了八磅。

在上機時，駕駛員携有一瓶液體壓瓶子。面罩透到口，飲時要搾壓瓶子。飛行員起飛前兩小時及飛行、呼吸的純氧。飛行高度是「六萬呎以上」。

此機的特殊處，是遇到較濃空氣時，會自動再發動的。

八七　司馬昭自為晉王　賈充成濟弒曹髦

魏國自此三起反抗司馬氏父子專政的軍人失敗之後，以後更無一人敢反抗司馬氏的了。

曹髦是十六歲即位。司馬昭繼任司馬師之職位，他的專權跋扈，比其父兄更利害。平定了諸葛誕後，他的聲威更不可一世。可憐的小皇帝曹髦，特准他衣皇帝之服。但他仍不滿足。過了三年，曹髦乾脆封他為晉國公，加九錫（見前），以漢獻帝待曹操的禮遇司馬昭，可是小皇帝心有不甘，忍無可忍，手頭又無有兵，滿朝文武都是司馬昭的黨羽，所謂「只知有晉，不知有魏」，誰也不敢管他曹家的事。這正和曹操偪漢獻帝如出一轍，歷史又重演，今天輪到曹氏子孫受氣了。讀史的人都認為是曹氏的報應。

可惜曹髦年輕，不懂得老莊哲學。如果知道一點歷史常識，更可以向獻帝學習，和他祖父接收獻帝的儀式一樣，乾脆讓給司馬昭了事，還樂得一條活命。可惜他不如此做。他氣急了，異想天開，帶了一羣宮人，『鼓噪而出』，要與堂堂的『相國、大將軍、晉國公』拼命；他剛剛出宮的南門，就被司馬昭的「走狗」中護軍賈充來迎戰，宮人們怎敵得過強兵？大敗逃命，賈充叫一個姓成名濟的「太子舍人」一戈把曹髦刺死。殺死了皇帝，這事非同小可。

司馬昭故意佯裝正經，要將成濟治以「弒君」之罪。但並未嚴辦賈充，把成濟斬了。又捧出一個曹奐來做傀儡。曹奐要長曹髦一輩，他是曹操的孫子，燕王曹宇的兒子。曹奐比曹髦聰明點，乾脆就當傀儡了事，做了五年的太平皇帝，雙手把曹操打來的天下送給司馬昭的兒子司馬炎。此應算是稍後的話。

魏國晚景居然出了三個替曹家反抗司馬氏的人，但不能說他是曹家的「忠臣」，王淩、毌丘儉、諸葛誕，三人都是利害所致，也就是為了自保。魏國可以說沒有「忠臣」。這三個反對司馬氏專政的軍人，都是以壽春為根據地，其失敗也先後如出一轍。響應他們的，在魏國境內沒有一個。因地隣東吳，東吳的人倒很熱心，但東吳內部沒有像樣的人物主政，常常鬧家務，殺成一堆，人才殆盡，也沒有能力幫大忙。三國鼎盛的時代已經過去了。後來的皇帝，蜀魏吳都沒有一個像樣成氣候的。曹丕的壽命也到中年而壽終正寢。孫權的子孫多事，互相砍殺，也沒一個成氣候。劉後主是有名的庸主，也是後世為人詬罵的「亡國之君」。所以三國到了此時，是步向沒落的途程。魏國佔了天時及人力物力的雄厚，又產生了司馬懿父子的權術人物，魏國政權旁落在司馬氏父子手中。魏國在蕩平內部反抗者後，實力就成為其他二國之冠，司馬氏統一，也似乎成了必然之勢。

八八　蔣琬費禕自保之徒　姜維獨當苦幹到底

蜀國的屢次北伐，都沒有成功，這一方面是國力貧弱，一方面也是人不濟。諸葛亮秉政時期，北伐就碰到對手是一個勁敵——司馬懿。

（一三三）

平劇繽紛錄

閒話「雙逼宮」

○桂良○

平劇的劇名，有的是取材於劇情，寥寥三四字，卻恰到好處，如：「三娘教子」「擊鼓罵曹」「遊龍戲鳳」，雖然不常看平劇的觀衆，望文生義，也能畧知梗概。也有拿劇中主角做戲名，如：全本「西施」「貂蟬」「玉堂春」「香妃」「董小宛」等。明代傳奇，最喜歡拿物件做戲名，如：碧玉簪、雙珠鳳（女巡按）、玉虎墜、玉簪記、胭脂褶、寶蓮燈等。

如果像「一捧雪」是一隻玉杯的戲名，「宇宙鋒」是一口劍的名詞，再來做戲名；「珠簾寨」是地名；教不熟悉平劇的觀衆，乍看之下，很難揣想到戲的內容。

還有一種是，即是老戲迷常看到的三國裏，鬚生唱工好戲「逍遙津」，知道是：漢獻帝、曹操、華歆，太監穆順同爲一齣戲的重要角色。自穆順傳獻帝血寫詔書、召董承、劉備、馬騰等起兵勤王，闖出宮門，狹路逢曹，操盤問穆順，如非二人工行相當，很難針鋒相對，戲貌便無精打采了！

當年高音老生高慶奎演「逍遙津」之漢獻帝，在聽宮門擂聲如雷之後，雨聲叫頭一句倒板、一長句廻龍，「父子們在宮中涙如雨落」之二簧倒板，一字一涙，聽得觀衆們廻腸盪氣。他每次到上海，必以「逍遙津」爲打泡戲碼之一，每演必客滿，以「逍遙津」獨霸菊壇數十年，紅遍大江南北。後來雖有李盛藻、李宗義，均以高派標榜，也曾貼演「逍遙津」，無如各地顧曲周郎，不相識，不吃這一套，結果均屬畫虎不成。倒是有一位老倫工，不計成敗，不問得失，敢與高一較短長，此人便是老生時慧寶。他演此戲，頗近孫菊仙一派，氣力充沛，很有韻味，「逍遙津」之[illegible]台，只有一個伶工胡少安，一唱、一唸，悉邊高路，總算不錯。還有一位孫派名票李東園，他唱「逍遙津」的漢獻帝，允稱一枝獨秀。二人錄音，香島想會收聽。

聽了伶票唱皇帽戲漢獻帝的二簧快三眼，十幾句「欺寡人……」不管那位觀衆也可聽得出是因臣子欺君犯上；但爲什麼不名此齣爲「曹操逼宮」或稱「白逼宮」以與後來「司馬逼宮」的「紅逼宮」相對照呢？

原來在清朝時，故都演戲，巡城御史禁演：「崔子弑齊君」和「逼宮」這一類戲，藉免對當時皇室不敬。那時候的戲班，仍然照唱「崔抒弑齊君」不悅，避實就虛，祇把它改稱戲名爲「海潮珠」，觀衆不知戲名，越發想知道內容。戲班同一辦法，名「白逼宮」爲「逍遙津」，使觀衆們看戲名，納悶了若干年！

毛澤東怕反毛派演「逼宮」，故此先下手「文化大革命」；但轉眼之間，他快唱無數句：「欺寡人……了！」因爲「秧歌王朝」的喪鐘早響雲霄了！

「拿鋤頭來」

○紫薇○

「蜘蛛吃益虫，牠還算是益虫嗎？」他有點不服氣地問。

我不禁心裏一動，像觸到了點什麼：「那只怪蜜蜂自己不小心，誰叫牠撞入蛛網呢？」我勉強給他解釋，自己也覺着有點不是味兒。

「嗯——那麼，蜜蜂會不會吃蜘蛛呢？」

「蜜蜂吃蜘蛛？不會的！」我差點笑了出來，眞是聞所未聞的新話！不知怎的，我心裏的笑意突地停住了。蜜蜂固然不會吃蜘蛛，即令把蜘蛛送到牠口邊去，恐怕牠連嗅都不會嗅牠一下的，這也許是造物者的安排，可是，經孩子一問，我竟有點感慨了。

「哼，益蟲吃益蟲，不算好人！」他把嘴一撇，有點生氣了。我的腦子裏又是一閃，孩子的話好像變成了「好人害好人」，多麼深刻的寓意啊！只是，孩子否定了蜘蛛是益蟲，我又該怎樣糾正他呢？他媽媽來催吃午飯了，總算暫時擱起了這個話題。

午餐桌上，妻頻頻叫孩子們多吃幾匙冬瓜湯，吃了可以解熱去暑，不長痱子。她正勸得有勁兒，冷不防唸五年的二了頭把頭一偏，又對我發出問題來了。

「爸，冬瓜爲什麼叫冬瓜？」

「啊……？」我有點莫名其妙。她兒我沒聽懂她的意思，又解釋道：「它們分明是在夏天裏長成，爲什麼叫冬瓜？」

「這……」我從未想到過這個問題，一時竟窘住了。

「爲什麼不叫它們夏瓜？」這鬼丫頭虧她想得出，我琢磨着，她何嘗言之無理？

「這當然有原因」我頗費躊躇地答着。

「什麼原因呢？」她追問着。

「這……也許是它們的性涼吧！」我忽然想起了妻的話。

「那——爲什麼不叫它們涼瓜呢？」

「唉……這一定有道理！」我困惑得什麼似的。

「什麼道理呢？」她仍不肯放鬆地問着。假如她祖父在場，早又該「拿鋤頭來」了；我既然沒有這個習慣，就活該受這份窘迫，可是，冬瓜爲什麼要叫冬瓜呢？我苦思着，幾乎連飯也扒不下了。虧自己活了半輩子，連這個問題也解答不出，豈不讓孩子們給看癟了？忽然，我想起了西瓜、南瓜，靈機一動，冬瓜莫非是東瓜之誤？可是，如何談起的呢？事關考據，自己孤陋寡聞，又如何敢妄下斷語呢？

傍晚，剛消閒點兒，老大又過來了，挾着書本和字典，看來又是有問題，果然，他開口了：

「爸，英文的『坦白』是怎麼拼的？」他煞有介事地問着。我想了一想，記不甚清了，便就着『坦白』的意思，解釋着告訴他是Open-hearted。

他笑了，說應該是Frankness，我忽然注意到，這孩子，見我沒答對，他倒有種滿足的表情，分明是要難倒我，他才高興。這爲什麼呢？莫非因爲我平日老催他背英文，引起了他的反感，想藉此刁難我？眞是小孩子家，我不覺暗暗好笑，心裏付着：好，來吧，就憑你那點本事，不妨來試試吧！他眞也老實不客氣，一連又「考」了我好幾個生字，我雖然應付了下來，但是，瞄頭不大對，我恍惚記得，這幾個字他們課本上根本就沒有，誰知，他見沒瞄住我，一皺眉頭，偷偷地看了一眼字典，又問我「治外法權」的英文是怎麼拼？

這下可難住我了，這個字，我連一點印象都沒有。好小子，他不是存心找問題和我過不去是什麼？這回我可有點火了，一把抓過了那本字典，就在他摺角的那頁，我看到了「治外法權」那個字，足足由十九個字母拼成，好狠心，捧着字典，面對着「治外法權」，直使我啼笑皆非！

（下）

「葡萄之國」吐魯番

○魯仁○

吐魯番位於新疆的中部，是天山南北兩路的咽喉。地勢低於海面；天氣異常炎熱，因有「火州」的稱呼。有人說西遊記的「火焰山」，便是指着這個地方說的。那裏土地肥沃，灌溉方便，不但農產發達，果產也很豐盛。在那些果產品裏，產量最豐，身價最高的，便是葡萄。

在西北曾流行着一支民歌：「新疆省三宗寶，吐魯番的葡萄、哈密瓜，庫車的秧哥子（姑娘）一枝花。」從這支民歌裏，便可知道吐魯番葡萄的名貴了。由於它的名貴，全縣的人們，都爭着培植葡萄，因此到處都是葡萄架，到處都是葡萄園，簡直成了葡萄的世界。人們走在這個縣境裏，彷彿走在一個大葡萄園裏一般。

葡萄成熟時，那些「維吾爾族」的漂亮少女們，頭頂着俏皮的、瓜皮形的繡金小圓帽。甩着粗黑的大髮辮，欵擺着輕薄的長裙，紛紛地走到葡萄架下。健美的玉臂上，挽着精製的筐籃，伸出纖纖的白嫩的小手，一邊採摘着晶瑩的葡萄，一邊哼吟着迷人的歌曲，那種情調，充滿了詩情畫意，不知瘋狂了多少的青年男子。當年于右老旅行在新疆時，曾有「把衣（財主）園裏選葡萄，別開生面女兒腰。」的寫實詩句。連道學修養那麼高深的老人，都爲那些維吾爾族少女的婀娜纖腰所迷醉，可見她們長生得是如何地迷人了。維吾爾族男女的社交相當公開，那些青年男女們，多趁着摘葡萄的機會，在神秘的葡萄架下，談情說愛。有時跳着風流多情的土風舞，有時唱着音調柔媚的流行曲，有時一邊跳着舞，一邊又唱着情歌。因此不知有多少對愛侶，結合在在葡萄架下，不知有多少椿美滿的婚姻，就撮合成在葡萄園裏。

那裏所產的葡萄，種類很多，有淡白色的牛奶葡萄，有淡紫色的虎眼葡萄，有淡黃色的瑪瑙葡萄，有淡紅色的鷄心葡萄……。不管那種葡萄，都是晶瑩透明，水汪汪地逗人喜愛。吃起來，都是甜酸可口，令人百吃不厭。另有一種產量最豐富，營養價值最高尚的紫色葡萄，當地的人們，都把它晒製成葡萄乾，行銷在國內外。這種葡萄乾，在外省和外國人的心目中，是最珍貴的物品；但在當地的人們看來，並不十分高貴。所以當地居民，飯後茶餘，都以咀嚼葡萄乾來做消遣，如同內地人吃瓜子一般。

筆者當年去西北時，從綏遠的歸綏開始，便嚼食着那種香甜韌軟的葡萄乾。離新疆的距離越近，市面上兜售葡萄乾的商販越多，價錢也越便宜，同時我吃的時間和數量也越多。到了新疆以後，竟吃上了老癮，每天把吃葡萄乾，當做吃香烟一樣，時刻不能離開。如今早吃不到那種葡萄乾了，但吃葡萄乾的癮卻經常在犯呢！

這段辯解，也算允當。按在當時，荊州之失，關羽殉死，有問罪於劉封、孟達、傅士仁等輩，罪其不加援，不聽號令，而且開城投吳，降曹，以上諸人，皆關羽節制，關羽北向宛洛，荊州空之，諸葛亮、劉備如有見及此，應該派大將謀士協助關羽守荊州。然而，成都方面則未調遣將士前來相助，足見諸葛、劉備均未料及東吳之暗算。豈可獨責於羽哉！劉備之有天下三分之一，關羽之功應居其首，何加之惡謚哉！

張萱繼續說：「考之『布德執義』曰穆，『中情見貌』曰穆。禮大傳：『以序昭穆』，古本皆作『穆』；左傳穆多作繆。是穆、繆古皆通。夫布德執義，中情見貌，孰過於帝者？謚曰「[illegible]穆，魯穆或作[illegible]」爲繆戾之繆，橫生謚議，甚矣壽（陳壽）之繆於謚也！第壽之議，抑亦多端。帝爲氣多[illegible]所下，士大夫時或宿憾。即當時謚繆爲穆，安知無芳，仁之學者！不以『繆戾』之『繆』，借口而甘心？第壽實憾蜀，即諸葛尚不能塞其口；武侯而下，盛名爲侯，謂繆爲謬，惟以快讒應耳。」

爲關壯繆的謚號剖白

○周燕謀○

張氏的辨析，據字書、本經傳，按史實，度情理來解釋，可以說是解「壯繆」最精詳了。繆、穆可通假，實是毫無疑議。可惜用一個古字，害死多少讀書人浪費多少筆墨，纏訟事小，害得後人腦昏頭亂。而陳壽非良史，遠不及班馬，他的滿腦子的忌諱，不惜歪曲史實，三國志一書，未按春秋史法，爲曹氏、司馬氏諱忌廻護，歷代史家早爲之詬病。而且體例混亂，尤其帝魏而寇蜀、吳，不以與國相待，尤以吳之帝后，竟以名稱或夫人書之。在蜀、吳二國傳志多用魏之年號，實乃大謬。關羽三國志之謬誤，余在本報曾以「三國志微言」一文言之甚詳，在此不再多說了。在此打筆墨官司無益也。

要了解三國眞史實，只翻幾本三國志是不行的。關公之失敗，不關他死後成神。如何。如以短取敗，而惡謚之，那末諸葛武侯、張飛、以及後世的岳武穆也不成「謬謚」了麼？後世人之崇拜英雄，絕不以他的成敗而論。越是犧牲慘烈，不論他是成功，失敗，只要是死得其時，其所，不作投降將軍，就是忠烈，受人崇拜，愈久愈深，並非一個人能捧一個人上天的。從古到今，有幾個「完人」？孔老夫子也有人訾議，近代更甚多人聲稱要「打倒孔家店」，這些妄人能打倒孔家店麼？關羽死而神化，是中華文化的精神所使然，有無羅貫中，他也神化。要了解這些問題，要多翻一點有價值的書看一看，否則是抓不到痛癢的。關羽的神化和「三國演義」等章回小說的產生，是歷史文化和文學的演變，如大江東流，是沒有人能夠阻擋得了的。

歷史上關羽人格非完美無缺，但是中華倫理文化精神使他淨化也無人可以否定的。「生後是非誰管得，滿村齊唱蔡中郎」。一人生與死後都有幸與不幸的」一生得意的曹操，死後却被萬人咒罵，這豈是他生前所逆料的嗎？反之，失敗的英雄却爲千古崇敬，也豈是關羽所能想到的嗎？（按拙文是爲答覆一位大學讀者的）（完）

搔格肢可以致命

○芸復○

科學家又說怕癢而笑，是一種本能反應，後天性培養的成份居多；譬如剛生幾天的嬰孩，如你輕觸他的身體任何部位，這不會有任何搔癢作用發生，但經不斷逗笑訓練，及長至三四歲時，就可以畢業了。

有人問：關於我們的手心和脚掌怕癢的理由是心理的，還是生理的呢？這個答案，是兼而有之。我們知道我們的手足，都是我們神經末稍，這是一種敏感反應，是屬於生理的。紐約羅查司德大學醫學中心的費德門博士，深信人們手心脚掌最爲敏感的理由，乃是我們古老祖先曾一度用四肢走路的緣故，這是一種防止危險的本能，也是心理敏感的結果。據生理學家說，可以說也是先天遺傳。

（中）

內備警台報字第〇三一號內銷證

自由報

THE FREE NEWS

第七五九期

中華民國僑務委員會登記證台僑新字第三三二號
中華郵政台字第二一二號執照登記為第一類新聞紙類
（逢星期三、六出版，半週刊）
每份港幣壹角
台灣零售新台幣貳元
社長：雷嘯岑
督印人：黃行審
社址：香港銅鑼灣高士威道二十號四樓
20, CAUSEWAY RD 3RD FL. HONG KONG
TEL. 771726　電報掛號：7191
承印者：大同印務公司
地址：香港北角和富道六號
台灣分社
台北市西寧南路壹壹零號二樓
電話：三〇三四六
台郵劃撥儲金戶九二五五二

從軍事觀點看反攻大陸（下）

·郭甄泰·

基此統計中共空軍大致上保有二千架飛機，直升機數量則大約有五〇〇——八〇〇架，關於機場，閩浙兩省第一綫機場為福州、廈門、龍田、沙堤、東山、舟山、路橋，第二綫機場為閩省之建甌、長汀、南平、永安、龍岩、浙省之衢山、麗水及江西之上饒、貴谿、南昌等，自上海南向至海南島，共有六個主要空軍基地，均駐有相當數量之戰鬥機。我方空軍僅有兵力八萬二千名，戰鬥機五百架，缺乏能以進攻的轟炸機，去年美國雖軍援了F——五A型自由門士式戰鬥轟炸機，航程二千一百哩雖然可以携帶普通炸彈，一千磅重高爆炸點及核子彈，攻擊北平，但為數無多。美國增強東南亞自由國家空軍力量的計劃，係預定三年完成，初步將使我國、大韓民國、泰國、非律賓、越南的空軍兵力總數增加一倍，至少將擁有二千五百架以上的新式飛機；不過此項援助的飛機百分之六十均為最新式的攔截機，有無轟炸機，尚不能定。如無中程轟炸機則仍不能以對抗中共目前所有轟炸機的力量。為保持我方反攻的空中優勢，維護海峽安全，掩護大軍登陸，鞏固灘頭陣地，摧毀敵人空軍，截斷敵人水陸交通種種需要，至少尚須增加中程轟炸機五百架，最新式戰鬥機五百架，方能以維持空中優勢。

（三）分散中共兵力

中共陸軍現在兵力二百五十四萬，組成三十六個步兵軍（加強師）及八十七個正規師，此中包括有三個騎兵師，六個裝甲師，二十一個炮兵師，二個火箭師，九個高炮師及十七個邊防師。配置方面大概為金門馬祖對岸，華東地區沿海集結約在七十萬以上；西南部廣西，雲南方面約為四十萬左右；北平蒙古方面共約五十萬；東北及新疆共四十五萬；西藏方面約為七萬五千人。西南部方面兵力，在防禦越南方面之進攻；北平、蒙古、東北、新疆方面，在防禦蘇俄之挑釁；西藏方面在防範印度。現在蘇俄、印度、越南方面，對於中共在軍事方面均係採取守勢，因之中共陸軍之主力，多集結在東南沿海一帶，自上海至海南島沿海地區，其陸軍共有主要屯防區九個，其目的均在於防禦我方之進攻。返觀我方陸軍兵力共有四十萬人，其中有步兵師十五個，機械化裝甲師二個，輕裝甲師六個，裝甲騎兵二聯隊，特殊部隊四個，降落旅團一個。如單獨從一方面進攻，中共各方兵力均可由海陸空三方面向東南方面抽調，非在北方開闢一新的戰場，藉以分散其兵力不可。據美國國會所傳「中共今年即在邊境佈設中程飛彈」，蘇俄的烏拉山工業區與西北利亞已在中共威脅之下，中俄邊界接壤六千四百里，外蒙南部邊界亦有二千六百七十里，雙方不時發生衝突；東南沿海方面，我方如有反攻行動，在國際形勢運用之下，蘇俄極可能在東北、新疆、內蒙等地，偽稱聲援，實則建立親俄傀儡王國，威脅毛共，甚至對中共公然反目，重施攻擊日本關東軍之翻版，予以夾攻。此外美日韓聯軍，以國軍為前哨，如再能由山東、青島、煙台、之罘等地登陸，切斷津浦路綫，使中共北方軍隊不能南下，則中共兵力即將被迫分散至各邊境地區，首尾不能相顧，我方大軍由兩棲登陸作戰，即可壓力減輕，不難一舉成功。

（四）加強海軍及運輸力量

中共海軍甚為脆弱，官兵二十一萬一千人中，包括有陸戰隊十二萬及其他海岸炮兵人員在內。軍艦中有驅逐艦四艘（三千噸級），俄式潛水艇三十艘（一千至一千二百噸級），其中一艘裝有短程電導飛彈；另有小型魚雷快艇約一百五十艘，約共有三三六艘小型戰艇，合其他雜艇計之，約共有一千二百艘，似乎是以潛水艇為發展中心。我方如擬反攻大陸，第一須先消滅敵人之潛水艇，炸毀其根據地——旅順大連及榆林港。驅逐艦無防禦力，但艦形小，攻擊力大，對於主力部隊可施行水雷攻擊。因此對於中共之驅逐艦與魚雷艇亦須予以掃蕩，方能保持台灣海峽之安全。我方海軍約有兵力三萬五千名另有陸戰隊二萬七千名，驅逐艦四艘，快速巡邏艦及護衛艦八艘，驅潛艇二十七艘，遠洋掃雷艇及近海掃雷艇十三艘，戰車登陸艇二十七艘，其他登陸艇二十八艘，其他十九艘，合計一百六十二艘。

船隻方面約有「載運一師兵力渡海的能力」，對於大規模的登陸兩棲作戰，至少尚需增強軍艦十萬噸，運輸船隻三十萬噸，方能以配合需要，純恃自力，並非短時間內所能辦到。惟此項問題，如美國第七艦隊，能以拔刀相助，則其方式無論明暗，均可迎刃而解。海軍如此，其他陸軍外交、空軍各軍事亦莫不如此，秉國鈞者對此自不能不特別予以注意。

綜上觀察，可知我方如擬反攻，在軍事方面，須先：

一、增加長程重轟炸機若干架，摧毀蘭州，包頭等地中共核子設施。

二、增加新式戰鬥機、轟炸機各五百架，運輸機三百架。

三、補充軍艦十萬噸，運輸船隻三十萬噸。

四、開闢新疆、東北、外蒙、山東半島、克什米爾等第二、第三、第四戰場，至少要在北方開闢一個第二戰場。

現在對此，亟須由外交，政治兩方着手，一方爭取與國，加強軍事合作，藉以充實戰力，並設法開闢第二戰場；一方實行民主，尊重憲法，表示天下為公，藉以號召匪軍來歸，大陸民衆內應，否則難有奇蹟發生，幸當局急速圖之為幸。（完）

第一回合

毛酋：「你們要不要學？」

今日与明日

毛派最後一斧

毛黨在港滋事，到了五月二十三、二十四兩日，阻撓公共交通時，算是程咬金的板斧，差不多要完了，再下去只有對空亂劈了。關於這次罷工的滋事，有一點使我們感到意外的，何以其力量是如此薄弱！就以示威而論，出動了小學生不算，有銀行職員，百貨公司售貨員，電影明星，已經使人感到可笑，因為既然喊出鬥爭的口號，隨時要準備戰鬥，可是，像這種人怎能去戰鬥？更缺德的是把銀行及百貨公司的職員也拖去，五月二十四日在法庭審判時，就有兩名女被告嚎啕大哭，自稱被逼。搞鬥爭搞到如此低格，實在丟盡了臉面。

但毛共一羣在港領導幹部，仍然死雞撐飯蓋，不肯認輸，最後終於搞出原在大家意料中的交通機構罷工。本來在四間的七公司罷車時，我們就預料毛共會出此一着，但想到今天才發動，結果又是如此之慘，也頗出意料。二十三日中巴罷了一天工，二十四日九巴只罷工兩個半鐘頭，其中經過皆是少數人劫持多數人作成，罷工結果却毫無所得，對於毛共的鬥爭，未增加一分籌碼。

無可奈何只造謠

自從英國政府向毛偽政權提出嚴厲抗議之後，香港政府態度也大為強硬，目前禁止毛派集會，廣播，已被捕者科嚴刑。而本港市民紛起支持政府，署名社團三百多處，為警察子弟捐款達八十五萬，加上馬會相對捐款，即達一百七十萬。大英帝國自從在世界推行殖民政策以來，一個殖民地政府得到這麼多的當地人民衷心擁護，當為空前絕後一次。有此憑藉，港府安得不強硬？再看毛共示威的人越來越少，擲石子的價錢越提越高，內部的分裂也越來越大，宛如一個太陽下面的雪人，馬上就要化成一灘水。於是剩下來的唯一鬥爭方法就只有造謠。

左報造謠之事，層出不窮，最重要者如停水、停電、銀行擠兌、電車罷工。一連串的謠言破產之後，竟然出了一「奇兵」，新華社發出一項消息，五月二十一日，在港督府前一場暴動結果，竟然死了兩百人；消息在北平傳出後，又引起一場反英大示威。但在香港人看了作何感想！自從五月十一日左派大暴動以來，以後死了一個青年，還是左派用石頭擲死的，而新華社竟然報導一日之間死了二百！新華社在香港的幹部會參加了港督府門首的暴亂，這兩百人究竟怎樣死法？何以只有他這一家獨家新聞？新華社應該再發一次聲明，告訴香港人。（何如）

自由談

所謂「落後地區」

馬五先生

歐美人士對亞非各國的觀感，每證之為「落後地區」，我們聽之下，甚不愉快，認為中國的文化精神、民族智慧，并不下於歐美各國，若論文化本質，且勝過歐美多矣，落後云乎哉？

但是，我們如果以縱深的反省工夫來檢討事實，却不能不承認自己確有一種甚本上的落後，那就是「觀念落後」。由於觀念落後之故，一切自以為是的行為，皆與時代進化的里程碑距離很遠，自己認為了不起的新思想和新事業，在有識之士看來，還是時代的落伍者。例如民主自由生活，誰也樂於實現的，實行民主憲政的唯一要訣就是法治主義。然而，在觀念落後的國家，表面標榜民主政治，實際是崇尚「人治主義」，古人所謂人存政舉，人亡政息的落伍思想，依然深中於人心，而視法制為無足輕重的玩藝，枉法毀法的情形，恬不為怪，這在尊崇法治的先進文明國家的人士看來，不是落後的鐵證嗎？

而以人民的主宰者自命，總是教人民盲目的服從他，但又隨時強調民主憲政之說，表示自己是實行民主主義的現代政治家，不亦大可哂耶！

觀念導源於思想，思想孕育於知識，知識獲致於讀書，而讀書之是否有得，關係在個人的智慧。觀念落後的人，內心上未始不想求進步，幹政治生活也希望把國家躋於富強康樂之列，其所以餘而力絀者，乃是讀書太少，知識膚淺，思想落伍之故。因而一切事情皆與時代進化律不相適應，這就難怪別人要視為落後地區了。

國父孫公詮釋政治的定義為「管理衆人之事」，是很進步的思想，誰也信服的。既然如此，那處理衆人之事的政府，就應該是為人民而存在的機關，一般官吏都是人民的公僕，乃為否定的正確邏輯。然而觀念落後的人却不作此想法，他們認為人民是為政府而存在的，遇事不從便民利民去着想。

游金士領導幷主持下
正龍汽車公司產品不壞
該公司歷史雖短暫生意已源源而來
力求價廉物美舒適安全前途未可量

（本報記者周冠軍專訪）近年來因爲台灣的工商業發達，各行各業均突飛猛進，進入了價廉物美的境界，因此而打開了國際市場，享譽東南亞各國。

不久前，在台北市的近郊，又創設了一家頗具規模的汽車企業公司，承製各種汽車車身，並設計製造修理。該公司董事長游金士先生，是一位腳踏實地，克勤克儉的汽車製造的專門企業家。他在未組公司之前，一直都是在裕隆汽車公司工作，對於汽車車身裝置、修理、製造、設計等，已具很深厚的經驗，再加上實地研究，自然出入頭地。

游先生離開裕隆後，自組「正龍汽車企業公司」，設於台北縣板橋鎮。該公司雖開業不久，但已經承裝出廠的計有高雄市公共汽車十七輛，基隆十九輛。近又承包台北市公共汽車一百七十輛，現正趕工製造中。目前已出廠的車輛，經筆者親往各單位參觀訪問，確屬美觀結實，坐位距離適度，無論坐、靠，都感到舒適安全。尤其在該公司不斷研究改進的努力下，車門又邁進一步了，車門處裝有一種安全的器械，在車門未關妥時，車子不能發動行駛。這是針對最近因車掌尚未關妥車門時，司機已將車開動，把車掌從車上摔下來。假如購買該公司承製的新式汽車，那就不會有類似的情形發生了。

游董事長特別的強調，他們公司的目的，重點不放在謀利，而是力求價廉物美，經濟耐用，和安全可靠，以減輕顧客負担，增產報國，來發展汽車企業。一般以爲，該公司的業務，既有了好的開始，假以時日，其前途發展是未可限量的。

高港煙波
本報記者趙家驊

▲高雄港務局局長李連墀在最近一次記者招待會上答復記者詢問。他承認進港的船舶擁擠的現象經常存在，他强調這是國家經濟發展的最好現象。當然這話有些正確性；但問題是船席的調配是否公平合理？有無徇私舞弊情事？該港船席據他說全部有五十六條；據繫船課長馬國琪稱：每月進港船隻近三百艘，如何夠調配明眼人不言可喻。在不夠分配的嚴重情況下，如何做到先到先靠，公平合理，快裝快卸，不找麻煩，這是高雄船務公司及代理行們一致的願望；但事實不那麼簡單。李連墀局長會後邀來與我「交換意見」，我告訴他船席的調配一貫爲中外航業界所不滿，也許你高高在上，對繫船課的花樣難免不無隔閡。他說：關於繫船課與船務公司代理行間的關係，我事必躬親；不分鉅細，瞭如指掌；當然想先靠碼頭的船不得如願，大罵港務局如何云云。

據某代理行人士稱：假如港務局認真徹底執行「先到先裝，快裝快卸」辦法，大家沒話可說。實際上根本就變了質。繫船課的「四大金剛」是三朝元老，所做所爲又是一套，誰不知道？他進一步指出：我們明知道是那麼回事，我們馬馬虎虎，他們不敢公開，秘密的事兒，要到緊要關頭，咱們不客氣，連底牌一起掀！最後他說這底牌你等着好了，必要時和盤托出云云。

▲高雄港務局的「四大金剛」，名揚中外，是四位本省籍的人物，對於日本船隻特別優遇，曾經有一美籍貨輪「泰遜克萊斯」號，被令在港外拋錨等候進港，詎料被該輪遲到一小時的日籍郵輪，却被准許先行進港，因而美籍船長向港務局提出抗議，並聲言控告港務局。先到先裝，實際上只是「官樣文章」。迨後又發生中外請後出港的大鬧事件。這些事實充分的暴露了港務局眞面目，其中誰敢說沒有內幕文章？高雄港是國際港口，世界各國船隻均有來往，港務局的這一套別人領教了。這件關係國家體面，攸關國家經濟發展的事業，雖然碼頭調配工作何其重要！而竟發交予雜工胡搞亂整，也難怪人家要控告港務局了。

▲高雄港的進口船隻如此擁擠，船席調配的繫船課又不敢公開，掌握船席之大，無以復加。它不要你進港，你就得在海外拋錨，小船一天損失數百美金，大型則三千兩千。假如它讓你進港，本來有碼頭可靠，他們叫你繫浮筒，繫浮筒有浮筒費；他們叫你由浮筒卸貨用小駁船來駁，又須收你拖駁費；這損失可大了。假如他們給你碼頭靠，那是「天恩」，你就得「燒香」，感謝上蒼「方便」之德意。該人士指出：有時你靠了碼頭，他們叫你一移再移三移，移碼頭又有移碼頭費。你接獲令令就得乖乖的「移」，同時得繳納「移費」，否則麻煩可大了云云。

▲高雄港務局公共關係室主任劉楚楓，自五十四年三月離職（高雄市政府秘書職──呆不下去。）迄今兩年餘，仍霸佔市府宿舍，雖經再三催促搬遷，劉楚楓先是置之不理，其後則稱：港務局眷舍現正計劃興建中，俟配到眷舍再予遷讓云云。目前市府對他無法可施，只有委託王連芳律師向法院追訴，原限他兩星期內將所佔房屋交出，劉根本置若罔聞，滿不在乎，現該案已送地院，劉楚楓又要進法院應詢了。據市府某人士稱：港務局的消息：該局早已分配房屋給他，他不要。他說：你們港務局對其他職員，可以不配或晚配房屋，對於劉主任，敢不配給他房屋嗎？目前這個殭局，惟有法庭相見，可以預見的，劉楚楓敗訴無疑。果如此，這叫「敬酒不吃罰酒」。

台中二三事
本報記者王永亭

（一）縣長有親信，判刑不停職

台中縣政府秘書，曾經以「偽造文書」罪，被法院判刑，但因其爲縣長親信人物，縣長未予依法停職，故而引起議員們不滿。

據議員們指出：縣府及所屬機關，有很多人員因案被起訴或判刑的，縣府均依法予以停職；現因王秘書是縣長的親信，所以人事室就不予停職，顯然有欠公平。但據人事室主任的答覆，本室已經簽請縣長予以停職處分，結果縣長以爲業務需要，暫時不必停職，省府也照准。議員們認爲此風不可長。

（二）退休人員要「活動」費

台中縣議會議員指責縣府官員說：縣府核准公務員退休，有舞弊的嫌疑。據悉退休要拿活動費，否則就不能如願退休。據縣府人事室的答覆：五十六年退休合於規定者十一人，自願退休者三人；自願退休者是由縣長核准的。但此種答覆卻爲議員所不滿。據議員們指出，縣府爲核定退休人員，曾組織一個審查委員會，自願退休人員，依法應由審查委員會審核，怎可由縣長特准？外面早有傳言說，申請退休人員，要談條件，才能通過。根據人事室主任的說明，核定程序並未依法辦理，可見外面傳言，並非空穴來風。

（三）縣長林鶴年有失職嫌

台中豐原農會總幹事雙包案已經擴大了。省政府認爲本案林鶴年縣長及兩位秘書有抗命失職之嫌，正交由民政廳等有關單位議處，勢將依法移付公務員懲戒委員會懲戒。

省政府爲明瞭台中縣府處理豐原農會糾紛情形，曾指派省府秘書室、人事室、農林廳等單位，組織了一個三人小組，前往實際調查。調查後，曾發現台中縣政府建設局秘書吳勁家，縣府秘書沈倬，有違抗命令，變更主辦人員依據省府所簽的處理辦法；縣長林鶴年明知抗命而不查，反而照變更的意思批准，似已構成抗命失職之嫌。據悉：省府主席黃杰在看到此份調查報告後，曾批示對失職違命人員從嚴議處。至縣長林鶴年部份，交民政廳研究處理。可能的結果是移送公務員懲戒委員會懲戒。

台北市警察局自進軍黑色社會，掃蕩牛鬼蛇神，雷厲風行的採取一連串行動後，頗使不良少年畏縮，地痞流氓斂跡，而所有以作奸犯科爲常業者，多望風使舵，改弦易轍。而尤以第十分局的萬華區及雙園區最具成效。目前該局又發動向「髒亂進軍」，並根據內政部新頒「廣告物管理辦法」之規定，擬將全市的廣告招牌，作一普遍性的整理，其整理辦法及規定事項，特別注意廣告物之文字圖畫。

該局對廣告物之整理，嚴禁有下列情形：

（一）依法令應經主管機關核准而未經核准者。

（二）違反法令規定者。

（三）妨害善良風俗者。

（四）歪曲事實或虛僞宣傳者。

（五）下列處所不許樹立廣告物；其已經樹立者，市警局均限於五月底以前自行遷移或折除：

一、高岡處所或公園、綠地、名勝、古跡等內部處所。

二、妨害公共安全或交通處所。

三、其他……

無疑的，李正漢局長大刀闊斧的硬幹作風，早已贏得各界的讚揚。然對遼濶的台北市，所有廣告物欲作一普遍性的處理，將面臨新的考驗。

北市中華商場有忠、孝、仁、愛、信、義、和、平，共計八段，各段屋頂均設有電動廣告，其龐然大物，顯已形成頭重腳輕之勢。際此颱風季節，一旦暴雨狂風襲來，其妨害公共安全之烈，絕非筆墨所能形容。

其他若西門町、圓環、中正路、中山北路等地仍有多處險象環生，台北市警察局確值得集中力量於各要點逐次整理，進而普遍性的整肅。務使地上或屋頂所樹不妥的廣告物迅速折遷，總以「安全第一」爲重。

台灣的廣告事業亟待整飭
本報記者李忠道

廣告爲社會帶來了無比的繁榮，但却也爲公共帶來了多少的不安。

然而，談到廣告，要是能循着正當的途徑而行，相信台灣的廣告事業，必能隨着工商業普遍發展而日漸發達。

記得美國紐約廣告專家艾爾頓（Wallace W. Elton）年前來華訪問時曾說：「依台灣目前經濟發展趨勢來看，台灣廣告事業大有前途。尤其台灣的輕工業極爲發達，如能善加利用廣告宣傳，銷售市場將大爲可觀。」

可是，事實却不然。年來不勝枚舉的代表墮落、下流、不道德的廣告，日益泛濫，對社會大衆的欺騙與毒害，其惡果確已到了非常嚴重的程度。善良的人們，面對這無限制的，虛僞浮誇有毒的黃色廣告，正在繼續擴大，對社會大衆身心的戕害，也正方與未艾，眼見仍無任何方面的有效制裁，更未引起主管當局的注意與重視，似乎是充耳不聞。這樣的情勢發展實在太可怕了。

尤其是當前不少的商業廣告，非特未循生正道而行，抑且已步上左道旁門的歧途。

下面有一則漏網新聞，算得是典型的打高空，集欺騙、誇大之大成的藥品廣告，可惜第一天登場就頓挫了。茲誌於次：

某單位於去（五五）年二月二十一日下午四時在國軍英雄館金馬廳舉行茶會，以歡迎省議員赴軍中訪問，因而揭開「台北市××廣告事業股份有限公司對××達P全十批虛僞廣告的內幕。

茶會中某首長笑問素負盛譽的省議員呂錦花說：「呂議員：你爲人作了一個大的商業廣告，賺了不少的錢？」

「那裏！那裏！」呂議員謙遜的回答。

「今（二月二十一日）天，兩家日報第一版都刊有鉅大的廣告，其中便有你的玉照，難道你沒有看見嗎？」某首長解釋着說。（一）

遠海異聞談

男女王老五生活的秘密

桑雅

英國大文豪蕭伯納會說：「女人千方百計想早日結婚，而男人則想盡方法來保持獨身。」這句話相當幽默，也不無道理。

下面介紹美國一位獨身主義的喜劇明星的自白。

我是一名王老五，而王老五生活是像放在箱底的衣服一樣的過時貨。

在我的生活環境中，結婚將是一種錯誤。美國有不少男人犯了這種錯誤，他們結婚了。他們是一種說結婚是人生唯一道路的催眠曲中的犧牲品：我將永不會結婚。我會在電視上說過：今天，女人並不爲你做什麼事情。今天，當一個女人說「我做」，那就是她所做的事情了。

我也會說過：「今天，女人祇有結婚，她們才能離婚，她們可以發現誰有更多的錢。爲了獲得一個男人，她會拼命打扮自己：她會挺直身子，染頭髮，弄好鼻子，擺好她的嘴唇和頭部，她也可以動八次手術。」

婚姻的暴君，所給予王老五生活，是在臀部上狠狠地一腳。美國的王老五，當要有一種巨大的宣傳運動，像金山橙當年問世時，以及現在的自動包工業所需要的那樣。

我會對這個問題作過審慎的研究，發現了一些使人驚異的事實。在古代的雅典，她們有時會在街上拷打王老五。在羅馬，她們會不准一位王老五發表演說或帶領軍隊。在義大利和法國，王老五要繳付獨身稅。據美國德拉威地方議會，會一度通過一項法令，對卅歲以上的王老五，每年徵稅五十元，用來支持未結婚的母親。

獨身者（王老五）一詞來自拉丁文和巴比倫文，意思是「寂寞的牧羊人」。法國的哲學家伏爾泰，史賓沙，英王威廉二世以及其他許多名人，都是王老五，他們是寂寞的牧羊人嗎？

現在，有許多名流都結了婚，這也是事實。古希臘的哲學家蘇格拉底，也是其中之一，他承認他成功的秘密，是他的婚姻。他會說：「無論如何都要結婚，如果你有一位賢妻，則你受用不盡。如果你偶然地碰上一位像我的桑絲碧而使你變成一位哲學家。」今天，我們可以不要有像蘇格拉底的妻子的女人而生活嗎？

大多數已婚男人都艷羨王老五，特別是那些婚姻不愉快的男人。當他們看到王老五一個又一個美滿的女人同行時，就開始想像到他們（王老五）是何等的快樂。

偉大的愛情，往往不產生在婚姻中。青年人也往往是在一種婚姻是人生必經的歷程的觀念下結婚的。長大了而不結婚的男女，不祇無人同情、欣賞和稱讚，反而招來不是善意的猜疑和批評。婚姻好像無可擺脫的一種事物一樣，它好像是聯邦調查局和中央情報局。

女人的情形更糟糕。在我們的社會中，男人可以單獨去任何地方，而女人則不能如此。週末的晚上，如果一個女人單獨去看戲，可能有一些麻煩和騷擾。星期日，她更不能單獨一人去餐廳，她會被人誤認爲流鶯。如果她單獨一人探訪一對夫婦，她又會被認爲是想要奪取人家的丈夫。如果她一個人在郊外散步，或者在居處讀書看報，她又會害怕被人強暴。如果她長期孤獨，人們又要議論她不善合羣，沒有社交生活。總之，女人是很難在成年之後，長期單獨生活的。

男王老五到卅五歲的時候，才會懷疑自己的正常性；而女王老五到卅歲時，內心已恐慌得一塌糊塗了。

王老五不應該有性生活的說法，是一種完全的胡說。男人在婚前大都已有性經驗，這已是公認的事實。女人在婚前也已有性經驗，現在也已不是新聞了，雖然我們對這事不以爲然，但那已經是事實。

有許多人在猜想，獨身者是否有同性戀的傾向呢？人們在想像，一個不結婚的女人，必定是一個同性戀者。

以前一個女孩子保持處女身份，被認爲是貞潔可嘉的；如果她行爲不檢，就被目爲荒唐。今天呢？一位新娘如果是處女身份，不少人們都已另有想法了。他（她）們怎樣想呢？他們會交頭接耳地說：「你知道這位女孩子沒有做過什麼樣的事情嗎？跟住她，看看她是怎麼樣不去做那種事情的。」

男人並不是爲了要有兒女才結婚，他們大多是因性的需求而結婚的。做丈夫的會莫名其妙地變成了父親，於是，他看着這個小東西說：「這是我的孩子，我必需愛他（她）」，人們這樣告訴我的。」然後，他開始愛小孩子了。但是，當離婚到來時，他又忘記小孩子了。

女人則大多是因爲要有孩子而與男人戀愛。我們時常聽到未婚的女子說：「啊，我喜歡有一個小孩子。」

十個男人中祇有一個（或者還達不到這個比例）是王老五這個事實，並不會使我感到困擾。民主制度的歷史，曾表示多數派並不時常是正確的。有的地方，男人可以娶五個女人，有的地方，男人終生未結婚，他們都是對的嗎？

如何克服你的畏羞心理

路加

當那個年輕伙子，跌倒地板上時，鼻孔流出血來，在場的女孩子，無不尖叫起來，可是這個年輕伙子，仍然把對手抓緊不放。這時，場中的樂隊停了音樂，那些彪形大漢立刻出動制止。肇事惹禍的起因，是由於那些青年男子害羞。一位青年專家說他們只希望能爲人們注意而已。

一位有名的婦人，爲一艘新船舉行下水禮，她準備將一瓶香檳酒，擲向新船的船身，這時在場觀禮的嘉賓及其他人士，他們的目光都投射到她身上來，看看什麼時候到，這婦人突然轉身逃走！那是爲了什麼？理由就是畏羞。

那座風琴仍然奏着，身爲士兵的新郎，過了一小時有多，仍未到來，於是，那個久候的新娘，羞憤交集的飲泣起來，不願再等，獨自回家去了。爲什麼新郎會遲到？也是爲了害羞。然而在好幾個星期之後，這位害羞新郎，鼓起勇氣，才再和新娘舉行婚禮。

絕大部份的人，都有着害羞的性格，往往是從孩提時萌芽，一直帶進成年的階段裏。當發生害羞時，恨不得地板有洞，讓自己鑽進去。但是一些不幸的人們，却很難將他們底畏羞的性格消除；在他們來說，畏羞成爲一種急性的毛病，使他們的生活，陷於苦惱之中。

時至目前，畏羞的人，比以前爲少了，因爲不少人曉得畏羞所產生的後果。（上）

偉大的鳥類畫家區刁邦

文質

這是在美國郵政歷史上絕少有的事，用曾用過做郵票的圖案。上一個月，美國所出的新二十仙航空郵票，當集郵人士看見後，都會覺得很熟識，原來在一九六三年年底，也曾出過面值五仙的普通郵票，圖案是跟現在所出的航空郵票相同，都是由世界馳名的鳥類研究專家和畫家約翰詹姆士區刁邦所繪兩隻名叫哥倫比亞橙鳥。

爲什麼那個圖案又會再次被採用呢？這因爲在一九六三年所出的五仙郵票，被公認爲美國在那一年度所出的新郵票中最爲美麗者，大受集郵人士的歡迎；同時在去年十月，美國又出版兩集售價美金七十五元的「美國鳥隻」，集合區刁邦所繪的水彩畫，描寫鳥類的，照原本顏色製版，甚爲精美。

區刁邦乃古今最偉大的繪鳥類的畫家，他在生時曾看到自己的繪畫，由雕刻印製，流傳到大衆的手上，但是他的原作與雕刻是不同的，同時沒有一幅是印有色的。當他在一八五一年逝世後，他所遺下的原作都歸他的妻子所有，在一八六三年由紐約歷史學會所完全購買，現仍歸該會所有。

那些圖畫被認爲是美國的最珍貴的寶藏，爲着使大衆能夠普遍看到，紐約歷史學會就特別准許美國繼承出版社將之全部影印發行。

區刁邦於一七八〇年在北美洲的路易安那出世，當時那個地方是屬法國，他的父親是法國的海軍提督。區刁邦在幼年時就被送返法國，他便有機會受歐洲的教育。他在十七歲時返回美洲。他從小就喜歡雀鳥，時常獨自跑到樹林中去欣賞。他富有美術天才，他也繪有許多描寫各種雀鳥的圖畫，他時常離家多時，悉心研究，所以他所繪出的雀鳥，都能表現出他是一個精緻的專家，他有鑒於在美國無有繪動物的畫家來造出好的作品，他想出版畫冊，乃於一八二六年再到歐洲請人資助。他在英國得到窩爾達司各脫爵士與其他人物的支持。翌年他更約到一個雕刻家羅拔夏威爾合作，將他所繪的圖畫，雕刻印刷發行，各幅印出來的圖畫，另請幾十個男女畫家來補上顏色，所以跟原作品所見的顏色有不相同處。區刁邦又想使他的原作品跟翻印品有分別，有時另加上一些東西，像他會繪一幅貓頭鷹站在樹枝上，他另用一張紙繪出一隻小松鼠，叫夏威爾照加上他所雕刻的版畫上，這是在他的原作上沒有的。

區刁邦的「美國鳥類」畫集，共有用手填上顏色的畫四百三十五幅，在一八三八年出版，每集售價美金一千元，當時人均咋舌，但在前年有一集出售，賣得六萬五千美元。現今照原畫影印製版的兩冊圖畫，售價不過七十五美元，這又會覺得不貴而是平宜了。

區刁邦於一八五一年在紐約逝世，享年七十一歲。區刁邦對鳥類的研究，極有心得，他被譽爲鳥類科學權威的先驅，在美國有許多個名區刁邦會，專門研究和保護在美國的野生動物。

新三國

北伐之志不得伸。蔣琬、費禕只能自保，他二人都忘了諸葛亮「坐以待亡，不如伐之」的志氣。諸葛亮之死，在入三國後十五年，蜀漢之亡在入三國後四十四年，諸葛亮死後，蜀漢還有二十九年的命運。這二十九年之中，前十二年秉政的是蔣琬；費禕七年，後十年是姜維。蔣琬、費禕秉政，都沒有主動大舉北伐過。姜維幾次想大舉伐魏，費禕都不肯多發人馬。費禕死後，姜維才能放手的幹，而且十分苦幹。姜維眞正是繼承諸葛亮遺志的人，他有志廓清中原，不愧爲一個英雄。所可惜的是，他又偏偏碰到一個強硬的勁敵——鄧艾。姜維始則受制於費禕，繼則受制於奸佞黃皓，這是他北伐之志不得伸的因素。

蔣琬秉政居大將軍之位九年，沒有與魏國交鋒一次，而且把蜀國軍事主力由漢中移回緜陽。蔣琬延熙六年得病，把大將軍讓給費禕；費禕做了十年，除了一次聲援王平，與「姑准」姜維試攻兩次以外，也沒對魏討伐。

在蔣、費主政十九年的漫長日子，蜀魏大體上沒有大戰。在魏國來說，也正好休養生息。如果把整個大局盱衡一下，蜀漢似有愧對吳國的地方。蜀漢在此二十年中未伐魏，魏國才可以全部力量一心對付吳國。當初諸葛亮與東吳的聯盟約定是『攻守一致』，但實際上談不上「守」，都是攻擊，滅魏平分天下。蔣琬與費禕主政十九年，魏吳屢次交兵，而蜀漢執政者沒有動作，如果不是憑藉長江的屏障，吳國恐怕早完了。所以在蜀吳聯盟上講，蜀漢是履行盟約不力的。

費禕在姜維苦苦要求之下，在延熙十二年，「姑且」准了他一次試攻，給的人馬只一萬人。以前諸葛每次北伐，總有十萬之衆，如此比例，姜維如何去幹？更不能談獲勝，所以剛到了隴西不久，就只好退回來。這次姜維碰到的對手是鄧艾。鄧艾字士載，義陽棘陽人。（棘陽在漢屬南陽郡，晉屬義陽郡，在今河南新野東北）他是一個奇人，少時是一個孤兒，做過牧牛兒。此人有奇才，而口吃不善言語。後爲典農綱紀上計吏，（見前註）爲司馬懿所賞識，得以展露頭角。此時他已做到南安太守，受雍州刺史陳泰與征西將軍郭淮的節制。

費禕常說：「丞相尚不能定中原，況吾等乎」？眞沒有志氣！姜維根據諸葛亮的「漢賊不兩立，王業不偏安」的遺志，極力主張進攻討伐，費禕只好又在延熙十三年，又讓他再來一次試探性的攻擊，發兵仍不到一萬人。如此實力，怎能和魏國的主力交陣，所以不打寶雞，又不打祁山和隴西，他繞到極西邊的青海邊界去冒險一次。青海在當時爲西平郡。西平郡城沒有打下，却交結了不少的羌人酋長，這些羌人酋長都願意替他拼命，其後得力不少。

延熙十六年，費禕被一個詐降的魏國間諜刺死，姜維才得放手去幹。從延熙十六年春起，姜維便開始了他九次北伐的苦幹，演義說的「九伐中原」是也。（一三四）

平劇繽紛錄

談「張飛戲」

○桂良○

前期本欄曾漫談「關公戲」，乃是老生常談了！本期起漫談「張飛戲」。[illegible]前談以關公為主角之戲，約卅齣；但有關於張三爺為主角之戲，不及十齣。「張飛戲」大約有：「鞭打督郵」「打曹豹」「砬碭山」「過巴州」——今日之重慶——「瓦口關」「滾鼓山」與「進白袍」。台灣「大宛」劇團老伶工王福勝皆能之王前年會以「古城會」之張飛，獲得該年淨角金像獎。按「古城會」已經多數人分類為「關戲」，三爺在「古城會」勾黑十字門臉、黑靠。先是關公遣馬童上古城稟報劉備，迎接主母。不想馬童遇見莽張飛，憤羽降曹，罵他紅臉賊。經馬童辯白，和關公面釋，都是白說。以至關張交兵，是空前絕後的一場。三爺戰敗，才許開城，迎接二位嫂嫂進城。福勝演此，先是鹵莽與暴躁的唸做，及至敗後急步進城，關公便感進退兩難。及至三通鼓，斬了蔡陽，等劉備開城迎關公進城，三爺也感進退失措。後段「訓弟」，三爺是紗帽、官衣、古城縣令的打扮，幾次求情，跪地認罪，純用丑角的口吻唸京白。尤其雲長稱他三將軍，他連說：「不敢、不敢，小三兒、小三兒」，活畫出三爺在兄長面前，嘻皮涎臉的作態，也烘托出桃園弟兄，在私底下確是親如骨肉。編戲好、排戲好，戲中張飛搶盡關公的鏡頭，於是王福勝得了金像獎。該劇團檢討演出的結果：如何飾張飛的在「關戲」中，得了金像獎？結論是飾關公者參加「生角」們競賽的金像獎，唱生角的，有武小生以全部「陸文龍」得前年金像獎的劉玉麟，唱鬚生的幾位，還不能得獎，還輪到唱「關戲」的紅生嗎？因為「淨角」本戲是冷門，所以昨年「關戲」參加「淨角」金像獎，而以飾關公角色，分類到「紅淨」一門，便奪了金像獎。這種準則，自然是評劇專家們所同意的，求仁得仁，皆大歡喜。

「張飛戲」，自「鞭打督郵」談起：此齣張飛是架子花臉，一戴軟紮巾，素箭衣罩褶子，一律黑色。唱一段流水板，和幾句西皮板，那時他是「步弓手」的打扮，隨着大哥劉備，在安喜縣城門口迎接無姓少名，頭戴圓紗，穿紅官衣，掛黑吊搭，手搖白綫扇的「督郵」，奉了上官差遣，到縣視察來了。送到館驛之後，自有驛吏招待。誰知那督郵向那掛白三鬚的驛吏，要吃要喝，目的無非想勒索紅包。驛吏無法，上街打轉，正在走路無路，巧遇張三爺。三爺見景生情，盤問以後，怒髮衝冠，三步兩步趕到館驛，督郵正在作威作福，三爺把他像捉小雞似的，拿下座來。先是一頓狠罵，跟着拳打腳踢，最後把督郵綁在門口樹上，折些柳條，狠命打罵。督郵正在告饒，劉備已知真情，帶着縣印，在督郵項上，與關張上馬而去。（一）

柴米夫妻六口家

○奇士○

夜深了，孩子們做完了功課，上床入睡了。忙了一整天，這才是屬於我倆的寶貴時刻。這時候，可以商量家務，談談新聞，欣賞音樂，不太累時，還會播放英語唱片，學習會話；有時候，乘興彈琴，並小聲地一齊唱着我倆心愛的歌：「甜美的家庭。」

我外子是一個平凡的中學教員。他心地善良，個性溫柔，沉默寡言，做事負責，有高度的自尊心，更有進取的向上心；因此上司們很器重他，同事們都敬愛他，學生們也都尊敬他。他不但在外如此，在家庭是個好丈夫，也是孩子們的好父親。

十六年前，我們由父母做主，門當戶對的結了婚，那是他剛剛大學畢業的秋天。他是我公婆的獨生子，我是父母的掌珠，兩家都盛大設宴請客，親戚朋友都為我們而祝福。

是一個風和日麗的佳日，在華燭燦爛的大廳堂，我接受了他美麗芬芳的鮮花束，然後拜別了慈愛的父母和親愛的姊妹。……他身材高大儀表英俊，穿着燕尾禮服，顯得很瀟洒。那壯健的胸佩着深紅的大薔薇，好像熱情的象徵。他緊緊挽着我，那溫和的眸子似乎向我說：「親愛的，別傷心，也別害怕，有我和你在一起。」我忍住將要滾下來的眼淚，望着他微笑。莊重甜美的結婚進行曲在響，我隨着他慢慢的踏上幻想中的人生途程。

新婚的日子，的確是美麗的。他溫和體貼，公婆也慈愛和氣。老人家為我們購置新房，我的父母也為我們添了華麗的嫁粧。新房裏洋溢着香氣，格外顯出新婚的甜蜜。但因他奉職的關係，我也隨他離開了公婆，這便是我們自謀生活的開始。

我在娘家是嬌生慣養長大的，上下學都由汽車接送，身邊瑣事都由傭人關照。當時做了新妻子，雖有娘家帶來的女傭，然而三餐我也自己下廚。我一心一意為了他而學習烹飪，我雖然作不出鮮味可口的菜色，他一點也不介意反而褒賞我的努力。我們喜歡那小孩們玩「家家」一般的新生活。他吃魚需要我替他除魚骨，吃果子需要我他替拉果絲，我們親蜜相愛，我一點也不覺得麻煩，反而覺得無比幸福。不久，老大老二相繼出世，生產、育兒雖是痛苦辛勞，但有他在身邊，我就感到心安理得了。

在這和氣恩愛的生活中，老三出世了，老三是公婆渴望已久的孫子（男孩），長得像他一樣可愛，我們一家人都看他為家中至寶。但不幸得很，翌年愛兒害了一場大病，雖經醫生用盡了仁術，竟仍絕望。他曾經懇求醫生輸血，那血液是他自己的，並祈求上蒼為我們而出現奇跡；但愛兒終於棄絕了痛不欲生的我倆，離開了人間。

我因長期看護的疲勞，和精神的打擊，體力不支，就病倒了。他心裏抱着斷腸之苦，上班辦公，下班看護我。我病中時時刻刻為那可愛的幻象而痛哭，他為了安慰我特地託人，買了一對可愛的鸚鵡，作為我病床的夥伴。不久，母鳥產下卵，終日守巢孵抱，公鳥則銜着穀粒，忙着餵母鳥，情意綿綿，至為親蜜，我靜靜躺在床上，看牠們那温柔體貼的夫妻相愛，心中不禁浮起了夜夜為我餵牛奶的他那消瘦的臉，而暗暗流淚。（上）

海嘯樓談薈

陳衡哲與任鴻雋逸事

諸葛文侯

偶閱台灣出版的「傳記文學」第十卷第五期（本年五月號），刊有「胡適與陳衡哲的一段往事」一文，述陳氏與川人任鴻雋（叔永）結褵的經過情形甚詳，但對陳氏的籍貫弄錯了，她是籍隸湖南衡陽縣，並非「江蘇武進人」。我讀罷這篇筆墨官司性質的舊有文章後，想起陳衡哲在成都因文字吃癟的一段往事，以及任叔永的洋派可哂情況，特表彰之，藉留佳話焉。

民國廿四年十月，我奉檄入巴蜀，担任「四川縣政人員訓練所」政治總教官。到達成都時，即見當地報紙刊載着攻擊陳衡哲的文字，連篇累牘，極盡嬉笑怒罵之能事。時任叔永充任四川大學校長，住家蓉城，因陳氏寄稿上海某刊物上發表，談她初到四川的生活觀感，說川省社會人士公開吸食鴉片烟，普遍流行，她感覺巴蜀的空氣中亦充滿了鴉片烟氣味，頗示譏評之意。川人瞧到陳氏此文，為之大譁，紛紛投稿，銷路最大的成都「新新新聞」，表示抗議反擊：有的說陳女士既然這樣的厭惡四川生活，為甚末又要委身以事四川男人呢？有的指摘陳氏在成都住家的一切排場完全洋化，床舖和馬桶，皆須從上海購運船來品應用，奢侈浪費的嗜好，視吸食鴉片殆有甚焉；最缺德的是以寫「報屁股」文字著名的內江名士劉師亮，為文譏刺陳女士十分刻薄，問她跟四川籍的丈夫昕夕相處時，是否亦嗅到有鴉片烟的氣味？陳氏無端觸犯眾怒，辯不勝辯，她的「黑絲板櫈」以大學校長地位，更未便跟「新聞界」興無謂的筆戰，祇好逆來順受，犯而不校，閉着滿肚皮的悶氣，深居簡出，任何社交場合皆避不參預，以防當面出挺。未幾，她悄然率先離川，任叔永亦於次年夏間辭去川大校長了。

「四川縣政訓練所」招收的學員，都是些曾任地方官吏的中年智識份子，常常敦請本省或外來巴蜀遊歷的各方名人學者到所講演，藉廣見聞。民國廿五年初，所長李磊夫（粵人）和我商量，擬請川大任校長來作一次專題講演，即具備正式公函，措詞很客氣，派員送交任校長，請他指定日期和時間，俾便先期公告全體學員週知。詎料任氏的洋派亦十足，看過公函後，對着來員大發脾氣，說是應該先行徵求他的同意，然後纔可以專函邀約的，這是世界各國共同的禮節，縣訓所事前並未得到本人同意，突如其來的函請一個大學校長演講，未免太不懂規矩了，碍難應命，連信亦不願回復。該員碰了一鼻子的灰，回來報告前情，我和李所長亦很氣忿，認為這些只知道擺洋人派頭的留學生不受抬舉，也就不必理會了。後來行政院參事吳景超到成都公幹，我知道他亦是美國留學生，對經濟學頗有研究，曾在應酬塲中跟他談及任校長道段故事，覺得太煞風景了。吳說：叔永的性情很方正，不善肆應，平日與朋友交往，也處處講究規律，別無他意。我問吳氏：「縣訓所想請先生作一次專題講演，你不會像任校長一樣，給咱們下不去吧？」吳欣然允諾。

任叔永、陳衡哲夫婦倆在四川家鄉住了不滿一年的時間，當地人士對他們的觀感都不見佳。若就上述情事而論，他們的言行並無大謬，只是洋化泰甚，不能適應祖國的生活習慣，也可說不通世故人情，因而所如不合，貽人以訾議的口實罷了。

（完）

習慣的力量

大知譯

哲學家威廉．詹姆士是個習慣問題的權威。他曾說：「習慣是社會巨大的飛輪，是它最寶貴的保守力量。」習慣也會使人異常困惑。

例如：不久以前，一個青年在加里福尼亞州尤克亞市發生了一件好笑的事：他帶他的女朋友去跳舞，玩得非常開心。後來，他送她回娘家去，他和她吻別，可是她不下汽車；他感到很驚奇，他是這樣送慣了她的，她今晚為甚麼不下車呢？然後，他想起來了：他們已經結婚兩星期，怎麼送她回娘家呢！

現在，你再看看老布魯克林道奇棒球隊的卜魯斯．愛德華的例子。愛德華是道隊一個優秀的捕手，有一天，道奇隊缺少第三壘壘手，於是，由他去補這個缺。在第一節比賽中，一個球被打得飛到第三壘綫外，他的眼睛望着那個球，却用手來向他自己臉上抓，幾乎把鼻子掀下來了。因為，他要先扯下捕手的面套再接這種球，已經成了他習慣，他忘記這時並沒有戴面套。

如果說習慣是個飛輪的話，那它也可說是一根支柱。有一個關於一位雜貨商的故事：一天晚上，他在吃力地用鉛筆填所得稅申報書。可是，數目總是算得不對。然後，他忽然心血來潮，對他的小兒子說：「趕快到舖子裏去拿六十四號紙袋來。」他的兒子照辦了。然後，這個商人在他熟悉的紙袋上計算，馬上就完成了他的工作。

有一個在我居住的地區送信的郵差，在精神上和這個雜貨店商人很相近，他名叫西尼．布奚，每天總是坐在他汽車中靠右手的座位上，駕駛好幾哩路，因為信箱都在路的右邊，他用右手拿着信件，左手把握着駕駛盤，左腳踏煞車和加速器。這樣過了幾年之後，他坐在駕駛盤後面，就感到不自然，在假期中長途旅行時，有時他要停下車來，叫他太太坐到後面的座位上，以便他可以用他所習慣的姿勢來駕駛汽車。

關於巴夫洛夫那隻狗聞鈴聲就流涎的故事，我們都是知道的。事實上，動物比人類更受到習慣的支配。這兒可以舉兩個例子：

摩加維是一個荒涼的小鎮，美國從前用許多匹騾子拖的大貨車，由東向西，這兒是終點。這些駕騾車的車伕，講話非常粗俗。並且粗俗得世所周知，世無其匹的。因而他們在習慣上驅策騾子的用語也很難聽，就是小說作家也想不出那樣的話來。有一天，一個傳教士走到了摩加維，聽見了這些趕騾子的話，簡直不能入耳，便叫車伕們革除這種惡習。（上）

搔格肢可以致命

○復芸○

至於男女兩性間之怕癢程度，據壆若女士的研究報告是相等的。通常總是以為女子較男子敏感，其實並不如此，不過有的人克制能力較強而已。這是因人而異的事。如同一程度及部位之搔癢，每有產生不同現象，在某甲認為愉快，而某乙則引為痛苦；而每人敏感的部位與程度互有不同，這也在我們各人抗衡機能不同所致。

總之，格肢所引起的緊張和急躁，可以因為發笑而緩和，但如仍不斷搔癢，則承受者之感受刺激緊張愈更增加，設在不能制止及自行克制的情形下，實有因而致死的可能。因此，我們得知道搔癢不是開玩笑的事。「格肢」的鬧劇，不可常演。（完）

台警備內報字第〇三一號內銷證

自由報

THE FREE NEWS

第〇六七期

中華民國僑務委員會頒發
台僑教新字第三二二號登記證
中華郵政台字第一二八二號執照
登記為第一類新聞紙類
（半週刊每星期三、六出版）
每份港幣壹角
台灣零售每份新台幣貳元
社　長：雷嘯岑
督印人：黃行審
社址：香港銅鑼灣高士威道二十二號三樓
20, CAUSEWAY RD 3RD FL.
HONG KONG
TEL. 771726　電報掛號：7191
承印者：大同印務公司
地址：香港北角和富道九六號
台灣分社
台北市西寧南路壹零壹號二樓
電話：六三四三〇三
台郵劃撥帳戶金九二二五二

論一誤不容再誤的「中國問題」（上）

——一加一等於二和一減一等於零的當前世局——

何浩若。

一、親共的謬論和正義的呼聲

一九六七年四月五日，當美國參、衆兩院舉行經濟聯合委員會的時候，美國國務院遠東問題顧問小組主席，哈佛大學歷史學教授，曾經做過駐日大使的芮孝艾氏出席作證，提出他對毛共的看法。他以為美國不應當孤立毛共，應當對它進行貿易。他認為美國對毛共實行的禁運『毫無效果』。他說美國所需要的是一個強大而富足的中國。他說貧窮和匱乏是驅使共黨向外擴張和侵略的最大原因，因此美國的禁運不僅無效而且有害。他主張美國應當與毛共進行貿易，促進其經濟發展，始能減少其向外擴張的衝力。芮孝艾在作證的時候，並沒有強調中國大陸當前的內訌與混亂。他應當知道中共因為搞文化大革命和奪權運動已經延誤和破壞了今年的春耕。這是一件很重要的事。假如今年毛共因為延誤春耕而發生很大的飢荒，將使共黨暴政崩潰。美國是一個反共的民主國家，似乎不應對共產政權的崩潰表示關切或是進一步予以維持。芮孝艾漠視中國大陸的混亂，在毛共延誤春耕行將發生飢荒之際，主張對它解除禁運進行貿易來促進共區的經濟發展，是否準備以美國的小麥向共匪輸出，來搶救毛共的危機呢？有人批評澳洲不應當把小麥賣給毛共，讓毛共把大米送給越共，再讓越共在越南殘殺參加越戰的澳洲軍人。越共殺死的澳洲軍人為數有限，美國在越戰中死亡的數字太大了。美國是不是要以小麥搶救毛共的飢荒，再讓越共吃中國大米來殺美國人呢？這問題實在太值得反共的民主國家注意了。

根據本年四月十日合衆國際社從美國華盛頓發出的報導，中國旅美的經濟學者康奈爾大學的經濟學教授劉大中氏，在美國國會的同一委員會作證，說美國如解除對中共的禁運和擴大對中共的貿易，將使中共對軍事支出和武器的發展增加。劉氏分析毛共的經濟情況說，從一九五七年到一九六六年毛共國民生產的毛額，才增加了百分之十三，但在同一時期的軍費卻增加了百分之六十二。劉氏說：『從經濟學觀點來看，西方對毛共擴展貿易，即使供應的商品不直接具有軍事性質，但這將使毛共的國民生產增加，進一步使毛共的軍事預算增加。』劉大中的證詞雖沒有明白的指出，事實上無疑的是駁斥芮孝艾的。

美國是一個民主國家，在決定政策以前，要廣泛的徵求各方面的意見，是合乎民主國家的原則的。芮孝艾的偏見也未必就為美國政府所採納。美國的人民最大多數是反共的，美國也是中華民國最友好的盟邦。在今年四月間，當美國國會討論下年度美國對外軍援的時候，國防部長麥納瑪拉和美國衆議員席克斯和費希爾，就曾對當前的局勢和對中華民國軍援的重要性作有力的說明。席克斯（Robert L.Sikes）說：

『中華民國的友善，無論何時都毋庸置疑的。中華民國除了保持友好態度和支持自由政策外，且具有戰略上的重要性。如果台灣落入毛共之手，則將嚴重影響美國在西太平洋的軍事形勢。琉球的地位將因而降低，菲律賓亦將受到威脅。中華民國負有一種非常的戰略任務。毛共在台灣對岸隨時屯駐了四十萬至七十萬軍隊以防備來自台灣的攻擊。假如毛共要參加越戰，就必須考慮中華民國從華南的反攻。因此在東南亞的戰爭，台灣對毛共發生了最大的牽制作用。中華民國的嚴加戒備，使東南亞的民主國家增加力量。我們應提供現代武器，使其能在太平洋的鬥爭中負起更大的責任』。

另一位美國衆議員費希爾也在美國國會作了同樣的說明。費希爾（O.C.Fisher）說：

『沒有任何一個國家比中華民國更值得我們加以援助。他們今天像他們在十七年以前一樣，一直在為維護自由——一種為我們國人所深切了解的自由——而奮鬥着。鑒於中國大陸最近數月來隨着共黨政權基礎動搖所呈現的不安形勢，台灣在東南亞的戰略重要性已經與日俱增。為了應付任何可能的偶發事件，中華民國的軍事力量，應保持充分的戰備狀況。就這一點來說，我們在過去一年當中未能以亟需的最新軍事裝備供應中華民國，實在顯得有些畏縮不前。為了支持和促使中華民國三軍的現代化，中華民國應當獲得較近年來所獲更多許多倍的軍援。』

這兩位美國國會議員的話說得太清楚了，中華民國對美國的友誼，無論何時，都是無庸置疑的。中華民國和十七年前一樣，一直在為維護自由，為美國人所深切了解的自由而奮鬥。

鑒於中國大陸最近數月來隨着共黨政權基礎動搖所呈現的不安形勢，中華民國的戰略重要性已與日俱增。為了應付任何可能的偶發事件，中華民國的軍事力量，應保持充分的戰備狀況，應獲得較近年來所獲更多許多倍的軍援。席克斯說，要中華民國在太平洋鬥爭中負起更大的責任。費希爾說沒有任何的一個國家比中華民國更值得美國的援助。這些話都是以美國議員身份代表美國人民說的。國防部長麥納瑪拉也曾透露一九六八年會計年度所撥予東南亞地區的軍援共為二億八千二百一十萬美元，其中百分之八十八以上是用之於中、韓兩國。

引火自焚

最富幻想的畫家

今日與明日

暴亂過去

毛特在港九掀起的暴亂，到了此日已成過去，雖然一批走卒仍然死雞撐飯蓋，不肯認輸，可是，也無法扭轉敗局，只能發動小部份走卒，採用游擊戰法，東也罷工三小時，西也罷工四小時，好似仍有甚大力量，實際上更暴露其欲罷不能的醜態。

所謂欲罷不能，因為此次暴動，原是此地毛持所發動，為了立功自保，免得調回大陸受勞改之苦，故無端掀起風浪，不意一經接觸，在中央的士公司第一回合中遭到慘敗，弄巧成拙，更增加了罪戾，於是再接再勵，繼續大鬧，總以為鬧得事體越大，越增加本身份量，毛共中央或不致中途換馬，如此就可繼續留在此地過着資產階級生活，喊着無產階級口號，是最上算的事。萬不料愈陷愈深愈不能自拔。若就此時罷手，更非調去大陸勞改不可了，不迫得已，只得四小搗亂，以表示「戰爭」尚未結束，驚馬仍有效力之處，企圖在海外多留幾天，說來眞是可憐，可嘆。一個人當了共產黨，眞眞是萬劫不復！劉少奇、鄧小平尚且落了這樣一個下場，又何怪此間一小撮毛特。

香港地位

由這次毛特搗亂，顯出一項事實，就是香港地位仍然十分鞏固，亦即在毛共內外聯合攻擊下，並未損及分毫。所以香港政府處事之鎮定，警察人員之用力，均值得稱讚，更重要者，厥為全港絕大多數居民同心協力支持政府，其功尤不可沒。尤其輿論方面除去五七家毛報之外，幾乎一致對毛特行為大張撻伐，首先挫其銳氣，引致其內部發生變化。此一連串行動，均為毛特事先所未及料者，在兵法上犯了既不知彼又不知己的毛病，安得不敗。

不過，西方國家除英國外，一向均對香港漠不關心，自由世界的防綫亦未將香港包括在內。主要原因大家皆以為香港不能守。其實這是一個大錯誤。

香港雖然是中國大陸一部份，但是，經過英國一百多年經營，在經濟方面足以自立，政治方面也頗有建樹，軍事方面則自成一防禦系統；毛共以政治經濟進攻香港，已經屢戰屢敗，若動用軍隊，也未見得馬上攻下。只要香港能堅守一個星期，則援軍定可到達大陸，則毛共軍必然不戰而潰，整個毛偽政權皆要隨之崩潰，又何有於海外一部份毛軍。因此，我們堅信香港不會失，一定可以守，只要大家下定決心。

（何如）

自由談

管理衆人之事的行政機關，要想[illegible]成績來，一切制度和法規猶在其次，一是用人問題，如不得賢能之士相助為理，任何良法美[illegible]都是無用之長物而已。所以，我國流傳着「用人行政」這句俗語，却未聞有「行政用人」之說，良有以也。

行政首長之用人，與騎師駕馭馬匹的情形相同。深諳馬術的騎師，隨便那一類的馬種皆可以駕馭，無論驊騮也好，駑駘也好，都能夠因材器使，教它盡力馳驅，達成應有的任務。唯有昧於馬術的人，騎着一匹小驢兒亦有顛蹶之虞，能力高強的馬根本就駕馭不了，有時候還會被馬踢傷呢！明乎此，即知政治上用人之道殊不容易，人才到處有，種類也很多，用人者必須自己先有鑑別人才的智能，纔可以取長棄短，領導自如，而獲致適才適任的效用。被任用的人才，知道你是個英明睿智的長官，必然心悅誠服的接受領導，恪盡職責，以期有以自見。這猶如良馬遇到嫻習馬術的騎師，馴然聽受羈勒，唯力是視，決不敢調皮

用人之義

古往今來，凡屬具有用人權力的政治人物，沒有不希望多得人才以資臂助的，然結果每每不如理想，甚至釀成禍亂，敗壞國計民生，所謂亂臣賊子、權奸佞倖之徒，滔滔皆是。此其最大原因，就是用人者沒有「知人善任」的本領，把政治職位當作贈品，隨便授與，用意只在「所識窮乏者得我」。這不是為國求賢以管理衆人之事，而係徇私怙權以遂一己之慾，也就是天下為私的作風。如此這般的情形，不特衆人之事越管越糟，在職的文武羣僚亦因是非功過混淆顛倒之故，由失望而不平，由不平而精神渙散，離心力逐漸滋長，稍有能力的人不是消極怠工或求去，便是積極立異而別謀，隱患叢集，亂象環生，未有不招致敗亡之禍者。

欲使才智之士盡入彀中，為我所用，實在亦非難事，祇要氣宇恢閎，心情公正，認定天下沒有不可用之人，而示之以誠信，明之以賞罰，必卜貪夫廉，懦夫有立志，雖桀驁不馴之輩，亦受着在上者的精神感召，蛻變為忠貞有為的幹部了。用人之義大矣哉！

馮五先生

縮小學區與減少初中增班結果
桃園本學年小學畢業生
將有百分二十無法昇學

（本報記者黃鴻遇桃園航訊）桃縣境內，擁有三十三所公私立中等學校，教育之發達，爲台灣省各縣、市之冠，一向引爲「志願升學」而自豪。據悉，省府教育廳規定：今年暑期招生，將縮小學區，以鄉、鎮爲單位；以及縣府因財源短絀，大量減少初中增班，以全縣國校應屆畢業生一〇、一〇〇名，除各中學應屆畢業生一三六班，可以填補七、四八〇名，尚有二、六三〇名，必需增加四六班（每班五五人），纔能全部容納。但全縣各公、私立中學的中初部，計僅新增二十班（內私立八班），也即只能容納一、一〇〇名，致使國校畢業生的志願升學，仍有一、三七五名將受到增班過少的影響，不能進入初中之門。

在新學年度畢業生志願升學不能容納的困難，就是發生在縮小學區和縣府縮少增班的問題上。全縣十三鄉鎮中，仍有五鄉鎮能「自給自足」，甚至還有餘額；有些鄉鎮，只有一所中學，那麼問題就嚴重了。縣府的新年度預算中，附征教育特捐，較上年度增加兩倍，達新台幣一千八百萬元。縣立初中增班，反較上年減少，不知道縣府作何解釋？怎能向納稅人交代？茲將各鄉鎮中等學校的初中部可容納國校升學生的概況報導如次：楊梅鎮的楊梅中學招收新生八班，啓明中學招收新生五班，仁美中學招收新生三班，梅中富岡分部招收新生三班，以上合計可容納一、四四五名，各個國校畢業生則僅一、三一六名，稍有餘額。桃園鎮的桃園中學招收新生九班，武陵中學招收新生六班、文昌中學招收新生十班，振聲中學招收新生六班，桃園農校招收新生四班，國校畢業生一、七五〇名，可全部升學。蘆竹鄉的大竹中學招收新生六班，南崁中學招收新生四班，國校畢業生五二七名全部升學尚有餘額。龜山鄉的壽山中學招收新生七班，國校畢業生三四六名全部升學，尚不足三九名。八德鄉的八德中學招收新生六班，國校畢業生三四七名，相差無幾。

大園鄉的大園中學招收新生四班，國校畢業生九一六名，將有六九六名向隅。新屋鄉的新屋中學，招收新生八班，國校畢業生八一二名，將有三五二名向隅。龍潭鄉的龍潭中學招收新生四班，實驗中學招收新生二班，泉僑中學招收新生二班，國校畢業生七八九人，將有三四九名向隅。觀音鄉的觀音中學及分部共計招收新生七班，國校畢業生六九六名，將有三一〇名向隅。平鎮鄉的平鎮中學招收新生四班，中壢農校附中招收新生二班，復旦中學招收新生三班（對象不限區域），國校畢業生五九一名，將有二六〇名升學有問題。大溪鎮的大溪中學招收新生六班，一心分部招收新生二班，國校畢業生七五七名，將有二六二名向隅。中壢鎮的中壢、新明、內壢、大崙等中學及商職、家職、育達等職校，合計招收新生三十八班，國校畢業生二、〇〇九名，將有八五人向隅。

據縣府主管官員表示：全縣國校應屆畢業生合計一〇、一〇〇名，以目前各校的班次，尚有每班未滿五五人名額者，加以調整，也可以空出班級來，志願升學考試取錄，將有百分之八十就學的機會；仍有八四一名，因限於班數而告落第，在道升學主義的情況下，問題確實嚴重。

桃園紛繽錄

本報記者黃鴻遇

在李惟喬到任一個月來，取締老鴇、私娼、保鏢等妨害風化案件三十七宗，計六十一人，內有酒家老板秦金順等多人，情節重大，均移送法院偵辦，其他疑犯多係處以最重的拘留（十二日以下）。取締流氓及不良少年案件六宗，計十四人。取締賭博案件三十七宗，計一〇九人。連有桃園淫業大亨之稱的陳炳和他大老婆小老婆（均妓女戶鴇母）小舅子（販賣人口）等一干人犯，在黑道上，是魔高一丈，這次李分局長也依法送他（她）們到法院看守所裏去「團圓」。陳炳等人，平日作惡多端，仍逍遙法外，這番法網難逃，大家莫不稱快！李分局長也贏得第一回合的喝彩！

李惟喬說：警察人員對惡人惡事嘗不好，也就是自己的工作能力壞，希望大家合作，務使惡人改過而遷善。

▲桃縣某人民團體，具有「公共關係」的優越條件，運用「優越」，必操勝算，算去，有錢好「賺」。把持該一團體的三數人，論中樂，不懂宮商角子羽，論西樂，莫辨12345，假借××公會的招牌，舉辦一場歌唱賽，分向各機關、學校、廠商請求贊助，這，不是錦標的贊助，不是評審的贊助，乃是募捐三千五千的贊助，多多益善，引起外界一般的物議。

據某機關的首長說：各人民團體一年一度的「盛會」（指節日），贈送禮品代金（每在請柬上註明：禮物改送代金），報銷極感困難！另一位首長說：這一人民團體，由於公共關係的特殊，在年度的節日中，他們已有意思（送禮金）了，還要舉辦「歌唱比賽」求贊助，實在吃不消！最好希望主管當局，力加勸阻，減少大家的困擾，齊聲爲主管當局的功德而歌唱。（下）

寶島雲煙

本報記者王水亭。

掀起體育復興運動

近數十年來，關於體育的各項運動，似乎有「全盤西化」之勢，將我們傳統的各種運動，全部丟得乾乾淨淨，在「外國月亮比中國圓」之錯覺下，有志一同的西化。但是對於西洋玩藝兒，我們一切都得從頭「開步走」，一切以西方人的標準尺度來作裁判；似此，咱們焉有不落後之理？如果咱們把傳統的優良運動發揚起來。外國人同樣有興趣。可是吾人不務及此，一鼓腦兒向西方看齊，自卑感更加與日俱增。

欣聞教育當局已經着手在各級學校推行中華國粹運動，尤其是小學響應得更熱烈，小學生們都很聽話，於是「跳繩」「踢毽」的運動，蔚爲蓬勃之氣，到處可看到小孩子們在跳繩、踢毽。商人們腦筋動得特別快，不到一月之間，跳繩充斥文具店。由此可見，吾人不患人之不行，患在我們有關當局之提倡與否。

冷觀香港

赤丑跳樑

赤色小丑近在港跳樑，想繼澳門之後，又來一次勒索，欲使香港政府向之屈服。旬日以來，港報圖文並茂的膽載。可是，在台灣人們的反應，却並不如澳門一樣的關注，相反的是十分冷淡。

台灣對香港政府的看法和估價，確不是與澳門政府同量齊觀。從客觀的形勢觀察，香港政府對於「小丑跳樑」的黔驢之技，已經瞭如指掌，其力量足以應付而有餘。香港政府對中共政治陰謀的手段和目的，了解得比葡政府多多。另一種看法，香港的環境，又比澳門地區安定得多。在商業方面，雖然有在觀望的態度，但還沒有發生恐懼的現象。

在未雨綢繆的心情下，有少數民意代表向政府建議，請求放寬香港僑胞入境的限制。立委陳紹曾經作此主張。至記者目前發稿時止，香港小丑橫行之勢，已告低頭。然而中共是否會就此消聲匿跡？是否捲土重來？香港政府是經得起考驗？台灣人士倒是很注意這些問題。

公論報壽終　經濟報出版

本省最早的一份民營報紙——公論報，原始創辦人爲李萬居，李爲本省參議員，會當選副議長。自從辭去台灣新生報發行人兼社長之後，創辦一張「公論報」。李純粹書生氣派，經營方面缺乏得力之士，因此發行欠佳；漸至停刊。後來改組，竟至撤手公論報。之後，公論報一再轉讓，一再經營失敗，遂至停刊，脫胎換骨。

聯合報將該報轉移過來，變更名稱——「經濟日報」現已問世。內容着重經濟新聞，似有與徵信新聞報一較長短之勢

台灣的廣告事業亟待整飭

本報記者李忠道

省議員呂錦花深感丈二金剛，摸不着頭腦。爲明究竟，當即在英雄館找到兩份報紙，不看猶可，閱讀之下，大感意外。祇見自己六吋的玉照，昂然刊於兩日報第一版的右下方，並大書「養女與我」的特號標題及呂議員親筆簽名。

「這究竟從何說起？我根本就沒有這照片給這家公司，更沒有親筆簽名，尤其沒有答應可以養女來作廣告？這眞豈有此理，欺人太甚啦！」呂議員憤慨而不滿的說。

呂議員不甘無故受人利用，乃於二月二十二及二十三日連續兩天，先後在中央、中華兩日報頭版下刊出否認的廣告各乙則，以駁斥××廣告公司及其設計人杜×的鄭重聲明，俾澄清外界的誤會。

原來事情的發生是：××廣告公司代理××達公司發廣告，於二月二十一日委刊於兩家日報第一版全十批巨幅廣告，內載呂錦花省議員的照片及簽名，尤其「養女與我」的內容頗爲荒唐可笑。大意是：「經年累月，爲養女問題之處理而忙於奔命，加上婦女會，省議會等工作頁多，影響健康甚大，常嘆分身之術，窮於應付。……早晚喝一杯……養女問題解決，養我問題也解決了。……」其廣告內容空泛，實乃向壁虛構。該廣告所載全文，聞係由該公司杜×所設計。其照片與簽名並非呂議員事先允予在廣告刊出，乃杜×別出心裁，向呂議員的家人處商妥相送。致兩家公司及杜×等人均招致呂議員電話及登報啓事的一頓斥責。

不久前記者曾在國賓飯店巧逢呂議員，她對此「早晚喝一杯就可使『養我問題』與『養女問題』都獲得解決」的廣告，認爲荒謬絕倫，不值一笑！

近來，又有一個自稱爲××淋病中心，竟公然大刊黃色廣告，而且以顯著標題誇耀該中心能使「性器改良」「放大加粗」及「××診所古傳秘方，凡男子××短小……」等字樣，看來令人觸目驚心，之後大呼上當者亦頗不乏人！

一個自稱印尼歸僑的男子林達夫，以其妻子林劉玉蘭的名義，開設富山電影公司，在報上刊登廣告，招考演職員爲餌，先後詐欺了退役軍人的退役金達一百餘萬元，被害者多達四十餘人。

凡見報應徵的演職員，在進入他的公司之前，須先繳納保證金現欵少則三萬元，多則十餘萬元。約一個多月，林某以此一方式，先後騙了一百餘萬元，當他收取這些保證金後，林某乃借妻潛逃了。於是，此一利用報紙刊登「招考演職員」廣告的「大詐騙」一案，騙局乃被揭穿。但天網恢恢，日前林某夫婦終爲台北地檢處提起公訴。

北港警察分局於四月十四日破獲了一件高雄市和平製藥廠僞造日本藥品案。該廠於五十三年即開始僞造日本永五藥品工業株式會社出品的愛百力內服液，株式會社出品的日本中央藥品株式會社出品的U錠，行銷市面已久，且於五十五年用原藥品名稱向省衛生處申請許可大量製造發售，另又申請許可製造「使爾免補」「合樂萬倍」等藥品，并在電台自誇爲「日本仙丹」，欺騙顧客。而上述藥品之商標不是變造即漏印「和平製藥廠」字樣，使人誤信爲眞。該藥廠在×國廣播公司，×聲廣播公司第二廣播部份，各地方台，以台語大做廣告。據查該廠在每一廣播公司月支廣告費七萬元，連同報社月支達二十餘萬元，二年來耗費廣告費逾四百萬元。受騙顧客遍及全省，爲數之多不可勝計。

此一誇大宣傳的製藥廠被破獲後，北港警察分局會鄭重呼籲有關機關，對於誇大誤人的宣傳，予重視，並迅予取締，以維護國民的健康與安全。

其他不計其數的黃色廣告，江湖密醫胡說，獲得他的醫藥，就可以脫胎換骨，不但可以返老還童，而且可以起死回生。翻閱報紙，使人幾疑爲華陀再世，實則嚴重戕害國民的健康和生命。（二）

濠海異聞談

控制人們生活的電算機

桑雅

在任何時候，人們的一飲一食，或者做工支薪……都不外是供給電算機資料。電算機這種東西，已將人們的生活變成一套數字形式，以供政府作老謀深算的計劃。

「這是你們的生活」，是英國政府新建立國家重要統計制度下的一份統計文獻——又稱爲「五四」——「一六」——「五九」。這就是說，根據統計，有五千四百萬人，分成一千六百萬個家庭，在一個五千九百萬英畝的國度裏生活。

回顧過去十年來（一九五六至一九六五），由於盡善的統計，而精密的改善了一般家庭衞生，例如：百日咳由八萬八千〇六十一宗，減跌至一萬四千四百九十八宗；白喉病由一百六十六宗，逐年減跌至二十五宗；小兒痲痺症自六千九百八十八宗，減至九十四宗……等等。統計數字甚至顯示：英格蘭及威爾斯的氣候日漸變暖，雖則平均溫度祇暖了華氏〇點二度，但總比蘇格蘭之較冷〇點四度，及北愛爾蘭之較冷〇點八度爲暖些。

在中央統計局操縱電算機的人員，有時也自行列入統計之內，因他們是公務員的一份子；而公務員的統計，也自六十三萬八千一名增至八十二萬七千名。他們也計算各項事情，包括統計有七千輛減火車，以至一九六五年有七十七宗重婚罪案，及平均每人每週工作四十六小時。

現時他們的工作成果，已編成了一部「第一〇三期統計概要」。此中包括各項統計，如：英國現時平均每日有二千四百名嬰兒出生，一千七百人死亡，及一千一百人結婚。

又如：以「平均數」作爲一個人，假設他爲一手作工人，包括逾時補薪，每週賺二十英鎊十九仙令四便士，他的太太每週可賺九鎊十九仙令五便士。如果他是一個白領階級，則他每週平均可得十九鎊三仙令八便士，他的太太則賺九鎊十一仙令七便士。而事實顯示他的購買力增加了，此點可於各種貨物都在增產中表現出來，諸如小房車（一九五六年年產一萬四千二百五十二輛，至一九六五年年產六萬二千九百四十八輛），以至鞋子（自一九五五年年產一億五千五百萬雙增產至一億九千萬雙）等，都在增產。[illegible]

[illegible]且各因其所想望年齡而不同。

此外，據最近的統計表所顯示：[illegible]

英格蘭及威爾斯對犯罪案件亦清楚地分析：[illegible]可以洗脫罪嫌的機會是五對一。

最後，如果你夢想成爲百萬富翁，則你應先購買一本此等統計調查書，向政府的文書供應處購買，花十鎊十仙令六便士，你可以在三百二十六號統計表中發現，過去十年中，年賺十萬英鎊的人（算是百萬富翁之類）已經增加了一倍以上。但翻開後幾頁，卻有一項令人怵目驚心的統計，就是破產者由二千二百四十宗增至三千三百七十五宗。話得說回來，你的景況也許比起這項平均數字的統計，可能更佳也說不定。

據導遊說，此間的櫥窗美人，是德國較爲下級的娼妓，比較上流一點的娼妓都不喜歡被放在櫥窗內，任由過路客評頭品腳。在德國較高級的娼妓是喜歡在電話茶座中兜客，較次一等的則是流連在街頭偏僻，所以說此櫥窗美人，已算是德國一種較低級的娼妓。談到這些櫥窗美人的身價方面，並不比世界其他的地方爲平宜，價值由廿馬克（約等於五美元）至八十馬克間；不過這個價錢是沒有固定的，所以熟識行情的「老主顧」，不時會在櫥窗前和櫥窗內的美人討價還價的。

德國政府對於這個紅燈區，可謂不遺餘力的，除了不取締恆巴利的娼妓制度外，而且更予來此區「參觀」的尋芳客以種種的方便，比如禁止汽車在恆巴利街內行走，就是怕汽車會妨礙尋芳客的興趣。

漢堡恆巴利街「櫥窗美人」

森然

在恆巴利街的街口和街尾中，都設有一度綠色的木閘牆，上書禁止任何交通工具內進，使尋芳客肆意在街中心與妓女們打情罵俏或討價還價時永無被汽車撞倒之虞。同時德國政府對這些櫥窗女人的衞生問題，是採取嚴格管制的，這些櫥窗女人雖然可以用「有牌妓女」的姿態出現在恆巴利區內，但是唯一附帶的條件，就是她們必須每週前往市政衞生處接受檢查，若一經發覺她們帶有性病病菌，她們立即被「停牌」，而送入傳染病院治療，直至痊癒後，始被「解凍」。據說這種安全措施，曾爲世界上不少「遊客」們所津津樂道。

在櫥窗內的妓女大部份都是穿起低胸的服裝，和暴露性的短袴，藉以顯示出她們的真正本錢。每當華燈初上的時候，就是恆巴利街最熱鬧的時間，紫紅色的燈光照射在皮膚雪白的女人身上，的確有一種足以令男仕們興奮的效能。在街尾的幾間櫥窗中，我發覺有幾位穿上高跟牛仔靴的妓女，將她們腳上的牛仔靴故意擱放在窗櫥最前端，使任何遊客經過窗前，都少不免向她們駐足而視。事後我獲悉這些穿上牛仔靴的妓女是暗示她們能滿足性虐待狂者的任何需索，包括甘願受鞭笞及能令有龍陽癖的君子滿足在內。不過這種妓女的價錢遠比其她的妓女爲高昂，一夕風流的代價，往往高價七十元美金以上。

當尋芳客和櫥窗女人議好價後，窗內的女人會把窗簾放下，而將客人帶往屋中去進行交易。後至者一看到窗簾放下，就會明白此間櫥窗內的女子早已名花有主，從而再轉往別處去選擇他們心目中的「貨色」。這個世界聞名的紅燈區，每年吸引不少慕名而至的男士們來參觀，就是女士們每年參觀的亦有不少，只是女士們參觀的時間，通常都是被安排在白天。所以晚上，此區好像成了一個男士們的天堂。在二十世紀的今天，德國政府仍然保留這個公開性的娼妓制度，有人說是落後，但是當你想到這個紅燈區能間接性的吸引遊客來德國花錢的時候，你就會覺得德國保留這個紅燈區是未嘗無理的。（下・續前期）

如何克服你的畏羞心理

路加

拿本文最初發生於舞廳的一場毆鬥事件爲例，英國蘇里郡芳咸市的地方青年管理員紐華德解釋稱：那些青年男子發生毆鬥的原因，是由於他們羞於啓齒向女友邀請共舞，於是他們唯有藉打架生事，以招引少女們的注意而已。

畏羞往往引致嚴重的後果，有一個住在愛薩斯郡南端的市的男子，突然輕生，在自殺前，他寫下了遺書，他說：「我無法再忍受着畏羞的心理，我常常孤寂無伴，由孩子時已經這樣的。其實畏羞是我自己的過失。」

他的遺書又說：「到了夜晚，我假裝外出，整個月裏，我也不和人們交談一次。要是我遇上了陌生人，我的腦好像呆了似的，吶吶不能言。我想不出應該說些什麼話，於是唯有坐下來和作傻笑。每個人都對我說：「你多麼的靜啊！」一個像我到了卅七歲的漢子，如果沒有和一位女友外出消遣，那末，意思是說他一輩子也不會有女友同行的。」

然而人們怎能夠克服本身的羞怯心理？首先應該認爲世界不是繞着自己而廻轉的觀念。其中一位在娛樂表演事業中相當著名女藝員露絲．波爾，以前經常有着急性的畏羞。她解釋怎樣克服她那種的畏羞的障礙，她說：「我驟然的感到，有一個預感，不會給予我輕蔑，既然如此，我有什麼理由會懷疑自己是受人注目的中心？」

一些畏羞的人，也可以學學這種克服害羞的心理。他們不應培養畏羞心理。反之，應該脫離這種心理而跟人們多點接觸。

想戒除畏羞心理的人，初時應該參加一些旨趣相投的團體，或替當地足球會幹着幕後工作，或是替戲劇社會工作。然而其中的奧秘，並不是要自己在社交圈裏，自我炫耀，因爲如此，則不大適宜了。應該小心的選擇，找些適合自己興趣的團體，像參加攝影學會或其他的組織。藉活動而多點和人們接近，擴除畏羞的心理。

同時要盡量使自己忙碌起來，即使替木球除預備麵包三文治，也不要讓自己靜下來，想及畏懼的事。還有，不要常常以小人之心，度君子之腹，別以爲他人在嘲笑自己。

在巴黎出現一個畏羞人俱樂部，這組織的創辦人佐治斯嘉拉索解釋：「畏羞的人只能將人們置於不會引致畏羞的情況下，才能克服過來；而那種環境的人，則要向畏羞的人說服他們，致力於創造。」據說害羞的情況，在英國，比其他國家爲甚，因爲英國過於保守。

一八七〇年英國駐法國大使李容斯爵士，特別畏羞，他只至不敢看着男僕的面孔，而憑他們的足形而辨認的。

常出現在倫敦地底電車北站一些遊客，穿着藍色衣服，配上白色徽章，章上有G．T．A的字樣。那是親善遊客會，他們的目的，在與人們交談接觸。

當那些畏羞的人轉性之後，他們會發現這個世界是不足恐懼的，畏羞的心理漸漸也就消除了。（下）

新三國

周燕謀著

延熙十六年春（即公元二五三年，魏嘉平五年，吳建興二年），他帶萬人出石營（石營是以前蜀軍駐紮的舊壘），經過董亭，將南安包圍。魏國的雍州刺史陳泰帶兵前來解圍，魏兵至洛門（即洛門聚，今甘肅甘谷縣西），姜維因糧草不濟，久攻不下，救兵又至，於是退軍。和諸葛亮北伐一樣，都是糧草成問題。

延熙十七年，後主增加了他的軍權，「督中外軍事」。再幹，仍領數萬衆出隴西，攻狄道，狄道長李簡舉衆投降。進圍襄武，此爲隴西郡郡治所在地，與魏將徐質交鋒，大破魏軍，魏軍敗退。姜維乘勝掃蕩，河關（姜維傳關作間，誤也）狄道、臨洮三縣地方勢力紛紛投降。姜維仍效諸葛亮故事，將河關、狄道、臨洮三縣軍民遷徙到漢中。從這些地方看來，蜀國的人力物力都十分缺乏。諸葛亮時代，北伐最多也只有十萬人馬。比較魏國實在相差甚遠。這是姜維二次北伐中的一大勝利。

延熙十八年，公元二五五年，吳武鳳二年。姜維率領夏侯霸再出狄道，夏侯霸此時已官拜車騎將軍。魏國雍州刺史是王經，領軍來迎，在洮西地區展開大戰，大破王經數萬之衆於洮西，斬首數萬，這又是一次大勝利。王經退守狄道城。姜維揮軍包圍。陳泰已升了征西將軍，帶兵前來解圍，姜維於是退回鍾題。這是第三次北伐。

蜀漢延熙十九年春（公元二五六年，吳五鳳三年，魏正元三年），後主詔到軍，升遷姜維爲大將軍。姜維得到鼓勵，士氣爲之大振，整勤戎馬第四次北伐。此次出兵計分二路，派鎮西大將軍胡濟領一枝兵，自己率領一軍，約定期日，在上邽會師。不料到期胡濟的兵失期不到，與魏國大將鄧艾戰於段谷，因胡濟失敗後，遺誤戎機，於是被鄧艾大敗，士衆星散流離，死傷甚衆。因此一敗，便有人譏謗他，而隴西地方亦因之騷動不寧。姜維仍效法諸葛亮故事「引咎自任」。引咎仍然留任，統率如前，自求貶前將軍爲後將軍，行大將軍事。這是第四次北伐。

蜀後主延熙二十年，公元二五七年，魏、吳均於去年六、十兩月改元。這年正是魏國甘露二年，吳太平二年，諸葛誕反抗司馬昭的時候，魏將關中軍東下，中原朝內空虛。姜維乘機實行第五次北伐。率數萬人出駱谷，直抵沈嶺（沈嶺後稱姜維嶺，在芒水駱谷之間，長城壘之南，當今陝西屋縣南）此時長城壘的積糧甚多，守兵不多。魏軍聞姜維大軍到來，惶惶不安。此時魏國派了大將軍司馬望前來抵拒。司馬望是司馬孚的次子。曹氏政權操在司馬氏後，他很不安。此人有父風。鄧艾也領大軍自隴右出至段谷來救。蜀軍皆駐於芒水，依山爲營，魏軍鄧艾，司馬望則依渭水堅守不出。姜維幾次挑戰，鄧艾等都堅不出，這和諸葛亮之於司馬懿於渭南一樣故事。姜維頗有武侯之風。相持到了後主景耀元年（公元二五八年，魏甘露三年，吳永安元年）諸葛誕被司馬昭解決，姜維聞之，乃返軍漢中，自己回成都，復拜大將軍。（一三五）

勇敢應付共黨鬧事

○曾勝邪○

最近港九兩地，因共中共的鼓動，先之有的士工潮、青洲水泥工潮、大有街香港人造花廠工潮，接二連三的發生；繼之更閙成星火燎原，蟻穴潰堤之局，九龍東北區、西南區先後施行宵禁，香港總督府貼滿「大字報」，港九滙豐、東亞、渣打、道亨等一部份分支行玻璃被打碎，香港各自由報刊被騷擾，終且引至香港實施宵禁。我們身居港九的安份市民，當此閙哄哄、亂嘈嘈，一忽兒謠傳制水，一忽兒又謠傳停電，杯弓蛇影，謠言滿天飛的現階段裏，切不能人云亦云，相驚伯有。我們的頭腦，應該冷靜，理智必須清醒，以處常的態度處變，用不到緊張，也用不到恐懼，見怪不怪，則唯恐天下不亂，企圖小事化大，大事擴充，至不可收拾者，便無所施其技，售其計了。以不變應萬變，閙事者沒有人湊興去看熱閙，等到黔驢技窮，技止於此，便不能再有作為了。

搞工潮、搞學潮，是共產黨的拿手好戲，看家本領。抗戰勝利以後，中共在重慶的校塲口、昆明的西南聯大、北平藉口北大女生沈崇事件、上海學生臥軌請願，先後打落了教育部長朱家驊的呢帽，打跌、打脫了上海市長吳國楨的烟斗、眼鏡；高喊「反飢餓」、「反迫害」、「反極權」、「反獨裁」等口號。國民黨的軍心民氣，便在他們這些乳臭未乾，不知天高地厚的學生，和人云亦云，盲目附從的工人，吵吵閙閙，喊叫叫中閙垮吵垮了！但，試觀中共統治大陸十七八年來，老百姓無衣無食，需要港九親友寄糧食包、寄衣服、寄外滙的，就是當年這些喊反飢餓的學生和工友。今天毛澤東揭櫫「文化大革命」，要鬥倒鬥臭當權派；反毛派不甘雌伏在江青之下，到處反抗，野火燒不盡，春風吹又生！反抗迫害、反抗極權、反抗獨裁的修正主義信徒，極大多數，恐怕就是當年國民黨在大陸執政時，喊反迫害、反極權、反獨裁的左傾份子。前車已覆，後轍堪虞，殷鑒不遠，試問今日的十二三歲青年，又知道些什麼，懂得些什麼！為首者又何忍而為叢驅雀，為淵驅魚？

續世說：「唐李光弼為太原尹，時節度使王承業軍政不修，詔御史崔衆交兵於河東。衆侮易承業，或衷甲持槍，突入承業廳事玩謔之。光弼聞之，素不平。至是，承業交兵於光弼。衆以麾下來，光弼出迎，旌旗相援而不避。光弼怒其無禮，又不即交其兵，令收繫之。頃中使至，除衆御史中丞，懷其勅問衆所在？光弼曰：『衆有罪，繫之矣！』中使以勅示，光弼曰：『今只斬侍御史。若宣制令，即斬中丞；若拜宰相，亦斬宰相。』中使懼，遂寢之。翌日，以兵仗圍衆至碑堂下，斬之。」臨淮郡王為人嚴毅，平安史之亂，與郭汾陽王齊名，崔衆簡傲，宜乎其被斬矣！

編者按：「平劇繽紛錄」續稿未到，暫停一期。

我的丈夫是怪物

○紫荊○

我丈夫是一個最荒唐的怪物。他愛醜不愛美，他愛窮不愛富；別人不喜歡他的怪論，但他卻自以為他的話是暮鼓晨鐘。

我倆的結婚，說來也像是令人驚異的奇跡。我對我們的奇跡，不願藏拙。我對丈夫的怪論，也不敢獨賞；我願公之於世，希望世人對我有所指正。

我是一個醜婦。

我的醜可從那些缺德鬼給我取的綽號見到一斑：在小學時，因我體胖而腳短，走起路來搖搖擺擺的，於是他們叫我做「醜小鴨」；在中學時，由於我的皮膚黝黑而粗糙，他們又替我加上了一個名字叫「黑鳳梨」；到了大學，又因為我的容貌奇醜，性格自卑，我的名字又被改為「賽無鹽」了。

因為我醜陋，我在學校時，常常抱怨母親的偏心，也常常詛咒上帝的不公平。課餘假日，男女同學雙雙對對在花前，在月下，表現了無限的甜情和蜜意；而我卻躲在休息室裏，孤獨地躑躅着，沒有同學敢前來問津！

造物者眞會捉弄人，當我正在自怨自艾，快快不樂的時候，居然路轉峯廻，出現了奇跡。

一天，女生輔導員竟給我帶來了一封信。我接來一看，見信封的左下方寫着「名內詳」三字，頓然使我有了神秘的感覺。我躊躇了好一會，不敢把它拆開來看，因為我怕這是那些無品同學所搞的玩意；但我忍受不了好奇心的驅使，竟又鼓足勇氣把它拆了開來。我小心翼翼地看着又一字一句體味着，天啊！竟是一封情書！我被那優美的詞句，欵欵的情話，激動得心花怒放。但不久，我那奔放的情緒，又漸漸地平靜下來，而變成槁木死灰；因為我仍然不敢輕信那是真的情書。可是，當我看到信尾的署名，卻明明寫着哲學系彭希聖的字樣。難道這不會是偽造的假名嗎？不會是的，不會是假的。於是，我的心又堅強起來。

當我們在校園裏初次見面的時候，起初，我們彼此都覺得很拘泥，但不久我們的感情就和諧了。他很愉快，我也很愜意。可是在這個現實的人間，我真不明白他為什麼要向我這樣奇醜的人垂青？於是我巧妙地問他：

「如果這裏有一朶艷麗的花和一塊醜陋的瀝青，你喜歡那個？」

「我喜歡瀝青。」他毫不猶豫地信口道來。

「為什麼？」我以懷疑的目光瞪着他。

「因為花會凋謝，它的美麗是皮表的；而瀝青則有豐富的內容，他的美麗卻是內涵的。你想，皮表的美怎能與內涵的美相衡量呢？」

他的見地頗新穎，使我很折服。我又問：

「如果是一塊黃金和一塊瀝青呢？」

「我仍然喜歡瀝青；」他停頓一下說：「黃金有交換價值，但無使用價值；而瀝青的使用價值，卻高過於交換價值。崇拜交換價值的人是市儈，而重視使用價值的人則是實業家。我想，人人都會喜歡實業家而厭惡市儈的。」

從他的談話中，我了解了一點：原來他喜歡我，就是由於他愛瀝青；他的觀點而來的。雖然他的怪論超越了常理，但我這塊瀝青，卻感覺到有點受寵若驚。他有一天又對我發表了宏論。他說：「人是為生而生活，並不是為活而生。因此生的價值要比生活的價值高得多。」「顏淵因為有在艱困中不改其樂的賢名，所以他死時，孔子為他悲慟起來。這是不是證明安貧樂道是聖者所喜歡的嗎！」

在他的生活方式中，他最喜歡作詩。但他的詩才遲鈍，往往為一字之推敲吟哦通宵，而不知休息。有一次，我勸他說：「聖，你要保重身體，何必為一字一詞，而勞神苦思呢？」

他說「勞神苦思才是生活的藝術。如果做人只求安閒逸樂飽食終日無所用心的話，那做人還有甚麼趣味呢？再說，用心與不用心之間，就是智慧的分野。要知道是世界上最大的蠢材；但智者即聖者。」他對我們的孩子小聖的教育問題，也與我持不同的論調。（上）

習慣的力量

大知譯

第二天，一個車伕爬上了貨車，向着這一羣騾子，忖度他應該說什麼話來叫騾子開始走。他想了一會，最後，他大叫：『走！』騾子都好像石像，根本不動。他又叫了一聲：『走！』過了很久，還是沒有反應。然後，那批騾子一致地回過頭來，向車伕望着，看看那個講粗話的世界是不是到了末日。

美國佛羅里達州窩斯湖柏克爾，在年紀很小的時候，喜歡講他家的一隻奶牛的故事。柏克爾的兄弟比爾正在教會研究教義問答。每天早晨和晚上，當他去擠牛奶的時候，他總是背誦祈禱詞和使徒信條。最後他全都可以默出來了，獲准進入教會無須再背誦這些東西。那天晚上，他照例去擠牛奶，最初，奶牛是靜靜的，可是，牠立即反抗起來了，又踢又跳，不讓他擠一滴奶。在發生了這次事件之後，比爾為了擠奶，每天不得不背誦祈禱詞和使徒信條二次。

習慣會在潛意識中變得根深蒂固。據說：達努娜．班赫德不收聽音樂就睡不着，如果廣播停了，她就會醒過來。這使我想起了非利德．艾倫所講的一篇廣播劇：一對夫婦在紐約一幢公寓裏，他們臥室的窗子面對第六街的高架鐵路。他們在午夜睡覺，已經習以為常。最後的一班火車，在一點鐘隆隆而過。不過，這種聲音並不妨礙他們，從來沒有把他們驚醒。然後，這條高架鐵路拆除了，在火車開始不再經過的第一天晚上，他們夫婦二人照常上床睡覺。到一點鐘的時候，男的突然醒了過來，大叫一聲：『那是什麼聲音？』事實上，根本沒有什麼響動。

作家在從事寫作的時候，往往有奇異的習慣，那是衆所周知的。歌德寫作時，總要把一兩隻貓兒放在膝上，否則，寫的東西就是不通的。狄斯拉利如果不穿晚禮服，那他就絞不出一點腦汁，他似乎想到了他的衣著會影響他的風格。寫作也是我自己的生涯，然而，我似乎並沒有受到任何特殊的癖好的影響，不過，有一例外，就是：如果我不把大拇指去捺我的右耳，我就寫不出一行有意義的詞句。

永遠不要低估了習慣所產生的強大力量。現在我們來看看約翰．巴爾達吧。他是紐約市一個貨車司機，平常駕車時，是注意慣了單行道的。一天，他到某家公司去談生意。當他到達一街口之際，他注意到路旁有塊「單行道」的牌子，於是他繞了一個圈子，再從那一端走進這條街道，直到他離目的地不遠的地方，他才想起他並沒有駕汽車，而是在步行！這就是習慣。（下）

「考秀才」談往

夜闌

俗語有「考秀才」之說，來形容考試之難。秀才在明清時代，謂之生員，不過讀書稍有成績，經考試及格，歸入縣學從師肄業而已。在封建社會中，秀才既得受舉於官學，以其環境接近官門，於是成為一種特殊階級人物而受到地方社會的尊崇，若與今日之知識份子相較，實有不可同日而語之感。

考秀才必須經過縣試、府試、院試三級，參加應試者，不問其年齡之大小，統稱為童生，又稱文童。童生第一試為總試，前後共分五場。第一場為正場，試八股兩篇，詩一首。其餘四場，皆為覆試。初次覆試，試四書五經文，及諸子一篇。第二次覆試，試四書文，策論，詩各一篇。第三次覆試，試四書文一篇，詩數首。第四次覆試，又稱終覆，再試八股文一篇。凡第一次落第者，不得再入下場。經過終覆入選後，發榜公佈，造冊送府，由府再考，稱為府考。府考科目，與總考相同，發榜後由府造冊送院，中選者再應院考。院考由欽派學政主持。學政亦稱提督學政，為京官之翰林出身者出任，體制崇貴，職務清高，與督撫相並行。經院考完畢，中選者稱生員，即俗稱秀才。例須入學，學政按照報考籍貫，歸併入縣學，酌定十分之二入府學，謂之入泮，或稱遊庠。

童生院試，試場規則極嚴。縣試與府試，規則雖嚴，但執行鬆懈，絕不如院考之凌厲。院考童生入場，例須搜查，如所懷挾帶經被搜獲，考官將其挾帶物品，投入一巨籠中，叱斥一番，然後叱令入場領卷。按照發簽號碼，對號歸坐座位，隨將卷面寫明號數，始關鎖大門。所有經過程序，堂上敲擊雲板一聲，考生即需肅靜，由差人托出一題目牌，考官補述題目二三遍後，即有兵伕登案瞭望。已時門吏擊鼓三聲後，方許飲茶出恭，惟祇准一次。未時門吏又擊鼓三聲，當官擊雲板一下，高聲將所撰之稿，謄錄清楚。及至申時，大門擊鼓四聲，高呼繳卷。催逼之狀，尤甚於獄卒强制監犯之速行。申末大門擊鼓五下，雖未事卷者，亦須於是時繳卷淨場了。

但縣考、府考，僅據大清會典所誌，程序一若院考無異。縣宰府尹，均是地方官吏，不願過於嚴厲執行，徒招他日惡劣反感，故對於童生與試者，在休息時間，均得自由，即俗所謂日落淨場。場中不但可以燃點油燭，且有遲至午夜以後繳卷淨場者。大抵院考以欽命所繫，執行較嚴，但亦不能視同一律，曾見前人筆記載有一則：乾隆間，莊有恭提督江蘇學政，主持院考，童生某請出恭，立遭呵斥，乃書有恭云：「學生眞有恭，不敢裝（莊）有恭。」一時成為儒林笑話。此亦可以體味專制時代考試的嚴格了。

柴米夫妻六口家

○奇士○

如今育了三女一男，都平安地成長了。此家用也漸漸的增加了。他的生活，態度很現實，無投機性。他雖然是獨生子，卻也沒有依賴性。待人寬，律己嚴。凡親友有困難，都樂意幫助，對外應酬也很慷慨，但對自己的生活，卻很勤儉，不抽烟、不喝酒，衣服都很樸素。他的零用錢只用來理髮、買讀書、家用，和看電影，每月薪水全部交家用。他對孩子們的功課，非常注意。他採用暗示與誘導的方式，使她們做主動的思考來解答，她（他）們從小就養成自己進修的習慣，個個都名列前茅。

皇天不負苦心人，我們近年有了更理想的家，院子裏種滿了花卉，四季都有花。去年，為了孩子們學習英語，而買了電唱機，又為了她們進修音樂，而買了最新的鋼琴。現在我們工作還是辛苦，但精神卻很快樂。我們相親相愛，同甘共苦地過了這漫長的歲月。在這些歲月裏，我不敢說從來不吵嘴，有時我為了他的怪脾氣，曾經懊惱過；但平時，他是一位溫和體貼的好丈夫。他在生活中教我忍和恕，我體驗了是貧困的苦楚，得到了辛勤的代價。我尊敬他的為人，我信賴他的愛，我隨着他從幻想走到現實，為將來而天天努力。我們十年如一日，像一對螞蟻似的，勤勞地走完了人生的初段途程。（下）

內備警台報字第〇三一號內銷證

自由報

THE FREE NEWS

第一七六一期

中華民國僑務委員會頒發
台教新字第三二三號登記證
中華郵政台字第一二八二號執照
登記為第一類新聞紙類
（半週刊每星期三、六出版）
每份港幣壹角
台灣零售價新台幣貳元
社　長：雷嘯岑
督印人：黃行竇
社址：香港銅鑼灣高士威道二十號四樓
20, CAUSEWAY RD 3RD FL.
HONG KONG
TEL. 771726　電報掛號：7191
承印者：大同印務公司
地址：香港北角和富道九六號
台灣分社
台北市西寧南路壹壹零號二樓
電話：三〇三四六
台郵撥儲金戶九二五三

論一誤不容再誤的「中國問題」（中）

——「一加一等於二和一減一等於零的當前世局」——

何浩若。

上面的報導應當可以澄清美國一小撮親共自由分子的謬論和主張。但筆者為什麼要在本文的開端來斤斤駁斥美國國務院遠東問題顧問小組主席芮孝艾親共的證詞呢？因為筆者想起了十七年前的往事。美國衆議院民主黨資深的衆議員費希爾眞不愧為最瞭解自由中國的友人。他推崇蔣總統是具有眞知灼見忠於職責的世界領袖。但是他最使我們感動的是他說：『中華民國和十七年前一樣，一直在為維護自由而奮鬥』。不錯的，現在我們和十七年前一樣，仍然是為自由而奮鬥。但是我們現在會不會和十七年前一樣，再度為美國一小撮親共的自由分子所出賣呢？我們會不會再蹈十七年前的覆轍呢？

二、十七年前的往事

關於十七年前的往事我們不願再說些什麼。另外一位自由中國的友人賴丹尼神父，為反共和自由奮鬥，在美國成立了一個『解放中國大陸委員會』，並且創辦了一個『新聞月刊』。他以『中國大陸陷共的教訓』為題，在台北的徵信新聞（本年四月五日）敘述了十七年前中國大陸淪陷的經過。他說：『對中國大陸之淪入共黨之手，首應記取的這原是一件可以避免的事。國務卿艾契遜掩飾美國的失敗說：「我們不要以金錢支助中華民國，那等於是投入無底之洞」。庫興總主教對於艾契遜的回答是「使中國免除赤化，總比和赤化後的中國打仗便宜多了」。對美國未能有效的援助中國，麥克阿瑟將軍曾說是「美國歷史上最大的失策」。蘇俄的宣傳也說他們從未像在中國問題一事上這樣成功過』。

賴丹尼接着說：『一九四五年五月，毛澤東要求組織聯合政府，美國的共產黨立即响應，一九四五年七月三日，拉鐵摩爾以備忘錄對總統作建議。國務卿同意，因而聯合政府即成為我對華政策的基礎。馬歇爾奉派使華，强迫國民政府同意組織聯合政府。馬歇爾並强迫國民政府遵守停火協定，中共的地位因而大為增加。馬歇爾於是對中國實施十八個月的武器禁運。當此項禁運最後解除時，布里奇經綸碼頭搬運工人罷工六個月，使任何貨品無法自美國西岸運出。』

賴丹尼說：那時候的美國左傾分子指責中華民國的政府腐敗，美國國務院也說『缺乏武器和彈藥並不是中華民國失敗的主因』。但是賴丹尼說：陸軍上校穆第經過徹底調查以後，在他的報告裏面說：『中華民國政府之失敗，因為他們沒有武器和彈藥』。賴丹尼接着說：『另一方面，蘇俄不停地裝備中共，但我們的官員們却認為蘇俄不會支援毛澤東。曾任共黨『工人日報』總編輯的布登斯說：『蘇俄不干預中國事務是美國所存的最危險的幻想。若是對美國官員和社會大衆的有計畫的欺騙，我就是該項計畫的參謀者』。

金奈參議員說：『中共的征服亞洲的，並非在中國造成的，而是美國的最高決策者在華盛頓一手設計的』。周以德補充說：『我不知道歷史上有無如此的例子，美國政府內外的三、四十個人能喪失一場偉大的勝利，像美國這個共產黨、同路人、以及誤入歧途的自由分子，在這一方面成功得這樣徹底過』。

以上所引的是賴丹尼對十七年前往事的敘述。我們用不着再補充一些什麼。現在中國大陸上的共黨暴政已經面臨崩潰。麥克阿瑟將軍認為中國大陸淪入鐵幕為美國歷史上最大的失策和錯誤。自由民主國家因為毛共奪權的內訌與混亂，有着最好的機會改正此一歷史上的錯誤，使中國大陸獲得解放，重回自由民主的懷抱。但是我們會不會重蹈十七年前往事的覆轍呢？

我們對美國的認識就和席克斯和費希爾兩位美國衆議員對中華民國的認識一樣，美國對中華民國的友善，無論何時都毋庸置疑的。沒有任何的一個國家比美國對中華民國更好了。美國也和十七年前一樣正在維護中國人的自由而奮鬥。絕大多數的美國公民是愛好和平自由和反對共產黨的。他們同情，也願意支持我們反攻大陸，就和十七年前他們同情也願意支援我們反共是一樣的。我們更相信美國政府是真正民主的，代表絕大多數美國人民的意志的，也是反共的。但是十七年前的往事使我們觸目驚心。上文引述美國參議員和周以德衆議員說到美國政府內外才不過三四十人，幾個共產黨和一些同路人與誤入歧途的自由分子便可以使美國最高的決策者，在華盛頓一手設計把中國大陸斷送給共產黨，造成歷史上一個重要的錯誤。今天美國的共產黨、同路人、和一些誤入歧途的自由分子，如費正清之流，和十七年前一樣，為所謂『中國問題』大放厥詞，多方的維護共黨暴政。中國大陸的混亂和內訌，原是反攻的最好機會。因為費正清這些人的活動，現在會不會和十七年前一樣使所謂中國問題一誤再誤，使中華民國失去反攻大陸的機會呢？

三、十七年前的歷史會不會重演？

筆者在本文的開始就報導了芮孝艾親共的謬論。芮孝艾是美國國務院遠東問題顧問小組的主席，是哈佛大學的歷史學教授。另一位在十七年前幫助共黨匪幫奪取了中國大陸的共產黨同路人費正清，是美國國務院中國問題小組的組員，也是哈佛大學的歷史學教授。費正清於一九六六年三月十日在美國參議院外交委員會作證，把毛澤東說成中國德治和儒家思想的繼承者。

納薩「傑作」之一

納薩「傑作」之二

今日与明日

向港府進一言

目前暴動已經過去，剩下的就是善後問題了。所謂善後問題，應該分成兩方面來說，第一是穩定人心，第二是清除奸宄。

先說前者。此次暴亂，確使港九元氣大傷，雖然損失數字未能詳細算出，但就以日常接觸的商店而言，中間兩個星期，營業額能趕得上平日四分之一的已算是上等，普通只及十分之一，不論老板夥計，無不叫苦連天。以飲食業而論，旺角一地，就退了三千團酒席，每團平均以一百五十元計算，損失即達四十五萬元。

有形的損失尚易彌補，最可怕的是人心不安，資金外流。據傳說申請去日本及台灣兩地的即達四萬人，去其他地方的尚未計在內，假定其他地區也以兩萬人計，即是六萬人。以港九四百萬人來說，六萬人自是少數，但是我們要知道，馬上能站起身走的決非升斗小民與白領階級，都是屬於經理階級的人物，撇開他們的能力經驗不談，這批人要帶走多少游資！假若不把這批人留下來，香港從此將要患上經濟貧血症，導致生產萎縮，工廠停閉，工人失業，到時就是「毛澤東時代」的到來，大陸人民過的生活也就是我們的鏡子，不必多說了。

如何能穩定人心，阻止資金人才外流？除去政府表現堅定立場外，更重要的是徹底清除內奸，凡是有意破壞香港治安，與四百萬人民為敵的份子，都是奸細！香港的奸細，政府決不能姑寬。

眼前有一個最現成的例子，自從暴亂發生以來，一小撮毛特組成了一個「鬥委會」，誰在後面指揮鬥委會，我們不知道，但是鬥委會指揮暴亂，却是千眞萬確的事。撇開該鬥委會一切罪狀不談，就說它本身存在的問題，就使人發生疑問，不得不向港府提出。

根據香港政府的規定，凡有九人以上的集會，皆應得到警局批准。多年以來，奉公守法市民一直奉行不渝，甚至一個商店開張放爆竹，也要獲得警局批准。此項規定，對市民來說極為不便，但大家並無怨言，所以然者，因為大家了解政府用心是為了維持治安，維護廣大市民的安全。可是目前無端出來一個專門教人放火、打架甚至搶劫的「鬥委會」，鬧工潮不足，居然鬧到港府門！人們大惑不解，到底這個鬥委會有沒有向警局備案？如果沒有，何以警局可以讓它存在？如果有，以後自由人士也可以組織一些七七八八的會，警局可不可以一樣批准？如果不可以，則警局又何以薄於善良市民而厚於暴徒？英國法律素以公平正直聞於世，此則眞使人大惑不解矣。（何如）

自由談

不虛此行

馬五先生

嚴副總統訪美歸來了。他此行的收穫如何，事屬國家機密，當然未便全盤向人民公開宣告，我輩記者亦祇能從他和白宮人士的各種言談中，作概括的推測而已，但可以斷定他不虛此行！

我個人認為嚴先生這次在訪美活動中，有一項難能可貴的表現，值得讚揚，那就是他在電視廣播中接受新聞界人士的訪問時，他的對答深中肯綮，且在修辭上亦穩練明確，不亢不卑。對方盡是些新聞界的健將，早就準備好若干問題，臨場提詢，嚴先生却是居於被動的應對地位，稍有疏忽或「怯場」的心情，很容易發生語病，甚至感到難以招架的。可是，他始終鎮靜應付，言之有物，無懈可擊，使對方相當滿意，并不感覺他的話僅係外交詞令，這是最成功的一幕「舌戰羣儒」的重頭戲劇演出，看來好像平常，實際極其艱鉅，應該喝彩的。

三數年前，我國的一位參謀總長在非律賓訪問時，友邦新聞記者詢問我政府是否將要實行軍事反攻大陸？咱們這位三軍統帥竟答以「我們對戰爭不感興趣」，可謂荒唐之至！他固然知道美國不同意吾人對大陸採取軍事行動，滿以為如此答復，更可博得國際間的好感，殊不知以他的地位而作此言，實為大大的失態。假如我是非律賓記者，當時一定反問道：「那末，貴國又何必悉索敝賦以整軍經武呢？」有了這一例，纔覺得嚴副總統這次訪美的言論態度，恰到好處，堪稱傑作。

孔子說：「使於四方，不辱君命」。政治大員出國從事外交活動時，最起碼的條件，必須在言行上「不辱君命」，這需要相當的學識修養與政事歷練纔行。因此，不是任何人士皆能勝任的。希望政府今後對於派赴異域進行外交工作的人員，除正式任命的使節外，凡臨時出國訪問或參加國際會議的代表人物，亦不能隨便濫竽充數，個人失格丟醜事小，影響國家信譽甚大，可不慎乎！

隸屬省政府社會處 國民就業輔導室 四年來幹些什麼

——本報記者熊傲宇

台灣省社會處推行的「國民就業輔導」，是民生主義現階段社會福利政策各項措施方面七大項目中的一個項目。

社會處為推行這個工作，設有「國民就業輔導室」。在室的下面，有五個輔導中心和四個工作服務站。

就業輔導室的經費，共有三個來源：一、省預算，二、美援，三、社會福利基金。

去年七月到今年六月的預算是：

省預算：七十萬四千九百多。

美援：七百萬。

社會福利基金：三百二十五萬。

從五十二年七月社會處設立「國民就業輔導室」開始，四年來，近五千萬的經費，都用在輔導國民就業的工作上。

求職求才 五個項目

在沒有談問題以前，我們得先了解這項工作的目標與業務情形，以及它的組織形態。

社會處訂定的國民就業輔導工作項目有五個：

一、求職求才登記及介紹：凡是有工作和工作意願，需要找職業的國民或者是需要人才的僱主，都可以申請求職登記，然後介紹就業。使求職求才雙方都能適才適所。

二、職業交換：把人力過剩地區的人力轉移到人力缺乏的地區，使求職的人獲得適當的職業，求才的主顧獲得需要的人才。調劑人力供需，使人力資源得以充分利用。

三、職業指導及諮詢：明瞭社會及在校青年的天賦、性向、潛在能力，運用科學方法，協助青年選擇適當職業，指導樹立正確的職業觀念，逐漸減少中途轉業和失業的現象。

四、就業訓練：適應加速經濟發展，配合社會需要，辦理就業訓練或再訓練，以培養專門技能，使求職者易於就業，求才的主顧得到適當的人才。

五、有關就業輔導服務事項：替求才的主顧辦理代招代考有關人事服務事項。

輔導工作 四個辦法

輔導的工作方法有四個：

一、應用性向測驗、體格檢查和個別談話的一些科學方法，明瞭求職人的個性、才能、體格，依照職業分類，介紹適當的工作。

二、訪問各業廠場，爭取就業機會，為其介紹最滿意的人才。

三、各地就業輔導機構，彼此流通職業消息，實施職業交換，迅速有效配合人力。

四、對於因為沒有技能，難以獲得工作的求職人，予以職業訓練，使其學有專長，易於輔導就業。

五大都市 設有中心

在組織方面，國民就業輔導室，是主持各輔導中心人事、經費、工作的主管機構。

那五個輔導中心和四個工作服務站，設在：台北、台中、台南、高雄、基隆五個市。其中台北市有兩個工作服務站，一個在台北縣的新庄，一個在桃園鎮。台中輔導中心有一個工作站在新竹縣。高雄輔導中心有一個工作站在屏東縣的下屏東。

台北市輔導中心是很早就有的，原來的名稱是「國民就業輔導所」。台中輔導中心，五十二年成立。高雄輔導中心，也是五十二年成立。台南輔導中心和基隆輔導中心，都是五十五年底才成立的。

政策好 做的糟

為一項工作專設一室，增加八九個分支機構，每年消耗一千多萬的經費，這在省府所有的廳處是絕無僅有的。可見省府委員會和省議會的議員們，對於這項社會福利工作的重視。

大家對於這個工作的期望，乃是支持社會處當初所提出的方案目的：在使人力資源成經濟項目，增加經濟活動的人口，解決日趨嚴重的失業問題。

那麼從五十二年七月到現在，這個工作的成績到底怎麼樣？

社會處國民就業輔導室最近發表統計數字說：「自五十二年七月迄今各國民就業輔導中心接受求職登記的約有三十萬人，其中有三分之一經予輔導就業。有二十萬人次的求才機會，其中有五分之二得到他們需要的人才。」

從這個數字上看，這個工作的成績應該打個「甲上」。四年的辰光，能夠輔導十萬人就業；每年平均兩萬五千人找到適當的工作，對於社會的安定和經濟活動人口率的增加是件很大的事情。而在民生主義社會政策的功效上，確實可以形成民生樂利的境地。

遺憾的是這個數字的眞實性大大有了問題！

不但是在這個數字上矇騙社會和政府，而且營私舞弊貪污瀆職的事件，嚴重的損害到社會政策的推行。

楊仁夫 手法高

國民就業輔導室主任楊仁夫，雖然只受過中等教育（湖南省立常德高中畢業，湖南民生計理學校畢業），但他精敏幹練，手腕靈活，而且筆下也能來得，所以很受社會處長傅雲的器重，把他從職導室的職務調為就業輔導室主任，兼台灣省福利基金管理委員會的總幹事。

楊仁夫對於福利基金管理委員會的業務處理情形如何，我們以後再談。現在先談他在國民就業輔導室所要的花樣與各種瀆職的事件。

楊仁夫玩法舞弊的行為，都隱藏在就業輔導室的工作項目裏。如果不深入研究，很不容易發現。

此人非常懂得利用傳播工具，在報紙上，電視上，廣播裏時常有就業輔導的新聞出現。這些報導中，有理論文字，有統計數字，使人很容易感覺得這項社會福利的新型工作，做得有聲有色，做得毫不含糊。（一）

從世界清潔運動看台北

——提供清潔運動資料　○何勇仁○

最近台北市展開清潔運動，短短期中已畧見成效，聞俟獲得預定之成功後，將推廣於全省。茲介紹世界幾個著名清潔的城市，聊作「他山之石」的借鏡焉。

一、瑞士的「蘇黎士城」：瑞士為歐洲最清潔的國家，而蘇黎士城即為瑞士各城市中最標準清潔的城市。其成功辦法特點約有三點：第一有高度組織辦法，其分區制度，名之為「清潔區」，蘇黎士城共分為一百〇二區，掃除和冲洗，每天四次。每於舉行公共典禮或大遊行後，清潔工作即於當夜進行，不僅由各區清潔組負責清理，且由各街坊清潔隊協助進行。政府設局管理，名之為「清潔局」。該局員工人數之多極為驚人，平均每六百四十個市民即有一個清道伕。第二有神奇宣傳的辦法，政府每次發動宣傳攻勢，每市民等於獲得娛樂的恩惠，故無不樂於接受宣傳而重視之。十八年前有一套垃圾問題的影片，各電影院無不樂於放映。第三大量捐輸的熱心家，有許多廠家和富人，皆願將其衛生品置遺產之部分捐輸之。

二、丹麥：凡是觀光旅客初到丹麥，看見丹麥鄉村所畜養的毛豬非常清潔，總感到驚奇，於是再詳細考察各街道的情形，才知道丹麥到處都是非常清潔的。據鄉村維持會公告，麥丹各城市街道公園已經很少看見廢物拋置在地上了。自一九三七年以來，法律規定，任何人拋擲垃圾於街道者，均受罰。不管所擲廢物是少量，亦罰二金鎊，大量者即增罰。曾有四人於郊外舉行野餐，食後不將菓後收拾，竟被罰八金鎊之鉅。除嚴行重罰外，政府衛生局則不斷厲行清潔運動，在各學校和報紙上大事宣傳，結果其進步的情形，眞是一日千里。現在丹麥之清潔竟推愛及於毛豬了。

三、瑞典：瑞典是個神秘的國家，若干年前瑞典政府提倡一個口號，那就是「凡是瑞典國內人民，他們承認自己是愛國的，就以保持國土清潔來表示」。到現在，凡是旅客到瑞典任何地方參觀，無不感覺瑞典是個清潔神秘的國家。瑞典各道路固然非常清潔，即連在那號稱為世界第三大船塢的閣甘斯船塢也出現奇跡，弄得非常清潔。其他如火車站、公園、跑馬場、足球場、運動場等，平常都用不着舉行大掃除的。二十年前讀過讚美瑞典清潔的文章，「瑞典秘密之一，即全國商店用以包物的廢紙，每天有多少噸，但從來不見被投入垃圾箱，或拋在路上，或堆積在荒僻之處，簡直不知所終！」（上）

台灣的廣告事業亟待整飭

本報記者李忠道

「保證可獲紅利十倍」的廣告，及「要求為家庭工作」之廣告，還有「附郵即寄」方法，以劣種物品欺騙讀者函購；及「某某投資公司」等，多係買空賣空騙人的玩意兒。這類誘惑性的廣告出現後，使得廣大的讀者直接間接蒙受了金錢、健康以及道德之損害，終至造成各報長篇大論的社會新聞。

從上述的實例中，我們可以知道不良廣告顯已形成不良社會行為之一。所以，治安機關偵防犯罪，擿奸發伏，從不良廣告中，亦可追尋破案線索。

我國除出版法外，在刑法及違警罰法、助產士法、醫師法等，亦間作有關的規定。尤對醫藥廣告，規定尚稱完善。像違警罰法第六十八條販賣春藥的廣告將受拘留或罰鍰。然而，現在台灣全省各縣市風化區附近的西藥房仍然隨時可以買到各式各樣的春藥。

醫師法第十七條：醫師對於其業務，不得登載散佈虛偽誇張之廣告。

助產士法第十三條：助產士關於其業務，不得登載或散佈虛偽誇張之廣告。

醫師法此次重點修改內容在加強取締密醫，加強廣告管理，以及加強罰則。醫師法係針對目前密醫猖獗的實況，以及社會實際的要求而修訂。但現行的醫師法對於「密醫」的取締罰則太輕，僅處罰很少的罰款了事，在目前嚴重的密醫問題上，已發生不了效力。甚且密醫在電台、報紙大登其浮誇的廣告。

檢討造成今日密醫的猖獗，現行的醫師法可說是最大的因素。

所以，政府為了保障市民的健康，修改醫師法嚴格限定醫師資格，嚴禁任意散佈刊登虛偽誇張之廣告並加強罰則，實為當務之急。否則，密醫問題將永遠是一個解不開的死結。

日本嚴辦密醫判刑三年的罰則，頗值我國參攷。

我國對於醫藥廣告的規定，原則上已散見於各種法例之中，不過，這只是限於春藥，墮胎而已。台灣省於民國三十六年公佈一項管理醫藥廣告的單行法，為「台灣省管理醫藥廣告辦法」，對一般的醫藥廣告實行事前審查制度，所有醫藥廣告應由負責人填具申請書三份，連同廣告底稿，開業執照或成藥許可證，請由當地衛生主管機關審查核准，領得驗許證後，方得刊登廣告。同時，該辦法第七條復規定，不得藉宣傳衛生或醫藥常識為名，對某種醫藥作虛偽誇大之介紹；亦不得假借他人或團體名義，以虛偽誇大之文字登諸報端。

其次是股（彩）票廣告：歐美各國對此均有極嚴格之限制，因意圖不良者可能運用以達到詐欺或偽造的目的，且亦將鼓勵社會上之投機心理，當受到刑法第二百六十九條之限制。

人性的兩大弱點，便是金錢與女人。黃色廣告便利用財與色為武器，對準人性的弱點，撒下文化的病菌。近年來更見泛濫成災，蔓延至社會每一角落，成為腐化人心，製造社會問題，摧毀後代之最大毒素。

值茲道德重振，變化氣質以激揚反攻士氣之際，實應倡導肅清黃色廣告，以免人們漫性的害上一種精神痲痺症而不自覺。

然而，台灣的廣告事業，究應如何善為整飭，方能使前途大有可為？

有識之士，均認應由全國新聞事業機構嚴厲執行。因新聞事業是社會的精神食糧，對於社會負有重大的責任。固然，它要依賴廣告收入，以維持事業的生命，但它絕不能只顧其本身利益，忘記了其神聖使命，及所應保持的公正立場。所以，一方面新聞事業機構本身應該拒絕接受不良廣告，另一方面，法律亦不妨科以其應負之責任。

美國對於廣告法令之規定，極其繁多，不僅作消極的限制，且有積極性的規定。例如羅德島州、紐約州等地的報紙、雜誌如有偽報銷路，藉以招徠廣告者，即被視為違法行為。華盛頓州及威斯康辛州等地均規定，凡是接受有酬金之文字，均必須以廣告之地位或形式刊登出來，或註明「廣告」字樣。

新聞自由維護愈力，人民的視聽愈廣，愈是廣建，則民主政治的基礎愈固。這是不可移易的原則。所以，新聞事業機構應多於本身之任務，對於廣告遵循守法與公正的原則，拒絕接受不良廣告。在表面上看來，報紙、雜誌拒絕接受了一條廣告的刊登，就等於減少了一部份收入，似是經濟上的損失。但是，實際情形並非如此。這，我們可以從兩方面加以分析：

一般人都知道，倘若允許刊登了不良廣告，其所造成的損失，遠較拒絕接受不良廣告之刊登為嚴重。（三）

瀛海異趣談

美國人最愛吃的炸薯片

桑雅

炸薯片是一位寂寂無名的美國印第安人偶然發明的，許多名人包括摩納哥王妃姬莉絲嘉莉在內，均嗜之若狂，赫魯曉夫一把把地抓入嘴中，并勸促俄促人也去吃炸薯片。

炸薯片也是美國白宮的標準愛好的食物。今天的太空人在繞飛地球軌跡時，也一面吃炸薯片。少年男女莫不愛吃。只有節食的人才勇敢地忽視它。做女主人的缺乏炸薯片奉客，他款待賓客便是大失敗。

炸薯片是美國最受歡迎的小食，與蘋菓批及熱狗在社會上同樣具有的地位。平均全國男女老幼每年吃炸薯片約五磅。

炸薯片是一百十四年前誕生的。炸薯片面世的故事，是因爲有一個印第安人在現在的紐約州一個硫磺泉工作時無意中發明，眞是誰也想不到這個種族發明了最受歡迎食物。那時的沙拉吐加溫泉，還未有名氣，尚未成爲夏季渡假勝地。後來發現此泉水含有治病的礦物質，倘若患羊癇症、胃潰瘍、血液毛病、慢性消化不良或由於縱慾所引起的毛病，都收驅散之效。倘若在沙拉吐加溫泉住上兩個星期，有一年的精神旺盛。

沙拉吐加溫泉成爲名勝地之後，在沙拉吐加湖邊開設的一個月湖餐室，有一個廿五歲的印第安人廚師佐治克林，幫助他的是姊姊姬蒂威克斯，正在把馬鈴薯砌成片狀。此時在灶上有一鍋燒滾的油，不知如何將一兩片薯仔飛落在油鍋內，炸得吱吱作響。數分鐘後姬蒂將薯片撈出來時，已炸成脆片。佐治還未知道發明了一種甘香可口的食物，因爲他們然嘗一下，覺得極爲鬆脆好食，他反問姬蒂：「你怎樣製成的？」這話簡直把她問得摸不着頭腦，她祇嘟嚷說是不愼掉了兩片薯片入油鍋內，以爲自己犯了滔天大過失呢。

佐治克林知道是她錯誤造成的一種可口食物，本來有一部份是廢物薯皮，也炸成入口脆化的點心了。佐治決定試炸一批薯片，將錯就錯，加以研究一下，把炸薯仔片的技術改善一下。并將薯片切成不同的厚度落鍋炸熟，然後逐件精試，以明白在什麼的火熱程度及厚塊的薯片，炸得更好吃。同時，佐治覺得薯片味淡，試加一些鹽混合嘗之，更爲好吃。最後，他要安一個名字了，但無以名之，祇好稱爲「沙拉吐加薯片」。

一八五三年七月中旬的某天，月湖邊酒店的餐館首次嘗試炸薯片，第一次推出來已成爲大新聞，人人愛吃。關於炸薯片的發明人是誰，在此時又有一個不同的說法，大家認爲想出薯片下鍋油炸，一定是個了不起的人物，當時說出的發明人却不是佐治克林，而宣佈是名叫史比克的男子。在炸薯片面世後的幾年，佐治克林離開這家酒店，自設餐室，他的生意眞是門庭若市的，除了幾種小食及著名的自製醃酸菜，也少不了炸薯片，整天有人排隊輪流光顧。

佐治克林的餐室，價格比他人畧貴，但是人們樂於付錢。那時有兩個貴賓常是座上客，那是美國總統阿瑟及克利夫蘭。至於其他政客、金融家、工業巨子更不在話下。一般平民也喜歡他的食品，光顧者更衆。不過這間以炸薯片著名的餐室，有一個缺點及不利之處，是排長龍太長，服務緩慢。佐治不會討好那些大亨，對於光顧的人客，一視同仁，有幾個富翁及顯要，等一小時才獲得伺候。不過，他仍是獲得讚賞的，事後人們都當面讚揚他公平，售食品的制度一視同仁，不分貴賤。

但是佐治克林並未因爲出售炸薯片而發了財，亦未把他的發明品申請專利。後來太多人售炸薯片，而且炸薯仔並沒有什麼特殊技巧，其他的廚師也會做出來。未幾其他的炸薯片商人知道此物不妨要在桌上吃的，實際可以當作點心。亦可一包或一袋地買來吃。有人在街兜售，流動小販售炸薯片每包美金五分錢。

在十九世紀的最後十年，沙拉吐加已發展爲名勝區，尤其以食物最著名，成爲老饕天堂，有人舉行大食比賽。炸薯片是上流社會的食品，一八八七年的白宮食譜內，也列入了炸薯片的製法。一八九八年的世紀食譜把炸薯片列爲野餐不可缺少的食物。第一次的商業化的發行批發炸薯片，是一項家庭式的生意，兩夫妻合作從事工作，妻子在廚房內炸薯片，丈夫與兒子則在街上開拖車兜售。用報紙包着炸薯片，亦有一番道理，據說吃完了用報紙擦手不留油膩。有時生意忙得不可開交，這生意便在車房或地窖去做，因爲它需要一隻特大的鐵鍋炸薯片，資本很少，是當日最熱門的小生意。

炸薯片是要新鮮吃最好，不幸這種食物是無法久貯的。炸好的片放置一週或十天，不再脆了，且變爲很韌。

郵局與公衆間一個小問題

郵票何以不能掉換

南盧

數十年來，中華郵政與公衆之間，始終蘊藏着一個不成問題的問題，而且此問題可謂是「小之又小」，「微乎其微」。唯公衆對於郵政每不易諒解。近來這個老問題，又有人舊事重提，希望郵政服務格外週到，對於郵票，允許掉換，不論大票換小票，或小票併湊換大票，和鈔票同樣使用，給持票人以莫大的方便。這件事，不獨今日的郵政人員也想過，而且以前的郵政人員也想過，祇是你想我想，千想萬想，總覺得沒有可以通融的餘地，因而對公衆不勝遺憾！其原因何在？郵票不是鈔票，舊的可使用，髒的也可使用，甚至破損的照樣可請台灣銀行收兌回去。而郵票則畧微有一點瑕疵，便不能使用，視爲廢票了。這是郵票與鈔票在性質上最大的不同之點。何況郵票是由寄付人買了就貼，不像鈔票之隨意流通。以前在大陸上，若干地區，一度缺乏輔幣券，例如五分、一角、二角、五角，公衆即以郵票代替零找，流通市場，於是一大批髒的郵票，既不能貼用（按貼用在郵件上須作欠資辦理），只作臨時的小籌碼使用，隨後就作廢了，國庫平添了一筆小收入。你能說郵局不近人情嗎？祇因郵票的使用方法與鈔票不相同，故無法遷就人情。如髒的不能使用，在郵政法第九條內，已有明文規定「失其效用」。此一特點，與鈔票迥異。換言之，即郵票不能和鈔票般可以兌換。

唯郵局如公告廢止某一種郵票時，則在郵局方面收入了錢，而公衆尚未行使其權利，郵局對持票人尚未盡其義務，故規定自公告之日起，在六個月內可以掉換，以免公衆受損。

（上）

葉門之亂與渣法蛇

仁厚

葉門局勢撲朔迷離，糾纏未已。這神秘的國度的神秘的傳說，令人疑參半。

據從葉門事變後倉皇買路逃生的兩戶猶太人說：葉門的局勢演變至如今難分難解的程度，老王的荒淫無度，縱欲後宮，新王的搖擺不定，挾外力以自重；野心份子的惹事生非，包藏禍心等等，都是理由。但了一項未預料到的重要因素，却是葉門拜耶倫地方的捕蛇者罷了工，使王室的士兵心愛的寵物——一種名叫「渣法」的蛇，而使變亂擴大。

乍一聽這個故事，一定如丈二和尚摸不着頭腦，感到奇怪。事實是這樣的：葉門的士兵，雖然裝備不差，但仍迷信鬼怪神力。他們認爲沙漠裏有魔鬼出沒，渣法蛇是鎮魔的剋星；假使沒有隨身携帶這種蛇認爲，隨時有受到魔鬼暗算的可能。

除此之後，渣法蛇還有牠實用的價值。在沙漠裏行軍作戰時，不時吹來狂風暴雨，風沙打入眼中，既痛苦，亦麻煩。曾經有整個部隊，因風沙不能啓眼而貽誤戎機的事情發生，這也許就是士兵們迷信沙漠中有魔鬼的原因。當年英軍駐防葉門時，部隊都配備了特殊的防風鏡，但防風鏡防住了風沙，却防不了因風沙中不氣所帶來的眼疾。不但每天要用特效藥兩次，用多了，也就失敗，滋生另外的眼疾。假如渣法蛇在手的話，這一切都將迎刃而解。葉門軍隊以幾千年來的傳統經驗，用渣法蛇的尖尾輕輕拖過眼睛，幾秒鐘內，就把吹進眼中的砂粒拖了出來。而英國軍醫遇到這種棘手事，即使使用最新的療眼器械，也需要一個小時的時間，方能取出。遭砂襲的人一多，簡直就一籌莫展。

因此葉門軍隊行軍，可以沒有汽油，不用汽車，他們可用驢運輜重，用光腳板以四十八小時的時間跑過一百哩沙漠征途，也可以撑乾糧過日子；他們最不能缺少的是渣法蛇。他們將之奉若神明，征途旅次，子彈袋中無此蛇居，既不能作戰，也不能行軍。

果然，今年隣近張丁的拜耶倫地方捕蛇者因請求調整售價未果，罷工抗議，停止捕蛇供軍用時，軍心生變，叛軍兵臨拜耶倫地。王室士兵，因無蛇隨身，抗命不出擊。正與長官爭執時，叛軍已破城而入，繳了傾向王室士兵的械，將當地貴族處死，縱兵洗刧，姦淫擄掠，無所不爲。繼而舉兵直入王城，變亂終至一發不可收拾。

渣法蛇無毒，長約一公尺，體瘦，尾部細長如錢，葉門農民大多以捕此蛇維生。渣法蛇爬行奇快，因此捕捉不易，僅能在黃昏或黎明，出入山隙巢穴時，方能得手。捕獲之後，予以分類，整齊，然後裝入籃提到兵營的福利社中。原售價美金每元六條，醞釀加價未果，竟惹下了大禍。

中東近東一帶，漠原廣大，民智未開，一向是「天方夜譚」故事之源。這個近乎傳奇的故事，言之鑿鑿，又似乎不可不信。

新三國

八九、姜伯約沓中避禍　諸葛瞻戰死緜竹

蜀國自先主派魏延鎭守漢中的時候，防魏的佈署是：各要隘地方，築圍守禦，使敵人來攻不得越過。曹爽寇蜀於興勢之役，王平打退曹眞即採此防禦佈署。姜維以爲此種防禦佈署，只是消極的防守，不能獲致大的戰果。不若聞敵兵到時，各隘口駐兵盡收各地糧食，實施「堅壁淸野」，將兵及糧食集中於漢中、樂城二地，集中力量以待敵。使敵兵不得進入漢中平原。一方面用游軍在漢、樂二城之外游擊。一旦敵至，游擊隊可伺敵軍之虛實。如果敵攻關寨不破，則野無散糧；如果敵人千里運糧，必然疲乏。等敵軍引退之時，然後諸城及游擊隊同齊進發，正規軍與游擊軍配合追擊，這樣才是制敵致果的辦法。

姜維建議，一改過去一貫的消極防禦，而爲積極的打擊防禦。他的建議爲後主採納。於是再命他都督漢中諸軍。把胡濟調回駐漢壽，監軍王含守樂城，護軍蔣斌守漢城。又於西安、建威、武衛、石門、武城、建昌、臨遠等地，都建立城堡以守之。王含，三國志無傳。蔣斌即蔣琬的兒子。

蜀後主景耀五年，公元二六二年，當魏景元三年，吳永安五年，姜維被宦官黃皓讒言，弄權於內，右大將軍閻宇與黃皓狼狽爲奸。姜維又是託國流跡蜀漢的軍人，屢次出兵，功績不立。故黃皓陰謀廢掉姜維，以閻宇代之。姜維諫議後主殺掉黃皓，後主不但不聽，反而告訴黃皓，命皓向姜維陪罪。姜維知道了，對於這種小人很是不安。於是乾脆遠離小人，到前方去和敵人拼命，一則避禍，一則立功。

不料，不如意的事情份至沓來，他這次出兵乃出於被動，又遇到鄧艾，兩軍相拒於洮水北岸，結果被鄧艾打敗。他這一敗，不敢回成都，將部下人馬拉到甘肅西南部的沓中，以屯墾爲名，實因敗避禍。

蜀漢到了晚景，人和方面也有問題。景耀六年，公元二六五年，姜維在沓中獲得情報，向後主上表說：「鍾會治兵關中，有寇蜀的蠢動。宜派張翼、廖化二將督諸軍，分別防守陽安關口、陰平、橋頭等處，以防未然。」可恨黃皓閹奸，迷信鬼巫，說敵人不會來，請後主罷了此項防患未然的行動。而朝中羣臣亦無人知道。等到鍾會入了駱谷，鄧艾入了沓中，截斷姜維的歸路，此時後主才照姜維的計劃調兵遣將，但此時已經晚了。此時還不將黃皓治罪，眞是庸主——劉禪。後主派了右車騎將軍廖化，兵出沓中，支援姜維；左車騎將軍張翼，輔國大將軍董厥等，出陽安關口，以爲諸城寨外圍之援助。援軍只到陰平，聽說魏將諸葛緒兵出建威，援軍就停止在陰平。等了月餘，姜維不敵鄧艾大軍，退到陰平。鍾會圍攻漢、樂二城，另外又派別將攻打關口，守將蔣舒爲武興督，因其無能，後主派人代之，使他留助漢中守軍，此時他恨不得重用。同蔣舒守城的還有一位忠烈的將校，就是傅僉，此人忠義。

（一三六）

平劇繽紛錄

談「張飛戲」

．桂良．

以張飛爲主角的第二齣戲，是：「打曹豹」，全劇的戲名是：「奪小沛」，緊接着，便演小生戲「轅門射戟」。

曹操假天子詔劉備討淮南袁術。玄德在徐州，聞使命至，開讀詔書，却是要起兵討袁術。麋竺曰：此又是曹操之計。玄德曰：雖是計，王命不可違。遂點軍馬，尅日起程。孫乾曰：可先定守城之人。玄德曰：二弟之中，誰人可守？關公曰：弟願守此城。玄德曰：吾早晚欲與汝議事，豈可相離？張飛曰：小弟願守此城。玄德曰：你守不得此城。你一來酒後剛愎用事，鞭打士卒，失了人心；二來作事輕易，不聽人勸，我不放心。張飛曰：弟自今以後，不飲酒，不打軍士，聽人勸便是。玄德曰：弟言如此，我終不放心，請陳元龍輔你。張飛聽命，玄德便領軍而去。

張飛自送玄德起身以後，一應雜事，俱付陳元龍管理。一日，設筵，請衆官赴宴，衆官坐定，張飛開言：吾兄臨去時，吩咐我少飲酒，衆位今日同此一醉，明日都各戒酒，幫我守城，今日却都要滿飲。言罷，起身與衆官把盞。酒至曹豹面前，豹曰：我從天戒不飲酒。飛曰：斷殺漢如何不飲酒？豹懼怕，只得飲一杯。張飛連飲幾十盞，不覺大醉，却又起身把盞，先奉曹豹。豹曰：某實不能飲了。飛強勸，豹不飲。飛怒曰：你違我令，該打一百。豹央告曰：翼德公看我女婿情面，饒恕我罷。飛曰：你女婿是誰？豹曰：呂布是也。飛大怒曰：你拿呂布嚇我，我偏要打你。我打你，就是打呂布！衆官勸不住，將曹豹鞭至五十。曹豹受責，以城內空虛，通知呂布。呂布引兵襲了城池。張飛引了少數兵將逃出。曹豹欺飛酒醉，引兵趕來，却被張飛刺死。

故都名淨，郝壽臣在民國十八年十二月初首演第一齣新戲，便是張飛戲「打曹豹」。他飾張飛，通場紮大紮，在擺筵一場，是全劇的高潮。場上擺三張大桌，中間陳元龍，小邊麋竺、曹豹。張飛則在大邊，設一席相陪。他邊唱邊飲邊勸酒。他唱西皮倒板：府堂上擺酒宴共歡飲。元板：同坐着文武官飲盃巡……快板……斟酒先將元龍敬，轉搖板：曹豹將酒來乾飲，為何天戒你說分明。壽臣唱得聲如洪鐘，餘韻繞樑。最後勸到曹豹，這個角兒由小花臉扮，萎萎瑣瑣，一個勁兒不喝。張飛一聽，他是呂布的丈人，怒不可遏，把他飽打一頓。郝壽臣在這一場，演得暴躁如雷，描寫三爺酒後如畫。這齣戲佔人不少，要演一時半。後來在堂會中演出，祇演設宴打豹一場。（二）

我的丈夫是怪物

．紫荊．

有一次，我見小聖不在家裏，我就問他看見小聖沒有？他含笑地說：「從早上八點起，就蹲在巷口的攤攤堆旁邊看螞蟻。」

我聽了，非常生氣，狠狠地拿了鞭子，想找他回來揍一頓。他見我生氣，就淡淡地對我說：「玲，你何必生那麼大的氣？」「早上我替他換了新衣服，他竟跑去垃圾堆，怎叫人不生氣。」我餘怒未息。

「玲，我的看法與你不同。小聖有着聰明的頭腦，他小小的年紀，竟耐心地蹲在那裏看螞蟻，這是不平凡的舉動。我們要讓他自己培養自己的興趣，我們不能去妨礙他正在發展中的頭腦。」他的臉孔很嚴肅地說：「要知道：牛頓、愛迪生的成就，都是從他們的慢勁和慢動作中獲得的。」

又有一次，小聖從學校回來，拿了成績單要我蓋章，我接過來一看，見五科中竟有兩科不及格。我氣極了，我不准他吃晚飯，並罰他在桌邊立着讀書，到十一點鐘。

我給小聖的懲罰，他沒有出言反對，但從他的表情中，我看得出他是不贊成的。果然過後他對我說：「我認爲小聖的智慧，並不輸於其他兒童。他的國文、歷史不及格，這證明他的興趣不在這兩門功課；如果我們強迫他對這兩門功課發生興趣，將會發生不良的後果。我們總該記得，牛頓、愛迪生他們在學校的成績，都是最低等的，但是後來他們都變成舉世聞名的大科學家。所以我認爲，讓小聖自由發展他的個性，才是最佳的教育方法。督導是需要的，但不要過於嚴厲。」

他對一樣事物的看法，往往和我意見相左，並不因此而稍有損傷。雖然有時我認爲他的思想太迂，但當我把他的怪論細細地咀嚼後，又覺得他的每一句話，都包涵了深奧的哲理。因此，我對他只有崇拜和敬愛。

我們的物質環境並不太佳，但我們的精神生活却充滿了和諧與愉快。如果在藝術的領域裏有所謂「缺陷美」存在的話，那末我們的生活藝術，可以說是屬於「缺陷美」的一型；而我的丈夫，當然就是這個「缺陷美」的創造者。（下）

禿頂無關健康

．晉陵．

爲什麼有些男人在年輕的時候就禿頂，而女人在眞正老年前，却幾乎不知道禿頂是怎麼一回事呢？下面就是有關這項問題的一些解釋。

在過去，專家們都認爲男人是由於頻頻剪髮，至使他們的頭頂光禿。

但是，近代女人的剪髮次數，似乎不見得較她們的丈夫爲少，而她們却很少禿頭。

另一項比較合理的解釋是：男人因爲戴着沉重的帽子，產生壓力而妨礙了頭頂的血管。但是，在最近的數十年間，放棄戴帽的男人雖屬不少，可是，禿頂的數目却仍舊沒有減少的徵兆。

一百年前的一個更古老的解釋說：早期的禿頂是思想過度的結果，因爲，光禿的部份只發生在頭上深藏「智慧」的腦頂，它永遠不會蔓延到腦後。男人多是「深思者」，而女人則不然，所以，她們能夠保持她們的頭髮。

事實上，許多最有智慧的男人，終身長有濃厚的頭髮，而有些男人雖然從來沒有思想過，却很早就禿頭無髮。十九世紀有一個專家好奇地觀察到水手和屠夫很少禿頭，他解釋說：這是由於他們不注意頭髮。另一個發現是野蠻人幾乎沒有禿頭，因此，他解釋說：早期的禿髮應歸咎於飲食。但是，男人與女人所吃的東西多是相同的，所以，我們仍舊無法對「爲什麼女人永遠不必躭心禿頭」這個問題，獲得比較接近的解釋。

有一點可以確定的是：頭髮衰退的男人，並非表示他們健康與生殖力的衰退。有些男人在禿頭時，他們的眉毛，面部汗毛和胸毛却反而長得更茂盛。一個男人禿了頭之後，也許會生有濃密的鬍鬚。

紐約州立醫學中心站曾經進行過一項卓越的試驗，表示出一個有胸毛的禿頭男人，事實上遠較沒有胸毛而生滿頭髮的男人更有雄性的氣概。在試驗過程中，二十個在中年初期仍舊保有一些頭髮的男人，有十九個被發現是荷爾蒙不足，當他們不充足的荷爾蒙獲得補足時，他們竟開始脫落頭髮。

數年前有一個女人領導一種反「禿頭」運動，她認爲這個運動是「爲了八類的好處而發動」。紐約市長曾經爲這個運動發表過談話。他說：「一個人禿了頭有什麼關係？沒有人會憑他的頭髮賺進一文錢。我們不但不能出售它，利用它或出租它，反而爲了它而付錢給理髮師。事實上，禿了頭的男人，是世界上快樂而有智慧的人！」

關於男人早期禿頂的事，還有一點可以確定的是：這種現象似乎有流行某些家庭的趨勢。如果你的父親或叔叔在四十歲時光頭，那麼，奇怪的是你——如果你是一個男人——也會同樣地在四十歲時禿頭。

友誼粹言

．大知．

友者過譽之害，較仇者過譏之害，尤大。

不要靠餽贈來獲得一個朋友。你須要貢獻你摯情的愛，學習怎樣用正當的方法來贏得一個人的心。

慢一點跌入友誼。但當你跌入後，那你需恒久而且不變。

愛與尊重是友誼的第一要義，若缺此二者，則它就不安全。

不做已有三個朋友而又失去他們的人底第四個朋友。

眞正的友誼，是一株成長得緩慢的植物。

女人只能使你靈魂溫潤濕潤，而不能使你靈魂充實。友人在後者的要求中給予你最大的幫助。

同邪惡的友誼像早晨的影子，將慢慢的隨着時間而消逝；但同善良的友誼像黃昏的影子，將慢慢增強直到生命的太陽下沉爲止。

友誼是兩個肉體抱合而成一個的靈魂。

人的賢和愚，可從他朋友的身上看得出。

友誼必須與德行偕行，同時它是常常止息於偉大的豐盛的心智的。

友誼的光好像燐光，當四週都是黑暗時，它將顯得更爲分明。

我們一生中總有一些成功的事，這成功多半是從友人的鼓勵而獲得。

人生是被許多友邪增強着，愛人同被人愛是生活最大的樂處。虛僞的友誼像我們的影子，當我們在陽光中時它會緊跟着我們，但當我們橫過蔭道時，它傾刻就會離開我們。

試談偏愛的諸葛亮與神化的關雲長

讀「畧評諸葛亮與關羽」之後

周燕謀

五月二、三、四日，拜讀到「中副」姚秀彥先生的「畧評諸葛亮與關羽」大作之後，不禁使我這「三國迷」有點兒心動。因爲姚先生的大作立論有「偏愛」和「偏惡」之嫌；其立意既有所偏差，也就難免不發生「差之毫釐，失之千里」之誤。因此未免令人難以苟同，同時更掀起淺陋樂於就教的心理與興會。

諸葛亮與關羽兩位先賢，皆古代之人傑，知之者衆，談論的興趣也特別濃厚。可是一般人所知，大多爲三國演義所惑。我細紮姚先生的大作中，也難免有點受到演義的波及之嫌，如「羽扇綸巾」之類；和清人將演義寫入奏章中者，有異曲同工之妙。姚先生對於偏愛的諸葛，是「無美不備」，對於「偏惡」的關羽，則一無「是處」。道是品評先賢人物之大忌，豈可不謹愼落筆！

姚先生對於歷史文化與人文思想演變和發展，似乎有點隔膜，故對諸葛亮關羽二賢受人崇拜與否之理茫然不詳。對於人文思想和宗教信仰之旨奧亦如隔靴蚤癢，故其立論取材，往往斷代取義，只見秋毫，而不見輿薪。僅在「偏愛」和「偏惡」上衡量取捨。這是有欠公允的。

姚先對關羽因其「偏惡」，故對其「忠」「義」也竟彈，其反調。更可値得注意者，姚先生替三國志創造了一個「伐漢」的新詞，筆者孤陋寡聞，目光如晦，在三國志中遍覓不一見。孟子說：吾豈好辯哉，吾不得已也！

諸葛亮是一位「奇才」，但他並不是一個「全才」，歷代論者不乏其人。關羽其人之所長，和他的事功才智德行，姚先生已經引證了不少，爲了儘量縮短篇幅，我除前言所臚列的幾點必須就教外，在諸葛亮先生本身問題，僅發一點前所未發的異議。

「三顧孔明」爲千古所美稱。一個年輕的布衣，無聞的策士，平地風雲，受到一代時主的三次「枉顧」和「就見」，怎不使人羨煞！一個文士在不得志的時候，不妨以諸葛亮自況，的確不失爲一種高亢的風範。但是諸葛亮所說的：「苟全性命於亂世，不求聞達於諸侯」，諸葛亮眞的是「不求聞達」嗎？以淺陋所及，似有疑問。其實我細心地體察他一生的言論行爲，對於這一點便有「文過事實」之嫌。諸葛亮之出仕，可以說是早有成竹，預有定見和安排。他和他的朋友們，是一個小小的策士集團，適時干求時主，以遂獻替。我們看：「亮自比管樂，時人莫之許也」。管、樂是不是不求聞達的人呢？再看：「亮在荊州，以建安初，與潁川石廣元、徐元植、汝南孟公威等俱游學，三人務於精熟，而亮獨觀其大畧。……謂三人曰：『卿等仕進，可至刺史、郡守也。』三人問其所至，（宋本：「至作忐」）亮笑而不言。」他自負「時人莫之許也」，問其所至則笑而不言，「不言」者，當在三人仕途之上無疑。我們知道諸葛亮是性近含蓄的，不似關羽的豪爽硬派性格。但「含蓄」與「硬派」作風，卻無法品評其優劣。（一）

床與人生

．路加譯．

三份一的人生，是在睡床上渡過的！許多人以爲在睡中，什麼都不曉得了，所以對睡床的好壞，和是否舒適，亦不大重視。其實，懷着這種觀念的人，不是礙於環境，便是「濛查查」的。事實上，睡床之於人生，有着相當大的關係和影響，宛如閣下之衣履一樣！

千百萬的人，他們大部份的生活，都是在苦惱，不安適和不大適合的床上渡過。因此，他們在白天裏，整日都感到頸部和膝蓋關節與背部痛楚及僵硬，他們不曉得研究出了什麼亂子。

像這種情形，他們不是睡在不適的床上，便是睡眠姿態有毛病。

根據醫生統計，人們的三份一的時間是消磨在床上，那末這三份一的時間也應該好好的渡過，和聽聽醫方人員對睡眠方面的意見。醫方人員給予人們的一些指導，關於如何睡在床上，和該睡怎樣的床。（上）

內備警台報字第〇三一號內銷證

自由報

THE FREE NEWS

第二六七期

中華民國僑務委員會頒發
台敎新字第三二號登記證
中華郵政台字第一二八二號執照
登記爲第一類新聞紙類
（半週刊每星期三、六出版）
每份港幣壹角
台灣零售價新台幣貳元
社長：雷嘯岑
督印人：黃行書
社址：香港銅鑼灣高士威道二十號四樓
20, CAUSEWAY RD 3RD FL. HONG KONG
TEL. 771726　電報掛號：7191
承印者：大同印務公司
地址：香港北角和富道九六號
台灣分社
台北市西寧南路壹壹零號二樓
電話：三〇四六三
台郵撥儲金戶九二二五

論一誤不容再誤的「中國問題」（下）

——一加一等於二和一減一等於零的當前世局——

何浩若。

他爲毛酋企圖侵略和征服世界的狂想辯護，說是因襲傳統的『中國中心』觀念及中國受到列强長期侵略的合理的報復與補償。他說毛澤東主義並不如希特勒的納粹一樣可怕。他的結論是要美國承認毛共政權，來保持並且提高其德治的聲望。他以爲美國應當把台灣送給中共來平息毛酋的忿怒。接着中國大陸上便發生紅衛兵和文化大革命。費正清眼看着『代表中國傳統和德治』的毛酋王朝要垮台了，便又在今年（一九六七年）二月二十五日出版的『新共和雜誌』（New Republic）以『中國歷史會重演嗎？』爲題，仍然以中國歷史學者的姿態出現，說毛澤東和秦始皇、隋煬帝一樣是患了一種自大狂和慢性瘋狂症。他說毛酋是中國皇朝的暴君，像明太祖一樣的疑忌，甚至廷杖大臣，他也懂得一點什麼妄侍干政，王朝即將瀕臨末日。他說毛酋的小老婆江青干政，王朝將即面臨崩潰，費正清這個人就像中國的平劇『審頭刺湯』裏面的湯勤一樣，既說人頭是眞，又說人頭是假。他運用馬列主義者的辯證法不擇手段的信口開河。他說中國沒有文化，中國的文化祇是小腳姨太太和太監。他說毛酋是代表中國的傳統，什麼禮教和德治。現在他又說毛酋並不代表德治，而是歷代暴君的重現。當他不再擁護毛酋而攻擊毛酋爲瘋狂的暴君並且預言毛酋王朝必然崩潰的時候，是不是他的思想有了改變？不。費正清現在雖然攻擊毛酋，但是他的結論却是『萬變不離其宗』，更進一步有效的維護毛共政權。爲什麼呢？因爲他認爲毛朝崩潰以後，打倒毛酋的毛共第二代，一定能溫和的與美國和平相處。他以爲毛共的第二代就像蘇俄共產黨的第二代一樣是『溫和的理性的共產主義者』，可以和美國和平共存。他主張美國對毛共應當靜以觀變，不可乘人之危，作任何有損毛共的事情，然後再等毛共自己渡過難關，恢復元氣。他僞裝着，站在美國人民的立場，希望保障人類的和平與自由。他以爲蘇俄已經和美國和平共存。現在反美和威脅世界和平的是毛酋澤東。假設毛酋被打倒以後，由溫和的和親俄的共產黨執政，和蘇俄既可和美國和平共存，毛共重歸蘇俄的懷抱，惟蘇俄的馬首是瞻，則毛共亦可與美國和平共存。這豈不是符合美國人企求和平的願望！我們可以推測費正清這班人爲了維護毛共政權，現在所急於從事的就是如何使目前的毛共渡過難關。譬如說，毛共因文化大革命和奪權運動而延誤了今年的春耕，也許有發生饑荒的可能，因此他們必竭力主張美國不要對毛共禁運，而且要和毛共進行貿易。在目前這一階段，費正清這一班人所主張的是聯俄反共而不是反共。他們不僅不反共，而且要維護毛共的政權，使之變爲溫和的、親俄的，然後可以與美國和平相處。假如美國和毛共發生戰爭又怎麼辦呢？有人主張美國假如和毛共發生戰爭，即令美國擊潰了毛共也不能要求毛共無條件投降。美國應當像在第二世界大戰擊潰了日本保留日本天皇一樣——在擊潰毛共以後，保留戰敗的共黨政權，來繼續統治中國大陸。一九六七年三月十四日台北的徵信新聞，以『C·I·A·會資助羅斯陶』爲題，曾作如下的報導：

CIA會資助羅斯陶

『最近，在美國國內吵得最凶的問題是關於中央情報局（CIA）以經費支助學生團體及其他民間組織以協助工作的問題。

國會、報紙、廣播莫不以此爲評論的題目。於是，詹森總統不得不採取行動，下令國務院副國務卿卡心白負責調查這項事件。

卡心白的正式調查報告還未完成，但據說他私下裏已經向詹森建議，以後如果政府以財力支助學生團體出去參加國際活動，最好以公開方式爲之，以免引起國內外的批評。同時，他還建議，以後務必禁止中央情報局利用學生團體去做工作。

在此同時，參議院的國家安全小組，也在着手調查，中央情報局過去曾經支助了些什麼人民團體。

結果在調查中發現了許多過去都不爲人知的事情。舉一個例來說：他們居然發現，現任白宮的外交事務顧問，目前頗爲走紅的羅斯陶居然也曾經接受過中央情報局的津貼支助。

那還是在一九五四年，羅斯陶尙未從政，正在麻省理工學院教授經濟學，他接受中央情報局的支助研究中共問題。

根據這項未發表的研究報告中指出，中共經濟將於一九七〇年崩潰。

羅斯陶的研究判斷說：由於經濟的崩潰，中共內部可能因此而引起爭訌，或者是因此而向東南亞鄰國發動侵略戰爭。

但羅斯陶在這項研究報告中有一個頗爲奇怪的觀點——他建議，一旦美國與中共發生戰爭後，美國不應該沿用要求『無條件投降』的政策。

他辯白說：中共的政權現存的行政組織，必須繼續存在。因爲需要它來統治這個戰敗的國家。

也許羅斯陶現在已修正了他的觀點。否則，這種看法實在不高明。』

美國是一個自由民主的國家，任何人都可以表示他的意見，祇要不違背憲法和法律，都可以在言論自由的原則之下隨意說出他的主張。

（下轉第三版）

可憐的戰爭煽動者，納薩：「綠燈會開放嗎？」

專論

政府對不起自由文化人

岳騫

這次港九發生暴動，當最危急關頭，文化人都表現得最鎮定，平日堅決反共的人，固然一本常態，毫不畏縮，即使平時不談政治，專寫消閒小品的作家，也一反舊習，挺身出來對毛共口誅筆伐，以後局勢的急轉直下，所得到的結果較最樂觀的估計還要好得多，其中輿論的力量要佔一個很大的比重。

當危急時，有許多人紛紛離港赴台、赴日、赴英、赴美，甚至赴加拿大，赴瑞士，但是皆屬眞正的資產階級，可以斷言其中沒有一個文化人在。自由文化人在香港與毛共的搏鬥，在最危急關頭，沒有人會顧及己身安危，偶然朋友們在一起談天，大家都說着港九四面皆海，必要時向海裏一跳，總不會給毛共抓去活的就是了。

不要以爲這是說笑話，沒有這付肝胆，還眞不能在香港與毛共搏鬥。雖然大家料定毛共不敢犯港，不過，毛共眞的向香港動了手，筆者敢作一個預言，此間自由文化人逃不掉十分之一。

眼前事實擺在面前，這次港九如此動亂，五月二十二日暴徒圍攻港督府時，很可能會引起武裝衝突，而在那以後的數日中，有沒有哪一位文化人曾經收到台北當局不論政與黨任何方面的通知，必要時可以撤走。我敢武斷說一句，即使有這種安排，也只限於一兩間與政府當局有關係的機構，至於百分之九十幾以上的自由文化人，不必說得到台北的通知，必要時想找一位有力量人士談談也找不到，正如廣東話：「但死但賤，干我乜事。」

據說也有少數同行，事後向台北想申請一份入台證，以備萬一之用。但是，手續仍然照常，非兩月發不出。兩月又滿期，即使可以延長，也不過一次而已，因此，許多人也就算了。

最近一年來，政府當局有兩件事冷淡得出奇。一是大陸文化大革命發展到今天，沒有一絲行動作眞正的支持，甚至口頭的表示也不多，使外國人都看不上眼。另一件事就是這次港九暴動了，不論外交部，僑委會，中央黨部，皆沒有一個字的慰問之詞，更不必說採取什麼行動了。其實此地文化人並不希望政府眞有什麼行動，最低限度凡是願意赴台的文化人發給一個長期入台證應該可以。回港證尙可延長三年，入台證何以只限定兩月？何況入台證也有長期的！立法委員及有關人員皆有長期入台證。政府是否以爲立法委員的貢獻眞大於此間文化人呢？

無論如何，每人發給一張長期入台證，必要時能賢到機船票就走，買不到就死，大家也無話可說。眞的能逃到台灣，也不見得就會搶了哪些人的飯碗，而不費的事，又何妨作一作呢？

（編者按：本期稿擠，今日與明日暫停。）

自由談

談地方選舉問題

馬五先生

報載台灣省政府所擬修訂的各種自治法規中，對於選舉事項頗多改進之點，旨在興利除弊，發揚民主憲政精神，甚盛事也。筆者謹以客觀立場，約略談談個人的見解。

新訂法規規定公職候選人要繳納保證金，這是本報在幾年前就提倡過的事情，我們當然贊成。此項制度原係取法於英國，并非新創的法制。可是，這辦法只能施之於政黨黨員，而普通公民不預焉。這項保證金亦只是交由候選人所屬的政黨處理，却與政府無關。此其作用在限制政黨黨員濫竽倖進，因而分散本黨競選的實力，藉此以便集結本黨的人力財力，護致選賢與能的效果。至於普通的公民，他祇要具備了法定的年齡，而沒有消極的限制情形——如禁治產或犯罪被判刑期未滿等情——即可自由競選總統，何況地方各級的行政官吏和民意代表呢？同時，政黨黨員競選既有保證金制度，則政黨提名候選的方法應該取消，否則保證金就失去應有的意義了。談到政黨提名候選問題，如果沒有兩個以上之勢均力敵的政黨互相角逐，也就無此必要，且很容易滋生內部派系作用，激起鑽營奔競之風，得不償失。

公職候選人年逾六十以上者不得競選，這種限制大有問題。凡屬担任行政工作的官吏，年紀太老的限制他競選，尚能言之成理——但持之無故。若夫民意代表爲甚末要有年齡的限制？難道說，年過六十的人，就連開會講話的精神亦沒有了不成！相反的，研討政綱政策，審議法制規章，却非具有經驗閱歷的人，決難勝任愉快，恪盡職責。假使一般民意代表都是些「紅衛兵」式的少壯人物，其後果寧堪設想嗎？公務人員明文規定退休年齡，且未實行，民意代表更不應該有年齡的限制，祇要他的體力不衰敗，精神還正常，雖百歲老人，庸何傷乎？豈特無傷，而且大有裨益。所以，規定民意代表候選年齡不得超過六十以上，實在不通之至，千萬使不得！

新訂的自治法規，對於區鄉鎮長的候選資格，限制要高中畢業纔行，這亦是多餘的贅文。此乃關係國民教育問題，唯有讓社會進化律來解決，纔是正道。國民教育發達了，一般選民的知識水準即相應增高，他們自然知所鑑別，而樂意愼選賢能之士，焉用政府以法令揠苗助長爲哉。

隸屬省政府社會處
國民就業輔導室 四年來幹些什麼

——本報記者熊徵宇

設在五個都市的輔導中心，都是高樓大廈，招牌非常耀眼；在夜晚，「職業介紹」和「求職求才」的霓虹燈，的確惹人注目。

還有一些由就業室印行的宣傳文件，到處都可以看到。其實這些都是遮眼的手法，埋滿許多騙人的技巧。

就業人數 瞞天天謊

他到底是怎樣在騙人？怎樣在玩法？怎樣在舞弊？這得從工作項目中來剖析。我們一個一個項目來談。談這些項目的問題癥結和玩法舞弊的事例：

「求職求才登記及介紹」：各中心每月所報的數字，與實際情形不符。登記的卡片和名冊，假造的居多。如果澈底核對各中心每個月所報的數字，再根據那些數字去查名冊，查卡片，就卡片上求職求才的登記人的住址和身份證號碼，按址查對顧主和就業人，就可以發現僞造文書蒙騙政府的瞞天大謊。

那麼爲什麼要這樣作僞？因爲不這樣作僞，每個中心一年近二百萬的經費無從報銷。

顧主座談 月耗三萬

這個項目的作僞情形，我們可以舉出四個事例：

一、基隆就業輔導中心，是去年十二月左右成立的，實際的業務是元月份開始。但是三月份報到社會處的求職人數，居然有三百五十三人，而求才的也有五百二十六人，介紹的，有七十六人，就業的，有四十五人。於是報銷了九萬元的輔導費。

從這個事例看，即或是這四十五個人都就了業，那末每人平均要消耗兩千元的輔導費。像這個樣子輔導，政府怎麼負担得起？如今這四十五個人都在哪裏呢？

二、基隆中心成立三個月，在「顧主座談會」的項目中，報銷了三萬元。爲什麼座談會要花這多錢？開了幾次會呢？難道每次的座談會要吃酒席？否則每個月一萬塊是怎樣用的呢？

我們深入採訪知道，這個項目的漏洞特別大。其他的四個中心，都在這個項目裏作弊。只要查查各中心所呈報到社會處的開會記錄和次數，就可以對出其中的毛病。

摩骨神相 居然求才

三、原任輔導室的幹事方存錚，五十四年的冬天，去台北區看介紹就業的情形，發現台北有名的「摩骨神相」仇慶雲求才，台北中心介紹一個人去了。方存錚當時覺得這種江湖職業，多自出於傳徒，何以登記求才，而又有人求職？於是走訪仇慶雲看個究竟。仇慶雲說沒有這回事。方回到社會處，據實具報。楊仁夫很不高興，所以把他調到台南中心去當幹事。

從這一個事例，我們可以看出楊仁夫和各個中心勾得多麼緊。可見所謂職業介紹是多麼的荒謬。

四、「顧主訪問聯系費」，每年列有十萬，但是各中心都置得有四至六部的摩托車，所以不需要交通等項的費用。而這個項目的彈性太大，容易作弊，所以有人舉證，說這筆預算由楊仁夫和各中心分了。

職業指導 功效何在

「職業指導」：這個項目的宣傳文字說，是協助青年選擇適合其智能、體力和志趣的工作，並且指導建立正確的職業觀念，作爲就業或升學的準備，希望逐漸減少青年失業與中途轉業的現象。

根據五個輔導中心的五十四年七月至五十五年六月的成果報告，說辦理中等學校應屆畢業生的職業指導，共爲一萬四千一百三十九人。

這是個不可思議的成果。到底是怎樣的指導？指導的效果如何？我想社會處很難找出答案。

實際上，在國民就業輔導室成立的初期，做過這個工作，但不是由各中心直接去做，而是委托三幾個職業學校代辦。每個學校給二千元的津貼，再化一百五到二百元的鐘點費，請那個學校的教員，利用星期六和禮拜天上兩堂課，或者請個美援會的洋人去演次把講。

於是各中心就把課堂外間掛的「職業指導」之類的大字布標，和室內上課的情形，拍成照片，拍成幻燈，向社會處和美援會提證這項工作的推行狀況。

就業訓練 弊端忒多

另一方面，把接受指導的學生，每人發一張表，貼上各人的照片，作爲成果資料；然後再憑這些資料，以設計費、圖樣費、鐘點費、交通費、和郵電、卡片、午餐各項費用的名目來做報銷。

我想不通這個工作項目是怎樣能夠存在？受了三年職業教育的學生，如果還不能有正確的就業觀念和技能，而由就業輔導中心請原校的原有教員或者請個外國人上幾堂課演一次講就能發生效用？所以說這是個很滑稽的問題。而且現在連這種表演性的工作也沒有做。

「就業訓練」這個項目的立意，乃在適應加速經濟發展與社會需要，辦理就業訓練或再訓練，培養專業的技能，使求職者易於就業，求才者得到適當的人才，期能充分運用人力資源。

各就業輔導中心所提出的五十四年七月至五十五年六月的成果報告，說輔導就業的技術員工，有二千三百五十五人，都已安置就業。

在這個項目的預算上，列有接受就業訓練的，每人補助生活費六百元，另外交給代爲訓練的生產事業機構的材料費六百元。

但是各輔導中心，辦這個業務，不但是沒有給代爲訓練的機構六百元的材料費、反而要各機構按照學徒的津貼待遇給受訓的人。於是受訓人的六百元生活補助費，也就暗中吃了。

我們把各就業輔導中心所提出的成果數字，來計算每一千二百元的欵項，就可以發現這項弊端的額是多麼龐大！可以到道些違法的事例：一、左營海軍造船廠去查證。二、高雄振業化工廠去查證。三、設在台北出品三花毛巾的工廠去查證。

各中心所提出的，經過就業訓練的二千三百五十五人，安置在什麼地方就業？

其實所謂就業訓練，大多數是一些由各輔導中心約定的工廠，原有的員工們填表入冊，製成卡冊，拍照存證，然後給那工廠一點錢，辦一套「代爲訓練求職人」的契約的手續，再以各種名目，做賬報銷。（二）

台灣的廣告事業亟待整飭

本報記者李忠道

因爲，新聞紙、雜誌最主要的銷路是要走入家庭，現代化的新聞紙爲着達到此目的，正不斷地努力避免刊登足以誘使青年人走入歧途的新聞；廣告既然已刊登在報紙之上，所以就一個報紙言，廣告也可以被視爲新聞。對各種罪惡具有誘惑性的廣告，不斷地出現在該新聞紙之上，該新聞紙要想進入家庭，勢將成爲不可能之事，對於銷路必將有極大的影響。

再說，倘某報經常刊有不良廣告，致使讀者受欺時，像「來函附寄××元，贈送女裸體照××套。」「介紹職員，月薪千五百元，報告費百五十元，地址：××街××巷×號。」類似如此的廣告，固然爲害社會甚大，同時，遭受欺騙的讀者對該報的信仰，也就發生動搖，間接也就影響了該報的廣告價值，忠實的商家及製造商自不願意在不能獲得讀者信仰的新聞紙上刊登廣告。

加以，新聞紙拒絕刊登不良廣告，只是損失了極少數的廣告費，相反的，他所獲得的利益將千百倍於不良廣告的收入。所以，拒絕刊登不良廣告不僅是爲着道德問題，也是爲着他本身利益。故美國各大報紙、雜誌大多針對着社會實際情形，分別規定拒刊的不良廣告。

像聖路易郵訊報，對不良廣告即有作原則性的規定，有下列情形及內容者，均拒絕其在該報登廣告。

（一）其內容足以使該報讀者直接或間接遭受經濟損害者。

（二）將有危害讀者之道德與健康者。

（三）違法，逃避或企圖逃避法律責任者。

（四）直接、間接攻訐任何個人、種族、宗教、團體、制度、商業或職業者。

該報認爲未爲醫學界所承認的某種自吹自擂的特效藥，專用於眉毛、睫毛的女性化裝品，其構成份子中包含有銀硝酸鉀者……應予拒絕，因其有害於眼力。其他廣告內容包含有過於裸露的照片，或有危險成份的生髮劑者，亦均在拒絕之列。

此原則性規定之不良廣告，以其內容較爲空洞，而亦具有彈性之優點，故聖路易郵訊報的廣告有審查部的組織，專負調查、審核之責，根據所訂原則而行。

美國紐約時報卻針對現社會的不良現象，嚴格規定十四種形式的廣告，一律拒絕刊登：

（一）揭發陰私者。

（二）內容不實，易使人誤會者。

（三）有設局詐欺之企圖者。

（四）產品毫無價值，而內容卻極盡誇大、欺騙之言論者。

（五）男女徵婚廣告。

（六）褻蕩淫漫、妨害風化、邪惡卑劣或侮辱人者。

（七）醫藥類鼓吹能治百病，或含有麻醉劑、危險性者。

（八）保證能獲暴利而企圖誘人上當者。

（九）無信實的證券股票及經紀人，吸引冒險投機者。

（十）星象卜卦、詳夢、八字、算命、預言等廣告。

（十一）要求爲家庭工作之廣告。

（十二）準備劣品以欺騙讀者函購，而以「附郵郎寄」者。

（十三）大吹大擂禿頭生髮藥水的廣告。（醫藥專家均認爲禿頭不可能再生頭髮。）

（十四）凡對讀者的道德、健康、金錢將有遭致損害之虞，或有損及其他忠實商業廣告之信仰，或報社認爲不可刊登之廣告。

聖路易報風格嚴謹，力求爲讀者忠實服務，並歡迎讀者據實檢舉，凡列舉人、廠商企圖欺詐圖利而刊載該報廣告者，該報決以一百美元獎金爲酬。（四）

從世界清潔城市看台北

——提供清潔運動資料

○何勇仁○

筆者後來向瑞典歸僑打聽這個秘密，才知道瑞典的製紙工廠每月付費收購這類廢紙以作原料，每兩三天便派車子來接收，可謂一舉兩得了。

四、荷蘭的「阿姆斯特丹市」：該市曾自稱爲世界上最清潔的城市。該市的行政當局的確對清潔之執行有辦法有毅力，規定一切街道每天清潔打掃五次。所有清道伕均會受訓練，工作有特殊的表現。而該市市民又已養成清潔的習慣，故執行持之有恆。雖從未舉行清潔運動，報紙更少見宣傳報導，可是對「清潔」確已蔚然大觀了！

以上四個城市，實足以爲世界清潔城市之模範，我們努力效法他們吧！德國在第二次世界大戰之前，人民都是「奉令」保持清潔，凡在公園或街道拋擲垃圾者，一律當場處以罰欵。到了戰時，什麼都不管，只管打仗了，但有一個時期，不僅不見有人拋擲垃圾，連朱古律糖包紙、橘子皮、香蕉皮之類，根本就沒有。戰後則情形相反，德國變成了垃圾問題的國家，經過各地舉行清潔運動，才逐漸改觀了。香港有個時期也變成了垃圾問題的島市，卅八年夏，曾舉行大規模的清潔運動，我在舊存港報中（卅八年八月二十九的工商日報）找到一段報導說：「清潔城市運動，市政衛生局健康組，經于本星期一（按：即報紙的當天）開始實行，由是港九各街道，煥然一新。而市民爲謀大衆福利，亦多自愛，對垃圾拋擲已各自檢點。連日衛生局均派出二百餘清潔伕役，分到各繁盛區，指導途人拋擲垃圾，使納入分設在道旁的垃圾箱中，以求澈底清潔。」我們可以相信，道個清潔運動如果繼續積極進行，香港不日必將變成世界上最清潔城市之一了」。聽說香港自從那次舉行清潔運動，因爲持之有恆，現在亦已成績可觀。我們台北今日之舉行清潔運動，不管做效瑞士、丹麥、瑞典、荷蘭任何一國都好，只要我們持之有恆，無有不成功的啊！（下）

瀛海異聞錄

美國阿飛益見無法無天

桑雅

目前在美國，少男少女已成另一種力量。他們的集中營是加州的洛杉磯。他們連群結隊，奇裝異服，對於各方面都力求改革，他們組織起來，成爲新的叛逆的一代。幾年前，他們被稱爲「比尼克」，現在「比尼克」的階層已擴大了。

不久之前，費倫士．里頓書的「神聖的野蠻人」便描述這一批年青人的行動與思想，在書中，他們像一大批浪人，愛唸不雅的詩句，打鼓打樂，自由戀愛，在鬧市內放浪形骸。洛杉磯的威尼斯西，便成爲了他們的聖地，他們大部份是長髮的，披上恤衫及牛仔褲，驟看起來，像乞丐一樣。在街上，他們隨時唱歌跳舞，不理會其他居民究竟有什麼想法。

他們常常主張：這才是禪理所要求的「一切發乎自然，不強求自己」，自從幾位年輕詩人寫了幾首禪詩，他們便嚷要漸交禪理了。

他們常常在「夕陽西下」區域舉辦瘋狂派對，似乎要與有里活的明星對抗。他們的派對確是瘋狂的，例如在派對裏，音班幻覺教LSD。

LSD已成了他們的一種新宗教，而且他們已自稱爲一種新種族了。他們已設立一間LSD學校，校長是里雅利，他大事宣傳，認爲LSD帶來人類一種新教育。

他們的LSD集會，是公開的，的確達到瘋狂的程度。在狂舞中，竟然有人裸體從天而降，原來他披着降落傘從高處跳下。至於跳舞派對，便更加大膽了。

一個加州的社會學家說：「這班時代阿飛是我們病態社會的寒暑表。他們是戰爭，貧窮，政治的產品。」

一個廿歲的阿飛靑年說：「世界是這麼大，但我的快樂多麼渺小，我幾乎找不到立足之地。我告訴我，我們爲什麼要痛苦呢？」

在三藩市內，究竟有多少此類阿飛靑年呢？這是一個疑問。職業性的約有五千名，至於業餘的，爲數達三萬名。他們的勢力龐大，差不多成爲一種潛在的力量。

月前，「新聞周刊」的專欄作者赫斯堡特別前往該區實地採訪，他訪問一位廿歲的女子，名字是巴莎，金髮的，她說：「時間終於來臨了，男女終於變了眞正的朋友。是的，眞正的朋友，你知道嗎？這種感受是非常特別的，因爲這樣，才可以隨意交換思想與感情。這種心靈交流，不受人爲的障礙。這是一個理想的境界；到這個時候，外貌是不重要的，長髮與短髮都是無分別的。如果單以髮型來判別性別，那是一種侮辱」。

對於性愛方面，他們已認爲不是一件可大驚小怪的事情，他們已不相信什麼貞操觀念，更不認爲結婚是一種美德。不過，他們認爲性愛是生命的一種動力。

他們的家庭觀念是不尋常的。他們說：「從前，是男與女競爭的社會，在家庭亦然。現在，再不是了，應是男女合作的時候。」

醉心對於音樂、繪畫、舞蹈等方式，他們都，認得很。但對於語言，他們另有一番見解，語言爲語言是入類思想的一種大障礙，堅持是受限制的，失去了原來的作用的。

這些浪人是如何生活呢？他們大部份是賣買毒物，那當然是LSD之類。而且，他們不斷誘惑別人吞服的。他們相信未來的人類逃不過LSD所造成的命運。

一個靑年這麼說：「當我們知道一週內的生活已有着落，我們便停止工作了，除非那份工作是有創造性。這不是我們是懶惰，而是認爲活在世上，還有別的事情比工作還有意義。在生命裏，不盡重複同一的工作，是一種褻瀆。這就也是一種創造呀。」

毫無疑問，這班阿飛靑年已成爲美國新生的一代。

郵票僅有使用價值　公衆切勿視爲鈔票

鈔票發行以後，不管它是一元、五元、十元、百元，在銀行方面回籠時只點數目，所以你要以大換小，或以小拼湊換大，皆無不可。郵票則花色種類甚多，一經售出，登記簿上，即行結淸，概不回籠。郵局窗口每日售票，各種郵票與各種面值，皆有細帳，可以隨時點査，其種類與枚數，記載淸晰，絲毫不紊。例如不能多兩枚一元郵票，少一枚兩元郵票，使帳面混亂，難于稽核。況郵票以售出貼用納付郵資爲目的，並不像鈔票可供人持有流通或儲藏，所以郵票規則中限制收回與掉換，並不影响其固有之權利，自與「中央法規制定標準法」無何牴觸。即世界各國郵政，皆無可以掉換之辦

論一誤不容再誤的「中國問題」

（上接第一版）

羅斯陶自從政以後，就變成美國政府的政策計劃者。「戰不勝論」(No Win Policy)就是他提出來的。他也曾爲現在的越戰提出所謂「羅斯陶第六點計畫」。美國空軍轟炸北越，就是根據「羅斯陶第六點計畫」執行的。他替C．I．A．寫研究報告是在一九五四年，那是在十三年以前，徵信新聞說：「也許羅斯陶現在已經修正了他的觀點」。

假如他沒有修正的話，對於目前所謂「中國問題」的決策是有很大的影響的。費正淸是美國參議院中國問題小組的重要分子。十七年前他和拉鐵摩爾主持太平洋學會，據美國國會調查，對中國大陸之淪入毛共，他和拉鐵摩爾有很大的貢獻。他在二次世界大戰以後，擔任新聞處長，用中國共產黨的候補中央委員劉尊棋爲祕書，幫助共匪打擊中華民國的國民政府。他也是十七年前使中國大陸陷共的一小撮親共份子到如今碩果僅存仍然繼續活動的一個，今天是否會蹈十七年前的覆轍，使歷史上的「中國問題」一誤再誤呢？這要看現在的美國政府是否會像十七年前一樣接受親共份子費正淸等這一班人的建議。我們瞭解一個民主國家爲什麼要聽取各方面的意見，我們也懂得反共雖是中華民國的責任，但是反攻大陸是中華民國的主要的任務。在這裏我們祗希望站在全人類新求和平與自由，和美國政府和人民反共的立場來說明我們對美國親共份子所主張的聯俄倒毛維持毛共親俄政權的看法。

四、我們對聯俄倒毛維持毛共親俄政權的看法

我們認爲人類所需要的未是和平與自由。我們不能預知未來的世局將如何轉變，但是我們知道人類必須避免核子大戰[illegible]。如何才能避[illegible]要回答這個問[illegible]這誰在威脅世[illegible]家可能發動核[illegible]一個眞正自由[illegible]國家。美國雖[illegible]但是威脅世界[illegible]是美國。然則[illegible]和平呢？據蓋[illegible]獲得的結果，[illegible]，在一九六一[illegible]九認爲蘇俄威[illegible]百分之三十二[illegible]界和平，百分[illegible]。到了一九六[illegible]着法有改變，[illegible]界和平的有百[illegible]爲蘇俄威脅世[illegible]分之二十，另[illegible]民沒有意見。[illegible]怎樣，美國人[illegible]改變，只有兩[illegible]世界和平的，[illegible]共。假如毛共[illegible]也反對毛共，[illegible]和平的力量就等於一減一等於〇，因此蘇俄才肯和美國和平共存。假如這兩個威脅世界和平的力量，蘇俄和毛共，在親俄的毛共政權領導之下團結起來，就等於一加一等於二，也等於八萬萬人加共產主義加核子武器的無比力量。這時候蘇俄和毛共團結一致的共產集團力量超過美國，爲什麼還要和美國和平共存呢？人類如何才能避免核子戰爭呢？人類要避免核子戰爭，就必須加强民主國家的力量迫使蘇俄和我們和平共存。假如我們能摧毀毛共暴政，重建自由民主的中華民國，使六萬萬中國人和美國團結起來，變成八萬萬人加自由民主加核子武器的無比力量，那時候的蘇俄，將毫無選擇的和民主國家和平共存。我們對美國親共分子主張聯俄倒毛，維持毛共親俄政權便能和平相處，避免核子大戰的看法，祇是一個騙局！人類要避核子戰爭，就必須加强民主國家的力量。這就像一加一等於二和一減一等於〇那樣簡單。爲什麼反共的民主國家一定要維持毛共的暴政呢？我們認爲愛好和平自由和反共的美國人民和政府一定知所選擇的。（完）

郵局與公衆間一個小問題

郵票何以不能掉換

南盧

法，都視爲與鈔票不同。我國的用郵公衆，或誤認郵票即鈔票，鈔票可大換小，或集小換大，在觀念上發生了重大歧誤，以致與郵局窗口人員發生爭執。因爲郵局窗口人員與公衆，既非人人讀過法律，誰也解繹不淸，或聽得明白那些法律轍兒，如「郵票僅有使用價値，而無流通價値，與一般有價證券性質不同，不適用民法債篇之規定」，然其不能掉換之理由確在此。

郵票未廢止使用　不可歸責于郵政

郵票既然規定供公衆在郵件上貼用爲目的，因此，集郵者與郵票商大量購藏的郵票，祇能由郵票社或郵票公司自由買賣。倘認與鈔票相同，則可以郵局掉換他種郵票，或要求郵局兌回現欵了。唯其不同于鈔票，不能掉換，故以往會有人大量購進花蝶郵票，如囤貨般希望漲價。結果因無人問津，資金拆息之損失日增，于是急求脫手，貶價出售，在郵政史上確屬創聞。

公衆或對郵局依據郵政法第十條：「郵政機關得呈請交通部轉呈行政院核准，將其發行之郵票廢止之，但應于一個月前公告，並停止其售賣」及同條：「持有前項廢止之郵票，自廢止之日起，在六個月內，得向郵政機關換取新票」一發生疑問，認爲郵局對于發行之郵票，亦有掉換新票之可能，則不妨修改郵政法以便利公衆：因一國之憲法尙可修改，郵政法何獨不然？就前一點而言：郵票發行過久者，恐仿僞造，無法辨認。政府爲杜絕流弊起見，自不能不時換新票。又紀念郵票爲特種郵票，尤無永久通行之必要。故國家對舊日發行之郵票，不能不有宣告廢止之權。但就後一點而言：郵票一經廢止，則存有是項郵票者，將遭受意外損失，故郵政法上明文規定其換取新票，且規定其換新之限期，俾資如期結東。至未經廢止之郵票，尙未喪失其使用價値，亦不可歸責于郵政機關，自不可與該條換新之規定，相提並論。（下）

因他二人奉到的命令：只宜堅保全軍爲上，不得出戰。但蔣舒有意降敵、故佯對傅僉說：「今賊兵到來，而閉城自守，非良圖也」。傅僉說：「受命保城，以全城爲功：今違命出擊，若喪師辱國，死而無益。」蔣舒說：「你以保城爲全功，我以出戰克敵爲功，請各行其是好了。」於是蔣舒率其部衆開城投降胡烈，同時又勾引胡烈軍乘虛攻城，傅僉拼死格鬥，力盡戰死。魏人很欽佩這位義士，爲之歎息。

另一路大軍，以鍾會爲統帥。會字士季，魏相國鍾繇的兒子，此人文武兼資。鍾會攻樂城不下，聞關口已下，遂不攻樂城，逕長驅而前。張翼、董厥剛到漢壽，姜維廖化只好丟了陰平而退，正與張翼、董厥合兵一路，退保劍閣，與鍾會相拒於劍閣。鍾會給姜維寫了一封信以諷之。信說：「公侯以文武之德，懷邁世之略，功濟巴漢，聲暢華夏，遠近莫不歸名。每惟疇者（從前也），曾同大化（言同隸一朝也。）吳札、（延陵季子）鄭僑（子產也。言季子能尊上國、子產善處兩大。）能喻斯好。」（鍾會以此諷姜維必能喻斯好意也。）

姜維不理他，也不作回信。「列營守險，鍾會不能克。」糧運又遠，打算還歸。不料另一路大軍，由名將鄧艾統率，由後緊緊追趕，到了陰平，便冒險急轉而南，經過平武的左担山，就可以從江油而趨綿竹（今綿陽）。此路形勢險峻異常，鄧艾的兵行無人之地七百里，鑿山通路，造作橋閣，越高山深谷而進。鄧艾自己自裹氈，推轉而下，確是捨死忘生。因鄧艾軍深入不毛之地，糧食將盡，乃激勵士衆，只有前進則生，後退則死，士氣當是「置之死地而後生」的心理，故能一往無前。前部抵達江油，即今四川江油縣東，後蜀漢守將馬邈投降。蜀漢衛將軍諸葛瞻，即諸葛亮的兒子，從涪州還兵縣竹，（即今縣竹縣東，當江油之西南）嚴陣以待。鄧艾先遣使持書招降，諸葛瞻斬其來使，準備死戰。鄧艾命其子鄧惠，出其右，司馬師纂出其左；鄧忠、司馬師纂初戰，被諸葛瞻殺得敗下陣來。鄧艾大怒：「存亡之分在此一舉，還有何不可能之有！」乃再命鄧忠、司馬師纂再出死戰。於是諸葛瞻不敵，殺得屍橫徧野，諸葛瞻及其子尙戰死於沙場，同時盡節戰死的尙有尙書張遵等。諸葛亮父子一門忠烈，實在値得大書而特書。諸葛瞻死時年三十七歲，死得可惜！

九十　劉後主葬送蜀漢祚　姜伯約孤臣難回天

鄧艾的兵是一枝孤單，只能進不能退的，自然拼命死戰，其鋒不可當。然而其實是孤軍深入重地，假使後主堅守成都，此時劍閣尙未破，鍾會的大軍不得進，鄧艾外無援兵，終成甕中之鼈。然而後主胸中無主，本想奔東吳，可恨譙周這老頭兒極無氣節，他對後主說：「東吳去不得，江南遲早也是司馬昭掌中之物；如其到那時投降，不如現在投降。因爲東吳未破，尙可保證不會加害」。後主仍猶豫不決。

（一三七）

平劇繽紛錄

談「張飛戲」芒碭山

。桂良。

前期談：「張飛戲」之「打曹豹」宜包括在「奪小沛」之內，會見外江派演「轅門射戟」有報「奪小沛」者。劉備既因張飛醉打曹豹，而失徐州，「白門樓」殺了呂布之後，劉關張隨曹操至許都。「衣帶詔」之禍未作，劉備藉攔截袁術，為操督兵五萬又到徐州。劉關張戰敗了袁術，關公又斬了徐州刺史車冑，於是重新坐鎮徐州。曹操知關公「斬車冑」，派前軍劉岱，後軍王忠，引軍五萬，打着丞相旗號，去徐州攻劉備。關公擒了王忠，張飛擒了劉岱。劉備縱王、劉二人回許都向曹操申辯：前斬車冑，乃車冑先起不良之意。劉、王回見曹操，同言劉備不反之事。曹操本來欲斬劉、王，因孔融之言，暫時擱置。

那時，劉備因徐州為四戰之地，自己和張飛屯小沛，命關公守下邳以為犄角之勢。原可相安，暫時無事。怎奈「衣帶詔」案發作，曹操在許都殺了董貴妃、董承、吉平、王子服等。因馬騰、劉備，名列「衣帶詔」，操書慰西涼馬騰，並誘馬入許都。曹操一面起二十萬大軍，分兵五路下徐州。張飛夜襲曹營失敗，欲還小沛，去路已斷，欲投徐州、下邳，又恐曹軍截住；尋思無路，只得望芒碭（石旁下同）山而去。後來關公保護二位皇嫂，往汝南進發，遙見一座山城，公問土人：此是何處？土人曰：此名古城。數月前有一將軍，姓張名飛，引數十騎到此，將縣令逐去，佔住古城，招兵買馬，屯粮積草，今聚有三五千人馬，四處無人敢敵。

以上是看「張飛戲」芒碭山，必須知其經過，因為演義上祇寫「張飛望芒碭山而去。」編劇者藉此寫三爺上「芒碭山」落了草，當了公道大王。

大宛劇團名淨王福勝，年近古稀，他能演全「張飛戲」，演得出神入化，故此前年，他在「關張戲」「古城會」奪得淨角金像獎。他的扮像、個頭、氣概、神韻，特別是臉譜，一看就是一個大角色。再論他的身上，特別是武活，他脚底下那份乾淨俐落，是後輩藝人所望塵不及。他在武戲方面，不論那一齣，都有他的獨特、奧妙的招式。

他演「芒碭山」的張飛，有大段西皮流水，歷數桃園結義、鞭督郵、破黃巾、戰呂布、打曹豹，以迄徐州兄弟失散之經過。他落草却愛百姓，民望歸之。古城百姓受了縣令強征暴索，便向他訴願。他便率民下山，佔了古城，才有「古城會」。編劇若不起一個空中樓閣的「芒碭山」、「古城會」便沒有來由了。（三）

郁達夫與王映霞

。夜闌。

看到「郁達夫與王映霞」這本傳記式的作品，彷彿會見久別重逢的老朋友一般，興奮地一口氣看完，深欽作者劉心皇選材精當，對郁氏在過去中國文壇的影響作了正確的估價。

我所知道的郁達夫，是一位熱愛自由，淡於名利，飲酒做詩，怡然自得的新式書獃子。從他的初期作品如沉淪、南遷、銀灰的死、她是一個弱女子……等作品看來，好像帶有一點浪漫氣質，走着法國十九世紀浪漫派的舊路。有些人懷疑他與王映霞的結合，也是法國十九世紀那些作家們的浪漫行為，實際不是這樣。郁氏的生活很樸素，終年穿一件布大衫，頭髮擱得修剪，像監牢裏放出的囚犯；而又不長於辭令，除了幾杯下肚，才醉醺醺地和朋友們傾吐內心的抑鬱，談談往事，發幾句牢騷之外，平素很少說話。如果看過他的詩及初期作品，便以為他是世紀末的頹廢派，不能片刻離開酒與女人，是一個隨隨便便，還就事實，毫無主張的浪漫詩人，我認為這都是主觀的臆測！郁氏的格性堅定而剛強，是非邪正看得極清楚。愛自由甚於愛自己的生命，不願意接受任何力量的控制，或任何人的束縛。他愛幹自己願意幹的事，寫自己願意寫的文章，做自己願意做的詩，喝自己願意喝的酒。祇要他願意做的事，就是上了大當，也不後悔，他假使不願意做，就是勉強他，勒迫他，也是徒然。因為他有這種獨立不倚，熱愛自由的人格。很少接受人家的命令來工作，也難得由於編者或朋友的請托而寫作。他過去寫成的小說、詩、散文，[illegible]是出發於創作的自由意志，被興趣與靈感所鼓舞。有時，日夜在寫，有時幾個月不寫一個字。當「創造社」變了質，做了共方的政治工具，首先脫離，遠走北平的是他。到了廿六年全面抗日，武漢做了發號施令的司令台，各方的英雄，好漢，多如過江之鯽，紛紛向三鎮集中。全國性的文藝界抗日協會，在次年二月廿七日成立，郁氏被推為宣言的起草人，後譯成各國文字，在大會成立那天，在會場宣讀，同時發給各國駐華特派記者。郁氏在這一段時間內，做了許多積極的愛國工作。接着台兒莊大捷，郁氏激於熱情，自告奮勇，願與法文宣言的譯者盛成教授，代表「抗戰文協」赴前綫勞軍。沒有見過他的讀者，才知道他原是位愛國詩人，決不是醉生夢死的頹廢派，青年們對他的評價，作了極大的改變；於是，留駐武漢的共方，看中他的剩餘價值，大可利用，立即包圍他、拉攏他，威脅他到延安去工作。郁氏毫不畏懼，即星夜不別而行，隻身逃奔南洋。他在南洋改名易姓，繼續幹着抗日愛國的工作。

二十二年的夏天，在重慶黃君的寓所，郁夫人王映霞突然來找我的朋友，她像有無限的委曲說不出來，祇簡簡單單地說：「我決心離開達夫了！他不顧家，何必要成家。」王映霞本人就是一位賢妻良母型，適宜於做最好的家庭主婦，並不是如同傳說中的風騷時髦，長於交際，為詩人們甘心拜倒石榴裙下的大情人。他們的戀愛經過，同一般人差不多，沒有甚麼特別，不過，達夫會用舊形式的詩，把她聰敏賢慧的內在，端莊華麗的外型，渲染過了分，寫成新式「才子佳人」的濫調，好奇的讀者們加以渲染，就當作偷香竊玉的風流韻事了。凡對他們知道得較多的人，都覺得郁氏可以做大家的好朋友，如果能有人支持他，讓他安心寫作，則在文藝上必有更卓越的成就，但他不能做人家的好丈夫，更不耐煩幹組織，搞政治，他畢竟不是野心家的好夥伴，好同志。王映霞的內在與外型在當時是夠標準的，可是，她不是唐瑛、陸小曼的典型。她是「婚前愛人第一，婚後孩子第一」的家庭主婦，決不能被人家視同小鴿子，摟在懷裏過着一輩子的情人或情婦的生活。這是郁氏所主演的一齣「家庭悲劇」的主因！讀者倘要證實我說法，不妨看看劉著「郁達夫與王映霞」。

試談偏愛的諸葛亮與神化的關雲長

讀「畧評諸葛亮與關羽」之後

周燕謀

觀諸葛亮的遇劉備，要擺出那種高亢的風儀，使人「枉顧」再三，更可證明他很含蓄。下面再看遇時主的一幕話劇，以見他是否「不求聞達於諸侯」呢！「時先主在新野，徐庶見先主，先主器之。」請看徐庶馬上就推薦：「諸葛孔明者，臥龍也。將軍豈願見之乎？」先主曰：「君與俱來。」庶曰：「此人可就見，不可屈致也。將軍宜枉顧之」。於是「凡三顧乃見」。徐庶既投奔先主，一見就推出孔明來，而且還說：「諸葛孔明者，臥龍也。……」這種情況的表演，徐庶真正是來出仕的嗎？我細察他不是，他的任務可能是來為那位高亢的臥龍出山鋪路的。中國古代很多的文士，都有這風氣，這樣才能顯示他的「不求聞達」，使時主死心踏地去信任他，重用他。不過歷來的其他類似的情形沒有諸葛亮顯著就是了。我們看：徐庶鋪路之後，劉備「如魚得水」不久，就是在同一年（建安十二年）徐庶藉故老母被俘了，「方寸亂矣」，就匆匆而去。這時他的任務已完成。後漢末年，羣雄割據，天下擾攘，中原以及東北方面的策士，大都跑到荊州一帶來了。當時局勢，曹操挾天子以令諸侯，江東有孫氏父子弟兄割據，能夠成王霸之業的地方，只有荊益二州，尤其荊州為各方面爭取的要衝。當時劉表闇弱，劉璋也是自保不及之徒，這兩塊肥肉，才是諸侯爭奪的目標。誰佔到這兩地方，誰就稱王號霸。孔明就是為此而來，其他的文士來的也很多。如果孔明立志是要作一個耕田的農人，在自己的老家，耕自己的田地，豈不更方便嗎？幹嗎要千里迢迢到南陽來耕田呢？古人為文，多半有點文過飾非的。不僅他不是「不求聞達」，而且他在南陽躬耕都不大可靠。他在荊州一帶游學的事，本傳記述明確。縱使相信他有「躬耕」，也無非作為一種掩飾，或者作為一種消遣性的耕種而已，其自比管、樂，相信他志不在耕種。隆中之策早已擬定更可證明。

諸葛亮遇劉備的兩種記載，與「三顧」相反的，却很少有人論及。根據「魏畧」和「九州春秋」的記載，孔明是自去投劉備的，因為「三顧」為後世所稱羨，便使此說湮沒，知者不多。魏畧說：「亮知荊州須受敵，而表（劉表）性緩，不曉軍事，亮乃北行見備。備與亮非舊，又以其年少，以諸生意待之。」司馬彪的「九州春秋」亦同此說。不過我們應該採信本傳，然而對此「三顧」相反的二說，在此一併記出，畧備一說。不管「三顧」也好，自干也罷，仍不損於孔明的人格。一個人成功失敗固然也有時勢環境的因素，但最基本的條件，還是要靠本領。一顆明珠會發熠熠的光彩，但也要有志有識者的發掘。

對於孔明有好感的很多，一個人有大本事和好際遇，成了大功，立下偉業，小疵也就可以掩蓋下去。但如果如姚秀彥君者，孔明就是一個亙古的完人。（二）

我家閻王爺的爹

絲絲

娘是個教書匠，俺家又請不起女工，所以娘每天早上總比老公雞還要早點起床。緊接着，就是一陣忙胡兒。但每在這不可開交的當兒，只要聽到一聲比銅鑼還響的吼：「秀琴哪，拿烟！秀琴哪，泡茶！」娘準照例的先警告俺姊弟幾個：「閻王爺子醒啦！小心點。」要不然，待會兒，皮帶上身可就活該。（爹打人都是就地取材的，由於離爹最近的是他自個兒紮的皮帶，所以爹通常是用皮帶抽俺幾個的。）俺總弄不懂，爹那烟呀，往往在他床邊兒，只要一伸手就能夠摸着，為什麼老是非得把忙得昏頭轉向的娘叫來拿不可？每天早上六點到八點，爹必定躺在床上吞雲吐霧，悠哉游哉，一動不動地呼大喚小，他那神情，就像指揮嘍囉兵似的。

不知是子不嫌母醜，還是怎地，俺總覺得世界上誰也比不上娘，誰也沒娘好；可是爹總把娘罵得一無是處。經常，爹一閒下來，就把娘給奚落一頓：「妳看妳那小樣，一天到晚渣渣胡胡的，走起路來，撇啦撇啦的活像隻老母鴨。看人家張太太、李太太哪一樣不比妳強，不比妳能幹？伺候丈夫多週到！……」這會兒，娘只有低首不語的份兒，要不然一吭聲，輕則換來爹一陣：「×他媽的」「×他祖奶奶的！」不用一下工夫，便把娘的祖宗八代都給捧出來了；重則，索性把他在日本留學時學來的正宗柔道，再加上太極拳，統通使出來，對娘演習一番。但每在這緊要關頭，俺必會把心一橫，抱着大無畏的精神，領着弟妹，蜂湧而上，瞎拉瞎扯爹的膊、腿。這下慘啦，不用一會兒，俺個個準都鼻青眼腫，災情慘重了。

爹的脾氣，就像不定時的炸彈，難以捉摸，一不小心就會爆炸。因此，爹要是一在家，娘跟俺幾個，老是提心吊胆的，盡最大的努力「肅靜」「迴避」！現在，這四個字，是俺家娘兒們的默契，只差沒有兩個牌子罷了。

爹常說娘笨，敗家！所以俺家的經濟大權，是爹掌管的。娘一發了薪水，總是連袋子也交給爹的。可憐哪！俺娘兒要一分錢，真比登天還難。爹又是拔一毛利天下而不為的人，一大堆親戚朋友，就沒一個沾過俺爹一點兒光的。照這樣說來，俺家總該頗有幾文吧；其實不然，一年三百六十五天，倒有三百六十六天鬧經濟大恐慌。說起來誰也不信，這是眞話，且聽俺慢慢道來。因為爹呀跟他那最親愛的心肝兒、寶貝兒——十三張，一年到頭難分難捨；所以一有兩個錢，就在家裏坐立不安，非得出去不可。（上）

床與人生

。路加譯。

倫敦一位生理治療家綺麗嘉．莎莉絲蓓理小姐，於睡眠之道，有多項的意見。她認為人們躺在床上，切勿將一腿擱在另一條腿上，她說：一腿擱在上面的一條腿，會使下面腿子的膝蓋關節緊張地壓制，進而引致好幾年痛楚的。

這位小姐創設保持體態講習班，專向那些年老的人灌以有關的知識。她深信許多她底學生在她（他）們的生活裏，有着不良的睡眠習慣，或是沒有一張舒適的床子睡眠。

就拿枕頭來說，她認為枕頭是很重要的，同時應該慎重的選用才對。通常一個枕頭已足，如果在睡眠時沒有枕頭，或是過多，都會引致頸部給緊抑產生痛楚的危險。（二）

內警台報字第〇三一號內銷證

自由報

THE FREE NEWS

第三六七期

中華民國僑務委員會頒發
台教新字第三二三號登記證
中華郵政台字第一二八二號執照
登記為第一類新聞紙類
（半週刊每星期三、六出版）
每份港幣壹角
台灣零售價新台幣貳元
社長：雷嘯岑
督印人：黃行耆
社址：香港銅鑼灣高士威道二十號四樓
20, CAUSEWAY RD 3RD FL. HONG KONG
TEL. 771726　電報掛號：7191
承印者：大同印務公司
地址：香港北角和富道九六號
台灣分社
台北市西寧南路壹壹零號二樓
電話：三〇三四六
台郵撥儲金戶九二五二

由中東危機看宇譚不懂外交

・宋文明・

這次中東危機的發生及嚴重化，原因很多；但其中一個最重要的因素，便是聯合國秘書長宇譚的處理方式，犯了一個重大的錯誤。五月十七日，阿聯總統納薩，突向聯合國發出通知，要求以、埃邊境緩衝區的聯合國和平部隊立即撤退。而宇譚接到這一要求後，毫不加思索，不向聯合國安理會或大會提出報告，不向有關國家發出呼籲，甚至不向派遣和平部隊的各國作一通知，竟於兩日之內將聯合國和平部隊撤退完畢，讓阿聯軍隊進駐這一地區，使阿聯與以色列兩者重新進入了短兵相接的地位。

假若宇譚接到這一撤軍要求後，不立作接受，而改採另一種方式，多事拖延，一讓時間把整個問題予以緩和後，再來處理應否撤軍的問題，則局勢的演變，可能就會有不同的發展。而且據一般瞭解，阿聯總統向聯合國發出撤軍要求，主要只是一種姿態，表示他支持敘利亞的處境及要求，忠於阿拉伯同盟的理想。假若他提出這種要求之後，宇譚不即予以接受，阿聯在對外方面可能仍要表示不滿和抗議，但在對內方面，它表示已盡到了它的責任，掙得了面子，便可隨時準備把局勢緩和下來。相反的，阿聯提出這一要求之後，宇譚立即予以接受，把聯合國和平部隊從爭執地區撤退，反予納塞一大難題。在那種情形下，阿聯部隊假若不立即進入這一地區，則納薩將在所有阿拉伯人面前失盡威信；假若阿聯部隊立即開進這一地區，則以、阿衝突大門已開，則納薩便沒有理由不作進一步的行動及要求。所以聯合國和平部隊從以、埃緩衝區撤退之後不到四日功夫，納薩便毅然宣布封鎖阿卡巴灣，阻止以色列船隻由此進出，遂使整個局勢更趨於惡化。在表面上看來，這好像是納薩的一種貿然挑釁，但在實際上，自從宇譚不加思索，接受撤軍要求後，納薩除了硬着頭皮，作此行動外，實別無他路可循。

那麼宇譚何以在這樣一個重大問題上如此輕率行動？根據宇譚自己及其助手們事後的解釋，這種原因在於：

（一）在納薩發出這一要求後不久，阿聯部隊事實上已佔據了原由印度及南斯拉夫籍和平部隊所駐守的若干據點。而且由於這兩國在外交上一向與納薩接近，所以已經表示接受阿聯要求，除非聯合國接受阿聯要求，它們將自行決定撤退。

（二）一九五六年聯合國部隊的進駐以、埃邊境，雖由聯合國大會所授權，而其實際的協議及和平部隊的組成，則完全由聯合國秘書長所經辦，所以聯合國秘書長也有自行決定阿聯要求的權力。

（三）另有一個原因為宇譚本人所不承認，但為聯合國內外所普傳的，便是宇譚與納薩之間的個人友誼。過去作為一個亞非集團的代言人，宇譚無疑非常同情納薩的作法，并與納薩有聯繫，今納薩向他提出要求，在其私人情感上即無法予以拒絕。

在這種種說法中，不論何一說法為最重要，影響了宇譚這一決定，而實際都是沒有理由的。就以第一點來看，所謂印、南籍和平部隊在納薩要求之下，有自行撤退之說，只是一種揣測之辭。我不相信以印度與南斯拉夫的向以世界和平調人自居，以排難解紛為能事，而竟在此關頭，反而不顧已負和平使命，催發另一嚴重衝突。假若它們眞這樣做，則表示它們的外交政策已有重大改變，將完全放棄過去那種辦法。可是在其他方面，我却看不出它們有這種改變外交政策的跡象。而且聯合國和平部隊中除印、南兩國外，還有其他國籍的部隊可資調用，縱使印、南部隊有了問題，而整個和平部隊也不致解體。再就第二點來看，聯合國和平部隊的駐守這一地區，其一切責任都是屬於聯合國，其一切決定也應該完全由聯合國來作。而秘書長的當年負責進行各種安排及談判，只屬一種行政工作，并不能超越或代替聯合國的原始授權。若聯合國授權秘書長所經辦的一切事情，不呈報聯合國大會或安理會，而就能由他自行決定存廢，則聯合國事實上就無法存在，秘書長亦未免有過份越權之嫌。至於說因其與納薩具有私交，同情納薩立場，就輕易接受其要求，更是一種感情用事的荒唐行為。

假若宇譚的接受阿聯要求是出於第一種說法，那表示宇譚沒有担當，沒有處理這種問題的經驗。假若是出於第二種說法，那表示他根本不瞭解秘書長這一職位的性質及權限。假若是出於第三種說法，那表示宇譚沒有資格担任這一聯合國秘書長的職位。不論如何，由宇譚的處理這次中東危機，輕易接受阿聯的撤軍要求，便可看出他這個人對於所謂外交，根本就一竅不通。所謂外交，根據過去大英帝國外交家們的傳統解釋，是一種「鑽探的藝術」。即是沒有空隙中找空隙，無法協議中找協議，并要在危機中能挺得住，威脅中有耐心。而這次宇譚的應付中東危機，則完全不明瞭問題的眞相，不明瞭當事者的心情，一遇威脅，即沉不住氣，手忙脚亂，當然更談不到鑽探藝術了。

讓我重說一次，事實上，宇譚接到阿聯的撤軍要求後，他還有很多辦法可資採用。最主要的，他可以先行召開一次安理會議以決定究竟。等到這種安理會議沒有獲得結果，或阿聯拒絕了安理會的決議，他便可親赴開羅一行，向納薩作直接呼籲。假若納薩仍然不作退讓，他可以向蘇俄及其他有關國家作請求，出而予以協助調處。這樣最少將可經過兩個月的時間，那時找不出滿意解決辦法，時間也將會使局勢逐漸緩和下來。過去我總認為宇譚對若干問題的瞭解相當深刻，可是經這次中東危機後，我發現他實在不懂外交。

各幹各的

他還有「一隻手」？

今日與明日

以阿戰爭終於爆發

由納薩封鎖阿卡巴灣所引起的以阿戰爭，終於爆發。在戰爭未發生之前，筆者曾經同友人談過，斷言埃及軍決非以軍對手，但是，此次埃軍敗退竟然較一九五六年蘇彝士運河之戰敗退更快，到確實出乎意料之外。因為蘇彝士運河戰後，以軍所以能席捲西奈，殲滅埃及軍數師，實得力於戰爭初起，英法聯軍飛機將埃及空軍全部摧毀，所以一敗塗地；但此次並無英法空軍助戰，而埃及自上次敗後，納薩銳意圖强，在蘇俄接受了大量米格機，並派出人員到蘇俄受訓，空軍方面縱然在質上遜於以色列，但在量上一定多過以色列，雙方實力應該相差不遠，何至在二十四小時以內，制空權全失？此點眞非事先所能想到矣。

埃及孽由自作

二次大戰後，新興國家紛紛獨立，在亞非兩洲出了許多光怪陸離的政治人物，其中最壞的要推尼赫魯，是個政治小人；最兇暴的要算毛澤東，是個政治强盜；而最沒出息的要數納薩，是一個政治流氓。由這一次經過更可以看出他的眞面目。

阿拉伯人該不該反以色列，是一個政治問題，由於各人的看法不同，立論也各異。就筆者來說，就是覺得阿拉伯人反以色列，實在有正當的理由，尤其是約但統治下的巴勒斯坦難民，都是以色列建國後硬將境內阿拉伯人趕出，由外國遷來的猶太人去居住。阿拉伯人被趕到巴勒斯坦，隔着一個小河，或者一道鐵絲網，眼看着以色列人住在自己房子裏，開着拖拉機耕自己的土地，換了我們作何感想？我們若說阿拉伯人要打回故土，重建家園，不對，則我們今日反共復國，也是多此一舉了。

不過，我們雖然衷心同情阿拉伯人的處境，却不能原諒納薩的行為。因為納薩所作所為並非為了阿拉伯人收復故土，而是藉此樹立自己的霸主威權，想作一個君臨阿拉伯世界的謨罕默德。而納薩多年來所作所為，也不是為了對付以色列，實在是專門對付異己的阿拉伯國家！一九五七年主使暴徒顛覆了伊拉克王國，殺死伊拉克國王及王室所有人員，一九六三年又顛覆了也門王國，十多年來又千方百計要顛覆沙地阿拉伯與約旦，幸未得手；目前在也門保皇軍還牽制了五萬埃及軍，也是埃及這次敗績的原因。像這麼一個領袖，其行為尚趕不上一個上海灘的流氓，若能成事，寧有天理？只是被他牽着走的阿拉伯國家太可憐了。（何如）

自由談

怪象

馬五先生

轟動海內外視聽的台灣黃豆賄賂案問題，最近經過二審法院判決了，被判有罪的人聲明再要上訴，被判無罪的，亦有法院檢察官認為於法不合，同時提起上訴。關於法官審判本案的是是非非，我們不必置喙，且看最高法院最後如何定讞吧！

我所不能已於言者有兩點：一是本案被告多數都是中央級民意代表，這些人既有收受賄賂而為黃豆政策替商人說話專利的事實，如果執行黃豆政策的行政主管官員不狼狽為奸，則民意代表替油商作利的主張絕對沒法實現的。於今民意代表的受賄行為被發覺，依法究處了，何以未聞有行政官員置之於理者？若說沒有證據，那因豆案而被判徒刑暨追繳賍款的爰書，不是彰明較著的證據嗎？一經查究，必能廉得其情，無所逃遁的。這等於男女通姦，只認定一方有罪，豈得謂平？我敢作大胆的假設，行政主管官員所吃的「豆油」，其數量必超過那幾個民意代表的不法利得若干倍啊！

二是那價值十幾億新台幣的黃豆，不翼而飛，顆粒無存了，這究竟是怎末回事？何以不弄個水落石出的結果，而只是一面法辦了幾個倉庫小職員和油商，一面由省府決議，飭令鐵路局分期賠償二億元台幣了事，其餘十億元的國庫損失，即存而不論了，不亦怪哉！尤其是台灣省政府教鐵路局賠償黃豆價欵兩億元的決定，——實際是無端增加民衆的負担，究係根據甚末法令而然的，實在莫名其妙！

黃豆案原是去年在立監兩院鬧得很厲害的所謂「五大疑案」中之一，自從法院治罪後，其餘的四大疑案却沒有人過問了，這又是怎末回事呢？如果那四大疑案皆屬「事出有因，查無實據」的訛傳，政府似應加以澄清，藉正觀聽，監察院更應該詳細調查，俾明眞象，決不宜於鬧過一陣之後，當伊嘸介事，不聞不問，這樣便是有虧職守，辜負了人民的委托，民衆就有權提出質詢的。

咱們國家的法律應有儘有，不愧為法治國了，然在事實上，距離法治的境界很遼遠，可嘆可嘆！

隸屬省政府社會處

國民就業輔導室四年來幹些什麼

——本報記者熊徵宇

印一本書 三十五萬

「職業分析」這個項目，用意乃在從分析上了解從事經濟活動的人力資源，和它發展的趨勢。五十五年度列了三十五萬的預算，委托「國際就業安全協定中華民國分會」印了一本「職業分類典」。這本書的印刷費化了十五萬；再以資料費、審查費、檢討會費、加班費、午餐費等名目，報銷了二十萬。

我們看不出那本書有什麼理由要支十五萬的印刷費。同時，那本五十五年九月出版的「職業分類典」，是五十一年所印的分類典的再版本。那麼所謂資料、審查、檢討等等的費用，怎樣報銷得下去？是不是因為社會處長傅雲是那分會理事長的原因，就不得而知了。同時既然是再版本，又為什麼要「委托」？真是花樣百出，一言難盡！

性向測驗 出書報銷

「性向測驗」這個項目，去年列了四萬塊錢的預算，由台南中心的主任黃育燦從日本帶回一本小冊子，翻譯成中文，算是對這個項目交差。這個譯本，列為「台灣就業輔導叢書之四」，書名是「日本職業適性檢查」，六十磅木造紙印，三十二開本，一百十一頁，報銷了四萬塊錢。

這玩意的功用在哪裏呢？一個民族有一個民族的性向，日本人的「適性檢查」，能合中國人用嗎？

輔導服務 盜賣試題

「輔導服務事項」，是替求才的僱主辦理代招代考等的有關人事服務。五十四年，台北中心接受海員公會的委托，招考海員，國民就業輔導室的台北中心，暗中盜賣試題，經人密告，監察院查有事實，於是由台北地方法院提出公訴，有人判了徒刑。

這件事情的傳說很多，我們暫且不談。但是從出賣試題這個事實來看，就可以說明這班人是多麼胆大妄為。

有人說賴潤和被判徒刑，乃是一種「頂罪」。他為什麼願意坐牢？其中自有道理。讀者想想，就可明白。

服務站 毛病大

設在新庄、桃園、新竹、屏東的四個工作服務站，每個站每年的經費是二十萬。但是每個服務站只用一個站長名義的職員加上一二個雇員，三個人的薪津，不過二千多元；房租二千多元，辦公費五百元，每年也不過六萬多元。其他的十三萬多元，用在什麼地方？

四個服務站，五十多萬元，搞到那裏去了？

四個服務站的四部電話，一部裝在社會處副處長的家裏；一部裝在國民就業輔導室主任楊仁夫家裏。道兩個家，都在省府所在地的中興新村。

假出差 真分賬

就業輔導室主任楊仁夫，每個月至少有二十天在出差。但是出差期間，人又在就業室辦公。如果查查他處理公文的日期和簽到簿上的「差假」，就可以知道他沒有把公務員的法令放在眼裏。

就業室的假出差很多，楊仁夫把那些出差費分為三類：

一、甲級：每月可報假出差一千元。

二、乙級：每月可報假出差八百元。

三、丙級：每月可報假出差六百元。

但是各級人員假出差，報領旅費時、一律要繳出半數，作為楊仁夫的交際費用。這筆為數不少的回扣，由一位股長經手。

上下其手 勾結舞弊

上面所舉的這些事例，我化了三個多月的時間採訪，使我萬分吃驚，真是不可思議的！真是不敢相信我們的社會福利工作，是這樣的偷天換日！這樣的盜名欺世！這樣的目無法紀，這樣的營私舞弊！這班人在民生主義社會福利政策的招牌下面，在宣傳技巧手法之中，置國家政策於不顧，置總統關懷社會福利事業的德意於腦後，如此胆大妄為，叫人怎敢相信！

省府的財政，這般困難；增值地價稅的社會福利基金來得好不容易！讓他們這樣上下其手，勾結舞弊，影響政府的威信，破壞福利政策，國家還有法律嗎？

政府當局 應該澈查

民生主義現階段社會福利政策是執政黨促進社會與經濟均衡發展達成民生樂利社會安和的政策，不能容許任何人破壞，不能容許任何人違反！所以記者要寫這篇稿！以一個國民黨黨員的身份和新聞記者的立場，來揭開這個黑幕。

記者要求政府當局和民意機構徹底查明這項工作的負責人和這些舞弊瀆職的事件！

台灣省各縣市都設有「國民就業輔導所」，這個工作可以交給他們辦。所以社會處的國民就業輔導室和五個中心、四個服務站都應該撤銷。（完）

台灣的廣告事業亟待整飭

本報記者李忠道

綜上實例，吾人對不良廣告的範疇當可獲得約畧的概念。我國新聞界甚少注意及此。雖然，歷年亦常有讀者提出肅清不良廣告的投書，全國報界聯合會也曾通過：「勸告勿登有惡影響於社會之廣告及新聞」的議案。但是，何謂不良廣告的範疇，既不能確定，而報紙廣告之淨化要求，自未能達到。我國各報也大都未有廣告規約的厘訂，是為憾事。

各新聞事業機構均有其拒絕刊登廣告之權，但所拒絕的類別，各隨其政策而有所不同，像美國某基督報不刊與其宗教立場相違背的廣告，紐約時報在廣告規約第十四條中特別提出一項「本報認為不值得刊登之廣告」，所以該報為此會拒刊紐約市政府的廣告。有一次紐約市政府表示願將市政府所有全部約計十五萬元以上的廣告均交與該報刊登，但紐約時報並不見利忘義，自認為他的銷路大多在外埠，在紐約本市的讀者並不算多，乃斷然拒絕接受。

一般說來，廣告力量在經濟上是有貢獻的，也是不可缺少的。但是，從事廣告業者漸漸影響社會，其誘入廣告，確乎使人能不無憂！

凡有責任感的工商業領導者應該為社會大衆的福利着想，對於當前廣告的運用技術必須重新檢討。某些趨向為有識之士所感不安者，似宜首先予以考慮。

廣告人士有相競走向使人馴服和盲從的趨勢，許多廣告人士的所作所為引起大衆心理上的不安。他們常常鼓勵一些不合理的行為。當他們慫恿人們購買商品的時候，只重外表的誘惑力，而忽畧商品品質的優良。

尤其盡量發掘人們的弱點，廣告人「投其所好」，毫不遲疑的加以利用。

不少的廣告人士極力鼓勵社會大衆的浪費，而不顧國家資源的短缺，更不計「毋忘在莒」之國仇家恨。他們故意使我們增加虛榮感，對許多的物質感到不滿足。

試觀世界各先進國家，在廣告與宣傳上皆有專門機構負責管制，而我國則即使有似亦未嚴格執行，致令有些廣告內容，頗有虛張聲勢及猛吹瞎扯之嫌。

然而，然而，然而——台灣的廣告事業，究應如何善為改良，方能使前途大有可為？

無他，首應由全國新聞事業機構率先躬行。新聞事業機構，基於其所應持的公正立場及秉於本身之任務，對於廣告，應該遵循守法與公正的原則，如能斷然拒刊不良廣告，則必使社會耳目一新。

全國工商界及廣告業者，尤須配合當前國策，適應社會需要，本福國利民之旨，加強廣告設計，注重文字與圖片配合，進而從事「廣告創造」之研究，務使此一現代化的廣告，文字清新易讀；圖片主題正確，圖文並茂的配合得恰到好處。（五、完）

高市府地政科又有傑作

繼「炒地皮」一案後

（本報記者趙家驊高雄航訊）高雄市政府地政科，繼「炒地皮」一案之後，目前又以威脅恐嚇方法逼使本市林德官趙加福等四兄弟將土地讓予：（一）八位退役軍人——購買轉賣。（二）劃出一百坪土地予水產課長薛葆驥蓋公館。以上兩案糾紛迭起，相持不下，若地政科繼續施予恫嚇，未來事態的演變，是很難預斷的。

據趙加福呈送總統府、立法院、監察院（監委陶百川已有函覆）、警備部、國防部、輔導會、省議會、市議會、地檢處、市政府、警察局等機關之陳情書內稱：竊民等先父趙包在世時，歷代承租省（市）有地林德官段第七十三號之一，及同地段八十二號之一、二、三、四、五、六、七、八號維生；數年前接市府通知，以輔導會函請撥地與退役軍官張國選、陳琳、楊英等八人自建眷舍，遂將民等賴以維生之同地段八十二號之一至八十二號之八等八筆土地，予以劃撥。當時先父不予同意，張國選等遂利用種種關係威脅，並偽稱無眷舍配給，須自建居住。先父被迫不得已，在必須由張等本人即時自建住宅情形下，勉強同意。張等攫得轉租後，遲遲不予建屋，並於中途頂讓與非軍人市府職員劉正渠等人。先父被其詐騙，遂含濆以終。

數年來，張等不獨不建眷舍，且於去年十月間蒙騙市府，謂已建屋其上，申請購買。市府未查眞象，遂以每坪一七〇元之低價承購，又將部份土地轉售市府職員賈大文（財政科），其餘部份則轉售建築商建築房屋圖利，轉瞬間獲暴利達百萬元以上。竊維保障佃農耕作權，乃政府造福台灣農民之賢明措施，平抑地價亦政府一向重要國策。故省（市）農地有必須先蓋房屋始得承購之規定，並嚴禁頂讓出售。

今張、陳、楊等八人已配有眷宅，彼等竟欺騙政府，偽稱已建眷宅申請購買，套取暴利。如此作法，既違背國策，復乖輔導會函請撥地建造眷舍之厚意。竊民等全家世代皆賴此土地維生，得之則溫飽，失之則饑莩，關係全家大小十餘口生死禍福至鉅。

另該八人中有楊鶴齡者，數年前病逝，中途以權利頂讓設籍鳳山配有甲級官舍之楊英。按政府規定，根本彼等無申請高市耕地建屋資格，何能頂套圖利？

總上所述，張等以非法手段奪取民有耕地于前，復高價頂售於後，固不論其成交與否，皆屬非法行為。依法此一買賣當屬無效，且已構成詐欺背信罪行。

關於八退役軍人所購之三百八十坪土地，據趙加福說：都是省有土地，且購去後仍由他們納稅，一坪以一七〇元，轉手之間賣二千多元。他復稱：這筆土地市政府處設一個合作農場，其實場長楊順太甘願受地政科利用，把土地名義上交給農場放租，實際上農場不過是一個傀儡而已，他所得的利益是每坪土地賺一半錢，這不管中間剝削。我父親趙包在世時，地政科透過合作農場與他談了三次，說市府要征收土地，我父未答應。有一天我父赴鳳山，楊順太與退役軍人把他弄進三多路派出所，我父被迫說：『市府既要收回，按情理說，予退役軍人蓋房子，這些軍人也許過去立過汗馬功勞，功在國家，因為我的幾個兒子也在當兵，我同情他們，雖然是不異割掉身上的一塊肉，也得忍痛犧牲』。爰此，道筆土地即被劃撥而去云云。

至於水產課長薛葆驥這一筆一百坪土地蓋公館事，曾地政科地用股長林應臻，經為征收這筆土地開過兩次協調會議，邀有佃農趙加福、趙福來等兄弟參加。據趙加福稱：『林股長很兇的說：「市府要為薛課長蓋公館，由你們現耕土地上劃出一百坪。若你們不答應，連你們現住的房子一起拆除！設你們答應，當時房屋說為你們保留」云云。當時水產課長薛葆驥亦在場，馬上寫了個條子交給趙福來：「你們種的稻子，現在割除，本人負責」。另外抄了他的電話號碼，叫趙福來以電話答覆。氣勢之兇，真像個「官兒」。另一位趙加福說：「地用股長住在我們附近，你們常來，就威脅我們說：你們不給地，我們就要拆你們的房子，不信你們看厲害，等着瞧好了」！』（上）

為教育特捐征額事 桃園縣議會有揷曲演出

（本報記者黃鴻遇桃園航訊）桃園縣府五十七年度附征「教育特捐」預算草案，定為最高額百分之三十，有關代征的電影業等公會陳情，極力反對，向縣議會要求予以「否決」。當大會中二讀通過減少附征額為百分之二十後，該業等復以：「誰是我們真正民意代表」？把議員們一分為四類。引起議壇一場潑辣的「大辯論」。這也是選民「管理」代議士，沒有法令依據的一項別開生面的紀錄。

桃縣五十七年度地方歲出入總預算草案，各為新台幣二億零八百七十二萬三千四百九十元（經議會削減二百九十四萬八千〇四十元），其中教科文支出佔總預算百分之四點六四（憲法規定最高額為百分之三十五）；因為財源枯竭，遂入列附征教育特捐百分之三十（立法院通過的最高額），以籌措國校畢業生志願升學的準備金，政府規定志願升學在五十九年實施），由娛樂、筵席、宰屠、房屋、契稅等五項稅目開征。（上）

瀛海異聞談

新幾內亞無面人巴基勞

桑稚

在一萬呎的高空上，這架小型的飛機，像一枚乒乓球般的上下跳動似的；天空那些灰色的雲，像手指似的，將飛機的兩翼和窗子，緊緊的抓揑。

機上唯一的乘客名叫李察‧甸漠，十分驚惶。他看到下面的黑色的新幾內亞森林和猙獰的山峯。他曉得如果不幸撞機的話，不即時喪生便是會落在那專愛吃人肉的殘忍部落手裏。李察‧甸漠這回是攜帶着海產貝殼和烟草，前往丹尼族，進行貿易。他欲爲澳洲和美國的博物館搜集一些舊式武器，工具和飾物等。他常常到一些奇異的地方，和接觸一些奇怪的民族。

但是當他凝視着下面那使他震慄的村落，他的手不期然的緊按着腰部那根手槍，這給予他自慰的感覺。

那是一九六〇年，自從大戰以還，他始終沒有動用這根武器。雖然如此，他感到携帶在身，總是明智之舉。當飛機朝着丹尼的山谷住宅聚結區飛去，那是在海拔六千呎，而駕機的是美國飛行員，他對當地的土人，知道的并不多。只簡短的向李察‧甸漠介紹了一下。

「他們是不友善，」那位機師說，「但是我認爲他們已經改變了不少，最少他們不再向我所駕着降陸的飛機射箭。」

他又補充的說：「這丹尼族是大無畏的民族，任何東西都不怕的，沒有什麼是用血和肉或是金屬和木所造的。但是在夜裏，在穿着森林時，你無法將他們捉着的。而他們只怕的是『阿達』哩！」

李察‧甸漠感到大惑不解：「『阿達』？這是什麼東西？」

機師回答：「妖怪。森林的魔神，就是像這類的東西。我以爲你可以將那些東西名爲人狼。然而，這裏根本沒有豺狼的。我曾和一些年老的商務專員談及過，他們都認爲夜裏在森林中，一定有些什麼奇怪的東西出現的。」

現在他們的飛機着陸了，終於停下來。當李察‧甸漠踏出機外，沿着繩梯而下時，那些黑色、赤身露體的土人倚着十呎的長矛蹲在地下，凝視着李察‧甸漠。一些濕白了的骨頭，垂掛在他們的耳朵和鼻子下面，那些是人骨。

這些丹尼族的土人，隨着他們的酋長，走過來圍着李察‧甸漠。一位皮膚灰色的武士，頭上插着裝飾羽毛。

李察向他們行了個傳統招呼禮節，李察拿出一些海產貝殼和烟草說：「我和你們做生意的，這些是送給你們的禮物。」

那位酋長會意，過去他們曾做過別的生意的。

「在天亮時我們開始貿易，」酋長指着空際說：「現在我們要睡覺的。」於是所有的土人便離去，回到村裏他們的屋子，那是在半哩之遙的地方。

但是其中一人却留下來，背着李察，動也不動的站着。

李察‧甸漠向他招呼，這人立刻轉過身來。

然而使他驚惶得無法說出話來！因爲這個人沒有嘴唇，沒有耳朵，也沒有鼻子的，他只有兩隻閃閃生亮的眼睛，和一排黃色牙齒。

當這土人向前行時，那位前來接機的荷蘭助理行政官祁理拿對李察說：「這土人只是想要一根香烟，最好給他一口。」

李察如其言，拿了一口給他，土人接了過去，口中咕嚕咕嚕一回，即轉身而去。

年輕的荷蘭行政官微笑的說：「這就是巴基勞，是『無面人』。」

李察的目光，一直看着那土人鑽進那濕潤、黑漆的森林裏。當他消逝於林中，夜幕即降臨於新幾內亞。

李察對行政官說：「飛機師告訴我說丹尼族在夜後，不敢走近森林的，因爲森林有魔神。」

祁理拿解釋說：「他們不讓巴基勞入住他們的村裏。於是巴基勞唯有在森林裏住着。但其他人在夜後不敢走近森林去，那是鐵的事實。」

（上）

納薩與中東戰禍

劉本立

「基於某些理由，」很久以前納薩筆下寫道：「阿拉伯集團內看來有一個人物正在漫無目的地四圍遊蕩……。」

這句說話中，大概已經隱藏着一種由那個時候開始便激發他，而且看來時常驅使他瀕臨國際性災劫邊緣的哲理。

這位埃及總統曾經嘗試填充那個定義不明的人物，介入一種幾近神秘的「阿拉伯主義」的感覺，以及實現一個把阿拉伯人由波斯灣以至北非洲西岸一致聯合起來的夢想。

正如納薩在自己的小冊子「埃及的解放」中所說，他和埃及夾雜在兩個廣大地理性集團之中央——阿拉伯集團和它的週圍的非洲大陸——這可能會在塑造人類的前途方面担任一個重要的角色。

當他担任這個觀念的領袖角色時，納薩曾經不斷因爲「阿拉伯團結」的長期不和而遭遇挫折。宗教和國家主義似乎可以把阿拉伯人的關係拉攏在一起，但它們內部的歧見、爭執和由來已久的嫉妒，繼續使他們分裂開來。

納薩把阿拉伯世界的落後、不和及混亂全部歸咎西方，不斷咒罵十九世紀和「殖民主義及帝國主義」的幽靈。他永不會從巴勒斯坦戰爭的悽慘經驗和埃及戰敗的悲痛中受到教訓。他把以色列的產生埋怨西方，而且矢誓要號召「革命軍來對付帝國主義」。

納薩在對抗以色列的巴勒斯坦戰爭於一九四八年開始時，他才不過是一個三十歲的青年少校。他在第二次世界大戰時在巴勒斯坦法路加一戰成功，聲名鵲起，贏得「法路加之虎」的綽號。在一九四八年的戰爭中，他已經是尼格夫沙漠的鬥戰中阿拉伯方面稀少的英雄之一。

但是，他對於國王法魯克的腐敗政府絕無好感，甚至心懷異志。「回國吧，我們的眞正戰場不是在這條前綫上。」他把屬下軍官組成委員會後對他們說道。

他們的叛變終於一九五二年七月獲得成果。（上）

盧本斯名畫失而復得

晉陵

假如不是因爲一個婦人的一時高興，那幅題名叫「巴麗絲的判斷」的名畫也許會被拋進垃圾桶裏去，它的畫框會被焚燒來取薄的金泊。

伊娃莎維芝不知道她的丈夫帶回來一幅比利時著名大畫家盧本斯（一五七七年生，一六四〇年歿）所繪的名畫。羅拔莎維芝是一個製造畫框的人，他到廢物攤或店子收買舊的圖畫，着想得到它們的框子，有時當他喜歡某一幅繪畫時，就帶它回家，掛在牆上。因爲數目太多，伊娃就着他再不要帶回來。

有一個頗長的時間，他是依照他的妻子的說話。他將舊畫拋棄，拆下的框子，就搬到他的工作店去。那幅盧本斯的圖畫，乃在一九三三年由他出幾個先令向一個廢物攤買來的。他偶然將它帶回家，他的妻子看見非常歡喜，因爲她愛畫上的活潑小天使和美麗的女神。她覺得在浴室對面的牆上仍有空位，就將它掛在那裏。

那幅沒有寫上繪者的名字，被遺失的傑作，就掛了三十三年。照所記載，它於一八一五年六月三日在倫敦的基利斯提拍賣店競拍，但未能達到底價二千英鎊，就未有被賣出去。後來竟然失蹤。那間著名拍賣店創辦人的兒子詹姆基利斯提在拍賣目錄上曾寫出那是一幅大傑作。構造方面跟在奧連美術館收藏的一幅盧本斯作品，正是相似，堪稱配對。

假如美術商人是迷信的話，定會相信這幅盧本斯的作品，會再回到原處。在一百五十年後，它又再回到基利斯提。

莎維芝夫人，現年八十二歲，是一個寡婦，她想出售她所藏的圖畫，就將一批共四十幅的畫送到基利斯提被放在保險室內等待拍賣，但沒有人注意到那幅由盧本斯所繪的三個女神。有一天，英女王的御藏圖畫管理員美拉到基利斯提的保險室欣賞在裏面的一些圖畫，當他看見那幅盧本斯的作品時，馬上找到基利斯提的古代畫家作品研究專家卡里特來研究，證實那是經已報失的名畫。那是盧本斯在一六〇〇年間，當他剛二十三歲，做孟杜亞公爵的宮庭畫師時所繪的作品。那個研究盧本斯作品的權威米高渣菲指出，這的確是盧本斯的作品，所描寫的正中婦人就是巴麗絲，右手拿着一隻金蘋果。這幅畫長五呎九吋，濶四呎四吋。在去年十一月二十五日那幅畫拍賣，事前莎維芝夫人預定前面的一行位子，準備讓她本人親友坐，這幅畫價值十萬英鎊。

不約而同，當大衆盛贊莎維夫人的好財喜時，另一個男子，行色匆匆走入基利斯提，挾着一幅盧本斯的圖畫，長約二十一吋，高二十二吋。這是盧本斯的模型畫，有顏色，十分精巧，盧本斯照着來給他的聖經故事畫「參孫與戴利拉」，即電影的「霸王與妖姬」。照專家指出，這幅模型在一六〇八年所繪，當時盧本斯剛從義大利與西班牙回到安特衞普城去，圖中所見，參孫熟睡在戴利拉的腿上，他的頭髮正在被人剪去。在門外有腓利斯丁人預備上前來捕捉他。

這幅模型圖畫在一塊版上，現在畧有裂紋，但它的價值是五萬英鎊，在去年十二月五日拍賣，但不像莎維芝夫人公開披露她的財富，那幅畫的擁有者不想人知道他的姓名。

新三國

周燕謀著

又想逃到雲南、貴州去，但堅持投降主義的譙周又說：「雲南貴州受不起一個皇帝朝廷的負担和長期抗魏的軍費」。譙周的主張只有投降之路，沒有其他的法子。譙周實可謂是「亡國之臣」的代表。

姜維在劍閣聽說諸葛瞻父子等陣亡，又傳來消息說後主堅守成都，有的說要投奔東吳，又有的說逃到雲南地方去。姜維未知虛實，乃引兵向西南退却。到了現今的三台縣地方，奉到後主的命令，命他投降魏軍。姜維不得已向鍾會投降。當他接到投降的命令，大小將士都氣得痛哭流涕，拔劍砍石。無疑的姜維之接受投降命令，乃是另存一種打算。

後主投降時，成都尚有三年之粮。臣下投降的氣氛十分濃厚。後主不得已，分別寫了兩封降書，分別送給鄧艾和鍾會。自己帶了棺材，反綁了雙手，出城去迎接鄧艾。鄧艾荒忙下馬，解了後主的綁，燒去棺材，立刻根據司馬昭賦予他的權力，發表後主爲魏國署理驃騎將軍。

後主的投降，引起很多人的氣憤填膺。後主的兒子北地王劉諶，覺得太愧對祖父創業的苦心了，他殺了自己全家大小，到先主的家廟去痛哭泣訴，氣憤自殺。不愧爲昭烈的孫子。

鄧艾立下大功，自然得意非常，他誇口的對蜀國的士大夫說：『你們幸而遇到我鄧艾，所以身家性命得以保全。要是碰到吳漢一類的人，你們就很難說了』！又說：「姜維也是一個有本領的人，不幸遇到我鄧艾，敵不過我罷了」！聽的人只有暗自竊笑。鄧艾上表魏朝，說暫時未將劉後主內徙，是要給東吳作榜樣。如果將他內徙，東吳的君臣便不肯投降了。現在應留兵兩萬人在蜀，蜀軍也留下兩萬，不必解散。再於四川製造兵艦，做一種伐吳的聲勢。一面派人去曉喻吳國，吳國自然可以不戰而降。只要將劉後主留到一年，那時吳國歸降，就可以把他送回京師」。魏朝拜鄧艾爲太尉，食邑二萬戶，二子皆封亭侯。

此時的鄧艾在蜀中，諸事都是獨斷獨行，大小事並不待魏朝廷的許可。在此時此地，環境只可如此，不能說鄧艾做的不對。司馬昭也有司馬懿之風，非等閑之輩。他見情勢不對，催促監軍衛瓘去對鄧艾說，不得獨斷獨行。鄧艾究竟不如司馬昭的善用權術，他倒說：「春秋之義，大夫出疆，有可以安社稷利國家者，專之可也。一味等待命令，以致誤國，如此行事我是不爲的。」

如鄧艾之言，司馬昭當然會防備他了。而鍾會聞聽鄧艾建了奇功，心存忌妒，就乘機向朝廷說鄧艾目無朝廷。於是魏朝又下了一道詔書，以檻車徵還鄧艾。又恐他不接受命令，命鍾會向成都進兵。衛瓘在前，用司馬昭的親筆命令，曉諭鄧艾手下的部屬。此時鄧艾麾下的將士只想勝利返鄉，誰有心隨鄧艾造反，而且鄧艾本無造反之志，他自己也沒有準備抵抗，於是監軍派人將鄧艾釘入檻車。

姜維降後鍾會，鍾會待之甚厚，「出則同輿；坐則同席」，鄧艾被擒之後，鍾會大軍到了成都。

（一三八）

平劇續紛錄

談「張飛」戲「耒陽縣」

○桂良○

以張飛爲主角的戲，本來不及十齣，張飛這一齣「耒陽縣」是生淨合演，是龐統、張飛唱做的小戲。劉玄德在水鏡莊，聽見司馬德操介紹：「伏龍、鳳雛，兩人得一，便可安天下。」再聽徐庶解說：「鳳雛乃是襄陽龐統，伏龍正是諸葛孔明。」以後，玄德三顧臥龍岡，得孔明出山，有了戰績，便把求賢的事放在一旁，鳳雛龐統也給忘了。人不可以貌相，有幾位大才，像孔明面如冠玉的？馬派本子「三顧茅蘆」，連夏前飾劉，唱工繁重，後飾孔明，在茅蘆中也有一大段唱工。但今日台灣聯勤平劇隊所用上海故伶趙君玉的「三顧茅蘆」，頗爲微妙！它在三顧之前，添了一場「諸葛亮招親」；孔明自「招親」以迄「火燒博望坡」都是小生本工，在全齣派角及面如冠玉上，由小生扮演早期的孔明，是無可厚非的。「臥龍」先生是面如冠玉，綸巾羽扇的扮像；而「羣英會」裏「鐵連環」的鳳雛先生的扮像，是：紫色三塊瓦臉，黑一字髯，道冠，道袍，塵拂，試問文人戴一字髯的，戲中角色還有誰？龐士元爲何有此扮像？演義中說：魯肅邀龐統入見孫權，權見龐統，濃眉，掀鼻，黑面，短髯，形容古怪，心中不喜，却忘了自己的怪像碧眼紫髯。便問：「先生才學，比公瑾如何？」龐統大笑：「某之所學，與公瑾大不相同」。孫權最喜周瑜，聽了此話，便請鳳雛退下。好一個魯大夫，怕曹操忘了「獻連環」之恨而重用龐統，于是把他函介於劉備，諄囑他必令孫劉兩家，無相攻擊，同心破曹」。龐統去見玄德並不取出介函，玄德雖然久聞統名並且先有水鏡的預介，因見他容貌古怪，又因諸葛亮公差，一時無有主張，便叫他去耒陽縣當縣令。龐統懷才不遇，祇得前往耒陽縣，惟終日飲酒爲樂，不理政事。有人報知玄德，他派張飛同孫乾前往視察。張孫二人到耒陽，不見縣令來迎，張飛逕到縣衙，叫縣令來見。統衣冠不整，扶醉而出。飛怒曰：「汝焉敢盡廢縣事？」統笑曰：「我廢了何事？」飛曰：「汝終日飲酒，安得不廢了政事？」統笑曰：「將軍少坐，待我發落。」統傳齊吏、民，手中批判，口中發落，耳內聽訟，曲直分明，民皆叩首拜伏。不到半日，將諸事盡斷畢了，投筆於地，對張飛曰：「所廢何事？曹操孫權吾視之若掌上觀文，此一小縣，何足道哉？」張飛大驚下席拜謝。

「耒陽縣」的龐統因劇情不同，不勾臉了，是鬚生本工，但掛黑二濤鬚。張飛傳喚時，他歪戴紗帽，閃披藍官衣，散着玉帶，由門子攙扶上場。（四）

談鄭成功詩

○夜闌○

一代民族英雄延平郡王鄭成功，原是一介書生出身，故在一生戎馬倥偬，政務勞瘁中，仍有不少好詩留傳。如詠梅詩：「幽花開處月微茫，秋水凝神黯淡粧；砌藏瀰空見影，隔簾風細但聞香。瑤台夜靜黃冠濕，小洞春深玉佩涼，至今詩賦憶陳王。」又傳另有五絕一首：「數萼初含雪，孤標畫本難；香中別有韻，清極不知寒。」又夕陽紅淚錄載有一首七律：「破屋荒畦趁水灣，行人漸少鳥聲閑；偶迷沙路曾來處，始踏苔岩喜望山。樵戶秋深知露冷，僧扉畫靜任雲關；霜林猶愛新紅好，更入風泉亂壑間。」

又登峴石山五律一首：「黃葉古祠裏，秋風寒殿開。沉沉松柏老，睍睍鳥飛廻。碑碣空埋地，庭階盡雜苔。此間人到少，塵世轉堪哀。」上述幾首均極精練，的是好詩。

另現在懸於台北博物館的親筆書成七律一首：「一年檢點魯論足，更向此中應有眞；活潑道機魚躍水，淵源文字鳥鳴春。尾頭洞徹學而習，體用通貫勿×仁；（原文脫落一字），讀二萬聖言無隱爾，來未解舊肢身。」閱內容當係爲書生時所作，故功力不敵前述數首。有人謂詠梅五絕係崔道融所作，乃疑其他或亦有非郡王作者。但吾人所景仰的係反清驅荷的民族英雄，若使延平郡王文才媲美宋徽宗、李後主，而無赫赫勳業，那麼今日或許將無台灣，延平郡王亦不值得吾人這樣崇拜了。不過延平郡王之能詩，且亦不弱，總屬無可懷疑；惜多一鱗半爪，希望有心人加以搜集整理，亦引玉之意也。

故都噹噹車

京仁

故都的電車車廠，是在崇文門外磁器口，往東拐，在南大地，原是極空曠的地方；自從電車設廠在這兒，逐漸也興旺起來了。

自從有噹噹之車以後，每天的一黑早兒，各路都從車廠分別開出來，尤其是多天的冷天，窗戶紙剛有一丁點兒白顏色，在頂暖和的熱被窩兒裏，睜不開眼睛，耳朵裏淨聽：

「噹噹！噹噹！噹噹！噹噹！噹噹！噹噹噹！」又清又脆，刷！過去一輛。刷！又過去一輛！心裏再不想起身，也得爬起來了。

從熱被窩裏，穿上涼衣裳，頂不是滋味兒。一出大門，頂着凜凜寒風，到電車站，管它電車來不來，反正一輛挨一輛的，先來碗熱豆腐漿喝喝，暖暖肚子。

「掌櫃的，來碗豆漿！」不一會兒，一小飯碗豆漿遞過來了。站在人家攤旁邊一喝，喝完一上電車，擠在人羣兒裏，可就不冷了。

每天夜間，一到十點鐘以後，電車該回廠了，車頭上的黑布白字，不是「北新橋」「西直門」，而是「回廠」二字。

在車上辛苦一天的員工，看到這兩個字，有多舒服。各位賣票的，也混得有了座兒了，車上大模大樣一坐，數着大把的毛票，銅子票，準備回廠繳賬。

回廠的噹噹車，也許因爲夜深人稀了，也許是心理的關係，它像開得特別快，就聽：刷！像流水似的，有站也不停的，一直往前開。而開車的腳下這個鈴，登的更顯緊張，又急又快：「噹噹！噹噹！噹噹！」而沒有剛出廠的時候，閒情逸緻的：「噹噹嘆噹噹，噹噹嘆噹噹！」腳底下的登那份花梢了。（下）

試談偏愛的諸葛亮與神化的關雲長

讀「畧評諸葛亮與關羽」之後

周燕謀

陳承祚評其「連年動衆未能成功，蓋應變將畧非其長」。確實是很公允的。陳壽從小一直看到孔明壽終，而且陳壽的父親又是孔明之屬官，當然了解很深，知得最多。對於孔明的傳，記載得比蜀漢任何人詳細，甚至專門把諸葛亮的著作集子，向晉帝奏上。這可以說是『史無前例』的事。所以我們不能不信他是短於「應變將畧」。下面例舉史實，畧伸其意。

孔明之『應變將畧非其所長』，劉備知道得比誰都深刻。一般多爲三國演義所惑，以爲劉備自得孔明之後，一切無論巨細，都離不了孔明。其實終劉備一生，劉備都是用他所長的治才，沒有一次給他獨當一面的指揮用兵。一則劉備看他年輕，當他出仕時，才只二十六歲，劉備已經五十出頭了。

劉備一生用人，很有卓見，他所用的人，莫不各得其用，個個都能發揮其所長，而且能令人死心踏地去效力。孔明初入劉備幕下，是何名位則史無可稽。赤壁戰後，「先主遂收江南，以亮爲軍師中郎將，使督零陵、桂林、長沙三郡，調其賦稅，以充軍實。」是說孔明在赤壁戰前尚無軍師中郎將之職位。赤壁戰後，雖有軍師中郎將的頭銜，但其所用，是『調其賦稅，以充軍實』而已，並未使之計劃指揮作戰。孔明終劉備一生，沒有獨當一面的軍事重任。只在劉備『還攻璋，亮與張飛趙雲等率衆沂江分定郡縣』。這次孔明也不是此一路的統帥，我們看『亮與張飛趙雲等率衆』，而非是『亮率張飛趙雲等』，即是說他三人地位是相當的，孔明是任張、趙二軍的參謀長，而非統帥。再看張飛傳說：「……飛與亮等沂流而上，分定郡縣」；與孔明傳大致一樣，只是在張飛傳中『張飛與諸葛亮』，在諸葛亮傳則爲『亮與張飛趙雲等』，分不出誰是此方面的總指揮。再看張飛傳下面，又似乎是張飛的總指揮：「至江州，破璋將巴郡太守嚴顏。生獲顏，飛呵曰：『大軍至，何以不降？』……飛壯而釋之。……飛所過戰克，與先主會於成都。」這彷彿是張飛任這一路的總指揮官似的。總之，孔明不是此一路總指揮，而司令塔仍在成都那邊。

孔明的隆中決策：「東聯吳會，西通巴蜀」；「天下有變，則命一上將將荆州之軍以向宛洛，將軍身率益州之衆以出秦川」。關於此種盱衡大局，當時智謀之士，所見皆同，並非孔明一人獨見」。周瑜就是一個明證。一般爲三國演義所惑，看好孔明，抑壓周瑜和魯肅。劉、孫聯盟共同破曹，周、魯二人主張的積極。不下於孔明當曹操兵下江南時，魯肅已開始向荆州來了，在當陽長阪迎到劉備。請看魯肅的看法和行動，魯肅對孫權說：「劉備天下梟雄，與操有隙，寄寓於表，惡其能而不能用也。……肅請得奉命，弔表二子，並慰其軍中用事者；及說劉備，使撫表衆，同心一意，共治曹操，備必喜而從命。如其克偕，天下可定也。今不速往，恐爲操所先。」（三）

我家閻王爺的爹

絲絲

可是什麼雙龍抱柱啦，爹老是沒抱住；什麼清一色，也全讓別人給清去了。因此，每當前腳一踏出門檻，俺就念道：「風蕭蕭兮，易水寒，爹啊！你袋不空兮，不復還。」又正因如此，害得俺家的收音機、電風扇、娘的手錶、戒指等，都與當舖結下了不可解之緣。

娘是頂要面子的，常說家醜不可外揚，所以每每不論爹罵的對不對，娘從不辯駁，因爲娘怕讓人家笑話。俺只是常見娘在廚房裏，一邊幹活兒，一邊掉淚；俺每當見娘哭，鼻子一酸，也就跟着流淚。俺只記得娘說過這麼一句：

「娘命苦！前輩子作了大孽，該妳爹的，這輩子是來還的。妳現在好好兒唸書，長大了找對象，眼睛千萬睜大點兒。」俺那時小小不懂事，心裏好生納悶，娘的眼睛不是挺大的嗎？

爹經常三、四天不回來，也沒留下一個子兒。不過沒關係，反正米是賒的，有的是。娘就弄點油，再放點大蒜一爆，然後，上點兒醬油，給俺姊弟拌飯吃；饞香的，俺往往一吃就是幾大碗。娘那張滿佈陰霾的臉孔，也只有在這時，才有絲絲笑容。也許是由於不見俺那吹鬍子瞪眼的爹吧！打從俺會上桌子起，爹要是在家，就沒吃過一頓「消停」飯。爹一上飯桌，就把臉拉長，鼻子皺起來，拿着筷子把菜扒啦來，扒啦去的，而且口中嘖嘖作響。那模樣兒，形容難聽點兒，就像是滿桌子都是米田共似的。有次娘病了，爹仍是照常使喚；終於，娘沒支撐住，一下昏了過去。這回爹可眞嚇了一跳；他一向以爲娘是鐵打的呢。俺幾個又哭又喊，爹也慌了，連忙搖幌搖幌；可是搖了半天，也不見娘醒來。這才呼天搶地的乾嚎起來，驚動了左右隣居，結果，大家七手八腳的弄來弄去，總算把娘給救過來。從那天起，爹似乎變了點兒；但沒兩天工夫又「還我閻王本色」。不由心想，當初爹那幾聲乾嚎，一定是爲了怕以後沒得既免費又能賺錢的老媽子使喚罷。

不管怎麼，俺總是爹養的。所謂：「天下無不是的父母」，本來不該寫，實在俺也沒這份兒胆量；可是，每瞧爹那付副人樣，娘那沒笑容的臉孔，永流不完的淚，以及俺那陰森的家，不由悲憤難捺，也不管他三七二十一的，拿起筆來偷偷摸摸地磨了好幾天，磨出這一點兒。

現在俺寄出稿後的第一大事，就是以十二萬分的虔誠，求求救苦救難的觀世音菩薩，慈悲的主耶穌基督，統通來保祐俺，千萬別讓爹知道這文是俺寫的，以免俺多受一次殘酷的皮肉之苦。（下）

床與人生

○路加譯○

理想的枕頭，會保持頸部對躺下身體的角度，宛如人體站着時一樣。

如果獲得適當舒服的睡眠，是增進身體健康其中的一項最簡單的方法。如果一張不適意的床，往往躺下許久，都不會入夢的。

當然，並不是所有的人們都像法國總統戴高樂一樣，特別定製一張長七方呎的床子；事實上他身高六呎五吋，如果沒有一張這樣的床，那裏容得下他的高碩身軀！總之，人們應該找一張適合自己的高度的床，才能睡得舒適一點。

在兩年前身高六呎二吋的夏勞比男爵，極力促使政府在睡床方面，實行採取若干措施。他在貴族院中發言，認爲睡榻製造商，對于那些身裁高大的人，於睡榻方面，並不注意。他又補充的說，現在世界的人類的高度，隨着時日，平均比前增高了，如果睡一張比自己身長爲短的床，簡直會影響人的健康的。他建議一些新屋的寢室，應該大些，以便容納那些身高六呎四吋人們的巨型床。

當然他的提議，未免小題大做，不獲政府方面接納。事實上大部份的人們，不會遭遇着像這位男爵的問題，因爲有很完備的床，供應一般平均高度的人們的。（三）

自由報

THE FREE NEWS

第四六七期

內警備台報字第〇三一號內銷證

中華民國僑務委員會發證
台教新字第三三二號登記證
中華郵政台字第一二八二號執照
登記為第一類新聞紙類
（半週刊每星期三、六出版）
每份港幣壹角
台灣零售每份新台幣貳元
社　長：雷嘯岑
督印人：黃行審
社址：香港銅鑼灣高士威道二十二號四樓
20, CAUSEWAY RD 3RD FL. HONG KONG
TEL. 771726　電報掛號：7191
承印者：大同印務公司
地址：香港北角和富道九六號
台灣分社
台北市西寧南路壹壹零號二樓
電話：三〇三四三六
台郵劃撥儲金戶二九一五二

中東戰端的背景（上）

○彭樹楷○

中東戰火，極其嚴重地破壞了東西方在這個地區的均勢，嚴重地使美俄極難克制自己不使置身這場戰火之外；即使是中東戰火平息，但其結果却更加深了東西兩大集團間的裂痕！因為中東的問題，不是中東戰火平息所能解決得了的。任何一方的獲得勝利，在東西兩强的爭鬥中都是保不住那勝利的成果的。這原因很簡單，因為中東的石油和特殊重要的戰略位置，美俄雙方都不容對方作任何現狀的改變。否則，由中東戰火便會迅速擴及為全面性的世界大戰！本文係以各有關資料，剖析中東戰火的背景。

中東戰端背景

在中東，以色列與阿聯之間的世仇大恨，是這個地區動亂的根源。自從一九四八年五月以色列立國以來，阿聯就先後兩次出兵企圖消滅以色列而相繼慘敗（即一九四八年及一九五六年），使得阿拉伯頭子們喪胆，却激怒地倒向蘇俄以期重整軍備。經過十一年的努力。阿聯在蘇俄和毛共以及其他共黨國家的援助下，擁有遠超以色列的軍備，並徵募共黨飛行員及其他技術人員為阿聯担任直接戰鬥任務。

以色列面對阿拉伯國家的仇恨和挑戰，她一直是憑藉其武力維持其生存的。而阿拉伯國家堅決相信，以色列只不過是中東歷史上一個暫時的特有現象，他們誓言要消滅以色列，像過去阿拉伯國家趕走十字軍王國一樣，時時尋找事端挑動戰爭。因此，當世人談到在這惡劣處境中不斷求取生存機會的以色列時，便會引起一份同情和欽佩。

目前，以色列的四至六百架飛機和十五萬現代化的陸軍，是那個地區最强的武力。如果所有的阿拉伯國家有效的聯合起來，與以色列在數量上是二比一還要超過（如以人口言，以色列全國二四〇萬人，其相差是二十一比一）。然而數量並不是重要因素，甚至裝備的品質也非衡量準繩，兵員素質與士氣，才是重要因素。一九五六年以埃賽尼愛沙漠的空戰，以色列飛行員擊落十六架埃及飛機，自己毫無損傷。這次，一九六七年六月五日爆發的戰爭中，在最初的十一個小時的接戰中，以色列即已擊毀了三五〇架以上的阿聯飛機，以色列的機械化部隊已攻入敵境進達地中海海岸。雖說以色列的飛機，也在開羅宣稱二百二十餘架的摧毀數目上，但阿聯飛機的駕駛員多是蘇俄及其他共黨國家的優秀人員。

自從一九五六年英軍撤離之後，埃及就一直對蘇俄眉目傳情，接受了大宗俄援和捷克斯拉夫以及毛共所製造的裝備，東德、捷克、及其他共黨集團國家的人員，接替了英國顧問的工作，以及重新擴建英國遺留下來的海空軍基地。位於Bilbeis的埃及飛行學校為蘇俄人主持，使用蘇俄的Yak-11 Yak-18等型教練機；畢業生在Fayid 地方接受由蘇俄負責的噴射機訓練，但素質差，技術領悟能力差，迫使埃及只好大量徵募共黨集團國家的飛行員。其他陸海軍的素質，也因為教育的不普及而更遜於空軍。不過，好戰、好鬥為阿拉伯人特色，加上埃及接受外國志願軍，所以乃構成這次公然進攻以色列以圖「報仇雪恥」。

埃及在阿拉伯世界的主要同伴是叙利亞，叙利亞同樣的在當初也是接受了英國的軍事裝備，以後便轉向蘇俄，並徵募蘇俄、波蘭、捷克斯拉夫、東德、羅馬尼亞、保加利亞、阿爾巴尼亞的優秀飛行員和地勤人員，負責他那為數六十架一百架的米格十七型機之戰備任務，其陸海軍主要決策單位及各戰鬥單位，均有共黨國家的顧問。

在埃及控制下的最小的一個阿拉伯國家，在軍備上幾等於零的便是葉門。以現代標準來說，葉門可算沒有具備作戰意義的空軍和陸軍，但她的位居最具戰略性的紅海邊緣，所以蘇俄全力討好葉門，不獨出錢出人建立現代化飛機場，還贈以包括米格十五及少數米格十七，與二次大戰使用的戰鬥機約三至五個中隊。

在一九五八年七月政變後並退出巴格達公約（現稱中部公約組織）的伊拉克，擁有軍師四個，是阿拉伯諸國中最具戰鬥力的强大地面部隊；空軍有五個至七個戰鬥轟炸機中隊，經與英國皇家空軍的長久合作和政變後由美國的指導，可能是一支優秀的空中戰鬥力。但她們的過去沒有戰鬥經驗，這次冒昧地參加對以色列的宣戰，當然不是僅為逞强好勝表現其勇於械鬥的阿拉伯本色，他的空軍首次空襲以色列的賽金機場和特拉維夫城市（以色列空襲阿聯只限於機場、港口、鋼廠等國防軍事目標），顯然違背他那伊斯蘭的人道教義。

伊朗北部地區與蘇俄接壤，她正充分的運用西方，特別是美國的技術援助，則以其六二八，〇〇〇方哩面積的豐富物產，及二千二百萬的人口，當不難使她總兵力十六萬人的部隊和二百餘架戰鬥轟炸機與六千多噸約卅艘的艦艇，成為中東一股可觀的軍事實力。但是，由於其國民的知識和素質，這一推想並不樂觀。

土耳其是全心全意的支援北約組織，蘇俄任何欺騙與宣傳，都不會使土耳其忘記帝俄時代控制土耳其的悲痛往事，也不會使土耳其忘記一九三九至一九四一年獨自抵抗納粹與蘇俄共同威脅的黑暗時代。土耳其現代化的陸海空和火箭飛彈部隊所構成的武力，不是阿聯所能匹比的。

巴基斯坦和土耳其，同是中東地區兩個「端頭」的國家，她的武裝部隊之精良，與土耳其同是第一流的。巴基斯坦與英國悠久合作的傳統，使牠也和土耳其一樣與西方保持着友誼，她的堅決反共以及她的北部與中國大陸及蘇俄邊境接壤，所以她對西方的戰略重要性，也是非常明顯的。

又由於巴基斯坦及土耳其之與西方友好，對於中東地區同教國家來說，並未損及他們的宗主權以及良好的關係，這是這兩個國家突出的外交和政治成就。

新玩意

糊塗救火員！

今日與明日

左派途窮末路

香港左派份子目前已陷入走投無路，進退維谷之境，最慘的是大陸毛共當權派報紙刊物，已明白說出香港問題由香港人自行解決，而左報却恬不知恥，强行攀附「偉大的祖國」，甚至發號外說出解放軍已準備出動！這種夜行人吹口哨的行動，在香港已成為大笑話，而左報却依然我行我素，每天照例發號外，僱人在路旁陪笑臉，說好話派送。就這種情形來看，無論左派怎樣表面上氣壯如牛，其內心的悲哀、徬徨，是可以想見的。

由於左派途窮日暮，更不惜倒行而逆施，前天土瓜灣中華煤氣公司驚險一幕即是典型例子，若不是警方趕到的快，他們若在煤氣公司縱了火，整個土瓜灣區將付之一炬。以後像這類情形當然還可能發生，必須全港市民與警方密切合作，共同防止。

香港政府應變有方

在這次暴亂整個過程中，我們可以看出英國人的政治智慧，不僅小國寡民的葡萄牙不及，就是美、法也差得很遠。香港政府一開始就有整個應變計劃，第一階段為盡量忍讓，養左派之惡，使得全港市民對左派暴行有切膚之痛，羣起支持政府，維持和平；至此香港政府才正式對左派下手。到目前為止，可以看出三點措施：第一，將所捕暴徒循法律手續起訴，不論是何種人，按所犯罪判刑，其中有左派銀行地位相當高的職員，有左派書店站櫃的女售貨員，這批人並不相信共產黨，也不贊成左派的搗亂行為，祇以吃人飯屬人管的，沒有辦法推却，於是隨衆去馬路上示威遊行，呼口號，貼宣傳煽動的標語，不知道這一來却犯了刑章，被判入獄，他們被判入獄是受了左派的累。那批坐在冷氣間，嘆其咖啡紅茶的「鬥委」，對這批人的家庭生活不能不維持，薪水也不能停發，錢從何來？鬥委們並未捐出幾文，仍然要所有共營機構職員捐欵！像這種以親共窮人去刮全港善良窮人，再從窮人身上刮錢，「鬥委」們貼補被判罪的窮人還可中飽幾文，但經過法庭宣判，報章揭載之後，真相大白，所以左派再搞大罷工，終於搞不起來。

第二，凡是情節較重的，雖然判了罪，仍然遞解出境。這是一個釜底抽薪辦法，打蛇打在七寸上，希望能將範圍擴大，凡是親共份子，一律送回大陸。

第三，各公營機構，遇有工人罷工，立即開除，寧可停止營業，一定要從頭整頓。此種壯士斷腕精神，尤其值得稱道。在港府有計劃，有步驟的處置下，左派份子眞的趨於窮途末路，將要自行殞滅了。（何如）

自由談

嗤之以鼻

美國一些同情共產黨的所謂「自由主義者」，如著名的共黨同路人拉鐵摩爾，費正清之流，在二次大戰時期，硬說中國共產黨是與蘇俄無關的「土地改革派」和「社會改良主義者」，影同若干以進步份子自命的大學教授，製造輿論壓力，迫使白宮當局改變對華政策，誤毛共竊據中國大陸，以迄於今。

現在這般共黨同路人，依然為毛共作假，既認定毛共之反對西方國家是民族思想的應有結果；又說毛共的下一代將會改取溫和政策，與資本主義國家「和平共存」；政治人物如肯南、鮑爾斯、洛斯托等，即幻想蘇俄將與美國修好親睦，可以抑制毛共不敢採取擴張好戰的行動，終必蛻變為和平主義者。

這羣所謂開明進步份子之所以對毛共表示姑息妥協主張，原因不外兩點：首要是在避免核子戰爭，次為重歐輕亞的自私自利觀念。殊不知共產主義者的擴張策略，是以暴力為主的，它們心目中的「和平」意義，只是為着培養「武鬥」實力的暫時手段而已。它們一旦實力充足，自信有把握征服資本主義世界時，你向它下跪求和亦無用的。假使目前毛共奪權鬥爭的最後勝利屬於劉少奇派，他跟俄共勾串一氣，以中國大陸上的人力物力，配合蘇俄的核子力量，那時節，美國雖欲避戰言和，百般妥協告饒，而俄共集團的洲際飛彈亦非向「紙老虎」的美國發射不可！至於英國，根本不在它們考慮之列，祇有「跪着活」的命運了。

在長程飛彈充分發展，人造衛星和太空船可以進入月球的時代中，尚潛存着「重歐輕亞」觀念，幻想以孤立主義求生存，認為犧牲了亞洲人類，即可以換得歐美少數資本主義國家的安全繁榮生活，這不僅是幼稚荒誕的想法，簡直是癡人說夢，不值一哂！因此，這次嚴副總統訪美時，拒却費正清之流的「寵宴」，不屑傾聽他們那套胡說八道的姑息廢話，可謂明智之舉。

憑着美國現有的文化思想，若謂可以從冷戰中遏制共產集團的侵略擴張，保持自由世界的和平秩序，別人是否相信有此奇蹟，固不敢知，區區個人是要嗤之以鼻的！

馮五先生

以阿糾紛中心問題之一
聖城耶路撒冷時起爭端

—貝魯特通訊—

一向積不相容的猶太國家以色列與鄰近多個阿剌伯國家之間，終於打起來了（編者按：日前業已停戰）。這使人想起了猶太人與阿剌伯人糾紛中心的耶路撒冷來。

耶路撒冷是宗教歷史上的聖城，現在是以色列與約旦各佔一半的地方，亦即是猶太人與阿剌伯人對峙的前哨。

某一英國作家描述該城說：「耶路撒冷有如天堂，這些觀感，心理多於地理。」

實際上，今日的耶路撒冷經常都處於沉重的政治壓力之下。在五月中旬，在該城的各國外交官，就曾親領略到這種滋味，莫不同意英作家的見解。

由於以色列決定要於五月中旬該國立國十九週年紀念日在耶路撒冷舉行軍事巡行，因而引起了外交使團的尷尬。

在以色列來說：他們都是把耶路撒冷視作首都的，但大多數的西方國家不同意。因此，以國的請柬發出之後，如各國大使前往該處參加以色列的國慶閱兵大典，無異表示承認以色列的立場。

除了在外交意義之外，西方各大使，尤其是英美兩國，誠恐此舉會令另一友邦的元首約旦王胡辛難堪。因為約旦是佔有半個耶路撒冷的，他又會極力反對以色列在該城舉行閱兵大典。而以色列方面也堅持非在該城舉行不可。

更因以色列近日與叙利亞交惡，戰事有一觸即發之勢，它又很難因別人的反對而放棄國家尊嚴的盛典，幾經西方國家的勸說，以國政府祇允將參加巡行軍隊的數目以一千三百人為限。

造成耶路撒冷今日僵持局面的遠因，起於一九四七年聯合國所訂出的劃分巴勒斯坦計劃，依照此項計劃，耶路撒冷就要在聯合國管理之下，將該城視作國際城市，像屍體般分劃為兩個半邊。但在一九四八年阿剌伯國家與以色列的戰爭結果，却由雙方依據軍事佔領的事實，將該城切開，迫使聯合國的劃分計劃也照辦了。

停戰之後，雙方都在自方控制區的邊緣樹立鐵絲網及佈置地雷，以防對方之侵襲，聯合國的決議案，雙方都不予理會。到了一九四九年，前任以色列總理班古里安宣佈耶路撒冷是該國的首都，開始將國會及政府各部移設該城。但西方各國仍然強地不肯曲從，仍然堅持視耶路撒冷為國際城市的舊規定。直到現在，與以色列有邦交的三十四個國家仍不肯承認以色列對耶路撒冷的主權，因此他們的大使館依然留駐於距該城四十四哩外的拉德爾阿維夫市。

在這種情形之下，外交上的別扭自難避免。例如，美國在耶城設有總領事館，轄屬兩名館員，一人駐在約旦管區，另一則駐以國管區，但總領事本人却不許兩國接頭，凡事都直接報至美國務院。

以色列人也倔強得很，除了例行事情之外，凡有國與國之間的重大國際事務商談，以色列官員堅持各國使節必須到耶路撒冷相會，因此，為爭這一口氣，以色列的高級官員也和外國駐以使節一樣要受不必要的跋涉之勞。以色列外交部長本來是常駐拉德爾阿維夫的，有時不得不從該處飛馳到耶城以便搶先一步到達，俾可及時在該處接見外國使節。

不過，以色列這計策是成功的。不管西方各國是否承認耶路撒冷是以國首都，但遇重大事項高級官員商討以國的官式宴會與園遊會，各國使節都不得不從拉德爾阿維夫來到耶城。

說到今年以色列國慶閱兵大典這一尷尬事件，總算有了折衷性的解決。各國外交官為了立場關係，自然非抵制參加不可，但他們却又不想太令以色列政府難堪，於是全體外交使節都參加耶城國慶前夕的鳴金收兵禮。

以國外長伊班含笑地說：「在黃昏時間看八百名兵士鳴金收兵的操演也算不錯，祇是在白晝參觀一千三百人的檢閱不更好嗎？」

繼「炒地皮」一案後
高市府地政科又有傑作

在第一次協調會中，據趙加福敘述，林應臻說：「水產課長土地不給用，馬上通知派出所拆你們的房子」。趙說：「你不要兇，你拆我，我就準備死，跟你拼命」。這次會不歡而散。

第二次協調會，趙加福說：「退役八軍人征收我們的土地，租金還是我們繳的」。林說：『租金還給你們好了』。趙問林要收回土地公文，林應臻回說：「我們要收回就收回，沒有公文」。

會中謝炳禎對趙加福不客氣的說：「我們的土地是租給農場，我們是對農場講話」。趙反駁他：「你們既租給農場，叫我們來開的什麼協調會議呢？」這次會又沒結果。

趙包去世已逾六年，所遺下之四分土地不足以養家活口——趙包四個兒子——他們的妻子兒女。他雖死去六年，但名義上仍是趙包承租，趙包繳稅。今年元月趙瑞欽送了一份繼承耕種權過名的公文到市府，地用股長說他沒見到。

趙氏兄弟四人也明知所租之土地終歸被人吃掉，乃拜託市議員謝友華（女）到財政科申購土地，謝對趙加福的太太說：「你們有房子可以買地，這是議會通過的」。財政科說：「有房子在地上當然可以買，這是你們議會通過的」。旋即去法院公證，上面確有房子。趙加福說：「他們的花樣多，這些五關六將，眞不知如何通過」。言外之意，不難想像。

記者為明瞭眞相，請財政科長解釋「建地」與「耕地」，他說：「凡都市計劃範圍內之基地歸財政科管理，其餘耕地則由地政科管理」。「地政科有時召開佃農開協調會議，貴科是否派員參加」？他說：「有時參加；但很少，搞不清楚他們的」。我問他：「省（市）有土地是否可以買賣」？他說：「市有土地可以整個標售；「省有土地可以讓一分」（約四〇〇坪）。最後我問他：「省（市）有土地處理辦法是否相同？他說：「不同」。

記者又問地政科長李盛華：「省（市）有土地可否買賣」？他說：「如經議會通過，是可以買賣的」。

我又問地用股長林應臻，關於林德官段趙氏四兄弟租地之糾紛問題，他說：「市府公地放租，不論（省）市有，市政府若需要隨時可以收回。他們所佃之土地有屬於省有者，市府要用，照樣收回」。我說：「這筆土地由其父自光復以後即在耕種，現在假如趙氏兄弟要買，市府是否賣？」他說：「不管耕地年代多久都是一樣。他們要買市府可以不賣。不僅此也，我們還要拆他們的房屋呢！」

依據土地法第二章地權部份，第十條：「中華民國領域內之土地，屬於中華民國全體，其人民依法取得所有權者為私有土地」。我問他：「何以八退役軍人可以向市府購買土地，而他們不能買？」他又推到財政科。又根據土地法第四章耕地租用第一〇七條：「出租人出賣或出典耕地時，承租人有依同樣條件優先承買或承典之權」。由這一條看來，地政科已構成違法情事。又據土地法第四章公有土地第廿六條：「各級政府機關需用公有土地時，應商同該管市縣政府層請行政院核准撥用」。試問水產課長薛葆所撥用土地（內亦有省有者），市府是否層請行政院核准？

我又訪問薛課長，我問：「薛課長所住現宅不是市府配給的嗎？」他說：「是市府配的，太小了。我有三個孩子，一個老婆，還有弟弟，還有……」我說：「公家的房子還能讓別人住嗎？」他沒有話說了。我又問他：「幹麼需要一百坪這大的土地建屋」？他回說：「我需要一個花園，種點賞心悅目的花草，寬暢一點，比較舒服」。

我又問謝炳禎：「薛課長有公家配給宿舍，何以現在要在這塊土地上建築公館？」他說：「他的房子不夠住，所以我們要征收土地」。我又問事務股長黃湍森；他說：「市府官員凡二級主管者，我們都給他們蓋公館」。

按薛葆驟本是個光棍，數年前與市府工程隊長張形的老婆勾搭上了，張之小孩住在彼處，加上他弟弟什麼的，當然不夠住了。

台灣的公務員，像薛葆驟這樣大小的官兒，數不勝數，若每人分一百坪土地建屋，台灣將無可耕之地。趙氏四兄弟所住的是什麼屋子？過的是什麼生活？這些「地官」，「財官」，「水官」都不管，以威逼利誘的手法給退役軍人搞走了四百多坪土地，看着「軟的好捏」，又來搞一百坪！這樣蠶食，將來不僅是趙氏四兄弟的土地被他們搞光，甚至房屋也有連根拔去的危險。

現在退役八軍人的買賣問題尚未解決，又加上薛課長的劃地建公館。聽說這一批官兒正在謀對策。如薛課長就派了兩次人去謀妥協，可是談何容易。聽說趙氏四兄弟準備拼上了，這一幕好戲可能還在後頭呢。（下）

桃園續紛錄

本報記者黃鴻遇

▲桃園是擁有六十萬人口的縣份，却沒有一所公立醫院，因此，縣府衛生局附設門診部，在夏立廷局長督導下，為全縣病人服務，除星期例假外，時時有人（病）滿為「患」，算是夠忙了！劉水陵議員，在縣議會第六屆七次大會中，提出質詢：衛生局附設門診部，自開業以來，買些甚麼藥？賣些什麼藥？醫好多少病？賺了多少錢？究是公設，還是私營，從來對縣議會，沒有提出過報告。夏局長答稱：該局附設門診部，每日求診的病患，來來往往太多，如果售配（收費）藥、針，一一登記，太麻煩了，是辦不到的。這一答復，劉議員頗不滿意。另一些議員們在大會中私下表示：夏立廷局長說：辦不到，試問國立台大醫院、榮民醫院、以及省立各醫院，是否也是辦不到？如果是，那麼年度預算又怎樣地編列？如果否，夏局長應該督導有關工作人員，莫厭其煩，建立制度，既有明白的統計，也有明白的功勞。

▲桃園平鎮鄉，全體鄉民代表十六人，因為每人每月列支「研究費」新台幣二百元，被縣府批駁，復又再三研究結果：在該鄉各國民學校的修繕費項下打「假報銷」，每一代表，仍然支領半年的研究費計一千二百元；被治安單位調查屬實，全體代表、鄉長、校長及有關人員等三十二人，經一審法院，分別判處五年以下有期徒刑。在判決未確定前，也未便重行改選，但是代表會職權的行使，又不能中斷，於上（五）月廿一日，定期的代表會正式揭幕，全體代表均以待罪之身而出席，有些列席人員，也是「近」躬「有」罪。神聖的議場，在理論上，一時遂成為「看守所」了。

代表席上，大家都心情沉重！頗覺失去光彩！當預備會議中，邱陽寶代表首先發言：我們都是罪人，出席會議，是否合法。另一代表說：會議有縣府官員列席指導，合法，合法！有人稱許邱代表勇於檢討，可惜為時嫌晚！如果邱代表早在「假報銷案」之前，能以是否合法來提出醒喚，縱使曲高和寡，讓別人見錢眼開，自己總不會跟進法院吃官司了。

▲桃縣永安國校校長張奮飛，是一位為教育而教育的老戰士，服務教育界歷數十年，有一個兒孫繞膝的幸福家庭。他雖頭髮斑白，仍充滿了青年人的活力，只求「耘人之田」，不計自己收穫，因此，心境豁達、笑臉常開。自調長該校後，人事力求安定，一般校長，對學校教導一職（等於副校長），亦如一般機關的幕僚長，較有自由的進退。他在一次集會中，曾親自請求陳長壽縣長，該校教導一職，請勿調動。據張校長告記者：舉凡政治、經濟、教育建設，在安定中求進步，才有眞正的進步。永安國校，偏處桃縣新屋鄉的海濱，多是漁民子弟，經費來源，不像人口集中區域，多有預算以外（家長會）大量的幫助。張校長對學校經費的運用，重在「節流」，一分一文，用於有用之地，日就月將，不會作不出事情來。該校在他的銳意改革下，教育成效頗着，不是「落後地區」了。記者來一筆「錦上添花」，不知道常常在酒家裏，尋歡買醉，誤人子弟的一些校長們，能覺「揚州」之夢否。

桃園縣議會有插曲演出
為教育特捐征額事

自送請縣議會審議前，即為電影、烹飪、屠宰等同業公會，極力反對，向縣議會陳情，要求予以否決。目前台灣全省各縣、市的教育經費，實在負担過重（桃縣居各縣市之冠），勢非征教育特捐不可。

在上（五）月間縣議會第六屆七次大會中，對教育特捐案，減為附征百分之二十。剛完成二讀時，該業等認為還有「三讀」的最後機會，復以「請願補具意見書」，和「誰是我們眞正民意代表」兩種書面，分向各議員散發。前者內容，仍是不同意附征教育特捐（從畧），後者是把這次大會的議員座次姓名表，以V符號：雖有出席，表决時故意回避七名；〇符號：反對附征百分之二十（按指教育特捐），眞正為民喉舌九名；▲符號：缺席議員，有辜負人民所託十名；×符號：贊成附征百分之二十，護航議員十六名。（以上「符號」二字，係記者增入，藉示明顯，其餘照原文抄錄），用晒圖紙晒出來。

茲誌分類如下：（一）V號議員謝科（議長）、劉守箴、廖阿佑、詹煌順、宋盛興、黃謝足妹、古胡玉美等七人；（二）〇號議員許三桶（副議長），陳金昌、謝清國、徐金恆、呂金色、蕭木連、羅輝榮、黃標金、彭金榮等九人；（三）△號議員黃天樹、林書亨、林連城、楊崑山、邱坤洋、林煥榮、高時運、楊石城、陳財福、蔡義等十人；（中）

瀛海異聞錄

新幾內亞無面人巴基勞

桑雅

第二天，李察整日和那年老酋長在丹尼族村裏談交易長矛、弓箭、棒子和頸鍊的事宜，但是他對於酋長所獻出的物品，大表失望。因爲博物貿易商所給予的代價不高，因此，李察需要另找市場。

於是他想到巴基勞方面去。他認爲那兒從來沒有跟外人接觸，其他的貿易商人也未訪問這一族，因此他認定那兒，定有「未開發的資源」——舊式的武器。

但是當李察提及那「無面人」時，老酋長面露怒容，說話的語氣甚急，事實上無人到過森林裏見過巴基勞。

那時，時近黃昏，李察感到深以爲異：爲什麼要當巴基勞是生人勿近？只爲了他底「無面人」嗎？或是還有其他的原因？當然那個「無面人」，一定有些東西，是使那酋長感到可怖的。因此，李察決心去探巴基勞。最後，經過與酋長的商懇，酋長無可奈何，把「無面人」所居的地點，和前往的路徑，告訴給李察。那是在森林另一邊的山脈上。李察送了一柄兩面鋒的小刀給酋長，作爲利誘這老酋長隨他一同出發的禮物。然而老酋長大怒，將這份禮物擲於地上。

李察想探究原因，於是對他說：「你爲什麼不和我一起去？」

老酋長喃喃的只說出「阿達」一句話。李察知無法罷手，他決定往那兒走走。於是開步向着森林而行。他頭也不回，但是曉得酋長在背後看着他的。李察繼續前行，走過了參差不齊的草地，直至荊棘矮樹的叢林地帶，他需慢慢的摸索前進。他感到這個森林十分奇怪，一會兒置身於宛似墨綠色的帳幔，把他包圍起來。地面一片柔軟，那全是生長着一層厚而黑潤的植物。濕氣凝結的水珠，從面部和兩條裸露手膀滾下。在還未到目的地的半途裏，他給林裏的濕潤的寒氣所籠罩，可是他渾身冒汗，對於那些寒氣沒有多大感覺。一些朦朧的暗光也沒有，這正像將燈關了後的情景，最後他到達山頂。那兒墨漆得很，他仰望雲際，想看看有沒有月色，但是參天的樹木，濃密得成爲墨漆的屋頂，即使一顆星也沒法看到。

接着，他聽到一種很柔和的動物叫聲，好像是呻吟，也像咆哮似的。這聲音愈來愈近。他停下來靜耳傾聽，他的心房跳得很厲害。他體會到有些東西，從樹叢中向他走過來，而且愈來愈快，因此，把樹枝觸動得發出猛烈的聲響。不久，又聽到另一種狂怒的低哮聲。接着一團黑影，蜷伏在地上，突然的向李察躍過來！正在千鈞一變，李察看到一雙瘋了的血紅眼睛，和閃光的長牙，他發現這是一頭狂怒的野猪。李察想拔出手槍，但還未離開槍袋，他的背部即給一沉重物體，像鐵鎚一般的擊在他的肋骨。並將他的背拖起，驟然的擊着他的腿，李察只能看到那雙血紅底可怕的眼睛，因爲對方壓着他，僅離幾吋而已。對方身體上發出的氣味，奇臭萬分。同時那兩根長牙上下的向他身上移動，他聽到衣服給撕裂的聲音。

這時他右手所拂的手槍，已經離開槍袋。於是，他向着對方發射。這頭野猪立刻尖叫地滾在一旁。李察急不容緩，立刻向它連續開了三槍，那頭動物才負傷逃去。

幾個鐘頭之後，李察顚簸的行回丹尼村的那時，荷蘭年輕助理行政官已經組織了搜索的隊伍找尋李察，當李察看到他們時，把經過情形，告訴他們。在黎明的時候，全村的人都出動，携帶武器搜索那隻野猪。當他們爬上山脊時，搜索的土人突然叫起來，祁理拿說：「他們替你找到野猪。」

李察和祁理拿走前去，他們看到有一頭動物躺在草叢中。當他們來到動物的身旁，發現那不是什麼野猪，而是巴基勞，那個「無面人」！在他的心房中有四個子彈孔。（下）

納薩與中東戰禍

劉本立

法魯克國王的統治在革命中散失了。一名叫納吉培的將軍被任爲總理，但實權却握在納薩手上。一九五四年，那個虛銜總理被逐，於是納薩便成爲埃及的統治者。

一年後，納薩遭受一次屈辱的打擊。事因以色列對於來自邊境的游擊大表憤慨，乃在加薩地峽放動一次龐大的報復行動，使埃及到應得的懲罰。

納薩肯定西方爲了「保持阿拉伯世界的武力均勢」，必定拒絕給予他所尋求的軍事力量。因而在老羞成怒之下，納薩便向共黨集團求助武器。

當時在赫魯曉夫統治下的蘇俄和共黨集團，因勢利導的做了一次交易，供給武器換取埃及的棉花。

次年，納薩又再次受到折辱了。他的夢想之一，是在亞斯萬建築一條橫跨尼羅河的堤壩，以便替貧窮而且飢餓的埃及開拓數百萬畝耕地。他要求西方的幫助；但世界銀行拒絕他的計劃。於是他再次在忿怒之下轉向蘇俄求助。

隨後，他便懲罰西方，而且使它感受到刺痛。他把蘇彝士運河收歸國有，觸發那個六十年代中一次最危險的中東危機。

法國、英國和以色列聯合於一九五六年進攻埃及，納薩的軍隊在西奈沙漠中被打得潰不成軍。但因華盛頓和莫斯科一同施用壓力，於是聯軍便祇好停手了。經過此役後，納薩永不肯饒恕那些他所謂的「帝國主義者」。

但納薩雖然謀求共黨的軍火和支持，但他又和國內滋長的共產主義作戰。他的態度會引起他和赫魯曉夫之間一場激烈的爭吵，因此而被赫魔稱爲「一個暴燥鹵莽的青年人」。

納薩反駁蘇俄在蘇彝士危機中沒有幫忙他。於是他便繼續大捕共黨份子，使他和莫斯科及北平之間的關係弄得極不愉快。

繼續而來的阿拉伯世界危機，一九六一年敍利亞之脫離那三歲大的阿拉伯聯合共和國，以及他和沙地阿拉伯及約旦的爭吵，一切一切都使他在阿盟中的領袖地位受到玷辱。

或許某些人以爲納薩爲了恢復他舊日的聲譽，將在一九六七年間逐步向新的危險邊沿移近——一如以往的受到他那追尋那個漫無目的四圍遊蕩的角色的夢想所驅使。（下）

緬甸「男女有別」

懷遠

我在緬甸，居住過五年。因爲我喜歡研究少數民族問題，對緬甸人的禮俗，也就時時注意。緬甸人在社會和家庭生活中，給我印象最深的是「男女有別」。

男女有別的觀念，建築在男女平等的原則上，反對着「男女混而爲一」的原始觀念和現代思想，也反對着封建時代的男尊女卑的禮教；這也許就是緬甸生活方式的優點。

「男女有別」是中國的傳統倫理觀念；但是，如何「有別」，不僅語焉不詳，也似乎沒有人說得清楚。

在緬甸人的現實生活中，男女的界限，劃分得很嚴：男女混而爲一的觀念是沒有的。當然，這不祇是一個「男界」或「女界」的問題，而是在男女相混的家庭和社會生活中，怎樣表現「別」的精神。

所謂「有別」，並不是絕對的隔離；緬甸並沒有專爲女人開設的咖啡店，也沒有專爲女人開設的菜館。

但是，以公用事業來說，公共汽車是男女分座的，而且所有的座位，都是屬於女人。祇有在女乘客不足的時候，男乘客才可以入座。這似乎不完全是個習慣上的問題。緬甸的「車掌先生」，有着很大權力，祇要有女客登車，他就可以隨意指定任何男乘客讓座。一般男乘客見了女乘客，都會自行起立，不聲不響地離開座位。例如三人一排的座位，坐着三個男乘客，下一站上來了一個女乘客，那三個男乘客，必須同時離座，讓那一個新登車的女乘客單獨坐下。這好像有點「女尊男卑」的樣子；但在事實上，男人是粗野的，女人是文雅。男人讓座給女人，大概是一種性情磨練吧！

看電影也是男女有別的。電影院的售票窗，分爲「男界」和「女界」；女觀衆不必跟男子混在一起排隊購票，祇要走到「女用小窗口」前，保證優先購票。購不到票的男觀衆，祇好自嘆命運不如女影迷了。

有的電影院還要排「女塲」，謝絕男性觀衆購票。這種「女塲」，事實上並非絕對沒有男性，正確的眞義應該叫做「婦孺塲」。孩子們當然享受半價優待，婦女們也揚眉吐氣，「出席」女塲觀劇。

沒有女塲的電影院，有的劃出四份之一或五份之一的固定座位，專供婦女和她們帶來的孩子應用。雖然不滿座，也由它空在那裏。

從公共汽車和電影院的情形去看，緬甸才是一個眞正「男女有別」的社會。

「男女有別」，沒有「誰重誰輕」的意味。女子參政，男女平等，同工同酬的觀念，不會跟「男女有別」的觀念衝突。以緬甸人來說，男女儘管「有別」，並不影響男人和女人的「人格」——女子不是奴隸，也不是弱者。

緬甸人認爲男女相混，是天下最奇怪的事。女人而有「男人氣」是不思議的事。男人而有「女人腔」也不合乎「天理」的。在不男不女的觀念之下，女人多半失去了「母性的偉大」——現代生活方式，把慈母變成了嚴父，可能是一種悲劇。緬甸的婦女不必模仿男人，但是，她們在家庭和社會生活中，却有着一定的權威。（上）

新三國

周鉅詒著

鍾會所不喜的只是鄧艾，今鄧艾已擒，所有伐蜀大兵，全歸他統帥，自謂「功名蓋世，不可復爲人下」。猛將銳卒皆在手下，於是遂有反意。命姜維領兵出斜谷，而自己帶兵隨其後。打算到了長安，再分騎兵從陸路，步兵從水道，順流下渭河，以爲五日內可下孟津，與騎兵會師洛陽，天下可定。

司馬昭可謂老奸巨猾，恐怕鍾有不測之志，於是寫了一封信威脅他說：「恐鄧艾不就徵，特派中護軍賈充（司馬昭走狗）將兵萬人逕入斜谷，（暗示斷鍾會的進路）屯樂城，吾自領大軍十萬屯長安，（暗示長安你別想）相見在近」。鍾會得書大驚，對其親信說：「只取鄧艾，相國知我一個人可以辦到的事。今動大軍，必然知我有異志了。而今只有速發兵北進。事成天下可定，如不成，退保益州，不失作劉備第二也。我自淮南以來，畫無遺策，四海所共知。」大話雖說盡，却不知自己危在旦夕。

此時恰好郭太后死了，鍾會便藉此機會假傳太后遺詔，叫他討伐司馬昭。召集北來的諸將訓話並把北來將領全部關起來，城門宮門都緊閉，計劃將北來諸將一齊殺了。不料尚在猶豫未決之際，他的一位帳下督丘建，是護軍胡烈推薦的，看見胡烈獨禁宮室可憐，請求放一個親兵進來照顧飲食，鍾會准了。可是其餘諸將領也援例，各有一兵進來傳遞飲食。胡烈對他的親兵說：「鍾會要將北兵完全殺光」，同時又寫了封信帶給他兒子。這位親兵遂將此言傳出後，一傳十，十傳百，北來的士兵都知道了。人到了絕路，就要尋求生存的冒險，大衆不約而同的羣起攻城。被關起的人也從宮內越牆而出，各人回到本部，率領北兵同時進攻。姜維和鍾會手下的兵不如北兵衆多勢大，如何抵敵得了？結果姜維、鄧艾都被殺死。鄧艾手下的將士聽說鍾會死了，追上去把檻車打開，放了鄧艾出來。衛瓘一想不對，我是奉命來捉拿鄧艾的，放了他出來，他要報仇我怎辦？於是派兵去把鄧艾殺死。

本來將北兵將領全部關起來，是姜維的計劃要他殺掉，可是鍾會猶豫，只將他們關起來。猶豫誤了大事。姜維只待鍾會殺掉魏國入蜀將領之後，再幹掉鍾會，然後將北兵一般殺掉，然後恢復蜀國。可惜他的計劃却被一個小兵破壞，身死國亡，妻兒子女皆被殺死。

姜維曾經秘密給後主寫了一封信說：「願陛下忍數日之辱，臣欲使社稷危而復安，日月幽而復明」。假若鍾會不被北兵所殺，而能殺掉北來諸將，姜維號召一部蜀兵，再以鍾會發的二萬北進之兵，反攻鍾會，也很有可能成功的。

鍾會「造反」，這在撰三國志的陳壽來說，是廻護司馬氏的晉朝而執筆的。故說他「造反」。後人有疑他並非反魏，而是反司馬昭，是王淩、毌丘儉、諸葛誕一類人物。鍾會是鍾繇的兒子，在魏有張子房之雅號，打毌丘儉、破諸葛誕都是他的計謀。鍾繇在曹操時代能平定西北，出力甚大。鍾繇受魏朝的恩惠也很重。鍾會是很有學問的人，很知義理，他要盡忠於魏朝，反司馬昭是合情理的。三國志作者怎敢寫他是反司馬昭的歷史。（一三九）

以往從未見過

非洲的白猩猩

。靈素。

美國國家地理學會最近宣佈，在非州尋獲世界第一頭白猩猩。該猩猩祇兩歲大，白毛，粉紅色的皮，藍的眼睛。普通猩猩是黑色的。

這頭猩猩，現在有一個渾號叫做雪花。看來是被尋獲的第一頭缺乏色素的猩猩。據說，牠的健康很好，且精力充沛。

這頭小猩猩是去年十月在非洲西班牙屬幾內亞的里奧門尼省捕獲的，當時牠抱住母猩猩的背脊，母猩猩在偷進一個香蕉園裏的時候被槍擊死了，母猩猩是黑色的。

里奧門尼是位於赤道以北靠近非洲的西海岸。

小猩猩被捕時，估計剛剛兩歲大。牠完全是一頭小猩猩，獨有一點例外：牠是缺乏色素的，眼睛、皮和毛都沒有通常的色素。小猩猩被捕後，在捕獲者家中被關閉四天之後，轉賣給一位自然學家，這位自然學家在里奧門尼替巴塞隆納動物園管理一個獸類服水土園。小猩猩後來被送到巴塞隆納，在動物園獸醫主任卡賓博士家裏餵養。

牠每天吃香蕉、蕉樹、甘蔗、生果等，同時也愛吃「曲奇士」、牛乳和烘火腿。被捕時體重十九磅半。

專家說：該猩猩要到十二至十五歲時才充份長成，那時，可能重達五百磅。

在人類方面，缺乏色素的人，被認爲每一萬人中祇有一名。缺乏色素是一種遺傳的缺陷，使皮膚的色素沒有形成，至於其原因何在，現在還未確實曉得。小雪花缺乏之色素，可能與人類的情況相似。

剛在捕獲白小猩猩之前，美國杜寧大學的三角洲地區長靈類（猴、猿等）研究所，會開始大規模研究里奧門尼森林中的低地猩猩，他們相信，那裏會有五千頭猩猩之多，但猩猩是隱藏不出的，故對牠們認識甚少。

杜寧長靈類研究所，大部份是由美國衛生學會所興建和贊助的七大研究所之一，他們從事研究人類的問題，猿猴對於這種研究工作可能很有用處。同時這項研究工作，也需要對自然生物學和走獸的行爲，加以徹底研究的。

至於小猩猩抱住母猩猩而後者不加以拒絕的原因，科學家解釋爲顏色殊異之故。該專家並懷疑，那裏會再有像小雪花般的另一頭猩猩。

編者按：「談張飛戲」續稿未到，暫停一期。

他是「殺妻者」

。期生。

讀完「殺妻者」，覺得這個故事的情節不壞，恰巧同事喬君來玩，我就推薦給他：

「你試試看，可以一讀。」

「好？」他笑着接了書。但當他的目光移到「殺妻者」三個字上時，笑容驟然消失，變得很難看。是怎麼啦？我注意他。

他似乎有所感觸，板着面孔將書放在桌上，我趕忙把話題岔開了。

談不上幾句，他意興索然的走了，我瞧着他的背影怔住了，爲什麼？

換上別人，我倒有理由解釋，例如：他是不愛文藝的，或者他是忌妒人家寫文章的。喬，他是鼓勵我寫作的人，相處兩年後，我們很談得來，他的年紀比較大些，學問比我精些，絕不至討厭小老弟搞文藝。

我想——

他是笑着接了書的，看了題目才變臉的。

題目能使他發生什麼樣的聯想？難道他是個「殺妻者」？

凡是有隱痛的人，應該是抑鬱不樂的。這點對，喬已經抑鬱到不知自己是在抑鬱了。難道他眞有過殺妻的事？或者近於這種事？

老把這件事記在心上，我也一直猜測着它。我斷定，喬的過去，必然有過悲劇的故事，而離不了「殺」字。

他是嗜酒的。大概一個禮拜之後，我約他一醉。

「晚上來杯啤酒，怎樣？」

「爲什麼？」

「醉嘛？不醉怎麼辦？」

他笑了，應該說是苦笑。

「你說得很有詩意。」

「吃過苦的人，說話難免有詩意。」

「對，好吧。」

我們到街上一家飲食店裏，要了兩瓶啤酒和一些冷菜熱菜，桌子上擺了一大片。

他喝酒。他是喝悶酒，不肯講話。而我，在理論上，同樣主張此時不宜講話，所以，我們默默地喝着喝着——。

很快，兩個酒瓶都乾了，我自信，只有四分之一被我喝掉。

「添酒？」我問他。

「再來一瓶好了。」

當我們出了小食店的時候，已近黃昏，上弦月掛在天上。道時，他一反剛才吃酒時的緘默，話逐漸多了。

「散一會步怎樣？有月亮。」我說。

「當然好。」

於是，我們沿着小河向前走去。這是一條人工的小河，河水十分明潔，河流的速度，快慢適中，以至於水聲淙淙，恰到好處。河岸是用水泥砌造的，平坦而且乾淨。

我愛水，我對喬說：

「假如這條河直通我的家，不管它是千里萬里，我可以伴着流水，毫不疲倦地走回去。」

「你想家？」

「爲什麼不想家？」我指着空中的歸鳥：「它們也要回巢呢？」

「我不想家。」

「爲什麼？」到了盤根究底的時候了：「喬，你像是有心事？」

「你怎麼會知道的？」

「你那天看了『殺妻者』三個字，臉上突然變色，你一定有過很大的傷痛，不願告訴我吧了。」

「哦？」他說：「你想找點小說的材料。」

「不，我們是朋友，我有爲你分憂的義務。」

「你能把它寫成篇小說也好。」

我們選擇一塊地方坐下來。田野是靜的，月亮擺脫了雲層的遮掩走了出來，我看到它的白色的光照，映射在喬的意境深遠的臉上，而把那張臉渲染得更加蒼白了些。我遞枝烟給他，爲他燃着了火。

我傾聽着。

「我家有錢，在我們那個縣城裏，雖不算首富，也數得上第二第三。

「我的父親做過縣長，誰都巴結我們。我在這種環境中出生長大。我懂事以後，家裏僕人成行，一呼百諾，不知世上有什麼苦痛。

「我十四五歲的時候，鄉下鬧匪，姑母一家搬到城市來。我有個表妹，叫葉靜秋，跟我年齡彷彿，長得很標緻。」

倒是小說材料，我想。

（上）

試談偏愛的諸葛亮與神化的關雲長

讀「畧評諸葛亮與關羽」之後

周燕謀

魯肅趕到夏口，曹操已至南郡，劉琮已投降，急忙趕奔當陽，見到劉備，陳說利害，「勸備與權併力。」所以說聯合孫權共抗曹操之情勢，魯肅尚比孔明先了一步。

再說孔明的隆中決策的大勢，周瑜同孔明一樣有此卓見。赤壁戰後，周瑜便詣京見權，對孫權上了一個逐鹿中原的大計。他上疏說：「今曹操新折衂，方憂在腹心，未能與將軍連兵相事也。乞與奮威（孫瑜也）俱進，取蜀；有蜀，而並張魯，因留奮威固守其地，好與馬超結援，瑜還與將軍據襄陽以蹙操，北方可圖也。」這豈不是與孔明所定「跨有荊益，北向宛洛」的決策一樣嗎？這不是『天下才智之士所見皆同』嗎？何故一般爲演義所惑，專美孔明，而抑周魯！周瑜之所以不濟事，非其不能，可惜他上了疏之後，回南郡整軍的途中，病死在巴丘！時年只三十六歲。不然，爭奪益州，孔明將遇到勁敵無疑。鹿死誰手，很難逆料。

劉備取了益州，兵出秦川，孔明仍是任職內治，「先主外出，亮常鎮守成都，足食足兵」。劉備取益州，也不帶孔明，只借了謀士龐統。劉備攻拔漢中，都是親自指揮，智囊只有法正。演義又把此功算爲「諸葛亮智取漢中」。把劉備說成一個只曉「哭」的人物。其實劉備用人，在三國羣雄中，是首屈一指。他一世都不重用諸葛於軍事，重在內治。劉備爭戰在外，他能「足食足兵」，這是他的長處，公允之至。應變將畧非其所長。[illegible]將鎮守漢中，羣下咸認爲除了鎮守荊州的關羽之外，必爲張飛莫屬，而且張飛也以此自許。劉備不用張飛，拔了魏延鎮守漢中，羣下皆表驚異。結果魏延能夠勝任，漢中固守無虞。

由此足見劉備用孔明之長於治績。一直到劉備逝世，孔明都沒有担任軍事的作戰指揮官。所以孔明的「應變將畧非其所長」，實在是極其公允的。劉、關、張相繼去世之後，馬超、黃忠也死去，蜀中可謂「無人」了。宿將只有趙雲一人。因此，孔明在劉備、關、張死後，孔明才「出將入相」的重任。孔明一切文治武功，都是在劉、關、張死後才漸漸如日方昇。在他前半生的過程中，確實無一驚人的表現，在魏、吳人心目中，只有劉、關、張。我們看程昱的話吧：「劉備有英名，關羽、張飛皆萬人之敵」。又劉奕傳：「……若小綏之，諸葛明於治國而爲相，[illegible]冠三軍而爲將，則不可犯也。」程昱是曹操的謀士，他心目中只有劉、關、張；劉奕也說孔明「明於治國」而爲相。對於劉、關、張的英名，有口皆碑。

（四）

養兒防老

紫芸

莫泊桑在他的一部叫做「女人的一生」小說中，寫一個端莊賢慧的女性，遇人不淑，她原已萬念俱灰，失去了人生的標的。但她被提醒「看在肚子裏一塊肉的份上」時，才勉強恢復求生的勇氣。及至負心的丈夫凶死以後，孩子便成了她的一切。她希望孩子長大成人，來補償她前半輩所遭受的損失。不幸的是，這孩子比他父親還不成材，像他父親一樣地揮霍她的給予，予她無盡的折磨。至此，眞是悲慘之極！無論何人，也無論其功名事業，遂意與否，最後不免體會到：「有子，才眞正是『萬事足』」。所謂「有子」，不是單純的有兒有女，而是要成就的兒女，有勝過自己的兒女；至低限度，自己的兒女能安份守己，不爲社會的害瘤。一個人能親眼看到兒女成器，儘管自己時乖運舛，一事無成，但對兒女所懷抱的無限希望，却足以補償自己一生的遺憾。好比接力賽跑，自己已深感精疲力竭，忽有一股新生的力量接去手中的木棒，繼續向前奔馳，終於跑畢全程，而完成自己本來的心願。相反的情形，個人在事業上雖獲有可觀的成就，如果兒女不肖，他畢生的經營如同植基於虛幻的基礎之上，到頭來不禁有白費氣力的感覺。好多父母一生好強好勝，由於兒女的頑劣成性，日趨下游，其內心的悲傷有非言語所可盡述。一個人寧可沒有顯赫的父母，却不能沒有成器的兒女。古人說：「積穀防飢，養兒防老。」原來的含義，乃係人到耄耋之年，兒孫承歡，奉養有人；而無匱乏的憂慮。不過，我以爲這種解釋，尚應加以擴充：所謂「養兒防老」，在積極方面，人到老年，特別到了自己功成名就之時，不要再因兒女的違法亂紀，失德敗行，而憂戚傷心。「養兒」包括養育與教育的雙重意義。語云：「養不教，父之過。」天下多少父母當其盛年，只專心於自己的事業，或只顧自己的玩樂，全不注意於子女的教養。他們把兒女交托給家中的傭僕，學校的教師，有時甚至放縱兒女養成不良的習染，久而久之，等到錯誤鑄成，再求改正，爲時已經太晚。所謂「養兒防老」，如果希望自己於年事已高之時，看到有孝順的兒女，有成器的兒女，必須趁早以較多的精力，灌注於子女的教養上。須知：教好自己的子女，對於社會也是一種重要的貢獻。

床與人生

。路加譯。

一些專家估計，睡床應該比睡者的高長一呎。如果是雙人床，其標準濶度應爲四呎半，因爲這樣可以讓婦女懷孕時，較有充裕的空位轉動。

可是，找一張絕對適意的床，並非易事。一位名阿倫．沙杜歷的男子表示，足足花了八年，才爲他本人和妻子，覓得一張適合的床，以解決多年來的難以辦到的問題。

在英國，最新而現代化的床，每張索價要四五十鎊，濶最少五呎。他就是選購了一張這樣的床子。事前他在倫敦裏看遍了所有的賣床公司，始終無一適意。他每次到賣床公司，必睡在床上試試，他對那些售貨員及路過的人底訕笑，絕不介意。有一回，他到一間宏大的公司，躺在一張床上，伸張四肢試試那張床，是否適意，一位售貨員走過來，對他說：「要是我曉得你來的話，我一定替你戴上一頂睡帽。」

這不是說笑的，即使大的百貨公司的睡榻部售貨員，亦不慣見這樣精選睡榻的顧客的。事實上現在的床，大部份都不理想，像美國製的，過於堅硬，德國出品的，過於粗糙一點，至於英國貨，似嫌太柔軟。

（四）

自由報
THE FREE NEWS
第七六五期
內備警台報字第〇三一號內銷證
中華民國僑務委員會頒發
台敎新字第三二三號登記證
中華郵政台字第一二八二號執照
登記爲第一類新聞紙類
（半週刊每星期三、六出版）
每份港幣壹角
台灣零售價新台幣貳元
社長：雷嘯岑
督印人：黃行晉
社址：香港銅鑼灣高士威道二十號四樓
20, CAUSEWAY RD 3RD FL.
HONG KONG
TEL. 771726　電報掛號：7191
承印者：大同印務公司
地址：香港北角和富道九六號
台灣分社
台北市西寧南路壹壹零號二樓
電話：三〇三四六
台郵撥儲金戶九二五二

中東戰端的背景（下）

彭樹楷

截至筆者爲文時，實際上業已參加對以色列作戰的國家，有埃及、敘利亞、葉門、約旦、伊拉克、黎巴嫩，對以色列宣佈參戰的有蘇丹、科威特、阿爾及利亞、沙地阿拉伯，其他國家或宣佈中立，或尚未表明態度。但就一般大勢言之，所有阿拉伯回教國家都是仇恨以色列的。這種基於宗教的傳統仇恨，一般不易消滅。而阿拉伯任何一國對以色列的戰爭行爲，都是一場中東大戰，並可能觸發美俄兩強所代表的東西方集團的毀滅性世界大戰。中東的戰端背景如此，其未來的演變也將是如此！是！因爲中東戰爭，絕非阿聯揚言的「神聖戰爭」，實質上乃是「愚蠢戰爭」，並且是最大悲劇的戰爭！

早救戰禍第一

中東，這個有着許多小國的地區，一般人對它的認識是很模糊的。但是，中東在東西方集團的權力鬥爭中，卻是舉足輕重的。柏林、韓國、越南，以及其他任何地區的爭執，都不足以刺激以美俄爲首的世界大戰；但，中東的情形卻完全兩樣！因爲，中東是美俄全球戰略的「雙重支點」。中東是自由世界一個重要的前進地帶，能掌握此一地區，則除其富甲全球的石油資源外，一旦與蘇俄發生軍事衝突時，在自由世界所必需的戰略中，對其早期警戒與前進支援點的戰術，均具有極重要的因素。

在中東本身，各種因素混合的結果，產生了一個永遠沒有結果，永遠不能結束的戰爭，這便是回教的阿拉伯國家，與猶太教的以色列的那種既戰又停，既停又戰的狀況。一九五六年以後，聯合國的停戰協定會凍結了以埃戰爭；到一九六七年初，埃及便漠視聯合國停戰協定並驅逐聯合國駐阿聯緊急部隊，終於導致六月五日所爆發的中東大戰。就以色列來看，其在防禦方面，自然是非常堅強的領土；這個新興國家的安排作戰，事實上卻又大安排作戰。戰綫調整安全，減少以最色列的戰綫，將人民與法符合以色列人民的，其擴伸以色列的願望，是當然必將引起與阿拉伯間的衝突。看以色列的存在，就阿拉伯國家來說，是一種汚辱！巴勒斯坦阿拉伯難民需要復仇，或照他們所說是爲了維護正義，他們必將羣起攻之而消滅以色列。可是，以色列強大得太快，阿拉伯國家不知如何才能超越以色列。於是，他們歸罪於美英，特別是美國。爲此，他們倒向蘇俄全力從事軍備發展，並使用毛共傳授的人海戰術而不顧回教的人道主義。此次阿聯的攻擊以色列，無論空軍及海軍，都是就採取人海戰術！他們並揚言這是「神聖戰爭」，豈不是愚蠢而又對自己人殘忍麼？

許多阿拉伯以外的國家，常把今日的阿拉伯國家，與舊約中的想像和羅馬時期中的故事連在一起，因而使他們對中東地區構成的印象，仍是結隊的商販遊牧，以及馬伕和駱駝！他們忽視蘇俄十多年來的功夫，以及毛共不顧自己人民死活的大量物資贈予，已使許多阿拉伯國家具備了現代化的軍事裝備和設施，許多阿拉伯人都廣泛地以摩托車代步——這種民用摩托車，已成爲今日進攻以色列的機械化工具了！此外，人們又忽視一個事實，就是所有阿拉伯國家，有了一個有組織的聯盟。或者僅由埃及與沙烏地阿拉伯兩國有一個聯盟，也能聯合整個阿拉伯國家。即使是沒有任何具文的組織聯盟，僅由於宗教關係的密切而相互依賴的結果，也能自然地促使他們在對付以色列行動中團結起來。美國忽視了這些，直到現在整個阿拉伯國家的反美，和所有阿拉伯石油國家決定禁止出售石油予反阿國家，這才使美國大夢初醒，除了表示「遺憾」外，迫使她不得不宣佈在中東戰爭中採取中立！詹森總統剛一宣佈中立，卻即遭到反對打越戰的鴿派而在中東危機中變成鷹派的嚴厲批評！當然，自從杜魯門以來，每一位美國總統都會聲明保障以色列的主權和獨立，詹森也不例外。何以在以色列遭到阿拉伯十個以上國家的聯合圖攻之際，在對以色列堅定承諾，信誓旦旦之際，詹森政府卻又經由國務院發言人麥克勞斯基申明：「美國的立場是在思想，言語及行爲上均保持中立。」

筆者看得出來，美國在這場中東大戰中所扮演的，是一個非外人所能完全瞭解，且不易獲取外人同情的痛苦角色！而蘇俄，似乎一開始就以勝利者姿態出場，企圖加深美國的痛苦以及測驗美國的容忍能力。

不過，我以一個自由中國公民的身份，表達我個人研析的結果，不得不沉痛地警告蘇俄以及毛共說：「蘇俄與阿拉伯的距離很近，蘇俄與毛共對阿拉伯着實下了不少功夫，因此，你們可以在這個地區指使阿拉伯隨時發動侵以戰爭，你們也可能在一開始便會獲得絕對優勢的勝利；同樣的，只要你們還沒有發明炸不壞的油井或是看不見的地雷，則你們在勝利之後必定是一無所獲！」我作此論斷，乃是基於「多行不義必自斃」的天演公理！一個僅只爲了生存的國家而不容於另外的國家，必定會引起全世界人類的公憤！而且美國的忍耐也有其極限！西方空權和海權的混合打擊，足以維持此一地區的和平；即使是單憑美國駛入地中海東部的五十艘艦艇的第六艦隊戰力，用以對付蘇俄駛入地中海的二十艘艦艇和阿拉伯的戰亂，也是能夠達成任務的。更何況，在這些力量的後面，還有着「集體報復」和「全面摧毀性大戰」的堅強意志！

現在，是蘇俄運用其影響力對中東戰爭前途作一明智選擇的最後機會！而中東各參戰國，更是應該理智地克制自己，特別應該瞭解，繼續的作戰將會使你們失去的會更多，最後，也許只是一個觸發世界大戰後的集體毀滅！特別是阿聯，我要重復說一句：你們打的不是如同你們所說的「神聖戰爭」，而是沒有收穫的愚蠢戰爭！你們理應慎重選擇中東的前途！在和平共處中使中東人民都能自由地擴展他們的才能，開拓地下蘊藏的財富，這是你們十一年來曾經做過的事，這事情值得你們繼續去努力！任何仇恨的戰爭報復行爲，都是極其危險的大悲劇！（完）

自我陶醉

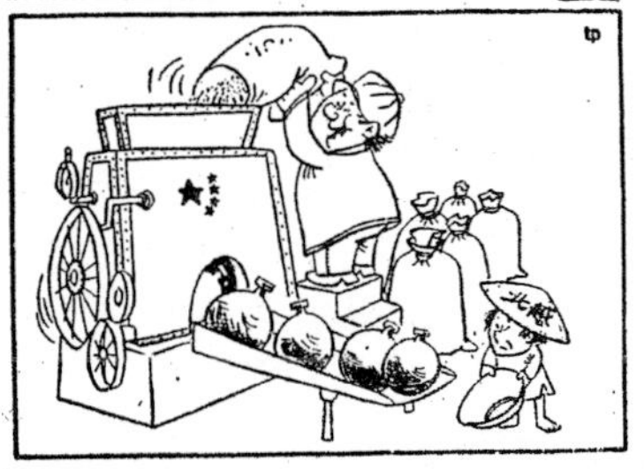

毛酋：「這是給你吃的！」

今日與明日

毛共侮辱摩囉差

最近北平發生一件趣劇，兩名紅頭阿三（港人稱摩囉差）的外交官，在北平西郊拍攝風景照片，被毛共特務人員捉住，強指阿三拍軍事照片，當時將照相機打碎，非林扯出，打兩個阿三解回軍部。本來這兩名阿三是印度「大使館」的秘書，本身原是外交官，應有外交豁免權，毛共若以爲兩個阿三作情報工作，最重處分只有通知印度「代辦」（久無「大使」），列爲不受歡迎的人物，驅逐出境也就算了。而毛共卻不是如此，首先單方面宣佈解除兩人的外交特權，不承認該兩名阿三具有外交官身份，於是兩人就成了平民，就要按照毛法處置。如何處置？公審是也。六月十三日兩名阿三在北平萬人大會上遭受公審，循例拜毛像，讀毛咒，然後再咒罵自己不當作特務，經過一場大折磨，才算放走。可是，兩人上飛機赴港時，又被紅衛兵在飛機場與以毒打，着令罰跪；至於吐口水，扔雞蛋只是點綴行色了。

奇事怪聞

中東之戰，納薩在四十八小時內被打得一敗塗地，已成爲舉世奇聞。但比起毛共這一着，似乎還差一些。毛共此次行動，在外交方面創了兩個先例：第一，單方面取銷外交豁免權，除去二次大戰時日本曾經單方面把美國駐日大使格魯拘禁之外，似乎沒有前例；但當時日本已偷襲珍珠港，美日發生戰爭。此時毛共與印度仍是「友邦」，印度仍爲毛共加入聯合國大賣氣力，毛共此項行動不惟對紅頭阿三是一大侮辱，而且也開一國際惡例，以後任何國家若仿效毛共（事實上除阿爾巴尼亞之外，應該不會有第二處），隨便取消外國使館人員的特權，則一切國際法例皆要重新擬訂了。第二，公審別國外交官，不但在世界史上空前，就在毛共史上也是前所未有的事，西方報紙傳說毛澤東腦子有病，大概是眞的。

應當叫好

毛共所作所爲，一萬條中也難找到一條是對的，只有這次拍磨紅頭阿三，是對的。區區個人意見，認爲是拍手叫好的。翻開近代史來看，政治人物品格最壞的無出尼赫魯之右。印度在尼赫魯薰陶下，永不在世界上作半點好事，尼赫魯雖死，其陰魂仍然統治印度，全國上下（除去極少數的人）一概視毛共如神仙，拍之惟恐不及，無論毛共如何作踐，阿三們皆甘心領受。讀者諸公如若不信，請看本屆聯大，印度代表團一定又振臂高呼，堅決支持「中國」加入聯合國了。（何如）

自由談

人性的偉大潛力

史達林的女兒史薇拉娜現年不到五十歲，她完全是個共產社會鐵幕中培育出來的「特殊材料」，又是「共產世家」大獨裁者的愛女，在鐵幕生活圈中，比較一般的人民自由而舒適多了。然而，她終於逃離祖國，投奔自由天地之間！這證明「人之初，性本善」的說法是正確的，而共黨宣傳所謂「共產主義者都是特殊材料造成的」云云，實係無稽之談。

史薇拉娜最近在美國首次發表她投奔自由的文字，對於蘇俄社會主義生活表示深切的痛惡心情，她以致蘇俄文藝作家巴斯特納克——「齊伐哥醫生」小說的作者——的公開信，表達她愛好自由的天性。她說：「大地仍然被愚蠢與淒涼所籠罩，形式主義者的統治還未結束，死文字的力量仍在統治着活事實」。又說「一位作家作品的第一個批評家是憲兵和警察。除去在沙皇時代的俄國，戈果里或謝西林都不會爲了諷刺過甚而受審訊，他們也不會爲了嘲笑俄國生活的荒唐而受到懲罰。

但現在呢，你可以爲了一個比喻便受審判，爲了一個修辭而關進勞工營」。她感覺「我整個生命中，是一種監獄式的生活」。這是描述共產主義政權的寫眞藍圖。

史女幷不瞭解資本主義社會生活是何情況，她自呱呱墮地之日起，即浸潤在那愚蠢與淒涼所籠罩的大地中，未曾出過國門，到了兒女成行的壯年時期，爲着運送死去的印度丈夫的骨灰，纔偶爾走入自由世界，即毅然決然地選擇自由，義無返顧。她在新德里對着一羣歡迎她的印度共產黨員說：「你們恭維我的祖國之言論，我幷不完全同意」。這些都是她自發的由衷之言行，沒有絲毫外在的誘惑作用潛存着，十足地證明人類與生俱來的愛好自由的天性，不是暴力所能泯滅的。

即此可知，共產主義者縱然利用暴力，徼幸得逞於一時，然結果一定失敗無疑。因爲崇尚自由生活的人性，永遠存在，視之無形，聽之無聲，而其偉大的潛力，卻無遠弗屆，牢不可破，此古往今來一切暴虐政權之所以終歸完蛋也！

馬五先生

以色列開戰前充滿信心 警告納薩勿得輕舉妄動

—拉維夫通訊—

（編者按）此爲以色列總理艾斯高於以阿戰爭發生前接受新聞記者訪問時的談話，從中可看出以色列何以能於四天戰爭便把埃叙等國打得抬不起頭的所以然，故樂爲刊佈，以饗讀者。

問：總理先生，以色列建國已十九年，由於貴國被一個敵對的阿拉伯世界包圍的緣故，請問現階段中的以色列到底有何種安全感？

答：首先我要來一項更正——我們已經立國四千年。我們會經沒有國家千多年。直至十九年前，我們才令自己的國家復活。至於安全感方面，我們覺得十分安全，雖然我們全國只有二百六十萬人。請詢問街上的以色列人民，最近，來自阿拉伯國家的滲透者所埋伏的炸彈，令我們邊境區的一位拖拉機人員被炸死。對於這種事情，我們的同胞當然表示憤慨。不過，他們已經學會泰然處之。他們知道：在較嚴重的事情上面，他們受到政府的保護。

問：你認爲以色列會跟埃及，或叙利亞，或者約且發生全面大戰嗎？

答：這很難說。我認爲世界上的領袖亦無法告訴你十年後到底會發生什麼事情。不過我認爲在今後數年內不會發生全面性的大戰——雖然我們正爲這種可能性而從事準備。由於這一問題，我們公開向全世界表示：在必要的緊急情況下，我們能夠迅速地動員我們的軍隊。我們的雖然不是一枝龐大的常備陸軍，不過，我們能夠將自己的動員起來。

問：埃及可能正在製造飛彈這事情，是否令閣下憂慮？

答：這件令我十分憂慮。埃及人表示用原子及化學彈頭將他們的飛彈武裝起來。他們在也門境內使用毒氣彈。因此，危險是存在的。納薩目前在埃及境內的地位，已經和八年前的不相同。當時他在阿拉伯世界上好像一個英雄那樣地出現，是一位聲望甚高的「偉大英雄」。然而在也門方面，納薩已經喪失本身的一部份聲譽。他知道：跟自衛力極爲強大的以色列作戰時，跟他在也門作戰是截然不同的！

問：外傳以色列可能希望製造自己的原子彈？

答：核子彈？我恐怕我們的腰包無法應付這種武器的生產。

問：貴國與阿拉伯世界的關係，是否表現有希望的跡象？

答：突尼西亞總統布吉巴，及其他阿拉伯領袖，表現有希望的跡象。我們經常地認爲：黎巴嫩及約且將首先採取步驟和以色列建立較爲正常的關係。若干阿拉伯國家現時對以色列表現多種不同的憎恨我們的程度。可是其中若干阿拉伯國家，可能到了最後階段中，用友好的態度對待以色列。

問：你認爲要經過多少時間後，以色列才會與鄰邦和睦相處？

答：關於這一點，要預測的話殊不容易。布吉巴是朝着這個方向而採取行動的第一人；他表示阿拉伯國家應該用一種新的態度去注意以色列的局勢。雖然他說的一切，並非全部地令我們感到滿意，不過他却有勇氣。他不擁護納薩及其想做領袖的願望。前任加納總統克魯瑪會向我表示：「不要怕。納薩認爲他會成爲非洲及所有該區內的有色人種的領袖。然而，他並不知道若干其它人士亦作如是想。」

問：你認爲埃及總統納薩將來和以色列的關係如何發展？

答：我希望的是：他能夠恢復理性，同時明白以色列永遠地留在這裏。很明顯地，包括蘇俄在內的其它國家，認爲以色列不會被摧毀的。

問：在中東方面，蘇俄的地位怎樣？

答：蘇俄正在中東地區內試圖增強本身的地位。蘇俄繼續以大量武器供應中東的阿拉伯國家，而這些武器可能被用以對付以色列。蘇俄在埃及境內的勢力非常強大。中共在叙利亞境內的勢力亦大。蘇俄現時正準備着建築水壩，供應軍火，同時將數以百計的專門技術人員派到中東國家內而企圖將本身的立足點建立起來。駐埃及和叙利亞的蘇俄專家與技術人員約二千名。

（上）

毛共為何不敢對美作戰的研判

羅雲家

「美國新聞與世界報導」雜誌，曾於本年五月下旬那期列舉中美對毛共可能發生的八種危險性威脅，以專文配合插圖，分析毛共可不可能對美直接作戰。其結論雖與吾人研判者概略相同，但據以分析之觀點，則有若干差異，爰特申論之，以助讀者對此大問題獲得更深一層透視。

美國專家指出：毛共如參加越戰，將冒着下列舉的危險：

一、韓國可能引起類似上次韓戰或更爲猛烈的戰爭，此舉將使毛共力量耗竭。

二、美國駐太平洋第七艦隊及其他聯合之艦隊封鎖北韓及中國大陸及北方諸港口。

三、美軍沖繩島基地出動戰略空軍，對毛共於中國大陸東南沿海及內陸戰略要點之大舉空襲。

四、中華民國在台灣彼與基地的大軍的掩護反攻大陸。

五、美航空母艦飛機、出襲、海南島基地，及大陸西南地區之空襲。

六、美軍在此處兩棲或三棲登陸，配合南越美越聯軍，以攻擊北越境內的毛共軍。

七、美駐泰戰略空軍轟炸大陸西南邊區之毛共戰略補給綫。

八、美戰略轟炸機摧毀羅布泊及其他核子製造及其有關之設施與基地。

由於中華民國對毛共所具的威脅，及由於美國三軍武力接近地對毛共形成了一個前所未有的「半月形」包圍、襲擊態勢的威脅，所以美國專家們認爲：毛共軍將不敢對美直接作戰。

毛共向來是重視武力，迷信槍桿子的，所謂「槍桿子裏出政權」；回溯其已往叛亂之經過：無論打家刼舍時期也好，雛型暴動時期也好，井岡山落草時期也好，被剿流竄自誇兩萬五千里長征也好，延安苟延殘喘以及僞裝「抗日救國」時期也好，破壞行憲及大舉叛亂時期也好，用「志願軍」名義增援北韓時期也好，乃至近年秘密增援北越，並以西南邊區用作北越之庇護所時期也好，……可說全憑武力作基礎；同時運用政治戰術，中立戰術，統一戰綫，笑臉攻勢，和談策略，顛覆陰謀，並師承俄帝之矛盾律，質變律，否定律等手段，而退一步進兩步，打打談談，談談打打，更利用人性自私、貪得、幻想、奢求之弱點，從而僥倖使其詭謀得逞，致有今日之瘋狂！

毛共既係「槍桿子狂」與「武力迷信者」，在其軍用之各種典範會中，且訂有「小米加步槍」就可解決一切爭端的教條，何以在現階段的對國軍對美軍（越戰）之決策上，不僅不敢直接與美軍發生衝突，不敢將籌劃已久的港九、澳門暴力事件加以擴大至冷戰加熱戰，甚至完全趨向於熱戰之一途，而且「甚至非常希望避免戰爭，祇要美國不破壞目前最低限度的『基本原則』——不藉全面轟炸或進軍北越而摧毀河內政權」呢？

（上）

讀者投書

香港中國人應一致起來 反擊左仔搗亂

編輯先生：我們大家同是香港的居民，雖然香港的數百萬僑胞，各有各的環境因素，而且來自不同的方向，但不論甚麼政治思想，不論任何階層人物，我們這數百萬人，正在大風浪中乘坐着同一條船，可不是嗎？香港近年來接二連三遭受了數度波折，實在經不起再受摧殘，所以，我們現在最主要的措施便是「同舟共濟」，務求我們數百萬居民，乘坐的這一條船，能夠在大風浪中安全渡過，希望在動蕩中求安定，在安定中謀進步，再在進步中求發展。但是不幸得很，香港的左仔——他們都是民族敗類，竟然無風起浪，藉勞資糾紛製造暴亂，使我同胞遭受不必要的巨大損失，精神上所受威脅更不待言。同胞們：請想想，自從龍工暴動以來，對我全港九同胞有利或有害？相信每一位居民都知道，有百千萬害而無一利！然而我們爲什麼會讓這些民族敗類橫行無忌呢？這就是港九同胞具有我中華民族傳統寬大容忍之美德，而且陰謀份子還不要臉的盜用「民族鬥爭」名義，所以或有少數平日在生活上與公務員發生過意見，或者受過公務員之氣，認爲這是報復的機會，因此就無條件作爲陰謀份子之工具，這實在是太可惜了！同胞們：我們爲了生活，而公務員爲了職責，彼此之間有時會發生誤會，該是免不了的。但是彼此之間能夠互相尊重，互相諒解，相信大家和好相處，未必沒有可能。何況平日個人之恩怨與目前的暴動事件完全兩樣，如果你爲了報復某一公務員以往對你的不禮貌，也不外想出了心中的一點氣，但是出了氣而會連自己的飯碗也打破了，而且甚至可能影響整個社會的安定，及破壞全港同胞的正常生活，這樣就不是聰明人之所願爲了。誰願意「搬起石頭打自己的脚」呢？同胞們：快醒覺吧，起來站定正義的立場，支持政府，維持治安，發揮中華民族的良好傳統，堅忍奮發的精神，把掛起民族的羊頭賣殃民狗肉的陰謀份子打回大陸去！

回過頭來向留港的抗日戰友談談。記得當年七、七事變，日軍大舉侵略我國，那時候，我們是背着書包的孩童，長大後，眼見國難當頭，爲了民族，爲了人民，爲了國家，我們放下了書本，背上了槍，參加捍衛國家之神聖戰鬥。我們會經受盡了飢寒艱險，在槍林彈雨中出生入死，數度寒暑輾轉苦戰，終於得到最後勝利。我們自始至終沒有對不住國家民族的地方。可是，大陸變色之後，共黨不但不容留我們，並給我們一個反動派的罪名，非殺不可！我們爲了不甘待斃，只有跑到自由的地區，其中過程萬苦千辛，實難形容萬一。但我們終於能夠在這裏生活下去。現在左仔又在香港製造暴亂了，而且在指我們爲敗類、漢奸！親愛的戰友們，我們還能容忍下去嗎？國家有危難的時候，我們能夠以身許國，社會需要我們時，我們也能夠以身貢獻於社會。香港的社會，正遭受着暴徒的迫害。親愛的抗日同志們，快起來吧！發揮我們抗日的勇氣，爲正義而奮鬥，爲同胞而犧牲，誓必與香港共存亡，使暴徒們知道眞正中國人民之不可侮。

一羣退伍軍人啓，六月九日。

為教育特捐征額事

桃園縣議會 有挿曲演出

（四）×號議員凌緒昌、蔡福連、呂傳命、方淼湖、林熺達、胡玉華、徐秀嬌、黃政牛、陳溪水、趙作豐、陳藏寶、黃時敏、簡玉掌、劉水陵、何寶珍、陳秀榮等十六人。

各議員接到這兩種文件後，在這次二十一天的大會閉幕前一日，引起一場激烈的辯論。有些議員認爲：這是對議員行使職權的一種干涉和侮辱。有些議員認爲：在戡亂戒嚴時期，有人鼓惑民心，妨害國家教育政策。均主張移送治安機關調查究辦。有些議員主張：算了，算了。有些議員主張：代議士應有接受人民批評的雅量（按這種主張，爲表內所指的「眞正民意代表」）。在辯論大會中，出席議員計三十二人，將「移送治安關機調查究辦案」交付表決結果：贊成者十六票，反對者七票，棄權者一票，無意見者八票。經大會主席謝科議長裁定：贊成票未超過出席人的半數而否決。也就是算了，算了。

據一位不願透露姓名研究地方自治頗有心得的人士表示：民意代表，在議會行使職權，是不能受外界干擾的。縱使有負選民，依法只能實行罷免。這次桃園縣議會中，竟有人對議員行使職權分類，對議會的尊嚴上，對議員個人的自由意志上，都有不妥之處。此風不可長。他又表示：台灣的民主生活，確實在進步中，代議士固然不能負選民所托，但選民對代議士的職權，也應有適度的尊重，不能意氣用事，貽笑大方。（下）

海外異聞錄

澳洲「死亡心臟」探險隊

·桑雅·

十四名壯漢正要冒着生命的危險，前往世界上一處最酷熱和最乾燥的地帶。

這個地帶是一巨幅無水，人跡罕至的區域，位於澳洲中部的「死亡心臟」。那兒已存在了六億年的歷史，至今仍未為人們所探險的。事實上，這極荒蕪的地帶，酷熱非常，其熱力足以使人們的皮膚萎縮；此外，最具危險的，就是那些致命的毒蛇。

那十四位壯漢，其中十名，全是軍人，他們決心向這幅荒蕪的地帶挑戰，他們將由英國啓程，前來澳洲。另外四名，則在澳洲跟他們會合，組成探險隊。

這隊探險隊將分乘五部吉普車出發，沿途發出電話，直通往倫敦。領隊是一位五十歲的司令官查理士·阿力山大，出生於百斯郡祁華森市。當他以前在澳洲駐守時，即萌芽了到那兒探險的理想。他費了好幾個月的時間，留心傾聽當地澳洲人談及到「死亡心臟」旅行所遭遇的種種危險，稍後他偕同以前的法國外籍兵團長官曹德百，率領一小隊伍前往「死亡心臟」的傑遜沙漠邊。

查理士·阿力山大司令官表示他組成的聯合軍人探險隊，就是要達到他向那地帶挑戰的理想，而使他獲得相當的信心。他從一九六二年，即開始進行這項探險的計劃。

上述那廣幅的荒蕪的地帶，是了無人跡，不能供人們在那兒生活。因為這地帶，很少動物。甚至植物的生長也不多。

查理士·阿力山大司令官及其探險隊需進行搜集有關的寶貴資料，而參加探險隊的軍人，曾在英國威沙的波頓軍營受過訓練的，他們在那兒設置許多沙士陷阱，當作在沙漠上行車的實習。但是他們行將探險的「愛里斯泉」的西部，却是並非易於應付和克服的地方，因為那裏的溫度是非常酷熱的。還有，那個地方，如果沒有了水，死神就很快來臨了。

在三年前，一個英國的移徙家庭，乘車在「外背」的地區旅行時，因為缺乏食水，而活生生渴死。這個家庭是羅拔拔芝夫婦和三名兒子，年齡十九歲、十二歲及十歲。查理士·阿力山大司令官為了不讓其探險隊重蹈上述那個家庭的覆轍，所以在設法盡量避免。

當所有的探險隊員從里尼咸英國皇家空軍基地起飛時，每一探險隊員，都會正確地曉得如何進行的了。他們的行程，抵「愛里斯泉」即經過「雅爾斯崖」彼德曼嶺。彼德曼嶺是最著名的「失落」金礦脈，以前曾給人們發現，後來即無法找到。他們繼續的行程就是繞過羅陵遜嶺，而進入傑遜沙漠，再折回。這崎嶇的艱辛行程，估計需時三個月。據他們的估計，最主要的水源，是從基里斯氣象台取得，那裏接近羅陵遜山嶺。還有，在附近的一間石油公司，可以供應五千加命的汽油，給他們的汽車做燃料。

他們估計那荒蕪地帶，面積九千方哩，最少可以搜集着巨蟒、雀鳥、細小的動物及昆虫等動物三千種。在這地帶裏的巨蟒，如虎蛇等，簡直稱為殺人王。其中一位蒐集家是廿四歲的尉官奈辛德斯，是艾爾郡屈德福軍營的，他說應付蛇，宛似處理子彈一般，兩者都是具有高度的危險性。他說他們將來捉蛇，是要在黃昏日落後才進行，因為那時土地轉涼，那些蛇王，在這個時候，才紛紛出洞鑽在樹木下和樹皮後。

這隊的隊員的名單：（一）安東尼·諾里斯，卅二歲，尉官，自然學家。（二）辛德斯，尉官。（三）廿四歲的上士黎斯·革勒，是個射手和測量員。上述各人是在海軍部服務。（四）少校彼德亨特，卅七歲，副領隊。（五）羅賓魏勤，廿七歲，是醫生。（六）伍長湯馬斯榮活，廿四歲，地質學家。（七）艾恩作維斯軍曹，卅二歲，是工程師。上述各人是在陸軍部工作。（八）查理士·阿力山大司令官。（九）阿倫·巴斯東，卅六歲，是地質學者。（十）曹富里顧里夫斯尉官，卅七歲，測量員。上述各人是在空軍部服務。此外尚有四名隊員在澳洲和他們會合，他們是威廉伊雲士，為諾定咸大學教授；在英國博物館任職的夏勞·畢客；及森林專家曹德拔；及澳洲陸軍軍曹莊高里曼。

復國十九年來以色列

德園

對於曾經在世界各地流亡近兩千年的猶太人來說，以色列是他們日夜夢想中渴欲重返的祖國，而且是他們精神信仰所繫的聖地。以色列一詞，在希伯來文中的含義是：「曾經和天神相抗的英雄」，用來紀念那位不畏艱辛，與神之天使作戰不懈的猶太英雄雅各。其取義是表示：以色列之建立，係猶太人跟世界掙扎了兩千年後才得到的成果。它是阿伯拉罕在公元以前十八世紀便建立彪炳功業的迦南樂土，也是摩西在公元前十三世紀帶領其族人，逃離埃及人後入居的地方。這個地方成為猶太人的祖國，曾經歷時七百餘年。更在他們於公元一三五年 被羅馬人驅逐出耶路撒冷後，仍然認為這個地方是屬於他們的。

經過幾番滄桑變幻，誰是這塊土地的主人此一問題，已隨歷史的轉變而變得十分複雜。在後來的幾個世紀中，這個被羅馬人喚作敘利亞巴勒斯坦納（源自猶太人最痛恨的敵人非肋斯坦）的地方，曾經幾番易主。它曾經分別於公元六三六年被阿剌伯人，一〇九九年被十字軍，一二五〇被阿剌伯人的舊奴隸曼姆奴克人，以及一五一七年被土耳人等輪流佔領。雖然當地有一些堅拒離開的猶太人，但大部居民全屬回教徒。

十九世紀末期，當蘇俄和波蘭把猶太人驅逐出境時，這些亡國民族中使有一些人厭倦了到處流亡的生活，回到他們先人所居住的地方，俟機重建祖國。

第一批返回故國的猶太人，得到世界猶太主義組織和法國洛斯查德家族的金錢資助，向土耳其人購得土地，自行織起來，夢想着總有一天取回耶路撒冷聖城，重建一個屬於猶太人的國家。一九一四年，巴勒斯坦共有猶太人八萬五千多人。後來成為以色列第一任總理的班古利安，就是當年夢想最強烈的以色列拓荒者；而現任的艾斯柯爾總理，在當時則是一名十九歲剛離開學校的熱心青年。

以色列立國之情形，眞像是一場難以摸捉的夢想。

當年担任巴勒斯坦託管地的是英國。他們對於這塊土地應該交給誰人一問題，由於內情複雜，因此未能有所决定。英國曾於一九一五年答允把巴勒斯坦交與阿剌伯人，又於一九一七年轉而答應了猶太人。最後又經過接近二十年的阿剌伯人暴動之後，在第二次世界大戰前夕發表白皮書，再次答應把它交給阿剌伯人。（上）

緬甸「男女有別」

懷遠

說起來很有趣，緬甸人不大喜歡談「男女平等」之類的問題。但是，緬甸婦女却不像香港的太太小姐們那麼可憐：穿着三寸高的鐵釘高跟鞋，在公共汽車上跟男人搶座位，或者在一堆男人中擠成沙丁魚一般，在緬甸是沒有的——他們也不會把男女混雜在一起看成「男女平等」。

在緬甸人的觀念裏，也沒有「相敬如賓」的高調，更沒有「禮的士」（女士）優先的虛假。

緬甸女人有時是受「憐愛」的對象。幾乎舉國上下，對女人都善盡保護之責。跟女人吵架的男子是犯法的，也是不道德的；即使是男人的理由充足，「吵架」就沒有「理由」了。秀才遇着兵，有理講不清。在警局或法庭的前面，緬甸男人就像我們的秀才一樣，是有理講不清的。意思是每一個男子在女子的面前，都要忍讓。可是，不要誤會，這不會把女人養成潑辣婦！從女孩子開始，女性就被訓練着對男性低頭，尤其在鄉里集會，父老聚首的場合，任何女性都要彎着腰，低着頭，才能從附近通過。

穿着牛仔褲在街上搖而擺之的緬甸女人，是沒有的！但是，在家庭裏，緬甸女子却有至高無上的權力，也有無限的責任。任何一個家庭的行政權和經濟權，都操在女子的手上。許多結了婚的女子，必須供養丈夫，指揮丈夫的經濟生活——如職業的選擇。沒有一個女人說：丈夫在外面的工作「我是不過問的」。中國現代女性常常以不過問丈夫的工作為時髦，藉此表現摩登時代的精神。緬甸人沒有這種觀念。以我們的話來說，家庭生計，全由婦女主持，如何開源節流，都是婦女去動腦筋的。當然，男子不是吃閒飯的人，他們好像長工一般，祇要做工就好了。公務員是把全部收入交給太太，然後再向太太領零用金。假如丈夫失業，一般緬甸太太都有能力養活丈夫，即使去做苦工，她們也要主持家庭的生計。

緬甸女人，有時也被視作禍水，她們有着禁地。

緬甸女人每天都要喝咖啡或紅茶；但是，所有的咖啡店裏，找不到一個女招待和一個女食客。酒吧間裏更是男人的天下，尤其是軍人，大飲特飲；可是，依然找不到一個女招待和女食客。

咖啡店和酒吧間是女人的禁地！現代女子參政的思想，有沒有在緬甸觀念中起作用呢？這幾乎是一種當然的事，緬甸人從來不會為這樣的問題傷腦筋，女人有着選舉權和被選舉權，但緬甸沒有婦女運動的「職業運動家」。雖然沒有這樣一條法律：

「當兵和搞政治全是男人的事，國家交在男人的手裏」。可是，每一個女人都把家庭捏得緊緊的，內閣閣員和國會議員的頂頭上司，應該是他們的太太。

在選舉戰中，助選人員多半是女性！

「男女有別」的妙用，我們在緬甸看到了。（下）

周燕謀著

新三國

他的謀略，尚在鄧艾、諸葛緒、司馬昭之上。假使不是猶豫而殺掉北兵將領，依他的計劃，出斜谷而長安，直下洛陽，這時候司馬昭的大勢如何，晉朝統一天下，恐怕就不太簡單了。謀事在人，成事在天，姜維的苦心孤詣，確實值稱道的。如不是謀洩於小人之手，他至少恢復蜀漢沒有問題的。因為蜀國之於四川百姓，深有恩德，後主雖庸，但非「暴君」之流。蜀國內部在諸葛亮、蔣琬、費褘、姜維等的修治之下，政治清明比魏吳過之。鍾會孤軍深入，一則恩信不立，再則司馬昭也忌妒他的成功，有了鍾會，也許便沒有司馬昭，如果看到他二人火拼，幫鍾會打敗司馬昭之後，號召蜀漢將士故吏勤王，恢復蜀漢非不可能。姜維是有氣節的人物，他有廓清中原之志，不僅深得孔明之法，而且繼承了孔明的志節，受了諸葛亮之薰陶，是無可諱言的。姜維又是一個託身異域「羈旅託國」之人，而能當蜀國生死存亡之任，實非有大氣節，大胆識莫能。郤正評論姜維：「姜伯約據上將之重，處羣臣之右，宅舍弊薄，資財無餘，側室無妾媵之褻，後庭無聲樂之娛。衣服取供，飲食節制，不奢不約，官給費用，隨手消盡。非以激貪厲濁，（激厲貪汚使向廉潔）抑情自割也；（矯情自損）直謂如是為足，不在多求。凡人（常人）之談，常譽成毀敗，扶高抑下（是崇勢尚利之批評，所謂『以成敗論人』）咸以姜維投厝無所，身死宗滅，以是貶削，不復料，（料其實際而 其眞相也）異乎春秋褒貶之義矣。如姜維之樂學不倦，清素節約，自一時之儀表也』。郤正的評論，該說很正確。

和姜維一同投蜀漢的人，尚有梁緒，官至大鴻臚；尹賞官拜執金吾；梁虔官至大長秋；都在蜀漢未亡之前死了。姜維一生是夠辛苦的。以郤正之評論，他的志節正和諸葛亮如出一轍，此非過譽。比起蔣琬、費褘等，還超過幾倍。自他受任大將軍以來，每年北伐，雖未能克奏膚功，但不能以成敗而論英雄。姜維夠辛苦，蜀國亡得慘。這是我的一點感想。

九一、司馬炎篡移魏祚，孫皓降三分合一

司馬昭在併吞蜀漢以後，由晉公進位為晉王，不久又以自己的兒子司馬炎為副相國。所謂『司馬昭之心，路人皆知』了。蜀漢亡後第二年八月，司馬昭壽終正寢，司馬炎繼位為晉王，由副相國升任相國，到了年底，就逼迫魏國的曹奐把皇帝寶座讓位。晉朝的歷史就正式開始了。曹操、曹丕地下有知不知，作何感想。所謂「再受禪依樣胡蘆」，從曹丕逼宮開始，假「禪讓」之名而行篡之實的政治變局，從此奠定了一種醜惡的榜樣。自魏晉影響及於後世，南北朝隋唐五代。

中國自古朝代更迭，夏商周三代，是由一個崛起的部族或諸侯取中央部族（王室）的領導權而代之，必然要經過一次很大的流血。秦之代周，實際上並非得之於周，乃得之於諸侯，削平六國，成為統一之局。（一四〇）

平劇繽紛錄

談「張飛戲」

○桂良○

諸葛亮是幹運籌幃幄、決勝千里的軍師，眼珠一轉，夠張三爺想半年，還弄不明白。當劉玄德欲成鼎足三分之勢的舉兵入宗室劉璋的地盤四川，兵次「落鳳坡」，而鳳雛龐統被川將張任亂箭穿死。於是劉備前進軍向荊州大本營告急。孔明遂把東和孫權，北拒曹操守荊州的任務交付關公，自率一軍，溯江經天險的「夔門」而西上。由彝陵（今宜昌）而巫山的陸路入川，交給張飛了。孔明臨行之際，愷切誥誡：「三將軍鋼鞭，能不打蜀中之將，丈八矛能不挑蜀中之卒，才能順利在蜀中會師，才算是豪傑。」猛張飛粗中有細，敬領孔明吩囑，時刻記在心頭。

今談：「過巴郡」便是今日之重慶，爲「巴山夜雨」之山城，卅年以前，便是抗日時期的陪都。因爲張飛義釋斷頭將軍嚴顏，戰事進行得順利，所以水路方面有南岸「取涪關」—今涪陵—攻涪城之難；北岸却超過了涪關重鎮而得渡江，予張任以夾擊。「過巴郡」一名「過巴州」，草台班有報此齣爲「過壩州」者，當是筆誤。

「過巴州」雖是一淨、一生之開鑼戲，它比「抱着肚子死」唱的「彩樓配」「孝感天」要動人得多。

起霸：「張飛一打頭，武老生嚴顏，豈能容他猖狂，小兒前來，衆將官殺！」待閃出猛將張飛，二將照面，一黑一白，一花臉，一老生，此一往一來的畫面，就夠瞧老大半天，所以地方劇的藝術性，是美麗無邊。嚴顏雖年邁，驍勇非常。張飛初敗，而以鋼鞭打走老將，老將再以冷箭，射退張飛。一進一退，兩場小開打之後，嚴老將用計，以郡衆扮巴郡百姓，想誆三爺走羊腸小徑，一鼓而擒張飛。

三將軍麾下，有一綽號「二張飛」者叫徐大漢，是伙頭軍，三爺福至心靈，將計就計，用百姓爲前導。那假張飛原來是小花臉飾，戴沿氈帽，卒坎，青布箭衣，掛黑一字，在臉膛當中，勾一小型張飛臉譜。改扮張飛後，穿上盔鎧，扛了長矛，很是有趣。嚴老將擒了假張飛，却被擒於燕人張翼德。

三爺勸老將投降，嚴顏硬着頸子說道：「我蜀中有斷頭將軍，無降將軍！」張飛聽了，很敬重他，就把嚴顏放了。陳壽的三國誌，有如此一段記載，並沒有說嚴顏投降張飛；所以文天祥的「正氣歌」有：「爲嚴將軍頭……」乃是「斷頭將軍」而非「投降將軍」。

（五）

他是「殺妻者」

○期生○

「兩個人玩得很好。男女初戀的事，你很清楚，我不多說了。」

「最初，」我說：「你從什麼地方看到她的愛？」

「在我們那裏，女孩子願意替你做鞋補襪子，你便看到她的愛了。」

「她爲你補襪子了？」

「何止補襪子！」

「當然結了婚，是不是？」

「十八歲結的婚，婚後的夫妻之情，我也不多說了，你一定知道。爲戀愛而結婚的人，在婚後會發生一段或長或短的狂熱的。」

我點頭。

「後來怎麼變化呢？」

「我中了共產主義的毒，婚後第二年，我走了。」

「走了？」

「我讓那些鬼話麻醉了，決心離家，決心爲『馬列主義』獻身。」

「她呢？」

「自然丟在家裏。」

「你到了什麼地方？」

「我到過東北，到過陝北，到過河南、山東、江蘇——我吃過草，喝過馬溺，他們也逼過我去前綫送死，幸好命大，沒有死。」

「你跟家裏通過信沒有？」

「起初通過兩次信，但『上級』批評我仍有『小資產階級意識，扔不掉家庭包袱』，便斷絕了。」

「後來呢？」

「抗戰勝利，我的地位也算不大不小的『幹部』了。聽到家鄉被『解放』的消息，立刻寫信回去。有了回信，是妻寫的，告訴我父親早死，母親和姑母多病，並且要我馬上回去，因爲正展開「鬥爭」，我們是地主，恐怕遲早必得輪到。」

「『幹部』家也要挨『鬥爭』？」

「我也以爲共產黨無非要錢，憑我的身份，至多家產充公，家裏人口總不至受到殺戮吧？所以，馬上回去了。」

「到家那天，剛巧，『鬥爭大會』正在我家花園裏舉行，一片喝『殺』的聲音，把我嚇呆了。」

「殺誰？」

「我走過去一看，正是靜秋！她站在中間，我知道那是『清算』，接受『人民審判』的。」

「她有甚麼罪？」

「你傻了，共產黨殺人不須罪的。那些『羣衆』，就叫『人民羣衆』，那種『喝殺』，就叫『人民民主專政』！」

「對了，」我說，「聽說是有很多共幹混在中間，監視那些『羣衆』，不舉手也得舉手，不喝殺也得喝殺，是不是？」

「你知道就好。」

「這時你怎辦的呢？」

「我進退兩難，毫無辦法。」

「你可以跟他們講，我參加『革命』好多年，她是我的太太，請他們原諒不可以？」

「不可以。我是『幹部』，更不能有絲毫『溫情』，違背『人民』的意思。」

「那怎麼辦呢？難道眞的殺她？」

「馬上就要打死在會塲上的。你可以想到，我那時的心情懊喪極了！『革命革命，』妻子的命被我革掉了！我攷慮一下，祇有一條路，就是溜掉，看不到她的被殺。」

「你走了？」

「沒有走，我忽然想到，與其讓別人把妻打死，倒不如我自己打死她，總算死在心愛的丈夫手裏。」

聽到這裏，我遍體寒慄。

「我便走了過去，我跟那些『羣衆』說，我是『人民幹部』，她是我的太太，她過去『剝削人民』，對不起『人民』，罪該萬死，我很清楚。現在我要親手打死她，向『人民』贖罪，向我們『偉大的毛主席效忠』！」

說到這裏，他已忍不住，滴下淚來。我的眼睛也潮濕了。

我仍不能相信他會親手打死心愛的妻子：

「用槍？」

「不是，一根粗木棍。那是他們準備好了的，棍子上寫着『翻身大棍，打死無罪』八個字。」

「她跟你說話沒有？她知道你是善意殺她的麼？」

「沒有沒有，不知道不知道——」悲哀已使他語不成聲，我不忍再問下去了。

我又轉過話題說：

「你的母親和姑母呢？」

「早在前一天雙雙投河死了。」

「家敗人亡。」我喟嘆着：「你是怎樣逃離共區的？」

「到香港看醫生。」

我們沉默了，我在尋思應該用什麼話來安慰他。

「喬，讓它過去了吧！」我說：「死了一個愛人，甦醒一個靈魂，不是一得一失麼？」

他不說什麼。

我們在非常嚴肅而悲哀的空氣中走向歸路，月兒躲在雲層後面，像一個嗚咽的少女用手帕掩住她的淚臉。

（下）

海嘯舊談薈

郁達夫與王映霞初遇記

諸葛文侯

民國十五年冬十一月，愚自蘇俄海參威歸至上海，寄居法租界鈞培里劉億德醫務所之亭子間。一夕逛「大世界」娛樂塲，偶遇在日本讀書時之老友川人李劍華（後來成爲共黨幹部，卅九年大陸淪陷之初，曾任「華東軍管會勞動部長」一偽職），彼告以偕同日本婦寓法租界辣斐德路某弄某號樓上，約愚翌日赴伊寓有要事商談。屆時前往，李訴述日婦悍惡諸事狀，痛苦非凡，擬設法遣去，乞愚從中勸解，希望協議離婚。時愚年輕好事，慨然應允，每日必至李寓與其日婦談判，藉知其同樓尚有日本高師畢業之浙人孫君（已忘其名）夫婦暨一王姓女子，比隣而居，李且爲愚鄭重介紹相識。迨愚說服該日本婦人離去後，某夕李在寓招宴，表示謝意，孫夫婦與王女士亦同席，席間覩王女豪飲白蘭地數大鍾，了無醉意，頗感驚奇。愚不能飲，王女倡議須高歌一曲以代酒，愚迫不獲已，爲唱皮黃劇二簧原板一小段。飯後，王女士持洞簫入李君室內吹小曲爲樂，愚誇稱其多才多藝。旋從孫君詢知王女士名映霞，係浙江衢州女師附小主任，因革命軍入浙東，學校停課放假，蕎黃與女師教員孫氏夫婦來滬避地者，小姑居處尚在待字中也。於是，愚常至李寓閒話消遣，王女於隣室聞之，每來攀談，漸漸熟悉矣。

某日午間，郁達夫來訪孫君未遇，晤及王女士，畧與周旋後，郁至李宅詳詢王女身世職業而別。越兩日，達夫復來訪孫，先入李宅，適愚亦在座，彼卽問王女在家否？孫君聞聲至，答以彼姝午睡方濃。達夫乃操日語告愚等云：「我對她眷戀不忘」，愚等笑頷之。旋見達夫馳入王女士臥榻前，袖出書信數紙，塞入王之被蓋內，悠然下樓去。繼而王女士傭起向愚等申言達夫無端私擲書信事，亦無慍色，愚等告以達夫係文壇著名作家，聲華藉甚，示游揚意。

洎是，達夫日必來孫宅，常邀王映霞出游。某次，達夫在私第具酒食欵待王女，彼此皆能飲，極盡歡暢。王歸寓後，伏枕咋大哭不已，孫夫婦與李劍華詢以何故，王不答。既而愚至李寓，李詳告前情，操川諺笑謂：「她招了！」所謂「招」者，卽受騙上當之意也。嗣後，達夫足跡殊少出現孫寓，然王女士常倩粧外出，或竟夕不歸。未幾，達夫忽喜氣洋洋蒞臨孫宅，以一紙蠅頭小字之書札示愚等，審視之，乃王映霞勸達夫不必因愛伊而與原配仳離之情書也。全函用語體文寫成，命意措詞均佳，愚等爲之稱讚不置，達夫更有得色。

越民國十六年春間，愚于役南昌，接李劍華函告王映霞已正式嬪於郁，儷影雙雙，借居西子湖邊，樂也融融。迨對日抗戰期間，愚往巴蜀，初聞達夫走南洋，且有「毀家詩」流傳於世，知王女士此時非復郁家婦矣。抗戰結束前一年，愚在重慶得悉王女士已嫁作商人婦，住家萬縣，告者謂其洗盡鉛華，挽圓髻，躬親閫內事宜，蛻變爲舊家庭主婦型之賢妻良母，前後恍若兩人也。王固一尋常女子耳，因與詩人郁達夫之一段羅曼史而聞名當代，亦云幸矣。

試談偏愛的諸葛亮與神化的關雲長

讀「署評諸葛亮與關羽」之後

周燕謀

再看吳人如何說法。周瑜說：「劉備以梟雄之姿，而有關羽張飛熊虎之將，必非久屈爲人用者。愚謂大計，宜徙備置吳，盛築宮室，多其美女玩好，以娛其耳目；分此二人各置一方。……」周瑜的計策夠狠、夠辣、夠利害，當時在劉備的敵對方而，有此謀他三人的，尚找不到第二個。周瑜眞有卓見，看穿了劉備「終非池中物」，一得雲雨，必然得志。周瑜才算得是文武兼資，風流俊雅。不僅是文武兼資，而且還是當代的樂律家呢！「曲有誤，周郎顧」。他在東吳羣倫中，不僅僅是文武兼資，而且是多才多藝的啊！蘇軾的赤壁懷古，正是寫他的風采。說到這裏，我又扯到姚先生的大文來了。姚先生對孔明的儀表說的「羽扇綸巾，逸塵絕俗」之語，指這是諸葛亮的風采。姚先生就不經意的把小說的取材，扯進史實中去。在諸葛亮傳中，絕找不到「羽扇綸巾」的奇裝異服。蘇軾的赤壁懷古明明是寫周郎的風采，小說家以之張冠李戴，戴在孔明頭上。姚先生爲盛讚孔明，不惜搜採美好東西，給孔明裝扮。也和小說家一樣，偏愛孔明，而抑壓周瑜、魯肅，文人的詩詞歌賦，爲小說家的好材料，但絕不可以之作爲典實。

如果再把杜牧的「東風不與周郎便，銅雀春深鎖二喬」扯上孔明身上的話，周公瑾恐怕要在地下大發脾氣了。蘇東坡說的「遙想當年公瑾」，是寫想像中的周郎，是文武兼資，風流俊雅，以呼應「浪淘盡千古風流人物」一語；「小喬初嫁了」，更明白指周郎無疑了。而且姚先生也知道，孔明一身謹愼，這種奇裝異服，孔明也不敢穿着也。至於姚先生說見「世說新語」，世說新語的濫汚扯得很大，諸如「曹操捉刀」一類的妄誕不經，根本不可以作爲典實，倒不失爲小說家的大好的材料。

關羽是一個赳赳武夫呢？還是有一點將才？姚先生一則曰「關羽不過是一個赳赳武夫，匹夫之勇」，再則曰「徒名分說是伐漢」。次則曰關羽的義行方面，也無足貴，說「東漢以來，士大夫重氣節酬私恩，爲知己拋富貴，履險艱者至多，關羽不過生當其時，承其餘緒而已……」嚴格說起來，這種酬私恩於知己的作風，是否值得稱許還是問題。」最後，姚先生說：「關羽之世，劉備未稱帝，關羽只可說是義，不能說是忠。」關於這些問題，說起來眞是話長，我只好一再縮短篇幅，一切從簡，說一點難以苟同的淺見。（五）

內銷證 警備台報字第〇三一號

自由報

THE FREE NEWS

第七六六期

中華民國僑務委員會頒發
台教新字第三二三號登記證
中華郵政台字第一二八二號執照
登記為第一類新聞紙類
（半週刊每星期三、六出版）
每份港幣壹角
台灣零售價新台幣貳元
社長：雷嘯岑
督印人：黃行譽
社址：香港銅鑼灣高士威道二十號四樓
20, CAUSEWAY RD 3RD FL.
HONG KONG
TEL. 771726　電報掛號：7191
承印者：大同印務公司
地址：香港北角和富道九六號
台灣分社
台北市西寧南路壹壹零號二樓
電話：三〇三四六
台北郵政劃撥儲金戶九二五二

蘇俄空權實力有多大（上）

祁倫

「一個國家，應該明瞭其假想敵全盤狀況及其能力和企圖。」這是美國甚多軍事書籍及其他文件中常見的開場白，與我國孫子兵法「知己知彼」意義相似。

但是，鐵幕深垂，而且科學一日千里，新兵器、新武器、新戰技、乃至由此產生的新觀念日有問世，故欲明瞭其軍備眞實的全盤狀況及其能力，甚為不易。不過，從其空權思想淵源，再運用各種蒐集情報的工具和方法再經電腦等技術，仍不難對蘇俄「長程航空（戰略空軍）、空防戰鬥航空（火箭飛彈部隊）、陸軍航空、空運航空（軍用空軍部隊）、民用航空」等六個蘇俄所稱「自治空軍」所構成的空權能力，有一完整認識。

蘇俄空權思想

蘇俄曾說製造第一架飛機並飛上天空的是俄國人。但由其空權思想的演變，證明此說之眞實性令人懷疑。

德國於一九四一年六月攻擊蘇俄時，曾以約三千架飛機在兩個月的時間內，將蘇俄東綫的五千架飛機全部摧毀。

這一巨大的沉重打擊，說明蘇俄飛機性能及飛行員技術和空中戰術等方面均非德軍對手！更為重要的，乃是用以指導空權思想之不合時宜。兩個月損失了五千架飛機的根本原因既是空權思想，因此，乃有此空權思想觸發的延續了兩年之久的大整肅和大屠殺！

蘇俄空權思想家克里賓將軍，曾在一九三四年間，創言空軍應予獨立作戰與保持快速長程轟炸之能力。

蘇俄共黨頭子基羅夫不顧地面部隊激烈反對而贊成克里賓這種空權新思想，並建議設計四發動機轟炸機及使空軍以獨立。

但，一九三四年十二月一日，基羅夫被刺，因而爆發一項延續兩年的大整肅，使數千高階層及有航空知識的蘇俄軍官遭受屠殺或放逐，克里賓將軍也因而失蹤。自此以後，剛萌芽的蘇俄空權新思想便胎死腹中，蘇俄空軍依然回到「依陸軍之需要而參加作戰」——空軍各種活動完全限於地面部隊之支援，減少轟炸機，停止長程轟炸機，將空軍發展之重點置於戰術飛機之生產。

德國空軍在二次大戰早期獨立作戰對波蘭、丹麥、挪威、法國所獲得的成就，與雖說只是戰術空軍的傑作，但是對蘇俄舊空權思想的維護者並無影響——他們一直堅持已見直到二次大戰終了之後，才緩慢地轉變為重視克里賓將軍的新思想。

一九五〇年六月韓戰爆發，聯軍被迫退至東南海岸釜山港附近小地區憑其有限空軍實力堅守不退後，待增援及補給到達後，即於同年夏末採取攻擊而一舉將北韓部隊逐至鴨綠江。當時，毛共以志願軍名義參戰，蘇俄並派遣小部份米格15及駕駛員以圖獲得空戰經驗。但是，聯軍以F—86迎戰米格15造成一比十三輝煌戰績，使蘇俄警覺地完全摒棄了空權舊思想而建立起獨立的空軍軍種。同時韓戰給予蘇俄在不正式及公開參戰情況下，有機會得以發展現代空軍裝備，現代空中戰術，以及現代航空技藝，終於造成今日僅稍次於美國的世界第二空權國家。

蘇俄的空軍

蘇俄空軍是由六個自治空軍所組成，與美國空軍由戰略空軍、戰術空軍、防空部隊、軍事空運勤務部隊組成稍有不同。蘇俄空軍除海軍航空部隊以外，均直轄於參謀總長之下。各該自治空軍是：長程航空、空防戰鬥航空、陸軍航空、海軍航空、空運航空、民用航空。各該空軍之戰術編組係依其所負任務而異。其行政與作戰之區分如下：航空軍為戰場最高作戰單位，管轄三至四個航空軍團，飛機總數為1.000—1250架，相當美國空軍之航空兵團。航空軍團則相當美國之空軍師。航空軍團下轄三至四個空軍師。空軍師相當美國空軍聯隊。空軍師下轄三至四個空軍團。空軍團為戰場上基本作戰梯隊，與美國空軍之大隊相似。空軍團下轄三或四個中隊；中隊為最小之指揮梯隊，由三或四個分隊組成，每分隊有飛機四架。在海軍航空內之指揮梯隊為與空軍相當之艦隊空軍，其艦隊空軍師與空軍師相同。艦隊空軍團與空軍團亦類同。但海軍航空沒有與航空軍團相當之梯隊。

蘇俄航空軍除海軍航空外均直轄參謀總長。與參謀總長平行者有兩個行政首長，一為監察長；一為政治部主任行政官——專責政治思想之灌注及政治教育，有獨立之指揮通信系統，對共黨教條之推廣勢力向下深入至最低階級之人員與最小之單位。故政治部主任行政官在蘇俄軍事部隊中具有無上權威，但亦為全軍軍事及技術幹部所痛恨者。

是故，蘇俄空權思想雖已蛻變，但其共黨獨裁統治及政工人員的低劣控制卻大大地抵消了空軍戰力。茲就其自治空軍戰能力分列剖析如下。

蘇俄長程航空

此為相當美國戰略航空司令部之有長程航空司令部之設置，在一九五三年韓戰結束時，已發展為擁有1.200架TU—4轟炸機。不久，迅速地建立起一支具有戰略效力及裝備核子火力之高級轟炸機與飛彈部隊之能力。雖其機18.000—25.000架兵力不及其第一線飛機的5%，但因其能力已遠超過其地面部隊及海軍部隊範圍，能執行紅軍所不能服行的任務，所以為美國及自由世界安全最重大之威脅。

蘇俄國防部長，是蘇俄四十多個部長之一，但國防部長却操縱着蘇俄全部經濟、政治、軍事。國防部長經由部長會議負責，對席團向總理負責。軍事武裝部隊及支援部隊，行使中央集權之統治，蘇俄空軍在此方式統治上，毫無自由意志及個人技術可言。因此，蘇俄在數量上的優勢空軍，於二次大戰中又以一擊，在韓戰中又以一比十三之敗績見稱，在越戰中仍居劣勢，使其米格機與飛彈均不能發揮應有性能。

讀詩有感

自由談

現代詩人彭醇士近作「悼含老（含光）逝世忌日」七律一章，結句云：「百年耆舊傷垂盡，晚俗相誣苦未休」，愚讀罷為之盪氣廻腸，慷當以慨者累日不能自已，詩人殆有憂患乎？命意立言，是何感人之深也！

晚近智識份子好言科學與民主之說，誠為進步思想，固屬不錯。然而為着講究科學，乃視本國固有文化為封建腐敗的廢物，主張把綫裝書丟到毛厠裏去，要求全盤西化，連西方的梅毒亦不妨一律接受；為着提倡民主，乃指本國固有文化的人文主義以及綱常倫理觀念等等，盡是些不值一顧的革命對象，非打倒不可！於是乎，凡屬多讀了幾句中國書本，崇尚儒學義理的老輩人士，不分青紅皂白，皆在共黨式的清算鬥爭之列，而認為十惡不赦的時代罪犯。誰要談歷史文化，誰就是不科學的反動份子；誰要講敬老尊賢，誰就是不民主的封建餘孽；排詆攻訐，無所不用其極，學生臭罵老師，子弟仇視父兄，滿不在乎，眞正構成了「百年耆舊傷垂盡，晚俗相誣苦未休」的澆漓險惡的社會現象。於是乎，一般對於籠罩那末大的中國字亦認識不到幾十個的譾陋之輩，儼然以文化人姿態，睥睨一切，肆無忌憚，甚且受到社會人士的稱讚，不亦怪哉！

西方那些科學與民主最發達的國家，如其沒有他們那種古老傳統的宗教義理作生活矩範，而專靠蒸汽、電氣、原子武器，以求生存，不但他們的國家早告毀滅了，就是全球人類亦已進入了世界末日的階段，否則今日中國大陸，即係最進步的「文化大革命」與民主思想，咱們便不應該反對它幾吧？

吾思之，吾重思之，今日這股誤解科學與民主的邪戾風氣，實導源於四十年前中國共黨所謂「打倒百年老朽」一的邪說，助長人類邪惡的根性，有如烈性毒品，一經沾染，深入骨髓。蔣總統提倡復興中華固有文化，允屬切中時弊的救國方策，欲求發揚中華文化，必須大家揚棄「言教」，以「身教」為主，首先就要自我檢討平日立身行己之道，是否符合孔孟之教，而絕無曾經中過毒的邪說意識殘存着，非如此，即休想復興中華固有文化啊！

馮王先生

來自莫斯科的蹩脚導演

丟面的傢伙

今日與明日

聯大開臨時會

由於蘇俄提議，經過半數聯合國會員國贊同，於召開一次臨時大會，解決以阿戰後所留下的問題。

以阿戰爭，阿拉伯國家敗得這樣慘，受打擊最嚴重的，除去埃及、約旦、敍利亞之外，且首當其衝的要算是蘇俄了。蘇俄在中東花了四十億美元，結果扶植了這麼一個「垃圾」（港譯垃圾與納薩同音），若在「史達林時代」，追究主張援助「垃圾」的人，可能有幾名高級幹部全受到整肅，此時當不致如此，但如何善其後也是一個大傷腦筋的問題。蘇俄既不能出兵幫「垃圾」作戰，又不能對此事置之不理，利用政治壓力，以色列根本不理會；蘇俄及大部東歐國家皆和以色列斷絕邦交，但以色列之為以色列如故，最後一着棋只有召開聯大，希望以聯合國的決議，迫使以色列就範。於是柯錫金及東歐共黨國家總理皆親自出席，以壯聲勢。

和比戰難

以阿戰爭實際上只打了兩天，經過情形簡單之至。但此時要談和，恐怕兩個月也未必談得出結果了。

目前，蘇俄代表東歐國家及大部阿拉伯國家的立場，首先要恢復戰爭發生以前的態勢，以色列退回本國境內，然後「垃圾」可以考慮開放阿卡巴灣，准許以色列船舶通過。以色列方面立場，據外長伊班聲言，大體有四點：第一、二，決不退出西奈半島。第三，以阿直接談判，不得由聯合國或大國代為安排。第四，埃及須担保阿卡巴灣與蘇彝士運河自由通航，以色列始可考慮退出西奈半島。

雙方面的立場可說南轅北轍，簡直沒有絲毫相同之點，而雙方最難調和之點厥為以色列一定要佔領耶路撒冷及強迫埃及同意以輪通過蘇彝士運河兩問題。

耶路撒冷在一九四八年以阿第一次戰爭時，由以色列約佔一半，雙方瓜分，各佔一半。以色列人視耶路撒冷為聖地，矢志要收復，已非一日，此次自然佔領，使聖地合而為一，更肯輕易放棄。但此種以武力變更國界的行為，不僅聯合國會所不能容許，就是一貫同情以色列的英美恐怕也難贊同。因此必然要決定雙方軍隊退回原停火綫，不能接受，則和談將無法舉行。

其次以色列要埃及開放蘇彝士運河，也是節外生枝，與此事全不相干，也未必能為「垃圾」所接受。總之，和比戰難，自昔已然，而今猶是。（何如）

秋風捲落葉，傾蓋判輸贏

中東之戰創戰史新紀錄 以色列真行納薩敗得慘

—紐約通訊—

阿拉伯現在已三次被以色列打敗：第一次是一九四八年的巴勒斯坦戰爭，那次敗績是那個腐敗透頂的法魯克應負責任；一九五六年的蘇彝士戰爭的失敗，是英法武力干涉的結果；這一次的責任則應由那個好大喜功的納薩負其責任。

紐約時報有名的軍事記者包爾溫稱這次戰爭是歷史上最短的戰爭，時間不到七天，阿拉伯聯軍就土崩瓦解，一敗塗地。

這次以色列的閃擊戰術，第一應歸功於空軍。以色列這次先發制人，在宣戰之日即將阿聯、約旦、敘利亞的軍事機場，以及其他戰略目標，悉數破壞無遺，一下子就將制空權拾到手裏。

華盛頓方面觀察家對於以色列閃電空襲的成功，據說歸功於兩個要素：第一阿聯的戰鬥機駕駛員不善於夜間飛行，以色列就看穿了他們的弱點，在未黎明以前大舉空襲；第二是以色列對於阿聯的防空雷達網佈置曾有極精確的情報，他們已發覺雷達網有若干漏洞，就利用這個漏洞的空隙，得以接近阿聯的空軍基地。據說雷達網對來自海上的敵機不易發覺，所以阿聯在開戰初期曾誤以為以色列機是從航空母艦起飛的，其實這是他們瞎晴。

以色列國防部長達揚將軍在一九五六年西奈半島作戰時，他在擔任參謀總長，不久以前出版的「西奈戰鬥日記」曾有下列的敘述，我們對照一下前後戰局，時隔十一年幾乎事同一轍。

他說：「以色列軍在一九五六年佔領沙爾姆愛爾雪克的時候，敵軍立即崩潰，這應歸功於空軍的襲擊。因為阿拉伯軍隊對於從空中的進襲，既無有效的防禦武器，兼又缺乏抵抗的戰意。」

現在阿聯可能已有相當多的防空武器，但是對空襲的忍耐精神力仍然欠缺。

包爾溫盛讚以色列空軍能利用空軍所能發揮的最大極限。例如它以阿聯的坦克為攻擊目標，（編者按：據十日路透社台拉維夫電：阿聯遺留在戰場上的坦克竟有六七百輛之多）一方面又在愛爾塞孔姆將約旦的陸上防禦物炸毁，供以軍進攻毫無困難。又如傘兵部隊在孔爾姆愛爾雪克降落，斷絕了阿軍的退路，這都是空軍的戰績。

包爾溫另舉出阿聯軍的弱點在於缺乏機動和作戰的經驗，如遇統帥命令前進或後退，就會束手無策。例如一九五六年奉命有組織的退却，但是命令一下就呈混亂狀態，卒致無可收拾。

一九五六年在戰事呈膠着狀態的時候，阿聯曾發揮了兵器的威力，但一旦命令他們放棄已築好的壕溝，他們就無法適應。他們永不嘗試反攻，偶一為之也是雜亂無章的敷衍了事。

據巴黎的觀察家說，納薩在出兵攻擊也門的時候，非常保密，甚至把武器上的標誌都抹掉。但這次對以色列的作戰事前大吹大擂，而且發了不少新聞照片炫耀它的武力，以為可以嚇倒以色列。但正好給以色列提供眞實的情報。而一面他料不到以色列會全力進攻，一切戰備都還未就緒，所以經不起以色列一擊就慘敗了。

此外納薩為酬答擁護他的青年將校，以防止他們對他的不滿，對於這批軍官會給予超乎常理的優待，這批人現在已成了貴族，它們已經失掉了戰爭的指導力。叙利亞的軍人也因為政治軍人多過職業軍人，作戰幾乎沒有經驗。另有一點最重要的是阿聯，叙利亞，和約旦都怕正面和以色列衝突喪失了自己的實力，影響到以後的發言權，所以一開始就未作不惜犧牲的打算。同時三國又缺乏共同作戰的指揮和訓練，使以色列可以從容予以各個擊破。

這次的以阿之戰，的確不是十年以前的翻版，不過這次給納薩的打擊更慘更重。

毛共為何不敢對美作戰的研判

羅雲家

筆者研判其原因，除上述美專家指出之八點外，至少尚有左列因素迫使毛共不得不如此：

一、組織上：無論是「共產黨」或「共青團」（新的名詞更有所謂「紅衛兵」），都日趨分化瓦解的邊緣；至少有二派或二派以上的反對勢力困擾、苦惱甚至威脅着毛林派。從去年起一直鬧到現在尚未結束的所謂「文化大革命」事件，即係組織本身分裂對抗的具體表面化。

二、政治上：今日毛共的政治情況，幾乎可用「一團糟」、「一塌糊塗」兩句俗語即可概括。上中級共幹的貪污、腐化、賄賂風行，與乎聲色犬馬、酒食徵逐，彼此勾心鬥角、明爭暗鬥、假公濟私、陽奉陰違的實況，不僅使高級頭目自身十分恐懼，而「上有好者，下必有甚焉」的實況，更令毛共頭目寢食難安。

三、經濟上：毛共為了窮兵黷武，擴張軍備，製核子彈，以及「大躍進」中的煉鐵煉鋼，「上山下海」的「代食品」運動，「三反五反」與「農業合作化」、「公社」運動，「調整工商業」運動……，眞所謂竭澤而漁，羅掘俱窮；早已使大陸上的經濟弄得困難萬分，致使籌集一次相當數目的戰費，非至五到十年後不為功。

三、外交及冷戰上：近年以來，毛共之外交及冷戰雖在多方面皆有若干進展及收穫，但一般而論，卻距毛共黨所訂之目標尚遠；是所以可目為是進展有限的，是失敗的。如聯合國牽毛共入會案一直未獲通過之失敗；在非洲統戰、滲透之失敗；如毛共之亞非會議的流產；如毛共企圖利用在歐洲、中東、近東、東南亞各地活動，特別是印尼所進行之統戰活動，與滲透顛覆等陰謀之受阻；如毛共在美洲以及其他地區所進行的諸種活動的效果至為低微：在在均迫使毛共對赤化世界之計劃不得不祇能動口，不敢動手。

四、士氣民心上：毛共的三軍雖號稱幾百萬，公安警察與民兵為數尤多。人，在戰爭中所佔的比重雖大，可是人多兵多並不能對戰爭的決勝具有決定性的作用。廿世紀的戰爭是科學戰爭，按鈕戰爭，核子戰爭，黨政軍民聯合的總體性戰爭；這戰爭的特質是精神與物質并重而又偏重於精神的。亦即有了充足的第一流的物質（槍砲糧彈、車船飛機……），加以充沛的兵員人力，作戰是可以作戰的了，但若無旺盛的民心士氣——若無堅韌的戰鬥精神，與必勝信心——則十九仍是吃敗仗定了的。國父說：「若無精神，子彈雖多，適以資敵。一旦臨戰，委而棄之，非為敵人運輸戰利品乎？故兩國交戰，能撲滅敵人之精神，而，即在撲滅敵國之戰鬥力者，使其失戰鬥能力。」同時指出精神與物質比較，前者佔十分之九，後者僅得十分之一。近年因科學之昌明，兩者之比重雖稍有升降，然根據蔣總統之補充指示：精神至少應佔十分之七，物質僅佔十分之三。以此而觀鐵幕中一般百姓與毛共軍的「人心思漢」：截至五十三年的統計資料：（一）歷年奔向自由、流亡海外的難胞多達二百零一萬六千七百五十二人；（二）投入祖國懷抱者亦達六萬三千四百九十六人；（三）毛共空軍架機、海軍駕艦、陸軍携械……等此起彼應，連續不斷之起義來歸事實證之，又怎能不令毛酋們胆戰心驚，從而影響其對國軍、對美軍作戰之決心與信心？

五、主義制度上：毛共師承馬、列、史、恩等病理的、荒謬的、違反潮流及人性的共產思想，奉為其奴役人類、赤化世界的主義，其無知與盲從，不特在「共產主義不適合於中國」的國父遺教中可見一斑；且自一九四九年大陸關入鐵幕以來，各地區同胞之反共抗暴事件，一直就層出不窮：自三八年至四十二年間，平均每月發生二十餘萬起；自四十二年至四十六間，平均每月發生九萬七千一百零九起；自四十六年至四十九年，每月平均發生三十三萬起；自四十九年至目前，更進入了「反饑餓」「反統治」的全民反共階段。筆者依據毛共「九中全會」公報報告：供認在全大陸城鄉居民中，佔人口百分之九十的絕大多數，有明顯的跡象是反共的；共幹約有百分之六十五以上，是心懷反共的；在「反右派」運動中，有毛共黨員百分之二十、團員百分之卅點八是被整肅的……反共抗暴就是反對共產主義，反對共產主義下的各種不合情理、違反人性的暴政：如公社制度、一杯水制度、統購統銷制度、全民皆兵制度、集中營制度、勞改制度、以及指不勝屈的反人權、反人性、剝削、壓榨、奴役、虐待百姓之種種措施。反共抗暴也就是懷念三民主義，懷念一心一意，歷數十年如一日而力行三民主義的領導者蔣總統，懷念推行三民主義的眞正為國為民盡其公僕之責的中央政府，懷念台灣復興基地的一千五百萬忠貞軍民，懷念海內外千餘萬擁護三民主義之實行的僑胞。毛共一向號稱「算盤專家」，誇曰「從不打無把握的仗」，現在反對共產黨的人佔了如許之多，算盤敲來數去，總是對他們不利，因此，能求其僞政權之苟延旦夕已屬上策，自然不可能，亦不敢在此時此地貿然決定與國軍、美軍直接作戰了。

筆者增列的五點，也許在崇尚武力的若干人士看來，它對毛共的危險程度，要不及美專家所列之八點為大、為高；這個觀點，我只有極少部份同意，那就是第四項與第八項；亦即毛共害怕國軍的反攻大陸，與毛共的害怕核子彈製造設備的被轟炸，是可以併列一起衡量，蓋它們對共匪的危險性最大，任何一項均足以導致匪偽政權的土崩瓦解也。其餘的一、二、三、五、六、七等項，則係站在純軍事眼光而立論，實際上對毛共不產生決定性的作用。此即東西方觀察家因對共鬪爭實際經驗之有異，故研判事物之立論、分析乃至結論，亦均有不同之差別（下）

香港「五月騷亂」事件 奢侈品生意影響最大

（本報訊）迄至現時為止，香港騷亂事件已逐漸趨向平息，雖然有些人還想攪事生非，但始終難以得逞，因此廣大市民的心理亦逐漸安定下來，一切活動漸漸趨正常。不過有一點值得注意的是，在過去個多月來非常動蕩不安的日子中，香港商場上有多行生意是受到十分顯著影響的，其間表現得尤為突出的就是一些屬於奢侈性質的高級消費品類，銷售數量減少的幅度，大得驚人。

近幾年香港市民的生活水平有了很大的提高，許多享受都達到世界上一流的水準，這點無從衣、食、住、行各方面都可以很具體的反映出來，已是人所共知的事實。但在這次騷亂事件中，除了部份市民基於節約心理，盡量減少用錢以備不時之需，因而減少了可有可無的消費之外，還有些比較富有的人家，當時亦因為局面比較混亂，未能認清趨勢，所以他們在添置各類日常生活用品的時候，也作了較多的考慮，不像平時那麼潤綽。這直接就令到許多屬於奢侈品類的商品生意受到影響了。

根據有關方面商家的反映，近月來銷量比較顯著退縮的商品大致上包括下面幾類：私家車、名貴收音電唱機、電視機、電櫃、洗衣機、冷氣機、套庄名貴傢俬、鋼琴及其他樂器、高級衣着品和衣料、化粧品、寢具、燈飾等等。上述這些東西，雖然不一定要富有人家才能享用，現時許多受薪階級的小市民階層，同樣也可以購買，但到底還不是消費的主力。以汽車為例，有些富家子弟就喜歡講究牌子、性能、款式、年份，經常更換他們的座駕。但屬於這類性質的買賣交換在過去一個多月來幾乎已淪於停頓狀態中。又如名貴傢俬，地毯、燈飾類的售量，也同樣顯著退縮。難怪各有關商人提到這點就搖首不置，大表嘆息了。實際上他們在月來確是非常感到生意難做的。

至於普通市民對上述奢侈品類的購買，有許多自然也是為了本身所需，好比雪櫃、洗衣機、電視機等，使用的家庭已是愈來愈普遍。但還有一部份則是商業上或謀生的用途。例如冷氣機、汽車、電雪櫃這幾種，購買者同樣鑑於時局的混亂而轉採觀望態度。同時有若干代理商或經銷商也恐怕會遭受到不必要的損失，暫時減少或停止接受分期付欵的生意，無形中就令到落行更見退減。

不過，以近日的情形看來，一切壞影響已經逐漸成為過去了。除了騷亂事件逐漸平息外，即是曾經緊張一時的中東危機，在各方面的努力調停下，亦告和緩。廣大市民的心理，日見安定，商家信心慢慢恢復，估計上述有關商品的生意，短期之內會重見暢好的。

以色列開戰前充滿信心 警告納薩勿得輕舉妄動

—拉維夫通訊—

問：如果以色列被鄰國進攻時，閣下認為美英法三國屆時會援助貴國嗎？

答：屆時我們當然盼望獲致這種援助。不過，我們主要地依賴自己的陸軍。我不想美國的母親為了她們的兒子在此間流血而哭泣。不過，我當然希望得到這種援助，尤其是當我考慮美國已經向以色列提出的所有莊嚴諾言的時候。當我們要求美國供應軍火時，我們獲致美國如下的承諾：「不要花費你們的金錢。我們在這裏。第六艦隊在這裏。」我當時的答復是：第六艦隊屆時可能為了某種理由而無法迅速抵埗援助我們，因此，以色列必須令本身的實力強壯。我們以大量金錢用在軍事裝備上面的原因，就是這種緣故。

問：以色列目前是否正向美國購買武器？何種武器？數量若干？

答：是的，我們正向美國購買「天鷹」式噴射機。至於數量方面，恕我不便透露，因那是一項軍事秘密。不過我可以告訴你的地方是：我們希望在一年的時間內獲致這些飛機。

問：貴國的工業情況怎樣？

答：我們必須設法令生產力提高，同時令輸出額增加。就目前而論，我們有一項——工業的情況甚佳——那是鑽石加工的工業。不過令我們覺得遺憾的是：我們沒有出產鑽石。我們的紡織業亦甚為發達。我們同時製造坦克車，自動鎗，小型武器，臼炮及輕機關鎗等。（下）

瀛海異趣談

百年前英倫的神秘蹄印

桑雅

一八五五年的二月，英國給一件不可思議的怪事，弄得滿城風雨，人心惶惶。成爲「可怕冬季」的難忘回憶。

這個月份裏，英國的陸軍，正在奇里美亞的暴風雪中掙扎。而那時，戰爭和惡劣天氣的新聞，佔滿了薄薄的新聞紙。

於二月的一天，僅幾個鐘頭裏，帝雲郡的人們，都不約而同地談論着一宗怪事，這宗怪事也就掀起了驚惶可怖的氣氛，蔓延着整個英國。

那是一九五五年二月八日星期四，在這晚裏，暴風尖叫地橫掃英國西部地區，而且還帶來漫天的冰雪，在第二天的早晨，於雪地上，即出現了咄咄怪事。

在托斯咸沿結了冰的愛斯河而至都里殊及至托尼斯和多主的雪地上，出現着世界罕見的足印。

那些足印的形狀，看來是像動物的蹄，每一蹄印長四吋，而且呈單行同綫排列，宛似是單足的動物，在跳躍的走路時而遺下的蹄印。每一蹄印之距離，剛巧爲八吋半。最使人感到奇怪的，就是估計在四個鐘頭內，這些蹄印達一百哩，而且橫過意斯河兩哩闊的進口，一直走過住宅的屋頂、籬笆、及乾草堆。

如果只是一個人或是一條小村落，報告這種怪現象的話，人們會對此置諸一笑。可是數以百計的人們，都目擊這些單行的蹄印，他們還將蹄印量度，和印了出來。

由於發現了奇怪的蹄印，人們使相驚伯有，對這些蹄印感到驚惶，所以於入夜之後，再沒有人敢外出，並且緊鎖門戶。愛薩德布的一位打鐵匠，福至心靈，製造了一種門鏈出售，於是他的門鏈十分搶手，生意興隆。這種門鏈，就是只能把門打開幾吋，以讓屋裏的人，看看到訪的是什麼人。總之，那些驚惶的居民，無不爭相購買，這位打鐵匠趕製數百條，都給搶購一空。

出現了蹄印的怪事，經過一星期的輾轉相傳，結果傳至倫敦的報章紛紛予以報道，又向祈里美亞的戰場採訪眞相的消息。不久，這怪事傳遍整個英國。自然有許多不可思議的怪論，有人說那是出於一隻巨型鶴，那是當時最常見的一種鳥隻。或是一隻猪。

帝雲郡的居民卻不同意這種說法，因爲他們始終堅持地認爲那是蹄印。然而，究竟世間上，那一種動物，能於嚴寒冬天的夜裏，一口氣的越過籬笆及住宅屋頂，走一百哩路？唯一的答案，就是魔鬼所留下的印跡。

由於議論紛紜，人們便組織搜索隊伍，拿着槍械和木棒，進行搜索那怪物的蹤跡。但是他們的努力是徒然的，他們始終沒有發現或是聽聞與怪蹄印有關的綫索。

事實上，搜索工作只有增加人們的恐懼，因爲他們發現這些蹄印，是在一座花園的中央，爲起點，而止於一塊田地的中央。從此看來，眞是神出鬼沒了。沿着這些蹄印的蹤跡，顯然怪物經過那些村落的每一花園。

一家報章報道說：「這些蹄印，在其外形看來，完全是驢子的蹄形。但是，無論是驢子或是其他動物走過，必遺下左右的蹄印，而可供辨認的。而今，雪地上的蹄印，只是呈直綫進行的單蹄印，根本沒有動物在走路時類似這種情形的。」

在近着托斯咸的林士東村，那兒的牧師梅斯顧里夫指出，一些龍鍾老態的人，於入夜之後不敢到外邊去，因爲他們深信這是「魔鬼的步履」。但是這位牧師對此，頗感懷疑，他不憚煩地親自量度那些蹄印，在他給報館的一封信中表示：「以我的愚見，尤其是其中之一最不可思議和最惶惑的情況，這是每個「蹄印」都相距八吋半。」稍後他這樣寫着：「那些蹄印好像用鑽子「鑽」成似的，或是其他機器般的東西所作的。」

在出現蹄印不久，豪雨降臨，把「魔鬼的足印」冲洗得一乾二淨。梅斯顧里夫牧師和他底同事勸諭村人將這「魔鬼的足印」的事，予以忘掉，同時希望人們一心一意誠心愛上帝。

漸漸地，人們因奇怪足印引起的緊張和驚惶緩緩的消逝，於是，恢復昔日的常態，入夜之後，仍然敢於外出。但是這些神秘的足印，過了一百一十二年，仍然成爲一個未破之謎。

然而是否當晚有些機器般的東西得橫過帝雲？如果認爲這想法是可笑的，那麼考慮以下的事實：第一位人類登陸月球，而在月球走路將會乘一輛小型的車箱東西，并裝上「脚」的，現在科學家正在製造中。假如是這樣的話，那末所遺留在月球的塵土上，是一種成直綫而距離相等的「足印」，這種「足印」相當於在一世紀前，橫過帝雲而留下的怪印相似的。

復國十九年來的以色列

德園

其後西方國家鑑於猶太人在大戰中因無國家保護而飽遭殘害，因此他們轉而同情猶太人。他們凡事皆通融猶太人，盡量給予方便，因此那些逃出歐洲的猶太人，便不顧及英國之禁止入境的法令，大量湧進巴勒斯坦。最後英國也向猶太恐怖份子的壓力低頭，結束其託管權。

一九四七年，英國便將巴勒斯坦問題呈交聯合國處理。聯大只需花費十星期的時間，便將巴勒斯坦劃分爲猶太人和阿剌伯兩區。於是在一九四八年五月十四日下午四時正，班古利安總理便朗讀一份九百七十九字的聲明，宣佈以色列成爲一個獨立的猶太人國家。該聲明的開始是這樣說的：「在以色列土地上，猶太人是法定的公民。」猶太人從此就結束了亡國民族的名號。

以色列之建立，馬上引起阿剌伯人狂暴的反應。埃及、約旦、伊拉克、黎巴嫩和叙利亞，藉口猶太人侵佔其土地，乃組軍於次日聯合進攻以色列，而且轟炸台拉維夫。

唯是以色列雖然地少人稀，且無論在軍力，裝備和槍械上都比阿拉伯聯軍較差，但他們鑒於國家興亡在千鈞一髮間，乃抱着哀兵上陣之心情，以一人之力抵抗二十名敵兵。由於以色列人士氣如虹，萬衆一心，終於經過八個月苦戰後，他們便把虎頭蛇尾的埃及等打得喘不過氣來，迫使停火。

不過，阿剌伯人雖然放下了槍炮，但他們仍不甘承認以色列的存在。更因他們以衆暴寡之勢仍未能壓倒小小的一個以色列，弄到顏面無存，因此就懷恨在心，誓言要俟機復仇雪恥。

此外，巴勒斯坦的七十五萬阿剌伯居民，也因戰爭關係而被迫離開他們的先人居地，棲身於以色列邊境的難民營中。他們守候了十九年悠長歲月，仍一心指望重回故鄉去。於是，這一場戰爭便加深了猶太與阿剌伯人之間的仇恨，而且燃着了後來的第二次英、法、以聯合攻埃和現時的阿拉伯集團圍攻以色列的戰爭火頭——四天戰爭便把埃及、叙利亞和約旦打得抬不起頭，接受安理會停戰的呼籲。（下）

英國最豪華的輪船Q四

嘉陵譯

英國最豪華的輪船，將於九月由女王伊利沙伯主持下水禮。而這艘豪華的輪船模型，擺放在倫敦的慶典大會堂，由昆納輪船公司的總裁巴斯·史摩培斯爵士舉行揭幕禮。另一座模型，則在紐約港內的瑪利皇后輪上，由昆納輪船公司副總裁萬高樂爵士揭幕。

這艘英國最豪華的輪船，目前尚未命名，但是無疑是屬於皇后級的了，以數計之，它應該是第四艘皇后輪，因此，它暫時稱爲Q四。同時它是大西洋上的輪船中最龐大的一艘了。

輪船公司方面透露，此輪於九月間舉行下水禮，但是不再以皇后的名字爲船名了。雖然如此，畢竟它具皇后那樣高貴雍容的氣質，此外它是多麼的莊嚴漂亮，雅觀。

Q四輪最初是由英國國會貸出一千四百萬鎊給昆納公司予以建造。然而它本身的建費達二千五百四十二萬七千鎊。

輪船公司方面指出這艘輪船，將會迎合世界的遊客所改變需要的作風。當假日的季節裏，它將在大西洋上航行，其餘的時間，則航行於世界其他海洋上。

Q四可以運載八十部汽車，這是最使美國人感到高興的，因爲美國人感到如果不帶着他們的汽車，那簡直像光着身子一般。

它並不如其老大姊的皇后輪那末長、和濶及那末重的，但是它將比它們爲高，及快速和更優良，同時是最安全的輪船，其速度每小時卅二浬。

Q四正確的長度爲九百六十三呎，濶一百〇五呎，重五萬八千噸，比起八萬一千二百三十七噸的瑪利皇后號和八萬二千九百九十七噸的伊利沙伯皇后輪，則輕得多了。水綫至頂層高一百〇一呎六吋，比伊利沙伯皇后輪高了十呎，比瑪利皇后號高出十五呎。

但是，它每天所消耗的汽油只五百二十噸，僅及其他老大姊的皇后輪的一半。它只有兩具推進器，打破皇后號輪的四具螺旋槳推進器的傳統設計。同時，它只有一個烟突，高六十七呎，作黑白顏色，只有它才改變一貫的作風，不髹上紅與黑的色澤。

這具烟突，經特別設計的，所以在航行時，烟屑或氣味不會吹到甲板去。在一般人來說，此烟突的外表，並不雅觀，但是參與設計的工程師占士嘉納說它簡直像第一次戴上了一頂高帽。

Q四將以一級船航行，最不可思議的就是Q四的特殊兩用設計，既可作在大西洋上的運貨，亦可於冬季時作客輪。

輪上有着豪華的船房、超級的餐廳、展覽室、售物攤、甲板娛樂場、游泳池等，雖然它的船身很短，但是超級的輪船。

然而在今後五年內，Q四能否爲昆納公司從乘客方面獲得一千四百萬鎊，頗成問題。占士嘉納表示，如果Q四獲得理想的成就，其他的海洋國家，紛紛仿效。

昆納輪船公司的總裁巴斯·史摩培斯說：人們以爲其公司建造了這艘船，目的是爲了威望，但並不盡然。因爲Q四是用於商業上的。他又指出，其公司在橫渡大西洋，擁有龐大的市場以維持及發展，如果沒有這輪的話，他們便需要放棄。他們相信Q四會達到理想的成就的，他抱着很樂觀的希望。但是動用二千五百多萬鎊的建費，也許這公司仍以這艘未命名的輪船作孤注一擲。

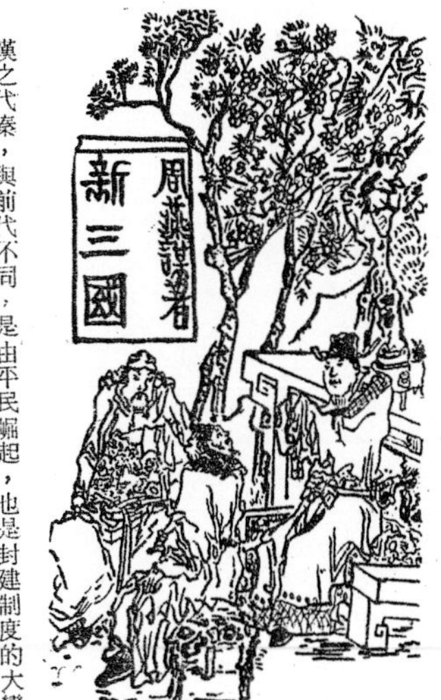

漢之代秦，與前代不同，是由平民崛起，也是封建制度的大變革，經過三年的大流血，繼之楚漢對峙，惡戰了五年。其後魏之代漢，晉之代魏，在中央的政權更迭，可說是別開生面；由大血流的惡戰，一變而爲「禪讓」，由流血的政變而變爲不流血的政變。直接受政治影響的，也不是廣大的羣衆。此種政治變革之法，由魏晉而宋、齊、梁、陳，而隋唐五代至於宋，此種政變之風，吹了一千年。到了元朝才改換了一種方式，也是中國中古史的一個特點。

司馬炎篡魏後，並未立即伐吳，足足休養了十幾年才代吳。他繼位後盡量安定下來，因爲只一個東吳，早晚是在掌握之中。

孫皓是孫和的兒子。孫和曾被立爲太子的，其後被廢。本來孫皓並非「太孫」，也不合繼位的制度。因爲孫休死了，有人向顧命大臣濮陽興、張布二人建議，說孫休的兒子孫靈年紀太小，吳國需要一個年紀大些的皇帝，不如改立孫皓。此時孫皓年方二十二，而且氣魄大，頗有孫策之遺風。所以濮陽興和張布二人就顧不了他曾受命之託了，決定改立孫皓爲帝。這兩位顧命大臣做事是有愧的。

孫權的子孫羣中，孫皓是一個暴君，他的暴虐、荒淫和桀、紂差不多。他殺害了保他做皇帝的濮陽興與張布三人。這兩人也是活該！受顧命的太子他不保，反聽別人說改立，他便改立；如不改立孫皓，他二人也不會被殺死。孫皓又以臨海太守奚熙「非論國政」，將他全家殺害，又夷三族。孫皓酷愛剜人的眼睛，又用鋸子鋸掉犯人的頭；這都是他暴虐不仁的地方。

孫皓的荒淫更是無度的，他後宮的女人有五千之多。而且規定：凡是大臣的女兒，必須經過他儘量挑選之後，剩餘的才許出嫁。凡是暴虐的人，他總有蠻硬的氣魄，他從魏人手中把交州奪回來，也表現他有點氣魄。交州是在他即位前一年失掉的。孫皓對於用人也懂得一點，他以陸凱爲相，以陸抗爲都督。陸凱是陸遜的姪子，陸抗是陸遜的兒子，二者的才幹都不錯。

但是孫皓不懂得大勢和政治。蜀漢既亡，鼎立之局已破壞。晉無後顧之憂，全副武力加諸東吳，孫皓能支持得多久？故晉滅蜀後，不忙不急的休養生息了十多年，只以重兵臨江，作一種威脅之勢，看看東吳是否識時務。如此一來，東吳大大恐慌，不可終日。到了公元二七九年，晉國便來一個總動員，分兵六路齊下江東。這六路兵馬是：

第一路是由鎮東大將軍司馬他下賈中涂（當塗）。

第二路是由安東將軍王渾打牛渚（采石磯）。

第三路是由建威將軍王戎打武昌。

第四路是由平南將軍胡奮打夏口。

第五路是由鎮南將軍杜預打江陵。

第六路是由龍驤將軍王濬由四川浮江直下江東。

六路兵馬由賈充任總指揮。賈充是司馬氏的心腹，此次他担任代吳的大都督，由他統一指揮。（一四一）

中華民國五十六年六月廿一日　自由報　星期三　第四版

平劇繽紛錄

談「張飛戲」

○桂良○

在三國演義中，張飛自經長坂坡喝斷坂橋後，經過多少戰陣，受了孔明不少薰陶，自入兩川後，也是福至心靈，絕少鹵莽，很多用智，「過巴州」義釋嚴顏。到了「瓦口關」之前，那時張飛鎮守巴西，曹將張郃引兵來攻，兩張相遇，戰到三十餘合，郃後軍忽然喊起。原來三爺使計命雷同打着旗號在山谷間擾亂。張郃不敢戀戰，撥馬回走，郃軍大敗。於是張郃堅守營寨，大吹大擂飲酒，並不出戰。飛使軍士百般穢罵，郃兵還罵，相拒五十餘日。張飛在山前紮寨，每天飲酒，飲至大醉，坐於山前辱罵。玄德差人犒軍，見張飛終日飲酒，使者回報。玄德玄德恐怕三爺又犯了「打曹豹」再失徐州之誤，便忙去問孔明。孔明聽罷，笑曰：原來如此，成都大糊甚醇，可送五十甕到軍前與張將軍飲。玄德曰：雖然如此，可使魏延助之。孔明令魏延解酒前往，車上各插黃旗，大書：「軍前公用美酒」。

魏延領命，解酒到軍中，見張飛，傳說主公賜酒。那日張郃來到山頂觀望，只見張飛坐於帳下飲酒，令二卒相撲為戲。郃曰：「張飛欺我太甚！」傳令今夜下山刼飛寨。張郃夜間引軍從山側而下，遙望張飛大明燈燭，正在帳中飲酒。張郃大喊一聲，直殺入中軍。但見張飛端坐不動。張郃一槍刺倒，却是一個草人假張飛，急勒馬回身，帳後連珠炮起。一將當先，攔住去路，睜圓環眼，聲如巨雷，乃張飛也。兩將在火光中，戰到三五十合，張郃知救兵已被攔截，又見山上火起，祇得奔「瓦口關」而去。本齣戲名，到此方才點題。

演義回目的上聯，是：猛張飛智取瓦口隘。但是張飛兩番用計，才把張郃趕到「瓦口關」。在台北以演張飛戲著名的淨角王福勝，他年近古稀，當然演的是老本子，他演「瓦口關」的張飛，唱唸不多而有炸音，工架武藝皆穩練。「瓦口關」的前幾場會戰犒軍和魏延押送「軍前公用美酒」都如演義所編；惟草人假張飛，乃是同一黑盔、黑靠的替身而由福勝說明是在椅上有一種機括，可以操縱草人假張飛飲酒和動作，否則草人之做表難以交代。故此編戲是一回事，排戲又是一回事。

演義中表張郃守「瓦口關」是一夫當關，萬夫莫開。張郃曾在「瓦口關」賺殺三爺的副將雷同，幾次賺取三爺，三爺無法奪關。後來三爺的智取「瓦口關」乃是抄小徑去的。雖同屬用智，但編戲還是這樣的好。（六）

獨霸桃壇五月紅

○紫玉○

桃樹，在咱們老家無論道路旁，山頭有，堤岸，塲院邊隨處有，更有那無數桃林毗連接壤，一望無邊。每年春暖桃花開季節，桃花一齊盛放，到處，姹紫嫣紅，抬頭望去，一片花海，浩瀚壯麗，令人為之目眩神迷。黃花閨女小媳婦賞花桃林，那種人面桃花相映紅的景色，現在想來，怎不令人神傷！

咱老家不只是桃花好，桃子更是又甜又香又大。朋友！想吃桃子上咱老家，有蜜桃、五月紅、六月仙、小秋桃兒。每年從仲夏五月一日直到秋七月，各色各樣的桃兒稀爛賤，盡興吃去。

蜜桃像柿子那個樣兒，也那麼大小，圓圓的，扁扁的，熟透了像蘋果，半邊兒紅紫，半邊兒青黃。吃起來甘脆脆的，沙蜜蜜的。嚼在嘴裏，甜到心頭。不過，這種桃樹極少見。我在小的時候，我家周圍十多個村莊，只是俺家後園裏有那麼三株。因為物稀，所以常遭偷兒光顧。有一年，桃子將要成熟時，又被偷兒摸得精光，俺爹一氣之下，就給它們搬了家。也不知道是不懂得移植方法，還是它們不願意離開那塊老土，不久，就憂憂鬱鬱的「香消玉殞」了。

「五月紅」在咱們老家獨霸「桃」壇。這種桃樹最普遍；也最樸實。隨處丟粒桃核兒在濕潤的泥土裏，它就會萌芽，由苗壯到成長、開花、結果，不須你費半點氣力。結實後，毛桃兒像李子那麼大，饞嘴的孩子們就摘來吃。當年我在老家也吃過這種毛桃兒。朋友！你別笑我「饕鬼」，毛桃兒擦淨了毛，嚼來酸溜溜的味道，挺不錯呀！「五月紅」的性子急，每年一到五月它就紅遍了老家。口味不下蜜桃兒，味美可口，愛吃多少就吃多少，絕不傷人。土佬兒、哥們打麥塲，抽空歇陣子，塲院邊的桃樹上，順手採幾隻，就地蹲下來，翕動着兩片厚厚的嘴唇，細細的品嘗着滋味，那種怡然自得的神情，可不是我這笨筆桿兒能夠描繪出來的。

吃了「五月紅」，跟着來的就是「六月仙」，也叫壽桃。它的個兒大，模兒俏，歪着個尖紅小嘴巴，紅潤潤的臉蛋兒，大部份上了英倫，邁阿密的選美大會，或週遊世界去了，剩下來的雖非絕色，也是桃中上品，家鄉六月，集上的仙桃攤兒，一溜兩行的。土佬、哥們冒着盛暑，趕集混身汗淋淋的，好不容易擠到桃市上，那股清香味兒，衝得你直吞口水。這時，誰還吝嗇那塊兒八角的，去買斤桃子消暑解渴吧！幾枚下肚，包你周身涼爽，上下舒坦。再說，咱們老家六月裏新女婿看丈母，黃縣簍（山東黃縣名產竹條簍，元寶形）裏裝燒雞，沒有幾枚仙桃兒還像話嗎？朋友！也許你沒品過滋味，那味道美極了，等回老家，我送些你嘗嘗，自然就知道是個啥子味道！

最後，跟你談談小秋桃兒吧，它最沒出息，跟人家同時開花結果，却成熟最晚。非到初秋時分是上不得口的。也許是大器晚成，的確它也不是桃中下品。別看個兒不大，倒也小巧玲瓏，薄薄的一層皮，一包血紅蜜汁。

吃起來水凌凌的，甜蜜蜜的，清香可口。吃了它令人回味無窮，依依難捨。三十八年秋天，它賜給我最後一次甜蜜溫情。這些年來，我望穿秋水，一直懷念着它。小秋桃啊，忍耐一點兒吧！也就是年兒半載的，我們一定會重溫舊情，飽嘗甜蜜滋味的。

孩子，祝你生日快樂！

·雁雪·

孩子，夜深了，夏夜的晴空裏，晶星點點，真像你那雙眼睛，媽媽在想你了。我的寶貝，此時，你大概已經入睡了，不知道在你的睡夢裏，媽媽是否夜夜出現？媽媽盼望着能常伴你入夢！

孩子，今夕何夕？四年前的今夜，媽媽半夜還未曾入睡，因為腹中的你在作怪，使我痛疼如絞。恰巧你爸爸出差，遠在他方，我只好獨自忍痛整理好了應用的東西，在凌晨三點鐘時，僱車赴醫院。醫院裏沒有一位醫生，只有一位值夜班的護士小姐伴着我，我徘徊在長廊上，心裏有一種說不出來的惶恐，一種孤獨和被遺棄的感覺。不是嗎？那有一個產婦獨自住進醫院的？人家不都有親友陪着嗎？人家的先生會守候在產房門外，引頸鵠候，而我，却不是這樣的。我的先生在担當着國家交付給他的任務，他兼顧不了我。第二天的六點鐘，我平安地生下了你。當時，我躺在產床上，第一個投入我眼簾的，是窗外慢慢升起的朝陽，你與它同時降臨，該是個好預兆，媽媽頓時忘却了痛苦，忘了失意，在心中不住地默禱着：孩子，願你能給我們家帶來好運，像旭日一樣，帶給我們光明，溫暖與希望。

孩子，從小你就很聽話，不像哥哥那樣淘氣，也不像姊姊一樣的好哭。一張圓圓的蘋果臉，兩個淺淺的笑渦，還有那小巧的鼻子，海樣藍的眼睛，美極了。孩子，在媽媽的心目中你是一個安琪兒，又聰明，又漂亮。可是，你却沒有好命運。在你才兩個多月時，爸爸因公殉命了！從此，你就成了無父的孤兒，媽媽一個人帶着你們兄弟三個。其間我們所遭遇的困難，不是我所想像得到的，也不是你們所能了解的。為了生活，媽媽每天要工作十多個小時，成天勞碌奔波；但是，媽媽並不覺得苦，因為我有希望，希望你們快快長大。誰知道你們慢慢長大，問題也越來越多了。哥哥和姊姊常問我要爸爸。孩子，我怎麼來回答你們呢？尤其是你，爸爸去世時，你尚在襁褓之中，在你的心目中，根本不知道有父親，在你的語彙裏，也沒有「爸爸」這個名詞，多麼可憐的孩子啊！上天也太殘忍了，媽媽不怕失去丈夫，却怕我的孩子沒有父親。孩子需要母親的愛護，也需要父親的關懷，這兩樣原都是孩子們應得的權利。而你們沒有了父親，你們所欠缺的太多了，這種缺欠却是無法再度找到的。為此，我更愛護你們，每當我疲倦了，一想到你們，馬上就精神百倍。孩子，你還太小，不會了解媽媽的痛苦。為了使你們生活得更好，媽媽在拚命地工作，半夜三更，大家都熟睡了，媽媽却伏案疾書，換取稿費，貼補家用。

幸福在我們來說，已是無限遙遠的事了。今生，媽媽和你們都很難再尋得到。不過，媽媽會儘量使你們快樂。時鐘響了五下，遠處傳來了雞啼，天快亮了，媽用一支禿筆，和血和淚，為你寫下了祝福的詩篇，願你能更健康，更聰明，更願你的前途不再有風浪，能一帆風順地踏着人生的途程，一步一步地邁進！

天明，媽媽會一手代表父親，一手代表母親，緊緊地擁抱你。你又長大了一歲，該更聽話，更懂事了。好好地唸書，將來長大了做一個有用的人！孩子，你從小跟着外祖母，她老人家最寵愛你，你也給老人家添了太多的麻煩，將來別忘了孝順她。當你醒來時，她大概早就為你煑好了壽麵，上面一定會有兩枚雞蛋。媽媽和舅舅都是每年生日時吃這樣一碗麵長大的，我們不是長得很好嗎？孩子，你那碗麵會更香甜，因為那裏面有外祖母和母親兩代人的祝福！看，天亮了，孩子，讓媽媽再說一聲，祝你生日快樂！

試談偏愛的諸葛亮與神化的關雲長

讀「畧評諸葛亮與關羽」之後

周燕謀

關羽是否個赳赳武夫，匹夫之勇的說法，我想從劉備一生用分兵方面來作答案。我們看劉備一生用兵，不分兵則已，凡是分兵，關羽總是獨當一面的。大家知道的一次分兵在當陽緊急之際，關羽是北方人，在此分兵，他獨領水軍萬人，在江陵和劉備會師，保存整個萬人的精銳。曹操自赤壁戰後，一直奈何東吳不得，就是吃了水軍的虧。如果僅僅是一個匹夫之勇，他是不足以當之的。

又一次是劉備領徐州牧，關羽分兵獨當一面，雖然是失敗被困議降，那是衆寡懸殊，無能為力；況且羽知劉備尚在，暫且降曹，待機歸故。如為匹夫之勇，其結果不是拼命以死，便是被殺。這在關羽日後斬了顏良立功，辭曹歸劉可以證之。陳壽義之，謂為一世虎臣，有國士之風。這豈止是匹夫之勇輩所可做到的嗎？

第三次都督荊州之要衝，大敵兩面。劉備入益州，荊州重任，劉備未作第二人想。荊州乃其根據地，其倚重可知。關羽在荊州是二面受敵之衝，在此不僅是他個人的輝煌事功，庶幾可以說是蜀漢歷史上最輝煌之一頁。如劉備之取成都，定漢中，以及孔明之南征北伐，似乎都不可企及。如果不是孫權背盟（共拾曹操），抄偷其後的暗算，三國的歷史很可能要改寫。姚先生僅知其為「匹夫之勇」，似乎不是公允之評。甚至姚先生以關羽之北進襄樊，害得孔明的「連年動衆，未能成功」之過，都歸諸關羽之失敗。敗是問題，但拔樊城，圍襄陽之北進，却是為配合劉備採納孔明之決策，我們不妨看看當關羽北進時之局勢。

建安二十四年正月，劉備使黃忠攻夏侯淵，夏侯授首。二月，曹操兵臨漢中，劉備斂衆守險，趙雲又大敗曹兵。五月，張飛打敗張郃，操還長安，備有漢中。這些戰役，皆劉備親自指揮，孔明不與焉。但這對曹操的打擊雖大，尚不如關羽之甚。同年七月，劉備自立為漢中王，拜羽為前將軍。八月，關羽率軍攻曹仁於樊城，曹操遣于禁助曹仁，結果曹兵七軍盡沒，活捉于禁。龐德雖死戰，終為關羽所斬。此役史稱「威震華夏」，曹操議徙許都以避其鋒。姚先生諒也看過三國志，此蜀漢及關羽輝煌史頁，何以一字不及？關羽在姚先生心目中義也無足貴，忠也成了「伐漢」。于禁為曹操五虎將之一，龐德也是一員勇將，與馬超相伯仲，都不是好吃的人物。（六）

床與人生

○路加譯○

那些行將結婚的男女，別些開支可以節省一點，但是睡床，却萬不能吝嗇的，應該多花點錢買一張上好而適意的雙人床。在英國，如果由四十五鎊以至八十鎊的床，會有許多好的供顧客選購。

一張不合度的床，會引致人們的神經系統受刺激，及產生失睡的，這是許多醫生所表示一致意見。

一間製床機構估計，英國逾二百萬家庭、夫婦睡於床上，總是傾向中央的。

最後專家認為，如果在背部感到隱隱作痛、或頭痛，頸痛，或其他的痛楚，最好看看自己的睡榻，可能是床子出了毛病之故。

在一些窮苦人家來說，一家八口一張床，生活還無法溫飽，怎能顧及床舒服享受？當然，睡床的講究，是那些拿得起錢的人家，才有資格談的。

（完）

內銷證　內備警台報字第〇三一號

自由報

THE FREE NEWS

第七六七期

中華民國僑務委員會頒發
台教新字第三二三號登記證
中華郵政台字第一二八二號執照
登記爲第一類新聞紙類
（半週刊每星期三、六出版）
每份港幣壹角
台灣零售價新台幣貳元
社長：雷嘯岑
督印人：黃行奮
社址：香港銅鑼灣高士威道二十號四樓
20, CAUSEWAY RD 3RD FL. HONG KONG
TEL. 771726　電報掛號：7191
承印者：大同印務公司
地址：香港北角和富道九六號
台灣分社
台北市西寧南路壹壹零號二樓
電話：三〇三四六
台郵撥儲金戶九二五二

蘇俄空權實力有多大（下）

祁倫

據美國出版的「當代各國軍備」一書所云：蘇俄長程航空隊雖於一九四二年成立，但無長程轟炸之作戰經驗，然而在哥洛凡諾夫元帥及蘇德茲元帥相繼主持下，可能已成為一支與美國戰略空軍司令部相同的精銳部隊。該書並就其長程轟炸機與美國相同飛機作一比較——

蘇俄	美國
貛式機	B—47
野牛式機	B—52
粗人式機	B—58
熊式機	無同類飛機

該書又云：據未確定之報導載稱：另有核子動力轟炸機及使用其他某種「奇妙」燃油之轟炸機。

另據筆者担任「新武器」教學搜集的已公開之西方資料，貛式機及野牛式機於一九五四年在莫斯科勞工節之空軍表演中首次出現。前者約五百架，雙噴射發動機中型轟炸機，重十五萬磅，時速六二〇哩，載彈量四—五噸，航程四千二百三十哩，可攻擊歐洲、亞洲、與北非之任何目標，如空中加油則航程大增。後者約五百架，有推力為一萬八千磅之渦輪噴射發動機四具（貛式機兩具），重達三十五萬磅以上，翼展一百七十呎，時速六百二十哩，載彈量高達一十噸，航程六千哩，空中加油則航程大增。次年四次首次公開出現的熊式機約二百架，載彈量高達二十噸，航程高達一萬哩，如在離開蘇俄國境前作空中加油，則可深入美國任一城市後再折返蘇俄國內任一基地降落。這種具有洲際間往返航行能力的熊式機，美國尚無同類者，故值得注意。

蘇俄於一九五七年八月二十六日宣稱成功地發射一枚超遠程、多節火箭之洲際彈導飛彈後，蘇俄戰略空軍實力便逐漸改為洲際飛彈以代替耗費多、遭受反制機會大的載人轟炸長程轟炸機。但，顯然蘇俄並未放鬆新長程機的研究發展。

蘇俄空防戰鬥航空

屬防空總司令、空防區司令的空防戰鬥機航空軍，擁有戰鬥及攔截飛機約一萬五千架，多為Mig—15、17、19、21及YAK—25，其中Mig—25已漸淘汰，YAK—25係輕型轟炸或對地之攻擊機（蘇俄戰術轟炸部隊約有飛機五千架，多係超音速雙噴射發動機如伊留申、吹燈式、背鰭式）。

蘇俄防空總司令部由航空防空戰鬥機、對空觀測警報與通信勤務部隊、以及防空高射炮等三單位組成，在敵人轟炸機必須穿越之防空區域中共同担任防止及攔截任務。防空高射炮已由防空導引飛彈担任主角。

蘇俄陸海軍航空

主要任務為支援陸軍地面作戰，共組成十五個航空軍，以米格—15、17、19、21噴射戰鬥機及雅略—25，IL—28噴射轟炸機為主，並隨時滲入新式機種服役。其第一綫的陸軍航空部隊擁有飛機達一萬架，超過蘇俄軍事航空兵力一半以上。由於基地多在蘇俄空防戰鬥航空空防區域之外，所以其基地地區之空防任務由陸軍航空担任。

蘇俄以陸上為基地的海軍航空隊（因俄無航空母艦），約有飛機四千架，包括二千架的噴射戰鬥機（多為Mige—15、17、19、21），一千架輕型噴射轟炸機（多為IL—28、TU—14）、一百架長程噴射轟炸機（多為TU—16等）、九百架名稱繁多的空運飛船，以及不詳數目的直昇機（多為MIL、M14等）。戰鬥機任務為防禦各港口與海軍基地，並支援空軍鞏固地面戰鬥，執行海岸附近之護航，地面部隊之空中戰鬥巡邏，以掩護佈雷與魚雷轟炸機之攻擊等。輕型轟機機任務為佈雷及偵察、反船艦攻擊作戰。長程轟炸機任務為長程偵察、以定向飛彈執行反船艦任務，並負責與長程潛艇聯絡。直昇機任務為海空救護、反潛、與結冰地帶巡邏。上述海軍航空配屬於北部、波羅的海、黑海、太平洋四個艦隊司令部。

蘇俄空運航空

蘇俄約有空降部隊十萬人，並有數量不明受過空降作戰訓練的步兵，擁有飛機二千架，包括TU—104、TU—104A、TU—14、AN—2、AN—4、AN—8、AN—10、IL—14、TU—70等型飛機，並有其他未能獲知的新型運輸機。此外，蘇俄空軍航空尚有一支能力與性能保持秘密的龐大數量之滑翔機。

蘇俄民用航空

民用航空是由民用及軍用聯合組成的機構。在戰時，其飛機担任長程與空降任務；平時担任國內普通之定期班機航行並負責若干隣國之國際航綫，同時担任農作物噴射、森林救火、氣象觀測以及其他特殊目的與不定期空運業務。約有飛機一千八百架—二千五百架。為搶先發展三倍音速客運機以爭取國際航空工業牛耳，蘇俄亦表現了甚大努力，不容忽視。（完）

自由談

看別人·想自己

馬王先生

以色列全國人口不過兩百七十萬名，直接受到四個阿拉伯國家包圍攻擊，無論在人力、物力、財力上，都是居於絕對的劣勢。然而，以色列萬衆一心，共赴國難，在八十五個小時內，便把幾個強大的敵人打得落花流水，難以招架，可謂奇蹟也矣。

西方國家的所謂軍事專家們，談到戰爭即以人口與武器為勝負的基本條件，而視戰爭的精神作用無足輕重。他們見着以色列這種以少許勝多許，勢如破竹的成績，祇好暗中納罕，莫名其妙。最可哂是美國的一位參議員，主張美國以四百架新式飛機送給以色列，換取該國的三軍統帥戴揚將軍，教他到越南去指揮美越軍隊作戰，這眞是古今奇談。蠢材的阿聯頭目埃及總統納薩，指稱以色列軍隊之勝仗，是有英美空軍暗加援助，聊以解嘲。殊不知美國那種戰戰兢兢，害怕蘇俄懷疑它左袒以色列，因而引起世界大戰的恇怯心情，只看白宮急忙宣告「嚴守中立」的作風，即昭然若揭了。

以色列戰勝攻取的最重要因素，就是全民為着求生存而義無返顧的一股旺盛的戰鬥精神，男女老少一致拼命，所謂「哀兵」是也。哀兵必勝，咱們中國古代的兵學家剖析得很明白，放諸四海而皆準，只是英美的軍事專家們昧於這項義理罷了。職是之故，他們談到台灣中華民國政府軍事反攻大陸問題，即認為毛共統治六七億人口，決非蕞爾台灣一千多萬民衆的力量所能制勝的，甚至於說咱們的軍事反攻是一種「幻想」。如今瞧見以色列對阿聯之戰的結果，不知他們作何感想呢？

不過，話又說回來，以色列的男婦老幼平時深懷危亡，艱苦奮發，一聞戰事來臨，即各盡所能，隨份報國，連小學生亦無例外。咱們在台灣的各色官民人等，是否嘴上經常掛着「毋忘在莒」「臥薪嘗胆」的口號，實際過着紙醉金迷，錯把杭州作汴州的頹廢生活呢？希望大家憑良心省察一下，向以色列人民學習看齊，知恥自強，盡其在我，纔有打回大陸之可能，光是一片虛憍之氣，決不配彈復興國家的調調兒啊！

他有的只是子彈

還有力量麼？

今日與明日

香港局面已復常態

經過兩個月的時間，香港局勢已漸復常態，公用事業唯一受到影響的天星小輪，已決定在二十二日恢復正常行走，不再作有限度的服務；其他方面眞正受影響的是左派機構，「國貨公司」客人已減到不足全盛時的十分之一，「戲院」的現象最好的時間不過兩成，差一點的一成也不到。左派份子這一鬧，固然使香港居民人人受損失，但眞正損失最大的還是毛共，因此有人推測這項暴動，是所謂黑幫掀起來的，倒也不爲無因。

左派國貨公司與戲院之生意蕭條，原因也有同有異，相同之點凡是左派東西皆成了「神怡貓屎」，神憎鬼厭，誰也不願意再同他們打交道；相異之點，在「公司」方面已成了「謀人寺」，進去買貨要捐款，要簽名，雖然捐錢只是一些找數，多的也不過三塊五塊，少的甚至只有幾個毫子。但是，人們只要一想起這錢是捐了給左仔打人、搶物、燒汽車、砸學校之用，大家自然就不肯了。可是，在當時若不捐，馬上就會被打，只得忍氣吞聲，捐了錢，簽個假名，匆忙逃出，下次自然不敢去了。至於戲院方面尚無這種現象，人們所以不去看戲，除去受了一個左字的影響，還有一個大大原因是沒有電影可看。目前左派戲院最慘的是沒有片子上映，大陸片除去「紅太陽」之類，其他片不准來，但是「紅太陽」一類片，每年只能拍一部兩部，多了「演員」毛澤東也吃不消。海外方面可拍的題材太少，即使拍成也不敢上演，恐怕片子變成毒草，個人成了黑幫，於是只好拿一些政治性強的舊片充塲，這些片子早已映過，好不好不說，凡是看的皆看過了，未看的也不會看，自然沒有觀衆了。

民心可畏

由於毛共嘍囉在香港的慘敗，已充份顯示出民心之不可失，得民者昌，失民者亡，即使到了人類能登陸金星的時代，依然是眞理。因此，不能不看看我們政府在這次香港暴動中所表現的態度。

以前曾經有人作過預言，說中共必然要垮台，要被人民徹底消滅。但是，共產黨之敗並非國民黨之勝。看了最近一個月的情形，更覺此言頗有道理。

台北當局在這次港九暴動中所表現的冷漠、顢頇情況，可以武斷的說一句，凡是文化界人士，無人不搖頭嘆息或切齒痛恨。愈是平日矢志擁護政府的人，愈是憤慨。十幾年來在海外所積聚的人心，兩個禮拜失得乾乾淨淨，比起毛共此次的損失，究竟誰大誰小，還要等待歷史來衡量呢！（何如）

讀者投書

一羣自由戰士警告左仔 如再鬧事死無葬身之地

編輯先生：請借貴報一角地方，刊出我們對左仔的幾句忠言：我們同是中華民族的兒女，因爲彼此各有各的政治思想，由於信仰不同，以致勢成水火；但是我們同是中國人，誰都希望我們的國家進步，強大。無論任何一個政黨，假如能夠眞正以國計民生爲前提，有建國安民的救國主義，能適合世界潮流，時代背景，及國情民心，能使我們的國家在正常的情況下進步，強大，我們同胞就會擁護，否則就必然要反對。

請看自從大陸變色之後，已近廿年，這個多麼悠長的歲月，我們的億萬同胞，在這日子裏，過的是什麼的生活？三反、五反、淸算、鬥爭、勞改、迫害、饑餓、奴役，誰令我們的同胞，生旣不得，死也不能？因此，同胞們爲了不甘待斃，只有冒死逃亡，偸渡。六二年的逃亡潮，其他集體偸渡的，分批逃亡的，個別行動的人，十多年來，何止百萬？這還不是鐵一般的事實！

海外同胞，爲了救援家鄉親人，節衣節食，將血汗付寄郵包，有的是布料、舊衣、藥品、油、糖、豆、粉、米、麵等，寄回家鄉，接濟正在水深火熱同胞，這是多麼令人傷感的場面！也是千古的奇聞！這又不是鐵般的事實？

香港的所謂國貨公司，一間又一間的增加，無論什麼工業製成品及農產品，都是我們同胞辛勤的收穫。但共黨將同胞的血汗結晶，刼掠得一乾二淨，運出海外賤價而沽，用以充實其毛王朝排除異己之鬥爭實力，置億萬同胞們生死於不顧。誰令同胞們饑無所食，寒無所着，病無所醫，生無所養？但是在共黨槍尖之下，還有甚麼反抗的餘地？

你們或者會說，爲了建設國家，人民生活困苦是難免的，國家強大，大家就不會受人欺侮。但是我們請你們想想，當年共黨在印尼也曾落下不少本錢，中共不顧全國同胞在飢寒交迫之下，還是將大量糧食物資運到印尼，支援政變。可是，印尼人民到底醒悟了，一個專搞他人國家分裂的政權的糖衣政策，已經完全被粉碎，印尼暴動陰謀，完全失敗。最慘的是「畫虎不成」，反害了印尼之中國僑胞。他們到如今，還遭受着無窮的逼害，華文報停刊，學校被封，財產物資遭受掠奪，而生命安全毫無保障。自稱擁有七億人民的中共，爲什麼不拿出力量來，去保障僑居印尼的同胞的生命財產，反而毫無振作，派出光華號等船隻，將印尼僑胞載回大陸？這豈不是說，人家要欺侮我們，我們就快點丟下東西，趕回老家去的失敗主義？現在我們明白了所謂「強大的祖國」、「戰無不勝的毛澤東思想」，原來沒有過如此的！有過如此的！這班伙，又來香港，還製造暴亂，再度的又給中國同胞帶來無比的災害。你們聲聲「同胞長」「同胞短」，但爲什麼一定要與港九數百萬同胞爲敵？你們自稱把握海陸交通權，隨時置敵人於死地，但是，可知道，要依賴公共海陸交通的，正是廣大的中國同胞，而且，多數更是勞苦大衆，你們豈不是把港九同胞全當作敵人，而且要置我同胞一於死地？請你們想想，拿二角錢乘電車或巴士返工的，是中國人抑或外國人？拿五角二分錢去搭天星小輪過海的，是中國人抑或外國人？你們爲什麼要搞電車，巴士及天星小輪罷工，爲什麼要搞到我們這班「窮得要命」的工人，要拿出一二元錢，去搭貨車返工？拿一元錢，去搭電船過海？香港以米爲主食的是中國人，還是外國人？你們爲什麼又要散佈謠言，擾亂人心，使米價直綫上升？統之你們的罪惡萬數之不盡，你們的所做所爲無一不是與港九數百萬同胞爲敵，試問你們還算是中國人嗎？假如你們還有半點人性的話，應即猛省回頭，要以民族生機，人民利益着想，趕快站在眞正中國人民這一邊，切實做一個有同情心，有正義感之中華兒女。如果再執迷不悟，你們一定死無葬身之地！何去何從，這是你們最後抉擇的時候了。

自由戰士黃彬等 敬叩
六月十三日

以阿戰爭給我們的啓示

○李献廷

六月五日，中東地區爆發了以色列和阿拉伯國家的戰爭。不出三天，以色列的軍隊席捲了西奈半島，攻入了阿卡拔灣南端的夏姆錫克，西部佔領加薩走廊並到達了蘇彝士運河東岸，東部佔領了耶路撒冷及約但河以西之地，北部又進入敘利亞境，包圍了大馬士革及重要高地。期中以色列擊毁埃及裝甲車七百輛，俘虜了六名將領，可算是獲得了壓倒性的勝利。現在雙方已經停火，靜待會議桌上的談判。不論誰是誰非，站在中間立場，我國惟有盼望此一地區，化干戈爲玉帛，棄嫌和好，勿再受人煽動利用，以共維和平。但由於此次戰爭，我們卻得到了幾點啓示，無異於給我們上了一課。玆畧陳如左：

（一）以色列本土，僅有七千九百平方公里，人口只有二百七十萬，兵源和軍備，也只有阿拉伯國家的若干分之一，在常理上，絕非人家的對手。然而事實表示，卻正相反，以色列攻擊一經開始，便有如摧枯拉朽！這正說明了，以色列因處境危殆關係，早有相當的準備和訓練，一旦動員令下，無論老弱，全國皆兵，以一當十的氣勢，作壯士不復回之戰，自然壓倒對方，招架不及，遑論還手？可見戰爭的勝負，並不在乎兵員和軍備的多寡，而是在士氣的盛衰，和人心的向背。這正是我們的一面鏡子，應該認眞借鑑的。

（二）美國在越南的戰爭，依照實力來說，有如一個壯漢在和一個頑童厮打。但打了將近十年，還在那裏打着玩，分不出輸贏來，叫看熱鬧的人，看得不耐煩，亦莫名其妙！實在是一個在眞打，一個在假鬥，完全是一場兒戲的表演！和此次以阿戰爭，手法不同。於此可知，飛機大炮殺人流血的行爲，也有眞假兩方面，如叫太空中其他星球上的人看來，要嘆爲觀止。日前報載，美國一位議員建議，用四百架飛機，換請以色列戴揚將軍，去指揮越戰，必能有所作爲云云。這種言語，出之於領導自由世界的美國人之口，實在令人氣餒。要知戴揚將軍，打的是眞戰，打的是全體人民作後盾之戰，以色列的獲勝，實際是全體國民的力量，並非戴揚一人之功。越南戰爭，旣是不求勝利的兒戲戰畧，慢說一個戴揚，就是十個戴揚，也無何作爲。美國智識份子，不省悟此點，改變戰畧，則他們的頭腦比納塞不見得高明多少。

（三）有些人很關心，由於以阿戰爭，怕引起世界大戰來。此種顧慮，若在二次大戰以前，確頗有可能。因爲那時候，旣沒有原子武器；大家沒有顧忌；而且那時的爲政者，倒眞有不少政治人物和見義勇爲的人。如今的人，滑頭滑腦，保護自己的祿位有餘，治理國家大事，則魄力不足。美國既然肯在越南打兒戲戰，焉能因爲別人的利害打眞戰呢！所以戰爭爆發，立即聲明中立，袖手旁觀。至於蘇俄，更是不願意自己出馬打眞戰的國家；他的煽動、滲透、顚覆的手段，已經得了不少漁人之利，又何必自己出頭露面呢？因爲他已看透美國，專打兒戲戰，所以他也很放心，給阿拉伯國家張張聲勢，也就夠了。在此種情況之下，絕對不會發生大戰的。尤其美國更不喜歡別人發動戰爭，給他找麻煩。可是以色列，此次就未曾顧慮到別人願意不願意，而毅然出兵應戰，結果造成事實，美俄兩國，也將無可奈何，只有研究恢復和平之道了。

由此，我們可以看出，當我們實力充沛，有決心和勇氣，可以有所作爲之時，就不必多所顧忌，要毅然以赴！果能如此，相信三次大戰，絕對不會由我們引發，是可以斷言的。我們應該改造環境，不要等待環境改造我們！由於以阿戰爭，我們益信其可能性。

台灣特產草蓆在港銷量可觀

（本報訊）香港天氣近日已愈趨炎熱，氣溫常在攝氏表三十度之際徘徊，驕陽當空，尤其午間，十之餘，火傘高張，更令人有酷暑難捱之感，而各類貨品，應時的已晉入季節，它們年中生意最暢旺的，就是這裏所談到的涼蓆，其中一種。

雖然科學上的進步發明，使人類在炎熱的夏季中，可以享受電氣機所帶來的冷氣或電扇的涼風，但一些古老的東西，卻始終傳統而有它本身的新興地位，涼蓆所占的地位，未爲別種所代替而固，它就以各式各品，和人們結下不解之緣，是一無分貧富，無論是在豪華富麗堂皇的居宅，或是簡陋異常的貧民窟裏，人們在炎夏季節，睡眠的時候，大都離不開一張蓆子，最多不過是質料上的優劣與價錢高低的區別而已。蓆子的發明，歷史已不知有多長遠，但我們毋必要予以究，反正能夠依自己的意願和需要，去購買就算了。目前港九市面所出售的蓆子，[illegible]

本報記者黃鴻遇

桃園紛繽錄

▲目前世界各國，都感受人口膨脹的壓力，愈來愈大，我們中華民族「多子多孫」的傳統觀念，也在逐漸改變中，如半官方的「計劃家庭」指導機構，和醫院的「避孕」招牌，都掛起來了。台灣全省自光復時的五百多萬人口，增至一千三百多萬，這人口壓力，雖日益嚴重，但是替人「墮胎」，是犯法的，依刑法第二八九條：受懷胎婦女之囑託，或得其承諾，而使之墮胎……因而致婦女於死者，處五年以下有期徒刑；及第二九十條：意圖營利，而犯前條第一項之罪……因而致婦女於死者，處十年以下有期徒刑，得併科五百元以下罰金。

桃園和平路蘇婦產科，於今年四月中旬，替人墮胎婦女，經施行手術後，該被墮胎婦女，即休克死亡！蘇婦產科，深恐吃官司，便暗中和死者家屬翁文明和解，交付新台幣五萬元了事。這樁違法事情，本來已是瞞着大把米了！不料事機外洩，被歹徒所乘，連月來冒充治安人員和新聞記者紛向蘇婦產科敲詐，據悉：已付出了幾十萬元，仍担憂禍無了日，痛苦萬狀！他應該勇於悔過，接受法律制裁。也希望治安機關，進行調查，爲蘇婦產科把這些冒牌「鬼胎」墮掉，以維地方安寧。

▲民主政治，是「權」、「能」分庭抗禮，政權屬議會，治能在衙門。衙門對議會負責。公僕們和代議士，平日並無公務上的牽扯，有之，代議士也只能以一般老百姓的身份，向衙門裏請求，公事公辦，用不着時時刻刻泡在衙門裏，以避「[illegible]」之嫌。

桃園縣府裏，每天都有幾個熟面孔的代議士們在「走衙門」，縣長室看得到他，各科（局）室也看得到他，這樣問問、那樣談談，甚至語無倫次，大家都討厭他，又不便「驅逐」他。如此不存分際的議員，怎能代表民意，珍重民權？只是丟盡民格（指教育程度）失盡民心。唉！選民是錯誤地選舉了他。

▲歐、美各民主國家的官場中，如果涉及「緋色」糾司時，是有玷「官箴」的。如大英帝國的國防大臣，曾經以「緋聞」而摘下烏紗帽。風流韻事，在咱們的國度裏，屬於私生活，有「想」不罰。台灣社會對酒色的徵逐，已臻糜爛之境！當此戡亂復國非常時期，政府對公教人員上酒家尋歡買醉，固仍懸爲厲禁也。

桃縣中壢鎮各國校校長呂金榮等和縣府督學干秀城、吳英俊，於去年三月間，分別集體上酒家吃喝玩樂，鬧得滿城風雨，被縣議員陳金昌向省府主席黃杰陳情，請求究辦，經省府調查屬實，令飭桃園縣府分別從嚴議處具報。縣府僅將中壢國校校長呂金榮一人，輕輕予以「申誡」呈覆，其他涉嫌人等，了無下文，並在公文中說明：處分公教人員上酒家，尚無前例可循！足證一般公教人員，未干這道禁令，他們如此藐視禁令、敗壞教育風氣，省府令飭分別從嚴議處，縣府只輕輕地申誡一人，不但有失公平，而且存心袒護！一般人民都紛紛指責縣府：這無異是鼓勵公教人員上酒家了。

瀛海異聞錄

阿拉伯人款接賓客風俗

桑雅

在中東的傳說中，有這一個故事：一個英國外交官在黎巴嫩的周圍區受邀請赴宴，在那個山區地方，居民所吃的麵飽製得很薄和很大，正像一張長壽唱片，却將對摺放在碟邊，那個初到那裏作客的嘉賓，不明真相，以為那是一塊餐巾，就將它打開，鋪在膝上。同席的人不想使到他難為情，也就仿效他那樣做。

這個故事是不是真的不可知，但是在中東各地，慇懃款待客人是真實的事。客人被視為最主要的人物。

無論是在沙漠或在遙遠的山間，照着傳統，無論貧富，都要供給過路的外人膳宿。在黎巴嫩各鄉村，教堂內總設有一個空的房子來招待一個過境的貧窮旅客。在每一個鄉村最少選出一個家族，担任招待官員或重要的客人。在現今的情形雖有改變，但是一個客人最低限度可得到一杯凍果汁，後來更有咖啡奉獻，除非是在接近吃飯的時候，因為咖啡被認作有礙胃口，在接近吃飯的時候端出咖啡來，就表示不歡迎來客一同吃飯。假如一個人到訪，主婦不會立即拿出咖啡來款待他，因為這有催促他快點離開的嫌疑。同時一個訪客不會被問他到來的動機或是他打算在什麼時候離去，這被認為是最沒有禮的了。

當一個旅客經過在黎巴嫩鄉村的果園，他可隨意摘果子吃，不用先徵得園主或管理人的同意。有一個著名的黎巴嫩作家，曾騎驢旅行黎巴嫩各地凡四十年之久，他無論到那裏都得到當地人士的熱烈招待，當他離開時更贈以途中的食糧和介紹信，他到另一處也得到同樣的歡迎。今日這種情形已不易見到，但是各地人都不會嫌麻煩替陌生的旅客帶路。

至於沙漠地帶，巴杜族人款待客人，為期三日，在這個時期內，去訪問的人受到保護。有一個阿刺伯人的著名傳說：一個從外處逃亡，來到一個酋長的帳幕請求庇護，這人剛殺死酋長的兒子，酋長也明知此事，但為着要遵守那種神聖的保護法例，他就照樣招待那個來客三天，期滿後就着他離開，隨後打發他的部屬去追趕他，為酋長的兒子報仇。

在有客人來訪問時，婦女們一定都躲避不見客。但當有旅客經過他們的帳幕而沒有男子在家時，年長的婦人就要走出帳幕來，雙手捧着一隻盛有酸乳酪的大碗，表示歡迎和讓來客進食。若然那個陌生的人是一個重要的人物，從他的隨員的多少便可定斷，那個婦人就會將一件長袍掛在帳幕外的木柱上，表示歡迎他入她的幕裏休息。在沙漠的巴杜族人晚上會在他們的帳幕外燃起火來，使旅客在遠處看到也可以到來休息。

阿刺伯人盡力使到他們的訪客覺得舒適，同時使到他體會到得他的光臨是最大的榮幸。客人要坐最好的位子，通常是離開門口最遠處，名叫房子的最頂。無論行走或坐下時，他是在主人的右邊。送客時不祇送出門，更要送到外間，直到看不見客人的蹤跡才回來屋中。

在同桌吃東西時，食物先端上來給人客挑選。在沙漠，羊眼是最名貴的食品。在有些地方，主人要等候客人吃飽之後，自己才能進食。他們都敬老，年老的人先受供奉。在當年老的人進來時，青年人要起立致敬。在巴杜族人的帳幕，愈多油脂的，表示出主人是愈好客，因為客人習慣將拿過肥膩食品的手指，用帳幕的布來抹淨。一個客人要作狀，拒接所端上的食物幾次，若是一端來就取下，就會被目為是無禮，太過驕傲。

在中東國家，傳統上，咖啡仍然不是單純的一種飲料，乃具有象徵和適當的禮儀，雖然各處的方式也微有不同。對於巴杜族人，作禮儀式的供奉，表示客人受到尊敬和歡迎。在沙特阿刺伯，伊拉克與約但是更為尊嚴，咖啡必定要由主人親自泡製，除非那個主人是一個王子，就得由一個他最信任的僕人代製。

酒吧兩姊妹

綠窗

阿桂正睡得昏昏沉沉，驀地被一陣劇烈的爭吵聲驚醒了，再側耳細聽，已聽不到什麼叫罵聲。暴風雨似乎已經過去，只有她媽在客廳裏低低的哭泣。經驗告訴她，又是爸跟媽吵了。

看一看腕錶，已是十一點差十分，正待掀開被單起身，只覺四肢無力，頭腦隱隱發痛。再看床邊痰盂裏的東西，為什麼會喝醉呢？她思索着，啊！對了。是六老板帶了五、六個朋友到酒吧來，把她叫來後，便不肯放她走。那些朋友的酒量，似乎比她更厲害，每個人要和她乾三杯，任憑怎麼說好話都推不掉。喝，到最後，她只覺得桌子在旋動，每個人都在她的眼前搖幌。後來，她什麼都記不得了。甚至連怎麼樣回家也搞不清楚。

這時，她感覺到口渴得要命，隨手把枕邊半個剝了皮的桔子，狼吞虎嚥的吃下去，似乎好了一些，才懶洋洋的起床，蹌踉的走到梳粧台前，正待理一理殘裝，却被鏡中那個憔悴的影子所楞住了！那蓬鬆的頭髮，那蒼白的臉色，以及那褪了顏色的口紅，使她懷疑自己是不是一個剛滿廿歲的少女？她在「美人閣」還能再紅幾時？

媽已經停止了哭泣，兩眼却仍腫得紅紅的，走到她的跟前，憐憫地看她一眼，低聲說道：「鍋裏的稀飯剛剛熱過，要不要吃一碗？」她搖搖頭。不經意的說：「你又和爸吵了起來？」

「可不是嗎！這殺千刀的越來越不要臉，昨夜把家裏幾百元全部偷走，賭到天亮才回來。早上米店夥計來收錢，錢格子空空的，你看可氣不可氣？」

「唉！」她長長的嘆了一口氣，接着又淡淡的問道：「阿枝呢？」

「敏光一早便帶她出去，聽說到公園去玩。」

「人家真好福氣啊！」阿桂意味深長的說，像是羨慕，像是吃醋，又像是不平。

「孩子！她已經廿五歲了，也該讓她有個歸宿。何況她對家庭已經盡了責任，這幢房子，便是她艱難刻苦賺來的。」做媽的半安慰，半勸解的這樣說。

「她也不應該把担子全部推給我呀！她已經三天沒有出勤了，昨晚老板還問我，她究竟去不去？」

「你難道要她一輩子在酒吧打滾嗎？前年你要到那個地方的時候，她還一再反對呢！要不是你那個不爭氣的爸，半個月內輸光了四份銀會，大家都不必再吃苦了。」（上）

面臨內戰的尼日利亞

本報資料室

尼日利亞（奈及利亞）為西非洲一個國家，東與喀麥隆為隣，西與達荷美交界，北接尼日爾，南臨幾內亞灣。它本為英國屬地，於一九六一年宣告獨立。

這一個發展落後的國家甫告獨立，內亂卽隨之而起。數年來由於種族之爭，各據一方，其分崩離析的情況成為非洲最擾攘不寧的國家之一。

尼日利亞在名義上雖為一個政府，但在實際上它的「北部」、「西部」、「中西部」及「東部」各有領袖，貌合神離，是各有其勢力的。

到了最近，它的「東部」更明目張膽的宣佈為另一個國家，定名「比亞弗拉」國，完全脫離了尼日利亞的羈絆。

這一天凌晨，東尼日利亞首府伊律古所有的街衢騰滿着一片呼聲：「尼日利亞已經死亡了」！「我們是比亞弗拉人」！

尼日利亞近來已成為多難之邦，我們對於「東部」所發生的事件並不感到若何驚異。然而，人們覺得奇怪的是：這比亞弗拉人是誰呢？「比亞弗拉」一名又從何而起？

原來尼日利亞東南海岸有一個港灣叫做「比亞弗拉」，東部人民卽以之為名，建立自己的世界，準備成為一個獨立的國家。

「東部」地區行政長官奧育格武上校，三十三歲，這一天凌晨三時舉行了新共和國的成立大會，宣告「比亞弗拉」的誕生。黎明中，曾有一個盛大的雞尾酒會，款待到會的嘉賓。

由於此次脫離尼日利亞的壯舉，奧育格武上校乃是向他的舊日好友耶谷勃高萬直接挑戰的。

耶谷勃高萬上校，三十二歲，他是以首都拉各斯為基地的尼日利亞政府的軍部首領，最近會自己把官階昇為少將。

他和奧育格武上校同為少壯派軍人，各有雄心萬丈。

他認為奧育格武上校率領其東部人民一千二百萬眾脫離尼日利亞政府，乃是反叛的行動。他下令動員聯合軍，並先遣兩營兵到東部邊境，準備進行敉平叛亂。

同時，耶谷勃高萬下令海軍封鎖東海岸，切斷了奧育格武的經濟支援。尼日利亞的聯合軍約有一〇、五〇〇人，正在陳兵邊境；而東部則有陸軍七、〇〇〇人，加上了一大隊的民眾志願傘兵，與之對峙，可說是勢均力敵。

雖然現今雙方均按兵不動，但戰事可能一觸卽發。這關鍵，當然在於政府軍，要看耶谷勃高萬是否要想和奧育格武爭一日之短長。如若雙方真的打了起來的話，那將是西非國家的一次最大的內戰了。

尼日利亞曾經一度被視為非洲新興的民主國家的模範，其前途發展無可限量。但可惜它為了種族的鬥爭，彼此不能和衷共濟，造成了四分五裂的局面。

就目前尼日利亞的情勢說起來，它的境內計有四大種族；穆斯蘭哈撒斯族和福蘭立斯族處於北部，約魯巴斯族處於西部，較聰明的伊保斯族則處於東部。（上）

新三國

周燕謀著

孫皓做了十多年皇帝，沒有見晉國的動靜，一下子突然六路大軍齊到，弄得他手足無措，不知如何應付。各處重點，無不土崩瓦解。尤其是王由濬四川直下的水師，順流而下，直抵金陵。唐詩上所謂「王濬樓船下益州，金陵王氣黯然收」，卽是指的這回事。能為孫氏效力的只有一個張悌。他抵抗王渾，臨陣交鋒，戰死沙場。

孫皓此時也惟有步劉禪的後塵，寫了三份降表，分送給王濬、王渾、司馬伷。孫皓比劉禪多寫一份。仍然是抬了棺材，反縛了雙手，去迎接王濬。這是皇帝投降的儀式，也是可悲的禮儀。這是公元二八〇年春天的大事。到此三分合而為一。

劉禪和孫皓都送到洛陽。劉禪封為安樂公，而孫皓則封了歸命侯，賜給他衣服車乘，田三十頃，歲給五千斛，錢五十萬，絹五百匹，綿五百斤。孫皓的兒子孫瑾拜中郎。可是，孫皓宮中的五千美女，全數被司馬炎接收了。司馬炎連同自己的五千，後宮有一萬之數。他也志得意滿，晉朝的天下沒攪好久便完了，劉裕也照司馬炎的方法而接收。歷史在不斷的上演，如影片的拷貝。這一齣三國的歷史舞台到此閉幕。下面再說幾句是「餘韻」，是閉幕後的餘韻。

九、餘韻

三國時代是一個多彩多姿的時代，是歷史舞台上最熱鬧的時代，也是英雄人物出頭的時代。起而創造時代的人，有貴族皇孫，有布衣平民，也有草莽村夫，江湖術士，五花八門，無奇不有，縱橫天下，轟轟烈烈。根據「三國人名錄」統計，在此舞台上露臉有名的人物有數千名之多，當然不見於三國和斐注所引的書目的人物也大有其人。可惜中國歷史上所記都是有點名氣的人，其他則不與焉。

沒有立傳只是有名的人更多。其中姓氏三百六十四。共計四千〇三人。女人二百二十一人。外國人一百三十五人。

但是我的「新三國」的舞台上，却沒有如是之多。此所說的四千〇三人在「三國演義」中也沒有如此之數。四千〇三人是見於三國志及斐松之所引的一百五十六種書目中所有的人物。有的只有姓或只有官名的通通在數。

再就整個三國的大輪廓作一個簡單的比較。

就國土幅圓而論，魏的版土最大，吳次之，蜀最小。魏擁有整個黃河流域及東北西北，再加淮河的兩岸。吳介其中，擁有兩湖（除襄陽外）兩廣、安南、海南島、福建、浙江、江西、與江蘇安徽二省的一半。蜀最小，擁有四川、陝南、雲南、貴州、西康四省。這是為地理形勢所限。如果荊州不丟，那當不只此四省之地了。

就時間而論，吳稱帝最長，有五十二年；魏次之，四十六年；蜀最短，四十三年。以割據時間而論，也是吳最長，蜀最短，魏介二者之間；吳八十四年，魏七十年，蜀四十九年。（一四二）

海泳十誡

大知譯

下面所說的是海泳時所可能發生的幾種危險狀況，希望你緊緊地記着下列各項要點，小心防範。

（一）在沙灘上雖然滿眼是人，要是單獨游到比較深大的地方，萬一發生危險，他們未必有本領來救你；因此除非你的泳技特別精强，切勿單身游到較遠的地方去。

（二）即使你的泳技十分精强，但在浪花深處，波濤搏擊力量非常大，當你對着海洋直綫地游出去的那一瞬，必須計算歸途所需要的氣力，才不致闖禍。換句話說，游泳是雙程的旅行，切勿把它看作單程。

（三）沒有進食就到海上游泳，或者吃得太飽，然後躍進海浪，這兩種現象都是相當危險；前者可能引起抽筋，後者可能引起嘔吐，這是必須注意的。

（四）如果你走動了很久，身上在出汗，切勿貿然的躍進海洋裏面；因爲假如你這樣做，汗珠便會由毛管吸進了軀體裏面，發生感冒。有時這種感冒還會變成更凶險的疾病，切勿輕視它。

（五）爲了防範抽筋起見，如果你不是經常到海上游泳，也並不經常做健身操，肌肉並不健全，第一次下海，切勿過份用力。萬一你想玩玩的話，僅能靠着岸邊以與海岸平行的路綫游泳，這樣距離海岸較近，萬一發生危險，就算不呼救，勉强掙扎着游向岸邊，也會脫離危險。

（六）晒太陽固然有益，然而你如果沒有運動得很久，貿然的走到沙灘，給陽光直接照射，就會發生肌肉酸痛麻痺等感覺。不但如此，皮膚也許會因爲給陽光照射得太烈而灼傷。在第一次晒太陽時所露光的時間較短，第二次較長，第三次又更長些，逐漸習慣了它，才可以多晒。要是女孩子游泳，怕陽光灼傷肌膚，不妨採用專供日光浴的潤膚膏。

（七）在沙灘游泳的時候，勿因一時興奮，把一個不懂得游泳的女孩子拉到深海中，或者勉强一個不懂得跳水的人，由跳板上推下。這些舉動，雖可獲得一瞬間的歡悅，但萬一因此而發生危險，那就後悔莫及了。

（八）如果你帶了孩子到海邊玩耍，必須顧慮到他們的安全，「初生之犢不畏虎，」他們只知道盡情耍樂，而不知道預防危險，要是帶了一兩歲的嬰兒，要更加當心。

（九）兩性間的歡愉親熱，不宜過份的熱烈，否則就會給別人看不順眼，或者因此引起了色狼的覬覦。

（十）跳水的時候，應該看清楚波濤的深度，是否會能納得自由高處躍下，萬一跳板距離水面太高，水淺沙多，就會截斷頭顱。

編者按：「談張飛戲」續稿未到，暫停一期。

憶重慶老式客棧

○慶生。

在重慶，地屬交通孔道的幾個水碼頭，諸如嘉陵江邊的臨江門，千廝門，揚子江邊的南極門，儲奇門，以及交滙於兩江之口的朝天門，有不少店門前掛有「安寓客商」四個大字的紙糊燈籠。這種燈籠不是用竹篾編的，而是用木條釘成長約五尺，寬約一尺五寸，厚約五寸的木燈架，再用這沫水而透明的油紙敷成。燈籠上除了正方寫就「安寓客商」四個大字之外，四字上方尚有略小的諸如「高陞棧」或「永安棧」……三個字，兩側寫成「未晚先投二十八，雞鳴早看三十三」的歇後語（多數都寫成「未晚先投宿，雞鳴早看天」，其義相同。）掛着這種燈籠的，不言可知是招徠旅客投宿的小棧房。

其實，這種棧房，說大不大，說小也不算小，祇不過說得上便宜二字而已。因之住這種棧房的人，多數屬於販夫走卒，而且單幫客人之流動性極大，住得最久的也不會超過三天。

靠近重慶江邊的房子，凡是去過重慶的人，大概都會知道是長腳式的「吊腳樓」的四五層，全用竹篾細紮木料而成。用這種樓房開的棧房大門，都面臨街道，後半截大都虛懸半空，住進棧房的人，如果膽子小，一踏上樓板，就像是進了搖籃，搖搖幌幌的，使你心悸得一夜也合不上眼。但是，我在重慶二十幾年，身歷其境，住這種「活動房屋」亦近十年，卻沒有碰到過，也未聽說過這種「虛腳樓房」倒塌的不幸事。

棧房門口，除了懸掛着燈籠之外，最特殊的，就是櫃台後面貨架上的那一大疊鋪蓋了。鋪蓋被面的顏色摺疊於外，碎花柳條，紅綠相間，方格橫條，五色繽紛，足量顯房間之多寡。旅客住宿時，僅在櫃台上辦好登記，交上渡夜資，當即由坐櫃的老闆娘選鋪蓋一床給你帶房間裏去，就可以安心睡覺了。如果你去得過晚，錯過了登記，祇要你一看貨架上沒有存放鋪蓋，就知道客位已滿，亦無須多費唇舌，而另投別家棧房。

棧房關門的時間大都在十點鐘左右，此時旅客多已住滿，（外出的客人亦多在九點鐘左右就回來了。）亦無須再等其他客人。關門以前，么師照例地由樓上至樓下巡視一遍，查看看是否有遺漏沒有回來的客人，有則記在腦上。然後，一面走一面唱，那一夜要唱三百六十四遍的歌（一年中祇有除夕那一晚上他才不唱。）歌詞是這樣的：「樓上樓腳客，兩耳聽明白，聽我么師講交代：[illegible]謹防扒手，[illegible]謹防耗子咬你[illegible]。三更燈火五更雞，催你上路找財帛。[illegible]丟了你要賠。莫嫌么師[illegible]，要你曉得。」但願各位[illegible]唱來怪聲調鏗鏘，雅俗共賞，亦莊亦諧，聽他嘮呼完後不但無抱怨之言，卻希望他再唱一遍。但是這種荒腔走板的破喉嚨腔，從來也別想聽他再唱第二遍。要聽就得等第二天晚上的十點鐘。

最後，我得在這裏聲明，這種（重慶）棧房，大多是祇管住不管吃的。至於爲什麼不管吃？講起來原因很多，由於家兄曾經在千斯門的蔡家灣開過這種棧房，我曾經將這個問題提出來問過，據他分析，認爲主要的原因是，街上賣吃食的飯館多，麵館多，酒館多的是，舉凡冷葷，熱炒，清燉，紅燒，火鍋，蒸籠，應有盡有，客人可以衡量他自己的錢袋，去選擇他所喜歡吃的，誰願意吃棧房中所開的那種既無油又少佐料的定食淡呢？

試談偏愛的諸葛亮與關雲長

讀「畧評諸葛亮與關羽」之後

周燕謀

在正史中只言「擒于禁，斬龐德」，實際上並非簡單容易也。史筆精簡，並非輕易。

在建安十二年前一年冬十月，宛守將侯音等遙受關羽印號，捉了南陽太守東里袞，與關羽搭上氣。在襄樊後方，早已爲關羽滲透。同時在許昌之西的梁、郟、陸渾等地（即嵩縣東北），魏志所謂羣盜紛起，遙受關羽印號，爲關羽的「支黨」。當其在攻樊城時，已派有一支別動隊到了郟下，所以自許昌以南，百姓擾擾。這不是配合北向宛洛大計麼？曹操逼得議徙許都，豈是匹夫之勇者所能者！

姚先生以荊州之失，責關羽智謀不足，匹夫之勇。如不細按整個情勢，實難知其然。劉備入益州後，還攻劉璋之前，將孔明、張飛、趙雲三人一齊調入川，沒留以一人以佐關羽，大大失策。此時孔明已拜軍師將軍，對於劉備此一調遣未置可否，難道就不負一點責任？其次劉備的舅子麋竺，義子劉封，法正的老鄉孟達等一班裙帶關係之人，誰知都不可靠，倒戈相向，投降孫曹，殊非關羽所料。

至於開罪東吳，不過讓關羽當了仇人。劉備得了益州，孫權討荊州時，劉備的緩兵之計只說待等得了涼州之後再還。不還荊州乃劉備的決策。明的來不過便來暗的。孫權又玩政治婚姻之故計，孫權要關羽的女兒做媳婦，不過是假藉此種關係，以軟的暗的手段來取回荊州而已。關羽之不許婚，自是前有孫夫人政治婚姻之鑑。人怪關羽硬派作風爲失策，不知孫權之種種手段都在於要拿回荊州。關羽縱然嫁了女兒，結果恐是「陪了女兒又折兵」的下場。關羽之北進，乃爲配合劉備在東進之鉗形攻勢，使曹操首尾不能相顧。孫權不但不在江淮進兵以資響應，反而斤斤計較荊州一隅，硬的來不過關羽就來軟的。暗箭難防，如果關羽不離開荊州，東吳奈何不得關羽分毫。關羽北進，威震華夏之際，劉備、孔明未遣一兵一將前來協助，以致荊州的後方空虛，雖有烽火台之築，不過是一種警報性質，沒有主將兵力，報警又有何用。縱然是孔明都督荊州，假若劉備得了益州，東吳一定要回荊州，在關羽那種四面楚歌的情況下，孔明也只有把荊州拱手讓人，否則被俘。總之劉備得了益州，已經是實現了跨有荊、益，北向宛洛之勢以成，眼看劉備便將逐鹿中原。而他自己打了赤壁大戰，仍然是依然故我，怎不令他腦火！所以說換了任何人鎮荊州，東吳照襲荊州不誤。在魯肅爲都督時，已經在益陽勒兵相向，諸將軍單刀具會，硬向關羽討荊州。關羽豈能甘讓。後因曹操兵臨漢中，只得將荊州以湘水爲界分之。

（七）

聽蟬觸趣

仁厚

「天氣越熱，蟬聲越多，長日吱吱，分秒不斷。一缸青菜久被曬漬便成鹹菜；一對耳鼓久被蟬擾便成蟬耳。」兩耳通腦，所以現在每次提筆，很自然的便想起蟬來。不避煩瑣，漫談蟬趣。

回想幼年自遵父命放蟬之後，蟬國臣民，對我好像特別要好起來。從此之後，老家後院樹上，來蟬更多。我每於放學回家，常搬一躺椅，仰臥樹下，一邊乘涼，一邊靜聽它們的大合唱。不知是否心理有時，聽來有如感恩歌，有時又如頌揚曲，好像每一聲調，都與我一次會放過幾十隻蟬有關。些許善行，便換來如許安慰。因此，更喚發起我作好的興趣。

已找不出思想線索，不知怎的，使我每一見蟬，便感它是上帝精心結構的一小古琴：方頭圓尾，弦張翅上。蔡邕傳：「吳人有燒桐以爨者，邕聞火烈之聲，知其良木，因請裁爲琴。果有美音。而其尾猶焦，時人名曰焦尾琴焉。」蟬的色澤黑透亮，恰如燒焦桐木，所以我有時幻想它是上帝手裁焦尾琴。曾讀己神異記，內載「漢武帝夢見二神女撫落霞之琴」，我每次看到蟬在樹上一振翅徐鳴，就幻想蟬旁坐着一個嬌小仙女，輕舒皓腕，正運用他那纖纖玉指，撥動那具神製焦琴。因爲是仙手奏出，故只撥弄那麼幾個單音，便感如此有味。邊想邊聽，趣味盎然。

詩經衞風碩人章形容齊女莊姜之美：「手如柔荑。膚如凝脂。領如蝤蠐。齒如瓠犀。螓首蛾眉。巧笑倩兮。美目盼兮。」因爲詩經作者描寫這個千古美人，中有「螓首蛾眉」之句，所以我每次看蟬，便特別注意它的頭部。經過多次觀察，總感設有一個女人，若眞像蟬樣的長一個方方的頭，兩眼生在頭頂，再配上一對蛾眉般的觸角，走到街上，一定會嚇死幾個小孩子！古今審美觀念再不一致，也不會相差這麼遠！不知是否因字有錯誤所致。

前在北平，曾把上述意見與某先生閒談。承他不棄，給我畫了一張「莊姜圖」：頭部以下，是一個阿娜多姿的古裝美人；頭部以上，便眞的畫出一個「螓首蛾眉」怪像來。掛在家中，見者無不哈哈大笑。惜逃難時未經帶出。

半生聽蟬，觸趣甚多，上述祇是順手拈來的一鱗半爪而已。

貪污的賈雨村

○閑夜○

賈雨村之在紅樓夢裏，或許是個假托的人物，從紅樓夢的序言：賈雨村者，言「假語村言」之意也。不過賈雨村是紅樓夢開卷的人物，他的事跡，着實佔了紅樓夢好些篇幅，而且他平日的所作所爲，卻很像現在的貪官污吏，所以不理他是假託也好，眞託也好，在這裏姑且不論。

要明白賈雨村怎樣的貪污，必先談談他的身世。賈雨村是湖州人，也是詩書仕宦的遺族，因他生於末世，父母祖宗根基已盡，只剩下他孑然一身，安身在山葫蘆廟裏。當他窮途潦倒的時候，每日靠賣文作字爲生。後來結識了一個鄉宦甄士隱，因爲在中秋那晚，偶然搔首高吟着「玉在櫝中求善價，釵於奩內待時飛」一聯，便得着甄士隱的賞識。

由甄士隱助他白銀五十兩，冬衣兩套，才得進京應試。那時正值大比之期，賈雨村十分得意，中了進士，選入外班，隨即陞了大如州知縣。他具着一副優長的才幹，卻不在正道上走，而偏大刮特刮，上下官員，爲之側目而視。不上一年，宦囊豐滿，而貪酷的聲名，已狼籍不堪了，這時的上司，才參了他一本，說他「外沾清淨之名，暗結虎狼之勢，使地方多事，民不堪命」。當時龍顏大怒，立即批革職。可是賈雨村早已宦囊膨脹，躊躇滿志，而上並無一點怨色。其後她又貴緣拔識了欽點巡鹽御史林如海，從林如海之薦拔，獲奔走於賈府之門，其時賈府正承恩眷，灌勢喧赫，炙手可熱，賈雨村逢迎有術，不久便授了應天府尹，官星拱照，於是又飛黃騰達了。

自由報

內政部登記證台警報字第〇三一號內銷

THE FREE NEWS

第八六七期

中華民國僑務委員會發給僑報登記證第三三號
中華郵政台字第一二二〇號執照登記為第一類新聞紙類
（半週刊星期三、六出版）
每份港幣壹角
台灣零售價新台幣貳元
社長：雷嘯岑
督印人：黃行寶
社址：香港銅鑼灣高士威道二十號四樓
20, CAUSEWAY RD 3RD FL.
HONG KONG
TEL. 771726　電報掛號：7191
承印者：大同印務公司
地址：香港北角渣華道九六號
台灣分社
台北市西寧南路壹零號二樓
電話：三〇三四六
台郵撥儲金帳戶二九二五

從空中奠定越戰勝利基礎（上）

·彭樹楷·

北越誇言擊落美機共二千架，平均每月七十餘架。這是最劣等的宣傳，不值一笑的大謊言。

不過，美國以炸迫和所付出的代價確也可觀。

如果讓越戰拖下去，如果不改變現行空中戰略，如果白宮繼續導演使用有限制的空權，美國飛機的損失，終有一天會到達北越所言的數目的。

在北越迅速增强空防及空中戰力之際，只有廢除對空權的限制，採取正統的空中戰略，才能奠定越戰的勝利基礎。如仍不欲求勝，亦可藉此基礎掌握戰與和之主動。

危險的代價

從一九六六年起，美國將轟炸北越的飛機架數及損傷數目列為機密不再公佈。但據美國空軍與太空文摘一九六六年八月國際版的報導：在一九六五年一年內，經常保持着三〇〇架攻擊兵力的美空軍和海軍飛機中，被越共擊落的共一七〇架，因其他原因而失事損失的共一三〇架。兩者的損失率為100%，這也就是說，經常保持着攻擊的三〇〇架飛機，在一年的任務中全軍覆滅！

被越共擊落的一七〇架飛機中，是一九六五年全軍中出擊北越二萬六千架次的損失率。也就是說，三〇〇架飛機全年出擊二萬六千架次的損失率為66%，亦即超過半數的飛機被越共防空戰力所消滅！

另據該文摘一九六六年十一月國際版的報導：現在美國飛機對北越的攻擊每個月共約一萬二千架次（在南越境內出動的飛機亦達每月一萬二千架次——二次大戰飛機出動架次最高的，是德機攻擊英倫，一個月的最高紀錄也是一萬二千架次）。

一個月出擊一萬二千架次，一年便是十四萬四千架次，超過一九六五年一年出動飛機二萬六千架次的十一萬八千架次。如按二萬六千架次的損失率66%計算，美國所付出的代價是非常令人驚嘆的！更何況，一九六五年，北越地面防空火力必較一九六六年及以後為低，當時北越也沒有出動米格機從空中攔截美機，更沒有專用以對付低空飛機的俄製SA－3新型導向飛彈！北越在一九六五年七月，才首次配備少數俄製SA－2飛彈，在技術不熟練中，半年才擊落美機十一架；一九六六年六月，SA－3運抵北越，普通高射炮火力及米格機戰力亦逐漸加强，雖說美國利用導引衛星、通信衛星、以及最新防空電子系統、和改良空戰戰術及彈技術，但其損失也必因出擊架次倍增及北越防空火力加强而越來越重！同時因此而增加的戰費自必可觀！

再以所投炸彈噸位，這一尺度衡量，一架B－52所裝炸彈，超過一個中隊亨克爾轟炸機——一九四〇年德國最巨型轟炸機。美國目前每年投在南北越的炸彈總和，較之二次大戰對日作戰消耗的總量，包括四年中在太平洋島嶼、阿拉斯加、中國戰場、緬甸、印度、菲律賓、及日本本土所投擲的全部炸彈已有過之而無不及。當時的炸彈消耗總量是五十萬噸，但美國目前一年越戰中所耗用的炸彈總量，便超過這個數目，並每年都在增加。

投下如此龐大的空中戰力，到底有何成就呢？這個問題的答案是無法證實的，但是美在越戰投下的空中戰力未能產生任何顯著的效果，則是有目共睹的事實。最基本的目的：以炸迫和未能實現，便是說明。另一個目的：以炸防堵北越人員與物資的向南滲透也未成功，這更是有目共睹的事實。

戰力消耗、戰費增加，而戰果却不大，這豈只是美國人力財力和物力的浪費，並將危及士氣民心！合衆國際社的威爾遜（Lyle Wilson）說：「民衆對空軍的信心已逐漸消褪」，認為美國飛機在越戰中的努力沒有產生絲毫效果。美國新聞週刊對轟炸北越的效用採取疑問的態度。美國國防部發表的統計，證明美國的加强轟炸，反而使滲透逐漸增加而達到了原來的三倍；胡志明也沒有改變立場同意談和的跡象。

對空軍的批評與指責，是膚淺而欠缺常識的看法。因為美空軍或海軍飛機的高度技術和戰志，是舉世敬佩的，他們在敵人嚴密火網裏選擇小如車輛、道路橋樑，偽裝的陣地，機動的飛彈發射台，以及兩三人組成的高射機槍陣地，投下精確命中的炸彈，便是高人一着的技術表現。尤其是解圍的空中密接支援作戰，要在距敵人僅五十碼的友軍陣地外，轟擊敵人而不致傷及友軍，這不是特技表演麽？更為驚人的特技，便是在北越搶救空中受難者的人道精神與智勇表現！威爾遜輩怎能對這些世界頭等戰士予以指責？這是打擊士氣民心的嚴重錯誤看法，是不公平的論斷！

然而，美國空中戰力投資大、收效微却是事實。長期拖戰下去，不獨戰費越大越多，損失越大而錯誤的批評也會越來越强，終於導至美國民心士氣空前低落，由此所帶來的後果，又豈只是危及美國一國的聲譽和國際事務影響力，整個自由世界也因而受到危害！道，客觀地分析的結果，能不說是危險的代價麽？

空權導演的謬誤

任何導演使得空權作有限制的運用，都是人力物力和財力的重大犧牲！

空權在軍事作戰的意義（目的），是贏得軍事上的勝利以支助戰爭目的的實現。

空權在和平用途的意義（目的），是爭取民心以支助政治目的的實現。

左右夾攻

苦不堪言

專論

為港人申請赴台事向政府進一言

·岳騫·

最近由於暴徒在港肆虐，以致人心惶惶，皆思遷地為良，其間有錢人士申請去歐美各國者雖不少，但一般市民仍思返回祖國定居，故申請入台者佔多數。此次申請因突然而至，台北有關機構雖夙夜從公，亦感無力應付，故申請者已達三萬人，而核准者不過一千多人（據台北報紙消息）。海外居民最初對台灣抱有熱望，總以為我是中國人，只要中國尚有一寸自由土地，我不愁沒有棲身之所，而申請之後遷延數月，音信毫無，自不免由熱望而感到失望，終至產生怨望情緒，此為事所必至，理亦固然者。

此事就雙方觀點而言，確亦各有困難。僑民就法理來說，我是中華民國人，我去中華民國土地，在平時已無人可以攔阻，何況此時遭到土匪搶劫，要回到本國避難，竟然被本國政府拒於門外！政府為人民所選出，人民為國家主人，政府當局只是公僕，此點見於國父言論，人所共知。目前主人有難欲回家，僕人竟關起大門不准進入，任令強盜將主人殺死，世間事寧有是理！主人在危急時必然要敲門痛罵僕人不良，此亦自然之勢也。

另一方面政府就事實而言，港九人民申請赴台者如此之多，將來必然更有增加，如十倍之數亦不止，如混入百分之一匪諜，即不堪設想。政府在大陸之敗，痛定思痛，實敗於匪諜之前車，前車已覆，後車安可再蹈舊轍？為了維護台灣一千萬人之安全，就不得不犧牲少數人之安全。此就事實而論，亦能言之成理。此所以事出兩難也。筆者不敏，對此問題，願提出兩項解決辦法，以供當局參考。

第一，凡是三年內曾經赴台者，不問自行前往，抑受政府邀請觀光，均證明其人立場絕無問題，對於此類僑民申請，可以不經普通手續，逕行發給三年入台證，式樣仿回港證，三年以內任意來往，不限次數，只在每次入出境時，加蓋一塊圖章即可。

第二，在基隆附近仿照高雄加工區辦法，用鐵絲圈出大片空地，中間搭上大批臨時房屋，凡是由港入台居民，不必申請入境證，一律到此「難民區」居住補辦手續；並特別說明，到此地並非到台灣，在手續未辦妥前，不得越過鐵綫網，須受軍警監視，至於食住水電則全由政府免費供給。政府如能宣佈此項辦法，則可相信民憤頓息，申請入台者必立時減少，因為大家均恃有祖國作後盾，緊急時可以無證前往，此日又何必亟亟。以上兩點自信為對症下藥之方，未知當局肯措意否？

自由談

史鑑

唐太宗李世民詔誡「中書門下」諸官員，對於他的詔敕不應該祇是順從而無論異，他認為如此便是專搞「等因奉此」的例行公文，又何必設置公卿職位呢！

唐代的中書門下省任務，等於兼有今之總統府秘書處和行政院的職權，凡屬國計民生問題的決策以及設施，都得經過中書門下省來頒佈執行的。唐太宗求治殷切，唯恐自己個人的政見不無缺失，希望一般高級幹部遇事能夠獻替可否，表示意見，俾資採擇。所以他對於魏徵的直言極諫，總是一例優容，用意就在誘導僚屬們發抒抱負，有所表現，以免養成阿諛逢迎的官僚作風，貞觀之治的盛績，非偶然也。

個人的智識原係有限的，而管理衆人之事的政治措施，經緯萬端，若專以皇帝一人的意見為依歸，即令他是個「天縱英明，允文允武」的聖主賢君，又豈能毫無失措之處，貴在股肱輔弼之臣，敢於論異，以期集思廣益，折衷至當。可是，這需要在上者平日獎掖僚屬遇事各抒己見，相與論異，眞正是虛己以聽，言者無罪纔行。在上者如其稍有愎自是的意念，羣下即相依違立朝，誰也不敢說甚麼，唯有奉命行事，不求有功，但求無過而已。如此這般政風，平時泄泄沓沓，因循敷衍，國家稍有危難之際，欲求一忠義憤發之士，亦不可得了！史證孔多，不遑枚舉，尤以明末崇禎朝的情形，最為顯著。

明帝朱由檢平日遇事不讓臣僚有所論異，動則誅戮或廷杖大臣之敢於言事者，迨闖賊兵臨城下時，乃召問宰輔周延儒魏藻德等以討賊方略，周等聲言吾輩只是職司「票擬」——即遵照皇帝的意旨撰擬文書——軍國大計非所敢聞。這時崇禎竟慨然說道：「君非亡國之君，臣盡亡國之臣」，他却不瞭解這是自己平日操切專擅、不許臣僚論異政事的必然結果，可憐亦復可哂也。

古語有云：「王者與師處，霸者與友處，亡國者與役處」。師友對君主是敢於說話的，因而得以造就王霸之業，役是一些揣摩主上意旨以行事的「也司釐」，祇知邀寵固位，患得患失，新名詞叫作「奴才政治」，國事那有不敗壞的呢！

馮王先生

不堪以色列一擊並非無因
阿拉伯國家多貌合神離
彼此利益衝突各懷鬼胎

—倫敦通訊—

阿拉伯世界是貌合神離的。它的「團結」程度，僅像皮膚那樣淺薄。就現階段的跡象來說，阿拉伯世界的所謂團結，正流露緊張的跡象。

在阿拉伯世界裏面，由於野心分子各懷鬼胎，國與國之間貧富懸殊，政治制度並不協調及利害關係發生衝突的緣故，因此，一向被認爲糾紛頻繁，互相傾軋，及極少眞正和平的地區。現在，雖然爲了以色列——阿拉伯的問題而忽忙地裝好團結的門面，可是，阿拉伯國家之間的利害關係依然不協調，却是有目共睹的事實。

由於本月五日爆發以阿戰事，聲言和美英兩國斷絕外交關係的，並非全部阿拉伯國家，而只是一部份。如果這個阿拉伯世界的團結是牢固的話，那麼，應該所有阿拉伯國家一致地宣佈和英美兩國斷絕外交關係才是。然而，擺在每個人眼前的事實是：阿拉伯世界分裂成兩個集團。一個是激烈的阿拉伯集團，另一個是保守的阿拉伯集團。前者包括的國家是埃及，叙利亞，伊拉克，阿爾及利亞，和也門。後者包括沙地阿拉伯，約但，科威特，利比亞，摩洛哥，和突尼西亞。

指責在這次中東戰事裏面「協助」以色列攻打阿拉伯軍隊，因而宣布同華盛頓及倫敦斷絕外交關係的，就是上述的激烈阿拉伯集團。至於保守的阿拉伯集團，雖然曾經表示派兵和以色列部隊對抗，可是，並沒有步那個激烈的兄弟集團的後塵。這就是顯示阿拉伯國家之間的關係仍然緊張的淸楚證據。

面積細小的黎巴嫩，在泛阿拉伯的衝突事件裏面，一向採取傳統性的中立態度。現在爲了以阿糾紛的緣故，黎巴嫩雖然下令美英兩國大使出境，可是，並沒有宣布和華盛頓與倫敦完全斷絕關係。

從上面所列舉的事實來看，我們可以明白：這次中東戰事，雖然令阿拉伯國家大聲疾呼地表示團結一致地應付以色列，然而，說的是一套，而做的却是另一套。最重要的，始終爲本身的利益，並不爲阿拉伯世界的利益。因此，這種「團結」的論調，事實上是虛有其表的陳腔舊調，始終無法打破激烈集團與保守集團的距離。

中東戰事停止四天後，所謂阿拉伯世界的團結眞面目，更進一步地暴露在全世界人士的面前。開羅電台開始控訴利比亞在這次以阿糾紛裏面沒有全心全力地支持阿拉伯集團的立場。就另外的一方面來說，雖然埃及和阿爾及利亞曾經建議停止將阿拉伯石油供應任何一個採取親以色列態度的國家，可是，沙地阿拉伯王費沙爾却准許美國人所擁有的「阿拉伯——美國石油公司」在沙地阿拉伯境內恢復正常的工作和業務。

在保守的阿拉伯集團裏面，領導人就是沙地阿拉伯王費沙爾。在激烈的阿拉伯集團中，領導人是埃及總統納薩。因此，他們倆是意見相左的，互相仇恨的。進一步來說，由於納薩支持也門現任政府去攻打費沙爾所支持的也門保皇派部隊之故，因此，沙地阿拉伯和埃及在也門境內陷於交戰的狀態中。所謂阿拉伯大團結，不過如此而已。

就另外一方面來說，阿拉伯國家之間爲了召開一項討論統一的外交攻勢去收復阿拉伯失地這項問題的會議時間和階層亦發生歧見。沙地阿拉伯和摩洛哥希望舉行一項阿拉伯外交部長會議。可是，親納薩埃及的蘇丹政權，却似乎主張一項高峯級的會議。到了本月十七日，十三個阿拉伯國家的外交部長在科威特舉行會議，從而擬好一項一致的立場去收復失地。可是，經過六個半鐘頭的冗長的討論後，却沒有宣佈這項立場已經達成協議。

就阿爾及利亞，摩洛哥，和突尼西亞這三個北非阿拉伯國家而論，雖然它們一致地表示支持和以色列毗連的阿拉伯國家，可是在這次中東戰事裏面，彼此的立場畢竟或多或少地有分別。阿爾及利亞的立場最激烈。它迅速地宣布和美國斷絕邦交。至於和英國的邦交，則早已爲羅德西亞問題而宣告中斷。阿爾及利亞同時宣布將境內的美英兩國人民所經營的一切事業，置於政府管制之下，並且停止將石油運往美英兩國。在以阿戰事爆發後，阿爾及利亞派遣約八十架蘇聯製造的「米格」噴射戰鬥機前往開羅助戰。據悉：由於納薩接納一項停火之故，因此，令阿爾及利亞總統布密仁大表憤慨。直至目前爲止，阿爾及利亞仍然不承認該項停火令。訪問莫斯科後的布密仁，正以阿拉伯團結運動新領袖的姿態出現——可能成爲納薩的對手。

摩洛哥王哈辛亦派兵往埃及助戰，不過沒有針對美英兩國而採取報復的措施。在以阿戰事爆發後，哈辛曾經呼籲舉行一項阿拉伯高峯會議，可是充滿諷刺性的事實是：納薩當時拒絕這項呼籲。而現在，開羅正設法令一項阿拉伯高峯會議宣告實現的時候，哈辛却流露冷淡的反應。

突尼西亞與埃及意見不和已達一年。以阿戰事爆發後，爲了阿拉伯國家團結的緣故，總統布吉巴和納薩互通電話，表示捐棄前嫌而實行互相和解。不過，突尼西亞當時雖然派兵前往埃及助戰，但沒有和華盛頓及倫敦斷絕外交關係。事實上，由於在發生中東危機之時，暴徒襲擊美英兩國大使館之故，突尼西亞公開道歉。在突亞尼西亞人士看起來，他們認爲這次中東戰事的爆發，納薩應該負一部份的責任。

從上述的各點事實來看，人們不難明白；在平常狀態下的阿拉伯世界，已經無法避免你爭我奪的糾紛。以阿戰事的爆發，只是產生一種表面上的團結，而實質上自爲了本身的利益起見，他們幷無法採取眞正團結的行動。這該說是阿拉伯世界的特點之一。

以色列大捷的軍事意義

○宇文華譯○

本文作者是英國名戰略家史威爾將軍，在一九五六年蘇彝士戰爭時他指揮地面特種部隊，一九六○年任歐洲盟軍副總司令，直至一九六四年纔退休。據史氏指出，這場典型的戰爭給予我們許多教訓，足以作現在和未來的借鏡。

以色列在中東打了大勝仗，這一戰役確可以說是我們這個時代的一項典型的勝利。它在軍事方面引起兩項大問題。第一是回顧迅速的勝利是怎樣能夠贏得的呢？第二是前瞻，它能夠保持下去嗎？阿拉伯國家是否現在可以發動任何反擊呢？倘若在未來數週的政治政暑中仍不能獲得確實休戰的話。

第一項問題可以獲得最佳答案的，如果我們比較一下雙方怎樣適應戰爭中四項重要的因素：時間要素，該區域的地理，敵人的裝備情形，以及他們的士氣和作戰能力。

在時間上，以色列在空中和地面上的快捷攻擊，那是極重要的。因爲這樣阻止了阿拉伯聯盟各國軍隊間的任何連繫，以及阻止遠處的阿拉伯軍隊作任何集結。相反地，阿拉伯人最需要的是獲得時間，俾得把所有在理論上可供用的全部力量集合，尤其是阿爾及利亞軍隊。所以他們要抑制以色列人，俾能獲得勝利。一旦以色列達仁將軍的部隊粉碎這個包圍圈後，所有阿拉伯人的計劃皆成泡影。

以色列軍隊能夠作這種重要的突破，地理上也有一部份關係的。事實上，他們由一個細小和緊要的基地，以及沿着內地的交通綫作戰，給予他們一種主動的便利，這是他們所充份利用的。他們能夠迅速地把他們的軍隊由一個地區轉至另一個地區，以驚駭他們的敵人，應付任何威脅，或增强任何成功。在另一方面，阿拉伯人是在擴張和蔓延的外綫作戰，各個國家分散四方，由基地至前綫相隔遙遠。

在裝備方面，紙上的情形是彼此相等的。但以色列有極大的便利，他們自己本身有更老練的科技知識。他們能夠好好地保養他們的機械。很明顯的，他們已發展一種有效制度，恢復和修理各種機器，這是阿拉伯陸軍所沒有的。在沙漠戰爭中，這一點對于近代機械是極端重要的；尤其是飛機，在只有有限數字的飛機可供使用的時候。

但是所有這些因素都不會給以色列軍隊帶來這樣一項重大勝利的，假如他們不在是在第四戰綫的士氣與戰鬥能力也是優越的話。以色列人是一種個人主義和有決心的戰士，多年來備嘗磨鍊與苦難。阿拉伯人是極端的依賴他們的領袖，在他們來說，在戰爭中熱情奮發，衝鋒陷陣，必須這個集團的成功然後纔能獲得這股勁兒的。再者，每一個以色列人皆有一種根深蒂固的原因，他們一定要作戰的，那就是保存他們的國家。所以，他們的戰鬥士氣是極高和勇敢的。反過來說，阿拉伯人有一種更模糊的原因——毀滅一個他們實際所知甚少的國家，儘管一切歇斯底里的反以色列宣傳——故此，他們本身的作戰士氣變動不定，而崩潰乃更爲迅速。

阿拉伯人上週已開始更困難的最初工作，但此舉既不能減損以色列的成就，也不能解釋阿拉伯人所犯的錯誤。這似乎是奇怪的，他們經過一九六五年的經驗後，埃及的最高指揮部是不應再度重蹈覆轍的。另一方面，達仁將軍却從一九五六年中學習各種教訓，並把它們改進。他知道——正如我們（指英國）當時所做一樣——取得勝利的方法就是要迅速地贏得空戰，把敵人在地面的空軍予以摧毀。十一年前，英國和法國曾經這樣做，埃及空軍在廿七小時內便告癱瘓。達仁將軍在這次戰役中重複這種表演，像英法當年那麼迅速，或者甚至更爲迅速。而且他的空軍活動範圍比英法空軍更遠更廣泛。（上）

石門水庫遊樂事業
公開徵求投資經營

（本報記者黃鴻遇桃園航訊）石門水庫管理局，爲建設陸地及水上遊樂事業，公開徵求民間投資，總額合計新台幣四千三百萬餘元。這期投資爲該局南苑遊樂區及水庫遊舫兩大目標，自即日起，至九月廿日止，該局受理投資申請。凡國內外法人及自然人，其工商登記資本額在百萬元以上者，均可申請投資，惟投資計劃及項目，必須符合該局既定的原則。

該局章紹周局長，對石門水庫觀光事業的發展，認爲因水庫本身就是環山蓄水的天然名勝區域，再以因地制宜，擴建遊樂區域，加强遊樂項目，吸引國內、外觀光游客，具有極大信心。該局的遊樂建設，定有第一期五年計劃，將建設成爲「遠東最大公園」。現已完成部份，計五彩噴泉、水庫公園、仙島公園（由山胞黃榮泉兄弟投資經營，以山地歌舞吸引遊客）、水上遊艇、環翠樓、依山閣等餐飲部。此次公開徵求民間投資，計有南苑遊樂區和上水遊舫兩大目標。前者投資總額爲新台幣三千七百萬元，後者爲六百萬元（其投資辦法見五十六年一月十四日本報第二版）。有關遊樂設施，必須依照該局既定的原則，投資人不能改變，只有選擇「原則」的自由。該項既定原則，係經過國內外專家共同設計的結果。

（一）南苑區投資部份：由該局提供石門水庫後池右岸土地五公頃，興建跳傘塔，溜冰場，廻轉場，飛車場，射箭場，駕車場，停車場，登山纜車，水族館，旅社等。並利用後池水域，闢爲免費游泳池，戲水池，划船，帆船及碼頭等設施。

（二）水上投資部份：由石門大壩經枕頭山至阿姆坪計十公里水程，其水上遊樂設施，初期建造遊舫二十艘，供遊客放棹戲水，觀山，垂鈎……該項投資，限於水上的單純遊舫設施，必須統一經營。

該局規定：凡國內外法人及自然人，曾經辦理工商登記，資本額在新台幣一百萬元以上，殷實可靠者，均可申請投資。如投資人來不及辦理工商登記時，可繳存同額保證金新台幣一百萬元，俟取得工商登記後發還。投資設計，必須符合該局既定計劃，投資人不得變更。

石門水庫現有設施，粗具規模，已投下建設資金一千餘萬元，將待興建的，有水庫湖溪公路一八、○○○、○○○、○○元，石門都市中心區公共設施八二二、一○○、○○元，溪州園風景佈置計劃五、六○○、○○○、○○○元，南苑區公共設施六、九四八、五○○、○○元，石門水庫風景佈置計劃六、四七三、八○○、○○元。以上合計三七、八四四、四○○元，由該局五十七、八兩年度分列預算及申請中美基金貸欵辦理。

石門都市計劃，業經政府核定公佈，將爲成台灣最現代化的新都市，以發展國際觀光都市爲目標。該局正式歡迎民間申請作建設性的投資，遠景極爲光明。

瀛海異聞談

性泛濫下美國少年早婚

桑雅

色情對美國的後一代是太重要了。年來，作父母、教士及教師的都避不談「性」，因爲無知或覺得尷尬；或者他們祇談消極方面，指摘婚姻以外的性關係是「壞事」，危險，罪惡，不道德。

今日的結果已是可悲的。目前如果一個少女結婚，百分五十已是有孕。如果少女與她可能是未來的丈夫都是讀中學的年齡，那麼，百分八十先有孕後結婚。

美國每五宗結婚有二宗是少年男女。少年人婚後五年，百分五十離婚。美國新婚的新娘，不論年齡，百分二十已懷孕的。去年，少年患性病的百分比較前年增百分五。每年私生子女現已達三十萬。據耶魯大學調查一百位「未婚媽媽」的結果，發覺許多重蹈覆轍，五年內她們共生了三四〇名子女。堪薩斯城研究「私生」案件及代價，每百名未婚生子少女，能在未來二十年養子女九百名，使社會担負一千萬美元以上。

美國少年（每年有二十二萬五千多高中學生結婚）未成熟而結婚的因素之一，是鼓勵男女早期社交與性的早熟。美國人迫使少年男女關係提早。電影、電視、報紙及廣播等娛樂，刺激浪漫與性興趣，那種不切實際的提供，以及父母以爲子女早點去「交際」是「時髦」，無異迫使子女作色情衝動，結果迫于結婚。二次大戰後，美國女孩對所謂「經常伴侶」已成風尚。對嗎？從研究所知，百分之五十以上的中學學生「經常伴侶」，父母不反對。但有不少少女承認，她們不喜「經常約會」，但做母親的却堅持有「經常伴侶」。

試想今日的社會環境，鼓勵十三、四、五、六歲的女孩與「經常伴侶」出入，又豈能避免不鼓勵子女涉及性衝動呢？很多爲媽的「相信」女兒「不會幹這種事的」……：。他們連自然性衝動也不明白。

去年底，「哥林比亞電視」有一節目，詢問觀衆關於性及結婚問題。它問：①女人適當結婚年歲爲何？②男人適當結婚年齡爲何？③少年應該因懷孕而結婚嗎？三十歲以下的青年，百分之六十認爲，男人該在二十五到二十七歲結婚，但絕不宜在二十二歲以下。女人則是二十二到二十四歲。百分之九十不贊成因爲「有孕」便强迫結婚。換句話說，青年是反對早婚的。然則，誰作祟？爲什麼？

最大責任是適份「殷勤」的媽媽，教十二歲女孩穿高跟鞋，十三歲打扮，十四歲參加「派對」，十五歲跟男友約會，十六歲經常與男及約會。爲什麼？一部份是愚昧，大部份是虛榮、恐懼以及認識不正當。她們以爲女孩早婚是「社會身份」、「趕上時代」及免隣人指她是「老處女的媽媽」。

專家米德說：父母們對女兒跟男友流連忘返是憤怒的。但女兒「有孕」時，却給女兒以很堂皇的出嫁。這可說是「不道德的懲罰」！

不少媽媽對女兒說：不可跟他幹那件事；但，有了孕，要告訴我們。做父親的對女兒婚事很不關心。他們自己不少也是糊塗結婚的。有些則因畏妻，不敢反對女兒早婚。海適雅教授很沉痛的說：「少女們有些眞的是無知；這不是很諷刺嗎？我們是性解放社會；但『性』依然是污語。一談到便使父母閉嘴；但教師結舌。」

美國談「實庭計劃」的課本，談到「性」，便祇當作一個名詞。但加拿大最保守的維多利亞城，十二歲的孩子便接受性教育。有些學童連「交媾」的串字也讀錯，但却能背誦六大理由「爲什麼婚前不可交媾」？丹麥近年，每十名孩子裏有一名是「未婚媽媽」所養的。一百名新婚者中三十名已懷孕。

未婚懷孕，在美國是不分窮富的通病。大多數是未成熟的情感衝動及不滿足的人物（如家庭關係不好）。更出人意表的，未婚媽媽多數是害羞的，怕事的，內向型的。他們缺乏信心。

加州大學倫迪士教授說：「美國有人以爲童婚祇在印度存在，現在却到了我們眼前來了……。」

酒吧兩姊妹

綠窗

是的，姐姐一向待她很好，對家庭也很有責任感。母親只生下她們姊妹，父親是一個好吃懶做的賭徒，弄得家中一貧如洗。姐姐在十八歲的時候，便被迫走進酒吧賣笑。七年來，她用自己的青春和眼淚，不知替家裏掙來多少錢。在不懂事的歲月裏，她只羨慕姐姐漂亮的衣飾，却看不到姐姐內心的創傷。如今，自己已當了兩年吧女，飽嘗了苦痛的滋味，姐姐的急急欲擺脫陪酒生涯，實在也是值得同情。想到這裏，阿桂不禁對姐姐發生了一絲的歉意。

半年前，敏光偶然和幾個朋友到「美人閣」，剛好叫的是阿枝，他們倆竟然一見鍾情。從此，阿枝常常「倦勤」，不是遲到，便是早退，甚至索性請假，把時間都花在敏光一人身上，當然也給老板和其他客人留下惡劣印象。於是阿枝的收入一落千丈，家庭的担子幾乎都放在阿桂身上。另一個使她對姐姐不滿的原因，是阿枝有了愛人之後，有意無意的冷落了對她的情感。有幾回，她下午沒有客，要阿枝一同去看電影，阿枝都說已和敏光有約，不能陪她。最近由於阿枝和敏光已談及嫁娶，看來她將要一人獨負家計，所以內心激起了莫名的反感。現在經母親一說，心裏不禁暗暗的慚愧起來。

「他們快要結婚了吧？」她平靜的問道。

「大概是的。但這兩天好像發生了什麼變化似的，早上敏光來約她出去時，兩個人的臉色都淡淡的。」母親顯得有點憂慮。

「應該不會吧！從來沒有聽說他們吵過。」

「希望不會有什麼變化才好。阿枝今年已經廿五歲了，不能再這樣混下去。我看敏光的人還不錯，讓他們早點結婚也好。」母親好像在徵求阿桂的同意似的，這更使她不好意思再有反對的表示，只低聲說道：「只要爸爸不再賭錢，就是阿枝嫁了出去，我想我一個人也可勉强負担家用。」

「其實，媽也不願意你永遠在那個地方，莫奈環境所迫，只望再過一兩年，把所有的債務都淸還之後，找一份另外的事情做。看你最近瘦得這樣子……」媽的話還沒有說完，却被一陣激起的悲哀梗住。隔了一會，又慢慢的說：「如果能夠遇到適當的人，他肯招贅也好，媽也想快點解決你的事。」

阿枝靜靜的聽着，搖搖頭冷冷的說：「在那裏是找不到好人的。阿枝眞是好運氣，才遇到敏光。」

接近午飯的時候，阿枝回來了，臉色慘白得像張銀紙，進門之後一句話也沒說，便逕往房裏去。阿桂和母親交換了一次惶惑的眼光，也跟着進去，却看見阿枝倒在床上，低低的哭泣。這景象使她們感到驚訝，而且預感到婚事必然發生了某種化。

慢慢的阿枝從床上坐了起來，嗚咽的說：「媽，不要再讓阿桂到那個地方去了，當吧女是嫁不到人的。」母親挨了過去，憐惜的撫摸着她的肩背。問道：

「阿枝！發生了什麼事嗎？」（中）

面臨內戰的尼日利亞

本報資料室

一九六六年一月間，有一部隊由東部軍官率領攻入尼日利亞北部，推翻了巴拉華爾士的政權。北部人大舉反攻，由耶谷勃高萬爲領袖，擊退了東部入侵者，並集體屠殺了數以千計的居住於北部的伊保斯人，作爲報復。

最近爲了東部宣告脫離尼日利亞政府，住於拉高斯的伊保斯人又大起恐慌，怕再次受到北部人的迫害。他們紛紛向東逃難，汽車、巴士、蓬車以及所有的交通工具，絡繹不絕的湧過尼日爾河上的大橋，奔向東部去。

這是逃往東部的唯一的路徑，耶谷勃高萬突然下令予以封鎖，使伊保斯人再也沒有辦法逃難了。但他們不顧生死，紛以獨木舟渡河，投奔到他們族人的所在地去。

東部伊保斯人正在邊境沼澤和草莽地帶佈防，開掘戰壕並建築工事，士氣激昂。尼日利亞各地的伊保斯商人，均輾轉返回東部，要在新的共和國裏發展其業務。他們已不再承認尼日利亞的存在了。

他們對於他們的領袖奧育格武上校有信心，認爲建國必成。奧育格武爲伊保斯族一位百萬富翁的兒子，英國牛津大學畢業生。他的才幹遠勝於行伍出身的耶谷勃高萬。

耶谷勃高萬曾建議，把尼日利亞劃分爲十二省，其中三省列爲東部的轄區。但奧育格武反對此項建議，因其將使伊保斯人歸納於一個地帶，而隔離了尼日爾河三角洲的產油區。

到了現在，「比亞弗拉」已經選定了它的國歌，其曲譜以芬蘭的國歌爲標本，詞句則將由奧育格武上校親自撰寫。

「比亞弗拉」現今雖未獲世界的承認，但它不失爲一個在經濟上與政治上均有相當成就的國家。去年一年中它出產的石油總值二億五千萬美元，同時亦有巨量的煤與棕櫚油運銷外地。

耶谷勃高萬似乎已無法可使獨立的伊保斯人重返尼日利亞的聯合政府，且亦不可能向東部單獨用兵，因爲西部和半西部地區的領袖們並不想這樣做。

西部和半西部的領袖們，包括一位影響力最大的首領阿務魯蕪，他們不贊同進攻奧育格武的計劃，亦無意於拉攏東部加入中央政府的企圖（下）

新三國

論三國的和戰，蜀與魏有戰無和，蜀與吳和多於戰，吳與魏有戰有和，吳與蜀魏有和有戰，和戰各半。如此看來，蜀國雖然最小，但對魏只有戰而無和，蜀國的精神是值得大書特書的一筆。蜀自劉、關、張起義以來，都是以曹魏爲「國賊」，諸葛亮以及姜維繼之，都是本着『王業不偏安，漢賊不兩立』的志節在奮鬥，雖然沒有得志於中原，但不可以成敗論英雄。魏國是把持專政到底，以其雄厚的力量，穩坐中原。吳國君臣都是動搖份子，沒有一定的目標。先後二次向曹魏稱臣投降，又先後兩次向魏挑戰。吳國之能割據最長，實爲地理上的『地利』。江東在中原『鞭長莫及』之下佔了便宜。最初的羣雄，都是在中原爭地盤，以爲只要霸佔了中原，江南及邊遠皆可垂手而得。等到曹操把中原羣雄打平了之後，孫氏弟兄在江東已經奠定了根基。同時佔了『地利』上的便宜，曹操也無可奈何。加之劉備得了益州，三分鼎立之局告成，中原更不能奈何蜀吳。曹氏的挾持天子而實行竊據，更激起蜀吳聯合的趨勢。

談到三國的內政，是非三言兩語說得淸楚的。大體說來，蜀魏吳的內政，都比後漢各帝好得多。如貪污之風，外戚、宦官之干政，三國中都沒有發生過。魏國有鑑於後漢前車之鑑，首先禁止宦官外戚干于政。吳國也沒有外戚宦官干政的事發生。蜀國只有一個黃皓，也只是到最後幾年才有的事。但都談不上干政。

內政的修明，應當以蜀爲首屈一指。諸葛亮將新得的益州，重起爐灶，居然在短短期間，把益州治理得道不拾遺，這是魏吳二國之中誰也不可相比的。

吳國的一位名相顧雍，雍容大度，持正不阿，最有古大臣之遺風，相吳十九年，可以說是「拱垂而治」。在魏國絕沒有如諸葛亮、顧雍這樣的人物。

魏國只靠曹操一個人外內兼顧，不失爲「治世的能臣」，採用法術，建立了不少規模。

論劉曹孫三個人物，孫權乃享父兄之業，一直處的順境，但他是一個惶惑多變的人物，一惑於佞臣呂壹之流，再惑於女兒大小老虎及潘夫人，以致本人一死，而變禍便紛至沓來。這是孫氏比不上劉曹二氏的地方。曹魏則經過曹丕、曹芳二代十年皇帝之後，才有司馬氏的政變。蜀國可以說沒有政變，只有魏延楊儀二人的私人恩怨而鬥爭的一幕。

在治術方面，仍以蜀相諸葛亮爲首居一指。他採取內寬外猛，內儒外法，恩威並濟的治術，獲致極大之效果，受賞者固然感憤，受罰的人同樣心安知愧。如馬稷的被誅，李嚴的遺貶，死貶無怨言，都是一例。顧雍是採儒而兼老。曹操則一貫是採取「法」家的治術。所以總結而論：魏政最苛，吳政過寬，蜀政介於不過不及之間，應該以蜀政列爲第一。

看完本書，三國是怎樣的分，又怎樣的合，大概已有一個概念。如果能單行本問世，再附刊三國大事年表，三國和戰表，三國帝系，東漢末年羣雄割據表，三國名臣武將表，和三國地理圖等表，以便讀者稽閱覽，那就更完備了。（一四三全文完）

天棚魚缸柘榴樹

·京仁·

在北平，到了五黃六月的夏境天兒，有幾個錢的大宅門，講究天棚魚缸柘榴樹。每年一進五月，便搭起「天棚」來了。一進廣梁大門，迎門兩個大字「鴻禧」；下邊就是「魚缸」，裏邊養幾條五顏六色，大眼睛的龍井魚，在水草之間，游來游去，好看。

魚缸旁邊，放上四盆或六盆，盆栽的「柘榴樹」，肥料加的枝葉茂盛得成了黑綠的顏色，在「五月榴花照眼紅」後不久，一個個大柘榴，累累滿枝，把枝兒墜得像鞠躬如也的彎着腰兒。

假若到了七月底、八月初，還不把柘榴從樹上摘下來，有的柘榴外皮兒就破了，柘榴米像張大嘴向種樹的人在笑，內邊的柘榴米兒像澄紅鮮艷的珍珠，一粒粒的放光，叫人看看，再想到它的香甜，真是「含拉子」流多長！

天棚魚缸柘榴樹，是形容襯兩錢兒的主兒的小裝飾，倒算不了什麼！下邊的一句話，便不十分受聽了，它是「先生、肥狗、胖丫頭。」

「肥狗」是說有錢的人家，狗都吃得小牛犢子似的；胖丫頭，是說有錢的人家的使喚丫頭，都吃得胖虎虎的。可是「先生」兩字就不能解釋了，非常難聽！「先生」是指的「專館老師」，即現在的家庭教師。把教子師女讀書的先生，也列為富家的裝飾品之一，太那個了！不過這都是很早年的事情，入民國以後，多潤的人家，家裏有專館老師的不多了！

談到「天棚」，確實是住在北平的一種享受。四合兒的院子裏，搭起一座天棚，任憑多熱的太陽，它的淫威，射不進天棚裏；在天棚底下，竹榻一張，可以睡個極好的午睡。籐椅一張，羅扇輕搖，手中一卷愛讀的書，比到那兒去玩都舒服！

「天棚」，只有在北平市，搭的講究，可隨院子大小搭起一座棚，中間的「天井」，中午時，可以放下來；太陽下去了，再拉捲起來。東西兩面有「遮簷」，早起有「東晒」，放下東邊的。下午有「西晒」，捲起東邊，放下西邊。夕陽一落，兩邊遮簷，中間天井，一齊捲起，讓風來四面，眞講究。

搭天棚雖不是什麼大工程，卻只有北平市的「棚師傅」最拿手，稱得上是「絕活」。無論多高大的天棚，也無論東西交民巷多高的大樓，東西兩面的遮簷，一不用刨坑打樁，二不用刀鋸洋釘，一律都是平地起棚，只是繩細索綁而已；可是一個夏天，無論多大的風雨，沒聽說歪過，倒過！北平的「棚匠」，眞算一行，人家有師傅，有徒弟，三年另一節，學出來的，所以「地道」！

編者按：「談張飛戲」續稿未到，暫停一期。

談台灣的皮黃劇

○馬五先生○

我每次旅游台北時，總是以欣賞平劇為客中消閒的首務。但我又有一種頑固的觀念，只聽陳年老戲曲，不看新編之劇，過去在大陸上，對於梅蘭芳、程硯秋、周信芳諸名伶的新編戲劇，也很少廣目。演員的技藝如其太不夠水準，亦就無心觀覽。最近在台北住了一個多月，聽過兩次舊戲，觀感所及，不妨談談。

第一次是五月中旬陸軍劇團「陸光隊」公演時，某夕周正榮與張正芬合演「一齣武家坡」，這是一齣極通俗的戲，社會大衆都能瞭解其中的情節，并且能夠哼幾句，凡在台上扮演這戲的角色，於唱、做、唸方面每容易流於庸俗，令人不忍卒睹。是夕周、張二人的表演，可謂恰到好處，不現低級趣味。周正榮飾薛平貴，在調戲久別重逢的妻子之際，依然表現着端莊的身份和詞色，這種地方很值得讚許，唱腔雖欠結實，但路子是正宗的。張正芬的王寶釧，不特表情合度，動作中式，唱腔亦甚悅耳。從前我看她演刀馬旦，跟顧正秋做配角時，認為技藝平凡，嗓音尤其不甚中聽。這次聽她唱來，居然字正腔圓，出場來的一段西皮慢板，嘹亮而有餘味了，難得難得。

第二次係本月（六月）十七日晚上，看空軍「大鵬劇團」公演幾齣舊戲，章遏雲以大鵬社的教師，是夕她連演兩劇——三擊掌，寶蓮燈——前者與二路老生馬榮祥合演，精神飽滿，唱做都不賴，高歌「老爹爹……」這段西皮正板時，頗有程派韻味，程派名票高華在座亦頻頻鼓掌不已。繼與哈元章演大軸寶蓮燈，那就糟了！

先說哈元章：他的唱工本非所長，然亦不能隨便抹去詞句，甚至唱成三條腿。詎料他唱「昔日裏……」這段二黃三眼時，竟將舊詞的「那叔齊，分長幼，不敢應允，那伯夷遵父命也不能夠担承」這四句殊不成話。偷工減料到抹掉，繼唱原板「左難右難，難壞了我」一句，竟轉身內向不再唱「後堂內快請出兒的娘親」這句結語，即由秋兒高叫「有請母親」，突如其來，莫名其妙，這樣吊兒浪蕩的作風，欺觀衆以無知，應該叫「通」的！

章女士大概太累了吧！她亦抹去在簾內唱「忽聽得二嬌兒一聲請」這句倒板，逕自出場，氣氛殊不調和，劇情亦為之減色了。劉彥昌王桂英夫婦二人，分詢兒子以「秦府官保是何人打死」時，公然指手畫脚地教兒子莫要承認行兇，尤欠考究。這祇能在詞色之間，對孩兒表示自己的偏心私意，方合情理。這原是一種純粹的倫理劇，演員一定要做得逼眞，形成高潮，纔可以激動觀衆的情感，不期然而然地表示共鳴。所謂「唱出感情來」的工夫，必須演員對於劇情先有深刻的研究揣摩纔行啊！章的水袖只是摔而不能抖，亦距程派遠矣。

平劇由極盛時代漸進入衰歇之境了。毛共在大陸上胡亂改造，搞出甚末「時裝劇」——即不化裝、不勾臉，上台隨便演唱，皮黃戲已成絕響。台灣雖然典型猶存，但第一流的演員殊少，繼起者固不乏可造之人，而師資欠缺，通才不易養成，加以各種條件的限制，平劇亦將如百餘年前的崑曲命運一樣，除非政府大力輔導提倡，那亦祇有日益式微之一途，時勢所趨，無可如何也。（完）

周佛海為何叛國？（上）

諸葛文侯

周佛海的墓木早已成拱，他一生最大的汚點，是參加汪精衛的通敵賣國偽政權。後來他雖然迷途知返，在日本帝國主義者尚未潰敗投降以前，即已悔悟輸誠國民政府，暗中掩護「重慶份子」在京滬的地下活動，跟戴雨農密切合作，冀圖將功贖罪，也有若干事實表現。但失節事大，終屬功不抵過，瑕不掩瑜，論者惜之。

周氏初以中國共黨創立人之一，於民國十三年由日本西京帝國大學畢業返國，受知於廣州中山大學校長戴季陶，担任該校教授。民十五年國民革命軍北伐後，周奉調為中央軍校武漢分校政治總教官；民十六年國府奠都南京，實行清黨時，周逃出武漢赤都，決心脫離共黨，行至上海被捕，命在旦夕，幸得今總統蔣公電令上海主持清黨事宜的楊虎陳羣，將周解送南京處，旋得省釋，且受任中央軍校政治總教官，繼擢遷為國民革命軍總司令部政治部主任。迨民十九年中原大戰（即討伐馮閻戰役）結束，全國粗告統一，周出任江蘇省府教育廳長（省主席顧祝同），直至陳果夫主持江蘇省政時，周仍任教育廳長如故。

綜觀周氏從國民革命軍在廣州教書起，到對日抗戰前夕的十餘年生活經歷，完全是得到今總統蔣公的護持提拔，迹其政治路綫，乃與所謂CC派最接近，而與汪兆銘的改組派毫無瓜葛，顧何以在對日抗戰中期，周氏且已貴為國民黨中央宣傳部代理部長了，竟隨同汪兆銘悍然通敵叛國，喪其所守呢？此中原因，周氏在其日記上亦曾說及，但非眞象。我與周佛海在日本讀書時即相識，我回國後除卻他在廣州中大教書那段時間睽違外，彼此過從不輟，他對我無話不談，無事不談，甚至於他要作狎邪游，也秘密通知我去參加。例如民十九年冬間我在上海結婚不久，一日我到虹口「福民醫院」去看佛海——他住院休養——他對我耳語道：「今晚我和楊暢卿（永泰）在法租界某一住宅樓上，約有高級交際花消遣，你務必來賞識一下，藉此介紹你認識楊氏。」人很有才氣，我們可以做好朋友」。還有他跟太太楊淑慧常爲着女人事而勃谿交鬨，我總是從中排解的。因此，我對於佛海不保晚節的心情，比較一般的朋友瞭解殊深。不妨一述其所以然之故。

佛海出身貧寒之家，資質慧敏，從艱苦奮鬥中，到外國留學歸來後，對政治生活很熱中，也有相當的才幹，然犯着功名心切的毛病，急求脫穎而出。民國十六年秋間福建省府改組時，他要求戴季陶保舉爲該省教育廳長，不被，戴呵責說他年紀尚輕，不應該熱中仕途。他大爲沮喪，從此乃與戴疏遠了。嗣後，他雖然由於刊行了一部「三民主義之理論的體系」一書，聲譽鵲起，中樞又歷任過軍校與黨部高級職位，担任過軍事委員長侍從室第四處（司編纂譯述事宜）主任，皆視爲鬱鬱不得志，無從發展抱負。但他對省府教育廳長卻幹得很高興。他的意思是重視正式的官職，而以黨和軍方的名位爲非正路出身，滿不在乎。試看他在參預汪政權後，曾以「財政部長」資格，代表汪政權赴北平接洽南北偽府合流時，他下榻於故宮中南海殿閣間，乃在日記上寫着一段得意洋洋的詞句，認爲小學生時代的幻想居然實現，即可窺見其志趣之所在了。

試談偏愛的諸葛亮與神化的關雲長

讀「畧評諸葛亮與關羽」之後

周燕謀

但其後孫權索荊州尚有何理由權要呢？根本是見劉備跨有了荊益，逐鹿中原對他不利。故荊州早晚必爲三方必爭之地。誰來鎮守，都不會太平。此乃情勢所使然，關羽不過適逢其難而已。人之生死皆有幸與不幸，關羽死後走神運又何責怪。

姚先生說關羽並不受人崇拜，受小說影響，纔後來居上的。並認爲是不值得崇拜，崇拜者也不應該。這是由於姚先生對於歷史太隔膜之故。查我國的「神運」是與歷史演進，文化發展，時間的推移而不同。神運來得早的是黃帝，次爲太公，次伍子胥，次關羽，次許遠，次張巡，次張飛。另外一說：秦時尊杜伯，六朝尊蔣子文，唐尊項羽、伍子胥，宋尊壯繆。自宋而後，關羽一人後來居上，奪盡諸武神的權位，而獨佔武廟，而岳飛幾成陪襯。關羽神化到此紅得發紫的程度，正如關羽之勇，諸神莫敢當者。只有蚩尤不知利害，屢欲侵奪，時與關羽大戰，關羽屢顯神威，神爵與日俱升，所謂「身後是非誰管得」，他的前代諸神都有涵養，吾人怪他不得。

姚先生說關羽並不受人崇拜，不知何所據而云然，查關羽受人崇拜，隋代已經開其端。因爲有關他的古籍，姚先生未之見聞，爲了省文，我不引原文，請看「老圃叢談」和「益州名畫錄」，上面記載得多。隋代已有玉泉寺和顯烈廟的事蹟。其他如當陽縣志和玉泉山志。到五代時，關羽已經被人畫像膜拜。開始繪『關像』者即是五代人趙忠義，請看「益州名畫錄」吧，在此不引錄，以省篇幅。

關羽到北宋時，開始完全神化。宋崇寧元年，追封爲忠惠公。大觀二年加封武安王，而且從祀「武成王廟」。宣和二年，勅封「義勇武安王」。宋大中甲寅，關壯繆鹽池顯聖，大戰蚩尤，斬池中蛟，由此被張天師拉進道教，封爲崇寧眞君。荊門志：「淳熙十四年，加封英濟王」。告勅云：「當陽顯烈神壯繆義勇武安王，名著史冊，功在生民，一方所依，千載如見。……封壯繆義勇武安英濟王。」漢人統治中華如此，異族亦復如此。姚先生只看到滿清王朝用來統治中夏的政治手段，說是由於演義影響。那末宋代不是滿人吧！五代已經有人畫關公像對之崇拜，此又何故？

元代忽必烈初登大寶，也『順其固有風俗而撫循之』。勅封關公爲「顯靈義勇武安英濟王」（元史本紀）。關羽自北宋以後，便扶搖直上，節節上升，絕不是演義不演義、異族不異族。近人黃華節先生「關公的人格與神格」第一三九頁說：「爲什麼廟要蓋在甕城內呢？……

（八）

家庭生活多溫馨

○紫薇○

很多人說，戀愛彷彿在作夢，一旦結婚夢醒後，發覺現實的生活並不如想像的美好，彩色的夢有如五色繽紛的肥皂泡沫破滅了，於是興起悔不當初的念頭。但是我並不如此。婚前我有一段緋色的戀愛，婚後是一連串溫馨的日子。現在我比戀愛時更快樂。我不覺得家務、小孩是累贅，因爲我發現我的丈夫，比戀愛時更聰明、更能幹；我也比戀愛時更尊敬他，更服從他。

結婚前，我和他認識有六年多歷史，但是那時候我對他，總是若即若離。試想一位受大學教育的女生，誰不是趾高氣揚？誰不憧憬自己未來的丈夫，是一位十全十美，有錢有勢的郎君呢？但是有一天，我在路上遇見母校的蔡訓導主任，在寒暄後，談到交男友的事，她又開始循循善誘我了：「交男朋友，要考驗他內在的『可靠』而不是外表的『可看』。要注意他是不是有材；是木字材，而不是貝字財。」蔡主任簡短的一段話，烙印在我的心田，經過深思熟慮後，我毅然決然的走上與他共甘苦的道路。（一）

內警台報字第〇三一號內銷證

自由報

THE FREE NEWS

第九六七期

中華民國僑務委員會頒發
台教新字第三三三號登記證
中華郵政台字第一二八二號執照
登記爲第一類新聞紙類
（半週刊星期三、六出版）

每份港幣壹角
台灣售價新台幣貳元

社長：雷嘯岑
督印人：黃行素

社址：香港銅鑼灣高士威道二十號四樓
20, CAUSEWAY RD 3RD FL., HONG KONG
TEL. 771726　電報掛號：7191

承印者：大同印務公司
地址：香港北角和富道九六號

台灣分社
台北市西寧南路壹壹零號二樓
電話：六三〇三三〇
台灣郵政劃撥二五二九二

從空中奠定越戰勝利基礎（下）

彭樹楷

如今，美國以軍事空權執行和平目的的以炸迫和，不獨犯了軍事戰略空權運用的大忌，且是忽視亞洲人「威武不能屈」的本性。那些冒着北越三七厘米、五七厘米、八五厘米高射炮，和SA—2高空攔截地對空飛彈，SA—3低空攔截地對空飛彈，以及米格機與各型高射機槍所構成的密集火網裏找尋轟炸目標的飛行員，爲的不是摧毀敵人，而只是以生命作賭注作殺鷄用牛刀的表演，企圖迫使河內和談。那些非致命的目標如鐵路、公路、橋樑、營房、陣地、倉庫、車輛，即使全部炸毀，也抵不上投資的成本。麥納瑪拉在國會作證時說：「我認爲電力、油料、港口和水壩，均非對越戰具有影響力的目標。」這只是國防部長的文官看法，美國陸海空軍只有極少人會同意這樣的意見。以後，麥納瑪拉屈於軍方壓力，而作有限度的，選擇性的對北越電力、油庫、機場作示範性的轟炸，但仍違背傳統的軍事學理及空權戰略和戰術作戰的原則。

美國現行對北越的空權運用，依舊是以戰略轟炸機執行南越境內近距離的支援戰術作戰任務，以戰術戰鬥轟炸機執行北越境內遠距離的戰略作戰及戰[illegible]戰雙重任務。這[illegible]力强大的運用空[illegible]，即使是不合空權運用邏輯，如能作眞正的軍事目的之使用，亦可導致大規模的破壞，二次大戰時，日本最大的十座城市幾乎被美機夷爲平地，而其所用僅爲普通炸彈，且炸彈總數量遠較投於北越者低達三倍！但是，美國決策者的前怕虎、後怕狼的顧忌，所有炸彈固定那麼幾個非致命的目標。道路和車輛乃至少數幾個「樣品」機場以及部份電廠和油庫，不會產生任何具有決定性的重大效果，乃是人人都可想像得到的事。爲什麼美國決策者却仍繼續導演着這項得不償失的悲劇？

把戲、援助

空中戰力成效析評

在不求勝利，以戰迫和的政策下，美國空中戰力在越南戰場的運用，一是陸地阻絕戰術攻擊，一是交通綫戰略戰術攻擊。現分析其成效如下：

（一）陸地阻絕戰術攻擊：以關島及泰國爲基地的戰略轟炸機，在長達七千哩的陸地北越滲透路徑上，如欲作有效的阻絕攻擊，每天最少要出動一百架次戰略轟炸機；或使用非戰略轟炸機五百架次以上轟炸，才能達成陸地阻絕任務。更爲重要的是，每隔四十八小時，便要實施全面攻擊一天。即使如此大規模出擊，即使是毫無損失地出動足夠的飛機，要想完全癱瘓北越陸地滲透綫及運輸工具（包括約二萬輛卡車及約四十萬輛自行車），也不是一件絕對有把握辦得到的事。更何況担負十分之九物質進口的海防港在庇護下暢通無阻，這些被炸毀的運輸工具以及其他物質如汽油、滑油、彈藥、工業裝備、重工業及其他各種產品，均可經由巨型貨輪從國外經海防輸入北越。因此，美機陸地阻絕攻擊的成效，便是幫助北越淘汰了舊的，補充了新的；而美國的投資則四倍於共產集團援助北越物資的價值！

二次大戰所有戰例，說明空權武力運用，多是集中於港口、重要基地設施、國防工業、以及機場等目標。北非戰役軸心國軍隊的補給都是由海上運輸，美機十分之九的炸彈是集中港口設施和機場，僅十分之一的炸彈消耗於公路、鐵路和車輛。但當時却被部分將領認爲這十分之一的炸彈完全屬於浪費。他們認爲攻擊車輛和在公路上一次又一次地炸幾個大洞，是不可能截斷敵人補給的。然而，越戰中的陸地阻絕戰術轟炸，却正是以十分之九的炸彈集中於道路與橋樑的轟炸，和對沿途運輸的車輛的攻擊！這是一個政治的決策，然而却違悖了空權運用的常情，也違悖了過去作戰的經驗。如一定要計算其成效，這成效也是極其有限的。

（二）交通綫戰略戰術攻擊：空襲北越，主要是切斷北越鐵路和公路的運輸，這是戰術目標；美方却當作戰略目標，不予放鬆（海上運輸則在庇護地區之內不准攻擊）。

北越有三條主要的鐵路，一條從河內直達南越邊界，另兩條爲經西北和東北連接中國大陸。從一九六五年，這三條鐵路被炸一千次以上，但其鐵路運輸並未完全中斷。

北越公路運輸長達一萬餘哩，經美方標出爲戰略關口的目標有六十處，每處挨炸次數也在千次以上，但因地形、氣候、以及僞裝的巧妙和強烈的防空火網而收效甚微。至於攻擊其運輸車輛，按成本算，亦得不償失！再如轟炸北越五萬多條舢舨的戰術攻擊作戰，也是困難重重，而效果不大。而舢舨則是北越沿海及內河運輸的主要工具。

北越的對策

本報二月廿二日，我以「新春話越戰」爲題，剖析越戰是一場「科學」與「藝術」的競賽。美國的的新型軍事裝備和「超時代」的戰爭原則，越共的不受任何拘束的游擊戰術，使得雙方難解難分。

科學講究的是有系統，是眞善美。藝術講究的是不受拘束，也是眞善美。

北越就是用這種不受拘束的眞善美，抗衡美國有系統的眞善美，居然能平分春色，倒是奇聞，茲舉例證之：

（一）研究發展改良土法子對付新戰技：美國使用可載六枚750磅炸彈的F—105、又可載八枚750磅炸彈的F—4C，專門攻擊北越公路的六十號戰略關口。這些具有最新電子自動操縱飛行，自動瞄準投彈，以及電子反制欺敵誘敵和躲避防空飛彈及炮火的新型飛機，迫使越共除再加強防空火力及電子反制裝備與僞裝外，並發明了一種叫「分段運輸體系」（Segmented System）的搶運辦法，使美機轟炸所帶來的影響降至最低，而不能達到阻絕作戰的戰略任務。

（二）急速轉移與僞裝以誘敵撲空：對付美機利用新發明的「拋擲投彈」（TOSS BombingB）——利用飛機在進入目標前一剎那猛地爬升作直角飛行時的離心力，把炸彈一齊投下，（下轉第二版）

自由談

大家警覺罷！

俄共頭子柯錫金這次到紐約出席聯合國大會，用意只在安撫那些被以色列打得慘敗的阿拉伯國家，要繼續維持中東的動亂局勢，跟美英對立鬥爭，他曾經表示不願與美總統晤談的。旋聞毛共試爆氫彈的消息，即改變初衷，跟美總統密談兩日，達成「禁止核子擴散」的協議，對於中東問題，依然不改常態，歧見深固，毫無結果。這樣就證明美俄協力制裁毛共向外擴張的企圖是確實的，但其作用祇在反對毛共私自發展核武器，打破了美俄獨佔核武器優勢以支配世界的稱霸局面，而與奴役人類的共產極權暴政問題無關，也就是表示美國接受俄共集團的「和平共存」主張。

站在中國人的立場，關於毛共不顧人民死活而發展核武器的罪行，固然反對，更痛惡共產極權暴政，決不贊同「和平共存」的邪說。毛共政權打倒了，中國人樂於和平生活，極願與全世界的民主自由國家和平共處，既不需要戰爭，即用不着發展核武器了。所以，不先剷除毛共政權而沾沾於防範它的核子進展，乃是揚湯止沸之策，對世界和平沒有絲毫裨益可言。

職是之故，我們對於毛共「奪權」運動的惡作劇，如果有人因爲痛恨毛酋而希望劉少奇派獲勝，其愚殊不可及也。劉派如得勢，他們即與俄共緊密結合，先跟美國「和平共存」，再憑藉中俄的人力物力向外擴張，蠶食自由世界，咱們這些以反共抗俄爲立國之道的中華民國人民，尚有光復中原，還我河山之可能嗎？二次世界大戰時，英國封鎖我們的滇緬路，美國竭力促成中日和談，日本若不偷襲珍珠港而北進以攻俄，咱們中國早就被犧牲了！後之視今，亦猶今之視昔，我們如其不能揚棄惰性觀念悉力奮鬥以創造時勢，向以色列看齊，結果必有噬臍莫及之憂，大家警覺罷！

馮[illegible]先生

今日與明日

毛蟲垂死掙扎

毛共黨徒在港掀起了「新聯合大罷工」，定於六月二十四日開始，事先聲明所有交通全停，宣傳得像煞有介事，結果考驗下來，仍然是象徵性的部份罷工，天星與電車幾乎連部份皆無，油蔴地小輪與中華巴士所佔比例亦小；毛共花出去的錢好幾百萬，所得者如此之少，花錢如此之多，要算是毛共從來作的最虧本生意了。

不過，從這次毛蟲在港滋事全部經過，可以看出幾個有趣問題。

第一，罷工究竟對付誰？當然毛蟲可以滿口指說是對付港英，但是大家有目共睹，在港的英國人究竟受了什麼影響，港督還不是在市民歡送中回英渡假，其他的英國人還不是照常供職，巴士罷工影響了英國人，簡直是大笑話！英國人若混到在香港擠巴士，那就眞正是無產階級，應該是毛蟲的同志。實在說要在巴士上找一個英國人，無論過去與現在均是不可想像的事。因此，毛蟲在港擲資千萬惟一鼓動起來的巴士罷工，百分之百的害了中國人。

第二，這次交通罷工，完全是花錢買的，每個工人若干錢，報紙報告得清清楚楚。昨日更有許多工人到差館把支票交給警察，更是鐵案如山。自從世界上出現了共產黨這個組織以來，罷工行動次數應該以萬計，但以金錢買工人罷工的，當以此爲首次。馬克思、恩格斯地下有知，也會搥胸頓足，罵這批不肖的兒孫。

第三，此次毛蟲在港暴動，主動是由於此地毛蟲皆屬劉鄧陶派，希望藉此自保。原意以爲一鬧之下，港府就會步葡萄牙人後塵，簽訂降書，一任毛蟲爲所欲爲，到時可以藉此邀功，能保住飯碗，短期不會調回勞改，仍可在海外過着資產階級生活。萬不料一出手就敗，而且敗得不堪收拾，於是唯一辦法只有乞靈於大陸毛共支持，希望毛共能表示出強硬態度，或者陳兵深圳，迫香港政府低頭。不料毛共重要頭目除去說幾句不着邊際的話，提一紙不關痛癢的抗議外，一點強硬表示也沒有。於是害的此地毛蟲變成半天吊，進也不得，退亦不能，只得拼命造謠，說共艦艇出沒青山，又說毛軍作好準備，皆是夜行人吹口哨給自己壯膽。

就這次全盤事件發展經過看來，我眞懷疑是周恩來佈下的圈套，要想一網打盡此地毛蟲，但又明知調不回他們——迫急了就向台灣一跑。最安全辦法就是助其爲惡，與全體市民爲敵，到最後香港政府忍無可忍，全部解回共區，則毛澤東思想又得到一次勝利。（何如）

台北市改制的波折

市府新組織臨時起變化
新聞處翻來覆去出花樣
省市政府爲着財源而鬥法

（本報台北通信）台北市改爲特別市案早經中樞決定，並訂於七月一日實行新制。關於改制後的市府組織問題，行政院特設小組籌畫，派政務委員田錦烱負責綜持其事。初由市長高玉樹擬訂新市府組織體系，擴充爲十局八處與三個室，先送交內政部審核，畧加修正，但無多大的更改，再呈行政院改制小組研討作最後定案，結果亦沒有甚末出入，只待提出正式院會通過就行了。詎料臨到院會時竟發生了變化，因而引起若干波折。

六月十五日（星期四）上午九時行政院院會專爲討論台北市改制草案，各有關官署首長和原任市長高玉樹列席。當時有人指述原草案中對於人事、主計等重要業務，皆縮小組織爲二級機構，而爲屬於秘書處下面的「室」，認爲欠妥，面詢高市長：是否有意要將用人與用錢的權力集中於市長之手，比較便利呢？高答並無此意，爲的是「精簡」組織機構而已。於是，即有某要員聲稱：「既是志在精簡機構以節約人力物力，用意很好，按照這項方針，我認爲原草案規定的十局八處，亦有精簡之必要，例如「公用局」和「經建局」儘可歸併爲一局，名稱叫甚末，不妨另行擬定。「新聞處」可改爲「新聞室」，隸屬秘書處好了」。此議一出，大家沒有論異，高市長更不便說二話，原則乃告決定。但全案尚未討論完畢，而時間已是午後一時半了，有人提議散會，次日再舉行臨時院務會議繼續討論，經主席認可。迨十六日的臨時院會即將全案修正通過，修正要點除前述兩局歸併緩設，新聞處降格爲「室」外，人事與主計皆升格爲「處」。

因上述修正案而引起很多問題與波折的，就是「新聞室」。原來新制市府之設置新聞處，各方面皆認爲是毫無問題的應有體制，逐鹿新聞處長位置的有志之士甚多，而且盡係具有相當資歷和背景的人物，市長高玉樹爲着避免困擾，表示聽候中央銓衡決定，他祇提示兩點籠統的意見，即年紀不要太大，要懂英文。這末一來，有志於新聞處長職位者，即相率向中樞活動，人數有二十幾位之多，來頭都不小，中樞亦不好隨便決定，乃交由執政黨中央黨部的「幹部管理處」詳細審核，最後遴選三名送交行政院擇一任用，以示大公無私的精神。經過中央黨部銓衡入選的三大員，有如在香港購買馬票一樣，已經搖珠入了圍，只看最後賽馬結果誰得頭獎了，彼此正擬傾全力向行政院方面爭取首選，以便走馬上任。不料煮熟的鴨子忽然飛走了！行政院臨時竟將新聞處降格爲三級機構的「室」，等於秘書處的一名科長地位，這些候選處長的資歷都很高，區區新聞室主任當然不幹了，若干時日來，費盡心力纔獲得中央黨部提名，就剎那間變成了一場幻夢，好不掃興也！又不料，水窮山盡疑無路，柳暗花明又一村，這幾天消息傳出，中樞對於台北市府設置新聞處認爲必要，將令飭行政院覆議，並另派一位曾在公務人員考績中，名列第一的屠義方同志担任處長職務。於是，市府新聞處初由「處」降爲「室」，再由「室」升爲「處」，翻來覆去地幾個回合，便把那三位經過中央黨部提名候選的處長先生，全部「校哈」了。人生若大夢，富貴如浮雲，政治上的事情尤其是波譎雲詭，不可捉摸的！

北市改制剛成定局，待開張驟發之前夕，台灣省府忽決議呈請中央，將省會依然設在台北市，邏輯上就是要台灣省政府搬回台北來！社會人士僉以爲茲事體大，省府當局突然提出這種驚人的主張，不啻否定當年中樞的決策，殊深詫異。據熟悉政治內幕情形的人說，這是省府爲着爭取財源的一項手法，旨在向市府「拋浪頭」。原因是台北市內有許多財產（最大的是房地產）和稅收，係屬省的收益，市府改制後，地位與省府相等，法理上，一切原在台北市內的公有產業和賦稅，除中央直接掌管的以外，即應歸市府所有了。市長高玉樹早已有此構想和準備，名正言順的可以呈請中央核示，中央也就不能完全置之不理。台省府眼見大批財源即將飛入市府的荷包內，事實上固然感到困苦，心情上亦不免深感彆扭，却不能空口爭執，破壞行政體制，乃想出這項「省會仍設於台北」的方法，向市府「眾司」一下，盼望高市長不必攤牌而宣告「拍士」，同時對中央撒嬌，取瑟而歌，表示省府不能隨便喪失惹大一筆財源，以致影響生存，實則這種手段未免太笨拙了。省府儘可根據事實困難，請求中央權衡省市利害得失狀況，作合理的處置，彼此都是國家的財產，自有中央作主，用不着打出這樣的翻天印，形同無理取鬧。台省府之遷赴南投霧峯，原係中樞核定施行的，因遷治而耗費的公帑，至少亦在台幣百億元以上，現在省府無端自行決議，仍以台北市爲省會所在地，寧非視國家政令和建設爲兒戲嗎？若就政治紀綱而言，該省府當局可謂不識大體，應受申斥纔是呢！（六月廿八日發生於台北）

（上接第一版）

——使以拋物綫軌道向目標——北越便以迅速轉移與僞裝誘敵辦法（特別是防空高炮及飛彈陣地之急速轉移，與火網的部署態勢之極其快速），往往使美機在攻擊中不但撲空，且極易落入火網而遭擊中。

（三）快速運用人力方法：越共的人力動員、組織、運用之快速，能在四十八小時內搶修道路橋樑，恢復鐵、公路的暢通。萬一不能在四十八小時內修復，即動員大量人力與獸力，經由其隱密小徑或水道運輸，或以快速度另築便道以維持交通暢通。

（四）舊技新用：混合各型防空武器編成由最低空到最高空的火網，藉以增加美機空襲之損失。遍植尖竹於平地或戰場，使直昇機無法降落，並增加空降人員及物資的損傷。山頂裝置火力（從輕兵器之機槍到重炮）突襲山谷飛行之美機。……

從空中奠定越戰勝利基礎

自從美機轟炸北越後，北越即將飛機移至中國大陸（多集中廣西省）或隱藏於山洞，並以僞裝之假飛機誘敵轟炸，然後以防空火網包圍美機。……總之，北越是全力避免與美國空海軍正面交鋒，而另行設法以期消耗美方戰力。如此，即使是美國能夠以炸迫和，北越海空軍實力仍是相當完整的。這樣，北越便可藉此實力待機應變，或是作爲再度南侵的本錢。

善用空中武力

欲將北越逐出戰爭圈外，最迅捷可靠而且最低廉的方法，便是轟炸海防港。將大部份空軍用於轟炸道路和車輛，不可能產生決定性效果的。除此之外，便只有近數月才大量推行的以噴射戰鬥機的混合武裝直昇機掌握戰場勝利途徑較爲有效。但這僅只限於對付南越境內的越共游擊隊，不能在短期內迫使河內臣服。這樣的百年戰爭方式，不是美國所能負荷得了的。

目前，美國已大爲減少戰畧轟炸機B—52的出動，却大量增加各型直昇機和加強噴射戰鬥機戰力，業已改變了南越整個戰場形勢。如能進一步地擴張轟炸北越主要戰畧目標，特別是港口、電力、水壩（這是麥納瑪拉認爲「對越南的戰爭沒有基本上的重要性」而爲美國三軍將領所反對的目標），如能作有效的摧毀，再配合直昇機與戰鬥機在南越的追擊越共游擊隊，當可在短期內扭轉整個越戰局勢。不過，這仍需配合陸海軍的協調一致。更爲重要的，則是先求奠定情報戰的勝利基礎，才能確保空中武力的有效運用，而發揮最大戰力，進而掌握整個越戰全面性的勝算！

由於政治目的限制美機在越戰中的自由運用，由於政治家及文職官員爲飛機選擇目標的謬誤，使美機在越戰中投資大，損失重而收穫小。當美國支付越戰戰費迅速地超過每年兩百億美元大關之際（美國登陸月球的太空十年計劃全部經費才兩百億美元），當北越空防力量顯然地日漸增強之際，如不善用空中戰力去奠定勝利基礎，則長期拖戰，勢將使美國所付代價增高至不堪承受的程度！這樣的話，問題就嚴重了！

當敵人太強，我們太弱時，爭取時間的長期拖戰，那時間對我們是有利的；否則，便是大大有害的。爲避免北越藉拖戰以削弱美國的力量，美國應該重新檢討空中武力在越戰中的運用政策了！（完）

以色列大捷的軍事意義

○宇文華譯○

由於首先便把埃及空軍癱瘓下來，達仁將軍這樣便能夠將他的飛機投入於西奈半島，支持裝甲車部隊作戰。他絕沒有回顧後方，以保護他的基地和本國的城市。他知道他的部隊將無可避免地被聯合國再度要求停火的。這是迅速行動的另一理由。雖然此次聯合國發出的停火令比一九五六年時遲緩得多。或許一隻眼睛上罩上一塊黑色護眼片有助於達仁將軍適當地利用他的望遠眼吧。可惜在一九五六年時我們沒有再多幾塊的護眼片。

目前在軍事前綫上情形是怎樣呢？阿拉伯人有什麼軍事可能性供他們利用嗎？倘若和平談判破裂是出於他們的自願或立意破壞的話。在我（本文作者史托威爾將軍）看來，埃及人咎由自取，在今後若干年，將不再是一支可怕戰鬥部隊。他們撤退過運河，在意識上，這已經是一次埃及人的鄧荀克，他們昔日誇耀的坦克力量是甚少能夠生存的。他們在最近將來是否可以再度進攻，似乎要看埃及軍隊是否能從別的地方獲得重新裝備及增加生力部隊。

阿爾及利亞或許是一個關鍵國家，假定他和蘇俄——供給阿爾及利亞軍火——是願意填補埃及的軍事缺口的。阿爾及利亞仍擁有進步的裝備，那是埃及已經在戰場上喪失的；而且她有極大的工藝能力和最佳的作戰經驗，那是任何一個阿拉伯國家所不及的；故此她在阿拉伯世界中可能是一個基地，遭受重大打擊的埃及陸空軍可以從那裏重新裝備的。此外，她當然可能在埃及展佈自己的軍事陣容的。但即使她和其他阿拉伯國家願意這樣做，開羅將需要時間和狡滑地保持這種競爭下去。

關於以色列方面，很顯然的，他們並不準備匆促從他們現在保有的地位撤退。他們不打算說：『那是一場很好的馬球遊戲，現在讓我們返回天幕處休息。』但是他們的軍隊保持充份的戰鬥隊形更長久，對于他們的經濟便有更大的損害。他們的士兵多是從重要工業中動員，這些工廠是不能無限期停工的。此刻，以色列是中東無可爭辯的勝利者。一種軍事眞空已在它的周圍出現——特別是那裏往日有埃及，約旦和敘利亞軍隊站在它的邊境上的地方。這種眞空怎樣纔能用一種安全方法加以填補呢？當一九五六年我們由蘇彝士撤退，以及聯合國部隊進入寨得港時，我對御道說是種子，由它可以發展爲一種有組織的軍隊，以及維護世界隨時隨地所需要的和平。難道這樣一枝聯合國部隊現在不能發展嗎？不是僅派數名觀察員和邊境巡邏隊便算事，而是有兩師或三師配備精良的陸軍，附有裝甲，炮兵和降傘部隊，有它自己的空軍，並有一艘航空母艦和數艘驅逐艦加以支持。聯合國有這樣一枝部隊供它差遣，不僅能夠維護世界的和平，而且在和平受到威脅時可以強力執行，不論是否在中東或任何其他政治戰場。（下）

大雪山下

・本報記者王永亭・

▲大雪山——台灣橫貫公路間之風景區，是由國軍退除役官兵，以血汗化腐朽爲神奇的結晶。其風景之優美雄奇，使觀光人士讚不絕口，流連忘返。山麓附近由南投、台中縣市爲憑依，台中日月潭的湖光波影，毛王爺的高山舞蹈，點綴其間，在在引人入勝。

▲台中市爲五省轄市之一，向有「文化城」之稱，由於靠近省會，市面充滿一片繁榮。但此都市，却亦包藏了無限罪惡：酒家林立，黃色咖啡室的充斥，種種燈紅酒綠、歌舞昇平的現像，又使人深惡痛絕。蓋因南北均城市市展開懈亂進軍運動，沒有合法性的東西立不住脚，於是才湧集在這個城市來掏金，而窮源竟委，亦是當地主管官署敷衍塞責所造成。

▲中縣縣長林鶴年，政治抱負固然要得，竟日在外爲百姓奔忙，辦公室除一秘書及服務小姐而外，似空城一座，經常難見縣太爺之面。日前記者在縣太爺公廨與曹秘書閑聊，據曹秘書謂：「縣長是民選的呀！連婚喪喜慶都得親自參加」。但縣長爲行政首長，豈可捨本逐末光拉公共關係，荒廢政事，爲能爲民服務。當你赴縣府參觀一週，可見各辦公室職員座位上，不到二分之一在處理公務，有些職員更怡然自得的，以看報喝茶爲奉行故事。基此，積壓公事，自屬當然。

瀛海異聞談

左手人組會爭平等權利

桑雅

慣用左手的人，由於與大部份用右手的人有異，因此，遭受一般人的歧視和排斥，甚至指其爲不祥的人。現在這些左手者，感到這是不公平的待遇，由一位左手者爲領袖，組織左手會，於是成爲世界上一個具體的組織；這個領袖向世界各地的左手者呼籲，號召他們的聯合起來，要求作平等的對待。

五十四歲的作家兼廣播員米高·巴斯，創立左手會目的是使二億慣用左手的人是能於大多數用右手的社會中，公平的生活。

米高·巴斯指出：「在英國，我們要進行作更多特殊工具的運動。比方，我們爲什麼不能以左手開支票簿，書寫其中一張支票？我得像一個左右手運用自如的人。」

他又補充的說：「許多工具，陸續爲慣用左手的人而設，像左手的熨衣板，鏟子，刨薯仔機等，都先後製造中。我們亦將通知所有的會員，究竟可以在什麼地方買得到這些東西。」

「在其他國家，我們也許遭到歧視，」米高·巴斯又說：「在共產國家和其他一些東方國家，是不許學童用左手寫字的。」

米高·巴斯所創的左手會，擁有許多知名人士和社會名流爲會員，其中包括著名影星查利卓別靈，四披頭士之一的保羅·麥嘉尼，謝斯馬菲士，諧星丹尼基和女星金露華。他們都是慣用左手的人。

米高·巴斯解釋說：「社會對於慣用左手者的偏見甚深，因此而成爲我們面臨最大的問題。根據聖經裏的記載，說魔鬼是常常使用左手的，聖經裏又顯示右手是掌權的手。」

他又說：「其實一個人之使用左手或右手，都是於生出後視乎自然用左手還是右手的。然而世界上各地的傳統，都認爲「左」，總是與不祥或骯髒有關。在法國，認爲「左」是使人討厭和可憎的。在意大利中，則認爲是不吉利的，意思是會遭遇意外。至於葡萄牙，左是衰弱或禍患。吉普賽人表示左爲魔鬼的意思。」

即使在英國，對於慣用左手者，都認爲不祥的。因此米高·巴斯認爲這實在是不公平的。於一九五一年，在英皇喬治六世發表聖誕文告廣播之後，他對於替左手者鳴不平，感到很濃厚的興趣。英皇喬治亦是個使用左手的。他在孩提時，被迫使用右手寫字，根據一些專家說也許由於這原因，引致他發生口吃的習慣。

在他最後的一次吶吶的廣播中，其口吃程度更甚。於是米高·巴斯便將整段廣播文章刪掉而改成有條理的演詞。米高·巴斯後來決意撰寫一本關於慣用左手者的書籍，經過他底十五年來的研究，至去年秋天，他的著作出版了，名爲「左手的書」。售價定三十仙令。

由那時起，米高·巴斯遂成慣用左手者的領導人物，許多國家的左手者紛紛寫信給他，把他視爲領袖。於是更促使他創立左手會的決心。

米高·巴斯說，人們在可悲的情況下生長，因爲他們只是想 知道慣用左手 的所需而已。但是如果他們能認爲左手者也一樣是能幹的手時，其生活不會那末可悲，而會更愉快的。

米高·巴斯的父母，並不重視右手，沒有一定要其子務須使用右手的念頭。

英國南域主教馬雲·史托活說：「我是還用左手的人，這並非是我的過失。但在我還是個孩子時，因用左手即受到懲罰了。我嘗試和哭起來，可是當校長轉身走了，我右手拿的筆桿，又交到左手去」。

米高·巴斯在他的著作中列舉出英國國內對於慣用左手者許多不美之綽號。最後他說：「現在正是我們慣用左手者站立起來謀取我們權利的時候。」

憶岱琪姊姊

紫雪

「小妹妹，到我房裏來玩！」

我在湖濱旅社的長廊上遇到她。她是一個臉色蒼白，帶着幾分憂鬱和沉默的美麗女郎。我八歲時那一年的春天，隨着父母到杭州渡假，爲了便於遊湖，母親選定了靠近西湖的湖濱旅社住下。她——岱琪姊姊，便是那個時候認識的。她的房間和我們是對門，當我們搬進旅社的時候，她早已在那裏了。不幾天，大家亦就很熟了。

岱琪姊姊的身材並不太高，腰肢却很婀娜，行走起來，像春天的楊柳。她的膚色，在她不化妝的時候，有些蒼白，但經過稍稍塗抹，便像桃花般的美麗。

有一天，我偷偷的溜進她的房間，她正在把玩一枚小小的蝴蝶別針。這枚蝴蝶別針是用珍珠串成的，非常精緻。

「眞漂亮！」我說：「我也有這樣的別針，該多好！」

「這枚別針，是別人送給我的紀念品，」她說：「我不能送給妳。可是，我一定要送一隻比這個更美一些的別針給妳。」

「什麼是紀念品？」我問，「是誰送給你的？」

「啊，我怎麼能告訴你呢？」

她那雙會說話的眼睛，失神的看着我，使我以爲是我惱了她，便不敢再做聲。

她的房間佈置得異常之雅。窗布是湖色的，床單也是湖色的。書架上堆滿了封面上都是寫着外國字的書，我自然一個字也不認識。

「妳是一個大學生罷？」我問。

「過去是的，」她說：「現在已經不是了。」

「爲什麼？你畢業了？」

她沒有說什麼，只是微微的笑了笑。

「妳的家在那裏？」我問：「是蘇州嗎？我的舅母也在蘇州，妳認識她嗎？」

「我沒有家。」

「爲什麼沒有家呢？」我奇怪的問，「凡是人都有家！」

「妳不懂，孩子。長大了妳才會明白。」

兩天以後，岱琪姊姊果然送了我一枚上面雕刻着一個小女孩跳舞的別針，我高興得抱住她，吻她。

杭州的春天，在落英繽紛中慢慢消逝，天氣一天天熱起來，西湖的瀲灩波光，翠微山色，母親流連不忍離去。爲了公務，父親留下母親和我們三個小淘氣，獨自返回南京。父親不在旁邊，我們更是得意忘形，可以自由自在的去捉蝴蝶了。

一天，母親出門，把我和兩個弟弟交託給岱琪姊姊看顧。正是初夏的季節，她穿了一襲雪白的旗袍，更顯得丰姿綽約。領着我們姊弟三人，去白堤乘涼。沿着湖濱公園走去，公園裏的遊人很少，只有幾個悠閒的老人在樹陰下垂釣。（上）

酒吧兩姊妹

綠窗

阿枝啜泣着，半晌，才喪魂落魄的說：「他媽不答應。幾天前他向他媽提起時，便給一口拒絕了。這幾天託了好多人去說情，都沒有結果。最後她問敏光，要她呢還是要吧女？」

阿桂插嘴說：「難道吧女不是人，敏光怎麼說了？」

「他還能怎麼說？只怪我們自己的命不好，我和他的事今天已經完結了。」說到這裏，阿桂從手提包裏拿出一張支票，交給了母親：「剛才他給我這張二萬元的支票，說是他母親給的。本來我想當面把它撕掉，後來一想，拿回來可以還債，阿桂也可以不到那個倒霉的地方去了。」

姊姊的話深深的感動了阿桂，她驀地撲了過去，把頭埋在姊姊的懷裏，低低的哭泣。

二萬元是姊姊幸福的代價，但姊姊却把它用來鋪出另一條路，讓妹妹不致再蹈覆轍，這是多麼偉大的犧牲啊！想到這裏，阿桂挺起身來，高聲的說：「不！我去找敏光。我們不要他二萬元，要他和你結婚。」

阿枝按下了激動的妹妹，凄然的說道：「沒有用的。我想過了，他也夠痛苦的，不要再去惹他心煩。反正有這兩萬元可以還債，我們不用再到那個地方去了。」

第二天，她們從銀行領回這筆款子，正在商量如何還債務時，郵差送來了一封信，是爸爸從另一個地方寄來的。阿枝把它拆開，信上這樣寫着：

「阿桂，阿枝！爸沒有面目再回家了，以後永遠也不會回來，你們就當我死去好了。這幾個月來我連連賭輸，欠了七、八千元的賭債，被人迫得上天無路，入地無門。只好把家裏的房契拿到高利貸那裏抵押，借得了二萬二千元，還了賭債之後，又想翻本，不料一夜之內，輸得光光的。這筆借款的期限是一個月，如果籌不出錢還他，只好交出房子。我不能多說了，和你媽媽商量吧！」

阿枝不覺身子晃了幾下，跌在地上，昏了過去。醒來的時候已是睡在床上，母親和妹妹坐在床沿，她們的眼睛都哭得又紅又腫。

「媽！你看怎麼辦？」阿枝慘然的問着。

「……」媽答不出來。

「事情已經到了這個地步，還有什麼辦法呢？這二萬元只好留給那收高利貸的人，不夠的我再找六老板想辦法。」阿桂擦着眼淚說出她的辦法。

「再找六老板？」母親痛苦的反問一句。

「我們的命生成是這樣。媽，你到巷口去找老王，叫他的車等一會來送我上班。」阿桂說着，走向梳粧台去。

「不！阿桂，你不要去，讓我去！」阿枝從床上掙扎起來，大聲的嚷着。姊妹兩人，緊緊的抱在一起，房間裏籠罩着無限的幽怨和無限的哀傷。窗外，細雨被陣陣的斜風，送進了屋子來。（下）

「新三國」自序

周燕謀

中國數千年歷史舞台上，三國時代是最精彩，最突出的一幕。陣容之浩大，演員之衆多，實可謂英雄如林，豪傑如雨；英豪用武，角力鬥智，奇謀詭譎，爾虞我詐，互爭雄長，無所不用其極；是以多彩多姿，盛況空前。

自三國而後，三國故事，口碑徧於民間。說書人見機敏作，「說三分」首開其端。戲曲家繼興其風，小說家復推其浪，掀起了壯麗的瀚濤，高潮迭起，蔚爲壯觀。因此，中國人不知三國故事的，可說是渺渺無幾。提到三國故事，無不津津樂道，興味盎然。筆者當年混入小說天地時，首先就侵入「三國演義」的領域，沉醉其中，不知凡幾，似乎百看不厭，可以說得上標準的「三國迷」。樂之迷之，不期然而然的擴大了三國的領域。由「演義」的天地而躍進「史實」的世界。在「三國史」的世界中，縱橫不法有年，除了擴充開拓了三國史新疆土之外，進而發掘到三國史的新天地。然後低首顧盼，乃覺得「三國史」的世界與「三國演義」的領域有迥然不同的境界。「演義」猶如太虛幻境，五綵紛繽，多彩多姿；而「三國史」却是人間世界，實實在在。從那時候起，我便從「演義」的太虛幻境中醒覺過來，深覺「三國演義」之幼稚可笑。我除了一點童年好奇心的回憶之外，可以說是一無所有。而今，我不僅要大胆的否定所謂「眞三國」的俗見，更進而認定「三國志」也並非百分之百的正確。但是，三國演義已深入人心，在先入爲主的觀念下，使得眞正的三國史實，反而爲人們所不知。因此，我的「新三國」之誕生，就有了第一個動機。動機是必須有正確的理論作基礎的，因此，我必須報告「新三國」誕生動機的理論基礎。

「歷史演義」即「歷史小說」，歷史小說是以歷史上的人、事、物爲原始素材，然後加工改造。歷史上的人、事、物不過是小說家構成故事的符號。歷史人物的靈魂已被揚棄。歷史爲史家的記實，小說是文學家的創作，不僅形式有別，而且性質各異。一朝一代的歷史是固定不變的，歷史小說，是經過時代的演變增益和改造的文學。歷史是靜的記實；小說是「動」的文藝。歷史以求「眞」爲貴，小說以求「美」爲高。求「眞」是史家的精神，求「美」是文學家的技巧。歷史與小說之不同，豈不是昭然若揭嗎？

演義家爲了達到「美」的意境，他首先肯定了創作的旨趣，創作的旨趣和求「實」的史家旨趣恰恰相反。求「美」則貴在生動，誘惑；爲達到此目的，他要把歷史重新估價，重新安排；把歷史人物重新塑造，重新化裝開臉；甚至改變氣質，純化性格；進而加以誇大、渲染，附會、穿鑿；更可無中生有，有之反無。如此一來，三國史上的人物，個個變臉變色，面目全非，使死去的三國歷史人物，個個以另一姿態出現。（上）

中華民國五十六年七月一日　自由報　星期六　第四版

平劇繽紛錄

談「張飛戲」

○桂良○

談戲劇者每好談歷史，其實歷史與戲劇，二者的內容是截然兩事。（從來不曾聽說過，根據歷史而編戲，有稱歷史劇者，其取材並非全是史實；而是擷取自稗史、演義、小說、鼓兒詞等；因爲它們多有渲染、特寫、補充，或者是翻案等。）也有些戲劇，超過演義、小說等之外，如：關公月下斬貂蟬、黃鶴樓，前期所談「張飛戲」「砫碣山」等，多是「無中生有」，可是鞭辟入裏，盡情合理，而富有戲劇性。

如「黃鶴樓」一齣，雖出虛構，並非全無來歷，它和演義不無關聯，乃依據赤壁鏖兵之前，周都督以令箭付孔明前往南屏山，孔明拿到令箭嗆對兒：「今日令箭到我手，一來日還箭黃鶴樓。」編劇者即緣此附會；事雖捏造，頗見用心之巧。元人雜劇原就有：「劉玄德醉走黃鶴樓」一劇，雖經過改編，適合舞台演出。單就戲來講，平劇雖無史實根據，却不是毫無來源可尋。此劇地理背景的「黃鶴樓」，東吳雖曾戍守其地，但仙人乘鶴的傳說，實起源於晉代。三國時，已否有樓？的問題，更不談玄德有無赴會之事。今人所曾見的「黃鶴樓」，乃清末端方撫鄂時就廢址所建的警鐘樓。

連期談「張飛戲」已七齣，如「耒陽縣」爲生、淨合演之戲，張飛則並下期「造白袍」，張飛正戲只有七齣半。談者說：「馬超戲」只有五齣半，讓成都之馬超戲，只算半齣，則前者比後者，只多兩齣而已。

本期所談張飛戲「滾鼓山」，亦在演義之外，編劇人的着眼，是在演義：「關公敗走麥城，是命廖化到上庸求救。劉封、孟達商量後，拒不發援兵。」廖化大驚，日如此，關公休矣！廖化知事不成，乃入川望成都而來。作者多想一着，於是廖化先見張三爺，一體哭訴前因。閬中比成都更近。張飛大怒，自己帶了人馬，命廖化前往上庸，見了報告漢中王。此齣，劉封不是小生打扮，而是丑角，黑豆腐塊，吊搭應工。劉封戴紫金冠，插獨尾翎。三爺仍是架子花，黑扎，用語言矇騙他，說：「我大哥做了皇帝，知立阿斗爲太子，你三老子有些不服，想保你坐江山，你意下如何？」劉封信爲眞，立刻答話：「我若得了江山，封你一字平肩王，但不知如何的保法？」三爺說：「這麼辦，我把你藏在鼓裏，你身帶一尖刀，一同去到成都，見了你父王，我把鼓一敲，你便出來，將你父王刺死，大事可成。」劉封不知是計，依言鑽進了鼓裏，張飛却把鼓搬上高山，問他：你若得了江山，封我什麼？劉封在淬搭椅的椅帔下說：一字平肩王。張飛罵道：一字平肩王，我送你一個閻王！把鼓向下一推，連人帶鼓跌成粉碎。所以戲名「滾鼓山」。（完）

我的爸爸了不起

○北固○

一套深藏青色的西裝，褲子後面及肘關節處都有一塊美麗的裝飾（媽媽縫補多次的痕跡），一雙美麗多多的皮鞋（因爲到處都是經過修補的，所以說美麗多多），這套衣服，這雙鞋子，穿在一個高大肥胖的身體上，越發顯得它有不同凡響的價值。這個高大肥胖的人，便是我的爸爸。

我說爸爸偉大，一點也不誇張。家庭裏有了他，永遠快樂融洽；公司裏有了他，永遠也不必發愁有一天會倒閉；團體有了他，各個分子必定健全；社會有了他，周遭的人都會向着吃苦耐勞的方向邁進；國家有了他，多增加一分外匯。不信嗎？請聽我一一細訴。

爸爸是一個非常達觀的人，相當富有幽默感。每次媽媽或者我們心情不愉快的時候，只要爸爸說幾句笑話，我們立刻便會笑彎了腰，把滿腔的不愉快，都一股腦兒拋到九霄雲外去了。同學們到我家，也都喜歡找爸爸聊天；記得，有一次，五位同學一齊到我家來玩；適逢爸爸在家，我就到內屋，請爸爸出來陪同學們聊天，你猜我爸爸怎麼說？他說：「我才不敢出去呢！我看到那麼多女孩子嚇得頭都昏了。」我說：「您不怕我嗬！」他說：「你一個人我還對付得了，多了我就沒辦法了。」此話一出，我的同學們在客廳哈哈大笑，非請他出去不可。

爸爸沒有一點嗜好，可是他樂善好施，這一點，就比有嗜好嚴重多了。所以爸爸雖然收入豐富，我們的日常生活却不能不異乎尋常的節省。常言道：「有借有還，再借不難」，其實對我爸爸來說，「有借無還，再借不難」，也是行得通的。那些叔伯們借了錢不還，也是有道理的。「譬如借錢做生意，可是生意垮了，當然沒錢可還；若是生意興隆，錢更不能還，因爲生意興隆，就須要較大的資本，所以不能還。借錢結婚，更不該還，因爲婚後須要生活費，生產費，收入和以前相等，開支却大大的增加，當然不還更有道理。」就由於爸爸這些令人難解的邏輯，我們收入雖豐，却不得不克勤克儉。十餘年前，王叔叔死的時候所贈的老爺收音機，三條腿的凳椅，搖搖擺擺的凳桌，搖籃式的沙發椅，幾經修補的窗幔等等，眞是使人看了，又好笑又好氣。時常，我們在聽廣播的時候，收音機裏沙沙聲大作。有一次，我提議買個新的，爸爸說：「過些時爸爸有了錢，就買個電視、唱機、收音機三用的；現在買了收音機，到時候就派不上用場了，那多可惜！」我聽後無言以對。在學校裏，看到同學都穿的那麼時新的衣裙，回家便向父親提議：「爸爸，您應該做一套新的西裝了，不是嗎？」（其實我心裏在想自己做套新衣服）可是爸爸却說：「我坐辦公桌，磨衣服磨得厲害，穿新的衣服倒不如穿舊的自在。」我聽了，不好意思再說下去了。他——我的爸爸，永遠不以自己的破衣服，爛鞋子爲恥；我有時看到人家穿着的那麼時新美麗，不免有相形見拙的感覺，但一想到爸爸，便立刻坦然無比。

爸爸雖然是公司的經理階級，但是從來不遲到早退；因此，爸爸的同事也不好意思有此弊病。爸爸因事到日本去一次，在日期間，空閒時間不去遊覽名勝，却跑到餐館去幫忙，賺取留日學生資助學雜費。中國有你說的這樣偉大的爸爸嗎？

爸爸對媽媽什麼事都溫順和祥，做什麼事都徵求媽媽的意見，眞正是所謂相敬如賓。自我記事那天起，就從來沒有看到爸爸和媽媽有過嚴厲的聲色，對我們兄妹，也是慈祥和藹。他從不以嚴厲的聲色對待我們，一起聊天，他和我們一起玩，一起擦地板，一起栽花，無論做什麼事，幾乎都是全家一起動手；我們兄妹不會因爸爸加入而感到不安。爸爸的這些特點，便是我們認爲爸爸也是偉大的地方。

周佛海爲何叛國？（中）

諸葛文侯

周氏具有強烈的政治慾望，自信滿腹經綸，必求得當以顯，要做些福國利民的事業，但他忽視了中國社會所受傳統文化思想的禮敎影響，即政治與倫理之不可分性，深中於人心，幹政治生活——尤其是居高位的人，必須講究品德。佛海沒有烟酒賭博這些不良嗜好，却極好女色，並且不擇手段地肆無忌憚，爲所欲爲，因而頗不理於衆口，妨害了前程。別人認定他是個學有專長的風流才子，殊非廊廟之器，他自己却自負爲非常人物，懷才不遇，居常快快缺望。民國廿七年他在重慶受任中央黨部代理宣傳部長伊始，我向他道喜，他慨然謂：「做黨官有甚末意思？何況還是代理的！」此與當年陸軍大學校長蔣百里在廣西宜山逝世後，楊耿光（杰）拒不接受「代理校長」的使命，說是「蔣百里可以作正式校長，我楊耿光爲甚末就只有代理資格？」同屬牢騷之詞。所以，我認爲佛海在政治上深感抑鬱失意，乃是他變節叛國的基本因素。

佛海於民十六年宣言「逃出武漢赤都」後，反共意志甚堅決，迨對日抗戰之役發生，中樞採取全國各黨派一致對外，襲循政策，承認共黨合法存在，他的內心頗不謂然，但亦未便有所論異。迨武漢失守，中央政府播遷重慶，原有中央黨部爲聯絡文化界人士而設置的「藝文社」諸幹部份子，自佛海以次皆聚集渝州，他們常在一塊座談國事，兼及共黨問題，號稱「低調俱樂部」，而指「抗戰必勝，建國必成」的口號爲高調。他們認爲對外戰爭時期愈久，共黨發展的機會即愈多，內憂將隨着外患而激增，國家前途殊屬可慮。未幾，宜昌亦被日寇攻佔，重慶岌岌可危，而日本內閣總理近衛文麿又發表「不以重慶的國府爲和平談判對象」的宣言，同時英國且封閉我國僅有的國際交通綫滇緬路，他們對於抗戰前途的信心有些動搖了。當時候，最高統帥蔣委員長常駐在桂林指導前綫軍事，汪兆銘以國民黨副總裁坐鎮重慶，時日多暇，很自然的常與周佛海一般人晤談，對周氏且表示慨惜相借，而極盡讚許說服以重慶和談手表，暗裏仍託由留在上海、香港之間的金融界巨子周作民，與我行政院長孔祥熙私和談問題，汪氏和「低調俱樂部」人士固知道這回事，他們當然希望和平實現，但不敢公然倡導而已。

旋汪兆銘以中監會組織廣東省府，派李漢魂爲主席，事前未讓他預聞，深致不滿，憤而作離渝之計，日寇早已秘密向汪有所勾搭，汪認爲孔院長既可從事和談，乃藉題出走，「試一下」，「低調俱樂部」諸人對汪表示同情共鳴，於汪赴河內後，亦陸續離渝了。有人說，如果汪在河內沒有被暗算襲擊而誤死曾仲鳴的事情發生，或許他還不致於受日寇引誘，急於赴京滬組織僞政權，此話殊不確。因爲周佛海離渝時，河內之變尚未發作，周氏臨走的前一天，曾約我到他的寓所——重慶中南銀行樓上——密談，很坦白地告訴我他要赴昆明轉至香港，理由是重慶將不保，政府勢必遷避西康，他不想再過流亡生活，當時我不同意他的見解，他亦不同意我跟他採取一致行動，彼此辯論了一番，最後我聲明：「我雖不贊同你，決無損害你的意思」。次日我到珊瑚壩機場送他，兩人站在水泥場上，佛海笑謂：「你若去報告政府，馬上可以把我扣留下來，包管你馬上飛黃騰達」。我作色道：「佛海，你把我看成甚等樣人呢？」他忙說：「我是開玩笑的！」即此可證明汪之北上開府叛國，與河內之變無關，祇可惜當日愛國志士的博浪椎一擊不中啊！

試談偏愛的諸葛亮與神化的關雲長

讀「署評諸葛亮與關羽」之後

周燕謀

原來關公自唐以來，早就被帝王尊奉爲戰神，配享武廟，宋時已請他「從祀武成王」了。後來明太祖洪武二十年，（公元一三八七）敕令建廟于順天府正陽門甕城內。我們看將瑞麟所引的「老圃叢談」記載，再看關羽還要登上帝寶座。「明永樂時……每見神前驅如關公……：乃制崇祀，五月十三日制。萬曆四十二年，乃遣司禮太監李恩捧旒袍封大帝。關公之稱帝自此始」明憲宗成化三年，再封「漢壯繆義勇武安顯靈英濟王」。（見是年泰和陽堀關帝廟記）到了明嘉靖十年改稱關王爲「漢關壽亭侯」。這是「關帝」尊號第一次出現。隨着明朝國運式微，關公的神格越來越高，並且實行帝王之禮。「老圃叢談」卷五說：「萬曆十八年加封帝號，特頒袞冕肆輯關首冕服次巾，又次公幞。又賜「顯佑」。二十年從督河工潘季馴請，賜坊「英烈」。三十三年，太監奉旨到正陽門上九旒冠一。」至此，宗教的神道名號而正式成立「關帝君」帝號。不管帝王能否封「帝」，而歷代的神職神權，都由帝王來封。到了明熹宗「天啓四年：奉皇祖特封「三界伏魔大帝神威遠鎮天尊關聖帝君」。神號美稱一大堆。演進至此，關公已坐定了「帝君」的寶座，神祚穩固，誰也莫可奈何。不僅如此，而且尚有人稱「關夫子」以及「關聖」呢！與「文聖」孔子分庭抗禮啦！到了清初關公的神格已全程登峯造極。順治九年，封「忠義神武關聖大帝」。清人隆重崇拜。姚先生說是受了演義的影響，那末五代宋元又如何呢？至於宋元明清各朝，爲關公建廟，重修者，祇不勝書，爲了一再縮短篇幅，只好忍痛割愛不論。

姚先生說關羽死「忠」是一個人的私恩。又說關羽死時，劉備尚未稱帝，不是「忠」君。又說關羽並非忠漢，而是「伐漢」。如此論調，已屬自相矛盾。關羽之忠於蜀漢，忠於故友（五倫之一）不是忠？以爲諸葛亮之忠於劉備及後主才算忠，此話恐難苟同，而且自相矛盾。（九）

家庭生活多溫馨

○紫薇○

茅廬生，說到才，他尚年輕，剛出了學校，還是什麼高材生，得了獎學金，他並不除了……少人獎狀，超人的「智、學」，只是「他虛心求進」。「他時時求學，待人都非常虛心，不甘落後」。謙虛的年輕人，從不自吹、自誇，着他中年人的穩重，當考取高考及技師時，長官親友都送他紙，他學化學，而不輕浮；然而我們客廳牆壁上只掛了一對聯，銀盾，單調的：「一把一個日曆，東西之理由，是因爲那些掛個會令人自醒自我陶醉，還是在他的書桌玻璃墊上，寫着：「欲窮千里目，更上一層樓。」了一張座右銘，寸光陰一寸金。」[illegible]（二）

內警台報字第〇三一號內銷證

自由報

THE FREE NEWS

第〇七七期

中華民國僑務委員會登記證僑新字第三三二號
中華郵政台字第一二一二號執照登記爲第一類新聞紙類
（每逢星期三、六出版）

每份港幣壹角
台灣每份新台幣貳元

社長：雷嘯岑
督印人：黃行雲

社址：香港銅鑼灣高士威道二十二號四樓
20, CAUSEWAY RD 3RD FL.
HONG KONG
TEL. 771726　電報掛號：7191

承印者：大同印務公司
地址：香港北角和富道九六號

台灣分社
台北市西寧南路壹零號二樓
電話：三〇四三六
台郵政劃撥儲金戶九二五二

從以阿之戰談決戰求勝之道

宋文明

這次中東之戰，從以色列對約旦講，只進行了三天，從以色列對阿聯講，只進行了四天，從以色列對叙利亞講，只進行了六天，成了近代世界史上一次爲期最短的國際戰爭。在這一短期戰爭中，以色列以寡敵衆，而能迅速獲致決定性勝利，使全世界都甚感驚異。尤其阿拉伯聯合共和國，在納薩領導之下，十餘年來整軍經武，銳意經營，一般認爲其實力絕不可輕侮，而結果竟不堪一擊，更大大出乎世人意料之外。

究竟以色列這次獲勝的原因，條件及憑藉爲何？阿拉伯方面的失敗又因什麼？這些問題不僅已成爲今日全世界軍事學者及政治學者所研究的對象，而且亦將在一個很長時間內，將繼續困擾阿拉伯各國的政治領導人士。雖然以色列這次獲勝只是一個特殊事例，不足以成爲一個以寡敵衆，以小擊大的共同典範，但這一戰爭的能以引人入勝，也不是沒有道理的。

就我個人對這一戰爭的經過及變化作粗畧觀察的結果，我認爲以色列能於阿拉伯包圍中迅速獲勝，主要係得力於如下各項因素：

（一）一切決定操之於我：以色列政府在決定是否作戰，何時作戰及如何作戰上，一切權力完全操在自己手裏，沒有任何第三者可作約束與掣肘。由於以色列政府得能隨心所欲，完全主動決定自己的行動，所以它便能選擇最好的時機，最有效的手段，進行戰爭，打擊敵人，而毫無其他顧忌。假若以色列不把這種最高決定權操之在我，事事要看他人的臉色而行動，它便不可能有這種結果。

（二）先發制人：在以色列與阿拉伯國家這種近距離的作戰上，誰先採取主動，實行攻擊，誰也就會佔盡便宜。這次以色列獲勝，亦是得力於先發制人所獲得的優勢。反過來說，假若在以色列尚未實行全面動員以前，阿聯採行空中偷襲，一舉先把以色列空軍予以摧毁，其結果又是兩樣。當然在事實上，阿聯果眞如此，則將引起美國的公開干涉，阿聯最後亦將遭致失敗。不過，這也充分證明，先發制人是這次獲勝的重要條件。

（三）集中全部兵力，實行速戰速決：阿拉伯國家在戰爭前夕，雖鼓噪吵鬧，聲囂塵上，而實際并未眞正展開全面動員，甚至空軍尚未進入戰備狀態。而以色列一決定作戰，即將陸海空兵力傾巢出動，集其所有，打擊敵人，所以才能收到速戰速決的效果。

（四）高昂旺盛的士氣：以色列不論其常備兵與後備兵，不論男女老幼，不論在前綫與後方支援，同仇敵愾，人人都知爲何而戰。像這種士氣，爲一般外人所難想像，也不是任何阿拉伯國家所能匹敵的。

（五）健全的訓練與後備兵制度：以色列常備兵雖爲數不多，但訓練極爲精良。後備兵亦然。尤其中下級軍官，個個都是第一流的作戰能手。阿拉伯國家的軍隊，完全不能與這種情形作比擬。

（六）精確的情報與堅強及統一的指揮：根據六月廿一日叙利亞國家安全局長詹迪上校的說法，以色列對阿拉伯各國的軍事情況瞭如指掌，而阿拉伯的國家對以色列的情報則錯誤百出。至於在作戰指揮方面，以色列陸海軍數十萬人同時在四個前綫（包括地中海水域海軍偷襲）作戰，正如一個人的行動，手指靈活，步驟一致。而阿拉伯國家，各有各的指揮系統，即在各國內部，指揮階層亦疊床架屋，顢頇遲頓，常常貽誤軍機。所以就從情報與指揮系統二者來說，以色列的勝利亦是非常應該的。

（七）掌握制空權，癱瘓敵人地面作戰：由於以色列先發制人，摧毀對方空軍，掌握空中優勢，使阿拉伯國家地面作戰失去掩護，完全陷於癱瘓。而以色列空軍所以能夠一舉而把對方空軍摧毁，掌握制空權，主要也由於這次以色列空軍由埃及西北面低飛入境，避過了阿聯雷達偵察，得以突然實施攻擊。

（八）分頭痛擊，制敵於要害：這次以色列作戰，在戰畧上最得意傑作之一，便是一舉而先擊潰約旦軍隊，尤其是經英國長期訓練的約旦軍團。這一仗打勝之後，約旦即宣告退出戰爭，阿拉伯集團的整個東綫便爲之崩解，叙利亞兩面受敵，更使納薩感到大勢已去。

（九）現代化的社會組織：由於以色列爲亞洲及中東最開發國家之一，所以它的整個組織，也已具有充分現代化的特質。它的農村主要是 KIBBUTZ 式的集體農場，人民有堅強的組織，甚至在尼格夫沙漠地帶，也具有良好的交通設施。反觀阿拉伯國家，則是一批落後國家，一羣烏合之衆，加之阿聯所屬西奈半島，除少數遊牧民族之外，幾乎沒有任何社會憑藉，大軍作戰，一切均成問題，試問它們怎能與以色列相較量。

（十）哀兵必勝：這次戰爭對阿拉伯國家來說，只是一種榮辱之戰；但對以色列來說，則是一種生死存亡關頭。阿拉伯國家失敗，它們仍然還是一個國家，若以色列遭遇失敗，其後果將不堪設想。所以對於這一戰爭，以色列沒有失敗的餘地，沒有後退的可能，沒有僥倖的幻想，只有存下背水一戰的決心，從死亡威脅中打開一條生路，以求必勝。這種民族精神，這種必勝信念，這種置之死地而後生的決心，實際也便是決定這一戰爭的最根本因素。

總之，以色列這次迅速制服敵人，獲致重大勝利，并不是僥倖或偶然的，而是它具有精神，物質與時代環境的各種基本條件與憑藉。由於具有這些條件與憑藉，所以它才能在一個四面環伺，人口懸殊的狹小地帶，憂患餘生，獨立建國，一再打敗敵人，而創造堅強不拔的根基。假若任何一個民族或國家，要從以色列這種精神，成就與勝利汲取經驗教訓，也就要先把上述這種種事實仔細加以咀嚼與體會，以期充實自己，健全自己，壯大自己。

「下一家是誰？」

「送來的都是廢鐵！」

今日與明日

緬甸反華

最近緬甸發生大規模的反華事件，僅仰光一地，華僑被害者在五十人以上，其他大城市及鄉村，更不知有多少。此眞是一大刼數，我人應爲不幸僑胞一慟者。

查此次事件起因，固然由於緬人一貫的仇華心理，尤其數年以來尼溫實行社會主義，緬甸物資缺乏之情況，猶如一九六二年之中國大陸，緬人不察，以爲財富爲外國人所攫取，於是養成了仇外心理，而以華僑爲主要目標。

此種潛在因素原不致於即時爆發，適在此時，仰光部份僑校左派學生胸佩毛像持毛書招搖過市，引起緬人怒火，於是一聲喊打，把毛像毛書撕碎踏爛，雙方引起混戰，事情因而擴大，波及無辜華僑，說來仍是受了毛澤東的害。

緬甸小國寡民，自獨立以來，當政者皆猥瑣小人，平日惟以媚共自保，毛僞政權成立時，鐵幕以外第一個予以承認的就是緬甸，其次才說到尼赫魯的印度。尼溫當政之後，更侈言社會主義，結果緬人連一盒火柴都買不到。假若毛澤東思想眞的在世界上找到同路人，那不是阿爾巴尼亞的霍查而是緬甸的尼溫，這麼樣的當政人物，竟然也會反毛，實在毛僞政權已到了牆倒衆人推之境，大家都看透了毛澤東日暮途窮，崩潰在即，所以連尼溫都要欺侮它。毛共除去在北平發動示威之外，一點辦法也沒有，坐視華僑被殺無法援手，惟以示威作爲報復，世間哪有這樣的「政府」！有血性的中國人如何能承認它可以代表我們。

肯亞又逐僞使

緬甸事件未了，東非的肯亞又下令驅逐毛僞政權駐在內羅畢的僞代辦。這件事的發生，有遠因也有近因，遠因是自從周恩來去非洲坦桑尼亞活動時，侈言非洲革命高潮即將到來，引起非洲國家普遍憤怒，肯亞首先提出質問要周酋解釋：革命的意義是不是中共要在非洲以革命手段，推翻各獨立國的政府，[illegible]使周酋大感狼狽，本[illegible]肯亞，[illegible]馬尼亞進行[illegible]開搞翻，肯[illegible]機進境。於[illegible]在非洲活動[illegible]提前回大陸。從此肯亞與毛僞政權就開始不睦。

這次僞[illegible]肯亞國會辯論外交問題時，涉及毛僞政權，僞代辦[illegible]議員在國會[illegible]法律上責任[illegible]幹部從未經[illegible]知議員之權[illegible]提出抗議，[illegible]干涉內政，將僞代辦驅逐出境，並召回大使。看情形毛僞政權的「友邦」又少了一個。（何如一）

自由談

啼笑皆非

馬五先生

毛共份子最近在香港的暴亂行爲，直接受到損害的，都是些中國人，本報基於民主法治觀念和實際利害關係，表示反對，理有固然。老實講，即令這種暴行是出之於自由人士，我們亦復不敢贊同的。然而，毛共的造謠傳單——即所謂報紙的某晚報也者，乃指名謾罵我是國民黨的「黨棍和官僚」，又說本報在海外沒人看，嫉恨之情，溢於言表。

可是，近日我們又接到所謂「驅虎豹戰鬥隊」的煽動傳單，要我們憑着血性與民族感，從事「港九同胞大團結」，「投身到這場偉大的反對港英迫害的民族鬥爭中去。」混身具有「戰無不勝的毛澤東思想」武裝的共幹們，居然願意跟我這個國民黨的「黨棍和官僚」反動派講團結，居然希望我們這張沒人看的報紙「顧全民族大義」，動員反抗「港英帝國主義」。我們始而覺得受寵若驚，繼而不免啼笑皆非，浮起肉麻當有趣之感，你們這套統戰魔術，何其幼稚無聊乃爾呢！

我們是中國人，也有民族思想，爲着爭取整個中華民族的共同利益，可以跟任何一個中國同胞團結奮鬥的。但共產黨人不配談民族主義和愛國主義，因爲馬克思明明指說民族思想是反動的，共產黨人是「無祖國」思想的。毛共份子今天藉民族感和愛國心來煽動中國人反抗「港英迫害」，不特小題大作，枉事犧牲，而其所謂「港英帝國主義」一類名詞，亦就莫名其妙。

海隅的毛共份子今日賣盡氣力爲「毛主席」効忠立功，旨在過關避禍——避免他日被「紅衛兵」清算鬥爭之禍，其情可憫，其志可哀。不過，我要提醒「共幹仁兄」一下：朱德賀龍彭德懷等人，過去對毛共建立的汗馬功勞，比較你們今日在海外唸毛語錄，貼大字報，搞罷工罷市的實績爲何如？現在朱德忽然成了封建軍閥，賀龍成了土匪頭目，彭德懷成了反社會主義的罪魁，一個個都被鬥倒了。如今你們在海外搗亂的一切言行，他日亦很可能成爲清算鬥爭的眞憑實據，仔細想想，好自爲之罷！

台公路局擬購外國客車 機器公會反對利權外溢

政院飭交經兩部及省府迅予研究

（本報記者台北航訊）台灣省公路局即將耗費一筆鉅款，擬向外國採購二百輛新型客車。此事已引起台灣區機器公會的極端反對，結果如何，尚未可知。

昨據該局歐陽主任透露稱：台灣省公路局為採購新車輛，悉數淘汰陳舊車輛，乃於前年擬定民五五、五六及五七三年購車計劃，合計四百五十輛，迄今為止已購妥二百五十輛，尚餘二百輛汽車未購，到底是採購國產汽車或外國汽車？公路局仍未作最後決定。此事雖經台灣省政府及行政院之同意，但因台灣區機器公會的陳情而有所考慮。然而二百輛汽車已決定要買，究竟是向何方採購？公路局正在向上級請示中。

台灣區機器工業同業公會，現有會員工廠七百三十餘家，於五月三十一日假台北市中山堂光復廳舉行第九屆第二次會員代表大會，計出席會員代表共計一千一百三十人。會中對公路局擬向外國採購新型客車二百輛一事，認為大有損害國家民族利益，破壞政府最高決策之嫌，乃通過重要決議，特分向行政院、經濟部、交通部處等有關機關，呈請支持採購國產汽車，以使國內汽車工業得以順利發展，而奠定重工業之基礎。

機器公會以所屬會員工廠均為專機為汽車工業，大部份已成廠，與汽車工業的發展相輔相成，休戚相關；若外傳省公路局此次採購外貨汽車消息屬實，則不獨嚴重打擊國內汽車工業之發展，且使政府多年來維護國內汽車工業之決策喪失無遺。該會會員對公路局此一措施，閱悉之餘，莫不惶恐焦灼萬分。該會在上行政院等呈文中，曾以懇切之詞，陳述如下三點：

（一）省公路局為政府一級之運輸機構，亦為本省最大之汽車用戶，如省公路局可採購國外產牌之汽車，不啻率先領導將國內之汽車市場拱手讓與國外車商，而使本國之汽車工業，影響其發展殊甚。且以後各機構亦可援例採購外國車輛，破壞政府最高決策，致陷該會多數會員工廠於不能生存之絕境。

（二）汽車工業為一集合多數工業而成之重工業，投資既鉅，技術水準亦高，國內工業基礎薄弱，建立此項重工業工作艱鉅，需要時間亦長，實非一般輕工業所能比擬。現時先進國家，其汽車工業之發展，至少須三、五十年，甚至百年以上，且均由政府盡力維護，始得成功。擬請政府注視此點，對國內汽車工業予以時日，容其有改進發展之機會，幸勿在此萌芽茁長之際，使其遭受挫折，全功盡棄。

（三）國內生產之大型客車，經省公路局歷年購用者，達四八五輛之多，已佔該局全部車輛百分之四二強，[illegible]服務者，不可比擬。以是國產汽車之服務工作，向為該局有關工作人員各局所讚許。在省公路局各牌大客車中，國產汽車並不遜於其他國外車輛，據該局調查記錄：

一、平均大修里程方面：甲、汽油引擎平均大修里程：福特八二、五〇一公里，雪佛蘭八八、四三一公里，奇姆西九三、七四五公里，萬國一〇一、二六三公里，裕隆九八、六〇七公里，平均里程國產裕隆車居第二位。乙、柴油引擎平均大修里程：日野一一六、八七二公里，五十鈴一〇〇、一五八公里，天馬一二四、七四二公里，裕隆二四五、六八一公里，國產裕隆僅次於西德之朋馳居第二位。

二、燃料耗費比較：以五十五年為例，各牌汽車每使用燃油一公升，其行駛之里程如下：甲、汽油車部份：福特三、四公里，雪佛蘭三、五五公里，奇姆西三、九四公里，萬國三、九二公里，裕隆三、〇七公里。乙、柴油車部份：日野四、五一公里，五十鈴四、四七公里，朋馳四、四七公里，天馬四、四〇公里，裕隆四、四〇公里。根據五十五年公路局紀錄，全年高雄等五個運輸區柴油車每公升燃料行駛公里比較如下：台北區四、三五公里，台中區四、五公里，高雄區四、九〇公里，枋寮區四、九一公里，蘇澳區三、九二公里，總平均四、五三公里。此五運輸區中，枋寮區所行駛之車輛全為裕隆車，該區多崎嶇山路，每公升能達到四、五〇公里，實屬難能。就以上數字比較，國產汽車各方面均與外國汽車相仿。

綜上所陳各節，認為如果性能良好之國產汽車而不用，反以消耗外匯購置外國汽車，實非我國發展經濟之道。該會復籲請政府召開機械工業發展會議，其中對國內市場如何拓展問題，應由政府機關供需情況施以適度管制進口之結論。故該會特懇呈有關機關打消省公路局擬採購國外汽車之舉，務請支持仍採購國產汽車，以維護國內汽車工業發展。行政院曾令飭交通部、經濟部暨台灣省府對於公路局添購車輛問題，迅予研究，且看下文如何罷！

以色列勝仗的因素

○何濟霖○

這次以色列憑着二百七十萬人口的人力物力，跟那些擁有一億多人口的幾個阿拉伯鄰國作戰，在八十多個小時之內，竟把强敵打得一敗塗地，招架不住。基本原因固然是以色列全體人民的戰鬥意志堅强，精神旺盛，而其優越的戰略戰術和情報工作，殊堪讚佩，畧述數點事實如左：

在戰事爆發之前，以色列不特對於埃及等國的軍備情形和軍事計劃，瞭如指掌，即軍事以外的敵情，亦調悉無餘。例如本年六月初旬——即開戰前不久，埃及各大學生在開羅定期舉行會考，以色列於考期前兩天，會向埃及大學生廣播，說是改日將有重要消息告訴他們，迨會考的先天晚上，以色列乃將埃及各大學會考的各項試題，全部廣播出來，一點亦不錯。埃及方面主持會考的人，要想更改試題亦來不及了！這對埃及大學生和朝野間的心戰作用，十分重大，表示以色列的諜報人員滲透了埃及各界，無孔不入，因而影響敵國的民心士氣，沮喪它的戰鬥精神。

埃及在軍事上的雷達設備數量及其所在地，以色列亦完全明瞭，利用敵方雷達網盡在內陸的弱點，戰爭一開始，以色列的空軍乃從海道低飛閃擊，使敵方雷達無法偵查，所有空防設備，即被摧毀淨盡了。以色列很快的掌握着制空權，敵軍除却挨打潰敗逃命外，沒有還手之餘地。所以，埃及擺在加薩走廊至西奈半島的四萬多精兵和七百輛俄製坦克，并不發生絲毫作用，結果軍隊潰散，坦克全部被俘擄了。

戰爭的第一天晚上，埃及總統納薩與約旦王胡辛電話密談，胡辛表示無法繼續作戰下去，納薩即教他對外揚言英美空軍暗助以色列作戰。這項秘密電話，竟被以色列竊聽錄音了，次日納薩發出英美空軍援助以軍作戰的攻訐之詞，以色列即將這項錄音廣播出來，證明納薩造謠說謊，博得英美的好感，而使納薩啞口無言。

以色列軍隊打到那裏，就有訓練有素的戰地政務人員隨之而來，負起維持秩序與後方勤務的職責，使前綫戰士沒有後顧之憂。同時，又有經過訓練的「少女兵團」，分發在前綫各部隊服務，藉以鼓勵士兵的勇氣，一往直前，視死如歸。以色列的重武器和飛機，都是從外國購置而來的，由於人民教育水準高，科技知識充足，作戰時并不需要外國顧問隨軍指導，反觀埃、叙各國所用的俄製重武器，皆須依靠俄人從場指導使用，以致被以色列軍俘獲若干名蘇俄軍官，而使莫斯科當局大丟其臉。埃及的空軍人員且沒有夜航的能耐，以色列採用夜間空襲的戰術，乃能一鼓而摧毀了敵方的空防設備。

綜觀上述情形，即知以色列以寡敵衆，取得輝煌勝利之果，非偶然也。另一方面表現納薩政權之貪污低能，內部組織鬆懈，而狂妄自大，不堪一擊。今日以色列的成就，大可作為在台灣的中華民國政府的一面鏡子，祇要我們能夠向以色列的軍民看齊，連小學生亦發抒隨份報國的能力，將來反攻大陸，必能以少許勝多許，達到復國的目的，而否定西方人士那種專以人力多寡為戰爭勝負之主要條件的機械論，詎不懿歟！

桃園縣中壢鎮喜事 本月昇格為省轄市

（本報桃園訊）桃園縣轄中壢鎮，全體十餘萬鎮民期待已久的願望——「昇格省轄市」，經台灣省政府九一四次委員會通過，頃於本（六）月十六日奉省府（56）6 16民一字第三五〇六七號令核准，並自本年七月一日起正式改制為省轄市。當此一喜訊傳出後，全體鎮民莫不歡欣鼓舞，決共申賀忱。

中國國民黨中壢區黨部，為團結地方人士力量及促進地方建設繁榮，以迎接「七一改制」，特於本月十七日下午三時，假該鎮中山堂召開中壢市各界促進地方建設座談會，由常委中壢稅捐分處主任謝阿水主持，首先由主席報告會議之重點與意義，繼由邱垂周鎮長作三年來的施政綜合報告。

出席座談會的地方人士計有縣境內國大代表吳鴻森、賴文清，立委伍根華，省議員葉寒青，前縣長吳鴻麟，議長謝科，黨部委員徐少梅，議員、鎮民代表暨各機關學校主管，工商界人士等百餘人參加，盛況空前。

在這次座談會上，除各界首長分別致詞與交換意見外，並討論改制後的市鎮建設與今後努力的方針，經會議決議通過並組成慶祝籌備委員會、中壢市建設委員會及工業與學校策進委員會等三個委會，並定十八日分別成立，積極展開工作。

（一）昇市籌慶委員會：刻已展開搭建牌樓，並決定當日舉行慶祝大會、市民同樂晚會，並發動各里民衆參加化裝遊行，市街各商戶門前裝燈結彩，張貼標語，燃放鞭炮。預料當有一翻空前盛況。

（二）市建設委員會：為達成促進中壢市都市計劃建設及繁榮地方、協助市政等事業發展，亦已計劃將市內中正、大同等主要道路優先拓寬，並盡速改善地下排水系統，增建公廁，加强市區環境衛生的整理，美化市容，以壯觀瞻。

（三）工業與學校策進委員會：亦已極力爭取大中等學校來市設校，並呼籲國內外工商界人士來市設廠，以發展工業，增加地方收入，充實市庫，大圖進展。

中壢這一地區，本來派系紛爭，很難對任何事物得以完善之處理。記者此次參與盛會，從側面觀察，這次各方都是赤誠合作，全力以赴，共同來達成使中壢市政得以有一莫大的改進，羣策羣力地來把中壢市變成為一個繁榮的都市，發展前途，誠未可限量。

歐美澳及東南亞均有買主 香港熱帶魚養殖業 六年來外銷增五倍

（本報訊）近年來香港有一種市民們頗為熟悉，但又未予特別注愛行業，這就是熱帶魚養殖業。時至現在，我們無論在通衢大道，橫街窄巷，或是萬商雲集，中外人士所集中的商業區域，或是窮街陋巷，小市民羣聚的徙置大廈中，水族館、熱帶魚攤檔，都到處林立，隨時可見，即使是挑上幾個小魚缸，隨街擺賣，也招來不少顧客，儼然是一門獨立的生意，能賺上幾個錢。但殊不知它竟然還是頗有大量進出口的國際性貿易呢。

熱帶魚養殖在本港來說是一門新興的事業，它的發展能夠如此迅速地由小到大，主要乃由於利之所在，故使經營者趨之若鶩，前有急劇的增加，目前大致可以分為魚場、批發、進出口及零售四種不同類型的經營方式。其中以魚場及零售商的投資及家數較多，例如前者廣泛分佈於新界地區之上水、大埔、沙田、粉嶺各地，一九六三年僅得三四十宗左右，但到了目前大大小小的各式養魚場已不下千餘家之多，至於港九市區的水族館、熱帶魚商店、攤檔等，更多達二、三千家之衆，至資本由一、二千元以至三數十萬元不等，觀其舖位、裝修及經營品種而定。

由上述粗略的統計數字可知，熱帶魚養殖業在香港已是一個規模頗大的行業，由於香港屬於亞熱帶區域，終年的濕度都較為適合熱帶魚的繁殖生存，因此也做成它的發展有利條件。據本業人士指稱，在香港養殖的各類熱帶魚，總共有三四百種之多，比較世界其他各地港都顯得要多。在香港，地狹人稠的環境下，許多市民在斗室之中，均喜愛養上一些熱帶魚以作觀賞，為大多人所熟悉及飼養的品種包括有紅劍、神仙、豬仔、黑摩利、接吻魚、霓虹魚、鐵魚等等，售價並不太貴，每對由幾角錢，以至五、六元不等，適合一般的消費能力，至於從業人員，除大部份依靠養殖傳賣為生者外，還有一部份人則兼營魚缸、飼料、魚具等，利潤普遍都相當可觀。

本港飼養的各類熱帶魚，除卻在本銷方面佔有極大的比重外，出口外銷工廠亦屬不少，下面是最近幾年來外銷的統計：一九六一年為八十五萬餘元，一九六二年和一九六三年約為一百五十萬元，一九六四再增至五百二十餘萬元，一九六五年又增至二百七十餘萬元，而到了去年則高達四百三十餘萬元。六年之內，激增五倍，增長之速亦可謂驚人。行銷地區包括美國、加拿大、澳洲、日本、泰國、星洲、英國及其他歐洲國家等，市場相當廣潤，而且還有繼續擴展之勢。目前本業間的業務競爭雖然比較劇烈，但這究竟不同與其他商業，必需有熟練的技術經驗始能經營，由於本銷外銷需求殷，故相信其發展前景仍樂觀。

瀛海異趣談

加勒比海的花園牙買加

桑帷

大西洋加勒比海北部和東部的西印度羣島一列系島嶼中，牙買加是風景最美麗和物產最豐富的一個大型島嶼，它已經正式獨立成爲一個英語新國家，是不列顛聯合國（大英聯邦）的一個新會員國。

牙買加僅次於古巴和海地島，爲西印度羣島的第三大島。

牙買加在美國佛羅里達州最南部，和南美洲的最北角的一個海島，距古巴僅五十哩，是巴拿馬運河通歐洲和美國東海岸南埠航綫必經之地。島長三百三十公里。牙買加雖位在熱帶，惟氣候溫和，常年溫度平均約七十五度。雨量每年約四十吋，東岸雨量最大。內部因地勢較高，所以也較清涼。聳高的藍山，橫貫海島，最高峯達七千五百二十呎，爲加勒比海的著名山峯。

在當今牙買加約一百八十萬人口中，黑人佔百分之七十七。黑人的祖先，是由非洲西部移來的。其餘是華僑和歐（英）美人。土著居民中，約二十萬人爲混血種。牙買加（包括西印度羣島）的開發，是非洲人、亞洲人的血汗，以歐洲人的技術和金錢而發展起來的。牙買加除了本島外，尚有屬島兩處，是托約克斯，克埃科島和克門島，前者的人口約七千人，後者八千人。前者的面積爲二百三十八平方公里，後者爲一百六十平方公里。

一四九四年，哥倫布在二次渡美的航程中，發現牙買加，命名爲「聖耶多」，表示尊敬西班牙的大宗保聖耶多，後來才改今名。牙買加島的名字，出自印第安人的土語，意即「多泉之地」，「多河之島」。因爲境內有許多河流，有美麗的山泉和瀑布。椰林、海灘、溪澗，更是觀光遊樂的勝地了。水上巴士——竹筏，最爲遊客所喜愛。

全島分作三部：空窩爾、密德爾什和薩利；再各分爲十五區。牙買加當局對於公共事業都辦得很完善，特別對於福利兒童的工作，是很像樣的。

牙買加土地肥沃，野生、萬尼亭、棕櫚、羊齒植物和竹，遍生郊野。有一條很潤和長的山路，名叫竹林路，兩傍種植茂林，十分清涼，爲一別緻風景區。森林間廣種蘇木、桃花心木和烏木；近海區域滿植椰樹、甘蔗和香蕉。最大宗出口是香蕉、椰子、柑、蘇木、糖、咖啡、可可、澱粉、胡椒和薑。

居民的主要食糧爲澱粉。有許多奇花異草。最美麗的馬可樹，高六十呎，花朵嬌艷。麵包果在牙買加有大量生產，土著居民也有用作食糧。更有一種亞基的蔬菜，土著居民喜歡用它配合鹽醃的雪魚來吃，味道可口。

島上有牧場卅處，飼養牛、羊、豬，畜牧事業頗盛。牙買加沒有猛獸，最兇惡的動物，算是野猪和短嘴鰐。雀鳥和昆虫的種類倒有很多，最有趣的醫生鳥。

近年來工業日見發達，煉糖廠、釀酒廠、椰油煉製廠、雪茄製造廠，散佈在許多地方。一九四二年，該島中部滿得維里發現大量鋁鑛，一九五三年建廠於該處，每年產鋁約一百噸；現全島增廠有三間了，年產野達二百餘萬噸。

首都京士頓市，人口約十二萬。京士頓郊外五哩，有一所聞名的「西印度大學」。京士頓爲優良海港，一六九三年建立；一九〇七年曾遭猛烈地震，當今市街，均係災後重建的。我國華僑，多居此地，經營商務，以餐館和刺綉店聞名。

牙買加是聞名的遊樂觀光地，有「加勒比海花園」「安的列斯女王」之稱。本島官員遊覽區不在海邊，而在中部的滿得維里城。牙買加北部爲外國人遊覽區。蒙特哥灣爲全島最美麗風景區，遊客亦最多，有百分之八十遊客來自美、加兩國。此處有旅館、球場、泳場，可看到居民用鐵桶做樂器演奏的歌曲和熱情舞蹈。北岸成爲遊樂區的原因爲（一）歐人發現牙島古蹟。（二）多沙灘可遊泳。（三）無鱷、虎豹。（四）海岸多棕樹林，石洞、瀑布、風景幽美。（五）旅館設備現代化。（六）蒙特哥灣有定期飛機至美國接遊客。遊客多用美鈔和加拿大鎊，收入僅次於蔗糖，是全島第二筆收入，對繁榮經濟很有幫助。

憶岱琪姊姊

紫雪

「小心點，她警告我們，「跌下湖去就爬不上來了！」

「爲什麼爬不上來呢？」我問。

「湖裏的水草太多，」她說，「跌下去會被綑住的。」

兩個弟弟不聽她的話，加倍的搗亂起來，急得她束手無策。

「你喜歡西湖嗎？」我問。

「當然！」

「你從前來過嗎？」

她點點頭。

到了白堤，大家坐在堤上一株柳樹下的石凳上休憩，晚風過處，聞到縷縷茉莉花香。

「講一個故事給我們聽好不好？」大弟要求。

我和小弟也同聲附和。爲了安撫我們不再搗亂，她只好首肯了。

「從前，」她說，「有一個很美麗的女孩子，當她正在大學讀書的時候——」

「什麼叫大學？」小弟問。

「噓！不准亂說話！」我說。

「那個大學是一個很有名的學校，她在學校裏的功課很好，也有很多男同學追求她，可是，她都不喜歡他們。有一次，她認識了一個比她年紀大一倍的男人，立刻就愛上了他——」

岱琪姊姊突然停頓下來，眼睛望着遠處的湖面，好像不知該怎樣接續下去的樣子。

「趕快講吧！」大弟說，「聽完我就要去捉蝌蚪了。」

「那個女孩子很痴情，她不計較那個男人的年齡，也不計較他的貧困。許多人勸她，她都不理會，她要跟他永遠守在一起。於是，有一天，他帶着她到杭州來結婚——」

「結婚以後呢？」我急着問。

「他們並沒有結婚。孩子，因爲那個男人是已經結過婚的人了。最後，他留下她，獨自走了。他只寫了一封信，要那個女孩子原諒他，勸她不要跟他受苦。」

「什麼叫原諒？」小弟問。

「原諒了他沒有？」我問。

「她原諒了他，不管那個男人怎樣待她，她都是一樣的愛他。」

這是一個簡單的故事，小弟聽得不生興味，已經到湖邊捉蝌蚪去了。我却呆呆的望着岱琪姊姊，看她沉吟着，顯得心緒很亂。（中）

尼泊爾京城加德滿都風光

大知譯

「皇宮內有座廟，每隔十二年，廟中便要舉行一次活人祭祀。」

如果你有機會赴尼泊爾的京城加德滿都旅行，漫遊於塵封的古代皇宮裏，你就會聽見嚮導這樣說。

「外人不許擅自進入皇宮，」嚮導繼續道：「上次的骷髏頭還留在神壇上面，另一個活人將取代他的位置。」

下一次用活人祭神是什麼時候？

「快了，」嚮導說：「也許就在今年。供作犧牲的，一向是外地人，他無論如何逃不掉。」

嚮導說到此處，睜着眼睛朝你打量，不由得你心中愈想愈害怕。

這可能是嚮導故意編造出來，取悅遊客的故事，目的無非是多弄幾文賞錢。沒有誰會相信這個蕞爾小山國正拼命奔向二十世紀之際，還逗留在活人祭祀的原始時代。

不過，你若願意聽信這些，或者更荒誕不經的故事，那末，不妨去有「神國」之稱的加德滿都一遊。

這個半封建的王國，似乎特別接近神明。幽靈般的雲霧，籠罩着石狀垢陵和綠色的山谷。每天清晨，它們便誦經似的，按時消散一會兒，讓居民能夠短暫地瞻仰高聳的喜馬拉雅山，同威嚴的額非爾士峯。

在這個已具千年歷史的古都裏，神明近在眼前，隨時在暗中監視。住家戶的大門上，繪着數千雙彩色鮮艷的眼睛，注視着你的一舉一動。金色塔的白佛塔上也有同樣的眼睛朝下俯視着。差不多的街巷和衢堂口，以及庭院外都有石獅子守護着。仰望皇宮前的那些廟宇，但見印度教的大神濕婆——雕刻在漆木上已有數百年之久——由神座的窗口日夜觀察眾生。

此一遙遠的山國乃是印度教與佛教相會之地。佛祖就是在尼泊爾降生。兩千年來他們的門徒，越過喜馬拉雅山，來到這廟宇林立的山谷，大多數係步行而來。

印度教是尼泊爾的國教。許多身材矮小而結實的尼泊爾人，每天早退便在前額劃個他所屬階級的記號。到今年秋季，一項新頒法律生效之前，若與不同階級的男女通婚仍然是違法的。

即或是尼泊爾的思想開明的國王曼亨德納，在人民心目中他仍舊是神，膜拜他，當他是印度大神濕奴的化身。當今的尼泊爾國王首先打破了傳統，他只有了一位夫人。不過他就民主和五年計劃所發表的演講集，封面却印着「神的話。」

佛教同印度教經常是合而爲一的。門口佛祖的眼睛上，常常會出現三道象徵濕婆的花紋，印度教的神又彫刻在佛塔的底層。尼泊爾人對這兩種宗教都信得很虔誠，但是並未信到拿活人祭神的程度。每年用於祭祀的畜牲，則數以千計。神替牛動物造福了。習俗禁止水牛或牛在廟宇附近工作，可是尼泊爾修建了太多的廟，因此牛更無法工作。尼泊爾人有一句話，可能是對的：「我們這兒的廟比屋多，神比人多」。搬運東西只好靠人力。

「新三國」自序

周燕謀

三國演義中的創作人物，劉備變成爲仁至義盡的理想帝王。關羽變成了大之神將，紅得發紫，使人崇拜。有國士之風，爲一世虎臣的張飛，變成了一個不言而喻的大老粗。出將入相的孔明，却變成了能呼風喚雨，知陰陽曉八卦，奇門遁甲的茅山道士。雄才大畧的曹操，變成了歷代奸臣之典型，爲人咒罵痛恨。與公瑾交、如飲醇醪，曲有誤、周郎顧，文武兼資的儒將周瑜，却變成了氣量狹小的小氣鬼。三國大政治家、外交家魯子敬，却變成了似愚非愚的大老好。照此看來，三國死去的歷史人物，豈不是完全變了嗎？如這些死去的三國歷史人物地下有知，必會大叫一聲，「氣死我也」呢！如此分析，三國演義並不是三國史，豈不是一目了然的問題嗎？

三國志是二十五史中問題最多，史法最濫的一部史書，歷來爲史家所詬病，與五代史有異筆同功之謬。陳壽「三國志」的原始史料，是採取成於當代臣下阿諛所撰的官書，其本人歷經蜀、魏、晉三朝之臣，其爲曹魏司馬氏廻護自不待言，而且有史可稽，三國志中俯視即是。裴松之註三國志所引用有關三國史的書，有一百五十六種之多，爲三國志匡誤補闕的書，又不下數十種之繁。治三國史者要想了解正確的史實，以有限可貴之精力時間，攤諸數十年之斷代史，實在是不經濟的事。「新三國」乃秉春秋之筆，匡正屈筆廻護，使三國史實人物返璞歸眞，還其本來面目。這是「新三國」的又一使命。

「新三國」，有過於正史的正確性，有文藝的趣味性，是一部「文史的綜藝體」。三國志不僅章法大濫，而且無書無表，人各爲傳，各傳繁簡懸殊。要知一事一物的來龍去脈，必須翻徧各傳，詳索注疏，煞費精力。「新三國」把它脈絡化，具體化，文藝化了。一卷在手，可一氣觀畢全貌，不必費時他求。

「新三國」以三國大事爲主流，爲使讀者欣然樂讀，故於用兵打仗、角力、鬥智、奇謀詭計，特爲濃厚詳述。爲知後漢之所以「三分」，之所以「合一」，故「新三國」以漢末之亂爲導火綫，因「亂」而形成羣雄並起，諸侯割據。因其各霸一方，故必將漢末之地理描繪一張藍圖，所謂天下大勢，了如指掌。一般讀歷史最大的困擾，就是古今地名的變異難以索解，生在千多後的今天，對於三國時代的地名，有些望文興歎之感。此一問題「新三國」把它解決了，不必要讀者去多浪費時間和金錢，這也是「新三國」誕生的一點小意義。

拙作之問世，因爲諸多條件所限，謬誤難免，尚希史學方家，以及廣大的讀者高明，有以指正，以便於再版時更正爲幸。（下）

平劇繽紛錄

談「弋陽腔」

桂良

江西省的「弋陽腔」，簡稱爲「弋腔」，在河北省也稱爲「高腔」，名稱不同，却同是一種地方戲曲的名稱，遠在明朝嘉靖、萬歷以前已經向各省縣鄉鎮傳播開了。

有人因爲近六十年來，河北省高陽縣之著名「樂慶社」（前後著名演員，爲：韓世昌、陶顯庭、郝振基、侯益隆、王益友、白雲生、龐士奇）等與「福壽社」（前後著名演員爲：張榮秀、白建橋、白玉田（父子）白雲生－那時演二旦而非小生－劉慶雲、侯玉山、李連仲等）之崑弋班，同打着「弋腔」的招牌，又自稱是：「高腔班」。那時一般觀衆聽習慣了，以爲「弋腔」出自弋陽，「高腔」必出自高陽，又以爲祇有高陽縣才有「高腔」，其實不然。

高陽縣在海外的故老們談：在明朝時，該縣的崑腔就很發達，很多讀書人都能唱崑弋腔，他們上保定府去趕考，都在騾車上帶着鑼鼓、琴笛等樂器，住在旅店裏，在不讀書時，就吹、彈、唱起來。那時能唱崑曲、弋腔的，不祇高陽縣人，便是隣近安境縣的人也很多能唱。

明朝嘉靖、萬歷以後，到清朝乾隆、嘉慶的二百年間，都是崑曲極爲流行的時期，弋腔式微，却未衰退。在同治二年至光緒十年之間的京都崑弋班，尚有萬順奎、奎慶、德盛奎、勝春奎等數十個戲班，戲班子是以「崑弋」並稱班，以示別於皮簧與梆子戲班。此後皮簧崛起，而崑曲漸式微。慈禧太后爲提倡皮簧戲最力之一人，在她手上把弋腔戲掛起不演的很多，於是「弋腔」便開始衰退了！

就「崑曲」和「弋腔」的今昔相比而談，它們也有相同與不相同之處。「崑曲」在作曲的組織上，都是從南曲一個系統裏來的，至於唱的方面，就大不相同了。

「崑曲」的曲譜多，一支曲牌一種譜子，於是曲譜多到數百種，演奏者能熟唱百種以上的曲譜，「崑曲」應非易事。「弋腔」的曲譜單純，「奇雙會」生、旦、小生唱詞，同是一種曲譜，不過尺寸有快慢，分別而已。

弋腔戲，關公所唱的曲調也和「奇雙會」的相同。「弋腔」聲調比較高亢，所以大家又叫它「高腔」。

以上老爺戲與「奇雙會」的弋腔曲是相同的唱法；但記載上說：「弋腔」唱句還有一種唱法，唱時不用樂器伴奏，樂器祇伴奏唱句之間的長短過門，像如今用海笛伴奏「打麵缸」與「王大娘補缸」的過門一樣。還有「紅淨」這個名稱，祇崑弋班中有之，那時老爺戲是唱「弋腔」（吹笛伴奏而有過門）而不唱「崑腔」（吹笛伴奏，一律無過門）。

試談「閒談」

紫雷

良好的談話，很少是偶然興起的。它之出現，是由於人們在事先曾妥作準備。他們曾經思索過他們談話的可能題材，也想到過他們所要遇見的人。

因此，談話的第一個法則，是準備。如果一次談話要暫時中止，或者如果話題似乎是要改變，那時再開始尋求一些可談的事情，就未免太遲了。你心中要準備好需要立即應用的題材。爲了應付這種窘境，時事問題很適宜於做談資。

你將和什麼人交談？事先要尋找一些和他們有關的事情。這樣，你就可以用和他們的興趣有關的詞句，來談論了。

第二個法則，是要瞭解談話的兩種主要不同的方式。一種是專家與奮的談話，另一種是閒談，後者構成日常大多數的談話。

閒談的作用，在於幫助我們瞭解對方。沒有誰會眞正注意人家在說些什麼；不過，通常，經由閒談，我們顯示了我們的性格，並瞭解了他人。

如果談話不能脫離閒談的範圍，那將是一種貧乏的談話。

每一個人在某些事情方面是一個專家，可以說出一些使他人感到興趣的事情。一種閒談變爲專門性的談話，談話的性質就改變了。因爲，這時主要的目的，是交換彼此的資料和觀點。

第三個法則是避免談得令人厭煩。爲了防止這種危險，有四點要注意：

甲、不要把專門性的談話扯得太遠，致使一個聽衆失去興趣。要讓他能夠提出問題。當他把題外的事情提出來詢問的時候，就表示需要改變話題了。

乙、要夾用一些幽默的詞句。一點點幽默，可以使談話極爲順利；一句俏皮話，可以使談話富有生氣。不過，當笑聲變爲主要的目的時，談話就中止了。

丙、增加你的知識。談話所以令人厭煩，是因爲缺乏新鮮的經驗和觀念，來刺激他人。

第四個法則，是要對你談話的音調，特別予以注意。差不多一切貧乏的談話，都起因於懶惰。如果不把口適當地張開，或者不把舌頭和牙齒予以充分的運用，那發音就會由於缺乏使用的肌肉而萎縮了。

爲了瞭解你的聲音，你自己要聽一聽你的發音，開始時注意你發音的輕重，要使你的談話得抑揚頓挫，不致使人聽來模糊不清，易感厭倦。

第五個法則，是做一個優良的聽衆。一個優良的聽衆，是會提詢問題的，是會鼓勵他人談話的，是會對於正在談的事情表示有興趣的。

好好地聽他人談話，在某些情況之下，比自己說話更難。而且，每一個人都做聽衆，顯然是不可能的。有些人，必須談很多的話。如果談話轉到你非常瞭解的主題，對方將會向你尋求資料的。不過，當傾聽似乎變成了你主要的角色時，那你必須採取一種鼓勵說話者的方式。你要提詢問題，顯示興趣。那麼，他將會更津津有味地談下去了。

第六個法則，是對於你自己的最佳話題，要有適當的瞭解。這一點要特別注意，如果誤入歧途，那它就會變成不好的話題了。要設法談到你的經驗、你的知識、你的意見，並且要儘可能地以一種和個人無關的方式來談，不要用你的困難、麻煩，或成功來作爲藉口，以煩擾他人。

周佛海為何叛國？（下）

諸葛侯

周氏認定最高當局不會重用他，在政治上感覺失意而對現狀不滿，他遇事抱持消極態度，加以國家對外戰爭陷於長期持續境況之中，國際形勢亦對我諸多不利，「低調俱樂部」一這羣書生之見的長衫朋友，乃漸漸地喪失了抗戰的勇氣，恰有身爲本黨副總裁的汪兆銘，蓄意倡導和平運動，而日本內閣又聲明不以重慶爲和談對象，實獲我心，以爲鴻鵠將至，一拍即合，這便是周氏甘心附逆的所以然。至於汪之通敵謀叛，眞正原因亦是基於私人的政治權力中毒關係，何所見而云然呢？在汪氏未出走之前，我和重慶「西南日報」社長汪觀之，爲着報社問題叩見過「汪副總裁」，他侃侃然談論國計民生問題，甚爲興奮，也很牢騷，他說出了這樣的話：「總裁好比是在台上玩魔術的大師，我願意給他做那根玩魔術的棍子，可是他亦不要！」

佛海到了香港後，總覺得過去十幾年來皆在蔣公左右工作，一旦背道而馳，良心上有些不安，曾與八個同道之士聯名致書蔣公，聲明他們對蔣公並無「不臣」之意，只因中央採取容共政策，他們是反共的，爲了不妨礙中央的政策，他們祇好離開重慶了。這封信是由當時中央黨部秘書長朱騮先（家驊）轉呈的，朱氏是否照辦了，那就不知道。假使珍珠港事變提早一二年發作，汪兆銘的政治病頂多是跑到某一安靜地方去休養，發些不甘寂寞的議論而已。至於周佛海更不會離開重慶，可斷言也。後來珍珠港事變爆發，周氏即警覺日本的勝算已告渺茫，汪政權的前途日趨暗淡了。於是，他首先跟戴雨農取得聯絡，決心輸誠中樞，軍統局派在上海的地下工作人員和無綫電台，都是藏匿在周氏的上海住宅內。

政府復員後，周被判處無期徒刑（初判死刑，繼由國府主席下令特赦減刑的），關在南京老虎橋監獄裏，我去看他，談過許多話，他對自己判刑這回事，毫無怨言，祇說「雨農一死，我就知道不妙了，因爲我的一切經過情形，唯有他纔能夠爲我作有力的證明啊。」中央製訂的「懲治漢奸條例」，原是民國卅二年頒佈的，註明凡在本條例頒佈以前輸誠反正者，不在懲治之列。佛海滿以爲可免於難，抗戰結束後，他把自己掌握着偽儲備銀行所存金鈔白銀，以及他所能指揮的偽軍，全部點交戴雨農驗收的。周在監獄裏對我談到此事，曾笑問我：「你怎末不早來上海找我呢？在我尚未將一切財物點繳以前，送給你一筆現金，毫無關係的」。我說：「平生就是缺乏弄錢的頭腦，天生一副貧窮相，命中注定，於人無尤」。他笑笑。我勸他寫回憶錄，他說心臟有毛病，握筆就頭暈，希望我以後每週來監獄看他一二次，他口述，我筆寫，我滿口答應。旋因我南歸省親，歷三月餘纔回到南京，而他已瘐斃獄中了！當我初次到監獄探望他，臨別之際，他立在客室門檻間，大聲笑說道：「今天你回去，可以寫一篇虎牢探奸記在報上發表。可是，題目不要弄錯了，不是探漢奸之『奸』，是探監獄之『監』呀！」依然不改學生時代的風趣，這是佛海的可愛之處。

佛海對經濟學頗有研究，其爲人也豁達灑脫，才氣縱橫，對人亦厚道，就是中國書生的讀書得太少，亦不檢細行，一生的事業，皆爲「色」字所敗壞，最後以非命終場，良堪痛惜。佛海的已故老友陳方（芷汀）輓佛海的聯語云：「有傳世之學，有經世之才」；「藉甚聲華，爲親者所痛，爲仇者所快，一失足何從論功罪」；「根觸往事，十念空能了死生」，尤足說明佛海的全部生活狀況。我也有輓周佛海聯云：「一死便成空，蓋棺何必求定論」；「九原如可作，遺憾怕莫是讀書」。視陳聯遜色多矣！（完）

試談偏愛的諸葛亮與神化的關雲長

讀「署評諸葛亮與關羽」之後

周燕謀

關羽忠於劉備未稱帝不忠，諸葛亮前半生忠於劉備，「受命於危難之際」，顚沛流離，主張劉孫聯合，共治曹操，跨有荆益北向宛洛以逐鹿中原的事實和計劃，都是不「忠」，主張共同破曹，北向宛洛，豈不也是伐漢麼？關羽不棄同心故主也不是忠，姚先生言下之意，豈不是說關羽投降曹操才算是忠嗎？開卷有益，我們還是多看看書爲妙！姚先生可能讀過出師表的吧！「當獎帥三軍，北定中原。……興復漢室，還於舊都。此臣之所以報先帝而忠陛下之職分也。……」再看：「先帝慮漢賊不兩立，王業不偏安，故託臣以討賊也。……」（前爲前出師表，後見後出師表）如此說來，諸葛亮也是伐漢了。也許姚先生說那時漢帝已下台，劉備已死，不是伐漢了。然而孔明一生，總不能一刀兩斷，縱然姚先生把他一刀兩斷，那末孔明前半生和劉關張創業也是「伐漢」了！姚先生豈不自相矛盾嗎？姚先生說「在名分上是伐漢」。關羽是「伐漢」，難道孔明的隆中決策，聯吳破曹就不是「伐漢」麼？爲什麼同一樣行爲有兩種不同的評論？「伐漢」倒是一個新名詞，眞是孤陋寡聞！我們在三國史中偏找不到，在三國志中，無論何志，漢兵都名曹兵，從無所謂「漢兵」。不知道陳壽是怎樣寫的，連漢兵都弄錯了。

三國志中，只知有曹，不知有漢。當時魏國的人也只知有曹不知有漢。東吳的孫權周瑜也只知「名爲漢相，實爲漢賊」，應當勤王討伐。如果姚先生之言有理，爲何不書劉備、孫權爲「寇」？而書「先主」、「後主」、「吳大帝」？還姚先生對於「三國史」得「加油」啦！「三國」之所以爲「三國」，就是三個政權，成則「王」之，敗則「寇」之，三個政權之間，誰是建立，史家以能成爲政權與否，不能以與國同之，誰王誰寇，以沒有戰爭，能成爲政權。蜀、吳都建立了政權，稱了帝號，三代四代，你能說他「伐漢」嗎？「伐漢」，是姚先生標新立異的新名詞，三國史中未見，不知我們今天的史學家有何高見？拙文及此，願作拋磚引玉，以待高明。竊以鄙意「伐漢」一詞不如改用「賊」字，未知高明以爲如何？（完）

家庭生活多温馨

紫薇

離開學校已五年了，他還是念念不忘他的課本。常常在他研讀化工原理，工業計算、拉丁，不知他在算什麼。他很關心化學雜誌，所以喜歡往××中國圖書館坐坐，因爲那裏的化學雜誌又新又全。他還遺憾自己沒學好微積分，買了一大堆關於高等微積分的書，孜孜攻讀；遇到不懂的地方，不恥下問的向同事請教，或跑去問教授。有一陣子，他在××補習英文，每天下午五時半下班回家，匆匆吃過晚飯，六時半就去補習，直到十時四十分才下課回家。我計算一下，除掉睡眠外，我們倆見面的時間，每日兩小時不到。也由於他三個月來日夜忙碌奔波，弄得他骨瘦如柴。最令我担心的是，她不時吵着要我教她英文會話。天曉得，我雖是英語系畢業，但到底英文比他強多少，我實在不敢妄自推測，豈敢冒昧作他的老師！他的理由是：「妳學了一套直接教學法，教別人你樂意，我拜你爲師，你反而不肯接受。」

看他那充滿稚氣熱誠的面孔，我只好執教，搬出我的教學法「Reapeat after me」我命令他，他眞的一本正經的跟着唸。碰上發音不準的字，他也不厭其煩，一遍一遍的唸。我實在不好意思潑他冷水也只好認眞的教這位大孩子。（三）

內警台報字第〇三一一號內銷證

自由報

THE FREE NEWS

第一七一期

中華民國僑務委員會發
台教新字第三三三號登記證
中華郵政台字第一二八二號執照
登記為第一類新聞紙類
（半週刊逢星期三、六出版）
每份港幣壹角
台灣零售價新台幣貳元
社長：雷嘯岑
督印人：黃行譽
社址：香港銅鑼灣高士威道二十號四樓
20, CAUSEWAY RD 3RD FL.
HONG KONG
TEL. 771726　電報掛號：7191
承印者：大同印務公司
地址：香港北角和富道九六號
台灣分社
台北市西寧南路登壹發號二樓
電話：三〇三四六
台郵撥儲金戶九二五二

由香港看大陸

方南

香港騷亂事件持續逾月，大致接近尾聲，餘波仍在蕩漾。世人矚目，論者不一。可以斷言的是：這是由毛共「文化革命」鼓起的浪潮，也是大陸「奪權運動」的縮影。

香港人對這一事件認為未解之謎有二：這是由北平毛共發令鼓動的呢？抑由當地共黨妄作妄為的呢？香港各報紙雜誌對這兩個疑謎的解釋並不一致。但事實擺在眼前，香港已成為毛共「海外文化革命」的主要戰場。而最值得注意的一點是：毛共在香港這一運動呈現的病態和大陸各地這一運動呈現的病態大部相同。因此，我們正好由香港看大陸。

什麼是他們共同的病態呢？

一、在不斷製造騷亂中，似有一個中心在發動。但這是一個失了控制力量的中心。

二、一切對敵人的破壞，也就是對自己的破壞。（換句話說，這是搬石頭打自己的腳。）

這種病態大概可說是毛共「文革」與「奪權」運動的本色。香港的觀察家從前很難了解大陸為什麼會亂成一團糟，現在看到香港這一騷亂的奇形怪狀，才知道這個運動一直是在失去理智與失去控制中進行着的。這是一個易發難收的運動，也可看作是近乎自毀與自殺的運動。

香港一般人常會這樣問：毛共這樣破壞香港經濟，對他們自己有什麼好處呢？香港不是他們汲收外滙最重要的地方嗎？他們為什麼要浪費自己的力量，去打絕對沒有把握的仗呢？而且，為什麼要在這種浪費中造成本身完全脫離羣衆的危機，並驅使羣衆靠向敵方呢？

各報不厭重複地向當地搗亂份子提出質問，但他們依然「我行我素」，一貫不改地朝着自毀與自殺之路走下去。

這裏面總是有原因的。

原因在那裏呢？可能因為愈戰愈敗，愈敗愈急，愈急愈亂。也可能因為內部分裂，此地「反毛派」在「打着紅旗反紅旗」，故意製造失敗去困惱北平的毛共。更可能因為此地「反毛派」與「擁毛派」互相傾軋與搗亂，因而產生諸般錯誤，自亂陣腳。（但在表面仍然是團結的。）由後兩者去看他們的分裂，一是此地共黨幹部和北平毛共的分裂；一是此地「反毛派」與「擁毛派」的分裂。深一層看，「擁毛派」內部也有分裂。複式分裂交織成一團分不開的亂絲，局外人固然看不清頭緒，局內人也是在迷離狀態中盲動亂動。

這種騷亂在歷史上沒有前例。因此，誰也不敢預測香港搗亂份子要到幾時才眞正罷手。他們似乎只有一個目的，就是「永遠造亂」。亂對他們會有什麼好處呢？他們不管。他們的口號是「愈亂愈好」。

這種怪象的產生也有源頭可尋的。我們由香港看大陸，該向毛澤東的「戰略」上面找尋這種怪象的源頭。

「愈亂愈好」是毛澤東推行「奪權」運動的「戰略」精義所在。為了「奪權」成功，他先要把劉少奇一派把持的共黨組織打成稀爛。「打爛組織」就是造亂原有組織，爛得愈徹底愈符合他個人的利益。他怎能不說「愈亂愈好」？

他憑什麼力量去「造亂」呢？力量出自「紅衞兵」。二千萬紅衞兵是他憑空製造出來的一股力量，被他鼓動成狂潮，橫掃大陸各省市，用來替代軍隊去誅除異己，摧毀「當權派」原有的各層組織。這種方式和手段確是他「獨創」的，雖有內戰事實，但無內戰之名。可稱空前，料亦絕後。如非劉少奇派也發明以紅衞兵對紅衞兵，打着紅旗反紅旗，製造出無數假孫悟空，冒充眞孫悟空，說不定他早已全面「奪權」成功了。正因劉少奇派巧妙地採用了「以亂應亂」的戰略，而「擁毛派」本身也分為周恩來陳毅的政務派，林彪的軍人派，江青陳伯達的宮闈派，內亂不已，由此合成了「交相為亂」的大雜亂大打殺的奇局。誰都成了亂局中人，每一派系都是一面對外造亂，一面內裏鬧亂，沒有人能控制得住這許多脫韁亂跑的逸馬，沒有人能夠拆解這一團雜疊的亂絲。於是，「愈亂愈好」便要反過來說了。這便成了「愈亂愈糟，愈糟愈亂」。江青周恩來也迫得大叫不好了。由廣州來的消息說：當地居民甚至軍隊也沒法分辨那一方是擁毛派或反毛派，只見各派經常打鬥流血，兇案頻生，屍骸委地，無人理會。搶刼風氣極盛，入夜路上絕少行人。這是千眞萬確的消息。不只廣州如此，大陸各城市大都如此。這便是毛澤東以「造亂」進行「奪權」而自毀自殺的應有結果。按之事理，活該如此。

香港騷亂事件並不是一宗孤立的事件，根源在大陸的「文化革命」與「奪權運動」。還有馬來亞、星加坡、以至緬甸最近的騷亂，都有共同的脈絡關係。假如要問一句：「亂將胡止？」唯一的回答便是：看毛澤東怎樣收場吧！

英國「經濟學人周報」近曾發表對中國大陸現狀分析的文章，內裏有說：「北平正逐漸變成一個沒有國家的首都，正如暴亂的紅衞兵目前所受到的警告一樣。……當毛澤東俯視他的領土時，他是他視綫所及地區的主人而已。不過，即使在一個晴朗的日子裏，他也無法看到北平城門以外的地方。在北平城門外的整個中國大陸，已逐漸進入無政府狀態」。

這已說得十分明白，毛澤東快要完了。

毛酋：「這功夫你教我的！」

柯西金的私家車！

今日與昨日

「七七」三十年

盧溝橋事變到目前已經三十年，許多人對於這一個日子已淡忘，三十歲以下的人，更沒有異樣的感覺，最多不過知道這一天，有過這麼一回事而已，但在我們身歷其境的人，却永遠忘不掉七七。

回憶七七事變發生之後，頓時振動了全國，當時眞眞作到地無分南北，人無分老幼，大家的心團結在一起，為了國家民族，去和日本人拼命，不必用軍事眼光去衡量，就單憑那一股氣，眞眞地氣吞倭虜，可以說從七月八日那天起，以後八年零四十幾天的時間，我們從未有一時一刻喪失過抗戰必勝的信念，結果，日本人終於向我們無條件投降，甲午戰爭以來五十一年中所有掠奪我們的土地，雙手奉還，說到偉大的光榮，三千年中這是第一次，任何人都不能抹煞的。

可是，也由於八年抗戰，國家耗盡了元氣，於是在國際共黨有力的支持下，我們首先被犧牲，成為東方的捷克，羅馬尼亞。猶幸政府退守台灣，經過一段艱難困苦的日子，終算屹立不墜，為中華民族保存了一片乾淨土地，設使中國政府當初不能保守台灣，則今天形勢將不可能有安定的遠東，也不會有繁榮的日本，也沒有了東南亞！我們雖不必居功，但歷史家會公平的評論中國政府及蔣總統的功績，在滔滔赤禍中，作了中流砥柱。

使無台灣，當然也不會有自由的香港，十七年前，港澳就已經易手了。所以說今天東南亞任何一塊乾淨土，皆拜蔣總統及中國政府之賜。

不過，我們政府為人謀則善，為己謀似也尚有未妥。別的不說，單從十七年來政府在台灣念念不忘者為反攻大陸，但却始終未見出於行動，最初以為準備未周，以後又受制於盟邦，必須要等待毛區有變，始可發動。而一年來毛區已經發生天翻地覆的大變，各地共幹自相殘殺，遍地流血，毛共政令已不出北平，英國經濟學人稱北平為「沒有疆域的國都」，若譯成中文，則是號令不出都門。在這種情形下，無疑是千載一時良機，而政府尚一直瞻望因循，不知尚等待什麼有利時機？

七七三十年了！三十年來，我們中國人未得到一時一刻的安定，這場禍患是日本人給我們的，無論日本人怎樣高呼親善，我們這一代身受其苦的知識份子，有責任把一頁慘痛歷史流傳下去。我們同日本人這筆賬未了！三十年未了，何妨再等三十年，相信終有清算的一日。（何如）

自由談

自作孽

二次世界大戰後，東南亞出現了若干新興的獨立國家，同時亦產生了幾個小丑式的政治妄人，如印度的尼赫魯，印尼的蘇卡諾，高棉的施哈努是也。他們一面投靠俄共集團——特別親近毛共，在國際間為共黨張目助勢，冒充進步，挾以自重，一面又標榜不結盟的中立主義，隨時向美英各國送秋波，藉以騙取西方國家的軍經援助，極盡投機取巧之能事。

這些政治妄人以為他們的作法很高妙，殊不知正是俗語所謂「壽星佬嫌命長」——自己上吊。尼赫魯親共最力，報應亦最慘，他的尸骨未寒，即招來毛共的軍事進攻，幾乎遭到亡國之禍。蘇卡諾奉毛共為救世主，要把印尼共產化，結果是激起了全民的反抗，一敗塗地，迫得放棄其所謂「指導的民主」的總統職位，被幽囚於茂物別墅中，非經許可，且不得再穿最高統帥的制服。施哈努最近發覺毛共與越共勢力大量滲透高棉，支持棉共顛亂，深感禍至無日，聲言要考慮對外政策了。這是他們自作孽，不可逭，徒然使人民枉受災害，而東南亞地區亦為之危殆不安，影響全球的局勢。

這三個妄人之中，最可憎惡的就是尼赫魯。當年中華民國政府為着贊助印度獨立，在國際上悉力以赴，不惜開罪友邦，損傷本國的利益。迨毛共竊據大陸，搶先承認毛朝的就是尼赫魯政府，以怨報德，莫此為甚。似此險投機的政治妄人，若說他可以把國家建設好，寧有是理？現在印尼迷途知返，高棉大夢漸醒，只有印度尚被尼赫魯的幽靈籠罩着，懵然罔知自淑，後患之來，方興未艾。至於緬甸當局雖然比較謹慎，對毛共稍存戒心，亦已嘗到中立政策的苦味，被毛共的紅衞兵鬧得舉國不寧了。

共產黨目前在亞非各地區被視為瘟神，到處碰壁，如果仍讓它合法存在，終歸是一大禍根，防不勝防，只有印尼新政府當局，從痛苦教訓中，深知隱患堪虞，毅然宣佈共黨為叛亂之徒，實行剷除，可謂明智也矣。

馮之先生

高雄市府地政科官員 威迫農民讓地案續誌

（本報記者趙家驊高雄航訊）本報第七六三，七六四兩期連續報導：「纖炒地皮一案，高市府地政科又有傑作」一文後，這批「地官」、「財官」與「水官」，都慌了手脚，內外上下，忙了一陣。加以正值台北某地政機關八位「地官」因貪污被提起公訴之際，有些市民說：這叫「南北和」，北唱南和是也。

記者爲進一步了解眞象，日前拜訪地政科長李盛華。我一進他的辦公室，他正在批公文，我禮貌的說：「李科長，你忙啊！」他抬頭看我後，連禮貌的招呼也沒有，仍低着頭，拿着印章，在公文上猛蓋，未幾，他面帶慍怒地頭一句對我說：「你在鑽牛角尖」！這突如其來的話，眞叫我摸不着頭腦。我隨即問他：「科長室怎麼變成了牛角尖了？」他不答。却又問我：「聽說你幫他們佃農的忙，寫我們地政科的壞事」。我問他：「誰說的？」他說：「我聽人家說的」。我回說：「我也聽人家說：你現在的財產有兩億元，你相信嗎？」他一愣，毫不放鬆的說：「我不信」。我說：「喏，這是你替我對你作的最好的答覆」。他不響了。

接着我請教他：耕地與基地的意義與界說，他回說：「很明顯：耕地是以耕種爲目的，基地是以建造房屋爲目的。以地區來區分，凡都市計劃範圍內之土地都是基地，以外則係耕地」。我又問他：「辦理收回耕地的手續與程序如何？」他答：「根據契約辦理，民主時代一切照契約行事」（他沒有說民主時代一切依法行事）。

我問他：「劃撥給八退役軍人之土地三百八十多坪，當時召開協調會議的紀錄可否取出來看一看？」他說：「不能給你看」。斬釘截鐵的說：「何必看這個東西？我們所收回土地不下幾千件，你咬文嚼字，嚕囌得太厲害」。老羞成怒的臉（他自稱是「地爺」），眞夠人瞧的了。

任他發脾氣，打官腔，我還是笑着請教：「市府徵收省有土地，省府是否派人來監督？」他說：「地政局有土地徵收一樣，市府代表一切，不需要上面派人來；現在老百姓不懂什麼，一知半解的」。

我又問他：「地政科爲水產課長蔡公館，收回一百坪土地，引起糾紛事，你的看法如何？」他說：「公家不是私人的，事務股給誰我不管」。（好一個所謂「公家」）。

以上是「土地爺」李盛華對記者談話的態度，至於他對佃農的態度如何，即此可見斑了。我的目的是採訪，只有逆來順受，領教過就是了。

趙如福等佃農的陳情書滿天飛，具有眞名，加蓋印章，均有住址，非不可身份證字號，假不了。我們得到陳情書後，無數次的訪問趙氏四兄弟，他們都在犁田，沒空時間，就在田裏談，農忙後他們又去做工，總在晚上十一、二點回來，他們很疲倦，所以一兩次的談話，他們不可能把整個的經過詳細敍述清楚；加以有時老大在，老二沒回，再就是老三出去了。因此不可能使我得到一個完整的消息。關於八位退役軍人劃地與水產課長蓋公館事，聽他們先後的敍述，有不少有價值的資料，不妨補述一下：

據趙福來說：「這八位退役軍人要土地，原來的主意是打的我們附近佃農林台昌的，但林不肯，他們知難而退。看我爸爸老實，就在我們地上動腦筋」。

又據趙瑞欽說：「地政科爲了把我們的土地，劃給八位退役軍人，只開了一次協調會，時間是五十年上半年。那時我陪我爸爸去的，回來，我問他，他不會講話，叫我講，我說：「退役軍人憑什麼要我們的土地建屋？我們也要建屋。而且我們要買這一批土地。地政科根據什麼法令收回我們的土地給私人？我們不答應」。只開了這一次協調會，沒協調好，我們不同意。市府就把錢交給合作農場場長楊順太，我父自始至終都未去領。以後退役軍人和楊順太，把我父弄進三多路派出所，強迫我父，非答應不可。我父被迫迤強同意。但是這種脅迫方式所攫取的土地，是一種非法行爲，我們不承認」。他復稱：「這次水產課長劃一百坪土地蓋公館事，也是用這種方法泡製的。楊順太又叫我們去領錢，說不領又要送法院！他們嚇得住我爸爸，却唬不住我們。我爸爸生性不愛講話，對外人應對只有「三字牛」，一、「嗯」，二、「是」，三「好」，四「不」；但「不」字不願說出口，只用「搖頭」表示。所以謂之「牛」。他吃了虧，我們附近的人都爲他不平；但因他太老實，有些人甚至怨恨的罵他「傻瓜」。他只笑笑了事」。

關於水產課薛課長所劃之一百坪土地蓋公館事，據趙福來稱：「在第一次林股長主持的協調會議上，他問謝炳禎：『那田裏房子是誰蓋的？』謝答：『是他們蓋的』。『哦！是你們蓋的呀！土地同意我們徵收，這房子保險不會拆。若有人拆你們的房子，你們來報告我好了』。據趙加福說：『他說：拆我們的房子，我要跟他拚命，他說：『哎喲！我這個位置（職）還要坐哩』！

復據趙福來說：「林股長、薛課長在開會時都說只用八十坪土地；但會後說要用一百坪；實際他們劃了一百八十坪地。中間那八十坪，不曉得劃給誰的。（按市議會通過每人給四十坪）林股長又說：省有土地我們沒權徵收，現在用的是市有土地」。又據趙加福說：「退役軍人與薛課長所劃的地內，有省有土地，林股長當時講：『省有土地與農場沒關係，所繳的租金還給你們，租金我已繳，沒有辦法；但給你們減少市有地租金好了。』我反對說：「不行，不行，沒有那麼簡單的事！」他隨即叫另一位官員問我：『你想怎樣』？我不理走了。

我採訪的第一位對象是謝炳禎，我問他：「薛課長這筆土地聽趙福來說，你們劃了一百八十坪」。他說：「他們懂得什麼丈量土地，不要聽他們亂講。你要看圖或什麼資料我都可以提供」。第二次我去看圖及協調會議紀錄，他大概受到指示，一問三不知了。

我又問林應臻要會議紀錄看，林說：「紀錄都給了佃農，我道裏不好查」。趙加福兄弟均稱：「協調會議紀錄，他們怎會給我們？我們什麼東西都給你看，難道眞給了我們，我們還不給你看嗎？」由此襯之，林股長說的是謊言了。

我問林股長：「地政科徵收土地，何必開什麼協調會議嗎？乙紙命令不就行了？」林回答得很漂亮：「我們不能隨便徵收，這是民主時代！」（好一個「民主時代」！）

復據趙福來稱：「省有地租金是台灣銀行委託合作社代收，一年兩期；市有土地租金是區公所派人來收的；是由合作農場場長楊順太收繳市府的」。（上）

香港人心漸趨安定 夏季貨品生意轉暢

（本報訊）時屆七月，本港的夏象益見明顯，近幾天來氣溫日趨上升，酷暑迫人。許多中小學校已經開始陸續放暑假，無論假日或平時，港九和新界各海灘也擠滿了弄潮兒。而商場上夏季應時貨品的生意，因此亦乘時大見開展，銷情異常活躍。

過去約兩個月以來，三百多萬市民一直生活在頗爲動盪不安的環境中，騷亂事件，彼仆此起。在這種情況下，夏季貨品生意，無疑是受到很大的影響。人們爲了應付層出不窮的種種擾亂，已忙於奔命，又那再有甚麼時間和閒情逸緻去逛公司，遊商店呢？但是隨着整個局勢的日趨安定好轉和天氣的一天比一天更熱，一般市民的消費興趣已逐漸恢復和增強，於是各類合時貨式的銷流，也就隨見增加。以近週來的表現，港九各百貨公司和商店等的營業額，確實是有較佳成績的。

根據本業商人反映：目前市銷較暢的夏貨大致包括有各類男女新花衣料、恤衫、夏威夷、裙子、西褲、套裝、泳衣、泳具、童裝、皮鞋、手袖、陽傘、太陽眼鏡、化粧品、香皂等多類，因爲這些都是屬於炎夏季節穿着和使用的。以中上價的歐美舶來貨和港產品較受歡迎，原因是適合一般市民購買力的緣故。

今年夏貨生意的一個特點就是旺季來得遲。以例常的表現來說，到了五月本來應該是初旺的季節，陸續有所落行；六、七月間是最暢好的時候，轉至八月間便漸入尾聲階段了。但今年則遲至現時才初步顯見暢旺，百貨商人無形中少做了近兩個月左右的生意，這種平白無故的損失，當然要歸咎於一連串的騷亂暴動事件，也由於夏貨落行漸有轉機，週來所見，各公司、商店的顧客是一天比一天熱鬧擠擁，疲多時的存貨陸續沽出。爲了爭取多做生意，百貨商除了向銀行贖單把存倉的貨品提取以作應市之外，普遍還採取大減價，特價酬賓的手法廣作招徠。他們寧願少賺或不賺利潤，最大的希望是積壓不要太多，因爲一來可以令到頭寸較多回籠而利於週轉，解除銀根緊短的困苦，二來積存減少，不致有太多的賬倉。否則明年新的花款貨上市，就可能會變爲過時製品，不受歡迎，虧蝕就或許更大了。商家的如意算盤是否能夠打响，一般認爲決定於今後一個多月內的表現。但從近期市況以及人心普轉安定的情形下，本業人士對此還是頗具信心的。

桃園續紛錄

○黃鴻週投寄

▲肆業時，是風紀股長，忍心自己挨打；畢業時，就風紀蕩然，「應該」糾來還擊？此間省立武陵中學，這學期中，打得好不熱鬧！該校教育和行政，都應力加檢討了。

武陵中學在桃縣三所省立普通中學學校中，是學生所嚮往學府之一，近來年也常有不愉快的事情發生。省教育廳，去（五五）年特指派該廳秘書馮堯春接長該校，力圖改革。馮校長由廳下放，本籍桃園（新屋鄉人），論天時地利，是兼而有之，只在人和上費些工夫就行了。馮校長年壯力强，確有幹勁，但，在「人事傾結」的環境中，儘管有飄存有守的主管，想大力「去蕪存精」吧？勢不可能；想掛冠求去吧？也是勢不可能（舍長求長，談何容易）。唯有「核發」、「核可」，求其放心而已矣。

該校這學期中，首先是教員打訓導主任，鬧進了法院，馮校長還被傳走上法庭！六月一日又發「打風」：高三學生多人，在圖書館自修，當管理員李子申（男，三八歲，安徽人）由外間進入時，有人向他「開汽水」（嘲……的意思），又找不着是誰，心裏十分冒火。他硬找在場的風紀股長李添彬（台北縣蘆洲鄉人）出氣，李生既立加否認。李管理員也不由分辯，即賞李生幾記耳光！李忍受這無端耳光，「風紀」，同月廿一日畢業典禮中領到畢業證書，走出禮堂，李添彬即糾合同學十餘人，找李管理員「算帳」，把他拖往謂有事到訓導處說；李管理員仍想喝止，這時李添彬等也不由分說，乃亂挙齊揮！秩序大亂，校方立即報警，抓住李添彬等五人（其餘的走散了）案由警方處理中。

學校職員，是爲學生服務的；體罰學生，早經厲禁。學生敦品勵行，爲求學四育（德智體羣）之首。李添彬等十餘人，領到畢業文憑，尚未走出校門，就在校內行兇。該校當前教育和行政，應作全面的檢討，勿負國家和社會的重寄。

▲明年是台灣全省的地方選舉年，代議士自鄉鎮民代表以至省議員，公僕們由鄉鎮長到百里侯，統統又要經過選民一次投票的考驗。選舉投票的時間，分自明年元月至五月。桃縣想當百里侯者，是濟濟多士，暗中佈署的競選活動，已在激烈地開始了。

以目前初步的估計，桃園下屆縣長的逐鹿者，已列出了「八陣圖」，其中有想連選連任，捲土重來，反主爲僕（指議士）、爲官（指中學校長）……道些未來的影子縣長候選人，爲了和選民修好，無論吃拜拜（台灣風俗酒宴客）、賀新婚、祝大壽、吊喪家、開業禮、開大會……都得有請必到，還得贈送禮物，有些出公款「特支」（政府規定主官的應酬費），有些私掏腰包。選舉要票，恐怕選民見外，不予支持。現在台灣教育水準，普遍提高，單靠過去那種味精、肥皂、香烟等「小禮物」，已不能竟全功。縣太爺，平日坐小轎車，入長官席，誰知道一面的辛勞？

▲國民學校的「營養午餐」，是顧及幼少的學童們通勤之苦，用意至善，其命維新。尙未普遍……，這是近數年來的措施，來源是美援的補助，教育廳的核撥，和學童的繳費（每人一元），側重在鄉村偏遠的學區裏。桃園東門國校也爭取試辦營養午餐，在營養午餐的規定中：有學童若干者，其殘餘食物，可養猪幾頭，充作學校的福利……這條尾巴。因此，這個法令的漏洞，就成爲主其事者養猪噱肥冠冕堂皇的盾牌，多在養猪花樣上作文章。

桃園東門國校的營養午餐，經省教育廳發覺，偷工減料，其醉翁之意，在乎養猪也。並查核庫存物資，與賬不符。教育廳下令該校停辦營養午餐，並將校長林元義、主辦人邱創財，各記大過一次。誰都明白，營養午餐變成養猪場，又何止東門國校？希望當局普遍調查。

瀛海異趣談

美國百萬人胡攪「換妻」

・桑稚・

在美國賓夕法尼亞的法庭，一個三十六歲的妻子控訴她的丈夫通姦。他不否認，但答辯說，他的妻子知道他的每一個婚姻以外的關係，因爲這些事情發生時，她都在場。他並說，事實上她也與他的床上伴侶的丈夫發生關係。

審訊完畢，這位法官採取特別的步驟，向報紙發表一項聲明，其中一段說：「……兒女的管教已付諸母親。這是他強的決定，祇因除了把孫子送到兒童教養院外，再沒有其他的更好的方法……本法庭對於參加「換妻」遊戲的夫婦人數激增，深表震驚。或許州的法律應該規定，那些爲性刺激而交換伴侶的夫婦，他們的兒女應交由州管教。」

美國夫婦參加「換妻」玩意的，估計一百萬以上。但婚姻關係的權威都認爲此數在增加中。「換妻」可分作四類，各類的起因和後果都不同。最簡單的是兩對夫妻的交換，正如一位妻子說：「我們交換伴侶來跳舞。」這樣的安排，普通出於偶然，但會時常引致永久性的交換關係。

兩對夫婦的交換伴侶，通常都是四人同意或默許，然後同機實行。四個人在比較安全的環境下欣賞男女關係。相互的通姦，似乎消除了不道德的問題。時常交換伴侶的夫婦說，他們的行爲是「文明的」，「有道德的」，和「忠實的」。一定的，開始時似乎是這樣的。此外，由於交換伴侶的關係，兩對夫婦恢復他們本身的婚姻的性活力。正如一個丈夫說：「突然的，我的妻子在這方面非常活躍，設法做得比夏綠的妻子更好些。我喜歡呢！她是一個新女人。我不會問她在什麼地方學會這些……我知道呢！」

不過，這交換伴侶的快樂終於會消失。四個人不能常全是十全十美的配偶。當一個男人不能如另一個男人經常使他的妻子滿足，他的自尊心將受到打擊，而他的婚姻也將受到損害。一個妻子不能滿足她丈夫，情形也是如此。參加在克利夫蘭舉行的美國社會科學家協會會議的一位心理分析家說：「這些夫婦的唯一健康的解決方法是離婚而再結婚。在所有個案中，麻煩是不可避免的。睡床是遊戲和競爭的最後地方。如果把做愛看作一種作試驗而把某人與配偶作比較，每一個都失敗。」

又一種「換妻」祇是爲了尋樂，四、五對夫婦可以參加。這「亂點鴛鴦譜」遊戲多數在週末家庭派對舉行。所有被邀請參加的人，都知道他們將不和自己的配偶同睡，但不知在那些人是怎樣選擇的，多數由主人家決定辦法。不過，「亂點鴛鴦」的鴛侶，並非時常都是理想的配偶。有時，交換配偶的人不一定是夫婦。

一位心理病專家指出另一個危險：「這不祇是由於交換婚姻配偶，因爲參加的人也有未婚的。但我最近發現由訴性無能的青年男子人數增加。幾乎沒有例外，這些男子都認爲他們在性活動方面應該勝任愉快，祇是發現力不從心。婦女却沒有這樣的麻煩。女人縱性慾未熾，也能應付男人。似是而非的，男人在某些環境中會由性無能而變成健康的，但這是不正常的。」

第四類是由好奇心驅使的。這些人把他們自己和其他人的身體，看作尋求違背正道的性快樂的工具。他們通常刊登小廣告，徵求對繪畫、雕刻，或攝影等藝術感覺興趣的同道中人，或者徵求筆友，然後於通信中講述夫婦間的各種快樂，並請求對方講述他們夫婦的閨房樂事。如果對方有復信，下一次就寄出他們夫婦互相摟抱的裸體照片。最後一個步驟是約見。這些夫婦，多數其中一人是同性戀者或性心理變態的。當兩對夫婦組成一個集團，就有兩個主子和兩個奴隸。在那樣的環境下，任何的變態的性行爲都可以進行。最近有一個自稱醫生的人，開辦了一個「性教育班」。參加這訓練班的有六對夫婦。最先由這個人與其中一個妻子作示範表演，教導最佳的方法，然後輪流學習。這醫務所後來被警方破獲，祇因其中一個女學員投訴，她懷孕而她丈夫不承認她腹中塊肉是他的兒子。

心理分析治療專家們一致承認，參加換妻玩意的男女，多數患有嚴重的精神病。他們已不辨這種行爲在道德上的是與非。紐約的一位心理分析治療專家說：「這困難問題是太複雜了，很難有一個簡單的答案。分享伴侶有許多方式，很難斷定什麼使男人和女人參加這種行動。有一點是肯定的，他們摧毀了西方文明的兩種重要的價值：愛情與忠貞。」

憶岱琪姊姊

・紫雲・

就在那天傍晚，我經過岱琪姊姊的房門口時，發現她的房間非常淩亂，床鋪上堆滿了箱子和衣服。

「妳要走了？」我問。

她默不作聲。

「不要走！」我說，「岱琪姊姊，我們每天在一起玩多好呢，不要走吧！」

「我也不願走，」她說。「可是，我又不得不走。小妹，我不久就會回來的。」

突然，有一個男人和一個女人走進岱琪姊姊的房中，那男人的年紀，比我爸爸還要老得多。那個女人比媽媽大，臉色鐵青，沒有一絲表情。那個女人看到岱琪姊姊的時候，發出一聲輕蔑的嘲笑。

「岱琪，」那男子說：「我已把我們的事情告訴了她，她同意下來了，你願不願意？」

岱琪姊姊只是啜泣。我知道她受了委屈。心裏又害怕，又憤怒。這時，媽媽來了，把我拖了回去。

「岱琪姊姊的爸爸媽媽來了。」我對媽媽說：「他們要接她回家。可是，她爲什麼對我說她是沒有家的呢？」

「不要管大人們的事。」媽媽禁止我再說下去。

媽媽把我關在房間裏。第二天，當我悄悄的再溜到岱琪姊姊房門口時，房門已經上鎖，她已經搬走了。

她搬到那裏去了呢？一個自稱爲沒有家的美麗的女孩，當時我是百思不得其解的。直等我也長大成了大人，我才不明白，可是再也打聽不到她的下落了。

（下）

革命性的空氣來福槍

陳因

幾代以來，美國人都玩雛菊牌的槍，但公司現在出售一種噴射時代的空氣來福槍。火力幾如〇點二二徑的來福槍那麼强，這種槍發射沒有彈筒、彈殼或火藥的子彈。「雛菊」很有信心的認爲，它是新一代的軍用和民用武器的先驅。

這種革命的來福槍，是比利時化學工程師朱爾斯溫蘭根荷文發明的。他是愛玩槍的人，於一九五一年開始試驗，企圖減輕彈筒的重量。迄一九六一年，他製造了一種氮膠變形劑，可用熱空氣的噴射來燃點，因而不需彈藥筒。「雛菊」總經理侯斯聞風往巴黎，去看看這種新武器。使用一種改良的空氣來福槍及棉花狀推進劑，包裹着的小藥球，這個身高六呎三寸的比利時人射出的子彈，速度幾達每秒鐘一千五百呎，等於標準的〇點二二口徑的子彈的速度。侯斯驚訝。他憶述說：「我不敢置信呢！」拿了這支來福槍和一些子彈推進劑，他匆忙回到他的酒店，把一本厚厚的電話簿放置牆邊，自行試射，直至子彈發射完畢，檢查那本電話簿，他發覺彈頭都穿過了它，而且損及後邊的牆。

侯斯僱聘了溫蘭根荷文，把他安置於羅傑斯的雛菊總廠，要他集中於研究製造一種固體的推進劑，而公司的工程師們則負責設計適用的來福槍。五年後，他們聯合努力製造了一種典型的簡單的武器。VL（溫蘭根荷文名字的縮寫）子彈祇是附於彈頭或飛彈後邊的一個筒形固體推進劑。當VL來福槍的彈簧被扳動，一條强力的彈簧，把一個活塞射進一個圓筒，壓縮和熱筒內的空氣，使它的溫度達到華氏表二千度。通過一度活門衝進發射膛，一股熱空氣集中和燃着那推進劑，把子彈射出槍膛。因爲熱的空氣幫助推進劑完全氧化，沒有遺留未燃的痕跡，以使槍膛發生毛病。VL試驗來福槍已發射了五萬次，不須拭抹或其他的保養。

舊式來福槍，扳擊之後，槍擊的「插針」擊中槍彈的「雷管」，使「雷管」內的藥爆炸，燃燒火藥，迫使子彈從槍膛射出，但遺下彈殼以及一些未燃燒的火藥。彈殼要用褪殼器把它彈出來。侯斯說，不需要這些褪殼器，VL來福槍「免除許多附件和許多潛在毛病的困難問題」。此外，新推進劑減少了返撞力和聲響。

雖然「雛菊」打算VL發射系統祇限於用來製造〇點二二口徑來福槍及獵槍，軍方的採用是顯然的。「雛菊」工程師們發射VL子彈的速度已達到每秒鐘三千呎，相等於高力的舊式來福槍。VL子彈可用化學劑或電力，以及熱空氣發射。彈殼的免除也適用於飛機上的機關炮。

閒話三國時代的幾個名女人

・周燕謀・

三國時代英雄甚多，並不如曹操對劉備所言那樣：「今天下英雄，唯使君與操耳！本初之徒，不足數也。」其實不是那樣簡單。劉備、曹操應爲英雄之中之英雄了自不消說。但是，說到三國的名女人，却如鳳毛麟角。有文友專寫歷史小說的，他想用女人在三國故事中穿插，也苦於難以羅織。

說到三國的名女人，婦孺皆知的，可以說只有一個傳說的小說人物——貂蟬。但她在三國的歷史舞台上却是「不見經傳」的人；不論她在戲劇，小說中有多大的魔力，在「信史」者的筆下，只有把她剔除篇外。

才捷剛猛的孫夫人

劉、孫聯姻，完全是一幕政治婚姻，根本談不上恩情。在小說中，孫夫人也有不少的篇幅，而且她之嫁劉備，一切皆爲劉備着想，設法隨劉備逃出孫權的掌握，使得周瑜「賠了夫人又折兵」的下場。而且在劉備死後，她也在東吳長江邊遙祭，爲劉備殉節以死。東吳招親之妙筆，是有聲有色，把她塑造成一個烈女。但那並非她的眞面目。

自劉備被羣下推爲荊州牧後，孫權爲了羈縻劉備，一方面又怕劉備，採納了周瑜的計謀，而實行政治婚媾。所謂：「權稍畏之，進妹固好。先主至京見權，綢繆恩紀」。這是三國演義美人計之所本。「美人計」應該是正確的，我們看周瑜對孫權說：「劉備以梟雄之姿，而有關羽、張飛熊虎之將，必非久屈爲人用者。愚謂大計，宜徙備置吳，盛爲築宮室，多其美女玩好，以娛其耳目；分此二人各置一方，使如瑜者，得挾與攻戰，大事可定也。……」周瑜不過沒有說要孫權把妹妹給劉備而已。由於「進妹固好，先主至京見權，綢繆恩紀」，又有周瑜的計劃「……盛築宮室，多其美女玩好」，當然就成爲小說家「美人計」的好材料。所以劉備招親，就有了「甘露寺」吳國太佛寺看新郎的精彩回目。其實孫權的母親早在七年前已死了，羅貫中要老太太復活，爲了使周瑜美人計弄假成眞，所謂「賠了夫人又折兵」，氣死周公瑾而附會的。三國演義極力看好孔明，不惜抑壓周瑜、魯肅而出此傑作。其實周、魯二人的眼中，根本沒有孔明，只有劉、關、張三人才是可怕的人物，認爲劉備才是「終非池中物」，如得雲雨，必然飛騰者；而且孔明和周瑜一生沒交手過，在當時孔明尚未展露奇謀，周瑜大孔明六歲，劉備也尚未重用孔明。三氣周瑜，更是抑壓周瑜的傑作。閒話少敘，還是掀開孫夫人的面紗吧！

孫夫人在三國志中也無傳，只附見於趙雲別傳及法正傳。她是一位「才捷剛猛，有諸兄之風」的巾幗英雄，平時「有侍婢百餘人，皆執刀侍立。」使得劉備「每入衷思，心常凜凜」的顧慮，其雄威亦可想見。

百美詩中就有詠她儒健：「刀光如雪洞房秋，信有人間作婿愁；燭影搖紅郎半醋，合歡床上夢荊州」。孫劉聯姻，實是政治婚姻，她是在劉備那裏做特務工作的，所以根本沒有恩情可言。法正傳引孔明的說話：「主公在公安也，北畏曹公之強，東憚孫權之迫，近則懼孫夫人生變肘腋之下。」當時和孫夫人「綢繆恩紀」之時，劉備年方半百了，（四十九）而孫權只二十九歲，孫夫人也不過二十幾歲，戲劇中的劉備招親，故不能不把鬍子染黑也。劉備入益州時，爲了怕孫夫人的「變生肘腋」，特命趙雲爲「留營司馬」。

（一）

平劇繽紛錄

旦角的臉譜

○桂良○

友人閒談：平劇的臉譜沒有什麼道理，人的面貌，絕對不會有那樣紅，那樣白。凡是人的臉，沒有那樣紅，那樣白，是誰都知道的；但是平劇裏勾臉，係形容劇中人的性格，不是描畫人的面貌。這種情形、來源很遠。若說戲中臉譜，是從扮神怪戲而興起的，不能說沒有道理。譬如古人看外番，也像我們今日看非洲半開化區的土人一樣，於是把扮演神怪的化粧，也搬到外番身上去了。再從外番的模型撥回來，扮演本國古人，就成了臉譜的來源。因爲大家想像之中，禹鼎所鑄的奸人，與蚩尤是沒有分別的。

封神榜中，這種突出的情形很多，聞太師有三隻眼，所以演文天祥的戲，也往往多勾一隻眼，也稱文太師。

畫家的畫神畫鬼，當然更是以意傳神。因爲他何從見過諸神、野鬼的面貌。不過是想像着是有那種樣子罷了。他們何以會想到那種景像，應是從神和鬼的性格中揣摩出來的？現在的「鬼趣圖」及「眾仙圖」大約都出不了這種範圍。戲劇中的臉譜，也是如此，而不能例外。

平劇的腳色，有生旦之分，淨丑之別。前者俱屬俊扮，僅需在面孔上抹硃塗粉。後者都需勾臉，所謂勾臉，係將各種顏色，依需要之情況，繪諸適當的部位，各色兼施，眉眼俱露。一經描繪，判若二人，既改變其本來面目，且顯示劇中人的忠，奸，醜，惡。扮演人臉上，便經塗色，花紋突現，故俗謂「花臉」，或因文字之儒雅而稱之曰「花面」。

台北中外人等欣賞和研究臉譜的風氣頗爲濃厚，自然是復興中華文化的一種好現象。今篇所要談的，是戲劇中旦角的臉譜。通常我們所見的都是英雄、好漢，有性格的角色才勾臉，談到英雌，却少見勾臉。

有之，最顯著的，是「馬上緣」薛丁山第二個妻子劉金定勾的藍靛臉。藍色的象徵又烈於黑色。藍靛臉之人多粗莽，有忠勇之性格。原來薛丁山征西，戰敗於番后蘇錦蓮，逃到烏龍山，爲一奇形怪狀，手持鐵鎚的陳金定所搭救，故此藉勾臉以表顯她的性格和勇猛。

昨年名鬚生胡少安排演我轉贈的「串龍珠」劇本，劇務王質彬居然勾出老旦的臉譜。排演該劇時間極爲短促，小生劉玉麟向我言，臨期並未响排，是可鄙的。他們不但排得快而且熟練，居然把戲中引導州民造反的老邁年高的花母，也勾上了臉。因爲她能舞鋼叉，性情又是肝膽照人，便給她揉上了銀硃，描上了兩道白眉，插上兩根紅耳毛。如果她像寒窰中老貧婆的扮相，彎着腰，拄着棍，怎能發動民族革命呢！

讀書滋味譚

○芝○

有一個朋友曾經問過我：「一個女孩子在什麼情形之下最美麗？」我毫不思索地說：「當她捧着一本書的時候。」這並非憑我一時興會，隨口作答，而是經過一種思緒的聯鎖而說的由衷之言。因爲我想起，有一次在火車上，坐在我對面的一個女孩子，淡粧素抹，埋首在書裏。那風度，那韻味，那神情，實在忍不住要去注視她。我好幾次偏過頭去望窗外，匆匆飛逝的遠山近水，深恐我這樣打擾人家的精神，但我硬是忍不住，又把目光移向她。就在這一剎那間，我爲自己編了一個很美的理由：上帝創造了一幅美麗的「圖畫」，是希望人間有人懂得她，欣賞她。

又有一個晚上，經過人家的住宅，從紗窗透過的一片燈光裏，映現着一個伏首書桌的女孩子，那一份寧靜，那一份自得，使我也彷彿跟隨着轉向她的世界——專心致志的讀書世界。

我的朋友，聽了我的回答，也僅說了一句：「你眞是一個書呆子，」便走開了。他這句話，却令我久久的陶醉在餘音裏。

「三日不讀書，便覺言語之味，面目可憎。」是的，有時我照照鏡子，對於自己的面目，越看越可愛，雖然說不上美，但至少不俗，也似乎很有個性，這也許是我喜歡經常讀書的關係。但說起我的讀書，是很可憐的，我沒有受過很好的有系統的教育，所以與書本接近的原因，大概是在無可奈何的境地裏的一種自求解脫。久而久之，便也以讀書人自許了。而且養成了一種習慣，有欲罷不能之勢。每當我追求一個女孩子不獲其芳心的時候，就匆匆趕回來讀書，覺得惟有在書中可以尋找自己的理想。這是不是受了「書中自有顏如玉」的影響，我就不得而知了，因爲我是標榜讀書該是沒有目的的。每當同事同學，都高高的陞遷上去了，我自然會產生出一種解說，我有我的「境界」，你們不懂，只有我自己懂得我自己的境界。

我讀書是一個「興趣主義」者，我從來不願意死啃一本書，每發覺一本書毫無味道，毫無見地，便束之高閣。有人見我有很好的讀書習慣，勸我參加什麼獎學金考試，我祗有苦笑笑，因爲我知自己不是那種材料。當然也並不是完全沒有試過，但是當我看見一本自己所喜歡的書，或早已想讀的書，就會愛不忍釋，而將需要死啃的應付考試的書放在一邊。如此一來，還有什麼辦法考試呢？當然，我又會爲自己找到一個藉口：我要做書的主人，而不是做它的奴隸。事實上，究竟誰是主人，誰是奴隸，到是很難分別的了。

有很好的讀書環境，固然比較有興味，如佈置一間書房，那氣氛令你一走進去，不由得翻幾頁書。但是在煩囂的場合裏讀書，未始不是一件很「雅緻」的事，可以對周遭的一切充耳不聞，那樂趣也可以陶醉一番的。當然我們也時常在公共場合裏，發現捧着書的人，眼睛不時的飄向他處。起先我對於這種以書當幌子的人最厭惡，繼而想想也沒有甚麼，這總比那些終日醉生夢死甚至譏笑讀書人的來得可愛一些，祇要與書接近，說不定也許會有成就的。美國大作家馬克吐溫，少時並不好讀書，有一天他坐在台階上，幻想沉思，忽然風刮過來「聖女貞德」一書的殘頁，順手拈起來，無可無不可的讀一讀，一讀之下，大感興味，便去追尋，提讀，從而引發他的讀書的興趣，終有很大的成就。

讀書的時間，最好是在晚上，不唯寧靜，而更易興起「眾人皆睡我獨醒」的自命不凡的念頭。每當閱讀了一個段落，要用腦思索一番，融會一下時，於是可以燃起一支紙煙，往靠背上一靠，「啊！人居然還是如此靜寂」，最容易感到自身的存在，乃至一覺睡去也無所謂。

戲水摸魚憶兒時

紫霜

在故鄉漢水流域一帶，這個季節，秧苗兒長得正旺，水渠滿溢，正是鄉下孩子們戲水摸魚的好當口。天氣熱，人們都樂於近水，尤其是孩子們。在大太陽下熱得難耐，溝塘池渠，便成了自然的好去處，天眞誠樸的孩子們，一個個脫得一絲不掛，在水中摸濺得浪花飛舞，興致淋漓。

記得小時候，逢放了暑假，回到鄉下，我便參加了戲水摸魚的一羣，肆無忌彈地野了起來；好像一隻久已被人强着披上衣冠，關在籠子裏的小猴子，一旦放回了山林，歸眞返了樸似的。

鄉下孩子們的智慧，並不比城裏孩子們的低，這一點，從戲水和摸魚上，便可予以證明。他們不但會選擇戲水的場合，而且知道避免危險：入水之前，懂得先以種種方法測得水的深淺，水底的障碍以及周圍的環境等等，每人都好像是行家。因此，在家鄉時，極少聽說有誰家的孩子慘遭滅頂的噩耗。至於玩起水來，更是花樣百出，噱頭不少。諸如比游水、開水仗、漂竹籃、搶寶等競賽性的遊戲，都使人百玩不厭的。尤其有趣的是騎水馬。那時候，大家穿的中式褲子，前面沒有開口，把兩隻褲腳紮緊，張着褲腰在空中一兜，灌滿了風，「嘭」地一聲，把褲腰按進水中，兩條褲管早已脹滿了空氣，變成了兩隻長長的大氣囊；然後把褲腰口在水中紮住，往褲襠上一騎，藉着前後兩隻氣囊的浮力，漂游水上，四平八穩，眞像是騎着一匹水馬，過癮極了。

至於摸魚，多半是在戲水之後，搞混了水才玩的節目。所謂「混水摸魚」，正應了這句話兒。但是，可別小看了「摸魚」這玩意兒，其中的技巧和學問也多着哩。摸魚只靠兩隻手，什麼工具都沒有，如果你不懂竅門，儘管水再淺，魚再多，甚至多得在你脚上亂撞，可是，你休想抓住一條。搞得不好，說不定連手掌還會被魚鰭刺破呢！熟手摸魚，懂得一個「勢」字，舉手投足，不慌不忙。並且善於觀察地形水勢，曉得魚兒喜歡躲藏的地方，手在水中輕輕的移動，慢得不可再慢，混水中，魚兒觸在手中，只要你別急，牠以爲是水草什麼的，於是不會亂竄；然後，兩手輕輕的緩緩的包抄合攏，直至貼近了魚體，才以迅雷不及掩耳的速度兩手一扣，牠便逃不掉了。常摸到的魚兒，多半是幾兩重的鯽魚之類，有時候，也會摸到一二斤重的鯉魚。魚大力强，尤其在水中，赤手空拳，活捉這麼大的鯉魚，可得費一把勁兒。如果經驗不夠，常常搞得人仰馬翻，結果魚兒還是跑了。

梅子黃時雨

夜聞

蘇、湘、兩浙，四五月間，梅欲黃落，則水潤土溽，柱礎皆濕，蒸鬱成雨，謂之「梅雨」。

按正字通：「瑣碎錄曰：江南以三月爲「迎梅雨」，五月爲「送梅雨」（又曰熟梅雨），或言古語：「黃梅時節家家雨」故云。」

又按張蒙漢謂：「梅，當作霉，雨中暑氣也。霉雨善污衣服，故又云「霉涴」，言爲霉所壞也。「霉」，義與「黴」通。」

按張氏謂「梅」當作「霉」，實當作「黴」，以江南四五月多雨，黴易發生也。其作梅者，以其時正梅熟耳。又衣服著潮，黴生其上而成汗點，俗謂之霉，蓋即黴也。

但在詩人筆下，則愛用「梅」字，以其雅馴而宜協韻也。白樂天有故衫詩云：「殘色過梅看將盡，故香因洗嗅猶存；曾經爛漫三年着，欲棄空箱似少恩。」其上聯復有：「袖中吳郡新裁本，襟上杭州舊酒痕」之句；蓋因謂江南多梅雨而作也。宋，賀方回作青玉案詞云：「凌波不斷橫塘路，但目送飛鴻去。錦瑟年華誰與度？月橋花院，瑣窗朱戶，只有春知處。飛雲冉冉蘅皋暮，彩筆新題斷腸句。試問閒愁都幾許？一川烟草，滿城風絮，梅子黃時雨。」

竹坡詩話云：「賀方回作青玉案詞有「梅子黃時雨」之句，人皆服其工，士大夫謂之「賀梅子」。郭功父有示耿天騭一詩，王荊公嘗爲之書其尾云：「廟前古木藏訓狐，豪氣英風亦何有？」方回晚倅姑熟（蘇州），與功父遊甚歡。方回寡髮，功父指其髻曰：「此眞賀梅子也。」方回乃捋其鬚曰：「君子謂郭訓狐！」蓋功父多鬚面瘦，故有此語。」

鶴林玉露云：「詩家有以山喻愁者，杜少陵云：「憂端如山來，澒洞不可掇。」趙嘏云：「夕陽樓上山重疊，未抵春愁一倍多」是也。有以水喻愁者，李頎云：「請量東海水，看取淺深愁？」秦少游云：「落紅萬點愁如海」是也。賀方回云：「試問閒愁都幾許？一川烟草，滿城風絮，梅子黃時雨。」蓋以三者，比愁之多也，尤爲新奇，兼興中有比，意味更長！」

吳中紀聞云：「鑄，有小築在姑蘇盤門之內十餘里，地名「橫塘」，方回往來其間，嘗作此詞。其後，黃山谷有詩云：「解道江南斷腸句，只今惟有賀方回！」其爲前輩推重如此。

（上）

家庭生活多温馨

○紫薇○

有一次他很疲憊的坐在沙發上呆想，我奇怪的問他，他說：「我今年已二十七歲了，還是一無所成。前途黯淡，怎不叫人難受？」我順口安慰他：「二十七，「三十而立」，四捨五入，不也是三十嗎？」他幽默的說：提到「可靠」，他可以拿滿分的。從事研究工作的人，平時沒有什麼大應酬，至於「客串」式的酒會、宴會，他向來不感興趣。他既不抽烟，也不喝酒，出差時，儘量減少他的享受，他是往街邊攤理髮，只要一元便行了。他節儉，但絕對不是吝嗇的人。家裏常有客人，每當親戚朋友來時，他總是設法使他們乘興而來，盡興而歸。他告訴我說：「要讓客人帶着笑容回去。」星期一到星期六，他都認眞的工作，但一到星期六下班回來，他便把私事拋入九霄外，與我共渡週末。

他提倡室內正當娛樂，因此教我如何打橋牌，下象棋。雨綿綿，家無客人的禮拜天時，我們買些瓜子，牛肉乾，泡上兩杯清茶，兩人大戰一番，互不退讓。我大概太注意吃瓜子，牛肉乾的緣故，所以常成了他手下的敗將。

我的丈夫，雖然寵愛我，但他依然有他的個性與脾氣。當我作錯時，尤其在待人接物這方面，他決不阿諛苟同。結婚以來，我沒看到他疾言厲色的對我發雄威，偶而他分析事理給我聽，讓我自己權衡輕重，知過而改之。由於他措詞宛轉，語氣平和，我常不知道他在給我精神講話，事後一想，才知道我又上了一堂公民課。某次，我與他爲芝蔴小事賭氣，我氣得不吃飯，臉又兕又紅，嘴唇翹得半天高；他不慌不忙拿個鏡子放在我的面前。（四）

內警台報字第○三一號內銷證

自由報

THE FREE NEWS

第二七七期

中華民國僑務委員會登記證僑台報新字第二三三號
中華郵政台字第一二八二號執照登記為第一類新聞紙類
（半週刊每星期三、六出版）
每份港幣壹角
台灣零售價新台幣貳元
社長：雷嘯岑
督印人：黃行警
社址：香港銅鑼灣高士威道二十號四樓
20, CAUSEWAY RD 3RD FL. HONG KONG
TEL. 771726　電報掛號：7191
承印者：大同印務公司
地址：香港北角和富道九十六號
台灣分社
台北市西寧南路[illegible]號二樓
電話：三○三四六
郵政劃撥儲金戶[illegible]號

論美國宣佈一九四四年對華外交文件

陳侃

美國當局於一九四九年（中華民國卅八年）秋間正是毛共叛亂勢力猖獗，竊據了大半個中國地區，我政府播遷廣州，國軍苦戰於華南與川黔一帶之際，竟亟亟於發表「對華外交白皮書」，指述中華民國政府自對日抗戰以來的政治、軍事和經濟措施之種種失策，而歸咎於我政府貪污低能，表示與美國的援華政策不相干，大大地打擊了我們反共戰爭的民心士氣，不啻是乘人之危，落井下石，遂以助長毛共的氣燄，而中國整個大陸，很快就淪陷了！當年美國政府誤認毛共係「土地改良主義者」，希望它奪取政權後，實現其經常喧嚷的民主政治，跟美國親善結交，促進世界和平。只就美國立場和其迷信實驗主義的故智而言，當時白宮忙着要發表上項對華外交白皮書，藉以表明心迹，討好毛共，多少尚有自我解嘲的口實。

不料美國最近又突然發表一九四四年對華外交文件，內容是敘述所謂「史迪威爾事件」的經過，原書我們尚未看到，據說有一千多頁，可謂鉅著也矣。此時此事，究竟有什麼必要？這對於中美邦交前途有何裨助？即專就美國利益設想，又有什麼作用可言呢？我們再四思維，實在莫名其妙！

所謂史迪威爾事件也者，在五十歲以上的人，或許尚有若干印象。這椿公案對於咱們政府的信譽毫無妨碍，其中沒有甚末不可告人之處，美國公開宣佈出來，中國人士決不感覺慚疚，祇認為徒然損害中美邦交，白宮又做了一項使親痛仇快的笨事而已。

史迪威爾是美國的一位將軍，於第二次大戰中期，由羅斯福總統派他到中國戰區担任美軍統帥兼中國戰區最高統帥蔣委員長的參謀長。他到中國就職不久，乃聽信美國駐華大使高思，以及使館僚屬謝偉志、戴維斯這般左傾親共份子的意見，再加以共黨的宣傳，認為延安窯的毛共軍隊是強烈抗日的，由於我政府對毛共不甚信任，共軍的裝備殊欠完善，無從發揮抗日實力。於是，他就建議白宮，主張將美國依照租借法案給與中國政府的軍援物資，一概由他來支配，毛共軍隊亦歸他直接指揮對日作戰。這樣的作法，不特徒滋紛擾，於事無濟，亦非一個中國戰區最高統帥的職份內所應行使的權力，根本就是抹煞了中國政府的主權，而視中國為附庸國家，史迪威爾即成了中國戰區的最高統帥，事實上的中國戰區無論從那一方面來說，這種建議是荒謬的，是可忍，孰不可忍？將主席拒不接受，并要求羅斯福總統撤換這位不明大體、越位擅權的戰區參謀長，以免貽誤戎機，影響戰局，殆為義所當然，理有固然。今日白宮當局要把這本陳年舊帳公開出來，美國人士毫不在乎呢，除掉在對華外交上平添了一層陰影而外，甚末益處亦說不上。

白宮現時發表這項外交舊案的用意，如其仍然相信當年若由美國將領直接統御毛共軍隊，給以大量的美式裝備，即可使毛共俯首帖耳，變為民主作風，早日戰勝日本，不復從事叛亂，而中國今日業已富強康樂之境，亞洲局勢亦不致像現在這末騷動不安，幾十萬美軍亦不必到越南來進行「有限度的戰爭」，假使我們這個揣測不錯，那就證明美國的政治人物，二十年來在東方吃過了毛共的許多苦頭，領受了若干慘痛教訓，到今天還是對共黨的本質，昧昧然無所瞭解，依然憑其天真無邪的理想乃至幻想，以處理東方問題，未免太冒險，也太可悲了！

誰也相信美國是十分[illegible]美國對於各友邦不惜予以財力、物力支持，甚至派軍隊應援，旨在幫助友邦進步建設，奠立安全繁榮生活。可是美國人士對於別國的歷史文化以及社會的結構，犯有不求甚解的毛病，主觀主義極堅強，總是憑着自己的尺度以衡量別人，講民主，必須以美式為標準，不許走樣，美國有共黨合法存在，別國的共黨便不應[illegible]宜，於安定中求進步，而採取「補鍋式」的手段，先把罅漏之處敲爛擴大，再行修補，過去對越南政策，即係最顯著的例證，吳廷琰執政時期，越南局面比較是安定的，吳氏由於宗教信仰關係，跟越南各教派不融洽，而其作風亦不無剛愎之處，但他對於反共措施是堅定正確而有效能，美國若採用從安定中求進步的方略，因勢利導，使吳廷琰政府逐漸地向着民主建設的路徑前進，越共又何致突告猖獗，構成今日的大亂局勢呢！然美國不此之圖，竟使用補鍋式的手法，率性把那需要修補的鍋整個敲破再說，公然提倡軍事政變，硬要先把吳氏剷除掉，因而越南的共禍日烈，政局愈趨混亂，迫得美國不能不挺身担負征討越共的全責，派遣五十萬大軍到越南打了兩年以上，還是未能遏制越共的進展，推究本源，能說不是美國的政治主觀主義所使然的嗎？

這次白宮發表史迪威爾事件的白皮書，如果不是源於政治主觀主義的意旨與作用，殊令人難以索解，我們為着珍惜中美兩國悠久而親睦的邦交，對此徒亂人意的行為，唯有表示深切的遺憾罷了。

打氣

妄想

暴動升級

今日与明日

本月八日沙頭角中英交界處一羣暴徒突襲當地警崗，擊死警察五人，傷十二人，為暴亂發生以來最大事件。接着九日又在西環暗殺一名警員，當晚又至北角焚燒天天日報汽車。暴徒行為已經瘋狂，繼之而來的將會有更大的暴亂，為此，我們不能不向香港政府提出忠告與建議。

首先要指出的，我自由人與共產黨暴徒之間的鬥爭，是百分之百的生死存亡鬥爭，其中沒有半點妥協的餘地，我不殺賊，賊必殺我。因此，政府一定要本着除惡務盡政策，不可姑縱一人。

其次，與共黨暴徒間，既沒有和平共處可能，亦沒有和談之必要。美國前總統杜魯門曾說過，與共黨談判所訂的條約，其本身價值尚不抵那一張紙。杜魯門要算是美國歷史上最胡塗的一位總統，尚有此見解，我們若以為可同共黨以和談解決紛爭，將為杜魯門所笑！眼前例子，澳門經過和談解決了爭端，結果又如何？我們可以斷言，假如在暴亂剛開始時，香港政府眞的向暴徒低頭，接受了所謂的五條件，則到了今天也許早提出了五十以上的條件，馬路上的秩序，一定比暴徒縱火的更要亂，香港市面也不會比戒嚴時好了多少。由此可知，欲靠和談恢復和平是百分之百的幻想，只有把局勢更推向混亂。

既然不能與共黨暴徒談和，政府就不能坐視四百萬市民陷於困境，警察日有傷亡而不採取斷然行動。警察怎樣採取斷然行動？只有擒賊擒王，犁庭掃穴，把香港之癌割掉。

目前因暴動而死的人，除去少數工人是被其餘左派自行害死移屍訛詐外，皆是僱傭兵氣，眞正的左派頭子，正坐在冷氣間，正在執雪茄，右手端咖啡，微笑看電視上上演眞正的警匪血戰，看死人？死的是警察及被左派收買的無知愚民；花錢？花的是在港勒捐來的。這批傢伙不費半點力，不花一文錢，坐視我四百萬人陷於困境，作為他們邀功領賞，中飽捐欵的資料，世間不平事寧有甚於此者。

而今更利用到小學生出來鬥警察，迫警察開槍，打算利用小學生的鮮血，去染紅他們外皮。政府再不下決心，未來不知要死多少無辜的人，尤其是孩子們。

政府應怎樣辦？說來十分簡單，把已經知道的幕後人物，不問他出不出頭，一律抓起來，立時送過羅湖橋！一批送走之後再有暴亂，再抓滋事的幕後人，其中包括報社的老闆，學校的校長，銀行商店的經理，最多不過三四百人，一旦驅之出境，則一了百了。願政府早下決心，莫再猶豫。（何如）

自由談

該死的二分法

馮王先生

二次大戰後，由於蘇俄共產帝國主義之橫肆擴張，與夫英美各國之姑息自私，整個世界構成了兩大集團對立形勢。於是乎，國際間對於處理一般弱小國家的問題，乃創立了一種莫名其妙的二分法，祇要某地區發生動亂，不管是非曲直，也不論正義公道，憑着三五強權國家，先把那地區分成兩半拉再說，如東西德，南北韓，南北越，以及兩個剛果政府都是。甚至於宗教聖地耶路撒冷，亦由聯合國決議分為新舊兩城，一邊歸猶太人管理，一邊歸阿拉伯人享有，互相敵對仇視，這成啥話呢？

這次以色列佔領了整個耶路撒冷，撤除新舊城牆的間隔，取消軍事管理，讓兩方的市民自由來往，不受任何限制，且宣佈為國際城市，保持和平秩序，這是很合理的措施。為着防制猶太人和阿拉伯人因宗教關係而再對壘地發生爭奪戰鬥行為，不妨由聯合國設置機構於聖地，指導監督一切，藉保和平安寧，亦無不可。

然而，聯大會議竟一貫的還要維持二分法，否認以色列的統一設施，指其為「非法」。我不知道當年將那座宗教聖城分割為兩半拉，又是根據什麼國際法而然的？幾個強權主義者基於私慾而隨便割裂別國的土地，便是合法的行為嗎？口含天憲，豈有此理！

有了聯合國這項非法的決議，即不啻鼓勵猶太人與阿拉伯人，將來為着爭奪聖地而再起戰爭，彼此皆振振有詞，理直氣壯，聯合國乃變成了助長國際動亂的集團，寧非咄咄怪事！

以色列外長聲明決不退出耶路撒冷，也不接受聯合國的決議，看情勢，中東之亂方興未艾，整個世界亦就不會有真正的和平景象。若要促進世界和平，消弭禍亂，非把強權主義者這種該死的二分法打倒不可！

高雄市府地政科官員
威迫農民讓地案續誌

由以上佃農敘述的事實，我們可以看出許多問題：（一）協調會議就是一個巧取豪奪、欺騙恐嚇農民的玩藝；（二）八退役軍人經地政科劃撥土地，地政科憑什麼法令把土地劃撥給私人？在強迫趙包讓地的情況下，八退役軍人所獲得的土地即屬非法，地政科確難辭欺壓農民之罪嫌；（三）地政科假公濟私，劃多報少，所多出之土地究竟給了誰？（四）地政科長李盛華說：農民一知半解不懂什麼。謝炳禎亦如此說。這些話充分的暴露他們敢於非法奪取佃農土地而無所忌憚的大胆妄爲作風。（五）林應臻對佃農的談話完全是欺騙。（六）林股長要徵收土地，竟以拆房子來恐嚇——不是嗎？不給就拆。（六）地政科長李盛華自台灣光復即接長地政科，迄今垂廿年，在市府各主管中，他是唯一未更動的人物，不管「炒地皮」也好，任何土地糾紛也好，他總掩蓋有方，難怪有「不倒翁」之譽。（七）省有土地被他們全部搞光，還對佃農說：「無權管」，沒有了，管什麼？這話聽來多俏皮。

（八）利用警察強迫趙包同意讓地，這能算是「契約」？不算「契約」，當然不能「行事」，因爲那是非法的。（九）地政科是代表政府推行土地政策，保障佃農耕種權的單位，既然都市發展如此迅速，事先爲何不與佃農商量，願繼續耕種維生者，在都市計劃範圍外交換同等數量之土地；不願耕種或轉他業者，亦應該徵詢他們的意見，是否願購基地建屋，這一點起碼的輔導工作不做，竟胡搞亂整一通，脅迫收地，以爲交到財政科後，與他們無關了。這種以非手段奪取佃農土地的作法，能變爲合法嗎？

（十）你聽林應臻振振有詞的說：「爲什麼他們（佃農）不早點提出異議？協調好了，錢也拿去了，現在還來嚕囌。」這話多漂亮，言之成理，持之有故；但是這話只能騙外行，如何能平服佃農的憤恨？

（十一）我問他：「地政科由趙氏兄弟承租地上劃撥好多坪給八退軍人的？」他說：「我已查過了是一百廿坪」。據查在地政科登記薄上，時農記載省有土地三百三十坪八．九五；市有土地是一五四坪五七五八。總共三百八十五坪三八七。這一詳明數字，對照他說出的數字多出的六十坪三八七到那裏去了？給了誰？此種瞞天過海，一手遮天，謊話連篇，不負責任的手法，實不愧爲官僚作風。

（十二）據查趙包死於五十三年十二月卅一日，不過兩年餘，退役八軍人與場長楊順太憑什麼立場與權力把他「綁架」式的弄進派出所，足見在地政科的協調會中沒有得到同意。試問恐嚇、脅迫獲得的「同意」，算合法嗎？趙包不去農場領錢，即是他不同意的明證。

（十三）地政科既把公地放給農場，協調會議即應由農場召開，何勞地政科出面？實際上農場是有名無實，沒有具備農場的條件，場長楊順太也是一個農民，但保留佃農，他的代價是每坪收回之土地市府給他一元報酬而已。

（十四）林應臻爲了表示他清白，他對我說：「我雖然搞了許多年地股長；但我沒有一塊地皮，有些議員他們罵我：「老林，你這個王八蛋真是個傻瓜，怎麼不搞地皮？搞嘛！搞了公文拿我們蓋章嘛」。他這話我懷疑：是否有這樣的議員當真這樣罵過他，若有，這些議員必非善類，不是「炒地皮」，就是與他有勾結串通舞弊情事，不配爲市民代表；若無，那是他又在說謊，故意捏造，其心可誅。

（十五）據謂加福兄弟稱；「地政科劃撥他們的土地是本通知先丈量之後才召開協調會議的。自光復迄今所徵收之土地不下千萬件，都是用這種辦法搞去的。由此看來，協調會議不過是一個形式，不然爲什麼先劃地，後召開會議？易言之，同意也得同意，不同意也得「同意」，就是這樣按着瞎子幹。（十六）市府規定國民住宅土地只能用廿坪，而八退役軍人每人劃去土地近五十坪；水產課長劃去一百坪；前者比一般市民多一倍有餘，後者竟多達四倍，難道這就是所謂「都是平均地權」的示範嗎？」

我問財政科長沈明用：「耕地不得承租人同意，可否徵收？」他答：「不得承租人同意不能徵收，必須在召開協調會中同意」。

我告訴他八退役軍人所要之三百八十多坪土地，在協調會議中佃農趙包並未同意，以後地政科命楊順太及退役軍人把他搞進三多路派出所，逼使他同意者，他說：「、、佃農不懂法令，、、承辦人（指地政科官員）、讓無知的農民鬧，加之市府的官員不夠，致佃農吃虧」。我又問他：「都市計劃範圍內之土地就是基地，何以財政科不收回自辦？」他回說：「交來我就管，不交來我也不過問」。我說：「財政科在出售前，爲何不徵詢原耕地承租人是否購買而逕自售給退役軍人？」他回答：「這塊土地收回後與原耕地承租人沒有關係了，在佃農的立場是無法申訴的」。我說：「基地與耕地的界說，各人的看法不同，見仁見智」？使同意我的說法說：「這問題需要土地專家來解釋」。

我問他：省有基地出租（售），須否省議會通過呈報行政院核准？」他說：「那要看省府怎麼樣」。記者按：市有房地出售辦法第十二條爲五十五年十二月九日，市議會第六屆第六次大會第三次修正通過市府所提之辦法爲：「本辦法施行後之市有房地，除因公使用或情形特殊，經專案簽報本府核准保留者外，停止出租及調配，但短期內不能出售者，得繼續出租。」（據他說這個辦法是他擬訂的）。請注意：「因公使用」一因「私」使用者。

關於八退役軍人，但該八退役軍人是退役後的身份，他也說：「退役後與普通百姓一樣，不能享受特權；對現役軍人還特別訂了一個辦法（第十一條）以八折優待」云云。

我問他：「省有地市有地繳租金是分別繳省（市）庫嗎？」他說：「是分開繳省（市）庫，這叫孳息收入，納入省（市）庫預算」。我說：「一佃農所繳之租金，關於市有土地部份，既列入市預算內，財政科掌握財政資料，應以基地視之，而收回自管」，他認爲我的看法是不錯的。

據查市府財政科於五十年八月廿日以高市府財產字第五〇三八三號通知八退役軍人承租。復據承辦人員稱：「八退役軍人是本年（五六）元月向市府申購，三月中買斷」云。

按省有房地出售辦法第五條；本辦法第二條第一款、第四款規定出售之省有房地，其處理方式規定如左：

一、基地：（一）空地應予標售，但政府機關（包括公營事業機構）因公購用者，得議價讓售。（二）佔用基地，其地上房屋，係在四十七年二月十日以前建築，而其建築物價值不及所佔基地申報地價百分之廿者，照現狀標售；達百分之廿以上者通知佔用人於限期內繳納佔用期間使用費後予以讓售；其讓售面積，以已建房屋建地面積之一五倍爲原則，如仍有餘地不能單獨使用時得一併讓售，逾期照現狀標售。（中）

外商訂購意存觀望
港製衣業產銷不振

（本報訊）目前香港棉系工業有兩種比較不尋常的表現：其一是棉紡織業困難重重，處境非佳，其二則爲製衣工業的產銷狀態低落。雖然以例當表現來說，此際也是製衣業的季節性淡月，但因爲今年的淡態特別顯著，就不能不引起業內和業外人士的密切注意了，一般認爲：即使此後還有旺季可見，但其到臨時間相信亦要比往年爲遲些。

但就最近一個月左右的表現來說，港各製衣廠的產銷狀態是全面萎縮的，普遍的開工生產率都比去年同期爲低，只有一小部份製衣廠因爲開始產製往銷美歐各地的冬季成衣，其業務得以維持外，其餘絕大多數製衣廠，就祇能維持局部開工，並形成整個產銷低落的狀態了。可加指出的是，這種低落並不局限於某一部門，而是屬於全面性質者。除了棉質成衣開工淡靜之外，它如羊毛外衣褲，新式化學纖維質衣服的製造，同樣是比較往年同一期間低落，陷於一種頗爲淡靜的景況中。

一般都知道，本港製衣業的最大出口市場是英美和西德三個國家，例如一九六六年全年港製各類衣服外銷值二十億三千五百餘萬元，上述三個國家去貨即達十四億一千三百萬元之多，佔總出口的百分七十以上，目前本港製衣業生產不景，很容易使人聯想接單的問題，而事實也確是歐美各地向港訂單，大宗者迄今仍遲遲未有開到，難怪產銷的處境大不理想了。

製衣業人士分析，今年歐美各地向港訂購各類成衣減縮的原因大致可以分爲幾方面：第一、英國的落單有很大變化，除了部份低值棉質衣服採辦仍有相當之外，新式化學纖維產品與高值棉質成衣訂購都見減少，尤其是中東戰爭爆發，蘇彝士運河封閉，再加上本港的騷亂頻仍，更令到英國商家落單觀望。第二、美國過去兩年來向港訂購供應越戰所需的棉質軍衣，由於其國內生產能力逐漸適應，軍需與民需不再衝突，向港訂製數量，相應大呈減縮。此外，若干原套的絨質西裝來單亦不及往年之多。第三、西德入口商家鑑於當地市場的恤衫、褲類、睡衣等市況不想理，多是滯銷，今年向港訂購數量有了很大程度的減縮。第四、新市場開拓困難，歐洲地區入口商向港購成衣增加緩慢，加拿大又宣佈有限額管制，再難擴展。除了上述幾點原因之外，近年日本、南韓、台灣以及若干歐洲國家的產品，也逐漸構成對本港同類貨品的威脅，困難遂見日益加深了。現時在季節性出產淡月中，各地新單沽入顯著減少；目睹內人士指出，即使稍後期間情況能稍爲好轉，不過旺季的來臨，無論如何也比往年遲得多的。

泰共威脅逐漸強勁
泰人憂慮日更加深

○曼谷通訊。

泰國東北部的水牛，天生是一群違反交通規則的能手，在不到六十分鐘的時間裏，行動遲緩，笨重的牛羣幾乎使我們廬著甜克牌的舊車三度斜出灰塵漫天的道路。道路兩邊的水稻田向着遠方延伸，走在我們前方的兩位農婦正用扁担挑着水桶。車子行過古廟時，午後閃亮的陽光照映着晾在寺外的橘紅色袈裟。這片寧靜迷人的景色，彷彿是旅行手冊上的圖畫。于是我向毫無表情的廬司機提議：「讓我們到村鎮上喝上一杯。」廬有條不紊地抖落髮上、衣上的塵土，然後開腔解釋：「我們最好天黑以前離開那裏，它是游擊隊的出沒地區。」

廬絕非誇大其詞，就一個剛抵達的訪客而言，泰國平靜的山水很容易掩去共黨頻仍的暴亂。像大多數到越南的美國人一樣，我認爲泰國主要是向日進攻北越、寮國的一處美軍基地。但當我走過一千哩未經鋪設的泰國道路，訪問無數的動亂的鄉鎮，目擊大批美國軍隊，我感覺自己彷彿被帶回到幾年前的越南。在離開泰國的時候，我在筆記本上寫着：「泰國的戰爭會美國化嗎？雖然預言極端不足信，但是泰國很可能證明它的真實性，並且於日後變成另一個越南。」

如同西貢的情形一樣，美、泰的官員們迅速地把訪問談話變成統計數字的說教，他們力勸你相信共產主義在全泰的撤退業已鐵案如山。他們告訴我，美國正以軍援和經援的方式每年向泰國流入一億美元，同時泰國政府僅將全國百分之七十的預算，用於「加速發展農村」和「訓練自衛隊」的計劃。所有的這些人力、財力都用來壓制人數在兩千左右的共產黨力量。

泰國政府以外的消息靈通人士指出：雖然共產黨的數目很少，但在去年，他們的戰鬥力幾乎增加一倍。他們目前至少有三萬同情者的支持，並且在沙孔納廣府會南方的一草村落個，倒向共黨那一邊」。一位美國高級官員私下向我提出他灰色的看法：「我曾分別在泰越兩地服役，今天泰國的情形，比較一九六〇年的西貢更糟。」

在曼谷，很明快地顯示出官方的樂觀和民間的疑慮，以及人民所言、所思之間都存在一道鴻溝。這種情形無可避免地造成類似與延誤時代識評政府的風氣。舉例來說，泰國人民似乎不曾相信他農總理的去年聲明所稱，政府在對抗共產方面的成就甚鉅，以致很可能迅速地舉行普選。現在，一年將遍，沒有一名政府官員再談起選舉，而共黨的威脅也比以前任何時候爲大。

泰國東北部的戰鬥實況，如同游擊隊一樣，難以捉制。據一項估計，共黨在過去的一年裏，殺害了一百多名政府人員。這個數字還不足以洞悉恐怖事實的全貌，一位府尹承認：「我有一些村鎮主管因爲恐懼受害而夜間不敢留在家裏。在許多地區，人民已感到草木皆兵。」

泰國東北部的一名美國中央情報局的工作人員說：「這一切呈現一種趨勢，卽泰國政府在阻止共黨的徵募兵源的第一階段已告失敗。目前游擊隊好像正準備推向第二階段；進一步恐嚇，進一步地打了就跑，和更進一步使出其他一切手段。」

一位美國高級官員表示：「泰國有足夠的資源，適當的軍事訓練和打擊共黨的決宏動機，如果他們失敗，那將不是我們的過錯。」

瀛海畢讀談

紐約美容怪傑拉斯羅

·桑雅·

在匈牙利出世的艾爾諾．拉斯羅，是美國當代最受人歡迎的美容專家。他現時在紐約第五街設科學美容院，他的顧客，都是知名之士，溫莎公爵夫人就是其中的一個。到遲十分鐘的顧客均不受歡迎，因此，大多數都養成守時的習慣。

拉斯羅說：他得到一個醫學博士的學位，又自稱曾在「布達佩斯、柏林和維也納最好的大學」受過訓練。但是，他被拒在美國執業為醫生，因為他在美國的醫學試驗中，兩次都不及格。他表示他挫敗，是因英語很蹩腳。他說：「我們匈牙利人，在講起外國話時，好像天生成又聾又啞。但講到皮膚，就是匈牙利人的拿手好戲。」

拉斯羅的美容院，是一個唯一無二的城堡。電話由一毫無表情的秘書接聽，秘書對百分之九十九的顧客，都拒絕接見。拉斯羅所選擇接見的客人通常都是在六個月前預約好的。

拉斯羅說：「我祇想知道病人是不是慷慨或吝嗇的百萬富翁。他們一定要富有纔能付出我的收費。」他不要信口開河，二十分鐘的診費要七十五美元。後來的復診，連同電子和美容治療費，也要七十五元。他的顧客，一年要到診十二次之多。

拉斯羅曾被稱為「黃綠醫生」、「狗大夫」和「騙子」。祇嚴他的人，就是一些整容專家和皮膚科學醫生；他們都懷疑他的治療方法，就算沒有什麼害處，也不會有好處的。那些較為尖酸刻薄的，就是拉斯羅曾經拒絕給她們治理的女人。

那間美容院不斷收到世界各地顧客的許多電報，要拉斯羅把真正的補充供應品空郵寄去。在飛往墨西哥訪問途中，一個著名影星的太太，要延遲洗臉四十八小時，直至她所購買的拉斯羅黑海泥肥皂用飛機運到。

由於這種需求，拉斯羅會擴大他做買賣的範圍，三個月前，他把他的化粧用品交給一些零售商店，迄今為止，約有三千四百個女人買到平均八十美元的他的美容用品。

拉斯羅當然依照他自己的意見來打扮，他的皮膚是他顧客們所羨慕的對象。他說：

「我自己的皮膚，是多油的，而且我有着漏子，因此每天要用我的海泥肥皂漂洗九十次，然後塗上我那種控制皮膚的洗濯劑，把皮孔收縮。」

他並說：「一個人戰勝年紀，不完全有可能的。保持年輕面容，並不是一件奇事，一個女人對人對於照料她的面孔認真一點才好。很少女人對於照料皮膚有知識。如果皮膚變得衰老，她們會大叫起來，但皮膚沒有那種現象時，她們就不加理會，直到為時太遲為止。」

認識拉斯羅許多年的女人，都把他視作教授和精神病學家。他用一些特有的用具和藥品，使「病人」修飾得美麗。他認為，無疑的是一切醫學的最偉大藝術。他認為預防皮膚的大部分問題，可以用照料來防止其發生。

他最普通的美容法，是使用他所設計的電力操縱的玻璃儀器，把毛孔變成鎮容，靜下然後接着使用的一盞紅外光燈，令毛細管消靜，并來。他說：「女人會把許多問題提出來，并且暴露下，要求我把她的面孔變得好看。我的主要秘訣，就是要一個女人恢復她的信心。」

顧客，經過審查之後，入拉斯羅二間診療室之一，在那裏除了一張白色的醫院病牀之外，一切的設備和用具都是黑色的。她要穿上一件醫院的病袍。一個女助手就通知拉斯羅入來，開始在顧客的下頷、面頰、和頸部用手指按摩。他隨後開動他的發動器，把病人面部的肌肉運動，並用一個特製的面罩在一盞燈下面二十分鐘之後，把皮膚洗濯一回。拉斯羅很細心的把那些皮膚檢查，以便確定使用那種洗滌劑。女護士會把那些特別配製的藥品遞給顧客服用。顧客離時走到第五街去，覺得她自己看起來像柯德里夏萍一樣。

與毛共交惡的緬甸

王建思

近幾天來，緬甸發生了反「毛澤東思想」輸入的暴動，方興未艾，緬甸人民激烈反毛而至瘋狂的排華，致緬境華僑遭受池魚之殃。毛澤東的同志們在照例發出了「最嚴重的抗議」後，緬甸學生即以「不怕七億人民力量」口號予以答覆，毛匪們竟也奈何不得。

緬甸本來是東南亞一個旅遊觀光勝地，莊嚴宏偉的佛寺比泰國並不遜色。但是，由於緬甸政府執行所謂中立而實在孤立的政策，將緬甸形成為一個在東南亞區絕不歡迎遊客的國家，結果也要受到「紅禍」降臨。

緬甸位於中南半島的西側，西為印度與東巴基斯坦，東為寮國與泰國，北與我國雲南省為界，總面積廿六萬一千餘方哩，與我國雲南省大小相似。緬甸東西廣約五百哩，南北長一千三百餘哩，其南部五百哩，僅為一狹長地帶，如果把緬甸比做一匹大象的頭，則這個狹長地帶便是它的鼻子，而伊洛瓦底江三角洲是它凸出的下唇。

緬甸有時被稱為「快樂之地」，因為緬甸人隨遇而安，不競競於進取，是一個篤信佛教樂天知命的民族。事實上，緬甸人也的確值得快樂，境內土地肥沃，物產豐富，迄今只有兩千四百萬人口，每平方哩僅九十四人，比起人口稠密的印度的中國大陸，緬甸的確是一個最容易謀生的地方。但是，自共黨竊據中國大陸之後，環境大變，這個與我國雲南擁有共同邊界達一千二百哩的國家，失去了它應有的快樂。

緬甸是一個三面環山的盆地式國家，主要河流為伊洛瓦底江與薩爾溫江，上游均在我國境內，下游成為廣大而肥沃的沖積平原。主要山脈為白開，阿拉干及他念他翁等山，亦為我國康滇境內諸山南伸的餘脈，山脈包圍緬甸東、北、西三面，河流則均南下注入馬打萬灣。

由於緬甸的山脈河流，均發源我國的康滇兩省，故與中國聲息相通，歷史悠久，隋唐以後，關係更為密切，元、明、清三代，緬甸均為中國藩屬。十九世紀初葉，英國攻掠緬甸，一八二六年，佔領下緬甸部份地區，至一八八六年（光緒十二年），佔領上緬甸，並併為印度之一部，緬甸初次嘗到殖民地的痛苦。一九三七年，英國將緬甸劃出印度，成為直轄殖民地。（上）

水對我們生活的重要關係

仲山

一、水與人體的關係

一般成人，體內平均含水達五十五夸特（每夸特合四分之一加侖——譯者），佔人體重量的百分之七十。就是骨骼，也含有百分之三十至四十的水。

沒有水就不能生活：肺部各種組織，要不經常滋潤，吸進的氧，就無法利用。皮膚表面的水份蒸發，是調節體溫的重要因素。消化液中所含各種物質，也須變成溶液加以輸送。血的極大成份是水，腎臟排除體內廢物，也需要水份。

身體的細胞組織，其所需水量相當固定，不可過多或過少。身體的含水量，如果變動百分之十，就會引起嚴重疾病；如果變動百分之二十，就非死不可。因此，一個人應按實際須要，小心地稍稍多喝一點水，務使身體的需求得到充份供應；超量部份，會經由腎臟迅速排泄。

一個人，若一天中喝進大量水份，腎臟會讓剩餘部份，作為小便的一部份而排出。如果喝水較少，小便量也相當減少，而其濃度反形增加。就腎臟的機能說產製濃尿較為費力，因此，在足量之外，稍稍多喝一點水，對於腎臟而言是有好處的。

二、何謂淨水

關於水的品質，人們說的很多，常聽到的有：硬水、軟水、含毒水、可飲水、礦水等等。

淨水或可飲水，沒有「導致疾病」的細菌或毒質，可以安全飲用。不過，淨水未必是軟水。軟水也者，較少含有鐵、鎂等鹽類之謂。當這些鹽類溶解於水時，肥皂就不能迅速起泡沫，因為鹽類對肥皂發生反作用的緣故。硬水同樣可作飲料，並不是非飲軟水不可。

許多人以為野地河溪的清水就是淨水，這可見不得！因為流水可能被細菌或毒質弄髒，但是看起來仍然清澈。至於什麼水可以喝，祇有實驗室的檢驗可以決定。

嚴重的疾病可能由飲水帶來，人們沿由汚濁汚水，使它帶有病原菌。牲畜更常常如此。除溝渠水的處理不當，通常是含毒的根源。許多城市建立淨水工廠，把細菌和其他有害的毒質從所供應的水中清除，就是為了這個理由。

三、水的淨化

淨化城市用水，大都靠兩種方法，是即過濾與藥物處理。細砂或特種粘土，可濾清水中微塵的極大的部份，亦可將水中的細菌濾除不少。大多數城市的淨水工廠，在水中加入少量的氯，以清除餘穢。氯是一種氧化劑，少量使用（一份氯用於百萬份水），是完全無害的。

很難確知水是否清潔，有時在水災或地震之後，供應城市的用水難免含毒。旅客或露營人所用的水不一定清潔。為了應付此等狀況，一個人應該知道把小量用水淨化的方法。普通而合用的方法，是在飲用或調製食物之前，把可疑水煮沸。另一種有效方法，是在每夸特水中注入兩滴家用的漂白液或六滴碘酒，攪混後，放半小時然後飲用。（上）

閒話三國時代的幾個名女人

·周燕謀·

所以趙雲別傳說：「此時先主孫夫人以權妹驕豪，多將吳吏兵，縱橫不法。先主以雲嚴重，必能整齊，特任內事。權聞備西征，大遣舟船迎妹，而夫人內欲將後主還吳，雲與張飛勒兵截江，乃得後主還。」更坦白指出孫夫人縱橫不法，權乘劉備入川之時，將孫夫人迎回，並且挾了後主回去，以便作為勒索之資。故其婚姻為政治陰謀十分顯然了。劉備納孫夫人為建安十四年十二月，而她還吳為建安十六年十二月，前後只二年光陰，中間尚有一段時間的分居。孫夫人在[illegible]陵東五里，築城而居。西和志云：「夫人與先主相疑，別築城居之。」因此種下後來關羽之拒絕許婚的一幕。因失荊州，而後人有責關羽之不許婚為驕傲，其實關羽早已領教過東吳政治婚姻的詭計也。孫權之前後聯姻，都是政治性的，其目的在拿回荊州。孫權為人是反覆無常的性格，也一生數度聯劉，又數度降曹和拒曹。關羽如果許婚，可能遭受到「賠了女兒又折兵」之結果。孫夫人歸吳後，一直沒有下文。所謂「祭江」殉節等，都是小說家的附會罷了。

國色天香江東二喬

演義把二喬、赤壁、銅雀台附會在一起，不過是採輯了蘇東坡先生的「念奴嬌」（赤壁懷古）詞，和杜牧的「東風不與周郎便，銅雀春深鎖二喬」，還有胡扯到曹植的「銅雀賦」。這三種文字附會一起，正是赤壁周瑜的傑作。如此一場歷史上有名大戰，點染二位殊色女子，更是生色香艷已極。

大喬、小喬（喬與橋古通用），是三國時代的江南名美人，國色天香，並非渲染。周瑜傳說：「瑜時年二十四，吳中皆呼為周郎。以瑜恩信著於廬江，出備牛渚，後領春穀長。頃之，策欲取荊州，以瑜為中護軍，領江夏太守，從攻皖，拔之。時得橋公兩女，皆國色也。策自納大橋，瑜納小橋」。江表傳又說：「策從容戲瑜曰：『橋公二女雖流離，得吾二人為婿，亦足為歡』。」孫策和周瑜二人各納一美，成為連襟。成為江東人士美談。但是絕沒扯到曹氏父子身上去的。

其實二橋與赤壁之戰無關，更與銅雀台無涉。文士的風花雪月筆墨，切不可作為典要，小說家可採，如引為信史則大謬不然，貽笑士林。銅雀台之建，時為建安十五年冬。而赤壁之戰為建安十三年，比建台早二年。至孔明出山為建安十二年，那麼「高臥隆中」時，何來銅雀台？何來銅雀賦？大小二橋何時嫁的呢？是建安三年，孫權尚是小孩子，距赤壁之戰，恰恰十年，十年的夫妻，還能說是「小橋初嫁了」麼？而蘇東坡所在所詠的赤壁是蘇州赤鼻磯，而赤壁之戰的赤壁，則在湖北之嘉魚縣。文學家只是一時興到，如果要認真，蘇東坡先生無識已甚。曹植的銅雀賦所謂「立雙台於左右兮，有玉龍與金鳳；攬二橋於東西兮，樂朝夕之與共」。這完全是寫銅雀台，攬二橋實即連接雙台的橋樑，並非大橋小橋二女也。羅貫中為了抑壓周瑜，以之附會，氣死周瑜也。可惜的是「紅顏薄命」，雖然二橋皆各得佳婿，但孫、周二人都是短命鬼，二橋都成為了寡婦。所幸二妹都各生有子女，尚不太寂寞。

曹氏父子與甄后的艷聞

傳說三國時有一件香艷的事跡，那就是曹植與甄后戀愛的故事，今人有取材寫了一本「洛神」的小說，又拍成電影。可是我感覺羅貫中有點奇怪，他的三國演義竟沒有採用。反而根據史實寫來，而與其他的搜採恰恰相反。按此一艷事，是根據蕭統的「文選」李善注。昭明文選中的「洛神賦」，原名「感甄賦」，後來魏明帝（甄后所生）見了，很難為情，始改為「洛神賦」。（二）

平劇繽紛錄

再談「臉譜」

。桂良。

看多了平劇的觀衆們，一定會感覺到演淨角的勾臉，不僅是一種獨創的藝術，更屬充滿智慧的一種發明。

最明顯的，像扮曹操的角色，憑他那一張抹的呆滯而多了幾道面紋的粉白大奸臉，和兩道狹長多紋的魚尾眼，就能刻劃阿瞞「寧可我負天下人，莫教天下人負我！」的冷酷、狠毒的性格。關羽的忠義，幾乎完全呈現在他那一張面紅似火，兩道長眉。張飛性烈如火，他的環眉豹眼的臉譜，如蝴蝶一般的對稱，外黑內黃，粉底透紅，更顯得虎虎有神。談到平劇盔於面的藝術成份，臉譜一門實居重要地位。

創造戲劇臉譜的先賢，有過人的才智就在於能夠抓住各種不同性格人的臉部特徵，用漫畫的筆調，明快的色彩，圖案的設計，和象形表現出來；使觀衆一見之下就可以對劇中角色的個性，有敏感而深度的認識。

劇中的演員們，在扮演善良正直的角色時，臉上從不着色。此外，戲中的小生和青衣從來無臉譜，想必因爲這兩種角色都是扮飾年輕的人，氣質未定，性格尚未形成；但一入中年，善、惡、邪、正的性格都暴露出來，少年時的青衣因性格之乖變，不飾演老旦，而飾彩旦也是可能的。

「臉譜」因表顯性格而加強劇情，與派角皆不無關係，舉例如：花旦玩笑戲「黃家山」的尉遲寶林，在調情說愛時，是小生身分，戴紫金冠，翎子加小額子，馬褂；後來到了「白良關」，那一齣與老黑尉遲恭雙演「父子會」，寶林雖然還光嘴巴，却是個小黑臉，也唱黑頭腔了。

關公戲第一齣，爲：「斬熊虎」，是關公路見不平，仗義替人殺仇的故事。關公那時年輕，素面無髯，是武生打扮；追殺人後，路過溪邊，遇浣衣嫗，詫詢：「你殺人乎？」公大驚！嫗又曰：「血染面赤，何不就溪水洗之？」公愈洗愈紅，遂面如重棗（勾了臉），捕者不能識，如伍子胥過昭關的改扮一樣。

台灣近來有自稱內行人新編「西施正傳」，把戰國七雄之一的吳王夫差的臉譜取銷了，而用小生飾夫差，說他少不更事，才上了西施的騙；把演全本「鼎盛春秋」的鬚生伍子胥，改派爲大花臉。結果因爲道兩點與意識不明朗，遭了國劇欣賞會的研究委員們否決了。道也是和「臉譜」有關的新聞。

戲劇最原始的臉譜，只是照臉形製成木雕或紙型面具，塗些色彩，外繪各種形象。面具近眼處挖洞，以便向外觀看，靠嘴的部位，橫一枝短竹，戴臉殼時，用口啣竹枝。但是唱時便困難了，故此跳加官的伶人不開口。進一步的研究，把各色油彩抹在臉上，所勾的蝠形等圖和色彩，目的在引起觀衆對所飾角色的印象和定型的認識。

心中的黑鴉

。綠窗。

我和老張不同賃一間屋子，已經一年多了。我們不見面——或者說是避不見面，也已經有一年多。然而我們分手的時刻，臉上絲毫沒有不豫的表情。

在心底是極不愉快的，我知道。

在下面所要叙述的故事裏，我無意對老張作任何話評。相反地，倒是由於跟老張的一段同居，使對自己有了一番新的認識與估價。這，才是最重要的。

老張是我大學裏的同學。畢業後，我們同時考進一家事業機構，異地相逢，分外親熱。老張是一個沉默寡言的人，除了抽烟，沒什麼旁的嗜好。有一天，他啣了烟捲，突然非常鄭重地跑來跟我說：

「我同房間的一個朋友，調差到8地去了。我知道你是住在家裏，有沒有意思搬出來，換換空氣？」

接着，他列舉了許多條他那住所的優點：早晚有熱水供應，毋需自備臥床、書桌，進出自由方便。末了，他的一段話，如果用英文翻譯出來，將會是大寫斜體字母：

「在你鋪位前面，有一扇大窗子，可以看到一座大花園，那是××修院主持的大專女生宿舍，時常有很多漂亮的女孩子，在裏面散步……」

想不到一向木訥慣了的老張，竟也會說出這樣動聽的話來！我的心被打動了。一週後，我搬進老張的住所去。

果然有一扇大窗子，在我的鋪位前面。抵步的時候，是夜晚，窗外的景象看不眞切。老張早已掃榻以待，書桌也經抹拭潔淨，上面安放了一塊玻璃板，可惜中間有一道裂痕。

當晚，老張和我作長夜談。他原來是一個饒有口才的人，從前倒看不出來。尤其他對於一般女孩子的批評，悉能談言微中，這一點最使我驚異了。他說他談過很多次戀愛，每次都是他主動退却，害得那些女孩子們痛哭流涕，使他非常抱歉。

我笑了。不管老張的是話眞是假，他不失爲一個坦率可愛的人，我想。

翌晨，我有一項失望的發現：窗外的草地上，偶而掠過人影，只是一些戴着顫巍巍的拖沿大白鼓子形修女帽的嬤嬤們，至於花蝴蝶似的女孩子，竟連聲音都聽不到。

原來我們這一排房子，有五、六個窗口對着草地，常常有男孩子抛石子過去，石子外面包着情書，嚇得嬤嬤們將女孩子一齊圈到前面去，等閒不准在草地上散步，除非係集體行動，而且還得限定是在夜晚。

看不到女孩子我無所謂。因爲和老張相處伊始，我像是剛吃了一碗隔鍋飯，香甜的滋味滿佈在齒頰裏，還沒有變味。

不過，老張的生活起居，跟我不大協調。他兼了兩處家教，每天遲起晏睡；同時他抽烟盈匣，是西人所說的鏈鎖烟客。所幸他很知趣，烟蒂不亂扔，遲睡的時候，燈罩總是拉得低低的，收音機的音量，也扭得輕輕的。就是他每寫情書的時候，筆尖觸到信箋，發出有規則的剝啄，靜夜裏聽來，很使人不耐煩。

我只好用毛毯罩住臉，心裏念叨着老張的好處：他的詼諧、機智，他對於女性的批評，是這樣的「談言微中」。

三個月在愉快中度過了。季節進入初夏，窗外的草地上，除了茉莉花飄上來的香息，便是唱聖歌的女高音了。

有一天，我去參加一處晚會，歸途中遇上了陣頭雨，回住所已近十點。門虛掩着，怡燈底下，鋪攤着老張未完成的情書。這傢伙準是去買烟了，我想；一面取出乾毛巾來擦身上的雨漬。猛回頭，我發現窗子大敞着，自己的床鋪，淋濕了大半邊。我「哎喲」了一聲，跳過去將窗子關上，又忙把被單扯下，擰乾。棉絮早已濕透了。我呆了一會，慢慢坐到床沿上，心想：雨下了不止有一小時了，剛才方停；這時間老張獨自坐在房裏，他竟絲毫沒有覺察到麼？……也許，他的心神貫注在信上，我連忙替他解釋。

（上）

梅子黃時雨

夜闌

潘子眞云：「寇萊公詩：「杜鵑啼處血成花，梅子黃時雨如霧。」世推方回所作「梅子黃時雨」爲絕唱，蓋用萊公語也。」

沈東仁云：「一川烟草……」三句，不特善於喻愁，正以瑣碎爲妙。」先遷甫云：「方回靑玉案詞，工妙之至，無跡可尋，語句思路，亦在目前，而千萬人不能湊拍。」沈天羽云：「叠寫三句閒愁，眞絕唱也！」

劉融齋云：「賀方回靑玉案詞，收四句云：「試問閒愁都幾許？一川烟草……」其末句好處，全在試問句呼起，及與上一川二句並用耳。或以方回有賀梅子之稱，因而專賞此句，誤矣！且此句原本寇萊公「梅子黃時雨如霧」詩句，然則何不目萊公爲「寇梅子」耶？」

黃蓼園云：「所居橫塘，斷無宓妃到，然波光淸幽，亦常目送芳塵，第孤寂自守，無與爲歡，惟有春風相慰藉而已。後段言幽居斷腸，不盡窮愁，惟見烟草、風絮、梅雨如霧，共此旦晚，無非寫其境之鬱勃岑寂耳！」

賀鑄，字方回，衛州人，孝惠皇后族孫。娶宗女，授右班殿直。元祐中，通判泗州又倅太平州，退居吳下，自號慶湖遺老。有東山詞，見名家詞本，及四印齋所刻詞本。又有涉園景宋金元明本續刊本，及彊村叢書本。

張文潛云：「方回樂府，妙絕一世；盛麗如遊金張之堂，妖冶如攬嬙施之袪，幽索如屈宋，悲壯如蘇李。」

老學庵筆記云：「方回狀貌奇醜，世謂之「賀鬼頭」。喜校書，朱黃未嘗去手。詩文皆高，不獨工長短句也。潘邠老贈方回詩云：「詩束牛腰藏舊稿，書靴馬尾辨新讎。」有二子，曰房、曰廩。於文，房從方，廩從回，蓋寓父字於二子名也。」

宋，龔鼎有五月十日雨中飲詩云：「梅天下梅雨，緩緩如亂絲。梅生獨抱愁，四顧無與期。妻孥解我意，草草陳酒卮。檻外百竿竹，新筍高過之。竹色入我酒，變作靑琉璃。一飲眼目光，再飲言語遲。三飲頹然兀，左右嘆我衰。有鳥從東來，引頸鬪深枝。發聲醒我醉，提壺美無疑。典衣不値錢，惟是布與絲。安得如古人，車傍掛鴟夷。」按此詩描寫梅雨天之惱人，特借酒以澆愁耳。

（下）

沉思偶拾

晉陵

燈蛾撲火，是因爲牠根本不知道會因此而葬身火中，則牠決不敢飛近火旁。而許多「人」，爲了追求陽光，明知會因此而喪生性命，却仍然向前衝。這，也許就是人類所以異於燈蛾的地方吧！

×　×　×

人生的目的，就是追求自由和幸福，所以有了鬥爭和苦難。那，假如人類生來就爲了受苦，世界永遠是太平的，因爲，鬥爭已失了意義。

×　×　×

第一個開路的人（或是一羣）是危險的。

他也知道毒蛇和惡獸將使他喪失性命，然而他還是走着——爲了自己，和後來的人。終而他倒下了，於是其他的人又跟上了，第二個，第三個……。終而，路出走來了，後來的人們，快樂而放心的行走在這條平坦而寬闊的路上。路旁堆着死難者的血液，早已在人們的足跡下模糊。勇敢的人，默默的拾起遺下的工具，重又去開闢其他的路；好心的人看到白骨，不禁慨嘆幾聲，而另一些人却掩着鼻走過……一些年月過後，白骨也爛了，他終而被人忘記，甚至所有的人。

然而，在他的白骨未會腐爛之前，在另外一些路上，早已又有許多人，爲了和毒蛇猛獸鬥爭而倒下，依然是勇敢的人看了，默默的拾起遺下的工具，好心的人看了不免慨嘆幾聲……

蛇蠍是一天天的少了，路，是一天天的多了起來，伸向海洋，爬上高崗，越過草原……

人類所以有「今日」，是因爲具有那麼多「願意被人遺忘」的人。

×　×　×

孔雀具有如此美麗的羽毛，而牠的足却如此醜陋，世界上決沒有十全十美的東西。象的一身雖然如此蠢笨，而牠的一對牙齒，却始終爲人類所讚賞。

×　×　×

女人的生命決不同花朵，僅可欣賞之用，這是悲慘的，終有一天她將爲人們拋棄。假如說，女人的生命像花朵，那至少她應該像木棉，高聳入雲，紅得像火一樣，開在結霜的日子，凋謝了，花瓣仍然可作良藥，而果實，却可以在冬天，溫暖人類的心！

×　×　×

內心美的人，外貌看來一定美。壞的蘋菓雖具有美好的外貌，却始終不能掩蓋它內心的腐爛！

眞美的女人，她的美不是在肉體，而是靈魂的崇高和眞潔。這種女人什麼時候都是美好動人的，縱使在受苦難。而那些庸俗肉感的女人，除了給予人一時的情緒衝動之外，毫不足貴。

×　×　×

女人要取得和男人同樣的地位，首先她得明白，生活的目的並非單爲了「愛情」！這樣才不致終日裝嬌作態，搽脂抹粉，甚致被丈夫或愛人罵了一句，就服拉素「安眠」！

家庭生活多温馨

。紫薇。

嘻皮笑臉的說：「請看尊容，像不像母夜叉？」我撲哧一聲笑了，所有的氣也消了。他也是我的訓導主任，從前我傲慢、孤僻的個性，如今已被他感化成謙虛、友善。

我的丈夫到底不是全材，在作化學實驗時，他手腳靈活，但到廚房裏他是無能者；對於炊事他半竅不通。我從不勉強他到廚房，他也樂得如此清閒。他有一樣拿手，會用電鍋煮飯。還有一件難能可貴的事，便是他整齊清潔的良好習慣。他不會像一些男人，鞋子亂放，襪子隨便扔。他的書架，排列整齊。衣架上西裝、長褲，畢挺的掛着。我身爲愛漂亮的女人，却沒有養成這種好習性。無怪乎他有時說：「口紅「最好」不要放在書架上，閨中最好不要擺在沙發上。」早上照例我五點半鐘起來作飯，準備一切。他六點半鐘起床；起床後他不聲不響，自動的把棉被叠成一塊正方豆腐，拉平床單，這才下樓漱口。我們倆都上班，他在香港，我在九龍，兩個地點離我們住的地方都很遠，小嬰孩一早送往托嬰班，早出晚歸，家裏沒有雇傭人。然而我們的家，明窗淨几，井然有序，這都是因爲我有一位好丈夫，他無形中在幫忙我。

（完）

自由報

內備警台報字第〇三一號內銷證

THE FREE NEWS

第三七七期

中華民國僑務委員會頒發台灣新字第三三二號登記證
中華郵政台字第一二八二號執照登記爲第一類新聞紙類
（逢星期三、六出版）（半週刊）
每份港幣壹角
台灣零售價新台幣貳元
社長：雷嘯岑
督印人：黃行實
社址：香港銅鑼灣高士威道二十號四樓
20, CAUSEWAY RD 3RD FL. HONG KONG
TEL: 771726　電報掛號：7191
承印者：大同印務公司
地址：香港北角和富道九六號
台灣分社
台北市西寧南路壹零叁號二樓
電話：六三〇三四六
台郵撥儲金戶九二五二

美俄計劃破壞中共核子設施之論評

祁倫

中共試爆氫彈，將加速美俄破壞其核子設施。

蘇俄計劃破壞中共核子設施的公開報導，見今年一月廿日合衆國際社台北電：「行政院長嚴家淦說。蘇俄可能已有破壞中共核子設施的計劃。……」

美國計劃破壞中共核子設施的公開報導，是一九六五年五月出版的 Aviation Week and Space Technology，大意說：「業經公開的秘密文件，證實美國已三次部署戰略核子部隊於攻擊位置用以對付毛共。戰略空軍重轟炸機携帶核彈的空中待命，擎天神和太陽神洲際彈道飛彈的瞄準目標和準備發射，並有北極星核子飛彈潛艇的支援備戰，以及地面有關雷達系統的動員戰備，藉以一舉摧毀中共全部核子設施，並限在十至卅分鐘內完成這項任務。三次部署中，每次都在一觸即發的戰爭邊緣中受到抑制。」

在柯錫金趕往參加聯大中東問題緊張會議時，是否幕後與有關國家討論中共核子問題，是否與詹森總統私人會談，筆者不擬臆測。但，中共選擇此時試爆氫彈，必將沖淡美俄中東問題的緊爭辯及不容樂觀的世界局勢，甚至促使更多會員國——特別是核子禁試簽字國，趨向美俄摧毀中共核子計劃的贊同。

毛澤東以所謂人民戰爭、世界革命、太造反等瘋狂言行開罪了世界人民，又以反美、反蘇修、反英、反日、反印度、反印尼、反……等以世界各國公然爲敵，幫助並加速了許多國家消除歧見，邁向團結而給中共自己建立了一座自絕於世的圍牆。

在如此四面楚歌情況中，毛澤東更愚不可及地搞文化大革命、搞紅衛兵大造反，使原本就不穩固的僞政權自絕於中華民族，並擺出一付核子巨彈姿態，像是天不怕地不怕作核子及戰爭恐嚇。這種不自量力地搞得天怒人怨均欲除之而後安，故破壞其核子設施乃理所當然。

我說中共不自量力，是僅對核武器而言。

核武器自一開始問世，所謂壯大聲威，乃是一厢情願的錯覺，從下述史事檢討即可證明：

（一）美國發展核武器，爲的是減少損失提前結束二次大戰。但據日本戰史記載，軍部早經計劃投降以免本土遭致戰爭，兩枚原子彈只是給他們找到藉口而已。

（二）美國獨霸核武器時代，是共產集團節節勝利終於控制了十億人口和地球上五分之二的陸地！

（三）英國講美國支助發展核武力俾抓住逐漸消逝的大英帝國的昔日餘威，以掌握動搖中的帝國權益，結果是許多殖民地成爲新興的獨立國家。

（四）法國核武器並沒幫他挽回在非洲及東南亞被驅逐的命運，戴高樂也沒實現歐洲洲際領袖的希望。

（五）蘇俄的核武器使他變得不敢輕啓戰端和輕言戰爭；而共產集團的「王座」也被搖撼了！

（六）美俄英法核子國在聯合國的地位已今不如昔，在世界事務影響力方面也一落千丈。

（七）中共最「得意」的時代，應該是搞核子以前；有了核爆之後，「日子」變得越來越不好過了。

我說世人都要破壞中共核子設施，乃是基於下述分析：

（一）所有核子禁試、太空和平條約簽字國，基於人類共同安全及子孫的幸福，都憎惡核戰爭。

（二）所有中國大陸的隣國，除北韓及北越僞政權外，都是毛幫的反對者，都被毛幫咒駡並施以戰爭恐嚇，他們是不容許對核戰具樂觀估計且好戰成性的中共核武器成軍的。

（三）「雷閃」（Laser-Light Amplification By Stimulated Emission of Radiation）死光武器的發展，將使目前所有武器完全失效；這是有能力發展核武器者決定不發展核武器的原因。雷閃已在包括中華民國在內的許多國家研究之中！日本防衛廳的「X」武器（即「殺人」與「燃燒」雷閃死光武器之代號）及日本東芝電氣公司之高性能光綫放大雷閃，均有相當成就，足可使核武器成爲廢物。……

即使有這種人人喊打個個都要摧毀中共核設施，我認爲這都是中國的空前大悲劇，站在中國人立場，我認爲任何排除中華民國的任何外力干預中國事務，都非中國人所願！只有透過中華民國幫助自己同胞推翻毛共僞政權，從內部解決毛共核設施，才是最佳上策！當此反毛、反共風起雲湧於大陸之際，乃是所有計劃或希望摧毀中共核設施者，支助中華民國推翻暴政從根拔除禍源的最佳時機！我在本報五十三年十一月四日「從台灣看中共核爆」一文中，曾作上述建議，未知「有志一同」者以爲然乎？

拿手本領。

無法打開

今日與明日

左派殺人放火

左派暴徒由於罷工罷市失敗，目前無路可走，於是施出最後一着，即以殺人放火的手段作爲威脅。此種手段活動時，中共尚在地下之際，別的地方不說，單以上海而論，周恩來親自指揮殺過顧順章的全家，中共保衛局也因叛徒告密遂暗殺史量才，這都是較重要的，其他不知名的人物死於中共暗殺的更不知有多少。但是，中共在上海暗殺一陣之後，激起全體市民的反感，終於在上海站不住腳逃去江西。

港府要保護市民

七月十日這一天，左派在香港就殺死了四個人，其中有巴士司機，有警察，還有一位被誤認爲電車司機的人，甚至有一位行人在途中自言自語罵了左派幾句，就被三名暴徒拖到後街刺死。在這種情形下，社會簡直失去了法律，隨之而來的將是焚燒報館，暗殺自由文化人，儘量造成恐怖氣氛，使人人皆不敢反共，於是左派就可控制了港九，一如在澳門情形。

與共產黨人的鬥爭，實際上就是作戰，勝負之數，主要還看士氣。左派所以在第一、第二回合敗得這樣慘，就因爲全港市民一致起來支持政府，一股銳氣壓倒了左派。目前他們在窮途無路之餘，想以殺人放火爲手段，威嚇自由人士，目前尚只限於交通司機與警察，將來必然會擴大到各階層。政府若不早事預防，等到市民已經被左派嚇倒時，再想翻過來也就不容易了。

硬碰硬以對狠

對付左派暴徒有兩點原則必須堅持：第一絕不向恐嚇低頭，無論局勢變到何種程度，全港市民皆抱寧爲玉碎不爲瓦全心理，與暴徒對抗到底。但政府必須作市民後盾，要保護善良市民與爲公衆服務人員的安全。第二，要除惡務盡。以目前情形來看，真正在港搗亂的暴徒屈指可數，而且這次左派鬥爭方式也很特別，即使潛伏在自營陣營的人，在第一回合中就自動暴露身份，披甲上陣，所以左派的身份宛如在面上刺了金字，一眼就看得出，政府應當按圖索驥，全部捉去送回中國大陸，有多少捉多少，以捉完爲算。這樣下去，不到三個月可以把全體左派驅逐出境，社會自然就安定下來。

目前與左派的搏鬥，實已進入最後五分鐘，勝利就在眼前，也最困難，大家要一致努力，尤其希望港府施出鐵拳對付這批無賴。（何如）

自由談

從前我國大陸上的若干都市，由於受到國際帝國主義者不平等條約的束縛，被迫闢成租界，讓外國人喧賓奪主，享有當地的統治權。租界內一般中國人的商店招牌，皆須中英文併列，且以英文爲主體，中文祇是附註而已，夫是之謂次殖民地生活形態。所以國父孫公力倡廢除不平等條約，他臨終時，特別遺囑此事，故後死同志貫徹其主張，促其實現。

經過二次世界大戰後，中國境內的租界，隨着不平等條約之取消而不存在了。可是，各個都市上的次殖民地生活色彩，有意無意地殘存着，依然在其招牌上併列中英文名稱，我心裏總覺得別扭不對勁兒。不料目前台灣各個都市上——尤其是行都所在地的台北市，這種不對勁兒的景色，更有甚焉。不但大小商店的招牌字，中英文併列着，即公共機構的業務計劃和工作報告書，亦多有附譯英文者，好像是送給洋大人核閱的，甚至於一個普通市民的「圖書閱覽室」市招，亦要寫上「Reading House」的洋文。此外，還有不寫中文而只寫日本文招牌的商店，然店主東却是中國人，也非專賣東洋貨，這就更不成話了！

媚外崇洋

中國人能夠懂得外國文字，并非壞事，但其目的是在增進知識學問，決不是爲着表面上的洋化派頭，令人齒冷的。大商店爲要招徠外國顧客，在市招上附寫着洋文名稱，猶可說也。公共機關亦尤而效之，表現着殖民地的意識形態，且喪國格，這是爲的什麼？至於中國人開的商店而專寫着日本文招牌，更是荒唐透頂，市政府熟視不予糾正，可謂痲木失職。我們走遍世界各國，幾曾見有這樣的各種怪象呢？

咱們從滿清末葉到現在，講洋務政策，談西化主義，歷時將近一個世紀了，結果只是專講皮毛，不務實際，養成一種媚外崇洋的買辦、西崽的心情，恬不爲怪，不亦大可悲乎！

馬五先生

高雄市府地政科官員 威迫農民讓地案續誌

四十七年二月十一日以後佔用基地建屋者，一律追收佔用期間使用費後照現狀標售，或訴請拆屋還地，收回標售。（三）出租基地，未建房屋者，一律標售，已建房屋其價值不及所佔基地申報地價百分之廿者，照現狀標售，已建房屋，其價值達所佔基地申報地價百分之廿以上者，讓售與承租人，并通知繳納承購，逾期照現狀標售，但原承租人得照得標價格於接到通知十日內優先繳納承購。

按第一款「空地應予標售」，市府對於省（市）有土地并未公開標售；第二款佔用基地所指其地上房屋，彼等并無房屋佔用其上；第三項：「出租基地，未建房屋者，一律標售……；」查該出租省（市）有基地之八退役軍人自始至終未蓋房屋，承租申購當屬無效，自無疑問。又第九條：實施都市平均地權範圍內之出租省有耕地，如依都市計劃編為建地者，讓售與原承租人，但讓售面積以三百坪為限，其餘依法收回標售。這一條很明顯，其所指為讓售予耕地原承租人。

現在我們來看市有房地出售辦法第三條：「市有房地之出售，由本府財政科主辦，由地政科及建設局協辦」。照財政科長沈明川的說法：「都市平均地權範圍內之土地謂之基地，以外則係耕地」，那麼既應由財政科主辦，財政科對市有基地之出售，其違法瀆職部份，彰彰在人耳目，自難辭其咎。

第五條：市有房地出售方式規定如左：（一）基地部份（一）空放基地一律標售，但政府機關（包括公營事業機構）因公購用者，得報請議價讓售。試問八退役軍人所購之土地，因非公用，為何不標售？（二）「佔用基地」條文與省辦法大致相同，茲不贅述。第九條：空放基地，在實施都市平均地權範圍內出售面積，每筆最高以十公畝為限，但工業用地及法令另有規定，經專案呈報本府核准者，不在此限。趙氏四兄弟每人可以買十公畝，但向財政科申購，該科相應不理，是何道理？又第十三條：本辦法公佈前，有關市有地糾紛或進行訴訟案件，得依本辦法處理結案，或俟訴訟終結再行出售。按該土地糾紛始終未決，財政科竟不顧一切於本年三月出售，這內中有什麼原故？頗耐人尋味。

財政科對出售這批基地的處理，有不少問題須提出，以供讀者品評：（一）財政科把省有辦法拋置，以市有辦法出售省有土地，未悉省府及省議會作何感想與處理？這批土地是沈明川任內出售，八退役軍人既非基地佔用者，更非耕地承租人，有何資格申購？財政科根據何辦法出售？（二）因為耕地不能買賣，地政科就把這批土地收回，在簿冊上寫上「變更使用」四字，交到財政科，而財政科即設計先耕後售，這就算土地性質改變了。地政科非法收回以前，財政科違法出售於後，就市府本身說，認為把右手上的橘子交到左手就變成了蘋果，這是不是像玩魔術一樣的荒謬可哂？（三）出售這批土地是財政科的目的，為了達到目的，地政科就不擇手段，他們目中那有農民？把法令擺在一邊，幹了再說，所以造成今日難了之局。沈明州說：「佃農無法伸訴」，這表明了他們「一錯也錯到底」的蠻幹作風。寃獄尚且可以平反，何況寃事不能平反嗎？

（四）八退役軍人購買這批土地，沒有任何法令依據，說他們耕種，根本沒有建屋，在這塊土地上除了一根毛也沒有，外，連「佔用」的資格都沒有，遑論其他？

（五）地政科財政科就不要以為交到市議會，自己的事就沒有理由推卸；市議會也不會成定案；通過了市議會就成了定案，這多的是，推翻前案如酒吧開放的例子；與會代表不開放，試問市議會代表誰？

這些問題充分的暴露了市府職權不明，大家都管事，未統一，就出了毛病；這責任誰來負？且看市議會怎樣來統一處理吧！市議會作何調處？省府派來高雄察看的各位，在各方面作了查案，並且編錄了該筆要求基地，將來省府方面作何處理，如何聽取他們耕種的要求？且聽下回分解吧！（完）

桃園續紛錄

○黃鴻遇投寄。

△獨家企業，就自然地發生「托辣斯」的現象，因為無人競爭，誰能說「壟斷」？這是環境所促成，在市場上多賺幾文，縱使有人說話，那仍是閒言了！閒言，原利歸厚利，除非沒有市場，否則，又將如之何呢？台灣目前製造汽車工廠只有「裕隆」一家，在政府保障國有工業的政策下，它的出品，是奇貨可居，並不必待價而沽，人們雖嫌市價太高，卻又別無分「店」，舍此出一比較一來。也因為如此，裕隆出品的「賺頭」，大家只是心裏有數，數裏有心。

桃園縣長陳長壽的家族公司——陳合發企業協會，將在該縣大溪鎮埔頂工業區，設廠製造各種汽車，據接近陳縣長的縣府一位高級官員透露：「俟洽請縣工業策進會代為購妥工業用地後，即可興工建廠從事製造汽車。」復據該會表示：大溪埔頂工業區，為桃縣五處新工業區之一，地接石門水庫，水電來源充沛，極合工業發展的要求，歡迎國內外人士投資設廠，該會將盡力協助。陳合發企業協會，在該處大量投資設廠製造汽車，這不但是「埔頂工業區」的開始，也是「陳合發汽車工業」的開始，將由托辣斯市場，適進一步，成為自由市場了！

△民主社會，尚法治精神，不辨是非的人，只好由治安單位或告訴人逕送法院，了法律之前，才能人人平等。一個平心，聽訟的衙門，倒是目前中國最忙的衙門。新竹地方法院，轄桃園、新竹、苗栗等三縣，每年涉訟案件的總和，桃園一縣，保持百分之五十的「冠軍」，再以桃園全縣十三鄉、鎮論，其中又以中壢地區，極取百分之五十。便民利民，為民主政治的要旨，該院地檢處擬以桃縣設立檢察官辦公處（臨時偵查庭）及看守所，就近偵查刑事案件，以資便民。在某一次協調會議中，桃園縣議會議長謝科，曾經允借桃園中華路「議會招待所」暫作臨時法庭，不意在議會中被否決了，謝議長為應變！地檢處即另作安排，中壢市地方人士，願提供該市代表會及中山堂給地檢處使用，與正籌設「法庭」中，桃園地方人士，始悉議會那一次的「否決」，是大意失了「荊川」，除理由「否決」外，復又舉出「六大理由」，歡迎檢察官辦公處應設桃園。謝議長也有幾大理由，發表中壢「適當」。有人認為：檢察官辦公室適當。無論在中壢或在桃園，這一地區之爭，若以政治風度，謝議長能保持緘默更為適當。

△桃園地區公立十餘所中等學校七十六學年度聯合招生，由省立武陵中學主辦初中新生入學考試，已於本（七）月五日（一天）考試完畢，以取錄的容納量（名額數）和報考的人數而估計，將有可觀的考生被淘汰！在升學主義的激烈競爭情況下，考生家長們，甚至全家出動，在考場外面，為自己的子侄助陣，其心情比考生更為沉重，每次考科出場，問長問短，如何如何？担心應考成績不好，恐將名落孫山。據聯招會主委省立武陵中學校長馮堯春表示：考試作文，是他親自命題：「請，謝謝你，對不起」，馮校長說：這個題目，很有「社會教育」意義。當考生考完「作文」出場時，大家都說：題目難懂！作文沒有作好！一般家長們，也莫不讚然！他（她）們認為：這樣廣泛的作文題目，在考場中，讓國校畢業學童，短短數十分鐘，從何寫這個試題？就是寫「博士」論文，也得多動腦筋，才能寫出「大綱」來，真難倒了！

另據一些教育界人士指出：幾年前，台北市中等學校聯合招生時，為各界紛紛議論的：「假如教室像這戲院」，那個廣泛的作文題，還不及這個：「請，謝謝你，對不起」，如此的廣泛。另一位老教育家說：考試學生，是要因勢利導，不能有主觀成份，或作「強勢」的教育。他又分析地說：只受六歲的童年多科教育（不是國文專科）的國校畢業學童，他（她）們一時能理解：請什麼，謝謝你什麼，對不起什麼？縱使是倒退一「文章取士」的八股時代，對這個題目，也難完完整整，一意一結「做成」呀！以請：對不起來考國校畢業學童的作文，似有審慎斟酌之必要。

阿剌伯石油禁運形同廢話

—紐約通訊—

中東危機已由戰場移至在聯合國的外交爭論，但狙擊行動仍然在經濟前綫繼續進行。戰敗的阿剌伯國家，希望使用他們在世界石油百分之四十五的所有權來改變以色列使人驚異的勝利，他們正在揮動那武器，例如停頓生產，禁運和國有化的恐嚇。但是，時日遷延下去，經濟戰似乎差不多像阿剌伯的軍事努力那樣沒有效果和失敗。那些自相矛盾的情況，出現下列疑點：

①埃及曾促請所有阿剌伯國家把他們由西方人所經營的石油設備收歸國有。可是，埃及本身，非力石油公司已在西部沙漠恢復鑽油工作，非力公司主席史利報導，埃及官員們很「合作和公平」。

②美國和委內瑞拉的石油商人，曾提高生產和擬定緊急運輸計劃，增加對歐洲供應。但在巴黎，屬於經濟合作和發展組織的廿一個國家，不同意有緊急狀態。

③蘇俄建議給新的軍事援助與阿剌伯人，并且歡迎國有化恐嚇。蘇俄隨後把一批石油售與西班牙，以致破壞阿剌伯禁運。蘇俄並設法把石油售與英國。

事實上，阿剌伯那種浮誇行動正和中東經濟的冷酷現實抵觸。第一，阿剌伯國家，對石油收益的需要，如同他們顧客對石油的需要。甚至在紛爭不已的阿剌伯同盟中，這次引起對以作戰的國家，經濟卻最脆弱。除了一些例外，較富庶的國家，也不願和西方延長衝突。

埃及本身正瀕於崩潰的邊緣，外債共計四十三億美元，其準備金祇有九千三百萬美元。阿斯旺水壩本來可以把經濟振興，可是還有許多年。新近所發現的油礦，亦非至一九七〇年才能有大量收益。百分之六十的埃及棉花收穫，都被抵押，作為支付那些在戰爭中所失去坦克車和飛機的價欵。埃及欠下國際貨幣基金曾要求厲行節約，和實行把埃及鎊貶值。美國在去年停止把小麥運埃及，使情形更惡劣。

在這種窘境裏，埃及歲入的一個確實源泉，曾經是蘇彝士運河——在通行稅方面，每年約得到二億美元。可是，這條運河在戰爭爆發時就封閉，據悉，至少有一艘船經已沉沒，以致阻塞水道。在這一幣基金二千六百萬美元。這次戰爭，使到各項談判中止，在談判中，在一九五六年的危機中，曾費時五月才把四十艘沉船絞起和重開運河。去週消息，以色列現在準備由西奈地區所佔領的兩個埃及油田，開始每天產油十萬桶，這事使埃及遭受損失和侮辱。

叙利亞和約但的情況，差不多像埃及那樣惡劣，叙利亞祇有維持生存所需要的經濟，而自己沒有石油，因此該國大大倚靠從越過其土地的油管每年所得的三千萬至四千萬美元，不管他們的公開交戰狀態和要求把石油收歸國有，去週就傳出石油經過叙利亞油管的消息。但並沒有石油，也沒有油管，大部份倚靠鉀礦和橘菓輸出，和在旅遊事業方面每年約得到三千萬美元。現時，那些吸引旅客注意的地方，卻都落在以色列手裏。

那些直接的交戰國中，祇有伊拉克有大量石油（一天可產生一百三十萬桶）。伊拉克經已名符其實的禁止把石油運往任何西方國家，並且杯葛美、英或者西德所製造的一切產品。可是，伊拉克的經濟五年來已經發生困難，政府有百分九十的外匯，倚靠石油的。因此，這個國家能否長久維持其立場，不致陷於崩潰，至成疑問。

較為富庶的阿剌伯國家（科威特、沙特阿剌伯和利比亞），可以迄今事實上，科威特至少沒有在戰爭中提供那樣好戰，在整個危機當中，他們經濟鬥爭。可是，沙特阿剌伯經繼續送石油，沙特阿剌伯和利比亞都把油井封閉，主要是防止被激動的群衆所破壞。所有三國，都拒絕再向美國和英國以外的呼籲，誠然，科威特把七千萬美元在倫敦，但是提出石油禁運擴展至美國和英國，一間紐約大銀行的中東專家說，那不過是等於中東一種保護欵的分派，他說：「那是阿剌伯團結的一種明顯表現，這是一個富庶小國避免與貧窮大國的例證，包括阿爾及利亞和非阿剌伯國家，伊朗的生產每天約有八百六十萬桶的石油，正由中東運出（低過正常的一千二百萬）。美國油商說：即使這個辦法持續下去，對美國和英國的有限度禁運，可以經由友好國家交換石油產品，或者在美國和加勒比海地區增加生產的辦法很易彌補。

為着填補這個空隙，美國工業界獲得內政部的許可，去週曾開會商討各項緊急計劃，指定石油供應和橫越大西洋運輸的油船，如果有此需要。此外，在德克薩斯州的管理人員准許石油鑽油者在六月份另外鑽取石油二百三十萬桶。下半月多國際油公司說：他們可以立即在歐洲傳出石油。但是，由於歐洲的儲存量共有兩個月供應，危機依然留在遠處。

石油禁運和封閉蘇彝士運河有巨大的騷擾價值。不過，就事實，就是阿剌伯本身面臨最大的損失。

瀛海異趣談

紐約吉卜賽女人的騙術

·桑雅·

最近，紐約曼哈坦法院的檢察官波登勞勃茨，公開宣佈了一件非常離奇可笑的詐騙案。這是一種幾乎使人無法相信的詐術，可是一位富有的寡婦，卻竟被詐騙了十一萬八千二百七十二美元。這是有史以來規模最大，利用迷信妖言，使無知婦女受騙的一件詐騙案。主犯是一名自稱爲塞爾維亞吉卜賽族女王，四十二歲的傳爾亞丹姆士夫人。受騙的是曼哈坦的法蘭西絲佛萊曼夫人。

這一位佛萊曼夫人是五十四歲，她說：當一九五六年九月十二日，她正守寡守了八年的時候，生活過得非常寂寞。有一天，她走進曼哈坦一家吉卜賽人所開設的商店去，認識了女店主亞丹姆士夫人，一見面，那位女店主就對她說：她的眼睛中充滿了邪氣，有大禍將臨，她必須立刻回家去，取出她亡夫曾經用過的手帕一條，把一枚鷄蛋包在中間，暗藏在她自己的左足皮鞋中，第二天早晨便連同皮鞋和手巾包，原封不動地帶到亞丹姆士夫人店中去，便可以避邪。

佛萊曼夫人完全相信了她的話，回家以後便如法泡製。第二天早晨她帶了皮鞋去找亞丹姆士夫人，亞丹姆士夫人把手巾包打了開來，檢起那一枚鷄蛋，便把它打碎了。誰知道，這枚鷄蛋中沒有蛋黃，裏面是一個可怕的小怪物！佛萊曼夫人立刻一把抓起來，仔細看了一下，是黃色帶綠的，頭上有角，那是一個下頷有黑色山羊鬚的小頭顱。亞丹姆士夫人便對她說：這就是纏了她的邪氣。於是，亞丹姆士夫人必須驅除她的邪氣。

這時候，檢察官便取出了一個膠質的魔鬼頭玩具，交給佛萊曼夫人去看。她說：這就是和那個小怪物一模一樣的東西。於是，檢察官便命將這一件小玩具，交給陪審團去傳閱。陪審團中有人發現，那小玩具是一分錢就可以買到的，也可以在遊藝場的玩意機上投進一分錢，就可以得到。勞勃茨檢察官又說：當時佛萊曼夫人要了一張一元美鈔，立刻撕碎，包在一條手巾包中，要她貼胸口繫在身上兩天，如果鈔票復合起來，那就證明已有了「奇跡」。

佛萊曼夫人依法而行，兩天之後又到店裏去找亞丹姆士夫人，亞丹姆士夫人便唸唸有詞地唸了一遍符咒，把手巾包打開一看，嘩，碎片鈔票已復合而爲一了。於是，亞丹姆士夫人便對佛萊曼夫人說：她身上的邪氣，是她亡夫遺傳給她的，要佛萊曼夫人從所分存的六個戶頭中，把現款都提出來；再向銀行去租用一隻保險儲蓄箱，小心地把鈔票按照十字形，一橫一直地疊成一堆，放在中間。可是，後來放不下了，亞丹姆士夫人命她再去租一隻。亞丹姆士夫人又發現了一項「奇跡」，因爲是兩隻保險盒號碼相合，前者是「一二三一」，後者是「三一二三」。於是佛萊曼夫人便給了亞丹姆士夫人一隻古董的金別針，上面鑲滿了珍珠，據估計約值一百三十五美元。

兩星期之後，亞丹姆士夫人又命佛萊曼夫人到一家吉卜賽人所開設的商店中去，用一隻另外紙袋，把全部現款帶着，並且再帶一隻鞋子，鞋子中盛滿泥土，此外再抱一隻鷄。佛萊曼夫人說：她抱一隻鷄走路，再抱顯得很蹩扭，於是亞丹姆士夫人便說：她可以代替她抱那隻鷄。

佛萊曼夫人一共帶了十一萬另八千二百七十三元，她還去告訴亞丹姆士夫人，那隻鷄果然替她抱得很壯了。一到了那家吉卜賽商店之後，亞丹姆士夫人便把那一隻鷄的頭塞到紙袋中，捏着牠的脖子，裝鈔票的另一隻紙袋則在她手中，悶死了那隻鷄。於是亞丹姆士夫人說：「鷄死了！是鈔票中的邪氣，使鷄的靈魂移到鈔票中去了。」又說：「這一隻鷄的身上本來沒有靈魂，現在她唯一的辦法，是把鈔票作成一包，放進一隻垃圾箱全部燒掉。」佛萊曼夫人相信了，不久垃圾箱便冒出煙來，被燒掉了。亞丹姆士夫人要她替換地方休養，到空氣新鮮的卡茨基爾山去。亞丹姆士夫人由第二天起便出去旅行，佛萊曼夫人在那裏住了一年，亞丹姆士夫人曾打了幾次長途電話給她說：她的邪氣未盡。佛萊曼夫人回到紐約，亞丹姆士夫人又對她說：應該把那一萬元也交給她燒掉。佛萊曼夫人說：這一筆錢是她需要用的，要給她不再燒掉了。可是亞丹姆士夫人却說：非燒不可，如果她要錢用，她可以給她幾千元的。佛萊曼夫人愈想愈不對，所以，最後她才把這一件事向警察局告發。

與毛共交惡的緬甸

王建思

第二次大戰期中，日本封鎖中國海口，滇緬公路爲中國與盟國之間唯一陸上通路，一九四一年，日軍攻入緬甸，佔領緬甸大部份地區，阻斷了滇緬公路。中國爲打通此一路綫，曾派遠征軍赴印緬作戰，付出極大的犧牲代價，打敗日本，解放了緬甸。戰後的一九四八年一月四日，緬甸脫離英國獨立，我國曾派葉公超爲特使，前往祝賀。緬甸獨立之後不久，中國大陸即告變色，緬甸領袖洞察中共陰謀，昧然予以承認，從此，緬甸受中共的挾制和滲透，在外交上拒絕美援，附和中共，在內政上實施中共式的國有制度，使境內種族問題、共黨問題與經濟問題，益發複雜而難於解決。

緬甸境內，種族相當複雜，除緬族外，尚有閃族，喀欽族，擺夷族，吉仁族，阿拉干族，加連族和達瓦族等，緬族是緬甸最大種族，人口約一千六百萬，多集於伊洛瓦底江流域富饒之區，文化水準較高，是緬甸的主要種族。閃族居於東部緬泰邊境，人口一百餘萬。加連，吉仁和達瓦族居於南部狹長地帶，人口約三百萬，喀欽族居於北部，人口不足百萬。此外尚有大量印度及巴基斯坦人，過去他們除經營工商業外，並擁有大批土地，成爲地主。緬甸人多爲佃農，靠印度人的高利貸過活。華僑在緬甸多經營工商業，實際人數約有五十萬，過去在工商界頗有地位，但是，許多旅緬華僑，已與緬人通婚，其中緬甸政府不認爲他們是華僑，不過八萬人左右承認的華僑。華僑在緬甸有悠久歷史，有華人血統的緬甸人很多。有名望的，例如緬甸現在的軍事政府主席尼溫，便是我廣東客家華僑的後裔，不過尼溫本人一再否認，他對華僑也很不友善，這是一件頗爲遺憾的事。（下）

淨化水的藥片，藥房有賣，哈拉松（Halagone）含有氯，一夸特水中一次放四片。格魯巴林（Globaline）含有碘，每夸特用兩片，它能消滅細菌及濾過性病原體，又可殺滅阿米巴（變形虫）因而較好。

四、身體如何排除水份

人體的水，不但經由腎臟排除，亦由肺、皮膚、胃腸管道排除。吐出的氣體中也含有水份。炎熱天氣，大量水份以汗的形式消失在皮膚上。即使在寒冷天氣中，皮膚爲了調節體溫，也會排除的水份，可能較胃腸排除爲多。汗水的發散，有益於保持體溫，因此在溫度高的地方內，若身體供水量降低，出汗量也相對減少。甚至身體的發熱，也許是因爲飲水不足。當大量的水份由皮膚排出時，小便量會相對地減少。這也是在熱天應該較冷天多喝點

水對我們生活的重要關係

·仲山·

水，對一個人爲什麼這麼重要的原因。炎日劇烈運動的人，每天可能從汗中消耗十夸特的水！

五、什麼叫「脫水」？

當身體的排水量超過吸水量時，就產生脫水現象，這種現象被稱爲「脫水」。其起因可能由於飲水不足或耗失過多。疏忽喝水的人，常常導致飲水不足；患重病的人，可能無法得到充足的水份；意識不清的患者，不能照顧自己的需要，能不按正常的方式吸收水份，可根據最新的研究，病人可以由靜脈注入液體，雖然病人意識不清，或不能口服。夏天從事辛勞的體力工作，可能經由皮膚耗失過量的水份。病中發高燒也會如此。嘔吐、下瀉或流血的失水，會使身體的含水量迅速耗損。

每天喝適量的水，是一種好的習慣。這樣，可以確保體溫的正常調節，可以消除因「脫水」而致身體重要機能失靈的危險，並可使利尿臟執行其排除廢物的工作。

六、喝多少與何時喝？

一般人每天應喝七大杯左右的水。在暑熱或勞力過度以致出汗等特殊情況下，水量應適當增加。觀察飲水多少的標準排出量，相當安全可靠：尿濃而色深時，表示體內缺水得厲害。

有人問：「喝水的時間與進餐的關係如何？」在答覆這個問題前，讓我們先看看這種狀況：空胃時，喝下的水很快經過胃部，且迅速被吸收。邊喝邊吃，食物與水攙和，以致沖淡胃液，因而妨礙消化。更有進者，進餐時，如果喝下大量水份，食物勢將被迫穿過胃部，來不及完成在胃裏的消化工作。

按天然的消化過程，在食物尚未下嚥時，須徹底咀嚼，唾液混和食物，使它濕潤，爲它準備下一步在胃中的消化。未與唾液混和之前，就過早下嚥。

可於適量的牛奶或稀薄羹，每天應喝的七杯水，最好在餐前或在進餐後隔一會兒再喝。

七、冰水可喝嗎？

値得一提的是，關於喝冰水的危險。細嚼慢嚥地喝冰水或許無害，但若以快速度往下灌，就是半杯冰也會發生不良反應。結果是刺激了脆弱的消化管薄膜，妨礙正常消化。（下）

閒話三國時代的幾個名女人

·燕謀·

文選李善註說：「魏東阿王（曹植）漢末求甄逸女，旣不遂。太祖（曹操）回，與五官中郎將（曹丕）。植殊不平，晝夜思想，廢寢與食。黃初中入朝。帝（指丕）示植甄后玉鏤金帶枕。植見之，不覺泣下。時以爲郭后讒死，帝意亦尋悟。因令太子留飲宴，仍以枕賚植。植還渡轘轅，少許時將息洛水上，思甄后，忽見女來。自云：『我本託心君王，其心不遂。此枕是我在家從嫁，前與五官中郎將，今與君王。』遂用枕薦席，歡情交集，豈常辭能具？爲后以糠塞口，今被髮，羞將此形貌重覩君王爾。』言訖，遂不復所在。遣人獻珠於王，王答以玉佩，悲喜不能自勝，遂作『感甄賦』。」

這就是俗傳曹植與嫂子戀愛故事之所本。李商隱也在詩篇中引用：「宓妃留枕魏王才」之句。宓妃是洛神之名，魏王是指東阿王曹植。又在詠東阿王詩中，更有「君王不得爲天子，半爲當年賦洛神」的詩句。這自然是可笑的。洛神賦作於黃初四年，而魏王立曹丕爲太子，則在建安二十二年。是則曹植不得爲太子，何關於洛神賦呢？李善所引註的，何義門已辨其非。引經據典的指出：「魏志無子建求甄逸女事，此乃小說『感甄記』，尤本誤取之，六臣本無此註。」而文醜郭沫若硬信其說，也是貽笑文林。

甄后確是一個美人，不但曹丕喜愛，他老子曹操也想染指。甄氏本爲袁紹的媳婦，袁熙的太太。熙出爲幽州牧，后留養姑。及冀州平，文帝納后于鄴，建安九年，曹操攻破袁紹鄴城時，曹丕在戰俘中看到此美人，納爲妻子。此在魏略中記得明明白白。建安九年，甄氏已做了他的嫂嫂，那時曹植才十三歲的童子，縱然算他是神童，也未必會追求他的嫂子。縱在今天自由戀愛的時代，十三歲也不會有此行爲。在空間上言，甄女在鄴，是在敵人的領域，又爲袁紹之媳，袁曹一直誓不兩立的情勢，曹植何能有求逸女的可能？根據「世語」所說，曹操倒是早有想納此姝的意念。世說云：「曹公之屠鄴也，令疾召甄，左右白曰：『五官中郎將（曹丕）已將去。』公曰：『今年破賊正爲奴。』」這就是說，曹操欲得之，卻被他兒子捷足先登了。在古代以女人爲戰利品是常事。曹操也是好色之徒，他曾納張濟之妻爲妾，這是見諸正史的。又在建安三年曹操攻下邳時，納呂布的使者秦宜祿之妻爲妾。本來是關羽要分享此戰利品的，結果關羽向曹操說過兩次，曹操心想此姝必然是殊色，因自留之。結果關羽只有向隅。

若眞正考之史實，曹丕之所以久之未立爲太子，却是爲了納甄氏搶了先之故。其實曹丕之不得爲太子，則洛神賦之作是在曹丕稱帝之後，更在立太子之後了，曹植之不得爲太子，與洛神賦之作何干？洛神賦並非感甄賦，何義門已辨其非。該賦作於黃初四年，那時候曹丕不對付他的弟弟已是衆所週知。那是政治性的。爲了未立爲太子之前，丕、植都在爭取；曹丕篡漢稱帝，對他這位同母弟弟很不放心，時有非難，若不是念在同胞，早就被害了。看了李善註，一則稱東阿王，一則稱五官中郎將，已是矛盾，不可採信的。曹植封王，當然在曹丕稱帝之後，爲何一稱王，對帝者尙稱五官中郎將。李善也胡說亂註。甄氏也是紅顏薄命者，封后不久，便失寵幸。原來曹丕稱帝後，漢獻帝的兩個女兒被納爲嬪，隨之郭皇后得寵，甄后更失意，有怨言。也許正爲了曹丕是她前夫的仇敵之故，又加之失寵，曹丕聽在耳裏，大怒，就在黃初二年六月，被賜死于鄴。她生有一子一女，兒子即位，追諡爲文昭甄皇后，女兒爲東鄉公主。其所謂洛神、宓妃之說，是小說及神化的筆墨，應當別論了。

三國史中稱上有名的女人，在四千零六十三人之中，她們只有二百二十三個席位，而且都是皇后夫人之尊，與王女子有傳的更無一人。以上所談的幾位名女人都無傳，只見於他傳中之附屬，但她們的名氣比一般皇后都響亮。（三完）

平劇繽紛錄

談「言家班」往

◦桂良◦

言菊朋是滿洲人，排行第三，前清曾在戶部當差。早年因譚腔流行，言三也醉心仿效。他人學譚，一口京音唸中州韻，言獨留心湖廣韻，故學叫天得神似，又經當年琴聖陳彥衡指點譚腔與襯托，於是聲譽鵲起。

予聽菊朋在民國十年，他那時以票房組織，受安徽省督軍公署之邀，南來爲皖倪嗣冲演堂會戲，同來都是名票，蔣君稼（青衣）｜蔣夢麟之姪｜鐵麟甫（小生，後充山東省立劇院教習）玉靜臣（老旦）｜臥雲居士｜王華甫（文丑）因爲安慶、蚌埠兩地頗受歡迎，言三個人決心下海。

十三年在上海公演，廣告用陳彥衡操琴字樣，果然賣座鼎盛。菊朋因是自負甚高，且以銀錢利害，絕交彥衡。再度南來，因搭配不整，且無名琴，遂大受冷落。可見彥衡於滬上號召也有他的魔力。

菊朋後以體力關係，音轉弱，兼對音韻字眼，過份推敲，因講究唸字而害腔之運行，致與譚調脫節走樣，離了譜兒。民廿前後，因南北交通流暢，上海唱片公司發行北來伶票生、旦之唱片，海角山陬多能一一菊朋所灌「罵殿」之二黃元板「趙德芳我的兒……」，也才有所謂「言派」與「言腔」。

其實在言三本人，最怕人家稱他爲「言派」，他聽見人家學他的腔，恭維他的腔調特別受聽，比罵他還難受。這是什麼道理？猶之乎當年余叔岩的想法一樣，有人當面恭維余叔岩爲「余派」，叔岩當面不理會，背着友人，不高興地說：「難道我的玩藝兒，學得不像譚老闆嗎？」所以言三晚年依然標榜「譚派正宗」而不願被稱爲「言派」。

言三在滬鍛羽歸來，心灰意懶。那時他的長子言少朋偏愛唱馬派，次子言小朋也能演武生戲，女兒言慧珠最是出色，能唱梅派花衫。他一家可說是道地的「戲迷家庭」。

言三既不得意，小兒女們，偏要組織班唱戲過癮。他和女兒約法三章：爺兒倆合演一齣生旦對子戲，祇演：

君臣戲：「賀后罵殿」。

父女戲：「打金枝」「慶頂珠」。

主僕戲：「南天門」「三娘教子」。

絕不同台合演：

夫妻對台戲：「桑園會」「汾河灣」「武家坡」「大登殿」「四郎探母」「硃痕記」等齣。

果然，他父子兄妹在長安戲院公演，首夕打泡戲：

言小朋「挑華車」。少朋慧珠「慶頂珠」。菊朋，慧珠「南天門」。

好不叫座，言三又氣餒了！而「言家班」三個字，卻在北平梨園界流傳下來了。

心中的黑鴉

◦綠窗◦

我不耐地繞室踱蹉，偶而瞄了瞄他的信箋，密密麻麻寫了三大張，那麼，下雨的時辰，足證他一步也沒有離開房門，他果真爲情顛倒得恁事不知，還是——因爲淋濕的不是自己的床鋪，懶得動彈了？

人的頭腦很怪，一想到壞處，便會禁不住往更壞地方鑽。這天晚上的大雨傾盆未已，不時有雨絲從窗縫飛濺進來，沾濕了蚊帳，躺在硬繃繃的床上，我的思維是一羣邪惡的黑鴉，隨着洶湧的海濤翻騰掀落；怪不得老張要我睡窗口啊，原來在夏天有這一層害處。他爲什麼瞞着我，怕我因此不來麼？還有，女孩子，什麼草地上散步，全是騙我來替他分担房租的謊言，他早就知道蠓蠓們的禁令了。看不出來這傢伙外貌忠厚，竟像個鄉巴佬：

第二天，老張啣着烟捲，幫我將床位拉離窗口，可是我對他的印象整個變了。這人一舉手，一投足，都充滿了鄉愿氣，甚至噴出的烟圈，也是歪歪扭扭，準備套住別人頸項似的。

而這時老張和他女友的感情也許是情書的催促，突然沸騰起來。不久女友來看他，他免不了要帶她四處逛，請假的差事便落到我頭上。我替他一共請了四天假，以後又陸陸續續請了幾天。謠言便從女同事那裏開始，沸沸揚揚傳播開去，他們說老張愛上了一個舞女。聽到這話，我理該挺身出來替他闢謠的，我沒有。基於對老張的看法改變，以及自己沒有女朋友的酸葡萄反應，我甚至神秘地笑了笑，於是推波助瀾的作用產生了。等到老張送罷女友歸去，恢復辦公後，風聲立刻吹到他耳朵裏去。

有天晚上，兩人先後回到住所。老張吸着烟捲，我翻着晚報，（現在我們除非絕對必需，很少交談了。）老張濃濃地噴出一個烟圈，看着它裊裊散開了去，說：

「我聽老黃（辦公室的工友）告訴我，有人在背後議論我，竟說我是愛上了舞女。」

「不會吧，誰會這樣無聊？我從來沒沒聽見過。是誰說的？」我滔滔地說下去，心裏一懍，最後一句話出口，一種有罪的感覺掩上來，連忙用晚報擋住了他的視線。

老張不說話了。

他繼續跟女友寫情書。我的厭惡跟着一天天增長，眼前是一個不忠、不信的傢伙，他愛過的那些女孩子，一個個到那兒去了？一篇篇的美麗謊言，眞虧他也講得出！

兩個月，在兩人靜靜的窺伺的敵意中過去，然而我們從不交一句惡言。有一晚，老張突然又顯得很鄭重地對我說：「伯父最近介紹我到一家私人企業公司做事，大概明天要去上班。那辦公的地點離這兒很遠。」

我靜靜地聽着，心底很氣。他不該矇我在鼓裏。也許又是一番謊話？不會，他在那裏寫辭呈呢。他的言外之意很清楚，是要我自動說出搬回去的話。一個多麼工於計的鄉愿！我偏不！我如果不說搬，他一定難於啓齒的。於是，我故意表示關心，問了幾句無緊要的話，他懶懶地答着，接着，沉默下來，點起一枝烟，想他的心事去了。

單爲苦惱苦惱他，我也不能不搬回去。我看他每天僕僕於公共汽車之間，回來躺在床上閉眼休息的神情，我隱隱感到一陣報復的快意。是幾時我的心變得如此邪惡？我不懂。

終於，老張屈服了。他提出「請我回府」的要求。我裝作若無其事地說：

「噢，你老兄爲什麼不早說呢！你如果感到不方便，儘可以早一點搬。」

於是，老張搬走了。分手的時候，我們臉上沒有絲毫不豫的表情。那晚上，我回到住所，窗子大敞着，滿地的灰塵球，團團飛舞，像是一場大戰過後的屍骸。書桌的玻璃板下，新壓了老張的一張名片，隔着那道舊有的裂痕，我可以清楚地見他用潦草的筆跡寫下的新住址。我心裏忽感到一陣難過。老張雖然有時顯得口是心非，仍不失爲一個好人。是我對他要求得過份了。

記不清楚在本書上讀過這樣一句話：「要兩個人互相仇視不難，讓他們住到最狹小的一間房裏去好了。」是的，在狹隘的空間裏，兩人變成了彼此的一面明鏡，所看到的無非是對方臉上的一堆橫肉，面皰，疤痕……美感全消失了。在老張眼裏，我何嘗不顯得鄙瑣、猜忌、僞善與偏激！我又有甚麼權利，批評別人這也不對，那也不對？

現在，竭力租賃着這屋子——也算是負氣吧？我不擬邀請任何人作我的室友。也許，在我一一祛除了心中的這些黑鴉後，也就是我開始物色新的室友的時候了（下）

圍棋縱橫談

夜闌

莫將戲事擾眞情，且可隨緣道我贏；
戰罷兩奩收黑白，一枰何處有虧成。
——宋王安石

圍棋是我國古代的技藝，在陶唐之世即已存在。據晉張華博物志云：「堯造圍棋以敎子丹朱，舜以子商均愚，故作圍棋敎之。」這是我國最早的說法，但是究竟堯還是舜發明圍棋，還是不能確定。孔子說：「飽食終日，無所用心，難矣哉！不有博奕乎，爲之猶賢乎已」。左傳襄公二十五年疏也說：「棋者所執之子，以圍圍而相殺，故謂之圍棋。」據此，我們雖不敢說圍棋是堯舜時代所發明，至少在春秋時代已然盛行，由來很古；而且是我民族固有的一種技藝，這是可以斷言的。

古時的圍棋和我們現在的圍棋是不同的，如邯鄲淳著的藝經所云：「棋局縱橫各十七道，合二百八十九道，黑白棋子各一百五十枚」。所以比現在的圍棋縱橫各少兩道，棋子也少六十一顆。由古代到晉以前都是用這種古式圍棋，到晉以後纔縱橫各增兩道，棋子也增爲三百六十一顆，我們看北周甄鸞孫子算經中所說：「今有棋局一十九道，問用棋幾何？」答曰：「三百六十一」。術曰，置一十九道自相乘之即得」。可知到南北朝時已然改爲增添的圍棋。至於爲什麼又增多兩道，何人所增，古籍中未有明確記載，祇有待考了，我們現在所用的圍棋，也就是這種十九道的圍棋。

現在認爲圍棋是一種高雅的藝術，在古時却不盡然，大多數的人都把圍棋和賭博相提並論，認爲是不登大雅之堂的一種玩藝。第一段孔子的話就是如此看法。漢書五行志也說：「博奕爲男子之事」；再看三國志諸葛瑾傳：「或有博奕，或有樗蒲」；唐書韓愈傳裏甚至有「孽子奸隸，蠹居棋處」的話，觀此可知古代的人認爲圍棋不過是和賭博差不多的小道而已。晉陶侃作荊州刺史的時候，看見屬下吏佐下圍棋，馬上抓起投之於江，並義正辭嚴的告誡說：「奕棋堯舜以敎愚子，博殷紂所造，諸君並國器，何以此爲？」「國器」便不能下圍棋，證明在晉時也不是一件堂堂皇皇的雅事。聞雞起舞的祖逖的哥哥祖納深好奕棋，王處叔謂之曰：「禹惜寸陰，不聞數棋」。祖答道：「聊用忘憂耳」。叔處曰：「古人遭時則以功達其道，不遇則以言達其才，故否泰不窮也」。（上）

夏夜的大自然音樂家

紫芝

院子裏的所有花木，全是我親手辛勤栽種的。

入夏以後，我發現花和葉上常有很多虫傷。好好一個玫瑰花苞，給咬傷後就枯萎了；或者花朵無恙，而襯托它的幾片嫩葉卻被吃得七零八落。作爲護花使者的我，目覩花葉遭到摧殘，自不免傷心痛恨，但是，我曾仔細尋覓，却找不到那些害虫。前些日子，剪草的鄉下人又來了，向他討教，他很有把握告訴我：

「你要找虫，得半夜起來看！」

想不到害虫們也像人類中的宵小，專在夜暗裏幹那爲非作歹的勾當。幸虧我是個「夜不休」，每晚不到一兩點鐘不肯睡覺，就毋庸爲捉虫而專誠起床。我準備了一支手電筒，開始和警員似的執行巡查搜捕的工作。

第一夜，立刻斬獲甚豐。那黃豆大的灰色甲殼虫，專在玫瑰花心和葉子下狂歡，幾分鐘功夫便可以咬出一個比它身體大的洞；捕捉時，手別鬆，否則它全身光滑，一溜就在手指間鑽出飛跑了。尺蠖，有大有小，不碰它們，它們遮蔽掩護得挺好，顏色像枝幹也像嫩綠的新芽，咬起葉子來很迅速，一兒會便是個大缺口；要捉它，它曲起身子的中央，有點像縱貫路上的輸油管，彷彿打算示威拒捕。還有，醜陋的大毛虫，白天躲在土裏，晚間才上枝頭，那付兇狠的樣子，不敢手捉還真不敢動它。細小的薄殼蝸牛，別看它嬌小脆弱，行動滯緩，吃起草木小花的莖葉可厲害哩。總之，對這一切惡賊歹徒，我是予以就地正法，格殺勿論的！

然而，在那許多咬花吃葉的傢伙中，有幾個我也網開一面不忍撲殺；它們，以及一些根本無害於花木的動物，是夏夜音樂會的演奏者。

聽吧，在那碧油油的牽牛花葉叢裏，那個身材苗條僅一寸長的促織，正在忘情地唱着尖銳的女高音。它正像一位剛出道的賣唱小姑娘，纖小，稚嫩，唱得賣力，「嘶嘶——」的音階越拔越高，使得聽衆耳膜都發着嗡響；它的身體前後移動着，看它那架勢，很能令人回憶起站在麥克風前的歌手，就愛如此進進退退移動的。手電筒接近去，它突然而止，揮着兩根觸鬚彷彿在說：

「等會兒，我唱累了，喝點兒，吃點兒，你可別見怪！」

籬笆邊的海棠花根浮土裏，一隻蛐蟮露着半個身子在爲促織伴奏。它該是拉的手風琴，音色低啞綿長，「瞿瞿」地並不怎樣悅耳。

（上）

衰老與細胞

◦公策◦

在體格上，人類約於二十五歲至三十歲的時候成熟。在這段時期內，身體的構架，無論在體型或體力方面均達到了頂點。此後，便開始細微程度的收縮。

這種收縮，與身體細胞數目的減少，同時並進。每一分鐘，數以百萬計的細胞死去，同時通過細胞分離程序，加以補充。當一個人逐漸衰老，細胞分離雖然從未停止，可是也緩慢下來。

當死去的細胞數目超過所生產的細胞數目時，細胞就被一種纖維而有惰性、不活潑、名膠原的物質所頂替。推進人體的活動工作的細胞漸少，造成各種生命程序的遲緩。

（一）

內償警台報字第○三二一號內銷證

自由報

THE FREE NEWS

第四七七期

中華民國僑務委員會登記證
台啟新字第三二二號登記證
中華郵政台字第一二八二號執照登記爲第一類新聞紙類
（逢星期三、六出版）
每份港幣壹角
台灣零售價新台幣貳元
社長：雷嘯岑
督印人：黃行書
社址：香港銅鑼灣道二十號三樓
20, CAUSEWAY RD 3RD FL. HONG KONG
TEL. 771726　電報掛號：7191
承印者：大同印務公司
地址：香港北角和富道六號
台灣分社
台北市西寧南路寰寧大樓二樓
電話：三〇三四六

對香港政府處理共黨暴行的觀感

李光漢

從本年五月間毛共分子在香港釀亂以來，直到現階段，香港政府採取的應付策略，是基於兩項原則而然的：一是把這場動亂看作地方事件，竭力避免刺激北平；二是儘量以容忍態度來處理共黨的暴亂行爲。前者的用意在息事寧人，希望及早恢復社會秩序，後者則在表示政府不爲已甚的寬容心情，讓港九的三百九十萬以上的市民，憑事實來證明一小撮毛共份子之胡行妄爲，禍害大衆，其曲在彼，因而博得絕大多數的中國人，由衷的支持政府，唾棄共黨。

經過兩個月的考驗，第一項原則由於北平毛朝之公開支持共黨暴行，且唆使所謂「民兵」攻擊邊境沙頭角的香港警察，完全歸於幻滅了。第二項原則固然相當成功，但其作用已到了盡頭，再要維持下去，很可能前功盡棄，產生相反的後果。即令英倫唐寧街的當政人物，決心放棄香港這塊殖民地，今後亦不能率由舊章，依然採取怕事的作風，坐視共黨肆無忌憚的暴亂不歇，否則三百九十萬以上的市民對政府喪失了信心，爲着自身的生死安危關係，忍無可忍，勢必出以自衛行動，而使香港眞正陷於大混亂之中。那時候，政府再不能得到大多數市民的支持，英倫除卻改變現行外交政策外，要想維護香港的統治權力，便如粵語所云：「有得傾」了！結果勢必落得兩面不討好的下場，很不光榮的打退堂鼓，最後把香港放棄完事。

澳門事變發生伊始，毛共即嗾使廣州地方政權出面應付，提抗議，講條件，表示屬於「地方事件」，任由地方政府談判解決。這次對香港的共黨暴亂行爲，無論北平事前是否知情，但它公開表示贊許，支持，即反證英倫方面希望以「地方事件」一求解決的用心，乃是一廂情願的單相思，此路不通了。最近港府駐倫敦辦事處的負責人，聲稱香港工商業繁榮，對中共亦有利益云云，旨在以經濟上的利害得失關係，打動毛朝的心理，以爲毛朝決不肯拋棄每年八億美元的外滙收入，硬要把香港鬥臭鬥爛鬥垮。殊不知毛酋爲着實行世界革命的「反帝」「反殖民主義」鬥爭，曾經聲言中國大陸上的七億人民，因核子戰爭而死亡半數——三億五千萬——亦無所謂，區區八億美元之犧牲，何足道哉！況且它損失了八億美元，英方的損失至少亦是同等程度，在其所謂「反帝」「反殖民主義」的作用上，也非完全蝕本的生意，它怎能聽受這類「經濟主義」的說詞呢？

退一步設想：毛朝接受了英方息事寧人的意見，在共黨份子暴動狀態之下，暫以「地方事件」求解決，當然的結論，英方必須接受共黨的若干條件，至於共黨這兩個月來在香港的一切非法暴動行爲，如組織「鬥爭委員會」，實施殺人放火，以及共黨報紙每日造謠惑衆、煽動、恐嚇市民，辱罵政府當局等等，皆在應予取締之列。如此這般的結局，試問香港政府今後尚有甚麼權威來維持地方的安寧秩序？共黨隨時藉故再事暴動，又將如何善後呢？所以，英方的容忍策略，已經到了發揮淨盡的境界，沒有絲毫剩餘價値存在着，無論從那一個角度觀察，非改絃易轍不可了。例如：港府對於爲執行制止暴動的職責，曾被暴徒指控而交由法院審訊的三名警士，即應該及早開釋，加以慰勉纔是。政府如果想藉此安撫共黨，表示大公無私的法治精神，那就是不瞭解共黨本質的愚蠢思想，共黨若有法治觀念，他們即不應該目無法紀的肆行暴動。把三個忠於職守的警士拘押審訊，以示好於暴徒，這對全體警察的心理影響很大，這種作法實在太笨，流弊所及，將有意想不到的副作用滋生，當局者應該冷靜考慮此事的利害得失之數，不要自貽伊戚啊！

目前香港輔政司負責人，說過：吾人採取主動的時機已來臨了。足見兩個月來，政府對於共黨暴動行爲，完全是居於被動應付地位，頭痛醫頭，腳痛醫腳，致令一小撮的共黨份子，居然在城市中亦能肆行游擊戰術，大獲戰果，敵進我退，敵去我來，乃使警察疲於奔命，防不勝防，終於不得不動用軍隊之力，而政府鬪警即宣佈戒嚴，致令全體市民常在危疑震撼之中討生活。長此下去，共黨不特滿不在乎，并且極端樂意，然香港市面只有蕭條而萎縮，最後即陷於窒息景象，毛共不需要以武力奪取香港，而這「東方民主窗口」亦將沒法保存了。

採取主動的方法很簡單，政府按照一貫的法治主義，對於非法釀亂之徒，一方面嚴厲禁制，不稍寬假，同時將那些爲首倡亂的頭目，一律逮捕，要從嚴處理，即置之於法；若從寬發落，即遞解出境。當年毛共政權在北平僭立不久，聲勢甚壯之時，共黨在香港發作了一次「歡迎親人」的暴動，港督葛量洪毫不客氣的實力制止，把釀亂的頭目遞解出境後，即告風平浪靜。毛朝雖然同樣表示抗議，亦就止於抗議而已，并未以武力進攻香港。今日毛朝內亂方殷，民窮財盡，而且在東南週封處都是敵人，它沒有對香港動武之餘暇和必要，怕甚末呢？假使毛朝眞要奪取香港，縱然沒有共黨份子在港鬧事，它也有許多口實可藉，實行武力進襲的。所以，香港當局之長期容忍「左仔」暴亂，目無法紀，可說是「無謂攞來衰」，徒然兵架而已。不特此也，港政府過去對於反共的自由人士——特別是華籍的反共人士，稍有實際行動，雖不妨害治安，亦即嚴加禁止，大事拘捕，或判刑坐牢，或遞解出境。如今共黨公然組織非法團體，倡亂暴動，殺人放火，無所不爲，而政府竟多方遷就，一再優容，這是對自由人士的一種殘酷表現，請問究係甚麼法治精神呢？如果反共非共的中國籍市民，今後亦「照辦煮碗」，在香港組織團體，進行反共運動，政府似乎再沒有干涉的理由吧？否則自由人士就要表示抗議，就認爲政府是欺負良民而縱容暴民，當然要激起反感，降低對政府的向心力，這便是政府對共黨暴徒採取容忍政策的副作用，不能忽視的。

我們并不一定反對談判，但其前提必須在暴亂完全停止之後，由英倫循外交途徑爲之，決不能在非法暴動的罪惡情況之下，隨便試談，恍若城下之盟。社會安寧秩序不恢復，一切都無從談起，這樣纔是主動的策略！

碰頭有日

擋得住嗎？

今日与明日

犁庭掃穴

香港政府在極度寬容之後，終於採取了嚴厲的行動，對左派工會作犁庭掃穴之舉。實際上左派工會在暴動之前原是一個赤色思想訓練的機構，所作的本來就不是工人福利的工作，及至暴動開始後，赤色左派工會更成了造反的大本營，舉凡罷工，罷市，殺警，放火，皆從工會發出命令而威脅所有左派工人施行。到了最近，更以工會爲庇護地，在馬路上犯了罪之後，就跑回工會及「國貨公司」據險頑抗，警察第一次是在樹膠工會吃了大虧，一位幫辦被斬掉兩指，幾名警察受傷；到了「華豐事件」發生後，左派暴徒已經公然造反，了無顧忌，香港政府若再不對之採取强硬行動，即使不學澳督向左派簽訂悔過書，香港也將淪爲澳門第二，因爲社會已失去法律保障，只有聽受暴徒控制了。因此，香港政府這次斷然檢查左派工會，七月十六日一日之間捕獲六百多名暴徒，實在是適時之舉，全港市民皆爲之大快，衷心擁護政府的措施。

對造謠之徒採行動

港府捕獲的暴徒中，不乏知名之士，如左派影星石慧、傅奇，即是人所共知之人，港府並未因其薄有名氣而予姑縱。法律之前人人平等，一個崇法的政府原應該如此。不過我們仍感到不足的，港府對一些專門造謠的報紙，何以始終不肯採取行動？

在左派暴動的兩個月來，本港有一前所未有的好現象，就是輿論界截然分明，涇渭不混，除去九家左派之外，其餘所有報紙不論平日風格如何，皆毫不躊躇站在市民立場，擁護政府平亂。

「九左」之中，正牌左報，雖然變成一張大字報或說明書，日日發號外，處處有得送，但是造謠畢竟還有個限度，只有幾間外圍左報，爲了立功多拿津貼，就不顧一切（其中包括個人的良心，報紙的尊嚴，香港的法律及人與人之間起碼的信用）而鬧出造謠，上月無端造出中共砲艇開進青山灣，昨日又說中共邊防軍通知沙頭角民衆疏散，兩項謠言皆在動搖香港人心，造成社會混亂，比起其他左報一味攻擊「港英」罪惡尤重。像這種報紙，港府若再任其造謠下去，就不是尊重言論自由，而是縱容造謠自由。市民有言論自由，而沒有造謠的自由，而所造的謠又是與整個市民爲敵之謠，尤不可恕。

我們自己辦報紙，自沒有鼓勵政府封報館拉報人之理，但對於此種害羣之馬，覺得也實在姑息不得，願政府早日採取行動。

（何如）

自由談

談政治領袖人物

馮玉先生

政治上的領袖人物，有些是自然形成的，有些是製造起來的。由於每個人物的先天秉賦氣質之不同，作爲大衆領袖的風格亦互異，就歷史人物大別言之：有劉備型，曹操型，孫中山型。

無論他是屬於那一類型的政治領袖，必須具備着幾項共同的基本條件，缺一就不行，領袖決不是誰都可以充數的。

一是卓越的智慧。遇事能見其大，判斷明確，對人觀察透闢，洞悉長短。袁紹不知利用漢獻帝以創進大業，而讓曹操挾天子以令諸侯，後來居上。曹操見着窮促無所歸依的劉備，即知其爲不可輕視的時代英雄。這都是智慧的關係，不愧爲領袖之才。

二是堅强的意志。凡是成功的領袖人物，必然遭遇許多艱難困苦的環境，受到許多異乎尋常的挫折，非有百折不撓的堅强意志不可，孫中山先生的革命領袖地位，多半就是植基於此。

三是天下爲公的精神。有了這種精神，胸襟自然豁達大度，祇知爲大衆服務，沒有私念存在着，用人唯才唯賢，賞罰徹明，處事無私無蔽，深中肯綮，社會上一切智勇辯力之士，皆樂於效馳驅，而且不忍攜貳，生死以之，劉玄德孫中山都有這種風格，宜其爲後世景仰矜式也。

現代中國的政治人物，領袖慾特別强烈，三五個人的團體組織，事業尚無頭緒，而內部爭奪領袖地位的醜劇即已演出了，眞教人怵目驚心，不忍卒睹。領袖地位之構成，是基於上述條件，經過衆人的讚許推戴，乃至於犧牲奮力製造起來的。沒有作領袖的基本條件，但事强求硬爭，如何可能呢？縱或僥倖得逞，亦是沒有支柱和墊腳石的建築物，終歸要垮台的！

有爲有守，不激不隨，開誠佈公，豁其在我，憑着這樣作風而取得的領導地位，纔是成功的政治領袖人物。

讀者投書

左仔無天良迫學生造亂 政府亟應主動掃穴犂庭

編輯先生：

我是貴報長期讀者，對於你們的正義立場和做法很敬佩。近日我眼看到的一些事實與有點意見，如今告訴你們。能否用作新聞資料或作讀者來函刊登都無所謂，祇要這些資料能對打擊左派有所幫助或用作參考便於願已足。

（一）我是居住在新都城大廈的，七月九日晚北角電車總站發生騷動事件，雖然不是全部過程看得清楚，但是顯然的暴徒都是利用華豐公司作掩護的。鬧事的人看到警察來時便退入公司內，加上看熱鬧的閒人非常多，更給暴徒們作為天然保衛，警察不能認出混在人羣的的暴徒。警察走了暴徒又便出來活動，而且在馬路上放火。一輛巴士故意駛到火堆之上，這位司機一定是個左仔。

（二）左派的學校已經成為訓練暴徒的學校了，左派學生天黑時三五成羣紛紛出動，幹其偷偷摸摸的勾當，例如到各處貼大字報、寫口號等。那些學校的學生，每級中有些受洗腦之毒已深的，都被組成一小隊，通常七、八人一隊，都有一個名字，例如井崗山戰鬥隊，王杰戰鬥隊等等。通常每個教師領導一、二隊。這些人並受一般的搏鬥訓練，以及救傷常識。而且熟習各區街道。出動多在晚上，白天亦有。通常油漆、紙張等，都由學生們在外面某些地點取得，然後集合在一處，一起出發。携有利刀、羅絲批、巨型彈义等，而他們絕不會携帶這些東西進出學校的。其他受毒較淺的學生，則被威迫參加各種集體性的巡行、示威。最近一些暴徒學生借交通不便為藉口不回家睡，說留在同學家借宿，實在是方便在午夜中出動而避免家人查問，洩漏消息。當某個地區發生騷動時，左派學生便被鼓勵往出事地點參加暴動。當這些左派學生組成的戰鬥隊，晚上偷偷的寫好煽動性標語時，便會用電話通知左派報館，便有左派記者到現場搶先拍取，用作宣傳資料。

（三）香港警察與正義工人確已盡了最大努力，擊退左派的進攻，但港府的策略似較軟弱，使左派愈來愈明目張胆，不理法紀。其實對付這種暴徒，不能用姑息。港府要把主動權取回來，才能徹底打倒工仔。祇要有證據，一切左派報館、機構都應封閉，一切違反法律的人都拘捕解回大陸。大多數居民雖然是憎惡左派，但左派都是有組織，一切都有計劃與步驟，而且用暴力威脅居民，使陰謀得逞。所以在一般居民裏應該有自衛的組織，抵抗左派威脅，同時孤立他們。

（四）暑期來臨，左派學校便利用學生四出鬧事。雖然在暑期中，但左派學校，目前決定學生照常上學，不上課，却教他們去各處示威生事，和教他們仇恨香港的安定生活，教他們暴動的本領。這批學生的人數是不少的。其實其他正派學校學生亦應組織起來，做一些他們能夠勝任而對維持社會秩序有助的事情。事實上，童軍與交通安全服務隊已是這類組織，不過如今香港情況已是與左派作生死之鬥爭，一切可利用的力量都該聯合起來，共同渡過難關。對學生應該多點照顧，即使不把他們組織起來，也應使他們明白當前局勢：這是民主自由與暴力獨裁的鬥爭，使他們不致受左派利用與欺騙。

（五）事實指出左派的生事是層出不窮，了無止境的。港府應當機立斷，採取有力行動制止。但其實目前時間已有點遲。這些時間來左派的活動已給香港帶來無數的困難與損失，而且有機會深入各方面重新部署，展開活動。但若港府目前採取行動仍未太遲。如時機失去，恐怕會不堪設想了！

恨左上
七月十一日

美軍方竭力要求下 詹森答允增兵越南

在南越視察歸來後的美國國防部長麥納馬拉，已謁見美國總統詹森，報告此行所見所聞。預料華府不久就將宣佈越戰的新策略，美國增派多少軍隊到南越去，日內就能揭曉。

現在南越作戰的美軍，已有四十六萬六千人，照美政府的計劃，在一九六八年上年將會增至四十七萬至四十八萬人。其下年度國防經費是七百三十億美元。但是這個人數是不足應付需要的，美軍司令官早已要求增多，以使美軍在越戰中能採取主動。但是詹森却猶豫不決，主要是他擔心增兵所引起的政治困難。

因為照目前美軍的兵力來看，如果再增兵四、五萬人前往南越，勢必要實行局部徵召後備兵，加徵新兵入伍，以及消耗更多的軍費，而這個措施，會引起人民不滿，而損害了他於明年大選中蟬聯的機會。

不過，軍方却為增兵而力爭，在麥納馬拉前赴西貢之前，美「聯合參謀部」就向他提出一項建議，警告詹森政府說，如果越戰美軍司令威斯莫蘭的增兵七萬人的最低要求，不被接受的話，那麼美國就會失去在越地面作戰採主動權的危險。也就是要求華府應於一九六八年中之前，增加二師作戰及一些後勤部隊。

但是，如果不徵召後備兵，那麼美國軍事專家估計，威斯莫蘭的要求是無法完全實行的，最多只能派出一個作戰師及後勤部隊；因為如果加派兩師人前去，那麼將會使美陸軍人員捉襟見肘，而且這樣一來將使駐越美軍達到五十五萬人，到時勢非頒佈局部動員令不可。因為軍人規定在越戰作戰一年就須調動，而且戰爭的死傷率很高。

麥納馬拉這次到南越去，就是要同威斯莫蘭討價還價，不過威斯莫蘭已向訪問他的人明白表示，他對他的要求受到接納不抱奢望。據說，他表示會得到一師人及後勤部隊的，但是目前絕對難望會有二師人開到南越。

威斯莫蘭早在三月十八日，就提出了他的要求。他提出了二個辦法，一個是樂觀的要求，要華府增派五個師，約為十五萬人。不過據靈通人士說，他對此建議並沒有提出過詳的計劃，顯然因為他非常明白，他這個建議根本沒有希望會得到批准。不過他却提出强有力論據，表示他在南越至少需增加二師人及其後勤部隊，總共是七萬。他警告道：他需要這個軍力以保維持在越南地面戰的主動。而這個建議在獲得他的頂頭上司，太平洋區美軍總司令謝普的贊同後，又獲聯合國參謀總部的支持，並於四月二十日向麥納馬拉提出建議，但是詹森為了政治上考慮，拖延至今，才被迫作出決定。（華盛頓通訊）

左仔宣傳海員罷工 結果只是得個講字

（本報訊）左報今日揚言海員大罷工，但是，這只是得個講字，不特未獲其他海員的支持，連左仔自己的貨船，都照常開工。

左仔揚言的罷工，包括「各輪海員即日起，拒絕運輸貨物進出香港，如船到香港起落貨物，當即制裁。」

照本報記者今晨巡視港九海岸由西環至筲箕灣，由深水埗至油麻地各個貨船停泊地方，仍照常工作，其中包括左派拖船、躉船、木艇、機帆，所有平日由大陸進來的貨物，均照常起落，尤其生菓、蔬菜、淡水鮮魚及其他百貨的起卸更為頻密。

因此，左仔揚言的罷工，不過是宣傳作用，連他們自己都不肯付諸行動。

西環菜欄對開的碼頭，今日清晨起有大批掛起「污腥旗」的貨船，在該處卸下蔬菜。而灣仔新填海的大陸貨船則在深水埗碼頭則上落淡水鮮魚。

左仗這種自掌嘴巴的謠言，明眼人一看便知。

芝加哥輪廓畫

—美國通訊—

芝加哥為美國最大的糧食及肉類市場，它的重要即在於此，鐵道交通僅在其次。如果芝加哥糧食市場上發生波動，則銀行倒閉之數，必較由於交通阻塞所引起者為多。

步出市中心區來到外圍，頓覺進入另一世界。路旁荒草蔓延，破舊腐爛的汽車骨骼，發着黃銹的顏色，垃圾堆集在頹圮的瓦礫場上，這一切與繁華的市中心區實在太不調和了。

芝加哥是美國最大的鐵路中心，幾近三分之二東西間的交通，都要經過此地。東西行的旅客於換車之間，在此消磨半日的餘閒，可以觀光此美國的第二大城。

「芝加哥」為印第安語，現在很少有人能解釋此地名的意義。芝城位於密西根湖的西南端，密西根湖是世界最大的淡水湖之一，一望無際，與海洋無異。因此沿湖區域的氣候，也大有海洋風味，盛暑除少數的日子外，天天有湖風微襲市區，日夜間的溫度，有相差達華氏二十至三十度之間者。芝城的歷史並不長，一百五十年前，沿湖區域沿密西西北河直至出海口都是法國殖民地，後雖改屬美國，但許多地名仍保持着法國語名，如芝加哥所屬的伊利諾州即為法文，最後的S不發音，如照美國拼音，將S讀出，則無人會知道所指的是甚麼地方。芝加哥城僅有百餘年的歷史，其發展之速，實足驚人。其原因在於密西西比河流域的富饒，農產品需要集散地，芝加哥一面臨湖，有水上交通，再加東西間的鐵路貫通，於是芝加哥由一印第安人的小市集而變為美國第二大城，僅次於紐約，擁有人口四百萬。

芝加哥的市中心，稱為「環」，為東西狹，南北稍長的地區，面積並不很大，四周有高架電車道圍繞，所有高大建築、銀行、百貨商場、電影院、大旅舍都集中於此。最熱鬧的街是州路，為南北向的大街，有地下車道。芝城街道也和其他大多數美國市相似，即互相垂直交义，但此間街名並不像紐約用數字或像華盛頓用字母，而多用人名和地名，所以記憶比較困難。除了「環」外，最濶氣的街道首推密西根大道，密西根大道是與湖濱平行的大道，大道與湖濱之間大公園—濱湖公園—，所以密西根大道僅於西邊有高大的建築，東邊除藝術博物院外，全是碧綠的草茵，夏秋之夜，市民羣趨此間納凉，長夜並有音樂會，不時有極好的演奏。

芝加哥有小河一條，於湖濱公園的北端入湖。這條芝加哥河，將東半市區分為南北兩部，河南是比較繁華的區域，北部雖也有高大建築，但並不重要，此河在市中部分為南北兩支，將城分為東西兩部，河以西全是貧民區。沿河築有鐵路、堆棧、工廠，是芝城相當重要的交通線。

短時間的過路客除逛逛馬路外，最喜遊博物院。離市中心最近的是藝術博物院。該院以擁有中古歐洲的雕刻著名。院內有兩個極大的義大利銅像和許多其他模型。以繪畫言，院內大多數陳列品以半現代化者最多，較著名的歐洲作品，極為缺乏，且少有系統的收集，但與幾無博物院的舊金山比較，則高明得多了。此外還有中國古物之陳列，以佛像雕刻及磁器為主。另一博物院為『元帥場』自然科學院，位於湖濱公園南端，比鄰『兵士場』是美國最大的運動場。其為二層建築，陳列品極為完備。二樓的走廊是中國部，所陳列的考古物品以及民族學陳列品，似較其他美國博物院為完備；對石器時代的花陶與黑陶，更有詳細的分析與說明。

芝加哥是美國電車最發達的城市，幾乎每條街道都築有軌道，至少在市中心區是如此。但路綫極為複雜，非老居於此者，乘坐電車往往有迷途的危險。芝加哥雖有許多電車道，但電車本身却老舊不堪，除了地上電車外，芝加哥高架電車也是相當著名的，路綫也極複雜，且車費甚貴。

芝城為美國最大的糧食及肉類市場，芝加哥之重要即在於此，鐵路交通僅在其次，如果芝加哥糧食市場發生波動，則銀行倒閉之數，必較由於交通阻塞所引起者為多。此外影响於美國的農民者更見重大。除糧食外，芝城為美國最大的鋼業中心之一，大鋼鐵廠散佈於市區四周，在火車上可以清楚地看到。至於其他工廠，則更是計算不清，據說美國的鋼骨水泥的摩天大厦起源於此，而鋼業的發達，實為主要的原因。

芝城的富庶是不可否認的。工業發達的後果，然鄉間人民的集中於城市，他們想在工廠內尋求比較舒適的工作，由於貧民集中於此，所以芝加哥的貧民區可說是世界最大的。除了「環」和密西根大道上的高樓大厦外，芝加哥百分之九十以上是破舊的建築。如步出市中心區來到外圍行走，頓覺進入另一世界，街道的寬濶只增加荒涼氣象。路旁荒草蔓延，破舊腐爛的汽車骨骼，發着黃銹的顏色，垃圾堆集在頹圮的瓦礫場上，這一切，與繁華的市中心區實在太不調和了，而美國人視若無睹，至為可怪。

市南的二十二街，是中國城的所在地。芝加哥的中國城極狹小。若不是有安良工商會的中國式建築，來此作短時間觀光的遊客是不易找到此帶有神秘色彩的中國城的。城成丁字形，城內商店裏的櫥窗中，陳列着現代出品的仿古製物。人參、茶葉等物品，每日生意清淡，顧客稀少，華僑的保守性以及美國社會的不平等。實有致於此。城中中國餐館林立，都是半美國式的中國菜，即炒麵及雜碎是。該地僅有「三民晨報」一家報社，華僑知識程度不甚高。

此外還有許多地方可資參觀，如城南的芝加哥大學，動物院等，但時間短促，不克前往一觀。

瀛海異趣談

垃圾堆中寶藏多姿多采

·桑雅·

一個清道夫有一天從垃圾箱內檢獲一幅馬匹速寫，他不知道誰不小心丟在裏面，乃把它寄往警署。過了八天，他竟收到一張面額二千三百鎊的支票，原來那幅速寫是十六世紀一位著名荷蘭畫家所繪的，因無人認領，一經拍賣，他便獲得這筆款項了。

英國的拍賣行是多采多姿的。有一些是專售古董名畫，最著名與首推蘇非比這間拍賣店了，裏面好像一千〇一夜的寶藏洞，計有珠寶、名畫、傢具等，不少是價值連城的。每年售出的物件，總達二千多件，其中大部份都是有來歷的，另一些是被埋沒的傑作。

有一天，一個警察踱入內，他想買一件東西送給妻子，他終于看中了一件雕刻品石製的，手工方面很吸引他，他于是問售貨員：「這是墨西哥的藝術品嗎？」對方搖頭。

他太喜歡了，他乃花了四鎊購回來。怎料後來才懂得那件是亨利摩亞早期的作品。亨利的名氣很大，當年他喜歡在大英博物館模仿墨西哥藝術。于是，那件雕像馬上有價——一千鎊。

在通常的情況下，蘇非比這間雜貨店是相當識貨的，甚麼貨品都有專家鑑賞，據說，此類專家共有一百二十個。假如，有一個人拿着一箱首飾，經鑑賞後，認為是無用之物，但其中一個專家在箱底發現了一個四吋高的象牙十字架，原來是九百年前的古物。結果，在阿爾拔博物館拍賣，乃有人出價四萬鎊，這個中古歷史文物能有如此代價，眞是破紀錄。

又有一位婦女從舊攤買來了一幅油畫，原價只是三個先令，但在蘇非比處寄售，售出的價錢為二千五百鎊。這畫是加拿大畫家魯夫所繪的。

上週，一個老人也是拿一幅畫走入蘇非比店，一幅非常殘舊的畫，他問：「值五先令嗎？」他祇要這個代價吧了。

恰巧一個專家走過，拿來一看，馬上說：「天呵，先生，這是巴爾瑪的初期作品呀！」巴爾瑪是馬利亞時代最負盛名的風景畫家。

那人平淡地說：「我也知道這是巴爾瑪的作品，這是他生前送給我祖母的，但這值五先令嗎？」

「何止值這個價錢呢！」結果售出時的代價是五千六百鎊。

在蘇非比店內，常常發現稀世奇珍的，但經年前便有一人把一個玻璃瓶拿來兜售，但經鑑定之後，連專家也忍不住歡喜若狂，他說：「我以為全世界祇有兩個此類玻璃瓶，料不到竟有第三個。」

這個瓶的歷史要追溯到埃及年計，瓶上刻上巴比倫的一個著名的愛情故事，那人的家族保存了四百多年，而不知其價值，後來由博物館出價四千六百鎊購入。

一個十九歲的學生把一幅木刻拿去那裏鑑定一下，原價是七先令而已。終于發現這是哥耶的「巨人」。哥耶畢生祇有六幅木刻畫，目前，英國博物館存有五幅，值多少錢呢？二萬鎊。

蘇非比店內的物件，大部份是來自富有人家，不過，也有過路的客人。例如一個美國遊客，為了一幅約翰．奧杜邦的油彩，連飛機票也取消，他認為這個決定是夠聰明的，他只付八個先令買回來，但售出已是三千鎊了。

一位作家這麼寫過：「滿地都是財富，那要看你的眼光了。」

對于蘇非比這個商店來說，這是對的。的確許多時候，有人從垃圾堆檢出來的東西也會是無價之寶。年前一位垃圾佬檢到一枚寶石手鐲，在無人認領之下，乃由蘇非比買下，代價是六百五十鎊，作為一種誠實的酬勞。

蘇非比還派一批專家週遊各地，專門打探稀世奇珍。羅斯是負責銀品部門，他的最大傑作是發現一七三〇年代一大批法國皇族的名貴銀具，共一六八件，全部價值為二十萬七千鎊。

去年該店售出貨物，數目達一百三十萬鎊之巨。

比利時語言之爭

期生

前年冬，筆者初臨比國，沿汽車公路，自蒙斯城起至布魯塞爾止，作縱貫西北之遊。其時人地生疏，身邊帶着一本法文地圖，起初按圖索驥，與路傍指標相互對照，甚為便利：到了比國中部，則見指路標上的城名，往往以兩種文字並列出現；再往北，指路標上和我那份法文地圖上所錄的城名已完全不同，必須加以翻譯，才能弄清途徑。原來比利時有兩種國語：一為法文，一為弗拉芒文。舉凡政府公告、比王蒲篤安的演說、鈔票郵票、商品廣告等，都以這兩種語文同時出現；最有名的天主教魯汶大學，甚至以法語與弗拉芒語分別教授各種課系。

語文不統一，為比利時民族問題的一大癥結。比國幅員三萬餘平方公里，人口近一千萬，主要由兩個種族合組而成。北部人民操弗拉芒語（與荷蘭語相同），稱為弗拉芒；南部人民操法國方言，稱為華龍；東部靠西德與盧森堡邊境（得自一次大戰德國割地），尚通行德語；但人數不多，無足輕重。華龍屬拉丁族，係古高爾人與古羅馬人的混血後裔，約於第五世紀時，因受北方日耳曼人侵略而南移，定居於現在的比國南部。弗拉芒人屬日耳曼族，第八世紀時，查理曼大帝曾將大批日耳曼族人分發安頓於弗朗德，即今比國北部。華龍的特徵，是中等身材，圓頭顱，眼髮呈棕色或黑色。弗拉芒的特徵是高個子，長頭顱，金髮碧眼。兩者性格不同，文化迥異。因此，自從一八三〇年比利時成為獨立國以來，比國人民——華龍與弗拉芒始終未能溶成一家，且由於利害衝突，逐漸形成對立之勢。前些時數以萬計的弗拉芒聚會比京遊行示威，要求語言權，竟與華龍當街格鬥，演成流血事件，為比國的內部團結劃下了明顯的裂痕。

華龍與弗拉芒之爭，猶如夫妻反目。他倆在一八三〇年的獨立革命運動中，曾團結一致，協力對抗荷蘭，共同建立他們的國家。他們的結合，可說是心甘情願的自由聯姻，在歷史上，華龍與弗拉芒更是歷盡辛酸的患難之交；自中世紀以還，他們一直受着強隣的壓迫，歷經西班牙、奧地利、法蘭西的統治。到了一八一五年拿破崙敗北，列強維也納會議，將比利時併入荷蘭。（上）

古代的交易

仁厚

考古學家在埃及的墳墓中發現了購物表、賬單、收據等。這證明了商業上的交易，早在數千年前已經有了。而據考證，西元前三千年埃及公共廣場上，已有了公開交易的商店。

羅馬人在日用品的交易方式上，是以貨易貨。但他們有些奇怪的規定，比如麵包一定要烘至官定的標準規格，同時製麵包者，必須把自己的名字烘在上面。

當時販賣奢侈品的生意非常鼎盛，古羅馬城裏有一條街，全是香水舖，顧客可以買到固體狀、液體狀或粉狀的香料，品質之優良與包裝之精美，都不亞於今日。

在支票與錢尚未發明以前，買賣的方法非常有趣，比方在中國並不以現金交易，而是用交換禮物的方式完成。一個農夫帶了一籮米給一個鍋碗商，那麼這個鍋碗商也一定要同敬他同等價值的碗碟。這種方式交易，在一千年前的歐洲曾流行一時。哥倫布發現新大陸前，美洲人也是用這種方法的。甚至在今日一些南海島嶼上，還是沿襲着。

芬蘭、印度、蘇俄北部以及非洲的原始民族或是遊牧民族，都習於不用現金也不發一言的交易。他們的交易方式是如此的：一個部落的代表，帶了交易品到達交易地點，他們把這些東西放在地上，以喊叫或是敲鑼通知第二個部落。然後這個代表遠遠的隱藏在一個地方。第二個部落的代表觀察了擺在地上的貨物後，擺下了他認為相等價值的貨物，也遠遠躲起來。

第一個部落的代表，此時回到了交易地點，若是他滿意於這個交易，則把第二個部落留在地上的貨物拿走。否則這個代表只有繼續等待着直到對方再加的貨物能滿足為止。當第二部落的代表也拿走了交換到的貨物時，這個無言的交易就告終了。所有的貨物不能退還，也不能再作第二次交易。

有些現代的新玩意兒，也許你沒想到古時候就已經有了。比方聯行、分號等，在古希臘時代就已經有了。但是百貨店在十九世紀末才出現，當時商品上不附價標，所以交易總要討價還價，爭論不休。

拍賣在數千年前已經盛行過了，並不是近世紀來的產物。但是拍賣的方式，却與今日不同。就以英國為例，拍賣者往往以蠟燭的長度來决定買主，也就是說當一支蠟燭點完時，最後出價的人就是買主。更戲劇化的，有的拍賣者以漏沙流完時或是一個奔跑的男孩到達他的終點時，最後出價的人為買主。

雖然由以上的種種例子看來，古時的買賣是如此的輕易獲勝，但是對於顧客也有種種不愉快的限制，即使顧客口袋裏有很多錢，足夠買到任何東西，法律有時也許會阻止他購買的。依照一五三三年的英國法令：「階級在騎士以下的人民，不能購買綴有金、銀或絲質的襯衣。」一七七〇年英國下議院通過一條法案，禁止：「追求男人的女人購買假髮、香水、胭脂、高跟鞋等奢侈品。」任何男人若是被女人如此引誘而結婚，則法律宣佈他的婚姻無效，同時女人也因此蒙受法律的處罰。

中國女性文藝春秋

周遊

文藝世界中的花園（一）

中國女性文學園地，在文學領域中，是一個美麗的花園。在這花園中，有誘惑人的奇花異草，可以呼吸到怡人的芳香。可惜的是，在封建制度，男人為中心的社會下，這座美麗的花園，却被人無情無義的摧殘，以為她們祇是些野草閑花，只供男人們攀折玩弄，不屑為之珍視，以致我們悠久的歷史上，在中國文學史領域中，却沒有給她們應有的地位。因此，在我們的「中國女性文藝春秋」與讀者見面的時候，我不得不為她們說幾句話，作為拙作的開場白。

女性的文學，歷來不大為道學先生們注意。其實女性文學，乃是婉約文學的核心，是文學領域中的「大觀園」。我們常常可以看到許多男士們舞文弄墨時，在那裏作婦人語，而且搖頭幌腦，在模擬那些旖旎的情歌，故作閨怨幽情，以描寫女性的溫柔情態。但是，婉約的文學，是出乎自然的溫柔，無論怎樣的扭妮作態，總沒有女性來得自然。所以女性底文學，應該是女性來作纔像樣。那麼，我們可以大胆假設的說，女性文學是中國文學中之花園，是文學世界中不可缺的少園地，而中國文學的趨向，是向婉溫方面發展的。任你用生花妙筆，去體會女子的心情，怎樣去描寫閨怨的傳神，總不如婦女自己表現自己的恰當自然。所以，我們一談到女性文學，便使我們的欣賞趣味立刻掀起一股喜悅的心情。

女性文學為什麼在質量上遠不如男子呢？其原因當然是受男性中心社會的壓迫，使她們的文學天才沒有發展的機會。她們閉鎖在深閨的鳥籠裏，偶然有一二冒天下大不韙突破樊籠，如蔡琰、王嬙之遠適異域，李治、薛濤之浪漫交際，李清照、朱淑貞之顛沛流離，便充實了她們乾枯的生命，助長了她們蘊藏未露的天才之發展，使他們在中國文學史上佔有一席之地。但是，總沒有人另闢婉約文學的蹊徑。

中國文學是韻文的，用時髦的話來說，中國文學是音樂的。尤其是女性底文學更近於音樂。她們擅長的文學，是詩、詞、曲、彈詞。她們對於小說，散文兩種，似乎是絕緣。而中國文學家素來不以戲曲彈詞為文學，所以女性戲曲家和彈詞家都很難發現。如六朝的樂府，隋唐近體詩，兩宋的詞，她們的創作在時期上並不比男士落後。彈詞在明代極為發達。最使我們高興的，中國著名女性文學家的身世，本身就帶有浪漫的色彩，似乎她們的本身就是一篇絕妙的樂章。她們的作品就是她們身世的寫照。無論男士們怎樣的瞧不起她們的作品，不承認她們的地位，然在拙作範疇中，絕不因男士們的歧視而不誠實的寫出。今天女性文學作家絕不遜於男士作家，就是愚見的註腳。到此，我也不再說廢話了。還是請讀者到中國文學花園中去散步吧！

春秋戰國時代的女性文學

一、魯—漆室女

魯，漆室女，她是一個愛國憂時的處女，她時常倚柱悲吟而噓。

隣人問道：「娘子你為什麼這樣悲吟呢？你想出嫁嗎？」漆女長歎道：「我為悲憐民心而長嘯啊！那裏是想出嫁呢！」

她自傷純潔的志節為人所疑，乃褰裳入山，見女貞木，喟然太息，搖琴而歌：

平劇縮紛錄

戲中的「火彩」

○桂良○

「神怪戲」紅梅閣、陰陽河、火判、嫁妹，及表演有火燒場面的武戲如鐵公鷄、百凉樓、戰濮陽、連營寨，從前都用「火彩」幫助演員加强現場的實況，才能引人入勝。武戲中，火燒場面，在放火時與被火燒傷者，各種撲火與避火的遲緩而矯捷的身段和摸、跌，也和一般場子所表現者不同。

撒「火彩」是用粗表旌紙做成夾層的摺子，捏在檢場人手中，像一把小摺扇一樣。先把塊狀的松香，研成細末，再用篩子濾勻。用這些松香麵，鋪勻在紙摺子的每一摺夾層裏，摺子本身點着火，像一扇半明半暗的紙樣子。

撒「火彩」時，只要手一搖動，松香麵就會迎着動盪的空氣而引着了火種。說時遲，那時快，隨着手裏的一把松香麵撒了出去，擴大的火的範圍，就有閃亮觀衆眼睛的「火彩」出現了。

「火彩」撒出的形式，並不一樣，而有各式各樣，全憑檢場人的經驗去配合劇情而表演，故此有很多的名稱。像：「龍戲珠」「二龍搶珠」「過橋」「托塔」「月亮門」「回頭望月」「連珠炮」「滿堂紅」等。

「龍戲珠」較爲常見而普通。「二龍搶珠」是一舉手同時撒出兩道「火彩」，高低長短一般，如雙虹落地一樣，這種手藝活就難些。

檢場人撒「火彩」，我看過：川戲、漢戲、班子裏的手藝活路都不錯；平劇班裏就有好有差的，因爲有注重和不注重的。

故都各科班，如當年的富連成和斌慶社每天公演，武戲與神怪戲尤多。當時，李萬春、藍月春合演武生短打戲鐵公鷄「火燒向帥」幾場火燒場面，撒「火彩」場場花式不同。「二龍搶珠」「過橋」「月亮門」都已撒出。向帥一人立場中，面目已抹油彩，象徵燒得烏焦巴弓，檢場人立向帥之旁，撒出「火彩」成一圓環繞身，火光繚繞不熄，如同四方八方的火都衝向帥燒來一般。

漢戲班，牡丹花與大和尚合演「活捉三郎」有火彩。吳天保唱「寧武關」——「一門忠烈」——全家老少火焚而死，也有火彩。

台灣福州戲「三山班」演包公案「探陰山」一帶鍘陰間裏貪贓賣法的判官。判官出場，除做身段，下腰以外，居然滿台「火彩」，在燈光暗淡之中，「一條龍」「月亮門」的「火彩」都撒出來了，可說十步之內，必有芳草。

「火彩」的手藝在海外仍然可以看得到，因爲「三山班」經常在南北各縣市鄉鎮作巡廻公演，券價很平民化。反觀台北市各大劇團，是經常沒有「火彩」表演的！

坎坷的半生

○藍珍○

我沒有凄涼的身世，但却有着坎坷的半生。這兒所謂的坎坷，既非指窮困潦倒，也不是哀艷的愛情；因爲那些已不足使我痛苦。陷我窘境的是當初自己那股盲目的愛情，造成這不幸的婚姻。在命運的擺佈下，我就在倫理道德，個人需求，及我國傳統的女人應具有的容忍的夾層下，做了個難爲人知，不爲人憐的犧牲者。

悠悠歲月，廿四年時光逝去。如今，在情感上我已趨麻木，可美其名曰「古井不波」；但在生活上、精神上，我所得的是白紙一張。我不再羡慕人家青年夫婦鶼鰈情深，也不去羡慕人家中年夫妻兒女繞膝的那種天倫之樂。古人說「達人知命」，我不敢自命達人；但我確已徹底的認命，不再打算和命運搏鬥。因爲我不僅消失了青春時那股鬥志的資本，也已喪失了搏鬥的希求。如今，惟一的希望，是我那可憐的山兒，能夠順利的完成學業；除了做個堂堂正正的人之外，我更期望他未來要做個對妻子忠實，對兒女負責的男子，切勿秉承了父親的遺傳。

談到丈夫的理想與不理想，眞難以下斷語。正如有人嗜甜，有人喜鹹，有人愛辣，却也有好酸；但大體上總得說得過去。世界上有嗜痂之癖的人，究竟少之又少。談到我丈夫是理想，還是不理想，只好由我畧舉事實，任讀者們去裁奪，批判；笨拙如我，孤陋寡聞，眞不敢下斷語。

那是我們婚後第三年，照理說，新婚的熱潮還不應褪盡。一天，他公差回家，陪來一位風姿綽約，又兼能眉言目語的女士，介紹說是X太太，路過重慶，要在家中小住三五日。身爲主婦的我，義不容辭的好好招待這位遠客。誰知，在第二天的夜裏，我却丟了人！臥榻之畔，失去了他。候之久久，不見歸來，當然不是如厠。

我目不交睫的等待，結果是在萬籟俱寂中，聽到客人房中傳來的低語呢喃。當時，我倒彷彿做了錯事似的，心悸神跳；手軟足麻；直待鷄鳴報曉，才見他躡足而返。爲了怕抓破了臉，不好辦，我裝做沉，任他去吧！

次日，我仍如往昔的招待我的客人。就這樣，二十多天過去了，我也就丟了二十多次人。終於，她倦鳥知還，我才以送去崇的心情，送她上了成都的汽車。這位女士的身世，在我心底，至今還是個謎。

又是一年時光逝去。像上次的事件，重演了四次之多，只不過是更換了女主角罷了。雖然人云：「臥榻之旁，豈容他人酣睡」，但是我畢竟容忍了多次。而且甚於我對他的愛心，我反而惱恨與他結交的女性，我常自歎女人在摧殘女人。如今回想，是多麼的幼稚與不該嗎！

婚後第八年，我們來到這裏。最初的日子還好過，但是一年不如一年。爲了生活，我重執教鞭；然而菲薄的收入又何以維生？因此，我與鄰居張太太，接了很多毛衣編織。晚上，孤燈獨對，織呀織呀織個不停。記得，那是一個節日，他所服務的機關裏，有話劇演出；其中一位女演員與他早有來往，我是只求目前清靜，於願足矣，一切不聞不問。那晚，我因有三班作文待改，毛衣人家又催貨，所以沒陪他去看戲。他最厲害的是，每次他有所企圖時，一定要拉着我，好爲他做對流言的擋箭牌。（上）

夏夜的大自然音樂家

紫芝

我剛讀完一篇外國小說「都柏林橋上的乞丐」，看見螻蛄，我就不禁聯想到那個乞丐，衣衫襤汚，其貌不揚；它是專門啃食花木根鬚的，拼命拉着手風琴，希望人們捨賜的也只這一點點。低下身去看它，它立刻合上手風琴羞愧地躲進土裏；似乎它也知道它的琴聲不配在光亮下演奏，或者根本是自慚形穢。

蟋蟀又稱灶蟋，是打小鈸的。不曉得它是否也要吃點兒花或葉？在籬笆縫間，前脚放在蔦蘿的細葉上，就有如我們習見的做法事的小和尚，腦袋灰白，可憐巴巴地彷彿營養不足，却用力打着小鈸。鈸聲「悉悉，悉悉（口旁）」，似乎每兩下有個間歇，但也似是「……」一味胡打着。

有月亮的日子，半夜還有那些在白蘭花樹枝間的小提琴手。它們像「知了」，身體可比「知了」要小，披着黑綠相間的紗衫，拉着「吱吱」聲的弦實在非常刺耳，不過，伴着歌手們以及玩其他樂器的朋友，它的單調提琴便不難聽了，它只飲些樹汁而已，實在沒有什麼罪過。它很遲鈍，燈光射到身上依然拉着提琴不輟；它也敏感，觸動着樹枝，它便振翅飛去，臨行還捨不得放下弓弦，「吱」地悠長一聲消失在夜暗的遠處。

下過大雨的晚上，荷池裏的青蛙起了興，偶然會爬上荷葉作沒拍節的打鼓表演，「閣閣！」兩聲之後，老半天也許只「閣」的一聲就沒下文了。和它們一樣無恒的是地鼠，「唧唧唧」像打小皮鼓那樣通過，再等它回來可沒有定規。亞熱帶的蟋蟀出現較早，只是能參加演奏的不多，「蟪蛄」和男高音似的門頗高。再過一些日子，我知道紫籐架上就將有拉大提琴的「紡織娘」了，它「紗，紗，紗」總是先試幾下音階；隨後就「紗」一長聲拉下去彷彿永無窮盡。敲三角尺的金鈴子，個子小，架子却挺大，它老是出場最遲：「叮，鈴鈴鈴！叮，鈴鈴鈴！」敲得那樣清脆響亮而有拍子，可惜敲幾下就得休息很久，眞是位懶的音樂家。

半夜捕虫，難免懷着一肚子氣恨，可是，做完了劊子手坐在階前，諦聽那些音樂家此起彼落的演奏，所有氣恨也就會隨之消散無餘。只是，夜闌人靜，聽久了總不禁從心底要浮泛上些傷感，因爲我回憶起故鄉瓜棚豆架下的那些夏夜，它們的演奏早就使我耳熟了；如今，瓜棚豆架該已拆毀，饑餓的人們吃盡了樹皮草根，那麼故鄉夏夜一定也沒有了這些音樂家的演奏了！

（下）

圍棋縱橫談

、夜闌

今吾未有書，而天下傾覆，舊事蕩滅。君少長王都，游官四方，華夷成敗皆在耳目，何不記述？國史則君子疾沒世而名不稱，[illegible]之迹，何必博奕然後忘憂哉！」這是世說新語規箴篇的一段故事，國家大難，正好是一個寫回憶錄的時候，庶幾痛定思痛，以策來茲，豈能以下圍棋來沉溺志氣呢？這眞是一段義正辭嚴的話語。宋時錢唐林逋少孤，力學，恬淡好古，他不娶太太，在居處植梅畜鶴，因此人都說他是梅妻鶴子。這位林先生也對圍棋沒有好感，嘗說：「世間事皆能之，惟不能擔糞着棋。」把擔糞和下圍棋聚爲一談，而且在擔糞之下，眞是一位煞風景的書呆子了。明太祖對圍棋尤其痛恨，這位和尚皇帝對臣下動輒殺頭，但對下圍棋的人，則定出一種較殺頭尤爲令人難過的處罰，他在南京建造一座逍遙樓，把博奕，養禽鳥以及游手好閒的人拘放在樓上，不給滴水粒米，謂之逍遙，結果全都活生生的餓死。

圍棋雖經歷這些刧運，但仍然阻止不了它的發展。唐時且有圍棋待詔，地位和書院待詔是同等的，唐太宗就時常和待詔着棋。明朝雖有逍遙樓的建造，但是自從朱洪武一死，圍棋便又興盛起來，國手更是層出不窮。到清朝尤盛，士大夫也莫不以能着圍棋爲雅事，一般讀書人也把它和琴書畫相

莫將戲事擾眞情，且可隨緣道我贏；
戰罷兩奩收黑白，一枰何處有虧成。
——宋王安石

提並論，等量齊觀。一直到民國不但成了文人的雅事，而且成爲一種藝術了。

中國古時把棋品分爲九等：一曰入神，二曰坐照，三曰具體，四曰通幽，五曰用智，六曰小巧，七曰鬥力，八曰若愚，九曰守拙。試想棋品高妙的棋友對奕於棋路上，一切塵念祇凝神於棋奕，又是多麼富於詩意，眞有「一角楸枰，尋橘中眞樂；雙奩黑白，得爛柯仙機」之妙。棋品不到爐火純青，登堂入室的地步，是難以領畧此中的眞趣的。

圍棋傳入日本的時候，在唐朝時代，那時日本派遣僧人到中國留學，也就把這種中國國有的棋藝帶回去扶桑，加以有系統的研究發展，到現在已是青出於藍而勝於藍，徒弟超過師傅了。其實何嘗圍棋之如此，即以書道茶道柔道言之，何一不是由中國傳過去的國粹而爲日人所發揚光大的呢！（下）

衰老與細胞

○公菜○

可是有些人體細胞並不再生產的，這包括神經的、肌肉的，及心臟的細胞在內。人體在獲得這些重要細胞的全部供應後，這些細胞必須在全部生命過程中繼續不斷的活着。

這些細胞，絕大多數可以在全部生命過程活着，可是死去一些也在所難免。因此，與年華老去的同時，肌肉消瘦，神經細胞減少，包括腦部細胞在內，心臟細胞的效率也減低。

沒有人瞭解爲什麼細胞效率減低及細胞死亡的原因。

在實驗室中，人工培養保持着的各種細胞，顯示具有較其原來生命有機體更長的壽命的能力。甚至心臟細胞，亦復如此。

奇怪的，有些單一細胞的動物，在某種意義上，是永不死亡的。它們用分離的方法，生產了後裔，因而親代的一部分，在下一代及此後的世代之中，繼續生活着。那麼，在某種意義上，死亡好像是與高級生命有關連的一種現象，是對進化的一種懲罰。

有一個因素確定是與壽命有關連的就是荷爾蒙（激素）的流動。最好的說明，莫過於女人的壽命趨向較男人爲長這一事實。婦女卵巢所產生的激素，一般地好像給予某種適應性來協助細胞生存。

一個人生了病，因爲他的細胞生病了。如果細胞被毀壞而又不能補充，不管因爲再生失敗，抑或因人體太弱而不能供應新的再生資料，那麼，其結果那個人便衰老了。

當然，防止衰老，不是天然的年齡所造成，或人爲的疾病或傷損所造成，一定試行彌補修復好刧後殘跡。天然的衰老程序，諸如因病痛等造成的衰老，可以被延緩。可是，需要對日常生活加以注意。

例如，食物是必要的東西，可是過飽就有危險。

有證據指出，少吃一點是好的。在實驗室內吃不飽的老鼠，比牠們的肥表親長命，而飽食的老鼠又會培養瘤腫脹，直至惡性死亡而後已。

多餘的脂肪是一種額外的負担，必須要有血液的供應。這意味着人體必須擴展血管的系統；（二）

內債警台報字第○三一號內銷證

自由報

THE FREE NEWS

第五七七期

中華民國僑務委員會登記證台僑字第二三三三號
中華郵政台字第一二八二號執照登記爲第一類新聞紙類
（每週星期三、六出版）
每份港幣壹角
社長：雷嘯岑
督印人：黃行督
社址：香港銅鑼灣禮頓道七號六樓
20, CAUSEWAY RD 3RD FL. HONG KONG
TEL. 771726　電報掛號：7491
承印者：大同印務公司
台灣分社

從香港事件中看人民與政府的權能

陳侃

吾國先民有言：「得民者昌，失民者亡」。國父孫公說：「人民有權，政府有能」。這幾句格言的寓意，我們從最近香港政府處理共黨暴亂事件的實際情況中，證明其爲確切不移，宛如寶樹之長綠，值得世人信守不渝的。

人民權力之偉大性

香港是英國殖民地，全體市民四百萬人中，百分之九十五以上都是中國人，中國人對於舊有殖民地的印象，原是不佳的。四十年前，國民政府在廣州時，對着香港發生過一次斷絕交易的罷工運動，當時原在海隅謀生的華籍勞工羣衆，相率自動回粵參加，乃使香港市面一時陷於癱瘓狀態，無可奈何。

這次毛共份子藉口中國人被「港英帝國主義」壓迫，在香港掀起罷工罷市風波，繼之以游行示威，集體抗議，且動員若干報紙猛烈宣傳，強調「民族大義」「愛國無罪」之說，造出許多謠言，搖惑市民觀聽，北平秧歌王朝又從而鼓勵支持，譁然助勢。然而，香港的四百萬中國人，除却一小撮的共黨嘍囉之外，幷無人響應共黨的號召，相反的一致對共黨表示唾棄憎惡，而要求政府制止非法之徒的暴亂行爲，維護和平安寧秩序，且對政府於事件發作之初，採取容忍態度，深致不滿。署名發佈聲明文書，願以全力擁護政府除暴戢亂政策的社團和職業團體，計有六百多個單位。這種廣大而雄厚的民衆意志和力量表現，就是香港政府勇於維護法治，厲行戡亂政策的定心丸。加之以輿論的指導督促，願爲政府後盾，即使治安當局有所恃而無恐，恪盡職責，行其心之所安了。同樣的都是中國人，同樣是對港政府不滿，過去樂於聽從國內號召，響應對香港的罷工運動，甚爲積極。何以這次對於中國共產黨徒在本港大鬧「反迫害」的罷工罷市鬥爭行爲，竟不肯理睬，而出以鄙視仇視的態度呢？很明顯，這是由於中共在大陸上那種殘暴慘毒的統治情形，深中於人心，衆所共棄。何況這四百萬市民之中，有半數以上都係從中共的刀口餘生，家仇國恨，交縈於心胸，當然不願意助桀爲虐，自貽後患。政府原係爲人民而存在的，香港政府奄有這樣的眞誠而偉大的民衆向心力，自不愁少數跳梁竊發的暴徒不能消除了。夫是之謂「得民者昌」，事證昭然，無可否認。也證明「人民有權」，確係事實。凡屬漠視民權的政府，必難存在，一遇危難，沒有不垮的。

政府有能的具體表現

人民的偉大權力雖然傾向於政府，但政府官吏如果愚昧無能，不知運用民力而顢頇從事，隨便胡來，也就不足以樹立法治的威信，鞏固統治地位。我們目擊香港當局這次處理共黨暴亂事件的經過，認爲他們確是有能的，何以見得呢？首先，當亂事發生之初，共黨氣燄高張，行動非法，公然組織暴亂團體——所謂「鬥委會」，肆行煽惑，到處鬧事，甚至直接鬧到港督府，洶湧然指名辱罵，狂暴異常。但政府應之以鎮靜和緩姿態，防暴隊的治安人員，隨時挨打受傷，乃至喪失生命，亦不採取激烈手段，充分表現着容忍精神，大有犯而不校之勢。暴徒們以爲政府軟弱，怕事，暴行更見猖獗，若「巴黎公社」的革命情況，再現於海隅了。實則這是政府當局的預定策略，將欲取之，必姑予之，將欲擒之，必故縱之。其用意：一在爭取大多數市民的同情，讓大家認清共黨的殘暴面目，羞與爲伍；二在乘機省識暴亂份子組中，誰是重要的核心人物，誰是雇傭的職業打手，誰是吆喝的首從之罪。再根據平日的調查資料，互相印證，知所鑑別，以使將來按圖索驥，無所任縱。其次，各個主管機構每天舉行會議一次，按照各單位所得的情報，對於可能發生的事端，預爲防範之計，不使事態擴大。譬如偵知某一輪渡公司將有若干工人可能被共黨誘惑罷工，即準備人手接替，不足則囑輪渡公司，暫行減少航行次數，但交通仍然維持常態，以免臨時張皇震撼人心，對於各交通機構不參加罷工的員工，一律按日加給「交通費」，使其安心工作，不受共黨利用。每天會議決定的事情，各單位負責執行，既不須隨時請示港督，亦無人橫加干擾，用人用錢，自由處理，充分發揮分層負責、敏捷實簡的行政效率，切實配合，毫不推諉，更沒有爭功攬權的官僚作風。等到共黨的暴亂陰謀逐幕裝演出來了，全體市民憑着眼前的事實證明，認定共黨無法無天，徒然禍害中國同胞，好話大話說盡，壞事醜事做絕，大家起而申討暴徒，擁護法治，要求政府爲保持社會安寧而懲處暴亂份子，不復寬假。於是乎，政府機聲明採取主動，弭亂的時機已來臨了。根據確鑿的調查結果，而以迅雷不及掩耳的敏捷行動，實行搜查顯亂巢穴，逮捕重要份子，若干在過去兩個月來，率領暴徒抗議示威，爲首倡亂的所謂「鬥委」「代表」，以及逞兇殺害警察人員的教唆犯和實施犯，逐一手到擒拿，一律置之於理，各個暴亂巢穴中的基本「馬仔」和各色各樣的武器，亦一併抄獲，無所隱遁，眞是箭不虛發，發皆中節。這決非偶然的措施，而是有計畫、有方法、有步驟的智能表現，亦就是與民衆的權力善於配合的結品演出，假如政府無能，曷克臻此呢！這種說來好像很平凡的技術，實際是高度的政治藝術，決非顢頇的政治人物所能企及的。

結語

香港政府這次處理共黨暴亂事件的各種方策，固然值得稱贊，但亦不能說今後已沒有足資檢討改進的事情了。改進之道，應以勞苦大衆的生計爲目標，例如管理小販問題，即須特別留意，切加整飭，好。這些連升斗小民亦說不上的勞苦民衆，藉流動小販博取蠅頭之利以營生，其情可憫，如果迫使其活不下去，即很容易接受暴亂之徒的煽惑，挺而走險，邁入歧途，成爲社會一大隱患。總之：經過此次事變的考驗，絕大多數市民，都是政府的支持者，亦就是守法安分的良民，政府應該多多顧勞苦大衆的生存權從設想，繼是消除人民內部矛盾的要着。

自鳴得意

死而後已

今日与明日

大亂漸平

香港政府以雷霆萬鈞之力，向左派發動總攻，而且攻勢逐步加緊，第一步是圍搜左派工會，國貨公司，都是些金字印在商頰上的機構。第二步就對付外圍，如新蒲崗一間印刷廠，實際上專門替左派印標語及宣傳品的，還有一間華革會，也是有名的左傾團體，不但搜屋，連主事人也在家中捕去。對於港府此種除惡務盡的勇氣，站在輿論界立場我們是百分之百的支持。

所有被港府搜查的地方，不論它是一個什麼團體，却都藏有各種暴動的武器，如大批汽水樽、硝鏹水、磨尖的鐵枝，長柄的鐵鈎及刀斧，可見港府的搜查皆經過審慎的調查，決沒有一間冤枉的。

跟着來的第三步，是驅逐所有在公家房舍居住的左仔，首當其衝的是黃大仙徙置區三十三座的陽光國貨公司，警署僱了八輛大卡車代它搬場。這項措施無疑地絕對正確，站在香港納稅人立場來說，我們捐稅蓋房給左派淵公司已經夠冤枉的了，而這間公司却又是暴動的大本營，「開門揖盜」已經是笑話，怎能再去「蓋房養盜」？政府把這間公司驅逐出去之後，希望能進一步調查所有公家房舍居住的左仔，凡是參加罷工、暴動的人，一律逐出，這樣也可安定人心。試問誰願意與暴徒爲鄰？萬一在房內儲藏的危險物品爆炸了，豈不要禍延四鄰？

另一方面對於所捕的暴動份子，應該即時遞解出境，一律送過羅湖橋；這樣便管保下，不久，就可以獲得安定，社會秩序一旦恢復，經濟繁榮並不是難事。

左仔「猛回頭」

一對左派影星夫婦，因領導暴動，被捕時相抱而泣，到了差館又表示如果遞解出境就去澳門，不願去大陸。這種心情可以代表此間所有的左派份子。但是，他們却忘記了，儻的遞解到澳門，「知名之士」還是非回大陸不可的，否則「黨」的面子放在那裏？大家應還記得十多年前「迎親人」的一幕，結果把大律師莫應溎遞解出境。這位莫大律師的前進姿態，決非這兩位影星可比，但是遞解時竟然要去澳門，不願回「祖國」，港府自然遵重他的志願，送去澳門，結果却被「祖國」派專船請回，可憐的莫大律師當場表演了一幕屈子投江，寧死也不願回到「光明的地方」去，結果由水裏救出仍然請回廣州，此後遭遇大家都知道了！十幾年前的澳門，尚不能庇護莫大律師，今日的澳門能庇護影星夫婦嗎？尚未步影星夫婦後塵的左仔急速回頭，莫使後人又哀後人了。（如）

自由談

閱本月十六日台北報紙刊載香港中央社電訊，說香港「正午報」宣稱：「中共軍隊警告沙頭角香港一邊的平民，迅即離開該地區」，又據該報說：「新界通往沙頭角公路上，軍車川流不息，恰如戰時狀態」云云。然而我們在海隅聽到政府公佈的確實消息，是沙頭角邊區的中共兵業已後撤，原有的機槍陣地亦撤除了，沙頭角地區已恢復安寧秩序，居民陸續返家，各安生業，與「正午報」所說的情形完全相反。廣州的共黨報紙更說港九地區到處發生「巷戰」了，這不是活見鬼嗎？

不智之舉

自從共黨在香港釀亂鬧事以來，所有當地的共黨報紙——「正午報」其一也，每天瞎造謠言，恐嚇市民，不是說罷工罷市的若干萬大軍，分路前進，銳不可當，就說廣州方面的「解放軍」，即將開入九龍新界來了，發號外，貼標語，張脈僨興，像煞有介事。香港市民目擊着現實情況，把共黨報紙這類無中生有的謠言，當作夜行人吹口哨的玩藝，嗤之以鼻而已。如果相信他們造謠惑衆的宣傳魔術，眞有百分之一的正確性的話，香港社會秩序早就崩潰了。

可是，咱們官方的電訊機構，竟把「正午報」的謠言當作一項「可讀性」的新聞，鄭而重之的傳播到台灣及其他的自由地區去，即不啻是替共黨作義務宣傳，引起香港以外的自由地區人士相驚伯有，誤以爲戰禍迫在眉睫，而惦念着旅居海隅的親友安全，認爲岌岌可危，對於要向香港從事貿易的商人，更係一種危險的信號，實在太不智了！

論宣傳技術，固屬五花八門，莫可究詰，但至少不能弄成「長敵人志氣，滅自己威風」的結果，尤其需要顧及新聞本身的信用價值，方能奠立「權威消息」的聲譽。我們再三思維，盡力推敲，也想不出中央社這項電訊的作用安在，把敵人的謠諑，作正面的傳播，是亦不可以已乎？

馬五先生

掀起反毛共示威的尼泊爾

——本報資料室

七月一日繼印度、緬甸後舉行反中共示威的尼泊爾，位於西藏之南，面積約五十二萬平方公里，亦喜馬拉雅山中的細小王國。清乾隆五十七年，以其常寇藏境，出兵征討，逼其首都加德滿都時，其酋長因震恐向清廷乞降；並簽定五年一貢的條約。自英人取得印度之後，曾出兵進侵尼境；卒以尼泊爾人的饒勇善戰，僅割其東境二邑及哲孟雄（錫金）。而對於中國的朝貢，則迄光緒末年，從無間斷。至民國元年，尼泊爾亦曾進貢四川一次，後因西藏交通梗塞遂不復通中國了。

尼泊爾現有人口約七百五十萬，其中主要民族為尼泊爾人和廓爾喀族人。紀元前六世紀時，尼泊爾人即卜居於加德滿都河谷一帶，從前被稱為「亞洲秘境」，往往禁止外人入境。由於國境封鎖，故又有「鎖國」之稱。在過去的一百年中，支配這個國家政權的是一羣軍人，類似日本德川幕府時代，而國王是一塊裝飾用的活招牌罷了。一九五一年印度支持前尼王杜里華那打敗軍人政權後，尼國內展開「王政復古」運動，同時實行了君主立憲制度。但是，七百餘萬尼泊爾人民中，絕大部份為文盲，他們從事原始方式的農業，政治意識極低，在許多小黨傾軋下政變不時發生。

一九五二年，尼泊爾叛黨領袖希恩，在共黨的大力慫恿下曾一度煽動尼泊爾大規模的叛亂；失敗後即逃入中共區，當時尼泊爾政府曾懸賞三千元美金通緝希恩。一九五四年四月，尼泊爾前王杜里華那客死瑞士後，由曼都拉繼承王位。他是一個比較果斷的人，刻意改革尼泊爾國政，成立五人顧問團會議，凡事經過諮商然後實施。以尼泊爾既介乎印度與中共之間，為求生存起見，唯一方法就是和雙方維持友好關係。故尼泊爾於一九五五年一面與印度訂立友好通商條約，接受了印度的援助；一面則與中共建立邦交，由中共駐印度大使袁仲賢兼任尼泊爾大使。可是麻煩也隨之而來。一九五六年二月，中共嗾使尼國的左傾政客，進行要求尼國政府取銷通緝令，准許希恩返國活動，並會發動示威遊行，叫出「打倒政府，擺脫印度支配」的口號！中共預定希恩返國日期是一九五七年十月尼國選舉的時候，為了配合局勢的發展，便於一九五六年九月把他偷偷地送回尼泊爾了。（上）

為應付毛共核子威脅 美國正積極發展海上反飛彈系統

（華盛頓通訊）美國海上支援的飛彈防禦系統，其主要任務，將為保衛盟國和美國在海外基地。

海軍戰略武器專家羅威上校，曾展望一種海軍反飛彈系統裝備於各型戰艦及潛艇之內的發展，作為國務院政策中的一項重要工作。他在一次談話中說：美國海軍建議的海上支援反彈道飛彈截擊系統，將永不單獨用於防衛美洲大陸上的美國，而將為美國陸上基地尼克X式系統的輔助系統。尼克X式系統是甚為進步的飛彈防衛；它的展開使用，仍有待於美國政府的批准。

具有反飛彈裝備的戰艦，將駐於太平洋。這些艦隻，能於敵人發射洲際彈道飛彈後，迅予截擊。這就是能於受到最大威脅之處，裝置「海上支援反彈道飛彈截擊系統」的概念。

在公海上，這種海上支援系統，自由展開使用，將能以反飛彈，防禦盟國，而無需在國外的領土上生產核子武器。

該海上支援反彈道飛彈截擊系統，初步僅用於海面上的艦隻，到了能在海底下發射進步技術的海軍反彈道飛彈之時，則可以裝備於潛艇之內，有如裝備北極星攻擊飛彈者然。

美國海軍已命令六個連，就海軍能於這十個年頭中，如何能盡其所能的建立一個海洋飛彈防禦，而與陸軍所發展者並駕齊驅，提出他們的意見。預料於七月十九日，將作這些的初步研究。

美海軍上校羅威剋正訪問五角大廈的一個特別戰略防衛武器射擊組。他說：在過去兩年來的研究，已顯示出「海上支援反彈道飛彈截擊系統」，在技術上為完全可能達成者。

中共的核子威脅，可能於一九七〇年至一九八〇年期內形成，美國國防部長麥納馬拉會要求海軍，盡其所能，應付中共的核子威脅之時，美國政府已對該項研究，予以批准。

美海軍將能使用電子關閉的雷達信號和雷達計算器。這種雷達早經為美陸軍用於指導尼克X式反飛彈之需。

海上支援反彈道飛彈截擊系統，可能需要新而特別設計的艦隻，以攜帶該項稱為相位裝置雷達；偵察及追蹤的計算器設備，以及截擊飛彈。這些都將使美國增加費用。羅威說：這項費用，迄未估計。

目前正在討論的尼克陸上系統，其最廉的費用，估計為卅億美元。為應付更大目的而改進其設計的其他尼克式系統，則將增至四百億美元。

任何展開生產海軍反飛彈的決定，最少仍需一年，始能付諸實施。其實際的生產和使用，將另需三年至五年的時間。

海上支援反彈道飛彈截擊系統的費用，將決定於五角大廈是否想使用「一艘或者四十艘」作為反飛彈發射台之需。

港產品輸出再創新紀錄 港人對前途仍具信心

（本報訊）在本港各類產品出口再創新高紀錄，工業產銷繼續保持暢好和騷亂事件已被遏止等種種利好的形勢下，目前絕大多數的工商業界人士，對於香港的經濟前途，都具有很充足的信心。最近，各行各業向外訂購原料性貨品和普通民生日用品，均呈現普遍性的增加，有關銀行的入口押匯業務，亦隨而轉見活躍。

從最近政府所顯示的臨時貿易數字可知：今年上半年純港產輸出值比較一九六六年同期激增了百分之十七點九，這一事實反映了過去幾個月來香港的工業產銷和貿易活動是相當暢好的，雖然由五月份開始本港就發生連續不斷的騷亂事件，到了六月初又爆發了中東戰爭，但這些都並沒有很大地妨礙香港的經濟發展，它仍然是充滿生氣和活力地向前推進。為了目前開工生產和民生日用之需，最近各行工商業向外訂購各類貨品，都有很顯著的增加。

這種訂貨循兩個途徑進行：一部份是本港各大工廠通過洋行向外採辦原料性的貨品，另一部份則是洋行向外購買普通的民生用品，以供本銷及轉口所需。

推廣教育放寬設校政府應施行 一項賢明的緊急措施

——扶持不用政府一文錢而能成立的學校

吳文蔚

自從政府播遷台灣以來，人口的膨脹，逐年膨脹，一般人感覺最深威脅的一件大事，是粮食問題，故有優生節育之說。迄目前為止增加而感到恐慌，相反的粮食的產量，不特足供現有民食而無匱乏，並且還有剩餘可資輸出。政府粮食官員穩操勝算，態度自若，其運籌把握之狀，無論戰況如何劇烈變化，而心境持平，指揮若定，不慌不忙，按步就班，向前進展。一片太平景象，特顯得民生裕如，社會安定。台灣省粮食局長李連春氏曾作如此表示說：「以台灣目前的粮食產量，在今後十年內，亦足供民食不會因人口增加而成了問題」。這話雖出自身負實際責任的李局長口中，但台灣的社會情形，這多年來，關於粮食的供應問題，一般人均屬有目共睹。台灣的粮食充裕，無疑的是社會的一大安定力量，這是誰也不會否認的一件事情。

然而却在另一方面，因人口的增加，致教育發生了嚴重的問題。這情形可在每年暑期的升學考試中看得出來。無論是小學畢業升中學也好，中學畢業升大學也好，大凡是有子弟要升學的，這一家人莫不心情緊張，冒着酷熱盛暑天氣，伴子弟站在試場窗外，懷着無限的熱烈期望，希其結果能夠榜上有名。據報載：「國立華僑中學入學考試時，報名學生一萬多人，連同陪件前來的家長，總計在三萬人以上，致使貫通台北板橋交通的中興大橋，無法負荷過重！」升學競爭狂烈之狀，於此可見一斑。

在這一方面構成最嚴重的威脅的，是惡性補習。一般人所謂惡性補習，似乎係指小學而言，惟事實不僅是小學有惡性補習，而初中升高中，高中升大學的，統統都有惡性補習。試觀各大都市中專門包攬升學的補習班，坐無虛席，其興盛之狀，即係明證。

為了解決此嚴重問題，整個社會均為之緊張萬狀，報紙上的重要消息，屬於教育方面的，常年都在佔着大部的篇幅；而政府教育官員，上自教育部、教育廳，下至縣市政府，一年到頭，都是忙的不「亦」樂乎。其先是以免試升學解決升中學的問題，最近又將實施延長義務教育，繼之將收高中畢業的二年及三年制專科，改為收初中畢業的五年制專科，同時又在擴充職業學校，增加職業學校的班次。舉凡這些措施，忙是夠忙了，但解決教育上面臨的嚴重威脅，似乎是仍未能見澈底效果。

報紙上近年來常有刊載政府鼓勵私人興學的消息，事實上台灣這十多年來，確實產生了許多私立學校，尤其是五年制專科，有如雨後春筍，在兩三年中，就設立了四十多所。政府教育當局雖會謂五年制專科已達飽和點，然實際上與社會未能達到升學願望的學生數字相比，仍然是有很大的距離。

解決失學問題，與消滅惡性補習問題，其主要原因與根本辦法，還是粥少僧多，供不應求，須大量增設學校，俾資儘量容納，使供求平衡。如此，學生才可有書讀，國家才可有才用，教育得以推廣，壓力得以除。惟設校法規，條件嚴苛，與社會實情，不能吻合。眞正辦教育的人，因無大量資金，無從申請設立；而有大量資金的人，因教育非屬私產，他寧願開工廠，也不肯辦學校。有此主因，即政府再三鼓勵私人興學，亦係空口白話，說了好聽而已，對解決實際問題，仍屬徒然。現在設校的法令規定是：

中學：土地三甲，基金三十萬元。

職校：土地三甲，基金四十萬元。

專科（五年制）：土地五甲，基金五百萬元。

上述土地基金，均屬不動產，並不包括學校校舍及設備與開辦費用。以目前地價平均每甲六十萬元計，申請設立一所完全中學，一開始少了四百萬元沒辦。至於設立五年制專科，那就非一千萬元不辦了。試問：眞正欲獻身教育為終生事業的人，有幾人能有三百萬到一千萬元的資金？而有幾百萬元到幾千萬元的財東，有幾人肯把自己的私有資金拿出來變成公產的學校呢？（上）

逸海異聞談

著名人物如何應付危機

·桑稚·

每一個人一生之中，都可能遇上一次或者多次的危機。根據字典上的所謂「危機」的定義：「在決定一些事情好轉或變壞的關鍵當兒，那就是危機。」那麼，人們要如何去應付危機呢？下面，且介紹一些著名的人物，看看他們是如何去應付危機的？

美國的太空人高登．古柏，當他進入了一個太空艙準備發射上太空去的時候，突然宣佈延遲二十四小時。在這種情況底下，無疑是一種莫大的緊張，危機，而古柏却用他自己的方式去解決這一問題——他釣魚去。

第二次世界大戰中那段黑暗的日子裏，在危疑震撼中的英國，危機接踵而來，作為國家的領導人，其負担的沉重可知。這個領導人就是著名的英國首相邱吉爾。每當自由世界的命運懸於他的決定之際，往往他就拿起畫板去畫其風景畫。其他著名的英國首相，在面臨危機的俄頃，也各有一套，諸如：麥美倫會拿出十九世紀名作家安東尼．杜魯洛普的作品來閱讀一番；艾德禮則會丟下一切，跑去睡覺；鮑爾溫則燃點起他那烟斗猛吸一輪，自吞雲吐霧中去找尋解決困難的靈感。

根據現代心理上的見解，每個人當面臨危機時，都會有一些做法，歸結起來，也就是鬆弛一下的問題。這，說來容易，但做起來往往十分困難。

著名的拳師經理人安芝魯．鄧迪，也曾面臨經過一次危機。那就是由他作經理人的重量級拳師克萊，在一九六三年六月和英國的拳師亨利．古柏對賽的時候；在第四回合中，克萊被對手打低倒下了，這是克萊在成為世界重量級拳王以前首次和亨利．古柏交手。但作為經理人的鄧迪，曾大肆宣傳說，克萊是如何的出手最重和最快，以及所向無敵的。而此際，克萊竟不曉得怎樣被擊倒，當鈴聲響起，克萊仍然目光呆滯的坐在台上。台角那邊的鄧迪，却大起危機，因為鄧迪眼看千百萬元就從他的手中飛去了。唯一能夠賺回這些錢的，就是要克萊繼續戰鬥，並且要打贏，那時，將可抽取拳賽電影的權益，更多的大賽合法等等，財源滾滾而來了。可是，克萊此際却被打得昏了腦袋，不知此在身倫敦還是他的老家美國肯塔基州的路易士維呢！

鄧迪憶述當時他如何的去克服這個危機說：「當克萊被擊倒時，我立刻想起他右手的拳套『虎口』上有些少漏氣，我就拿這個做題目故意大驚小怪，拳賽公證人走過來，我叫幾個人去找新的拳套，揚手頓足。不久，拳擊委員會秘書達第，窩爾翰也趕忙過來，說找不到新的拳套。這樣擾攘一番，却大有好處。」他苦笑一下再道：「當他們四處去找拳套之際，台上的克萊却額外多了半分鐘的休息；被古柏一記左鈎拳打中，看來三個月也難復原的他，獲得了多半分鐘的休息，又可以抖擻精神再戰了。」這即是以「搏亂」的方法去渡過此一危機。這也是拳賽上一次歷史性的休息。在休息過後，克萊即再接再厲地打下一個回合。

著名的德國作曲家孟德爾遜，當他在工作上遇到危機出現的時候，習慣上他會跑到窗前，去數隣居的瓦坑頂。這些所謂危機，即他將會盛名不保；因此，數瓦坑頂也經常可以促進他的工作。專家們說，類似這種方法，對任何人都可有用的。

現代英國狂人樂隊所謂「披頭四」之一的佐治．哈里遜，每當他突然遭遇到一些問題時，他便大做其瑜珈運動。

新進的英國拳擊偶像比利．華爾克，他是現時英國最有前途的重量級拳師，他說，每當他出賽時，都好像面臨一次危急的關頭，如果他一旦將與克萊對壘時，則他怎樣去面臨此一危機呢？他說，如果教練許可，他將會約一個漂亮的女子到燭光搖曳的場所去吃其大餐；如果無法約到靚女時，他將獨自躲在家裏，聽聽喜愛的唱片。

鬆弛一下，是應付危機的正當方法之一，但當然還有其他方法。一如著名的歌星湯鍾斯所說：「如果事到臨頭時，暫時丟開，且去飲杯酒！」這對應付很多危機都是有效的，除非你所面臨的是經濟上的危機——但也可以飲半杯呀！

馬來亞的黑風洞

紫苑

在馬來亞吉隆坡，有一個罕見的天然勝蹟——黑風洞。凡是居住在星馬的人，幾乎都知道這個黑風洞的神秘性始終吸引着每一個遊客。

黑風洞係在一八七九年為人所發現。當時吉隆坡市郊，全屬茂密的森林，野獸縱橫，很少有人跡，除了少許的沙蓋人外，就沒有其他民族了。是年四月，雪蘭莪警察總監賽逸，聽說北郊有象羣出現，便和一位美籍博物學家，深入叢林，作獵象壯舉。當他們追蹤着一羣巨象到達一座石山下時，忽然嗅到一股腥臊的氣味，從附近樹林裏的來，他們很奇怪，便問帶路的沙蓋人。沙蓋人說：附近有一個石洞，洞中有大量的蝙蝠及其糞便，所以在山脚附近，都能嗅到這種迫人的腥臊氣味。於是，這個富於神秘性而聞名遐邇的黑風洞，便開始為世人所知了。現在的環境已變遷，洞外的森林早已砍伐乾淨，交通也比早時便利不少，汽車和火車都以直達山脚，與八十年前的景象完全不同，是一個風景幽美的遊覽勝地了。

現在，黑風洞外已建了高達二百八十七層的石階。（上）

比利時語言之爭

斯生

本來從十六世紀開始，比利時與荷蘭已合稱為低地國家。照說弗拉芒與荷蘭人語言相同，應該比較合得來；但北方新教興盛，荷蘭人大都信奉新教（普通稱基督教），而弗拉芒則大都皈依天主教，與大部份華龍信仰相同。宗教的團結促進了經濟與政治的聯合，因此弗拉芒乃與華龍為伍，一同反抗荷蘭人的統治，爭取獨立。

不過，一八三〇年比利時的革命成功，法國出力甚大。當時法國陸軍佔領了海港安特衛普，才强迫荷軍撤離比境。因此獨立以後，在法國勢力影響之下，法語一時成了比利時的官話，在行政機關中、軍隊裏和法庭上，律只通用法語法文。華龍佔盡便宜，弗拉芒有口難言。當時上流社會的弗拉芒大都趨炎附勢，改習法語，苦的還是普通弗拉芒民衆，他們大都受完小學教育，就放棄學業去做小工，因為最初即使在弗拉芒區，中等以上的學校也都用法語教課，他們聽不懂，無法進修。這種不平等的待遇，惹得怨聲載道。

弗拉芒不但人數衆多（如今佔全人口百分之六十），而且在歐洲的文藝史上，其地位亦遠超於華龍。有識之士為宣揚比利時的文化，加强民族團結，乃努力爭取弗拉芒語的地位。但直到一八七三年，才制定法律開始准許在法庭上可用弗拉芒語；到一八七八年，在弗拉芒區的行政機關，已可同時運用法語和弗拉芒語；從一八九七年開始，弗拉芒文成為比利時全境公文證書上的第二種文字。到了一九二一年，弗拉芒語文更進而為弗拉芒區唯一的公用語文。

在法律規定之下，如今弗拉芒與華龍已享有平等權利。但事實上，在比利時的商界和社會活動與公共場所中，仍以法語佔優勢。軍政外交部門的要職，也多數為講法語的華龍所掌握。弗拉芒不勝妒憤，在極端份子的鼓動下，乃有十月十四日齊赴布魯塞爾遊行示威之舉。示威者大都來自北部，分乘各種車輛於上午十時聚集比京城南火車站，參加人數號稱二十萬（事後據官方統計約為四萬二千），他們排成隊伍，於十一時正，舉着標語旗幟，在無數的鞭炮齊鳴放中開始遊行，浩浩蕩蕩，向城北進軍。一路上搖旗吶喊：「給弗拉芒以平等待遇！」「布魯塞爾是弗拉芒的！」「明確劃清語言區！」有的甚至高喊：「吉爾遜（比內政部長）上吊架！」「弗拉芒不納稅！」

這天是星期日，商店本不營業，為防意外，門窗緊閉。部份居民站在人行道上冷眼旁觀。但是布魯塞爾大學的華龍學生，事前已組織了二三千名對抗遊行隊，分佈於市中心區的交通要道，他們以希特勒式敬禮譏嘲遊行者，罵弗拉芒是「納粹」，同時用鞭炮、食物罐頭、番茄、雞蛋攔阻示威行列，於是衝突發生，表演西部武打。幸虧比京警方早有準備，及時彈壓，未讓事態擴大，但結果仍有二十二人受傷，其中有六名是警察。

這次弗拉芒示威比京所提出的具體要求，計有：按人口比例增加弗拉芒在國會的議席；增設國立的弗拉芒學校；而最迫切的，是要明確劃分弗拉芒語區和法語區的界限。按比利時的行政區域共分九省：南部為黑諾、納慕、盧森堡、勃哈邦、列日。北部為東弗朗德、西弗朗德、安特衛普、和林布格。前三省為清一色法語區，後四省為清一色弗拉芒語區，中部二省勃哈邦（比京所屬省區）與列日，係介於兩種語言之間，界限最難劃清。最近比國內政部要把列日省一個叫富洪的小城劃入弗拉芒語區，但該地多數居民是講法語的華龍，他們當然不願意。當地的居民聯合附近華龍，為此，赴列日城遊行請願，人數約為一萬三千。他們反對政府的劃界措施，要求「地方自決」。遊行期間，他們高唱「華龍歌」與「馬賽曲」。有些缺乏國家觀念的華龍，不但希望和弗拉芒分家，而且妄想獨立甚至和法國合併。當今西歐國家籌謀政治合作，自由世界團結反共之際，最爾小國的比利時，却在鬧鬩牆，搞分裂，實在是一件既可哀又可笑的事。（下）

中國女性文藝春秋

周遊

菁菁茂木，隱獨榮兮。變化垂枝，含蕤英兮。修身修志，建令名兮。厥道不同，善惡拼兮。屈躬就濁，世疑清兮。懷忠見疑，何貪生兮！

此歌或謂之「女貞木歌」，或名「女貞引」，也有人題名「處女吟」的。她後來竟想不開，自縊而死了。

二、百里奚之妻與

百里奚為秦相，一天，堂上樂作，他所僱的浣紗婦忽對百里奚毛遂自薦的說：「妾也知音」！百里奚乃命之歌。她便毫不謙遜的援琴彈絃，歌道：

百里奚，五羊皮！憶別時，烹伏雌，炊炎多（兩字均戶頭，下同）。今日富貴忘我為？

百里奚！初娶我時五羊皮，臨當相別時烹乳鷄，今適富貴忘我為？

百里奚，百里奚！母已死，葬南谿；墳已瓦，覆以柴。舂黃藜，搤伏鷄。西入秦，五羊皮。今日富貴損我為？

百里奚問其身世，却原來是他的妻子，遂認妻團圓。此歌又名「炎多歌」。（註：叟多，音炎移。「炎多」，戶牡，所以止扉也。陸游「舍此行飯」詩云：「晚來懶復童子，自掩柴門上炎多」。）

三、魯女——伯姬

魯女——伯姬，為宋共公夫人。共公死後，宋宮忽失火，有司請她逃避。伯姬道：「我聞婦人夜出，不見傅母不下堂」。竟被焚死。她的傅母自恨行遲，乃援琴而歌以悼之。歌云：

嘉名潔兮行彌彰，托節鼓兮令躬喪；烏欽何辜遇斯殃。

四、衛女——傅母與「雉朝飛操」

辭云：

雉朝飛兮鳴相和，雌雄羣游於山阿。我獨何命兮何有家，時將莫兮可奈何。嗟嗟莫兮可奈何！

註：衛女傅母女作者，詳情不可考。

五、魯——陶門之女——陶嬰

魯，陶門之女——陶嬰，年少而寡，獨自扶育幼孤，無昆弟相助，紡織為生。有魯人聞知她的高義，將求娶為妻。陶嬰聞此消息，恐不能免，於是作歌自明心聲。歌云：

悲黃鵠之旦暮兮，七年不變。宛頸獨宿兮，不與衆同。夜半悲鳴兮，想其故雄。天命早寡兮，獨宿何傷！寡婦念此兮，泣下數行。嗚呼悲兮，死者不可忘。飛鳥尚然兮，況於貞良？雖有賢雄兮，終不重行。

魯人聞知遂罷娶她之念。

六、趙簡子夫人——涓

趙國河津吏，有女名涓。趙簡子南擊楚，適趙河津，吏醉臥不能渡。簡子大怒，欲殺津吏。其女涓大恐，持戟上前道：「願以微軀，易妾父之死。」簡子遂釋而不誅。及將渡河，少一搖櫓的人，娟女攘拳操櫓划舟。簡子許之。舟至中流，她為簡子歌「河戟之歌」。（二）

平劇續紛錄

談「趙雲」戲

◦桂良◦

三國戲，曹操的戲也不少，除了常演的「捉放曹」，在「男罵曹」、「女罵曹」、「戰濮陽」等齣中，他都是配角；至於「戰宛城」、「長坂坡」、「戰渭南」、「五截山」等齣，演曹操者都以工架和氣勢擅勝場。至於「孟德獻刀」、「戰官渡」、「橫槊賦詩」等冷戲，却少公演。故三國戲中，以「關戲」為最多，且多係主角，原來脫胎於元人雜劇，及明代傳奇，崑調崑曲，和弋腔，後來多翻成徽調而由四大徽班搬演到故都，王公斯僕無不歡迎。因為關公是蜀漢五虎上將之首，依次才是張、趙、馬、黃。先篇談過「張飛戲」七齣半，今試談「趙雲戲」。

「趙雲戲」究有若干？以往談戲者尚未統計過，今試計之，約有：

「盤河戰」
「借趙雲」
「獻地圖」
「八門金鎖陣」
「博望坡」
「長坂坡」
「借東風」
「黃鶴樓」
「甘露寺」
「取桂陽」
「截江奪斗」
「陽平關」
「連營寨」
「鳳鳴關」
「斬馬謖」
「遊武廟」

以上大約十五六齣。前十五齣是三國當年的活子龍，末齣：明太祖遊武廟所見的，却是泥塑的趙雲。此齣非比趙雲顯聖，但有它的的戲文：

劉基（白）萬歲容稟。

（唱西皮二六）劉基奏本把身躬，尊一聲萬歲聽從容。他本是三國名將眞英勇，姓趙名雲字子龍。長坂坡前功勞重，七進七出顯英雄。只殺得曹兵都驚恐，曹營中有名上將一個一個望風而逃，棄甲丟盔，敗走急如風。都只為糜夫人身投井，因此上不能供在大殿中。

明太祖（白）想當年他在長坂坡前，懷抱幼主阿斗，只殺得曹兵聞名喪膽。到後來屢建奇功，戰無不勝，可以算得是一員名將——為何今日反供在殿外？金瓜武士——將趙雲神像請進殿去。

四大鎧（同白）領旨（搭像入殿內介）

（一）

坎坷的半生

◦藍珍◦

因我沒去，結果，子夜時光，他回來了，跑進屋來，把我由床上拖起毒打，邊打邊罵：「妳神氣，妳清高，妳看不起人家演戲的，我揍你個清高！」待鄰居張氏夫婦聞聲趕來，我已遍體鱗傷。最後，他把被子，墊被及所有臥具，全部拿走。我與山兒，蜷縮在籐床一角。這是冬夜，寒氣襲人，直到黎明。這一頓毒打，打透了我的心。在第二個學期，我以躲避求安的心情，設法調到一所人人不願去的學校執教。我只求憑了自己所能的去工作，換取母子的生活。

一別數年，他大約又厭倦了單身生活，想起我們這份屬於他的妻子母子來了。幾次要我回去，我卻因前車之鑒，不敢相從。最後，他把山兒帶走了，這成了我的致命傷，只好從之。因為我是他的妻子，沒辦法不盡妻職。在中國，夫權究竟是具有相當的權威的。自此，我又墮入深淵，受夠了磨折。

人云：「時光似箭」，我卻覺日子那麼難熬。憑藉了一個小學教員的收入，維持母子的生活是夠苦了，然而維持這個家，他既抽烟，又喝酒，還不時約三五朋友小的便飯，簡直是捉襟見肘。但是，又有什麼辦法呢？他的薪水，從不派做家用，只供他自己花費。山兒一天天的大了，因為小時候被他打的過重，頭腦受震，數科成績太差，只好進入私立中學就讀；每期一筆學費，令我幾費周章。我做盡了我所能做的事：課餘，拖了疲憊的身心，做洋裁，織毛衣，甚至為人繪寫賀聖誕節的卡片。如果不是因為執教太久，人事太熟，有時我真想到醫院去賣血。

如今，他月入近千之數；而我是個月入不足五百元的小學教師。每月，他人歸錢不歸，每逢人歸時日，我需多支菜金、酒錢及烟錢，還要競競業業服侍他，怕他吵鬧，貽笑於人。直應了一句俗語：「死要臉活受罪」。

今年春節時，也正好領到了一筆年終津貼，加上獎金，合起來有二千六百元之鉅，這差不多相當於我五個月的薪金。春節，他給了我一百元，告訴我，是給我過年的。令我嘻笑皆非，乖乖的服侍了他七天。說起，我眞不希望用他的錢，因為那樣他更神氣得令我無所適從。

總之，人來客往，人情份子，逢年過節，孩子繳費等等，完全與他無關。這些，別人聽來難以相信，但我却已身受多年；而且有生之年，還得如此下去。午夜捫心，也難免泛興自憐之感。

很多知己都責備我，說是我寵慣養成他的。我不能否認這不是因素之一；但是天！我當初完全是因為愛他呀！即使到現在，如果你問我愛不愛他，我還是肯定的答覆「愛」；不過，這事實太苦了，我採摘的這顆愛的果實，太特殊了！

我不能見人就訴苦；訴之無益，徒然增人話柄，予人口實。很多人常常羨慕我：先生神氣英俊，孩子聰明，一家三口人，倒有兩個人有收入，嘖嘖讚我：「老師命好。」唉！笑笑吧！寒天飲水，冷暖自知。（下）

海嘯雲談薈

談談陳公博

諸葛一侯

曾以叛國罪伏法的近人陳公博，算是知名之士了，從民國十五年大革命時期起，他便是政治上的風雲人物。我只在民國十六年春初，偶然跟他相遇於南潯鐵路火車上，那時他貴為國民革命軍總司令部的政務局長，又兼任過「江西省政務委員會」主任委員（革命軍收復贛省伊始，省府尚未成立之時），聲名藉甚，風度翩翩，沒有一點政客官僚習氣，談吐亦很脫俗，我對他的印象甚佳。洎後由於彼此的政治路綫不同——他是崇拜汪兆銘的，我始終對汪無好感——直至他去世時，亦未曾再見過。但他留在我心目中的良好印象，尚未消失。

可是，到了他死後，我閱讀他晚年的文字寫作，乃大大的改變了觀感，對他的評價就降低了。首先就是民國卅六年冬間，我在上海友人處看到他以叛國罪受法院審訊時所寫的自白書，洋洋萬餘言，從頭到尾，盡是敘述自己在過去若干次的國民黨內部政爭動亂之中，總是盡力調和，並不偏袒汪精衛一方面這類史話，表示他始終沒有反對蔣公之意；最後追隨汪氏叛國，亦係迫於深厚的友誼而然，且擬從中設法縮短汪氏與蔣公之間的距離；對於何以要隨同汪氏通敵主和，到南京組織偽政權這項大問題，殊少論列，全篇意旨，專在告饒乞憐而已。一個搞政治，談革命的人物，既然做錯了事，即令是遺臭萬年的行為，亦不憚坦然自承，暢述其尊闇行知的主觀理由，庶不愧為大丈夫。何況以他的地位和處境，當日本投降之後，根本就不應該逃到日本去，企圖倖免的。迨引渡回國，束身司敗，明知決無倖理了，又何必作那種哀鳴之詞呢！試看比他的叛國責任較輕的陳人鶴（羣），一聞日本投降，即服毒自殺，留書聲明他要赴九泉去接受孫總理的裁判，其言其行，視陳公博壯烈而高明多了。

繼閱陳氏所譔的「寒風集」，紀述他當年在廣州創辦「羣報」的經過情形，亦多不實不盡。譬如：他說羣報與陳炯明毫無關係，且謂「也沒有見過陳炯明。陳炯明是紅是黑的，我都不知道」。但我至今猶記得很清楚，當陳競存背叛孫總理，嗾使部隊炮攻總統府的事變發作後，國民黨人皆痛斥其犯上作亂，然羣報却謂這是「孫、陳之爭」，是政見不同的關係，國民黨人不應該抬出舊道德的死屍來攻擊陳競存。上海報紙曾有轉載羣報這項言論的，我當時在日本東京親眼看到過。還有周佛海所寫的「往矣集」中，指出當時中國共產黨是和陳炯明勾結的，他說：「陳炯明每月出五百元，給陳公博在廣州辦「羣報」，就是勾結的結果」。那時候，周陳二人都是共黨的要角，周的話當然可信，是陳公博推得乾乾淨淨。這也就是我瞧不起陳氏的地方。

不過，陳氏平日對人接物，那種瀟洒詼諧的風格，亦覺可取。常聞他對朋友聊天的時候，每每謂：「像我這種人，將來非遭槍斃不可的！」又說：「我們革命黨人，白天在外面專講革命，晚上回家來即專講女人，再也不談革命了。」民國十九年他在北平搞「擴大會議」失敗，走到太原避難時，曾去欣賞善演山西梆子的名坤伶粉菊花的戲，事後寫了一首打油詩刊在報紙上，詩云：「國事蜩螗兵馬亂，滿懷心緒亂如麻；半生不吃山西醋，今夜來看粉菊花」。其風趣有足多者。（見廖仲愷的回憶錄）。評判陳氏「太聰明的人，每被聰明所誤」，固不僅陳公博有然也。（完）

遙憶江南梅熟日

遠人

我生長在北方，燕冀的漠漠平原，曾是我生命的搖籃，更是我心靈馳騁的場地。

我愛北方，在那白楊蕭蕭的原野上，在那漫天飛揚的風沙中，我常常似聽到了古時候英雄的馬蹄；那帶點粗獷意味的北地風光，一望無際的紫色平蕪，同那荒邱上車輪大的嫣紅落日，最適宜做傳奇的背景了。

後來，由讀到的一些詩詞中，我更嚮往江南的景物了。不止一次，我默默的背誦皇松甫的詞句：

「遙憶江南梅熟日，夜船吹笛雨瀟瀟，人語驛邊橋。」

以及韋莊的：

「春水碧於天，畫船聽雨眠。」

這些句子，在我的想像中塗上了一抹可愛的色彩。

在這些被春雨濡濕的字句中，我嗅到了一股溫潤的江南氣息。一次旅行途中，在由滬至京的車窗外，我當眞看到夢中的江南春景，那山水畫幅的設色，更遠比我想像的簡單，却遠比我想像的更明秀。到處是一片深淺、明暗不同的綠色，一片溫潤鮮活的綠色，天空，山，水，一片不同深度的鮮碧，只有幾縷飛的雲彩同蕩漾的船，在這綠色中馳過，向着更遙遠的那一片深碧奔去。我出神的凝望着，自己也覺得變成了一棵綠色的烟雲。

北地也好，江南也好，祖國的土地上，沒有一方寸是不可愛的！

曾有一位西洋作家說：「當我瀕危之時，閃過我腦際的，將是陽光照射着的祖國的草原！」

多神聖的感情！多眞摯的感情！每個人，都熱愛自己的祖國，那像愛自己的慈母一樣的自然。一個人因為生於斯，長於斯，所以對一草一木一粒砂都有一種親切之感，在他的眼中，每一寸土都閃爍着異邦人所不能領略的美，更何況遠處都留有祖先的手澤與腳印。

「雖信美而非吾土兮，曾何足以少留！」

世界上任何地方能有自己的祖國可愛呢？他鄉雖美，終沒有祖國的土地惹人繫戀！你讀過那篇陸治揚的「還鄉」吧，其中那個主角多感人啊，他覺得在自己的生地，龍頭中流出的自來水，也是比別處的甘美呢。

但是，何時可以勝利凱旋？

衰老與細胞

◦公萊◦

因此，體重過重與心臟病是有互相關係的。還有飲食一定得保持營養平衡，否則，人體便沒有資料來執行正常活動，及滿足傳染及緊急事態的特別需求。

活動是另一項長保健康的基本要點。在床上躺一個星期，可使最強壯的人變為體弱；沒有活動，人體陷入傾圮狀態，及與衰老相近的消瘦形式。

肌肉退化並鬆弛；骨骼變得多孔因而更易於挫傷、骨折、循環系統失去了健康，並且更易於患上動脈血管硬化症，心臟應付緊張的能力因而削弱。體力的刺激使人體所有器官，操作得更好，包括體內器官分泌的主要化學物質的流動。人體必須有活動，同時也必須有休息，使有時間將生命的節拍慢下來及加以修理，又可以避免自己有時傷害自己的各種濫用過度消耗等。

腦部與身體的毛病有極大的關係。情緒壓力本身，對循環機構的衰竭，也有一部分的影響。

可是，也許與衰老關連的最大恐懼，並非生命的最後終結，而是精神消耗，通稱為老弱，有時與累積的歲月相隨而來。

由於年老，腦部細胞衰竭，的確發生腦部活動的減退。可是，這種減退的活動，通常並不將腦部積存的知識一筆勾銷，也不會抑制智慧。這種衰退並不是繼續一直下降的。

各種試驗顯示，精神的能力，由三十至四十歲的高峯活動後，趨向高原的水平上停留，約略相等於二十歲的時候一樣。（下）

內政部台報字第〇三一號內銷證

自由報

THE FREE NEWS

第六七七期

中華民國僑務委員會登記證台報新字第三三號 中華郵政台字第一二八二號執照登記爲第一類新聞紙類

每份港幣　角 [illegible]

社長：雷嘯岑

督印人：黃行晉

香港銅鑼灣 20, CAUSEWAY RD 3RD FL., HONG KONG

TEL: 771726

承印者：大同印務公司

台灣分社

值得稱讚的新政措施

——僑委會最近對海外的兩項聲明——

黃惠康

中華民國僑務委員會最近鑒於香港方面的動亂局勢，安定海外各界反共非共的自由僑胞心理起見，宣佈了幾項新的措施：一爲對海外僑胞回國投資經營工商企業問題，由僑委會與外貿會通力合作，設置小組負責處理，簡化一切應有手續，而以便利商民爲主旨。二爲修改原有核許入境的若干繁瑣規定，其中最重要之點，卽可以先行入境，然後補辦手續，凡屬舉家移居台灣者，所攜必需什物一律免稅。這項新政，對海外僑胞的心理影響甚大，把若干年來海外反共非共人士誤以台灣不歡迎他們投奔祖國的疑念，一掃而空了。這對團結海內外反共力量的功用，比較發表千百篇的宣言、文告更爲深鉅，遠聽之餘，殊堪讚佩！

一

自從共黨竊據中國大陸以來，東南亞地區若干新興的民族國家，乘中國內亂方殷之際，厲行排華運動，使原來在當地擁有優越的經濟基礎和能力的華僑們，大受打擊，深感生存不易，禍至無日，相率將資金轉移他處，而以香港爲尾閭。最近十餘年間，香港工商業發展情形，一日千里，社會各項建設突飛猛進，就是得力於東南亞地區的華僑資金之大量投入，與夫香港充裕的人力勞動所致。香港政府并沒有花甚末錢，每年還須向倫敦唐寧街繳納若干億數的金元，挹注國庫需要。

這些華僑的雄厚資金，若就生產手段和生產關係及其發展前途而言，台灣實爲最理想的投資地，然他們皆聚集於蕞爾小島的香港，卽裹足不前了。原因是咱們政府管制工商企業的法令滋彰，政出多門，一個僑商到台灣申請投資設廠，從事生產事業，其法定手續之繁複委瑣，有關單位之牽掣推宕，權責分劃，莫適誰從，每使商民望而却步，視爲畏途。香港是國際自由港，管理工商企業的法規，單純而簡化，商人將本求利，最怕麻煩，比較台港兩地的情形，認爲香港方面的投資環境，實獲我心，堪以信賴。這便是構成香港市面畸形繁榮之所由來也。假如台灣方面能將法令簡化，職權集中，減少一切不必要的煩擾，而以便利工商企業之發展爲主旨，則以台灣的安定環境和廉價勞力，在現階段東南亞各地區動亂不已的情況下，吸收華僑資金內流，可謂得天獨厚，政府不須號召，而僑資亦必源源來歸的。

現在關於處理華僑向台灣投資事宜的機構，已經簡化集中了，這是好現象，此外似應注意行政效率，力矯積弊，方足以鎮定僑商的信心。華僑歸國投資，并不希望政府特別優待，祇要主管單位在手續上眞正做到「新速實簡」的地步，例如申請設廠的文書，一年半載也得不到確實答復，一部生產機器運到台灣港口後，長時間擺在海邊，沒法起運裝設，生產原料之採購分配，窒礙重重，呼應不靈，這些都是商民最感頭痛的事。還有行政機關的「科員政治」，誤事最甚，貽害亦最深，處理一樁事情，上級長官決定了亦不算數，如果所屬員司的科員科長之類有異議，問題就難以解決，當事人必須分層疏通，勞民傷財，曠日持久，事業尚未開端，損失已告沉重，這怎能不使商民害怕呢？政府遷移到台灣後，關於行政上的處務規程，有一項莫名其妙的規定，卽遇事皆須經過「有關單位」的小組會議決定，而若干有關單位的職責混淆不清，人多口雜，協議難期，淺時誤事則有餘，迅赴機宜則不足，若說這樣便係民主制，不亦寃乎！今後處理華僑歸國投資問題，既由僑委會與外貿會負其專責，相信不致有上述這些毛病了吧？

台灣現行的入境許可制度，素爲海外僑胞所非議，實則這是應有的措施。已故民社黨人士伍憲子就說過：台灣如果沒有入境限制，早已被共黨滲透，岌岌可危了！時至今日，台灣內部安定，防制匪諜的治安方法和能力，亦已完備充實，政府及時放寬海外僑胞的入境限制，允屬適宜之舉，應該喝采擁護的。不過，我們旅居海外已久，觀察所及，對於放寬入境限制的原則，當然贊成，但認爲尚須稍加留意者，約有幾點：一是對於入境人士的生活實況和背景，似應有所瞭解。譬如在海外一向是做大陸生意，隨時出入於共區的人，他雖然不是共黨份子，却係親共人物，如今藉着人事關係，申請入台，政府自不便予以拒却，然對其保證人必須切實詢明底細，使其知所警惕。二是素來在海外義不帝秦，爲爭取國家民族的自由而努力反共的忠貞之士，應該另眼看待，對他們的入境，不妨儘量放寬，以彰公道，這對世道人心的影響不小，未可忽視的。三是台灣境內的人口容納量，固然沒有問題，再增加幾百萬人，亦不致發生人口爆炸的現象。然隨着人口激增而來的就業問題，不能不預爲之計。否則社會上到處人浮於事，多感失業，久之卽將構成嚴重的社會問題，縱使應付有方，亦有事倍功半之嘆。據我們所瞭解，目前香港方面的華僑，由於時局不靖之故，凡屬資財雄厚者，多以西洋各國爲去處，希望進入台灣居住的，都係中人以下之資，他們的家屬，未見得個個都是生產者，時間稍長，自然就會發生就業問題，所以我們盼望政府注意及此也。

政府這次宣示的新猷，自爲海內外人士所稱許，我們陳述若干意見，旨在使政府的新政推行順利，克收大效，了無遺憾而已。我們更希望以這項新猷爲端緒，進而改革一切庶政，蔚成蔣總統所指示的「新速實簡」的政治風氣，曷勝企幸！

「走啦，這是給遊客看的！」

「交流」

今日與明日

共區大亂

有人接到自京滬綫一個最富庶都市寄來的家信，信中說出當地毛派與反毛派鬥爭逐日擴大，所有幹部無論各行各業均被牽入，兩派互指對方反毛，互相鬥禁，甚至殺害對方幹部，同舟成敵國，幹部單身不敢外出，必須集結一起始可策安全，因爲幹部日日尋仇鬥爭，於是工廠幾全部停工，國營商店也大部關門，卽使有小型商店仍偶然開門營業，時間也很短。

工廠停工，工人自然沒有工資發，也就沒有錢買米。商店停業，卽使有錢也買不到東西。則大陸人民之苦況決不下於一九六二年。就共黨來說，情形可能較一九六二年更壞。因爲該年雖然沒有收成，餓死人成千上萬，但並未餓死幹部，幹部也能團結一致，共度難關。今年是幹部先行分裂，其後果將較那次嚴重。工人、農民連同幹部，在生活無着，走投無路的情況下，最後聯合起來造毛澤東的反，是十分可能的。

武漢已出事

與此消息可以參酌的是武漢方面已釀成大亂。駐在武漢的共軍逮捕了毛派，北平方面派出謝富治與王力去調處，到地方却被共軍扣留，雖然後來獲得釋放，平安回到北平，但也顯出問題的嚴重性。尤其是在謝王被扣時，北平紅衞兵舉行遊行示威，高呼打倒陳再道的口號。陳再道是武漢軍區司令員，在共軍中只是二三流角色，居然敢起而對抗毛派中央派來的大員，不僅同謝王兩人過不去，根本就是向毛澤東夫妻挑戰。究竟陳再道何所恃而敢出此，其間決不簡單。

對於共區內情，外國人有時反而比我們清楚，因爲他們派有記者住在北平或其他都市，可以實地觀察。例如英國經濟學人指北平爲沒有疆域的國土，譏笑毛僞政權的號令不出門。而今看來，幾乎是全部落實。

再談反攻

要說到反攻大陸的問題，似乎說的太多，可是，到了重要時機又不能不說。此處要特別指出的，如果此時再不能有所行動，今後一兩年中毛幫內爭解決，獲得安定，將來不僅沒有反攻的機會，恐怕拖久了我們想自保都難。國際形勢千變萬化，目前的安定是由於毛幫自絕於世界；設使毛酋死去，換一周恩來型的人當政，再改換一付面貌，向國際展開活動，則我們的處境將更艱難。屆時再想背城借一，就不如乘此有利時機了。（何如）

自由談

民主政治的迷惘

我同意已故英國大政治家邱吉爾對民主政治的觀感，他認爲現行的民主制，可能是最壞的一種制度，但在沒有更好的方法替代以前，祇好繼續行使下去。

民主政治的精髓就是選舉，自國家元首以及議會議員和地方行政首長，皆由人民直接投票選舉之，表示主權在民，自屬合理。可是，毛病就在人民普選上，普選的結果，每每距離「選賢與能」的理想很遠遠。若謂這是選民教育程度參差不齊的關係，也不見得，試以美國爲例：美國是眞正實行民主政治的國家，產業極其發達，一般人民的知識水準亦高，但自開國迄今，幾十個由人民選舉出來的總統先生，其中眞是出類拔萃，允屬賢能之士的，不過二、三人而已。至於一般國會議員，多屬平凡人物，更無論矣。

搞選舉需要宣傳，而宣傳就多半都是湘諺所謂「扯卵談」的玩藝，對選民的影響，負數多於正數。例如美國報紙在一個月以前，曾根據民意測驗所示，詹森總統的聲望，因越戰問題已經大爲低落，下屆總統，絕對是居於劣勢，也要競選，近來各報紙又宣稱，根據民意測驗的反應，詹森總統由於跟俄共頭子柯錫金晤談了兩次，聲望陡然大增，明年大選穩操勝算，其和黨的候選人都不是敵手了。美俄首長略談了一下，俄酋且聲明雙方對於越南和中東問題，歧見甚深，毫無協議，而美總統的聲望竟於一夜之間，卽有跳高式的奇蹟上升，這不是「扯卵談」嗎？

眞正能夠獲得選票的特效劑，就是金錢，其他盡係廢話。然富有者多屬低能的紈袴子弟，而賢能之士常常是過着清寒生活，此選舉事宜之所以永遠弄得「牙牙污污」也！

我認爲與其勞民傷財而從事「牙牙污污」的普選，倒不如實施美國開國時期的「分贓制度」——特別是產業不發達的國家，各黨各派共同協商，把政治上的權位與職責，按照公司組織的股東分紅制，各取所需，各得其所，訂期舉行，民俱爾瞻，固不失其爲民主精神也，詎不懿歟？否則得一英明的行政元首，實行開明的集權制，似乎亦比「牙牙污污」的民主作風，對國家有益多了。

馮王先生

掀起反毛共示威的尼泊爾

——本報資料室

因為中共企圖培植希恩成為胡志明第二，由他發展其地下武裝勢力，使尼泊爾逐漸變成第二個越南。中共認為如果攫奪了尼泊爾，那末可以削弱印度的外圍關係；尤其印度保護下的不丹和錫金等小國，更垂手可得。所以，中共於一九五八年便答應每年援助尼泊爾以二百萬緬元，並建築一條由拉薩至加德滿都的「藏尼」公路；明顯地威脅了印度。

特別是到了一九五九年三月當拉薩反共抗暴事件發生，達賴喇嘛逃亡印度導致中（中共）印關係惡化後，由於印度前總理尼赫魯發表一項談話說：「喜馬拉雅山不是使印度與鄰國隔開的山，而是把印度和其他鄰國連接起來的山。」同時，印度自由黨書記馬沙尼也大聲疾呼，籲請「南亞各國仿照美洲各國的組織形式，成立一個集體防衛的協定」。他對這一建議加以解釋：「該項協定絕不應視為一項軍事協約，僅是一項地域性的協定；任何對其中會員國之一的攻擊，均將被視為對全部會員國的攻擊。」

所謂南亞國家，包括着印度，巴基斯坦，阿富汗，尼泊爾，不丹，錫金甚至於緬甸。

因此，中共為了打擊馬沙尼的建議及分化其陣營，便立即展開其外交手腕，於一九六〇年一月廿八日，首先與緬甸主席尼溫在北平簽訂了一項「新邊界協定」；此外，周恩來與谷里拉會談中所達成的協議，包括中共計劃在加德滿都設立大使館問題，住在西藏境內的尼泊爾商人及尼國駐拉薩領事館問題，繼續經濟援助尼泊爾及邊界駐軍問題等等。

中共此舉，顯然是蓄意離間印度與這些外圍國家的關係。但當一九六二年中共軍藉口追捕西藏的逃亡者而越入尼國境內時，尼政府不僅曾向北平提出強硬抗議，該國曼都拉王立即訪問新德里，獲得尼赫魯的口頭保證：「如尼泊爾為中共入侵，則印度予以協助。」曼都拉王返國後，馬上罷黜其首相谷里拉，表示對中共採行強硬立場。而這次尼泊爾羣衆居然搗毀中共在德滿都的圖片展覽館，燒燬毛澤東的巨像及包圍中共大使館等示威運動，固然受了印緬反華流血事件的影響；其對印度外長查格拉要求政府與緬甸、錫蘭、尼泊爾訂立防衛協定的建議，亦不無關係。（下）

最大顧忌是明年的大選
美增兵南越只能慢慢來
戰地司令要求五六萬僅允先派一半

——華盛頓通訊

美國國防部長麥納馬拉最近訪問了越南後返抵華盛頓，向詹森總統提出視察報告，曾對記者發表意見，說越南方面將要多派二三萬美軍前往增加駐軍實力。

這一聲明可以說是麥納馬拉訪問越南後在軍事上的一項重大決定。

他在國防部長任內，此行是他五年內的第九次，每次訪問越南之行，隨以俱來的是駐軍司令的增兵要求和實施。這次他要研討的問題，毫無例外的是關於究竟美國要投入多少軍隊和輸往多少炸彈，才可在越戰獲勝的老問題。

但這一問題，不特對於這次麥氏本人更為棘手，對詹森也是如此。因為對麥氏主張把越戰升級求勝，近來從各方的反應，似乎未符理想；而詹森為了此事也感到在政治上和經濟上必須顧慮的。駐軍司令對麥氏提供的意見和以前一般地指出美軍正在「穩定而緩緩進向勝利之途」，同時力促華府當局多派軍隊前往，並繼續對共黨地區施行轟炸，以完成作戰任務。

在駐軍司令要求之下，於是麥納馬拉回到華府，在白宮與詹森商量之後，就決定增派二三萬人赴越。這一來，駐越的美軍將達到了一九六八年初將到五十萬名了。

目前駐越的美軍共有四十六萬四千人，照原已擬定的計劃，到本年底將增至四十七萬人。但美軍總司令韋斯摩蘭將軍提出的要求，是立即增兵兩師（亦即五萬至六萬人），一師用於越南中部高原地帶，藉以增厚當地力量不敷的美軍兵力，以與新近從柬埔寨邊境增援的北越正規軍二師相頡頏。另一師則供加強湄公河三角洲清剿越共之用。

據說，韋斯摩蘭的觀點，認為如作長遠的打算，應增加四師人，使一九六九年至七〇年之間，在越作戰的美軍總數增加到六十五萬人的數目。

至於越南軍情，雖然有人認為陷於僵持狀態，但麥氏公開聲稱越戰絕非處於僵持。而隨他赴越視察的美軍聯合參謀首長會議主席惠勒將軍更明顯地指出：「現時我們事實上已爭得主動，大量的北越軍派入南越的都不能北返，然而美軍絕大部份都安調回本國，這是不同之點。」惠勒又提到：「時間是一件大問題：軍方一向都認為如果華府方面能予駐越美軍以所需，則戰勝時間將可大為縮短。美軍所需的第一件是人力，以增強對敵人的壓力，第二件增強美軍的繼續勝利，就要不斷轟炸北越。西貢方面觀點力言由於空襲關係，北越的作戰力已經大減。」

不過，華盛頓方面，在麥納馬拉歸國後所作的增兵決定，又引起當局新的煩擾。因為就算祇肯給予韋斯摩蘭一個師，這師人可從國內現役抽調，但卻要訓練新兵來補充這師團的缺額。通常訓練一師新兵可以作戰，要六個月到九個月的時間，長此下去，難免要徵召後備兵，或將入伍年齡重作規定，這種舉措都會引致一九六八年大選期間的政治風波。再則，增派一師人，在經濟上也是一大負荷，蓋將使軍事預算又要另增三十億元，其結果勢必要從增稅方面來報銷，照詹森不久之前向國會發表的國情咨文所提的收附加稅百分之六增建議，又感不敷應用了。最低限度，增兵之舉將使當局一九六六年至六七年的預算差額更大，事實上越戰的支出已較此預算超出一百億元了。這是勢必引起國會方面困難的。

另一問題，是華盛頓方面對於美國軍事主管人員所稱越戰進行良好的說法，已因西貢情報方面所引述，敵軍實力增多這一點而引起懷疑。蓋美軍空襲北越，目的在切斷共黨的供應綫，減低他們在南越作戰的實力，但儘管主管官員聲稱越戰已臨敵人日弱的轉捩點：但情報方面却表示敵軍由本年起，實力仍然維持二十九萬五千人，比諸年初的數目還高。共黨已能並且改變戰畧，以適應戰爭環境，大炮、迫擊炮，火箭的使用比前多了，而且在劃界區正經常使出突擊功夫，一擊即走，使美越軍難於應付。再則，共黨目前的頑強不肯和談的態度，與前並無二致，這是美國若干國會議員推想空襲北越的效果感到懷疑的原因。

這些都是白宮當局因越戰所遭受的政治壓力，使他們對於韋斯摩蘭增兵的要求難作滿意的答覆之原因。不過，縱使如此，美國行政當局在主管軍事的國防部長實地視察越戰戰場之後，對於戰地司令官就事實上的需要所提出的請求，極難推却的。所以，麥氏一經返厄華府與詹森總統商談後，馬上宣佈增兵二三萬人赴越，這是韋斯摩蘭將軍的要求，先行得到一半。

推廣教育放寬設校政府應施行
一項賢明的緊急措施
——扶持不用政府一文錢而能成立的學校

·吳文蔚·

筆者鑒於設立學校的種種矛盾與困難，特不揣冒昧，建議政府教育當局，改革現行設校法規，放寬設校申請尺度，把學校變為小班制。其目的是在針對事實，解決困難、開拓前途，推廣教育，而不問是否合乎法規，使法規束縛前途開展，增加教育上面臨的困難。

所謂小班制者，即申請設立學校，不再依現行法規須有土地若干甲，基金多少萬。只要申請人具有一個教室的設備，即准他成立一所一班的中學，職校，或五年制專科；核准後，只要他把這一班學生教得和土地幾甲，基金幾百萬的學校，有同樣的程度與水準，就算他達成了教育的目的，准他繼續以中學、職校、五年專科的名義辦下去，讓他水漲船高，自求發展，一直達到土地幾甲、基金幾百或幾千萬的要求水準，使他完全合乎法令規定，甚至每個學校都能和天津南開大學南開中學那樣，教室旁是宿舍，宿舍裏是花園，（現在台灣還沒有一所中學和南開一樣）。如此，政府教育當局，只站在輔導位置，既省人力，又不要政府出一文錢，使一下有很多的學校產生，解決了教育上的洪水氾濫，輕而易舉，省事省錢。何必拘泥於空洞的法規，而使政府、社會、學生三方面陷於痛苦的癱瘓中呢？

政府教育當局如果真有魄力，認為筆者此議可行，還有個最簡便的辦法，不妨馬上試行：下一個命令指定一、二所無綫電傳習所，以五年制專科，或職校名義，今秋即開始招生，以現有的教室設備核定招收班數，使之成為正式專科、工職，甚至工業補校都可，看看成績如何。如果辦的好，並把所有收入都用在教育設備上，就准他繼續辦下去，自力發展，逐漸達到合乎法規的設校要求水準；如辦的不好，或是不肯把收入用在教育設備上面入了私囊，那麼經督學查出真實憑據，馬上勒令停辦，並撤銷其立案，亦屬情理所許，無可原恕的事了。

我們知道，無綫電傳習所的課程是和正式學校一樣，其校舍設備，雖然沒有幾甲土地那樣大，但如以一班或二三班與正式學校相比，其設備足有過之而無不及；如此情形，只要政府給他幾個字：「准以專科」，或是「准以職校」名義招生，那麼它就成了一所專科，一所職校了。如此一來，政府便不費一文錢而成立了一所學校，同時馬上可以解決教育上的癱瘓問題，使發展經濟，邁進工業社會的過程中，新添了一支生力軍，以培植工業建設人才，一舉數得，何樂不為？

或許有人不以筆者倡此小班制為然，認為一班兩班，怎可算得上一所學校呢？筆者的答覆是：學校者，製造人才之所也，學校不在大小，而在其培植的人才是否達成所要求的水準。明白些說，學校是先求質的提高，然後才求量的擴充。以筆者的經驗，發現有在公立高中畢業的學生，對於在高中課本上出的試題，連題目還有不認識的。像這種只有高中文憑而無高中學識的學校，表面上看來，人多房子多，就能算是學校嗎？台北第一女中的校長，在一次談話中，認為目前教育上的癥結，就是人數太多，她說：「第一女中學生幾千人，學生讀了幾年，到畢業時她還有叫不出名字的，遑論瞭解學生，啓導學生？」大陸上的中學，有很多是每年只招一班的，至於大學，每系三兩個人的，已屬司空見慣，不足為奇；如此說來，筆者倡議小班制學校，以解決目前教育上的癱瘓困難問題，誰曰不宜？

美國哥倫比亞大學，當一七五四年初創之際，註冊學生僅八名，校舍無一間，土地無一尺，其寒酸之狀，曾氣走了一位董事，辭退了幾位校長。至一八六五年，巴拿德接任校長後，才算有了轉機。至今哥大有學生二萬八千名，基金一億一千三百五十九萬美元，在全美各大學中，位居第四位，我國已故學人胡適先生，即出身於該校。

不特此也，哥大大學推廣部設有普通科學院，其設備之豐，學生求學風氣之盛，自清晨至深夜，整日授課，其學生無國籍種族男女老幼貧富與資格之分，凡有聽課程度與繳費能力者，即可選科註冊上課，一班老而未衰依法退休的人，補償了其多年宿願，讀完規定學分而獲得學士學位的，為數已達數千，升入研究院，獲得碩士學位者，亦復不在少數。迄今在台灣還沒有一所大學可與哥大相比。筆者倡議小班制學校，其目的乃在將來有所哥大能在吾國出現也。願教育當局，當機立斷，拿出魄力，速謀推廣教育，放寬設校尺度，施行此一賢明措施，以扶持不用一文錢而能成立的學校，澈底解決目前教育上面臨的種種困難與壓力，則國家幸甚，民族幸甚！（下）

港產品輸出再創新紀錄
港人對前途仍具信心

現時落訂較多的原料性貨品包括有棉花、人造纖維原料及製成品、羊毛條、軟膠粒、硬膠粒、硬膠粒、原糖、紙張、各類化工原料、大小五金、染料、電器材料、樹膠、人造膠、皮革、玻璃、麥籽、製藥原料業；屬於普通民生日用性的貨品則有食糖、食油、大米、雜糧、凍肉、牲口、蔬菜、罐頭製品、奶品、豆子、海產、文具、電器、藥品、鮮果等多類。

形成最近本港向外多訂各類貨品的原因，除了上述者之外，還有一點就是月來中共貨品的來途大減，港商甚至部份停頓，就只好另關新的供應地，改變以往的仰給於大陸，從而向其他地區多訂。此外，目前遠洋大多數工廠生產冬季貨和聖誕貨，各地亦已逐漸習入高潮階段，需用原料性的產品大增，於是向外購買有關的貨物亦告積極活躍。據悉現時港商向外辦貨的地區包括有美國、英國、歐洲、澳洲、非洲、日本、台灣和東南亞各國，範圍是相當廣濶的。不過可加指出的一點是對於若干冬季衣着物品、衣料、日用百貨、鋼鐵製品、建築材料、機器、麵粉、洋酒、化粧品等類，刻下訂購的情形則還稍呈呆滯，原因是本港方面存貨仍有相當，而且近期市道並不十分理想之故。

由於目前港商外訂貨品普遍增加，故此，各有關銀行的入口押滙業務也隨而顯現出一片活躍態勢，金融界對於這方面的授信亦較前放寬。從整個形勢看來，實足反映出本港的工商貿易和金融各界對於香港今後的前途，還是充滿堅強信心的。（下）

瀛海異聞談

番茄在西人食譜中地位

·桑雅·

番茄，是一種非常粗生的菜類，四季都能生長。它看來雖然粗賤，但是，營養價值之高，配製食物的多樣化，却不是一般菜類所能比擬的。究竟，番茄在西方人的食物中，番茄的用途多大呢？

番茄，最大量的製法，就是用來製成茄醬，它是用幾種調味品，溫火煑成的。可用來炆、蒸肉類，或者，在吃扒類時調味。另外，最普遍的，就是作義大利粉的汁。更新的茄醬就是與白菌或芝士混製而成，它是一種非常可口的食品。嘗試將白菌茄醬在焗肉上，在麵包夾肉上，或用作調和湯和蒸蛋之上，芝士茄醬又可蓋在英國鬆餅之上，或撈焗義大利粉。

茄醬又是番茄製成的另一食品。用純正的番茄，經熬熟後去皮，就成茄漿，比茄醬更濃。除了加多少鹽外，全無其他調味品的成份。進餐時，如果需要食物有番茄味，可倒茄漿。嬰兒尤其愛吃。此外，全不加調味品，純淨番茄味道的是茄糊，它是最爲濃郁的了。在義大利食品中，使用最廣，最可混煑義大利粉，搽燒餅。

給番茄亦是番茄食物中之上品，它用洋蔥、青荳、芽菜和香料混煑而成。吃時必須趁熱，加上紫蘇葉和牛油調味，都可食用。

最精貴要算番茄餅，先將番茄挖心和削皮，再在茄餅上擦鹽，然後調味，切片，加水、加上黃糖、白醋、檸檬皮和提子乾，一同煎熟就可以吃。

至於茄汁，則不須細述，但你曾否用它來混和檸檬汁、沙律醬呢？或者，滲以檸檬汁、番茄醬油來做「日出雞尾酒」呢？這是美國式的調味品，在熱狗和漢堡牛扒上，堪稱無上佳味。它用純正的茄漿和鹽，白醋，糖和香料烹煑而成。使人增強對青豆和肉卷的食慾。用作沙律醬，同是相當不錯的。總之，番茄在餐桌上的多樣化，成湯、奶昔等可口飲料，不可勝數。

但是，你會相信，在一百多年前，它被視爲毒菜嗎？事實上，一百四十六年前，它在美國新澤西州的法院首次被描述，當時人們都很害怕地互相談論，認爲它是有毒的。古籍記載，一名姓約翰遜的農夫取來一吃，……仍然活着。由那天開始，美國人才放膽吃用這種他們當時稱之爲「愛菓」的東西。

在古代，說起它的來源，却是既迷信又神秘的。意思是：南美和墨西哥的土人叫它做「多米」。西班牙探險家把它帶回歐洲，義大利人改稱它做「金蘋菓」，然後製成蘋醬，充作食用。另一說則是：它開始時被稱爲「摩西的蘋菓」；浪漫的法國人卻把它譯做：「愛情的蘋菓」。交換一個「愛情的蘋菓」，成爲當時男女表示熱愛的象徵，但是人們從未想過要把它嚼上一口。所以，當時的人，只視它爲奇花異卉和裝飾品來種植。經過不知多少曲折的旅程，人們才把它運至美國，若不是上述的約翰遜先生的冒險嘗試，眞不知要隔多久，才被人發現是一種可口的食物。

所有的番茄，都不是像市場擺賣的一樣，又肥又紅的，它們分別長成黃色、白色、青黃、紅紫、橙色、桃色或綠色的。有些野生番茄，長得葡萄一樣大小，而種植的，可重至一磅。義大利的番茄，生成蛋型，其他，也有像牛扒的平扁。又是它的變種。餐桌上最流行的櫻桃番茄，除了這樣可口，番茄還含有豐富的維他命甲及丙。同時，每磅茄子：只有八十一個卡路里的熱量，對於節食者，是非常理想的食物。

由於番茄在熟透的時候，才最好吃，因此，市場中每每是些紅透了的茄子。可是，他們是在未熟之前便摘下來的，這是爲着減短種植時間，和運輸上的方便。

未將番茄切開，而欲知其好壞，唯一的方法，就是分辨它的色澤，外貌和硬度。它的大小，卻與成熟問題，全不相干。

所有的番茄，在摘下之後，可在攝氏六十五至六十八的溫度下，把它們焙熟。

目前，實驗室中在試驗用液體氮水藏番茄，如果成爲事實，則任何完全成熟的番茄，可在零下三百度的低溫儲藏若干時間，去霜之後，仍不會損及它脆弱的細胞皮。

馬來亞的黑風洞

紫苑

遊人於氣喘吁吁中爬完此石階後，便見一個高大的光洞。光洞中有印度神龕，印度人相信此神可以予人以幸福和健康，所以每一年的大寶森節，來這裏進香的印度人總有五六萬，人山人海，熱鬧極了。

在光洞的左邊，再走五十層石級，便是暗洞了，也就是神秘的黑風洞。很多遊客常因蝙蝠的糞臭味迫人，而望洞却步。其實此種臭味，只限於洞口。因洞內空氣的內外交流，進入洞內，則此種臭味也就沒有了。

進洞以後，約走五十來步，即有一彎，過彎以後，就看見有一道光綫從洞頂的天孔射進來。在正對天孔的地方，有一個深達十二呎的土穴，假如不小心踏進去，便會折斷了腿骨。從右走，路開始向上斜，此處正爲由天孔透露進來的光綫所照射之地。由此向左，路又突然低下，約行三十碼，逐漸廣濶起來。這一段路，前人稱爲「百老滙路」。此路長約四百呎。向左走，又漸小，空氣流動力甚强，接着便到達一個大洞，高達一百呎，長達四百呎，稱爲「麥西大廈」。從此廈望出去，可見洞口頂有一個大天孔，陽光照入洞內，有如白晝，爲洞中最亮之地。天孔之下，另有一路通往山穴，這山穴叫做「回聲之道」，因爲這裏的回聲極強，即使是極細小的聲音，也可以回環數次，聲音動聽極了。

在「麥西大廈」的另一端，「回聲之道」的正對面，另有一大穴，稱爲泥廳。廳上有不少美麗的鐘乳，盡末端處又有兩個支洞，其中一個叫「深穴」的，有很多美麗的石筍，並且在走過時，腳底下還能發出清喃的回聲。

「麥西大廈」的北部爲通往洞底的那一段路。這段路程很長，分兩段，前段稱爲「蛇穴」，後段稱爲「蜈蚣穴」。這兩個山穴，均因此兩處極似蛇及蜈蚣而得名，並不是眞有蛇及蜈蚣。穴內怪石極多，都以其形象命名，所以它們的名稱也新穎奇特，其最特出的有：筷子、大牙、墓場、拉薩石、七姊妹等。

根據前面所說的路綫來看，這個暗洞很像英文字母F形。據非正式的計算，自洞口至洞底，全長約三千三百五十呎，須要三天的時間，才能遊畢全洞。（下）

英王室對離婚者傳統改變中

彬彬士

在上個月，前英王愛德華八世，即溫莎公爵和他的妻子，應他們的姪女英女王伊利沙伯二世的邀請，返倫敦參加她的祖母瑪麗皇后紀念牌的揭幕。因爲今年乃瑪麗皇后一百歲的冥誕。那個七十二歲的老公爵曾對記者們說：「這全然是一個家庭式的慶典來紀念我的母親。」這是在三十年來，溫莎公爵夫人（現年七十歲）首次得跟英王室人物聚合在一塊。

照英國的國法，英國的國君也是宗教信仰的護衛者。英國教會規定，婚姻是不能夠解散的，愛德華八世因此不能夠跟一個離婚的婦人結婚；他就寧願遜位，由其弟約克公爵承繼王位，稱爲喬治六世。

溫莎公爵結婚後，他的妻子除了他本人之外，沒有跟任何一個英王室人物接觸過，直到去年，溫莎公爵返倫敦治療眼疾，公爵夫人隨行，英女王曾到醫院去一兩次，訪問她的伯父，因此得遇她的伯母，她也沒有避開，得到外間好評，但這不過是在門內發生的私事。現今在瑪麗皇后紀念儀式中，英國王太后伊利沙伯，英女王與王夫愛丁堡公爵，跟溫莎公爵夫婦同在公衆前出現，大得英國國民的稱讚，認爲英女王對離婚者已有不同的看待。

英女王的御妹瑪嘉烈公主不能跟她所喜悅的唐生結婚，原因是唐生乃是一個經已結過婚的人。在六年前，愛丁堡公爵的表弟也是他結婚時的伴郎美爾福夏雲侯爵再度結婚，英女王與王夫都沒有參加婚禮，就算有禮物贈送，也沒有公開擺出來。英女王避免與瑪嘉烈公主的家翁（現已逝世）會面，因爲他曾結婚兩次。就算在外交上，英女王招待離過婚的統治者，也覺得很勉強。舉例來說伊朗的國王曾離婚兩次。英國宮內大臣要很當心避免那些已離婚的內閣閣員參加國家的大宴會。利斯杜維爾侯爵得推薦而任在非洲的英屬黃金海岸的總督，由英女王簽署委任書，但不久後他離婚，跟一個歌星結婚，當女王與王夫擬訪問黃金海岸時就有問題，女王不可參加總督在大衆前同露面。幸得女王有孕，訪非洲之行作罷。後來黃金海岸宣佈獨立，改名爲迦納。

有一個曾受英政府獎賞三次的英國皇家空軍高級軍官，發覺自己沒有被邀請參加英女王的園遊會，他向他的上峯查詢，才知道因他曾離過婚。那個軍官說明他的前妻早已逝世，但他在後來仍不獲參加。在從前所有英國御林軍和衛兵，有離婚者，就被革職，現今已取消這例。有人曾反對英女王接受小飛濱氏（前電影演員）夫婦的謁會，因爲小飛濱氏曾離過婚，後指出小飛濱氏所持乃美國的外交護照，就沒有問題。

愛丁堡公爵的最好朋友和他的私人秘書米高柏加，在離婚之後就被解僱。同時公爵跟他也逐漸疏遠。

在本年年頭，英女王曾因她的已離婚的姪兒，哈活德伯爵要跟一個澳洲籍的模特兒結婚而覺得大傷腦筋，勳爵在最近親向女王請求准許，據說英內閣會建議女王准許，她經已答應，將於本月內在樞密院的會議上宣佈她的決定。那麼，隨着時代的進展，英王室傳統性的舊觀念已有改變，英女王對離婚人的看待已跟從前不同了。

中國女性文藝春秋

周遊

歌云：

升彼河兮面觀清，水揚波兮查杳冥冥。禱求福兮醉不醒，誅將加兮妾心驚。罰既釋兮瀆乃清，妾持戟兮操其維。蛟龍助兮主將歸，呼來櫂兮行無疑。

趙簡子歸，遂納爲夫人。

七、越王勾踐夫人

越王勾踐會稽戰敗，將入吳爲質作奴。與羣下在浙江之上話別，人人悲泣。越王夫人見鳥鵲啄江渚的蝦，飛來飛去，因感而作歌云：

仰飛鳥兮烏鳶，凌玄虛兮號翩，集舟兮啄蝦，恣矯翮兮雲間。任厥性兮往還，妾無罪兮負地。有何辜兮譴天，飄獨憂兮西往。孰知還兮何年，心惙惙兮若割，淚泫泫兮雙懸！

彼飛鳥兮鳶鳥，已迴翔兮翕蘇。心在專兮素蝦，何居時兮江湖。迴復翔兮游颺，去復還兮於乎！始事君兮去家，終我命兮君都。終未遇兮何辜，離我國兮去吳。妻衣褐兮爲婢，夫去冕兮爲奴。歲遙遙兮難極，冤悲痛兮心惻。腸千結兮服膺，於乎哀兮忘食。願我身兮如鳥，身翱翔兮矯翼。去我國兮心遙，情憒惋兮誰識？

越王去吳凡三年還國，臥薪嘗胆，勵精圖治，苦心力圖雪耻復國。越王爲了虛應吳王，乃使國中女子入山採葛，織成黃絲之布以獻。吳王夫差正中其計，乃增賜越王封地，又賜羽毛的飾物，几杖及諸侯之服，越國君臣人民皆悅。有采葛之婦，傷越王用心之苦，乃作「若之何詩」云：「葛不連蔓棻台台，我君心苦命更之。嘗胆不苦甘如飴，令我采葛以作絲。女工織兮不敢遲，弱於羅兮輕霏霏。號絺素兮將獻之。越王悅兮忘罪除，吳王歡兮飛尺書。增封益地賜羽奇，几杖茵褥諸侯儀。羣臣拜舞天顏舒，我王何憂能不移？」

右爲春秋時代寥寥之可數者，女性作家可說是渺若辰星。戰國時代的女性作品，更見稀少。下面只找出一二可信的，以爲戰國時代女性文學作品點綴點綴而已。

八、衛侯女

衛侯有女，邵王聞其賢，（註：按戰國無邵王，昔人以爲恐爲燕王之誤）聘女爲后，未到而王已死。太子欲留之，衛女不肯留，被拘於深宮，欲歸不得，乃援琴而歌云：「涓泉水，流於淇兮。有懷於衛，靡日不思。執節不移兮！行不，珍軻何辜兮！離厥災。嗟乎何辜兮！離厥災。」

歌罷，自縊而死。此事載「琴苑要錄」。總之，春秋、戰國時代之女性文學作品，不僅寥寥，而且很不大可靠。今日欲求其全貌，實苦於無所稽考，只有望書興歎了。

九、韓馮之妻

韓馮爲宋康王舍人，他的妻子以美聞於王。康王思奪韓馮之妻，將韓馮逮捕，命築「春陵台」，其妻乃作「鳥鵲之歌」以見志。歌：

（三）

平劇繽紛錄

談「趙雲」戲

○桂良○

趙雲第一齣戲「戰磐河」是一齣相當老的戲，大約亦係徽腔翻成皮黃的，現在各劇團很少演出。

劇情是演袁紹與公孫瓚相約，兩路出兵，攻打冀州，相約戰勝之後，平分冀州疆土。冀州牧韓馥見來勢洶洶，棄州而逃。袁紹先佔冀州，食言自肥。公孫瓚命弟越往見袁紹理論。袁本初卻命部將嚴綱，殺越於途中。公孫瓚聞弟被袁紹所殺，憤怒交集，興兵為弟報仇。袁紹聞訊，也升帳點兵。趙雲時在他帳下為偏將，請纓出戰，本初輕他年輕，不許出戰。趙雲憤憤不休；袁紹大怒，罰他前往磐河牧馬，自己率上將顏良文醜等迎敵。公孫瓚大敗，敗至磐河；得了在那裏牧馬的趙雲相救。趙雲因英雄無用武之地，牧馬更不甘心，他的正義感是扶弱禦強，何況地與袁紹已有了矛盾。這一員小將，殺退了兩員上將，槍挑了嚴綱。公孫瓚出乎意料之外，轉敗為勝，一時忘了年歲，便和小將結為兄弟，一同回營。

此齣「磐河戰」趙雲，和公孫瓚都算主角。

去趙雲的是武小生，他的穿戴是：白扎巾、白大靠。頭場起霸上，「鬧帳」（與袁本初爭辯）時重唸白，唱做。後場救公孫瓚時重開打。全齣有文有武，故以前科班的小生，開蒙時多習之。

從「磐河戰」談：人生遇合不易。相遇投機，一見如故，更難。故「人生得一知己，可以死而無憾！」是至理名言。以趙子龍蓋世之英名，當其在河北袁紹帳下為將時，便覺俯仰無聊，如磐河之戰，袁紹坐帳派將迎敵。滿營將官俱有差遣，獨將趙雲冷落一旁！雖請纓，所得的答覆，是：「看你面黃肌瘦，豈是他人對手？來！將趙雲叉出帳外。」袁本初家四世三公，有眼無珠，日不識人。此其所以被稱為「冢中枯骨」歟？趙雲從此遠走高飛，不為所用，何以棄大將以資敵？

「磐河戰」並非大武戲，至多演三刻鐘。此戲海外劇團演者寥寥。因為趙雲沒有幾場戲，一場起霸，怒出大帳外。一場「快槍」，殺退顏良。一場「扎靠」，打走袁紹，一場便已到了公孫瓚：「請問將軍上姓？」轉到營中一敘！」。

此戲「當年各徽班常列為開場第三之小武戲，由武小生與武老生合演。民初，僅故都富連成社尚存此劇。在民國六七年，蔡榮貴為該社大三科排此戲，係以蘇富恩飾公孫瓚、茹富蘭飾趙雲，韓富信的顏良，郝連桐的文醜、張富友的袁紹。至民國十一年，富蘭、富信、連桐、富友相繼離社或出科，乃以沈富貴、劉連榮、張連廷、王連奎諸人重排此齣，也很精彩。（二）

隨軍緬甸憶往

奇士

很多人，都認為：一面臨危險時，心裏一定是非常恐懼的。我從前也是這樣想過。自從我親身經歷過幾次事後，我的看法改變了。

那是民國三十三年，我在中國駐印軍新編第三十師通訊第二連當士官。當密支那戰役後，我隨我們電台配屬八十九團第五連，這個連單獨駐在伊洛瓦底江邊上，一個叫大輪收的村莊外面的大廟裏，離上級部隊太遠，有線電話尚未架通，所以特別給這一連專派了一部「SCR－284」的電台。在這裏，除了我們這連中國部隊外，不遠處有美國人一個小的通訊部隊，據說江對岸還有一營的英國軍隊，因為我們部沒有到江那面去過，是否這樣，誰也不清楚。

第五連的連長是湖南人，他的脾氣特別壞，一開口就是：「狗養的，狗養的！」但他帶兵倒是很有一套，因為在我們配屬他的那幾個月中，我看見那連上的官兵對他都非常敬佩。

一個小部隊單獨駐在這偏僻的小村莊附近，當然是不會担任重大的戰鬥任務的，所以，連長就利用這機會來訓練他的部隊。當然，這裏所說的訓練，倒不是指的立正稍息等制式動作，而是完全注重在戰鬥技能上，尤其是當我們攻密支那時，因為我們使用的是七秒鐘才爆炸的英式手榴彈，投出去就很快讓日本人給扔回來了。有了這麼一個教訓，所以上級規定，以後使用英式手榴彈時，把保險針抽了，等彈片彈開後，必須數完一二三四五，才准投出去。這種投法，胆小的人當然不敢投。因此，這位連長除了各種武器的射擊外，並要他的部下按規定的方法，每人實彈投擲一次。

幹通信兵總是要輕鬆一些的，尤其是配屬到下級部隊時。所以，我每天除了當班的時間外，空閒下來，總喜歡跑去看看他們訓練，有時高興起來，也玩票似的來那麼幾下。那天練習投擲手榴彈的時候，我也在場。投擲的場所，就在廟前的江邊上，投擲的方向距離都沒有規定，只要從岸上丟到江裏爆炸就行了。我用欣賞的心情，站在人堆中，看見連長示範後，許多人都跟着投。別人投擲時，連長拿了一根棍子站在旁邊，誰的動作做錯了，他立刻就在那人的屁股上狠狠地一棍子，附帶罵一聲：「狗養的！」後來，輪到一位個子很大，但胆量却極小的傢伙，他老兒按連長教的：把保險針抽了，再放開指頭讓彈片彈走（這時手榴彈開始冒烟），接着數一、二、三……在他數到三的時候，糟糕，他的手一軟，那顆手榴彈竟毫不客氣地落在他面前的地下！這時，按常理說來；我們這些緊靠在他後面的人，看見這種情形，一定是要驚惶得叫起來，但事實並不如此，除了連長和那個投擲的人外，連我自己也同別人一樣，竟嘻嘻哈哈地笑着跑開了。當然，那顆手榴彈如果不是被連長一腳踢到江裏去爆炸了的話，那倒是一件麻煩的事。好在連長是老經驗！結果，危險是沒有了，挨了一頓棍子和一頓好罵後，他在一邊發楞，而我們這些旁觀者，就同欣賞了一場極精彩的表演似地，笑得半天合不攏嘴來。

但這究竟是多年前的往事了，至於我們為什麼會在那種場合中發笑，到現在仍然沒有找出個適當的理由來。

常州名醫費晉卿

○香草○

翁松禪日記：「常州費醫號晉卿，年七十餘，目光奕然，發音閎亮，眂病診斷，要言不煩，求看者成市。常人士云：費君之父更精，名費一帖。費君亦秀才，惲次山聯留為名士而名醫，又有醫醇一書。」李蓴客亦記：「晉卿今之名醫，江南推為徐洄溪後一人。寇亂後居武進之孟河莊，就醫者舟車奏集，遂成邑市。費著醫醇廿四卷，亂後版燬，乃追憶為醇語，最為有用之書也。」晉卿名伯雄。居孟河濱江，咸同以醫名遠近，持脈知病不待問，論醫戒偏戒雜，謂古醫以和緩命名，可迴其意。「醫醇燬於太平之役。「醫醇賸義」附有「方論」，大旨謂常病多，奇病少，醫者能執簡始能馭繁，不可有異，其中詳於雜病，畧於傷寒，清末江南諸醫以伯雄為最著。松禪之姪曾源（字仲淵，翁心存之孫，翁同書之子，同治二年狀元）。少得羊癇瘋疾，松禪於同治十二年冬丁母憂居里，曾偕其姪求診。晉卿診曾源為「兩尺皆虛，肝脈獨絃，胃有積痰，有時眩暈」。認為病已深，能去七分為妙矣。診松禪為「肺脾胃腎皆虛」。而松禪本無嗣；曾源服其藥亦延至十四年後始卒。松禪日記，即說於診病後也。

太平禪史有「張國樑孟河請名醫」回目，平劇三本鐵公雞中，向榮因病，粉墨登場亦有費醫角。松禪日記中亦言「此亦亦善士，以治向軍門得名，向酬以三品頂」云云，似為可信。相傳張國樑　伯雄診向疾，費誤為氣血大虧，根本治療，非靜居治療，不易奏效。經用急救之法，進藥數劑，病若失。張伴費回里，伯雄私謂之曰：「時局艱難，向公鞠躬盡瘁，不能自逸，日後病發，不可為矣！」已而果然。

晉卿生於嘉慶五年庚申，祖岳瞻，父文紀，行誼並載鄉黨潛德錄，文紀即所稱費一帖者也。晉卿少讀書，會督學使者按臨，父命往應試，適大風雪泥濘，車不能行，折歸見父，三呼不應，惶恐仍冒風雪就道，獲儁而還。其醫學為世傳，尤能探原靈素，步武仲景，而於子和河間東垣丹溪之學，罔不融匯貫通，存菁去蕪。歸安朱煦庭病瘵幾殆，費予以方足，使連服千劑，三年後神完氣實。平生治病不矜異，不畏難，不泥古方，不求速效。辨症極準確，處方極審慎，說者謂清代名醫，吳門葉天士後一人而已。亦長於詩文，有昌黎之氣勢，兼廬陵之風神，古體擬香苔蓮，近體彷彿玉谿。且善飲，工度曲，喜劇談，好賓客，又擅書法。學政李小湖詩有「古來藝通道，神悟到毫顛」語。年八十，從容沐浴衣冠而逝，以「讀書明倫理，積德遺子孫」為囑。遺著醫醇賸義外，向有詩文鈔等傳世。

劉銘傳才兼文武

夜闌

有清同治中興時代，湘淮軍人才輩出。如合肥劉銘傳（省三），雖以武功顯，然頗喜接納文士，饒有謀略，深具近代眼光，不為成見所囿，在同列諸將中，殊為突出，亦奇人也。銘傳少時，以任俠自喜，不拘小節。及貴顯，益折節讀書，故能詩文，善書法，且長於奏牘，不假幕僚手。著有大潛山房鈔若干卷，壯歲之作，居其泰半，多可誦。

同治五年十一月，曾國藩於周家口軍次，為銘傳詩鈔作序，有謂：「山谷學杜公七律，專以單行之氣，運於偶句之中。東坡學太白，則以長古之氣，運於律句之中。樊川七律，亦有一種單行票姚之氣。余嘗謂小杜蘇黃皆豪士而有俠客之風者。省三所為七律，亦往往以單行之氣，差於牧之為近。蓋得之於天者多，若能就斯途而益闢之，參以山谷之倔強，而去其生澀，雖不足以閎日，然固詩中不可不歷之境也。省三用兵，亦能橫厲捷出，不主故常。二十從戎，三十而坐擁疆寄，聲施爛然，為時名將。惟所向有功，未遭挫折，蔑視此虜之意多，臨事而懼之念少，若加悚惕戰慎，豪俠而具斂退氣象，尤可貴耳！余覽其詩卷既畢，因題數語以勖勉之。」讀此可以知銘傳之詩矣！

銘傳起家軍伍，累建殊勳。以中法防台之役，改任台灣首任巡撫，綜計在台六年又五個月，政績斐然。凡所建議，胥關大計，奏牘典存，足徵特識。惜厄於執政，未竟厥施。

歸田後，養痾山中，被徵不起，甲午之挫，銘傳不與焉！詩鈔中題風雨窮途圖云：「午夜衝寒喚渡河，滿天風雨恨如何？一身落落誰知己，四顧茫茫且放歌。豈是爐中人未識，恐教髀裏肉生多。畫工似有規諷意，不寫逍遙寫折磨！」又用前韻遣懷云：「自從家破苦風波，猶向人前喚奈何！名士無妨茅屋小，英雄總是布衣多。為嫌仕宦無肝胆，不慣逢迎受折磨。饑有精粮寒有帛，草廬安臥且高歌。」一頓為一時傳誦。人謂銘傳作此圖，蓋紀微時風味，亦美談也。絕句如贈蓋子臣務歸里云：「百戰澄清衣錦還，征途揮手淚潸潸。傾囊各贈千金去，只濟人間瘦馬還。」五律如感懷二首云：「半壁皆烽火，江南不見春。[illegible]家三四月，航海八千人。丈夫抱負望，[illegible]」「不幸入官[illegible]」[illegible]宜人說短長。」[illegible]酒任疏狂。」[illegible]遺，仍[illegible]性直[illegible]謀國[illegible]年頭[illegible]黎民[illegible]此日[illegible]。實則詩中佳句，尚不止此也。

[illegible]出。[illegible]緒二[illegible]有九。

這古怪的女學生

○藍妮○

這個女學生太蹊蹺了！我這班學生人數不算少，足足有五十個人，論常情，生活在這個團體之間，總該有幾個談天說說笑的朋友吧？沒有，沒有一個跟她友善的。而她本人，似乎根本沒有交朋友的意思，始終一個人孤零零地，獨自看書作業，獨自在操場邊上散步，一天又一天的，這樣過下去。

師生之間，總免不掉有些話要談的，所以，她也常來說幾句話給我聽。然而，十有九次，是為了指摘同學過錯要處罰別人的。而她所檢舉的那些過錯，不過是芝麻大的小事吧了。譬如說：有人無意間碰動了她的桌子，她便說這是「破壞課桌整齊」；再如有人丟了一團紙團在地上，她便作最好的資料，東一趟辦公室，西一趟教務處宿舍，到處找我遞狀子，說那位同學「影響教室清潔」。

最有趣的，這些雖是小事，但是讓她[illegible]破的道理，不但被告推翻不倒，我也別想[illegible]她的狀子或者的確事忙忘了的時候，沒有[illegible]責罰那個被告，她便很生氣了。在她的氣[illegible]霄雲外，更沒有什麼可怕的。假設，我是[illegible]一件，她可以當面就把她的課桌歪斜到九[illegible]者，我是忘的「影響教室清潔」那一件，[illegible]，管不管隨你便。不曾吧！眾目睽睽；管[illegible]人，你不管，專門管我！」

作為一個現代教師，難得很，他已不[illegible]事，我們還有注意學生心理健康以及矯治[illegible]這個剛念初一的女學生，這麼孤僻，這麼[illegible]不是生長過程中的正常現象。我又是導師，尤其規避不了這個責任[illegible]師那樣，跟這個學生的病態心理作戰了。

我訪問了她的家庭，她的家庭是美滿[illegible]，也有弟弟和妹妹。他們開了一個商店，[illegible]良好。

內政部台報字第〇三二一號內銷證

自由報

THE FREE NEWS

第七七七期

中華民國僑務委員會登記證僑社新字第三二三號
中華郵政台字第一二八二號執照登記爲第一類新聞紙類
（逢星期三、六出版）
每份港幣壹角
台灣零售價新台幣貳元
社長：雷嘯岑
督印人：黃行書
社址：香港銅鑼灣道二十號四樓
20, CAUSEWAY RD 3RD FL. HONG KONG
TEL. 771726　電報掛號：7191
承印者：大同印務公司
地址：香港北角和富道六號
台灣分社
台北市西寧南路壹壹零號二樓
電話：六三〇四三
台郵撥儲金帳戶九一二五二

論復興中國文化問題（上）

——中國文化是怎樣式微的？——

雷嘯岑

自從蔣總統發出「復興中國文化」的號召以來，海內外人士一致響應，熱烈非凡。然復興之道究應如何着手，怎樣進行，纔可望獲得實效，不致流於空談，似乎尚未聞有具體的意見和方案足資研討。如果祇是博而寡要的發議論，喊口號，熱鬧一陣之後，勢必歸於岑寂。君不見過去曾經喧嚷一時的「新速實簡」政治革新問題，各機關靡然從命，矢言實行，迨事過境遷，又復依然如故的往迹乎？言念前途，吾爲此懼！

文化的涵義很廣泛，舉凡書契語言，風俗習慣，文物制度，以及藝術和宗教等等，皆屬於文化領域，籠統地侈言復興，頗有一部廿四史不知從何說起之感，眞是談何容易啊！

每個民族國家，皆有其傳統文化精神，作爲生存發展的基本潛力。文化的存在和新生，必以舊有文化的累積因素爲憑藉；有如水源木本，不是憑空產生的。今日西方先進文明國家的科學思想，民主潮流，宗教精神等項之進步發展，無一不是導源於舊有的希臘文化與希伯來文化而然者。中國固有文化，是以孔孟的儒學思想爲核心，倫理與政治融滙貫通，相輔相成，治國平天下的要旨，歸本於正心誠意，修身齊家，而以四維八德爲綱要。立國五千年以來，中華民族雖然經過了若干次的大難——外族入寇侵凌，備受亡國之痛，文化亦受到沉重的摧殘，然終能剝極而復，屹立於世界，并未蹈西方羅馬帝國之覆轍，唯一原因就是中華民族對於固有文化崇信不渝，毫無疑義，而中國文化的優越性，遠非異族文化所能抗衡，且使異族文化自然而然地發生同化作用，史證昭然，無可否認。吾國固有文化，隨着時代進展和人類生活的變遷，有些地方不免發生殭化、衰歇現象，需要創進新生，以期適應，但其基本精神，決不能泯沒。東鄰日本是以中國文化精神爲宗主的，自明治維新伊始，日本接受西方文化的挑戰，極力反應，大事革新，但有一點至今未變，即全國中等學校皆以政府編訂的「論語」爲必修課程，學生對於這一課程不及格，其他科目的成績雖好，亦不能畢業。所以日本人民的忠君愛國思想特別強烈，牢不可破，二次大戰時天皇一道宣詔，同意無條件投降，國內的主戰派軍人，國內然奉命維謹，國外各戰場上的將士亦沒有不服從的，這便是他們平日的教育方針之功，決非偶然的奇蹟。

我國自辛亥革命成功，中華民國開創後，文化思想受到新時代潮流的衝激，當然引起變化，舊的許多文物制度皆成了革命對象，新的思想體系又未能建立起來，最糟糕的就是從民國肇建到現在，竟沒有一套適應新時代潮流和國情需要而堅定不移的教育政策，連各級學校的教科書，亦任由商場市儈去編印售賣，把關係國家命脈的教育事業，視爲無關宏旨的點綴品。至於近六十年來的文教措施，時而學步日本後塵，時而勦襲英美德法的體制，且係襲取皮毛，淺嘗輒止，六神無主，見異思遷，不屑愼思明辨中國文化新生之道究竟安在？文化思想乃陷於空虛墮落之境，呈現着混亂駁雜景象，而所謂「打倒孔家店」「把綫裝書丟到茅廁裏」的聲浪洋溢乎全國，却沒有新的文化路綫可尋，因而老年人不免愁歎，青年人爲之徬徨，更迷惘莫適誰從。適逢列寧在俄國革命成功，創立共產主義的蘇維埃政權，俄共的許多宣傳刊物，大量向中國輸出，氾濫於文化界。共產主義思想否定一切舊文化，充分發揮人性的黑暗面——即人類的劣性根——是一種很壞的哲學，此外吾國人亦有倡導全盤西化主義之說，這項思想由於沒有中國固有文化累積因素的憑藉，等於無根的花木，永難移植生存，世界上根本就沒有能將別一民族國家的文化全盤移化，照單全收的先例，這當然是流於空談，却有徒亂人意，搖惑觀聽的副作用。至於發揮人類劣性根的共產主義思想，雖與中國固有文化冰炭不相容，然對於正陷入空虛墮落狀態中的中國文化界，很有刺激作用，有如向着頹損過度的孱弱人身，投下一種興奮劑，乘虛而入，發生反應，特別是一般青年人，下意識地容易感受，因爲中國固有文化思想，是以遏制人類劣性根之發揚爲主旨，注重個人的道理，講求人格修養，摒棄物慾觀念，希望每個人皆有希賢的自我節制工夫，或勉強而行之，以達到不期然而然的實踐化境界，自非時俗所樂從。共產主義思想恰恰相反，它認定禮義廉恥、忠孝仁愛這些中國固有文化即是封建思想，盡是些遺毒和吃人的禮教，非剷除不可，而號稱爲「解放思想」，適所以激起人類劣性根之反動發展。於是乎，彷徨中的中年人，苦悶之餘，大多數咻然附和，視之爲前進思想，沾沾自喜，如獲亡子，如飲狂泉。同時西方的功利主義與倫理相對主義（即爲目的不擇手段），亦經一般西洋留學生轉輸販賣於中國，乃使中國固有文化思想備受雙重打擊，黯然失色。不特此也，政治上又曾誤認共黨有容共之役，誤認共黨那套革命理論和方法是進步思想的結晶，人與人相處，只有矛盾鬥爭是尚，并無互助協調可言。於是乎人性逐漸式微，理性不起作用，中國固有文化思想即深受暗傷，而共產主義的意識形態，深中於人心，馴致不惜以共黨的革命手段來從事反共運動，人慾橫流，藩籬盡撤，邪說朋興，罔知所屆，中國固有文化即遭遇了浩劫，遍體創痕，不容易康復，而中國大陸終告沉淪了！

綜觀上述文化思想界的變遷脈絡，則今日欲求復興中國文化，方能得其究竟如何着手，即不難深中肯綮。可是，復興并非像復古，任何一種文化思想，必須隨着時代進化律，而迎新生作用，祇要萬變不渝其宗，即無新舊之分，但有適與不適之別，適者生存，物種有然，文化思想，亦莫不然。茲篇所述，是對中國固有文化病態的「望聞問切」，說帖，這種診斷是否正確，無論筆者不辭庸醫之誚，亦願竭其一得之愚的醫理，指陳一些方單，以就教於方家，聊備參考云爾。

三部曲

趁火勒索

今日與明日

製造恐怖

左派在大敗之後，走投無路，於是唯一的出路，是最後的一步棋，已經擺出來了！就是製造恐怖！七月廿七日荃灣大光明戲院發現一枚未爆炸彈，二十六日港九就有八處發生爆炸及焚燒事件，最慘的一次是在西環電車總站一枚定時炸彈，炸傷了九人，血流遍地，慘不忍睹。

左仔口口聲聲鬥港英，可是炸彈炸的却全是中國人，受損失的是中國人，流血的是中國人。左仔鬥爭了兩個多月，未損英國人分毫，唯一的「勝利」，就是二十六日這一天，在中環街市掛出了一個草人，身上劃了一幅英國旗，大概就是處死英國人了。此種精神勝利法，似乎阿Q亦不屑爲之。

除惡務盡

我們始終認爲自由人士與左派之間決不可能長期和平共處，任何一個地方有了左派份子，社會一定發生不安，要維持社會安定，就要把左仔清除掉。試看今日東南亞最安定地區台灣、菲律賓、泰國，皆宣佈共產黨爲非法，反之，動盪不安地區如印度、緬甸、尼泊爾、印尼，皆是過去或現在承認共黨爲合法政黨的國家，共黨可以公開活動，加上這些國家都承認了毛僞政權，僞大使館利用外交身份予以指揮、掩護，遂致左派勢力日大，出現了動亂現象。香港要想安定，非釜底抽薪不可！凡是知名的暴亂份子，不論其身家地位，一律加以逮捕，全部遣送出境，僅僅捉了傅奇與湯秉達是不夠的。

大亨應起而支持政府

此次港九暴亂，市民對政府的支持可說不遺餘力，尤其是正義交通工友，甘冒危險爲市民服務，也就是爲政府維持了社會秩序。我們覺得奇怪的就是一些紳士們很少人出來正式對政府予以支持。試以兩巴士公司爲例，九巴在左仔發動罷工之時，一部依靠自由工友奮不顧身開出一部份車輛，維持了幹綫交通，可是直到目前仍然靠了這一羣正義工友苦撑，公司當局並未拿出辦法，下定決心，把這一個過去由於左仔有意散播仇恨，爲萬民切齒的交通機構，變爲受廣大市民的歡迎，原因就在於公司一部份人仍然不能忘情左仔，希望把他們找回來，不肯另行招募，究竟持這種見解的人立場如何？政府當局應該予以注意，萬不能使左仔再混進交通機構。同樣地中巴開除的左派工人仍然佔據宿舍，並且向自由工友進行恐嚇，這又是怎麼一回事？公司當局也應有所交待。（何如）

共黨的邏輯

馮三先生

毛共在香港無端作亂，公然組織團體，指揮暴動，到處放火殺人，且聲言要打倒「港英帝國主義」，驅逐港督戴麟趾。地方政府依法維護治安，予以禁制，而共黨即證之爲「法西斯」行爲，而毛朝竟向英倫提出所謂「強烈抗議」。英外務次官慣於告語毛朝駐英外交代辦沈某曰：「我們爲着反抗法西斯主義，已經奮鬥了幾十年，即閣下亦係我們的同路人，今天怎末可以說我們是法西斯呢」？實則對共黨講道理性之詞，乃是多餘的，共黨如果稍有人性和理性，世界早就太平了。他們無論幹出甚末罪惡行爲，都是「爲人民服務」，誰要不跟着他們一鼻孔出氣，誰就是「人民的公敵」，格殺毋論。「人民」是共黨的代名詞。一會兒他們的行爲自相矛盾，前言不符後語了，便說是運用「唯物辯證法則」，符合革命利益的。他們遭遇到任何的挫敗，還是揚言「勝利結束」，譬如最近有兩個共産在武漢被共軍拘捕了，經周匪恩來馳往營救脫險，纔得遄返北平，然共黨宣稱爲「光榮歸來」。似此「死雞撐蓋」的阿Q精神，共黨份子莫不優爲之，別人瞧着肉麻難過，他們却自鳴得意，恬不知羞。

人而沒有是非羞惡之心，即是失去了人性，對着無人性的共黨份子講道理，殆無異於向娼妓談貞操，徒費脣舌而已。英國外務次官否認港英政府有「法西斯」行爲，這是用情理的話，共產黨人的心裏何嘗不明白，他們就是要厚顏胡鬧，閉目瞎說，欺天下人以無知。所以如果沒有實力作後盾，趁早免開尊口。美國的外交大使，在華沙跟毛共已經談判幾年了，又有甚末結果在那兒？假如美國不是擁有強大蓋世的實力，所謂華沙談判也者，早已一哄而散，美國使節若不受辱負創，鎩羽而歸，那纔怪呢！香港亦有人主張跟從事暴動的毛共份子談判，他若不是出於投機媚共的心情，即係不知共產主義爲何物的可憐人，不知可[?]亦復可哂也。

為對外政策問題
蘇俄領導層曾有內鬥　結果鴿派暫獲居上風

——紐約通

蘇俄領導層，最近曾發生一次內鬥，結果在第一回合，是「鴿派」壓倒了「鷹派」，使得蘇俄得以繼續執行「和平共存政策」。所謂「鴿派」是由蘇俄領袖布列日涅夫，總理柯西金及國家主席波哥尼帶頭，而「鷹派」則是領導層的年青一代以及代表部份軍方人士的一個集團。到目前為止，主和派雖佔上風，但蘇俄黨內的這一政治鬥爭並沒有終止，一些外交界人士相信，在一、二星期後，可能又會展開新的辯論。爭執的中心，在於蘇俄對外政策的各項重大決定——如在中東應走那一條路線，甚至是否應與美國繼續和解。由於蘇俄在聯合國未能取得一項可為阿拉伯國家接受的中東協議，以及在柯西金與詹森二度會議中，也沒有得到任何具體的收穫，因而使爭端益形尖銳。

蘇俄的「鷹派」認為，美國利用蘇俄與其和解這一情勢，而千方百計設法使國際局勢有利它。中東危機使兩派發生正面衝突。在六月二十一日至二十三日舉行的俄共中央委員會全體會議中，曾對蘇俄政策發生了激烈的爭辯。這個會議，原是召集來通過布列日涅夫等人所主張的路線，以及批准慶祝蘇俄革命五十週年的節目的。但是，鷹派抑出乎意外地在會場上大聲疾呼，要求蘇俄應對阿拉伯國家的挫敗予以援助，在世界其他地區製造一項軍事危機，來牽制美英。布列日涅夫一派起而應戰，力斥其非，於是大會展開了自赫魯曉夫倒台以來的最猛烈爭辯。

據說，鷹派的一名主將，是莫斯科市共黨首長葉柯奇夫，他在領導層原如日方升，開始嶄露頭角。他一貫在過去辯論，支持強硬路線。葉柯奇夫的演說內容未見公佈，不過在發言後幾天，他就被免去莫斯科黨第一書記之職；而在六月二十八日，莫斯科黨組織又採取了一項不尋常行動，通過一個特別決議，重申堅決支持俄共中央的外交政策。

同時，另一位年青的共黨領袖謝里賓，也是鷹派主將，他已從保安首長這一要職下台，而被任為蘇俄工會首長。謝里賓也是俄共政治局委員及書記處書記，預料他這二個職位不日也將會被剝奪了。

莫斯科外交人士，對於製造軍事危機的地點，傳說紛紜，莫衷一是。一說是柏林地區，一說是中東，還有一說是遠東。在俄共中央大會上，「鷹派」不遺餘力地在週詳考慮後，布列日涅夫一派終佔上風。不過由於這次爭辯激烈，蘇共領袖認為有「殺鷄儆猴」的必要，因而向葉柯奇夫及謝里賓開刀，藉以向極端鷹派顯以顏色。

高雄縣二三事

本報記者航訊

▲高雄縣政府新聞股，表面上為該府對外公共關係的設立，在縣府樓下擺幾張桌子，裝裝門面，同時該室感覺人員不敷，乃調某機關校教員協助辦公，看起來尚像樣子亦有派頭。所怪者，人們經常看到有席無人。那麼，既無事可做，還調教員來府辦公，其原因究係何在？局外人委實搞不清楚。至該室每年所列預算均不敷開支；究竟化去何處，亦殊難懸揣。據記者所知，單以餐廳開支而言，私的百分比即佔多數。

▲高雄縣稅捐處自傅處長接任以來，在稅務方面雖然談不上有多大的成績，亦算沒有多大的過失，惟傅處長對人和諧，在公務方面也慎重嚴肅，至於事務上的處理，均授權各單位主管自行負責，也放心他們去做，因此，乘機蒙蔽者亦大人在。該處稅務員兼事務股長程飛鵬，將公費作私人交情，隨意濫費之處，所在多有，例如付給業已停刊的周刊以貼津，即其一端。

▲高雄縣長戴良慶，為本縣山坡放租問題，本月十一日率代表晉省為農民請願，深得縣民贊揚。因戴縣長身體一向有欠健康，為了大崗山三百餘頃山坡地放租事宜，力疾從公，為民服務，倒不愧是人民公僕了。

「一九六七年世界小姐」競選會於七月十五晚在美國佛羅里達州的邁阿米灘進入準決賽的階段時，當有十五位美女被選出參加決賽。當總數五十六位候選佳麗一個一個地出場讓評判員挑選的時候，博得掌聲及歡呼最熱烈的是以色列小姐嘉比拉。在決賽中，她名列第五。

為什麼「以色列小姐」嘉比拉當時博得最熱烈的掌聲及歡呼？那是有理由的。原來嘉比拉是以色列娘子軍裏面的一位隊員。由於對該項選美大會發生濃厚興趣，而在國內當選為「以色列小姐」的緣故，因此，她將戎裝卸下，穿上泳裝而跟來自其它國家的美女「鬥靚」。因此，她是五十六名候選佳麗中的唯一女軍人。這是她令觀衆報以最熱烈掌聲及歡呼的理由之一。由於在最近那項以阿戰事裏面，以色列的娘子軍曾經表現很大的貢獻而不讓以色列的「丘八」專美的緣故，於是，嘉比拉出場的時候，成為觀衆最注目的人物。

事實上，以色列的女性是了不起的人物。她們在四面被高度敵視的阿拉伯人所包圍的情況下，表現着令許多其它地區的所謂鬚眉男子慚愧到無地自容。以色列的女性——從身穿短裙的正規娘子軍，以至年屆高齡的老祖母——無不身懷專門的或特殊的技能。她們在捍衛自己祖國的工作上，不約而同地渴望貢獻最大的力量。

以色列的正規娘子軍，大都是體格十分健美，相貌甜蜜，舉止有點男性氣概的人物。在她們服義務兵役的期間裏面，她們接受使用來福槍及其它小型自動武器的訓練，而且同時接受如何投擲手榴彈的技術訓練。

以色列的娘子軍，雖然可以跟男性的武裝部隊在前綫衝鋒陷陣。不過，自一九四八年獨立戰爭以來，這支娘子軍却從未參加過實際的作戰行動。這並非意味着以色列當局不信賴她們的作戰能力，而是為了在過去每一次以阿戰事裏面，以色列的男性武裝部隊那種速戰速決的英勇所為，已經足夠令到阿拉伯國家的軍隊棄甲曳兵，因此，用不着這支娘子軍親上前綫。

除了正規的娘子軍之外，以色列同時擁有一支女志願軍——由一批母親及祖母所組成。她們全部受過實彈的軍事訓練。因此，如果以色列當局頒布全國總動員令的話，那麼，這個只有二百五十萬人口的小國，屆時能夠上前綫作戰的軍人比率，將在任何其它國家之上。

以色列的娘子軍

耶路撒冷通訊

以色列的官員表示：他們這個國家，是世界上唯一在和平期間徵募女兵的國家。他們續稱：以色列當局這樣做的原因，不單只為了在戰爭爆發的時候用得着她們，而且亦為了以色列的女性在能力與資格兩方面來說跟男子無異。

這些女兵通常在參謀總部及大規模的軍營裏面工作。她們任秘書，軍需品及倉庫管理人，電話接綫生，打字員，無綫電發報員，降落傘檢查員，儀器檢查員，電子工程師，計算機管理員，甚至參加以色列軍事情報研究組的活動。在戰爭的時候，許多以色列娘子軍扮演運輸車駕駛員或者修理坦克車及裝甲車機械工程人員等等角色。

據以色列娘子軍團司令史達莞烈非上校表示：「在最近那項以阿戰事中，以色列部隊能夠在西奈半島展開閃電攻擊，同時征服約但河以西的一大塊約但領土，這些娘子軍曾經從事一項難能可貴的貢獻！她們担當秘書，戰地護士，無綫電及電話接綫生等工作。她們本來隸屬戰鬥部隊，不過目前用不着她們上前綫作戰。她們只是在前綫軍隊的背後從事輔助的工作而已。」

根據以色列的法律，年齡在十八歲至二十歲之間的女子，必須參加二十個月的強迫軍事服役。不過在戰爭爆發的時候，三十四歲的婦人亦要奉命動員。當中東危機在醞釀中的時候，數以萬計的以色列中年婦人奉命入伍參加輔助工作。

史達拉烈非上校向記者發表談話的時候表示：她手下的軍官，並沒有採取任何行動去阻止這枝娘子軍表露她們的女性魅力。這位女上校坦率表示：「讓她們表現女性的魅力，是提高士氣的有效方法」。

以色列的娘子軍制服，包括一條裙在內。根據軍事當局的規定，她們這條裙的長度是蓋過膝部。然而，由於「短裙」的風氣吹遍大部份世界地區的緣故，以色列娘子軍亦感受無法抗拒的影響。她們要求將這條裙裁短，「從而追上時代的潮流」。

然則這支娘子軍的司令對她們這項要求表現怎樣的反應呢？史達拉烈非上校微笑地表示：「我不能不坦白地承認：對於她們的要求，我表示十分同情，因此她們現在所穿的裙，較軍方原定的長度短了些少——在膝蓋之上。不過，如果她們要求將裙改為更短的話，我們便會老實不客氣地拒絕」。

史達拉烈非上校同時指出：以色列的女孩子，從幼稚園的年齡起，便開始被灌輸一種男女平等的思想。從幼稚園以至大學，全部是男女同校的。到達十八歲的時候，便要參加強迫性的軍事服役。在最初五個星期的時間裏面，每一位入伍的以色列少女接受一律的基本訓練——救護，軍事操練，體操，及如何開射各款自動器武。五個星期的基本訓練完成後，便被派到海軍，陸軍，空軍，或者傘兵部隊裏面從事輔助工作。若干以色列的娘子軍志願地接受跳傘的訓練。二十個月強迫軍事服役期滿後，這些娘子軍仍然保留後備隊隊員的身份，甚至結婚後亦然。不過，當她們有了兒女後，軍方便取消她們的後備隊隊員身份。如果戰事爆發，這些母親，甚至祖母，可以加入那支志願娘子軍去為國效勞。

今後如無較大騷亂　交通將可逐漸復常

（本報訊）交通事務處長薛璞稱，若無進一步騷擾發生，在最近將來，本港公共運輸每日可開至晚上十一時。

薛璞稱：如一切能依照計劃，則港島方面之運輸，大約一月至六星期內，恢復常態百分之八十；大約三個月內完全復原。

渠謂：電車恢復正常較快，因訓練問題較少。至於九龍方面，薛璞謂，需要兩三個月始能恢復八成，大約四個月完全回復本來態勢。理由係除小心調查新人之就業經歷及有無與左派搗亂發生關係外，並需要時間訓練司機。訓練一名巴士司機通常要一個月或以上之時間巳；但迫於目前局勢，已將訓練時間縮少為兩個星期。

兩公司目前均遭受訓練計劃之高壓。但吾人不能將巴士司機之水平減低，特別是雙層巴士。

今年港製塑膠花輸美　可能較上年減縮一成

（本報訊）今年港製塑膠花去銷美國，可能會出現一個比較低落的局面，雖然近期當地的入口商還繼續有些秋花和聖誕花的補充訂單開到，但究竟是比較零碎些，於整個產銷膠花輸往美國或將較去年略減一成或成半左右。

膠花生產事業，一向都以對遠洋市場出口為主，而遠洋市場中又以美國方面為最大的買家。去數以億元計算的港製各類膠花，無不是對於本業的產銷起着極其巨大的支持作用，成為主要的外銷產品之一。不過，美國人民有着愛好新奇的特性，塑膠花的底還是缺乏鮮花的那種生氣，到了最近一年多來，美國各大市場的膠花似乎已出現了比較滯銷的表現，當地入口商和本港廠家都為此而急謀在膠花的設計，着色、造型、包裝等各方面，都作了很大程度的改進。例如以往一般膠花僅作室內陳設之用，多數是小型或中型的製作，而近年則發展至生產了許多大型的製品，整棵樹木，由樹幹、樹枝、樹葉以至果實，無一不備，可作室外園庭佈置之需。整個技術也有了更顯著的進步，幾乎能以假亂眞，美國和其他海外市場買家用家的興趣，訂單開來保持比較穩定的水平。那麼，為什麼今年塑膠花去銷美國又可能會出現比較低落的局面呢？一般推測最大的原因是過去兩個多月來香港所發生的一連串騷亂暴動，使美國入口商來單有比較觀望態度之故。通常六月份是本港接入美國綫聖誕花和秋花最暢旺的月份，假如以早兩年最蓬勃時的表現來說，這一個月所接入的訂單，就足可維持下半年度全部產銷之需，所以幾乎是有決定性的作用。但今年六月份恰好是香港騷亂最高潮的時候，就連有許多美國膠花大入口商也取消了來港之行，影響自然愈見深長了。事實上因為這次空前的騷亂事件發生，最初又由一家膠花廠引起，不免就令到美國的入口商發生一種錯覺，信心動搖，他們所關心的是本港廠家的生產是否能承担其需求，故不敢大量落單。

最近香港的局勢已經明朗，轉趨安定，種種事實也澄清了一些海外人士不正確的對港觀感，美國方面雖然也有些塑膠花新訂單開到，可惜在採辦季節上看來，比較往年同時期減縮不少，大都很零碎，大致還可維持着今後兩個月左右，至於往後如何則殊難逆料了。目前有關廠家和貿易商正在盡最大努力去爭取繼續有更多的新單注入，情形如何，料下月份才可以肯定，估計即使有轉機，但今年對美輸出已難逃減縮的命運。

滬海異趣談

自然攝影家—努美修女

桑雅

在美國明尼蘇達北部杜魯孚城的郊野，時常可見到一個天主教修女在拍攝野生的植物和動物，她集中精神來獵取她的鏡頭。她就是曾得過九個金牌獎的美國職業攝影師努美修女。她會跟人合作寫過三本書，其中一本，曾再版了六次。她又担任杜魯孚星期刊的專欄編輯，同時是聖施高拉迪卡書院的攝影和歷史記錄員。

努美修女現屬中年年紀，當她在年輕時，未想到自己進入修道院。在還未奉信天主教前，她的家庭環境頗佳，居住在杜魯孚城的聖路斯河的岸邊一間很精緻的房屋。她喜歡活動，常舉行集會，也會渡過很快樂的時光。但她突然決意去做修女，認爲這是天主的召喚，她覺得很高興來服從。不過她所加入的天主教的賓尼迪系，在多個世紀以來，各該系的修女士在舉行彌撒時，都唱歌以讚揚天主；努美修女的聲帶不能唱得好聽，幸得她獲准依照她本人的唱法。

努美修女進修道院時，她帶有她所心愛的攝影機。她對攝影頗有心得，她曾有意做一個攝影記者。不久修道院內部裝修，增加一座升降機，要將一間睡房縮小，同時封閉了它的窗門，因此就不能住人，努美修女就要求當家修女將它改做一間攝影用的黑房，裏面雖無傢俬和其他設備，但她用洗面盆，她開始爲中學、學院和修道院拍攝照片。她所拍的團體照片，很得人讚賞，不知道的人，都以爲那是由第一流照相館的大師傅所拍的。

各修女都被鼓勵到戶外吸取新鮮空氣和運動。有一天，努美修女帶她的攝影機同行，她拍攝一朵花，一根草和一片葉子，她就開始做一個自然攝影家。她回憶說：「我所拍的照片，常被用在年鑑和別的刊物上，得到當家修女的同意，我開始專心研究對自然物品的攝影。在一個夏日下午，我看見在山丘斜坡間的黃金色的長草，迎風吹拂，好像音樂器的絃綫，草場是一個管絃樂隊來讚美天主。我覺得非常高興，我想到我雖然不善於唱歌，但能用照片來讚揚天主。從這天開始，攝影對我特別的感應。」

最近努美修女在芝加哥的穆達連學院舉行個人的影展，博得好評。她又將在舊金山展出。美國教堂建築會和美國農林部也籌備在本年內舉行努美修女作品展覽會。加拿大各大學也要求借她的作品去展覽。努美修女跟卜嘉帥神父曾合作出版了三本書，由卜神父，一個著名詩人和歌詞作家撰文，努美修女則供給書中所插的照片，那些書本非常暢銷，努美修女本人也是一個自由作家，她的寫作很受歡迎，多附刊出她所拍照片。她會拍一棵枯樹的樹樁，上面生有許多蘭，她寫說：「一個舊的藍色樹樁是一個爐子，在上面有烘着的黃金色冬菇。」

努美修女在去年得准許參加美國職業攝影師年會，這可證明她攝影技術很高深。事後她對人說：她對此行獲得很多經驗，結識許多同行的朋友。但當她回到修院後，她感謝天主，她是一個神職的人。

努美修女所拍的黑白照片超過五千幅，彩色照片超過一千幅，但沒有一幅是用閃光燈拍的。她說：「我從來沒有指揮我的燈光，我要追尋和獲得天主的光。無論情況如何，我從不用人工來配合我的需求。我經已達到那個階層，不管天氣如何，多謝現代的菲林的效能。從她的一幅得獎的作品可見那是一隻大青蛙，但會使到一些評判員的疑惑：有人認爲那不是眞的青蛙，但另一個評判員說：「認識努美修女，那隻青蛙是眞的！」當努美修女聽到後說：「那隻青蛙的確是眞的，你會想到我會用假的一隻嗎？你會想我用人工造的池塘嗎？但我曾費了三天的時間跟那隻青蛙戰鬥而攝得那幅得獎的照片。」

努美修女雖屬一個職業作家，但感覺到很難用文字來形容出她的生活上所得的快樂。但有一天，當她讀到經哥林多書上的一句話後，她解釋說：「我是這樣做，我祈求天主也看得到，用攝影機做媒介，藉此以表揚天主的奧妙。」

剖析八十二名反毛的中共中委

李敦復

中國共產黨是以無產階級專權的理論作基礎，以馬列主義思想爲依據，以解決物質生活爲號召，以人民民主相標榜，掌握整個國家的全部權力，實行「以黨治國」。依照毛澤東的理論，黨的中央主席，就是最高的統治者。換言之，需在毛澤東的「鐵蹄」下，實行極權政治。

中國共產黨是由陳獨秀李大釗等發起，于一九二一年（民國十年）正式成立。它的組織系統，是以「全國代表大會」爲最高決策機構。在大會休會期內，則以「中央委員會全體會議」爲最高權力中心。在中委會休會期內，則以中央政治局爲執行機構。依照中共黨章規定，中共中央政治局的成員，由中央委員會全體會議選舉。在政治局中，則以常務委員會，爲中共最內的一層核心組織，是中共平時的最高決策機構，而以中央書記處爲執行中心。（按：根據中共「八大黨章」第三十七條規定：「黨的中央委員會全體會議選舉中央政治局、中央政治局的常委會和中央書記處。」）在書記處之下，省，自治區，直轄市，市縣及其所屬均有地方性黨組織，因此，中央政府的權力由中共中央控制，省的權力由中共省委控制，（按：「省委」係于一九二六（民國十五）年後所採用。）市的權力由中共市委控制，縣的權力由中共縣委控制，此一組織所具之精神，顯示中共中央層層節制，北平中共首都爲最高指揮所在地。一九六一年一月，中共爲加强控制領導各地區之一般有關黨務、行政等工作起見，依照黨的規約第二十九條之解釋：「中央委員會認爲有必要時，有權在某些地方設立它的代表機關。「代表中央在各該地區之最高權力層次，經中共八屆九中全會通過，全國成立一，東北局（轄黑龍江省，遼寧省，吉林省。）二，華北局（轄河北省，山西省，內蒙古自治區。）三，華東局（轄山東省，江蘇省，安徽省，浙江省，江西省，福建省。）四，中南局（轄河南省，湖南省，廣東省，湖北省，廣西壯族自治區。）五，西北局（轄甘肅省，青海省，陝西省，新疆維吾爾自治區，寧夏回族自治區。）六，西南局（轄雲南省，貴州省，四川省，西藏自治區委員會。）等六個中央局。各局的領導人選，由中共中央委員會指派，其中局的第一書記，其地位高於省長，省長大都兼任局的第二或第三書記。如前安徽省省長，安徽省委會第一書記曾希望，即曾任華東局第二書記，現任安徽省委會第一書記之李葆華，兼任華東局第三書記，曾任廣東省省長之陳郁（按：現廣東省省長由原任副省長林李明代理，陳在文化大革命浪潮中，已遭整肅。）（一

丹麥王儲瑪格烈公主性喜考古

・胡進

丹麥王儲瑪格烈公主今年六月間的婚禮，會哄動一時，尤其是給丹麥的人民，帶來了一種節日的愉快氣氛。

瑪格烈身材高大，但並不纖弱，她是一位面色紅潤的美麗的金髮女郎。

她的丈夫是一位法國貴族亨利伯爵。他今年三十二歲，身材魁梧，儀表英俊，是法國駐倫敦大使館的三等秘書。他們是於一九六五年，在倫敦的一次舞會上邂逅的。

作爲丹麥未來的女王，瑪格烈的擇婿是受到諸多限制的。首先，她必須獲得丹麥政府的認可。她不能與外國的國君或儲君結婚，因爲丹麥人民不想將他們的國家利益，與另一個國家聯在一起。當瑪格烈的妹妹安瑪麗決定與希臘國王康士坦丁結婚時，安瑪麗必須宣佈永遠放棄她的王位繼承權。瑪格烈也不能與國會議員論婚嫁，因爲人民也不欲他們的國君涉及政治。她也不能選擇德國人爲夫婿，因爲德國人在第二次世界大戰中佔領丹麥期間的暴行，丹人記憶猶新。

許多丹麥人說：「我們理想中的最佳對象，將是一位英國貴族。當然，像菲臘親王那樣的人，是最佳的人選。但是，菲臘親王並不是生長在樹上的。」[illegible]作戰。還有，法國[illegible]瑞典的王室有許多關連，而端典王室與丹麥國君是有密切關係的。

亨利是一位外交家，但是他的貴族身份較他的政治身份更爲丹麥人所賞識。

亨利生於法國，但却在法國的亞洲殖民地，中南半島長大。他的父親和叔叔曾在越南經營咖啡和大米的種植。

他在越南完成中學教育後返法國唸大學，於一九五二年獲文學士學位及中文和越南文憑。在法國和阿爾及利亞服滿兵役後，他通過法國外交部的錄用考試，並於一九六四年被派赴倫敦大使館工作。法國於一九五四年在中南半島崩潰後，亨利家人也已返回法國。

瑪格烈公主於一九六五年與亨利相識，即時常住在倫敦與亨利相敍，以及有關方面幾經調查和洽談，他們終於在一九六六年六月訂婚了。訂婚是正式的但也是秘密的。在丹麥總理克拉格於是年十月一日在丹麥國會宣佈之前，這一事一直保持秘密。

丹麥人民聞訊後，都感到歡欣，但對她的選擇感到詫異。瑪格烈今年二十六，已不是一個孩子了。以前，傳說她有三位男朋友，一位是伯爵，一位是大學生，另一位是外交家。但亨利的名字，是人們從來未聽過的。雖有上述三種身份，但無論如何，從各方面的報導看來，亨利是一位有爲的青年人。丹麥人以法國香檳爲他們的公主祝福。（上）

中國女性文藝春秋

周遊

南山有鳥，北山張羅。鳥自高飛，羅當奈何！

鳥鵲雙飛，不樂鳳凰。妾是庶人，不樂宋王！

又作書與憑，書云：「其雨淫淫，河大水深，日出當心！」憑遂自殺。她又暗腐其衣，與王登台，忽跳台下，左右急挽其衣，衣腐而不勝手，遂墜台而死。在她的衣帶中得其遺書云：「願以屍還韓氏而合葬！」康王大怒，又得前憑書，不能解其意，以問於蘇賀。蘇賀解之道：「雨淫淫，愁且思也；河水深，不得往來也；日出當心，心有死志也。」於是康王乃反其遺意，分葬二人於野，兩塚相望。過了一夜，忽有梓木各生於塚，根交於下，枝連於上，又有鳥如鴛鴦，雙棲其樹，朝暮悲鳴，見者莫不淚下。今人吳研因著「鳥鵲雙飛」之新劇。就取這個悲劇的經過以爲材料。川劇有此傑作，名「春陵台」，以青衣，小丑爲主角的戲。只何氏改爲息氏，稱息美人。戲詞深當於文學氣氛，尤其息氏寫血書一封上康王，言詞委婉，聞之使人淚下。

春秋，戰國時代的作品，大多數是短賦的形體。屈原的時代作離騷，乃演變爲長體，看似另一種體裁，但仍爲詩體之一。漢代五言詩體形成，作五言長詩者很多，因此更覺得賦體與詩距離日遠。至南北朝駢儷風行，古賦的風格遂至消亡。

現在該推移到秦漢時代了。秦以後，漢武以前的女性文學作品，僞撰者多，未敢苟取，故於漢代的女性文學作品，從卓文君開始說起。

王昭君塞外哀鴻

中華民族抗拒匈奴最大的「功帝」，要算秦始皇和漢武帝。始皇却冒天下大不諱，修築萬里長城，是有遠見的策略，但後人却怨恨他行的暴政。原來後人只見其敗亡，而漠視了他的民族大功。在漢初匈奴已强盛起來了，始因高祖於平城，七日乃解。於是用劉敬的「婚姻」「賂遺」計，以求暫時的和平，因此更培高了匈奴的氣勢，後來武帝用全國的力量，去對付經常爲患中國的匈奴。但是，後人又批評他是「好大喜功」。今天我們如果平心靜氣的想想：如果不是如此對付塞北匈奴，西漢恐怕不待王莽出世，早就完蛋了。一味用女人去和番，也實在是丟人的事呢！

除了兩位「功帝」之外，其次是兩位女「功臣」，爲國族的安危，去到塞北，完成國際外交。也犧牲了兩位女性詩人，因此，產生了塞多飛鴻的哀感文學。

漢武帝對付匈奴的策略，是「遠交近攻」，遠交於烏孫。卽在公元前一〇五年，以江都王劉建的女兒——細君公主，下嫁於烏孫王昆彌（亦作昆莫）。根據漢書：「烏孫獻馬千匹，願尚公主，細君公主遠適烏孫，做了烏孫王的右夫人。細君公主到了烏孫，自建別宮。」我們試想：她是一位尊貴的公主，過慣了中華高度的貴族生活，一旦遠適塞北異域，那裏沒有巍峨富麗的宮殿，只有簡陋的氈幕；沒有和暖的春風，只有漫天無際的沙漠寒氣；吃的更沒山珍海味，只有半生不熟的獸肉；飲的不是玉液瓊漿，而是腥臭難以下嚥乳酪：她是怎樣在過生活？我們是可想而知了。在那人地生疏，生活格格不入的異域，她於是只有用筆墨來表達她的愴痛，寄情抒性於詩歌之中：

（四）

平劇繽紛錄

談「趙雲」戲

○桂良○

「借趙雲」乃在「磐河戰」之後，趙雲雖歸公孫瓚，然公孫兵微將寡，勢單力孤，彈丸之地，面臨四戰，他又懦弱無大志，隨波逐流，趙雲乃又失意。

待則使君將不厭多，而向公孫借將，乃得遇子龍也，一見面，好似有緣，所謂惺惺惜惺惺，一談話無限相惜，走馬論英雄，暢談天下事，相見恨晚，所用戲詞，都是演義中的原詞。友人談：當年「借趙雲」排戲在前，「青梅煮酒論英雄」在後，故「……論英雄」一劇的詞句，多摘自「借趙雲」劇中。

長途迢迢，各懷遠志，言來語去，劉備拙樸，說到最後，趙雲的戲詞，是這樣：「我看使君，有大日之表，龍鳳之姿，兩耳垂肩，雙手過膝，廣行仁義，人皆歸君，日後成王霸之業，一定是貴君了！」這裏，趙雲每說一句讚詞，劉備必有一鑼，好像是可驚，可嚇，可喜似的。劉備也有個又驚又喜、又呆又怔，又愛聽，又怕被趙雲看出心思的做表。

「借趙雲」各角的扮像，劉備戴鬍幘，箭衣馬褂。趙雲白靠，硬紮巾盔，張飛是戴紮巾盔，可不是硬紮巾中。曹營大將典韋，可不是「戰濮陽」「戰宛城」中的扮相，他把紅扎也換成紅一字。

張飛見趙雲要去和典韋交戰，對劉備滿心的不服，叫頭之後就是曾中的戲詞：「我看那趙雲，上馬無有拳頭大，下馬無有磚瓦高，慢說衝鋒打仗，就是墊刀背、隔馬蹄，也不中用哦！」

到了末場，趙雲打走了典韋，三爺不由得心服口服，認爲趙雲是無比的英勇。他們可不是一塊下場，這時劉備借趙雲先下，四個龍套一齊歸在「小邊」；張飛要跟着下場時，四個龍套先見典韋把張飛抓得直打「哇呀呀！」而被趙雲打走了典韋，不由得他四人同聲長「哦！」一聲，意在陪襯張飛前倨後恭，俏皮三爺有眼不識金鑲玉。張飛有不懂得之理，在快吹「尾聲」之前，張飛惱羞成怒，罵了他們一聲，在觀衆笑聲騰騰中，才敗興下場而去。

此戲昔年曾見，王又荃、李鳴玉的一份；閻喜林、蕭連芳一份；李盛藻、葉盛蘭的一份；程繼仙、張春彥的一份。程、張、二人走馬論英雄，儼如兩條神龍，行天矢矯，不可捉摸。

馬派與富喜福雖然同師賈洪林，但馬派一身瀟灑，便減低了劉使君那時困龍盤屈的全部情緒。盛藻、盛蘭那時出科未久，祇能照本宣科，尚未能體意境爲何物也。（三）

北安之憶

、北固

若是在夏天，從哈爾濱開來的火車，一走進通北草原，你就可以看到一片片艷紫鮮紅的野花，間雜着一汪汪閃亮的積水，點綴在那片無邊的翠綠草浪上。偶爾還有一兩匹受了驚恐正在奔馳的野馬，在車窗外一閃滑過。在這兒你找不到一戶人家，也看不見一個人影，一眼望去，滿目荒涼。一個對此地不大熟悉的外來旅客，也許作夢也不會想到，就在這荒漠草原深處却有着一座美麗的現代化城市，那就是黑龍江省政府所在地的北安市。

當火車快要接近北安時，遠遠從那綠色的地平綫上，就可以看到那些高低錯落的美麗建築物，使你對它立時興起了一種奇異的憧憬。當火車進站停下來的時候，你一踏上月台就會發現在這地方下車的旅客，多半都是一些日本人、韓國人和白俄人。的確，在這兒住着的差不多也就都是這些人。

在民國十幾年的時候，北安在這草原中，只有幾家荒涼的小客棧，專門招待那些往返黑龍江沿岸一帶「金礦」上的工人，和一些窮苦的拓荒者。後來因爲過路的人漸漸增多，這裏也有了小飯館、小商店、和馬車站的開設。自從修建了鐵路之後，這兒就更顯得重要了。地處濱北、齊北、北黑三條鐵路的交點，進而發展成爲一個熱鬧的小鎮。從九一八後又經侵略者的一番經營，以便作進一步的剝削，就在那十四年短短的歲月中，竟使這個草原上的小鎮，一躍而成爲一個美麗的現代化的城市。

當初侵略者曾爲它費盡了心血，設計出一個遠大的都市計劃，直到民國三十四年光復爲止，已經完成的有兩座規模龐大的飛機場、賽馬場、體育場，幾處公園，和很多座豪華的大廈……有好幾條寬而直的現代馬路的路面，都是用花崗岩的方石塊，依照一定圖案砌成的。像這樣路面，恐怕在整個的遠東還是創舉呢！馬路中間的兩列安全島和兩側的行人道邊，都栽有美麗而整齊的白楊，在夏天的風中發出「沙沙」的響聲，却也別有一番情調。就是在快要光復的前兩個禮拜，那些處心積慮的侵略者，還張羅着架設無軌電車的天綫呢！

從一座大廣場成放射狀向四週伸展出十幾條大馬路，直通原野的盡處。路邊稀稀落落的點綴着一些高大的建築物，以及一些高聳入雲的廣播電台和市用電台的天綫鐵塔。許多機關、學校、銀行、各種開發機構，和各大企業的辦事處，都在這些路邊。另外還有一些設計得極其幽美和整齊的住宅區。這美麗的北安雖踏進了現代化之門，但是還未能完全脫退它那草原的風味。

你瞧！馬路上馳着那些穿着流線型的大巴士，也走着那些像卡通一樣的哆哆嗦嗦的木輪車（一種專爲走草原中的蒙古馬車）。行着那些西裝革履的紳士，也走着那些一身灰塵一臉傻笑的蒙古姥兒。如果在大風雪的冬日，湊巧在郊區的馬路上，你就可以看見野鹿和山兎，在與小包車賽跑的那一幕驚險的場面。時常在深夜裏，警察還要駕着警車，忽然出動，在郊區像瘋狂一樣的追捕着甚麼；那倒不是捉拿強盜，而是在追趕射殺那些趁黑夜潛入市區的成羣的餓狼。在這兒商店裏的霓虹燈，與草原上的野火鬥艷，館裏的樂曲，和荒草中喋喋的野虫爭鳴，都是一樣的醉人，一樣的中聽。

這兒的春天，有從西伯利亞越過內興安嶺吹來的風沙；秋天有那一片蕭條冷落的邊塞情調。侵略者曾在這兒住着很多負有開發北滿重責的各種技術人員，和大批的文化工作者。

北安不單是成了東九省北部的交通、政治、文化、和軍事的要地，同時在世界二次大戰時，也成了國際間諜鬥法的戰場，許多軍事偵察人員，在這兒奪取了不少日本在北滿的軍事情報；也有很多情報界傑出的人物在這裏喪生。只可惜那些極富於戲劇性的事實，因爲當時沒有人能記錄下來，而今竟被這漫長的歲月給淹沒了！

談「盡性」

夜闌

中庸主「率性」，又主「盡性」。率性是入「道」的方便法門，盡性是贊天地化育的起點。

孟子主「忍性」，又主「養性」。忍性是爲了擔當大任，養性是爲了事天立命。

莊子非「繕性」而主「反性」，謂之倒置之人，危然處其所而反其性，即無以益其樂。可是，莊子「反性」，只是爲了存身，孟子忍性爲了成事，實不如中庸的「率性」以入[illegible]事天立命，比起中庸的從盡己之性以盡人之性，盡物之性，贊天地化育，與天地參的偉大思想體系比較起來，更瞠乎其後，不可以道里計。莊子的「反性」，只是一自了漢」的想法。孟子的忍性養性，功利主義的色彩也頗爲濃厚。中庸的率性盡性，才是與道偕行，天人一體的，最具體最高明的理想。

[illegible]大美，不笑非道也。事實確是如此。每一個人，都不能脫離自然界的大法則而生存片刻，但是願意承認「自然大法」存在的人，却並不多見。自然大法也就是宇宙大道，或簡稱「大道」或更簡稱爲「道」。但能率性而行，便已楔入天道；再能盡人我之性，更可贊天地化育。這不是玄想，實在是一種符合歷史事實的科學思想。我們雖然老早有了「盡性」的理論，而事實上却是一個未能盡性的民族。儒家思想並沒真正領導過中國的政治，而只是站在陪襯的地位上，卑屈地[illegible]而已。民國成立整五十年，抗日抗俄外戰及軍閥割據內戰又佔去幾十年，可以說儒家思想雖然代表中國文化，却儒家思想也就從沒發揮過它應有的大作用。

民國史前是專制時代，政權重於一切，歷代執政者未能眞正重儒家思想，是儒術不行原因之一。而歷代儒家代表人物，對於儒家思想的訓詁註釋，義理闡揚，是否符於儒家思想實際，甚或大悖其道，也是儒術不行的一大原因。我們的「盡性」思想，雖然出現最早，且有方法與體系，但是我們的民族不但沒有盡性，反而種種方面，表現出「抑性」的病象。經過千百年的累積，不僅贊天地化育的大用成爲空談，小之連個人的人格尊嚴的意義，眞能善爲保存者也未可多見了。

世人艷稱的希臘文化，雖然解說紛繁，我們可以一言以蔽之，就是「盡性的文化」。希臘文化可以說是盡己之性，盡人之性，盡物之性，盡天之性的文化。個人精神。愛美表現。邏輯思維，以及豐富的神話，都是盡性的表現。（上）

「有我」先生老季

○藍沁○

「三人行，必有我師焉。」這句話看似簡單，事實上自我第一次聽見起，就存有疑惑，困擾了很長時間。日久以後，已就不求甚解，更沒有進一步去瞭解它。直到最近，方才得到圓滿解答。

放假後，我參加了一次講習會，有機會聽一位老先生講了一個「有我、國家不會亡」的故事。這一故事的主題，正是我學校宿舍裏一位工友的口頭禪；因而我相互印證，益覺得這句話確有至理。

我們宿舍裏的工友老季，担任打掃清潔的工作，由於他爲人幽默詼諧，熱誠認真，日常掛在口上的一句口頭禪——「有我」，不久便成爲衆所週知的綽號。

我第一次聽他說「有我」，是在一次全校性的清潔比賽中；我們宿舍共有四館七走廊、六個廁所、外加草坪、浴室、水溝和垃圾箱，環境衛生分配給三個工友清掃是夠累的。當其他兩人愁眉苦臉，抱怨區域太大，人手不足，時間不夠的時候，只有老季却用「有我」兩個字來回答。我留意那次比賽結果，成績並未殿後，完全由於老季加倍努力，領先工作的成就。

此後，宿舍內公物損毀，一時工務組補修不及，吩咐一聲老季，他自會答應「有我」，自動承當。用品領取，消防器材保管，如何繁瑣的事情，只要把老季叫到面前，他又是用「有我」來回答。漸漸「有我」成爲他的代名，任何困難，只要交付老季就有辦法。頑皮學生，一根保險綫斷了，也習慣呼喊「有我」來更換，老季從不以爲侮。「有我」反而成大衆的友人，雖然他一日之內，忙得手足不停，他却顯有的樂此不疲。

這一次放假後一個星期天，我沒有外出，老季也悠閒的在閱覽室裏翻報紙，我利用機會，問起他「有我」兩個字的來源，最初什麼時候開始的？他搔搔頭髮，作了一個回憶的表情，繼而他咧開大嘴笑着說：「說來話長。早在十幾年前魯南一次保衛戰時候，自己當一名上等兵機槍射手，戰前加強陣地，恰好師長巡視到來，自己聽到連長向師長的詢問保證——『只要有我在，就有陣地存在。』當時連長的豪壯感動了自己，默默記在心裏。

「入夜戰起，戰況激烈空前，友軍陣地陷於激戰時，自己一班人扼守屋頂據點，連長督戰前來，詢問當前戰況，勉勵沉着應戰。自己一面抱着機槍，一面引用了連長的兩句話回答連長：『連長放心！有我在，就有陣地在。』這句話在陣地裏起了共鳴，全班奮戰，直迄天明，自己的陣地似一塊磐石，牢固不動。」

緊接着，老季越說越有興緻，不知怎麼，他把話題一轉，說起同學們發起的自覺運動來，他說：「自覺就是有我。人人不要忘記『有我』，天下便沒有不成功的事；也沒有不強盛的國，更找不到不向我屈服的敵人。只可惜有些人諉過卸責，把做不好的事，儘知道怨天尤人，而忘了『有我』！」

我一向只佩服老季的工作精神，却沒有想到他還懷有如此高論，但我當時還是向他開玩笑說：

「老季！福利社分福利，事務組爭年終考績，清潔比賽發獎金，你是不是也『有我！有我？』」

不料他把臉色一整：「這事當然也可有我；不過這一『有我』與前一『有我』有別。」接着他想了一想發問：

「你先生沒有讀過『大樹將軍』？」

「我知道那是東漢中興名將馮異。」我一面回答，內心不禁肅然起敬，自覺赧然。

「我們當過軍人，就要保持軍人本色。」他又加重了語氣。

午飯結束了我們的談話。從那時起，我對老季刮目相看，當我再記起「三人行，必有我師焉」這句話，我必先想起這位默默無聞的人物。

這古怪的女學生

○妮○

在她的環境中，我找不出可能造成特殊影響的因素來。我請教她的父母：有沒有歧視了他們這個女兒？沒有；有沒發生過使她太不愉快的事？有沒沒有。他們祇告訴我，說她是個「怪人」。怎麼「怪」的呢？

我帶着問慮回來了，但我常常約她晤談，不談出頭緒來。我祇是發現一點，就是在我們談話的時候，她不重複的做一種無意義的動作，時用手掩住她的嘴。我留意一下，她的右邊嘴角，有一塊疤痕，像黃豆粒那麼大小。（一）

內銷警台報字第〇三一號內銷證

自由報

THE FREE NEWS

第七七八期

中華民國僑務委員會頒發
台僑新字第三二三號登記證
中華郵政台字第一二八二號執照
登記爲第一類新聞紙類
（半週刊每星期三、六出版）
每份港幣壹角
台灣零售每份新台幣貳元
社長：雷嘯岑
督印人：黃行實
社址：香港銅鑼灣高士威道二十號四樓
20, CAUSEWAY RD 3RD FL.
HONG KONG
TEL. 771726　電報掛號：7191
承印者：大同印務公司
地址：香港北角和富道九六號
台灣分社
台北市西寧南路壹壹零號二樓
電話：三〇三四六
台郵撥儲金戶九二五二

論復興中國文化問題

——怎樣復興法？（下）

雷嘯岑

復興中華文化的目的并不是盲目地復古，要在適應時代進化律而創進新生的機能，把傳統文化的精義發揚光大，來一次東方的「文藝復興」運動，教大家實行「我之自覺」，不復舍己從人，妄自菲薄。然則該應如何着手呢？我認爲基本工夫就是教育問題。

所謂教育問題亦不是專指學校教育而言，家庭和社會教育同樣重要，尤其是社會教育的關係更大。老實講，使中國固有文化思想陷於支離破碎之境，致令國運迍邅，變亂相尋，招來神州陸沉之禍的責任，大半應由生存在最近六十年間的智識界老年人和中年人担負的，青年子弟不過是被這些先輩人士牽着鼻子走而已。譬如現代美國社會「阿飛子弟」橫行無忌，曾有一個中學生因爲索取零用錢不遂意，隨便開槍擊斃母親，這在中國固有文化思想上，乃是駭人聽聞的逆倫案，人人得而誅之的。可是，如今咱們中國的知識青年羣中，也有許多阿飛，也有因索取零用錢不遂而勒死父親的忤逆子弟了，而且所有的青年阿飛哥，十九都是出身於鐘鳴鼎食的權貴豪門之家，社會大衆并不認爲是一種嚴重問題。還有過去一般野心政客官僚，冒充學者名流，貌示清高而利慾薰心，每每利用青年學生作政爭的工具，以獵取個人的政治權力，斲喪青年子弟的純潔氣質，誘導他們的思想習慣走入歧途。諸如此類的情形，不能完全歸咎於學校教育吧？

談到學校教育，世人好倡言科學與民主之說，且認定這是中國固有文化的缺點，是中國積貧積弱的基因。於是乎，卅餘年前，便有黨政大員建議停辦全國各大專學校的文法政經科系，只辦工科就行了，這股流風餘韻，到現在似乎還保持未墜，眞是笑話！至於民主生活的唯一條件，乃是法治與理性，却不能與革命論并行不悖，革命與民主未可混爲一談，理由很[illegible]明，不待多說。假使中國的科學教育發達了，民主生活亦形成了，如果大家對於傳統文化精神所在的四維八德這種中心思想，忽然置之，而不重視做人的道理，人的生存手段只是鬥爭，生活目的只在享受，那還成甚末世界？即令我們能夠造出超級氫氣彈，發明無可抗拒的「死光」武器，亦祇有毀滅世界人類，連自己亦同歸於盡而已。物質文明發達的美英社會，如其沒有宗教精神存在着，使人心不致陷溺，他們的國家早已垮台了！所以，現時要復興中華文化，先得問問：固有文化所垂訓的四維八德和修齊治平那套思想體系，應不應該保持而發揚之？這套文化思想體系，是不是阻礙科學與民主的落伍產物呢？把這項大前提決定之後，就得審愼地釐訂一套妥當的教育政策，從學制到課程，以及學生生活軌範，教師訓導方法等等，皆須有新的設計，付諸實施。特別是對於師表人倫的教育行政首長和學校校長職位，決不宜隨便胡來，甚末人皆可以濫竽充數，必須以端品殖學之士承其乏，纔能夠發生示範作用，纔可以使莘莘學子潛移默化，見賢思齊。近代有一種莫名其妙的怪論流行着，說是個人私生活的好壞，與公生活無關，試問在私生活上卑鄙齷齪，無所不爲的人，讓他去担當師表人倫的教育任務，或者充任「作之君」的行政官吏，他會做出合乎四維八德標準的事業來嗎？絕對沒有這同事！

再說發展科學教育，誰也雙手贊成，絕無異議。咱們中國人的科學頭腦和智能，由於李政道，楊振寧，錢學森這些科學家之出現，證明并不亞於歐美人士了。可是發展科學不是隨便可以倖致的事，除却科學人才而外，需要相當的設備，更要有研究科學的環境和經費。像現在台灣各大學一名專任教授，每月待遇不過港幣兩百五十元的情形，就不配談發展科學教育的話，與其好高騖遠的號召海外的專家學者歸國服務，即不如循序漸進，致力於發展科學教育的必備條件之完成，使科學家得有用武之地，這意思跟中華文化思想所謂「先富後教」的義理是貫通的。至於民主生活，我們已有一部民主制的憲法，只要確切施行，無所假借，人人能夠遵守傳統文化中的修齊治平之道，盡其在我，那就行了。中華文化并不否定民主生活，中國民主政治之落後，乃是大家沒有尊重傳統文化思想的結果啊！

次言社會教育：這是復興中華文化運動中最重要的課題，而其責任應由政治人物担負一大半。中華文化思想既是倫理與政治融滙貫通，相輔相成的，而禮義廉恥，忠孝仁愛這種立身行己的人格修養，是屬於移風易俗的範疇，決非一紙公文和宣言所能弼成也。昔人謂「風俗之厚薄奚自乎？自乎一二人之心之所向而已」，這話確有至理。處人心陷溺，人慾橫流，廉恥道喪之秋，只要在政治上據有地位的人士，以身作則，力矯時弊，用人注重才學品德，論事講究公道是非，親賢遠佞，虛僞不齒，加之以輿論上激濁揚淸，善善惡惡的作用，對於社會人心和風氣，即有立竿見影的功效可期，政風沒有不向上發展的。唐太宗閒逛內苑，偶讚美一株樹木，侍從之臣宇文士及隨聲附和，他即正色道：「魏徵常勸我遠佞人，初不知佞人伊誰，今得之矣！」有這樣公正廉明，實施「身敎」的政治領導者，政風自不會敗壞，人心更不致澆漓，民德即相應歸厚，貞觀之治，良有以也。如果政治上的情況有如曾國藩所說：「獨舉目斯世，求一攘利不先，赴義恐後，忠憤耿耿者不可亟得；或僅得之，而又屈居卑下，往往抑鬱不伸，以挫，以去，以死；而貪饕退縮者，果驤首而上騰，而富貴，而名譽，而老健不死」；又說：「今日天下之變，祇爲混淆是非，麻木不仁，遂使志士賢人，撫膺短氣，奸猾機巧，逍遙自得」。這就跟中華文化思想的四維八德精神大相刺謬，文化思想只有趨於墮落之途，社會風氣只有朝着下流的方向發展，影響所及，將使一般自愛自重，有所不爲的忠義之士，意冷心灰，競以逃避現實爲生存要訣，而構成天地閉，賢人隱的「封閉社會」狀況，國家還有甚末前途呢！

登高自卑，行遠自邇，現在要復興正在式微之中的中華文化，唯有針對現實病態，提綱挈領，投以適當的藥劑，庶有康復之望，一切空疏的理論與教條，皆不必談，那是「以言敎者訟」，沒有甚末用處的。

損人不利己

行不動啦！

今日與明日

內奸重於外寇

目前本港形勢大體已定，左派雖然到處擲炸彈，破壞秩序，顯而易見已成強弩之末，很短時期就要自動收場，所以對於左仔所作所爲，實在是不必過慮的。毛共內部由於武漢事件內戰即將發生，自然不可能再顧到海外一批左派的生死，不過，由於在海外打着「紅旗」吶喊，吶喊得不到反響時，就架出毛澤東的賊像嚇人，自己把毛像打碎、撕爛，說是香港警察所爲，希望藉此激怒大陸毛派對他們逾格支持。可是這種願望顯而易見完全落空，即使港警當街對於毛澤東的像撒尿，相信毛澤東也不會因此敢出兵進攻香港。顯而易見的，毛幫對香港左派的支持是分淸等級，自有限度，一點也亂不得的。別的不說，香港政府捉了新華社一個小嘍囉薛平，毛僞政權正式抗議尚不算，竟然禁制路透社駐平記者以洩憤報復。可是在香港來說，知道薛平的人恐怕百萬人中難有一個，雖然由於他的被捕判監而出了名，但在人們眼中仍然是一個微不足道的小脚色。反過來看，鼎鼎大名的影星傅奇、石慧，千萬富翁的鬥委湯秉達，論名聲是無人不知，論到在暴動中所出的力更非薛平可比，但是，毛僞政權對這批人被捕提過半個字沒有？左報刊出爲傅、石呼寃抗議的是「觀衆」，爲湯秉達抗議的是「澳門工商界」，就是沒有「祖國」。尚未被捕的鬥委中與湯秉達，傅奇身份相同的人正是多，應該多想一想，你們作最後抉擇的時候了。

不過，我們也要提醒港府的，對付明左派容易，對付暗左派則難。何謂明左派，如鬥委及行兇暴徒是也，當局可以人贓並獲，處以適當刑罰，也可以根據新法令指爲幕後人物加以逮捕，對付這批人尚不太難。難在暗左派，他們既不名列鬥委，亦不參與暴動，却潛伏在重要機構爲左派工作，在自由人士背後放冷槍，這就可怕了。

此種人祇要留心，也並非不能發現，例如今日各報章一齊指責的「九巴」，其重要負責人裏面定有暗左份子，否則一些求職信件何以會落入「鬥委會」？至於九巴至今不肯招收新人，一定要左派暴徒復工，更是人所共見共知的事。究竟誰在主持，此事按說並不難查出，至於「中巴」情形雖較好於「九巴」，但直到如今被開除的左派仍然佔據着百分之八十的宿舍，且繼續恐嚇自由工人，這又是怎麼一回事？願政府切實注意，要除外寇，必先淸內奸。（何如）

自由談

可哂的風涼話

馮三先生

美國前任總統艾森豪，主張美國應向北越宣戰。他這項言論，曾引起一些國會議員的批評，認爲不合時宜。

「美帝是紙老虎」這個綽號，本來就是艾森豪創造起來的。當年美軍在韓戰場，經過仁川登陸之役後，已居於戰勝地位，祇因國內大選關係，艾氏爲迎合選民不贊成對外戰爭的心理，聲言他若當選總統，即親赴韓國結束韓戰。他在尚未就任總統職位之前，先到韓戰場視察，積極從事和談，杜魯門罵他是「奸雄」，而美國乃戴上「紙老虎」這頂不榮譽的帽子了。

嗣後艾氏做了八年總統，當匈牙利人民掀起反共運動，與俄帝軍隊苦鬥之際，匈總理納基緊急呼籲美國應援，然艾氏充耳不聞，連口頭支援的空話亦沒有說過一句。繼而英法和以色列聯軍進攻埃及之役，艾氏爲見好於蘇俄，竟以斷絕英法的石油供應爲武器，壓迫英法停戰，而中東局勢從此動盪不安，至今成爲危害世界和平的多事地區。

艾森豪執政時，拚命擺出「和平總統」的面貌，藉以取悅民衆，沽名釣譽，一旦在野，便不負責任地大說風涼話，主張對越共宣戰。實則韓戰時期纔應該正式宣戰，因爲那是聯合國對付侵略者的戰事，非如越戰之完全由美國獨力應付也。韓戰既可採取「戰不勝」策略，越戰更不必唱「宣戰」這支俚曲了。

政治生活確實是卑鄙的勾當，同樣的事體，自己在朝時是一副嘴臉，在野時另是一種說法，翻雲覆雨，滿不在乎，一是皆以私慾爲本，却自命爲代表民意，可哂孰甚哉！

自由報

越共畏之如虎聞風引避
南韓軍在越作戰表演出色
對「掃蕩與固守」任務做得頭頭是道
美國軍官承認「學生蓋過了老師」

（西貢通訊）在南越沿海的富仁省，有一座小村落位於越共老巢的鄉村地區的中央，它的四週圍繞着越共經常使用的警報器——掛在樹上的金屬棒，擔響了像是銅鑼一樣，在盟軍走近時發出警報。可是這次，所有的警戒辦法都失效了。一排南韓部隊在大清早蜂湧進入該區——在越共通常預期會發生此種事情之前的數小時——他們迅速地遍佈全村，搜尋文件、武器以及身體健壯、年齡已達可以參加游擊隊的男子。該村村長——已知其為越共的一份子——經發現躲在一個大地穴中；他被用繩子縛着拉出來，接受詢問。其餘的村民奉命收拾他們能夠攜帶的東西，前往一座「難民營」。

這一切行動在一槍未發的情形下順利地進行。不久，這些壯健的韓國人，沿着公路繼續前進，前往下一座越共村落。他們會合了其他部隊——精銳的「虎師」——的其他士兵，馳往另一地區，與「白馬師」會合，從事一項全部為韓國人在越戰中作戰的最大行動。這次作戰行動的代號為「雙星會合」，其目標是將南越主要的「一號公路」附近地區，從共黨控制下解放出來。

但是，像往常一樣，越共遠遠地避開了韓軍。韓軍是優秀的，受過精良訓練的士兵，擅長一種名叫「空手道」的特別惡毒的拳術。他們以勇敢和火烈的性子，在越南人中贏得了威武的名聲。人們知道他們嗜好肉搏作戰。傳說韓國人會以空手一擊，殺死越共。在二月間，一大批北越部隊曾經造成一項錯誤，和一連韓軍發生了近距離戰。在隨後發生的一場血戰中，韓軍以少擊衆，大敗北越軍，殺死二百三十四人，使得剩餘的越共部隊抱頭鼠竄。

這是北越軍與韓軍之間最大和最近一次主要遭遇。在北越軍方面，此後他們但求避得遠遠地；而在韓軍方面，由於缺少直昇飛機而沒有美軍的機動性，是很少參加對敵方作大規模的搜索及殲滅的作戰行動的。他們奉命担任的任務是掃蕩並掌握多年來——有時是幾十年來——在越共手中的地區。越南的韓軍指揮官蔡命新中將解釋說：「我們的任務是攻擊和留守，不是搜索與殲滅。越共不是離開此地，便是給我們俘虜與殺死。」接着蔡將軍又自豪地說：「有韓軍的地方，百分之百是安全的。」

這位將軍的話可能有些誇張，但也不是瞎吹。以一事為例，是韓軍非常徹底地實施其「掃蕩與堅守」的工作。當他們佔領了一個地區，人民立即被送到暫時的營區中。最初，這些人民中的男人很少，但是韓軍開始勸告婦女們說，她們的丈夫是在替一個必然會失敗的目標作戰。「我們知道他在那裏，我們會找到他，然後殺死他。」他們這樣告訴那些婦女。

由於韓軍的名氣是如此之大，許多婦女因此而信服。在這樣的一次訓誡之後，八十九名婦女走出營地，然後從附近的山中，帶回一百二十名男人。

一旦這些婦女做完了她們的工作，韓軍便認為在營外的每一個人都是正當的獵物，於是一再地掃蕩這一地區。他們追尋他們的足跡，掀開岩石，在小溪與岩洞中到處查找，不辭勞苦地搜索越共。「虎師」司令柳熊炳少將曾經說：「這有些像是收割馬鈴薯，如果你只在上面割除，那麼你將會把所有的作物割掉了，却收割不到馬鈴薯。如果你一個一個地將作物連根拔起，你也許會發現每一棵作物有五六個馬鈴薯。」

當搜索穩藏的越共的工作在繼續時，守衛營區的韓軍改善村民的社會福利，並施以宣傳及紀律訓練，供給村民食物，醫藥和電影。可是，為使他們的話受到適當的尊敬，韓軍表演空手道，用他們的手掌打碎磚頭，用他們的雙足踏斷厚板（在這種表演的其它作用中，這一點對越南兒童很有影響。韓軍不像美軍那樣給兒童香烟——若干越南兒童會向拒絕給他們香烟的美兵唾口水，但他們却不敢對韓軍有這種舉動）。

通常，在韓軍「掃蕩與固守」運動中所逮捕的農夫，在難民營中只被拘留二、三週，便把他們放了。當然，韓軍有時也會得罪美國人和南越人。一個美國軍官有些煩躁，他說：「你會覺得他們徹夜不眠，設法想出新的辦法來，在這兒做一番事業。」但是，就大體而言，在越南的美軍對韓軍之作為戰士，及其平定越共的努力，給予很高的評價。的確，若干曾與韓軍一起工作的美國人相信，研究韓國人的方法，對美國並沒有損害。一個美國軍官打趣說：「這有點像一個老師，有一個傑出的學生。有一天早上，在你進入教室時，發現他已超過了你。」

美國政治有陰暗面
國會說客左右立法
——華盛頓通訊

在美國前總統甘迺迪被謀殺後的那天晚上，白宮曾發表一項聲明：「甘迺迪家族已表示，辭謝向白宮或葬禮致送花圈，他們要求有意送花圈的人士，折為現金，撥充善舉。」

翌日，賓夕法尼亞州民主黨參議員克拉克，接到一封來自該州鮮花業代表的電報，要求他抗議該項決定。該電報說：該事損害鮮花業的利益。當然，克氏對之，置若罔聞。

這事反映了一項事實，就是華府的任何活動和措施，都牽涉到許多行業的利益。因此，華盛頓就出現了許多國會說客，為各行業爭取權益。華府當局也早已知道這項事實，並加以注意。

有效率的說客，通常是一位華盛頓的律師。他曾在政府中任職，熟悉內情。他會對政府和國會的有關人員，說服和施加壓力，制止或促成一項提案。他的委託人可能是商人、工會、農會、教師會、或教會以及其他社團。

這些說客的活動是受重視的，因為他們代表着一些漂亮的投票人的意向和利益。作為政治家，自然是不能漠視投票人的。

但是，這些說客的活動，也是艱難萬狀的。他們不會弄巧反拙，而受到委託人的責難。

幾年前，一位天然氣工業的說客，在國會辯論汽油提案期間，曾在南達科他州參議員凱斯的辦公桌上，留下一個裏面裝着幾千元的信封，當凱斯將這樁賄賂事件公開時，引起華盛頓的哄動。結果，使有關石油工業的提案未能通過。

美國的賄賂活動，並非自今日始。在上一世紀中，當各州修築鐵路而需用大批人力時，當製造商要求提高進口關稅時，賄賂活動都甚活躍。

發明手槍的柯爾特氏，曾給予一位國會議員一萬美元，來獲得他的專利權的延長期限。他又在華盛頓各酒店中，以免費的醇酒和美人，供應國會議員，來搏取他們對柯特爾的好感。

據美國參議院最近的一項調查表示，這種賄賂的誘惑，自柯爾特時代到今天，並沒有太多的改變。

但是，從另方面來說，遊說在這些年來，却已有所改變了。今天，它已不是那麼生硬了。昔日習慣放在桌上或從樓下遞過去的金錢，現在已改為捐給支持他蟬聯的活動委員會作基金，供他進行競選時的費用。

有時，說客可提供議員一些可靠的股票情報，或邀請他赴有關的機構中演講，來獲得一些實際上的金錢上的利益。因為議員在企業機構中的演講，是有相當可觀的車馬費的。有時，說客又會在銀行中開一個親善戶口，以後再慢慢提款。（上）

新舊兩代觀點有衝突
以色列醞釀政治權力鬥爭
——倫敦通訊

以色列大捷之後，怎樣去消化和處理那些勝利的果實，現在還沒有獲得解决；詎料近日國內却發生政治糾紛，新舊兩派展開權力鬥爭。像以阿戰爭的六天作戰一樣，今天以色列國內的政治戰鬥是分三條戰綫作戰的。第一條戰綫是保守份子與新年輕一代的政治領袖間的衝突。第二條戰綫是企圖以比例代表制取代選舉的各黨派，幷以更接近於主要政黨制度的聯合政府代替現有政府。第三條戰綫是以一位新領袖替換艾斯柯總理的運動，由於戰爭熱與戰後幸福感，這個新領袖人物僉料是國防部長達仁將軍。

從政治方面着眼，它是很容易——特別是外國觀察家——觀察到這是一種權力鬥爭，是艾斯柯總理與達仁將軍間的一種對抗，但是這種簡單的分析，並沒有說明各政黨間長期和嚴重的談判，而那些進行談判的人物絕非政治的傻瓜。它也沒有考慮到憲法程序定期舉行的國會選舉，尤其是它將需要相當時間，然後達仁將軍的口頭支持者才有機會在選票上表示他們的感情。

那些保守派是垂垂老矣。艾斯柯總理像他的前任本古里安一樣，以總理而兼任國防部長，直至戰爭危機來臨，纔卸去兼職。他是於一九一四年由烏克蘭返回以色列的，本年十月他將是七十二歲。他所領導的「社會民主勞工黨」，秘書長為梅雅夫人，她是來自基輔（烏克蘭首府），歷任以色列外長，直至去年始卸任，她現年已六十九歲。其他三位社會民主勞工黨的部長，其年齡為六十六，六十八及六十五歲，他們皆是於一九二〇年代來以色列的。

自以色列建國以來，曾經舉行六次國會選舉，在各次選舉中，社會民主勞工黨皆獲得最高數字的議席，但只有兩名「年輕」的人物。五十七歲的現任以色列財政部長沙比爾，曾經有一個時期被認為是艾斯柯的繼承人，但他也是於一九二〇年代來以色列的，其原來居留地是波蘭。沙氏畢寧是一個組織者而非一個政治家，他的工作主要是商訂貿易協定和促進投資，他的缺點是具有一種官僚作風。

另一個「年輕」人物，在以色列國外比在國內更有名聲的，是外交部長伊賓；他在南非出生，現年五十二歲，曾在英國劍橋大學攻讀。他每次在聯合國發表的演講，事前均作審慎的計劃和措詞，因此他獲得甚多人的尊敬，但在以色列，由於他的華麗詞藻而頗不為人所信賴，他引起人們一種感覺，他是主張說話簡要的提倡者，而不是一個創造的政治人物。

艾斯柯這一代所代表的以色列，是青年人的信仰業已過去。當以色列於一九四八年建立國家時，它約有人民七十七萬；現在的人口超過二百五十萬。但把這些猶太人加以分析，發現在以色列出生的佔百分之四十，其餘的有百分之三十是亞洲或非洲的猶太人，歐洲的猶人是極少數；他們的祖先就是蘇聯和波蘭的拓荒者；而社會民主勞工黨領袖人物這一代僅佔以色列的猶太人口百分之六。這些數字多少足以說明為什麼時常聽聞發出呼聲，要求成立一個「薩巴拉」政府。所謂「薩巴拉」就是「在以色列出生的人民」的別名。倘若這些薩巴拉人能夠找到一個他們擁戴的焦點，他們是具有投票選舉的力量，以達成他們的願望的。

此刻，艾斯柯總理的地位是强固的，因為他所要做的事情上是保持鎮靜，以維持他的地位。雖然在以色列國外甚少人知道艾斯柯其事其人，但他參預以色列的建國工作，備歷艱辛。他是一個農業勞働者，是最初居留地的看守人或志願守衛，其後是一個吉伯斯的農民，一個勞工的組織者，一個猶太民族主義運動者，而在以色列特別重要的是積極致力於軍事的工業主義。

艾斯柯所領導的政府，現時控制約一百個國會議席，而領袖人物與批評者之間的辯論是在內閣禁止旁聽和秘密中舉行。最近很多人揣測以色列內閣對于戰後的國家的政策發生歧見，但引起更多人注意的是各黨派間結合的破裂。

倘若各種新的策畧奏效，其結果是勞工黨强有力的右派份子得勢，他們在可見將來的各屆國會中統治以色列。達仁將軍的偶像現在正由他的擁護者不斷加以琢磨潤飾，務使完美無缺。但這種好意的工作已達到某種程度，可能引起反對達仁將軍的猛烈反擊。據一位國會議員說，甚至軍事檢查制度亦被利用為提高達仁將軍的聲望。雖然這一說法顯然是有些誇張，但在以色列的外國記者皆覺察得到，達仁將軍擁護者這種活動可能招致政府新聞處發表長篇的新聞報導，而比較重要的軍事消息則發出最簡單的公報，這種做法並不能完全解釋為極端審慎的，雖然以色列過去對軍事情況的報導異常慎重，以免敵人獲得一些情報。

當然，除了達仁將軍之外，以色列尚有其他不甚顯著的人物，足以供年輕一代的選民選擇，作為他們的青年領袖的。目前以色列國內所醞釀的政治戰，是新的一代與舊的一代的衝突，其結果如何，對于中東方面將有重大影響的。

瀛海異趣談

職業婦女與冷氣房間病

・桑雅・

在職業婦女來說，夏天上班是一件苦差事，因為，近年來各機關在辦公室裏普遍的裝設有電風房，有的甚至於還裝有冷氣設備。一些顧客多的機構更是裝設週到，而職業婦女上班時，莫不都只穿着薄薄的衣服，難免不「冷」出病來。日本醫學博士田多井恭子把這種稱為「冷房病」。

根據她調查銀行、百貨公司、電影院、公營機構的職業婦女們的結果，她說：其中患感冒的人有百分之二十七．八，下半身「凍壞的」有百分之二十四．一四，鼻腔、或喉頭不順暢的有百分之二十二．一，神經痛百分之七．二，腰部不舒服百分之四．八，腰痛百分之四．七，其他百分之八．六。由這個調查結果可知，患感冒者約佔半數（第一項），而第二、三項，可以說，職業婦女在夏天裏是忍着頭痛上班的。

冷房病的原因，是在於體溫的調節不適當。體溫的調節，受皮膚血液流動多寡的影響很大。冬天氣溫低，皮膚血管受冷縮，使血液少一點流向皮膚，以免體溫向外界失散，這是一種巧妙的調節。不過，到了夏天，溫升高，於是皮膚血管擴張，大量的血液流向皮膚，以適應體外的高溫。依據美國耶魯大學一位教授浸沒的研究，人體皮膚的這種夏服冬縮的範圍約為攝氏六度，也就是說在穿着氣溫攝氏三十一度（夏季的平均溫）時的衣服，如果妳在攝氏二十四度以下的裝設有冷氣機的房間工作，就會有冷得不舒服的感覺。然而這是以男性為實驗對象的，所以女性就得大約在攝氏五度之差了。由此可知，為了顧及工作人員體溫的調節，冷房的溫度，以這種標準來調整才好。可是，一般有冷氣設備的地方，都很少顧及這方面的管理。

再說下半身的冷凍（請注意，這和嚴冬的受「凍」不同），這在女性來說是一個嚴重的問題。冷空氣重，自然而然的往低的地方流動。這和冰箱的原理一樣，冷房間等於一個大冰箱，冷氣都降到房間的底部，所以，工作人員的下半身就受凍較為厲害。一般來說，常常出處於攝氏二十一度以下冷房，就會「凍」出病來。不過，下半身並非完全由於冷氣，空氣流動快的地方（也就是風大的地方）也會有這種現象。很多人認為刮刮風不算什麼，可是，等妳知道下列兩種我們時常可遭受到的情形，就能瞭解刮了風的厲害。有一種病叫做顏面麻痺症，這是夏天常有的病態，病源在於妳整夜（即使是睡着時）吹着不轉動方向的電扇，或者坐車時，打開車窗，讓涼風疾撲妳的臉，那麼，因為顏面部的反應靈敏，顏面的皮膚就會有一種被張緊了似的感覺，這是一種重症。因為，在妳來說，妳只覺得涼而不以為冷，於是病根就潛伏在妳體內了。同樣的道理，妳的下半身受了「凍」以後，妳根本不會去注意它，可是，它却大大的影響了妳的生理狀態。根據調查，一家銀行的女工作人員，在還沒有裝設冷氣設備時，患有月經不順、生理疼痛等婦人病的人只有百分之七，裝設後却增加到百分之十四。也就是說，開放了冷氣以後，受害者增加了一倍。而女性職員比男性職員多三倍，所以，這是不能不重視的問題。

由此，在裝有冷氣設備房間裏工作的人不妨採取下列的各種對策：一、這是最有效的治本辦法，提請冷氣的管理人員依照氣溫來調節冷氣，最好是以女性為準則的五度之差。二、這是以個人為本位的治標辦法，以妳自己的工作環境來決定下列的各項事情：首先，除了上班時穿着一套衣服以外，妳應該準備質地厚一點的襯衣、裙子、內褲或內長褲，以備在工作場所換穿。這樣就可以做到上半身的保溫了（春秋所穿用的都可以）。其次，就得提到女性受禍最烈的下半身凍了，防備的方法只有希望妳穿用長統襪子了；另外，最好不要穿着涼鞋。對「凍」敏感的人，最好些上半高的襪子。如果妳的職務是坐着辦公，那麼不妨仔細研究一下環境，儘量墊高雙腳，因此，穿高跟鞋絕比穿平底鞋來得理想些，面能達到保溫的效果。

這裏只是提供妳一些意見而已，實際情形則需要妳自已酌情決定了。總之，以能適應妳的工作環境，在不予人不好印象的原則下，儘量減少妳的體溫的透支。

剖析八十二名反毛的中共中委

李敦復

兼任中南局第三書記等；其中軍區司令員多是書記處的書記，如廣州軍區司令員黃永勝，即為中南局之書記，蘭州軍區司令員張達志，即為西北局之書記，瀋陽軍區司令員陳錫聯，即為東北局之書記等。

中共歷屆全國代表大會，第一次全國代表大會，於一九二一年（民國十年）先後在上海及嘉興召開，選出三名中央委員。第二次全國代表大會，於一九二二年（民國十一年）在上海召開，選出五名中央委員。第三次全國代表大會，於一九二三年（民國十二年）在上海舉行，選出七名中央委員。第四次全國代表大會，於一九二五年（民國十四年）在上海召開，選出九名中央委員。五名候補委員。第五次全國代表大會，於一九二七年（民國十六年）在漢口舉行，選出二十九名中央委員，十一名候補委員。第六次全國代表大會，於一九二八年（民國十七年）在莫斯科舉行，選出三十餘名中央委員（包括委員與候補）。第七次全國代表大會，於一九四五年（民國三十四年）在延安舉行，選出四四名中央委員，三十三名候補委員。第八次全國代表大會，於一九五六年（民國四十五年）九月在北平舉行，選出中央委員九十七名，候補委員七十三名；至一九五八年五月，將原候補委員楊獻珍、王思茂遞補為委員，同時增選候補委員名額二十五名。因此，第八屆中央委員的成員是一百九十五名，包括委員九十九名，候補委員九十六名。由於這些年來，其中中委柯慶施、賴若愚、陳賡、劉亞樓、黃敬、李克農、羅榮桓、林伯渠、吳玉章、趙爾陸、劉長勝（按：最後三人中共電台宣佈，係於一九六六年，一九六七年去世。）候補中委甘泗淇、周保中、張德生、邵式平、張璽、彭濤等十七名已死亡，則現時中共中央委員尚有一七八名（按：一九六二年九月，中共舉行八屆十中全會，有八十二名中央委員，八〇名候補委員出席，一九六六年八月，中共舉行八屆十一中全會，出席人數，未見中共公佈。）依據中共「黨章」的規定：（按：中共現行「黨章」係於一九五六年九月二十六日經中共第八次全國代表大會通過。）「黨的全國代表大會每屆任期五年。」則中共本（八）屆中央委員會，已於一九六一年九月滿期，但，一直至今，中共迄未召開第九次全國代表大會。雖然中共第七次全國代表大會，於一九四五年舉行，其間相隔了十一年之久，始於一九五六年召開第八次全國代表大會，但，中共現在還在「執政」的八屆中央委員會，是「超齡」的，總與中共現行的「黨章」規定不符。

毛澤東于一九三四年紅軍二萬五千里「長征」途中，于翌年（一九三五）二月在遵義會議後，躍登中共中央最高領導地位，直至今天。（二）

丹麥王儲瑪格烈公主性喜考古

・胡遊・

在訂婚消息公佈後不久，亨利即趕往丹麥參加慶典。瑪格烈親自駕車至機場迎接他。

一位瑪格烈的父執輩前後曾告訴記者說：「瑪格烈一直望着亨利，時常握住他的手。」

瑪格烈是丹麥王室中受教育較深的人，他曾讀過五個大學，她所喜歡的學科是政治學和考古學。前者是她作一位女王時所應懂的學術，後者則屬於她個人的愛好。她時常說：「如果我不是行將為女王，則我將是一位考古學家。」是從她的外祖父瑞典國王阿道夫得來的。阿道夫喜歡親身挖掘，並進行考古工作。這位老人時常帶着年輕的兒女們，在羅馬附近的艾特羅斯卡廢墟進行考古工作。

瑪格烈曾獲得劍橋大學的考古學文憑。她在丹麥的亞魯斯大學唸書時，又時常參加克林傑生教授所領導的小組，赴波荷木島考察威金海盜時代或以前史蹟。

她於滿十八歲後，即不時代行國王職務。她在亞魯斯大學唸書時，不時於夜間乘船返回首都哥本哈根，參加一些會議，並代父親簽署文件。丹麥的許多法律，都附有這樣的字句：「儲君瑪格烈代行」。

瑪格烈的性格是明朗和輕快的。但也有一些招致物議的生活習慣。有人指她吸烟太多，並允許外人拍攝她吸烟時的姿態等事，為「青年的不良榜樣」。也有人批評她的談吐。但是有一間婦女雜誌的編輯為她辯護說：「但是，她是一位航海者的女兒。再說，在今天，每一個人都多少有這種現象。」她的日常生活較為散漫，經常是遲睡遲起。她對王室的職務並不太專心執行。在外國作客時，不時會使名流們等候她。

她在探訪未來的翁姑時，也無意掩飾或暫時糾正一些不太良好的生活習慣。

亨利的家人喜歡農業。在瑪格烈訪問時，正值葡萄收成的時候。亨利的父親有意跟這位內定的兒媳婦開個玩笑，要她跟家人一起去葡萄園工作。瑪格烈的女侍從慌忙代表公主表示反對。但瑪格烈本人却表示無可無不可，終於，她被亨利的家人們帶往葡萄園去了。

後來，當市長在一次歡迎會上，隆重其事地致詞，表示歡迎瑪格烈的光臨之後，丹麥駐巴黎大使館的一位副官，要求瑪格烈致詞時，她却說：「這是一種私人性質的訪問，完全不需要有什麼官方儀式。」

亨利是一位有才幹的外交人員，因此，丹麥人希望他能有所貢獻。

一位丹麥政府官員曾說：「瑪格烈可以成為一位奇特的巡迴大使。而亨利可以他的外交才幹，襄助她完美地進行工作。」（下）

中國女性文藝春秋

周遊

吾家嫁我兮天一方，遠托異域兮烏孫王。穹廬為室兮旃為牆、以肉為食兮酪為漿。常思漢王兮心內傷，願為黃鵠兮歸故鄉。

昆彌年已衰老，欲使他的孫子岑陬配公主。這是匈奴的國俗。而公主以漢俗重人倫，不肯從。於是上書報告漢王。漢王則命她服從該國國俗為是。公主不得已，只好從命。在一個受中華傳統倫理薰陶的人來說，內心也夠痛苦的了。

但是，她仍然只有忍耐的一途，和那少年王子過着愛情的生活。這位細君公主，就這樣的為國家所賦予的使命而犧牲了。她究竟如何的結局，史籍不可稽考了。

但是，她的犧牲，的確有了很高的代價，沒有白白犧牲。漢武帝遠交近攻的策略，收獲豐碩，烏孫也出兵策應漢兵的攻打匈奴，最後，竟使匈奴變成弱國；但是，他們尚甚頑強，不願降服中國。直到公元前六十八年，漢宣帝以後，匈奴國內又起了政變，五單于爭立，結果都被呼韓單于併吞了。不久，呼韓又為兄所敗，乃歎五原塞，公元前五十一年，就入朝于漢。他得漢朝的援助。其兄知敵之不勝，乃他去，遂統一匈奴。漢元帝時，又來朝漢，又如法請求要漢朝的美人為閼氏（后也）。這就是造成了名爍古今的「昭君和番」的故事。王昭君也就成了千古不朽的女性，而且擠身中國四大美人之林。她雖然生時命薄不幸，死後却大走「死運」呢！

王昭君是中國四大美人的第二把交椅，她是齊國王穰的女兒，天生麗質，儀容雅緻。她本名王嬙，年方十七，國中貴族王孫紛紛求之，都不許婚，乃獻之於元帝。元帝後宮美女如雲，不得常幸，乃命畫工毛延壽等，繪製美女圖像，以便按圖召幸。選進宮中的美女，誰不想博得皇上寵幸，於是爭相賄賂畫工，毛延壽大飽私囊固不用說。獨有昭君自恃其殊色，夷然不肯賄賂，毛延壽便將她繪得走樣，美女變成醜女。適逢呼韓單于來求美人，元帝勅以宮女五人，選其不美者。王嬙入宮久不見幸，怨憤不平，織成一幅「深宮怨」的圖像，有機會衝出鳥籠，乃憤而請行。

於是，朝中舉行了一次十分盛大的歡送場面。臨時，元帝召見五位外交女特使，一見王嬙豐容靚飾，光彩照人，顧影徘徊，竦動左右，元帝大悔。可是，在衆文武百官及呼韓單于面前的盛典之際，怎好當面反悔，失信外邦？只有默默含情，目送她手捧琵琶，上馬出關而去。這一幕悲劇，就發生在漢元帝竟寧元年（公元前三十三年）。

王昭君氣憤而獻身匈奴，是起因於「深宮怨」之苦；但是，遠沒有想到做了匈奴王后，身處異域，一切生活都格格不入的更苦。三餐食肉飲酪，那是何等難堪的滋味呢！如果她知道細君公主嘗過的味道，相信絕不會去冒昧試嘗吧？除了生活上之痛苦外，更有一種思鄉的情懷！一個弱女子，生在那個時代，她又有什麼辦法呢！於是，她仍只有步細公主的後塵，用筆來排遣她內心的憂鬱。一個人到了窮途末路，縱然非大賦文才，也可寫出可歌可泣的作品，下面引一首她寄哀怨的詩來看看

秋木萋萋，其葉萋黃。有鳥處山，集於苞桑。養育毛羽，形容生光。既得生雲，上游曲房。離宮絕曠，身體摧殘。志念抑沉，不得頡頏。雖得委食，心有回徨。我獨伊何，來往變常。翩翩之燕，遠集西羌。高山峨峨，河水泱泱。父兮母兮，道里悠長。嗚呼哀哉，憂心惻傷。

（五）

平劇繽紛錄

胡少安演「雙釘記」

。桂良。

五十二年六月，小大鵬早場會由四位老旦楊玉芝、徐智芸、陳萍萍、拜慈藹，合演老旦行本戲「雙釘記」之折頭戲「吊金龜」「行路訓子」「哭靈」。

那晨，楊玉芝飾「吊龜」之康氏，嗓高韻美。徐智芸接唱「坐窰」之康氏，嗓音清越高亮。陳萍萍接演「行路訓子」之康氏，嗓音醇厚，做工甚佳，尤擅悲劇。最後由拜慈藹演「哭靈」之康氏，嗓音脆婉甜潤，唸白口勁沉練，大段反二簧激憤昂揚，低沉嗚咽，運腔自如，餘音繚繞。

如此四齣連串的老旦戲，於一場戲中聽來，好是眞好；但於全部「雙釘記」之情節穿插，不但欠完整，如張義申叙「吊龜」之後，母子分別而不見張義去開封府祥符縣探望兄長張宣與惡嫂王氏嫂嫂如何害死張義？

一般老旦唱「哭靈」，祇見張義面部染血托兆，而不帶「告狀」，遂致天大冤枉，波平瀾靜，使全本老旦戲，有「有頭無尾」之感。至於何謂「雙釘記」？也因好戲不能演全，而語焉不詳了！

名鬚生胡少安年前曾演全本老旦好戲「五鬼捉劉氏」，文武帶翻，響滿北市。不久又在三軍托兒所接連兩夕公演全部老旦戲「金龜記」——雙釘記——及「大漢中興」兩齣本戲，均極精采。

少安在「金龜記」中，前演老旦康氏，「吊龜」一折唱大段二簧元板。「行路訓子」唱二簧倒板、碰板與元板。「哭靈」唱二簧倒板、搖板、大段反二簧慢三眼與元板。「巧斷雙釘」一場，少安反串包公唱大段西皮，使觀衆得明張義沉冤得雪，尤爲大快人心。名丑周金福前飾張義，後飾驗尸之忤作，的爲佳配。

胡少安與周龍華演「大漢中興」之劇本，與「海光」及「大鵬」之「大漢中興」內容皆不相同。

「海光」之「大漢中興」由李金棠前飾吳漢，後飾劉秀。

「大鵬」之「大漢中興」由哈元章飾吳漢到底。少安則前演「斬經堂」飾吳漢，接演馬派名齣「白蟒台」飾王莽。中間穿插「取洛陽」——岑馬爭功。

「白蟒台」係演王莽避難之所，因懺悔罪孽而大唱特唱「西皮倒板」八月十五把壽拜；「快板」……我作江山十八載；「流水」……用藥酒毒死平帝老王；及「元板」不由孤家淚悲哀；佳腔極多，美不勝收。

舞台滄桑

京仁

我愛好平劇，已然是定而不移的事了。某次演出時，一位文友特地跑到後台來問我：「你爲什麼喜歡這個調調兒！」我亦對他笑笑，眞是難以做答的問題啊！

我自幼就喜歡這個「調調兒」，這可以說我們親屬中愛這個「調調兒」的多的是：我的大姪子愛拉胡琴，屁股後面掛着把胡琴，左手無名指上戴着金戒指，挽着雪白的袖口，絕對不放過可以拉兩下的機會。最妙的是，雖非內行，要裝內行，胡琴拉的不佳，內行的行話可多的很，經常來往的都是胡琴同志；所傍的角兒，乃是我的三姪兒，最崇拜的是我的表哥，他是馬派名票，後來正式下海。所以，大姪的胡琴是青衣老生兩門抱，不過，角兒不高明，胡琴也不高明。纏頭却大得很，只接受好的讚揚，不接受壞的批評。

我的三姪是梅派青衣，扮像非常像受苦的王寶釧，可是最拿手的戲是二進宮，也是絕對不放棄任何可以登台的機會。至於我的六表哥，是傳舅父衣鉢走譚派老生的路子，做人是大而化之，票戲也是大而化之，時常唱四句的詞只唱三句，因爲最後一句忘了。

在這麼多喜愛平劇的親屬中，最不行的是我，因爲我聽見胡琴聲就嘴唇抽筋……

這麼多年過去了，時間改變了環境，還把我推上舞台。初次登台嘴唇仍在抽筋，又加上雙手發抖的毛病，看到台下那麼多的眼睛，幾乎把我嚇回後台。但是，我沒有跑，平穩的唱下來了，人家說這是登台的成功，我却以爲是做人的成功。這同日常生活一樣：日子不好過，却不得不過，最後也活了一輩子是同樣道理。由於這點「悟性」，我愛上了舞台，更把潛在的對平劇的喜愛，也大大發揮了一番；假如不登台時，在日常生活中，又如何表演揚手袖走台步的身段呢？

在票戲的時候，我是下後台最早的一個，因爲，未開鑼的戲院與曲終後的戲院，是兩種絕然不同的氣氛，前者是瀰漫在興奮，後者是公開的寂寞。經常坐在最後一排，欣賞在鑼鼓聲中，緩緩揚起大幕的舞台上，四排燈亮了，照的輝煌而虛幻的境界，走出的人物也是非現實的。儘管那些人物身上穿着價值千元的繡蟒，在實際生活上是一羣掙扎在生活綫上的可憐人啊！

「角兒，你在這兒扮戲，茶給你泡好啦！」據說，稱呼票友爲「角兒」或是「老板」，聽者必格外開心了，因爲這樣的稱呼，表示在舞台上已有了價值。假如以人生比做舞台，聽着×××長的稱呼，要比×員要多少倍，那怕前腳走，後面就罵你愚昧無能，也沒有關係。「你瞧，今天的花鑑可眞的收得不少啊，前台都擺滿了哇。」

那不錯，前台是花鑑，新官上任，辦公室裏正是不少花鑑的點綴啊，可見抱笏登場，其理則一。只是在人生舞台上用不着拘曹操的大白臉而已。

「怎麼着，老楊，報上戲評家把你罵了吧？」

「沒關係，我對戲評家那段理論，抱着樂觀的思想。我是班底，能夠報上見名見姓，在我的思想裏是光榮，他最後說「吃窩頭去吧，孫子」。也不在我的範圍內。

（上）

「淑女」的故事

．綠窗．

我是夠糟糕的，二十三歲了，還沒有男朋友。但更糟糕的，是十七歲的妹妹惠瓊，却無時無刻不給一羣男孩子包圍着。

我看見他們無拘無束的聊天、開玩笑、看電影、游水、跳阿高高舞，眞是又氣又妒；可是拉不下臉來，跟他們混在一起。

拉不下臉來的重要原因之一，是妹妹那些男孩子看見我時，都又恭又敬的喊我「大姊」，連那鍾鳴也沒有例外。既然是大姊，總得擺點大姊的架子，於是，我和他們的距離就越來越遠了。

我長得有點像東方美人，當然不錯。然而，別人給我的稱號，不是古典美人，而是石膏美人。這是很夠我傷心的。爲什麼我的面孔，竟會這樣的木然和冷冰冰的呢？

顧慮太多，可能是我的毛病。鷄皮蒜皮般的小事，都會使我翻來覆去的想。最要命的，是見任何陌生的男人時，會緊張得心裏發抖，抖得連話也說不出來。吞吞吐吐了半天之後，所說出來的，一定是否決一切的「不」字。我就這樣把所有的男人都嚇跑了，當然更談不到有什麼約會。

媽見了這種情形，很爲我着急。媽的着急，更增加了我的緊張，也越發怕見陌生的男人。

吃不到的葡萄，葡萄是酸的。逐漸地，我產生這樣的幻覺：男朋友算什麼？他僅是一種可有可無的點綴。中外古今，多少女人，沒有男的作伴，還不是照樣的生活下去？

我這樣想，媽却不這樣想。她說：

「那算什麼？無主孤魂的女光棍！」

我多活一天，媽給我照料就更週到一天，訓話也就更多一天。她說：

「我一定要把你打扮得像個名門淑女，天仙般美麗，看得那些光棍心裏發狂！」

這是媽的經驗之談。據她說：爸一眼看見了她時，就爲她底美麗所傾倒，鍥而不捨的窮追。她每次提到這事時，面孔上總帶着得意的微笑。

可是，我不是媽，她那一套徒然使我神經更緊張，態度更不自然。我對於每次見客，總要花好幾個鐘頭濃妝艷抹，實在是深惡痛絕。

有一次，我忍不住了，向媽哀求說：

「媽，請你不要再這樣的給我打扮，我知道那是無用的。」

「不，不會無用的。三分人才，七分打扮，你打扮起來，比電影明星還漂亮呢」！

他收到了表哥李文彰的來信，他這個星期天要乘豪華客機來。他是最近才從西德學醫回來，想先到這裏看看，好決定在這裏掛牌開業。

（上）

談「盡性」

夜閑

中國的西周文化，可以說是盡性的文化，周公制禮作樂，正是爲了盡人之性的。禮以節情，不是爲了窒情的。（但是後來却變了質，成爲抑性的桎梏。）孔子在齊聞韶，三月不知肉味，連他自己都驚異起來：「不圖爲樂之至於斯也。」我們更可想見孔子是一個多麼能夠盡己之性的人。另外，他又一再讚歎「關雎樂而不淫，哀而不傷」。用今日文學批評眼光來看，「關雎」可以說是一篇浪漫主義的作品，這是孔子的能夠盡人之性。「上律天時，下襲水土」，則是盡物之性的科學研究。秦漢以降，孔學中斷，歷代儒者，多執一偏，且更徒騁筆墨於訓詁考據，而遺其全體大用的眞正目的所在，實櫝還珠，溺心於博。直到陽明，才提出一個「行」字來。

十五世紀的歐洲文藝復興運動，也可以說是「人性覺醒」運動。希臘文化的盡性精神，在長久的日爾曼人野蠻統制下，以及教會經文訓詁的禁錮之下，已經和死亡無異於爾然長眠了。但是，由於東羅馬帝國的陷落，大批流亡學人，却展開了古希臘文化的鑽研而重啓生機，長眠的人性，由於古希臘文化的滋潤而復蘇覺醒，重新睜開創造的眼睛。所說的「復興」，也就是復古，把古代希臘文化的精神恢復起來，以開創未來的新文化。

在文藝復興思潮冲激之下，人人重新發現自我，回到自我，這是盡己之性的。宗教改革，浪漫主義，人權宣言，這是盡人之性。萬有引力，工業革命，這是盡物之性。原子時代和太空時代的出現，是贊天地化育，與天地參的起點。所有的現代文明，無不由文藝復興的盡情盡性爲原始動力的泉源。

我們空有盡性的學說，從無盡性的表現。由於千百年來的不得盡其性，而民族生命必然日趨萎縮，文化創造自更無從談起。

可是，盡性的先決條件，必須具備「至誠」的心意。「唯天下之至誠，爲能盡其性」。誠是一種功夫，一種修養，一種動力的泉源，一種生命潛能的表現；並不是一個名詞，或僅止於知見。每人都有「誠」的能力蘊藏於心，但是眞正認識「誠」的所在，而能夠全部開發這一寶藏資源的人，確實並不多見。正如每人都有「愛」的潛能藏於心，但是能夠洞澈愛的全體大用，而能澈底開發「愛」的寶藏的人，也是少之又少。

談盡性而不能出之以至誠，其結果必然下墜而流失，邪曲叢生，一無是處。所謂不誠無物，即是此理。開拓民族新生機，創造人類新文化，先從至誠盡性入手罷！

（下）

這古怪的女學生

。藍妮。

我在我的心裏記上一個問號。那天上課的時候，全班同學都在專心聽講，祇有她一個把頭埋在桌子下面，不知做在什麼。我不便糾正她，那將造成很難堪的場面，但我又急於知道她是在做的什麼。我創造一個機會，走過她的桌子，偸眼一看，好個小傻瓜，她在照鏡子！

照心理學的觀點說，這種照鏡子，是心理上痛苦的象徵。她的痛苦，毫無疑問是疤痕。其實，她的面貌非常俊秀，尤其眉目之間，明媚如春。這點疤痕，實在不算什麼，何至於如此失望，如此妒恨別人？我想，我的責任太大太大，我不救她，似乎就沒有第二個人管她的事了。

消除自卑感的方法，我想，要從建立自信心着手。但是，怎麼樣着手呢？利用「缺點美」這個名詞吧？不行，等於肯定了「缺點」，越說「美」越糟糕。在學校，全以成績論英雄的。是否可以助她獲得優越的成績，並且多方面的讚揚她，使得她在同學中間，揚眉吐氣？或許這種種輝煌的成就，可以壓倒她的自卑情緒？

我查看她的各科成績，實在沒有可讚揚的；但是救人要緊，我就不得不「無中生有」了。我在她的作文簿內，挑出一句來，當着全班同學讚揚她，我說：「這一句，眞是神來之筆。這一句，不知包含多少才情在裏面。」她書法惡劣，但我找出一點或一撇來，讚揚說：「她這一筆，別說你們，我練了幾十年的書法，也不過如此！」

她的國文成績，從來沒有及格過，總是徘徊在三十分到四十之間。逢到考試，一看她的考卷，祇能得三十分；但救人要緊，我不顧什麼眞的假的，紅筆一揮，寫上六十五分。在我實行這種「讚揚」和「假分數」的「政策」不久，她的作文進步，書法進步，尤其國文，用不着「假」，她自己「眞」的及格了。我請托教英文的王老師，照我的辦法「實驗」她，靈得很。我再托請教算數的趙老師試試看，靈得很。她的各科成績，居然在這種「假分數教學法」之下，收到眞正效果了。

（三、完）

自由報

THE FREE NEWS

社址：香港銅鑼灣高士威道二十號四樓
20, CAUSEWAY RD 3RD FL. HONG KONG
TEL. 771726　電報掛號：7191
承印者：大同印務公司
台灣分社

氫彈能挽救毛共覆亡的命運嗎？

彭樹楷

在久經災難且仍在動亂中的中國大陸，能夠於不到三年的時間，連續試爆六次核子，而且第六次試爆的又是氫彈，這在國防科藝、工業能力、組織力、人力管理、以及資源開發運用等方面，看來像是了不得的成就。在毛共大力宣傳之下，中國人好像是因而昂頭挺胸了；美國政府發表一九四四年中美關係外交文件忙着對毛共頻送秋波了；只有蘇俄更穩健地推行它的反毛政策；也只有亞洲各國警覺到聯合一致對付毛共的迫切需要性；更爲重要的，是中國大陸的高級知識份子，也和台灣的知識份子一樣，深深地感到毛共搞核彈所帶給中國人民的後患無窮！

廿多年前，德國的V—1和V—2飛彈，是當時國防科技革命性的大成就；但是，V—1和V—2卻加速了德國的敗亡。在那個時期的日本自殺飛機駕駛員，亦比今日毛共的「紅衛兵」有着更高的昂揚鬥志。但是，自殺飛機並沒使東條內閣轉危爲安！在一九四五年七月至一九四九年八月這段美國獨佔核子的時期，卻是共黨施用壓力最激烈的時期——他的赤色魔掌伸向中歐、東歐、中東、中國大陸、韓國，並在此一地區生根、滋長。

以後，蘇俄有了與美國旗鼓相當的核武力並試爆了億噸級氫彈，但它卻不能避免在古巴事件大丟其臉。

以後，英國也有了象徵性的核武力，但它昔日大英帝國的餘威卻迅速沒落。

當法國試爆核彈後，它便開始失去了在非洲、東南亞、以及其他世界各地區的國際事務影響力。

一九六四年毛共首次核爆後，它的日子，就越來越不好過了，衆多有目共睹的事實和其內外煎迫的情勢，不必在這裏浪費筆墨。

這是一個奇怪的現象，但卻是理所當然的正常現象。

單以科學技術來分析吧！首先，是人人都痛恨那不人道的、絕子滅孫禍延幾代生命的核彈。其次，便是國防新武器系統的突飛猛進，已使核彈退居次要地位。

第一點，用不着分析。單拿國防新武器來說，就可證明「核彈是兇武器，但已非新武器」的看法——兇武器並不能贏取軍事作戰的勝利，因爲大家都被毀滅，還有甚末勝利可言呢！只有能夠贏取作戰勝利，而又避免互相毀滅的武器才是新武器，舉例言之，有如左列：

「反地心吸力網」——使任何來自超低空至太空的任何彈頭及物件與空降部隊，都不能落下來，並且近於停滯地成爲反制武器的死靶。美俄均已從事反地心吸力網的研究，理論和技術上都是可以辦得到的。

「雷閃」飛器系統：美國已製成不受任何干擾、竊聽、偵知的雷閃雷達，可清楚地偵知涵蓋數千哩平面及數萬哩高度的任何敵情動態，包括一輛小吉普、一枚小人造衛星。美俄皆從事「死光」飛彈——一種不受反地心吸力網及任何攔截的光子武器，既可由海底、水下、水面發射，又可從空中及太空與陸軍大炮轟擊，而且沒有放射性殘餘毒害，又是令任何生物及無生物「安寧」死亡暨被破壞的最佳人道武器（美國已製成死光步槍，但是否服役則不得知）。

「氣象炸彈」：包括局部氣候控制及人造氣候（例如使敵境長期降雨或濃霧漫天不散）、以及可使某一地區變成火海的氧氣彈。這些美俄都早在試驗，並獲致成效——蘇俄在西伯利亞造了一個直徑一百公里的人造海，企圖以此試驗達到改變西伯利亞高氣壓、影響整個北半球氣候的目的；美國在太平洋區試驗控制颶風，也在一九六五年即開始進行。至於可使整個城市變成灰燼的氧氣彈，理論上亦是可以辦得到的，該彈雖無核彈的殘餘放射，但仍屬不人道武器。而且這種增加大氣中的氧氣成份之技術也很困難（如有需要而經決心發展，困難仍是可以克服的）。

「防禦性太空武器系統」：發展中的高級「偵察照相眞電視衛星」及「載人太空站」，將使任何非鋼屋及鋼蓋遮蔽的一切文字、圖表、數據、人與物動態、甚至夫妻秘事、以及水下活動、地下基地情形、空中飛行物動態，各種無線電電磁波和紫外光波設施，全都完全暴露；發展中的「太空竊聽器」，將可聽到地面、地（水）下、空中任何人與人、人與機器、機器與機器的語言、密碼數據交談和通信，並可根據機器動力的聲響，研判其性能及動向！

「全能通用兵器」：能在空中飛、地面爬、水面浮游、水下潛航的各型彈頭發導器，美國早已公佈正在發展中，小者僅一人操縱，大者可載好多架飛機，使成爲潛水母艦、陸上活動機場、空中基地。

篇幅不容將新武器一一列舉，且有未經公開的其他新武器之研究。單就上述數例，即可證明核武器已退居次要地位。否則美俄決不輕易同意停止核試驗及禁止核子擴散，而日本、印度、韓國、以色列、及以許多連汽車都不會造，但有能力造核彈的國家，何以不發展核彈呢？（科技進步中，已使造核彈不需要工業基礎和衆多人才，筆者教新武器並專研核子十多年，深知核彈並非重大技術）

此時此地，毛共搞核武器，非笨即狂。不獨不能挽救其敗亡的命運，並將加速其敗亡的進度。因爲大陸人民由於毛共胡行妄爲，實行所謂「三面紅旗」的社會主義建設總路線的結果，弄得一窮二白，民不聊生了，還要以「竭澤而漁」的黷武手段，從事核武器之發展，可說是自尋死路，覆亡可立而待。唯子餘的大陸同胞，勢必受到毛共這項好戰主義的慘烈犧牲，殆可斷言。要避免這場浩劫，唯一途徑就是及早推翻毛共政權，盼國人急起圖之！

斷其爪牙

上了圈套

今日與明日

毛共的勝利釋意

共產黨人當然也是人，與我們同樣是圓顱方趾的人。共產黨人也吃飯，與我們吃同樣的飯，高級頭目要吃比我們好上若干倍的飯。在彼此相同的情況下，按說差別就不會太遠。可是事實大謬不然！共產黨人所叫出的聲音，硬不是人的聲音，共產黨人所用的詞彙，與我們的解釋也不同。眼前最現成的例子就是毛共嘍囉對勝利兩個字的解釋就與我輩不同。

以本港暴動經過來說，到底是香港政府勝利，還是毛共嘍囉勝利，這本是非常明顯的事。所謂勝利，有局部勝利與全面勝利。何謂全面勝利？如日本向我國簽署降書無條件投降是。何謂局部勝利？如以色列一動手把埃及打得潰不成軍是。以此標準衡量，毛共在香港是怎樣勝利的，我們就覺得大惑不解了。

就目前情形而論，港府並未向毛共嘍囉簽降書，也未接受毛方半點要求；反之，毛方中小型嘍囉被捕者已逾千人，其中名列鬥委者亦有數人，其餘鬥委正雞飛狗走，惶惶不可終日。有些著名人物甚至連家中都不敢住。此而謂勝利，就不知何者算是失敗了。

毛幫在香港唯一得到的勝利是害了廣大市民。照最近幾個月情形來看，任何一個市民皆受到毛幫之害，最輕微者爲每日要多付出交通費，家庭生活費提高，稍重者則身體受到損害，如被炸傷的巴士司機，垃圾工人及西環電車站炸傷的乘客及兒童，皆是毛幫在港勝利的成果。可是這種勝利將在市民心上永遠烙下一個傷痕，毛共嘍囉在港永世不得翻身。

同樣地勝利情況也見之於大陸。就以這次謝富治與王力在武漢被共軍扣留一事來說，連日大陸毛報及海外尾巴報皆大吹大擂勝利，被指爲毛澤東思想的勝利。這也是一件頗爲費解的事。

謝、王兩酋及其手下是由毛婆江青派去昆明、武漢一帶去串通安撫共軍的，根據毛幫報紙的說法，江青最能體會毛澤東思想，則江青之派人出去，自然也是根據毛澤東思想行事了。可是這批人到了武漢頓成甕中之鱉，不是周恩來去的快，恐怕都被憤怒的羣衆擊斃了。雖然經過周恩來統戰手法，把兩人救回，但已遍體鱗傷，難爲的是毛幫竟說這是毛澤東思想的勝利！勝利兩字究竟在毛幫詞彙中是怎樣解釋的，是眞難說了。

由香港大批鬥委被捕，到謝、王在武漢被捕，皆是毛澤東思想的勝利的話，有一天毛澤東乘專機逃去瑞士（事實上是絕對跑不掉），更是毛澤東思想的偉大勝利了。（何如）

自由談

所謂「毛澤東思想」

馮三先生

近年來，在中國大陸上和海外的毛共嘍囉們，絕叫「毛澤東思想」不已，有如中風發狂，莫可究詰。究竟所謂「毛澤東思想」的內容是甚末？連毛酋自己亦不知所云，一般共產黨徒，尤其莫名其妙。

根據毛酋僭立僞政權以來的言論主張，以及關於內政外交的一切措施，所謂「毛澤東思想」也者，乃是這樣一種玩意：

對外初則誓言一面倒向俄帝，遇事遵從「蘇俄老大哥的先進經驗」而爲之，不惜爲俄帝利益而犧牲幾百萬中國人民的生命於韓戰中；繼以俄帝拒不供應製造原子武器的資料和技術，乃指俄帝是修正主義者，橫眉反噬，視同生死冤家。對內呢，初則宣稱「人民政府」是四階級聯合政權，要與各黨各派「長期共存，互相監督」；繼則佈下「鳴放」陷阱，把各黨派埋葬於其中，永遠不許亂說亂動；終則搞出「人民公社」、「土法煉鋼」、「三面紅旗」等把戲，自封爲「社會主義總路線」，教中國人過着一窮二白的生活，說是越窮越好。現在又進行奪權運動，託名「文化革命」，將共黨的組織基礎和紀律徹底破壞無餘，而利用一般孩提之童作爪牙，到處胡行妄爲，打家刼舍，流血鬥爭，禍害人羣，不知伊於胡底。這便是毛酋的思想體系！

思想是有一貫的理路可尋的，不管其內容是否具有客觀的妥當性，總能言之成理，自圓其說。像毛酋這種混亂矛盾的邪惡言行，適足以亡國滅種而已，思想云乎哉！

可憐在海外妄冀立功邀賞而醞亂暴動的毛共份子，被慫恿到了走投無路的境地，還要大唸其「戰無不勝的毛澤東思想」的符咒，藉以壓驚，若問他們毛澤東思想的內容是甚末，却瞠目不知所對。哀莫大於心死，悲莫甚於無知，此之謂也！

共匪混亂加上香港左仔滋事
大陸貨六月份輸港猛跌
較之五月份即減少達百分之二十
本年上半年港轉口生意繼續冒昇

（本報訊）今年上半年間，中共各類貨物的輸港數量，比較一九六六年同期雖然仍有增加，但是今年六月份中共各貨輸港比較同年五月已減少百分之二十，比較去年同月亦減少百分之十二。這種近幾年所少見的現象，有力地說明了中共政治運動已使大陸工農生產和交通運輸事業遭受嚴重打擊，直接影響到輸出；同時少數左派份子在港滋事搗亂，亦獲得自嘗苦果的滋味。

從港府所發表的統計數字可知，由於中共繼續向香港作傾銷性的輸出，今年一至六月份其產品輸港總值達十三億一千八百多萬元，係各地來貨之冠。這比較一九六六年同期的十一億四千九百多萬元增加了一億六千九百多萬元，增幅為百分之十四強。但是，單以今年六月份的數字看，輸港中共貨品只有一億六千三百三十多元，這比較同年五月份的二億零五百七十多萬元已減少了四千二百多萬元，減幅達百分之二十；又比較去年同月的一億八千六百六十多萬元也減少了二千三百三十多萬元，減幅為百分之十二光景。

六月份中共貨物輸港減少的品種是什麼？較大宗者包括有粮食、扣布、水泥、飲料、工業原料、日用百貨、生猪、生牛、蔬菜、蛋品等多類。例如粮食六月份輸港值七千七百五十萬元，較五月份的九千四百一十萬減少了一千六百六十萬。扣布六月份輸港值四百二十八萬元，而五月份為五百一十五萬減少八十七萬。水泥六月份輸港值一百九十二萬，較五月份的四百二十二萬減少二百三十萬，減幅高達百分之五十四。啤酒六月份輸港值二十八萬七千元，較五月份減少百分之八十。其他例子不再一一詳舉。

如衆週知，中共為爭取外匯收入，一向把香港視作最主要的吸收站，種種式式的大量貨物不計成本地推到本港市場傾銷或經由香港轉口東南亞或其他地區，因此來貨數量是逐年增加的。但是，自去（一九六六年）年中共大搞了所謂「文化革命」的政治運動以後，大陸的形勢隨即陷入一片混亂狀態中，不但工廠、農村中的各種生產事業受到很大打擊和破壞，甚至大陸境內的水陸交通如火車、汽車、輪船、木船等等，也有不同程度的阻塞、破壞現象，因此就直接影響到中共的輸出能力。而在本港方面，最近幾個月來少數的左派份子又不斷滋事，連續發生許多騷亂，工、「罷市」等，就形成自吃其果，使中共產品輸港更見減上加減了。一般認為從目前形勢觀察，今後中共產品輸港，已很難恢復以往的舊觀，預料將會日益趨減。而由於本港來途衆多，對於港人的民生所需，則是不會有什麼過大影響的。

根據港府最近所發表的統計資料顯示：今年上半年各類貨品經港轉口銷往外地的輸出價值，共達十一億三千七百多萬元，比較一九六六年同期的八億二千二百餘萬元增加了三億一千百多萬元，增幅達百分之三十八點四，增幅可觀。從上面的紀錄看來，是殊足令人興奮的。特別因為純港產的輸出以及入口值也一樣增加，就說明香港的經濟基礎穩固，貿易活動堅強。但與此同時，由於近幾個月來國際間局勢突然出現了錯綜複雜，千變萬化的局面，加以本港方面的騷亂仍在不斷的持續，因此令到香港的轉口貿易也逐漸受到了若干威脅和影響，雖然目前這種現象還不十分顯著，但其發展的趨勢，則已引起了工商業界人士的密切注視。

桃園繽紛錄

本報記者　黃鴻遇投寄

▲桃縣稅捐稽征處稅務員王佐才（男、五十一歲，南京人）在該處中壢分處服務，其外勤工作，轄中壢市石頭里及平鎮鄉。他有一妻一妾，平日生活闊綽，利用稅務員身份，吃館子、住旅社、買貨物……都是點鼻子（賒賬不付錢），借人遠期支票，調換現鈔，面額三千五千，到期也不還錢，一般受害商人，均敢怒而不敢言。他和髮妻，於八年前仳離，兒女王愛玲，由母親撫養，其父女情份，視同陌路。王女已於去（五十五）年十月間在台北市國軍英雄館與王冠遂正式結婚。王佐才認為：女兒雖已結婚而中壢地方，並無人知道，仍有歛財機會，遂又舉行婚宴，請柬上載明：元月廿九日假台南市台南大飯店為女兒舉行結婚典禮，恭請顧祝同將軍福證，定於二月一日在中壢中興樓喜宴……這項「請柬」，隨稅單分送各納稅人。稅務員請客，誰敢不賞人情，王佐才的荷包，雖撲滿撲滿，但中興樓的酒席，迄今尚未付費，被人向司法行政部桃園調查站檢舉，移送新竹地檢處立被收押偵辦。

日來一般受害商人，紛紛走告說：送結婚禮，坐歛財牢，個人罪有應得，大家否去泰來。希望違法失職的稅吏們，應以王佐才為殷鑑。

▲一年人事又升遷，幾多歡笑幾多愁！這是台灣全省國民學校暑期例行人事異動的「衆生相」。校長升「等」，由勇而仁而智，教員就「便」，由偏而近而大，凡有「辦法」者，年年此時，殫精竭慮，苦苦鑽營，務求達到目的而後已。

國校的等級，自十二班的「勇」而「仁」以至多達六十餘班的「智」等，新進教員，多在偏遠的勇級學校執教鞭。因此，每逢人事異動的暑期，校長逐「等」，教員逐「近」逐「大」（班級多），形成必然的現象。目前台灣教育界的「淸高」部份人士應該詮釋為「稱高」，送紅包、鑽門徑，才有發跡的前途！走通桃縣國校人事的大道，計有主管的衙門，核心的圈子，實權的執事，以及傳聞厚重的「紅包」……近來熱浪襲人，桃園街頭，衣冠楚楚，汗流浹背者多是競相奔走的教書先生，在僧多粥少的事實上，博學之，不如「審問之」（指有說項者），審問之，不如「金」重也。然乎否乎？且看幾多歡笑幾多愁！

美國政治有陰暗面
國會說客左右立法

——華盛頓通訊

國會說客的遊說藝術，往往是精緻絕倫的。有時，他們會採取曲折的迂迴戰略。例如，他們要使一個提案通過時，他們先調查負責審核這個提案的委員會委員，找出誰將會反對提案。然後，他們就調查和接觸這些議員的好朋友、老同學、老師、家庭醫生以至律師，想盡方法，要他們以私人的關係，來勸說他。有一位議員回憶說：有一天，他忽然接到一個有十多年沒有晤面的老同學的電話，要他反對某一項提案。曾有一位說客說他曾借助一牙科醫生，說服一位國會議員反對提案，結果成功了。

另有一種遊說的作法，是需動用大量金錢的，那非實力雄厚的大企業或大行業公會不能運用的。這就是邀請各州代表到華盛頓開會和遊覽，同時要他們各自與各州的國會議員見面，要議員支持或反對某一項提案。

另一項方法，是說服各州的投票人，致函各州的國會議員。議員對投票人的願望和從郵局寄來的輿論，常常是敏感和重視的。如果這種函件能成一種運動，則有關的議員更會不能無動於中。這種函件，又往往較私人的情理並用的函件更具效力。

最差的遊說手段，大概是企圖透過恐嚇的措詞，或荒誕的謠言，來激動公衆。一九六四年的民權法案，就是這種拙劣的遊說方式的最大的犧牲品。

造成這事，「約翰貝治協會」和臨時成立的「美國人基本自由協調委員會」的宣傳家，不能辭其咎。這兩個組織，曾使用報紙廣告，來鼓動不好戰的公民。

約翰貝治協會的一份廣告曾說：「每一張贊成民權法案的票，是美國共和之棺的釘子。」而自由協會則曾在許多大報上刊登廣告，誣衊民權法案是一樁「一千億元的貪污案，是廿世紀中最大的瀆職」。當時，仍任參議員的副總統韓福瑞，曾指摘它是「一種粗劣的謊言」。

如果遊說能不與金錢發生關係，那也是一種政治生活形式，無可厚非。然而，不管是老式的或現代化的遊說，它總是不能離開金錢的。在美國，為名流籌集款項並不太難。一個打單式的「籌募基金餐舞會」，每客通常是一百美元，籌集一百幾十萬元，往往祇是指顧間之事。

一個有地位的職業說客，如果沒有實際上的表現，他必定會在下次有所借助時，發現對方已不是那麼熱心了。中國有一句別有寓意的俗語說：「人心是肉做的。」看來，這是一句放之四海而皆準的話呢！（下）

我是一個「紅衛兵」

王朝天

一、我的身世、教育

我是瀋陽市人，今年二十歲。我在二歲時，父親就給共產黨害死了。我的生母為了安全和生活所逼，由一對共幹夫婦領我作養子。我的養父季有德是貧農、老幹部，一九四七年即加入了黨。東北失陷後，就在瀋陽商業局任會計。一九五二年三反時因貪污嫌疑降了級，但仍在商業局工作，由瀋陽調到通化、安東、哈爾濱、海拉爾而滿洲里。三年以前，便調任到滿洲里市商業局充任會計。他讀了些古書，算盤很好，所以一直担任商業工作。他現在的工資是僞「人民幣」六〇元零五角。養父母沒有兒女，所以對我視同己出。商業局有一些油水，一家人日子過得還好。養父把我取名季水生。

我十六歲的時候，養母偷偷地告訴我的身世，並且設法和生母見了一面。生母告訴我，原來的名字是王朝天，並且告訴我父親遇害的情形。我記在心裏，立志報仇，不敢告訴任何人，連到養母也在內。

現在我獲得自由，我從五十五年十二月廿七日起恢復我的本名——王朝天。

至於我所受到的教育，可先從小學說起。我的小學六年是在安東唸的。養父在安東工作七年。我到安東第二年，便進了「毛澤東小學」，從一年級讀到六年級。全校學生都是「少年先鋒隊」和「兒童隊」隊員。每天上午學習，有四五節課，下午勞動。勞動時分為很多組。有的是「魚蝦組」，參加的小學生赤着脚，踩在冰冷的河溝裏去撈魚摸蝦。有的參加「種田組」，就是到田裏去鋤地，種菜。也有的上山去打柴、養羊。教師對我們說這些收穫物是增加經費，建設美好的學校。但是我們漸漸地長大，就知道都被校長、老師吞沒了。他們吃得好，穿得好，還買許多東西，都是我們的血汗代價。小學的學費每學期僞「人民幣」五元，我們勞動了，照樣要繳。

在小學時，常常聽共產黨叫嚷「解放台灣」。我們去問老師，台灣在什麼地方，多數的老師都不答復，並且不許我們問這個問題。有一個老師說：「台灣是在遙遠的地方」。他還偷偷地個別地對我們說：「從前東北是被日本人奪去的地方，東北人民都是奴隸，是蔣委員長把日本人打跑，才收復了東北。」我們再問，他就不答。後來這個老師調開了。但是知道這個典故的同學，都很崇拜 蔣委員長，因為我們最崇拜的便是民族英雄。

我的初中是在「通化中學」唸的。我記得情形和小學差不多。一九六三年養父調到滿洲里市，我就進了「滿洲里第一中學」。這個學校有七百多學生，男女生差不多各佔半數。教師二十多人。因為黨員少，所以只設黨支部。黨支部書記是由校長江坤兼任的。

我現在算是高三學生，去年暑假後便沒有開課，不過全級都升了班。在學校的課程表上，上午有四節課，是一般的中學課程。下午全是政治課。課程表雖然這樣訂，但並不按照實行。時常整天改為政治課，例如學習雷鋒、王杰時，一連幾個月不上一節課，把這兩小子的文件讀、背，還要結合實際，把自己的生活行為作對比。幾個月下來，頭昏腦脹，除了練習了辯論口才外，一無所得。規定一年有二個月勞動時間，但事實上，上課時間少，作苦工時間多。一九六五年那一年做了九個月的苦工，只上了三個月的課。

我從十六歲進滿洲里第一中學高一時，就進林塲，做着伐木、抬木、栽樹等重勞動。就在高一下學期，我就在一次抬大木頭中，被巨木滾落，壓得口吐鮮血。林塲死亡的同學不少。除了上林塲，派我打石子苦工也不少。也曾經逼迫我上崇山峻嶺採藥材和人蔘。有一次我居然挖到一根大人蔘，被老師吞沒，我分文沒有拿到。（一）

瀛海異聞談

美國的改造罪犯精神醫院

·桑雅·

紐約市於數年前，有三名刑事犯，一個是廿四歲的勃洛克，藝專學生，係偷汽車的慣竊，被判長期監禁。另一個是卅九歲的葛麗太太，家庭主婦，三個孩子的母親，在紐約市百貨公司偷竊錶袋，當堂被捕；她犯有兩次前科，這次她被判定罪。第三個是強姦犯若望，他於過去四十年，品行端正，他在警察局供稱：「我以前從未做過這種事，我不知道我會這樣做」。儘管他聲辯如何清白，若望仍面對着長期徒刑。

不過這三個犯人並未被監禁，均處緩刑，送勃朗尼精神醫療中心療治。精神學家認為對某種犯人施行個別或集體精神療治，比較監禁更易使犯人覺悟而改過自新。目前美國的監獄及勞役所，已有百份之七十五犯人；與其大量建築監獄，不如假釋加以精神療治較為節省。如果監獄環境不良，犯人無從反省、悔改，出獄以後，行為會比受監禁前，更為惡劣。該醫療中心於一九五二年創立以前，紐約州及各都市法院也偶爾推薦私人精神學家為犯人作精神療治；不過酬勞太高，非一般犯人能夠負担。

勃朗尼精神醫療中心收容十六歲以上犯人，他們都是緩刑或宣誓後假釋，其中包括夜行盜、偽造犯、姦淫犯、縱火犯及飲酒行兇犯等。意大利精神學家隆布魯蘇博士，強調犯罪的發生，乃由於犯人某些精神特質及腦精神損壞所致的行為，如果找出腦精神損壞的原因，經過醫療，可以復原。因此犯人必需囚禁在監獄或精神病院，使其與社會完全隔離。美國的精神學家亦贊同此項運動，認為犯罪行為，係由社會精神影响的結果，而不是有機體的精神病所造成。勃朗尼醫療中心，除了使用精神學療治以外，同時也用哲學醫治病人。例如對偷汽車賊勃洛克，該醫療中心發現他是一個老年性痴呆病患者，不願與人交往，特別是對自己的家庭。在學校被人看不起，這些因素和他連續偷竊汽車，有密切的關連。

精神學家發現勃洛克，顯然的有一種來自父母親的反抗性。他的父親係有聲望的教育家，母親係中學教師，他們兩人過份迫切的要求他的行為端正，致引起他的反抗。連續偷竊汽車，在他的心靈上有解脫縛束，反抗抑制的勝利感。經過三年療治，勃洛克在一間廣告公司供職，今天他將買一輛汽車，而不再偷竊了。

葛麗絲太太經過精神檢查，證明她的精神智慧沒有疾病，只患輕度精神性的神經病盜竊狂。她這種內在的心理病態，主要與她的十五歲兒子有關，因為他自幼患癲癇症，她對這個孩子很感煩惱，也十分討厭，但另一方面她心裏又覺得非常內疚，很對不起自己的兒子。在療治中指出，她的偷竊行為可能用來懲罰自己對兒子所造出的缺點。目前她接受醫療已兩年半，行為正常。

若望的情況，是陷於性的處理不善。他對成年女性有一種潛在意識的恐懼，導致他強姦十一歲少女。醫生於療治中，發現兩種因素：一是若望的錯誤婚姻，其次是他的低級工作碼頭監工，使他缺乏丈夫氣。今天他已改在保險公司任較高的職位，另外找到理想的太太。精神學家說：若望不再有危險了。

紐約精神醫療中心的氣氛，很像社交俱樂部，房間佈置舒適，壁上有油畫，具古雅風格。以咖啡、餅干招待病人。有些病人健康恢復以後，仍不忍離開。診治時間多在黃昏後及星期六，不致妨礙病人的事務。

該醫療中心創辦以來，有很好的成就。一九六一年，一百廿名病人裏，醫癒的四十一人；六十名在療治中，正獲得進步；十九名無甚改變，不能決定他們將來是否會改正犯罪行為。療治時分門別類，以五人至十人為一組。精神療治罪犯係更安全，更有效及更人道的方法，遠非目前非科學化，浪費金錢，徒勞無益的監禁方式所能企及。

剖析八十二名反毛的中共中委

李敦復

毛始終都是中共黨的領袖，今年二月廿日法新社自華沙所發出的電訊報導，其內容謂有一百名的中共中央委員是反毛的，包括國家主席劉少奇，六名人代常委會委員長朱德，六名副委員長，三名國防委員會副主席，八名副總理，二十名部長，「許多」省長，北京及上海市長，中央委員會三名副主席及書記處九名書記等。四月十六日中央社台北電訊報導，其內容謂「中共中央委員，在此次中共內部鬥爭中的態度，大多數是反毛的」。自毛澤東發動親自導演的「黨內大整肅」，所謂「無產階級文化大大革命」以來，對外陷於孤立，對內陷於大混亂，從中國大陸東北到西藏，天翻地覆，腐蝕擴瘓，已至瓦解崩潰邊緣。由於中共黨內各級組織的幹部反毛，此一患有嚴重精神分裂症、欲與天公共比高的「偉大領袖，偉大導師，偉大統帥，偉大舵手」的風流人物，行年七十四歲朝不保夕的毛澤東，已衆叛親離，分崩離析，日暮途窮，焦頭爛額。構成此一中共黨內巨大力量的反毛成員，均係中共「以黨治國」的黨中央委員，在中共統治下全中國大陸執政當權派。由於這一小撮一百九十五名，分據黨、政、軍各級領導階層的重要人物，是統治七億人民的神經中樞，今天，全世界的視綫，都集中在這個焦點。毛澤東導演的權力鬥爭較之「占士邦勇破間諜網」，其內容更緊張，更刺激，更動人，眞刀眞槍，場面更偉大，文鬥武鬥，一應俱全。為使讀者諸君易於明瞭起見，我們將全部中共黨內中央委員會，六個中央局，包括二十八省，直轄市（北平、上海、天津——一九六七年一月十日中共公佈。）自治區各級組織的人事資料研判，並加註其近十個月自文化大革命以來之現況於後。

一、中央政治局

委員

毛澤東（中央委員，中共中央軍（事）委（員）會主席，四屆全國政協名譽主席。）

劉少奇（中央委員，中共國防委員會主席，中華人民共和國主席。自中共文化大革命以來，被認為與鄧小平是反對毛澤東政策的袖領，各項職務，已被罷黜。）

周恩來（中央委員，國務院總理，四屆政協全國委員會主席。）

（三）

放僻邪侈的埃及廢王法魯克

·靜余·

埃及已故廢王法魯克，無疑是有史以來最奢侈的國君，他統治埃及不殺廿年，為個人享樂，前後至少花了二億一千四百萬英鎊。

為了使私人財產不致減少，他會經常不斷使用大大小小的無賴手法。例如：他帶同女友們在埃及首都開羅市內不同的夜總會和酒吧裏面尋樂完畢，離去時不付賬，認為有他光顧，各該夜總會或酒吧的聲譽會因而提高，所值比其應付賬單所列的欵額尤多。

最後，他竟下令開羅市內所有辦得最好的娛樂消遣場所，每週七天，日日夜夜把一張人人最中意的枱子空出，以便他隨時進場使用。在第二次世界大戰期間，開羅市內那些餐廳一年三百六十五日，都為他白留枱子，前後損失的金錢，總有幾萬英鎊之多。

法魯克無聊的程度實在可鄙。他看見別人的好東西，便會以欣賞為名，拿在手裏，隨即放進自己的袋子，據為己有；物主不好意思索回，祇好給他算數。美國一大航空公司的代表某君，便會如此這般地失去太太所送的結婚禮物——一個製作精美的全金打火機。

伊朗魔王李茲．巴拉維，在南非去世後，遺體放在一具上等棺材裏面，於運回伊朗首都德黑蘭途中，會在開羅停放若干時間，供人弔祭。最後，李茲巴拉維的遺體運回德黑蘭，他的兒子巴里維（即伊朗現任國王）發現棺中所放的國寶（包括李茲巴拉維的寶劍和勳章）都失了蹤。伊朗政府連連向埃及當局交涉，法魯克說：「伊朗的國寶顯然被人偷了，我們正在儘力搜捕竊賊。」其實，竊賊可不正是法魯克！他在一九五二年被推翻後，在他的私人物品中，竟發現了失竊的伊朗國寶。其後，埃及政府在正式道歉之下，派出武裝人員，把這批東西送回伊朗。

一天晚上，美國派駐中東的經濟事務署長及美國當時總統羅斯福派駐中東的代表藍迪斯在埃及王宮參加一個宴會後，出得王宮，發現放在袋裏的汽車門匙竟不見了，祇好就王宮前面的石[illegible]坐下，等待別人來接。那時，法魯克哈哈大笑地走出王宮，藍氏的車門鑰匙在他指間幌來幌去。法魯克笑嘻嘻地說：「我扒了你的車匙，為的是要向你顯示；我除了在本國其他各方面高高在上之外，還是功夫最好的扒手。」接着，法魯克還很坦白地說：在那時以前若干年，他會使開羅獄中的一名扒手出獄，教以扒術。結果，他曾就一套縫滿小鈴的衣服練習扒技，而終於練得一手很好的扒竊功夫。

中國女性文藝春秋

周遊

另外，她又寫了一封短信給元帝：臣妾幸得備身禁闥，謂身依日月，死有餘芳。而失意丹青，遠竄異域。誠得捐軀報主，何敢自憐？獨惜國家黜陟，移於賤工，南望漢關，徒增愴結耳！有父有弟，惟陛下少憐之。

元帝得書，大為感動。恨畫工欺罔，窮究畫工毛延壽、樊青等斬首棄市。京師一時畫工絕跡。歐陽修詩云：「絕色天下無，一失再難得；雖能殺畫工，於事竟何益？……」

如果是有一點人性的人，絕不致於弄得後宮粉黛三千人，一個人能消受得了嗎？消受不了，又何苦作此大孽？豈不是沒有人性嗎？如果要選美幸用，只消一日工夫，即把後宮三千個女子可以看完了，何苦又用畫工來大費手腳呢？看上了的留下，看不上的放她們一條生路，豈不是大大的減輕了罪孽嗎？所以，我認為帝王們是女性的罪人，可以說是百喙難辯的！

昭君獻給了匈奴王呼韓邪。番王却樂不可支，這可說是中華民族的奇恥大辱了。呼韓邪對待昭君，優禮甚厚，封為寧胡閼氏。後來生了一子，名叫伊屠知牙師。呼韓邪死了，前閼氏子雕陶莫皐立為復株累若鞮單于，按照他們的國俗，父親的太太兒子接收，昭君為此事，也和細君公主同樣心情，上書求歸漢土，她不料獲得的回命，是「從胡俗」，遂再做了下一代的後單于閼氏。又生了二女，則為孫女了。我們想來眞是亂七八糟的事。在這王昭君來說，也是非常矛盾的。她的大女兒名叫云須卜居次，小女名叫當於居次。平常時，單于派遣云須卜居次歸漢，入侍皇太后。後人因痛其薄命不幸，怪她「從胡俗」為白圭之玷，於是捏造了多彩多姿的異說，博人趣聞。有說她出關之後投江自殺的，這當是文學家筆墨，關漢卿的「漢宮秋」雜劇就唱此調。一說後單于立，欲妻之，她服毒自殺而死。「樂府詩集」引漢書匈奴傳便如是說。又一說是後單于說：「為胡者妻母，為秦者更娶」。單于王欲行胡禮，昭君乃飲藥自殺而死。這類似的異說，在打破貞操觀念的看來，却沒有多大意義，但是在崇尚女性貞操的時代，那又似乎是一種必然的時代產物。崇尚什麼，必然是有所偏好，於是，總希望把他所愛的人格加以純化美化，使她成為一個完美的人格。中國許多文學作品的產生，與歷史人物背道而馳，都是由於此觀念而發的。時到今日，我們不用去理他了。關於王嫱的眞實歷史，我曾經寫過一篇「王昭君的眞面目」在民族晚報發表，後採入了「中國小說論叢」中，由商務出版，在此不用多費筆墨。

最後，王昭君的屍骨，仍然埋在漠北，黃沙一遍，尚有一堆青草，所謂「獨留青塚向黃昏」，即是指此而云然也。但是王嫱女士已經夠不朽了。唐人杜甫「詠懷古蹟」第三首說：

羣山萬壑赴荊門，生長明妃尚有村。一去紫台連朔漠，獨留青塚向黃昏。畫圖省識春風面，環佩空歸月下魂。千載琵琶作胡語，分明怨恨曲中論。

昭君村在現在的沛歸城東北四十里；青塚在現在綏遠歸化城南三十里，夕陽斜照，碑碣猶存，我們偉大的外交女使，就在該地長眠。可是，她似乎尚活在我們的心目中，她的麗影和琵琶，似乎尚留在人世間一樣的感覺。影劇、小說、繪畫中便有最佳的證據，王嫱女士地下有知，也可以瞑目了吧！

（六）

平劇縱紛錄

談「趙雲」戲

○桂良○

談「趙雲戲」有一點不同於談「關戲」或「張飛戲」，那就是關張戲自「桃園三結義」起，便已分戴黑三與黑扎，惟趙雲自「磐河戰」起，歷經戰陣至「長坂坡」以迄「甘露寺」「迴荊州」，他都是光下巴。到底他在何時，打那一齣戲起，才戴髯口？

近年來在台北與遠年在北平，看了在「甘露寺」以前，趙四將軍會戴黑三出場的，「黃鶴樓」雖是演義中莫須有的事，如果有的話，其時間性，必在「甘露寺」之前，因爲「迴荊州」之後，緊接着便是：「蘆花蕩」「三氣周瑜」「柴桑口」「臥龍弔孝」；周瑜已死，劉備漸老，以後祇有魯子敬請關雲長赴會。北市某科班演「黃鶴樓」，飾趙雲者會掛黑三而出場，時在五十二年九月份，當時老觀衆們爲之驚訝！後來有人說：當年名伶李洪春演「黃鶴樓」的趙雲會掛過髯口；但不是爲典範，因爲一無像片可以對證，二、李洪春唱文武老生的徒弟們多如過江之鯽，卻不會把他的不能成典型的東西事件，傳之後世。進一步研討，同一科班的陳玉俠、劉莉莉先後演「黃鶴樓」的趙雲都不戴髯口，綜合比較而論：一個師傅不會傳出兩樣徒弟，那絕不能怪罪師傅。經我親往訪問，原來這位掛黑三演「黃鶴樓」的趙雲，他頭一天演「陽平關」的趙雲是掛黑三，救過老黃忠，是何等威風凜凜，他既不會看過三國演義前後的回目，到了第二天再飾趙雲，他把「黃鶴樓」掛起來好久，昨日「陽平關」的趙子龍記憶猶新，那有不掛起髯口出場之理？這種情形，在梨園行名之爲「鬧鬼」，就是「黃鶴樓」趙雲掛黑三的結論。

別談科班學生因「鬧鬼」而爲趙雲錯掛髯口，即便是鼎鼎大名的角兒或是一代宗師，也有爲演趙雲，而故意錯掛髯口的。這種事實，我們可在楊小樓的「取桂陽」看見。

民國二十年前後，四大名旦俱因競演新本戲而爭取觀衆；麒麟生高慶奎、馬連良也急起直追，各派老生都編新戲，楊小樓也不例外。他在那時期，編演了好些新本戲，如：纖山谷、康郎山、陵母伏劍、百騎切魏營、野豬林、陳圓圓、取桂陽等齣。以趙雲爲主角的戲，「磐河戰」「借趙雲」「金鎖陣」「長坂坡」，但他老是站立在帳前；惟「取桂陽」的趙雲，他是升坐大帳，此齣雖是武戲，卻佔人不多。花旦樊氏是硬配，小丑趙範份量亦重。小樓飾此齣趙雲，紫靠、小閃蟒掛黑三，陳瓏、鮑龍武二花。

此戲既在「甘露寺」之前，趙雲自不宜掛髯。小樓所以掛髯，大約因那時年已六十，面狹而長，掛上黑三，於他扮像有關耳。（四）

舞台滄桑

京仁

「因爲我是南方人，吃不着窩頭。孫子，是我爺爺的孫子與他沒相干。所以我對這段理論很樂觀，同時也不影響我的經濟。」

這是在後台的兩位戲劇從業者的對話。老楊是很有思想的，而且裝了不少新名詞，而且絕對不放過可以抖新名詞的機會，他的綽號是文明人。文明人絕對忠於職守，總是先扮好了戲，坐在衣箱上養神，有時一齣戲裏扮兩個角色，但是戲份不多要，仍是十塊。

既然每場晚會拿十塊，一個月就可以收入三百元。實際上一月最多十場會，有時一場也沒有，根據求生本能，這些人不比擦皮鞋的好。

我同我的朋友會給一位斑底起名王伯黨，因爲這位先生在台上總是斜肩膀挺肚子，由開塲的天官賜福唱起，齣齣有他，最後又來了個打登州的王伯黨，既不知其眞名，故以王伯黨稱之。但是，私下裏的王伯黨，是個學生型的人物，沉默寡言，穿着花襯衫，球鞋，項間戴着十字架，我替他易名爲「迷途的羔羊」。在舞台忍受着命運的安排，任憑命運的宰割，實在是個不幸者。

但是，不幸者多的是，看那一拐一拐的老頭子！

「這個月堂會少，拌不着戲份兒，你瞧——」

老頭子由懷裏掏出幾張當票，在訴苦。

對方拿出三張拾元票，塞在他的手裏，老頭子像是做賊似的趕緊收起來又是鞠躬又是哈腰的。

「喂，快着點，就套話上啦。」

慌慌張張的披上龍套袍，舉着旗子出塲了，仍是一拐一拐的看着他滿臉的白鬍子嚕兒，無精打彩的跑圓塲，實在叫人心裏怪難受。但是，這是生活啊，沒工作即無飯吃。

「角兒，你可馬前啊，前面戲快完啦。」

「不行，我這個眼圈沒打好，一個大一個小啊。」

唱蘇三的「角兒」對女化妝師在嚕叨着，女化妝師又給添了兩筆黑。

「左臉太紅啦，右臉太白，不行。」

好，再給擦上點胭脂。

當蘇三上塲了，台下當然是滿堂好，台下非親即故，都是捧場來的。要唱大段的慢板，臉朝外跪的時候，檢場的趕緊換上厚厚的海綿墊子，「角兒」怕把腿跪痛了。

跟着檢場的又捧上寶藍色小茶壺飲塲，雖然爲了飲茶，胡琴多拉了過門，沒關係，這是過門，怎麼唱怎麼好的。

「今天捏了幾個？」

「兩個。」女化妝師說。

「收入不壞嘛！」

對方沒言語，大概是嚕叨夠了，涵養已達飽和點了。

當大軸戲上場，後台的大衣箱就在收拾東西了，沒事的班底們，正在陸續的撤退，這時，後台是一片冷清的景象，與台上的鑼鼓喧天，又是極顯明的對比。

「明天還有堂會，你的份兒，明天一塊算吧。」

「好啦，您哪！」

文明人以南面口音撇着京腔，走了。羔羊已走了。後台只剩下衣箱上三個夥計，傍角的跟包，還有等着拿錢的總管。

戲散了，孩子們拿走了最鮮美的玫瑰花籃，剩下的被工友扔在垃圾箱裏，地上有糖菓紙與烟蒂，舞台上的後幕捲起來，燈光滅了，不再是夢幻輝煌的境界。我忽然想起陸放翁的詩：「死去原知萬事空。」

有什麼比演戲更反映現實嗎？有什麼能比文明人談話更有趣呢！只有舞台能顯示出當朝者的輝煌，所以，所以我喜愛這個「調調兒」。

難忘的大代數老師

藍南

得記高中二年級那年，開學典禮已快完畢了，校長走上講台，手裏拿着一大疊白報紙，同學知道是要介紹新老師了，於是乎會場頓時熱鬧起來。這是十分自然的現象，女學生們總是好管些無關緊要的事，甚至於老師的儀表，也相當注意。

校長逐一的介紹，每一被介紹的老師循例登台向大家答禮，於是台下立即回以如雷的掌聲。個子矮的這時眞是太可憐了，一跳一跳的，想從人頭縫裏一觀未來的「夫子」面貌。班上本來很沉靜，忽然有位綽號「包心菜」的同學小聲問：「我們的大代數先生，不曉得今天會不會介紹到？」恰巧校長在這時報告到：「現在介紹高二代數先生！」大家立刻緊張起來，卻不見有人登台，典禮也就在禮成聲中宣告結束了。因此我們對於大代數先生充滿了好奇心，有些同學說曾經見過他，並加以素描，說是又高又胖。但是大家也只好瞎猜一番而已。

第二天昇旗過後，同學們陸續走入教室，奇怪的是每個走到教室門口，便立即恭恭敬敬的走了進去，收拾起平常的調皮相。原來那位大代數先生早已赫然站立在講台上。如同那位同學的素描，他確實長得胖，可是矮得出奇；頭頂禿得發亮，雙目微突，強烈的目光向着後來的同學掃射；鼻樑挺，嘴部合不攏，因爲他的門牙署成八字形露在外面。

大家到齊了，他開始發言：「各位同學，你們是不是在進行慢的比賽？爲什麼上課這麼久才拖進來……」多新奇的名詞！「慢的比賽？」同學們忍不住大笑起來！但是他毫無表情的講下去：「不寫字，不准把手放在桌子上，正襟危坐！妳來上課就要當做來打仗一樣，笑要和哭一樣，不隨便」一口山東口音和指手畫脚的表情，眞令人想笑；可是言猶在耳，大家都忍住了。

這一節課就這樣過去了，等他一走出去，全班哄然大笑。有些同學說：「有這麼怪的老師！我們都讀到高中了，還訂一些小學生的規則，什麼雙手擺在雙腿上，多拘謹！豈不是把我們降級了？」大家又好笑，又好氣。

第二次上課，總算帶了教科書來。第一章是概論，大家正等着聽講，可是代數老師並不發言，卻拿出點名簿來。啊！還沒講就先考問，每個人都戰戰兢兢，生怕叫到自己。「六十二號！」我猛然站起。「這位學生注意：以後要先答一聲『到』。我問妳：那一邊是黑板的右邊？」我呆住了，不曉得從何答起；想了想，伸出右手一指，他又問：「妳這麼一指，怎麼能表達出來？我所以要問這問題，一方面使妳們覺得可憐，一方面要妳們了解研究數學的態度，要徹底，不能馬虎。」（上）

「淑女」的故事

綠窗

媽緊張了，她對爸說：

「文彰從小就是個好孩子，又用功，又懂得禮貌，現在又有個好職業。我一定想辦法使惠珍和他接近。」

「我知道妳的意思，但一切要順其自然才行。」爸說。

「順其自然？再順其自然，惠珍要一輩子作老處女了！」

我是剛好打從他們臥室的門口經過，聽到了這幾句話。我很想再聽下去，但面紅耳赤又心跳，不好意思，只好直向自己的臥房跑回去。

文彰表哥是老朋友了，但那是十多年前的事。那時，我才剛滿十歲，他也不過十五歲。他跟姑媽住在我家，很高興逗我玩。我也時常要他帶我上街吃東西，看電影。

最使我記憶得淸楚的，是有一次元宵晚上，他帶我上街去看花燈遊行，我又矮又小，跟在別人的屁股後面，什麼也看不見。

他把我抱起來，坐在他的肩膀上看。人羣太擠擁了，不知道那個冒失鬼在我後面一推，我便整個身體撲上前去。若不是他緊緊的抱着我雙腿，我便要從他的頭上直翻了過去。雖然如此，我雙手還重重的按在前面的一個人的頭上，按得他直叫了起來。他回頭看見我是一個小孩時，才不好意思破口大罵。

沒想到像霎眼般快，便過了十多年。於今，大家都長大成人了。他還會像從前一樣待我嗎？還會記得那一晚我坐在他肩膀上看花燈的事嗎？我在問着自己。

星期日的淸晨，媽比誰都起得早。她不單加意的替我打扮，並指定一套剛作好的華麗的新衣服叫我穿。惠瓊看見了，有點不服氣，她把嘴嘟得高高地說：

「爲甚麼姊姊老是有新衣服穿，我沒有」？

「你還小，等你長得像姊姊那麼大時，我一定給你做新的。」媽說。

「我小？我長得和姊姊一樣高，身體還比她重了三公斤」。

「我不是說你沒有長得和姊姊一樣高，我只說你現在年紀還小。在你這樣的年紀，穿得太華麗了有點不合適。」

「有什麼不合適，我才應該穿呢！我有很多的約會，穿着華麗的新衣服才出風頭啊。姊姊穿了有什麼用呀，亮一亮相，一切還不是白費心機。」

「惠瓊，你怎麼可以說這樣不分輕重的話。若你再這樣說，我要你爸把你的男朋友都趕走，以後再也不准上門來。」媽生氣了。

惠瓊最怕爸，她鼓着腮幫子一聲不響地跑了。在機場候機室裏，我們把李文彰接到了。他長得比以前高些，英俊瀟灑，鼻樑上架了一副金邊眼鏡，越發顯得一派斯文。（中）

生活與習慣

○大知○

什麼叫做生活呢？乾脆的說起來，生活就是人的習慣的總和。我們要保存已有的、善良的思想或習慣，同時，要仿效人家善良的行爲，去補自己的不足。

但是，習慣是怎樣養成的呢？我們大家都知道，在狗的面前，敲一下鐘，是決不會使狗嘴裏，流出唾涎來的，只有一塊牛肉，才會使狗兒「饞涎欲滴」的！

俄國有一位生理學家，名叫帕夫勞的，曾經做過一個實驗，他把一隻餓狗的身體和四肢縛住，用橡皮管作爲接住狗的分泌饞涎的管子，露出在嘴外，通到一隻玻璃瓶的上面；帕夫勞每次在拿牛肉給狗看的時候，同時打一下鐘；如此，經過幾次的聯合，後來，不拿牛肉出來，單敲一下鐘，狗嘴的饞涎，也會自動的流滴下來。他稱此爲「制約的反應」。

一個從前不生效力的刺激，因爲和別的有效刺激，常常聯合的緣故，也能單獨的，自己發生效力起來。這「制約的反應」，乃是一切習慣養成的基礎。

美國有個名叫華震的心理學家，把這方法應用到兒童。他把一隻狗，放在一個二三歲兒童面前，這孩子喜歡着狗，用手去撫摸狗身上的毛。但是，華震在這時使人在他背後猛擊一塊鐵，鐺的一聲，孩子駭得哭了！第二次第三次再這樣，幾次之後，用不着打鐵棍，只要一看見狗，孩子就嚇得放聲大哭！甚致於一切毛茸茸的東西，都會引起他恐懼的情緒！（上）

自由報
內政部登記證第〇三一號內版台誌
THE FREE NEWS
第〇八七期
中華民國僑務委員會發
台政新字第三二三號登記證
中華郵政台字第一二八二號執照
登記為第一類新聞紙類
（中國刊每星期三、六出版）
每份港幣壹角
台灣零售價新台幣貳元
社長：雷嘯岑
督印人：黃行審
社址：香港銅鑼灣高士威道二十號四樓
20, CAUSEWAY RD 3RD FL.
HONG KONG
TEL. 771726　電報掛號：7191
承印者：大同印務公司
地址：香港北角和富道九六號
台灣分社
台北市西寧南路壹叁零號二樓
電話：三〇三四六
台郵撥儲金戶九二五二

再論復興中華文化問題

謝志新

復興中華文化運動，確係切中時弊的當前急務，一方面由於固有文化精神之衰歇，使國家民族遭受亙古罕有的災禍，一方面大陸上的毛共又掀起「文化大革命」運動，而以「破四舊」為目的，即是要根本消滅中國固有文化。吾人囂目時艱，緬懷國難，對於此時此事，認為是關係重大的應有之舉，非悉力以赴之不可。

凡屬一種社會運動，皆為時代所需要的產物，具有移風易俗的作用，要想獲致預期的成果，切忌使這項運動的推行流於形式主義，而變成了無關宏旨的時代插曲，引不起社會大眾的同情共鳴。然則怎樣纔能夠避免形式主義的流弊呢？有幾點原則必須留意。

第一：社會運動與行政措施的性質適然有別。前者的活動指標在求橫的發展，以博得社會各階層人士的翕然景從；後者的推進方向是縱的佈達，講究層層節制，要各級官員一體凜遵。縱的政令推行方法，不妨以命令從事，橫的社會改革運動，卻沾不得官樣文章的氣習，否則未有不流於形式主義者。

第二：一種社會運動之倡導，固不妨由達官貴人發其端，但推行之責必須由社會羣眾的中堅人物來担負。五十年前的「五四運動」，不管它對社會國家的影響是好是壞？但其影響力比較三十年前的「新生活運動」就大得多，因為「五四運動」乃是社會羣眾自動發作，而由青年中堅份子負責推進的，「新生活運動」卻異是，因而兩者的成就亦大有差別了。凡是移風易俗的事情，必須社會大眾熱心支持，纔可望獲致實效。

第三：社會運動的性能既是橫的發展，則其推行方法不宜拘泥於一格，應該是因地因人多彩多姿，因地制宜。而祇要對運動的功用有所裨益，任何方法可以採取，如果獨出一種獨格的「教條」（Dogma）作為推行準繩，那末，形式主義的毛病勢必隨之發生，決無例外。

基於上述幾點原則，我們對於當前的復興中華文化運動態勢，觀感所及，亦有可得而言者：報載最近台灣舉行了「復興中華文化運動發起人會議」，成立了推行委員會，熱烈非凡，這是好現象。但經大會推定的數十位領導人物——主席先生——主席團各個主席先生——十九都是些年高而名著的政治聞人，其中有些人，過去無論任何社團性的組織活動，或政治性的集會，乃至於名人的喪葬委員會，總有他的大名在內，成了「職業的演員」，社會大眾對他們的印象已不佳，而聲名顯大，卻在社會上具有領導能力的知識份子——尤其是青年知識份子，在這次文化運動發起人會議的[illegible]中，很少入選的。就是那位努力闡揚中國孔孟之學，著書立說以闡世的陳立夫先生，亦不在其列，似嫌美中不足。我們覺得只靠這幾位「老字號」一來担當復興中華文化運動的實際領導任務，實在值得研究。這不是說他們的能力不夠，而是從復興固有文化運動前途設想，他們可以作顧問，卻不必居於實際領導地位。理由很簡單，中華文化精神之所以趨於衰歇境地，舊時的高級智識份子不能說沒有責任，今後再教他們「負[illegible]」，對後進的社會大眾推行文化復興運動，影響力恐怕就要相應減低了。何況他們大多數都是政治界的[illegible]人士，平日公務繁忙，也就沒有許多的時間和精力，來策畫復興文化運動的推行方法，大家掛名而已，掛名領導的結果，還不免流於形式主義的窠臼。

看「復興中華文化運動推行委員會」的組織系統內，有成立「討毛反共陣綫」之規定，這亦近於畫蛇添足。中華文化精神與共產主義水火不相容，有文化的中國人都是反共的，每個中國人都是反共的堅強份子，并不需要形式的組織，反共力量自必油然而興，沛然莫之能禦的。搞文化運動最好是不著政治色彩，討毛反共陣綫或聯盟，儘可特別組織，卻不必附麗於復興文化運動之中。

成立文化運動推行委員會，問題在如何推行纔有實效可見，我們認為策動各界羣眾共同努力，實有必要，策動之法亦不必定要組織機構。就社會方面說，隨時隨地藉機會請些品德優良而素孚民望的人，向羣眾宣講四維八德的義理，或者由地方自治單位，乘暇分別召集當地民眾，以特定題目舉行講習會，講習的內容不宜空疏，必須以當前的事實作例證。譬如台灣每年表揚的好人好事，以及賭徒惡棍謀財殺人滅屍，女教員因男女曖昧關係而用鏹水殘害校長，兒子因索錢不遂而勒斃父親等類壞人壞事，都是很好的題材。在學校方面，除革新學制課與程，改進訓導方法外，基本工作要使學生有時間多讀點中國書，一切不必要的課外作業，應該酌量減少，對於能力優越的國學教師，尊重其地位，改善其待遇，限制其兼職，而課以輔導學生進德修業的任務，按年考績，藉資激勵，這樣對於青年子弟的心身修養，當有裨益。不過，光是用說教方法，不足以復興固有文化精神，最重要的工作就是「身教」，這責任便在一般達官貴人和社會名流身上，理由說來話長，只是舉例以明之：美國總統杜魯門在任時，他的侍從副官因為接受了商人贈送的一件貂皮大衣，經輿論揭發而不得不去職。英國陸軍大臣普洛佛穆，因與國際間的交際女郎秘密過從，被議員指摘而引咎掛冠。這種講究禮義廉恥的行為，在我們中國的官場中，似乎當伊嘸介事，韓薄似不修，伊蕩檢踰閑的官吏，乃至於昧良鮮恥、無所不為的壞人，二三其德、投機作怪的叛逆之徒，皆我行我素，顧盼自雄。似此風氣不予遏制，四維八德消沉，而欲復興中華文化精神，豈可得乎？我們重視文化復興運動，希望推行盡利，緯著成效，而不致徒託空談，有始無終，故不惜一再申述所見，聊盡輿論天職云爾。

掩眼法

共受其害

今日與明日

武漢變化未定

毛幫公佈武漢軍區司令員已易人，但是根據各方面跡象看，毛共不僅未能控制武漢，而此種抗命形勢已經蔓延到長江下游各省，譬如此次「八一」毛共南京軍區司令員許世友未曾出席，可以看出其中確有問題。而武漢軍區部隊與昆明軍區部隊是一個系統，昆明軍區司令員秦基偉，也未在北平露面。如果許世友、陳再道、秦基偉三人聯合一致，再加上四川方面的勢力，其形勢有類於民國六年的長江三督，北京當時段祺瑞政府就由於長江三督抗命而垮台，此日歷史確又有重演之勢。

外憂內患

毛共內憂未已，又惹事生非，最近又與印尼鬧開，搶劫焚毀印尼示威人員，竟然是外交上少見的；如果毛共以為印尼人在毛使館外示威不當，則在北平的「使館」據統計被毛幫紅衛兵包圍示威的共達十七個國家，其中有大部份共黨國家，有英法荷蘭，有非洲的肯亞，有亞洲的緬甸、印尼、印度及尼泊爾，這又是怎麼一回事呢？一九五五年周恩來曾在印尼萬隆會議上稱己所不欲，勿施於人，而毛共自己的作法，偏偏是己所不欲，偏施於人。最近對尼泊爾的交涉，大概也是由於一張圖片，尼泊爾首都加德滿都各處貼出毛幫畫像及語錄，好奇的尼泊爾人不知是什麼山魈木偶，擁來看看；毛幫立時拍成照片，在北平各處張貼，說尼泊爾人民如何敬愛毛主席，被尼泊爾駐在北平的使館人員看到了，認為奇恥大辱，就秘密報告回國，要政府告誡人民以後不要再看毛像，以免引起誤會。

尼政府將此項報告轉知各地，尼泊爾報紙對中共這種不顧事實的宣傳在報紙上加以公佈，引起尼泊爾全國人民的不滿。恰在此時，毛共又把毛像貼在加德滿都商展，人們看了，把毛像撕成片片碎，丟在地下，還吐口沫，狠狠踏上兩腳，於是又變成國際交涉，尼泊爾使館人員去向毛共使館示威，又實際上一點用處也沒有。本港左派份子目前無計可施，就天天宣傳毛像無比的神聖，好像全世界任何一個角落都不知變成警察，誰也看不見，真不了這麼多抗議，也都要踏上兩腳，如少說些廢話，似乎還好像沒有這回事，免得作多獻醜。（何如）

美國的隱憂

馬五先生

自由談

美國的黑人問題，日益嚴重，暴動劫掠，不時發生，長此下去，終將釀成大患。

美國的民權法案早已頒佈實施，原有黑白人種歧視隔離的不平等積習，業經政府改革糾正了，黑人在政府担當官職的亦時有所聞，民權上黑人應該相安，問題是在民生。

黑人的文化程度，一般是落後的，他們的天性又失之於懶惰，在美國那種物質文明極發達，生存競爭最激烈的緊張社會中，黑人生計與生活之艱窘，乃是必然的現象。他們眼見白人生活之優裕享受，由自卑而嫉忌，相形見絀，憤憤不平，暴動的行為，即基於此。

民權之不平等，政府一道法令即可解決，民生問題卻不簡單！原因甚多，處理頗不容易，而黑人的繁殖率又直線上升，更增加生活上的困艱威脅，暴動時作，良有以也。黑人問題確是美國的一大隱患，目前美共的勢力微弱，尚不致有裹脅黑人併肩釀亂的危險，但難保黑人永遠不受共黨的誘惑。

美國由於立國不久，文化根基很淺薄，而物質文明畸形發展，功利思想深中於人心，得天獨厚，過慣了安全繁榮的生活，沒有經過甚末災難，一旦遭遇到某種意外的重大打擊，我很懷疑美國人民光靠一點宗教精神的潛力，是否頂得住？美國一些高級智識份子如大學教授之流，常常發表左傾的言論主張，表示前進，而華爾街的大資本家如伊登者，亦對共黨表示讚許，卻不知道本國的心腹之患就是美共與黑人問題。原子武器和氫彈雖然多，對於黑人與美共，乃是無用之長物，以黑人的民族思想對抗美國的實驗主義，以美共的世界革命思想對抗倫理相對主義，孰得孰失，可以想見。

今日自由世界全靠美國來領導，而其國內的隱憂如此，殊堪警惕也。

緊緊控制埃敘甚至阿爾及利亞
以阿戰爭使俄勢力膨脹
中東局面危機益見深重

—倫敦通訊—

在此次中東危機中，幾乎未受注意的，是蘇俄在西地中海的把戲。蘇俄正在北非武裝阿拉伯人來對付阿拉伯人，北非如爆發戰爭，可能使共黨及其盟友得以統治整個地中海。

摩洛哥首都拉巴特的中東問題專家深信，由以阿之戰肇始的一些事件，已大為增高阿拉伯世界繼續發生戰爭的可能性——而迄今以阿之戰眞正的得勝者却只是蘇俄。

他們覺得，下次的戰爭可能不是一場以阿之戰，而是阿拉伯世界本身內部之戰——由美國與蘇俄各支持一邊。其推理如下：

已在埃及與敘利亞植根深固的蘇俄，業已為地中海東端一股巨大力量；現在蘇俄正從事控制這個具有戰畧重要性的海域的西端。

摩洛哥方面現在極關切蘇俄在摩洛哥鄰國阿爾及利亞境內的軍事建設。據報導說，阿爾及利亞現在擁有價值二億美元的俄製武器，而且每天還繼續湧到，據說在最近的一週中，至少有滿滿七船的軍火已抵達阿爾及爾。

有報導說蘇俄軍事技術人員已開進與摩洛哥邊界毗鄰的科隆貝察地方的前法國原子基地。一般並相信，蘇俄飛行員正駕駛着阿爾及利亞空軍的米格機。而且，事實上，當阿爾及利亞在以阿戰爭之始下令二百架飛機赴埃及時，那些飛機便是由俄人駕駛的。那些飛機結果只飛到利比亞的本哈齊為止而未再續飛，因為當時顯然已赴援太遲。

拉巴特的官員及外交人員說，被以色列擊敗的敘利亞與埃及，現在可能變得越來越成為共黨國家，步卡斯特羅古巴的後塵。他們的推理是，這兩個阿拉伯國家脫離西方已很久，而且現在埃及的總統納撒已不再可能玩以西方來制共產集團的花樣。這一來，蘇俄便差不多控制了東地中海。

拉巴特現在担心的是，蘇俄正大力在地中海西端紮根。這可從蘇俄在阿爾及利亞的軍事建設看出。蘇俄希望從阿爾及利亞穿過摩洛哥，從而控制直布羅陀海峽，使得以地中海為基地的美國第六艦隊的行動自由將受嚴重阻碍。

拉巴特的觀察家說，如果蘇俄能在摩洛哥丹吉爾的海灘上扶植起又一個「納撒」，則戰爭的危險性將暴增，美國可能被迫與蘇俄發生類似古巴危機時期的那種對抗。

拉巴特的觀察家相信利比亞已變成地中海與中東整個危機地區中的一個嚴重危險點，利比亞國王伊德里斯是相當親西方的，但他的國家已受一次大罷工所折磨，且他已任命一個對西方不大友好的總理。危險的是，利比亞可能結果產生一個親納撒及親蘇俄的政府，到時利比亞的石油可能不再運往歐洲，且該國可能變成一個俄國基地。

西方的另一友邦突尼西亞亦正受到日增的壓力。阿爾及利亞業已脫離西方，因此，地中海的整個南岸，除摩洛哥之外，正變成暴露于蘇俄的控制之下。

而且摩洛哥現在所擁有的武器，較一九六三年它與阿爾及利亞發生戰爭時為少。美國的軍援摩洛哥計劃每年約為五百萬美元，而蘇俄給予阿爾及利亞的軍火却達二億美元。摩洛哥沒有轟炸機，但阿爾及利亞却有蘇俄供給的成隊轟炸機。阿爾及利亞正將其國家收入的百分之二十採購武器。

總之，摩洛哥在武器的數目方面不如阿爾及利亞，其差數為八或十比一。這就是為何大家日益担心阿爾及利亞會對摩洛哥採取行動，推翻親西方的國王哈珊二世。

儘管有以阿的戰爭，但美國與摩洛哥的關係仍被稱為「空前友好」，但摩洛哥人會告訴你說：美國切不可容許以色列併吞耶路撒冷，因為要顧到所有回教徒對該聖城的情感。雖然摩洛哥國內有七萬猶太教徒，且有若干教徒在政府中正做大官，但摩洛哥人仍不能容忍以色列控制耶路撒冷。

從阿拉伯世界的前哨地拉巴特望出去，所有這一切事情意味着情勢對西方越來越危險，且地中海及中東地區的眞正和平對美國來說；尚距離遙遠。

羅馬尼亞愈益遠離蘇俄

——華盛頓通訊

這已經是一種傳統性的現象：共產黨國家不邀請西方記者參加他們的政治集會。他們一方面諸多留難的令西方國家的訪員無法獲致入境簽證；另方面則實施新聞封鎖的政策，或者只是讓這種政治集會的新聞，由官方予以非常簡畧的報導便算了事。

然而在本星期初，駐世界各國首都的共黨羅馬尼亞外交官員，却不遺餘力地促請當地的記者前往羅馬尼亞首都布加勒斯特訪問，從而採訪在七月二十四日開幕的羅馬尼亞國民大會新聞。有些羅馬尼亞外交官甚至這樣暗示：布加勒斯特政府可能付給記者機票的費用。他們使用的餌是一項諾言——羅馬尼亞的領袖屆時在該項國民大會席上發表一項重大的外交政策聲明。

當時西方的外交觀察家不約而同揣測：曾經長期地在共黨世界裏面採取獨立的經濟及外交政策的羅馬尼亞，可能在該項國民大會席上宣布退出華沙公約。

到了七月二十四日那天，羅馬尼亞共黨首領蘇西斯古在布加勒斯特向國民大會發表一項重大的外交政策聲明時，並沒有宣布這個共黨國家退出華沙公約，而是強調地呼籲廢除華沙公約和北大西洋公約組織，同時要求包括俄軍在內的一切軍隊從外國撤退。

這位羅馬尼亞共黨頭子在該項聲明裏面同時警告阿拉伯國家——羅馬尼亞承認以色列的生存權利，並且不支持阿拉伯國家在新戰爭裏面毀滅以色列的任何企圖。他說羅馬尼亞政府認為緩和全世界緊張局勢的先決條件，就是廢除所有現存的軍事集團。他指出：「所有非歐洲的軍隊應該從歐洲撤退，所有軍隊應從其它國家領土內撤退，同時廢除所有外國的軍事基地。」

蘇西斯古在該演說中，同時強調如下的一點：羅馬尼亞決心繼續採取獨立的路綫而不理會蘇俄的壓力。

另一方面，羅馬尼亞總理毛勒於上個星期訪問海牙與荷蘭總理第莊舉行會談後，在一項記者會上發表談話稱：歐洲「將成為一個較安全的地方，如果北大西洋公約組織及華沙公約同時廢除的話。」毛勒接着補充道：每一個國家應該是「他自己家中的主人。」

蘇西斯古和毛勒所發表的言論，毫無疑問地顯示他們倆所領導的這個共黨國家，確實地不理會蘇俄的壓力而繼續實施獨立行事的政策。事實上在最近幾個月裏面，類似上述的羅馬尼亞領袖人物的言行，已經令到這個東歐共黨國家成為蘇俄陣營裏面一個十分突出的國家。眞的，就外交政策方面來說，無論什麼問題（一般性的，或者有特殊性質的），羅馬尼亞無不採取獨立行動的姿態，當時甚至和克里姆林宮所走的路綫公開衝突起來。（上）

戴高樂在加點火
妄圖一石得二鳥

（巴黎通訊）法國總統戴高樂應邀赴加拿大訪問，他不直飛往加京，却先赴法語系的魁北克及蒙特利爾；這還不要緊，老戴竟在加拿大高喊「自由魁北克萬歲」，公開的鼓勵加拿大英法語系的人發生分裂。

在外交慣例來說，這實在是不可思議的事。戴高樂究竟圖謀些什麼？

一般的說法是：戴高樂企圖削弱英美兩國對加拿大的影響力。因為法語系的加拿大人勢力不小，如果煽動起法人的分裂情緒，則英國人對加拿大的努力自然削弱。而由於加拿大內部的意見不協，美國也被迫減少對加拿大政府的影響力。

這也等於是替英美兩國製造麻煩。

以上是從國際外交的立場而推斷的。

據說，此外，戴高樂還有他另外一種理由，那是為了國內的政治。戴高樂企圖利用在加拿大搗亂的事件來測驗法國內對他的反應，以決定他自己的聲望如何，而作為未來推行政策的依據。

戴高樂是前年當選總統的，任期為七年，五年後才辦總統選舉。法國國會每五年改選一次，而本次改選剛於今年三月間完成，下次選舉也需五年之後。所以，近幾年內，戴高樂簡直沒有測驗自己聲望的機會。

根據法國憲法，國會選舉後六個月召集，那就是將在十月間集會。戴高樂由於國會選舉不理想，他很担憂開會後的情形。所以要測驗一下國內政治氣候。在這種情形下，老戴便選擇了在加拿大鬧點事出來探測一番。所以據說，在加的後果是老戴預料之中。

不過，歐洲國家在七、八月內都是渡假時節，法國的政壇人物，包括戴高樂的反對派，都跑到海邊或山上玩去了，目前還沒有正確反應。恐怕要等些時才能看出法國政壇對老戴這次在加拿大表演究竟反應如何。

我是一個「紅衛兵」

王朝天

在林場作苦工，我也懂得了一些事情。山上的伐木工人是很野蠻的。他們不敢反抗。過去按時計酬，他們不動手，後改為論件計酬時，他們才肯拼命做。他們工作累了，就賭博、喝酒。醉了就罵：「什麼他媽的毛澤東思想，他能把木頭鋸斷給我們飯吃嗎？」

伐木工人給我和我們的啓示，是要反抗，反抗才能生存。為了政治課和勞動的壓迫，我們根本沒有時間唸書。我們大多數不愛唸書，極少數愛唸書的，就要批評為「想走資產階級白專的道路」，要受敵視、開革。我們除了會喊「毛主席萬歲」外，什麼本事也沒有。

不讀書也不一定沒有智識。因為有些知識不一定從書本上得來的。跑的地方多，苦頭吃得多，就會常識豐富。不過，我也有一個重要的知識來源。我很愛看舊小說，什麼三國演義，隋唐演義，說岳全傳，封神榜，水滸傳、七俠五義等，我記得一共有六十多部。我看得快，又記得牢。這是我知識的來源。因此，我知道許多典故，也認識正體字。我也知道我們國家的可愛，歷史上許多為國家犧牲的英雄好漢。這些書給我豐富的地理和歷史知識。我的投奔自由，這可以說是很大的一個影響。

這些舊小說，共產黨都有翻印的，但刪去不少精采的部份，我們看了不過癮。我們爭着偷看老本子。這些老本子是許多人家藏着的，我的養父就有好多本。同學互相借着看，都是偷着看的，上自修，在寢室，還有裝病請假偷看。幾乎每個同學都愛看，看過的同學太多了。他們看了，自然和我抱有同樣的思想，也受同樣的影響。他們也要投奔自由，但是我僥倖地成功，他們失敗了。

共產黨出版了很多新小說，如同「驟風暴雨」、「紅燈記」等，學校圖書館裏有，同一類的有好多本，鼓勵同學看，有時還逼迫班上湊錢買上幾部。但是，沒有人愛看，看了也不會全部津津有味看完，翻一翻，知道故事大概，就可以應付了。

這些共產黨宣傳八股的文藝作品，我們不愛看。對於三十年代文藝作品如茅盾的「子夜」，老舍的「駱駝祥子」等，也不愛看。這些文藝作品是這次「文化大革命」中首先被全力加以攻擊的。這些文藝作品在圖書館偶然也出現一、二本，也有人借來看，但沒有太多興趣。有些文藝作品和作家，還是在這次公開攻擊之後，我們才注意到。像魯迅的作品，我就沒有看過，好像學校圖書裏也沒有魯迅全集。

這次攻擊得最兇的，如鄧拓的「燕山夜話」，吳南星的「三家邨札記」等，我們當然看過。這些書，我們不十分看得懂，倒是老師看得多。記得「燕山夜話」是連續發表在「北京晚報」上的。當在報上發表時，我們也看過，並沒有注意它，只覺得它說得對。等到公開攻擊之後，再找單行本看，就覺得道理更多了。我們覺得攻擊「燕山夜話」等書的理由，只是斷章取義加上的罪名，鄧拓等原來的意思恐怕不是這樣。

我們班上訂有報紙刊物，是同學湊錢訂的。人民日報、黑龍江日報、羊城晚報、北京晚報等都訂過。我們愛好北京晚報和羊城晚報，上面有趣味性的東西。不知後來為什麼又不准訂羊城晚報和北京晚報。大陸各種報紙，如果每日出版的，每月價「人民幣」一元二角。

課外活動除去看報、看小說外，就是運動。我是一個運動員，凡是學校運動員均有特別優待的，吃得好，粮食配得多，有油有肉配給，還不要化錢。所以大家爭着做運動員。

以全校來說，我是「第一號紅人」。我是十項全能冠軍、籃球隊隊長、女子籃球隊教練。我又是學生會的體育部長。每天清晨四點，我就吹口哨把全校運動員集中起來操練，不管天氣多麼冷，冷到零下三十度，或者風雪交加，也照樣操練，否則就取消運動員資格。（二）

瀛海異趣談

富翁慈善捐款多為顏面

桑雅

許多千萬富翁，無論在生時或死後，都成立一個基金會，將他們的財產，撥充善舉，協助推動社會的福利工作，或支持醫療上的研究，發展教育的經費。他們認為此舉，總算給下一代有意義得多。但是其中不少是迫於行善的，因為他們感到死後遺下的巨款；而不用於有意義的事情上，那是一種羞辱，和有損顏面的事。像安杜遜．嘉尼茲，就是一個例子，如果他不是為了避免「尖威」，便不會幹出使面子增光的行徑。

據說安杜遜．嘉尼茲的財富，在過去一個期間值一億二千萬鎊，但在一九五〇年，嘉尼茲基金會已贈出一億鎊的款項。

在目前的巨額贈款者，感到很難在死時追上安杜遜．嘉尼茲的標準。儘管如此，那些富翁仍然設法而為的。

每年英國富翁捐出的慈善款項，約一億三千萬鎊；估計百份之八十五，撥助教育和研究計劃方面的經費。

施贈是一樁大事，像蜆殼公司，特設一部門，專責處理慈善的事。那些職員，盡心盡意的替富翁幹着慈善的工作。

在芸芸的富翁中，最近年間有一位男士，堅持以無名氏把二百萬鎊捐給倫敦的學院，其他的很難將其施主的身份隱藏，查理士．葛羅，最近將一幢價值二十萬鎊的別墅捐出，改建作為倫敦動物園的哺乳動物的居停。事實上不能將這事實隱蔽的，事實上查理士．葛羅一年捐出二十萬鎊。

已故的積克．葛頓一次坦白的說：「我同意安杜遜．嘉尼茲的說法，於富有時死，委實有失體面，所以我竭盡所能的，能夠死後受人敬仰。」

這位商業鉅子捐出五萬鎊，作為倫敦動物園史魯頓爵士鳥室的建築費。另捐十萬鎊給皇家手術學院一座值十萬鎊的生物化學研究院，及捐給動物學會二十五萬鎊。估計在近年間他已捐出的款項逾五十萬鎊。他的目的是想和安杜遜．嘉尼茲匹敵。

另一位富甲一方的鉅子，於機會來臨時亦想盡力捐出巨款，他名叫麥斯．里尼。在兩年前，有人統計他所捐贈給藝術、醫療和教育等各方面逾二百二十二萬五千鎊。這筆款項是從麥斯．里尼基金會那兒撥出。但是這較之由胡遜基金會所捐出六百萬鎊的數字，相去甚遠。胡遜基金會是大環球百貨公司的主席伊薩．胡遜設立的。

在麥斯．里尼方面，只有今年這個四十八歲的富翁，以五萬鎊捐給作為倫敦夫與建老人院房舍的款項，而此次捐款是為了他底雙親金婚（結婚五十週年）紀念而做的。

為什麼人們，即使是百萬富翁，應該捐出這類款子？據麥斯．里尼解釋：「當你獲得相當數目的款項時，事情便成為不大現實了。沒有一個人，在生活上能用得盡那些錢的。在相當合理的情況下，也許要擺脫一百萬鎊，但後來會如何？在幾年前，我的時機來臨了，那是我認為已獲得自己及家人所需的足夠的錢。我認為如果我底兒女繼承好幾百萬的財產，這只有損害他們而已。我決定當我並非四十歲的人，仍想繼續工作，我會為一些人幹點事，這就是基金會成立的原因」。

在一九四三年，諾菲特男爵成立他底基金會，捐出一千萬鎊的巨款。此外馬克斯男爵及比利．畢連爵士，是其他將財富慷慨捐贈慈善機構之人。

但是比利．畢連爵士指出，當他將三萬鎊，捐給倫敦威武史密夫醫院作為移殖腎臟研究款項後說：「捐款是一樁易事，但是將腎捐出給他人，倒是很難辦到的。」

這個被譽為「維爾斯諾菲特男爵」的大衛占斯爵士，於本年三月，死於其在塞薩斯寓所中。他常說：「當我認為要幹點好事時，我很樂意捐出三百萬鎊，大部份是給予威爾斯的傳教士或鼓勵威爾斯的藝術。」

在幾年前，威爾斯籍的男明星李察．波頓捐出五十萬鎊，這筆款子就是他僅有的。為什麼他那末慷慨呢？他說：「我至今仍然不大明白，我只感到需要幹一些心安理得的事。也許金錢是成為相當重要的，也許以之當作賄賂。不管怎樣，我得從頭幹起，將每一文錢也擺脫。那簡直是一種相當奇異的感覺，這使我想着許多關懷別人的事。」

人們說施比受更為有福；既然如此，人們該準備隨時施捨、捐贈，蓋為善最樂也。

剖析八十二名反毛的中共中委

李敦復

朱德（中央委員，生（一九六六）年八月，據法新社根據新華社之報導，似已被免去中共中央政治局委員，中共中央政治局常（務）委（員）會委員，中共中央委員會副主席等職務，至另担任「全國人民政治協商會議常務委員會」主席及「三屆人代會常委會」委員長，可能尚予保留，今年二月，美聯社東京電訊報導，因反毛已遭公審。）

陳雲（中央委員）國務院副總理，一九五九年已遭清算，今年二月被指為中國的米高揚，已被摒除各項職務，已遭整肅。）

林彪（中央委員，中共中央軍委會副主席，國務院副總理，國防委員會副主席，國防部部長，在中共黨內權力傾軋鬥爭中，為支持毛澤東奪權鬥爭之中共今天北平權力人物，極少在公開場合露面，今年三月二日忽在北平出席參加來自貴州的無產階級造反者的招待會，此為自去年十一月以來，相隔三個月的首次。）

鄧小平（中央委員，中共中央總書記，中共中央書記處書記，國防委員會副主席，國務院副總理，自中共領導階層相互傾軋火併以來，與劉少奇被認為是反對毛澤東政策的領袖，外電傳已自殺。）

董必武（中央委員，中共中央監察委員會委員兼書記，中華人民共和國副主席，今年三月四日被北平紅衛兵第一次攻擊，指與陶鑄勾結，此一八十一高齡之中共創立者之老古董，幾亦難例外。）

彭眞（中央委員，前北平市長，北平市委會第一書記，人代常（務）委（員）會副委員長，自中共發動文化大革命以來，今年二月，中共已正式宣佈為「反革命份子」，已遭整肅。）

陳毅（中央委員，國務院副總理，國務院外事辦公處主任，外交部部長，軍事委員會委員，在中共文化大革命浪潮中，紅衛兵揚言要燒死他，「北航紅旗」攻擊指為「煽動羣衆反對毛澤東，惡毒攻擊毛澤東思想」等罪名，（四）

最快的巨輪合衆國號

．凌雲．

一個長達五條街道的碼頭，伸展到哈得遜河，這兒停泊了一艘大輪船，它有九層高，長度則幾乎和這個碼頭相等。這艘巨輪名「合衆國」，是美國商船中的天之驕子，大西洋上的速度冠軍。

通常，合衆國號在它本國港口停泊的時間是短暫的，它雖然使用驚人的力量，迫使它重達五萬一千九百八十八噸的船身，以每小時三十五英里（合三十海里）的速度，穿越大西洋，它仍需要匆促地配合它的所有者——合衆輪船公司所訂的航行時間表：一年要在大西洋來回四十二次，在加勒比海航行兩趟。

在隻船，常有一千七百五十個旅客在這個旅館裏面浮海，其中很少有人知道在他們登輪之前，大規模的準備工作進行的情況，或者船上一千〇六十名男女工作人員中的一大部份，在五天的航程中的工作情形。

現在，在遠處看來，船上好像是荒涼的，事際上，卻有幾百人在為她忙碌。這位大姑娘需要化粧品，每一次航行之後，船殼有些地方會生銹。因此有很多漆匠，像螞蟻一樣的懸吊在外面，為它塗脂抹粉。

在船艙裏面，有專門的技術人員在檢修它的十架鋼琴；在特別艙中，有三十三個人在油漆；打掃地毯的，裝飾室內的工作人員，則在走廊上、特別艙、跳舞室、電影院、狗房和美容室穿來穿去，要把船上整飾得煥然一新。

在船的中部，有一個入口，是容納一切重要的膳務補給品，輸送的是兩具自動電梯。最初，有一套餐枱的亞蔴布製品送出來，這一套東西，共值美金二十一萬五千元，船上總共有三套。其中包括白枱布、被單、毛巾、廚子和侍者以及打雜者的茄克，每一套需要三輛大卡車纔能運走。

現在是啓碇的日子，最後的一件東西來了，那就是半噸冰塊，這是供應特別艙舉行酒會時緊急需要的。在兩小時之內，它就要出海了，到正午，旅客正在由三條有帆布遮蓋的跳板上紛紛的上船。

這艘巨輪出海之後，最初，最忙的是印務室，它要出版「海洋新聞」，把菜單印在裏面。它的艙位分為頭等、二等和旅客級三等。每一個等級，每一天的菜單都不同的。船上也有他們的菜單。在一次航行中，共有六十五種不同的餐次，菜單多達三萬五千件。第二天早晨，這份大頁的新聞，就和旅客見面了。

船上的膳務員，侍者和打雜工人，共有五百七十五人，分頭在為旅客作各種服務。

通常，不論在那一種客艙裏，旅客都是非常愉快的。船上的工作人員，也是一樣。不過在接到了前途有暴風雨的信息時，工作人員就忙起來了。他們要作各種安全的準備。在暴風雨中，旅客的胃口會大大的減低，有時候要少開百分之五十，輪船公司當局，往往因此可以節省費美金幾千元。

中國女性文藝春秋

周遊

中國封建時代的女聖人

漢代有兩位女文學家被人們捧之為「女聖人」的，那就是班婕妤和班昭，都出在班家。在她們之前，似乎也有前例，如周之聖母——大姜、大任、大姒，因之後人也給了二班以「女聖人」的聖冠。在此依其時代之先後落筆。

（一）班婕妤

班婕妤的芳名是失傳了，婕妤是后妃的名位。她是左曹越騎校尉班況的女兒。漢成帝初，被選入後宮，始為少使，（列女傳作小使）不久間，成帝大加寵愛，遂升為婕妤。成帝游於後宮，曾欲與她同輦，她以禮辭道：「觀古代圖畫，賢聖的君主，都有名臣在旁，只有三代的末主，才近女嬖。現在要妾同車，豈不和他們一樣嗎？」成帝很激賞她的話，便不與載同車。太后聞知，也大加讚美道：「古有樊姬，今有班婕妤」。這一件事的確值得激賞的。

她時常讀詩，讀到關睢、鵲巢、葛覃一類的詩篇，必再三復誦。每進見上書，皆依古禮，她完全是一個復古者，也是女性中古禮的保護者。自鴻嘉之後，成帝又愛上了她的一個進侍者李平，為了寵愛李平，特賜姓衛，亦立為婕妤。我說「君主是中國女性的罪人」一點亦不過份，更非標新立異。弄玩女人，歷代帝王列入甲級的，當然也不只是漢成帝一人。他玩膩了李平，又獲得了歷史上有名的女人趙飛燕姐妹。趙飛燕是有名的「袖珍美人」，能作掌上舞，身輕如燕。成帝寵幸過於其他任何后妃宮女。因此，許皇后和班婕妤等，都被疏遠了。日子久了，許皇后自不滿飛燕姊妹。趙飛燕姊妹也譖告御狀，說許皇后、班婕妤挾邪詛祝。成帝大怒，把許皇后廢了，並考問婕妤。婕妤說：「妾聞生死有命，富貴在天，修正尚未蒙福，為邪將欲何望？而且假使鬼神有知，不會接受不臣的請求，如其無知，訴之何益？」表示自己不會作此愚昧之事。成席倒也被她說服了，於了赦了她的罪，賜黃金百斤。其時趙飛燕姊妹的淫威顯赫不可一世，班婕妤深知趙氏姊妹必然嫉惡，日久恐遭其暗算，乃請求供養皇太后於長信宮，作賦自傷云：

承祖考之遺德兮，何性命之淑靈？登薄軀於宮闕兮，充下陳為後庭。蒙聖皇之渥惠兮，當日月之盛明。揚光明之翕赫兮，奉隆寵於增城。既過幸於非位兮，竊庶幾乎嘉時。每寤寐而絫息兮，申佩離以自思。陳女圖以鏡鑑兮，顧女史而問詩。悲神婦之作誡兮，哀褒閻之為郵。美皇英之女虞兮，榮任姒之母周。雖愚陋其靡及兮，敢舍心而忘茲！歷年歲而悼懼兮，閔蕃華之不滋。痛陽祿與柘館兮，仍襁褓而離災。豈妾人之殃咎兮，將天命之不可求。白日忽已移光兮，遂晻莫而昧幽。猶被覆載之厚德兮，不廢捐於罪郵。奉供養於東宮兮！託長信之末流。共灑掃於帷幄兮，永終始以為期。願歸骨於山足兮，依松柏之餘休。重曰：潛云宮兮，幽以清。應門閉兮，禁闥扃。華殿塵兮玉階苔。中庭萋兮，綠草生。廣室陰兮，幃幄暗。房櫳虛兮風冷冷。感帷裳兮發紅羅，紛綷縩兮，紈素聲。

（七）

平劇續紛錄

談「趙雲」戲

○桂良○

劉備做新野牧，得了單福軍師，正逢曹操自河北冀州回到河南許都，常有取劉表荊州之意，特差大將曹仁、李典並降將呂曠、呂翔等領兵三萬，進屯樊城，虎視荊襄。劉表久鎮荊襄，也怕曹軍南下，因劉備寄居荊州，乃向他說：「賢弟久居此間，恐廢武事，襄陽屬邑新野縣，頗有錢粮，弟可引本部軍馬屯紮新野。」劉備領諾。劉表之意，「擋曹」必須劉備打頭陣也。

曹兵南下新野，第一陣，二呂如同插標賣首，讓趙雲張飛分別結果了。曹仁只好起本部三軍，自樊城星夜渡河，要踏平區區新野小縣。單福知二呂被誅，曹仁必起大軍來戰，遂與劉備預先準備。曹兵既到，兩陣對圓，趙雲出馬喚曹將答話。曹仁命李典出陣與趙雲交鋒，李典抵敵不過，撥馬回陣，遂各罷兵歸寨。李典回見曹仁言：「彼軍精銳，不可輕敵，不如退回樊城。」曹仁大怒：「汝未出軍時，已慢我軍心，今又賣陣，罪當斬首！」便喝刀斧手推出李典要斬，衆將苦求方免。曹仁於是自領軍為前部。次日擊鼓進軍，曹仁擺動令旗，布成一個陣勢，使卒問劉備曰：「識吾陣否？」單福便上高處觀陣，謂玄德曰：此乃「八門金鎖陣」。八門者休、生、傷、杜、景、死、驚、開。如從生門、景門、開門而入則吉，從傷門、驚門、休門而入則傷；從杜門死門而入則亡。今曹仁於八門雖布得整齊，只是中間連鎖通欠聯繫。我軍如從東南角上生門而入，往正西景門而出，其陣必亂！劉備傳令，命趙雲率五百軍士從東南而入，由陣中穿過，往正西出陣。趙雲得令，挺槍躍馬，引兵逕投東南角上，殺入軍中。曹仁引軍便投北走。趙雲却不追趕，穿過陣中，突出西門，再翻回東南角上喊殺。曹仁所佈「八門金鎖陣」勢大亂，劉備麾軍，曹兵大敗。由演義看來，子龍屢戰屢勝，果然威風八面！

此齣先上曹仁坐帳，勾油白三塊瓦臉、黑滿、大額子後扇盔、翎子、狐尾、杏黃蟒，閃紅蟒。聞訊二呂落馬，曹仁大怒叫請李典進帳。李典由二路武生扮綠臉、黑三、大額子、紮巾、翎子、狐尾、閃綠蟒，坐大邊後，與曹仁議事，勸仁暫勿出兵。有些念白和作表，演來很可觀。最後曹仁拒諫發兵。擺「八門金鎖陣」時，用八個靠將，各執一面月華旗，起牌子、走叉花。劉備、單福二裏子老生，上高台觀陣。單福看出破綻，命趙雲打陣。趙雲是全劇的主角，戴白夫子盔，白大靠、由武生應工，在上場門一聲通名，便出來打陣，以後開打，套子甚多。所以從前科班武生行，定此劇為開蒙戲之一，如今却成了冷戲了！（四）

多叩頭，少說話

曹儷笙做官六字訣

·夜闌·

曹儷笙（振鏞）字懌嘉，乾隆庚辰年傳臚，曹近薇（文植）的次子。乾隆己酉中舉人，辛丑年進士，授編修，官至體仁閣，大學士，旋加太傅銜，歷乾隆、嘉慶、道光三朝，至五十多年。文章官階，名震國內，巍然不倒翁神氣。他的門生，有請他講述做官秘訣的，曹笑口吟吟說：「沒有什麼秘訣，只是『多叩頭，少說話。』六個字，便可包涵。」少說話，便不致觸怒上司和同僚。多叩頭，是表示恭敬，那官運自然亨通，一帆風順，指日高陞了。」當時有好事者寫了兩首一剪梅詞來譏諷他。

其一云：「仕途攢進要精工。京信常通。炭敬常豐。莫談時事逞英雄。一味圓融，一味謙恭。大臣經濟在從容。莫顯其功。莫說貞忠。萬般人事在朦朧。議也無庸。駁也無庸。」

其二云：「八方無事歲年豐。時運方隆。官運方通。大家相助要和衷。朝也彌縫，夕也彌縫。無災無難到三公。妻也榮封，子蔭郎中，流芳身後更無窮。不謚文忠，便謚文恭。」

眞是嘻笑怒罵，形容盡致了。

曹也好吟詠，少年時詠司馬相如詩：「才子同時誇武帝、美人知己有文君。」造語典麗，傳誦一時。到廣東督學的時候，得了一株紅豆樹，運回故鄉，種植在黃山腳下，每隔二十年，才有一次結實，因之他的子孫，常常把紅豆送給戚友，來做一種交際禮物。曹後來做了官，不大做詩，想必忙於「叩頭」了。陳子言（詩）編的「皖雅初集」，只錄他的詩四首，如夏日夜坐七律云：「無計留人笑語陪，獨看巢牖燕飛回；涼棚院裏月初上，冷布窗前風正來。向佛焚香索細篆，呼童潑水壓輕埃；倦身欲臥還慵起，兒報盆榴一朵開。」一題放翁詩後云：「南渡詩人陸劍南，清普娓娓味醍醐。先生眞意誰能會？心太平菴老學菴。」雖屬零金屑玉，也可以例其他了。

帽兒頭與撥碗

·蜀也仁·

四川的帽兒頭，是用碗盛裝的白飯。用句四川形容詞，便是冒燒燒的。不過，冒燒燒的帽兒頭，在盛裝的的技術上有講究，有的鬆，有的緊，大小也不同。如此這般，一是店家的生意眼；二是適應顧客的需要。

大體說來，一般小食館和飯店子的帽兒頭較紮實，白飯壓得緊緊的，堆得高高的，販夫走卒，過往客商，歇脚用膳，叫幾份小菜，吃上一碗帽兒頭，就足夠一飽。就是大肚漢轉世，頂多來上兩個，包管鼓鼓脹。吃上三四個帽兒頭的，少見，少見。大飯店的顧客高雅些，帽兒頭也裝得「斯文」些，碗小飯鬆，堆得也不高，若與「大傢伙」比，眞有「小巫見大巫」之感。

帽兒頭既是堆起來的，一碗在手，吃得不好，會碰到鼻子，或者垮了下來。避免出醜，便學上一個名堂——用碗撥飯。顧客有此需要，一聲：「么師！來個撥碗！」跑堂的馬上照吩咐，送上一隻小碗，讓客人把帽兒頭的白飯撥開來，方便一些。

假如客人飯量一個帽兒頭不夠，兩個帽兒頭嫌多，也可引用此語，叫老闆或么師添個「撥碗」。不過此撥與那撥不同，碗有分別，前者是撥飯用的，後者是半碗飯，就得有半碗飯的給與。

吃帽兒頭算錢，小菜也要算錢。菜不算錢，客人以此「當頓」，老闆豈不喝西北風也？然而，一般飯店還是極厚道的，客人叫的小菜吃光了，飯未食完，需點菜下飯，可吆聲「寬客！」么師一聽，自會像「寬」一般的，替主顧添點小菜，免費奉送。

又如吃「豆花飯」，帽兒頭，嫩豆腐算錢，另外「雲花菜」（豆腐渣弄的）一份，寬湯一碗算是請客。如若淡巴巴的寬湯，可叫：「么師，寬湯帶綠！」么師便往碗裏滴些香油，放下佐料，加點葱花，一碗豆腐清水，變成一碗湯帶菜了。

「淑女」的故事

·綠窗·

我看見了他，很想和往昔一樣，跳過去扶他的手。但才走一步，高跟鞋一歪，險些兒摔倒。我面孔紅了，覺得候機室裏的每一雙眼睛都在盯着我似的。手足無措地，我不知如何是好。

李文彰跟爸和媽打過招呼後，他站在我的面前，發呆的望着我，像是不認識似的。他囁嚅了半天才喊出一聲：

「大表妹，你好！」

他不認識我了，我心裏立刻酸楚地，眼淚奪眶而出。若不是在公共場所，我眞會哭了出來。

晚飯時，媽特別安排了我和李文彰坐一起。可是，大家都生疏了，拘束得連一句比較自然點的話也說不出來。滿桌子就聽見了惠瓊在向表哥問長問短，吱吱喳喳的說個不停。

妹妹又搶先了，我很有點恨她。同時，我也在恨自己。我為什麼不像她那樣？為什麼我對一個過去那樣斷熟的表哥，也會像陌生人般格格不入？我明知道是我心裏把男女界限劃分過於明顯的關係作祟，但却束手無策。

晚飯後，不管惠瓊願意不願意，媽把她支走了，並讓我和李文彰有一個單獨相處的機會。我和他兩個人呆呆的坐在客廳裏，眼觀鼻，鼻觀心的登場了好一會，最後，總算由他打開僵局。

「大表妹，你改變多了，變得這麼的成熟。」

「唔，」我在喉裏答應着，想哭。

「我再也沒想到過去披頭散髮，拖着我的手在街上亂走，還坐在我肩膀看花燈遊行的表妹妹！」

他這幾句話，觸到我的深處，我知道他沒有忘記我。我覺得，我要自然，不要理會媽所教我的那一套。於是，我伸手把頭上的頭髮夾都除了下來，讓頭髮胡亂的披着，然後笑的對着他說：

「表哥，是這個樣子嗎？」

「大表妹，就是這樣！」李文彰面孔發光的笑着說。同時，他很自然的把手伸過來，握着我的手。我感覺他的手在微微發抖。

我也笑了，眼角裏流着的一顆淚珠，就在這一笑中被擠了出來。

「大表妹，不瞞你說，我這次來，主要的還是特別來看看你，你還肯像小時候一樣，跟我到各處跑跑嗎？」

我點了點頭，無限嬌羞的把頭低埋着。我想：我算是達到媽的期望了，但不是按着她那一套淑女的打扮和做作。

（完）

難忘的大代數老師

藍南

接着在黑板上寫：「黑板、的右邊：面對着黑板，在吾人的右邊之謂。」我一字不漏的抄上了筆記簿，同時多記了兩個字：「虛心」。

日子過得很快也很平靜，我們開始了解代數先生的個性：上課前，講桌要擦得特別乾淨，不敢留下污漬；粉筆盒尤其要裝得滿滿的，還要特別注意使粉筆尾向上，因為他總是從粉筆尾寫起的；還有一項工作最使值日生煩厭，那就是每節代數課只要黑板一寫滿，便要值日生立刻上去擦乾淨；日子一久，也沒有人埋怨綠衣服灑了白粉，黑裙子染成白色，因為大家都是一樣公平待遇，誰也輪得到。

最令人叫屈的是他規定「考試不通知，考卷不發回。」這怎行呢？天天都有考試的可能，多大的精神威脅！至於不發考卷，那更使不得，因為我們不能親眼看到自己的錯，怎能心服？何況發下考卷，還可能講講價錢，少扣幾分。於是全體組成龐大的請願團。可是這位代數先生却不急不忙的問：「妳們到學校是追求學問，還是追求分數？要記得眼光要遠大！妳們這一輩子就拿了這點分數有什麼用？我從前教男學生就沒有像妳們這樣追求分數！回去！回去！」我們無話可答，一個個都回來了。

雖然代數先生的作風使我們大吃苦頭，可是我們沒有一個人不欽佩他。大代數是我們又担心又厭惡的課程，可是一年當中，居然沒有一位同學上課打過瞌睡。他講課的聲音那麼宏亮，速寫黑板也那麼用力，眞是傾全力全心教導我們。

每上完課，即使在冬天，他免不了揮汗如雨。只要有一同學不懂，他總愛講一句「笨」！可是那只是口頭語，誰也不介意，因為從他再度的仔細講解，便已表明了一切。記得有一次講到「不等式」，我們沒有注意聽，以致無法了解；他一講再講，後來聲音也啞了，雖然我們依然不了解，但內心都十分感動。

我們都覺得他不是處於現社會的人，方程式的變化，他認為是美的藝術作品；X、Y、Z的出現，他認為是舞台上的演員出場；數學中艱深的一幕；一道數學難題的解答，也許比一套新西裝對他更重要；他的思想幾乎只限於數學的領域中。他的身材，光禿的頭頂和紅潤的面孔，都將永遠印在我們這些受教學生的腦海中。畢業已多年，對於中學的那段黃金時代，懷念不已，尤其是感激數學老師的熱誠教導，眞是恩重如山，何時能報答！（下）

習慣與生活

○大知○

照此看來，一個無端的對於某人某事的驚悸喜怒；一個溺愛慣的兒童，用哭泣來做要挾，滿足他慾望的手段，都是不知不覺的，制約反應所養成的。要消除這種不良的習慣，也得用制約反應的方法。例如：那養成了怕狗習慣的孩子，在每次看見狗的時候，可以給他快樂的東西，如糖果之類，使他對於狗聯結一種愛好的情緒，去代替恐懼的心理。從這上面，我們可以恍然悟到，為什麼人們有許多說不出理由來的怪癖，其經過是無意識地，如此造成的。

我們學習語言文字的習慣，也是同一原理。一個小孩，看見了一隻貓走近，她的母親指着說，這是貓；第二次，看見了另一隻貓，也有人喊「貓」。如此，聯合既久之後，只要單獨的提出「貓」字，就會使孩子聯想起那只善於捕鼠的動物來了。

聽說，從前有一位大演說家，每次演說的時候，總要摸着他的一粒鈕扣。有一天，他的夫人把鈕扣剪去了，演說家上台去，摸着鈕扣原來的地方，竟然囁嚅吞吐地，講不出一句話來。可見一個習慣感人之深了。

據說，有些國家，利用心理的方法去應用或實施於教育以及社會各方面的。在幼稚園學校中，把兒童分作幾隊，每隊的兒童穿着一種特殊的顏色，有紅的、綠的、黃的，種種不同，領隊的先生，也穿着該隊的顏色。（中）

內政部登記證內版台報字第〇三一號

自由報

THE FREE NEWS

第一八七一期

中華民國僑務委員會登記　台灣新字第三二三三號登記證　中華郵政台字第一二八二號執照登記為第一類新聞紙類
（每逢星期三、六出版）（半週刊）

每份港幣壹角　台灣零售每份新台幣弍元

社長：雷嘯岑　督印人：黃行智

社址：香港銅鑼灣高士威道二十號四樓　20, CAUSEWAY RD 3RD FL. HONG KONG

TEL. 771726　電報掛號：7191

承印者：大同印務公司　地址：香港北角和富道九十六號

台灣分社　台北市西寧南路壹零陸號二樓　電話：六三〇三三　台郵劃撥儲金戶九二五二

注視美國詹森政府對中共的新姿態

宋文明

現在全美國所注視，同時也是全世界所注視，便是美國與中共間的關係。美國與中共間的關係將作何種變化。這種關係的如何變化，對於亞洲及西太平洋地區的整個大局，無疑具有十分重大的影響。

至今為止，蘇俄仍是美國最主要與最强大的對手，對美國本土具有嚴重的直接威脅者，今日也只有蘇俄一國。可是美國與蘇俄間的關係，由於它們不斷獲得新的諒解與協議，所以就是在越戰激烈進行期中，它們也仍然保持相當的友好。而在另一方面，美國與中共間的華沙大使接觸，雖一直持續不斷，每隔數月即有一次長時會談，但中共對美國的敵視，及其雙方關係的惡化，今日仍有增無已。因此有不少美國人，現正焦慮美與中共之間是否會有發生直接衝突的可能性。

世人的所以特別注視美與中共的關係演變，除了它們之間經長期談判仍無法獲致任何協議，以緩和國際緊張的這一基本事實之外，主要還由於中共對北越的控制作用及影響力。現在大家都看得很清楚，決定越戰和談的最重要關鍵，并非在於莫斯科，而是在於北平。莫斯科已清楚表明，只要美國無條件停止轟炸北越，蘇俄即願意儘力促成和談的實現。可是中共是否也願意如此？假若中共不願意越戰和談，這種和談有無出現的可能？根據有些新聞報導所傳，過去數次越戰和談機會的曇花一現，而終告渺無訊息者，完全是由於中共的從中作梗。對於這一說法，我們還沒有獲得公開的官方資料可作證明，不知是否完全正確，但身為當事者之一的美國政府，想來已一定非常清楚的體驗到，假若沒有中共的同意與認可，越戰和談是根本不可能的。

因此，自從一九六五年秋天以後，也就是美國改派前郵務總長格羅諾斯基為駐波蘭大使，以接替與中共間的大使談判職務之後，美國便對中共發出了一連串的和解姿態。這種和解姿態，包括從提議交換各種人員訪問，至美國政府要員的演講與聲明，都能强調一個主題，即美國與中共終有一天雙方會重新和好相處。言下之意，既然雙方在將來一定會重新趨於和解，那麼今日越戰也將不成為一項交惡與衝突的因素，由此希望中共能促成，至少能不阻礙越戰的和談。

對於美國的這種種和解表示，中共一直採取一種不加理睬的態度，至少表面的言論宣傳皆都如此。可是在另一方面，年來美機在海南島及廣西邊境一再發生射擊事件，中共對美國抗議聲色俱厲，而其實際行動却表現得極為審慎持重。中共採取這兩種態度的背景究竟如何？我們不得而知，亦不知道美國的這種長期和解表示有無發生若干作用。但是從一般常識來作瞭解，即使中共無意進入越戰，設法避免與美國發生直接衝突，而它的內心却希望越戰能在現行這種方式下，儘量延長下去。因對中共來說，一方面越戰對它構成了一種重大威脅，另一方面，越戰亦為它提供了一個千載難逢的機會，用以掩護它的「文化大革命」及該武器的發展。中共不可能沒有越戰，它的「文化大革命」，假若沒有越戰的延長不決，中共也無法長期堅持這種「文化大革命」，并全力發展核武器。越戰越延宕，越僵持不解，中共也越有機會，去安心推行它的內部整頓。假若北越決心求和，中共能否堅持反對下去，固有待事實的證明，但中共在內心極願意看到越戰能儘量拖延，乃屬不爭之論。

正由於這一根本原因，其加上最近中共在核子武器方面的快速發展，所以美國對於中共的和解姿態，亦越來越加緊。在這種和解姿態中最值得重視的一項步驟，便是最近羅馬尼亞總理莫勒的北平之行，負責轉達美對中共的新態度。根據本年七月間發表的皮爾遜在六月二十六日內幕文章，詹森在白宮與羅國總理莫勒會談中，詹森不僅告訴了莫勒美國即將改變對中共政策的決定，而且還請求莫勒赴北平一行，轉達這項決定。這項新的決定，便是七月八日詹森告訴西德雜誌記者南寧及薩姆爾兩人的，是希望「中國有一天會在國際社會中取得一席受尊重的地位」。至於莫勒此行所獲中共反應如何，皮爾遜承認直至他寫這篇文章為止，他還不知道詳細結果。不過在他談到這一問題時最後則說：「詹森并未希望一夜之間會有所改變，但是他已作了第一個姿態，而且這將是他一生中所作的最重要的一項外交政策決定」。說得更明白一點，詹森對中共的這項新決定，并不是別的，而是嘗試允許中共進入聯合國，以換取中共在其他方面的讓步。這種讓步可能在於越戰方面，希望中共不再干與越戰和談，也可能還旁及其他事情，希望中共能積極參與禁止核子擴散的談判。換言之，詹森嘗試的這項作法，是以改變聯合國代表權，作為一種開始步驟的。

假若詹森的想法確是如此，那麼我們也可以更進一步的解釋，七月廿六日中華民國兩位外交大員劉鍇代表與周書楷大使的聯訪美國國務院，與魯斯克國務卿會談，以及緊接着周書楷大使的返台北述職，究竟是為了什麼？因自七月底至聯大會議揭幕，尚約有兩個月時間，至辯論與代表權實行表決，為時更久，假若沒有特別事故，諒不會在這樣早以前，就需要為代表權問題與美國國務卿作直接會談。這種中美高層官員的直接會談，表示所接觸的問題，為原則與政策性問題，而不是枝節技術性問題，其整個會議如何？也就可想而知了。

在這一發展中，還有一點最值得重視的，便是從詹森首次透露，羅國總理莫勒赴北平一行的使命，直至本文執筆時止，美國從未打算對莫勒此行的各種說法予以否認。因此，除非在最近的將來，有了相反的客觀事實發展證明，否則正如美國一家著名雜誌所說：「莫勒此行，終有一天會透露出，為美國政府長期以來在促進與中共建立更密切外交接觸努力的一項重大行動」。

「好鄰居」

無事獻殷勤

今日與明日

八月九日斷腸時

八月九日這一天，當是本港左派永不能忘的日子，所有鬥委一覺醒來，未見全市插遍紅旗，却在報紙及電台上（當然不是左報及被左派劫持的綠村電台）聽到兩項消息，一是鬥委吳叔同反正，安抵台北，準備於當日下午招待記者，大爆香港左派內幕，一是在暴動中，一貫作馬前卒，爛頭蟀的三間外圍左報負責人胡棣周、潘懷偉及潘的四姨太翁田豐日報督印人都被警方捕去，從此九間左報少了三分之一。

先說吳叔同反正

據吳叔同抵達台北向記者透露的此間左派內幕，不問最初我們將他們估計如何之低，但也料不到竟而不堪至此。所謂鬥委也者，本身事前並不曉得，不但未徵求過同意，即使禮貌上打個電話通知一聲，也未有，一聲通知來到，閣下榮膺鬥委，就要去開會，去請願，去大叫大嚷，甚至像傳奇那種年輕鬥委，更要帶着小孩子在馬路上暴動。既不徵求你同意，也沒有拒絕的自由，派到頭上就要出錢出力甚至出命。吳叔同年事已高，又是廣東省政協委員，左派對之尚且如此沒有禮貌，其他鬥委所受的待遇可知，硬迫人食死貓，稍有血性者眞不易下咽。

假若大家一齊來，凡是與左派有關的人，從大到小，從頭目到眞正的員工，一齊動員，尚有可說。但事實親疏有別，不是梁威林、祁烽、孟秋江，眞人不解了，使人不解的，是左派傳奇、湯秉達、黃建立等一羣鬥委，他們究竟對鬥爭是反對，還是被捉？如此，大家才恍然大悟，原來再經吳叔同一番親報導，此次我們才知道梁、祁等人不但不列名鬥委，就是開會也不參加的，鬥委會名義上是中共鬥港英，實際上却是捉了一批替死鬼害香港的中國人。任何一個鬥委，只要不是白痴，瞻前顧後多想一想，恐怕也只有吳叔同這條路可走了。

三左報遭遇

關於三間左報負責人被捕的事，已經提訊，在法庭未有審結前，我們無意多說，不過要特別指出的，是左報犯罪事實，是相同的，不能僅處罰此「三左」而忽略了另外「六左」，法律之前應當一律平等的。同時也希望目前尚未被捕到的左報工作人員，究竟作人抑作鬼，最後關頭，自己要作一選擇，否則恐怕此一覺醒來，再想選擇也無及了。（何如）

自由談

李立三何以自殺？

中國共黨的元老幹部湘人李立三，最近在天津自縊而死了。他自從四十年前以「左傾冒險主義」的罪名，被黨內的國際派鬥垮後，謫留莫斯科有年，又見忌於毛酋，始終抬不起頭來。毛共偽政權僭立了十幾年，他依然鬱鬱不得志，掛着一個「全國總工會」委員的頭銜，伴食延年而已。

李立三既不是「當權派」，亦非「赫修」路綫份子，在所謂「文化大革命」鬧劇中，更未聞有對他過不去的消息，何以遽萌短見，上吊自殺呢？唯一原因就是他的人性與理性尚未完全泯滅。目擊着毛酋倒行逆施，表演奪權醜劇，弄得共黨四分五裂，衆叛親離，敗亡可立而待。他固然無所愛於毛酋，但不能不愛自己關係極深的共黨，但又愛莫能助，沒有他說話的餘地，苦悶徬徨，無可排遣，與其將來胡里胡塗地隨着毛酋同歸於盡，到不如一死以了殘生，少受些痛苦之為佳，這是理性作用，人之常情也。

據說，民國十五年前，李立三在共黨很活躍的時候，他的父親被共黨暴徒指為土劣，捉去殺了。當時他表面上毫無所謂，對着暴徒們亦說是「該殺。」繼而共黨幹部人士聞訊到他的住所表示慰問，認為李老太爺罪不至死，立三即以激動的神色答道：「是啊，他們硬要殺他嘛！」這便是人性的流露。這段故事我親自聞之於當年身歷其境的一位共黨幹部所述的，自係眞確的事實。

要做一個共產黨徒，必須泯沒人性與理性，成為無機體的「活死人」乃可。然人性和理性又係與生俱來的先天秉賦，完全泯滅，殊不容易，此李立三之終於自殺也！共酋陳毅對於「紅衛兵」之胡行妄為，亦說過一些帶有人性和理性成份的話語，他現在是「當權派」，將來如其被鬥垮鬥臭了，他的下場，恐怕亦要步李立三的後塵吧？

整個大陸到處風聲鶴唳

毛共嚴防共幹逃亡

圖越境來港者立即槍殺

（本報訊）據此間英文報載稱：廣州來客謂，廣東共產當局已下令嚴查持有出境證之人，以防共幹及其他對毛共政權幻想消滅者，大規模逃亡。

彼等並謂：廣東中共當局且已嚴格看守中港邊境，及珠江下游之交通。

旅客謂，居民與華僑均知，任何人未經「解放軍」准許而企圖越境來港，即予「槍斃」。

旅客中有一人更謂：若干人乘舢舨、帆船及汽船已成功逃抵香港。但此等報導在港難予證實。

據謂：與廣州保安局有關之高級共官領取出境證並無困難，故當局下令嚴查。

旅客又謂：廣州充滿許多講粵語之人，但火車站與碼頭已不准任何非經許可之人入內。

廣州親毛派與反毛派常常發生打鬥，故香港人士返廣州後，多不敢外出。據謂大沙頭車站仍未恢復常態，渠係在天河站上車者。

此間共黨報紙曾說，去週許多華人越過羅湖邊境而未有受移民當局檢查。此消息已爲移民局所否認。

據報，共報此舉，似係想引起港府之注意，加緊控制邊境，以對付大陸逃去者。

又日前有兩名英國海員謂，去星期四日及星期五日在上海時，曾見數千人以石頭及鐵枝，在街上打鬥。有多人死亡，包括消防員。

兩海員日前離港返英，行前謂，上海局勢顯然十分緊張云云。

（本報訊）據中共紅旗月刊在其所發表的文章中供稱：在反毛反共份子的帶動下，大陸共區普遍掀起了反毛的浪潮，他們與反共人士聯合起來打擊擁毛派，破壞「三結合」，挑撥人民與共軍的關係，非把毛酋攪垮不可。

該「紅旗」月刊在專文中又說：被「無產階級革命派」推翻的黨內走資本主義道路的當權派，並沒有死心，他們驚魂稍定，立即同各種反動勢力結合起來，掀起了一股反革命的復辟逆流。破壞革命的「三結合」，打擊「無產階級革命派」，是他們進行反革命復辟活動的新特點。他們特別歪曲革命的「三結合」的正確方針，妄圖抽去它的革命靈魂，使它成爲「合二而一」的大雜燴。他們千方百計挑撥革命羣衆的組織和革命領導幹部、「人民解放軍」的關係，利用他們的影響，大攪調和主義，折中主義，指使他們的同伙，混進革命的「三結合」的權力機構。有的甚至公然叫囂，要給他們「平反」，「恢復名譽」。

（本報專訊）本年毛共區的夏糧作物的收成，依照播種面積，估計約爲六億三千七百萬畝左右。其中包括冬小麥三億二千多萬畝，春小麥四千五百萬畝，雜糧作物一億四千五百萬畝，早稻一億二千七百萬畝。這六億三千多萬畝夏糧作物，約佔共區全年糧食作物播種面積百分之三十五以上。夏糧的收穫量，則佔共區糧食總產量百分之三十左右。

去（一九六六）年共區的夏糧收穫量，約爲九百多億斤，本年夏糧收成，因大鬧「文化革命」等影響，初步估計，減產約一成半，如此則共區減收的糧食將達一百三十多億斤，比它去年進口的糧食還要多出幾十萬噸，其影響是相當嚴重的。

大陸混亂輸出益見縮減

本港產品銷路相對增加

除本銷轉好外歐洲國家訂貨亦增加

（本報訊）毛共控制下的大陸的混亂形勢有增無減，從整個現狀看來，今後的發展將會愈來愈劣。最近，由於內地交通運輸阻滯及中斷者更多，各類大陸貨物運供本港和經過本港轉銷其他地區者，亦因之而益見減少，疏缺的範圍可以是一天比一天擴大了。在這情形下，促使香港的商業貿易活動有三種不同的新變化，第一是港商向外國地區給補副食品與民生必需品愈益殷切，以代替大陸到貨之不足。第二是許多種類的港產品，本銷市場生意開展，逐漸轉好。第三是若干在中共有貿易關係的西歐國家爲中共方面無法依期交貨，只好轉向本港增訂多類貨品，使本港的出口貿易更其蓬勃。

由於地利之便，中共藉此機會傾銷而由香港吸取大量外匯，但以來途便捷，價格較廉關係，亦都樂於進行貿易往還，向安多。不料本年多類大陸貨物，來量日減，直到近月這種情形尤爲明顯，例如最近就因爲內地交通幾陷半停頓狀態，令到許多副食品的供量大大減縮，這包括了蔬菜、生牛、生猪、鵝、鴨、雞、淡水魚、蛋品、凍肉、什粮等類。爲了本港四百萬市民消費之需，有關商家不得不從新組織貨源，轉向歐美國家和台灣、日本、南韓、泰國、印尼、星加坡等地進行補給，形成月來入口生意增旺的狀態。

香港的各類工業產品，每年外銷出口數量，都有好幾十億元，而且是按年遞增，不斷進步的這一事實說明了港貨的質量是日見提高，具有國際水平，深受世界各國家歡迎。但令人奇怪的是這些產品在本地的市場上，生意卻未如理想，銷路很難有顯著的打開。考其原因，固然是一些用家有「本地薑不辣」的思想在作祟，但無可否認地也受到大量外來廉價製品的傾軋，例如許多中下價的大陸製品充斥，廉價競銷，就給同類港貨帶來很大威脅。最近這些來貨減少了，使許多港產在本銷市場上亦獲得抬頭的機會，相信今後生意的開展還會更好。至於若干和中共有貿易關係的西方國家，此刻他們也因爲中共的生產事業遭受損害破壞，而無法依期得到應有的交貨，在嘗到這種苦果以後，除了獲得很大的教訓之外，還不得不加緊向外尋求新的貨源，所以最近一些地區如歐洲、澳洲等地區的入口商人，就只好紛紛積極轉向本港補充訂購，落單範圍包括棉織品、鞋類，衣著品、文具、電筒等類。本港有關的廠家是多得了不少意外的訂單，使他們的產銷狀態更蓬勃。一般認爲由於中共經濟的一團糟，此後整個國際貿易形勢可能還有其他顯著的變化。

我是一個「紅衛兵」

王朝天

二、滿洲里是這樣搞起「紅衛兵」的

滿洲里在中蘇邊境，對北平來說甚爲遙遠，一切政治活動的反應都比較慢。去年七月中旬才在教師中進行整風。清出了三、四名「黑幫」。八月上旬，傳來了「保衛毛主席」的口號，接着由中央逐級（中央——東北局——內蒙區委——海拉爾市委——滿洲里市委）的派出工作組，指導「文革」的進行。隔了幾天，北京「紅衛兵」總部派人來校，向全體同學中鼓動、組織，不久我校即在黨支書記領導下開始搞「紅衛兵」。初期參加「紅衛兵」的條件是：一、要階級出身好（紅五類子弟）；二、要表現好。先報名，再經學校黨支部甄別、審查、再行批准，進步教師輔導。當時報名的有二百多同學，批准了一百五十人。在此同時，學校成立「文化革命小組」，由黨支書記兼校長江坤任組長。

「紅衛兵」每人發給紅袖章紅布黃字，仿照毛澤東的字體，蓋章，編號。就是我帶出來的一塊。

雖然我是團員，平日也瞭解一些馬列主義和「毛澤東思想」，但「紅衛兵」究竟是什麼玩意，不但我起初不瞭解，就是我現在已經回到自由中國，我還是不瞭解。我相信，所有的「紅衛兵」都不知道他們自己到底在搞些啥玩意？

毛澤東一會兒一個主意，他的辦法常常在變。「紅衛兵」究竟將來要搞到什麼地步，毛澤東自己也是騎驢子看賬本，走着瞧。

有一次一個教員無意中說了一句：「紅衛兵」到底是啥玩意？立刻被同學綁了起來，稱爲「修正主義反黨分子」游街示衆。在大陸上，不許提這個問題。

「紅衛兵」的初期活動，是在「文化革命小組」領導下，一鬥教師中的「黑幫」，二破社會上的「四舊」。

「紅衛兵」組成之後，老師首先成爲我們造反的對象。老師之間首先召開鬥爭，開會互相批判，互相指摘，互相揭瘡疤。鬥來鬥去，老師裏面鬥出了「黑幫」，鬥出「黑幫」之後，交給「紅衛兵」。平時我們受盡了老師的氣，這一下，「毛主席」支持我們革命造反，誰敢反對，誰就反革命。我們把「黑幫」老師一戴上一頂「通天帽」，押着游街。他們一面走，一面還着他們自己喊「我是黑幫」、「我是黑幫」。回到學校開過鬥爭會後，就罰他們作苦工。

上街「破四舊」，就是在街上見到與中國歷史文化及近代文化有關聯的街名、店名、地名乃至學校名號的招牌，均被剷除拆毀，改庸俗的名字。在街上敲鑼打鼓、集衆講演、貼大字報、爭發傳單，乃至動手搗毀、拆除。時常遇到工廠、機關、服務行業乃至職工家屬所組成的「紅衛兵」的阻撓和反對，並常常演成武鬥。

這是因爲：一、「紅衛兵」的「破四舊」打擊面過於廣泛，凡是各階層各部門均在打倒攻擊之列。例如換店舖招牌，就會和職工衝突。到處搜查資產階級或過資產階級生活的人家，形同搶掠，這要普遍反抗是必然的。並且干涉人民的愛好，例如禁止燙髮，禁止穿漂亮服裝，不僅理髮店、服裝店反抗，一般人也不會屈服的。二、有些行動完全是胡鬧。例如見到有面向左側或向左方揮手的毛澤東像，就藉口「毛主席怎樣可以向西方看齊」等牽強附會的理由毀像，並追究繪像和售像的人。

互鬥的結果，產生下列兩種情況：第一種情況，是所有工廠、企業、街道、婦女組織勒令一律取消「紅衛兵」，只保留學校的「紅衛兵」。於是學校「紅衛兵」就揚言：「他們沒有資格保衛毛主席」。最主要的是停止「破四舊」活動，衝突自然避免了。（三）

羅馬尼亞愈益遠離蘇俄

——華盛頓通訊

這個東歐共黨國家不單只在外交政策方面表現獨立行動的姿態，在內政方面，亦流露寬大及自由的跡象。剛在上個星期，羅馬尼亞共黨頭子蘇西斯古下抑制這個國家的秘密警察活動，同時將他們直接置於黨的控制之下。

羅馬尼亞在外交政策方面表現獨立行動的最近例子，在中東問題裏面表現出來。當克里姆林宮統治者偏袒地要以色列無條件地撤出阿拉伯領土的時候，羅馬尼亞卻主張以色列和阿拉伯國家舉行直接談判，作爲解決雙方危機的一種手段。羅馬尼亞這項主張，實際上公開表示支持以色列的立場，因爲以色列的領袖三番四次地呼籲的，就是和阿拉伯國家舉行直接的談判，從而尋求解決彼此間一切糾紛的途徑。再者，兩個星期前，七個東歐共黨國家曾經在匈牙利境內舉行一項會議。然而，羅馬尼亞當時採取抵制的行動而沒有出席。在該項七國會議中，蘇俄曾經試圖號召各衛星國支持莫斯科政府的一項計劃——由他們共同負担阿拉伯國家在最近中東戰事裏面所遭受的軍事損失。換句話來說，蘇俄要求東歐共黨國家分担予阿拉伯國家的軍事援助，從而補充後者的軍事裝備，並且予阿拉伯國家以更多的經濟援助。

上述的一切，已經令克里姆林宮的統治者感到十分尷尬。然而，有一件事卻令他們更感惱怒——羅馬尼亞總理毛勒最近在華盛頓跟美國總統詹森會談後飛到北平去。毛勒此行引起如下的揣測：他在美國與中共之間，扮演某一種居間調停者的角色。觀察家當時指出：毛勒從華盛頓飛往北平的時候，只是取道西伯利亞西部的「鄂木斯克」地方，卻故意地避開莫斯科。美國官員否認毛勒當時携帶詹森的秘密音訊飛到北平去。美國官員承認的只是：這位羅馬尼亞總理可能就他本人對美國當局所採取的「中國政策」而獲致的印象，轉達給中共的領袖知道。

儘管華盛頓當局官員從事上述的解釋，可是，許多外交界人士卻確信：毛勒從華盛頓飛往北平所負的任務，可能在將來被證明是美國政府那項與中共建立較密切外交接觸的運動中，一項重大的行動。在莫斯科方面，若干蘇俄官員曾經在私人的談話中表示：他們懷疑美國現時正利用中俄共的爭吵而進行一切有利美國本身的活動。

事實上在現階段中，跟莫斯科，北平，及若干西方國家保持公開接觸的共黨國家，只有羅馬尼亞一個而已。就爲了這種緣故，因此，美國及其西方盟邦，對於羅馬尼亞建立一種獨行獨斷立場這件事，表示深度的興趣。他們指出：在最近數年的時間中，羅馬尼亞和西方國家的貿易有增無已，在一九五八年，這個共黨國家的總貿易額裏面，和蘇俄做的生意佔百分之五十一點五，和西歐國家做的生意僅佔百分之二十五。時至今日，對蘇俄貿易降至百分之三十九，對西歐的貿易卻增至百分之三十五。（下）

瀛海異趣談

辦「花花公子」的花花公子

桑雅

「花花公子」（Play Boy）是美國發行的一種月刊，它自創刊以後第六年——一九五九年起，銷路便一直不斷地在急速的增加，開始發揮了其他雜誌向來所沒有過的那種吸引力。到了最近四年，發行數又增加了一倍，達到了月銷一百七十萬本的驚人數字。

這本暢銷的雜誌定價美金六角，紙張採用質地最好的銅板紙，裏面有極漂亮而醒目的彩色照片，厚二百頁，拿在手裏有相當的份量，其裸體照片的封面，尤其引人注目，使人們在不知不覺中，對它發生興趣。據說美國的大專學生，兩人之中便有一個是「花花公子」迷。而書裏面的各類廣告，也是使它暢銷的主要因素之一。

例如五月號的「花花公子」，在全書二百頁中，大小廣告合併起來，就佔了六十頁以上。當美國雜誌廣告正受到電視廣告打擊，而逐漸減少的時候，「花花公子」的商業廣告，卻一直在增加。

一般說來，電視廣告第二天就可以見到效果，因此商業宣傳人員都將廣告交給電視公司。直到最近，他們才重新認清了雜誌廣告的長期宣傳效力，于是時代及展望雜誌的廣告又繼續增加起來，不過設計方面，越來越需要下一番苦心才行了。從這一點，我們便可以知道「花花公子」上那麼多的廣告，似乎完全是年輕人所想要的東西，因此這也是這本雜誌特別具有吸引力的地方。

大約是一九六〇年，哈佛大學經濟系學期考，出了一個「你對宣・赫夫奈此人作何感想？」的試題，當時頗成爲一部份有識人士的談論。

這位赫夫奈，便是「花花公子」的發行人兼總編輯。當他在雜誌方面獲得了空前的成功以後，便在芝加哥當地開始經營會員制度的夜總會，而且前些時已經擴展到了紐約。他是做白領階級投機生意的能手，在這一方面他表現着在商業上的優秀才能。此外他還在芝加哥建造了一所頗爲舒適的單身公寓，並且打算請湯尼寇蒂斯主演拍一部他本人傳記式的電影，因此難怪許多人對他的性格發生了好奇心。

赫夫奈於一九二七年出生於納布拉斯卡的一個農家，父親是德國人，母親是瑞典人。在他出生後不久，他們一家便遷居於芝加哥。赫夫奈雖然受過大學教育，但是由於少年時期受到嚴厲的家教，而養成了他反抗的性格。所以在二十二歲的時候，便離開家庭與伊里諾大學的女同學蜜莉・魏蓮芝結婚，自力謀生。因爲他在大學時期即打算將來要做一個漫畫家，[illegible]沒有人要，這時他才下決心考進了「老爺」雜誌社。

這本雜誌也是在芝加哥發行的，那時候發行人是戴維・史墨特，尤其是裸體畫家佛格所畫的「佛格美女」最受讀者的愛好，而獲得相當的成績。赫夫奈到職之初，被派在廣告部工作，週薪六十元美金，但是當時他已經是兩個孩子的爸爸，第三年二十五歲的時候，夫婦之間便時常發生口角。

有一天，他爲了請求增加五元週薪沒有成功，加之妻子又向他提出離婚的要求，因此心裏非常煩躁，於是便出去四處奔走，希望能找到一份有趣的工作。不久這位不爲女人所歡迎的赫夫奈終於成了光棍一條。在這一段時期裏，他爲了消磨時間，剪下舊雜誌的裸體照片，做成了像雜誌樣本一樣的東西，這時他已有雄心想自己出版雜誌了。

剖析八十二名反毛的中共中委

李敦復

今年四月廿七日美聯社東京電訊報導，謂仍担任外長職務，但，同日合衆社東京電訊，謂其所担任之軍委會委員，已被撤職，雖由周恩來出面迴護，恐非難逃被整肅的命運。

李富春（中央委員，國務院副總理，國家計劃委員會主任，會被紅衞兵激烈批評，由周恩來出面迴護，可能過關。今年四月廿四日新華社電訊會報導，其職爲中央政治局常委，會接見上海、山西、貴州、黑龍江、山東、北平等省市革命委員會的負責人。）

彭德懷（中央委員，曾任國防部部長，于一九五九年，中共第二次大整肅彭（德懷）黃(克誠)反黨集團（即中共自認反右傾機會主義。）時失勢，今年一月二日東京電傳由成都解北平公審。

劉伯承（中央委員，年來已無具體職務，在北平研究戰術和養病，文化大革命高層權力鬥爭中，被指爲「資產階級反動路綫集團」，同時紅衞兵大字報對其攻擊也減少，近十個月來，北平歷次重要集會，始終未露面，如紅衞兵檢閱，中共國慶紀念等，亦未有消息，今年四月卅一日合衆社東京電傳「中共設六人委員會，負責中央委員會權貴，劉亦係該會成員之一，掌管國防。」）

賀龍（中央委員，中共中央軍委會副主席，國務院副總理，體育運動委員會主任，在中共文化大革命浪潮中，被紅衞兵大字報攻擊指爲參與彭（眞），（羅瑞卿），陸（定一），楊（尚昆）的反黨活動，今年一月十二日被抄家，其罪名是「與黨爲敵」「庇護反革命份子」，已遭整肅。）

李先念（中央委員，國務院副總理，財政部部長，會被紅衞兵激烈批評，由周恩來出面迴護，可能過關，今年四月廿七日美聯社東京電訊報導謂根據北平大字報暗示：「仍在調查中。」）

李井泉（中央委員，人代常（務）委（員）會副委員長，中央西南局第一書記，曾在重慶召開會議，密謀武力反毛。）

譚震林（中央委員，國務院農林辦公處主任，中央農村工作部部長，爲毛澤東老友，在中共高階層權力鬥爭中，曾遭紅衞兵猛烈攻擊，今年一月間，由周恩來出面迴護，得以過關，但，三月九日再度被猛烈攻擊，聲言要「燒死他」，三月十四日北平擁毛派又遊行示威，高呼要「倒他」，並且與劉、鄧小平、陶鑄等聯在一起，三月二十日出版之「進軍報」，指其「二月黑風」圍剿一革命派」，吹捧舊北平市委」，顯示此一周恩來之得力助手之遭整肅，已無可避免。）

二、候補委員（十七人）

烏蘭夫（中央委員，中央華北局第二書記，國務院副總理，內蒙區黨委第一書記，內蒙軍區司令員，民族事務委員會主任，被紅衞兵指爲「搞民族分裂運動，企圖成立蒙古王國，投靠蘇俄，以毛澤東爲敵對」等罪名，今年三月十五日台北中央社電傳已遭共軍逮捕，四月廿日東京電訊報導：「烏蘭夫堅決反毛，內蒙軍區已全面改組。」）（五）

通信衞星的世界性任務

祁倫

國際通信衞星公司，現正執行通信衞星的世界性工作，五十七個包括中華民國的國家，業已參加該公司成爲會員，其他將參加或不參加的國家，也可享受通信衞星的實惠。因爲這是太空科技首次全球性的和平用途，對增進瞭解、獲致友誼、以及文化交流與加速世界文明發展，都有着深遠的時代意義與歷史性價值，所以有論述的必要。

人類的誤會，多係欠缺瞭解。誤會每易導至紛爭，紛爭則將造成或大或小的悲劇。欠缺瞭解多因交通不便及通信困難，以至彼此由隔閡而猜疑而加深其誤會而導至更多的及更大的紛爭。

裝載千人時速數十哩的海船及時速數千哩的飛機業已或將服役，故今日的交通，不可謂之不方便；越洋電話電報以及藉中繼台轉播的無綫電廣播，已使通信困難情形大爲改善。可是，眞正能將全世界卅二億人民於同一時間聯繫在一起的，則是具有電視、傳眞、語音及文字廣播、電話及電報傳遞等多性能的通信衞星。

一九四〇年，世界人口約爲二十二億五千萬，當時全世界共有電話機約爲四千二百五十萬具；一九六六年，世界人口約爲三十二億，全世界電話機總數已達一億八千八百萬具。在一九四〇年以前，世界人口增加百分之卅時，電話機便增至三倍以上；在一九六六年以後，電話機隨人口的增加必將超過上述三倍之數。由於人口及電話機的急速增加，越洋通話次數及洲際電話波道之數目勢必大增而至無法負荷的地步，通信衞星正好及時應市，並且效能更爲良好，成本更爲低廉。

三枚通信衞星在二萬二千三百哩高度以與地球自轉速度同步，便可涵蓋整個地球，担負數百萬個通話波道及對全球作電視及語音和文字廣播，其成本約爲一億美元，其壽命在五年以上；地面衞星通信接收台的架設，每台約一千萬美元，而且以後仍有降低可能。

國際衞星通信公司，希望能在數年內「雷閃」光波通信衞星，取代無綫電磁波通信衞星，使其能同時綜理以億爲單位的通話波道，並將地球上任何兩點之遙距通信變成「面對面」的晤談——因爲雷閃通信衞星不受任何天然及人爲干擾，此由業經服役的美國「雷閃雷達」證明。是故，當效率特高，成本特低的雷閃通信衞星系統正式服役之際，再配合海洋電纜電話綫路之擴建，整個世界便將縮小得如共居斗室當無庸置疑，而天下一家，世界大同的人類最高境界，便可望經由全球通信衞星系統而奠定堅固基礎。（上）

中國女性文藝春秋

周遊

神眇眇兮，密靚處，君不御兮，誰爲榮？俯視兮丹墀，思君兮履綦；俯視兮雲屋，雙涕兮橫流；顧左右兮和顏，酌羽觴兮銷憂。惟人生兮一世，忽一過兮若浮，已獨享兮高明，處生民兮極休。勉虞精兮極樂，與福祿兮無期。綠衣兮白華，自古兮有之。

又有怨詩一首，文選作「怨歌行」，相傳亦是班婕妤所作。詩云：

新裂齊紈素，皎潔如霜雪，裁成合歡扇，團團似明月，出入君懷袖，動搖微風發。常恐秋節至，涼飈奪炎熱，棄捐篋笥中，恩情中道絕！

漢成帝崩，班婕妤充奉園陵以終老，因葬該陵中。她的作品有集行於當世，今已佚亡。現在遺文，除前引一賦以外，尚有「擣素賦」，文辭亦流麗動人。

班昭

班婕妤過後一百年頃，班昭繼起。班昭是扶風班彪的女兒，婕妤是班彪的姑母，曹世叔的夫人，亦名班姬，字惠班，又有作惠姬的，博學而多才。曹世叔早猝，和帝召入宮庭，命皇后貴人以師禮事之，號曹大家（音姑）。她的哥哥班固，作漢書的史家。漢書未成而卒，和帝命她就東觀藏書閣，續成漢書，漢書的八表及天文志，傳即班昭的手筆。故她不只是文學家，而且也是史學家。按當時文史沒有嚴格的分野。

外邦每有方物進貢，和帝則命她作賦頌。及鄧太后臨朝，（公元前一〇五）她隨同太后與聞政事，因爲出入的辛勤，恩賜她的兒子爲關內侯，後拜齊國相。漢書初出時，沒有人讀通，大儒馬融則伏於閣下從她受漢書，馬融乃是她的弟子。永初中，鄧太后之兄鄧隲以母憂，上書乞身，太后欲不許，以之問昭，昭因上疏勸從其志願，太后方許之。她之被捧爲「女聖人」者，乃在於她所作的「女誡」七篇，和序言一共一千六百字。全書宗旨，在說明三從四德之道，爲當時唯一的女性教育學。在她之前男尊女卑的觀念，夫爲妻綱的道理雖早已有之，但是却爲散漫浮泛之論調，沒有一部典範。即劉向的「列女傳」中所訂的女性誡條標準，也並不十分苛刻女性，而且只要有一善之長，便是他所讚頌的。而班昭的「女誡」，始把抑制女性的思想系統化，成了女性教育的典則，這教條無異成爲女性的一把枷鎖。後世的女性文學家雖代有一二，但稱得上一個哲學家的女性，可以說沒有一個。

女誡的觀念是說：女性天生卑弱，所以處處要處於卑弱的地位。如：「古者，生女三日，臥之床下……明其卑弱，主下人也。（卑弱第一）」又說：「陰陽殊性，男女異行，陽以剛爲德，陰以柔爲用；男以強爲貴，女以弱爲美。鄙諺曰：『生男如狼，生女如鼠，猶恐其虎』。（敬愼第三）」此種思想，是從易經演繹而出的。她又說三從之道，以從夫爲要，其他曲從舅姑，和悅叔妹，都由從夫而發。爲什麼從夫是最重要的呢？她說：「夫有再娶之義，婦無二適之文，故曰：『夫者天也』。（八）」

前期曾談：「八門金鎖陣」是趙雲的主角，隨後「走馬薦諸葛」與「火燒博望坡」，趙四將軍不過配角，故不多談。再接下去，便是長靠武生好戲「長坂坡」是趙雲在患難中，風頭最健的時候。

武生演「長坂坡」一齣，「抓皮（巾旁，下同）」與否，本無關重要；故同爲俞菊笙之徒弟名武生，楊小樓與師兄尚和玉，二人在故都雖屬同期演了數十年；但小樓「抓皮」，和玉却不「抓皮」，而觀衆於二人同樣重視，並無歧言。和玉向人言：在彼一髮千鈞之際，既重保護幼主之責，如少馬匹，則夫人與大將勢難兩全，故此乾脆不「抓皮」，觀衆並不以之爲病。武生演全「長坂坡」，需時八刻鐘，趙雲的重活，有「抓皮」「掩井」「打八將」「大推磨」，與受絆馬索落坑後，「劈高义」和再戰曹將之「蛇褪皮」等重場子。各場比較而言，乃知：「抓皮」並非其中之最精采者，惟武生演此齣，有無「抓皮」可以看出演者之派別耳！

如今台北觀衆看「長坂坡」，目光多集中於「抓皮」，似乎「抓皮」以外，儘可馬去勿論，則輕重場子，有不分之嫌。有一次「中山堂」晚會，趙雲因「抓皮」不着，也不帶「掩井」了，於是幼主更無落坑驚險，子龍便逕見劉使君矣，其間精彩場子與動作遂不得見。

平劇繽紛錄

談「趙雲」戲

桂良

復興劇校後起武生之秀，張復建會與陳復秋合演「長坂坡」，二人皆係初次，可說是毫無經驗。復秋既不知預卸皮袖，復分垂兩條「綫尾子」於項後。「跳井」—越椅子—以後，方解胸前扣帶。幸於交過喜神後，有四句搖板，復建得從容。請夫人上馬。夫人既不從子龍之請，便越椅—登井欄—而下。復建年青英明眼快，見復秋已經越椅，情知「抓皮」已是臂短莫及，一時責任心重，竟隨登井欄—椅上—（此着是否有師承，則不知，）因復建再演時，便不如此，）抓着皮領不放手，陳復秋於是成了「胖子跳井」—下不去—該校臨場，向無檢場；但救場如救火，把場的老師趕緊登場幫忙，倒拉衣袖，將皮付予復建，「抓皮」終於完成；但那時險象環生。於此不免發生以下感想：

（一）若果椅子的安全（無人扶椅，係臨機應變）發生問題。（二）或者復建的顯衝勁太大（是夕影星葛蘭的舅父告我，在北平看過若干次「長坂坡」的趙雲，以復建初演者最有衝勁），可能被糜夫人拖落井內，則假戲眞做，觀衆能不爲趙雲落井而譁然！

「抓皮」是否發生問題，觀於以上兩例外在之實況，可知並不在趙雲片面之心與力也明矣；蓋內在之技術問題，旦角爲重，次重二角之合作，尚和玉既不與梅蘭芳合演「長坂坡」，故不重視「抓皮」也。

獨生女的辛酸

紫蘭

不知是那位偉大的作家，首創了一條定律：「獨生女就是幸福的代名詞，嬌生慣養的別名。」而偏偏有些人深信此定律，比起波義耳定律還牢。我，就因頂着這麼一副「受寵」的高帽子，使我失去吐露苦衷的權利。爲此還受「不是當事人」的羨慕呢！甚至由羨慕到忌妒，這過程中，還經過發酵作用，其實他們何苦來如此辛苦的去妒忌一個不必忌妒的人呢？眞替他們叫寃。

有天，在自助餐廳，一個同事坐在我桌旁，他是有事與我聯絡的。當我端起湯正喝時，眼目的餘光，從碗邊掃射到他吃飯的動作，不禁噗嗤笑了出聲。

「嗯！你笑什麼？」

「對了，你先告訴我，在兄弟姊妹行中，是不是祇有你——一個？」我問。

「一個？」

「是啊，我是問你是不是獨生子？」這一下，不得不搬出「獨生」的字眼。

生平，我是不輕易端出這兩個字來的，因爲我恨這兩個字被人誤用。果然不錯，他面有慍色；我知道，他這一下聽淸楚了，但會錯了意，否則不會那麼不高興的頂過來：「爲什麼？我還有一個哥哥呢！」瞧那副抗議的神色，使我把爲什麼笑的原因，也和着飯悶進去了。

「這麼說，你也只不過兄弟二人。」我想，距我的猜測祇多了一個而已，在他，好似蠻嚴重。

記得小時候，喜歡站在窗口，數着那支樹幹；說來，有什麼好數的呢？連皮帶骨，數來數去，還不是那一枝，也許沒有弟妹們的頭讓我來數吧！離開了窗口，在屋內轉一面，到屋外可以容人的地方走一遭，天！除了高高在上的爸和媽，沒有一個可做的遊伴。小孩，是不能沒有伴的；而我，是個沒伴的小孩。

有一次黃昏，院子裏發現一隻「睡覺的鳥」，猛撲上去，糟，何必用那麼大的力，牠早暈過去了，眼睛，是睡着的，哎啊！不是睡覺，是太渴了，嘴微微的張動着，我趕緊急着「敬茶送飯」，過一陣，醒了，像醉漢睜着眼，翅膀一揮一揮，我高興的跳起來。牠是我第一個遊伴，而且我還以醫生自居呢！父親走過來：「規矩點，女孩家，鬧什麼？」於是他走進去，一會又伸頭囑咐一句：「牠放掉，髒死了！」我每做錯了什麼事，總是乖乖的，掃興的把臉別過去。在歡笑時，沒人陪笑，是獨生女特有的滋味。

表姊來了：「你瞧！我說像你獨生女多！開心，大衣就有六七件，別的就不用提了。」道標準的北平語，又在向我開腔了。「嗯！」我可提不起興致的漫應着；我倒眞願意以三十件海勃絨大衣，五粒鑽戒，去換一個親姊姊來。她瞧我不起勁的模樣，自己收場的說：「只可惜有時候太寂寞了。」

「豈止是寂寞……。」

是的，豈止是寂寞，吃起飯來吞不進，媽說：「像掉了破扇。」因爲我知道沒有人跟我打「衝鋒」，不必担心喜愛的菜被「七手八脚」搶光。新衣服，買給我的，絕不會落在別人手中，沒有兄妹眼紅，看不見瞅起小嘴；但，就因缺少這份「上帝的作料」，使我所獲的東西失色。

菜沒人搶，做事當然就也無人問津。在家，我是父親唯一的小跑腿，並且還要跑得快。「宣宣，拖鞋在那裏呀！」我開始刷着第一排門牙第三顆時：「宣宣，星島報送來了沒有，去看一看。」好了，這是一天清晨的開鑼序曲。晚上，已上床就睡，「宣宣，鑼鼓又響了！洗澡間的燈我忘了關，去關一下。」我想，我這名字倒怪叶韻的，想必是在取名時，就找好一個順口的，否則多吃力。

春夜，是個寒流未退的春夜，該是尋夢的好夜，忽然屋外下起雨來。「宣宣，把打濕的地方擦擦乾再去睡。」那時我已是半睡狀態，無奈，不得不起來，這是最難忘的一雨。假如我有哥哥，這一定是他們男孩的事。第二天，雨停了也我病了。（上）

北平消暑盛地「二閘」

京仁

立夏之後，在北平又是遊「二閘」的時節了。「二閘」在朝陽門外，距離朝陽門不過十里之遙，有一條運河，名叫「惠通河」。以前北平還沒有修築鐵路的時候，這條運河是一般運糧的要道，河上有個控制流水的水閘，名叫「慶豐閘」，俗稱「二閘」。

夏天去北海、中南海、中山公園的人特別多，任何時間都是擠擁不堪，因此我喜歡到「二閘」去玩。望着眼前一泓溪水，潺潺的水聲，再加上柳樹上的蟬鳴，別有一種清凉的感覺，不覺心曠神怡。

如果你有充裕的時間，可以僱一隻板船，帶着野餐冷飯，作一次「二閘泛舟」。船上都舖着有厚厚的坐褥，或坐或臥，隨波徜徉。賣「河解」的小船，往來河中，有鮮藕、鮮菱角、蓮蓬等。北平的藕可以生吃，又脆又甜，稱爲「果藕」。鮮菱角用大荷葉包成一大包一大包的來賣。水勢較大的一個地方叫「三塊板」，船到這裏，船家就派船上的小孩子上岸解下船纜「拉縴」助航。

遊「二閘」最使人感興趣的，是那些「小水鬼」泅水的把戲。這些「小水鬼」都是住在附近的一些男孩子，最大的年紀也不過十四五歲，小的也只有六七歲，有的光着上身，有的全裸，個個晒得又黑又亮。你把一個銅角子投進水裏，這些小孩子們，馬上就跳到水裏去摸，不多一會兒就撈上來了。看他撈到錢出水，小臉上不由浮出得意的笑容；你也不由得再把第二個銅角子又投下去了。

岸上有一棵歪脖老楡樹，小孩子們沒有事情都聚在這棵老楡樹上，作跳水遊戲，高興了還會來一個「雲裏翻」的觔斗。現在想起這些「小水鬼」來，如果給海軍加以訓練，一定可以成爲最優秀的蛙人。

每年農曆七月十五日中元節，附近的老百姓，在二閘放河燈。這一天晚上，坐船遊二閘的人，也特別多。有一年我來看河燈，聽當地的老年人搖着頭說：「現在可不行嘍！那年頭兒，比起現在可熱鬧多啦！茶館、酒肆，有得月軒、如意館、望東樓。還有大鼓書、小曲、什不閑、蓮花落。甚麼都有哇，現在差多了。你想想看，皇宮內院的御花園，都可以隨便買票進去逛了，誰還願意到這兒來喝北風兒呀！」

「那年頭兒，」北海中南海都是禁區，中山公園是社稷壇，頤和園更不必說了，一般老百姓那裏能隨便進得去。政府也從沒有想到老百姓需要個公園來調劑生活，「二閘」之所以成爲消暑盛地是有原因的。

歷史上有名的「救災」措施

夜闌

且讓我暫充一次「文抄公」，節錄「越州趙公救災記」，請當世「民之父母」和救濟機關的官吏們，看一看，古人對於救災工作，如何辦理。

宋熙甯八年夏，吳越大旱，越州知州趙抃在沒有發生饑荒之先，就其屬縣，作一次縝密的調查。

「災所被者幾鄉？民能自食者有幾？當廩於官者幾人？溝防構築可僦民使治之者幾所？庫錢倉粟可發者幾何？富人可募出粟者幾家？僧道士食之羨粟書於籍者，其幾具存」？

舉凡被災的區域人數，地方的錢粟存量，勸募和徵用的對象，以及「工賑」的估計，無不事先洞悉，依此而定方策，不但切實易行，且得適時而舉，雖災而無大害。

但看他怎樣展開救濟的工作呢？消極的？

「人受粟日一升，幼小半之，憂其象相蹂也。使受粟者，男女異日，而人受二日之食，憂其且流亡也。於城中郊野爲給粟之所凡五十有七，使各以便受之，而告去其家者勿給。」積極的：

「能自食者，爲之告富人無得閉糶；又爲之出粟，得五萬二千餘石，平其價予民。爲糶粟之所，凡十有八，使糶者自便如受粟。又僦民完城四千一百丈，爲工三萬八千，計其傭與錢，又與粟再倍之。民取息錢者，告富人縱予之，而待熟，官爲責其償。」他自己又怎樣呢？

「事有非便文者，公一以自任，不以累其屬。有上請者，或便宜，多輒行。公於此時，早夜憊心力，不少懈，事鉅細，必躬親。」

夠了，用不着再抄下去了，請看他籌劃辦理得多麼周密而切要，有担當，有作用，實事求是，不辭勞瘁。所謂所以經營綏輯先後終始之際，委曲纖悉，無不備者」，已溺己飢，如保赤子，眞不愧「爲民父母」，施歸愚稱爲「救荒之法，井井有條，不但可行於一方一時，實天下萬世之利」，洵屬確論。

其實，今日所有救災的辦法，何嘗脫了他的窠臼，不過是不肯「前民之未饑」，「而謹其備」，要等到哀鴻遍野，層層呈請前來，才憑着一紙公文層層的飭查下去，遲之又久，層層的申復上來，然後開會又開會，研究研究災情，商討商討辦法，打電報，請欵子，忙了一陣，暫時告一段落，境遷事過，復又歸於沉寂。

幸而「救濟物資」，經「審查」，而「核定」，而「准發」，而「啓運」，終於到達了，雖然已經失掉時效，總算聊勝於無。由是又忙亂起來了，上級機關，則忙於「分配」，忙於「防弊」；下級機關呢，更有所忙。又要「籌運費」，「造名冊」，又要「分配」，「防弊」也是分內之事，不得不再來一次層層的令下去，又層層的呈上來，可是「自春而徂冬」，命該餓死的墳頭宿草，早已離離。

至於所謂「救濟物資」，實也者，究竟能有幾分之幾，實惠在民，那就不得不請袞袞諸公，撫躬自省，可能無愧古人，然則，放眼塵寰，蚩蚩小民，輾轉於溝壑之中者，不知凡幾，嗚呼，伊誰之咎，吾不忍言。

習慣與生活

大知

在遊戲時間，兒童是混合在一起的，遊戲既畢，一聲號令，各歸自己所屬的隊伍。有的孩子，偶然忘記，或是走錯，抬頭看見四週的兒童，都是綠色，而自己身上却穿了紅衣服，「萬綠叢中一點紅」，界域分外淸明，便不用先生來指揮，自動的能跑進自己的紅色隊伍中去了。

德國有一個大哲學家康德，每天，一定在某一鐘點，走到屋外的林蔭路上去散步；鄰近的人們，每天看見他老先生走過的時候，就拿出表來對準時間。康德是一個多麼機器式有規則的生活呢！

在集會上前，主席和到會的人，大家對準表知的時間，做叫對表禮，這是能夠應用制約反應的方法，去造成我們開會時，對於時間的聯想和觀念的。

在養成新習慣的過程中，只有應用心理學的方法，才能收潛移默化之效。

自由報
內備警台報字第〇三一號內銷證
THE FREE NEWS
第二八七期
中華民國僑務委員會僑報登記證
台數新字第三二三號登記證
中華郵政台字第一二八二號執照
登記爲第一類新聞紙類
（半週刊每星期三、六出版）
每份港幣壹角
台灣零售價新台幣貳元
社長：雷嘯岑
督印人：賈行存
社址：香港銅鑼灣高士威道二十號四樓
20, CAUSEWAY RD 3RD FL. HONG KONG
TEL. 771726 電報掛號：7191
承印者：大同印務公司
地址：香港北角和富道九六號
台灣分社
台北市西寧南路安樂園二號三樓
電話：三〇三四六
郵政劃撥帳戶二九二二

香港政府應厲行法治以消除共禍

·王延祜·

共黨份子在香港釀亂暴動事件發生後的最初階段中，港政府當局所採取的策略，我們認爲大體上是妥當的。因而四百萬居民之中，百分九十五以上，都憎恨共黨暴徒的胡行妄爲，視同瘟疫細菌，去之唯恐不速，而暴亂份子亦已由明目張膽「反迫害」的鬥爭氣燄，蛻變爲晝伏夜行的鼠竊狗偷作風，只有深宵放置幾個亦眞亦假的土製炸彈在交通道路上，或者白天喬裝乘客，向電車和巴士的司機台，偶爾拋擲魚炮之類的爆炸物，黔驢技窮，如是而已。

可是，這種搗亂行爲如果不及時徹底剷除，而讓它持續下去，不特社會安寧秩序沒法恢復，人心動盪不安，致令商業大受影響，羣衆生計趨於艱困之境，適所以助長暴徒們作亂的機會，連綿不絕，經常造成恐怖氣氛，民生不易，禍至無日，最後即很可能使港九地區的局勢，形成具體而微的越南現象——美國一面以武力制止越共的攻襲，同時又養癰貽患，希望跟越共妥協，而不願意及時蕩平共禍——無以自拔。

潛伏在香港的共黨暴徒，不管他們的背景如何，在法理和事實上，總是本港市民，即有遵守香港政府一切法令的義務，他們胡說甚末「不承認香港法律」的橫話，便係香港的亂民，縱不加以懲處，也應該驅逐出境，世界世上有不遵守住在地政府的法令，而可以隨便爲非作夕的居民呢！所以，香港政府應該厲行法治以維護地方治安，對於共黨的顛覆活動，決不宜驕顧因徇，自貽伊戚，祇要採取幾項措施就行了。

首先即須宣佈暴徒們的所謂「反迫害鬥爭委員會」爲非法團體，把那些罪證確鑿的「鬥委」依法懲究外，其餘列名「鬥委」的人，一律教他們自由離境。所有從事暴動有據的社團和商業公司行號，都是經過政府註冊的，自在政府管制之列，既已查獲其釀亂證據和武器，拘捕了犯罪的暴徒，最低限度亦應該吊銷它的執照，分別情節輕重，或予以重新改組，或勒令永遠關閉，這是起碼的法治措施，無論從那種角度來觀察，皆屬義所應爾，理有固然的。至於一般聚衆作亂，危害社會秩序，或投擲爆炸品，殘害無辜市民和執行職務的治安人員等類暴民，首惡者依法嚴辦，脅從者述解出境，不然就集中監禁，靜候發落，決不宜以臨時驅散爲能事。非如此，亂黨即始終潛伏着，時而暗中擾害市民，時而公開反抗政府，野火燒不盡，春風吹又生，而香港這個國際自由港口和民主櫥窗，乃常在震撼不安的動情勢中，生存亦會大成問題的。

其次就要督導港九各界民衆，組織起來，實行自衛治。時人有主張採用保甲制度的，未始不可考慮，如果將現有的街坊福利會切實整頓，加強戶籍編查，五相監督，使一般壞份子無從隱遁作惡，確係正本清源之策。政府不要以爲港九各界民衆團體，已有六百多個單位聲明支持政府的戡亂政策，即認爲沒有顧慮了。實則這些團體因爲組織鬆懈的關係，除卻發佈文字聲明，根本就沒有實在的力量發揮，否則幾個月來，眼見着暴徒們專門殘害中國人民，焚毀專爲貧民服務的醫院——如灣仔的貝夫人醫院——以及驅使幼年學生去打頭陣游行示威等等喪盡天良的行爲，何以不聞有羣起制止的動作呢？就是治安機關最感煩惱的市民愛看熱鬧，以致妨礙戡亂行動這項問題，也由於平日沒有組織之故，臨時廣播勸告，幷不濟事。民衆有了組織，政府隨時加以指導，平時各安生業，幫助政府推行政令，一旦有事，政府即可利用民力以補警察力量之不足。這因爲四百萬居民中，大多數都是從共黨的刀口之下逃出來的劫後餘生，大家自動而眞誠地不願破壞自由社會秩序，對於庇護殘生的香港政府，決無惡意，政府當局應該瞭解這種民心，善爲運用，纔是求治之道。

香港原是言論自由的社會，祇要不違悖法令，任何一種言論思想皆可以自由發表。但言論自由與造謠惑衆，鼓吹暴動決不能相提併論，這是常識，亦是全世界公認的理則。詎香港的一些共黨刊物，近三個月來，經常報着造謠煽亂的消息，恐嚇、欺騙、辱罵、威脅兼而有之，對於暴徒殺人放火的行爲，稍讚鼓勵，唯力是視。這樣的報紙如不加以制裁，那還成甚末法治社會呢？政府只逮捕了幾個蒼蠅式的共黨報人，而置豺虎式的造謠煽亂報紙於不問，未免令人難以索解。若說這是在避免刺激北平的毛共政權，那就乾脆把香港交給共黨好了！假使咱們這些反共的報紙，

（下轉第四版）

「人人有假期，但你沒有！」

這個舵手做不成啦！

今日與明日

扣押蘇俄輪船

八月十一日一艘蘇俄輪船開到大連，因爲船員將毛澤東像章拋入海，引起了紅衛兵的憤怒，登上輪船把蘇俄船長及另兩名船員扣押，極盡淩辱之能事，蘇俄駐在北平的外交人員向毛共外交部提出抗議，僞外交部也惹不了紅衛兵，又不知其背景如何，怎敢惹事，只有置之不理。到了此時，蘇俄眞急了，由其總理柯錫金親自致電周恩來，要求釋放該等船員。柯錫金這封電是軟硬兼施，一方面站在私人立場上向周恩來作籲請求協助，一方面也提出強硬的抗議，如果毛共不釋放這批船員，蘇俄將廢棄僞中蘇貿易協定，因爲這隻商船是根據運貨協定來的，既然毛共不能担保船員的安全，以後只有停止運貨。

果然這封電報十分有效，周脅收到來電馬上設法放人，可見毛共所懼者還不是蘇俄出兵進攻，因爲在目前來說，根本無此可能，眞正懼怕的抑是斷絕貿易，錢才是毛共的生命綫，以此爲例來看香港，也可以思過半矣。

包圍僞蒙使館

北平的紅衛兵最近又同外蒙古駐北平的「大使」鬧上，把「大使」的汽車在街上焚了不算，又成羣結隊把僞蒙的使館包圍起來，一連四日還未結束，這種鬧法本來已司空見慣，在北平城內的一般紅衛兵大概有示威的癮，三天不示威，吃飯好似也沒有味道，所以今天包圍這個「使館」，明天又去包圍那家「使館」，究竟它們犯了什麼「天條」，說來說去還不是爲了毛澤東思想，在紅衛兵眼中看來，世界上所有生物，如敢不尊重毛澤東就是罪不容誅，他們就有示威、毆打的理由，據統計僅是北平城內，各國「使館」被紅衛兵包圍示威過有十七家之多，外交人員被毆打的除去印度之外尚有北歐的瑞典，就其盲目排外的情況來說，尚甚於八國聯軍時之義和團。

廣州大殺十方

廣州方面的混亂情況，有非海外所能想像者，據說就在各方面互相廝殺情況下，死者達三千人以上，有些市區已無人管理，死者也無人掩埋，大街方面尚能拖走，小巷則無人理會，目前天氣正熱，於是全城臭氣薰天，市民紛紛出城避難，逃走者已達三十萬，全城不但是死市，也成了屠場，自有廣州市以來，沒有混亂到這個程度的，廣州如此，武漢可以想得到，不過距離較遠，消息不容易傳出而已。

只有更亂下去

大陸情形不可能好轉，只有更亂更糟，因爲目前已不是毛劉之爭，更與思想無關，是一羣暴徒想抓權力，把目前的當權派打倒，自己可以爬上當權派的位子，但不旋踵間，就又成爲被打倒的對象，這樣循環往復，永無止境，保衛權力與爭奪權力的兩方面，指死命相撲，因爲這種爭權行爲不成功即死無葬身之地，所以廣州市內竟然死了三千多人。衞惋的是，面對此大好形勢，我們除去寫寫文章說說風涼話之外，是無能爲力的啊！（何如）

自由談

技只此耳

世人每認爲共產黨人擅長宣傳伎倆，而以中國共產黨尤然。實則這是錯誤的見解，決不足信，仔細觀察，中共的宣傳魔術，不外幾點低級趣味而已。

一是夸大狂：對於自己的事情，儘量張大其詞，罔顧信用，而且閉目瞎說，任意編造神話式的說法，欺天下人以無知。例如宣稱毛共在大陸上的建設進度一年等於二十年，一畝耕地生產十萬斤稻谷，一枚葡萄的重量有十幾兩，七十高齡的毛澤東游長江等，不一而足，極盡夸大造謠之能事。

二是阿Q精神：對於本身的壞事醜事，初則諱莫如深，等到實在掩蓋不住了，就用些自我陶醉的字句，希[illegible]生了重大的災害如水患旱災之類，無法克服時，即宣稱「災情已經基本改善」，明明是失敗乃至慘敗了的事情，却說是「勝利結束」，最近兩個共幹謝富治王力，在武漢被駐軍拘捕游街後，逃回北平，却說是「光榮歸來」。毛共爪牙在香港作亂失手，就揚言「解放軍快要開到深圳邊界」，香港治安機關驅四出，搜查共黨巢穴，逮捕暴亂份子，却宣稱「港九到處發生巷戰」。一派阿Q嘴臉，嘅慨止矣。

三是「主義」狂：這所謂「主義」，幷非指共產主義而言，是指共黨在宣傳上發明了無盡數的「主義」名詞，藉作鬥爭別人的口實。例如本着馬克思學說以立言的，是「教條主義」或「宗派主義」，不完全遵從馬列學說的是「機會主義」或「修正主義」，在工作時間早到遲退的是「英雄主義」或「鋒頭主義」，遲到早退的當然是「官僚主義」，主張採取激烈手段的是「左傾冒險主義」，主張穩健手段的是「右傾機會主義」……等等，不枚勝舉。

對於共黨的宣傳情形，若用一種公式來觀察，必然近乎事實，不會有錯，即以相反的結果衡量他們的說法，雖不中，不遠矣。

共黨的宣傳魔術，技只此耳，能說他們是擅長此道嗎？

馮先生

香港商場近況

夏貨減價推銷

港九各大百貨公司，正進行減價，以推銷，種夏天用品，如領呔，夏威夷恤，短袖恤，衣料波恤等，據說各種夏貨因減價招徠，生意頗好。

股市成盤大增

過去一週股市因人心趨定，外商集團及實力派之扒進，而呈增加，共成八百六十萬港元，一般股價俱呈上扳，股票市場之淡氣一掃無遺。

入口貿易發達

香港工商業管理處發表一九六七年六月份對外貿易臨時統計數字之輸入貿易數字為八億七千四百萬港元。今年一月份至六月份之輸入數值為五十四億六千四百萬港元與去年同時比較增加九億八千一百萬港元。

港產出口激增

一九六七年本港對外貿易臨時統計數字之對外輸出貿易數值為五億四千一百萬元，而今年一月份至六月份本港之輸出貿易統計為三十二億二千三百萬元，與去年同期比較增加四億五千八百萬港元。

轉口貿易蓬勃

一九六七年本港對外貿易臨時統計數字之對外貿易轉口輸出數值為二億〇六百萬港元，而今年一月份至六月份本港對外貿易轉口出數值為一十一億三千七百萬港元與去年同期數字比較增加三億一千五百萬港元。

上半年貿易好

去年上半年本港對外貿易統計數值輸入貿易值為四十五億八千三百萬港元，輸出貿易統計數字為二十億六千五百萬港元，轉口為八億二千二百萬元與今年比輸入增加百份之十九點二，輸出增加百份之十七點九，轉口增加百份之卅八點四。

英商訂購棉品

邇來英商對於本港棉織品之訂購，對於明年度布匹期，甚為積極，即有大量訂單開來，惟是較遠期之貨物出價較低，因此本港之廠家對於此等訂單，部份廠家不樂於接做，英方對於衣着進口，則尚存觀望。

港貨輸歐大增

本港對於歐洲各綫去貨，情形亦至為活躍，近日目前船期亦至繁密，對於歐洲各地區付出之貨物，西歐大部份俱屬秋冬季貨物與聖誕新年期前應銷者，棉毛織品衣着，膠鞋，塑膠玩具，假髮，藤籐，小五金皮，收音機等為多。

工商業續進步

本港工商副處長夏鼎基在倫敦發表談話指出，騷亂並未引致任何退縮，亦無買家表示不前之事，又至於假如將來英國能加入共同市場的問題，有所影響，夏氏則無進一步之透露。

英人看港貿易

倫敦人士指出，本港騷亂在若干程度上，但對本港之貿易毫無影響，因為香港之大部分產品均以外銷為主，如果廠家仍舊能保持生產額，則因此對外貿易亦有足夠貨源供應。

港比商討貿易

比利時、荷蘭及盧森堡三國政府代表在本港舉行之會議已告結束，其所發出之聯合聲明已顯示雙方對一份計劃已達成協議，一面減輕三國在本港輸入上所發生之困難，而另方面則使港貨在三國之銷路得到便利。

港貨付美大增

近來本港對美國付貨情形仍佳，主要原因為秋冬季貨物及聖誕新貨物出口已進入旺季，現時付船之貨物包括有棉毛織品，原子粒收音機，玩具，膠花，小五金製成品，電器等較為大宗。

星修改進口例

星加坡方面最近對於布匹進口條例，又略有修改。目前星加坡要向外國訂購布匹，必須申請AP匯證後，而不能在布匹配給後，才補做申請AP外匯。此舉對於本港輸往星加坡，祇是手續上之先後而已。

澳門貿易萎縮

最近本港對澳門貿易大為減縮，因為澳門市況蕭條，生意力量大減，來貨日少之故，而本港進往澳門之貨物，最近亦見減縮，澳門對本港之來貨五月份之統計，則仍為七百〇六萬七千元之鉅。

平價唐樓有成

大手物業成交似較疏落，但是一般未完成而又完成之大廈已紛紛加工建築，足見本港人士對政府之信賴仍欣，若干價格低廉之樓宇，目前仍有不少市民問津，跑馬地一帶更見喝市，平價唐樓尚多成盤。

食米存量充足

食米存量至為充足，目前達九十萬包以上，因此在泰國新谷上場後，本港米市又告回定，同時本季輸入米額已源源運來，零售商隨時又以大量吸入供應，因此本港食米售價，暫時尚無變化。

舊船售價報降

由於國際舊船價格日漸低降，因此使本港拆船商人未敢再度購入舊船，因本港之舊船板價格仍低，一般買家對港產各種鋼鐵沽手仍強，故此拆船商人目前大部分保持理舊貨不購入新貨。（鍾靈）

我是一個「紅衛兵」

·王朝天·

第二種情況是「紅衛兵」由初級階段發展到了高級階段。即是在原來由黨委領導下活動的「紅衛兵」，轉變為鬥爭一切原來領導人（包括校長和老師），一切權力歸於新組織的形形式式的「造反團」。

同學們少則三、五人，多則十來人就可以成羣結隊，誰也管不了誰，誰愛攪什麼就攪什麼。我們班上十來個人，就組成了「東風造反團」。我是三個領導人之一，另外兩個人是班長蘇浩和團支部書記陳賓意。其他同學也多紛紛成幫結隊，都起了怪名詞，例如：「五湖四海長征隊」、「拼刺刀戰鬥小組」、「紅色造反團」等。反正只要不上課，不作苦工，管它攪什麼玩意，大家都樂意。

學校裏成了無政府狀態，不上課，沒有規則，誰愛怎樣就怎樣，亂哄哄。還有幾個原因；第一、上面派來的工作組在去年九月上旬就撤走了。對於上級如何指示，我們只有自己摸索了。我們只有按照「紅旗」、「人民日報」社論來行動，同時也不時收到中共中央和偽「國務院」的內部指示。因為只有原則性的規定，各人解釋不同，行動就分歧了。第二、黨支書記兼校長江坤初期是學校「文化革命小組」的組長，不久，他也被打成修正主義分子，反毛反黨分子。所有黨團領導人都遭到清算、鬥爭。老師被鬥爭後，沒有人敢出來講話，一個個鬥走了。學校完全成為學生的世界，也是「紅衛兵」的天下。第三、有些「造反團」是具有領導作用的，人數多，領導分子能力強。這些領導分子可能是最早由北平「紅衛兵」總部派來的人所物色的人。他們常能站在運動前面，起帶頭作用。他們上面的領導人，我們不清楚。反正，他們的行動合乎我們慾望的，我們就跟着跑。他們能影響我們，但不是領導我們。第四、毛澤東講：「文化大革命是羣衆自己教育自己，自己解放自己，不能給人劃框框，枷條條。」因此要搞大民主。第五、地方黨委對「紅衛兵」的控制力量，在初級階段是強有力的。如在第一次（八月十八日）接見的「紅衛兵」，凡參加串連的必須經過各地各級黨組織嚴格選拔，規定往返日期。但後來漸趨混亂，後來「紅衛兵」提出「紅色恐怖萬歲」，要打破「冷冷清清」，要亂，指責地方黨委阻止和破壞「文革」，因此，地方黨委就不敢出聲，就怕惹禍到身。第六、學校的團組織早已名存實亡，既不過組織生活，也不繳團費。甚至在串連時組織關係也不帶。北平「紅衛兵」提出要解散團的口號。有人團徽都丟了，後來加以糾正。滿洲里市對於戴不戴團徽，反覆了數次。第七、黨的地方組織已不為毛澤東所信任，故各級黨組織也不為「紅衛兵」所尊重。凡認為違反毛澤東思想的，「紅衛兵」即羣起而攻之，「炮打司令部」。地方黨委自然管不了我們。

「紅衛兵」在校外有機構，不是領導機構，而是聯絡中心。「紅衛兵總部」在東北各大中城市均有。滿洲里地區的「紅衛兵總部」設在海拉爾市。每個「紅衛兵總部」成立領導小組，成員由「紅衛兵」中自行產生。每個「紅衛兵總部」都請當地部隊首長担任總輔導員或輔導員。

「紅衛兵總部」不是指揮和領導的機構，只是一個聯絡單位。它不發指示，不派人來指導「紅衛兵」。只是用它的公章，以證明「紅衛兵」的身份。當然它也具有一定程度的號召力，但是「紅衛兵」自己認為有利於他們的行動時，才會擁護它。

三、「串連」和「接見」

所謂「革命串連」，表面上的意義，就是分別到各地去「總結和交流經驗教訓」，以推進和提高運動。

串連就地區範圍來分：

一、有由各地的「紅衛兵」集到北平串連的，並且由毛澤東在天安門羣衆大會上接見。自八月十八日開始第一次，迄十一月廿六日的第八次，毛澤東共接見了北平和來自各地的「紅衛兵」和「革命師生」一千三百萬人。二、有的是到各省各城市，特別是中共革命紀念地如延安、井岡山等地進行「串連」。（四）

蒙城博覽會參觀記

吉錚

我們從多倫多市到達蒙城第一天，一對加拿大朋友艾迪夫婦開車送我們到住處安頓，大家立刻興緻勃勃的去看博覽會。路上艾迪告訴我們：博覽會座落蒙城對面聖勞倫斯河中間的聖海倫那和諾特丹兩個小島上。四年以前，聖海倫那島只有現在半個島的大小，另一個島根本不存在。到一九六四年夏天，經聖海倫那島的面積加倍，諾特丹島全部人造完成，這是對蒙城人來說一件偉大的工程，而且是每個蒙城人最新的驕傲。我們首先看到拉朗地，一片綠蔭，清流可喜。汽車經過一座橋到博覽會大門口，實在是熱鬧，看得眼花撩亂，頂上是空中懸車，腳踏遊覽車，幸而艾迪說，拉朗地是遊樂區，夜晚最熱鬧，我們趁白天應該去參觀各國博覽館，他建議我們坐地下車去諾特丹島，博覽會中交通工具真是五花八門，包括地下車，懸空車，獨木小舟，火車，飛艇，直升機，渡輪，美金一小時乘客坐在前面的雙輪三輪車，其中只有特快車免費。

中國館在那裡？

一到諾特丹島，立刻看到碧輝煌的塔尖，我迫急不可待，衝口便問：「中國館在那裏？」艾迪的太太以萬分婉惜的語氣說：「中國館燒了，我們以前去看過，裏面有好些古玩字畫，一套廉栗木製的傢俬，好漂亮啊！」艾迪還緊眉，直點頭，表示同情，並且表示同意他太太的說話。

外子就問他關於失火的情形和原因，雖然都是猜臆，但與後來我聽到在馬其爾念書的中國同學的說法倒頗相近。

「中國館又重新開幕了，就是今天！」我向大家宣佈完，很有意馬上走過去，等弄清中國館不在諾特丹島而在聖海倫那島上，而且一看錶已經六點多鐘，只好第二天去了。

中國館中看中國小姐

中國館的位置實在是最理想不過了，一下車，朝右舉目可見。這次博覽中以建築最新穎出奇，中國館外型則是純東方的，碧瓦紅門，風格保守莊重而不流俗落後，比之日本館或韓國館在第一印象上絕佔上風。

我去參觀中國館是失火後重新開幕的第二天上午，一進大門，那位盛裝的小姐，穿一襲淺藍滾邊旗袍，清新醒目。

整個館內，看不出大災的痕跡，新展出的陳列品在質與量上或許並不比相當面積的其他國好，但以一個月時間能夠補充佈置到不比相當大小的別館差，似乎不但無可厚非，而且足以自慰。

陶公鵬飛離開加州去渡假前，知我要去博覽會，友人叮囑我：「到時別忘了找我們陶太太」，陶太太：「到時別談談！」我便問本館一位從樓梯上走下來的服務小姐，她說陶女士已經回國了，我有點失望，忽然想起聽什麼人說過廖未林來蒙城幫設計中國館的，與廖未林從未見過面，只因為他為「皇冠」刊裁的插著「拾鄉」，我曾在「皇冠」上看過幾幅「拾鄉」從我心的插圖，我抱着很大興趣，「林先生在那兒？」她告訴我林先生今天沒有來，也許下午會來。

（上）

港共的窮途末路

香港共黨的「反英抗暴」運動，由於全體市民之痛恨不同情，大陸上的毛共內部又戰亂自顧，愛莫能助，在港英政府嚴厲究處之下，已陷入垂死狀態之中。他們最後心生一計，最近乃勾串九龍方面的華界運貨工人，藉口英界不許他們張貼宣傳標語，又新豐鐵絲網，迭向英界的哨兵和巡邏警察尋釁滋事，槍械，叫囂辱罵，搶奪，望英方的軍警武力對付，造成血案，因而激起北平毛朝出面支持；他們即有起死回生之望了。然英方洞燭其奸，始終採取和平手段，港共的詭謀終不得逞。

港政府現在依照緊急法令，分別提拿專門造謠煽惑的共黨報紙負責人，先把幾個外圍的尾巴報社長和督印人拿罪，現在另有工商署的官員以私人名義，向法院控告「大公報」誹謗罪，因該報曾指工商署官員貪污，被騙職也已發出聲明，報社人員在訴訟中，報紙即不得再有造謠惑衆的文字刊出，否則律政司可以依法封閉該報館。大公報既被控誹於前，「文匯」「新晚報」亦早難逃法網的。目前這幾家造謠亂的報社，人人自危，不知何日會輪到自己，而且官員束手無策，員工沒精打彩，表現着一片凄涼景色，靜待厄運之來臨。

瀛海異趣談

辨「花花公子」的花花公子

·桑雅·

可是一家稍為像樣的雜誌社，要一萬元才能辦得起來，他把所有值錢的東西拿去典當，結果只當了六百元，然後又把公司債券去抵押借款。當他去相識的畫家阿托·鮑爾處擬請他代為設計封面時，將雜誌樣本拿給這位畫家看，結果鮑爾對他說：「這種雜誌會有銷路嗎？」赫夫奈被這一說，幾乎洩了氣。

然而事情已經到了這種地步，不容半途而廢，於是才打起精神決心出版。創刊號印了五萬五千本，但沒有好久便賣完了。使他得到意外的成功，那便是因為他以二百元美金從日曆商那裏買進了瑪麗蓮夢露（按當時夢露尚未成名）的裸體照片，訂在雜誌裏而造成的。

這本創刊號，據說即使在舊書店裏，也能賣到相當的價錢。發行到第四期的時候，他便有了一間辦公廳，至此赫夫奈才算正式成立了一家雜誌。另一方面（老爺）雜誌社換上了一位自稱為知識階級的艾諾特·金格烈發行人，而將內容水準提高，推銷漂亮女人，因此讀者們漸漸傾向於「花花公子」。到了一九五八年「花花公子」便超過了老爺雜誌社八十萬份的發行數，一九六〇年打破了發行一百萬份大關。

美國雖然有發行七百萬至八百萬本的雜誌，那都是擁有長期訂戶，而直接由郵局寄送的，其中具有代表性的是現代（Modern）月刊：展望（Look）雙週刊和生活（Life）週刊。然而這些雜誌都具有相當長久的歷史，是經過不斷的努力和苦心的奮鬥。才得到這樣成績的，但「花花公子」僅在短短十年之間，便發行一百七十萬份，眞可以說是莫大的幸運了。

當一九六〇年「花花公子」的發行數突破一百萬份大關時這一年單是廣告收入就達到二百三十萬美金。據說赫夫奈的私人財產也已超過了一百萬。他以四十萬美元購進了富豪亨利·阿夏所建造的一棟宮殿式的住宅，將地下室改成一個很大的游泳池，四週是家庭酒吧，每逢星期五的夜裏，他便在此舉行豪華的派對，十足的表現出他那眞正花花公子的氣派。赫夫奈每逢舉行派對時，請來很多的模特兒，讓她們在游泳池裏嬉戲，這時他便用照相機獵取鏡頭，然後把這些彩色照片登載在「花花公子」雜誌上。

話又說回來，一九五九年赫夫奈在芝加創會員制度的夜總會，其所賺的錢實際上比雜誌更多，着實發了一筆很大的財。那幢四層樓的夜總會，內部全是十九世紀末期的裝飾，使人有古雅的氣氛，頗適合到這裏來的客人的口味，他的宣傳工具便是「花花公子」。到了一九六一年，這一年客人總數到十萬人以上，其總收入超過了四百五十萬美金。

經營雜誌及夜總會成功了的赫夫奈，於一九六一年接受法蘭克辛脫那「好萊塢紅星」的建議，籌辦新的雜誌，這本雜誌是以「演藝娛樂界任何事情」為名，由法蘭克甫任發行人，在八月份創刊號即印了一百萬冊，但是銷路不如理想，每次都虧本，結果不到一年便停刊，總計虧損一百萬左右。

不久他又別出心裁，建造了一幢叫做「花花公子」鄉村俱樂部的單身公寓，內部設備極盡豪華的能事，除了有室內游泳池外，五彩的電視機等都鑲在壁內，完全是適合有錢階級的那些花花公子的享受。此外並將花花公子俱樂部再行擴張，另在邁阿密及紐奧良等四處設立分支機構，前些時擴展到紐約，造了一幢七層大樓的俱樂部，這位花花公子實際還是「花花公子」所造成的。（下）

剖析八十二名反毛的中共中委

李敦復

張聞天（中央委員，曾任外文部副部長，由於久未露面，可能已遭整肅。）

陸定一（中央委員，國務院副總理，中央宣傳部部長，在文化大革命浪潮中，中共中央委員會，于今年二月，正式宣佈為「反革命份子」，並予整肅。」）

陳伯達（中央委員，中央文化革命小組組長，為支持毛澤東奪權鬥爭之權力人物，今年四月二十四日新華社北平電訊報導，已升任為中央政治局常委。）

康生（中央委員，三屆人代常務委員會副委員長，現任中共中央文化革命小組顧問，在中共權力鬥爭中，為擁毛派，今年四月二十四日新華社北平電訊報導，已升任為中央政治局常委。）

薄一波（中央委員，國務院工業交通辦公處主任，國家經濟委員會主任，在中央黨內流血內鬪浪潮中，被指為：「資產階級反動路綫的制定者劉少奇的忠實走狗，鎮壓工交系統大專院校無產階級文化大革命的劊子手」，傳在廣州被捕，於今年一月三日解平。）（六人）

三、常務委員（七人）

主席：毛澤東（見前。）

副主席：劉少奇（見前。）周恩來（見前。）朱德（見前。）陳雲（見前。）林彪（見前。）

總書記：鄧小平（見前。）

四、根據一九六六年八月十八日新華社廣播資料及近八個月來中共黨內流血內鬪顯示：

甲、原有之委員劉少奇、朱德、陳雲、鄧小平、彭眞、彭德懷、劉伯承、賀龍、李井泉等九人，候補委員烏蘭夫、張聞天、陸定一、薄一波等四人，部份可能已被革除，部份可能已遭整肅。自從去年六月，以罷黜「北平市長」彭眞，來開始的高階層整肅運動實行以來，中共便沒有公佈「政治局委員」的確實名單。

乙、由於一九六六年十一月三十日北平「人民日報」，顯示，證明中共中央業已改組，從中共黨報封面新排名次序的情況研判，劉少奇、朱德、陳雲等三名，已喪失黨「副主席」職位，法新社本年二月廿日之電訊報導中所指之「中央委員會三名副主席，諒即係指上述三人而言。」（按：中共黨中央最高領導人，在中共第四次全國代表大會前為「委員長制」。）

丙、所謂「文化大革命」，其實是毛澤東鬥爭異己的「奪權」鬥爭。

丁、由於當前中國大陸，已陷於大混亂，局勢緊張，生產停頓，交通癱瘓，組織解體，已處於無政府狀態，中共黨內各級組織之反毛，瞬息萬變，故就其最近發展基本情況為準，予以研判。

五、中央書記處

總書記：鄧小平（在中共領導階層相互傾軋火併浪潮中，已遭整肅。）

書記：

彭眞（自一九六六年六月份後，已遭清算，今年四月二十五日被北平擁毛派在「工人體育場」，予以凌辱示衆。）（六）

然而，世界性的問題並非如科學技藝之單純和易予解決。其中一些嚴重的問題，又必須在國際通信衛星服役前謀求解決。例如太空使用的無綫電頻率之規定——鑒於頻率數目有限，為確保此項頻率不致混亂，以免一旦建立衛星通信系統而同時又缺乏之需用之頻率，致使整個計劃徒勞無功。又如各國衛星（並非通信衛星）之各衛星及通信衛星不可壓制來自宇宙文明星球及行星探測太空船的微弱信號——為限定各地區內頻率之使用範圍，世界各國應事先有一考慮最為週詳的國際協定。此外，通星衛星的所有權及經營方式以及太空意外災難（如衛星墜毀造成之損害）處理和賠償等等，也需先行獲致國際協議。這些多是屬於需要各國政策制訂者及該國各階層領導者付出智慧及遠見的問題，更需要人類全體捐棄私慾、成見、和狹隘的國家與地域觀念—我們不容許再任憑落伍的舊思想阻礙世界的進步和繼續使世界呈分裂狀態！地球是一個整體，國際通信衛星系統必須以全球性作整體方式予以設計、建立、經營、和全體分享，來推動全球性的互相瞭解，建立友誼，並藉此加速人類文化的進步及世界文明的拓展。

通信衛星的世界性任務

·祁倫·

電話、電報、無綫電，曾劇烈地改變了人類事務的處理方式和給予莫大助益，通信衛星對於地球上的事件將有更為重大的影響——通信衛星的電視節目能夠立即顯示之特件，將使任何一個地域、任何一個足以引人注意的事與物傳至全世界每一角落，每一家庭，將新聞迅速傳至世界每一角落，將使所有的人能夠與世界政治部門、科學部門、外交辯論……娛樂、之高速發展齊頭並進。

現在，還沒有人能夠確實預言通信衛星的一切可能用途及每一項任務所給世界帶來的影響程度。但是通信衛星將提供人類事務的密切接觸，導致增進彼此間之瞭解，給予更佳之處理而避免之危機的衝突及因誤會、猜疑而引起的戰爭。（下）

中國女性文藝春秋

周遊

「天固不可逃，夫固不可違也。行違神祇，天則罰之；禮義有愆，夫則薄之，故事夫如事天，與孝子事父，忠臣事君同也。」（夫婦第二）如此觀念，當然男尊女卑，女性為男性之附庸，固不待言了。很奇怪的是，女性也佔男性的一半數，為什麼都沒有一人起而抗爭，女人是弱者於是鐵案不移了。尤其無理滅性的說：丈夫是尊貴的，所以妻子對之，是曲不能爭，直不能訟，只能做丈夫的奴隸和洩氣筒。無論什麼時候，都不能和丈夫開玩笑，她說這容易引起侮夫之心。尤其混淆加三級的謬論，她把夫對妻的關係，認為是一種「恩」德。無論是如何薄幸不人道的丈夫，妻子都不能忘情的、因妻子是受過丈夫的厚恩的。不但夫婦如此，就是在桑間濮上男女偶爾的結合，在女性方面，也是受了一種恩惠。這眞是苛刻女性絕倫的思想！不僅事丈夫如此，對其舅姑也是如此，如「姑云爾而是，固宜曲從；姑云爾而非，猶宜順命之。」（曲從第六）不但舅姑，對叔妹也是委曲敷衍，她說：因為「婦人之得於夫，由舅姑之愛己；舅姑之愛己，由叔妹之譽己」，因此，曲徙舅姑，和悅叔妹，都是從敬丈夫一點根苗而發。古代的女性，在男性來說，是一個寄生虫，故不能不卑弱，以應付生存環境，也是婦女的不得已也。因此乃產生此種觀念。曹大家作成典範，男性當然大捧而特捧，這無異給後世女性加上鐵鎖。很奇怪的，作女性的枷鎖者是女人，為女人爭地位的卻不是女人，而是男性。雖然她的夫妹曹豐生曾作文加以反對，可惜這為女人爭自由的大文已失傳了。鼎革時期，為女人爭權的，更是男人，女人自甘屈弱者的地位，又何以自我解嘲呢！女人是弱者嗎？由此看來，女人無形的枷鎖，眞比鋼鐵的鎖鍊更利害千萬倍，我們今天讀史，也只有為之歎息而已了。

除了女界枷鎖——「女誡」之外，再舉她的得意文學一篇。永初七年，（公元一一三年，她和兒子曹穀到陳留做官作的「東征賦」：

惟永初之有七兮，余隨子乎東征。時孟春之吉日兮，擇良辰而將行。乃舉趾而外興兮，夕予宿乎偃師。遂去故而就新兮，去愴悽而懷悲。明發曙而不寐兮，心遲遲而有違。酌樽酒以弛念兮，喟抑情而自非。諒不登樔而椓蠡兮，得不陳力而相追。且從衆而就列兮，聽天命之所歸。遵通衢之大道兮，求捷徑欲從誰。乃遂往而徂逝兮，聊遊目而遨魂。歷七邑而觀覽兮，遭鞏縣之多艱。望河洛之交流兮，看成皋之旋門。既免脫於峻險兮，歷滎陽而過武卷。食原武之息足，宿陽武之桑間。涉封邱而踐路兮，慕京師而竊歎。小人性之懷土兮，自書傳而有焉。遂進道而少前兮，得平邱之北邊。入匡郭而追遠兮，念夫子之厄勤。彼衰亂之無道兮，乃困畏乎匡人。悵容與而久駐兮，忘日夕而將昏。到長垣之境界，察農野之居民。覩蒲城之邱墟兮，生荊棘之榛榛。惕覺寤而顧問兮，想子路之威神。衛人嘉其勇兮，迄於今而稱云。蘧氏在城之東南兮，民亦尚其邱墳。唯令德為不朽兮，身既沒而名存。惟經典之所美兮，貴道德而仁賢。吳札稱多子兮，其言信而有徵；後衰危而遭患兮，遂陵遲而不興。知性命之在天，由力行而近仁。勉仰高而蹈景兮，盡忠恕而與人。好正直而不回兮，精誠通於神明。庶靈祇之鑒照兮，祐貞良而輔信。亂曰：君子之思，必成文兮。盍各言志，慕古人兮。（九）

平劇繽紛錄

大鵬公演「預介」

。桂良。

台北市中華路原來有一座「國光大戲院」，以往也放映電影，前年經有關方面提倡，讓各軍中劇團，如：「陸光」、「海光」、「大鵬」、「大宛」等七個平劇隊輪流公演，場租既廉，票價較低，故此每一檔期，各隊競演新排戲齣，鼎盛一時。劵資雖較低，但杜絕不了黃牛作祟；馬五先生往返台港之便，他又愛觀賞資深的演員和骨子老戲，最爲牛羣所歡迎，但近日賽球期中，球劵黑市看高，觀衆萬人，故黃牛轉移陣地，戲票却易買了。如今，旅港僑胞來台日多，不可不先知台北市國劇公演之動態，故爲預介如次：

本期自八月十四日迄十八日止，將由空軍大鵬平劇隊在「國軍文藝中心」——國光大戲院——公演五天，祇有一個劇目：應節佳劇「天河配」。該隊十餘年來以昨年新嫁原子學人之徐露爲台柱，如今則以擅唱張腔之旦角嚴蘭靜爲家花衫。她主演「天河配」。

各地地方劇，都有「天河配」；但「大鵬」公演的，將與衆不同。「天河配」的故事，當然是牛郎、織女，會少離多的劇情；但「大鵬」却在牛郎追蹤織女時，穿插一折崑曲「長生殿」，以小生高惠蘭飾唐明皇——不知有無掛髯口？——以酷似鈕方雨面型的花旦朱繼屛飾楊貴妃——要唱幾支「粉蝶兒」「泣顏回」「石榴花」「鬥鵪鶉」「撲燈蛾」的曲子。名之曰：「長生乞巧」，乃根據唐代詩人白居易所作「長恨歌」：「七月七日長生殿，夜半無人私語時」的詩句。當年唐明皇（玄宗）與楊貴妃同遊驪山的華清宮，七月七夕，同望雙星。帝曰：「但願朕與貴妃生生世世爲夫婦，永不相離。」所謂：「人間天上」。我想該隊如果到了農曆中秋再演「應節戲」，想是要續演「唐明皇遊月宮」！

「天河配」雖係神話戲，因爲經常難得露演，今「大鵬」連演五天，且有滿臺燈彩，必能號召一時。此劇多自王母升殿起，金牛星下界，叔嫂失和，吵家折產，蓮池沐浴，（一般戲班是七仙女，「大鵬」旦角如林，此次有九仙女之多）織女下凡，婚配牛郎，仙緣屆滿，織女回返天宮，雀鵲搭橋，滿臺燈彩，鵲橋相會止。該隊於「牛郎追蹤」插演人間天上之崑曲「長生殿」，風流雅韻，錦上添花，再續「鵲橋會」。

當年故都科班演「天河配」以「鳴春社」「榮春社」最爲轟動，學生衆多，場面偉大，幻燈五彩，彩色繽紛，巧擺燈彩，琳瑯滿目。

坤伶貼演「天河配」以吳素秋、黃芷若、言慧珠最能叫座，蓮池沐浴一場，蟬翼紗薄，婆娑起舞，諸般浴姿，在幻燈彩色下，若隱若現，觀衆咸感興趣。

還有以角兒反串演唱「天河配」以作號召者：荀慧生曾反串牛郎，馬富祿反串金牛星，蔣少奎反串織女，五齡童——王文源——反串嘎氏，笑料百出，別開生面。

大鵬之「天河配」係當年戲曲學校「四塊玉」之一，白玉薇所主排，故與一般者不同。

獨生女的辛酸

紫蘭

你以爲個個獨生女，都是捧上天，象牙塔出「籠」的人，不！才不呢！

父親一貫的論調，越只是有一個，越要「苦練」，當然苦練也未嘗不好，可是獨女磨練起來，就有孤掌難鳴之苦，到了磨練得吃不消時，假如兄妹多的話，要哭一齊放聲痛哭，不怕他老人不萬箭齊鑽而「痛心」作罷。而我的哭法，養成爲默默而泣；如果沒有被子掩面，只好借助頭髮，把它拿下來點作烱霧罩。父親討厭別人哭出聲，這也難怪，因爲哭的聲響韻律，對人類的聽覺確是有壓力而不舒之感。我乖巧時，沒有人比較，沒有人可襯托出來，即使再好，也視爲應該，做錯了事（錯，大人與小孩的標準是不一樣的），在上的父親，可敏感得很，挨罵、受訓，在所難免。

交「朋友」的年齡已到，假如遇到一個討厭鬼（喜歡的例外），來串門，臨時想找一個哥哥或妹妹來擋駕，可能我却沒有這一份福氣！

獨生女最怕逢年，這時，我像教堂黃昏時，留下的最後的蠟燭，孤單默默的燃過這段時光。那一片蕭條的氣色，非局外人所能體會，假如有人，在三十晚的除夕，想找一隅清靜之處，那我們家不會使他失望。往往在這一天，我祇會一個人趕場電影（母親不喜歡看）。女孩子，一個人去？很多人驚奇，在我，只好慢慢習慣的別人驚奇。除了看台上人演戲，來忘了自己，我怎能以別的什麼方法來大大娛樂慶祝自己呢？幸而還未一人去巴黎鐵塔，否則路上行人以爲我去尋死哩。獨生女有孤癖嗎？不，以我說，很易與人來往，我總將兄妹之誼，分給別人；但是，有部份男士，就「會錯了意」而表錯了情，以致招來「男朋友很多」之名，天曉得。

同宿舍的家燕，她樣樣都好，就是牙縫裏忘不了提他兩位哥哥的事，好像瞄準我是沒「後台」的。眞想發狠，在馬路十字口，順手牽一個來充當我哥哥，看她還神氣？不過，這年頭可得小心，萬一引「狼」入室，豈不背上一個更倒霉的名義。唉！我不止一次的又想：媽，當初爲什麼就不再多生一個呢？

獨生女不能說沒有一丁點兒好處，否則豈不怪我太偏激了？例如，沒有弟妹瞎取鬧，惡作劇；沒人搶用我的書桌，亂撕我的東西；沒有「小奸臣」告狀；沒有：：雖然有時寂寞、冷清、難挨；但寂寞告訴我去找筆墨，靜默使我去思索人生有人給我綽號——「小大人」磨練？產生對生活的體驗。假如說，文學產生痛苦、磨練、寂寞之中；那麼，上帝造我，已樣樣爲我準備齊全。

我如果說，那些名作家的定義下得對，首先他本人的條件，該是獨生女（子），否則叹入例外的例外。寂寞的琴音，只有寂寞的人才奏得感人，寂寞的文筆，也只有孤單的人描繪得出。所以獨生女，才懂得獨生女的苦。還有誰認她是幸福？那麼，我以十二萬分的誠心，將這標致的帽冠冕禪讓給她。（下）

香港政府應厲行法治以消除共禍

（上接第一版）

亦照辦煮碗，每天造作謠言蜚語，反對「港英迫害」，煽動市民起來作亂，政府是否放任不究呢？

香港法令對資本階級的利益總是保護的，一般受惠最多的資本家，平日每以「爵紳」「太平紳士」面目，遇事皆有意見發表，唯獨對於這次港共的暴動事件，默然無聲，有如秦越人之漠不相關，但聞其亟亟於轉移資金，作遠走異域的準備而已。我們不屑責備資本家之貪婪無知，祇希望政府今後多爲勞苦大衆的福利設想，如對街頭小販和營業汽車的管理方法，似應斟酌改進，而其賦予資產階級的若干特權，亦應有所糾正。總而言之，舊有那套統治殖民地的方針，非改革不可了。

本港自從去年發生金融風潮後，市面已有不景氣的趨勢，再有這次共黨的暴動，工商業大受影響，政府不厲行法治，從速消弭共禍，恢復正常秩序，而跋前慮後，聽其持續不休的進行內部顛覆活動，則本港工商業必將陷於蕭條萎縮狀態，一蹶不可復振，終致造成社會大衆廣泛的失業問題，又間接替共黨造機會，太不智了。目前英國對香港問題的心事，就是害怕招致中國大陸上毛共的威脅，使地方事件，成國際爭端。實則共產黨只問力量如何，絕無跟資本主義國家和平共存的眞意，却不打無把握的仗。現在要保持香港安全的主動權力，由於毛共內部紛亂不已之故，有一半還是操在英國手中的，等到時易勢異之秋，如果毛共政權不敗亡，這一半的主動權力能否保持，那却是一大疑問啊！

海嶠譚薈

談國軍將領余程萬（上）

諸葛文侯

前任中華民國陸軍第廿六軍軍長粵人余程萬，於民國四十四年八月廿七日，在香港的九龍郊區屛山私宅內，被刺殞命。他原是卸職不久的高級將領，又出身黃埔軍校，年紀幷不大，何以來到海隅後即逡巡不去台灣歸隊，乃把生命亦不明不白地斷送了呢？這其間，實有特殊原因，値得談談。

余所領的廿六軍，原係對日抗戰末期編練成立的遠征軍預備隊，器械精良，實力雄厚，駐在雲南境內。日軍宣告投降後，改番號爲正規軍，奉命開赴越南受降，旋回至滇省宜良駐防，負責滇西南的綏靖工作，軍威甚盛，余氏常以「南天屛障」自詡，世人亦深信不疑。

迨民國卅八年冬初，國內局勢日趨阽危，政府南遷粵渝兩地，川滇二省乃成爲軍政重心所在了。是時戍屯雲南的國軍，除廿六軍外，祇有新由徐蚌會戰下來，急待整訓補充的李彌所部第八軍，調駐霑益一帶。雲南主席盧漢有通共謀叛的迹象，以余李二人防範嚴密，不得逞，盧氏且曾赴渝謁見最高當局，表示効忠不貳。繼見國軍在川省作戰不利，滇境土共蠭起，而毛共陳賡匪軍又由湘桂邊境向滇中進襲，盧漢叛謀復萌，躍躍蠢動。余李二人仍策畫應變方畧，相約無必要事即不去昆明，免遭意外，倘本人因職務關係赴昆明不能回來時，部隊由彭副軍長佐熙指揮，聽候政府命令行事，彼在被人扣留期間所發佈之書面或口頭命令，皆不足信，其用心可謂縝密矣。

越十二月初，最高當局派西南軍政長官張羣赴昆明安撫盧漢，希望以雲南爲重振河山的基地，余李兩軍長亦應召來到了昆明。盧漢決計乘機叛國，於十二月八日通知各級軍政首長，約定晚八時在「翠湖」盧宅開會，余程萬偕師長石補天如約赴會，入門即被拘押至五華山滇省府大樓，瞥見李彌已先在，相對苦笑而已。同時被拘者尚有保密局雲南負責人沈醉，憲兵副司令李楚藩等，中樞特使張羣暨隨員周君亮，亦被羈留在盧宅內，不許自由行動，盧漢於九日發表投共通電，人心大震。

十日拂曉，駐紮昆明城郊建國中學內的憲兵第十團，因拒絕盧漢派隊招降，發生戰鬥。是日上午九時，駐宜良之廿六軍軍部由副軍長彭佐熙召開會議，商討應變策畧，正聚議間，忽聞余軍長廣播之聲，謂已與「盧主席」一致「起義」，囑部衆不可輕舉妄動。大家認爲余氏之言係受盧漢脅迫而發的，決不可信，一致主張立即進兵昆明，營救「老軍長」，蓋余氏任該軍職甚久，官兵平日皆以「老軍長」稱呼之。

十二月十二日，國府獲悉余氏已失自由，未能行使職權，乃調任余氏爲雲南綏靖主任，而以彭佐熙升任廿六軍軍長，飭其尅日收復昆明，彭擬立即下令總攻，然與第八軍的電台連絡中斷，不能按照原有作戰計畫行事，延至十五日始與第八軍恢復通訊。此時盧漢已將廿六軍改編爲第十軍，仍由余氏任軍長，幾次派員賚同「第十軍」印信暨慰勞品，到宜良與彭軍長密談招降，彭以限期本月十八日釋出余氏爲先決條件，逾期即進攻昆明。

避免暈厥仆地妙法

・紫雲・

人的腦部在短暫時間不獲血液流入，便會陷入暈厥。同時突然聽到極好或極壞的消息，引起心裏過分的劇烈反應，使血液的循環速度失常，也會使人暈厥的。

人在暈厥之前，身體往往會發出警報，使人有所警覺，如視力突然轉弱，頭部感覺輕飄，胃部不舒適，口內乾燥等現象。

如果身體發生上述現象，立即仰天躺下，雙脚高舉；或者坐在椅上，使頭部垂至兩膝之間。這兩種辦法都可使血液暢流，免於暈倒。

內備警台報字第〇三一號內銷證

自由報

THE FREE NEWS

第三八七期

中華民國僑務委員會登記
台新字第三三三號登記證
中華郵政台字第一二八二號執照
登記為第一類新聞紙類
（半週刊每星期三、六出版）
每份港幣壹角
台灣零售價新台幣貳元
社長：雷嘯岑
督印人：黃行言
社址：香港銅鑼灣高士威道二十號四樓
20, CAUSEWAY RD 3RD FL.
HONG KONG
TEL. 771726　電報掛號：7191
承印者：大同印務公司
地址：香港北角和富道九六號
台灣分社
台北市西寧南路壹壹零號二樓
電話：三〇三四六
台郵撥儲金戶九二五二

政治行為的份際問題

——從權必須守經——

陳侃

共產黨之所以能夠竊據中國大陸，原因雖然很多，而其基本因素即在中華文化精神之空虛墮落，殆為無可爭議的事實。毛共害怕中華文化精神終必重振，而將野蠻殘暴的共產主義埋葬掉，乃進行「反四舊」的文化革命惡作劇。蔣總統倡導「復興中華文化運動」，正符合吾國先儒朱舜水所說「滅虜之策，在事事與虜相反」的義理，是深中肯綮的反共救國最高原則。因此，我們要完成反共救國的時代任務，一切行為決不宜與中華文化精神相背馳，方法儘管殊異，原則必須保持，否則復興中華文化運動便失去了意義，何必多此一舉呢！

反共救國是一樁頂天立地的大事，每個崇尚自由生活的中國人應該一致團結起來，共同奮鬥。蔣總統說過：「不是敵人，便是同志」，這是團結海內外反共力量的正確觀念，沒有不贊同的。不過，就中國傳統文化思想來說，在團結反共力量的方法上，即須慎思明辨，適當處理，換言之，即須不違悖「禮義廉，忠孝仁愛」這種傳統文化思想的主要精神，纔能夠發揮深厚而堅強的作用，因而轉移社會風氣，滌蕩亂世人心，獲致反共救國與復興文化精神的大效。若論事實，不外數端。

心戰原是團結反共力量的要著，所謂「政治瓦解敵人」是也。對於迷途知返，覺今是而昨非的人士，當然歡迎他們來歸，而且因材器使，給以報國的機會，都是政府應有的措置，但不宜漫無份際，如獲至寶。記得民國卅九年秋，海外忽傳投共的國軍大將傅作義逃出大陸，南來香港的消息，甚囂塵上。當時旅居海隅的民黨前輩何雪竹（成濬）先生，特別叮囑吾輩報人，說傅氏如果眞的逃來了香港，亦千萬不可在報紙上過份的對他恭維捧場。他認為傅氏縱或南來，亦是不足為訓的行為，有關世道人心，與論歡迎他棄暗投明，足矣，瞎恭維却非所宜。何將軍這番語重心長的言論，值得拳拳服膺的。返觀近年來的事實：一個在大陸上作過紅衛兵的青年學生逃到了台灣，政府予以收容，安排他的生活，輔導他求學上進，皆可，然中央黨政機關那樣隆重的接待，民意代表和社會團體競相召集大會，請他出席講話，就未免有失體統。一個共軍的班長投奔台灣之際，政府按照早已宣告的功令，發給獎金，表示嘉許，軍政首長面加勉勵，都是應有之義，然中樞高級行政首長，似不必特別召見他，體制攸關，未可妄自菲薄的。又如常在海外對政府表示離心傾向，乃至公開反對，而經常以文字言論攻擊政府當局不遺餘力，或者組織團體以對抗政府的所謂「第三勢力」人士，一旦對台灣稍示妥協之意，即視為不可多得的英雄豪傑，體遇優渥，得未曾有。甚至有些在海外素以中立騎牆姿態出現，或在共黨行列中失意背時的電影演員和文化工作者，一經向台灣投靠，就成了奇才異能之士，有如千金難買的駿骨。我們覺得這都是過份的措施，與中國傳統文化思想最注重的四維八德精神，相去太遠了！

謀國之道，有經有權。「權」是治事的術數，有如治病的藥劑，因時因地因人而不妨靈活運用之，「經」是立國的典範，有如攝生的營養料，雖萬變亦不渝。政府為着政治作用而從事心理作戰，號召敵人來歸，團結救國力量，這是權謀術數，運用要有分寸，纔不致損害國脈，影響人心，這話怎末講呢？基本即係中國文化思想問題。中國文化思想是倫理與政治一元化，要講求做人的道理，平日立身行己，必須合乎四維八德的圭臬，憑這種精神而陶冶為民族氣節，人人為國家盡忠，為民族盡孝，明禮義，知廉恥，盡其在我，有所不為。曠觀吾國歷史紀錄，每當國運艱危之秋，即可以測驗民族氣節的潛能高下如何，平時培養得法的，全體人民忠義奮發，共赴國難，而以知識份子為主幹，各守本份，恪盡職責，國家自然復興。史證昭彰，毋待贅述。所以，政治上為着現實的利害關係，對敵人和異己者，採取招降納叛，安定反側的策略，古今同然，不足為怪，問題是要恰到好處，不能過份，否則雖然博得當前一時之利，必貽他日無窮之憂，為甚末？就因為政府平日重視忠貞精神，毫無假借，許多流亡在海外的政治難民，雖然砥礪自守，義不帝秦，更不屑招搖賣玩，搞風搞雨，始終站在青天白日的旗幟下，過着顛沛流離生活，忠黨愛國，無愧衾影，要想回到祖國政府所在地的台灣一行，亦不容易，如係共匪竊據大陸以後纔逃出來的，在忠貞尺度的衡量中，或許成為問題人物。他們目擊着一些行能無似，二三其德的投機分子，與夫江湖術士之流，稍事作態獻媚，頓成為政府爭取不遑，過份獎許的時代寵兒，諸情況，有不感[illegible]系之的嗎？這在一般人的心理上，影響多末大！我們決非反對政府實施瓦解敵人陣營與團結海外反共力量這項策略，祇希望準情酌理，做得適合份際，不要使素來對國家民族忠貞不貳的人，沮喪於悒，滋生意想不到的副作用而已。十餘年來，我們在海外所見所聞的洩氣事情，實在太多了，到處人慾橫流，廉恥道喪，確係一片衰世的現象，深深地感覺必須復興中國文化精神，培養民族氣節，纔可以振起麻木不仁的人心，改變偷惰詐偽的習俗，這又非由政府當道以行動來示範不為功，此即本文的主旨所在也。

就團結反共力量問題設想，我們根據海外的實際情形，亦願意附帶提出兩點建議：政府主管機關最近宣稱台灣入境手續大加改革了，一是皆以簡便為本，這是激發海外僑民向心力的善政，但望坐言起行，昭示大信，不要甲機關核許了，乙機關又留難，政出多門，莫適誰從，此其一。海外人士前往台灣觀光或參加慶典時，政府對他們妥為招待，固然很好。但不要把官式的活動節目，排比得過於繁忙，致客人沒有自由行動或休息的餘暇，昕夕皆在奔波不歇的緊張情況中，這實在是件苦事，有許多客人在台灣不便說甚末，回到海外來，大家叫苦連天，視為畏途，今後非改善不可，此其二。這是我們認為不應忽視的問題，不知當局者以為何如？

毛共：「他手裏有鈔票呀！」

和平

毛共：「我最討厭這個！」

今日與明日

奪權的本質

今天在大陸各大城市所發生的[illegible]，報紙上仍習慣稱之為毛派與劉派之爭，其實這種說法，是很有問題的。就筆者個人看法，像在廣州低級工人與學生打門，其中決不可能有毛劉之爭的成份，毛劉之間分野，最多到省委為止，省委以下，平日只知道服從黨中央，黨中央握在劉少奇的手裏，地委及縣級幹部都是執行中共中央的政策，自然就是劉少奇的政策，可以說整個大陸地委以下幹部皆是劉少奇派，到了八屆十一中全會之後，劉少奇已被剝奪了權力，之鑑定為中國的赫魯曉夫，成為中共黨內的最大反黨份子，到此時除非省委以上，尚曾受過劉少奇直接提拔的人，以下尚有劉派色彩，地委及縣級以下共幹部，生平未見過劉少奇，本身根本就不知道自己是劉派，新的黨中央一倒，他們自然要服從，劉少奇一倒，他馬上就變成了毛林。

既然沒有毛劉之爭的成份在內，大陸各地打鬥又是怎樣發生的呢？說穿了，是為了奪權。在過去，權自上來，各級黨委第一書記由上級派，幹部只有拼命工作，迎合上級，希望得到提昇，此外並無他途，自從毛澤東唱出造反有理，要各級幹部奪權，於是形勢一變，權力自下而上，不是由上而下了。

最近有兩個消息可以證明此說，一是紅衛兵去找廣州「市長」曾生談話，曾生竟然踰牆逃去，住到司機家中的雞窠裏，也不願見紅衛兵，曾生算是劉派嗎？知道曾生升沉的皆知道他與毛林皆無直接關係，在廣東是屬於被壓迫的一派，他何以如此怕紅衛兵，因為紅衛兵並不是查問他是否劉派，而是要奪他的「市長」權力。

另一則是由武漢逃出一個共幹發表的談話，認為大陸人民固然很恨毛澤東，也不喜歡劉少奇，大家的打鬥，也就是為了奪權，以他服務的機構為例，共有一百多人，奪權一開始，就有甲派一批人起身趕走黨委書記，奪了權，過了幾日，乙派又一批人起來，趕走甲派，再奪了權，接着丙派，丁派，一直這樣奪下去，到了後來未參加奪權甘心作被統治者的只有十幾個人，成個機構也只剩下這些人，工作自然癱瘓了。

在奪權時，成功的一派皆是毛派，失敗的皆被定為劉派，於是一批一批由毛派變成了劉派，像這種分別，若眞認為是毛劉之爭，豈非笑談。

毛澤東發動文化大革命，高呼奪權，組織紅衛兵，其目的就在於使天下大亂，在毛的看法是越亂越好，這種說法是否合理，姑且不論，但目前是眞的亂了，至於如何好法，站在毛的立場上，到是眞眞的看不出，而在自由反共的中國人來看，確有越亂越好的感覺，不過，此事若完全站在圈外看，最後還是落得白白歡喜一場。因為目前所有奪權的人，幾乎全部皆是共產黨人，這個權最後無論被誰奪去，仍在共產黨的手裏，與我們完全沒有關係，這一點也是我們要了解的。（何如）

自由談

美式戰略戰術

馬五先生

美國五角大厦的軍事首長向國會作證，指出美空軍在越南作戰而奉命不許轟炸北越軍事基地的理由，是不願消滅越共政權，以免揹上「侵略」之名，美軍作戰目的，只求越共不以全力進襲南越而已。這又是韓戰的翻板，也就是美式的戰略戰術，可憐亦復可哂！

調派幾十萬大軍越洋討伐共黨，同時號召若干友邦亦出兵參戰，每天消耗的物力財力，數以百萬美元的單位計，却不願顧把敵人殲滅，說是為要避免「侵略」罪名，可謂亘古未有的奇談。既然害怕犯有「侵略」別國的嫌疑，那根本就不應該出兵到越南去討伐越共，難道越南就是美國的領土不成麼？

究其實際，所謂「避免侵略罪名」云云，乃是表面的遁詞，美國不願意冒核子戰爭的危險——犧牲自由世界的一些弱小民族國家，藉以換取美國的安全繁榮，然後與蘇俄平分秋色，稱霸世界。此乃符合商業主義的如意算盤，即以最小的投資而獲致最大的利潤是也。這算盤能否打得通？那是另一問題，在美國看來，固應如此。

過去我對毛澤東左手反俄，右手反美，還要在內部搞奪權運動，鬧得四分五裂這種作法，懷疑他究何所恃而不怕自由世界收拾他呢？如今恍然大悟了。原來毛共看準了美國的的確確是個紙老虎，最怕別人也有原子彈。所以，毛共不惜竭澤而漁，拼命發展原核子武器，先把美國嚇倒，即可高枕無憂，俄帝無論如何亦不便對共產地區動武，毛共當然明白。至於台灣的幾十萬大軍，自有美國替毛共保鑣，因為美國一再聲明不贊成台灣反攻大陸，他們在「華沙談判」中或許已有協議了。

若謂美國這樣的作風，豈非自貽後患嗎？是的！但美國的文化水準不足以語此。他們只有一點實驗思想，你說砒霜有毒，他非親自嘗過即不相信，毒死了再說，夫是之謂美國的文化精神！

湖南反毛現象一瞥

（本報訊）久居香港的電影演員鍾情，她原籍是湖南湘鄉。大陸變色之初，她的父親以地主惡霸遭共黨殘殺，全家大小掃地出門，她和母親逃難到香港，有兄原係螟蛉子，仍留大陸過着牛馬生活。

最近一個月之前，鍾情母女二人得到大陸共黨許可，曾回家鄉一行。她們先到廣州，因共黨的擁毛派與反毛派武鬥不已，粵漢鐵路不通，乃改乘飛機到長沙，進入市內，即見市街上許多人拿着梭標、菜刀、鐵條這類武器，到處打鬥，情狀可怕，她們呆在旅館不敢出門，甚爲惶急。旅館有共幹對她母女說：「這是我們黨裏的事，與黨外人士無關，你們要回鄉，儘可以去」。她母女二人纔敢出發馳往湘鄉，按照她哥哥函告的住址尋到了，是在一個荒郊的茅屋中，哥哥做着當地小學教師，月薪四十元偽人民幣，生活苦不堪言。她母女在茅舍住了兩天，每夕被蚊虫咬得不能安眠，給她哥哥留下一點錢，先回到長沙，只見長沙共黨內部的武門更激烈，駐軍司令是姓龍的，亦表示反毛，每天都有流血衝突發生，社會秩序大亂，陷入恐怖狀態中。她母女急忙離湘，趕回廣州，而當地的武門情形更厲害。她們搭火車到深圳，在車上聽到「春雷隊」——鐵路工人的組織——的隊員談武門事件，說「紅衛兵」當初南來廣州「串聯」時，鐵路工人晝夜替他們服務，辛苦異常，不料這般紅小鬼以怨報德，對鐵路工人竟大事攻擊，指爲反毛派，路工們氣不過，就組織「春雷隊」跟紅小鬼們鬥爭，現在粵漢路南段從武漢到廣州，都有「春雷隊」存在，準備跟紅小鬼們鬥到底云。

[illegible]察當地武鬥的情況，認爲駐軍司令龍某的反毛勢力，尚未能控制全局，而北平方面已對湖南特別注意，陸續派遣大人馬到長沙支持擁毛份子，龍某如果不能使用軍隊從事內戰，他的反毛運動是否獲得勝利，似屬未知數。

越南中文報紙破壞中文

謝振煜

（本報西貢通訊）最近越南共和國政府宣佈取消新聞檢查制度，在報導這個消息的時候，出版於西貢的十六家中文報紙竟一致將「新聞檢查」一語誤作「新聞檢閱」。

七月二十一、二十二兩天各報的標題是：新聞快報：「阮撲正式宣佈取消新聞檢閱」；越華報：「取消新聞檢閱制度，就取消新聞檢閱」；新論壇報：「阮總理有新解釋；阮撲宣佈，檢閱制度取消後，指示新聞總部草擬一項律令」；亞洲萬國聯合報：「阮保治少將闡述取消檢閱制問題」；成功日報：「阮撲詳予闡釋取消新聞檢閱」；遠東日報：「取消報紙檢閱制度」；阮總理宣佈原由」；建國國際聯合報：「新聞招撫總委阮保治昨晤各報社長闡釋取消檢閱」。

用在新聞稿上，偶然用錯一兩個詞語，原不足爲奇，可是這裏的錯誤，絕對不是偶然。「新聞檢查」是新聞學上的用語，講得再通俗點，就是行家的術語，報紙報導本身的新聞，記者一錯，編者再錯，而且全部報紙一樣的錯，這能夠說是偶然的嗎？

造成這個詞語的錯誤是不難了解的。原來在越南文字上，是把「新聞檢查」叫作「新聞檢閱」的，正如日本文字把「火柴」叫作「憐寸」一樣；許多詞語是由習慣的稱謂產生的，本身並沒有什麼正確與錯誤的存在。然而我們是中國人，寫的是中國字；因此越南人[illegible]錯，中國人說「新聞檢閱」就大錯特錯了！很明顯的，難道我們亦把「火柴」叫作「憐寸」，不成！

畢竟中國文字與越南文字是有着直接的關係的。約在公元十三、四世紀間，越南文字原是一種以中國文字爲基礎的「喃字」，這種文字只適用於人名、地名和告示等，並不若中國文字的普遍。當時越南學者仍然習慣於應用中國文字。自從越南學制革新以後，便改爲一種用拉丁字母拼音的「國語」字，這種新的文字由基督教的傳教士所製訂。約在十六、七世紀間，傳教士來到越南，這些傳教士爲了便利傳教工作，他們特別用拉丁字母去製訂一種的文字，後來經兩位葡萄牙籍神父翻譯其本國文字及法國人士加以修訂，而成爲在教會中所通用的一種文字，這便是今日越南文字的來源。

雖然越南文字已經用拉丁字母去拼綴，大異於中國的方塊字，但是在語法上，它仍然深受中國文字的影響。除了純粹的越南俗語之外，有一種叫做「漢越字」的，而且在越南文字中佔了很大的比例。這種「漢越字」在應用上也比越南本身的俗語來得文雅、簡潔。如「飛機」一詞，越南俗語是May bay「漢越字」是Prhi co-，前者多應用於口頭語言，後者則多應用於書文。他如「日字形」、「十字架」等詞，越南文字直接譯成Hinh chce nhat及Thap-tac-gia，更是全然以中國文字爲根據。

雖然這樣，有些「漢越字」並不完全是中國化的。「新聞檢閱」便是一個明顯的例子。

其實，在西貢出版的中文報紙誤用詞語已不自今日始，如吳廷琰時代的「國家革命運動」就有許多報紙譯爲「國家革命風潮」，而現在，如「公會」、「終身殘廢」等詞語，一直被誤作「聯國」、「終身不力」。也由於這些錯誤，使人憂慮越南中文報紙是否有意在破壞中文？

八月六日

我是一個「紅衛兵」

·王朝天·

串連就其行動辦法來分：一、乘火車、汽車和各種交通工具串連。二、步行串連，即是不乘坐任何交通工具，完全步行到北平和各省市去串連。

乘車大串連對中共交通運輸發生很大困難，客運貨運幾乎停頓。北平市除去市內公共汽車幾全爲「紅衛兵」所佔用外，「解放軍」還借撥出六千輛汽車。傳說在八、九兩個月的運送「紅衛兵」費用，即達全年交通運輸之二〇%。毛澤東爲了維持交通，不得不規定自十一月二十一日起，禁止「紅衛兵」乘車到北平去，留在北平者要儘速返回原地。留在各地的，也儘速用各種交通工具免費送回原地。逾期不再免費，以後一律步行串連。

這種「革命串連」，在大陸，我們只覺得好玩，從來沒有想到它有什麼意義。以我來說，生長在東北山溝裏，沒有見過世界，自然想見一見天安門，能夠到各地去遊玩一番。自然每一個好動的青少年都是求之得不的。何況可以到全國大「串連」，愛到那兒就到那兒，只要拿到證明文件就可免費坐車，到那裏都有接待，有吃有住，誰不想去「串連」，並且又是革命，這種革命誰沒有興趣？毛澤東爲什麼不惜把交通癱瘓，全國混亂，來搞這個沒有意義事情？我現在想來他的作用，可能是：一、各地學校都停課了，學生無所事事，在本地方的「破四舊」已經搞過，也不能再搞，要學生安份守已在學校裏是不可能的，反毛的人也容易利用青少年的煩悶和失望，來鼓動反毛思想。要保持青少年的好動心理，「串連」是一件可以滿足青少年的好動、好奇的心理。二、北平不是普通一個人可以去的地方，但又是人人想去的地方。毛澤東是輕易見不到，他經常地神秘化，爲了提高毛澤東的偶像化，到北京去「串連」是每個青少年願意的，企圖由此增加青少年對毛澤東的崇拜。三、集合了全國青少年分批到北平，來表示擁護毛澤東，這是對反者的示威。每次天安門羣衆大會，劉少奇、鄧小平等參加，都是儘量抬高林彪政治地位，壓低劉少奇政治地位。這是使全國青少年對林彪留有深刻印象，知道他是毛澤東的繼承人。四、「文革」當前的重點工作是打倒各地的「當權派」，本地的「紅衛兵」由於過去在當地黨委高壓之下，並且當地黨委仍是有權有勢，要當地的「紅衛兵」鬥當地黨委，是有所懼怕的，鬥得不會徹底。如果「串連」遠地，就可以胆大妄爲。可以鬥得徹底，鬥得激烈。

我從滿州里到北平的「串連」過程是這樣：

我從滿州里到北京的「串連」，是由形形色色的造反團自願結合在一起，先決定到何處去「串連」，再向市紅衛兵總部領「串連證明文件」。

費用是自備的。在十二月二十一日以前，當中共中央和偽「國務院」尚未有命令停止乘車串連時，乘車是免費的，但是生活費用自理。有極少數的學校，由學校補助一些生活費用，這是因爲半工半讀學校，學校裏存有學生的錢。由學生自理的，自然向家裏要，向父母要。父母自然不願孩子出去「串連」，有些家庭就不給。不給的，就到父母服務的單位去借，在父母工資中扣。服務單位的會計怕這些「紅衛兵」，也就借了。實在借不到的，有些「紅衛兵」身無分文，也就不顧一切動身了。

我是向我母討了偽「人民幣」三十元。這個數字，是大多數從滿洲里出發的「紅衛兵」所帶的錢。這些錢自然是不夠的。不夠就向接待站借，留下借條。接待站非借不可，不借就鬧事。並且「紅衛兵」到處欠債，到處賴着不給錢，能留一個現錢在身邊，就留一個現錢。

我是十一月十六日離開滿洲里，乘普通客貨車於十八日經海拉爾而抵達齊齊哈爾。（八五、）

蒙城博覽會參觀記

吉錚

美國館

博覽會裏每一館都樂意在妳的「護照」上蓋紀念性的國印，根據我女兒紀念冊上的印戳，我們一共參觀了三十一個館，也不過是博覽會館的半數，其中印象最深的，除了中國館外要算以下四館：

美國館最引人矚目的是她建築的本身，和主題「創造的美國」十分貼切。美國館是一個透明的測地學的頗富美感的所謂：「破空泡」，球面直徑兩百五十呎，高達二十層樓，自動電梯最頂層的太空陳列，包括月球表面模型，整個太空旅行船和太空椅，館內除此外，最顯著的陳列要推那巨幅的好來塢明星照片了，許多遊客操着不同的口音指指點點，這是英格麗保曼，那是享佛里保嘉，倒都如數家珍。

這個日夜發亮的「泡」本身確實搶盡光采！

蘇俄館

蘇俄館的面積約佔十七萬五千平方呎，可能是全博覽會中佔地最廣的一館。那上宮嶠頂似的屋頂下橫寫着一行字：一九一七至一九六七USSR，明白的表示該館目的在展出蘇俄五十年來的進步。他們選擇的主題是：「在人的名下，爲人的益處」。館內主要陳列首推：原子爲和平，其他經濟，科學，工程，以至文化，藝術的展覽均係宣傳蘇俄生活，項目多，但混亂，給人的感覺是：成心擺闊，但洩露了恐懼於式微的虛弱。

捷克館

一九五八年在比京布魯塞爾舉行的世界博覽會中，捷克斯拉夫館據說會獲最高榮譽。

蒙城博覽會中，到目前爲止，捷館要算最受歡迎的了。我們在博覽會一連三天，沒有一次經過捷館不被門前等待入內參觀的遠及上哩長的長龍嚇退，門檻精的蒙城朋友教我們乘晚飯時間入少較易進去，那天我們近黃昏時去排隊，仍等一小時半方才進門。

捷館並不大，給我鮮活印象的是那種勻稱，那種美感，那種想像力，玻璃，瓷，陶器，首飾和時裝的陳列全具最高度的趣緻。而那巨型手工木彫的童話更吸引得孩子們和孩子的父母全世界都入神忘我了。

英國館

進英國館總也要先排上一個多鐘頭的隊，英國表現的手法用昨日，今日，明日，乾淨利落，我尤其欣賞那「名人錄」一，其中包括英國的天才，政治家，發明家，藝術家，從沙士比亞到勞倫斯奧力佛，隨你按一個名子的電鈕，機器裏馬上送出一紙關於這個人的簡歷，竟果真把現代機械的技能和歷代的偉大的心靈連繫到天衣無縫！

此外，日本館展出打電話時看得見自己和對方的電子業的飛躍，意大利館裏那座萬能的機械人，法國館裏著名時裝設計展覽，麒麟湖上晚間的舞水，每晚準十二時放射的燦耀烟火，最新式的公寓建築等，似乎都不可不看。博覽會中，聲光色，耳要聽，眼要看，腦要想，嘴要說，要吃，最顧不得的是回來後才發現磨出泡來的一雙脚。

如果你去，最不要忘記帶一雙舒服的便鞋，一份「等」的耐性，和愈多愈好的時間。

（下）

電動月台票發售機 台北車站先行啓用

（本報訊）台灣鐵路局近年來對設備的更新不遺餘力，今天開始在台北站又推出新製電動月台票發售機，該機特點爲節省人力，不但可以補救人力的不足，而且可以補救發售的錯誤、遲慢。該機投幣孔投入五角硬幣後，即由電的感應使名片式月台票一張由出票口送出來，如果誤以一元硬幣投入，則該硬幣會由出票口退出。該機內可裝入月台票一千張，在月台票上軋上日期，送出時自動軋上日期。如果機內月台票用完，機內裝置的電鈴就立刻大響，以便管理人員馬上就可再裝入月台票一千張，在未再裝月台票前投幣孔即自動台鎖，無法投入硬幣，並有「停」字表示燈表明出來，設計得可以說相當週到，美中不足的是先需準備好五角硬幣才能投入，因此該站服務中心尚須兼顧兌換硬幣工作，此一問題發現後即洽廠商研究，加裝一元硬幣投幣孔，即投入一元硬幣後可由出票口送出月台票一張及五角硬幣一枚，廠商認爲並無困難，鐵路局擬先訂購該項月台票發售機三台裝置台北前後站使用，屆時月台票的發售，當全部有所改善。

瀛海異趣談

說謊的人

·岳騫·

人在社會上活動，可能都會說過謊話，有的人為了應付環境，有的人則為了生活，當然也有一部份人，是為了出老千。但是，我却見到一個奇人，他說謊是為了嗜好，這個人就是曹仲愚。

我認識曹仲愚是很偶然的，記得是十年前的事，我同一位湖南朋友王君在咖啡室聊天，忽然從外面走進來一個人，五短身裁，白淨面皮，脅下夾着一個雞皮紙作的紙袋，態度倒是一表斯文。他一進門就奔向我們這張枱子，猛然拍一下王先生的肩膀，說道：「好久不見了，你現在住在那裏？」

奇怪的是王先生翻翻白眼，說道：「閣下貴姓？我不認識你，大概認錯人了吧！」

他大笑道：「老王，你別裝傻了！我今天不會問你借錢的，放心吧！」

王先生搖搖頭：「別開玩笑，我眞不認識你。」

眼見這樣一幕活劇，我不由得笑起來。那知這一笑惹了麻煩，他馬上轉過臉來向我問：「老兄貴姓，住在那裏？」說着不等我開口，就掏一張名片遞過來。我一看中間印了曹仲愚三個隸字，右上角印着華僑大學教授，時事新報編輯，文教聯誼會主席。當時看得我眼花撩亂，下意識地也摸了一張名片給他。

他接過名片連說：「久仰，久仰，貴處是？」

我剛說一句「山東」。

他連忙說：「我也山東，我也山東，我是山東曲阜。」

王先生忍不住了，問道：「去年你填表申請加入湖南同鄉會，說是出生在長沙，怎麼又變成山東人了？」

他回頭笑道：「王兄，你剛才還說不認識我，怎麼我的籍貫你知道得這麼清楚。」

王先生被他一句話駁得無話可說，停了停，冷笑一聲：「你這種人認識倒不如不認識，所以我才決心不認識你。」

他笑了笑，又向我說：「先高祖是山東曲阜人，先曾祖就遷居湖南，到了先祖遊宦廣西，先父在河北經商幾十年，晚年終老天津，兄弟就生在北平。」

我正呷一口咖啡，不由得從鼻子裏笑噴出來。

王先生本來極力矜持不願同他說話，這時也不由得笑起來，問道：「照你的籍貫，中國的東南西北有名省份的人，都是同鄉啊！」

他點點頭道：「事實確是如此，我並非有意高攀。」

到此地步，王先生也不好再說不認識他，三個人就在咖啡館談起來。他很健談，上天下地無所不知，一口氣說上半個鐘頭，就沒有別人插嘴的份。我仔細看看他的卡片，問他道：「曹先生在華僑大學任教授，這間大學在什麼地方？」

「沒有辦起來！」他搖搖頭。「我應該之聘，南來教書，到了香港這間學校根本未辦起來，我只好留下了。」

我又想笑出來，勉強忍住問道：「此地好似沒有時事新報？」

他點點頭。「是上海的報紙，當時很有地位，與中報，新聞報，大公報齊名，抗戰時停辦，勝利後未再復刊。」

我當時只好笑笑，也沒有再問其他的資歷，不過，經過這一次，我同曹仲愚算是變成了朋友，他時常到我住處來談天，借錢，借的數目都很少。

有一天，他又挾着紙袋走進來，神情顯得很緊張。才坐下，他便問道：「你同文化報的編輯鄭士風很熟吧！」

我點點頭。「經常見面，是比較要好的朋友。」

他笑道：「我要請你幫忙了，這裏有一部中篇小說，共計十萬字左右，你拿去同鄭士風商量一下，請他設法在文化報列出來。」

我翻開看看，是一篇愛情小說，內容似乎舊一點，不過文字倒還不錯，當時就答應轉交過去，他千恩萬謝的走了。

隔了半個月，這篇稿子果然刊出來了。偏巧這天下午我又到文化報去，正和鄭士風談天，忽然進來一位老者，矮胖身材，圓圓面孔，穿了一件半舊長衫，神色慌亂地進門就問那位是副刊編輯。

鄭士風趕快站起來說道：「我是副刊編輯鄭士風，老先生貴姓？」

老者答道：「我姓胡，名叫胡克圖，今天有件事來麻煩鄭先生，實在抱歉得很。」

鄭士風說道：「老先生，有何見教不必客氣，請講出來。」

剖析八十二名反毛的中共中委

李敦復

，王稼祥（中央委員，由於久未露面，可能已遭整肅。）譚震林（雖遭紅衛兵猛烈攻擊，但，根據四月卅日北平歡迎兩名被印尼驅逐之中共外交官，飛抵北平機場時，譚亦為在場迎接者之一，由於此一露臉，足以證明雖遭受抨擊，但未遭整肅，故中央委員會書記一職，可能尚保留。）李雪峯（中央委員，自前北平市長彭眞于去年六月垮台後，一度曾任中央華北局第一書記，北平市委會第一書記（按：該職現已由中共前河南省委會第一書記劉建勛繼任，劉係中央候補委員，根據本年二月十日北平大字報透露，已被整肅，但，四月二日路透社倫敦電訊報導謂北平中共電台廣播，劉被任命為北平市革命委員會之一。）二月間，周息來又透露，李在處理天津的問題，但，根據我們研判，以被整肅成份較大。）李富春（可能尚保留。）陸定一（已遭整肅。）康生（在中共高階層權力鬥爭中，為毛江派紅人。）羅瑞卿（中央委員，國防委員會副主席，解放軍總參謀長，國務院副總理，國防部副部長，今年二月，中共「中央委員會」正式公佈為「反革命份子」，已遭整肅。）自中共發動「無產階級文化大革命」以來，新任中央書記處之書記為：陶鑄（中央委員，一九六六年六月，粉墨登場，一度為天安門風雲人物，高據中共中央第四位，一九六七年一月四日，被中共「中央文化革命小組」組長陳伯達，指名為「執行劉、鄧反革命修正主義路綫，反對毛澤東思想」之反革命份子，當已被免去書記職務。）葉劍英（中央委員，軍委會副主席，國防委員會副主席。（七）

明末遺恨

·河漢

明朝的覆亡，概括地說，是由於內亂與外患的雙重夾擊。內亂的領導人是李闖（自成），沒有李闖的內部顛覆活動，也就塞斷了滿洲兵入關的途徑。李闖曾短時期做了北京的主人，因此他交了身後運，被「共大吹大捧是農民起義運動的偶像人物。李闖確確實實是憑藉農民的暴動起家的，但他又確實是死於農民的鋤頭底下。所以李闖眞是政治家們一面最好的明鏡。

滿洲在東北的建國開始於公元一六一六年，比中國西北陝甘邊區的大暴動剛遲了一年。滿洲的武部裝隊有組織地向遼河下游的騷擾，直到建國十三年後（公元一六二九）才開始，那時候引發於陝甘邊區的大暴動已蔓延到中原地區。滿洲開始向中國東北邊區騷擾的時候，它的總人口不過百萬上下，它可以用來作為戰爭用途的壯丁，不會超過總人口的五分之一，這和中國的國力相較，簡直不成為比例。如果不是為了明朝的兵力與資源大部份被運用在對付內亂，滿洲兵的活動，充其極僅能在東北獲致若干遊擊性質的小勝利，決不能在短促的時間內，急遽壯大到有可以吞噬整個中國的力量。

陝甘邊區的內亂開始於公元一六二八年，最初的領導人是高迎祥和王大樑。至於李闖和張獻忠，已經是後來參加的，但因他們作戰成績的良好，逐漸成為這一集團的核心人物。翻開一部中國的歷史，凡是大規模的暴動，多半發生於西北和西南的山區，因為那些地區缺乏水利，生產技術落後，農民長期生活在貧窮中，偶然的自然災害，就足以構成死亡的威脅。面對這威脅，他們不得不在甘為餓莩，塡塞溝壑，或者向外流竄，苟延殘喘的兩條狹路中，選擇一條來走。「好死不如惡活」，在求生的本能下，當然擇取挺而走險。死裏逃生的一着。小部份的是發生在江河縱橫的東南地區，每逢過多的雨量潰決了堤防，洪水掃蕩了人民的生活資料，或者長期的乾旱，稻麥歉收的時候，無食的人民也不得不為了爭取最低限度的生存，用流竄的方式來打開一條生路。而領導這種暴動的首領，他必然是當地的流氓土豪。他們如果倖運地成功，他們便是第二個劉邦，第二個朱元璋，作新朝的帝王，他們如果失敗，便有千千萬萬的善良百姓為他們殉葬。

明末的內亂，便是在陝北的自然災害的壓迫，與無賴流氓的煽動下爆發的。這一大暴動的領導人物，不管今天的毛共理論家怎樣想盡美好的字眼來為他們臉上貼金，也無法掩蓋他們猙獰的咀臉。我們且看看他們的名單，這一張名單是中共的歷史學者所肯定而發表的，雖然這還不過是其中的極小部份，例如：神一充，不沾泥，可飛天，紅軍友，點燈子，李老柴，混天猴，狼行者，老回回，曹操，八金虎，滿天星，破甲椎，邢紅狼，上天龍，蝎子塊，過天星，混世王……之流，由以上這些人的綽號，就可以清楚瞭解這些人物的本質。由以上這些人的綽號上，更可以清楚瞭解他們只是些寄生在淳樸的農村，吮吸農民血液的「狼」「虎」「蝎」之類的猛獸毒虫。（一）

中國女性文藝春秋

周遊

先君行止，則有作兮。誰其不敏，敢不法兮。貴賤貧富，不可求兮，正身履道，以俟時兮，修短之運，愚知同兮，靖躬委命，唯吉凶兮，敬愼無怠，思謙約兮。請靜少欲，師公綽兮。」

這位女聖人活到七十多歲才死，大約死在公元一三〇年前後。皇太后亦為之舉哀，使人監護喪事，以示優禮，可謂死後哀榮。

班昭生平著述，有賦、頌、銘、誄、問、註、哀辭、書、論、上疏、遺令：共十六篇。子婦丁氏，為之編纂成集，又作「大家讚」。隋書經籍志，載有「曹大家集」三卷。原集已經失傳，今存賦四篇，除東征外，餘為大雀賦、鍼縷賦、蟬賦、文字皆不齊全。此外，尚有上鄧皇后疏及為兄上書二篇，均見後漢書。她又註「列女傳」，也不傳，然偶見他書所引，實難窺其全貌。她又為兄班固的「幽通賦」作註，尚存文選中。曾鞏以今本「列女傳」中陳嬰母及東漢以來十六事，為昭所增益。所續漢書，除八表及天文志外，王莽傳亦有人以為是她所作。這兩書今並存於世。她的盛名，是以女教的聖人而博得的，其他的作品，不過隨時附和，或壽命而作的謳歌文字。因非出自由衷，之善可觀。但在「賦」的文體頂盛時代，女性的文學作者，只此二班而已，實屬不可多得。雖然一面揭發她的謬見思想，一即標榜其文學成就，功過成敗得失都能得彰。然而共產主義者謂其「吃人的禮教」，那必是信口雌簧的惡意中傷。因為文化的發展和演變，是有其根源脈絡的，那一個時代產生什麼，有無班昭，都必然會發生的。生在千多年後的今天來責她，是不大公平的。今天說「女誡」思想是不應該產生的，那麼，為什麼又會產生呢？我們只能這樣說：「生在二十世紀的女性啊！妳們太幸運了！」

蔡文姬歷盡滄桑

承家學之餘緒，歷悲苦之滄桑

漢代的女性文學家的命運，似乎都是一幅「歷盡滄桑」的畫圖，天賦予她們文才，却附帶給了她們一生苦命。以上除了二班女聖人之外，都是如「苦命的桃花」，似水一般的流去。但却給後世的人們留下一幅深刻的印象。愈是生而悲苦的命運，越使人難以忘懷，人生愈一帆風順，平步青雲的幸運，死後却如「過往雲烟」，不值得人們的回顧。

蔡琰字文姬，列女傳作字昭姬，陳留人氏，她即漢末大學者蔡邕的女兒。天賦予她博學和音樂天才。有一個晚上，她的父親蔡邕鼓琴，忽然斷了一根絃，她便說道：「斷的是第二根絃」，蔡邕一看果然是第二根絃。邕以為她是偶然瞎猜猜到的罷了。於是，蔡邕有意再斷一絃，叫她猜。琰道：「斷的第四根絃」。果然不錯，蔡邕乃服其知音有素，並非偶然的了。

文姬初嫁衛仲道（河東人），不幸仲道早夭，無子。漢興平中（公一九四——一九五）天下大亂，匈奴也趁火打劫，文姬為胡騎所擄，沒入南匈奴，為左賢王之妾，在無可如何的環境中，她也嘗細君、昭君之苦，忍受了十二年之久，生了二子。曹操與蔡邕友善，蔡邕為王允下獄死，無子，乃遣人以金璧贖之歸漢。但曹操不知她已是兩個孩子的母親了。因母性之愛，已經沖淡了她在異國的悽苦，她有些難舍二子，從宋畫院的眞蹟「文姬歸漢圖」：她與左賢王相對而泣，大孩子拉着她的衣襟，小孩子在另一個人的手中抱着。（十）

平劇繽紛錄

盛會難再得

○桂良○

上海名人杜月笙先生是浦東高橋人，他出身寒微，幼年爲生計所迫，離開浦東前往上海謀生之際，曾對地方人士說過，此生如果不能發達，誓不還鄉。

到了民國二十年間，他已發達成爲全國聞名的上海大亨，資財雄厚，延譽遐邇。於是，他在浦東高橋建造了一座規模宏偉、美奐美輪的「杜家祠堂」，另在高橋設立一所醫院，專爲地方貧苦民衆服務。民國二十年六月九日舉行「杜家祠堂」落成典禮，邀約全國的「京劇」男女名伶，從九日到十一日演劇三天，平津滬各地的第一流角色畢集，只有余叔岩一人辭謝未到，還有社會名流如袁履登，吳芝瑛夫人，季小姐等亦登台票戲。人才之衆多，戲碼之硬紮，場面之偉大，自民國以來所未有也。

第一天（六月九日）下午三時開演，十日十一日是上午十二時演出，各方賀客雲集，加以上海灘上臨時前往看熱鬧的人士，不下萬人，戲場座位當然容不了許多人，周圍站滿了觀衆，擠得水洩不通，幸而佔有一個座位的人，偶爾起身去小便，座位便被別人搶去了。是日天氣炎熱，主人對於看戲的來賓，各發汽水乙瓶止渴，佔有座位者，把汽水喝完之後，爲着保持原有位置計，即將汽水瓶權作夜壺，解決小便問題，所以，每天散戲以後，場地上擺滿盛着人尿的汽水瓶子，非大加掃除不可。

三天演出的戲曲，盡是各個演員的拿手傑作，美不勝收，比較北都梨園界年終爲賑濟貧寒同業的窩窩頭義務戲，更精采十倍；例如梅蘭芳，譚小培，金少山的二進宮；楊小樓，馬連良，劉硯亭的八大錘；王少樓，金少山，張春彥的捉放曹；李吉瑞，小桂元、苗勝春的獨木關；言菊朋的瓊林宴；程硯秋，尚小雲，馬富祿的打花鼓；華慧麟，蕭長華，高慶奎的五花洞；這些名角合作的戲，嗣後即永難重見了。至於票友吳芝瑛夫人的玉堂春，由姜妙香去王金龍，高慶奎，張春彥去兩個會審官吏，更屬不易多得的好戲。袁履登，王得天的八百八年，以後亦就未會見過了。

余叔岩之辭謝不來參預盛會，表面理由是他患着小便出血症，正在輟演休養之中。實際是他最後到上海賣藝的那一次（似爲民國十七年以前），受了滬上一般票友的惡氣——原因是他沒有去拜訪那般票友，他們就在報紙上濫加批評，又在台下故意搗亂喝倒彩。余伶北上時，誓言不復南來獻藝了。杜月笙氏曾派員對余說，保證不會有上述的事情發生，但余仍婉卻之，他既決心不吃開口飯了，自然託病辭謝杜氏的盛情，否則他亦不敢訑訑拒人於千里之外吧？

女人的袋裏乾坤

．凌鶴鷺．

女人之與手袋關係，較別的物品親切。多年前，有個女人在香港郊外撞車死，其手上仍緊抓着手袋。

即使女人所用的手袋並不名貴，內面收藏亦非貴重東西，但它就是她的，別人無由分享及查察。你可以問她借用化裝台上及衣櫃內的用品，但她很少說：「你找找我的手袋看有沒有你要借的。」

手袋是屬於個人所有，若有男子偷窺其女友手袋，給我們見了，也會暗責那人下流低格。但丈夫或情人也許不同，只要女人任隨他們這樣做。

去年我發表過有一丈夫無意中發現太太手袋中有將近一百件不同物事。此舉要不得，發現了妻子「秘密」而對別人宣揚更要不得。

不過這位先生如果識想的話，一定仍以爲幸，有過百件不同東西放在手袋裏，可見他太太有條理，倘如他發現別的女人有三百件東西放在手袋而大部屬於重複一類的，則這種女人的個性懶散可知。

手袋內的東西由信件至用不出的小銅元、巴士票、香烟抽剩的一撅、以至空烟包，什麼都有。

女人手袋之興起，據說是一百五十多年前歐洲女人「利根茜」，因服裝時興沒有口袋而出現的，不過現代手袋之興起是在一九一〇年，以後用場跟着增加，爲利於隨時化裝之用，到一九三〇年而大行其道。初期只納入化裝品，小銀包，小鏡和梳。但時代化生活之演變，內容也複雜起來了。

有些人以爲光看女人手袋的形樣及狀態，就可猜知她的品格。他們舉出「研究心得」以支持，但信不信由你。

他們說：如果她的手袋收拾得非常整齊有秩序，你在追求她之前，得小心她對人及處事苛細，斤斤計較的妻子。好鬧時髦並醉心夜生活女人，且手袋必化妝品、紙巾及後備絲襪。拿大手袋而所裝的東西不多的女子，她喜歡談話，直腸直肚。手袋雖然小却拿東西塞得脹卜卜的女子，有內的自卑感，且對男人聒絮不休。經常帶着舊手袋出街，很難換新的女子，用錢倒很粗豪。如果那女子個個手袋要配襯衣鞋襪的話，得小心了。你一生做運財童子，供給她花用。

他們說，找佳偶，不如找個不帶手袋的女子。她不是不帶，是碰上需要的場合才帶。閒時出街，只手持小手包已足。爲什麼不常帶手袋出街的女人値得男子追求呢？第一，她自信有天賦的自然美，不用化裝，艷色足以奪人！其次，她樂於做一個平常女子，而平常女子，正是男子寤寐求之的賢妻。

海嶠談薈

談國軍將領余程萬（下）

諸葛文侯

釋放余氏的限期已過，未見余歸來，彭軍長即於十八日下令向昆明進兵，而以該軍第四八三團任前衛，展開攻擊，團長田樂天爲黑龍江人，驍勇善戰，一舉攻克呈貢，旋即進薄昆明市郊，二十日佔領了西關飛機場，另一路部隊則迫近火車站，第八軍亦出現於大小板橋一帶，兩軍士氣頗旺，戰意高昂，敵人望風披靡。此時昆明市內陷於混亂狀態，守軍係盧漢的第十三軍龍澤匯部和保安團隊，另有土共朱家壁部約一團之衆，皆恇弱不堪一擊。盧漢覩此形勢，大爲恐慌，先將李彌釋放，一面調集車輛，裝載財物，準備西撤大理，繼對余程萬提出停戰條件，囑余負責回到部隊去進行。條件內容：一爲廿六軍改番號爲暫編第十軍，仍以余氏任軍長，一切人事不變動；二爲保障廿六軍軍官兵及眷屬之生命財產；三爲保證土共不尋仇報復；四爲停戰後立即發放全軍官兵三個月薪餉。余氏乃於十二月二十日被釋出了。

是日下午五時左右，余氏率領同時在昆被扣押的屬員乘坐高懸白旗的汽車兩部，馳返本軍陣地，即手令所部停止戰鬥，旋在呈貢郊區一小廟內，召集高級幹部會議。首先，余囑其隨從副官鄺某，當衆報告被扣經過，詎鄺某起立後，竟嗚咽不能言，又坐下，余覩狀，頗示不安，旋對衆聲說：「事已至此，爲本軍官兵暨眷屬安全計，唯有服從盧漢，等待機會」云云，希望在座的人發表意見。

這時候，會場空氣異常沉悶，各人面面相佐，默然無聲，余詢彭軍長佐熙意見如何？彭淒然謂：「本軍進兵目的，原在營救老軍長，現在老軍長已脫險，當唯老軍長之命是從」。繼問葉副軍長植南，答與彭軍長意見一致。再問一六一師師長梁天榮，答謂：「軍人以服從爲天職，漫說老軍長今天教我們戴紅帽子，就是教我們戴綠帽子，我們也得戴」。當時反對余氏主張的只有該軍進攻昆明時的前衛團團長田樂天，軍部副官處長許濟二人，他們在會議中再三抗辯投降之非計，許處長且詰詢余氏曰：「老軍長一向以疾風知勁草，板蕩識忠臣這兩句話，訓導部屬，今日而老軍長忽然變節，試問將以何御人？又如何對得起人民與政府呢？自來倒戈的人都是爲着利祿，老軍長已貴爲一省的綏靖主任了，投共後，依然是個軍長，那又何必呢！投降的結果很難說，希望老軍長千萬審愼爲佳」。余氏謂：「大勢去矣，不復有可爲者。許處長和我有年，應該能體諒我的意旨吧？」嗣由彭軍長作結論，說大家不必三心二意，應服從老軍長，會議乃休場。於是，余程萬又作秧歌王朝的軍長了，軍隊仍駐原地，但官兵多不以投共爲然，紛紛要求上山打游擊，紀律甚壞，大有不穩之勢。余又密向台灣表示擬卸綏靖主任職，準備離雲南，轉進台灣，余氏自知一再變節，必不見容於共黨，祇好潛逃香港，私忖亦不敢有投報到。雲南淪陷，廿六軍無法整個來台，挾其所積資財，卜居九龍郊外，終於非命。假使他當年揮軍進佔昆明，屏山一戰，縱然不免死於非命，亦爲民族英雄，留名後世，其價値高過在香港死於仇家暗殺者萬倍，惜乎余氏不足以語此也！（完）

辜鴻銘瞧不起西洋人

英國作家毛姆訪辜記

晉卿

辜鴻銘是福建厦門人，因其父向在南洋檳榔嶼營生，故辜於一八五四年生於彼處，名湯生，字鴻銘，號讀易，又號漢濱。十三歲時，有蘇格蘭教士某攜之同赴歐洲，入愛丁堡大學專攻英國文學和世界歷史，在校以優等成績卒業；復至德國柏林大學繼續進修，得哲學博士學位；後再至法國、意大利，研究諸國之文物制度。除中英文外，精通數國語言。至二十三歲時始返祖國。

歸國後不久，即被湖廣總督張之洞聘爲秘書，後轉任外交部主事，至上海後，曾任黃浦江濬局局長之職五年，意於政，轉入教育界，任南洋公學總監，北京大學教授，及山東大學校長。於一九二八年逝於北京。其元配夫人爲日本吉田貞子，晚年時亦曾至日本滯留多年。

英國現代作家毛姆曾在成都會見過這位中國怪儒，那篇訪問記原名「哲學家」，雖未明言所見者爲辜鴻銘，但讀者不難意會爲辜鴻銘也。

毛姆這次約會辜鴻銘，在開頭時就碰了個大釘子，訪問記說：「對這一位負有盛譽的哲學家，識荊的願望，是我這次長途跋涉的動機之一。當我表示要想會見這位中國大人物的時候，我那中國朋友便提議約定會見的日期，可是一天一天地過去，消息毫無。我一再探詢，我的主人却聳聳他的肩頭：『我寄給他一封短函，叫他就來，』他說：『我不懂他爲什麼不來。他是一個難弄的傢伙！』

「我以爲以這樣傲慢不禮的方式去會見一位哲人，不是正當的禮貌，於是我便寫了一封措辭謙遜的信去問他，是否允許我去拜訪他。幸運得很，在兩小時以內，我便接到他的回信，約我在第二天早晨十點鐘去會他。」

第二天早晨，毛姆便坐着轎子去移樽就教了，辜鴻銘一見他的面，就說道：「承蒙閣下光臨，不勝榮幸之至。貴國人民只和敝國的販夫走卒、買辦商人往來，他們以爲每個中國人必是其中的一個。他們以爲只要點點頭，招招手，我們一定唯命是聽地走到他們面前去了。」這一番傲岸的話，說得毛姆不知如何回答是好，只得瞎咕了幾句恭維的話。

辜鴻銘在毛姆的印象中：「是個年老的人，身材很高，拖着一條細小灰白色的辮子，雙目烱烱有光，兩眼下面的皺紋成囊狀，牙齒是壞了，也變了顏色。身體瘦弱異常，兩手纖細枯萎，像鳥類的爪子。絲毫不修邊幅，穿着一件黑色長衫，戴着一頂黑小帽，已是襤褸不堪了，深灰色的長褲還紮着脚管。」

談到哲學上的問題時，毛姆着實恭維了他一番。「我在柏林得着哲學博士學位，這是你所知道的」。辜鴻銘說：「以後我便在牛津攻讀了些時候，可是請你允許我大胆的批評一句，英國人對於哲學，是沒有多大胃口的。」（上）

怎樣獲得人緣？

海勺

羅斯福生前，以人緣好出名，凡是和他見過面談過話的人，沒有一個不衷心歡喜他的。

有一次，他到英國訪問，一位記者問他：「總統先生，你是用什麼方法使得所有認得你的人，都是那麼喜歡你呢？」

「我從來不會有過設法使人喜歡我的念頭。」羅斯福微笑着回答：「我只是知道眞誠的去喜歡每一個我所接觸的人。因爲我從小記得一句很有意義的格言——愛是一條用來把社會貫串在一起的金鍊，有着化敵爲友，轉剛爲柔的奇妙力量。」

羅斯福雖然不存心去設法使人喜歡他，但他對人接物的原則，正好是贏得別人喜歡的最佳技巧；人類的愛，原本就像空谷迴聲一般，你施出的越多，傳播回來的也越多。

不過泛愛衆人，必須出乎至誠。若僅以愛人爲求得人愛的手段，視感情爲可互易的商品，則你的假面具遲早將會被揭穿，不但沒有預期的效果，反而爲人所唾棄。

自由報
內備警台報字第〇三一號內銷證
THE FREE NEWS
第七八四期
中華民國僑務委員會頒發
台教新字第三二三號登記證
中華郵政台字第一二八三號執照
登記爲第一類新聞紙類
（半週刊每星期三、六出版）
每份港幣壹角
台灣零售價新台幣貳元
社長：雷嘯岑
督印人：黃行審
社址：香港銅鑼灣高士威道二十號四樓
20, CAUSEWAY RD 3RD FL.
HONG KONG
TEL. 771726　電報掛號：7191
承印者：大同印務公司
地址：香港北角和富道九六號
台灣分社
台北市西寧南路壹零號二樓
電話：六三〇三二
台郵撥儲金戶九二五二

雷嘯岑緊要啓事

頃接台北友人函告，近有人在台僞借本報創刊七週年紀念名義，舉行歌唱晚會，售賣高價入場券等情，殊爲詫異。鄙人并不知有此事，該項晚會之一切行爲及其後果，皆與本報無涉，特此聲明，以正觀聽。

論毛共內亂趨勢和台灣應有的對策

李啓光

本報「今日與明日」專欄作者，於分析毛共在大陸上鬧得天翻地覆的奪權運動諸種前因後果之餘，認爲我們這般反共的中國人士，眼見着毛共倒行逆施、岌岌可危的情勢，只能寫寫文章說些風涼話，未免太難爲情了！其言感慨而沉痛，殊堪警惕。

我們原係不問實際政治事宜的文化工作者，對於共黨在大陸上的內亂情況，除卻分析批判之外，又能做甚末呢？可是，分析批判決不宜出於一廂情願的自我陶醉心理，有如一般「匪情專家」的結論，總是說敵人崩潰在即了。我們自己沒有「乘勢」「及時」的作法，而期待敵人自行崩潰，以坐收反共救國之功，這是惰性觀念，徒然麻痺人心，百分之百要失望的。因此，對於毛共內亂問題的分析和批判，應該實事求是，作客觀的論斷，或許稍有裨益。

（一）

世人每以毛澤東倡導「文化大革命」的動機是在奪權，而以黨政方面最高負責者劉少奇鄧小平等人作對象，乃有「毛派」與「反毛派」的對立名詞，這在所謂「文化大革命」的初期，是不錯的。但演變到現在，各省區的文武共幹，大家都着「毛澤東思想」的旗幟，由文鬥進爲武鬥，流血遍地，殺聲震天，彼此皆指對方爲「反毛派」，究竟誰是真正擁毛或反毛的，已經無從鑑別了。何以釀成這種現象呢？就因毛酋個人的權力中毒太深，不惜將數十年來艱難締造的黨基礎徹底毀棄，對於久共患難，會爲共黨打江山而建立了汗馬功勞的老幹部，一概指爲反黨、反社會主義、反毛澤東思想的萬惡罪犯，利用乳臭未乾的紅衛兵作爪牙，清算鬥爭，[illegible]

[illegible]衛兵的攻擊，新疆駐軍首長王恩茂敢於抗拒「文化大革命」運動，即由於他們主管着毛共的原子武器製造發展機構，毛酋投鼠忌器，無可如何，這更間接激發各地區握有實際權力的文武幹部自衛心情，大家打着紅旗反紅旗，是非混淆，莫可究詰。

這種以軍事力量爲中心的武鬥形勢，今後只有日益普遍擴大，不會休止。但是[illegible]

（二）

[illegible]

「你援你的我援我的！」

「不單要毛，而且要肉！」

今日與明日

左派匪類天良喪盡

[illegible]

治亂世用重典

[illegible]

自由談

人頭畜鳴

鳴之先生

[illegible]是圓顱方趾的黃帝子孫，對着本國人士，你儘可以說毛澤東比馬克斯還偉大，也可以說共產主義社會比天堂更快樂，別人雖然不贊成，除却目笑存之，或者表示一點理論上的異議外，不會引起痛恨的心情。似此隨時以爆炸物暗殺本國人的殘暴行爲，竟視爲「免費消暑」的娛樂玩藝，可見這些受過教育[illegible]

[illegible]

陳再道被整肅的原因

好姻緣變成了惡姻緣　說他不該宣佈戒嚴令

〈本報專訊〉毛共的武漢軍區司令員陳再道，於上月廿一日武漢反奪權派的「百萬雄師」，把北平派來的大員謝富治、王力逮捕，經周恩來馳往營救回去後，陳氏亦前往北平，即被扣留，繼之以撤職究問。世人認爲陳再道既有反毛嫌疑，又跑到北平去，自投羅網，殊覺莫名其妙。頃據久居海外，今春曾赴武漢探視女兒，在當地住了三個月，目覩七月廿一日武漢事變經過，最近纔回到香港來的一位陳太太（先生是民社黨人，兩個女兒都是嫁給共幹的）敍述所見所聞（聽女婿說的）情形，乃知陳再道原非反毛派，且係搭救謝富治、王力的恩人，他之敢於前往北平，就以爲自己問心無愧，又有周酋和謝、王二人作證，必無問題。詎料毛派指他在應付武漢事變中，犯了大錯，誤職非淺，非究不可。於是乎陳再道以待罪之身，罷官，嘗到意外的災難了。

在七月廿一日事變之前，武漢反毛派的「百萬雄師」和毛林派的鬥爭，已甚激烈，北平派遣謝、王馳往調解，陳再道亦係調人之一。當時爲着紀念毛酋澤東去年游泳長江的神蹟，擬舉行紀念大會，兩派人爭着要作主持者，互不相下，乃相約各派出五百人在長江中從事「水門」一場，謝富治、王力認爲使不得，竭力調處，當着兩派首領和陳再道等人，提出以拈鬮方法來決定上述游泳紀念大會的主持者誰屬，由謝富治用現洋一塊向空中拋落地下，現洋正反兩面代表兩派，落地的正面即爲主持者，結果，毛林派得勝了，即於七月廿一日在漢口舉行紀念大會，兩派又發生大規模的武鬥，陳再道看情勢嚴重，恐怕亂子鬧大了，不可收拾，臨時宣佈武漢三鎮戒嚴令，禁止聚衆通行，目的在阻止兩派增援打鬥。然「百萬雄師」方面勢力雄厚，大會開始時即已集結了八千人在漢口待命，而毛林派只有三四千人，於是，反毛派藉戒嚴機會，把毛林派包圍痛打，毛林派在沒有應援之下，死傷甚多，無可如何。反毛派乘勝遷怒謝富治、王力，說他們袒護毛林份子，即將謝、王拘捕起來，予以毆打，又給他們戴上紙製高帽，準備拖出游街，陳再道急從中緩頰，最後竟向反毛派下跪求情，謝、王纔得免於游街之辱，但仍在拘押中。北平方面聞訊，急派周恩來到武漢，協同陳再道多方疏通，謝、王乃獲省釋北歸。

當謝王被捕時，毛林派已貼出「打倒陳麻子」——陳再道是麻面——「陳麻子是反革命派幕後支持人」等等大字報和標語，周恩來在武漢對陳再道撫慰備至，裝作不理會毛林派的意見，回到北平後，電召陳氏北上，陳自以爲有功無過，坦然前往，而江青等人，指說陳氏在七月廿一日宣佈戒嚴令，實係幫助反毛派以優勢力量進攻毛林派，使毛林派無法增援，陷於慘敗地位，罪無可逭。至於陳氏當日向反毛派下跪以營救謝富治、王力的事實，亦被指爲故意僞裝中立，不足置信。陳再道就是這樣被整肅的。

陳太太又說，她的兩個女婿雖然是共幹，但對於毛派與反毛派的奪權鬥爭，採取不介入態度，每天只是看看大字報，目的在明瞭兩派的勝負情況，自己決不表示意見。大陸上各地區的文武共幹，對奪權運動都是採取不介入主義，以免招來意外的災難。陳再道被整肅的消息傳佈後，共軍的軍心更趨消極，除了林彪所能直接指揮的部隊（不過全體共軍的四分之一），大家皆對「文化革命」不感興趣。所以湖南廣東等地區的武鬥日益激化，社會上搶刧强姦之風大作，警察首腦人物皆熟視不問，駐軍亦不管，亂事不知何年何月方能平息。

海外文教會議的成就

通過了一百七十多件各方提案　有兩件關於海外新聞界的很美麗

（本報記者張健生台北航訊）海外文教會議於八月十日在陽明山中山樓揭幕，蔣總統親臨主持開幕典禮，並致訓詞。這個會議的中心議題是：一、如何推行中華文化復興運動。二、如何建立華文教育新體制。三、如何推行社會教育。四、如何興辦實用技術教育。五、如何發揮僑生教育效能。六、如何加強新聞和廣播事業。

出席此次會議的海外代表爲二百〇九人，（其中包括列席代表二十三人觀察人三人）計三百〇二人，此與原邀請海外代表二百三十八人，國內代表一一二人，計三百五十人，相差四十八人，換句話說，海外代表有二十九人未出席會議，國內有十九人未出席會議。

大會秘書處共收到各類提案一百九十一件，經大會討論決議通過者一百七十件，另二十一件保留。這些提案計：一、文化復興類二十件，二、學校教育類九十六件，三、社會教育類十六件，四、職業教育類六件，五、僑生教育類二十八件，六、新聞廣播類二十五件。有的提案是「送請政府有關單位及各地僑校參酌辦理」，有的是「送請僑委會參考」，有的這「送請政府參考辦理」，有的是「送請僑委會會同教育部洽商辦理」，有的是「送請政府研究辦理」。中有兩項提案是關於海外新聞界的，說來很動聽，姑誌之以備一格焉。

香港工商日報代表黎晉偉提議：要僑委會仿照嘉新新聞獎的辦法，設置各組獎金或獎狀，給予海外僑報工作表現卓越之從業員。此項僑報新聞獎，由僑委會會同嘉新水泥公司聯合辦理，其審查委員，由僑委會負責遴選組織之。該項新聞獎暫以海外出版之日晚報爲限。

立委潘朝英提議：「請政府主管文化宣傳當局，對香港地區反共報刊，迅予物質及精神支持」。其理由爲：「香港地區現爲我對匪鬥爭之最前綫，自本年三月共匪在港發動暴亂以來，匪我雙方新聞宣傳之戰，亦已由平時冷戰而進入白熱化階段，日前香港地區之反共報刊，共計日報晚報十餘家，各以自由正義之姿態，出錢出力，不受共匪威脅利誘，抑且甘冒匪方恐怖行動之危險，揭發潛港共匪及親匪份子之陰謀不法行爲，予以口誅筆伐，對匪鬥爭之烈，實爲空前未見。

「共匪爲擴張其在港宣傳力量，除原有之大公、文匯、新晚及附庸報、商報、晶報等御用報刊外，最近並以每家二十萬元港幣之巨額代價，收買香港銷數僅數千份之中立小型報紙四家，爲其搖旗吶喊，並無條件供應大陸報紙，迫使反共報刊不得不以高價搜求歐洲各報紙，以維出報，對報工作人員，共匪更不惜甘言厚利誘惑，爲實用，不從者，則恐嚇信連篇，極盡恫嚇之能事，而我政府對香港各反共報刊，向未聞有任何精神或物質上之支援，致各反共報刊均有孤立無援之感。目前匪我新聞宣傳之戰，雖由廣大讀者之支持，反共報刊仍佔絕對優勢，但客觀環境隨時會變，政府一如無整套計劃做法，則前途堪虞，因此潘氏提出解決的辦法有兩點：一、對各報刊負責當局：社長或主要負責人，隨時邀請各反共報刊負責人來台參觀，交換意見，如有可能，最好能派遣大員，臨時及經常聯絡宣慰，加強組織，最好能贈送各反共報刊以國產之報紙若干噸，表示政府對海外新聞事業之支援嘉勉，對若干經濟困難而對反共宣傳著有績效之報刊，給予貸款條件上之優待與便利。對反共新聞工作人員，請各報列報工作人員名冊，由僑委會出面，每人發給慰問信一封，嘉勉其對反共宣傳之努力，同時在可能情況下，每函附贈慰問金若干元，以象徵政府對海外反共新聞工作人員之關懷，並保證在香港情勢惡化時，政府自會派艦接運來台定居，並安排其工作，以俾得集中海內外之意志，加強其對匪鬥爭之力量，最後達成反共復國的使命。」

我是一個「紅衛兵」

·王朝天·

在齊齊哈爾車站排了一整天的隊，才擠上了「紅衛兵」專車，二十二日到北京。

二十二日下午五點多在永定門車站下車。市接待站即在火車站旁邊。下車後列隊在廣場上等候發牌。各地來的「紅衛兵」太多了，接待站人不多，頗費時間。在廣場坐下，等了一晝夜，才叫到號。憑號乘汽車到市郊設在第四建築公司的接待站。凡是以學校爲單位組織的，滿五十人，即發給一個號。如由各地「紅衛兵」自由結合的，要滿一百人才發給號。

我們到了第四建築公司，先行報到、登記，有一定的手續。安排在大禮堂住宿。就在地上鋪了稻草，自己沒有帶棉被，每三個人暫發棉被一條。

吃飯是先交糧票。離開滿洲里市，發了兩個月的糧票。在滿洲里市，中學生每人每月三十五斤糧食。其中包括三斤麵粉，二斤大米，其餘都是高梁、玉米和其他雜糧。到了接待站，交出若干糧票，即可發給就餐證。就餐證上也註明糧食斤兩。每人每天一斤糧食的就餐證。主副食費規定每天爲「人民幣」三角，但是免費的。出了北平，如在廣州，就要照付，或者寫欠條。有時吃大米飯，有時啃窩窩頭。清炎大白菜加一點油花。毛澤東接見那一次，每人吃了薄薄的三片肉。

接待站也給發市內免費乘車證，可以坐無軌電車和公共汽車。

接待站按日編排活動，但並不強迫參加。規定在北京停留的時間只有三天。活動中，有到各工廠、各學校去參觀。只是參觀，不是「串連」。每日均由接待站請來老紅軍、老幹部、貧下中農作「發揚老紅軍光榮傳統」和「思苦憶甜不忘本」等報告。我沒有參加這些活動，我獨自到市區逛名勝古蹟。有很多「紅衛兵」這樣做，藉口自然是「串連」。每天晚上八至九點，一定要集合在接待室內，全體朗誦毛澤東語錄，並且還要結合到自己有沒有做到語錄的要求，檢討自己的生產、思想是否違反語錄。

毛澤東的「接見」說來很可笑。我記得當時的情況是這樣：十一月二十五日清晨四點就[illegible]毛澤東的檢閱。毛澤東在十點左右才出現。大會由康生主持。林彪、周恩來都講了話。這一次接見，有六十萬「紅衛兵」分乘數千輛汽車接受檢閱。我沒有分配到乘車，被安排在天安門前第八排位置靠近即在「人民英雄紀念碑」前。排好之後，即不許移動。足足站了十二小時。只吞了二個乾饅頭。毛澤東、林彪離我視綫太遠，根本看不見，也聽不到什麼。傍晚時分，就乘車回到接待站。

接待站依照我的志願，發給到廣州「串連」的乘車證。當天下午七點許，就被送往北京新車站，上了「紅衛兵」專車，動身去廣州。（六）

僑委會搞的甚末名堂？

（本報訊）香港出版人發行人協會，爲本月十一日在台北舉行的海外華文文教會議事，發表對台灣僑務委員會的抗議書，原文如次：

我政府督令僑委會主辦之海外華文文教會議，旨在「策劃海外華文教育及文化事業之開展並促進中外文化交流」，用心恢宏遠大，造福僑區，尤以配合我 總統 蔣公倡導之文化復興運動更契合時代需求，本會於報端獲此消息忭喜莫名，當即準備各項資料及有關提案以備與會以供諮詢討論，期以貢獻大會，並鵠候僑委會之邀柬，然事有出於意料者，報載與會人士紛紛赴台甚至私人商號及與文教脫節人馬亦耳聞整裝就道，而本會仍未接到僑委會通知，竊念復興文化事大，而團體體面事小，乃於臨會前八日（即八月二日）專函僑委會查詢，並自荐本會之重要性，如該會一時遺漏，實爲大會損失，而事實上本會爲香港唯一合法出版發行的公會組織，除匪幫書店外，幾包羅全港之出版發行文化機構，連同各機構出版所屬之刊物，實爲東南亞各僑區之精神食糧倉庫，影響之大，敢稱無出其右。且此次港匪作亂，本協會各會員在匪徒威脅中，仍本不屈不撓之精神，予匪共重大之打擊，在文化鬥爭中，本會實佔第一綫與匪覺搏鬥，至關大會討論之開展文化事業及文化交流，更與本會之業務攸關，若無本會參加，實不知如何討論，即討論亦無統一辦法付諸實施。

函發第六日（即八月八日）始接獲僑委會電邀本協會參加，理事長陳劉篤先生以事關討論百年文化大計，非尋常會議可比，廼於翌晨召開臨時理事會，商討各項提案，爲慎重計並當場推選本會理事長及理事徐直平（高原出版社社長，當代文藝主編及東南亞負有盛譽作家）焦毅夫（時代批評社代表，大陸出版社總編輯）代表本會出席，當即於九日晚急電僑委會，並請代辦焦君之入境證件，希望於十一日出席會議。

港台電訊往返，僅需數小時，預料十日晨定有覆電，但屆時毫無消息，十一日仍無動靜，而十二日上午十二時以前亦未見片紙隻字，但會議已近荼蘼。本會已明確看出僑委會拒絕本會與會之端倪，豈僑委會主持人裝痴作啞乎？抑蔑視本協會之區區成就耶？或以本協會與該會屬下之工作人員無有特殊關係歟？實令人百思不解。奉讀 總統於大會開幕詞中，指責共黨惡劣行爲的「箝民之口」，僑委會亦意圖箝吾人之口矣！

事發之日，本會會員對此種惡劣官僚作風，千夫所指，百口交詬。實則舊式官僚仍有推拖故智，而高信先生之作風，更等而下之，竟改不推不拖爲不理不睬，如此蔑視，如此侮辱，是可忍，孰不可忍？

本會特於十二日中午十二時三十分，假座大會堂召開緊急理事會議，全體通過作如下之決議：

一、通電僑委會提出最嚴厲之抗議；

二、大會既無本協會代表參加，本會會員亦無義務實施文教會議之任何決議，僑委會應負會議損失之責任；

三、各會員刊物以最嚴謹之態度，（以不爲共匪利用爲原則）批判僑委會此種誤國誤民之措施；

四、遍發新聞稿，並在各僑區登報聲明，指出本會因僑委會阻止未能參加會議之惡劣行爲；

五、報告此次事件始末，遍函國內外文教機構及有關人士，以明眞相；

六、必要時在高信委員任期內，本會撤銷僑委會之登記證。

瀛海異趣談

說謊的人

·岳騫·

胡克圖喘息略定，說道：「貴報今天刊出的這篇小說孤雛淚，是我寫的，怎麼切出曹某人的名字？」

鄭士風「哦」了一聲，登時呆住了，只是瞪眼看我。

我接腔說道：「老先生，這篇稿子是曹仲愚交給我的，上面清清楚楚寫着他的名字，報館可以改作者的文字，從來沒有改筆名的。」

老者嘆口氣：「這一件事當然不怪你們，錯在我不認識人。曹仲愚這個人，許多朋友警告過我，最好不要認識，一認識就有麻煩。可是我總念在大家斯文一脈，又是同鄉。」

老者說到同鄉，我忍不住插嘴問道：「老先生，府上那裏？」

胡克圖說道：「敝處四川成都。」

我笑道：「曹仲愚怎麼又變成了四川人呢？」

胡老頭子說道：「他本來是漢口人，可是他母親却是成都人，他也在成都住了多年，所以就入籍四川。」

我這時眞想捧着肚子大笑一場，可是又不好意思笑，只有勉强忍住。

胡克圖接着說道：「上個月他到我家裏來，談到香港新聞界情形，他自稱十分熟悉。我偶然想起往年在上海曾經寫過一本小說，未及發表就逃亡了，幸而臨行時，把稿子帶了出來，幾年來從未想到發表，老是箱子裏擺着。當時就同他談起這事，他一口說沒有問題，負責送到報館發表。我看他答應得這樣容易，料想不會有問題，就取出來交給他，不料他從此一去無蹤。今天忽然發現拙稿在貴報刊出來，作者署名竟然換了曹仲愚，你們說氣不氣人！」

鄭士風問道：「老先生打算怎麼辦呢？」

胡克圖悻悻道：「我要爭回版權，否則我只有同他打官司。」

鄭士風說道：「我們相信老先生的話全是眞實，但是站在報館立道，處理也十分困難，因爲稿子是曹仲愚送來，上面署了他的名，我們有什麼辦法證明出於老先生之手呢？」

老者當時沉吟不語，也感到爲難。

我笑道：「這個容易，明天把曹仲愚找來，先問他稿子是誰寫的，他如若再說是他寫的，我們就把老先生請來對證。假若他承認了是胡老生寫，事情就容易辦了。」

胡老頭子對這個建議很覺滿意，坐一會就走了。

隔了一天，曹仲愚來看我，我故意向他說道：「你的大作刊出後轟動一時，文化報編輯鄭士風要約你談談，你今天要是有空，我們就一起去好不好？」

鄭士風看見我眞把曹仲愚拘來了，十分高興，連忙起身讓坐。

曹仲愚見編輯如此客氣，更以爲自己的大作受到重視，坐下大吹法螺，提到過去在上海發表每一篇文章，萬人爭誦，洛陽紙貴的情形，更是眉飛色舞，口沫橫飛。

鄭士風等到他住了口，突然換了一付嚴肅面孔問道：「曹先生這部大作，是你自己寫的，還是朋友寫的？」

曹仲愚冷不防有此一問，頓時目瞪口呆。

鄭士風又進一步說道：「大著剛刊出那天，忽然來了一位胡克圖老先生，據說這篇小說是他寫的，要向法院起訴，弄清楚眞相。我們當時把他敷衍走了，就等曹先生來到，以便處理。」

曹仲愚聽到這裏，立時轉變了口風，陪笑說道：「稿子實在是胡克圖寫的，不過，他過去曾向我借了錢，我把稿子拿來抵債，說起來全部稿費都還不夠我的哩！」

鄭士風聽到這裏馬上變了臉，說道：「曹先生，你這叫做什麼話，胡老先生欠你的錢是另一回事，你拿他的稿子抵押已經不該，怎能用自己的名字發表？盜竊版權，在香港處罰很重的，這件事情若告到法院，你起碼要坐三年牢，知不知道？」

曹仲愚當時嚇軟了，愁眉苦臉地說道：「鄭先生，請你幫幫忙，只要能和平解決，怎麼辦都可以。」

我看到他這副可憐相，好生不忍，就向鄭士風說道：「這件事鬧出去，又是文化界一個大笑話，還是暗地裏解決了好，曹先生既然沒有保留條件，我們不如把胡老先生請來，看看他的意見如何。」（二）

明末遺恨

·河漢·

以上這些綽號，決不是現在被恭維爲「農民領袖」的「英雄」們所自己題取來作爲耀武揚威的標榜的，而是他們平日在農村中的行爲表現，由身受毒害的農民們客觀評定的。這些無賴流氓，在農村安定的時候，他們遊手好閒，欺壓善良，偷鷄摸狗，包賭庇娼，掀風作浪，成爲農村的地頭蛇與蛀虫。在農村動盪的時候，他們就張牙舞爪，花言巧語，以美麗的遠景。幻想的天堂，煽動農民用暴力來攻城奪地，奪取政權，到處燒搶擄掠，裹脅着壯。僥倖向手呢，他們都踏着農民的屍骸爬上了統治階層的高座；不幸失敗呢，他們逃竄飛奔在崩潰流亡的農民的前面，甚至挾持着走投無路的農民作爲政治資本，向往日的敵人討價還價，搖身一變而爲屠殺往日的伙伴如屠狗的赫赫大將。

當然，明朝統治者的墮落腐化，也在無形中爲以後的李闖之流那些野心家的進軍自動鋪路。明朝政治的腐爛，開始於它的中葉。自從太監參預了政府，被重用而且濫用之後，政治的低氣壓逐漸加深，優秀的人材被壓擠排斥政治圈外，只剩下一些貪污無能，諂媚逢迎的官僚政客，希承意旨，結黨營私，針對政治的黑暗面，在野的智識份子結成派系，放言高論，對在朝的執政者指謫抨擊，形成了雙方的對立與磨擦，終於逐漸引起了人民對執政者的離心傾向。官僚政客們把持了政府，他們但知爲自身與派系的榮華富貴着想，縱橫捭闔，勾心鬥角，玩弄權術，無視於國計民生，對人民的痛痒死活漠不關心，因此纔會讓李闖張獻忠之流的疥癬之疾，終於蔓延擴大爲不治之症。如果執政者一開頭就能夠重視和瞭解暴動的本質，採取迅速而有效的安撫行動，暴動的範圍必然會逐漸壓縮終至消弭。可是上自中央下至地方的官僚們，平時但知作威作福，粉飾太平，魚肉百姓；一遇到突發的事變，便張口結舌，手忙腳亂，不爲挺而走險的飢民安排生路，加以殺戮爲唯一應付的手段。這些政治的白蟻，便把明朝的棵架蛀空了。

李闖集團的初起，正如所有的暴動集團一樣，沒有什麼政治目標，不過是一羣頻於死亡邊緣的飢民，爲了爭取生存，臨時結合，到處流竄，到處劫掠苟延殘喘的生活資料，極少有推翻政府，奪取政權的野心。但由於暴徒的盲目流竄，致使他們蹂躪的區域和接近的地帶，生產停頓，農村毀滅，即刻出現了新的災民和飢民。執政者爲了實施清剿政策，不斷地向農村徵兵徵糧，使得負担原已過重的農民，在難以勝任的重壓之下，家破田荒，於是少壯脫離生產，流轉四方，老弱成爲餓莩，填塞溝壑。（二）

剖析八十二名反毛的中共中委

·李敦復·

四屆政協全國委員會副主席，今年四月廿四日合衆社東京電會報導，被紅衛兵指爲「反毛份子」，所担任之軍委會常務委員一職，已被開除，雖遭紅衛兵猛烈攻擊，但，根據四月卅日，北平中共高級官員歡迎兩名被印尼驅逐之外交官，飛抵北平機場時，葉亦有露面，顯示雖遭受抨擊，但，未遭整肅，故書記一職，可能尚保留。）

劉寧一（中央委員，中共中央國際聯絡部部長，三屆人代會副委員長及秘書長，國務院外事辦公室副主任，中共中央職工工作委員會第一書記，在中共「文化大革命」浪潮中，爲支持毛澤東「奪權」鬥爭。）

候補書記：

劉瀾濤（中央委員，中央西北局第一書記，中央監察委員會副書記，在中共權力鬥爭中，被擁毛派指爲「反革命修正主義份子」，掛上木牌，遭公審鬥爭。）

楊尚昆（中央委員，今年二月，中共正式宣佈爲「反革命份子」，已遭整肅。）

胡喬木（中央委員，由於久未露面，極可能已遭整肅）。

六、中共中央部門

中央辦公廳主任：楊尚昆（見前。）

副主任：龔子榮（中央監察委員，原任國務院副秘書長，被列入反革命活動之四十一人名單中之第三十四名，已遭整肅。）鄧典桃，曾三（中央委員，被指爲反黨反毛，列入反革命活動之四十一人名單第三十六名，已遭整肅。）

中央組織部部長：安子文（中央委員，被指爲在中國大陸從事反革命活動之四十一人名單中之第三十五名，已遭整肅，今年一月二十九日在北平遊街示衆。）

副部長：帥孟奇（女）（中央監察委員），張啓龍（候補中央委員），陳野平（被指爲「反對毛澤東思想」今年一月二十九日在北平遊街示衆。）李力安，曾滌。

中央宣傳部部長：陸定一（見前。）

副部長：胡繩、張子意（中央監察委員），李卓然、張盤石、周揚（候補中央委員，被指爲「反革命份子」，一九六六年六月後，已遭整肅。）童大林、許立羣（被指爲「反革命份子」，一九六六年六月後，已遭整肅。）姚溱，林默涵（在中共權力鬥爭中，被指爲「黑幫」，已遭整肅。）吳冷西（新華通訊社社長，一九六六年六月後，已遭整肅。）（八）

中國女性文藝春秋

周遊

仲起雙手撲向她，兩個侍女也掩鼻而泣，外面是漢使以及帶來的兵馬，一個馬伕騎在一匹空馬上，看着他們難分難舍的場面，也禁不住一手掩面，另外一個頭向那一邊，似乎不忍卒睹之狀。雖然是畫，這畫家的想像力實在很高超，可以代表「別離」之苦的畫面。這不管又是一杯苦酒。她自從被胡兒所擄，不知嘗了多少杯苦酒了。

文姬歸漢了，照理說，讀者也該爲她稱慶才是，可是她的下半生，還有無數杯的苦酒呢！她歸漢後所寫的「胡笳十八拍」，前十拍寫她入胡的經過外，其餘八拍中，沒有一拍不是透露她相思愛子的情思和哀吟。胡笳十八拍之所以成爲千古絕唱，就是因爲她有如此深摯的熱情。現在錄之如下，千多年後的我們，在此一讀她的作品，我想，也許會有人掬一把同情之淚呢！

我生之初尙無爲，我生之後漢祚衰，天不仁兮降亂離，地不仁兮使我逢此時。干戈日尋兮隨路危。民卒流亡共哀鳴。烟塵被野兮胡擄盛。志意乖兮節義虧。對殊兮非我宜。遭惡辱兮當告誰？笳一會兮琴一拍，心憤懣兮無人知！

戎羯逼我兮爲室家，將我行兮向天涯。雲山萬重（一作帶），兮歸路遐，疾風千里揚塵沙；人多暴猛兮如虺蛇，控弦被甲兮爲驕奢。兩拍張弦兮弦欲絕，志摧心折兮自悲嗟。

越漢國兮入胡城，亡家失身兮不如無生！氈裘爲裳兮：骨肉震驚，羯羶爲味兮枉遏我情；鞞鼓喧兮從夜達明，胡風浩浩兮暗塞營。傷今感昔兮三拍成。銜悲畜恨兮何時平？

無日無夜兮不思鄉土，稟氣含生兮莫過我苦。天災國亂人無主，唯我薄命兮沒戎虜。殊俗心異兮身難處，嗜欲不同誰可與語？尋思涉歷兮多阻。四拍成兮益悽楚。……

雁南征兮欲寄邊聲，雁北歸兮欲得漢音。雁高飛兮渺難尋，空斷腸兮思愔愔。攢眉向月兮撫雅琴，五拍冷冷兮意彌深。

冰霜凜凜兮身苦寒，饑對肉酪兮不能餐。夜聞隴水兮聲嗚咽，朝見長城兮路杳漫。追思往日兮行李艱。六拍悲來兮欲罷彈。

日暮風悲兮，邊聲四起，不知愁心兮，說向誰是？原野蕭條兮，烽戍萬里，俗殘老弱兮，少壯爲美。逐有水草兮！安家茸壘，牛羊滿野兮，聚如蜂蟻，草盡水竭兮，羊馬皆徙。七拍流恨兮，惡居於此。

爲天有眼兮，何不見我獨漂流？爲神有靈兮，何獨處我天南北海頭？我不負天兮，天何使我殊配儔？我不負神兮，神何殛我越荒州？製斯八拍兮！擬俳優，何知曲成兮，心轉愁。

天無涯兮地無邊，我心愁兮亦復然。人生倏忽兮，如白駒之過隙；愁不得歡樂兮，當我之盛年。怨兮欲問天，天蒼蒼兮上無緣，舉頭仰望兮空無煙。九拍懷情兮，誰與傳？

城頭烽烟不曾滅，疆場爭戰何時歇，殺氣朝朝衝塞門，胡風夜夜吹邊月。故鄉隔兮音塵絕，哭無聲兮氣將咽，一生辛苦緣離別，十拍悲兮淚成血。

我非貪生而惡死，不能損身兮，心有以。生仍冀得兮，歸桑梓，死當埋骨長已矣！日居月諸兮，在戎壘，胡人寵我兮，有二子，鞠之育之兮，不羞耻，愍之念之兮，生長邊鄙。十有一拍兮，因茲哀，起響纏綿兮，徹心髓。

東風應律兮，暖氣多，知是漢家天子兮，布陽和，羌胡舞蹈兮，共謳歌，兩國交歡兮，罷兵戈。

（十一）

自由報

平劇繽紛錄　談：「趙雲戲」

桂良

早年談：「長坂坡」說是一向分三派：俞（菊笙）楊（月樓）黃（月山）；其實楊月樓是文武老生，不唱「長坂坡」，故昔年談到北派武生，只有俞、黃、兩派而楊月樓不在其間。楊小樓、尚和玉皆為俞派嫡傳，而李吉瑞、馬德成、劉學黃胖者。俞、黃、兩派所演「長坂坡」之趙雲皆隨劉備先上，無張飛雙上者、有之則為「南派」之「長坂坡」而非「北派」者。

「南派」之「長坂坡」是李春來在南邊闖定的天下，其後蓋叫天，張德俊、凡南方武生之後起者不宗李春來。春來北平高碑店人，出身豐臺之柳子科班，與黃月山同時南下。黃出演丹桂、春來演出金桂；但皮簧武生講究工架與做派，不如梆子武生之猛鷙，故黃不敵李。黃後以溺惑上海妓女李巧林、經營留春園、盡喪所有、鍛羽北歸。南方遂為春來一人之天下。

民初，我在安慶北門警世大舞臺，隨着劉豁公老先生，見過南派武生海亮，趙小樓輩係奉李春來為圭臬。他們在劉皇叔「嘆五更」的覆倒板唱畢，張飛，趙雲雙上，在「長鎚」一鑼中加兩個「絲邊」，把二將送上，各站一邊，然後再接「長鎚」續上二位夫人等。

後來看了楊小樓，他是俞派武生之一。首場便不上張飛，而且趙雲跟着龍套上來，並不亮相，自無通名。露營時，劉備夫妻有一段唱工，趙雲先是杠槍，坐於石上打盹，有人問：「誰是趙雲？」大約和我第一次看楊小樓的情況相同。等到趙雲第一句道白：「主公且免愁腸、保重要緊！」小樓特把「且免」二字向上一提，「愁腸」二字向下一沉，嗓子放寬，就響亮無比、緊跟着把「保重」的「重」字略一顫動，又把「要緊」的「緊」字向上拔高。這種抑揚高低，充份表現趙雲當時情感的唸法，不由得不把觀衆的精神和注意力平空抒起來了！故此小樓當年的「長坂坡」，在這十個字的當中，就能得兩個滿堂彩聲。

關於糜夫人「投井」、趙雲「抓帔」後，有無「倒折虎」一節，也有人談過：意謂：在表示於驚慌情形之下、用力過猛，閃力所及之反應，既近劇情，亦尚合理，故凡有此藝者，十回十好。

昔年在故都，觀高盛麟，楊盛春，演「長坂坡」雖不走此範，遑論乎老角？惟天橋戲棚裏，有一武生，每演「長坂坡」，「抓帔」後，必帶「倒折虎」，必得滿堂彩，並無人指為外江。

復興劇校武生張復建，初演「長坂坡」，以衝勁極大，曾帶「倒折虎」，多數觀衆皆報以彩聲，後來有人說是：外江、竟取消了。復建年青，有為，今久未公演，也未搭班為耳！

關羽俠義精神新評價

力南

關羽不只是三國時代的名將，更是近一千年間歷受崇祀的武聖與武神。

文而為聖，歷代奉祀不衰，只有一位孔子。武而為聖；也只有關羽和岳飛。關岳同有武德與武功，岳更同是悲劇人物。岳飛以擒金護宋，成為民族英雄，按據史實，不愧為武聖，但不是武神。關羽卻兼聖與神二者於一身，是中國歷史人物中最為特殊的一位。究其所以，當與流行極盛的三國演義這部小說有關。

關羽取得聖與神的地位，有三個條件：一是他本身的品格，及其歷史上所該佔有的地位；二是宗教力量透過小說藝術給他以長期的宣傳；三是中國民間社會崇拜俠義的精神給他以一貫的支持。三者缺一，都不足以造成關羽的神聖。

關羽死後，歷晉代六朝以迄隋唐，聲名未見煊赫，閱時殆九百年，由宋代開始，他的地位才一直躍升，帝王給他以榮封，民間社會播傳他的忠義故事，各階層人士一致向他崇拜，直至清代末葉，仍未衰歇。他的宣傳隊伍是小說，戲曲，有組織的宗教及江湖秘密社團。他的擁護者包括朝與野，儒與俠，漢與胡，釋與道，男與女，老與少。而最大的宣傳力量是出自三國演義。

三國演義人物複雜，紀事繁多，但真正的主角是關羽。他的故事在全書所佔的篇幅，除了諸葛亮一人以外，再沒有誰能和他比擬。他每次出場都用極有力量的筆調去描寫。他被尊稱為「關公」，這是書裏唯一的尊稱，連諸葛亮也受不到這種優遇。此書成於明代小說家羅貫中之手，盛行於明清，取材於明以前流行極盛的三國故事。這些故事大概由唐代末葉以至宋代，逐漸在民間傳佈，成為三國演義的初源。

唐代是中國短篇小說創立的時代。那時佛教大昌，佛徒以通俗的「變文」倡說教義，演成歌唱文學，其後，演變為宋代的「說話」。佛教與道教在唐宋兩代競事發展，利用上述兩者爭受宣傳的利益。三國故事是在那種情形之下，流傳人口。因此，三國演義是在宗教宣傳力量支配或影響之下，經過長期醞釀才產生出來的。關羽被後人披在身上的一件「神袍」，大致可說是由道教造成的，道教有一本「關帝經」，至今仍然流行。宗教給關羽以捧場，是借他那種得人敬重的品格，遂行其宣揚教義的意圖。這一點，不容忽視。

假如關羽沒有可以特受借重的地方，宗教宣傳家不會選中他做捧場的目標。關羽本身的優點是：剛強勇猛，文武合一，饒有俠氣，忠義兼備。至於他在三國時代所佔的歷史地位，亦為並時武夫所不及。

勇猛的武夫，徒然是一個不可能成為武聖的。關羽和岳飛都是以武而兼文，有主張，有抱負，其品格獲得後人尊崇，並非徒恃事功。

三國成為鼎足之局，繫於荊州一地的變化。那時沒有一個人像關羽那樣受到劉備的信任與倚重，同時又受曹操的愛敬與畏憚。關羽在荊州所起的作用，使三國的均勢維持得非常微妙。他盡量在荊州發揮他的優點，也暴露他的弱點，卒以荊州之失而死。於是三國均勢頓變，歷史開始轉入另一階段。如把宗教宣傳者給他披上的神袍脫除掉，清清楚楚的還他一個本來面目，他仍可站在三國史篇裏突出，其值得重視與崇敬的地方。

關羽出身游俠，忠於漢室，赴敵以勇，結友以義，給他以「忠勇俠義」四個字的嘉評，他絕對當之無愧。

兩位武聖的勇烈與堅貞，不相上下，岳飛在盡忠方面的表現，和關羽在盡義方面的表現，堪說各有千秋。所以三國演義一書，主要是「演」一個「義」字。例如第一回便是「宴桃園、豪傑三結義；斬黃巾、英雄首立功」，以後便大筆淋漓，着力寫關羽是義的化身。

當關羽和劉備失了聯絡，受着形勢的逼迫，處與曹操週旋的時候，勢位利祿的引誘固是非常強烈，想擺脫羈絆也萬分困難。如非嚴於義利之辨，有極為堅定的心志，不可動搖的操守，無以自守。誰也不能輕輕地像關羽棄曹歸劉那樣，歷史，同例不多。劉關三人，誓共始終的情義，歷史原有記載，關羽就是三人當中最能維護義氣的一個，說他是三國演義的主角和「義」的化身，並不誇大。

元清兩代，蒙古滿清先後入主中夏，關羽在兩代均受榮封，「論者或指為異族統治漢人，崇關抑岳，顯有深意，但若從另一方面觀看，在蒙滿兩族入主中夏的時期，許多志切復國的忠臣義士，都要暗中組社結會。（上）

悼念孔祥熙先生

海嶠雲談會

諸葛文侯

現代政壇聞人孔庸之（祥熙）先生，最近以八十八歲高齡，病逝美國了。他個人如此結束一生，可謂福壽雙全，應無遺恨，若謂「但悲不見九州同」，那是詩人的想法，未可概論也。

孔先生在生時，担當中樞顯要職位廿餘年，對國家功過如何，社會自有公評，後世歷史家必予正確的裁判。我個人在過去數十年間，祇跟他見過一次面，而且是因公晉謁，并無私交可言。忽聞他溘然長逝，不無悼惜之思，且談談個人對他的觀感罷。

我常說：翁文灝雖作宰輔，望之不似，孔祥熙身居相位，望之儼然。這是就他們的儀表而言。再就政治人物的風度和氣宇來衡量，說孔先生是首屈一指的鐘鳴鼎食者流，亦復當之無愧。他那種和易近人，休休有容，對人從來不存忌忮，傾陷意念的性情與行為，環顧當代名公鉅卿，似乎尋不出第二個，謂予不信，略舉數例以明之。

民國十七年春初，西北軍統帥馮玉祥首次到南京，孔氏特在國民政府大禮堂張筵歡宴馮總司令，座中陪客皆係中樞文武要人，孔致詞盛稱馮氏對革命事業之豐功偉烈，推崇備至。詎馮答詞竟痛斥主人不應該以山珍海味款待他，指為腐化官僚生活，意態極不禮貌，闔座為之愕然不歡，交通部長王伯群憤而退席。然孔氏雍容如常，不加辯解，怡然終席無異狀。嗣後他貴為財長和行政院長，對馮氏并無報怨的言行。

余友貴州黃宇人兄，對日抗戰時期担任國民參政員，孔氏以財長兼代行政院長，亦係參政員之一。每逢國民參政員大會時，黃兄即發言抨擊孔氏的財政金融措施種種失策，詞氣激越而凌厲，孔氏聞之，并不反唇辯論，但謂「有則改之，無則加勉」。迨閉會之日，例須投票選舉駐會委員，孔氏總是投黃君的票，他把選票寫好後，每持至黃君座位旁揭示之曰：「黃先生，我是投你的！」

孔氏作實業部長時，一日偶因公事對着秘書作色生氣，不由自主的說出了「混蛋」字句。該秘書是湖南人，性甚剛強，當時默然退下，次日係星期六，他知道孔氏必赴上海度週末，自己亦乘特快晚車，大清早趕到上海孔寓謁見部長，孔詢有何要事？這位秘書答道：「昨天你在部裏罵我混蛋，我如尊重國家體制和紀綱，沒有作聲。今天我特來私人住宅罵你孔祥熙老混蛋，老子不幹了！」說罷掉頭而去，孔急說「有話好商量，不要走」，且教侍從人員去追挽，秘書終不理。孔氏回到南京，立即派人去慰留該秘書，說了許多抱歉的話，仍無結果。後來孔氏在抗戰時期作了行政院長，還教人打聽這位秘書的下落，希望他來幫忙，孔對人談及此段經過，認為是自己一生最遺憾的事。

上述諸事端，固與國計民生問題無關，然即此足以覘驗孔氏立身行己，對人接物之風範，而這是担當政治大任者必不可缺少的條件，看似平凡，實不容易。數十年來，我們祇瞧着政治上黨同伐異，排擠傾軋的乖戾之氣，薰人欲死，世俗澆漓，人心險詐，而國危矣！吾人每以吾國在對日抗戰前幣制改革——即法幣制度，歸美於孔氏，實則此係孔氏採納英人李滋羅斯之建議，孔氏遵奉政府決策執行而已。他在政治上雖無特殊的事功可稱，但其調和鼎鼐，安定反側的無形建樹，有足多者。後進的達官貴人，偶有孔氏這種謙遜態度的，卻失之於矯情虛偽，沒有孔氏的真誠性，而其氣魄亦視孔氏渺小多矣。

辜鴻銘瞧不起西洋人

英國作家毛姆訪辜記

晉卿

辜鴻銘也看不起美國的流行哲學，在談到實用主義的時候，他以輕蔑的口吻說道：「老實說，美國的石油，對於我的用處，要比美國的哲學大得多了！」

辜鴻銘的英語文雅而自然，修辭適當，喜用習慣語，不時地參雜着德語幫助他表達意思。談到東方和西方的文化時，他激昂地說道：「你們西方人有什麼理由。要自尊自貴，自認高人一等，是我們的先進？在藝術上，在文學上，你們是超過了我們嗎？難道中國的思想家，趕不上你們的淵博嗎？難道我們的文化，不如你們的精緻複雜嗎？當你們穴居衣皮的時候，我們已是開化的民族了！」

「我們中國統治這樣大的國家，不用武力，而用智慧，幾百年來總是成功的，那末為什麼白種人要輕視黃種人呢？我告訴你吧，因為白種人發明了機關槍，那就是你們高人一等的地方！」

「中國有四萬萬世界上最切實，最勤勞的人民、當黃種人也能夠製造關機槍，同你們一樣精良的時候，你們將還有什麼優越的地方呢？」

辜鴻銘義憤填膺，咬牙切齒地痛罵了一陣；但這無損於毛姆對他的崇敬。當他起身告辭時，辜鴻銘拉着他的手說道：「我很想給你一樣東西作為紀念。可是我是兩袖清風，不知道該送你什麼，才值得你的接受？」

毛姆回答他說：「我這次的訪問，本身就是一件無價的禮物。承你的盛情，把你的墨寶賜一幅給我吧。」

辜鴻銘坐在書桌旁，把一張品質很好的紙放在面前，倒了幾滴水在硯台上，磨着墨，拿着毛筆，腕底生風似地開始書寫了。「我大膽的抄錄了我的兩首小詩送給你。」

「我不知道你還是一位詩人呢！」毛姆道。「你願意把詩句給我翻譯出來嗎？」

「翻譯？——欺騙！」（意指不忠實的翻譯會欺騙讀者）」他回答說：「你不能叫我自欺欺人。你不妨去請教你的英國朋友，那些自以為最了解中國的人，實際上是一無所知，不過你至少可以找到一個人，能夠替你翻譯幾行粗淺而簡單的詩句。」（二）

內銷警台報字第〇三一號內銷證

自由報

第七八五期

中華民國僑務委員會登記證
台數字第三三三號登記證
中華郵政台字第一二八二號執照登記為第一類新聞紙類
（逢星期三、六出版）（半月刊）
每份港幣壹角
台灣零售價新台幣貳元
社長：雷嘯岑
督印人：黃□□
社址：香港銅鑼灣高士威道二十號四樓
20, CAUSEWAY RD 3RD FL. HONG KONG
TEL. 771726　電報掛號：7191
承印者：大同印務公司
地址：香港北角和富道九十六號
台灣分社
台北市西寧南路壹零號二樓
電話：三〇五六六
台郵撥儲金戶：二五二九

中華文化復興運動芻言

蔡俊光

司馬子長史記天官書謂：「天運三十歲一小變，百年中變，五百載大變。三大變一紀，三紀而大備，此其大數也。為國者必貴三五，上下各千歲，然後天人之際備。」故孟子嘗言「五百年必有王者興，其間必有名世者。」又申言：「由堯舜至於湯，五百有餘歲，若禹、皐陶，則見而知之；若湯則聞而知之。由湯至於文王，五百有餘歲，若伊尹、萊朱，則見而知之；若文王則聞而知之。由文王至於孔子，五百有餘歲，若太公望、散宜生，則見而知之；若孔子則聞而知之。由孔子而來，至於今，百有餘歲，去聖人之世，若此其未遠也，近聖人之居，若此其甚也，然而無有乎爾，則亦無有乎爾。」孟軻此一番議論，固在闡明一國文化之有貴乎傳統，而又以見出天理民彝必不可泯滅，百世之下必將有神會而心得之聖智賢哲誕生，為文化復興之大業而致其身，卒能撥亂反治而綱紀天下者。誠如宋文潞公云：「聖人之道不行，百世無善治，聖人之學不傳，千載無眞儒，無善治，士猶得以明夫善治之道，以淑諸人，以傳之後。無眞儒，則天下貿貿焉莫知所之，而天理滅矣。」嗚呼，吾人今日曠觀一世之下，善治何得？眞儒何在？無怪舉世懵懵，盲妄自失，莫知所往，終而蹶蹈于汚壑穽陷之中，為他人戮笑禽殺，可哀亦可痛也！差幸至道不遠，三五必反，此中消息，雖玄不玄。由清季道咸以來，至今已百有餘歲，變亂相尋，迄無寧日，中華文化亦久已被唾棄如遺，視為臭腐無用之物。但降至二次世界大戰以後，及今二十餘年間，世界又響起一片「重振中華文化」，「學習中華文化」之呼聲，抑又將化臭腐為神奇矣。佇見中華文化之重要作用，亦將有如詩所云：「自西自東，自南自北，無思不服」也矣。蓋我中華文化主要是人性文化，講求天理民彝。歐西文化主要是物性文化，講求役物自適。中西文化此一異趣，終其極所表現之結果，前者則物之為用雖或簡樸，而人道相安，其融融。後者則物雖見優美，而人道不治，傾軋日甚。良以吾人所生息之社會，固是以人為中心而非以物為中心。若倫理不講，人道不安，雖有高堂華屋，錦衣玉食，吾人安得而享用之。昔齊景公問政於孔子，孔子對曰：「君君、臣臣、父父、子子。」公曰：「善哉！信如君不君，臣不臣，父不父，子不子，雖有粟，吾得而食諸？」此之謂也。當前之美利堅合衆國，富甲天下，享用豪華，其於御物也，上窮碧落以征太空，下入汪洋而探九淵，而謂能事矣，然而倫理未講，人道未治，是以暴亂征伐，迄無已時，可為明證。歐西人士崇尚物質文明之結果，卒自一次二次世界戰爭之大厮殺後，血流漂杵，屍積成山，今始少悟其非，寖而知中土文明之可貴。凡此因果演變，予前於本報曾為文「論中國文化與世界」，茲不重贅。英人某言：「十九世紀為英國世紀，二十世紀為美國世紀，廿一世紀將為中國世紀。」斯言近是。故吾人今日高唱中華文化復興，即使驗諸天理人事，亦為事之所必至，理之有固然者。其事勢之所趨，誠如注坡之馬，雖造父不能制其勢，建瓴之水，雖神禹不能廻其流。來日當可獲觀其成效，暫毋庸一再深論，茲所宜言者，為如何以速此復興之功之一問題耳。

夫吾人今日談中華文化復興，當先知文化一詞之含義？中華文化之精蘊何在？孰使滅裂之而何以須復興之？明乎此，則循波究源，對症下藥，始克奏其膚功。

文化一詞，固包括人羣社會之典章文物，工巧器用而言，前者所謂「精神文化」，後者所謂「物質文化」。或云文化一詞出自希臘，亦有云傳自蘇俄者，皆非。易賁象曰：「文明以止，人文也。……觀乎人文以化成天下」，此殆其所本焉。惟「文明」，「文化」，自有其畛域，不能混為一談。文化之社會，不一定見其文明。反之，文明社會，必有其可觀之文化。舉例明之，非洲叢林中土人之舞樂，苗猺山區中野人之謳謠，與乎彼等奇異之服飾，簡易之畋獵，吾人豈能謂之不屬文化範疇？然而，與文明社會之韶舞雅頌，黼黻華衮，高超技術之漁獵器械比，其相去之高下程度，自不可同日而語。易象辭所云「文明以止」之「止」，其義即大學「止於至善」之「止」，固謂其社會之文物器用，已臻於至善之境，乃得稱為文明也。

我中華夙稱文明古國，其名不徒生，其譽非自長。良以其文化之精蘊，久已乎參天地之化育，極鬼神之化工。其尤能察知物之本末終始先後，而安其所安。是以其文化體系乃得稱博厚高明，悠久無疆。何以見之？曰、我中華文化之精神表現為「仁與義。仁以安人，義以正我。其行之人倫，有五常之敎，其為天下國家有九經之義，其具之載籍有六藝之文。五常之敎曰：父子有親，君臣有義，夫婦有別，長幼有序，朋友有信。大義昭昭，其來尚矣。書舜典云：「帝曰、契百姓不親、五品不遜，汝作司徒敬敷五敎，在寬。」一畧可知也。九經之義，曰、修身也，尊賢也，親親也，敬大臣也，體羣臣也，子庶民民也，來百工也，柔遠人也，懷諸侯也。中庸申釋其義云：「修身則道立，尊賢則不惑，親親則諸父昆弟不怨，敬大臣則不眩，體羣臣則士之報禮重，子庶民則百姓勸，來百工則財恒足，柔遠人則四方歸之，懷諸侯則天下畏之。齊明盛服，非禮不動，所以修身也。去讒遠色，賤貨而貴德，所以勸賢也。尊其位，重其祿，同其好惡，所以勸親親也。官盛任使，所以勸大臣也。忠信重祿，所以勸士也。時使薄歛，所以勸百姓也。日省月試，既稟稱事，所以勸百工也。送往迎來，嘉善而矜不能，所以柔遠人也。繼絕世，舉廢國，治亂持危，朝聘以時，厚往而薄來，所以懷諸侯也。」九者，亦正為今日所謂內政外交之策，舉其大綱，千目皆張矣。（上）

牠又學擺文化革命

斷牙！

今日與昨日

毛共焚毀英代辦處

毛偽政權突然發起神經向英國提出最後通牒，要求釋放因犯煽動罪被監禁的五名匪徒，准許三間鹹濕毛尾報復刊，並限定四十八小時答覆，英國政府只用了十二個小時時間就答覆了，全部拒絕。

在提抗議時，毛偽政權並聲言如果拒絕，將負起一切後果，當時大家對於英國之必然拒絕，已在意料中，至於毛偽政權如何報復也猜得差不多，無非是拿在大陸的英國人洩憤。英國政府也有鑒及此，在拒絕毛偽政權通牒時，特別警告不得侵犯英國僑民，否則毛偽政權也要負担一切後果。

可是到了四十八小時滿期後，北平聚集了一萬多名紅衛兵進攻英國代辦處，所有的代辦處人員，從代辦霍普森起，二十餘人全被毆打，傢俬文件全部燒毀，雖然我們久已不把毛澤東這批匪徒當人看待，也從來羞與為伍，但對外面來說他們畢竟還是中國人，站在中國人的立場上，我們實在覺得汗顏，不曉得五千年文明古國，神明華胄，何以出了這一批野獸，我們也願就此機會向英國朝野致以歉意。

英國人應反省

不過，回溯往事，造成這樣惡果，英國人也應該自省，當毛偽政權成立時，英國忙不迭地予以承認，並派出大使鄧寧爵士到了香港，準備建立正式邦交，結果毛偽政權閉門不納，鄧寧爵士淹滯香港，只得在日本獨立後派往日本，此是第一次遭到毛偽組織的奚落、輕視。但英國對此似乎無動於衷，當韓戰最激烈時，麥克阿瑟元帥有意轟炸中國東北毛共軍庇護所，把戰爭帶進東北，却又給英首相艾德禮攔阻了，以後並間接促成麥帥免職，艾德禮下台後申請去中國大陸參觀，出來大為毛偽政權捧場，指中國大陸沒有蒼蠅，此種托大腳的作威法，更使毛偽政權輕視英國，以後無數次[illegible]英國為難，英國均忍而不[illegible]，終於引起了此次的不幸事[illegible]。

肯亞值得效法

與英國同時被紅衛兵包圍示威的另一國家「使館」是東非的肯亞，肯亞政府因為禁止毛書、毛章、毛像運入，被毛共指為不友好，於是紅衛兵就包圍肯亞在北平「使館」大鬧，其勢洶洶，不下於對英國。

但是肯亞劍及履及，馬上也在肯亞首都內羅畢舉行一次同樣性質示威，包圍了毛偽使館，肯亞一名官員隔着鐵柵警告毛偽使館人員說，「如果你們傷了我們在中國的外交人員的毫髮，你們只有地洞裏才可躲藏，」意思是說如果紅衛兵打了肯亞在北平的人員，肯亞就要把毛偽人員提了同樣刨治，除非他們眞有地洞可躲，整個肯亞將無他們立足之地。

肯亞的毛毛族之兇殘，舉世聞名，在革命時期，統治該國的英國人曾經被吃了不少，這段舊事大家記憶猶新，毛共恐怕留在內羅畢的幹部上了毛毛族的菜盤，趕快在北平收兵，不敢再鬧，這段經過，値得凡與毛偽政權建交的國家借鏡的。（何如）

自由談

値得同情的呼聲

香港「九龍巴士公司」一批參加了港共罷工運動的司機，最近投書本地報紙，訴述他們被共黨誘惑的原因，完全是公司方面平日對於安份守己的大多數工人，刻薄苛待，而對於一小撮陰謀釀亂的左傾親共份子，又格外遷就巴結，他們氣憤不過，乃陷入了共黨的圈套，無以自拔。我認為這是一篇良心話，也是一種正義的呼聲。

天下烏鴉一般黑，凡是資本家都有欺善怕惡不顧死活的天性。平時剝削勞動羣衆，無所不用其極，若遇着以打倒資本家為職志的共黨暴徒，無理取鬧，妄事要求，就像老鼠見到了貓兒，怕得要死，趕忙讓步妥協，甚至裝出前進左傾的姿態，希望取悅於暴徒，以期照樣地虐待剝削大多數的善良勞工以自肥，却不知這正是替共黨鋪設滲透發展的道路，而將埋葬資產階級的棺材，慢慢地移近資本家的身旁來！

一切的資本家因為生活優裕，既怕事，更怕死，對於善良的社會大衆，氣燄萬丈，予智自雄，遇到共黨暴徒，即百煉鋼化為繞指柔，低聲下氣，巴結唯恐不及。試看香港一些百萬富翁，平常對於社會上發生任何事件，總是牙擦擦有所說詞的，然對於這次共黨在香港無法無天的暴亂行為，他們一個個噤若寒蟬，粒聲𠺝出了，這不是很明顯的證據嗎？例如九巴公司資本家總是一錢如命，善財難捨，祇要殺人放火的共黨向他們威脅勒索，却不惜大破慳囊，滿不在乎，原因就是欺善怕惡，生成一副賤骨頭也。

我同情九巴公司那羣誤登賊船的司機們，希望港府對九巴公司嚴加整飭管制，先行解決那羣失業司機的困難問題，再敎公司切實辦理員工福利事項。專門保護資產階級利益的舊有政策，非放棄不可了。

馬五先生

香港旅行社嘆苦經 僑商僑民亦感徨徬

（本報訊）香港各個旅行社近年來經辦僑胞入台觀光，以及僑生入台升學事宜頗多，尤以八九月間最爲忙碌，因而獲利亦甚可觀。但今年情形忽變，大家叫苦連天了。

據說，台灣方面對於僑團或僑胞集體回國觀光，不再授權各旅行社代辦，一律直接向台北主管機關申請。至於僑生個別赴台升學，雖然仍可由旅行社辦理入境手續，却不容易如期獲得允許，有些曾於三個月前即已申請的，到現在亦無下文，而僑生入學註冊的期限又到了，因此，每天向旅行社詰詢責難不已。更糟糕的是有些申請甚遲的人，却接得了入境證，而申請最早的竟消息杳然，大家羣聲詰責旅行社，旅行社亦莫名其妙，急函託台北方面的朋友，向主管機關查問一下，據告以最近香港僑胞申請入台觀光旅行的表格，有八萬份之多，要查某人何以尚未核許入境的原因，實在難以查到。於是乎，各旅行祇好把原來收取旅客的費用退還，自認背時倒霉而已。

另有原在香港設廠經營企業的僑商，看到報紙消息，說台灣方面已改善入境辦法，可以先行入台，然後補辦手續，又說對於僑胞回國投資設廠事宜，儘量予以方便。許多廠家因爲香港共黨釀亂之故，皆想轉移資金到台灣去設廠。有個在港經營塑膠業的僑商，最近曾到台灣進行歸國投資經商事宜，據說一切手續還是煩瑣猶昔，甲機關核許了，乙機關又不同意。他在港擁有兩部新式機器，爲求避免搬運入台時的檢驗手續，請求由主管機關派專員先到香港查看是否合格，詳細登記備查，來往旅費皆由他支付。然主管機關認爲沒有這種先例，未便照辦。此外尚有若干表報須填寫許多份數，分別呈遞請示。他估計，要辦好這些例行手續，至少亦非半年的時間不可，只好廢然回港，打消轉移商場的原有計劃。

至於一般僑胞回國旅行觀光時，既不經旅行社代辦入境手續，依法須有當地忠貞僑團作保。但香港四百萬居民中，大多數都和僑團不發生關係，臨時要找忠貞僑團作證，很不容易辦到。有些反共的自由文化人，最近因爲共黨在港動亂，很想跟台灣方面的關係人士切取聯繫，但始終見不到面，打電話亦不接，大家亦甚失望。

高雄縣瑣聞

張鴻鏡

台省第五屆縣市長選舉轉瞬快到了，高雄縣各地對下屆縣長人選尤爲關切。現任縣長戴良慶亦有意連任，所以對人事調動非常謹慎，雖然戴縣長利用出巡來鋪路，其效果如何，那就難以推測。不過，地方父老對戴縣長認爲既無過亦無功，只是一個「老實人」，又說他身體頗欠健康，不如讓壯年有爲之士出來爲縣民服務，比較適當。

高雄縣政府建設局長蔣江宜，爲了問鼎下屆縣長寶座，最近印有大量簡歷表非公開的散發，表中特別註明「業績」，什麼記大功四次，記功卅次，嘉獎十九次，四十年度及五十二年度成績特優，蒙總統召見二次等等，令人瞧着有些異樣的感覺。

高雄縣稅捐處事務股長程飛鵬，向來態度驕橫，同事間相處不甚和諧，因爲他是處長的親信，大家亦只好耐心應付之。但近來程股長態度已變，喜笑顏開，甚爲親切，聞係由於新近有納寵之喜，心境愉悅所致云。

高雄縣政府教育科長朱樸，曾收到自屏東某國校陳教員一封信，其內容除了請朱科長幫忙調往高縣服務外，並說了一套自我吹噓的話。朱科長對於他的處境非常同情，本來有意曲成他的願望，可是陳老師信中附帶說：「如蒙幫忙，願意拿出三千元請科長喝茶」，因此只有原信退回，敬謝不敏了。

我是一個「紅衛兵」

王朝天

四、從北平到廣州

我之所以急急離開北京有二個原因的：第一、中共和「國務院」發出聯合通知，稱：自十二月二十一日起停止乘車「串連」，「紅衛兵」應速返回原籍。我知道如不再趕快南下，就要徒步到廣州了。第二、根據慣例，凡是經過毛澤東檢閱之後的「紅衛兵」，接待站均催促其迅速離開北京，以便容納後來而尚未接見的「紅衛兵」住宿。

我於十一月二十五日下午七點許在北京新車站，持乘車證及往廣州串連的證明，擠上「紅衛兵專車」。每節車廂有一個「解放軍」替我們服務。但是因爲人數太多，原來一個車廂的定額是一五〇人，但擠了四、五百人。行李架、廁所、過道及任何一個空隙，都擠滿了人，根本無法走動，所以那一個「解放軍」也無法爲我服務了。十一月二十六日下午三點左右車到鄭州站，以前通過各站都不停，或者只停一、二分鐘。在鄭州停了七小時，這是因爲鄭州是十字路口，往西安去，東南去的，都要換車。我也就出了車站，到大街上逛逛。只看滿街上都貼有「炮打中共河南省委」的大字報，但沒有指名攻擊什麼人。車站上留言牌上寫得滿滿的，都是「紅衛兵」行動的留言，例如：「××：我們已轉道去西安，希即趕往西安會齊。——××造反團××等。」因爲太多，太不清楚，也不容易找到。

十一月廿七日夜車到武昌，又有大批「紅衛兵」要搭上車，已在車上的「紅衛兵」關上車門、車窗，不准他們上車。車下的「紅衛兵」則搗毀車門，車窗，拋擲石頭，發生互鬥，也有被拖下車的，互鬥直到車開動爲止。

到長沙也有同樣情形，所以後來沿站都不停靠。

「紅衛兵」專車於十一月九日下午四點許到廣州站。下車時即由廣州市接待站發號，沒有排隊等多少時候，這是因爲到廣州的「紅衛兵」少，手續也簡單得多。不要集合一百人或五十人才發號，幾個人或一個人都可以發一個號。領到號後，即坐卡車到黃浦港，住在市建築公司五〇一工地，該工地有十四個接待室，每個接待室均有一名小學教員爲「紅衛兵」服務，兼管宣傳、醫務、生活等方面。吃飯方面與北京情形相彷。每天每人交一斤糧票，不免費，交三角僞「人民幣」，這和北京不同。

（七）

紐約的中國書店

余維

（大陸社紐約航訊）紐約的中國城雖然僅有八九條街，但在這裏的中國書店却有華僑，友方，建國，商務，亞洲，美中華，僑利，東方，友聯等九家之多。

在這九家中開業最早的算是勿街上的「華僑」。「華僑」創始於一九二六年，到現在已經具有四十二年的歷史了。

華僑書店的老主人朱耀先生，是一九二四年由廣東來美的移民。來美後他辛苦工作求生無慮；但每當工作完了之後，總感覺精神方面缺點什麼。久而久之，他才發現少了他在居家時所愛看的那些「三國」「水滸」「七俠五義」之類的書。

朱耀先生個人有如此感覺，和他同時工作的一些朋友也不例外。雖然在這期間，他們之中或有一兩本由親友自故鄉寄來的書，然而市面這樣大的紐約市，要靠這麼一兩本書來傳閱，事實上絕無可能。朱耀先生看清了這個事實，願意不計成敗，爲這些遠處異國的同胞，在這一方面服務。他首先與廣東及香港方面的親友聯繫，請他們將當代行銷的舊小說以及百家姓，三字經，千字文之類的書本寄些來，由他在紐約方面推銷，看看是否有出路。一方面他在勿街現址租下了一開間的門面，作爲他出賣中國書本的地方。由於是爲僑居紐約的華人服務，所以他就以「華僑」二字作爲他書店的名稱。

開始的時候營業並不理想，但他並不灰心，他相信他的業務總有一天會成功的。就在這種信心和堅苦支持下，兩年後業務好轉，有些時銷書一到就光。他的成功引起了別人的興趣，一九三八年在勿街上就又出現了一家「建國書店」，在擺也街上出現了一家「商務印書館」，爲當時的紐約中國街帶來了文化業欣欣向榮的氣象。

可是好景不常，沒有兩年，太平洋戰爭爆發，中國書的來源斷絕。「建國」在無法支持下改業作了經營食物的雜貨店，「商務」則以印刷作了他們的主要業務。「華僑」怎麼辦呢？在無可推銷的情況下，在店面前邊擺上幾本舊書充充場面，而把後面的空屋出租給一家俱樂部，暫維生活。

這種局面一直維持到二次大戰結束，一九四六年後，纔又開始自國內和香港運進新書，恢復了書店的正式業務。由於經過了這一次戰爭的影響，「建國」「商務」二家就不再以販賣書籍爲主，而繼續從事在戰爭期間爲他們帶來財富的副業。戰後恢復舊業的「華僑」，由於來美華人日多，業務日漸擴展，加上在戰爭期間俱樂部的收益，朱耀先生毅然的買下了現在勿街上他們所住的這幢五層樓房。由於他這一個遠見，使他在中國街的書市，始終保持着最盛的業務。

「華僑」的業務雖然是成功了，但與傳播中國文化的目的尚有若干距離。雖然他們也爲適應時代賣些漢英字典及一些新文藝小說，但最多的買賣，仍舊是武俠和軟性的小說。人們很難在這兒找到具有學術性的出版物。

一九五六年，曾任嶺南大學教務長的伍藻池先生自香港來到紐約，一九五八年他決心爲推廣中國文化而工作，在擺也街上開了一家「友方」書店。說起來很可憐，伍先生是以難民身份來美，在國內從事教育工作數十年，並沒有積蓄，而要在紐約打開一個新局面則非錢不可，以他個人當時的力量想開一家像樣的書店，是無法作到的。幸好他是台山人，有不少便，先以很便宜的價錢租下了房子，再以過去從事教育的關係，自台港批發了一些書來，於是「友方書店」就在一九五八年開業了。伍先生經營業務的對象，除了中國街的僑胞以外，並以愛好中國文化的美國人爲主，盡量介紹有關中國文化方面的書藉給美國人看，像怎樣下筆寫中國字，通俗小說，怎樣給中國畫以及各種史料方面的書，甚至在美國別處買不到的筆硯，印泥和宣紙等，「友方」均一應俱全。十年來，「友方」在紐約已建立起其獨特的聲譽，成爲美國人訪問中國街的主要觀光照顧目標之一。

在中國街上經營文化事業均有利可圖嗎？這個問題很難回答。但若無利可圖，爲什麼這幾年中接二連三的又開了好幾家書店？若說賣有大利，爲什麼「亞洲」書店決定結束門市改營郵購呢？「亞洲」是一九六四年開業，老板王崇禮先生自台來美，以國內經營書店的方法用於紐約中國街，在某些方面相當成功。他除了賣書外，並經營出租書籍業務，這項業務不但給僑居在此的中國人帶來了不少的方便，同時也減少了書籍存放的用費，其收入竟成了整個業務的極大部份。美國的人工房租均貴，差不多的小店都是一個人經營。「亞洲」開業時，以三百五十元一月的房金租下店址後，即無力雇用店員，王氏夫婦只好親自經理。他們雖然辛勤苦撐，收入仍不能維持一家生活，最後不得已才決定結束門市業務。

每逢週末，中國街上各家生意興隆，書店也不例外；但書店方面到底能作多少生意？據伍藻池先生說，書店的買賣都是幾毛一塊的收進來，大部頭的書，一年很難賣出一兩部，買賣的人看着很多，事實上一天能作上一百元的日子，一個月中並沒有幾天。以「友方」來說，平均一個月作不到三千塊錢的生意，這就是「友方」爲甚麼最近要由擺也街搬到比露街去的原故。此次遷移表面看來像是擴充，實際上是因爲舊地主要將房租加到三百五十元，「友方」難以担負，不得不搬到月租一百八十元的新址去。

伍先生說，他已屆退休之年，本來可以不作事，有子女和政府的養老金供養他，然而爲了多在海外盡一點力，也爲了自己有一個地方能和多數老朋友談談心，所以他仍舊支持下去，雖然每月的收益只夠他一個人用，但因爲他現在沒有什麼負担，他感到「此願已足」。

伍先生談到經營書店的困難，不禁嘆息說：「台港的朋友並不了解美國書店的情況，只認爲美金值錢，本書在台港的賣價並不太貴，但發到美國來就得依美金計算，而且書一到就得付款。」他自己在國內生活甚久，也經營過出版業，他深知國內朋友的困苦，因而書到絕不拖欠，盡量將錢早日寄回去。他指指書架上的書說：「這其中有些已近十年了，其作用只是放在這裏裝裝場面。」他提到有一位朋友由於他將結算下來所欠四元美金的尾數延寄數日，竟停止和他的往來，實感到不勝遺憾。

今日紐約中國街上行銷最好的還是武俠小說和黃色的軟性小說，雖然「亞洲」「友方」盡量介紹台港有價值的新書，惜乎出手慢，買的人太少。這種情形固然是環境使然，國內的出版業却也要負一部份責任，因爲書價高，限制了市場，使多數讀者不願出高價變口味。

紐約華埠的中國人在不斷的增加，新來華人求生並無問題，但他們和四十多年前來美的老華僑一樣，所缺少的是祖國的精神食糧。如何使健康豐富的精神食糧暢銷海外，實爲關心海外華文文教人士所應注意的重要問題。

瀛海異趣談

說謊的人

·岳騫·

鄭士風皺眉說道：「起碼把稿子還給胡老先生。」

曹仲愚連連說道：「全部稿費都給他，我一文不要，他欠我的錢，我也不追了。」

鄭士風冷笑一聲。「可是這裏面還有一個問題哩！」

一聽說有困難問題，曹仲愚臉上又變了色。

鄭士風看着我說道：「這篇稿子用誰的名字發表呢？」

曹仲愚知道是爲了這件事，又放下心，陪笑說道：「就用胡克圖的名字發表好了，我向來不爭這些虛名的。」

鄭士風「哼」了一聲。「你不爭虛名，我們報館就要爭這一點虛名，一篇稿子的作者名字忽然換了，假若有讀者來問，我們怎麼答覆？」

曹仲愚頓時有了計較，先向我使個眼色，說道：「稿費全由胡老頭子領，至於誰出名，老編斟酌就是了，我沒有意見。」

鄭士風恨得牙癢癢地說道：「這件事情要同胡老先生商量一下，再作決定。你請回去好了。」

第二天，鄭士風請胡克圖喝茶，把我也約在一起，見了面就談起昨天交涉經過。胡老先生大爲感激，連說：「這眞是洞裏拔蛇了，錢到了曹仲愚的手還能挖回來，簡直是破天荒。」

鄭士風接着談到稿子署名問題，表示報館對於這件事感到十分棘手。

胡克圖笑道：「沒有問題，就用曹仲愚的名字好了。我這麼大年紀還爭這個虛名嗎？」

鄭士風滿懷不平道：「這樣未免太便宜他。」

此後有幾個月未見過曹仲愚。突然有一天接到鄭士風的信，說有要緊事約我到文化報一談。趕到文化報看見胡老先生也在座，我就估計又是曹仲愚身上出了事。

鄭士風一見我，忙問道：「你最近見過曹仲愚沒有？」

鄭士風聳聳肩膀，苦笑說道：「他把這篇孤雛淚小說的版權賣給電影公司了。」

「啊！」我大吃一驚。「他的胆怎麼這樣大，不怕控告嗎？」

鄭士風嘆息道：「這次他站穩了腳步，我們沒有辦法告他了。」

我細想想也確無對策，三人相對無言。停了半晌，胡克圖問道：鄭先生，有沒有辦法打銷他這次的騙局，即使花點錢我都願意。」

鄭士風笑道：「對付他的辦法還有，到不用老先生花什麼錢，不過你少收一筆稿費就是了。」

胡克圖連說：「可以，可以鄭先生你無論怎麼辦，我絕對同意。」

鄭士風說道：「從明天起，我就把這篇稿子腰斬了，到現在只發表一半，他賣不掉錢的。」

胡老頭子鼓掌稱快，我卻有點遲疑，當即問道：「假若曹仲愚厚着臉來同你辦交涉，要索回下半部稿子怎麼辦？」

鄭士風笑道：「你放心吧！山人自有妙計。」

次日，文化報果然把「孤雛淚」停了，卻在原版位排了「續稿未到，暫停刊出」八個四號黑體字。我暗暗點頭佩服鄭士風確是「老吏」，曹仲愚算是碰上對手。

以後有半年時間未見過曹仲愚。突然一天早晨，他跑到我的住處，衣履不整，形容憔悴，恤衫領子撕破了一塊。進門愁眉苦臉的說道：「我眞倒霉，又坐牢又罰錢。」

我大吃一驚，連問怎麼回事。

他嘆口氣說道：「昨天坐電車，已經買了票，偶然大意不知塞到什麼地方去了。忽然上來一個查票員，問我要票，我一時拿不出，他就說我坐霸王車，伸手就打了我一拳。我甩手一擱，他就抓住我的衣服，拉上差館。結果昨晚在差館坐了一夜，今早被罰一百元，衣服也撕破了，你說算不算倒霉？」

他搖搖頭。「怎麼會沒有事，一百元罰欵並未交上。」

我奇怪道：「你未交罰欵，差館怎會放你出來？」

他慘笑道：「我把身份證放在那裏，差館還怕我賴了賬嗎？限我廿四小時內送錢回去，不然就要加倍處罰。我跑了半天只借到五十元，其餘的只有請你設法了。」他說過拿出五十元在面前揚了一下。

我雖然恨他不務正業，不過，看他現在落到這步田地，不免生了同情心，就湊了五十元給他。（三）

明末遺恨

·河漢·

在暴動與清剿持續的形態下，互爲因果，造成了民不聊生的惡性循環，等到滿州兵向中國入侵，抵抗外患的重担仍然壓向精疲力竭的農民肩上。內亂與外患無形中在互相呼應，崩潰的農村直接擴張了內亂的範圍，擴張了的內亂間接支持了滿州兵的行動，於是地獄的門打開了。

明朝執政者的清剿政策如果能夠迅速而有效地貫徹執行，雖然對於國家還是重大的損失，但至少可以將受災的程度減低，將波動的幅度緊縮，可是腐化的政治必然腐蝕到軍事，因此統兵的大將們將個人的利益安全安置在國家的利益之上，他們對於清剿工作採取了敷衍塞責的態度。相反地，他們還慶幸於有暴動羣衆的存在，因爲只有軍事行動繼續着的時候，他們纔可以揑造勝利，邀取升官與獎賞；他們纔可以浮報名額，吞吃粮餉；他們纔可以乘機掠取戰區的人民財產。暴動的幅員所以一天天地擴展，暴動的羣衆所以到處流竄與蔓延，便由於將帥們的自私所使然的。

李闖集團一直在十年之後，由於一批對政治有野心。而已往一直鬱鬱不得志於仕途的智識份子參加，如牛金星、李嚴、宋獻策之流，並且爲李闖設計了一些宣傳綱要和戰地政策之類，纔具有政治組織的雛型。他們針對當時農民厭惡苛捐雜稅的心理，提出了最動聽的但決不兌現的空洞口號：「迎闖王，不納粮！」純樸的農民被美麗的謊話迷惑了，他們眞的以爲李闖是天上掉下來的救世主，於是近處的農民投奔他，遠處的農民期待他。他們都渴望現政權早日消滅，新政權早日成立。

但是，李闖集團雖然在智識份子的策劃下樹立了政治組織的規模，可是這些最早參加的智識份子也結成了陣綫，絕對排斥以後的其他的智識份子參加，分取他們的利益，所以他們對於新佔領地區的智識份子，不僅一概仇視，還加以侮辱殺害。而且，就是他們中間，爲了個人的利害，也還是互相嫉忌傾軋。在李闖沒有進入北京之前，他們內部的矛盾，因爲外來的壓力勉强忍住，等到李闖進入北京之後，他們以爲江山已經到手，在權力和子女玉帛之前，狐狸尾巴終於自褲襠中脫出，他們便即刻原形畢露，開始自相砍殺，叫伙計的血來壯大自己了。（三）

剖析八十二名反毛的中共中委

·李敦復·

中央統一戰綫工作部部長：徐冰（候補中央委員，該部已解散，停職受勞改，一九六七年一月，泛亞社是傳已自殺，二月五日北平「全無敵」報謂于一月廿九日在北平遊街示衆。）

副部長：王杰三、廖承志（中央委員，國務院華僑事務委員會主任，中日友好協會會長，在中共黨內奪權流血內鬨火併中，被紅衛兵猛烈攻擊，被指爲「修正主義份子」，今年四月中旬「打倒廖承志」的標語與「打倒劉鄧」的標語並列，廣州每次舉行交易會，例必露面，（今年已未有參加。）許滌新、薛子正（中央候補監察委員），劉春、方方、金城、劉述周（據中共公佈：其中王、許、薛、金、劉等五人，受勞動改造）；按：外電報導會謂該部之首名副部長張經武（候補中央委員），亦受勞動改造處分，據我們研判，張現在北平，任毛澤東駐藏代表，該項報導或有錯誤。）

按：今年二月七日在中共「勁松」報刊載清算陶鑄一文中透露：「中央宣傳組織統戰三部全體反毛。」

中央農村工作部部長：鄧子恢（中央委員，全國人民政治協商會議副主席，自一九五九年起已露面，已遭罷黜。）

副部長：廖魯言（候補中央委員，在中共高階層權力鬥爭中，已遭整肅。）陳正人（候補中央委員）一九六五年一月，任國務院第八機械工業部部長，已遭整肅，五觀瀾。）

中央農村政治部主任：陶魯茄（候補中央委員，中央華北局書記，遭紅衛兵大字報攻擊，可能已去職。）

工業交通部主任：谷牧。

中央交通工作部部長：曾三（中央委員，兼國務院內務部部長。）

副部長：張邦英、程坦。

中央工業工作部部長：李雪峯（見前。）

副部長：李立三、高揚、于江震。

中央財貿部部長：馬明方（中央委員，中央東北局第三書記，由於近十個月來，始終未有消息，行蹤不明，可能已遭整肅。）

副部長：姚依林（兼國務院商業部部長，爲中共候補中委之最末一名，遭紅衛兵拘捕，根據本年二月廿五日周恩來對紅衛兵發表談話時表示。）

財貿政治部主任：姚依林（見前。）

副主任：馬定邦、楊樹根。

中央高級黨校校長：林楓（中央委員，近十個月來行蹤不明，列入四十一人反黨反毛名單中之第三十七名，已遭整肅。）

（九）

中國女性文藝春秋

周遊

忽遇漢使兮，稱近臣，詔遣千金贖妾身，喜得生還兮，會無因。十有二拍兮，哀樂均，去住兩情兮，難具陳。

不謂殘身兮，却得旋歸，撫抱胡兒兮，泣下沾衣。漢使迎我兮，四牧騑騑，胡兒號兮，誰得知？與我生死兮，逢此時，愁爲子兮，日無光輝，焉得羽翼兮，將誰歸？一步一遠兮，足難移，魂銷影絕兮，恩愛遺！十有三拍兮，絃急調悲，肝腸剌兮，人莫我知！

身歸國兮，兒莫之隨，心懸懸兮，常如飢。四時萬物有盛衰，唯有愁苦兮，不暫移。山高地濶兮，見汝無期，更深夜闌兮，夢汝來斯，夢中執手兮，一喜一悲，覺後痛吾心兮，無休歇時！十有四拍兮，泣淚雙垂，河水東流兮，心是思。

十五拍兮，節調足。氣填胸兮，誰識曲？處穹廬兮，偶殊俗，願得歸來兮，天從欲，再還漢國兮，歡心足。心有懷兮，轉愁深，日月無私兮，曾不照臨。子母離兮，意難任，同天隔越兮，如參桑，生死不相知兮，何處尋？

十六拍兮，思茫茫，我與兒兮，各一方，日東月西兮，空斷腸！對萱草兮，憂不忘，彈鳴琴兮，情何傷！今別子兮，歸故鄉，舊怨平兮，新怨長：泣血仰歎兮，訴蒼蒼，胡爲生兮，罹此殃？

十七拍兮，心鼻酸，關山阻修兮，行路難。去時懷土兮，心無緒，來時別兒兮，思漫漫。塞上黃蒿兮，枝枯葉乾，沙場白骨兮，刀痕箭瘢。風霜凜凜兮，春夏寒，人馬飢虺兮，筋力單。豈知重得兮，入長安，歎息欲絕兮，淚闌干！十八拍兮，曲雖終，響有餘兮，思無窮。是知絲竹微妙兮，均造化之功，哀樂各隨人心兮，有變則通。胡與漢兮，異域殊風，天與地隔兮，子西母東；若我怨氣兮，浩於長空，合雖廣兮，受之應不容！

文姬母子之情雖然濃厚，但她沒有理由反對歸漢。母性是天性，歸漢是朝命，也是民族大義。她心願歸漢，却帶不走兒子。矛盾的心理交織在一起，結果仍然拗不過朝廷的王命，匈奴也不敢不遣。

文姬歸漢後，再嫁爲董祀之妻，夫婦也過得很好，董祀並不因她爲胡婦生子而輕視。北宋之前，貞操觀念並不濃厚，宋代的理學家，道學先生一再說教之後才重視貞操觀念的。董祀爲屯田都尉，犯法當斬，她親自去請求曹操。那時正是公卿名士，遠方驛使，齊集一堂。曹操對賓客說道：「蔡伯楷的女兒在外面，現在叫她進來和諸君一見。」文姬進見時，蓬首徒行，叩頭請罪，音辭清辯，語意非常哀婉。衆賓客均爲之動容。曹操說：「事情誠可原諒，不過文狀已經發出去了，奈何！」文姬道：「明公廄馬萬匹，虎士成林，何惜疾足一騎，一救垂死之命」！操爲感動，就下令赦了董祀之罪。其時甚寒冷，乃賜她頭巾履襪。曹操又問道：「聽說夫人家從前書籍甚多，現在尙能記得否？」文姬道：「從前父親賜四千餘卷，後因流離塗炭，不賸一卷。現在所記得的，不過四百多卷罷了。」曹操道：「那麼太好了，我叫十吏到夫人家中來聽寫。」文姬道：「妾聞男女之別，禮不親受，請予我紙筆，讓我自己書寫，眞草惟命。」

（十二）

平劇繽紛錄

談：「趙雲戲」

○桂　良○

「龍鳳呈祥」是羣戲，趙雲在此齣中雖是配脚，以武生扮演，却是累工戲，從開戲起就扮上，到「回荆州」止，才卸靠下妝，因為此齣，包括「美人計」「甘露寺」「廻荆州」，演全了，在劉備過江之前，尚有孫權、周瑜，君臣議定「美人計」，呂範過江提親……說明孫、劉二家結成秦晉之好的由來。

演義把吳國太相親的場合，安排在南徐州甘露寺（今鎮江北固山），頗有附會因為作者誤會了當時東吳的首都設在建康（今南京）、京口（鎮江）是統稱為南徐，在漢魏時代，不知當時的吳都却在姑蘇，一位老太太要相女婿，怎不請未來的姑爺上靈巖山去白相白相，却不辭勞苦，自己跑到兩百里外的北固山去相親？（按孫權治石頭城為建安十六年。）演義誤以南徐州為吳郡，後來招親劉皇叔，卽在都城大起宮室，也說明是在南徐州但是他沒有想到南徐州到荆州有多少路程？我們二十年前坐輪船從鎮江（屬南徐）到黃州（屬荆州邊緣）也須鼓浪三天三夜，而劉備的馬、孫夫人的木輪車却只走了兩天一夜就到了，他們為什麼不駕舟，從水路而逃？却要在江岸旱路繞那麼大的圈子？

不過這演義一能够無中生有，而戲劇方面，却藉此得了好材料，編成這樣一齣如火如荼的甘露寺熱閙戲，不能不叫我們佩服，不能不欣賞。

關於此戲中趙子龍之穿戴問題，曾經有人研討過，有謂：必須紮靠到底；有謂：「闖宮報信」，趙雲起霸時，才由白外氅換靠；兩說都有理。南派趙雲，全場紮靠，北派則在起霸時換靠。

依戲情講：「過江」「洞房」應穿開氅，「闖宮」一折，應紮靠，因為諸葛亮囑咐，「備」，趙雲的「錦囊妙計」，是：必須登門拜喬玄，旣曰「拜會」，以禮相見，哄劉危險可知，等到趙雲「闖宮」報軍情時，備逃走，周郎必定派將前來追阻，自將厮殺一番，「紮靠」應戰，此其時矣。

也有人談：趙雲之隨劉備赴吳也職任護駕將官，武裝打扮，紮靠乃護駕之軍之制服，比「開氅」要鄭重得多，禮貌得多。

拿「臨江會」的關鞏，「黃鶴樓」的趙龍，「雙龍會」的七郎，「金蘭會」的何元慶，「百子涼樓」的吳楨，雙方都是修好；但形同赴「鴻門宴」，莫不紮靠。

關於「美人計」趙雲的穿戴，見仁見智，多有不同，容下期再續談。

關羽俠義精神新評價

方南

從事秘密活動，這是後來各種幫會的先驅，凡是這一類的組織，全憑一個義字來維繫，倘有少數人無信無義，便會使全體遭受巨大嚴重的危害，所以交友訂盟，以血為誓，名為「結義」，唯一注重就是保存義氣。近數百年來，這類組織分佈南北，緜延不斷，派系繁多，成為潛藏在中國民間社會的一種雄厚勢力。他們常以桃園結義做話柄，並以關羽為模範。民族義士們特別就這一點着眼，崇奉關羽的忠義，其影響之重大，和宗教組織是相等的。

崇俠尚義的心理，中國人久已普遍有之。有一種俠義小說，由唐代「傳奇文」開其端，以後漸漸興盛，近數百年更自成一派，遍佈民間社會。關羽出身畧似游俠，到了和劉備張飛結合，更處處表現他守信重義的精神，所以愛讀游俠小說和愛聽游俠故事的人，沒有一個不喜歡關羽的。他的俠氣配合他的義氣，完全適合大衆的胃口。所以，不只秘密組織幫會的人要奉他做模範，他的信徒簡直是全面的，連所有不識字而僅懂得看戲聽唱詞的婦孺們都是。

漢代史家司馬遷著「游俠列傳」，述古代俠士重視信諾，甚於性命，大都恩怨分明，甚至睚眦必報，故有「儒以文犯法，俠以武犯禁」之說。凡俠必有犧牲精神，多成為悲劇人物。

關羽受歷代江湖秘密社團崇奉，有一個原因是：他義由俠生，在根性上也是游俠中人。

俠每有率性逕行，一往不復的剛愎氣習，關羽睥睨東吳孫權，太過自信自恃，當從俠性的本源去探求。俠是他性格的強處，但也是他缺憾處，卒以疏於審察全局，遭受突襲，被東吳在背後插上陰狠毒辣的一刀，做成悲壯的結束，究本溯源，大有因由可按。

中國有五千年長久歷史，歷代功業彪炳而性行無缺的武將很多，岳飛關羽各演出一幕歷史悲劇，同被尊為武聖，這不是巧合，是因悲劇主角最能留有餘不盡之思，獲取同情與悼念。

崇敬關羽並不須捧他為十全無缺的完人，但一定要從他性格的深處求取了解。

關羽一直「復活」在中國人心裏有千年之久，假如沒有宗教組織為他添上神化，說沒有歌唱家、小說家、和戲劇家為他宣傳，多以豐富的想像力使他的故事增加吸引的力量，他決不會成為今天仍屬婦孺皆曉的那樣一位關羽。

時代變更，今天用新的眼光去看關羽，該看作三個：一個是本來的關羽；一個是宗教家給他披上神袍的關羽；一個是在戲劇小說裏面被誇大了俠義的關羽。後者和前者當然還有距離，但不至太過差謬，但在大衆心裏最活躍的，正是後者。

作為一幕歷史悲劇的主角，關羽秉俠烈之性，站在魏蜀吳三角交叉衝突的中心點，悲壯地犧牲了。其人其事，自然就是傳奇小說與戲劇的絕好題材。把小說的關羽和歷史的關羽嚴格地劃分，是一項極有意義的工作，但人人心目中的關羽，正似一尊極為可愛雕刻像。這是由無數民間藝術家共同造成的藝術品，不知有多少心血附註在他身上，既非一手一足之力所能成，亦非一時所可奏功。要在這樣的一件藝術品上面重新改造，自不免有或輕或重的損失，但總比索性把件藝術品毀棄為較好。今天該怎樣給關羽以新的評價，和怎樣處理這一宗和民族文化有關的遺產，該不是一件小事。

勇武、俠義、忠信、正直的關羽，恩怨不含糊，公私分明，去就不苟，始終能一貫，確能遺留下極好的模範，自當為萬世所長仰。民間藝術家謳歌他，使他的故事更能使人感動，並不因他有事業上的成功，只因他有這樣可愛的品德。這種品德當為中華民族無窮世代所寶重，這件藝術品自當永遠保存下去。他已死之身所享受的封典祭祀，都屬毫無所用虛榮，倒是這件藝術品萬代的藝術家所受用，所給都是千秋實在的。如說關羽成了神，不如說關羽精神不死，這精神就是大家所共崇仰的俠義精神。（下）

林敬紉的血書

河漢

林敬紉是林則徐的女兒，沈葆楨的妻子。她的父親與丈夫全是清代的總督，且同是「名宦」；但她的成為舉國皆知的名女人，却不是依仗父親與丈夫的力量，而是由於她的一封以自己的鮮血寫成的書信。

關於她與沈葆楨的成為配偶，有如下的傳說。林則徐任江蘇巡撫時，沈葆楨因家貧在巡撫衙門充當地位卑微的小職員，做的是抄寫文件的工作，不知怎樣，會受到林則徐的注意。某一年除夕的傍晚，沈葆楨結束了抄寫工作正想回家與寡母渡歲，林則徐却吩咐他不要走開，有必需在元旦早晨發出的向皇帝賀歲的奏摺要寫。沈葆楨自然只好留下，但心中很着急，因為寡母正待他帶錢回去料理店家賬務，和購買過年所必需的東西。林則徐把奏摺的草稿交給他，一筆不茍地用正楷寫好交上去。林則徐在看完之後，拿起筆來把奏摺上無關緊要的字更動了兩三個，要他重新寫過，那時候已經是午夜。林則徐吩咐過了，便擺齊全副執事，率領省城的大小官員，到萬壽宮舉行向皇帝遙拜賀歲的儀式去了。沈葆楨認為被巡撫更換的字在意義上並無出入，但他不敢提出，只有重新寫過，靜待巡撫核閱。等到林則徐賀歲回衙，已是元旦朝晨。林則徐看完重寫的奏摺，就蓋上關防，奏樂放炮叩拜發出，然後回到書房向沈葆楨作揖道歉，並且詳問他的家世，詢問完畢之後，有禮貌地請他回家。他一路上焦慮着一夜來他的寡母如何應付店賬與渡歲的苦況，可是到了大門口，發見門外已放過爆竹，母親正笑容滿面地坐在廳上等他。他向母親叩頭賀歲之後，正想陳述他昨夜的遭遇，他的母親告訴他，昨夜巡撫衙門已經派人通知她不必等待，並且送去了二百兩白銀，說是她兒子的薪水。沈葆楨聽了母親的話，感到十分訝異，因為他一年的總收入，也不過幾十兩白銀，巡撫送去的錢，實在太多了。

然而使他訝異的事情還在後頭。當天下午，蘇州知府就去訪問他的母親，為巡撫的女兒林敬紉小姐作媒。林則徐是一省的最高長官，沈葆楨是一貧如洗的窮秀才，對於這種婚姻，連做夢也不敢妄想。可是知府為他作伐，而且說明是巡撫本身的委託，他的母親當然喜出望外地接受了。沈葆楨成了林則徐的女婿，由老丈人的培植，努力讀書，終於由舉人而進士，完成了科舉階段。

林則徐所以選擇沈葆楨為婿，便是經過除夕晚上的考驗。林則徐認為沈葆楨在除夕這個特殊日子，在家貧母老的特殊環境中，能夠鎮靜而負責地完成工作，並且從頭到尾，字字端正，精神飽滿，表現出他是個堅毅沉着，負責任、守紀律，經得起風浪，能担當大事的優秀青年，所以願意把他最心愛的女兒嫁給他，利用翁婿的關係後來教育他、造就他。沈葆楨也果然如岳父所期許，成為清代所謂中興時期的名臣。

但是這一傳說至今並無確證。古春風樓瑣記就記載這是林則徐自身的故事，是他自身福建被巡撫張思誠賞識和提拔的經過，只是並未被造成為翁婿關係而已。可是，張思誠到福建的時候，林則徐已經中進士入翰林了，所以說這一傳說是林則徐的奇遇，殊不確實，還是以沈葆楨的可能性大些。

林敬紉寫血書的時期是公元一八五六年農曆七月十二日，正是咸豐六年，（上）

亡清之讖

蔡賢俊

也許外祖父可算是民清之際最駁雜的讖緯家，雖然沒有著述傳人，但在這方面的故事是永遠講不完的，而且深淺不一，有的令人驚其取材不易，有的亦為星相流俗之言。這些故事自然都是只許人知其當然，却不許人究其所以然的不科學的東西，然而以其偶合的奇巧，在原子時代的今日，反而透着新鮮氣味。譬如所說滿清何以會亡的故事一大堆，便因「持之有故」可資花甲之年的人作茶餘酒後的談助，奇巧不可方物，令人驚異不已。筆者覺其雖屬附會居多，但比起劉歆在左氏中所竄入的那些「事後有先見之明」的預言和卜詞要強得多，因憶述若干則于次：

據說是傳自清宮被逐的太監（按在民十三年馮玉祥逼宮之前兩年，溥儀曾逐出太監千人），雖然不免基于迷信，但可以作「白頭宮女在，閒坐說玄宗」看。同時因確有其事，並可從而知道一些清宮的秘俗（自然須袪去其神話的外衣）。清宮經常祀有一根並不精緻的木桿，不但時有牲牢之奉，並且因豎立而所遺之桿影亦不許人踐踏，否則便交敬事房打屁股。又桿頂置有一個木斗，斗內經常不缺稻麥以供雀鳥啄食。甚至帝后經過其處，亦須肅容端身而過。至于此木桿的淵源，傳為滿人列祖中有名「樊查」者甚為傑出，當創建女眞部族時，厥功亦偉。某次樊查被強敵圍困，逃入一處樹林中倚樹喘息，追敵人迫近之時，忽有二鳥止其頭頂啄其蓬散之髮，敵人誤為一段枯木，改向他處追去，得以倖免於難。嗣後清人入關，便在宮中立祀一根木桿以誌其事。並名此木桿為「祖宗桿子」。可是，此桿傳至光宣之時已近腐朽，似表示再無法繼續享受子孫之祀典然。

清人自入關以來，虔祀關公（羽）以為護宗之神。不但宮內設有香壇塑像，春秋祭祀不衰。清庭每次用兵的緊要關頭，關公的坐騎赤兎馬便即發汗，而每汗之後，便有勝利的消息傳來。可是，自庚子（光緒二六年，西元一九〇〇年）拳禍發作後，當義和團攻東交民巷時，八國聯軍攻天津時，辛亥(西元一九一一年)武昌起義時，民六段祺瑞討伐張勳復辟攻入北京時，宮中亦均傳赤兎馬發了汗，但隨後傳來的消息都是失敗的。可見關公對于清人的天下也無能為力了。抑有甚者，這些被逐出來的太監，加鹽添醬地將奉祀祖宗桿子和關公的事串合起來。說是：「關公熟諳春秋大義，那裏會不懂夷夏之防，而願意背棄漢人保起滿人來。所以關公只是叫他們來替漢人開疆闢土，便不等到他們把新疆底定了以後，便不再管他們的勝和敗了。」何況滿洲人對自己的祖宗樊查只在宮中空地上豎根桿子來祀奉，反而對漢族的關公立壇設祭，這種捧別人的爸爸作爺爺的人，「不亡何待」。這兩則故事中的「祖宗桿子」和宮中關公壇址，如果尚未被共黨摧毀淨盡，相信於今猶有實物可證，而所言清人的迷信愚蠢之處，也是百分之百的實話，不然，慈禧太后和宗室王公們便不會相信義和拳匪了。（上）

近人詩二首

賦謝黃世光教授秋日招宴，並簡同座嘯岑、華表、六師、子鑾、綽銘諸公。　蔡俊光

頻年自處衡門樂，少命巾車鬧市遊。詩酒且尋前日約，烽煙幸見晚來收；飛觴醉月狂難作（是夕陰雨無月），挺劍如虹老未休；擬賦江南新秋色，羈懷重比子山愁。

丙午秋節客台北，年屆七旬矣，瞿然感賦。　雷嘯岑

七十秋光轉眼過，空餘涕淚看山河。縱横有志成孤憤，王霸無常託夢柯；漫道浮生悲日月，劇憐黎庶苦干戈；慣從客裏逢佳節，今夕無端感喟多！

自由報

內銷警台報字第〇三一號內銷證

THE FREE TIMES

第七八六期

中華民國僑務委員會頒發
台教新字第三二三號登記證
中華郵政台字第一二八二號執照
登記爲第一類新聞紙類
（半週刊每星期三、六出版）
每份港幣壹角
台灣零售價新台幣貳元
社　長：雷嘯岑
督印人：黃行奮
社址：香港銅鑼灣高士威道二十號四樓
20, CAUSEWAY RD 3RD FL., HONG KONG
TEL. 771726　電報掛號：7191
承印者：大同印務公司
地址：香港北角和富道九六號
台灣分社
台北市西寧南路壹壹零號二樓
電話：三〇三四六
台郵撥儲金戶九二五二

中華文化復興運動芻言（下）

蔡俊光

書堯典頌堯之德化，謂「克明俊德，以親九族，九族旣睦，平章百姓，百姓昭明，協和萬邦，黎民於變時雍。」其治平之蹊徑與此相通也。六藝之文曰：詩、書、禮、樂、易、春秋——後世稱爲六經，載道之籍，莫備於此，誠所謂三極之訓，羣言之祖。董子春秋繁露玉杯云：「君子知在位者之不能以惡服人也，是故簡六藝以贍養之。詩書序其志，禮樂純其美，易春秋明其知。六學皆大而各有所長：詩道志，故長於質。禮制節，故長於文。樂詠德，故長於風。書著功，故長於事。易本天地，故長於數。春秋正是非，故長於治。」夫我先聖似此垂文以施教萬世者，其深閎遠大之旨，直可以放諸四海而皆準，施諸百世而無惑也。

次之，我中華文化之物質表現，其於宮室有明堂辟雍之制，有阿房鑑光之美。其於車服，有黃屋左纛之乘，有黼黻文章之盛。至於飲食也，旨酒醴泉，山珍海錯，蓋已極其口腹之嗜欲者矣。凡此制作之完備，服用之華美，今載於禮王制考工之記者，尚可窺其一斑。當世歐美仕女有酷愛其所謂「東方藝術品」，「東方建築物」，「東方食譜」，「東方生活」者，正爲時尚焉。

嗚呼！觀乎我先人諸如此類文明遺產，吾人何修而得此皇皇華國？而得爲一堂堂華裔？本將可以沾其德澤，承其輝光。詎料海禁敞開以來，外寇肆其淫威，炫其薄技，以殘我上國，內奸蔽於無知，惑於利賄，而自毀其室。既無自信之念，乃失自尊之心，終於並舉全民族之精神堡壘亦有毀無餘矣。此禍自清咸同以後日益深然，先之有「洋務運動」，「維新運動」，繼之而「五四」文化改革，竟至於「全盤西化」之議。夫我全民族此時正失其精神憑依，魂不守舍，由是馬克斯列寧輩之共產主義乃得乘虛而入，纂取我先聖「作之君」，「作之師」之寶座，蠱惑我全民，使之形神氣志三失其位，舉國成狂，臣弒君，子弒父，人且相食，家有聚麀，恬不爲怪。卒使我今日宗社遷播，億兆流離，四野骨横，滿塗餓莩，言之尤覺痛心！茲吾人追源禍始，旣憬然乃自棄固有文明的遺產而遭此大刼，則今後爲綿延此一垂絕之民族生命於不斬，亟須舉國上下一致努力謀其復興。尤以居上位者，不空談，不泄沓，身體力行，心誠求之，則風行草偃，其效可期矣。蓋風俗之良窳，輒繫於君子在上者爲之轉移。大學釋治國所謂「一家仁，一國興仁。一家讓，一國興讓。一人貪戾，一國作亂。其機如此。」言不誣也。漢承秦火之餘，孝武思興文教以戢翼其世，乃廣延四方豪俊賢良脩絜博習之士，躬親下問詔，董仲舒爲賢良對策，遂使戰國以來數百年暴亂之風爲之不變，上下艾安。以後東漢之光武、孝明、孝章諸帝開東閣，詔諸儒白虎講論，唐初太宗之開崇文館禮延十八學士，宋太祖太宗之偃武修文，此皆於喪亂之後，以其在上者心之所尚，卒能蔚成一代雍和風氣而致太平。

至於今日吾人如何促進此一復興工作，俾收其功？在下以爲首要應在廣徵純良方正博學修能之士出，崇其位而優禮之，使會集考論可行之道，而一切巧宦豪吏無與焉。蓋政令與教化之行，其取徑略殊。前者則可以其層級奉命貫施以收其效。後者則務求廣被浸潤乃見其功。故政令之實施，未嘗不可責諸巧宦豪吏。惟教化之廣被，則非待有德之賢良以繫四方之物望不可得。日前本報謝志新先生之「再論復興中華文化問題」一文有云：「社會運動與行政措施，迥然有別。前者在求橫的發展，以博得社會各階層人士的翕然景應。後者是縱的佈達，講究層層節制，要各級官員凜遵」。其理斯同。謝先生並舉出過去「五四運動」與「新生活運動」各異其影響以爲例證，誠爲灼見。

夫旣廣徵純良博學之士出，抑又何以務崇其位而優禮之？貢以衰世久不尊賢重道，非如此不足以一新天下耳目，而使人懷榮達之志，嚮慕成風。昔漢武興學，使使束帛加璧安車駟馬以迎申公爲詩博士，公孫弘以說春秋，白衣辟爲三公封侯，天下之士乃靡然景從。倘若時下學府之待遇師儒，俾給薄於皁隸，榮寵不如倡優，使其人一派寒酸，跼蹐轅下，無威可畏，無儀可象，試問其又何能表率羣倫，成教於天下？影響所及，士不爭赴上流，人不恥爲賤業，禮義不講，文明日喪，國族自亦隨之而削滅矣。側聞今全國文化復興運動事業經費，每月台幣五萬元。嗚呼！此誠如莊子所云：「簡髮而櫛，數米而炊，竊竊乎又何足以濟世哉！」亦操一豚蹄穰田類耳。

其次，務須揚棄所有崇洋媚外觀念。我國數十年來政治與教育，可謂「洋人政治。我國數十年來政治與教育，可謂「洋人政治」，「洋人教育」。平日國家選士錄才，旣以州郡貢舉不可行，又不循諸考試制度，只求其人擁有某國「博士」「碩士」一類頭銜，足抵國門，則可名登仕版，身列朝班，座擁皐比，木鐸行教。是國家最高登庸之柄，操諸外人，國家首要育才之道，爲他人設，此與亡國何異？夫時下之所謂「博士」，久非國產，多屬舶來，彼輩中雖云不乏奇才異能之士，堪爲國用，然聲聞過情，虛有其表者，觸目可見。蓋外人之頒授此類榮銜於異國之士，多是有其異圖，迥非如其本國人士之難以倖獲者。故吾人何能不加考覈而一體錄用？甘爲他人所愚而自貽伊戚乎？此類博士人物歸國後，一旦身躋高位，旣無視本國歷史，復不體察國情，言政治，不曰「德謨克拉西」（Democracg），則曰「勘謬你字姆」（Communism）。言教育，不曰「杜威實驗主義」，則曰「道爾頓制」，五花八門，梟亂視聽，動搖國本，斲喪國命，莫此爲甚！及今思之思之，吾人何可不猛回頭覺悟以挽救此厄乎？

又其次，宜速釐定文教方針，改革現行學制，審定各級學校教材，慎選師資。夫吾人今日談文化復興問題，確屬千頭萬緒，惟歸根到底一言，還是先從文化教育事業下手。故首要在廣徵純良博學之士出而會集考論可行之道，付諸實施。日本明治維新以來，揭櫫「忠君愛國」四字之教育方針，簡明篤實，即已收富國強兵之效。反觀我國數十年高談新教育，一無是處，若詢諸主持文教者其方針安在？不是瞠目結舌無以對，則是絮聒不休，扛出其一大堆民主科學廢話以敷衍塞責。

（下轉第二版）

無可補救！

瞄得好準！

今日與明日

敬悼林彬先生

香港商業電台播音員林彬先生於八月廿四日早晨九時在窩打老道山住宅駕車上班，行經文運道口被暴徒攔截，縱火焚燒身受重傷，次日不治，殞命。消息傳出，港九同悲，從二十四日上午九時至次日十二時，總共二十多小時中間，全港九的市民精神都貫注在收音機上，大家數着時間計算，希望在四十八小時內不要聽到林彬的噩耗，過了四十八小時就有救活的希望，不料只經過了二十七小時，終於聽到不願聽的消息，使四百萬市民的希望落了空，大街小巷一時愁雲慘霧，人人傷心，個個憤慨，一個普通人之死，能得到這麼多的人們悲傷，林彬先生無疑是第一人。台北方面對此也有很快表示，黨政當局致電慰問林彬家屬，華僑救國總會匯來一萬台幣賻儀，中國廣播事業公司並通令台灣所有電台在林彬先生出殯時，奏哀樂五分鐘，此項殊榮也非一般人所能得到的，台北有關方面對林彬事件的處理，大大值得稱道。共匪此次謀害林彬，在他們是費盡心機，總算達到了目的，林彬遇難後，本港左報一種歡欣鼓舞之情，可以看出他們對林彬痛恨之深，必欲置之死地而後快。但是，若就鬥爭技術而論，港共匪徒，此次行動犯[illegible]

不妨試試看

中華民國的大法官解釋：地方議員在議會裏發表與議案無關的言論，仍須負法律責任。但中央監察委員不以爲然，理由是憲法明文規定，議員在議會發言，對外不負責任，因此，主張大法官再解釋。

這問題可從兩方面來檢討。若照憲法規定的原則，議員在議會發言，是否可以漫無限制的信口開河，肆無忌憚？答案如其是可以的話，那末，地方議員即應該享受這項法定的特權，大法官的解釋殊欠妥當。如認爲議員在議會發言亦不能隨便亂來，必須有些軌範，那就不宜祇是責之於地方議員，所有各級民意代表都在其列，纔合道理。

本來，議員在議會發表的言論，應該都是與議案有關的，題外的話，適從何來？上述大法官的解釋，可說是多此一舉。不過，夷考現實情況，台灣地方議員在議會裏常有越出議案範圍，口不擇言，濫作人身攻擊的毛病，大法官加以限制，未可厚非。否則大家不明份際，不顧職責，藉着「議會發言對外不負責任」的憲法條文作護符，或假公濟私，對人妄事誹謗修怨，或意氣用事，隨便胡扯瞎鬧，使神聖的議會變成「開片」「吃講茶」的場所，未免太不成話吧？

大法官的解釋，只是防患於未然的消極措施，議會之健全與否，根本是議員們的知識水準問題。爲正本清源計，台省政府最近擬訂的地方自治法規中，對於地方議員候選人的學歷、資歷有所限制，理有固然。監察委員專從法理設想，認爲大法官的解釋尚待研究，說來陳義甚高，振振有詞，然迴顧議會政治的實際表現情形，大法官的見解，似乎是對症下藥的單方，且可將原有解釋文字之「地方」二字刪去，以昭公允，不妨試試看！

馮五先生

惹麻煩幫倒忙騎虎難下
港共延禍毛朝 慘受雙重打擊

（本報訊）北平的毛共政權為香港三家尾巴報紙被查封案，向英倫提出最後通牒，限於四十八小時內答復。依照國際外交慣例，「最後通牒」一如不得到圓滿結果，即訴之於戰爭手段。但英方拒不答復，而北平只是嗾使紅衛兵搗毀英國代表團公廨，把英代辦霍普遜打傷，十足地表現野蠻作風外，別無對策，可謂失格丟醜已極！

毛共這種搞法，亦係迫不得已，實有難言之隱。原來毛酋實行「文化大革命」時，曾經派員到海隅向港共傳達意旨，聲明港澳和海南島地區不在舉行「文化革命」運動之列，但對於「毛澤東思想」的學習工作，不妨加緊進行。詎料港共狃於澳門鬥爭容易取得勝利，竟在香港實行盲動機會主義，以致遭受失敗，下不了台。北平毛朝心裏殊不贊成，但表面上又不能不予以支持，這跟緬何的毛共份子盲動情形相同，都是替毛惹麻煩、幫倒忙，弄得騎虎難下，尷尬非常。

將來無論怎樣結局，港共負責人一定要受檢討懲罰無疑，因為港共的盲動，使毛朝在經濟上的損失，實在甚大，而信譽聲勢亦暗淡無光了。現在英倫方面表示對毛共不採取主動絕交的行動，而新任駐北平外交代辦麥克豪斯，決定十月前往就職，港共暴亂問題如何收場，大概要到十月間纔有分曉吧？

檢討海外文化教育會議

·本報駐台記者劍聲·

這次由僑務委員會籌辦之海外華文文教會議，其基本任務為：一、檢討海外華文教育之得失，分別斟酌各地區之現實情勢，確定今後應採行之文教設施。二、積極推展職業及技術教育，增進華僑青年之生產智能，俾能協助當地政府發展經濟，提高生活水準，促進社會之安定與繁榮。三、推行文化復興運動，發揚中華民族優良傳統，揭發共匪「文化革命」罪行，以喚起全體僑胞共同負起維護中華文化之時代使命。四、改良教育方法與工具，採行科學的教學方法，運用最新電化器材及視聽教具，藉以增進施教之效能。

因此，本報記者依此原則，就政策的問題，與這次會議性質的問題，以及政治號召和宣傳問題等，提出來加以檢討，俾使未參加這項會議的海內外人士有所瞭解。

政策與功用

就政策而言，海外文教會議的召開，已經變了質。據立法院僑政委員會召集委員黃哲眞表示：當前的僑務問題，不外乎：（一）客觀的環境；（二）華僑的經濟與文教；（三）僑社的人才等三大問題，如果能夠克服這三大問題，則所謂僑務問題，也就迎刃而解了。為了這些問題，近數年來，立法院僑政委員會一再建議政府，要政府邀請海外的文教與經濟專家學者，與各地區之「大亨」，舉行類似小型會議，就僑居地的法律、社會、文教、經濟等各方面的問題，加以研究而制定適宜於各僑居地法律之政策，這種政策是富有彈性的，主要的適合當地政府的措施，並且適法。殊料僑務委員會所召開之海外文教會議，與立法院僑政委員會之原則，完全走了樣。這種會議，開與不開並無兩樣，實際上並無裨益。（一）

我是一個「紅衛兵」

·王朝天·

活動方面，每室推選三至五人，主持學習毛澤東語錄。每晚八至九時進行學習。每天清晨坐車進入市區進行「串連」活動。傍晚才坐車回住處。

我到廣州的目的，是企圖投奔自由，對革命串連毫不發生興趣，因此對串連活動很少注意。留穗時間，我除了乘機遊覽而外，曾五次企圖潛進入黃浦碼頭，試探能否逃上外輪偷渡出境。我發覺檢查極嚴，絕對沒有逃出的可能性。

在穗時間，整天在街上逛。廣州街上的「大字報」也很多，很亂。最使我注意的有三件事：

一、趙紫陽——「大字報」上寫着：「捨得一身剮，敢把趙紫陽拉下馬。」趙紫陽是中共「廣東省委」第一書記，是「當權派」的地頭蛇。在廣州的「紅衛兵」有大部份是擁護他的，但是外地的「紅衛兵」堅持要鬥爭。於是開了三天的鬥爭大會，地點在越秀山體育場。我只參加了一次，時間是十二月十六日。那天主持大會的是「紅衛兵」中推選來的。上臺批判趙紫陽的人，列舉下列各項罪狀：（一）指趙紫陽鎮壓「紅衛兵」運動。（二）執行、貫澈修正主義教育路綫。（三）阻撓「紅衛兵」進行「革命串連」。（四）企圖腐蝕「紅衛兵」的革命意志，如：專把公共汽車開往各遊覽地點，而不把公共汽車作「紅衛兵」進行「革命串連」的交通工具。（五）在政治、經濟各方面走資本主義道路。

二、蕭克——在廣州見到鉛印的「大字報」攻擊蕭克。「大字報」是農墾部長王震寫的，攻擊他的兩個副部長蕭克和陳漫遠，蕭克是主要攻擊的對象。內容大意是：「蕭克和陳漫遠組織不明眞相的羣衆到我家張貼，題為『黑幫分子』的『大字報』，想把我當作反對毛澤東思想的人來鬥爭，其實蕭克才是黑幫。他在歷史上是張國燾的人，在各次政治運動都反對毛澤東同志。在洪湖鬥爭期間，他反對賀龍同志。在一二〇師時期，他又盜用我的名義，聯合向毛澤東同志寫黑信，企圖把賀龍同志調往蘇聯，以便使他升任師長。在農墾部裏，他又聯同其他五位副部長煽動羣衆想整我。在這次『文革』運動中又多次污蔑我，甚至當毛澤東同志點名叫我上天安門檢閱紅衛兵時，他也反對，甚至把上級給我參加檢閱的通知也壓下來。陳漫遠，你明知道蕭克一向反黨、反毛澤東同志，為什麼你要和他同流合污攻擊我，試問你居心何在？」

三、王任重——聽說在廣州也開過鬥爭王任重的大會，這是我去廣州之前的事情。我聽說，武漢的「紅衛兵」，去找過王任重，「中南局」答稱王任重去向不明。一說王任重已到海南島避風頭。我看見廣州有一張大字報說：「王任重腿好長，一下跑到海南島。」

五、關於「大字報」

目前在大陸上大中小城市，貼滿了「大字報」。北京更多，幾乎看不見牆壁。「大字報」的紙張，一般是由接待站供應白紙，但供應的紙張是不夠的，因此，各地「紅衛兵」也有用顏色紙張的，用舊報紙也很普遍，用一本書拆開來寫「大字報」的也有。我在廣州以及鄭州等地方，看到鉛印、油印的大字報，像傳單似的，張貼在沿鐵路，車站和大街小巷。（八）

美國政治的鼠年

華盛頓航訊

美國國會最近在討論白宮所提出的一項議案，即由聯邦政府撥欵，在各大城市展開滅鼠運動。此案引起不少糾紛辯論，甚至牽連到來年的大選；不少人因而戲稱：一九六八將為美國政治的「鼠年」。

白宮的提案遭遇國會中共和黨人反對後，詹森總統指出，共和黨人此舉，對都市兒童實為一「無情打擊」，因每年為老鼠咬傷的孩子數以千計。政府曾以大筆經費用於保護農場中的牲口，「吾人至少應予孩子們以與牲口同樣的保護。」

官方統計指出，全美每年為老鼠咬傷之兒童約一萬四千餘人，但共和黨人對詹森之提案依然一笑置之。眾議員葛羅斯甚至戲謂：政府應特組一「老鼠工作團」，設置「老鼠專員」專司其事。

共和黨人認為，滅鼠工作為一地方問題，目前各地已有現成法令及專欵用於滅鼠，聯邦政府無另立新法之必要。共和黨人並以「滅鼠案」，攻擊聯邦政府蓄意擴大權力。

共和黨人指出，都市鼠患與都市種族暴亂並無關聯。以底特律市為例，該市本年種族暴亂最大，但該市滅鼠工作卻冠全美。本年上半年中，該市僅發生六次老鼠咬傷兒童事件，在同一時期中，紐約卻發生了三百次。

共和黨人相信都市鼠患並不嚴重，過去四年中，僅有一名紐約嬰兒因鼠咬傷致死，而全美因觸電致死者千人，因游泳溺死者七千人，火災致死者一萬人，汽車事故致死者五萬人。

共和黨人建議，只要政府決心展開滅鼠運動，予殺鼠者以重賞，即可清除鼠患。若干議員更建議鼓勵市民養貓，亦可有助於控制老鼠的繁殖。

但一位來自密歇根的女議員認為，鼠患問題並不可笑。她指出老鼠殺人之多「超過歷史上所有的將軍」。她說老鼠可傳染鼠疫及其他嚴重疾病。她在結束演說時，正色質問同僚：「你們覺得此事可笑嗎？」

鼠患在美國並不是一個新的問題，聯邦政府曾不斷從事滅鼠毒劑及滅鼠方法之研究。地方政府亦經常進行滅鼠工作，但其效果只是暫時性；僅能殺除百分之七十五的老鼠。

專家指出，老鼠的繁殖力量驚人，每次撲殺後，一年內即可繁殖到原有數目。老鼠一胎多至二十隻，每隻三個月後即發育完成，進行繁殖。雌鼠懷孕期間僅二十日，每月可生產一次。

據專家估計，全美老鼠總數約有九千萬隻，與人口數字相配合，平均每人半隻，多數老鼠均居於大都市，因其中的陰溝垃圾最多，並不限於貧民窟。

支持詹森總統撥欵滅鼠的共和黨參議員史柯德氏稱：「老鼠不知社會及經濟的區分，河邊大道高貴住宅的主婦對老鼠的恐懼，並不下於貧民窟的母親。生活環境壞的地區自易於老鼠的繁殖，但老鼠實為整個都市問題的一部。」

鼠患不僅是美國的都市問題：也是一個世界性問題。據聯合國世界衛生組織估計，全球老鼠的數字和人的數字一樣多。在印度，老鼠數字甚至超過人。

世界衛生組織最近邀請十六個國家的三十位科學家討論滅鼠問題，他們共同認為：「老鼠必須加以撲滅，只要人們使用現有之一切方法，展開滅鼠運動必可成功。此一運動雖耗資甚巨，但與老鼠所造成的毒害及所食用的粮食相比，滅鼠運動的費用並不算多。」

在全球性的滅鼠運動展開之前，老鼠已咬進美國政治之中。若干人已指控反對聯邦政府撥欵滅鼠案者為「愛鼠甚於愛人」。美國人以象代表共和黨，以驢代表民主黨，在來年的競選活動中，老鼠亦可能成為另一不斷出現於政治論戰中的動物。（完）

中華文化復興運動芻言

（上接第一版）言及學制，則疊床架屋，幼稚小學中學大學而外，又有所謂「特別師範」、「簡易師範」、「××專科」，使人目迷五色，莫知所往。言及教材，且以語文科為例，幼小級則以「蝴蝶姐姐」、「白兔弟弟」、「月亮是圓的」，「窗櫈是方的」……一派胡言亂語，以閉塞其聰明，全不知「蒙以養正」之理。中學級則「差不多先生傳」、「景陽崗」；等一類文入選，迨一升大學，則首課乾坤文言，以至宋詞元明劇曲，經史子集俱全，洋洋大觀。課程既如此不相銜接，學者自是無由領會也。言及師資，則漫濫百出，筆難細述者矣。夫維繫國家命脈之文教現象，其淩亂一至於此，不亡何待？

最後，予謹為聲明，凡上所論述文化復興問題，非謂妄求全般復古，惟一國之文化必貴其傳統，吾人自當擇善而從，因時制宜。蓋我先聖哲之振興文教，亦必不抱殘守闕而冥求反諸古道也。孔子聖之時者也。論語記「顏淵問為邦，子曰：行夏之時，乘殷之輅，服周之冕，樂則韶舞」。此可見聖人之必不膠固於一隅。故中庸述其意曰：「愚而好自用，賤而好專，生乎今之世，反古之道：如此者，災及其身者也。」孟子盛稱堯舜之德，三代之治，然滕文公使畢戰問井地之法，彼舉述古之大略後，卒答曰：「若夫潤澤之，則在君與子矣。」是亦知其通變之所宜者。漢武興學，策董仲舒，制曰：「蓋聞善言天者，必有徵於人。善言古者，必有驗於今。」此皆知貴乎天人古今相為應驗之論，吾人可忽之哉？目前孫哲生先生在台北中華文化復興運動推行大會提出三種方法：「第一是研究保存。第二是推陳出新。第三是發揚光大」。言來大致不差。然而，三事切須解答者：孰知其可保存？孰能推陳出新？孰為發揚光大？僉知此固非一般巧宦豪吏所能為力，仍有待於徵集純良方正博學修能之士以成其功者也。（完）

瀛海異趣談

說謊的人

·岳騫·

過了幾天，在中環遇到跟他同住的小張，問起曹仲愚的近況。小張得意洋洋的說道：「被我們打跑了。」

我吃了一驚，問道：「怎麼打跑了，為什麼打他？」

小張說道：「這個老傢伙太不是好人。我們幾個同住一起，有的作工，有的繪花，有的派報紙，只有他一個人游手好閒，日日擺着作家的架子。我們住在一起，本來規定房錢，伙食大家均攤，洗米燒飯大家一齊動手，他是既不出錢又不出力，只吃不動。這也不說，一言不合，就罵我們是下流胚子。前天又在罵人，同住的朱老頭看不過去，只說了一句勸他搬出去，他馬上就要打朱老頭，於是引起公憤，個住打了一頓，把他趕出去了。」

我長吁一口氣：「原來是被你們打出來的。」

小張看我的神色有異，笑道：「怎麼回事？是不是又向你借錢付房錢的罰款？」

我奇怪道：「你怎麼知道？」

小張大笑道：「他這次發了一筆小財，到處向人借錢，他先拈出幾十塊錢，要朋友替他湊夠罰款，光是我知道的已有三四處了。」

隔了幾個禮拜，我偶然到文化報去，鄭士風一見面便笑道：「曹仲愚被人打了，你知不知道？」

我笑着點點頭：「早知道了，被同住的人打一頓又趕出來。」

鄭士風瞪了大眼，說道：「不是這麼回事，大概那是又一次。」

我奇怪道：「這次是怎麼搞的？」

鄭士風嘆口氣：「這傢伙真該死。他因為那次寫電影劇本的事，認識了一個編劇，此君在電影界相當有名，人也很豪爽，以為曹仲愚真能寫小說，對他十分關照，曹仲愚沒有住處，就招呼在自己家裏住，又介紹他到中興報寫稿。此時此地，像這樣的朋友總也算難得了吧？」

我連連點頭：「那是真不容易，曹仲愚總算遇到了知己。」

鄭士風繼續說道：「最近中興報發了稿費，曹仲愚就托編劇的公子去領稿費，共有一百多塊錢領回來就交給他。他不知怎麼用了。第二日又到處借錢，逢人就說編劇的少爺替他領稿費在電車上擠丟了，害的他沒錢用，言外之意還懷疑這個小孩子偷用了。這個消息不用兩天就傳到了編劇耳朵裏邊，上午趁曹仲愚不在，把兒子叫來審了一頓，追問他領的稿費丟了何處。小孩子十五六歲血氣方剛，聽到這個意外，真是又驚又氣，哭了半天。晚間曹仲愚回來就被這孩子揑住打了兩個巴掌，拉着到編劇面前，曹仲愚還一口否認，馬上就賭咒『狗×的說的』。編劇看見他既無賴又下流，當晚就把他趕出去了。」

我搖頭嘆息道：「損人不利己何苦呢？以前屢次說謊，我們還能想出他的作用，這次真是莫測高深了。」

鄭士風笑道：「大概是一種嗜好吧！古人有嗜痂癖，曹仲愚是有嗜說謊之癖了。」

中間又過了兩個月，曹仲愚一幌又幌到我住處來，喜孜孜地告訴我，原來他找到工作了，在一間新開辦的大堂午報任編輯，並且約我替他寫稿。

我聽到這個消息也覺得很高興，當時懇切勸他以後不要再信口開河，規規矩矩從頭作人。

曹仲愚拍拍我的肩膊，笑着說道：「老兄，一個人能作好人時，誰也不肯作壞人，那是不得已呀！」

（四）

明末遺恨

·河漢·

在一個美麗的天堂即將降臨人間的幻想中，李闖終於率領百萬饑寒交迫生活的農民，席捲黃河流域，在一六四四年的秋天浩浩蕩蕩地進入北京。一住進金碧輝煌，宏偉莊嚴的皇宮，李闖和他的高級幹部全被這些勝利的果實所迷醉。他們覺得他們千辛萬苦打下了這座錦繡江山，他們便是這座錦繡江山的主人。他們儘量搜括人民的財產，他們儘量強取人民的妻女，只要他們要，他們便儘量爭取。高級幹部如此，他們中下級幹部和隨他們長征的士兵當然也依樣畫葫蘆。於是凡是李闖集團腳蹤踏到的泥土，泥土上的一切全遭受掃蕩蹂躪。

到這時候，期待進入天堂的人民，[illegible]是十八層地獄，這批天使原來是一羣手執[illegible]的牛頭馬面。這批新貴們兇狠殘暴的程度，到達了連死人的骨頭也要咀嚼（到處挖掘墳墓）的地步。他們未得勢時的口號是「迎闖王，不納糧」，他們得勢之後，要人民繳納的是比糧更多更好的東西。人民的眼睛是雪亮的，他們最初是失望，繼而是憎恨，最後是把這批新的統治者認作是不共戴天的敵人！

佔領北京建立大順帝國的第三個月，李闖他們纔自美女的胸膛上驚醒，才想起由高麗外面不斷侵略中國的外敵，已把軍隊向山海關推進。扼守山海關的是明朝的總兵吳三桂和他指揮的五萬士兵。吳三桂起初原不準備做漢奸，而準備向北京的新主人輸誠。但當他發現他的愛姬陳圓圓和搜括來的財產被李闖接收之後，衝冠一怒為紅顏，為黃金白銀，竟忘記了他是漢人，掉轉頭去向他的敵人搖尾乞憐，和他的敵人攜起手來，向正在東移的李闖的部隊宣戰，並且為滿洲兵當了屠殺同胞的前鋒。

在兵力上，李闖在第一綫上結集了二十萬人，與他對陣的吳三桂的部隊加上滿洲兵，還不到十萬，因此李闖的兵力佔盡優勢。戰爭開始的階段，滿洲兵並未參預，單純是吳三桂的人數微薄的部隊接戰，是一場中國人打中國人的戰爭。李闖的部隊在戰爭中打得非常勇敢出色，把吳三桂壓迫得不斷向後方退縮。可是等到數量不多的滿洲兵投入戰場，李闖的部隊一看見外國兵的旗幟，即刻便心驚膽怯地消失了戰鬥意志，打內戰的英勇精神一下子無影無蹤，全綫崩潰，毫無抵抗地向北京總退卻。

（四）

剖析八十二名反毛的中共中委

·李敦俊·

副校長：艾思奇、賈震。

中央婦女工作委員會第一書記：蔡暢（中央委員），第二書記：鄧穎超（中央委員）。章蘊（候補中央委員）。

七、中共中央東北局

第一書記：宋任窮（中央委員，國防委員會委員，瀋陽軍區第一政委。從歷史淵源上看是劉伯承系統人物，由於久未露面，行蹤不明，可能已遭整肅。）

第二書記：歐陽欽（中央委員，曾任黑龍江省委會第一書記，曾遭哈爾濱紅衛兵大字報攻擊，由於久未露面，行蹤不明，可能已遭整肅。）

第三書記：馬明方（中央委員，曾任中央財政貿易部部長，自去年八月以來，未有消息，可能已遭整肅。）

書記：陳錫聯（候補中央委員，瀋陽軍區司令員，在中共當前權力鬥爭中，未受到攻擊。）黃火青（候補中央委員，遼寧省委會第一書記，在中共高階層權力鬥爭中，未受到攻擊。）黃歐東（候補中央委員，遼寧省委會第二書記，遼寧省省長，在中共奪權鬥爭中，未受到攻擊。）吳德（候補中央委員，前吉林省委會第一書記（該職未見中共發表繼任人選），現代理北平市長，去年八月中共八屆十一中全會後，排名在第二十七名，是否遞補為委員不得知，曾被紅衛兵鬥臭，今年三月五日法新社電傳已復職，四月廿一日北平中共電台廣播，被選為北平市「革命委員會四名副主任委員之一」。）潘復生（候補中央委員，曾任河南省委會第一書記，任內被清算，一九六六年十月任黑龍江省委會第一書記，在中共高階層權力鬥爭中，曾遭紅衛兵猛烈攻擊，今年三月五日法新社報導謂已復職，四月廿四日在北平由毛澤東召見，現為擁毛派。）顧卓新（一九六三年七月任國家計劃委員會副主任委員。）

中共黑龍江省委員會第一書記：潘復生（見前。）

第二書記：李範五（黑龍江省省長，在中共奪權鬥爭中，被指為推行修正主義路線，遭哈爾濱大字報攻擊，根據北平紅衛兵大字報揭露，黑龍江省被視為最嚴重的「黑區」之省區，今年三月七日法新社巴黎電訊報導，謂該省反毛派仍在挑動衝突，企圖反攻，李範五是「黨的敵人」。）

書記：王鶴峯、楊一辰（候補中央委員）、李劍白（已調職，一九六六年任中央宣傳部工作隊副隊長，被指為陶鑄派反革命份子，遭紅衛兵鬥爭。）

中共遼寧省委員會第一書記：黃火青（見前。）

第二書記：黃歐東（見前。）

書記：周桓、李荒、李東治、王良、楊春市、喻屏、黃達、白潛。

（十）

中國女性文藝春秋

周遊

於是，文姬親自寫了送去，沒有遺漏一個字。文姬生平的著作，現今只存「悲憤詩」二章和「胡笳十八拍」了。但根據唐人劉商的「胡笳曲序」說：十八拍乃董生所著，然根據「琴集」（樂府詩集引）則說：「大胡笳十八拍，小胡笳十八拍，並蔡琰作。」胡笳十八拍，是她自己的寫真，誰人有此經歷，嘔此心血，我們不相信是董生所作的說法。

文姬的悲憤詩，一為五言古詩，一為七言古辭，都是她歸漢後感傷之作；五言的對象，是在寫一般離亂的慘相；七言是寫自己的遭遇。也似胡笳十八拍的格調。尤其是懷念她遠在西域的兒子。七言詩最後一段寫道：「北風厲兮，蕭冷冷。胡笳動兮，邊馬鳴。孤雁歸兮，聲嚶嚶，樂人興兮，彈琴箏。音相和兮，悲且清。心吐思兮，胸憤盈。欲舒氣兮，恐彼驚。含哀兮，涕沾頸。家既迎兮，當歸甯。臨長路兮，捐所生。兒呼母兮，啼失聲。我掩耳兮，不忍聽！追持我兮，走煢煢。頓復起兮，毀原形。還顧之兮，破人情。心怛絕兮，死復生。」

右段文字描繪的，是一幅活生生的「文姬歸漢圖」。我們把她從前的烏孫公主作一比較，完全是兩種情緒。烏孫公主想歸漢而不得歸，文姬不欲歸而不得不歸，造化弄人，好人薄命。五言寫漢末的傷亂，與韋莊的「秦婦吟」同悲同調，尤其對於當日的朝政日非，深惡痛絕。為使存真，仍是照錄原文一觀。

漢季失權柄，董卓亂天常。志欲圖篡弒，先害諸賢良。逼迫遷舊邦，擁主以自彊。海內興義師，欲共討不祥。卓眾來東下，金甲耀日光。平土人脆弱，來兵皆胡羌。獵野圍城邑，所向悉逃亡。斬截無孑遺，屍骸相拒。馬邊懸人頭，馬後載婦女。長驅西入關，迴路險且阻。還顧邈冥冥，肝脾為爛腐。所略有萬計，不得令屯聚。或有骨肉俱，欲言不敢語。失意幾微間，輒言斃降虜。要當以停刃，我曹不活汝。豈復惜性命，不堪其詈罵。或便加捶楚，毒痛參幷下。旦則號泣行，夜則悲吟坐。欲死不能得，欲生無一可。彼蒼者何辜，乃遭此危禍！邊荒與華異，人畜少義理。處所得霜雪，胡風迎春起。翩翩吹我衣，肅肅入吾耳。感時念父母，哀歎無窮已。有客從外來，聞之常歡喜。迎問其消息，輒復非鄉里。邂逅徼時願，骨肉來迎已。已得自解免，當復棄兒子。天屬綴人心，念別無會期。存亡永乖隔，不忍與之辭。兒前抱我頸，問母欲何知？「人言母當去，豈復有還時。阿母常仁惻，今何更不慈。我尚未成人，奈何不顧思？」見此崩五內，恍忽生狂癡。號泣手撫摩，當發復回疑。兼有同時輩，相送告離別。慕我獨得歸，哀叫聲摧裂。馬為立踟躕，車為不轉轍。觀者皆歔欷，行路亦嗚咽。去去割情戀，遄征日遐邁。悠悠三千里，何時復交會。念我出腹子，胸臆為摧敗。既至家人盡，又復無中外。城郭為山林，庭宇生荊艾。白骨不知誰，從橫莫覆蓋。出門無人聲，豺狼號且吠。煢煢對孤景，怛咤糜肝肺。登高遠眺望，魂神復忽逝。奄若壽命盡，旁人相寬大。為復彊視息，雖生何聊賴！託命於新人，竭心自勖厲。流離成鄙賤，常恐復捐廢。人生幾何時，懷憂終年歲。

（十三）

對於「美人計」趙四將軍的穿戴，有兩種看法：

一、甲種

二、乙種

甲種：處處不離京朝派，自然是一種自圓其說的假借，其實皮簧的來源，並非舊京，而清室之封建「朝」代早已於五六十年傾覆，秧歌王「朝」是摧殘文化戲劇的魔鬼，故在今日自由民主的地區，「京朝」二字實在有點掛狗頭而賣羶羊肉。

乙種：也是久看南、北、皮簧，折衷論事，有對照，有比較，則情理顯然。

先談甲種的說法：他希望演「美人計」的趙雲，要瞭解自己是正工武生的地位，不同於底包零碎，切莫自暴自棄，甘居邊配之列；應該遵照老例，紮靠閃蟒，才不失四將軍的身份。

當初甘露寺單獨貼演，尚未與「美人計」「迴荊州」聯串在一起，亦未經改稱：「龍鳳呈祥」的時候，趙雲一角，即應由本班中頭路武生應工，寧可在中軸前後主演一齣武戲，仍須在「甘露寺」中帶演趙雲，不能用二路角色充任，以昭鄭重，而顯氣派。主要原因，是爲了保持全劇精彩。

平劇繽紛錄

談：「趙雲戲」

。桂良。

本來這是一齣「羣戲」，必須樑柱勻停，「銖兩悉稱」。在這齣戲裏的劉皇叔、喬國老、孫權之外，趙子龍亦佔有相當的地位，豈可等閒視之？自從聯接上「美人計」「迴荊州」以後，不記得那一位武生是始作俑者，認爲前半齣的趙雲不重要，便令底包代替，他自己從「鬧宮」之「起霸」上場。底包收益既少，責任輕，自己以爲無關大局，所以在台上不免敷衍搪塞，不僅台下觀衆對之原諒，即後台管事對底包也視若無覩，不事吹求，於是底包因陋就簡，便創開了例：趙雲的扮像遂從白夫子盔，紮硬靠，閃白蟒，嬗變而成戴紮巾盔，穿白花開氅了。

又說：底包配角之習慣成性，以歪就歪，穿戴簡畧，不顧劇情之事例甚多。類如：「失街亭」斬謖以後，趙雲再上時，卸靠換了開氅，您看戴了頂盔，卸了甲，要多難看，有多難看！那一個正齣，有這個扮像？他們覺得一晚上掙幾十銅枚，沒有全身披掛伺候到底的義務。當家老生既不挑剔，後台管事樂得做個順水人情，又何苦認眞，招致班底不高興呢！從此相沿成習，積非成是，如果有人扮趙雲，一登場便紮靠，觀衆或許還感覺新奇呢！

乙種久居上海觀戲多聞，却引出武生宗師楊小樓在「渡江」時，便是穿的開氅。他不說：楊宗師墨守成規，却說他欺負江南觀衆，他詩、書、畫、是三絕，又擅長篇小說，故稱他是「多聞派」這句閒話，留待下期再談。

盛伯希亮節多聞

仁厚

曾孟樸著「孽海花」，於晚清朝政，皆有實事可指，讀史者多引述之，以資參證，如蕭一山氏近著之「清代通史」，其中即多所徵引。「孽海花」一書中，寫李越縵文字不少，而均有譏意。其二十回，寫越縵遊雲臥園一則，謂：「原來這雲臥園，在後載門內，不是尋常園林。其地毗連一座王府，外面看，一邊是宮闕巍峨，一邊是水木明瑟，莊嚴野逸，各擅其勝，伯怡本屬王孫，又是名士，住了這個名園，更是承石爲緣，紅紆翻留，春秋佳日，懸榻留賓：……世人都比他做神仙中人，這便是成伯怡雲臥園的一段歷史。……」成伯怡者，清宗室盛伯希（昱）也，與越縵爲同年。

同治十二年四月八日，越縵亦記有盛約賞牡丹事謂：「伯希年少好學，家有園亭，其閨人及令妹皆能詩，遂赴其招。牡丹半落，香色未減；亭館清幽，廊檻迴曲；疊石爲山，屈曲而上；上結小台，可以延眺。垂楊婀娜，薛荔四垂，其居室亦雅潔開敞，都中所僅見也。」又「與伯希畧論國朝掌故，及滿洲民族，俱能留心。近來宗族子弟中，不易覯者也。又此君留心掌故，宗室中之傑出，當不愧完顏儔趙與旹也。」皆稱盛之才與其園林之勝。

伯希亦作伯熙，號韻蒔，光緒丁丑進士，豪格七世孫，祖敬徵，本生祖敬敦，父雨停（恒恩），因博爾濟吉特氏，名那遜蘭保，字蓮友，通五經能詩，有芸香館遺詩二卷。所居爲敬徵舊邸，稱意園，有亭榭之勝，其度金石書畫之室，曰鬱華閣，性和而介，又簡貴清議，崇尚風雅。所交皆一時傑奇之士，皆以文章道義相友善。承學者更以得接言論風采爲幸。以是文譽滿海內，而益自淬礪。於學無所不窺，讀書能日盡數十卷，博聞強識，所考訂經史及中外地輿，皆精竅過人。尤練習朝章國故，小至一名一物之細，皆能詳其沿襲改革之本，而因以推見前後治亂之跡。翁同龢亦稱其「持論高，有識見，天潢中後傑之士也。」其閎博處實爲不虛。又喜獎成氣類，一介不遺，魁壘之士，至都門者莫不以爲歸。

天性恂摯，自以宗支世胄，盱衡勢局，愍焉以傷。自通籍至祭酒，居官十有三年，侃侃自將，正言讜論，朝野欽仰，然不能盡行其志。尚書彭玉麐數辭官不受職，伯希疏劾其自便身圖，啓功臣驕蹇之漸。朝鮮之變，提督吳長慶奉北洋大臣張樹聲檄，率師入韓，致大院君李是應以歸，時論詫爲奇動，伯希獨言出自誘劫，不足言功，且徒令屬國寒心，友邦騰笑，宜嚴予處分，俾中外知非中朝本意。法越構釁，徐延旭唐炯坐失地逮問，伯希以逮問疆臣，而不明降諭旨，二百年來無此政體，並劾樞臣失職。張佩綸馬江之敗，朝野爭論是非，伯希曰：「幼樵誤在一巧字耳」。時人以爲至當至切。甲申夏廷臣會議和戰，伯希數言事，士論尤推爲蹇諤。旋放山東鄉試考官，衡藝過勞，得心悸疾，乃閉門家居，日以考訂古籍，究心教士，清譽益著。甲午後，益鬱鬱，頗寄情山水，不擬以預人事。光緒己亥春，引足疾率。至冬病亟，病中微吟六言詩：「怕死作爲已死，有生本是無生，縱然百有餘歲，不過多得浮名」。神明湛然，於十二月二十日卒，年五十歲。其詩興趣不及寶竹坡，書卷時復過之，集中杜鵑行一首，爲表揚深秀之作，有「茂陵遺稿分明在，異議篇篇血淚痕」，指楊非康黨；張之洞讀郁華閣集題云：「密國文詞冠北燕，西序博雅萬珠船；不知有意還無意，遺集都無奏一篇。」又稱其「亮節多聞，習於掌故，今日劉中壘朱郁儀也，間可以爲四海九洲之文式矣。」此外又輯有雪屐尋碑錄論書畫一理，尤多創見，不具錄。

林敬紉的血書

河漢

她隨着丈夫在江西廣信府知府任上，這一時期，也正是太平軍的軍事行動達到巔峯的時期，正是東王楊秀清親自統率的太平軍主力，佔領了南京，與殘朽的淸軍展開江南三角洲爭奪戰的時期。就在這一時期，皖、浙、贛三省接壤地帶，受到江南戰場的波動，與太平軍攜手的邊錢會黨徒，與潛伏在各地農村的地痞聯合携起手來，發動大規模的武裝暴動，他們第一個進攻的目標就是廣信。

廣信在淸代是府城，它管轄着上饒，玉山，弋陽，貴溪，鉛山，廣豐，興安七個縣城。太平軍在這一地區的武裝部隊是五千人，由楊輔淸指揮，分作兩路，一路攻佔貴溪，一路攻佔鉛山，準備在廣信會師，然後進攻浙西，與南京的太平軍互爲呼應，以鉗形包圍江南三角洲的淸軍。

廣信已在危急關頭了，但沈葆楨恰好爲了協助曾國藩籌措軍餉，伴同籌餉特使江西學政廉兆綸離開府城到了河口鎭去。河口雖然只是個小鎭，但因爲它向來是贛浙閩三省貿易中心口岸，在當時的江西省經濟上具有超出九江的重要性。知府不在廣信，担任廣信城防的部隊數量不足一千，而且盡是戰鬥性能脆弱的老弱殘兵，在絕對優勢的敵人壓力下，城防部隊已完全失去防衛的自信，在絕望的灰黯氣氛中，不僅城中的居民奔逃四鄉，連在廣信府署和上饒縣署工作的各級人員也全改裝易服，脫離城池，向自認爲安全的地方匿伏，攻城的敵人還在遙遠的地方，廣信已成了一座死城，敵人幾乎隨時可以輕易地侵入。

林敬紉面對這一座死城，却不像那些驚惶的男子漢那樣只作脫逃的打算。她鎭靜地如常居住在府署中，謝絕了府城中那些有財富有地位的紳士們的邀請，不與他們結伴同行。她還囑咐府署中的轎伕出走，表示她與城共存亡的決心。至此，她的態度非常明顯，她已安排妥了自己的出路——城破即自殺。

但她並未甘心於束手待斃。她知道在上饒以東七十華里的玉山縣，駐紮着浙江省安義鎭總兵饒廷選的部隊，兵力約莫三千人。可是饒廷選是浙江省的武官，受浙江巡撫與提督的節制，他的任務是警備浙西，與江西無關。廣信雖然密接他的防區，在軍事地理上不能劃分，然而在軍事組織上却不屬於他的防衛系統。何况根深蒂固的官軍敷衍塞責[illegible]成了文武[illegible]遠禍，攘[illegible]屬於他們[illegible]更不必說了。林敬紉知道[illegible]文去向饒[illegible]饒廷選能犧牲實力，冒着未獲長官同意而進行戰爭的危險，把個人的權位爲着并無直接關係的隣人孤注一擲。林敬紉知道在非常的時期只有以感情與利害配合了來說動對方。她用針刺破指尖，用自己的鮮血寫了一封長信派人急馳而往：

「將軍瀞江戰績，嘖嘖人口，里曲婦孺，莫不知海內有饒公矣，此將軍以援師得名於天下者也。

（二）

亡清之讖

蔡賢俊

又說，將一副牌九和兩顆骰子的點子加起來，便是清祚的年數。按牌九和骰子的點數，共爲二百六十九點。而自清世祖福臨始廢明代年號改爲順治算起（其元年爲一六四四年），至宣統三年淸帝退位時止（一九一二年），共爲二百六十八年，二者相差只有一年，可謂已甚相符；如果是從世祖繼皇太極登帝位之年算起，則二者恰是一樣的，眞是巧合之至。因爲世祖繼位之年，正是明崇禎十六年（一六四三年），也就是建元順治的前一年。

其次是在民國十年左右，遜帝溥儀在宮中閒極無聊，發明了一種奇特的鬥牛方法，即將一隻牝牛，驅入被激怒的狗羣中，讓狗咬牛，牛觸狗，直到狗羣傷亡殆盡，或牛先疲困倒地爲止。不料一日疏於防範，牝牛竄出了宮門，橫衝直闖於北平閘市，且有狗羣逐於後，害得壯男奔避，婦孺驚號。本來清室素以爲燒餅歌上說牛是淸室的「化身」，所以對牛的愛護一向不遜於印度人，除了祭祀用的太牢而外，平常很少殺牛爲食。因此之故，宮中上下咸以溥儀爲非，且因諫阻無效，乃借此機會把溥儀的祖母——即奕譞之妻，慈禧的胞妹，——請進宮來，訓斥溥儀一番，嗣後溥儀雖戒除此殘忍的玩意，可是牛已竄出，讖事已成，所以隨即發生了馮玉祥教鹿鍾麟帶兵入宮，將溥儀趕出故宮的事情。

最後一則說來最奇，不僅確有其事，而且知者甚鮮，若非對讖緯之事素具癖嗜者，當不易找出這份資料來。據說：滿俗從無預立文字以備族人按輩份用以排名之事（此種文字，名爲輩份詩），習見於宋以來各姓的族譜上。往往均以五言四句並擇取吉慶文字爲之，以祝其族人的繁衍昌隆。但自順治傳至第四代的高宗宏曆（乾隆）時，見其第六子質親王永瑢畫獻其母孝賢皇后的 歲乾圖，高興起來便題了一句「永綿奕載奉慈娛」的詩于其上，並且諭飭後輩子孫，即以此詩句諸字，做漢俗按輩份依序取用一字以爲各人名字的第一字如咸豐帝名爲奕詝。繼咸豐之位之的玄孫同治帝，名爲載淳（光緒帝載 以弟繼兄位之故，未列入）。可是，乾隆死後，傳位到他孫子道光，因爲又有了自嘉慶以下的第五代，應該排名到用「奉」字時，大家都以爲此字實在不妥，因爲帝名「奉」字，有將天下奉人之讖：而奉字更含有服侍別人之意，亦不合皇帝的身份。於是頒命改詩句中的「奉」字爲「溥」字，到了宣統出世，便名溥儀而不名奉儀。然而在乾隆時讖已鑄成，以後再改也扭不過「冥冥天道」。何況只改一個奉字爲溥字，好像預知傳到溥字輩便完了一樣。所以到了溥儀即位，不到三年便將天下雙手奉于中華民國了。復按在咸豐時又曾頒過一道詔諭，說是在「載」字以下諸字，應予修改，並續之爲「溥，毓，恒，啓」四字，拳亂中的「毓賢」、「啓秀」便係此輩中人，滿淸的江山亦到此輩就完蛋了。

（下）

△更正▽

本報上期所刊「悼念孔祥熙先生」一文字中，謂孔在國民參政會選駐會委員時，常投黃宇人參政員之票云云。茲據黃先生告知，孔氏係在中央黨部各項選舉場合，常投黃先生之票，並非在參政會選駐會委員也。應予更正。

——編輯部——

辜鴻銘逸事

野鶴山人

中國著名學人辜鴻銘瞧不起西洋人，本報上期刊出英國作家毛姆在成都訪問辜氏的情形，已可概見。茲再述辜氏在北平澡堂內，揶揄愛說洋話的本國青年人的一段故事，殊堪發噱。

民國十三年春間，辜鴻銘在北京大學文學院担任教授。某日，他到市上的商營澡堂去入沐，先在客室中休憩品茗，手持着旱烟桿，且吸且飲，狀甚悠閒。忽有西裝革履二青年人，亦進來洗澡，瞧見辜氏那副裝束——足登雙頭黑緞鞋，配以白布長襪，身著長袍，外加絳色綢質背心——甚爲納罕，兩人用英語談論辜氏，一個說：「這種土頭土腦的鄉巴佬，也跑到西式沐室來開洋葷，太可笑了。」

（上）

內政部台報字第〇三一一號內銷證

自由報

THE FREE NEWS

第七八七期

中華民國僑務委員會頒發
台教新字第三二三號登記證
中華郵政台字第一一二八二號執照
登記為第一類新聞紙類
（半週刊每星期三、六出版）
每份港幣壹角
台灣零售價新台幣貳元
社長：雷嘯岑
督印人：黃行審
社址：香港銅鑼灣高士威道二十號四樓
20, CAUSEWAY RD 3RD FL.
HONG KONG
TEL. 771726　電報掛號：7191
承印者：大同印務公司
地址：香港北角和富道九六號
台灣分社
台北市西寧南路壹壹零號二樓
電話：三〇三四六
台郵撥儲金戶九二五二

從阮高奇的競選諾言看越南前途

黃祿熙

越南內閣總理阮高奇日前在電視廣播中，聲明這次選舉總統一定是自由進行，保證不會發生舞弊的情事。最後他很感慨的說自己是個愛國的軍人，渴望保全自己的國家，但個人很討厭政治生活。他這番話，可能是對外作用大於對內關係，因為美國國會議員曾有要求越南大選延期舉行的言論，懷疑選舉將有不公平的地方，阮氏既不主張延期，乃有此自明心迹的表示。

我們極相信阮氏一方厭惡政治生活，然基於愛國思想，為保全國家計，又不能不涉身政治界的矛盾心情是確實的。世界上許多軍人迫於時勢而從事「苦迭他」運動，被置於政治洪爐之上，他們的動機都是為着挽救國家的危難，并無貪戀政治權位的意念，事證很多，不違枚舉。問題在軍事執政之後的作法，是否能以國家的利益為前提，而避免個人對政治權力中毒的危險，這需要大智、大仁、大勇的精神和魄力纔行，不是普通人所能做到的。北美合衆國開國元勳華盛頓，他如果要做終身總統，不但沒有人反對，而且衆望所歸，不成問題。但他以國家利益為前提，奠立民主政治的楷模，及時引退，不復戀棧。美國民主生活之得以深中於人心，永無軍人乘機奪取政權，實行專政獨裁之可能，劃致軍人必須服從政令，這些優良的習慣和制度，都是從華盛頓那種大智、大仁、大勇精神陶冶而成的。

越南原係新興的多難之邦，剛由殖民地生活中翻身過來，在文化和產業方面，都屬落後一步，自不能與當年的北美合衆國相提併論，即不必期望阮高奇媲美華盛頓之所為，但能留意於權力中毒的惡劣嗜好，設法避免，那就是了不起的德政，對國家前途將產生無疆之庥。阮氏既對政治生活不感興趣，這一點或許可以做到吧？

越南自從吳廷琰政府垮台以後，政變不歇，一直是軍人執政，這次依照新憲法舉行大選，而阮高奇又是候選人之一，論形勢與時機，當選的成份自然很大，他聲明自己如果當選，將物色一位平民担任內閣總理職務，這都是值得讚許的民主思想，祇要不失信，越南前途即大有希望。

不過，政治建設，需要在安定的環境中，循序漸進，決非一蹴可以幾及的。越南現在處於四郊多壘的戰爭狀態之下，軍事第一，勝利至上，然指導越戰的美國當局，又實施以戰迫和的不求勝主義，結果戰事的希望甚為渺茫，即影響越南的政治建設進度，而和戰之權又非操在越南政府之手。好在戰爭的責任多由美國担負，阮氏將來如果當選，儘可以全副精神致力於政治建設，如剷除貪污風氣，振興教育事業，促進產業發展等等，皆係當務之急的要政，不妨按照美國總統早已宣佈的援助越南建設計畫，利用美國的財力人力和技術，分別進行，悉力以赴。美國所耽心的問題，就是阮氏當選之後，是否能夠實行民主政治，而不致如吳廷琰之我行我素，現在阮氏業已正式表明態度，在政治上嚮往文治主義，在軍事上亦不反對與北越和談，但不願容許所謂「民族解放陣綫的政府」出現而已。這種見，跟美國對越南的政現行政策距離不大，美方今後關於越南的顧慮和批評，可能漸漸好轉，這是阮氏比吳廷琰聰明的地方，對於美越外交上，頗有裨益。

危害全越人民生存的元惡大憝就是越共，亦即以胡志明為首的所謂「民族解放陣綫」，慶父不去，魯難未已，共產黨決不樂意跟別人和平共存的，在共黨的思想體系中，和平與鬥爭是一物之兩面，暫時和平妥協是手段，根本消滅敵人纔是目的。美越現有的軍事實力超過越共百倍，然美國害怕引起中共介入戰爭，乃採取以戰迫和的不求勝政策，隨時向越共發出和談之聲，更聲明美軍決不進攻北越地區，祇是要避免「侵略」之嫌，這又是做的韓戰板門店和談的翻板文章，即此北越政權接受和談，尚不知要經過多少時間和波折，纔可望達成休戰協議，而在苟和局勢中雙方武力對峙，衝突時間，越南永遠處於被動自衛地位，越共的滲透顛覆活動日益加劇，欲求如今日南韓的生存狀態亦不可得，殆為必然的趨勢。專就越南的生存設想，及時消滅越共政權，統一全越，纔是上策，跟共黨妥協，乃至組織聯合政府，實係走入死胡同的自殺行為，有百害而無一利。可是，主持越戰的美國當局要走死路，越南政府實迫處此，無可如何，阮高奇過去堅決表示不與越共言和，現在受到美方影響，也祇好贊成和談了。今後形勢如何演變，殊不可知，然阮氏及其同僚，如能堅持着「不容許一個民族陣綫政府出現」這項大原則，不稍讓步；同時以全力改革庶政，爭取民衆的向心力，調和各個宗教派系間的政治鬥爭，儘可能消解其矛盾因素，先求內部的眞正一致團結，以對抗越共的顛覆活動；這樣，越南或不致於因與越共苟和而陷於垂危的命運。

任何一個國家，決沒有完全依靠外力，而能夠獨立生存的。自助者人助，理有固然。越南不能專憑本身的軍事力量以戡平共禍，美國有此力量而不願使用，即唯有努力於政治剿共之一途了。阮高奇聲稱討厭政治，而又不得不出面執掌政權，為着保全自己的國家，將來當選之後，除却履行「任命一位平民作內閣總理」的諾言以外，更應該網羅社會各階層的高級知識份子，相助為理，「軍人政府」千萬使不得。因為越南的財力物力，尚不足以自力更生，仍須仰仗美國應援，而美國最忌諱的就是政治不民主。美國過去的觀念，認為跟共黨組織聯合政府便是民主，現在受到了許多痛苦的教訓，態度或許已有改變，但未必完全揚棄這項不正確的見解，這就看阮高奇的作法如何了。總之：和談如果實現，越南始終是在救亡圖存的艱危環境中討生活，越共的勢力只有漸趨膨脹而不會消沉，越南政府自身如不健全，在政治剿共方面沒有特殊建樹，前途實未可樂觀也。

自由談

毛澤東必敗論

馮五先生

毛酋澤東不甘寂寞而急於奪權，原不足怪。可是，他老悖昏庸了，竟爾急不暇擇而採取必然失敗的手段，以致衆畔親離，越奪越亂，不可收拾。

第一，他不該利用自己的老婆江青，出面主持所謂「文革小組」，發號施令，擅作威福。中國人一般的意識，對於婦人干政，總認為「牝雞司晨」，不足為訓的。又何況江青的出身和其知識是那末卑陋，比起中國歷史上的干政婦女如武則天、慈禧后之流，相差太遠了，這怎能使各級文武共幹心悅誠服呢！中共大多數的元老功臣，既已對毛酋懷有携貳之心，又由江青來對他們實行整肅，更激起各級共幹的反感和恐懼心情，由憤憤不平而汲汲自衛，殆屬勢所必至，理有固然，此即毛酋所謂「打起紅旗反紅旗」現象之所由來也。

第二，他不該利用青年學生作奪權的工具，把自己的黨紀和政紀全部摧毀，任由紅衛兵無法無天的胡鬧，瞎搞，隨時拘捕黨政重要人員，百般凌辱、毆打，甚至掛着紙標游街示衆。這樣的作法若說可以成功，那末，慈禧太后當年利用義和團以扶清滅洋，更不應該失敗了。即使紅衛兵的奪權運動，徼幸得逞，然黨紀政紀以及法制體系，皆已蕩然無存，試問毛酋憑甚末能力和方法來統治大陸人民，維持社會安寧秩序呢？世界上那有經常喊打喊殺以求治的政權，亦可以存在的？

毛酋採用這兩種自作孽的手段，企圖奪取權力，稍有常識的人，亦知道決無倖理，而他竟悍然為之，這不是瘋顛失常的神經病表現嗎？王莽敗亡之際，還穿著帝王衣服，手持讖緯書，對左右聲言天生德於予，劉秀其於予何，神經兮兮地認為自己的王權不會崩潰，結果是漸台受戮，為天下笑。毛澤東的下場，很可能跟王莽一樣，只是大陸人民枉受紅衛兵的災害，太不值得了。

今日與明日

如何對付港共迫害

與林彬烈士同被炸傷的林光海君，經過六天的時間，終於不治逝世。本來經過火燒支持四十八小時便有希望，林君支持六天之後仍未能復生，當係火毒攻心傷及內臟所致。我們對林光海君之死，如同對林彬君一樣，都懷着十分悲痛的心情致以悼念。

與林光海同日死者，尚有西區小販鄭漢佳，係被港共匪用炸彈炸死。到目前為止，為港共匪謀殺者已經有五人之多。港共匪對此深感得意，最近公然散發傳單，聲言要加害六名知名人士，其中有兩人是新聞界中人。雖然大家對此並不介意，不過，政府若任其囂張下去，如果死傷市民過多，終有一天失去理智，激起公憤，集合自由人士向左派報復，信有此一日，則以三百多萬人對付數千匪徒，一日之間恐無孑遺，到時政府又將如何？

當然，大家也都明白，政府本身實在有不得已之苦衷，面對北平的瘋人集團，應付深為困難，但民憤若不能予以疏導，則火山遲早必有爆發之一日，政府萬不可等閒視之。

對付港共匪之道，最要緊者在擒賊擒王，任何人與機構都沒有「治外法權」，既然人在香港，就要受香港法律管轄。試以林氏兄弟事件而論，左報事先已表示必置之於死地，偽造的讀者投書稱林彬為「臨殯」，在林氏兄弟遇難之後，新晚報又發表勳奸突擊隊命令，以殺林彬為立大功，並對林氏家人百般侮辱，給以漫畫，指為反華小丑。此無論就香港政府與林氏家屬而言，均可對新晚報採取行動，而政府却置之不理，一味懸紅緝兇，此種作法何異掩耳盜鈴，既長共匪志氣，亦增加市民憤慨，長此下去，終有一天會醸成大禍。

本港市民應鎮靜

自從港動亂以來，市民有不少均作他往之計，有錢人最敏感，辦法也最多，海闊天空，何處均可以為家，如高門委卓雄就去了日本，也有人去加拿大、去美國、去歐洲、去台灣。為避亂而還居，自未可厚非，但到目前為止，我們覺得有一項意見必須說出。

港共匪之動亂已入於尾聲，在各種方術用盡之後出之以暗殺，但此種手段必不能持久，則可以斷言。大陸共幫正在互砍之際，亦無力侵及香港，所以說香港情況必然會漸漸轉安，市民在此最後五分鐘，一定要保持鎮靜，萬不可為危言所嚇，相走避，如此則社會秩序大亂，匪幫機會來矣。

我們不必唱什麼高調，說見危授命的話，但此時此際，確實去此一步，即無死所。我們應當認識自己的環境，百分之八十以上的香港人皆沒有資格離開香港，我們只有把身家性命押在此地，與港共匪搏鬥到底，死裏求生。除此之外，還有什麼辦法？（何如）

好戲在後頭

自取滅亡

自由報

從省議會的總質詢

看台灣省政得失

——本報記者熊徽宇

從五月十五日開始的台灣省議會三屆九次大會，到八月二十五日宣告結束。在這歷時三個月零十天的會議中，省議員們對於省府各部門的預算和作業，以及法令規章，都做過詳盡的審核與審議。

我們要瞭解存在於省府的諸種問題，只有從省議員的質詢意見中去體認，因爲他們來自全省各縣市的選區，代表各地的民意。

我這篇報導，乃是採擷省議員們對於省政總質詢的發言。在他們的意見中，自然可以看出省府推行政策的成效如何，可以看出民間對省政府的反映，可以看出黃杰主席這些年來所領導的省政府是什麼樣的水準？可以看出一千三百多萬人所盼望的和反感的是些什麼？

當然也可以看出省府各級官員的作業有多少分數，乃至我們的法治精神，和人民的權利與義務，發展到什麼程度？從而可以體察到建設台灣爲三民主義模範省的政治目標進展到什麼程度？在反攻復國的戰鬥任務上，省政府準備了一些什麼？

我寫這篇報導，引用議員的發言，採擷具有代表性的，一個問題一個問題的寫，偏重於省政問題的全面性，不寫局部的地方的問題。關於省議員們抨擊省府官員中某些人的意見不寫，但是我不願意放棄議員們對於政風方面的批判，和政策方面與作業方面的許多指責。

王國秀痛言省政時弊

代表高雄縣的女性省議員王國秀，在省政總質詢時，發言指責省府殘存着「官僚氣」和「鄉愿氣」，是非不明，功過不分，法令不彰，沒有責任；要求黃杰主席，領導省政府所屬建立負責任的政風。她說：

美國政治家巴克萊有句名言：「政治效率取決於負責的態度」。認爲民主政治最大的敵人，就是執政官員不負責任。

我國政治家也是以「爲天地立心，爲生民立命，爲往聖繼絕學，爲萬世開太平」的負責精神爲職志。偉大英明領袖 蔣總統[illegible]「守紀律」告誡幹部，也就是這個意思。

但是我們今日的官場，由於過去封建時代的「官僚氣」，和不正常社會環境長期孕育下來的「鄉愿氣」，仍然有形無形之中陰魂不散的殘存着，所以在某些觀念意識上，就有許多混淆不清的現象。

比如「大事化小，小事化無」這兩句話，本來是用在個人間排難解紛上，而在官吏職守方面也無限制的用這個原則來使用，就會產生無是非，無責任，無紀律的可怕後果！

由於是非不明，功過不分，如是，有權利，你爭我奪；有責任，互相推諉！古人所謂：「天下之患，莫大於士大夫無恥」，馴至無所不爲。

一件事情，如果在人情方面疏通了，那怕是本來行不通的也能辦成功，它會從法令的空隙裏找出路子，從規定的彈性裏想出[illegible]。否則就是正正當當理所當然的事，也會阻礙叢生，東研究西會核，拖得你三魂失去了六魄，還是沒有結果。

正因爲如此，長官部屬之間，往往失去了應有的威信，變成了基於利害的相互依存，所以平時長官直接處分下屬者，殊甚少見。相反的，屬下出了事，不但不予追究，甚至還要想方法去遮掩。美其名曰「人情味」，事實上是惟恐上峯知道了，自己要負責任。

即以建設而言，大者如鉅大工程的偸工減料，或設計錯誤，監督不周，（彰化興建啤酒廠案件，高雄林德官水塔案件等是），都是在耗費鉅資之後始發現的。小者如台北市的違章建築，十年前是兩萬多件，經過一再取締，不但未見減少，反而增加了一倍多。可是事無論大小，卻未見何人爲此事而引咎辭職？也未見政府爲此事而處分了多少人。

再就社會福利工作來說，日來報紙時有刊載，說由學生組成的調查隊，發現領取救濟金的貧民戶中，有的有電冰箱，有的有存款數十萬或黃金數條，甚至家財百萬者。這些情形是怎樣發生的？甚麼人經手？什麼人核准？爲什麼不追究責任，加以處分？

因之，我要建議主席領導省府所屬建立負責的政風，對於合理合法的事情，應主動的負責去做，大刀闊斧去做，對於不合理不合法的事情，尤其對於不負責，因循推諉的官吏，則應嚴加追究，以儆效尤，以正官常，做到朱子所說：「古之君子，居大臣之任者，其於天下之事，知之不惑，任之有餘，則汲汲乎其時而勇爲之！知有所未明，力有所不足，則諮訪講求，以進其知，攀援汲引，以求其助，如救火追亡，尤不敢稍緩。」

黃占岸傷心 指責浪費

黃占岸是高雄縣的老議員，從省參議會時代開始，十多年來，一直在省議會詢政。他認爲黃主席所提出的「崇法務實，節用愛民」的施政目標不切實際，偏多浪費。要求黃主席杜絕浪費來調整公教人員的待遇。他在省政總質詢時說：黃主席主持省政伊始，所提出「崇法務實，節用愛民」的施政方針，是切中時弊，是對症下藥的。本人以爲：所謂節用愛民，應該杜絕浪費，而今日之論愛民更應從調整公教人員的待遇着手。可是省府許多建設實在太浪費了。

例如台北火車站前面圓圈的建設，及中正路的建設，中山北路至中山南路的建設，麥克阿瑟路的工程，實在令人傷心。中正路的建設五四年花費一千一百多萬元之多，做好了不過一年又在破壞。挖地下道做好以後不過六個月，又在挖中正路與中山北路的地下道。火車站前面的圓環，二年時間破壞三次再做三次，一千多萬元的工程費等於浪費了。而麥克阿瑟路的一再翻修，卻一再翻車，所費不下二億萬元。如此浪費，怎不令人傷心！

南台中興新馬路橋樑，嚴主席任內拓寬一次花費三千多萬元，周主席任內再拓寬一次又花了一千五百多萬元，黃主席任內又再拓寬一次，又花費了一千多萬元。尤其是南台中橋至台中市內的馬路花費五百多萬元之後，不到六個月又再挖起來埋水管，如此浪費，對省民們怎樣交代？

像這種浪費不僅台中和台北而已，其他各縣市如此浪費還不勝枚舉。本人所指出的台中和台北，是黃主席經常經過的地方，提出來討論，這些都是鐵的事實。

本省的土話說：「一個政策的決定，要看目先（看遠）」不要看目前（看近）」，就是凡所措施要有遠大的眼光，要看三十年後五十年後或一百年後的發展，能符合將來的發展而施政，以免浪費人民的稅金，全國似此浪費估計起來，其數字當以億爲單位。如果能夠杜絕這種浪費，用來調整公務員的待遇，而使其不必貧窮，安心服務以造福於人民，是不是愛民最具體的表現？

這樣做是不是更符合黃主席所提倡的節用愛民的政策嗎？希望黃主席對今後施政，凡有工程，無論中央、省府、縣、市各有關機關互相連繫密切配合施工，而計劃設計尤應慎重研究，并杜絕浪費來調整公務員待遇。

蔡鴻文要求 革新省政

台中縣的省議員蔡鴻文，會就工業、農業，人力資源諸問題，在省政府總質詢時提出檢討。（一）

檢討海外文化教育會議

・本報駐台記者劍聲・

但該次香港代表之一的卜少夫所說：「這項會議之召開，總比不召開好；因爲政府可藉這次會議對各地區之僑社情況，有進一步的瞭解。」

而來自巴西的代表王之一（巴西僑報發行人）則認爲：「海外文教會議使人相當的失望」。他對記者說：「我遠居巴西，由於環境相當複雜，所以在來台之前，誰也不知我什麼時候走。我接到通知後，立即籌備旅費（按：各代表之旅費自籌，巴西至台的來回機票約一千六百美元），當我回國後，首先去看高委員長，可是高委員長第一句話是：「我去過巴西，你還記得否？」接着，「巴西的大使是某某吧？他爲什麼還在？」這些話的含意是什麼？我不懂。因此，有若干僑胞託我帶給高委員長的信，我不準備給他，並已找到適當的朋友，準備……」。王代表不僅對高氏的態度不滿，他對會議於討論議案的程序，也有意見。如八月十四日上午舉行第五次大會，在短短的數十分鐘內，便通過將近百件議案，平均每一議案不到一分鐘，這足以說明議案之通過，不免草率。

會議的性質

就會議的性質而言，「海外文教會議」之法律依據，在僑務委員會組織法上沒有明文規定。因此，謝德超代表對此不甚瞭解，乃提案向大會請教。該提案爲：「請確定華文文教會議之法律性質，而使海外人士重視」一案，其理爲：「本會性質何屬？如不說明確定，僅有咨詢性質，則一切無可無不可，議案必飄渺，無力，無後勁。文教會議性質確定，則在海外之文教人員資格，教學課本，文教事業機構，才有層次組織與管轄，才有責任，才能發揮會議精神。文教會議，不只各地交互報告，主管部門報告，應多策劃今後「反共」救國，復興文化，重振中國優良道德等工作；如不確定會議性質、權力，即等於空中樓閣。文教會議代表，來自海外各地區，其所在國處境，均不一致，代表姓名，應有保密。但在會議性質明確規定以後，如屬教育性質，即等於UN亞洲方面之部，代表於會後回所居留地，則免受無任之災！此一會議，能否與UN文教委員會取得一聯繫，使各地區代表集台，作專門研究常務理事國？中華民國在海外設僑校之立場？亦爲本提案之動機」。

此一提案，大會並未立即公布討論之結果。（二）

我是一個「紅衛兵」

・王朝天・

「大字報」是任何人都可貼的，沒有人管制。因此，有的「大字報」旁邊張貼一張反對的「大字報」，也有的即在原來的「大字報」上或在旁邊，貼有「放狗屁」、「拿出事實根據來」、「胡扯」等條子。或者就在原來的「大字報」上加註。自然也有洋洋大觀的反擊內容的「大字報」，使人眼花撩亂，不知誰是誰非。「大字報」攻擊對象很廣泛，幾乎所有中央大頭子都在攻擊之列，因此很分散。有些人被攻擊的「大字報」偶而一見，但有若干攻擊的對象，在某一時間是重點攻擊，張貼的「大字報」特別多。

我在北平時間，下列幾個攻擊對象被張貼的「大字報」，特別多也特別值得注意：

一、胡耀邦——說他企圖跟「赫修」學習，大搞「全民黨」、「全民團」、「全民國家」的活動。說他於一九六四年至一九六五年七、八月，大量發展團員，從事陰謀活動。一九六五年「共青團」發展團員八百五十萬人，這是事實。但說是胡耀邦沒有得到中共中央的指示，獨自進行的陰謀，是値得懷疑的。

二、榮高棠——說他搞錦標主義，利用物質慾望的滿足來刺激運動員苦練和參加國際比賽，培養體育明星。他自己過資本主義腐化墮落的生活方式。到國外，常看好萊塢電影，還看脫衣舞。他不服從賀龍的領導，打着賀龍的招牌，到處去招搖撞騙。榮高棠爲僞「國務院國家體育運動委員會」副主任兼中共黨組第二書記，賀爲主任兼書記。又說他破壞「文化革命運動」。鎮壓「紅衛兵」，調派正在參加北京乒乓球邀請賽的球員爲他保鏢。「大字報」提出要撤他的職，雖未實現，但在金邊舉行的「新興力量運動會」即未按照原定計劃由他率領代表團，改派黃中率領。北京的「紅衛兵」曾開鬥爭大會攻擊他。

三、李雪峯——攻擊他限制「文革運動」，是彭眞的同路人，不支持華北同學「步行串連」，到處派工作組鎮壓「紅衛兵」。有一張「大字報」說李雪峯向右轉，採取機會主義。另一張「大字報」，又說他是蘇聯修正主義分子。

北平建築學院「紅衛兵」的「大字報」，攻擊李雪峯在「文化大革命」運動展開之後，仍邀請劉少奇到該學院宣傳修正主義。很多「大字報」都說李雪峯是劉少奇的死黨，是反毛的首領。還有一張「大字報」，貼在「東風市場」（原來東安市場改了名），列有三十多張紙，列舉了李雪峯二十六項大罪。我也沒有仔細去看，反正都是那一套。（九）

瀛海異趣談

說謊的人

·岳騫·

我點點頭說道：「我相信你說的是眞心話，祝你今後一帆風順，不要再遇到不得已的環境。」

曹仲愚充滿了信心，精神特佳，一口氣又談了兩個鐘頭才走。此後我就一直沒有再見到他。那份天堂晚報也只出了兩個月就關門大吉。曹仲愚始終未來找我，我倒有些替他担心，無奈他住的地方我不知道，他也不來，我也無法找他。

又隔了些日子，我忽然遇見第一次和曹仲愚會面時的那位王先生。兩人又到一間咖啡館裏坐下，談了幾句閒話之後，話題轉到曹仲愚的身上。

王先生問道：「你知不知道曹仲愚走了？」

我笑道：「不知道。不過，好久沒有見到他，正在懷疑其中又有了問題。他到那裏去了，爲什麼走的？」

王先生說道：「這件事就是說來話長了。他在一間午報當編輯你知不知道？」

我點點頭。「那是知道的，他還來約我寫稿。」

王先生說道：「那間午報主持人也姓王，本身就是個撈家，他辦報主要目的是爲了廣告。因爲自己拉到一些長期廣告，送到別家去刊登，利權外溢，乾脆自己辦一份報，拉來的廣告都填上，好歹是搪塞過去，廣告費就算報銷了。」

我笑道：「這個辦法却新鮮。」

王先生冷笑道：「新鮮是新鮮，但是你也可以料想到，這種報紙能辦多久？他把曹仲愚找去之後，付以報社全權，所以買紙、印刷都由曹仲愚負責，一切單據，只要曹仲愚拿來，他就付錢。曹仲愚的生活本來可以安定下去，毛病却出在曹仲愚錢一到手，就挪用了。」

我連連跌脚說道：「曹仲愚是眞該死，他遇到許多好朋友，結果都是凶終隙末。」

王先生說道：「這撈家報紙辦了二個月，廣告費結清了，突然宣佈停刊。這樣一來，紙店、印刷廠都來討賬了，曹仲愚慌了手脚。撈家又從中加以恐嚇，要去報案。曹仲愚本來胆小，嚇得死去活來，苦苦向撈家求情。撈家最後勸他離開香港，因爲他不走就要還賬，不還賬就要坐牢。曹仲愚在撈家恐嚇之下，一想也只好溜之乎也。他這一溜，撈家算是得其所哉了。」

我奇怪道：「這話怎麼講？」

王先生道：「撈家實在欠了很多債，根本沒辦法清償，曹仲愚一跑，他就把所有責任向他身上一推，並向差館告了一狀，說曹仲愚携欵潛逃，這麼一來，他所有的債務都不了而了。」

我搖頭道：「辦法雖然高明，手段未免太狠了。」

王先生冷笑道：「手段實在夠狠的，我們估計他僱用曹仲愚，早就安排下這樣一步棋。」

我笑道：「黑狗得食，白狗當災，曹仲愚，其愚不可及也。」

王先生說道：「你試想一想，多少好人他都不找，怎麼偏找到曹仲愚，是不是有意利用他的手脚不乾淨呢？」

我嘆息道：「這步棋眞厲害，世間只有防賊的，此君却有意養賊。」

王先生笑道：「這才叫撈家，我們就沒資格背上這個頭銜了。」

我問道：「曹仲愚跑到那裏去了，你知不知道？」

王先生說道：「我們一般朋友估計是上海，因爲別的地方都要申請入境，不能走的這麼容易。」

我不覺嘆了一口氣，不由得回憶起第一次遇見他的時候。

（五完）

明末遺恨

·河漢·

退回北京的李闖和他的部隊，在對付滿洲兵與吳三桂的聯軍的兵力上，仍然維持着優勢。可是他們只經過這一仗，就已經對地放棄了再打第二仗的決心。當他們發覺滿洲兵正向北京推進的時候，橫亘在他們心頭的願望只有一個，那就是希望能夠擁着他們既得的戰利品，退回陝北的老窩去舒暢享受。他們在山海關戰敗的日子是一六四四年四月二十二日，就在八天後，即輕易地放棄了北京，分路向山西河南，循着來時的路向撤開步走。

然而，只短短的三月，形勢已經完全轉變。他們不久以前向北京進軍的時候，是輕裝備的戰鬥隊伍；他們離開北京的時候，全挾帶了大箱小篋，美婦少女，是行囊累贅的商賈行旅。他們不久以前向北京進軍的時候，一路上受到眩惑於天堂來臨的幻想的農民們的歡呼吶喊，簞食壺漿；他們離開北京的時候，不僅不見那些稔熟的笑臉，而且掩門閉戶，連雞犬之聲也寂然無聞。只短短的三月，李闖集團已被以前擁戴他們的人民所唾棄；人民並不薄情，是他們用自己的手破壞了自己的前途。

一六四五年二月，分兩路西撤的部隊在潼關重新滙合，他們的全部兵力是六十萬。以這樣雄厚的兵力，配合他們所稔熟而又險要的地形，應付滿洲兵的進攻，即使不能戰勝，至少也可以作長期的相持。出乎意料以外的是六十萬大軍，一經滿洲兵發動攻擊，一點也沒有抵抗的能力，從長官到士兵，全在滿洲兵的槍尖之前向後逃竄。他們這時候僅想保全生命，連一路辛苦地翻山越水，携帶而來金銀財寶，美女玉帛，也一齊丟棄，讓滿洲兵輕易地發了橫財。李闖率領殘餘的部隊，以十分快捷的速度逃避滿洲兵的追蹤，通過河南西南角，直奔湖北。奇怪的是：李闖的部隊在對滿洲兵作戰的時候，弱懦如綿羊；但在湖北對同一種族的明兵作戰的時候，却又兇悍似猛虎，他們一路擊敗堵截的明兵，渡過長江，佔領了湖北的省會武昌。在武昌，李闖擁有的兵力仍然保持着五十萬。

擁有強大的五十萬士兵，佔據有重要戰畧根據地的李闖，並未到達山窮水盡的境地。但他在北京的行爲，讓全國人民看穿了他不是什麼救星，而只是對內吮吸人民血液的煞星，對外引進滿洲兵來造成亡國危機的掃帚星。至此，全國的人民成了他的敵人，他成了孤單的獨夫，這五十萬士兵成了一羣垂頭喪氣的喪家之犬。

（五）

剖析八十二名反毛的中共中委

·李敦復·

中共吉林省委員會

第一書記：吳德（自代理北平市長後，該職未見中共發表繼任人選。）

第二書記：趙林（在中共文化大革命浪潮中，未受到攻擊。）

書記：富振聲、李砥平、栗又文、于毅夫。

八、中共中央華北局

第一書記：李雪峯（見前。）

第二書記：烏蘭夫（見前。）

第三書記：林鐵（中央委員，曾任河北省委會第一書記，自去年六月中共「第三次黨內大整肅」以來，由於其河北省委會第一書記之職，已由劉子厚（候補中央委員，華北局書記，河北省委會第二書記）繼任，且近十個月來，久未露面，根據我們的研判，可能已遭整肅，同時紅衞兵的大字報對其攻擊也極少，這因爲已遭整肅。就對其減少攻擊。「中央副主席」陳雲，就是一個具體的例子。）

書記：劉仁（候補中央委員，前北平市委會第二書記，自去年六月後，已被免職，被抄家，押往北平衞戍司令部。）

蘇謙益（內蒙古自治區委書記，內蒙古自治區副主席，在中共奪權鬥爭中，未受到攻擊。）

池必卿（曾任山西省委會書記，在中共奪權鬥爭中，未受到攻擊。）

李立三（中央委員，曾任中央工業部副部長，由於近十個月來，未有消息透露，可能已遭整肅。）

廖漢生（候補中央委員，國防部副部長，上將，駐北平部隊首長，被指爲「反黨」份子，今年二月上旬，被紅衞兵指爲「牛鬼蛇神」反革命派。）

陶魯笳（候補中央委員，曾任山西省委會第二書記，現任國家經濟委員會副主任，遭紅衞兵鬥爭，可能已去職。）

解學恭（曾任河北省委會書記，一九六三年五月任華北局書記，一九六七年一月十日，中共透露調天津市委會第二書記。）

按：華北局轄區遼濶，包括面積一百多萬方里的內蒙古自治區，包括熱河、綏遠，察哈爾（非全部）等三省，由於在十八省之北，是一處荒涼高原地帶，中共政權建立後，成立「外蒙古人民自治政府」。

中共河北省委員會

第一書記：劉子厚（候補中央委員，曾任河北省省長，原任第二書記，中央華北局書記，在中共奪權鬥爭中，已遭整肅。）

書記：張承先（今年一月卅日，在北大遭公審。）馬國瑞、萬曉塘（今年一月十二日北平大字報謂已畏罪自殺。）閻達開（河北省省長，一九六七年一月十日中共透露調天津市委會第一書記。）趙武成、胡昭衡（天津市市長，天津市委會書記，該市情勢曾一度緊張，今年一月下旬，解放軍曾出動。）

（十一）

中國女性文藝春秋

周遊

蘇軾以爲此詩乃後人僞作，他以爲蔡文姬的流離在父歿之後，董卓既誅乃遇禍。今此詩乃云「爲卓所驅虜」入胡，就是作僞的證據。蘇東坡先生尙有未到之處，我同意蔡寬夫的駁正：後漢書蔡琰傳載其二詩，或疑董卓死，邕被誅，而詩遂以卓流入胡爲非琰辭。此蓋未嘗詳考於史也。且卓既擅廢立，袁紹輩起兵山東，以誅卓爲名。中原大亂，卓挾獻帝遷長安，是時士大夫豈能皆以家自隨乎？則琰之入胡，不必在邕誅之後。……其末乃云：「感時念父母，哀歎無窮已！」則邕尙無恙，尤無疑也。」蔡寬夫的駁斥，蘇東坡先生當會服貼的吧！（以上引見「蔡寬詩話」）文姬的文學作品，乃是由於其時代背景迫出來的苦衷。時代背景就是她悲劇的背景，因之，她的作品，讀者都爲之掬一把同情之淚。女性文學的長詩中，在中國文學史上，這是不可多見的作品！

徐淑與無名女作者

漢代女詩人除了以上所述的幾位之外，其他的人物生平姓名都已失傳，作品僅存的也不太多。因此在本篇集無名詩人於一篇。首先是有姓有名的徐淑。

徐淑隴西人，是上郡掾秦嘉之妻。嘉到郡任所，她因病不能偕往。他們夫妻之間的愛情是很恩愛的。臨別之時，夫妻難分難舍的動人場面自不待言了。秦嘉作詩一首贈給她，到任後也時常寄情愛於詩篇之中，以抒相思的情懷。此外，他又遙遠地送給她物品，有明鏡、寶釵、芳香、素琴等物，以示不忘恩情。她也有「答夫秦嘉詩」及書信二封。下面錄她的詩篇，以見其文情。

妾身兮不令，嬰疾兮來歸。沉滯兮家門，歷時兮離別。無因兮叙懷。瞻望兮踴躍，竚立兮徘徊。思君兮感結，夢想兮容暉。君發兮引邁，我去兮日乖。恨無兮羽翼，高飛兮相追。長吟兮永歎，淚下兮沾衣。

造物者往往捉弄好人，一對恩愛夫妻，偏偏不能長相厮守，和偕到老。秦嘉做官未久也就死了。其時她尙在靑春年華，也就守寡不嫁，爲了拒絕作「再嫁夫人」，不惜自毁花容。在哀傷過份之下，她也從乃夫於地下矣。這一雙愛好文學，雖處靜幽環境的夫婦，死後却被文學家奉爲夫婦的典範。他們的短命而死，不知曾引動了許多人的惆悵啊！因其去世得很早，他們的作品也不多，可惜又沒有人爲之集刊，我們今天故無法窺知其全貌了。

蘇伯玉之妻與「盤中詩」

蘇伯玉之妻姓名不可考。伯玉爲官長安，奉使赴蜀，長久不歸，她在長安好不相思憔悴，因將心中蘊積的相思，寄寓於詩篇之中。她同時別出心裁，將詩寫在盤中，屈曲成文，因此人們便呼之爲「盤中詩」。她的盤中詩，是代表她的濃情與美意，詞意迴環婉轉，質與形同，是一篇文情並茂的傑作。此詩與蘇蕙的「織錦迴文」詩比起來，蘇詩以巧妙勝，却辭意枯澀，不如「盤中詩」之富於情致。依原文照錄，以便欣賞。

山樹高，鳥鳴悲。泉水深，鯉魚肥。空倉雀，常苦飢。吏人婦，會夫稀。出門望，見白衣。謂當是，而更非。還入門，中心悲。北上堂，西入階。急機絞，杼聲催。長歎息，當語誰。

（十四）

平劇繽紛錄

談：「趙雲戲」

桂良

乙談：「甘露寺」，先談到趙雲的裝束問題。

他說：當年評劇名家，修談「北宗」，諱言「南派」。楊小樓南來，演「艷陽樓」，寧叫張德俊演花逢春，而不喜蓋叫天。因為，蓋老五不肯給他托靴也。其實楊瑞亭演高登，蓋五卻照樣替瑞亭托靴，是當年梨園佳話。今之論評者，以「北楊」「南蓋」相峙並立，不為無因。

偶晤甲種相談，一年未見甚快，談及近年各劇團先後公演「甘露寺」，已故某君批評趙雲闖宮以前不應開氅。乙種說：我曾問甲之意見？

甲種說：北派確是一出場就穿大靠，不穿開氅。

乙種說：不然，我曾經親見楊小樓穿開氅拜喬府，「闖宮」時才穿靠的。

甲種說：這是小樓到你們南方來纔這樣穿戴，也祇有：到你們南方，小樓才敢偷懶。

乙種又說：也許是的，小樓他欺我們南方人不懂戲，不過南派的趙四將軍在「甘露寺」這齣戲裏，是始終穿靠，到了小樓南下穿了開氅之後，他們才學小樓的懶勁兒穿開，唯有蓋五不肯學他，倒被已故某君看中了，蓋五今日若在海外，應得金像獎。

乙又說：我沒有什麼南北的歧見，只是依照劇情，和足以參考的劇詞：院子喬福不是再三的告誡：這位荊州的客人：「將軍必須要外罩袍服，內穿鎧甲。」如果趙四將軍已經是全身佩掛，老喬福又何必為此顛三倒四殷勤囑咐呢？而且劉皇叔是應聘來招親的，不是存心來打架的，焉能一到東吳，便殺氣騰騰，全身大靠，在南徐大街之上，走來走去呢？

乙又說：楊小樓果然全穿靠，到南方先開氅後穿靠，是否受了底包配角之習慣成性，以至就歪，穿戴簡畧，不顧劇情，而影響到一代宗師呢？

乙又談些有關「甘露寺」而頗有風趣的事：

此劇本於演義，但有幾點是演義所沒有的：

一、劉備入吳，先見喬國老，演義中的喬國老，始終沒有名字，戲裏卻報名喬玄。

一、演義裏但言：吳國太在「甘露寺」相親，並未提到劉備的鬍鬚。戲裏卻有喬國老怕他年老鬚白，相親不上，特他差人送他一包烏鬚藥，不知皇叔是一向無鬚的。

啟顏錄載：先主入蜀，從事張裕其人多鬚。先主笑他說：我的老家涿縣特多姓毛的，東西南北都是毛，以手指此唇際。張裕笑答曰：昔，上黨人潞長（該縣潞姓多）調涿縣令，與朋友通信，每署名：潞涿君（露喙無鬚——），先主大笑。

甲、乙談趙雲穿戴事，可作如是觀。

談酷吏

夜闌

司馬遷作史記，曾特地為漢初的酷吏立傳，從傳記文字的語氣看來，他對當時的酷吏，顯然貶多於褒。

我卻覺得「酷吏列傳」裏面的人物，都有一個共同的特點，即是他們全都不怕豪強，不畏權貴，甚至於皇親國戚，他們都敢去捋虎鬚。雖則他們對付老百姓的手段，也忒嫌厲害一點，然而動機大抵是純正的，他們很少貪贓枉法的行為。所以太史公對於他們並不見得怎樣深惡痛絕。假使把酷吏換上墨吏，那麼，太史公一定不屑為之立傳，以免玷污筆墨了。

其實，做官的人，只要心地純潔，頭腦清醒，嚴刑峻法並不一定是壞事。孔明治蜀，包拯治汴，都曾經使用過嚴刑峻法，誰又能說他們不是一代之良臣呢？

現代式的酷吏，所以受人詬病的原因，主要的是他們在一個貪字。一貪便什麼都完了，聰明的會變為糊塗，公正的會變為卑污。此外，他們奉承豪強，真是無微不至，只有無錢無勢的小民，才領畧得到他們的「酷」。所以，嚴格地說來，他們是漢代酷吏的罪人。

真正像太史公筆下所表現的那些酷吏，是不會怎樣受老百姓詛咒的。在清史上，我們發現了兩個這種典型的人物。

其一是清初做河南總督的田文鏡，以手段毒辣著稱，他一生專與地方上的豪紳惡霸為敵，所以雖然殺人如麻，而河南人民對他並無多大惡感。他在當時名聲確不很好，受盡了一般所謂「正人君子」的攻擊，不過拿現在的眼光看來，田文鏡實在不算壞人。另一個是光緒年間的山東巡撫毓賢（滿人），他最恨的是倚仗洋人勢力在地方上擅作威福的「教民」，捉到了便殺無赦——自然有不少無辜民衆橫遭不白之冤的，他信任義和團，濫殺了不少洋人。其後八國聯軍入京，迫清政府把他處死。因他一生廉潔自持，所以在死後還博得許多人的同情。他那種盲目的排外行為，固然是不足為訓；但比起在洋人面前奴顏婢膝，而欺壓同胞無所不用其極的，我覺得還是差勝一籌呢。

林敬紉的血書

河漢

此間太守，聞吉安失守之信，預備城守，偕廉侍郎至河口籌餉招募，但為勢已迫，招募恐不及；縱倉卒得募而返，驅市人而戰之，尤所難也。頃來探報，知昨日貴溪失守，人心惶惶，吏民舖戶遷徙一室，署中童僕紛紛告去。死守之義，不足以責此輩，只得聽之，氏則倚劍與井為命而已。太守明早歸郡，夫婦二人受國厚恩，不得不藉死以報。徒死負咎，將軍聞之，能毋心惻乎？將軍以浙軍駐玉山，固浙防也。廣信為玉山屏蔽，賊得廣信，乘勝以抵玉山，孫吳不能為謀，賁育不能守，衢嚴一帶，恐不可問。全廣信，即以保玉山，不待智者辦之，浙大吏不能以越境咎將軍也。先宮保文忠公（林則徐），奉詔出師，中道賚志，至今以為心痛。今得死此，為厲殺賊，在天之靈，實式憑之。鄉閭士民不喻其意，以輿來迎，勸赴封禁山避賊，指劍與井示之，皆泣而去。太守明晨得餉歸後，當再饋奉迎；得拔隊確音，當執爨以犒前部。敢對使者百拜，為七邑生靈請命！昔睢陽嬰城，許遠亦以不朽。太守忠肝鐵石，固將軍所不吝與同價者也；否則賀蘭之師，千秋同恨，惟將軍擇利而行之！刺血陳書，願聞明命。」

這一封完全用鮮血寫成的書信，揚溢着情感，充盈着期望，指出了當前的軍事態勢，剖析了廣信與玉山不可分割的利害關係。她不僅是為廣信乞援，而且是要求雙方的徹底合作，把兩者的血肉合而為一，以抵抗和粉碎侵入的敵人。她率直地警告了饒廷選，如果他坐視廣信陷落，他們今天被消滅了，明天也將輪到他自己。這封血書到了饒廷選的手裏，即刻引起了他與林敬紉之間的共鳴，他無保留地接受了她的邀請。就在接信的當天，一面頒下緊急動員令，一面派員向浙江巡撫呈報未奉命令而出師援贛的非常情況。他留下二千人在玉山警戒，親自率領一千人向廣信出動。部隊總走到半路，沈葆楨乞援的正式公函也已投送到軍前。沈葆楨是在妻子發出血書之後的第二天自河口鎮趕回廣信的，就在林敬紉發出血書的當夜，廣信的一千城防部隊已有三分之一悄悄地溜走了。

饒廷選的部隊於中秋節前一天的上午進入廣信城內，太平軍的先頭部隊也於同一天的下午到達廣信城郊。中秋節的上午，清軍與太平軍在廣信城外展開了一場劇烈的會戰，結果是兵力上處於劣勢而訓練比較良好的清軍，擊敗了兵力上處於優勢而訓練不夠的太平軍，扭轉了廣信的危殆局勢，也暫時地穩定了皖、贛、浙邊區，動盪不安的局面。這一場戰爭，就太平軍與清軍的整個戰場形勢來看，雖然不過是局部性的小規模戰爭，但對處處挨打的清軍整個戰場上所起的刺激作用，和阻滯太平軍在江南戰場推進的速度，且給予曾國藩和胡林翼以喘息的時間，卻取得十倍於廣信戰果的豐富收穫。（三）

清客不易為

前人

清客者，即依附於權貴之門之幫閒文人。封建時代清客為一時風氣，入民國後，清客仍未絕跡。然清客攀附權貴之門，必需具有其專門技術，如妓女之媚客，如雞鳴狗盜之流，亦以清客之為清客，蓋亦標榜風雅為能也。梁鉅章在歸田瑣記中，對清客有所論及云：「都下清客最多，然亦才品稍兼者，方能自立。有編為十字令者，曰：一筆好字，二等才情，三斤酒量，四季衣服，五子圍棋，六齣崑曲，七字歪詩，八張馬吊，九品頭銜，十分和氣」。有續其後者曰：「一筆好字不錯，二等才情不露，三斤酒量不吐，四季衣服不當，五子圍棋不悔，六齣崑曲不推，七字歪詩不遲，八張馬吊不查，九品頭銜不走，十分和氣不俗，則更進一解矣」。此足見文人末路，投靠權貴門下幫閒，亦殊不易。紅樓夢賈政門下，即有不少清客，其中最著名之詹光。詹光者沾光也，紅樓夢不少人名均用諧音為「不是人」，「秦鍾」諧音「情種」是也。蓋追隨權貴，自有光可沾者。清客任務，乃陪伴主人玩樂，必需揣摩得主人興趣，以為逢迎，此即為專門技術也。故須深于學，又需鋒芒磨盡，如紅樓夢描寫賈政詹光下棋之一段：「……賈政笑道：從此對下，他輸了，他又讓他兩個子，他如今輸了，時常還要悔着，不叫他悔，他就急了。詹光也笑道：沒有的事……」

實則詹光圍棋，比賈政精，但詹光每奕必輸，蓋所以乞歡於主人，但輸亦不能輸得太多，須得悔幾着，方能顯得情形逼真也。在封建時代，文人不為清客，即為隱士，決無第三條路可走。

紐約的中文報紙

余維

現在紐約出版的中文報紙共有四家，即「美洲日報」，「華美日報」，「聯合日報」及「中國時報」。

紐約的中國城建立至今將近一個世紀，但中國城裏的中文報紙，只有六十多年的歷史。

有人說「民氣日報」是紐約中國出版最早的一家報紙，創刊於民國前一年，到今天不過五十七年。另一個說法是「中華報」最早，據說是在六十一年前出版，惟無資料可尋。

幾位年近九十的老華僑說，他們在六十多年前就曾看到過在紐約出版的中文報，不過他們已記不起來到底是那一家最先出版。

在更多史料尚未發現之前，我們姑且以五十七年前出版的「民氣日報」作為紐約華埠的第一家僑報。在「民氣日報」以後，除目前尚在出版的四家外，其間還有「新報」，「光華日報」，「民治日報」，「光明日報」等家，均以經濟問題而先後停刊。

目前尚在出版中之四家報紙，以「美洲日報」的資格最老，創刊於一九四四年，至今已有二十三年的歷史。其次是「聯合日報」，創刊日期是一九五二年七月二十六日。「華美日報」是「光華日報」的後身，由於英文報名未改，若依其英文報名計算，是一九四三年四月九日出版，若依改稱「華美日報」後算起，則只有近二十年的歷史。「中國時報」是一九六四年出版，是這四家中的後起新進。

紐約的中文報所用的字粒大，所有新聞都是老四號字，原因據說是老華僑不習慣於看小號字。字粒大，新聞容量小，但因為僑報讀者大多數是老華僑，數十年至今，各報因怕影響銷路，均不願率先改變。近年來新的移民逐漸增加，慣於看新五號或六號字的讀者加多，此種趨勢或將促成僑報形式及內容的改變。

由於工資高排字工人缺乏，各報大部份的報面都是在香港編排打好紙型寄去。每家報紙只有三至四個排字人員，他們要排字，組版，同時兼要還字，因而工作效率有限，使各報不得不保持千篇一律的固定版面。同時因為報紙售價太低，廣告收入亦不如理想，也是限制報紙發展的主要原因之一端。（上）

辜鴻銘逸事

野鶴山人

一個說：「敢情是個教蒙館的冬烘先生，亦未可知」。彼此嘰哩咕嚕地大說其洋話，辜氏裝着不懂，靜坐無言。等那兩位中國的洋式青年人進入盆堂後，他教茶房取來兩張信紙，一張用拉丁文寫了一段譏誚的語句，一張用英文註明云：「你二人如果不認識我留下的字條，明天請到北京大學來找辜鴻銘請教可也。」寫好了，放在那兩青年的座位旁茶几上，他纔解衣入沐，故意耽過一些時間不出來。

兩個洋式青年人沐罷出至客室，看到那張英文字句，大驚失色，忙問茶房說：「這老頭兒就是辜鴻銘嗎？」茶房說：「錯不了，他常常來這兒，咱們都認識他。」二人聞訊急忙收帳，拿着那兩張信紙，抱頭鼠竄而去。

辜氏學貫中西，聞名國際間，但主張男子多妻主義。他把男人比作一把茶壺，婦女就是茶杯，一把茶壺的茶水，既需要幾個茶杯以盡其用，一個男人亦就可以駕馭幾個女人，物理有然，人理亦然云云。（下）

內政部台報字第〇三一一號內銷證

自由報

THE FREE NEWS

第七八八期

中華民國僑務委員會登記證
台報新字第三三二號登記證
中華郵政台字第一二八二號執照
登記爲第一類新聞紙類
（半週刊星期三、六出版）
每份港幣壹角
台灣零售價新台幣壹元
社長：雷嘯岑
督印人：費行賓
社址：香港銅鑼灣高士威道二十號四樓
20, CAUSEWAY RD 3RD FL. HONG KONG
TEL. 771726　電報掛號：7191
承印者：大同印務公司
台灣分社
電話：三〇三四六

論如何促進行政效率問題

陳侃

報載：中華民國行政院爲促進行政效率起見，已擬訂分層負責實施方案，即將通令各級行政機關，一體遵行。這是切中時弊的措施，確有必要。

不過，所謂「提高行政效率」，以及「分層負責」，實行「行政三聯制」這些主張，政府在大陸時期卽已倡導至再，不管三令五申，行政院且曾經設置過「行政效率研究委員會」，以期於事有濟，迄今歷時已閱三十年了。然政風之泄泄沓沓如故也，效率之渺渺茫茫如故也，這原因究安在哉？如果不探查其病源，對症下藥，作根本治療，而僅是頒訂幾項治標的方法，敢斷言其結果必不見佳，甚至依然止於宣傳作用，亦非意外的事。

我們認爲分層負責，固然是促進行政效率的應有方法，但如不將積非勝是、沿襲久遠的一些官樣文章予以摧陷廓淸，則分層負責的實效，還是可望而不可卽的幻想境界罷了。所謂官樣文章的內容，有的屬於積習，有的涉及政制，必須以斷腕去蝥的勇氣，徹底改革，除舊布新，纔可以獲致加強行政效率的實效。例如積習相俗，已不知若干年代的行政機關組織法和處務規程，事無鉅細必以機關首長名義行之。於是乎，由科員擬稿，依次層層核稿，會簽，最後送達首長畫行，再經過交繕，蓋印，發文登記等等手續，實際不脫「科員政治」的窠臼，亦卽費時誤事，腐敗不合時宜的官樣文章，然大家認爲義所應爾，恬不爲怪，試問分層負責之說，怎能實現呢？回憶對日抗戰時期，美國援華的軍用物資從滇緬路運到昆明，美方只有幾名低級的軍曹，董理運輸點交事宜，甚爲迅便。我們卻組織龐大的運輸處，除設置甚末少將處長，上校副處長外，處以下照例設置若干「科」「組」「室」之類的單位，層層擬辦核簽，寫一張軍用物資的收據，亦得經過若干時日，搞盡官樣文章，過盡了官癮纔行，敎外國人莫名驚訝。假使各個機關的處務規程，讓該機關各個單位在職責範圍內，可以對外行文，而由單位主官署名發出，同時彙報本機關首長查核，這樣，行政效率自然增進，責任也很分明，又有甚末不可以呢？痼疾式的政制體系和處務規程不予痛加改革，而欲促進行政效率，可能嗎？

次爲政府遷移到台灣後，政治上發生的一種流行病，亦大大地阻碍了行政效率，那就是開會主義。無論大小的行政機關，不問事情的輕重緩急，一槪皆以開會爲本，而且還有所謂「有關單位」參加。例如一種海外的書報內銷，名義上是內政部主管，實際上尚要經過其他四個機關的同意，自非開會商討不可，而每個有關單位皆具有否決權，會議次數卽須多多益善，否則問題難以解決；如此這般的政風，分層負責從何談起？行政效率那有增進之可能？尤其所謂取得有關單位同意之說，除費時誤事，構成權責混淆的官僚政治風氣外，一無處是。凡屬國計民生的政務，從廣義來說，每個行政官署都可說是有關的，一張報紙之進口問題，卽有六個機關可以過問，其他槪可知矣。國家設官分職，各有專司，權責分明，義無含混，幹嗎遇事還要隨時召集所謂有關單位瞎開會議呢？唯一作用就是藉此推卸責任，但求無過。因此之故，眞要提高行政效率，卽不僅以飭令各機關實行分層負責爲能事，必須有辦法教大家不能不負責，而開會主義就是不負責任的官僚作風，非首先糾正不可！會議的作用原在集思廣益，得以正確的處理問題，若流於形式主義，適所以增加困擾，使主管人士資爲諉過卸責的大好工具，進而對外振振有詞地可以間執他人批評之口，一舉兩得，何樂而不爲呢！不特此也，身爲部會首長的政務官員，必須集中精力，籌維政事應興應革的大計，然昕夕忙於會議，奔馳不遑，精疲力竭，難得片刻之暇隙；在這種情況之下，而希望增進行政效率，何異痴人說夢乎？所以，開會爲服務之本的流行病如不滌除，分層負責的效用是無從實現的。

求治之道，考績爲先，綜覈功過，嚴明賞罰，繼之以人事進退黜陟，毫無假借，使賢能之士，有得當以自顯的機會，愚闒之輩，無伺隙以倖進之可能，這原係老生常談，了無新義。可是，行政機關的人事，如果不依功過賞罰的考績方法，發生進退黜陟，新陳代謝的作用，結果不特所謂分層負責徒託空言，且養成多做多錯，不做不錯的惰性觀念，誰也不屑置意於行政效率問題，而以但求無過，維持現狀爲急務。及其弊也，怙權擅利不遺餘力，負責盡職置之度外，主管首長受着「人事凍結」的政令束縛，對僚屬沒有獎懲進退的權能，這更加深了「科員政治」的症候，戾氣所鍾，乃有某部常務次長因開除一工友而被威脅潛逃的怪象發生，分層負責云乎哉！

一種政風之構成，都不是偶然的，而其原因亦不單純。要想革故鼎新，必須探究本源，明瞭關鍵所在，然後爬羅剔抉，予以更張，庶幾有濟。政治上分層負責的風氣何以不能樹立？這間，有積習相沿的流弊餘毒，有不明理的錯誤觀念，也有昧於現實需要的政令與法制關係，互爲因果，脈絡相通。譬如現行汗牛充棟、繁複萬象的法令規章，不能切實整理，分別去取，則任何一個有爲守的政治人物，雖欲負責盡職，而障碍重重，得則得咎，亦將智窮力竭，徒喚奈何。老實講，在現有的政制與法令籠罩支配之中，要想做出福國利民的事業來，除非悍然違法，決無希望。所以，行政院頒訂分層負責的方案，固不失其爲求治之道，然上述的若干阻力如不淸除，將來能否獲致預期的成果，還是一大疑問。（完）

寸步難行

難聽死啦！

今日与明日

炸彈禍已擴大

九月二日港共匪在灣仔軒尼詩道消防局門首施放的炸彈，炸死了消防局幫辦、簡文，重傷了五人。這一次的炸彈案件有一特色，就是炸力特強，雖然是土製炸彈，但由於威力大，竟把站在三樓上的消防局幫辦炸死，其威力之大，可想而知。更重要是技術方面也在進步，試以東興樓門首一枚爲例，當時大家均未覺察，一輛汽車從上面輾過，登時車毀人傷；像這種情形確使人防不勝防。尤其是匪方更習慣以炸彈爲餌，誘使軍警到場監視時，在樓上擲炸彈，雖然由於匪方過去所製炸彈威力不大，匪徒擲彈手術亦差，並未造成重大傷亡，但卻不能否認此種手段之惡毒。警探卽使明知有危險，亦難以防禦。若假以時日，匪方不論在製造方法與擲彈技術均有改進時，殺傷力將更爲可怕，當局不能不注意防備。

如何應付

關於港共匪所作所爲已經超出了法律範圍，滅絕了人性，而港府當局仍然搬着法律條文來對付，其爲緩不濟急，可想而知。目前大家最感到不耐者，卽港府明知主使擲炸彈的匪徒受何人主使，而遲遲不向此輩動手，卽使能捉到暴徒，究竟亦於事無補也。照目前情形看，非作釜底抽薪之計不可，因爲發縱指使殺人放火的是鬥委會，經手支給鬥爭費的亦是鬥委會；使無鬥委會，就如炸藥缺了信管、雖仍是炸藥，但就失去作用。港府不將全體鬥委捉起來，就等於留着炸彈的信管，讓它炸市民，這點是說不過去的。再以林氏兄弟血案來說，晶報在事前就口口聲聲說要判反共人士死刑，交給另外人去執行，日前已經執行了，執行的人抓不到，抓判刑的人應該可以，港府對此何以不予追究？又如林彬死後，新晚報刊出暗殺機構的文字，洋洋得意，新晚報旣然代表暗殺機構發佈消息，自然也應當代暗殺機構負起法律責任，港府又何以置而不論？此深爲令人不解者。

不可忽視的危機

目前港共匪徒任意在港九殺人放火，亂擲炸彈，傷人日漸增多，市民雖然信任政府，也原諒政府處境之難，但是大家忍耐畢竟有其限度，亦不能永久在匪徒炸彈之下過生活。有一天全體市民抱着寧可玉碎，不爲瓦全的心理，向全港匪徒展開報復時，則今日廣州情形不難見於香港，到時港府又如何應付？此事萬不可忽視其潛在可能性，港府應乘市民尚相信政府，能自我抑制時，早日動手與左派攤牌，必然能得到市民全體支持，收到振奮人心之效。總之，今日情形至爲顯然，自由人士與左派匪徒已經勢不兩立，大家所愛者自由，其他均在其次。港府只要能出力保衞自由，任何犧牲大家亦在所不惜，卽使眞的引致匪軍來攻，橫豎也不過一死而已，並不可怕，所不能忍受是此種長期性的神經戰，非解決不可。（何如）

自由談

自卑感作祟

丹麥的報紙上刊出諷刺毛澤東的漫畫，毛共居然向丹麥政府提出抗議，而丹麥置之不理；寮國有家華文報寫過反共文字，毛共更向寮政府大施恐嚇，然該國總理富瑪親王竟將那華文報紙停刊了！毛共亦效法當年日本帝國主義的行爲，不許別國人對毛共政權稍有諷刺或批評的圖畫文字表現，却自命爲反帝國主義和實行民主主義的世界革命正統派，可恥孰甚哉！

不過，當年日本帝國主義對我國輿論界的無理干涉，是基於妄自尊大的驕橫思想，而毛共今日對丹麥與寮國的非法抗議，却係表示一種自慚形穢的卑怯心情。因爲現時毛共政權在大陸上開得分崩析離，岌岌可危，外交上更是日益孤立，失道寡助，迥異當年日本帝國主義者的處境。瞧着國際間有諷刺批評它的圖畫文字，卽如被揭破了瘡疤，採到了痛脚，自卑感與羞愧心思交織迸發，不顧一切的瞎胡鬧，所謂老羞成怒是也。

自紅衞兵之亂作，毛共政權對內對外的一切舉動，無一不是表現着「日暮途窮，故倒行而逆施之」的反常心理，懵懵然向着敗亡的道路上進軍，眞是一著失錯，全局皆非。它的結局一定比較卅年前的日本軍閥政府更悲慘，毫無疑問。毛酋的奪權目的，不知何日方能達成，然他的魂魄已被紅衞兵奪去了，可哀也已。

孔子云：「及其老也，戒之在得」，觀乎毛澤東之老悖行爲，更證明孔聖人之言確有至理存焉，而毛酋的禍中華民族之罪惡，上通於天矣！

馮子先生

從省議會的總質詢 看台灣省政得失

—本報記者熊徵宇

他認為省府的部份官員，不太重視省議會的建議，矇上欺下，玩弄權術，鄉愿作風過甚，常使政府的威信受到嚴重損壞！

他要求省府消滅這些死角，從速革新省政。他說：

首先要提出的是：表面上我們的國民所得，年年在增加，其實這種增長率是在極其緩慢中進行，究其原因是我們的人口增殖率，仍是相當快速，經濟成長率被龐大的消費量所吞沒。幸而這幾年來，沒有發生巨大災變，不然，勢將難以支持。這是許多經濟專家，對於我們經濟發展情形所作的結論與評價。而要怎樣準備應付隨時可能發生的突變，和保證經濟成長率能在正常中進展，省政府應該作一番檢討，確定我們的原則。

以工業而論：目前一般先進國家，無不致力於第二次工業革命，即作業自動化。而我們的工業還居多停滯於半手工和利用機器階段，這不但使成本偏高，抑且產品不符標準，所以要想在競爭白熱化的國際市場與人爭一席地，實不容易。

以農業而論：為維持民食生產米糧固屬重要，但我們現有的耕地，幾乎是全部種植廉價的作物，農民迫於生計對於土地的利用雖已到了極致，但對土地的盡其利，似嫌茫然無知，而主管當局對於農業推廣也缺乏積極指導。

反觀許多先進國家則不同，他們的農業政策，除以適地適種以外，更採種植經濟價值較高作物為鵠的，並且主動的去為農民解決許多複雜的問題，如土壤的分析，種子的選擇，技術的改進，機械的使用，乃至於運銷市情等等，無不悉心研究，向農民提出忠實報告，而與農民緊密合作。我們的耕地面積太少，加上不知盡其利，這種損失是無可補償的。

以人力資源論：勞務輸出雖然是賺取外匯的一種手段，可是推究到底，畢竟是低度開發國家的原始本錢，如果我們長期迷於這一點蠅頭小利，勢將鑄成我們人力的極度消耗。這自然和教育有很大的關係，如我們的四年經濟建設計劃已進入第四期，當局有將所需要人才提供教育當局作開班設校參考？而教育當局又何曾有計劃的去造就可用的人才？鑒於戰後日本和西德的迅速復興，就是他們非常注重人才的培育，在生之者衆食之者寡的情形下，必然一切要凌駕他人之上。

我國留學海外學生，於學成之後不願歸來，並非貪圖生活享受，更非憑有高薪可領（薪水越高抽稅越重），而是在國內無容其發展餘地，深恐所學稍疏即跟不上人家，不然誰願背井離鄉遠走異域依人籬下？

此外：如交通設施的容量不夠，申請開礦設廠手續的冗繁，進出口結匯與資金運用的困難，法令規章的朝令夕改，致使投資人無所適從，這些都是經濟發展的障礙。

基於上項檢討，盱衡當前國家前途，為人民福祉着想，我們要從農業社會，順利的邁入工業社會，在此過渡時期的準備工作，尤其是心理上和觀念上，應堅持迎頭趕上，不能以緊跟人後為已足，而為時代淘汰，這是我們所應確定的原則。

本會同仁來自民間，所有建議都是親歷見聞或感觸所得，並加研究分析而將看得真切想得週到，而後盡其言責，這完全是基於愛國家愛家鄉的天性所驅使，民主政治貴於重視民意趨向，我們深感省府官員對此還有不盡瞭然，處事往往缺之誠意，漠視議會建議，能推則推，不然就一拖了結，更有的人秉持偏見私念，甚且朦上欺下，玩弄權術，冀圖掩護過失，這種官僚鄉愿作風，常使政府威信受到嚴重損壞。本人認為政治革新，應該多多注意這些死角的消滅，不能容其長此存在。

政治號召方面

就政治號召而言，與會代表，有的係以個人身分而參加，有的則以「觀光」之心情而來，有的則藉此而作「私人」的活動，但也有抱着極大的「希望」而參與的；在邀請代表中，沒有在野黨人，有的被邀請而未出席。

有一位曾經參加六年前之陽明山會議的代表說，這次海外文教會議能與陽明山會議比嗎？今天各代表所提建議案，有若干與陽明山會議之議案相同，那一次通過的議案，政府做了多少？還有多少沒有做？

檢討海外文化教育會議

・本報駐台記者劍聲・

這次會議既未正式檢討過去海外文教得失，也未認眞策劃今後應做之工作。無論代表報告，或政府首長之報告，均未觸及此問題的中心。

因為一個問題，都涉及到為大會漠視的國際私法中之國籍法，許多華僑為適應僑居的客觀環境，都歸化為僑居地之國民，因而發生雙重國籍問題，這雖是一個老問題，但我政府主管僑務之僑委會，始終未從法律上着手，作長遠之打算，作一勞永逸之計。同時，每一僑居地之環境相異，但所遭遇的問題，則不外乎如僑校為私立性質，由於經費來源拮据，故多已接受當地政府津貼或補助，乃成當地公立學校之一部份；僑校有採我國學制，也有依當地學制，課程有依我國標準，也有依當地所訂標準，頗不劃一；僑校所用教材，有採我國出版之課本，有採當地所編供之版本，也有採用私人編印之版本，內容不一；僑校師資一向缺之，各地區公立學校，多由當地政府自行舉辦師資訓練，但其水準仍感不夠；僑校圖書儀器設備補充困難，大多因陋就簡，致無法發揮教育功能。（三）

有幾種罪名，是加在任何要攻擊的對象身上都可以。什麼「修正主義」、「反動路綫」、反對「文革」、「壓迫革命羣衆」等。加在黨委書記頭上更為恰當。對李雪峯之「大字報」所以多，可能是這個原因。

四、羅瑞卿—說他圖調動部隊到北平，發動政變。

五、烏蘭夫—說他搞民族分裂活動，企圖成立蒙古王國，和外蒙古合併，投靠蘇聯，以毛澤東為敵，陽奉陰違。

六、蔣南翔—指他用資產階級的教育方法培養資產階級接班人。蔣南翔曾經說過：「成績好就是政治好」，儘量錄取一些資產階級的子弟入學，排擠和打擊工農兵和幹部子弟，把保送入學的工農兵子弟，當作物品來處理，用提前畢業，縮短學制等方法，排擠出校。

七、劉瀾濤—慫恿和操縱反對毛澤東思想的人，製造西安流血事件。

我是一個「紅衛兵」

・王朝天・

八、廖承志—說他跟帝國主義拉關係，在東京設立辦事處。出身不清白，是國民黨要員廖仲凱的兒子。現在還過着資產階級的生活方式。「紅衛兵」曾責問他，你到底是什麼出身？廖承志的答覆是「華僑」。「紅衛兵」說：「你打着華僑招牌，掩蓋眞正階級出身，企圖矇混過關」。

「紅衛兵」能知道什麼國家大事，幾個大頭子的誰是誰非根本不知道，大頭子的公私生活更一無所知。所以很顯然有人指使。指使者只要利用「紅衛兵」貼出一張「大字報」，隨後就有別個「紅衛兵」來附和攻擊。好像一隻狗看見生人大叫，附近的狗都會跟着叫。叫了半天，狗能知道什麼？這是一種下意識作用。遇到與羣衆接觸機會多的頭子，羣衆知道他事情多一點，就可以增加不少「大字報」內容。沒有具體內容，就加上習慣用語，如「修正主義」、「資本主義」，根本不必去考慮這些字的含意。

被貼「大字報」多的攻擊對象也不一定表示嚴重，因為貼「大字報」並不表示羣衆的意見。也沒有一定的手續，「大字報」的內容也不必負責，凡是想到什麼就寫什麼。

也有攻擊毛澤東、林彪兩人的「大字報」，但很少，我在北平沒有見到。有人說看到就撕了。發現有人貼攻擊毛澤東或林彪的「大字報」，立即逮捕，加重判刑，以「反革命」治罪。無論那一方面的領導分子，都告訴我們：「毛主席批評不得」，「林副主席批評不得」。

沒有貼毛和林的「大字報」，並不表示「紅衛兵」都擁護他們，而是貼不出；愈貼不出，怨恨愈大。如果對於攻擊對象，知道不多，也無怨恨，貼一、二次「大字報」，洩過憤，自己也會覺得無聊而停止再攻擊。

被「大字報」攻擊的對象，有否影響？這要看他和毛林集團的關係怎樣。如果是毛林集團所要整肅的對象，就可藉口羣衆來整他。如果攻擊對象屬於毛林集團的，「大字報」對它毫無影響。

六、毛澤東和「毛澤東思想」

「紅衛兵」在表面上幾乎都是擁護毛澤東的。因為毛澤東是一塊招牌，背着這一塊招牌，可以到處衝，有吃、有住、有免費車坐，誰不這樣做呢？

擁護毛澤東也是一種武器，可以攻擊任何人。因此大家都擁護毛澤東。

「紅衛兵」心裏想的是一套，毛澤東言行不符。我們普遍感覺他說的，又是一套，他自己做的另是一套，往往自己違反自己的思想。他所說的幸福的生活，美好的社會主義社會，都是畫餅充飢，望梅止渴！完全是欺騙人，不會實現的。他過去說的話，過不了幾年，又自己推翻，他的說話從來不作準。

例如他是反對溫情主義，但他的一首詞：

蝶戀花（贈李淑一）

我失驕楊君失柳，楊柳輕揚直上重霄九。問訊吳剛何所有，吳剛捧出桂花酒。寂寞嫦娥舒廣袖，萬里長空，且為忠魂舞。忽報人間曾伏虎，泪飛頓作盆雨。

不完全是溫情主義嗎？

有什麼階級觀念呢？他的生活享受很奢侈，這是我們大家知道的。他過的也是資產階級生活，他不能和人民共甘苦。即在專制時代，他也是最壞的一個皇帝。

他反對傳統劇目和鬼戲，但他很欣賞孫悟空三打白骨精的一齣戲。後來拍成影片，又被整肅了。（十）

黃堯慨嘆工程費的預算執行「巧妙」

黃堯，高雄市的省議員，對於省屬各單位上年度工程預算的執行情形，提出弊端，認為各種工程，多數發包於民營營造廠承辦，何以預算與實際開支，會那樣巧合得分文不差？

他在省政總質詢時，曾就五十五年決算所列的各種工程執行情形，提出數字研討，認為各項工程預算控制不當，濫費公帑，要求省府注意改善這種報銷主義。他說：

五十五年度決算所列各種工程執行情形，似欠正確性，且有「應付式」，濫用經費之嫌，例如：

（一）教育方面——成功大學工程費預算三、二九四、〇〇〇元，悉數用宗，分文不留；以及台北師專，女師專，台南師專、護理專科、省中，職校等計有七十八所，亦均同樣將編列工程費用得乾乾淨淨，雖有部份學校未全部用完工程費，但剩下的款額，多者僅數十元，少至數元，如此預算與執行，實過正確與運用得巧妙呢？

（二）水利建設方面——水利局小型水利工程費一五、〇〇〇、〇〇〇元，悉數開支，無分文差額。灌溉工程費三二、七四二、八一六元，亦僅剩下七萬八千多元。

（三）土地開發方面——土地資源開發委員會，海埔新生地及東部開發工程費五二、七二七、六三九元，運用得甚巧，分文不差。

（四）公共工程方面——公共工程局列有綠地公園經費一、七〇八、五五一元，未剩分文。改善飲水工程一、九一二、〇〇〇元，僅餘三八元。

（五）交通設施方面——鄉縣道機械及設備費二、二九九萬餘元。交通安全計劃八〇一萬餘元。綠島交通船二五〇萬元。基隆港工程費六五、一八五、四六六、一六元。高雄港工程費一三五、二〇九、五七七、四五元。花蓮港工程費五、四六九、七七七。八九元悉數報銷。基隆築港機器四〇〇萬元，僅剩九、七六元。高雄港機器廠房經費二、二〇〇萬元，剩餘九六七元。公路局工程費二四六、〇四三、四一八、〇三一元，亦僅餘四五、〇〇二、五〇元。高雄港新商港區工程費在五十五年追加五、九三二萬元，尚未動用，竟全數留下於五十六年度以權責發生數準備加數報銷。

（六）警政方面——增建職員宿舍三〇〇、〇〇〇元，警察廣播工程三五萬元，保安警察第一總隊二四四萬元，警察學校二五四萬元，直屬警察大隊四〇萬多元，均加數報銷。

（七）其他方面——種苗繁殖場一、一二五、六二〇元，漁業局一、〇〇〇、〇〇〇元，畜產試驗所六三萬元，盡數報銷。這種執行預算之技能巧妙方法，實令人慨嘆！

以上所舉各單位執行經費預算，以各種工程，多數發包民間營造廠承辦，預算與實際開支，當不會那麼巧合，分文不差。似此情形，未免有浪費情事。為不使發生財政困難問題，實應妥予控制預算，藉免濫費公帑，俾利於減少稅收增加教育經費之處境下，獲得維持平衡。對此問題，希望主席加以重視，設法改善。（完）

瀛海異趣談

外籍娼妓在西德買丈夫

·桑雅·

太太，你有一個你想出賣的老年的丈夫？在德國的漢堡，你有機會可以賺四、五百美元。想想吧，他在德國的最佳日子也許不值那麼多錢。但是，不要憂慮。你管什麼呢？你是出賣，傻瓜們購買呢！

誰是這些願意從你手中承購老傢伙的呢？她們是漢堡的娼妓。但是，她們亟需要他呢。她們多數來自奧地利，於幾年前和流鶯時逃至德國。現在西德政府也進行掃蕩這些「進口移民」和阻街女郎，除非她們具備文件，證明她們是良善公民——或許例如家庭主婦。因此她們祇得買一個丈夫，或者租一個。在漢堡，一個丈夫的售價是二千德國馬克，約合美金五百元。

這些掘金娘子來自奧地利，她們首先要找一個居住的地方，裝修它，安置一張堅固的大床，然後開始工作，賺幾百元以買一個願意把他的公民權分惠她的丈夫。不過，德國移民局祇限新來者居留四個星期，她必須於四個星期內賺夠錢以買一個丈夫，否則警察發現她們幹這種營生，會把她們遞回原籍。但多數的娼妓，都能夠於這期限內賺夠錢以買一個丈夫。

一個掘金娘子非常喜歡她用錢買的丈夫而真的想永遠保有他。唯一的麻煩是：他給她的想法激怒了，在漢堡婚姻註冊處辦妥結婚手續後，甚至不肯與她一起坐下來喝咖啡。他把錢塞在口袋裏，憤怒的說：「我是一個清白的人，沒有清白的人肯與一個娼妓結婚。」

她非常失望，當晚不去工作。她解釋說，直至他們結婚那天爲止，他是她的經常主顧，她所遇見的最好的男人，她確實希望他們的「婚姻」能夠長久。她是一個十八歲的美麗少女，於一年半前在維也納開始做阻街女郎。她對愛情和婚姻仍有些羅曼蒂克概念，但她最近的「婚姻」使她要正視生活的新事實。她說：「不祇是公民權，雖然我很感激他給我公民權。我想在一個新國家建立一個新生活，但現在我知道不可能了。他甚至不知道我能夠燒飯弄菜呢。」

不過，有些女孩子却有相反的困難問題——那個男人回來要收取「特權稅」。他時常說他的名譽受到損害，因爲他的朋友們知道他與一個娼妓結婚。他不是要求離婚，祇是索取更多的錢。她當然拒絕，但他使用他自己的武力或借助警察來找黑煩，結果多數得償所願。

但多數在婚姻註冊處舉行婚禮後，雙方都忘記了對方。丈夫的自尊心是那麼強的，以至他於婚禮舉行後再不去光顧她；因此，她得到了公民權，但失掉一個顧客。那個男人祇需要幾百元，那就是整個事情的終結。

另一個女子李莉講述她的故事：她與克斐斯在她住所附近的一間酒吧相遇，飲過了一兩杯酒，她很快的把他帶返住所。幾乎剛坐下來，他便向她提出公民權問題，這交易很快成功，「幾乎像他向我求婚」。他們下次相見，在婚姻註冊處。婚姻舉行後，他們在一間小餐室吃午餐。他似乎是很匆忙的。他微笑的對她說：「恭賀你獲得新公民權。」她帶諷刺的答道：「恭賀你賺了一筆錢。」他說：「噢，錢祇是其中一部份——當然我需要它而且欣賞它，但你給我一個很好的藉口。」她驚訝的問道：「藉口？什麼藉口？」他說：「現在我不能夠與我的姘婦結婚了。與一個娼妓結婚而賺五百美元，並不比犯重婚罪而被判終身監禁更壞呢。」他們吃過午餐，克斐斯自己走了，他的新娘李莉繼續在街上兜接顧客。

西德警察對於這婚姻詭計，毫無應付辦法。宣佈與娼妓結婚無效的企圖是失敗的。根據德國法律，如果新娘爲了更改一個新名而結婚，這婚姻可被宣佈爲無效的。但是，如果爲了成爲一個德國人而結婚，却不能宣佈它是無效的。

明末遺恨

·河漢·

至此，他和他的部隊把自己包圍在武昌城牆內，城牆外面，到處佈滿了劍樹刀山，使他們不敢輕易移動寸步。可是，深厚的武昌城牆並不保障他們的安全，滿洲兵繼續尾追着，明兵左良玉的部隊不斷進行反攻，各地農民自動組成的游擊隊伍到處襲擊四散流竄的李闖的殘兵敗將。李闖看到形勢的發展，武昌將會成爲埋葬他們的墳墓，不得不自動放棄武昌，冒險突破封鎖綫，準備向湘黔地區南竄。就在他南竄的途中，離開武昌還不遠，這五十萬人便不斷地逃亡，紛紛失了影蹤。等他到達通城九宮山的時候，在李闖的週圍只剩下了寥寥數十人。就在九宮山上，他受到當地農民的襲擊，在絕望與掙扎下，農民的鐵鋤無情地擊裂了他的頭顱，在憤怒的農民腳下，他流盡他的鮮血。

從一六三〇年李闖在陝北參預領導農民暴動開始，到一六四五年在通城被農民殺死爲止，前後他攪風攪雨了十五個年頭。他的起家，由於他開出了一張遠期的大數額的支票給農民，農民便以鮮血作代價爲他建立了大順帝國。他的毀滅，也由於他開出的乃是一張空頭支票，於是農民們便也要他償還這一筆血債。「人民的眼睛是雪亮的」，以前如此，今後仍然如此。（六完）

剖析八十二名反毛的中共中委

·李敦復·

中共山西省委員會

第一書記：衛恆（一九六五年七月，原任省委兼書記兼省長，現省長職已由王謙充任；但，今年一月廿四日中共北平電台宣佈，指王謙曾經組織保皇團體，密謀行動等罪名，幷接管山西省政府，同日又廣播，指衛恆曾企圖組織地下黨司令部，公開與革命造反派拼命搗亂等罪名，幷宣稱革命造反派已經接管山西省委員會，顯示王、衛兩人均遭整肅。）

書記：鄭林、王謙（見前），朱衛華、王大任。

中共內蒙古自治區委員會

第一書記：烏蘭夫（見前。）

書記：李璽、王鐸、王再天、王逸倫、權星垣，高錦明（曾任包頭市委會書記。）畢力格巴圖爾，楊植霖（已調職，現任青海省委會第一書記，自中共發動「文化大革命」以來，被指爲「黑幫」反黨份子，已被整肅。）

中共北平市委員會

中共北平市委員會，自中共黨內發生流血內鬨以來，已經數次改組，第一次係於去年六月三日第一次改組，彭眞被鬥垮，李雪峯上台；今年一月，李雪峯遭紅衛兵大字報攻擊，失勢下台，由前河南省委會第一書記劉建勛（候補中央委員）繼任；但，根據本年二月十日北平大字報透露，劉又遭整肅，然四月二十日路透社倫敦電謂北平中共電台廣播：「劉被任命爲北平市「革命委員會」委員之一」。因此，祇好將推斷基礎溯自中共近十個月文化大革命以來之人事異動，以明本末。

第一書記：彭眞（一九六六年六月前。）李雪峯（一九六六年十二月前。）劉建勛（一九六七年二月十日前。）

第二書記：劉仁（見前）。

書記：鄭天翔、萬里、鄧拓、陳克寒、陳鵬、范儒生、趙凡（按：均於去年六月前免職，其中劉仁、鄭天翔、萬里、鄧拓等，被指爲在中國大陸從事反毛反黨活動，列入整肅四十一名單中之第二、三、四、五名。）

九、中共中央華東局

第一書記：柯慶施（中央委員，上海市市長，國務院副總理，一九六五年去世。）

第二書記：曾希聖（中央委員，曾任安徽省委員會第一書記，安徽省省長，近四年來行蹤不明。）

第三書記：李葆華（中央委員，安徽省委會第一書記，在中共奪權鬥爭中，遭紅衛兵戴紙帽遊行，復遭毆傷，爲中共發起人之一李大釗之子，今年一月三日在合肥被捕，押往北平，遊街示衆）。

書記，葉飛（候補中央委員，福建省委會第一書記，福州軍區政委，曾遭紅衛兵鬥爭，被抄家。）

陳丕顯（候補中央委員，上海市委會第一書記，在中共奪權鬥爭中，被指爲是「劉紀修正主義司令部在上海的黑司令」，今年二月廿日外電傳已被軟禁。）

江華（候補中央委員，浙江省委會第一書記，由於該省省會多次發生奪權流血衝突，可能已去職。）

楊尚奎（江西省委會第一書記，同時江西省委會與擁毛派曾多次發生奪權流血衝突，擁毛派曾傷亡六百人，今年一月廿四日擁毛派揚言該省之奪權鬥爭部份已成功，但三月七日美聯社東京電訊報導，反毛派仍抗奪權，該省副省長李杰庸，南昌市副市長郭小有等，均爲該省反毛派領導人物，身爲第一書記，可能凶多吉少。）

曹荻秋（上海市市長，上海市委會書記，被指爲「反黨份子」，今年二月下旬，已被逮捕，受勞改處分，二月十五日在上海遊街示衆。）

魏文伯（上海市委書記，在「文化大革命」浪潮中，被紅衛兵猛烈抨擊。）（十二）

中國女性文藝春秋

周遊

君有行，妾念之；出有日，還無期；結巾帶，長想思。君忘妾，未之知；妾忘君，罪當治；妾有行，宜知之。黃者金，白者玉；高者山，下者谷。姓者蘇，字伯玉；人才多，智謀足；家居長安身在蜀，何惜馬蹄歸不數！羊肉千斛酒百斛，令君馬肥麥與粟。今時人，知四足；與其書，不能讀；當從中央周四角。

甄后（曹丕后）

甄后與曹子建之間，「直爲文士艷染戀愛故事，直到今天，仍然是一個「史謎」，使後人難以猜得透的。曹子建的一篇「洛神賦」，人們一致都認爲甄后是其中的女主角，這種秘密關係，史家也難以弄得清楚，除了他們二人自己知道外，根本不是外人所可得明白的事。曹氏兄弟爲政權之爭的事，人們也一直把它當做是爲了私通甄后挾雜不清，有的好事文人，總愛把男女關係搞在一起，以資人聽聞爲快，因爲沒任何直接的證據，僅由洛神賦去想像，當然難作爲信史的。以我的觀察，曹氏兄弟之不能和好，是在政權之爭，在未立太子之前，他們兩弟兄都各樹羽翼，圖爭立太子，等到曹丕勝利之後，他當然不肯把他政敵放鬆的，曹丕終於沒有把乃弟置之死地，總算有點同胞手足之情。而歷史上弟兄爭政權而互相攻殺的不知有多少，何止曹丕兄弟呢！關於此一秘史的詳情，我在寫「三國名女人」一文中已有了我的論證，（原文載「現代國家」第三十期）在此不加冗述。

甄后本爲袁紹的兒媳婦，爲袁熙的太太，當袁紹敗滅，鄴城被破之際，曹丕乘亂納了戰利品甄氏爲妻。曹丕篡漢，她也封后。後來曹丕又愛上郭氏，甄氏因爲成了半老徐娘，又是再嫁之婦，失寵乃是意料中事。我常常說君主男人是女性的罪人，這句話，有了新歡忘舊歡，是很多男人的毛病，我們也不能獨苛責曹丕了。

甄后是中山無極人，因失寵有怨，陳壽只書「黜死」二字，其中必有隱情，但這種隱情，外人是不得而知的。她作有「塘上行」一篇，錄之如下，以便欣賞。

蒲生我池中，綠葉何離離。豈無蒹葭艾，與君生別離。念君去我時，獨然嘗苦悲。想見君顏色，感結傷心脾。念君嘗苦悲，夜夜不能寐。莫以賢豪故，棄捐素所愛。莫以魚肉賤，棄捐葱與薤。莫以麻枲賤，棄捐菅與蒯。倍思者苦枯，蹶船常苦沒，教君安息定，慎莫致倉卒。與君一別離，何時復相對？出亦復苦愁，入亦復苦愁。邊地多悲風，樹木何褸褸？從軍致獨樂，延年壽千秋。

這首詩是她寫給誰的？如果說是寫給袁熙的當然沒有問題，如果是寫給曹植的話！再將洛神賦加以對照，自然就有男女關係了。袁熙出爲冀州牧時，是把甄氏留在鄴城的，鄴城被破，才被曹丕接收。欣賞她的作品，她的身世也是夠淒涼的了。

王宋是平虜將軍劉勳的妻子。他們結婚二十多年，劉勳又愛上了山陽司馬氏之女，遂以「無子」之罪名將她「停出」。她在歸去的途中，作詩自傷云：

翩翩牀前帳，張以蔽光輝。昔將同爾去，今將爾共歸。緘藏筐篋裏，當復何時技？誰覺去婦薄，去婦情更重。千里不唾井，況乃昔所奉？望遠未爲傷，躑躅不得共。（十五）

平劇繽紛錄

「陸光」新演「江寧劫」

·桂良·

「陸光」平劇隊是台灣軍中七大劇團之一，擁有著名花衫張正芬、鬚生周正榮、淨角馬維勝、丑角吳劍虹、鼓手侯佑宗、京胡王克圖，陣容堅強，曾於昨年獲得國軍文藝競賽金像獎，故各方面新編劇本，多經過有關方面，付予初演。

今悉該隊將於九月八日在台北中華路「國軍文藝活動中心」戲劇廳公演新本戲：「江寧劫」。

據悉：「江寧劫」乃一百三四十年前洪楊時代「天京」大開「男」「女」科故事，以影射今日大陸之「人民」「公社」一般情形者。

當年「天京」也曾辦過政治外交，洪秀全派胞兄仁玕駐美國，熟悉外國文明政治（其實那時美國立國才五六十年）。返「天京」後，報告天王。天王大悅，派「天朝」劉狀元，參酌中西國情，將政治改制。洪仁玕首先禁絕人民吸鴉片，訂立布政制度：當時所定軍民法令，願者從軍，不願者營業；男女街行，各行其路，不得混雜；農工商賈，凡累重貨物，准用車運，不得肩挑背負，以省人力。官兵不得私入民宅，違者立斬；工商士照，七日一休息；凡無業遊民，令挑築營壘以代賑。大將以下，有三十六檢點，七十二指揮，皆着黃色衣袍。忠王李秀成纂印：「文衡總裁十門御門義宿都衛軍，統領十三王李印」二十字，當時因封王太多，全無轄制，乃於忠王在此加封。以後上海奮稱「老虎王西瓜」，意言不能比他再大了。

「太平天國」七年，開科舉，為使女子讀書為家政之本，於是平等開科。榜發後，男狀元程文相以下八十人皆及第；女狀元傅善祥，女榜眼鍾漢華，女探花林瑞蘭。男科作文題為：「蓄髮檄」。女科作文題為：「北爭檄」。男女狀元騎馬坐轎，遊街三天，時人以為榮幸。洪仁玕又制定宮室制度：天王穿黃龍袍，冠紫金冠，三十六旋。大王曾召一李姓狂生上殿，李書一聯：「一統江山七十二里半；滿朝文武三百六行全」。秀全不以為忤。大陸烟毒漫延海外與「天朝」之吸食鴉片；「男女平等開科取士」與「文化大革命」之擢殘全大陸之大、中學校教育；強迫性之「參軍」與不願從軍者可以營業；官兵禁入民宅與「紅衞兵」可以隨時入宅提審各類人等；種種強烈對比，欲使「紅朝」與「天朝」相比，編者自有一套手法，可以吸引新舊觀衆，踴躍觀後，更為瞭然。

惟「江寧」係府名：南京城內，清時包括「上元」與「江寧」兩縣所在地。三國吳、東晉、劉宋、齊、梁、陳皆都金陵（南京），謂之六朝。南唐李氏、明太祖又先，建都南京（金陵）。民國臨時政府亦設南京，「太平天國」亦都南京：且名之曰「天京」。就時、地之範圍，如名「天京劫」則豁然開朗，一目了然；否則同居一城，「上元」人民衆竟在逢「劫」外耶？

今古四公子

春痕

我國古制，帝王之子，諸侯之子，則為公子。所以亦閥閱也。自春秋迄民國，此稱不廢。然數千年芸芸諸公子中，其足傳者，又覺鳳毛麟角。

計戰國中齊有孟嘗君田文，魏有信陵君公子無忌，趙有平原君趙勝，楚有春申君黃歇，此四公子養士最盛，所謂門迎珠履三千客是也。惟孟嘗之客，僅得馮煖一人，能佐其業，餘唯鷄鳴狗盜得脫其難，他則無聞。公子無忌為魏安釐王之弟，卑禮下賢，議侯嬴於夷門，收朱亥於屠市，又能為如姬復仇，卒得其力竊兵符以救趙，大卻秦軍。所著兵法，今雖未傳，惟觀其簡蒐士卒，亦足見其崖略也。惜乎！醇酒婦人，卒短天年，亦魏之不幸也。平原君趙勝，太史公司馬遷所稱翩翩濁世佳公子，意其人當風儀秀異，為嬰宛輩所愛，否則，唐詩何以有買絲繡作平原君之句也？惟考其史蹟，惟能用毛遂以折服楚王一事，他無足道。至黃歇本非諸侯之裔，其得封春申君，亦賴裙帶之力，殊無建樹。然而上海以春申得名，實由歇始，黃浦灘聲，終古不絕，豈地以人傳歟？降及漢唐宋元，此風已替。至明而有四公子者：則為如皋冒辟疆，大梁侯方域朝宗，宜興陳貞慧定生，貴池方以智密之。時當明末，天下方亂，城狐社鼠，白晝橫行，四公子能振東林之正氣，張復社之雄風，以相抗衡，亦足稱已。而冒巢民以獲秦淮董白為妾，名動海內。清兵掠揚州，小宛入燕，清涼讚佛，影梅寄恨，事極玄秘，久為文獻傳疑也矣。朝宗亞納李姬，為孔云亭演其故事為桃花扇，清帝觀此劇，亦為動容。奈何兩朝應試侯公子，羞對桃花說李香，有負云亭之厚意耶？余讀壯悔堂集，未嘗不悲其遇也。陳定生與方密之數起義兵，抗抵清虜，事雖不成，亦足稱者。而定生之子其年檢討，以填詞得名，亦清季之蘇辛一派也。

爰及光緒間，又有瀏陽譚嗣同復生，義寧陳三立伯嚴，豐順丁惠康叔雍，懷寧吳保初彥復，此四者，亦以四公子稱。嗣同意態雄傑，思想驚人，讀其仁學一書，每為咋舌。而名列四京卿之首，以誤識項城，終罹戊戌黨禍，觀其衣冠東市，視死如歸，而絕筆之「望門投止思張儉，忍死須臾待杜根，我自橫刀向天笑，去留肝膽兩崑崙」。實有東漢士人之風。陳伯嚴以少登進士，力助其父寶箴於湘撫任內，創辦時務學堂，延梁啟超為總教習，所得士如蔡鍔戢翼楊度等，皆有名於民國。伯嚴終身不仕，隱跡西湖，生平致力宋詩，為江西派張一異軍，陳以獅態向人者可同日而語。丁叔雍恂恂君子，吳彥復觸邪；皆有一節可取焉。

至入民國，則有段合肥之長公子宏業、盧永祥之子筱嘉、張雨亭之子學良、孫中山之子哲生。皆於盛時，享有佳名。段盧經已作古；所現存者，唯張少帥漢卿，及孫院長科，猶在台灣，然皆暮年。讀王漁洋與宋犖仲句云：「兩書北闕霜侯寶；州與宋廬州」。可為爽然者矣。

林敬紉的血書

河漢

戰爭勝利了，參預了這場戰爭的領導人物自然名成利就。饒廷選的勝利使杭州的長官們驚喜，因為他們私人既可以連帶受到上級的嘉獎，同時浙江也可由於此一勝利而短期內不受太平軍的威脅。饒廷選以見義勇為的英雄姿態，到杭州去接受浙江提督的新任命，沈葆楨也由知府擢升為九江道。林敬紉雖然無官可做，然而她就因這一封血書，成為舉國聞名的巾幗英雄。而且，沈葆楨以後能夠在宦途上一帆風順，完全是這一場戰爭為他製造了階梯。

廣信在沈葆楨逝世後，廣信人，為了紀念他，替他建立了專祠；在專祠中特地為林敬紉設置了塑像。在太平軍消滅之後，在江西為紀念陣亡將士而建立的昭忠祠內，只有林敬紉以唯一的女性參預了配享的行列。

關於血書是否是林敬紉親手撰寫的問題，也曾引起議論。懷疑者認為：當死神的腳步逼近面前的時候，一個自小深處閨中嬌生慣養的女性，真的能夠不為眼前恐怖淩亂的現象所眩惑，居然「倚劍與井為命」麼？真的能夠從容不迫不斷以針刺指，以自己的血來寫下五百字的血書麼？真的能夠冷靜到無視周圍的動亂，平心靜氣，寫出文字那樣優美，條理那樣明晰，判斷那樣準確，立場那樣堅定的血書？曾國藩向清廷報告廣信解圍的奏摺中，既然已經特地提到「其妻亦同在危城，躬汲井甕，具志殉以倫士卒」了，難道會不再提到更重要的血書麼？

林敬紉曾發出那一血書，這是不爭的事實；因為饒廷選曾把血書公開過，而且至今還保留在福州沈家的祠堂內；作為宗族之寶。林敬紉幼年受過良好的漢文教育，嫻習文墨，這由她的經常替丈夫批覆公私函牘可以證明。林則徐是個講求氣節與辦事效率的人，他的女兒自然會或多或少接受他的影響。說一個女性面臨死亡的威脅，會失魂落魄，手足無措，難道那些幕僚在死神的面前能夠依然保持嚴文嫺字來草擬關稿的正常情緒麼？至於曾國藩的奏摺裏也所以沒有提到那是時間上的原因。廣信危急的時候，曾國藩的指揮部遠在八百里外的南康。廣信的戰事在八月十六日結束，曾國藩的奏摺在二十日就寄出。其間距離只四天。以馬匹的速度來說，由廣信至南康所需的時間約莫二天，可以想像到沈葆楨給曾國藩的報告是在十分匆忙的情況下完成，他催能夠簡要報告戰爭的經過情形。何況，他也不很方便對上級強調他的妻子在戰爭中的貢獻。所以，曾國藩的奏摺中未列入林敬紉的血書，並不能動搖林敬紉親自執筆的血以寫下這一件歷史文獻的事實。（四，完）

紐約的中文報紙

余維

目前各報零售價格是每份一角，批發價只有六至七仙。中國城的長年訂戶是每年十八元，外埠郵寄的二十一元。在此等經濟情況下，每家報館只能請兩三位編輯，為了減少開支，每逢假期均休刊。

四家報紙中「華美」「聯合」「美洲」均日出三大張，其「中國時報」日出兩大張，第一版和十二版的廣告與報頭均加套紅色，此外還有三分之一欄的圖片版。「中國時報」創刊之時，除紐約版外，尚有舊金山版，芝加哥版，後因舊金山版不能與當地原有的中文報紙競爭而停刊，芝加哥版依然存在。

「聯合日報」無外地版，但出有「中美週報」，印數在三千份左右，是紐約中國城裏銷數最大的刊物，經濟情況自足而有餘。

「聯合日報」的負責人是吳敬敷先生，他不但主持行政，且自任主筆和總編輯，兼主持「中美週報」的編務，該報能有今日的成就，實係吳氏獨立耕耘的結果。

「美洲日報」的負責人是李聲之先生。現任國民黨第四組主任的陳裕清先生，曾任該報主筆及總編輯十餘年，陳氏回國後，其職務已由台北中央日報的沈仲浩先生代理。

「華美日報」的主持人是潘公展先生，其用悠悠筆名所寫的社論深受僑胞歡迎。近來由於年事已高，除寫寫社論外，編輯事務均由江楓和袁賡二氏負責。

「中國時報」的社長是陳兆瓊先生。該報原由黃梁泰先生籌辦，後將大部股權售予陳氏的中國文化印務公司。陳氏接辦該報後，即聘請名記者毛樹清先生担任主筆兼總編輯，並聘前菲律賓馬尼拉「新閩日報」總編輯的王桂生先生協助。在陳氏的經濟支持下，出版不過三年，其業務已有後來居上之勢。

華埠報業已有六十餘年的歷史，其中以最近十餘年的變化最大。特別是近幾年來華埠新移民不斷增加，新舊讀者的口味與要求均在急劇改變，各報為業務競爭，亦在力求進步。但以經濟能力的限制，尚無一家敢大刀闊斧以全新的面目出現。目前讀者的要求是新聞內容量增加，版面多有變化，看來那一家能最先滿足這些要求，未來華埠報業就是那一家的天下。（下）

南半球的珍禽

·勺海·

企鵝是象徵南半球的鳥類，企鵝共有十七種，而每一種都不限於象徵鳥類。你一定會驚奇：企鵝大抵住在那些冰雪做背景的地方，現在怎麼連赤道範圍，都會有牠們的蹤跡呢？這的確是件出人意料的事，但是，當你到過赤道的動物園，看看園內所飼養的馮波爾企鵝、麥哲倫企鵝、開普頓企鵝，你就恍然大悟了，因為牠們都是來自暖海；所以即使沒有特別的冷氣設備，它們也一樣能夠度過整個夏天。

除了企鵝以外，南半球還有幾種罕見的珍禽。棲息在喬治亞島上的大雲雀，為南半球唯一的真正的陸鳥，牠們的形狀有點像普通的雲雀：不過知與鶺鴒很相似，為鶺鴒的一位親戚。

從前在麥克萊島上，有一種叫秧雞的陸鳥，但因一八九〇年間那些毫無慈悲心的水手登陸後，四處去追逐他們，同時水手們所帶的貓和狗，又向牠們的進攻，結果把牠們弄到絕了種。海島中除了企鵝，最出名的是信天翁及海燕。在日本伊豆島繁殖的「信天翁」，名氣不怎樣顯赫。而最好的一種卻是生長在南冰洋上的「流浪信天翁」。此種流浪信天翁的身體，和它的名氣一樣龐大，羽翼展開來時，有三點二公尺闊大，體重在十七磅至二十磅之間。所以，當它們把雙翼展開，慢慢地在海上翱翔的姿態，給你看見了，也會愕然，叫不出聲來的。

南半球上的海鷗中，最能唬嚇世人的是「大盜海鷗」。這種大盜海鷗的命名：是因為它們常常飛到企鵝的繁殖地去，當着那成年的企鵝，老大不客氣的把它們所產下的蛋，掠奪過來當點心。在南極附近的島地上：還有一種罕見純白的海鳥，據生物學家的研究，說它們是鵝普頓鴿的遠房親戚，名叫雪鴿。它的特點是嘴巴鋒銳得非常怕人，所以牠的學名又叫做「劍嘴雪鴿」，平常人都「敬而遠之」，不敢輕易碰上牠。

內政部台報字第〇三一一號內銷證

自由報

THE FREE NEWS

第七八九期

中華民國僑務委員會發給登記證僑新字第三二三三號
台灣郵政台字第一二八二號執照登記為第一類新聞紙類
（每逢星期三、六出版）半週刊

每份港幣壹角
台灣零售價新台幣元

社長：雷嘯岑
督印人：黃行審

社址：香港銅鑼灣高士威道二十號四樓
20, CAUSEWAY RD 3RD FL. HONG KONG
TEL. 771726　電報掛號：7191

承印者：大同印務公司
地址：香港北角和富道九六號

台灣分社
台北市西寧南路壹壹零號二樓
電話：三〇三四六
台郵撥儲金戶九二五二

從港共暴動事件看英國對華外交政策

·李槃·

近來香港輿論界目擊共黨暴亂行為之竊發未已，而港政府對於公然指揮亂事的共黨機構和首要份子，儘量優容，不加究處等情形，深感惶惑，認為長此養貽患，將使四百萬市民的生存前途，十分危險，相激相盪，全體市民即非起而自衛不可。大家叩詢香港政府究竟作何打算？

實則香港政府關於應付港共作亂的策略，必須秉承倫敦的指示，不能自由決定的。假如港共釀亂之初，不是絕大多數的市民都唾棄共黨，一致支持政府的話，英倫唐寧街十號早已向毛共妥協言和，不致挨到今天了。現在英國當局一方面由外交大臣布朗自動提出談判的要求，一方面由海外殖民事務大臣湯遜聲明香港局勢已在控制中，不足憂慮。這表示工黨政府對香港問題，始終是採取忍讓態度，至於港共投擲炸彈以危害市民，雇用流氓以暗殺反共人士，受害者反正盡係中國人（只有一個軍火專家是英籍），英倫自不願因此而改取強硬政策，刺激毛共政權。工黨政府只認定毛共內部的奪權鬥爭方興未艾，不會向外挑釁，港共暴亂問題，即有妥協之餘地。這便是港政府優柔寡斷，對共黨暴行不能使用嚴厲手段之所以然，我們可以想像其中的隱情，不妨予以諒解。

然則英倫這項妥協希望，是否可能實現呢？我們認為十九皆將失望，這卻與毛朝外交負責人陳毅是否有權處理無關，而是毛共決不願意讓香港平靜無事。英倫固然料想毛共此時沒有向外發展的餘暇，毛共又何嘗不明瞭英國亟求妥協的弱點呢！除非香港局面與澳門看齊，毛共必以維持現在這種緊張態勢為得計，它不作任何承諾，始終居於主動立場，以逸待勢，相機勒索敲詐，殆屬上上之策。所以，毛朝對於英外相請求談判的函件，祇是收下而毫無表示，就是要教倫敦乾着急，藉收擒縱自如之效用。假使英倫對港共暴動行為，始終視為地方事件，憑藉着絕大多數市民作後盾，由港府採取強硬手段，予以鎮壓，將暴徒們或者依法懲處，或者遞解出境，劍及屨及，不稍寬貸，毛朝亦除了提出強硬抗議之外，無可奈何的。港共拼命要使這場亂事的責任歸之於毛朝，而英倫亦就看作國際糾紛，循着外交途徑以求解決，可謂小事化大，治絲益棼，將來縱令可以談判妥協，亦決不是僅僅給共黨以面子即可了事的，共黨只能向實力低頭，并不講究面子問題，當年毛共軍隊打進了印度內地，如入無人之境，而馬上自動收兵，不作任何要求，面子又何存呢？英倫當局以己之心度人，以為毛共必不肯犧牲每年從香港刮得的鉅額外滙，而使事態擴大，終致不可收拾，卻不知毛共為着向外侵襲釀亂，即不惜放棄比較在香港所獲經濟利益更超過十百倍的蘇俄經濟援助，它對內部人民的生活，它認爲越窮越好，毫不在乎。因此，工黨政府此次對於港共暴動事件的對策，決不會獲致預期的成果，實可斷言。

在現階段中，英國對於香港這塊肥沃之殖民地的興廢存亡前途，尚能掌握着一半的控制力量，原因是現有爲數三百萬以上的中國人，寧願過着殖民地生活亦不希望共黨勢力入侵，這三百萬市民之中，至少有一百萬壯年人，可與共黨從事實力鬥爭，英倫如果不怕戰事，憑着這一百萬有戰鬥力的市民，亦就不愁毛共對香港採用武力威脅手段了。若照目前的優容政策繼續演進，除卻少數資產階級份子，必要時可以遠走異域外，其餘的勤勞大眾，為着生存起見，很可能被迫改變初衷，接受共黨「中國人不打中國人」的煽誘，站在共黨那邊去，而英國對這「東方之珠」的控制力，立即化為烏有，雖欲求不為澳門之續，亦不可得了！從大處遠處設想，工黨政府對港共姑息妥協政策，依然是蹈着一九五〇年搶先承認毛共政權的覆轍，一誤再誤，徒然自貽後患而已。

工黨政府當年亟亟於承認毛共政權，目的在希望維持遠東地區的幾個殖民地，同時亦想保持在中國大陸上為數有十億鎊的產業投資。因而工黨領袖艾德里且率領代表團赴毛朝作親善訪問，回到香港來，竟向新聞記者發表違心而又肉麻的恭維毛共政權的言論，說北平、上海沒有蒼蠅。艾德里政府在韓戰期間，更大力為毛共間接幫忙，百般阻撓美空軍進攻鴨綠江沿岸的毛共軍事基地，嗣後工黨政府又不斷的在國際間提倡邀請毛共政權進入聯合國。凡此種種討好毛共的外交舉動，可算竭盡心力，無微不至了。然而，歷時十七載，英國與毛共尚未能樹立正常的外交關係，毛共仍認定「英帝」是「美帝」的幫兇，英倫派駐北平的外交代辦，十餘年來只有坐冷板凳的份兒，近且被「紅衛兵」放火焚燒外交代辦的公廨，公然侮辱英代辦雷普遜了。英國所得的利益，除卻中國大陸上的鉅額投資全遭沒收外，遠東地區的幾個殖民地亦只剩下一個香港，且在搖搖欲墜之中。然工黨政府迄不省悟，還要踏着失敗的路綫走去，竟爾幻想毛共下一代或將變成溫和面目，這真是英國人的傳統外交觀念——只顧今天，不管明天，現實到了極點，可惜共產黨人沒有「紳士派」的氣質，英國的對華外交，乃祇有黯然神傷，自悲淪落了。

二次大戰後的英國，非復十九世紀的大英帝國了，國力式微，殖民地紛紛解體，英國之害怕發生對外戰爭，是值得同情諒解的。可是，英國又不肯放棄一等強國的地位，對世界問題還要與美國分庭抗禮，平分秋色，而其實力不足以濟之。於是乎，外交行動乃不免步驟凌亂，常有自尋煩惱的結果，而以對華外交為尤甚。今後世界安危前途，繫於亞洲之能否保持和平秩序，而亞洲和平秩序之能否保持，唯一關鍵就在中國能否得到自由統一，成為亞洲的安定力。英國現行的對華外交政策不改變，自由世界即永無和平之日，蕞爾香港如何存在，固屬微末不足道的枝節問題也。

自我陶醉　　當堂出醜

今日與明日

林氏昆仲善後問題

為暴徒縱火焚死的林彬、林光海兩烈士，終於在九月六日上午秘密安葬了。兩位林烈士不能公開出殯，就區區來說，是早在意料中，因為殯期如果事前公佈，送殯賓客可能有數萬人，到時秩序如何維持，警方將大傷腦筋。老實說，怕暴徒擲炸彈還在其次，最使警方担心的，如果憤怒的羣眾在送殯時一聲怒吼奔向左派機構，不論□一間若被羣眾打開，那一小撮人尚有噍類乎？此是警方真正不能公開為林氏昆仲發喪的理由。我們雖然不同意警方的舉措，但對當局的苦心還是予以深切諒解，平心而論，換了我們是當局，也只有這個辦法。

目前雙林烈士已經入土為安，死者已矣，生者何堪！我們今天要研究的是如何撫恤他們的遺屬。雖然商業電台對此已有表示，但港府與市民仍應盡一部份責任，以慰死者在天之靈。

就兩人現在環境來說，林彬境況自然優於林光海，但就長遠看，林彬的困難卻較多。因為光海所負担的只是父母，弟妹逐漸成長，可以接替光海，到是林彬遺下寡妻三稚女，來日方長，何以善其後。因此，社會羣眾一定要作一通盤打算。

目前社會上已有廣大羣眾為兩人捐欵，但由於沒有正式組織，為數亦寥寥，愚見以為應正式組織一個委員會，推定何佐芝、徐家祥二人為正副主任委員，所有新聞，文化及社會名流（按此處指李福樹、簡悅強、彭富華等一流人物，並非泛指所有名流及議員，特此聲明，以免誤會）均列名委員，展開廣泛勸捐。更希望馬會主席能先此聲明，馬會對此項捐欵與警察相同，以相對基金捐助。然後交與銀行投資，按月支兩家生活費，直到林光海父母百年之後，林彬女兒受完正式教育為止，然後將此欵辦一間二林紀念學校，以收養無父母孤兒。

另一紀念方式，在林氏昆仲遇難處豎以紀念牌，碑文大書某年月日共黨匪徒殺害林彬、林光海於此，碑陰則刻以專文，詳述兩人身世及香港當時為匪徒擾亂經過，以便後世人們皆知道在中國人裏面竟然有這一羣暴徒，在中國歷史上竟然出現過這麼一個黑暗的時代，則二林昆仲固然永垂不朽，匪徒罪行也將永難逃於天地之間。

目前本港民眾自林氏昆仲死後，此一怨氣始終未得宣洩，鬱積既久，一旦爆發將不可收拾。為政者當作屈突徙薪之謀，勿作焦頭爛額之計。今日既不能捕獲兇手，則唯一宣洩之道，只有盡量優禮林氏遺屬。區區此見，並非專有愛於林氏也。（何如）

自由談

庸俗的政治人物

馬五先生

美國前任總統艾森豪威爾最近發表談話，主張美軍應以全力摧毀越共的軍事基地，對越戰必須徹底獲得勝利。這意見與美國一般高級將領如前空軍參謀長李梅，前遠東美軍統帥克拉克等人相同，允屬正確的戰畧思想。

可是，當年美國對韓戰實行屈辱和談，甘受「紙老虎」的惡諡，後來又採取斷絕石油供應的嚴厲手段，強迫英法聯軍停止進攻埃及以打倒納薩政權等驚人事件，都是艾森豪總統先生的傑作，昔何恇怯今何勇，殊令人莫名其妙也！

這證明一般政治人物在朝和在野的心情迴然有別。在朝時利祿薰心，一是皆以安富尊榮為本，唯恐多負責任，損害自身的政治利益；在野時頭腦清醒，遇事即憑理智來衡量，每每發出由衷之言了。這又反證政治生活確屬卑鄙齷齪，汩沒人性與理性，實在不是正經的玩藝兒。

作政治領袖的人，既有幾副面孔，一般為貧而仕、藉以驕其妻妾鄉黨的官僚政客，其面目之變幻莫測，更是嘆觀止矣！當其背時在野之際，對人對事，皆能明心見性，表示固有的氣質，一旦得意在朝，即隨時顯出一種矯揉造作的醜態，言談不落邊際，嘻嘻哈哈，治事轉彎抹角，力求推宕，裝成滿腹經綸，莫測高深的樣兒，自以為是了不起的大人物，殊不知別人瞧着肉麻而又可笑，有如在戲台上看小丑表演呢！

凡是幹大事業的英雄豪傑，他在政治上常能表示真性情，有時候雖不免亦要使用權術，但原則決不變易，真理更不犧牲。像艾森豪的言行，只是小政客之流亞，不足以登大雅之堂，說他是美國歷任總統中最庸俗的一人，并非苛論也。

高雄郊區草衙農民房屋 市府決定訴請拆屋還地

高港第二港口十年工程計劃開始實施

（本報高雄記者趙家驊航訊）高雄市政府頃已決定：對都市計劃範圍外之草衙地區農民搭蓋房屋事，向法院進行訴訟，要農民拆屋還地。市府還準備了二百萬元的訴訟費，委請律師，專打這塲官司。

在草衙這塊放領的耕地上，不數年間居然興建了近千幢的房屋；因草衙非都市計劃範圍地區，市府不能以違章建築去處理，故當時放任農民建屋。

草衙現雖屬郊區，但在可預見的將來，必將劃入都市計劃範圍。正因爲如此，市府乃決定採取斷然的拆屋還地，進行法律途徑的措施。

然而，千幢的房屋興建，自非一日之事，主管農地的地政科事先難道未有所聞嗎？若事先知悉，爲何不予以取締？倘事前不知情，試問這些地官是幹啥事的？況且，千幢的房屋，馬上予以拆除，農民的損失何等大呢？每棟房屋以五人居位計，拆屋還地之後，即有五千人露宿荒野，這是一個極爲嚴重的社會問題，恐非控告農民可以解決的。而二百萬元的訟費，都是老百姓完粮納稅的血汗錢，今市府以此鉅額公帑不用於地方建設，却用之於與老百姓打官司，又說得過去嗎？

高雄港第二港口十年完成的工程計劃，開始實施了。十年的時間在整個國家經濟建設的歷程上，不能謂長，但在欲解決第一港口的船舶擁塞達於頂點的現實狀況下，可謂「欲梅止渴」。交通當局這種「水到現挖溝」的作法，航業界批評說能止渴也好，可是連「梅」就望不到，遑論「止渴」？

高雄港的吐吞量今年可能突破一千萬噸，可是這個胃納量太小的所謂「國際港口」，無論棧埠，倉庫，碼頭，浮筒，設備等都不足以承担進出貨物所需具備的條件，外輪進港等十天半月沒有碼頭可靠，已司空見慣，不足爲奇。

高雄港目前進口的船舶非常擁擠。據該局某人士說：散裝穀類，不能超過兩條同時在碼頭上工作，現在竟停靠四條，四條船同時裝卸那是騙外行的。他指出曾經一萬噸級的船隻裝卸最不光榮的紀錄足一個多月。至於起重機，他說：還是日本留下來的五台；說買總是不買，以致每天幾萬噸的貨物卸不下來，即卸下來又沒有倉庫可裝，迫得貨主只有在「船邊提貨」，把貨物運到私人倉庫，無形中公家蒙受損失。可是「船邊提貨」海關又不願意，惟恐走私。港務局對以上的問題始終沒有徹底的解決辦法，航業界極不滿，可是港務局總有理由講云云。

爲了避免航業界指責，乃轉移視綫目標，該局幾乎是每天[illegible]大肆宣傳一「遠程發展計劃」，「開闢新商港計劃」，「中洲島開發計劃」等等不一而足，眞是洋洋大觀，嘆止此矣！此種作風若非好高騖遠，即是自我標榜；試問一港之不治，乃大談遠程計劃，有人相信麼？

高雄港第二港口十年完成的工程，經濟部長李國鼎在開工典禮中說：十年後十萬噸級的輪船可以自由出入，因爲船的噸位趨向大型化，將來的油輪可能達到三十萬噸云。由這幾句話中提示給我們的即是：十年後第二港口又落伍了。

交通部長沈怡特別強調：這是一個歷史性的典禮，在黃主席任內所作的大事中最大的一件大事云云。沈部長的話沒錯，一般看法是交通部（處）開闢第二港口是「大處落墨」，對於目前高雄港的擁塞現狀，并不兢兢於這些小節，也從未聞交通部（處），對現在的狀況提出具體的改善辦法。所謂「貨暢其流」，就是第二港口用神速的辦法馬上竣工，也未見得能夠即刻解決高雄港的所有問題，使貨物快裝快卸。明乎此，「經濟」的意義可思過半矣！

檢討海外文化教育會議

本報駐台記者劍聲

各地華僑子女須接受當地政府之義務教育，又須接受華文課程，因而華文課程有逐漸減少之趨勢；歐洲、美洲、澳洲、非洲等地，華僑人口分散，僑校不易設立；僑胞爲遷就當地實際環境，多將子弟送入外文學校；而承認「中共」的國家，對僑校多採管制措施，致部份僑校被迫關閉。

這些問題，六年前，陽明山會談，多有討論並決定，但至今尚未作正本清源之圖，而今舊事重提，實使人不無迷惘。

僑報的困難

華僑教育之困難，已如前述。而海外新聞事業所遭遇之困難，亦復如斯。

海外報紙的歷史較爲悠久，而近年來廣播事業亦漸發達。華人衆多之地區，新聞事業之經營較具規模，但全球約有三分之二的華文報紙僅可維持，不少且甚感困難。

僑報因時代的變遷，已有趨向沒落的跡象，其原因是由於：一，新生一代僑胞已多接受當地的教育，習於僑居地的語文。二，華文報紙缺少變化與進步，這是缺乏主筆、編輯及印刷技工所致。三，由於電訊設備缺乏，資料來源貧乏，故新聞內容不能滿足僑胞讀者的要求。

這些問題互爲因果，致使除少數地區如香港之外，僑報陷於需塞不前的情況。是以無論僑校也好，僑報及電台也好，其主要的問題是更新設備，充實人才；而這兩個問題之解決，必須要有充裕之資金。但提到錢的問題，則政府當前之財力，較爲困難，故必須走企業化的路子，以事業養事業，而逐步達到自力更生。惟這個問題，做起來便比說起來難得多了。

因此，記者認爲如欲解決這些問題，應首先對各僑居地之法律加以研究，並採取外交途徑及運用當地法律之漏洞來改善客觀的環境。其次採取美援相對基金的辦法，或透過聯合國文教組織，來解決各地僑校僑報及廣播事業的資金與人才問題。

會議宣傳問題

最後，記者就宣傳問題提出來加以檢討。我不是攻擊某些人，只是就事論事，並希望九月下旬即將舉行之海外華僑會議，不要再發生這些無聊的事件。

海外華文文教會議秘書處設有新聞組，由華僑社負責人主持與各報記者連絡並發佈大會新聞資料工作。在八月初，該新聞組即分函台北各報及各僑報台北機構，指派記者採訪文教會議的新聞，該函有所謂：「爲加强對會議新聞報導，敬希貴報屆時賜派記者一人參加採訪」云云。惟台北以外之各地區的報紙，並未邀請，因而發生「吵」的事件。這種漠視外縣市報紙採訪自由的觀念是錯誤的。該新聞組既强調「爲加强對會議新聞報導」而邀請各報記者採訪，但在發「證」的那天，隨證發了一份「採訪海外華文文教會議新聞注意要點」，該要點有三項禁止及一項指示：第一、海外各地出席人員姓名，原則上不予發表。但如其本人自願發表者例外。

這個禁止的結果，原始邀請之代表名單，編號列爲「機密」文件，但這項密件，爲台北聯合報於八月十三日全部公諸報端，然守法者則大呼上當不已！

（四）

我是一個「紅衛兵」

・王朝天・

我是一個運動員，游泳很出色，我決不會相信毛澤東游泳長江的成績。這也是大家不相信的成績。大陸上的傳說是毛澤東浮在江面上，底下有二個游泳健將托着他游，沒有游多遠，完全爲了拍照。

我是運動員，我決不會相信學習好毛澤東思想，就能打好球。運動成績是要靠苦練的。

毛澤東要我們「破四舊」，要更換一切含有封建意味的建築物的名稱。爲什麼「天安門」不改名稱？爲什麼「天安門」前兩個華表不拆除？這是十足封建的。有「紅衛兵」提出過，但被阻止，說：「等一等，將來再改，再拆，現在是毛主席要去的地方。」這不是毛澤東破壞「文革」嗎？

學習「毛澤東思想」的情形說來眞可笑。目前大陸學習好毛澤東思想的只有二個人，一個是他的妻子江青，另一個是林彪。除此二人以外，沒有一個人敢自認學習好「毛澤東思想」。劉少奇跟着毛澤東三十多年，現在成爲反毛思想的人。可見實在太難學了。

說它容易也不假。例如「老三篇」，現在中心學習的是「老三篇」。「老三篇」是三篇極簡單的文章。除了要大家爲毛澤東拼命之外，沒有其他意思。「爲人民服務的」一篇，文長只有六百字左右。每個「紅衛兵」幾乎都能背出來。內容是說一個中共中央警衛團戰士張進德在山中燒窰，因炭窰崩坍而死亡。這種事情不是太簡單了嗎？毛澤東文內說「張進德是爲人民利益而死」，但在文內並沒有說明白如何爲人民而死，因何而死。文中許多話都文不對題。我和我所知道的「紅衛兵」都是愈學習愈糊塗。

「毛澤東語錄」是一個隨身法寶，也是一道護身符，我就帶在身上。說起來一點用處也沒有，可是在大陸上不帶語錄，就算犯了罪，就是反革命分子。說起用途也很大。例如「紅衛兵」因爲爭奪上車或者爲了一些細故，吵嘴打架，就會有人拿出語錄來唸。雙方都會暫時停手。等語錄一唸完又打起來，連到那個唸語錄的也打成一團。在車上，吃飯、睡覺、做任何事情，都要唸語錄。

毛澤東是反對個人崇拜的，但這不是個人崇拜嗎？林彪是「紅衛兵」的副統帥。我們對他毫無信仰，當然不會聽他的話。林彪現在是中共中央唯一的副主席。葉劍英曾在十一月六日對某軍事學院學生的講話中說：「林副主席參加南昌起義時起，一直在毛主席身邊，是學習毛澤東思想最好的榜樣，他運用得最靈活。在多次政治運動中，在各個重要關頭都站立在毛主席這一邊。他年僅五十九歲，是中央領導人中最年輕的一個。他是毛主席經過卅八年的細心觀察，才認爲他是最恰當的人選。他是我們的副統帥。他身體內外都很健康，神經雖稍受創傷，這不影響他的思維。他的性格最堅強。」

很多「紅衛兵」對某些書店仍將林彪的像掛在第六位一事，提出抗議。在書店門前貼了「大字報」：「爲何把我們最敬愛的副統帥－林副主席排在在第六位呢？你們是何居心？可見偉大的「文化大革命」還未觸及你們的靈魂深處。」

我們「紅衛兵」對於林彪是賦惡而非信仰。我在毛澤東接見時，遠遠地看到林彪，沒有肅然起敬的觀念。只覺得他提高了[illegible]子在喊，喊的是什麼也聽不清楚，在我耳際環繞的，只有「同志們！」三個字。我想別的「紅衛兵」也是如此。我們懷疑，過去我們知道劉少奇是毛澤東的繼承人，是毛澤東最親密的戰友，很少聽到林彪。這次「文革」林彪才出現。將來毛澤東是否還要更換他的繼承人呢？林彪沒有自己的思想，他只是學習毛澤東思想最好的一個人，他如果繼承了毛澤東，也只是和現在一樣。我們不相信毛澤東，自然也不會相信林彪。

大陸上過去有學習雷鋒、王杰等運動，這完全是騙人的事。我們都懷疑，有沒有這個人。因爲前後幾個人的說法不一樣。我們特別懷疑的，有幾點：一、雷鋒那樣一個人，文化水平很低，爲什麼能寫下這樣的日記。

（十一）

中國圖書在美展覽 中外學者一致歡迎

（美國密歇根州安阿伯通訊）八月十三至十九日在此間舉行的國際東方學者會議中，曾舉行國際出版展覽，中國攤位的展出，引起了中外學者一致的歡迎。

此一展覽會場設在密歇根大學舞廳，參加者約五十餘個單位，代表中國參加的是中國出版公司。

該公司蒐集了自由中國十八個出版機構的二十八種出版物樣品，共八十餘册，其中最引人注意的是故宮博物院的書刊及中國名畫的複製品。

此外如中央研究院的各種故檔，資料，及中央圖書館編輯的各種書目索引，在東方學者眼中均係難得的珍品。

該公司在展覽期間，日接訂單數十份，此一事實證明，中國出版物在美國有的是銷路。在中國研究風氣吹遍全球的今天，國內出版界實應針對此種需要，在海外多多舉辦此種展覽，並設永久性的圖書供應中心。

瀛海異趣談

王族慶添丁揮金如糞土

·桑雅·

一個王國的人民，每於太子降生時舉行熱烈的慶祝。原因之一是，這些嬰孩是屬於每一個人的。一個八磅的嬰孩可能改變一個國家的命運，影響數以百萬計的人民的生活。另一個理由，當然是王室也想舉行盛大的慶祝。

沒有人能夠猜估七年前伊朗太子降生於德黑蘭時所用的慶祝費的數目。歷三千五百年而不墜的孔雀王朝在動搖着，因爲全國期待着王后花拉生產一個男孩。這個嬰孩必須是男嬰。祇有男孩子才能夠繼承的孔雀王朝——一個傷悲的、美麗的王后已經離開了后座，因爲她沒有生養過兒子。因此，王后快將產子的時候，羣衆擠擁街頭，祈禱上蒼和等候鳴炮。

突然的，禮炮響了，宣佈王后產子。德黑蘭街頭的羣衆肅靜起來，細數炮聲，十九響……二十響……廿一響……這是一個皇族嬰孩降生的訊號呢！繼之，經過了屏息的靜止之後，二十二響……二十三響……直至四十一響。這是向一位太子慶祝的敬禮！飛機立即在首都上空飛行，投下數以百萬計的玫瑰花，街上的羣衆唱歌和跳舞。幾小時內，數以千萬計的奇花，構成一幅大地毯，環繞着王宮。王宮入口通路的四個大拱門，掛着一百多萬朵牡丹花和菊花。

伊朗國王宣佈全國休假一天，並且每一個人都獲得退稅。人民湧進首都，帶同數以百計的羊和牛，爲慶祝太子的降生而奉神的犧牲。花拉王后也提出一個私人的請求，於奉神犧牲開始之前，赦免這些牛羊——羣衆興高彩烈的把他們的牛贈給窮人。幸運得源源送到王宮，並有儀式的象徵幸福的甜肉，許多囚犯獲釋放，其他的也獲減刑。

伊朗盛大慶祝了七天。在這時間，人民等待着這個孩子的命名。在那已有幾千年歷史的儀式中，國王和他的王后，把寫上了他們所選擇的幾個不同的名的紙條，夾在一本可蘭經裏。到了第七天，國王揭開可蘭經，撿出一張紙條，紙條上寫着利薩。這個嬰孩於是命名利薩太子——他將統一團結一個國家民族以効忠於王室。

五年前，出生於多事的中東的哈辛王的八磅十三安士兒子阿浦杜拉的情形也是如此。哈辛王的王后穆娜是英國人的事實，煽動了久已像火般熱的政治情緒，但一個男嬰的誕生，却有無限的魔力。無綫電台於上午七時十五分宣佈這消息。五分鐘，首都安曼沸騰，像發生革命一般。數以千計的公民站在屋頂或街上，朝天發射來福槍以示慶祝。在街上充滿着燈和花，陸軍及童子軍的樂隊在街上操來操去，人民跳舞，禮炮大鳴。

哈辛王宣佈全國放假一天，釋放囚犯，贈給醫院女護士五百磅並贈勳章給醫生們。幼嬰阿浦杜拉使一切王室希望實現——當他被抱出去給人民觀看時，他獲得人民的熱烈支持，這種熱烈情況是久已不見的。

荷蘭的太子誕生，這是一件喧鬧的事。新太子墜地叫三聲，却獲得世界上最大的敬禮——禮炮一百〇一響。這也不足爲奇，因爲這是荷蘭王朝一百一十六年以來的第一個男性繼承人。威廉亞力山大的誕生，立即帶來勝利——羣衆向他的父親克羅斯王子歡呼。不過，不到一年前，荷蘭人對貝特莉絲公主與克羅斯王子結婚是意見紛歧的，因爲他是一個德國人。在他們前往舉行結婚典禮的途中，沿途會有人舉行示威及投擲烟彈。威廉鎮壓了所有這些事。禮炮停了，荷蘭每一間禮拜堂的鐘敲響了。繼之，皇室頒發命令，全國學校放假一天，全國學童獲皇室的現金禮物——價值約二鎊十九先令的儲蓄簿，使皇室支出好幾百萬鎊。同日產子的母親也獲得禮物。

皇室兒女的誕生，幾乎是一件公衆的事，因爲人民要知道清楚他們不是被騙的。最後一件這種大事是，一九〇七年西班牙的阿斯杜里亞斯王子的誕生。皇宮擠滿了人，甚至這嬰孩出生的房間——有政府部長、武裝部隊的首長、市長和參議員，二十位主教以及數以百計的西班牙貴族。

這種注視是多世紀來英國皇室兒女出生的特徵。例如一五五五年，英國慶祝皇后瑪利刁陀產生太子，一個傳教士甚至描述這個活潑的太子，不幸的，皇后根本沒有懷孕——她從未生養過孩子。沒有人紀錄這謠言是怎樣產生的。其後，英國王室兒女，都有主教和閣員在旁監視。今天，英國王室兒女的出生，却是一宗寧靜的事件。

英國王室兒女的出生，通常在皇宮外張貼佈告——囚犯却不被釋放出來慶祝。事實上，當英國王室有嬰孩，他們都與其他的嬰孩一般誕生。當菲臘親王聽到他的兒子出生，他對他的密友們說：「來吧，讓我們開一瓶酒吧。」他開了一瓶酒，並以雪茄分贈他們。

美國生活漸顯進步，已成爲舉世嚮往效法的對象；但對習慣於中國生活，懷念中國文化情調的留美華人，在心情上有時會感到若干矛盾，這些矛盾出現在日常瑣事中，也出現在婚喪大典裏。

八月九日紐約華美日報刊出短文一篇，談到留美華人的結婚儀式問題。作者所介紹的雖然只是與民國俱來的「文明結婚」儀式，尚不能代表鳳冠霞帔三跪九叩的古色古香，但亦足以代表中國情調。這篇文章雖是寫給留美華人看的，同時亦反映出留美華人生活感情的一部。茲介紹如下，以饗讀者：

海外華人結婚儀式

·陸泰·

七月二十六日是一個「黃道吉日」。一位新聞界的朋友耿修業君的女兒，在紐約于歸葉君。因男女雙方家長都在台未來，婚事由其友好趙連福氏等代爲主持。趙氏一向提倡中國人結婚用中國式儀式，記得四年前他的長女于歸時，即採用中國婚禮，當時到場的來賓數百人無不嘖嘖稱羨。此次他乃照前例辦理，特請程其保先生證婚。其婚禮秩序大約如下：

一，奏樂（張燈結綵）。二，證婚人、介紹人、主婚人入席。三，伴郎伴娘引新人入席。四，證婚人宣讀結婚證書。五，新郎新娘相向立，互行鞠躬禮。六，新人交換飾物（用印）。七，雙方家長、介紹人、證婚人用印。八，證婚人致訓，來賓致頌，家長致訓。九，新人致謝。十，茶酒招待。

我認爲這個儀式是值得在國外予以提倡的，所以不憚煩的把他鄭重的介紹一下，其理由大約如次：

第一，中國是號稱禮義之邦，在海外的兒女們，建立新家庭者日多，我們自己連一套婚姻大典都沒有，使他們無所適從，太不像話。

第二，信仰宗教的人們，到所隸的教堂結婚，自無不可；原無宗教信仰的雙雙對對所在皆是，一定爲了結婚非進教堂不可，實在有些勉强，而且突然央請牧師，商借教堂也太不方便。

第三，在結婚進行當中，牧師獨自背誦經文，觀禮人未必全能了解，禮成之後，似乎賓主各方意有未吐情有未通，實失善頌善禱之意義。

第四，在現代世人追求中國文化，學習中國語文之時，我們寄寓海外的僑胞，趁此成家大典特把中國禮儀重溫一遍，向外人表示我們是飲水思源，這不是極有意義之舉嗎？

剖析八十二名反毛的中共中委

·李敦復·

韓哲一（上海市委會書記，曾任國家計劃委員會副主任，在中共權力鬥爭中，被紅衛兵指名攻擊，罪名是「修正主義路綫的壞份子。」）

江渭淸（候補中央委員，江蘇省委會第一書記，今年一月初，領導「工人紅衛隊」與擁毛派的「紅衛兵」，在南京發生流血大衝突，情勢緊張，當時京滬鐵路交通中斷，是中共區省市領導階層大規模反毛活動最猛烈的一次，已遭整肅。）

許世友（候補中央委員，國防部副部長，上將，南京軍區司令員，由於久未露面，可能已遭毛派軟禁。東京電傳毛澤東曾於一九六五年十二月至一九六六年五月，在杭州一度被軟禁，許曾奉命監視。）

譚啓龍（候補中央委員，山東省委會第一書記，在中共奪權鬥爭中，被指爲山東反毛當權派，進行反黨，反社會主義，反毛澤東思想，打擊毛林派，鎮壓「革命羣衆」，搞「反革命經濟主義」，已遭毛林造反派整肅。）

中共山東省委員會

第一書記：譚啓龍（見前。）

書記：白如冰（山東省省長，據今年二月十五日中共廣播，是反毛當權派，已於二月三日被毛林造反派整肅。）劉秉琳，蘇毅然（山東省副省長。）梁再溫。

中共江蘇省委員會

第一書記：江渭淸（見前。）

書記：劉順元，惠浴宇（江蘇省省長。）陳光，許家屯，李士英（中央監察委員，原排名第一江蘇省副省長，曾任最高人民檢察院檢察長，今年一月初，曾與上海市委員會第一書記陳丕顯，上海市長曹荻秋等領導十萬人之「工人紅衛隊」與擁毛派的「紅衛兵」在南京發生流血大衝突。）彭冲。

中共安徽省委員會

第一書記：李葆華（見前。）

書記：張愷帆、李任之、王光宇、宋孟隣、黃耀南、任質斌、李豐平、李世農。（十三）

中國女性文藝春秋

周遊

孟珠是魏丹陽人，能爲陽春歌，今存三章。歌云：陽春二三月，草與水同色，道途治游郎，恨不早相識。陽春二三月，草與水同色，攀條折香花，言是歡氣息。望見四五年，實情將懊惱，願得無人處，回身與郎抱。

這三詩的風格，和子夜的「子夜歌」相似。大概是在漢末亂後時的，女性的處境已不比從前，所以會產生如此艷麗婀娜的妙文。當是女的賦家，有丁異（广旁，以下同）之妻某氏，丁異在建安中爲黃門侍郎，同陳思王（曹植）相親近，爲之黨羽。曹植失敗，曹丕篡漢後，便把他宰了。因爲他是擁植派的人物。所以，我說曹丕、曹植的不合，子建被疏遠，多半是基於政治因素。丁異死了，他的妻子作「寡婦賦」自傷自吟：

惟女子之有行，固歷代之彝倫。辭父母而言歸，奉君子之清塵。如懸蘿之附松，似浮萍之托津。何性命之不造，遭世路之險迍？榮華曄其始茂，所恃奄其徂泯。靜閉門以却掃，魂孤煢以窮居。刷朱扉以白堊，易玄帳以素幬。含慘悴以何訴，抱弱子以自慰。時翳翳以東陰，日亹亹以西墜；雞斂翼以登棲，雀分散以赴肆。還空虛以下幃，拂衾褥以安寐。想近者之有恐，因宵夜之髣髴。痛沉沒之異路，終窈漠而不至。時荏苒而不留，將遷靈以大行。駕龍輴於門側，設祖祭於前廊。彼生離其尤難，矧永絕而不傷！自銜而在疚，履春冬之四節。風蕭蕭而增勁，寒凜凜而彌切。霜凄凄而夜降，冰粂粂而晨結。瞻靈宇之空虛，悲屏幌之徒設。仰皇天而歎息，腸一日而九結。惟人生於世上，若馳驥之過隙。計先後其幾何，亦同歸於幽冥。

晉人潘岳，也有同名「寡婦賦」之作，但不過是同情之想像而已，比不上她躬受其悽楚之感的作品。在文學史上，潘岳的「寡婦賦」時見引述，而丁異之妻這篇「寡婦賦」却甚少爲人所知，引者亦少。女性文學家們多數的不幸，實在是由於封建社會的罪惡而然，多少女性文學天才，也皆因此而埋沒了。而且男人們却把許多的不幸事件歸咎女性，女人們還有何話可說呢！

晉代的女性文學家

晉代是亂世，中國文學到此時代也有所丕變。由古典文學發展到自然派的古詩，阮籍、陶淵明即爲此時代的代表人物。而古賦則趨向於古典和駢儷的道路上去了。也可以說，古詩賦已朝向墳墓進軍了。但是，民間的文學——詩歌，却甚發達。因此，自然派的古詩在此時代，已不能掌握文壇的中樞。這一時代的女性作家也沒有出色的表現，除了寫點隨聲附和的古典詩賦外，沒有什麼可觀的作品。就是別出心裁的作家，如蘇蕙的「織錦迴文」詩，只不過是一種特殊文藝品，不是普及的文學，只可謂文學中的特藝品，尤不足以代表一個時代的文學。因其本身是毫無情感與風韻，都是一些枯槁無味的文字陳言。嚴格的說，這種東西簡直不是正牌的文學。

因爲晉代是亂世，一般文人也不能超脫時代的影響，大家都有志一同的沉浸在醇酒與藥物之中，所謂「明哲保身」，崇尚清談，玄而隱之，普通人聽了，莫測高深，以爲這些人講的是經訓古理。這就是當時所謂「淸談」的風氣。這派人中最著的女性作家，只有謝道韞一人。其餘不足觀也矣。（十六）

祈雨憶往

閑夜

每逢天旱，均有祈雨之舉，且有祈雨禱詞，親詣城隍廟焚化，見者譏其迂腐，一笑置之。惟僕以為在人造雨尚未完成以前，空中不下雨，則似乎除祈求蒼蒼者天以外殊無其他特效方法。是則祈雨之舉，似亦未可厚非也。嘗憶少時，習聞耆老輩語及清光緒乙未歲之奇旱，野草樹皮既盡，則取觀音粉（一種粘性泥）充飢，致腹膨脹，大便時痛苦如婦人生產。幷盛道當時邑令率父老輩祈雨，醮台如何高築，儀禮如何隆重，祈雨台之聯語，撰者誰，如何膾炙人口。述者慨乎言之，吾輩之少年聽者，則凝神靜息，恍惚身入孔子時舞雩歸詠之境，與古為鄰矣。

祈雨之風，迄民國初年，仍未盡廢。尚憶某歲亦久旱不雨，但未聞縣署有祈雨之議，鄉人欲環請，但皆噤不敢言，因當時之縣知事王某（惜失其名），在民間心目中，為嶄新人物，決不願禱於上下神祇者。王知事眇一目，衆稱之為王瞎子，接篆之初，即革除一切陋規，其出也，不僅無肅靜迴避牌，不鳴鑼開道，且常舍輿步行，不從一僕。時司法尚未獨立，舊習衙門八字開，有理無錢休進來，平民訴訟狀之遞入，已非錢不靈，遑論曲直？王知事常行署門，覩鄉民之持狀逡巡者，輒迎而親自接取。鄉人不識為誰，未投。王直告曰：「我即縣知事也，狀何不交？」鄉人瞠目，疑衙吏之誑己也，經署中人見者，正顏斥之，始惶恐捧呈。出語人，紛傳驚異。

旱時適值青黃不接，穀價飛漲，郊區巨紳入署，請示開倉平價事。吏止之曰：「知事正在後院祈雨，請靜候」。紳愕然曰：「祈雨大典也，安可在後院默默獨行，其欺我耶？」吏笑曰：「君入，匿廊後瞰之何如？」紳果隨而竊窺，則遙見王知事裸上體，危立烈日中，雙手交胸，昂首望空際，似口中喃喃有詞者。吏低語紳曰：「知事每日如是者近旬矣」。紳大為感動，遽趨前鞠躬請曰：「明公愛民如此，固可上通於天矣。但祈雨宜設壇建醮，紳民等當匍匐隨之，安得獨苦邑尊耶？」王知事諭之曰：「倘天心可回，則一顆誠心足矣。建醮設壇，是雨未降而先已勞民傷財，又何祈為。」紳唯唯以退。此事立傳遍四鄉署，請隨縣知事長跪祈雨。斯時僕尚稚，所居距城遠，未及躬逢其盛。惟默念往昔所傳者，猶歷歷如繪，深感似王知事其人，以古義衡之，誠不愧民之父母。即就今義言，亦不失為人民公僕也。

婦人干政的禍害

諸葛文侯

毛澤東教他的老婆江青主持所謂「文化大革命」運動，為的是要奪取他已失墜了的政治權力，本質上與中國歷史上各個朝代的宮庭之變相同，而其結果亦不會有兩樣——亂政敗國，貽禍維烈。假使毛酋的奪權運動成功了，江青的政治地位當然高升，挾着老悖昏瞀的「毛主席」發號施令，為所欲為，一定要重蹈中國歷史上婦人干政的覆轍，禍國殃民，把秧歌政權澈底斵喪而後已，誚予不信，請看史事。

中國歷史上第一個奪權干政的婦人是秦莊襄王的夏后，也就是中國首稱「皇帝」的秦始皇的生母。她因為兒皇嬴政長大之後，憎惡她的姘頭「大陰人」嫪毒，害怕始皇要殺他，戀姦情熱，乃把太后的印璽交結姘夫，徵發各地兵卒，實行造反，爭奪皇位，結果失敗了。「大陰人」車裂棄市，他跟夏太后私生的兩個兒子，亦被始皇的武士活活摔死。貴為太后，竟不惜幫助姘夫來搶奪自己兒子的江山，寧非駭人聽聞的事嗎？幸而秦始皇正在壯年，內部亦安定，禍亂得不蔓延，但其母子的穢史，即因此流傳千秋萬世了。

次為漢高祖劉邦的呂后，她於劉邦死後，以嗣位的兒子甚仁柔，竟越位擅專政柄，把不是她親生的劉邦諸兒趙幽王友、共王恢、燕靈王建一概屠殺掉，大封呂家的兄弟子侄為王侯，幷且掌握兵權，大肆淫威。更將劉邦的如夫人戚姬斬去手足，挖去眼睛，置之豬欄內，號為「人彘」，還教親生兒子去查看，嚇得兒皇帝大呼「此非人所忍聞。」後來幸得陳平、周勃等元老功臣設計平亂，纔把漢祚保持下去。

再有晉惠帝的賈后，利用丈夫是白痴，乘機干政，把惠帝的兄弟一概殺掉，又屠殺不是她親生的太子遹，連她婆婆楊太后的三族亦殺光；楊太后跪在她面前稱妾，乞貸老命，她亦無所動容，格殺勿論。這與「毛后」江青今日對付劉少奇、陸定一和其老婆等人的情形相同，都是忌妒心理作祟。賈后的宮廷政變之亂，終於釀成八王之亂，她最後被趙王倫矯詔處死，而晉室亦趨入敗亡境況了。

唐代皇后武則天的禍事，人人都知道的。她不但是誅戮夫家的子弟親貴，連自己親生的兒子亦無所愛惜，廢立戮殺，滿不在乎，硬要篡奪皇位，改號稱尊。至於穢亂宮庭，佞幸盜朝，利用酷吏以殘賊正人君子等行為，尤厲古今罕有，貽禍國家民族之烈，匪可言喻也。

降及滿清王朝，乃有咸豐帝的妾妃葉赫那拉氏——後稱慈禧太后。她以圓明園的宮安，善唱南方小調，而見幸於清帝，適逢太平天國大革命之役，咸豐帝憂愁多病，隨時教她代閱文武大吏的疏奏，預聞政事，迨清帝一死，即串通手握兵符的姘頭榮祿，挾持咸豐皇后，誘惑恭王奕訢，進行宮庭政變，矯制垂簾聽政凡四十年，甲午的中日戰爭，庚子的義和團之亂，召來八國聯軍攻破國都，國勢一蹶不振。她臨雖殺害兒媳珍妃還不算，臨死尚要酖殺光緒帝；狠毒異常，而滿清帝業亦斷送在她的手中了。

以上這幾個干政亂國的婦人，除却呂后的出身和品行還算正端外，其餘都是些邪邪污污的貨色，跟「毛后」江青不相上下。毛澤東昏憒胡塗，認為一切久共患難的共黨幹部都對他不忠貞，只有自己的老婆纔是可靠的親信，敎猱升木，讓她干政奪權，却忘記歷史的敎訓「毛酋如不早死，「文化大革命」得告成功，江青在政治上的權力必煊赫不可一世，她很可能步着晉代賈后的後塵，激起大陸上的八王之亂，把秧歌王朝埋葬完事。古人說：「牝雞司晨，為家之索」，有以也夫！

許世英回憶錄中一二趣事

・吳文蔚・

許世英先生一生從政，自遜清至民國，歷官不衰，福壽雙全。在他晚年的回憶錄中，有二事頗饒趣味。

一、秦岳之怨

許氏於滿清係拔貢出身，當其赴京應試時，與一同寅秦君偕行，其路綫係由皖經豫入直隸（今河北省）以達京師。及至豫之湯陰縣境，僱雞公車載運（是一種用人推的木製單輪車）行李和人一併都在車上，走了幾天，很少言語，秦君頗感寂寞，便想跟車伕談談閒話，藉以減却長途疲勞，於是隨問車伕說：

「請問貴姓？」

「不敢，先生，我姓岳」。

車伕回答後，接着回敬反問道：

「先生，請教，你貴姓」？

「豈敢，豈敢，鄙人姓秦」。

問題就出在這一個「秦」字上。那車伕聽見一個「秦」字，便肝火上升，七竅冒烟，毫不猶豫，用力把車轅向上一推，恰好將行李和秦君覆蓋車下，口中罵道：

「你姓秦的和我岳家是世代仇人，你還坐我的車叫我推你嗎？去你娘的，算了吧！」

那車伕怒氣沖沖，一面罵，一面便把空車推着走了。

二、慈禧召見

許氏於拳匪之亂後，返回京師，任巡警總廳行政處僉事，官位為四品，可得慈禧召見。許氏敘述他晉謁慈禧皇后的情景時說：

「慈禧皇后坐在正中，光緒坐在她的傍邊，她大概先已看到了我的履歷，知道我曾經在西安行在處理過刑部的事，笑着對光緒說：許世英還是跟我們共過患難的呢！接着又對我說：『你現在是四品官了，我可以放你去當個知府，調劑調劑』！我連忙說道：『謝老佛爺的鴻恩，祇因我在外城巡警總廳還有很多事情尚未做完，我願意仍舊留在現在的位置做事』。她聽了，又笑着對光緒說：想不到他倒是個不願做官但願做事的好官！好，你回去好好的幹吧」！

許先生說：「現在是民主時代，但能獲得一國元首的召見，也是被視作殊榮的，在當時能得到慈禧召見，自然更是了不起的一件事。但是現在的謁見元首，可以相對而談，從前的謁見，却祇能低着頭進去，低着頭出來，除非偷看，絕不許和她作平視，所以我雖然見過慈禧，而始終沒有看清楚她是怎樣一個婦人」。

大政治家諸葛亮

河漢

三國時代，就魏蜀吳的整個國力來比較，蜀漢是位居在尾的，尤其失去荊州以後的蜀漢，它只擁有四川一省，和陝西的西南角。其後雖然開拓了貴州和雲南，幅員擴大了，然而那時候的雲貴是在原始狀態中，對於蜀漢所起的作用極微。諸葛亮便是這個弱小國家的丞相，就一般情況來說，真是不足道的雞口。可是他却成為中國有史以來最著名，最優秀的政治家之一，一千九百多年來，一直成為從事於政治工作的人物所歌頌，所企仰，所摹做。當他活着的時候，與他對陣的敵人憎恨而又欽佩他；當他去世以後，與他對陣的敵人感到週身輕鬆而又滿懷哀悼。在中國的歷史人物中，確實難於找到相同的例子。

諸葛亮與劉備共事的時候，劉備已經四十九歲，但諸葛亮還僅是個二十七歲的青年人。那時候，劉備已經歷過無無數次險惡的風浪，已經被掌握了半個中國、眼看可以統一中國的曹操認定為僅有的必須消滅的「英雄」；而諸葛亮不過是一個襄陽鄉間躬耕隴畝，半耕半讀的窮書生。但他們共事之後，即刻結成一體，「猶魚之有水也」，從此劉備有了明確的打天下的政略與戰略，從此結束了狼奔豕突，仰人鼻息的流亡生涯。沒有諸葛亮，劉備將成曹操的刀下鬼，孫權將成為曹操的俘虜——曹操即使在赤壁之戰敗北了，但他只要喘息一下，就可以再次發動進攻，粉碎孫權脆弱的基礎，統一中國。

開始，關於諸葛亮與劉備共事的說法，向來有兩種說法。一種說法是根據陳壽的蜀志：「時先主（劉備）屯新野，徐庶見先主，先主器之。謂先主曰：諸葛孔明，臥龍也，將軍豈願見之乎？先主曰：君與俱來。庶曰：此人可就見，不可屈致也，將軍宜枉駕顧之。由是先主遂詣亮凡三往乃見。」一種的說法是根據魚豢的魏略：「劉備屯於樊城，是時曹公方定河北，亮知荊州次當受敵，而劉表性緩，不曉軍事，亮乃北行見備。備與亮非舊，又以其年少，以諸生意待之。坐集既畢，衆賓皆去，而亮獨留，備亦不問其所欲言。備性好結毦，時有人以髦牛尾與備者，備因手自結之。亮乃進曰：明將軍當復有遠志，但結毦而已耶？備知亮非常人也，乃投毦而言曰：是何言與？我聊以忘憂耳！亮遂言曰：將軍度劉鎮南（表）孰如曹公耶？備曰：不及！亮又曰：將軍自度何如耶？備曰：亦不如。曰：今皆不及，而將軍之衆不過數千人，以此待敵，得無非計乎？備曰：我亦愁之，當若之何？亮曰：今荊州非少人也，而著籍者寡，平居發調，則人心不悅，可語鎮南，令國中凡有遊戶，皆使自實，因錄以益衆可也。備從其計，故衆遂強。備由此知亮有英略，乃以上客禮之。」以上兩種說法，我認為陳壽的記載比魚豢的記載可靠，因為陳壽原是蜀國的舊人，他所採取的是直接的第一手資料。其次，諸葛亮向劉備的兒子劉禪也明確地說明，劉備曾「三顧臣於草廬之中」，如果沒有這事實，諸葛亮沒有捏造的說法的必要。劉備依附劉表的時候，正是勢窮力蹙，前途一片漆黑的時候，拖着幾千衣食不足，戰志全無的殘兵敗卒，和關羽、張飛、趙雲幾個精疲力竭的戰將，面對着的却是猛將如雲，雄兵如雨的曹操。而劉表又是個想用他，而又不敢用他；希望他為看守荊州的地盤而流血流汗，而又吝嗇於這個非嫡系的雜牌部隊補充實力，讓他們士飽馬騰。這時候的劉備，恰像個落水將近沒頂的人，連一根爛稻草都要抓取，何況是才略遠勝於他一向認為了不起的人材的徐庶所推荐的諸葛亮？因此一個五十歲的沙場老將，向一個三十歲不足的無名書生低頭，在這一階段是不足為奇的。假如諸葛亮的被發現已在劉備建立小王國之後，劉備也一定不會有三顧草廬的氣度了。（一）

六君子在獄中

・備周

戊戌變政時曾看守譚嗣同等六君子之老獄吏劉一鳴云：六人在獄中狀態各有不同。譚是一位舊學者，雖在獄中，意氣自若，終日繞行室中，拾取地上煤屑，就粉牆上作書。問他何為，笑答做詩。可惜劉不知文字，不然若為之筆錄，不止「望門投止思張儉」一絕詩而已。林旭，美秀如處女，在獄中時時徽笑。康廣仁（康有為之弟）一到獄中，即以頭撞壁，痛哭失聲云：天哪！阿哥做的事，要兄弟來承當。林聞其哭，更笑不可仰。既而傳呼提犯人出監，康知將受刑，哭更甚。劉光第曾在刑部做過事，慰之曰：此乃提審，不是受刑，不必哭。提犯者皆牽他們由西角門出，劉知凡是傳赴刑場殺頭者，皆由西角門出，乃大愕大罵云：我們既未提審，又未定罪，竟予斬首，何瞶瞶如此！除此一歌、一笑、一哭、一罵相映成趣外，尚有楊深秀、楊銳等，在獄中緘默無聞。此世所稱六君子冤獄也。

自由報

內備警台報字第○三一號內銷證

THE FREE NEWS

第九○七期

中華民國僑務委員會頒發
台報新字第三三二號登記證
中華郵政台字第一一八二號執照
登記為第一類新聞紙類
（半週刊每星期三、六出版）
每份港幣壹角
台灣零售價新台幣弍元
社長：雷嘯岑
督印人：黃行審
社址：香港銅鑼灣高士威道二十號四樓
20, CAUSEWAY RD 3RD FL.
HONG KONG
TEL. 771726　電報掛號：7191
承印者：大同印務公司
地址：香港北角和富道九六號
台灣分社
台北市西寧南路壹壹零號二樓
電話：三○三四六
台郵撥儲金戶二九二二

越南選舉結果與越南和戰大局

・宋文明・

越南正副總統選舉，已完全揭曉，正如一般人所預料，現任軍政府兩位首長阮文紹和阮高祺，獲得了這次選舉的勝利。對於這一選舉結果，美國參議員摩斯曾發表談話，認為這和蘇俄選舉中柯錫金的必然獲得勝利一樣，都可在事先予以確定。摩斯是一位反對美國參加越戰最激烈的人物，對美國的越南政策向無好評，所以這一談話也未免稍有過份。不過兩阮在越南選舉中獲得勝利，絕不出一般人意料之外。

阮文紹和阮高祺所以輕易獲得勝利，最主要者，除了他們是現任政府首長之外，還由於他們為軍方所提出的候選人。由於他們是軍方的候選人，所以他們得能控制越南軍人及其眷屬的基本票。由於他們是現任政府首長，所以他們又能控制一大部份政府公教人員，警察及其眷屬的票子。同時，由於他們是軍方候選人，據有操縱政權的基本力量，所以有些選民也知道，非選舉他們出來，其他任何人的政府，都無法真正達成政治的穩定。這種心理影響，對於一部份選票的最後抉擇，也具有極大作用。在這種情形下，不要說別的，單是軍警，公教人員及其眷屬的選票，就足夠把兩阮抬出來，更何況在綏靖地區及接近綏靖地區，軍人的意向更能決定一切。像這種有利的條件及地位，絕不是其他文人候選人所能匹敵的。可是就在這種選舉中，也有兩項發展，確是超出了任何人的意料之外，甚至包括美國駐越南大使館的人員在內。這兩項發展，一是兩阮所得選票總數，在所有投下的四百七十多萬選票中，只佔百分之三十四點八。二是以和平口號作競選的張廷裕律師，卻獲得了百分之十七點二的選票，成了僅次於阮文紹的第二個得票最多的人。這兩項發展在說明什麼？

就第一項發展來說，這有正負兩方面的意義。在正的和好的一方面，這說明這次越南選舉相當公正，縱使有舞弊情勢，也一定不太嚴重，否則，他們的選票，也絕不止於僅佔百分之三十四點八。換言之，兩阮雖於選舉前極力想控制軍警、公教人員及其眷屬的票子，而事實上，這幾方面的選票是否完全投給了他們，亦頗成問題。他們既然不能控制軍警公教的選票，對一般選民票子的控制，當然也更不易。至於在負的和不好的方面，他們僅得百分之三十四點八的選票，便表示他們是一位絕少數的總統和副總統，并直接影響到了他們在新政府中的地位。這種情形若發生在別的國家，有的要舉行二次投票，有的要由國會最後作一決定。越南新憲法雖然無此規定，但以較多數為當選，作為一個少數派的總統和副總統，得票比例又是如此之低，實在是一件很煞風景的事情。這對越南今後的政局有何影響，尚不是短時間所能看出的。

再就第二項發展來說，在這次競選期中，雖有很多候選人都提出和談主張，表示當選後將如何如何，而在實際上，這種說法，對大多數候選人，只是一種競選口號，說說而已，而唯有張廷裕這位自由進步主義的律師，他確實是以和平主張來競選，希望及早結束戰爭，代以和平談判以解決爭執。由於他的競選主張與當前越南的戰爭氣氛不相協調，距離現實較遠，所以在競選期中，一般人在談到軍人之外的候選人時，多把目光集中於前國家元首潘克丑，和前總理陳文香，而很少注意張廷裕其人。可是選舉結果，這位真正以和平計劃作競選的候選人，想不到竟獲得了八十一萬多票，壓倒了潘克丑和陳文香，而成了第二位獲票最多的人物。這種情形已很明顯的表示出，越南內部已有不少一部份人對戰爭發生了厭倦，開始要求不計代價以求和談。這雖然只是選民中的少數，并非代表主導力量，但它對今後越南內部政局無疑將構成一種心理上的重大壓力。

因此，現在越南人們所最關心的，越南這一選舉之後，未來和戰大局將有何種發展？繼續戰爭，還是會出現一種和談局面？我的看法是，這次選舉對未來和戰大局，絕不會發生真正的影響。因為決定越南是否和談的真正關鍵，既不操之於西貢，也不操之於華盛頓，甚至也不操之於莫斯科，而是操之於河內和北平，這種情形，過去如此，現在如此，未來亦如此。我們現在看不出北越有任何談判的意向，在未來若干時內，我們亦將看不出它會有這種意向。當北越仍沒有任何和談意向，仍有能力繼續戰爭，不論西貢和華盛頓作出什麼和談姿態，提出何種和平計劃，結果仍將毫無用處。等到一旦北越無法繼續戰爭，表示出和談意向時，屆時中共無疑義又將進行干涉，以作阻止。所以越南和談，只有在中俄共黨向北越施共同壓力，要求接受和平時才能出現，而這種情形，在最近的將來，根本無法發生。因之越南選舉結果，也不會影響到這一局面。

總之，對於這次越南大選結果，我們可以作這樣一種看法。即：

第一，這次越南選舉，并不如有些美國參議員及其他反對派所想像的那樣的壞。從勝利者沒有獲得百分之九十九的選票，而只獲得百分之三十四點八的選票，就可作證明。

第二，在這次選舉中，假若頭三名文人候選人能聯合一致，就會集中他們的選票，結果一定把兩阮擊敗；果如是，其整個結果又將有很大不同。

第三，這次選舉結果，無論如何已給越南政府一個合法的基礎，除非還有人想發動政變，否則，今後越南政局也一定較比過去更為穩定。

第四，這次選舉結果，仍不夠理想，仍有許多可訾議之處，所以選舉一告結束，佛教徒及其政界代表力量的反對抗議聲浪，也隨之而起。

第五，越南戰爭和越南問題的解決，還很遙遠，在可見的將來，越南仍將繼續陷於混亂。

不可收拾

自殺表演

今日與明日

台北追悼林彬昆仲

台北各文化、新聞團體於九月八日在台北追悼林彬、林光海昆仲，此舉對海外人心影響甚大，因為林氏兄弟遇難後，香港政府與商業電台雖然連同懸紅十五萬元，可是迄今毫無綫索，廣大市民也都明白這個兇手是不易追到了。未能追到兇手，甚至對其發號施令的報紙亦毫無辦法採取行動，大家已經感到憤慨難忍，此時唯一希望是在盛大開一追悼會，使大家表達一下哀思，結果也未能作得到，於是人心更加憤激。適在此時，台北舉行了盛大追悼會，雖然港九同胞無緣參加，但是大家看到報紙，林氏兄弟竟然受到朝野的如此重視，足見政府當局對港九同胞備極關懷，大家一面為林氏昆仲快慰，一方面也增加了自身的勇氣與信心。台北各界這次行動，是值得稱道的。

政府安置林氏遺屬

由於台北各界重視林氏昆仲，使港九同胞對政府增加了信心與熱忱，因此，我們希望當局再作進一步表示，由大陸救災總會或華僑救國總會出面，迎接林氏兩家回台定居，一切生養死葬，子女教育，全由政府負責。

這裏要先說一說林氏家庭情形。林氏兩家目前只有林光海老母作小販，勢難維持家計，至於林彬家屬，寡婦孤兒沒有絲毫謀生能力，此是政府應予安置之主要原因。

在林彬死後，匪徒揚言要害其家屬，務將其滅門，此事雖然未曾引起人們重視，但根據周恩來當年在上海租界殺害顧順章一家八口的往事，亦不能斷言其必不可能。因此政府更有責任保護烈士遺孤，此是政府應予接待的另一原因。

猶記當年孔松烈士護旗而死，政府將其弟妹接運回台，供給至大學畢業而後止，此項事實在自由工會中予人印象至深。此次在匪徒發動大罷工時，電車、巴士工人敢於奮起抗暴，未嘗不受孔氏弟妹之影響。一件事的得失，當時覺不到，也許若干年後會發生力量，善於謀國者均不會計較眼前得失，而放眼於未來的效果。

如果政府能將林氏兄弟遺屬接運回台，貸款助其建屋，子弟送其入學，每月支與固定生活費，只當多了兩名立法委員或國大代表也就成了，而對於海外的影響，恐怕非立委國大可比了。

總之，就當政者立場而言，世間最易得者金錢，最難得者人心。能用最易得到的東西，換來最難得的東西，才是大政治家的謀國之道。（何如）

自由談

談書生

「書生」二字，原係一般讀書人的代名詞，古之所謂士大夫，今世叫作高級知識份子是也，意義并不壞。但在仕宦場中，書生二字每每被用為排斥異己的口實。原因是真正的讀書人比較具有理性觀念，亦多是非、羞惡之心，遇事不願盲從附和，有所不為，甚至於敢批逆鱗，對着權威者不惜直言極諫，罔顧私人利害。這是一般貪悻俗吏與佞幸僉壬所忌嫉的，謚為書生之見，認定沒有一顧的價值，輕則排斥於政治圈外，重則視為異端叛逆之徒，踐踏摧殘，無所不用其極，歷史上許多例證，不勝枚舉，而許多可泣可歌，轟轟烈烈的事蹟，也都是「書生」們幹出來的。

清代著名詩人龔定庵曾說：「乾隆時，有大吏不悅於僚屬，上詢所由，對曰書生。帝謂是胡害？朕亦書生也。大吏悚然！」（見送夏進士序）乾隆帝是真正讀書有得者，纔知道書生并非無用之輩。然世上一般的統治階級人物，有幾個是真正讀過書的呢？他們滿腦子是「槍桿子出政權」的思想，根本瞧不起讀書人，至於所有攀龍附鳳的公卿顯要，但求阿諛逢迎，戈取富貴功名，誰也不把國計民生問題當作一回事，若有讀書明理的僚屬要以國事為前提，謇謇諤諤，不欲同流合汚，便指為「書生之見」，不足重視，而他自己且以飽學之士自居，恬不知恥，此古往今來之所以治世少而亂世多也。

當然，讀書人亦不見得個個都是有用之才，其中有食古不化的腐儒，有更事不深的俗儒，也有明禮達義與博學宏識的通儒，這需要用人者知所鑑別。但鑑別人才談何容易，自己沒有通儒的本領，即有如使用鈔票然，真假莫辨，祇好聽從旁人的意見，把劣幣當作良幣看待，懵然罔覺，「書生」在政治上乃與市場中的劣幣等量齊觀，天下焉有不大亂之理？

馮五先生

從省議會的總質詢 看台灣省政得失

本報記者熊傲宇

徐輝國要省府痛改前非

台灣東部花蓮縣的省議員徐輝國，在省政總質詢時，發言指責省政府主張培養「崇法務實」的精神，但是這幾年來，省政府對各部門的措施，既不「崇法」，也沒有「務實」，造成社會日趨紛亂的局面！

他要求省政府：徹底檢討，痛改前非！他說：

培養「崇法務實」精神，應由省政府行爲開始。省政府主張培養「崇法務實」精神，以提高行政效能及端正社會風氣的政策是千眞萬確的，但培養「崇法務實」的精神，似應由政府的行爲開始，才有結果，因「上行」則「下效」，因「政府不崇法」則「人民必亂法」。

近幾年來，政府對各部門施政措施，往往過份重視違法者的利益，以致造成鼓勵犯法及助長違法行爲的結果，造成政府日趨於不安定，及社會日趨紛亂的局面！例如：「濫墾盜伐」者的破壞國土的行爲，比國賊更厲害，政府不但不加取締，反而頒佈「營造竹林實施辦法」承認濫墾盜伐者的合法地位，並給濫墾盜伐者優厚的利益；又如「違章建築」，政府不得不依法去執行，而有所謂「先建後拆」，破壞法紀，浪費國帑；又如「惡性補習」，政府不但不敢努力糾正及取締，而要化費四十億元實行什麼「志願就學」的方法來緩和，這竟究是什麼道理？

難怪「偽藥密醫」、「地下工廠」、「私娼」、「地下舞廳」、「違章建築」、「惡性補習」等破壞經建行爲的違法行爲，愈來愈增加了，整個山地水土將破壞殆盡，政府是不是應痛改前非，徹底檢討予以改善？

鄭大洽責省府權責混淆

代表澎湖縣的省議員鄭大洽，在省政總質詢時，指責省府機關間權責混淆不清，機關職位設置缺乏標準，而組織又不能適應業務的需要。他要求省府加強人事上的考核，徹底執行退休制度，打開目前人事僵局。他提出三點意見說：

一、機關間權責混淆不清：機關目前有兩種頗爲常見而且不合理的現象。第一是機關權責，規定的過於籠統，如果係兩個以上業務性質相似的機關，往往因對職責的解釋，寬嚴不一，發生權責重疊或業務空隙情形，所以不是爭攬，便是互推。第二是監督機關太多，疊床架屋，事權分散，效率低落。

二、職位設置缺乏標準：機關組織中最重要的，是員額的設置。因爲各機關對員額的多寡，職位高低，一向都是儘力爭取，由於審核單位，缺乏具體標準，不免於囿於財政觀點，或困於人情拜託。職位設置，或有寬嚴不一的情事。（四）

檢討海外文化教育會議

·本報駐台記者劍聲·

第二、各出列席人在會議內發言時，或有涉及僑居地政治問題，及僑居地民族主義狹隘思想者，請勿對外發表。首先違反此一禁例者，係「海外華文教或會議會刊」，該會刊係由新聞組等單位組織之「編輯委員會編印」的。該會刊載有非律賓代表吳宗穆的談話，謂：「際此海外有些地區排斥華文之時，亟應籌謀如何加強我國文化之宏揚及推行海外華文教育，將家庭、學校、社會教育打成一片，尤其培養僑生之民族意識，使他們時時警惕自己是中華民國的兒女」（第一期）。這是怎麼一回事呢。

第三、關於馬來西亞華文華語文教問題的報導，請特別審慎，不能刺激馬來西亞政府及馬來人，引致懷疑此次會議之作用。

然而關於這方面的報導，除該會會刊外，尚有兩家日報的航空版及某些晚報的專刊，都有圖文並茂的「專欄」和新聞刊出。

第四、強調此次「海外華文文教會議」之主旨，係爲策劃及輔導海外華文文教事業作適應時代的發展，俾配合僑居地社會及經濟開發的需要，謀求僑民與當地政府充分合作，以促進中外文化交流。」

該會「爲加强對會議新聞報導」而邀請記者採訪，但有關新聞背景之資料，及大會分發之資料，獨記者席沒有，甚至代表提案彙輯資料，大會亦未給各報記者，寧可棄置於會場右側樓梯下廢紙堆中，因而各報記者只好各自設法。試問如何教各報記者「加强會議新聞報導」？

所謂這次會議的主旨係「策劃及輔導海外華文文教事業作適應時代之發展」云云，但人們從大會宣言中找不到怎樣策劃，如何輔導的方針及辦法，這次會議的成果在那裏？人們相當的迷惘。可是這次的費用，據說已經超過八十萬元的原預算了。（五、完）

羅慕尼談中共

——國際東方學者會議中一段政治插曲

·趙浩生·

（美國密歇根州安阿伯航訊）第廿七屆國際東方學者會議於十九日下午在此間閉幕。這個爲期一週的盛會，參加者有來自五十餘國的兩千五百餘位學者，宣讀了五千餘篇論文。大會節目雖包羅萬象，但其中最引人注意的題目，依然是最現實迫切的問題——現代中國。

在現代中國問題的討論中，有一段政治插曲，即密歇根州長羅慕尼的演說。

羅慕尼的演說之所以成爲新聞，是因爲他不但是本屆大會的地主，而且是一位迫不及待的最先「露面」的共和黨總統候選人。他之所以選擇這個國際學術性的集會談政治，其目的顯然是一石兩鳥，其對象不但是外國學者，也是國內的選民。

他在這次演說中提出三大要點：一、增進國際間的溝通了解。二、發展新興國家的自立自助。三、提倡富強國家的明智與自制性的援助。

談到國際的溝通了解，他指出中共「孤立，敵意，拒絕溝通了解」的政策，因而論及中共進入聯合國的問題。

他歷述此一問題的內容及歷屆聯大辯論投票的結果，最後提出三項建議：「一，堅決支持中華民國在聯合國的席位。二，國際間大力鼓勵中共，中止其自陷孤立的政策。三，中共進入聯合國前，必須確認其足以担負聯合國憲章所標示的責任。」

他希望「中共最近多行不義所造成的惡名，及去年聯大投票結果所造成的新趨向，不致鼓勵美國回復其早期絕無伸縮性的政策。」他認爲美國「不應爲此付出自己的聲望，危及在其他問題上的領導地位，並因而損害到中華民國的席位。」

作爲一個計算選票的競選者，他以民意測驗的結果作爲理論根據。他說一九六六年十月的蓋洛普民意測驗的結果指出：「倘若能改進美國與中共的關係，百分之五十五贊成中共進聯合國，百分之三十反對。」

他在結語中指出：「東方被忽視被剝削的時代早已過去，亞洲的安定與健康足以影響整個世界的安定與健康。」

在這[illegible]時三十分鐘的競選式演說中，只有當他提到「所有國家必須以自己的方法決定自己的命運[illegible]題」[illegible]競選情調[illegible]掌聲。

演說結束時，禮堂外落着傾盆大雨，[illegible]

[illegible]

記者[illegible]哈佛大學[illegible]，以下是記者與費氏的問答：

問：「你對羅慕尼州長昨晚的演說作何看法？」

答：「我認爲是政治性多於學術性。」

問：「你看中共方面將作何感想？」

答：「一定會罵他是個『帝國主義者』。」

問：「羅氏的理論代表共和黨的那一派？」

答：「代表所謂『自由中間派』。」

問：「你覺得他的見解是否正確？」

答：「從他的演說，我們知道他已開始注意中國問題，政治的人注意中國問題總是一個可喜的現象。」

[illegible]看到美國大選的序幕，實是一個意外的收穫。」

時代週刊評論及羅氏的演說時稱：「羅氏對歷史的記憶雖有遺漏，但却善於把握政治時機，製造頭條新聞。」

我是一個「紅衛兵」

·王朝天·

二、雷鋒是因工程事故負傷死亡。這種因自己犯了操作技術錯誤而死亡，過去有實賞，沒有獎勵。三、雷鋒死時只有廿二歲。但毛澤東認爲好的事情，他都這樣行？四、雷鋒是死後才出名，這樣好的人，有這麼多好事情，爲什麼生前不給他表揚表揚，爲什麼宣傳？讓他現身說法，豈不更示範作用？

學習王杰也和學習雷鋒同樣地無聊。王杰的「日記摘抄」與「雷鋒日記摘抄」無論形式和內容都一樣。王杰從參軍到死亡，前後只有四年，並沒有什麼特別值得贊揚的事情。並且王杰的死也是不光榮的。他是在訓練民兵裝埋雷的時候被炸藥炸死。這也是犯的操作技術錯誤，自己白白送死，有什麼值得宣揚之處？

學習焦裕祿運動較之學習雷鋒、王杰等運動，更爲普遍。我這次在廣來看見焦裕祿的二個女兒：焦秀鳳和焦秀雲，他們都是河南蘭考中學的學生，也都是「紅衛兵」，來廣州進行「革命串連」的。那一個「紅衛兵」沒有學習過焦裕祿，因此大家爭着問她們，要想多知道一點有關焦裕祿的事情。但她們什麼也不講。焦裕祿也是在死後二年才被捧起來。毛澤東是專門捧死人的。我們想如果他捧活人，不容易由他塑造典型。大家實地去訪問說，就要揭穿事實的眞相。再說活人，說不定那一天又改變了成爲反對毛澤東的人。

六、「國歌」已經不唱了，改唱「東方紅」來替代。目前沒有人唱「起來，不願做奴隸的人們……」那一隻作爲僞「國歌」的。理由是，現在已經是社會主義社會，共產黨統治了十七年，那能再有奴隸呢？已經沒有奴隸，就不應該再唱這支歌。如果再唱，豈不是鼓勵反革命分子起來打倒共產黨？現在沒有僞「國歌」。「東方紅」可以唱，但歌詞是三十年代文藝黑幫田漢作的詞，曲譜又是三十年代文藝黑幫聶耳製的。這兩個都已被清算，「東方紅」還是不唱爲好。現在最流行的歌曲是「大海航行靠舵手」。

七、反蘇和反修

「紅衛兵」是很激烈、很普遍反蘇、反修的。爲什麼原因？我不知道。我想這和其他事情一樣，糊里糊塗，說不出什麼理由。「紅衛兵」是四肢發達，頭腦簡單的動物。什麼是修正主義，沒有一個「紅衛兵」答得清楚。凡是反對毛澤東思想的人就是修正主義，反對毛澤東的人就是修正主義分子。劉少奇過去是毛澤東最親密的戰友、中共中央第一副主席、僞「國家元首」、毛澤東繼承人，但現在反對毛澤東，就成爲中國的赫魯曉夫。「紅衛兵」對於修正主義的瞭解，只能達到這個程度。

反蘇確是大陸人民、各級幹部共同的，只有這件事是大家一致的。特別是我們東北人最痛恨俄國人，甚至超過侵佔土地的日本人。年老的東北人都能講不盡的俄國人在東北的醜事和暴行，年輕的東北人也目覩前幾年俄國人的暴行和醜事。大陸人民贊成毛澤東的有一件事情，就是反蘇。但是我們知道毛澤東不敢眞反蘇，毛澤東的反蘇是假的。東北以北最大一片土地是俄國人侵佔的。毛澤東講過之後，老師告訴過我們。但是毛澤東不敢向蘇俄要求追還，更不敢爲了收復失土和蘇俄打仗。

「紅衛兵」就利用毛澤東表面上的反蘇反修，大搞其亂，利用機會，發洩蓄積胸中多年的憤恨。示威遊行、領事館、貼標語、大使館、喊口號，還嫌不過癮，最好是毆打俄國人一頓，才覺得痛快。但是解放軍嚴密戒備，無法動手。

我讀過俄文，在一九六○年一一九六二年，在中[illegible]九六二年秋季開學後，各中學的俄文課程取消。讀的時候，因爲仇俄國人，沒有一個同學用心學習的。現在三年沒有讀俄文，我只能認字母，文法統統忘記了。

我們也不懂得什麼是資本主義。共產黨說，資本主義社會是剝削人的社會，少數人享福，多數人吃苦。大陸現在實行的社會主義，就是這種社會，豈不是資本主義和社會主義是一樣的嗎？

共產黨常講過去國民黨統治時代，生活如何地苦，在學校中也有思苦憶甜的講演會、討論會，還找來老紅軍、老幹部、貧下中農報告[illegible]的苦生活。要我們比照[illegible]的幸福生活。目前東北[illegible]人每月配購食油二市兩[illegible]能用油炒菜，只能把油[illegible]，在炎熱的菜上洒上幾[illegible]因爲沒有油吃：雜糧吃[illegible]多也是餓。我是運動員[illegible]油可以每月配購二市斤[illegible]體才如此結實。如果說[illegible]還要比現在苦，我們還[illegible]道，還要苦到什麼樣子。（十二）

寮海異趣談

寮國芒果飯與寮國和尚

・桑雅・

寮人普通煮飯，多採蒸熟法。用鋼鍋，劃分兩層，下水上米，緩緩炊之。山民之無鍋缶者，則以竹筒，其法截取空心竹而留其節，納米與水其中，封蓋投入薪炭中爆炙，待竹筒燒黑則飯熟，即可取而食之。至芒果飯之燒法則不然。

蓋芒果爲熱帶果品，味美而清香，寮國的芒果，有許多種類，其中最著名者有：白花、紅花、象牙、甘薯、鷄蛋。鷄蛋因體小而喻其形似，甘薯則以味類甘薯故有此稱。象牙芒果，碩大而甘香，當其尚未十足成熟時，剖食之，脆嫩略帶酸澀，別具一種滋味。紅花豐於肉，味甜，過香反流於濃濁，惟白花芒果，清馥可口，芒果飯大都選用之。

寮國之永珍鬧區，有一條大路，終日車馬輻輳，兩旁植樹，濃蔭密蔽，林外乃人行道，街面寬六十五呎。在行人道上，每隔卅公尺，置長椅使遊人憩息，是一片田園都市的景象。每當夕陽西下，市民麕集，故零食攤亦應運而生。其中賣芒果飯之攤位，更不在少數，大都由婦女主持。芒果飯不單好吃，且別具風味，吸引一般老饕和醉漢們，如蟻附膻。

糯米一項，亦爲寮國主要粮食，產量多而質地好。芒果飯的做法是這樣的：把糯米用水洗過，裝在一個底部鑿有許多小孔的木桶內，外面封密，置於鍋上蒸熟，如此，每粒糯米都能熟透，且不會粘在一起，然後把飯取出，放入盤裏，任從顧客喜愛，淋以甜椰汁。最後另取芒果，去其皮核，切成一塊一塊加上去，這便成了一份上好的芒果飯。但切芒果的小刀，是用銅製的，因爲用鋼鐵小刀，不僅芒果會變黑色，而味道帶澀，如用銅刀，便無此弊。就是通常吃芒果，亦以銅刀爲宜。一俟芒果上市，讀者諸君，不妨一試。

而寮人之宗教信仰，亦頗爲奇特：

寮人崇拜佛教，僧侶有無上之尊嚴。凡兒童在少年時期，即送入寺院剃度洗禮，研讀梵文，過小沙彌生活。僧侶所食兩餐，俱向外乞求布施，清晨聯袂穿黃袈裟，掉臂過市，由少者前行，長者隨後，手捧法鉢，善信等皆出迎奉饋，必恭必敬。沙彌除每日溫誦經偈功課外，有暇則搬運泥沙磚石等勞動工作。直至通經文，乃升爲和尚。經過榮任和尚儀式後，便得回家省親，這是和尚們一生最快樂的日子。省親的假期，普通由十五以至一百日。在假期中的和尚，可以毫無拘束地狂歡，有愛的特權，尤其是已訂婚而未嫁的女子，苟獲和尚垂青，引爲無上光榮，其未婚夫及家長，亦欣欣竊喜。若得懷孕，更是家門之福，當假期告滿，家人和妙齡少女，聯合歡送和尚返廟，儀式極爲隆重，首以大鼓前導，次銅鑼，沿途鳴鑼擊鼓，興高彩烈。和尚禿頭赤足，道貌岸然，外披袈裟，內穿白衣，高踞青竹兜子。少女們穿着美麗外衣，銀扣珠鈕，修緩飄飄，微露玉脛，頭部飾以釵環，髻髮盤於中央，花團錦簇，共舁兜子，前呼後擁。到了廟前，和尚合什莊儀，直[illegible]正殿，跪拜我佛。少女們環跪四週，鏘然霹拍一聲，老方丈從內殿步出，叩着紅魚青磬，念誦梵經。約十分鐘後，和尚復向佛前膜拜，衆人隨之，功德便告圓滿，少女們歡呼出廟。她們的愛侶早已鵠候迎接，各人提着對兒回家。至於和尚則仍清寂地繼續修行，到了相當時期，大可還俗，娶妻生子。他們與我國和尚，不使相同。

寮人因崇奉佛教，故多願以一生積蓄，作爲布施，尤其建築佛寺，更爲踴躍。舉凡有募建寺院者，上自國王，下至平民，無不盡量捐輸。寮人住宅，雖然簡陋，但佛寺無不美輪美奐，金碧輝煌，其故即在於此。

剖析八十二名反毛的中共中委

・李敦復・

中共浙江省委員會

第一書記：江華（見前。）

書記：吳憲，林乎加，陳偉達，曹祥仁。

中共江西省委員會

第一書記：楊尚奎（見前。）

書記：方志純，白棟材，劉俊秀，劉瑞森。

中共福建省委員會

第一書記：魏金水（原任排名第一之福建省委會書記處書記。）

書記：伍洪祥（在魏金水未升任前，原排名第二。）賈久民，賀敏學，侯振亞。

中共上海市委員會

第一書記：陳丕顯（見前。）

書記：曹荻秋（見前。）馬天水（遭紅衛兵攻擊。）張春橋（中共中央文化革命小組組員，爲領導上海奪權鬥爭擁毛派領袖。）王一平（遭紅衛兵大字報攻擊。）梁國斌（曾任國務院公安部副部長，遭紅衛兵大字報攻擊。）

十、中共中央中南局

中共中央中南局第一書記

原係陶鑄，王任重任第二書記，自「文化大革命」開始時，陶升任「中央宣傳部」部長，「中央書記處」書記；「中央政治局」常委，排名第四，飛黃騰達；王是陶鑄系人物，由於陶的一再升遷，王也水漲船高，被任爲「中央文化革命小組」成員。曾幾何時，廣州紅衛兵開大會鬥爭他，外電傳逃往海南島，北平紅衛兵曾用白布大字書寫「打倒王任重」字樣。自陶鑄被鬥垮後，陶之一系列人物，第三書記陳郁，書記趙紫陽（三月上旬，據由廣州返港旅客透露，已被捕。）候補書記：區夢覺（女）（候補中央委員）（廣東省委會書記。）吳芝圃（曾任河南省省長，河南省委會第一書記，今年二月下旬，中共透露已被捕。）等，被指爲一小撮頑固堅持資產階級反動路綫的幕後操縱者，整個中南局首腦逃匿一空，大唱「空城計」，其辦公大樓已被武漢紅衛兵佔據，因此，整個中南局已至瓦解癱瘓邊緣。

至陶鑄被鬥爭的罪名：一，指爲南京流血衝突中之是反毛領導者。二，陳伯達江青公開指斥爲劉、鄧反毛路綫執行人。今年一月，五日北平紅衛兵曾將陶鑄遊街，當衆侮辱。（十四）

漫談龍眼

・夜闌・

初客台灣，未諳方言，在寫作間，忽聞窗外有嬌聲呼「靈應」……者（「靈應」爲吾故鄉的一座大廟，面臨慈湖，風景絕佳，乃童年遊釣的好去處，今聞此名，詫異頓生），拋筆臨窗一看，却見一個美的村女，挑來滿担「龍眼」。此物在吾鄉叫做「桂圓」，係屬補品，價值頗高，乃以老台幣若干元，購而食之，味甚鮮美，憶往年曾在榕城嘗新，已踰廿年矣。

閩南語唸「龍」字爲「靈」音，「眼」字，讀音似「岩」音，與江浙音相同；語音則爲「應」，相去遠甚。

今夏台省龍眼豐收，尤以嘉義竹崎鄉爲最。查台灣通史，果之屬：『龍眼：有大，中，小三種，嘉，南兩邑所產特盛。曬乾者，謂之「福圓」；剝肉焙乾者，謂之「福肉」。每年配售上海，天津爲出口大宗。』

龍眼屬「無患子」科，常綠喬木，中國原產。幹高一丈五六尺，葉如羽狀複葉，花六瓣，蕚之裂片，排列如覆瓦，果實圓形，外有硬皮，種子有假種皮，肉贊，味甘，可供食用。

羣芳譜：「龍眼，閩、廣、蜀道，出荔芝處皆有之，樹似荔芝，葉似林擒，凌多不凋。春末夏初，開細白花，七月實熟，實極繁，作穗，如葡萄。每穗結實約五、六十個。」

名見本章：又有「圓眼」，「益智」，「鮫淚」，「木彈」等別名。荔芝先出，龍眼後行，故又有「亞荔枝」與「荔枝奴」的外號。以福建省興化縣出產者爲最著名，上海福建路「石路」有專售商店數十家。江浙各地南貨店以金字招牌，大書「興化桂圓」以爲號召，售價頗昂，一般人皆視爲補品。「醉於酒者，以龍眼肉煎湯飲之，謂能醒精肺也；病久而癒者，以龍眼肉煨豬膀食之，謂能補中益氣也；婦人產後體虛者，以紅棗龍眼肉飲食之，謂能補血安神也。」

按本草，龍眼肉，「性甘溫，歸脾益腎長智（一名益智），養心補血（心爲脾母）故歸脾湯用之，治思慮傷心脾，及腸風下血等症。（蓋心生血，脾統血，思慮過多，則心脾傷而血耗，致有健忘，怔忡，驚悸諸病，歸脾湯能引血歸脾而生補之。腸風，亦由血不歸脾而妄行。）」

日本人初識龍眼，佐倉孫三著台風雜記：『島中多產果實，如龍眼肉，最估其上位。樹大者，過合抱，枝葉扶疏（應作扶疏），蔽十數畝（恐有誇大）。材質堅牢，帶赤色似朱檀，可以製器。夏秋之交結實，纍纍然如聯珠金鈴，剝包皮，則出如魚眼者，味甘而美。核如彈丸黑子，其價不甚賤。土人云：吃此實，滋氣血，養肝臟。漢醫所用肉桂者，龍眼肉者也。是亦貨殖之一寶樹耳。』按肉桂爲另一種藥名，出嶺南桂州者良，色紫肉厚，味辛甘者爲肉桂，係樹皮之一種，去粗，可用，有桂心，桂枝等名稱，與龍眼肉之效用不同，彼竟混而爲一。若使彼爲漢文，則恐誤盡病人矣！

在內地，家有喜事，果盤中，少不了桂圓，蓋以「叨口彩」者，必稱「早生貴子」，以資祝賀。於是，紅棗（諧早音）；桂圓（諧貴音）；花生（取生字）；並陳於客前矣。

台有烟酒公賣局，以龍眼肉釀酒，名曰桂圓酒。味尚可口，但銷路未暢。婦女輩或有喜愛者，以其甜也；然酒徒則賊其甜膩而不爽口，尚希有以改善之。

中國女性文藝春秋

周遊

謝道韞

謝道韞是安西將軍謝奕之女，聰慧有才辨，名相謝安就是她的叔父。一日，在家裏閒聚，天空飛着白雪，謝安道：「這像什麼呀！」安兄子謝朗道：「散鹽空中差可擬」。道韞道：「未若柳絮因風起」。謝安聞之，大加讚賞不絕，可見道韞的文思敏捷了。

道韞後嫁王凝之，起初不大稱意，叔叔謝安問道：「王郎乃逸少之子，甚不惡，你有什麼不滿呢？」她答道：「一門叔父，則有阿大中郎，羣徒兄弟，復有封、胡、末；不意天壤之中，乃有王郎！」凝之弟獻之，常與賓客辯論，詞理將屈，她乃差婢女告獻之道：「請爲小郎解圍」！乃以青綾步障自蔽之，申獻之前議，客不能屈。凝之及諸子均爲孫所恩害，她抽刃出門，手殺亂兵數人，方被虜。後來寡居會稽，家門嚴肅，人們欽敬不置，可謂一代女性文學家之模範。她作有詩、賦、誄、頌等文，可惜今只存數篇而已。茲錄她「登山」一詩以觀。

峨峨東嶽高，秀極冲青天。
巖中間虛宇，寂寞幽以元。
非工復非匠，雲構發自然。
氣象爾何物，遂令我屢遷。
逝將它斯宇，可以盡天年。

左芬

晉代女性著名的賦家，要數左九嬪了。左九嬪名芬，她是左太冲的妹子，臨淄人。自幼好學，善屬文，當時文名，僅亞太冲。晉武帝聞她乂名，納入宮中。泰始八年（公元二七二年）拜爲修儀，受詔作愁思之文，還作「離思賦」。後爲貴嬪。她的文才既亞於太冲，她的姿容和太冲一樣的不麗，所以武帝並不寵愛她。司馬炎不過是慕女性有如此才德而已。她體弱多病，常居薄室。武帝幸遊華林，回駕時常訪她，和她談文學。每有方物異寶獻，則命她作賦頌。她的著作傳世不少，今尚存賦五篇，其二已殘而不全，誄二，頌二，贊十三，古詩四言五言各一首。茲首以視之錄詩、賦各一，俾見其文才與風格。

離思賦

生蓬戶之側陋兮，不閑習於文符。不見圖畫之妙像兮，不聞先哲之典謨。既愚陋而寡識兮，謬忝厕於紫廬。非草茅之所處兮，恆怵惕以憂懼。懷思慕之忉怛兮，兼始終之萬慮。嗟毀憂之沉積兮，獨鬱結而靡訴。意慘憒而無聊兮，思纏綿以增慕。夜耿耿而不寐兮，魂憧憧而至曙。風騷騷而四起兮，霜[illegible]而依庭。日曨暖而無光兮，氣懰慄以洌清。懷愁戚之多感兮，患涕淚之自零。黃伯瑜之婉孌兮，每綵衣以娛親。悼今日之乘隔兮，奄與家爲參展。豈相去之云遠兮，曾之忽乎數尋。何宮禁之清切兮，欲瞻覩而莫因？仰行雲之歔欷兮，涕流射而沾巾。惟屈原之哀兮，嗟悲傷於離別，彼城闕之作詩兮，亦以日而踰月。況骨肉之相違兮，永緬邈而兩絕。長含哀而抱戚兮，仰蒼天而泣血。亂曰：骨肉至親，化爲他人。永長辭兮，慘愴愁悲。夢想魂歸，見所思兮。驚悟號眺，心不自聊。泣漣洏兮，援筆舒情。涕淚增零，訴斯詩兮。（十七）

平劇繽紛錄

台北今演「盜兵符」

桂良

台北市昨天才演過新本戲「江寧刼」，據前臺管事告訴我，因為「江寧刼」三字很晦澀，怕觀衆望義不明，遂把「太平天國浩刼」的字面先打出，便和筆者在本刊上期所談，若戲名「天京刼」，則「太平天國」人語：「天朝」、「天京」、「天父天兄」皆習為觀衆所見聞。

「陸光」公演「江寧刼」之次夕，即九月九日，公演：「如姬盜兵符」，新編，為旦角張正芬之唱做重頭戲，即生角重頭戲「信陵君竊符救趙」為四十年前高慶奎之本戲。慶奎在「高亭」錄有唱片：西皮倒板、元板：「……叫人來套儀仗，夷門以外迎請那老侯生方稱心懷」。末句是「盜兵符」的戲胆，若無老侯生，則無人出奇謀，「兵符」不能到手，則信陵君魏公子無忌不能統御大將晉鄙屯[illegible]，待救邯鄲（趙國都城）之十萬大軍。

魏安釐王寵妃如姬之「盜兵符」，雖無「紅綫盜盒」之繁重身段與一夕之間千里迢迢越重關之往返；但因公子無忌代她報了父仇，才在深宮裏乘魏王酣飲之後，將[illegible]的「兵符」取到手，交與太監顏恩轉與信陵君。

信陵君得兵符，率三千珠履客之半數，與勇士朱亥[illegible]大將晉鄙而統其軍，進，擊秦營，秦將王齕折兵一半，邯鄲之圍遂解，此爲周赧王五十八年，秦昭襄王五十年事。

[illegible]密報魏王。魏王大怒，回到開[illegible]，收公子無忌家屬，并盡誅珠履客之在國中者。如姬此時[illegible]公子之過，乃自[illegible]：「此非[illegible]」顏恩下獄？[illegible]魏王尚不知[illegible]把如姬貶入冷宮[illegible]如姬和顏恩俱[illegible]魏王大喜，便[illegible]放了[illegible]客[illegible]

[illegible]姬要魏王召回信陵君[illegible]魏王不准迎歸。[illegible]府家眷支用，只將邑俸[illegible]過了十年，秦將蒙驁攻魏，魏兵累敗。魏王才從如姬之言，命顏恩為使，持[illegible]往邯鄲迎魏公子回國，信陵君經好友毛公、薛公說服，這才回國，在[illegible]道上便大敗秦軍。

全劇十八場：（一）喜得名駒[illegible]（十八）破秦凱還。

張正芬之如姬主要的唱調有：西皮慢三眼、散板、流水、高撥子、二六、南梆子、反西皮二六等，相當繁重。周正榮之信陵君也有大段西皮快三眼、流水、搖板，加以名鬚生侯佑宗，名京胡王克圖領導文武場，[illegible]赴香港[illegible]下機後，[illegible]將以先[illegible]新本戲為快而多日之煩雜[illegible]

我的舅父

紫適

人，常以聖賢目人，以平凡恕己，故其責人也嚴，律己也寬。夫婦之間，何嘗不是如此呢？余父母、伯叔、隣居，在我眼裏，沒有一對不吹過鬍子、瞪過眼的。祇有我舅父和舅母，的確是例外。我五歲到舅父家裏，一直住到十二歲，這七年之間，對他們的印象，是相敬如賓，從來沒有看到他們鬧一個反過目。總是和顏悅色的：「你吃吧，爲你買的。」「你吃吧，這特意留給你的。」這樣的愛情，我在旁邊看着也覺有趣。後來我回到自己家裏，半年之內，堂上至少有「塲」，初則意見不合，微微譏刺；繼則口角爭風，最後傢俱倒了帽。在唇槍舌劍中，我只好躲到伯叔家裏。恰巧，他們也正在扳着驢臉比短長哩。所以，我總喜歡呆在舅父家裏。

其實，舅父舅母的性格毫不相似。舅父內向，每天田裏收工回來，就坐在家裏幫這幫那的，從不找朋友在外面兜圈子；連親友家婚喪喜事請客，他都不願意去參加。必要時總是舅母出馬。

他也不會打牌，又不好尋花問柳。雖然是個莊稼漢，却比規矩讀書人還要知情達理。從未說過一句粗話，或得罪過一次舅母。

遇到舅母有點傷風感冒，那他就忙了，請醫熬藥，成天侍候在床前，捨不得離開，有時竟會急的幾天連飯都不吃。

關於吃的方面，他倆更不相近了。舅母喜愛是魚，不管河水裏的海水裏的，多多益善。舅父却怕腥臭，愛吃肉。可是遇到舅父去買菜，他一定要買點魚來，恐怕舅母吃不下飯。大雨過後往田裏工作，總要帶個魚籠（有倒鬚的魚籠），一到就把魚籠先在田溝裏裝置好，使那些小魚隨着水流進魚籠。近晚收工，泥鰍黃鱔，至少有斤來把。那是舅母最高興的。

舅母信佛，每逢香汛，她總要進香祈福。進香的前幾天，舅父就忙着為她準備着。最要緊的是張「兜子」了，兩條長木桿子，中間一塊板，人坐在板上，兩個男人在頭裏扛着；同四川的滑桿差不多。但這東西，構造雖然簡單，可是大有講究。桿子要細長，木料要有彈性，坐板上要有墊子，坐着才舒適。他就是早早為她打算；要能借到這一台，他才心意滿足。

舅母打扮得整整齊齊，坐上兜子，舅父同「一個搭檔抬着，吱咯吱咯，從這個廟抬到那個廟。

假使廟宇很近，那他手提香籃，在舅母背後慢慢跟着。舅母是小脚人，走起路來緩緩擺動，比現在穿着綁緊屁股的窄褲子高跟鞋，步子還要小些。路上若是遇到一個小缺口，舅父立刻跑到前面，把舅母攔腰「摟」，兩大步跨過去了。

舅母有時也要罵他「兩句：「啊，死鬼呀！怎麼這樣粗裏粗氣呀……」舅父只是笑。

舅母比舅父算來小不了幾歲，但是舅父總是當她孩子看待，舅母有時撒點乖僻的脾氣，舅父總是原諒她。

但是對孩子們他却一點也不原諒了，一點小事都要追根究底。比如故意調皮或吊兒郎當，那他要用腦筋了：一定要搜尋個恰當的故事來比喻給他們，要使他們從心裏明白過來——認錯。否則就整天嘀咕着他們。若是無意中的過失，他却一點也不怪責。有一次，五歲的表弟「不小心，把舅父的最心愛的名玉小茶壺摔碎了，嚇得哭了起來，舅父走過去一把把他抱在懷裏，「不怕，不怕，沒關係，再買一個。」他連連的撫摸着他的小腦袋。

他也常常告訴舅母，對孩子不可感情衝動，不要有壞樣子到他眼裏。儘量檢束自己，勞動自己，作出好的樣子來。對孩子們的教育上，舅母不知少操了多少心。

海嶠談薈

我看吳稚暉先生（上）

諸葛文侯

吾生也晚，對吳稚暉先生祇是認識而已，說不上相知。世人對他的觀感與評價，似乎向無一致的定論，我個人敬佩吳先生的地方，不妨談談。

四十多年前，我在大學讀書時，看到吳先生參預國內文化界掀起的科學與玄學論戰之役，他站在科學陣綫上，侃侃然據述科學對人類文明的關係和利益，十分透闢，給我印象甚深。嗣後常閱讀吳先生提倡文化科學思想的文字，於嬉笑怒罵之中，具苦口婆心之旨的。初以爲他是個西洋傳教士式的新進人物，迨民國十四年冬間，在北京看見他設私塾教授一些青年子弟，而其生活習慣與儀表，又完全沒有一點洋味，純粹是中國舊時的讀書人模樣，頗爲納罕，因而多方探究他的身世，纔知道他原是科甲中人，與近代名儒桐城吳摯甫在清季即主張廢科舉、興西學、實行簡體字的進步思想，後先媲美，是不可多得的先知先覺者，彌深景仰。自民國十六年以後，迄對日抗戰期間，在上海，南京，重慶各地，常有機會面晤吳先生，他的風範始終如一，談起話來總是充滿幽默感。我曾經叩問吳先生為甚末相信無政府主義，而又不忘情於現實政治問題呢？他說：「無政府主義至少要到五百年之後，纔可望實現，如果沒有人提倡，那就非到千年以後不可！」又說：「各盡所能，各取所需」，乃是無政府主義的信條，共產黨徒不配彈此調。」民國十六年秋間，江蘇省政府改組時，吳先生的無錫同鄉人繆斌，以曾任國民革命軍第一軍黨代表的資格，當面請求吳先生保舉他作民政廳長，吳問他多大年紀了？答曰廿八歲，吳笑謂，廿八歲還不夠作廳長，婉拒之。實則吳先生曾未向政府當局推薦過大小官吏，數十年如一日，這也是值得欽崇的地方。

現代中國名人相信無政府主義的不少，祇有吳先生言行一致，決不苟且。民國元年他跟汪兆銘等人組織「進德會」，標榜不作官的信條，當時袁世凱以臨時大總統名義，頒佈授勳令，吳先生亦在授勳位之列，他馬上致電袁大總統峻拒，電文亦別開生面，是民國史上的珍貴資料，文曰：

報載黎副總統提議授書生(吳自稱)助位之說，敬恒狂妄，於助位名目尚極端反對，遑論接受！我等在民國為百姓頭銜，自詡極品，豈肯受公等公僕之勳位者？令朝下，夕痛詬矣。非惟不謝不感也。至於勳之一字，他人吾不知，反問敬恒，敬恒愧汗如雨，何來此不祥之聲，令我騰笑舉世。即挫我骨，揚我灰，使最高明之化學家化驗，必不夾雜一毫此等夢想之分子。不然，如何敢拖一頭兩腿，強顏游行於光天化日之下耶？切盼公等實貴精神，專注於國難：勿更以揶揄為消閒，侮辱書生。十二月十日公民吳敬恒謹上

這篇詞嚴義正而帶着教訓意味的辭勛位電文，比較民國六年李烈鈞將軍把黎元洪大總統授給他勳一位的大綬勛章，掛在哈巴狗頸上，牽到廣州市街游行的玩意，高雅多了！可是，同時受到袁世凱這項封建性惡作劇的革命黨人殊不少，汪兆銘便是一個，却不見有如吳先生的高風亮節表現，眞可謂「先生之風，山高水長」也矣。

大政治家諸葛亮

河漢

諸葛亮在被三顧的時候還是個無名書生，這是僅指當時那些但知爭城略地，殺人盈野的領導層人物而言。諸葛亮在襄陽躬耕隴畝的時候，他所託身的荊州的統治者劉表就不知道他；不經徐庶推薦，連近在咫尺的劉備也未聞他的姓氏過。假如諸葛亮不甘於貧窮的生活，他當然可以尋找他的出路。他可以北投曹操，上萬言書，成爲曹操的幕僚，但他認識到，曹操是個自用的人物，喜愛人才，也最會摧殘人才，他去那裏，不是被重用一個短時期之後被冷淡，就是戰戰兢兢地奉公守法，做一個唯唯諾諾的忠實看家犬。他可以弄一封八行書就近進入劉表的幕府，但劉表只是個自命不凡的庸材，他去那裏，除非和那些官僚政客們同流合污，等待被時代的暴風雨清洗，否則祇有受腐朽集團排擠開的一條路。他可以東奔孫權，通過他的堂兄諸葛瑾的推薦，弄個一官半職，但孫權的東吳早已構成一個根深蒂固的人事集團，不會容許一個陌生的年輕人插進到上層中間，給予他發展抱負的機會。他有他的崇高的理想，他的逐步推行的計劃，為了這些，他寧可在隆中「苟全性命於亂世」，決不急急忙忙地「求聞達於諸侯」。諸葛亮確實充份表現了威武不屈，富貴不淫，貧賤不移的一個智識份子所應具的風度，氣節與人格。

但諸葛亮的朋友們是知道他的，認爲他是「臥龍」。然而也僅止幾個和他往來密切的朋友如司馬德操、石廣元、徐庶、孟公威、龐統等寥寥可數的幾個而已。他自比於管仲與樂毅，可是「時人莫之許也」，他的寂寞可想而知。但他並不因此自傷命薄，自暴自棄。他祇是不聲不響，埋頭進修，儘量充實和豐富他的學養。所以他和劉備一見面，即刻明確地分析了客觀的形勢，提供了主觀的條件，制定了聯孫伐曹的政治立場，決定了佔據荊州，進攻四川，以鉗形攻勢對付曹操的軍事原則。他是一條貨眞價實的臥龍，絕不是裝神扮鬼，說空話，擺專家架子的紙糊老虎。

諸葛亮未遇劉備以前的荊州，是在劉表的統治之下。雖則荊州在那一時期，幸運地未曾經過戰爭的破壞，社會情況比黃河流域安定一些，可是野心勃勃曹操正在磨刀相向，新興的孫權正在張牙舞爪，外在的危機早已四伏。

（二）

驅除苦惱有妙法

珠麗

苦惱，是每個人都經歷過的。在苦惱當中，我們會想盡辦法把它驅除，有些人喝酒、賭錢、寫字……等各適其適，但這種分心的辦法通常不能令你滿意。本文作者對於驅除苦惱，有他的說法，請閱讀下文，便知一切。

在學校，我非常尊敬一位老師，我每一次找他幫助時，都帶着失望的心情，滿面淚痕，無精打彩地半垂着肩頭。而他，却是一個面帶歡笑，身裁壯碩的男子，他的口永遠是滔滔不絕。

一見到我的愁苦樣子，他從書桌內抽出一張白紙，然後關懷地問我：「唔，好了，有什麼事？」

「這個星期的歷史課我不及格。」我說道。他立即將他寫在紙上。

「家裏沒有來信差不多一個月了。」他隨又將它記下來。

「我與我的同房同學爭執。得了一次感冒……」諸如此類，看着他把我的問題一一筆錄起來，我漸覺口吃，他又會驚奇地問道：「還有什麼呢？」

（一）

內政部台誌字第〇三一號內銷

自由報

THE FREE NEWS

第一九七期

中華民國僑務委員會登記證
台灣新聞局第三二二號登記證
中華郵政台字第一二八二號執照登記為第一類新聞紙類
（逢星期三、六出版）
每份港幣壹角
台灣零售價新台幣壹元
社長：雷嘯岑
督印人：黃行書
社址：香港銅鑼灣高士威道二十號四樓
20, CAUSEWAY RD 3RD FL. HONG KONG
TEL: 771726　電報掛號：7191
承印者：大同印務公司
地址：香港北角和富道九六號
台灣分社
台北市西寧南路三三六號二樓
電話：三〇二六四
台郵政劃撥儲金戶九二三二

為日本當局進一解

黃惠蓀

日本佐藤首相這次訪問中華民國行都台北時，發出了一句殊堪玩味的言論，說是希望友邦人士尊重日本在東亞的地位。斯言也，并無內疚之感，而且基於同文同種以及立國的共同利害關係之故，盱衡世界大勢，環顧日本在戰後復興以來的內政外交情形，對於日本的前途，一方面固然表示尊重，同時亦不勝其憂懼，為的是將來可能使我們一片尊重日本的親善心情，有付諸流水之虞。

日本在二次大戰中，雖然嘗到了無條件投降的苦果，國幾不國，但其本土并未嚐受深鉅的破壞，工業基礎，完整無恙，而身受日本軍閥侵略禍害最慘烈的中華民國，又實行不報復主義，對日本放棄索取賠償的應有權利，這也就是由衷地表示尊重日本的誠意，日本之得以迅速復興，中國這種間接的贊助力量，實有足多者，證以戰後日本對於東南亞各地區皆担負損害賠償之責，思過半矣。我們相信佐藤首相所謂「尊重日本地位」的意旨，是在希望中國人讓日本在東亞乃至整個東方問題，享有較大的發言權，進而形成東方領導者地位。這種氣魄當然值得尊重，問題在日本能否担當得起東亞自由世界領導者的大任？新興的日本是個民主憲政國家，生產力蓬勃發展，國富激增，國民生活水準高漲，在亞洲確屬首屈一指。可是，日本立國的大經大法——即憲法，原係美國佔領當局一手製成的產品，許多地方跟日本的傳統文化精神與習慣相鑿枘，而以容許共產黨合法存在的關係最為重大。在二次大戰結束之前，日共根本就沒有存在活動之餘地，戰後藉着憲法的盾牌，共產主義思想大量流行，共黨份子乘機竄發，肆行擴張，僅僅十餘年間，日共及其同路人如左翼社會黨的力量，即已咄咄迫人，未可輕侮了。上次東京市長選舉時，執政的自民黨聯合在野的右翼社會黨之力，亦不能勝共黨及其同路人所支持的左傾份子美濃部之當選，可為殷鑑。據我們調查所及，日共現有黨員約為廿五萬人，民主青年團員約為卅萬人，另在熱海郊外荒僻山區設有「革命訓練班」，每三個月結訓三千人，現已保有經過特別訓練的戰鬥行動隊員不下兩萬人。至於自衛隊內亦有日共的潛力滲透於其間。日本一般智識青年和新聞界人士之普遍表現親共態度，尤為露骨。最近香港共黨暴動首腦公然招待外國記者時，日本記者即特別表示讚許，聲言「祝你成功」，而日本國內報紙亦多渲染港共的暴亂情況，而日本工商業者乃拒不參加香港今次的工業展覽會。我們認為這是日本前途的一大隱患。

然而，日本政府當局始終漠視日共勢力發展的後患，且託詞「政經分離」，對中國大陸上以日本為假想敵人的毛共，特示親近，多方勾串，卻忘記日共勢力之所以暗漲潛滋，急速膨脹，完全是毛共指導提攜所致。近年來，由於毛共與蘇俄反目，聲稱要清算索還俄帝侵奪中國的原有領土，而日本政客亦幻想與毛共一致協力，向蘇俄索還失地，愚昧幼稚，寧不可驚！職是之故，日本現時的處境，一方面不失其為自由世界最堅強的一環，同時亦是極脆弱的路綫。因為中俄共密邇一旁，虎視耽耽，它們的飛彈，隨時可以飛入東瀛三島，使日本無從招架，而日本國內的左傾份子和團體，在日共及其同路人教唆領導之下，既反對日本建軍自衛，又拒絕美國的核子傘擴張到日本來加以庇蔭，即美國的一艘核子潛艇，亦不許駕入日本領海。如此這般的情形，日本自身并無自由生存的自衛力量，怎能担負東亞國家的「老大哥」職責呢？日本或許以為正由於沒有自衛的實力，纔不得不採取水鳥外交的智故，既親美，亦親中俄共，期在國際間的矛盾因素中，獲致生存發展的機會。殊不知置身於世界兩極化的生活環境中，企圖以兩面作風，造成受人尊重的地位，那是決不可能的，何況共黨根本就否定中立主義之存在。

現階段的世界形勢很顯明，美俄兩個超級強國，皆不願冒核子大戰的危險，然亦不能放棄其對國際友邦已承諾的援助義務，局部小戰必不可免，世界的混亂局面，勢將持續下去，和戰皆不容易獲致根本解決的結果。日本有可以構成舉足輕重的能力和機會，但須在兩個基本條件中，有所抉擇：一是修改現行憲法，實行再軍備的自衛力量，否認共黨合法存在，而以親仁善隣為原則。可是，據我們觀察，此路很難走通於三島，苟非有大政治家當局，眞是談何容易！六七年前，日本人[illegible]原子彈存儲日本境內，尙有前任首相[illegible]示異議[illegible]自衛能力[illegible]類話的政台人物亦沒有了。二是憑着日本的工業技能和經濟力量，援助東南亞各個反共非共的國家，發展生產，建設國家，改進人民生計，以提高文化水準，藉以滿足各地區人民對日本的觀念，確保日本的信譽，以親近的友邦，存着防共心理，大家自然而然的承認日本即在東南亞的領導資格，無所猜疑的了。

上述兩種途徑，當然日本無論採取那一途，其中共黨國家——尤其是中國大陸上的毛共政權，一定猛力抨擊，大事反對，甚至擺出若干威脅的姿態[illegible]，亦係意料中事。這次佐藤首相到台灣訪問一下，毛共即叫囂皇然不可終日，指為「反共陰謀」，而以驅逐幾個日本記者相嚇，只此而已。日本祇要不抱持混水摸魚的下意識，堅守着民主自由的立國之道，對於共黨的恐嚇威脅，儘可充耳不聞，我行我素。原子世紀的戰爭既不是隨便可以嘗試的，牽一髮而動全局，日本自無所用其驚疑。當今之世，唯有投機取巧，希望撿得便宜的國家，纔會落得兩面不討好的下場呢！

孔子說：「不患無位，患所以立。」個人如此，國家亦然。日本若要取得國際友邦的尊重，還須求其在我，對友邦立信，可共患難、與安樂的信譽，則庶幾矣。

咎由自取

苦了人民

今日與明日

九國牽共幫入會

一年一度的聯大開鑼，照例又將開始照例的中國代表權問題，又隨之發生。十幾年來每年總有幾個國家提出這個議案，一九六一年以前，照例是蘇俄提出，一九六二年赫毛之間已經決裂，蘇俄也不願再作這樣出力不討好的事，於是就由尼赫魯、梅農代為提出，當時梅農對毛共的熱忱，遠在蘇俄之上，每次聯大輪到我代表發言時，立時就退席，以表對毛共的效忠，可是就在次年，毛共軍突然向印度展開突襲，印軍倉皇應戰，一個旅全部被俘，未跑回一隻驢子。到了一九六三年聯大開會時，梅農已經倒台，尼赫魯雖然口口聲聲仍然支持中共加入聯合國，但畢竟不好意思再提出，於是就挽了柬埔寨的「小兒科」元首施哈諾出馬，由柬埔寨代為提出。

尤其施哈諾向來以尼赫魯為師，亦步亦趨，在親毛共一點上，更是青出於藍，所以在尼赫魯丟下這個破包袱之後，他就趕快檢起來背上，可是一連背了兩年，大概也覺得太沒有味道，從一九六五年起就把破包袱與阿爾巴尼亞共同負起。阿爾巴尼亞是毛共目前人所共知唯一的「兒弟」，阿國一百四十萬人口，本來就資源缺乏，出產除馬鈴薯之外別的東西都不出，再加上實行了二十多年的「社會主義制度」，全國上下簡直比水洗的還乾淨，全靠毛共養活，阿爾巴尼亞出面為毛共提案，等於一隻狗在主人指使下向外狺狺狂吠，本不足奇，奇在施哈諾還要勉附驥尾，作一名幫閑。

到了今年情形又變了，阿爾巴尼亞同柬埔寨也覺得事大不好，憑他兩個「小人國」提案，一定遭到空前的慘敗，於是又找了七名幫閑共湊成九國，即阿爾及利亞、剛果（布）、羅馬尼亞、古巴、幾內亞、馬里、敘利亞，加上阿、柬共計九國。對於這一項的投票結果，不必等投票後我們也知道了，本來這是不必研究時，有趣的是這九個國家，除去羅馬尼亞之外，那一個能算個國家？當政的人若非小兒科（柬埔寨施哈諾），就是神經不正常（阿爾及利亞布邁丁），再就是患了精神分裂症（古巴卡斯特羅），再就是受了毛共的豢養（剛果的代巴、幾內亞的杜爾、阿爾巴尼亞的霍查、馬里的凱塔），只知道在國際上出風頭的莫名其妙，以免在國內被推翻的（敘利亞早日的阿塔斯），這批人不是牛鬼蛇神亦不可得了。

我們關心的還是印度的態度，印度又同毛共打上了，就是印度會不會投票支持毛共，還是印度現政府究竟是不是人，還是畜牲的一個試金石。我相信印度將一仍舊貫（何如）投毛共一票。

嘻嘻！

自由談

美國國防部計畫：在越南十七度以南的邊境，建立一道鐵絲網以防止北越共黨向南越滲透，這和德共在柏林東西交界處建築圍牆以防止東德人民投奔自由的玩藝，異曲同工，後先媲美，都是一種卑怯示弱的心理表現，可哂之至！

反共的基本條件，一是思想問題，二是政治問題，而現實政治生活又影響思想問題。換言之，政治如果開明進步，人民生活安定康樂，即可消弭共產邪說思想之蔓延，乃至於使那些憧憬共產主義思想的人，改變初衷，迷途知返。反過來說，也可使本來是反共非共的人，因政治上失望而憤激，趨於左傾思想，甘與共黨為伍。

美國不從基本問題下工夫，而僅以阻塞交通為遏制共黨向外侵略的對策，抑何幼稚乃爾哉！美國當局應該將羅斯福總統在二次大戰前夕，為抗法西斯主義而發表的「防疫論」，多多學習研究纔是。

共黨只是向實力低頭的，在他們採取暴力行動以求擴張時，唯有以牙還牙，用實力相對付。美國既已派遣大軍到越南討伐共黨，表示獅子搏兔的氣概，然又畏首畏尾，說甚末「以戰迫和」的變話，越共不理會美國這套安撫妥協的作風，華府白宮當局異想天開，乃有此建立鐵絲網以防制越共滲透蔓延的方案提出，眞是兒戲行為，好不笑煞人也！

我建議美國當局：不如效法咱們中國秦始皇帝在兩千年前防止匈奴入侵的措施，沿南北越邊境，建築一道萬里長城（實際的長度不過幾百里而已），城上遍置碉堡和瞭望台，越共的人力物力自不容易進入南越了，實比鐵絲網強得多。反正美國的財富甲於全球，花錢滿不在乎，在越南建築一道防共黨入侵的長城，并不算一回事，何樂不為呢！

話又說回來，美國執政者未嘗不懂得上述的淺近道理，祇因總統選舉運動已臨密鑼緊鼓階段，為着迎合選民的心理，不敢主張武力反共，然亦不能退出越南，為[illegible]下笑，只好用這種童話式的反共方案來對民衆交代一下了，噫嘻！

馬五先生

從省議會的總質詢

看台灣省政得失

——本報記者熊徵宇

三、組織不能隨業務需要，機動調整：各機關的內部單位及員額，向由各機關的組織法規加以規定，因為法規修正程序太繁，組織編制便無法因應業務需要，適應調整。各機關目前調用人員，額外人員及臨時人員之由來，與此不無關係。本省各機關組織之不合理情形，由於積習太深，實在不勝枚舉，也無法一一下手改正過來，不過處於此時此地，有幾件工作，建議早日實施！

1.中央應有一個統一審議機關組織的機構。

2.職位設置標準，應迅速建立。

3.各機關的編制員額，應另以編制表訂定。

任何事業之成敗，其關鍵都在於人，所以說「事在人為」。但是人的運用，必得其當，始可發揮功能，即所謂「人盡其才」。

目前由於人浮於事，復以各機關用人，並無明確標準，形成一種奔競鑽營之風氣，其中雖不乏優秀人才，但眞正人才，因為不屑於如此，便無法得到發展的機會，實在是國家的損失。尤其當此反攻機運成熟之際，人才之選拔、培養與運用，更是十分重要的課題。總統在最近幾次重要的集會中，對於「起用新人」，迭有剴切訓示，可見最高當局，對於人才的重視。

所謂人才，在我國原多指在政府機關中的官吏。但到近代由於科學的進步，分工的精細，工商業的發達，農業的機械化，各行各業，都需人才。所以人才的意義，不過是公務人員在政府工作，自有其領導率倫的作用，其人才消長，自更與國家的隆替有關。

談到起用人才，必須先開拓各機關任用機會。當然這個事情，並非指責人設事，而是積極的加強各種業務的推展，及人事上考核，淘汰暨退休制度的執行，俾能打開目前人事僵局。

呂錦花痛斥法令繁瑣

台灣省鼎鼎大名的「養女之母」呂錦花，是台北縣的省議員。她在省政總質詢時，痛斥台灣省政府法令繁瑣，且多矛盾，使民眾與公務員無所適從。違反了便民的基本，也違反了政治清明的根本。她說：

黃主席於本年三月卅一日宣告五十七年度施政方針，力倡「結合民眾願望，向民眾提供充分服務」，本席鄭重表示支持擁護這一倡導。可是不可使此一倡導成為一句口號，或是一個理想。如何實現這一理想，其步驟與具體辦法如何，尚有待大家共同商榷。

戰國時代的韓非子定法篇曾經說過：「晉之故法未息，而韓之新法又生，先君之令未收，而後君之令又下」，這正好像為現行法令寫照。

今日法令之繁瑣，眞是汗牛充棟。尤其機關單位多，辦公人員多，甲單位與乙單位，甚至一單位之內甲科與乙科所公佈的法令，常生牴觸，矛盾，至於前令與後令矛盾，更時有所聞。不僅人民無所適從，從政多年的公務員亦莫知孰是孰非。

就各機關所編法令彙編一類書籍以觀，幾乎無法找到一本對某一項業務，絕對完備的書。至於想求各項業務法皆完備，殆不可能。偶有少數負責一項業務多年的老公務員，將迭次公報公佈的法令蒐集剪貼，但遇人事更動，則此係私人資料，不在交代之列，一如中藥片方，常易失傳，問題嚴重至此，如何不教人民困惑！代書業務遂應運而興旺，都是有其特殊原因的。

我認為法令的整飭是便民的基本，也是政治清明的基本，其重要如此。茲就所見列舉改進意見，提供參考，拋磚引玉，尚望黃主席勿以此為不急之務，而特加注意，則幸甚矣。

一、定期全面整理法令，自省而縣市鄉鎮區公所各機關各單位（包括公營事業單位）在省統一指揮下為有系統而澈底的整理，務使自光復以來政府所頒佈之各項法令，詳審其何者宜存，何者宜廢，何者宜併，何者宜修訂，重訂；寧可期其無，不可稍涉浮濫，總以清晰明確，要而不繁為原則。

嗣後並須每年整理一次，至於如何補救法令罅隙，尤為防杜流弊之主要着眼，是則有望於專家深長考訂之。

二、省府公報現係採流水帳方式，既感剪貼之繁，且因冊籍過多，尋找困難。今後應改採分戶賬方式，即一項業務一張紙，法令簡短，則無妨多留空白，切忌兩種不相同業務法令混合在一張紙上刊登。如此則受文單位易於彙集裝訂，大大減少保存卷冊的數量。

以目前情形言，一份公報中也許只有寥寥數十字與該業務單位有關，但非保存全份不可。試問自光復迄今，各機關須保存多少公報？再則公報中刊載的，何者有效，何者失效，也希望大大整理。我的理想，於整理完畢後將三年前的公報全部焚燬，其有保存價值之法令，訂為規章。併前述第一點處理之。

三、凡屬人民申請案件，無論是申請營建執照，工商登記，開採土石，務須嚴格規定責成各受理單位，將所有有關法令規定之程序，印具簡要明確說明書，所有各種表格，都要附印「填表須知」，交由各機關服務單位發給申請人；如尚有疑問，由服務人員口頭加以解釋，如此才能達到便民的要求。

四、上項人民申請案件之說明書單行本，（或單頁）仿照郵票代售辦法，分別在各地出售處出售，收回工本費。此外都市計劃圖，並無神秘存在，亦應按照土地小段分印，公開發售。政府既無經費負担，人民所費亦無幾，而減少從中賣弄玄虛，欺騙人民的機會，一舉數得。此項辦法，初期或較緊難困難行之有年，經驗，信能予清明政治以有力之一助。（五）

有計劃效率高堪資借鏡

星加坡建設斐然可觀

（星加坡通訊）星加坡於去年起，開始一個四年都市改建研究，改建工程已於本年六月開始。計劃中包括兩個地區的十工程，這十四項工程中，有六家旅館，兩家飯店，三座公寓大停車場，遊樂場，展覽會場等，

設計中之飯店建築於水上，分中餐、西餐，及馬來餐三部車場附近，亦設有館店及中心市場。星洲兩百萬人口中，有五十擁有汽車，此一新建築完成之後，將可解決交通阻塞問題。

全部建設將由政府以減稅及無利貸款辦法招商投資，但政保留土地所有權。整個費用約三億美金，估地一千七百畝，為土地的百分之一點三；但以位居星加坡市中心，其中居民數目十萬，估全國人口的百分之二十五。

此一改建計劃，乃星洲工業化的結果。星洲建國至今僅兩經建進步成就驚人。去年輸出總值達十一億美元。一九六一至年間，用於電力，水源及港口設備建設的經費已達三億一千萬種建設成為吸引外資的主要原因。

自一九六五年實施鼓勵外資的新稅法之後，已有八十三家公司在星設立分廠。星洲每年每人平均收入為美金五百四十先民生活水準僅次於日本。

星洲房屋發展委員會，於一九六〇——六五年間築成六萬七八十九個平民住宅單位，目前該會經理下的住宅總數共八萬四單位，居民五十萬人。

此一建築經驗使該委員會可於三週內將貧民窟的居民移至層的新式公寓。政府並簡化行政手續，保證各營造廠之計劃及等獲得優先處理。計劃通過後，政府可保證於三個月內清空地皮。此一行政效率，已獲得國際間一致之讚譽。

我是一個「紅衛兵」

•王朝天•

年紀大一些，舊社會過來人，都懷念過去的幸福日子，他們暗地裏流露一、二句，也使我們羨慕得不得了。過去社會像他們所說的那樣，不管是什麼社會，資本主義、封建主義都可以，終比現在的社會主義好。

我們知道「抗美援朝」戰爭，美國軍隊殺傷不知多少「志願軍」，自然恨美國人。我們不知道為什麼要有「志願軍」開到朝鮮去打仗。我們為什麼不和俄國人打一仗，收復一大片失土呢？但共產黨說美帝侵畧我們，但美帝的軍隊並沒有開過鴨綠江來，沒有侵佔我們一寸土地。

共產黨說美帝侵佔台灣幫助蔣委員長。蔣委員長的飛機是美帝供應的，用來轟炸大陸，殘殺人民，這使我們更不懂了。美帝既然侵佔了台灣，為什麼又要幫助民族英雄蔣委員長呢？台灣來的飛機，投擲的是傳單和食物，不是炸彈。共產黨說的話完全不對。在大陸上，凡是共產黨說是好的，就是壞的，說是壞的，就是好的，一點也不會錯。

美帝眞的幫助蔣委員長，那就好了，我們不恨美帝，倒喜歡美帝。朝鮮那一筆賬，是毛澤東派「志願軍」去送死。

去年十一月以前各地「紅衛兵」都亂搞反修活動，後來中共中央指示除了有組織的大會外，一律不准擅自活動。這是因為出了問題，如：十月上旬，北平第五十五中學「紅衛兵」到海拉爾去「串連」，在開往蘇俄的國際列車上大貼反蘇標語，不僅引起很大糾紛，而且促使蘇俄調動重兵駐防邊境。後來中共中央和偽「國務院」決定，不准「紅衛兵」到邊境「串連」，並撤銷了邊境地區（加海拉爾等）的接待站。

雖然共產黨限制反蘇反修運動，但反蘇是「紅衛兵」喜歡做的事情，可以乘機搗亂。就在我逛北平的一天，大街上一羣「紅衛兵」喊着「老修」，追着想毆打一個大鼻子。但那大鼻子邊逃邊喊：「我是霍查」。原來他是阿爾巴尼亞人，不是俄國人。凡是大鼻子的白種人，都可以誤會是俄國人。

楊國慶就是因為誤傷外國人而判死刑的。楊國慶是四月間，在北京東安門大街的百貨商店，舉刀砍傷了東德外交官太太和馬里新聞記者代表。後來舉行公審，對楊國慶判決死刑，並且立即執行。楊國慶為什麼行兇呢？公審中沒有審出什麼來。我們相信楊國慶一定把東德人、馬里人也當俄國人了。因為在大陸上，俄國人是最常見的外國人，俄國人和其他歐洲人，實在很難分別出來。楊國慶是出於蓄積多時的憤恨。共產黨為什麼舉行公審，執行死刑，就是禁止有類似事件。判決詞中說楊國慶出於階級仇恨。楊國慶和一個遠來的德國人和馬里人，井水不犯河水，有什麼階級仇恨呢？

八、「紅衛兵」的互鬥和派系

「紅衛兵」是自行組織的，沒有統一的組織，也沒有紀律，因此一言不合，即可發生互鬥。

互鬥的原因何在？當然為了反毛和擁毛。「紅衛兵」表面上都是擁護毛澤東的，但是有不少是反毛派所組織和指揮的。因此兩派發生互鬥，是當然的事情。但是大多數「紅衛兵」不是屬於上述兩派的，他們不過是利用擁護毛澤東，參加「文革」，各自來起鬨，搗亂。「紅衛兵」的互鬥的原因，大部份是為了細小事故，例如在排隊中搶位置，分發食物時奪座位，搭車搭船時搶先等。

如果我不當「紅衛兵」，恐怕離開滿洲里也不可能。有些「紅衛兵」，想離開自己的學校、自己的住處，到任何一個地方都比做苦工好。毛澤東目前要「紅衛兵」迅速返回原籍，安心作苦工，我想沒有「紅衛兵」是願意這樣做的。

毛澤東要求「紅衛兵」掌握鬥爭大方向，就是鬥爭黨內走資本主義道路的當權派」，但是「紅衛兵」不這樣想。「紅衛兵」對「當權派」毫無惡感，並且也不知道誰是「當權派」。受人指使攻擊的對象，終是不會永遠保持攻擊的興趣的。因此，「紅衛兵」對於任何人都要攻擊，鬥爭成為「紅衛兵」的嗜好。要叫「紅衛兵」停止鬥爭，是不可能的。

「紅衛兵」的好鬥，也是先天性。「紅衛兵」在初級階段是限於所謂「紅五類」，即是「工人、貧下中農、革命軍人、軍屬、烈屬」，因此紅五類就要和黑五類鬥。所謂黑五類，是指「地主、富農、反革命分子、壞份子、右派分子」。「紅衛兵」初成立時是紅五類和黑五類鬥。「高級階段」取消了「紅五類」和「黑五類」的分別。凡是擁護毛澤東的，表現進步、積極的大、中學生均可成為「紅衛兵」或革命師生。

有革命師生當然就有不革命師生。「紅衛兵」與「革命師生」的區分是：

「紅衛兵」有總部發給的各項證明，例如「紅衛兵」證，「串連」時的證明文件，袖章等。革命師生則僅有串連證。但在「串連」時，接待站均應接待，沒有區別。革命師生當然也要和不革命師生鬥。

我在大陸上沒有聽說過「紅衛兵」有什麼派系。至少我就不知道是屬於那一個派系。我相信利用「紅衛兵」的中共大頭子不少，各個有各個暗中組織和指揮的「紅衛兵」。這只有少數被直接利用搞「紅衛兵」的幹部，才會知道。一般「紅衛兵」，我聽人說是撲火的飛蛾，自己不知為什麼要在四周盲亂飛，最後跌入火燄燒死。（十三）

瀛海異趣談

蘇格蘭場的披頭巾幽靈

·桑雅·

濃霧籠罩着倫敦，向着泰晤士河岸下降，再迴旋於新蘇格蘭場的磚砌的尖樓，在蘇格蘭場的地窖，是黑博物館，那兒的負責警員，很遲仍未走，他坐着凝神地整理死者的遺物，

突然博物館的房門打門，在工作中的一個警員，不期然的抬頭望向洞開的房門，他不禁慘然起來！他看到一個披頭巾，像修女的婦人，行進室裹，但是當他向這位女士詢問何事的時候，驟告消逝，

幾秒鐘之後，剛才的情景，又再出現。但這回卻在博物的後面，而那個出現的「人物」——卻沒有頭的，

第二天，那位在博物館當值的警員，把一天前所見到的奇怪情形說出來，只惹起同僚的嘲笑，他們認為「披頭巾的幽靈」，不過是一團濃霧而已。但是那些「老差骨」（在警察部服務許多年的警員），卻不把這些看作笑談；他們記得蘇格蘭場裏，發生可怖而神秘的謀殺案，當時在這座黑博物館裏會發現一具無頭的屍體。

蘇格蘭場，在警察總部搬進威敏斯德區的維多利亞街之前，原是在威敏斯德橋畔的。當興建維多利亞堤壩時，蘇格蘭場的所在地，便得他遷了。原本，這塊地，給特別指定為建興國民大劇院的，於一八七五年，由愛丁堡公爵奠基，但於一八八〇年中，這項興建計劃中途放棄，因為經費不足的原故。事實上已經建築了曲折迂迴的通廊，拱形的門樓，和一些拱形頂的房室，這些房室依照計劃是由作化粧更衣之用。

後來都會警察部把這地盤買了過來，作為興建警察總部。

於一八八八年，十月二日星期二，替蘇格蘭場建築的一位木匠佛德烈·衞賓在其中一個拱形地窖房間，發現了可怖的情景。他在前幾天回到那兒取回遺下的工具，他注意到一角落有些像一件舊外套的東西。而這天（星期二）的早晨，他回到那裏，仍然看到這件「外套」。於當天的午餐時，他帶助理管工白倫，往那個房間看着「外套」。

佛德烈·衞賓認為那「外套」，只是布料包裹而已。同日稍後的下午，總管工陳彌，吩咐其中一名工人佐治·畢鎖，將包裹打開來看。

佐治·畢鎖把包裹的繩子拆開，這好像別人棄置的陳舊醃肉似的，包裹外是用黑色的緞包。當包裹打開後，他嚇得急忙的向後跳，原來包中放着一個無頭無腳的人屍。他於下午三時二十分，助理管工白倫，氣急敗壞的走到京士街警署報告發現神秘屍體的經過情形。

翌日上午七時，由湯馬斯邦及查理士·柯佛烈·赫披兩位醫官檢驗屍體。他們的檢驗，證明死者是個很有教養的婦人，她的皮膚柔嫩，黑髮，年紀最少有廿四五歲。她的頭部和手足，都是給鋸子鋸去；雖然如此，醫官也可以估計死者的高度約在五呎八吋。

醫方證實她曾患嚴重的胸膜炎，但是她怎樣致死，卻不曉得了。湯馬斯邦醫官記得是年的九月十一日，在泰晤士河畔，曾發現一隻人臂，他要求檢視那隻人臂，結果認為，這是從無頭無臂女屍身上鋸出來的，報章稱為「白廳神秘案」。

所發現的臂膀是左臂，醫官認為死者從來沒有戴上結婚戒指。

警方開始展開積極調查，以破獲該宗神秘無頭女屍案，希望能發現她的眞正身份。但只稍後一位記者給予警察部以一些綫索。發現一條腿而已。

於十月十七日任職於刁寶黑市的中央新聞通訊社的記者謝斯伯華陵，及環球報的安高，獲准到蘇格蘭場的地縈，而且還攜同謝斯伯華陵的一頭犬前往。

那頭犬曾嗅到一處的土地，在石和磚的下面，發現一條左腿和股部的一部份。這些殘骸，醫官證實是屬於那具失屍的。

警方經過四個月的偵查，始終無法查出死者的身份，最後，只得放棄下去，將這紀錄存案。但是蘇格蘭場方面，始終無法把這宗發生於門前的命案遺忘的。

接着許多有關鬼魂的傳說，繪影繪聲，當黑博物館再出現那無頭鬼魂時，「老差骨」不會當作是笑談，無論如何，至今仍不曉得那個無頭女屍是誰？她又怎麼會遭毒手？及兇手是誰？只有成為一宗無頭公案。

剖析八十二名反毛的中共中委

·李敦復·

茲將中共文化大革命之前，該局的主要人事列下：

第一書記：陶鑄（見前。）

第二書記：王任重（見前。）

第三書記：陳郁（中央委員，廣東省省長，已被免職，由林李明代理，已遭整肅。）

書記：吳芝圃（見前。）黃永勝（候補中央委員，上將，廣州軍區司令員，在中共奪權鬥爭中，為親林（彪）派。）劉建勛（候補中央委員，曾任河南省委會第一書記，自前北平市委會第一書記李雪峯失勢後，由劉繼任，但，今年二月十日北平大字報透露已被整肅。四月二十日路透社倫敦電訊報導謂北平中共電台廣播，劉被任命為北平市革命委員會委員。）王首道（中央委員，曾任國務院交通部部長，由於久未有消息，可能已遭整肅。）金明（曾任國務院財政部副部長。）張體學（湖北省委會第二書記，在中共權力鬥爭中，已遭整肅。）張平化（候補中央委員，曾任湖南省委會第一書記，自去年六月後，陶鑄升任中央宣傳部部長，郎獲升任中央宣傳部副部長，自陶鑄垮台後，隨亦失勢。）韋國清（候補中央委員，廣西壯族自治區委員會第一書記，自中共文化大革命以來，原中南局首腦已逃避一空，可能已升任中南局第一書記，近十個月來，未受到攻擊。）

中共河南省委員會

第一書記：劉建勛（自調職後，該職似未補上。）

第二書記：文敏生（曾任河南省省長。）

書記：楊蔚屏、趙文甫、吳晧、宋致和、史向生。

中共湖南省委員會

第一書記：張平化（見前）。

（十五）

談「先生」

·夜闌·

「先生」一詞，相當於英文之「蜜司脫」，或日文之「君」及「閣下」，蓋尊稱也。筆者自十餘歲就被人這樣稱呼，以迄於今，可謂榮幸之至。但是，積了三十年以來在種種場合號稱「先生」之經驗，常覺此一稱呼的含義並不簡單，而頗堪玩味。

少年時代，生於所謂「書香門第」，穿長衫，學邁方步，斯文綯綯的談話，事事附庸風雅，自命不凡。人家以「先生」自許，小心眼兒內不勝莫名其妙的驕傲與得意。長大[illegible]作起「人之患」來，更是順理成章，依然如此。繼而投筆從戎，也當過「員」，也當過「長」，同事間全是以官銜相稱，惟有我得天獨厚，仍然常被人呼為「先生」。也許因為大家知道我當過「教書先生」，也許由於我常愛搖動筆桿寫七寫八，也許鑒於我的岸然古板的外貌，和固執迂濶的談吐，以至使他們不由自主，理所當然的這樣稱呼着我。奇怪的是：我對於這種稱呼，反覺得格外親切與高興。

後來，改搞行政，辦等因奉此，被人家稱「先生」如故。但是，我對這個稱呼，卻漸漸的感到厭煩起來。原因安在？必須從頭細說。

在行政機關有一個慣例，即凡屬「長」字號以上的職員，均以官銜稱呼，而「員」字號以下的，一概稱之為「先生」。因此，在辦公室內被稱為「先生」，其口吻多屬輕率，而缺乏敬意，具體一點說，在那近乎呵斥的「先」字之下常常並沒有「生」字的發音。至於在另外的場合被介紹為「先生」時，更不啻被掀了「底牌」，使人家不問便知你是一個起碼的小職員。自然，小職員並不下流，大職員也不值得冒充；但討厭的是：很多人對於「小職員先生」幾乎千篇一律的慣會做作出一種鄙夷不屑的神氣。你對人家談話，如果不出之以必恭必敬的態度，便被認為失禮。人家對你談話，如果不擺出掉以輕心的架勢，便好像有失身份，或不夠派頭。

如此這般，眞是令人氣衆。這樣看來，「先生」好像變成一種最卑微的稱呼了。低級公務人員之被稱為「先生」，以及販夫走卒之被通稱為「先生」，彷彿是異趣同工的。但是，又不盡然。在今天大家對於學者，名流，乃至政府首長，不是也常以「先生」相稱嗎？

至此，「先生」一詞的正確意義，實有加以研究的必要。經查詞源，註解如下：「稱師曰先生」，「謂父兄也」，「年長者之稱」，「有道者之稱」。韓詩外傳云：「古謂知道者曰先生，猶言先醒也。不聞道之人，則冥於得失，眊眊乎其猶醉也。故世人有先生者，有後生者，有不生者。」——看在這些解釋的份上，倒可使所有被稱為「先生」的人士們，不禁其飄飄然的感覺了。

但是，「先生」們必須注意：一個名詞所代表的意識，是隨着社會現實而演變的。在衆人的觀念業已形成的時候，任何人想咬文嚼字，孤芳自賞，都是極為可笑。譬如：很多人常說：「誠實就是無用的別號」，「忠厚就是愚蠢的雅稱」。這種說法，恐怕沒有幾個人胆敢肯定的指為荒謬罷？准此，「先生」也許就是「廢物」或「傻瓜」的代名詞了？

中國女性文藝春秋

周遊

答兄感離詩

蘇若蘭

自我離膝下，倏忽踰載期。邈邈情彌遠，再奉將何時？披省所賜告，尋玩悼離詞。彷彿想容儀，歔欷不自持。何時當奉面，娛目於詩書。何以訴厥苦，告情於文辭。

蘇若蘭名蕙，是符秦時代陳留令道賀的季女。年十六出嫁扶風人竇滔。滔字連波，仕秦為安南將軍。因為她天賦才色，很受竇滔的喜愛。然而竇滔另有一名寵姬趙陽台，能歌善舞，甚是可人兒。若蘭亦因此忌妒，常加打罵，台陽恨之入骨，於是造謠興謗。其時詔命竇滔留鎮襄陽，若蘭不願同往，乃求携陽台赴任。若蘭悔恨自傷，因織字為迴文，五彩相宣，瑩心眩目，名曰「璿璣圖」，命人送至襄陽。滔大為感動，遂送陽台至關中，具輿重迎若蘭於漢南，夫妻情愛遂初新。「璿璣圖」文字，反讀、順讀、斜讀、交互讀、退一字讀，叠一字讀，皆成文章，共計八百四十一字，得三四五六七言詩三千八百多首。但玩味其詞義，當不免遷就字句，殊多勉强。原詩本為一圖，傳錄不便，不便引錄。汪元放有五彩印的原圖，載於他所標點的「鏡花緣」小說中，可以參看。如此奇妙的文藝，當然不能句句佳作，如此長詩，兼備各種讀法，各體長短字句相合，實在是絕妙之作，不可多得，然只是特殊文藝而已。

楊若華

楊若華，為廣東東莞楊德愼的女兒，少有才貌，許嫁與同郡人王晞。可惜尚未合巹，王晞看破世俗人生，遁入空門，若華為文勸止，不聽。後來若華也受了楊德愼的傳染了，步了德愼之後塵。茲錄其勸勉她未婚夫出家的詩一首以觀之。

大道自無窮，天地長且久。巨石故因消，芥子亦難數。人生一世間，飄若風經牖。榮華豈不茂，日夕就雕朽。川上有餘吟，日斜思鼓缶。淸音可娛耳，滋味可適口。羅紈可飾軀，華冠可曜首。安事自剪削，耽空以害有。不道妾區區，但令君恤後。

孫瓊

孫瓊是松陽令鈕滔的母親，吳興人。她喜歡養鶴。有集子二卷，可惜不傳於世。今天僅僅可見賦二篇，贊一篇，書信二封。下錄「悼艱賦」以觀之。

伊寶父命之不辰，遭大難之靡忱。夙無父之何怙，哀繼瘁以抽心。覽蓼莪之遺詠，詠肥泉之餘音。經四位之代謝，瞻祜祀而思深。伊三從而有歸，爰奉嬪於他族。仰慈姑之惠和，荷仁澤之陶渥。釋　服以斬衣，代羅幌以縞布。仰慈尊以欷泣，撫孤影以協慕。遇飛廉之暴駭，觸驚風之所會。扶搖而上躋，頹雲下而無際。賴余邑之常存，覩峻陵而瞻音。瞻宮宇之寥廓，感宿草之發生。願南枝以永哀，向北風以欷泣。情無觸而不悲，思無感而不集。

（十八）

平劇繽紛錄

「大宛」公演六天

桂良

「大宛」軍中平劇隊，以名鬚生胡少安，花旦戴綺霞，雙頭牌爲號召，尚有著名淨角王福勝，與全材武生李桐春，少安之新妻唱青衣的周韻華與麒派老生印九齡，他和桐春皆擅演「關戲」；惟九齡之嗓門調可觀，其過行雲，與硬裏子金鳴玉皆能以藝勝人。

該隊五月十六日至十八日曾在北市公演三天，戲碼有胡少安之全部「一捧雪」與「轅門斬子」；戴綺霞之「大英杰烈」與「破洪洲」，今不及三閱月，該隊自初旬起，將在中華路「國軍文藝活動中心」公演六天。大軸戲碼，仍由胡、戴，分担，較之上期所演三場戲，讀者可作一比較。

在此期中，少安主演「哭祖廟」，在台北係新排首演的戲。他腹笥極寬，也習馬派，以「羣英會」、「借東風」、「串龍珠」、「甘露寺」、「蘇武牧羊」、「四進士」、「一捧雪」、「逍遙津」、「十老安劉」爲拿手，又擅高戲：「哭秦庭」、「斬黃袍」與老旦唱「三進士」等。「五鬼捉劉氏」、「雙釘記」、

他唱汪笑儂派的「哭祖廟」之前，前此所未聽過的。此齣之前，師，由名淨王福勝領銜，續以李桐春之「鐵籠山」，起霸、觀星、準，帶「草上坡」，全劇一如無「哭祖廟」，則一名：「九伐中原」。

他又主演全部「胭脂寶褶」，由「永樂觀燈」、「遇龍，封官」起，迄「失印救火」，一人承當生末二角，前者之永樂帝，有王帽戲的唱工，後者白槐，做工繁重之吃脚跛、紀背的洛陽縣令金祥瑞，輕鬆生動的白槐縣演金台動作。

並茂，爲不可多得之趣劇。

少安再與印九齡、王福勝、李桐春、小張遠亭合演「連營寨」，由印九齡唱吶調，自「玉泉山」顯聖起，張遠亭之「捉呂蒙」，張慧鳴之「戰亭」——黃忠帶箭，王福勝之張飛，「造白袍」爲海外罕見，少安之「哭靈牌」，殿以李桐春之「趙雲救駕」。此夕都是生角，且角們休息一場。

有武旦戲，戴綺霞以武旦及花旦擅勝場，此番公演「打刀」，及「陰陽河」等。

「陰陽河」是齣好戲，且角李桂蓮所挑之一對水桶結綵球，耍擔子時，雙手不能扶扁擔，因爲她是演魂子。左右肩換扁擔，有重心，有技巧，踩着蹻，搖扁條，更顯得嫋娜多姿，一邊唱花梆子有一二十句之多。合演之老生，由武生李桐春飾其夫李茂才，陰陽公界，見妻一場，走吊毛、搶背，他二人合演，自然勝任愉快。

十三海嘯豐談薈

我看吳稚暉先生（下）

諸葛文侯

對日抗戰中期，國民政府林主席溘然逝世，繼任人選頗不易決定，朝野人士多屬意於吳稚老，以其德望崇隆，與林主席相伯仲也。中樞曾向吳先生道達衆意，他逊之若浼，但其所持理由甚爲可笑；他認爲國家元首常須御禮服接見外賓，尤其是外邦使節呈遞國書時，禮儀更隆重，然自己平生就未穿過禮服，不知道身爲元首者，在這種場合應該怎樣行動纔合式？又說自己一生習慣了在市街上手持着花生米，漫步咀嚼，每天還喜歡走到郊外去拉一次野屎。這些行爲都非國家元首所應有的，如果貿然担任國府主席，丟人失格，豈非貽笑中外嗎？說罷，覵然若無其事。這與莊子以大龜願曳尾於泥途之說，對於楚使的意旨相輝映，值得讚美也。

民國卅二年夏間，在重慶的文化界人士衞聚賢等，發起慶祝吳稚老七旬壽誕，幷與紀念特刊，吳先生聞訊，急以長函遜謝不遑。他所持的理由亦非如流俗所謂「德薄能鮮，愧不敢當」那類庸俗的客套話，他說自己降生時，因爲肚臍上有一種異乎尋常的結構狀態，先辈人指爲不祥，依傳統習俗最忌諱做生日，所以不敢冒生命的危險以承受友好的雅意云云，文章甚長，曾載入紀念特刊中，當時我讀罷大笑不已，這特刊已經遺失了。

稚老一生不作官，與人無忤，然基於革命熱情和正義感，[illegible]作北洋政府段執政的秘書長兼教育總長，解散女師大，僱用流氓拉女生走出學校，稚老在「京報」著文痛斥章氏，章在其所辦「甲寅雜志」爲文反擊，最後稚老在報上發訃聞云：「不友吳敬恒等罪孽深重，不自隕滅，禍延行嚴章氏，距生於甲寅某時，於甲寅某日壽終歪寢」等語，表示絕交的決心。二是汪精衞：從民國十六年汪與中共頭子陳獨秀聯名宣言國共兩黨同生死，共患難起，吳先生一直對汪氏抨擊不遺餘力，且給汪氏起了一個「汪精怪」的綽號，汪亦發表過許多指摘吳先生的言論文字。三是馮玉祥：民國十九年馮由山西走到西安陰謀稱兵作亂，吳先生電誠馮氏以堅苦卓絕之精神努力建設，爲國家保留元氣，馮復電反唇相稽，極其刻薄無賴，原文云：頃接先生元電，迴環讀之，不覺啞然失笑。假如玉祥不自度量，覆先生一電，文曰：革命六十年的老先生，少年吳稚暉的先生，不言黨了，不言革命了，亦不言眞理是非了，蒼髯老賊，皓首匹夫，變節爲一人之走狗，立志不問民衆之疾苦。如此行爲，死後何面目見先總理於地下乎？等語，豈非太不好看乎，請先生諒之。

不作官，不殖私產，不教自己的兒女和親戚們濫竽政界，倖進干祿，這都是足以風世勵俗的高尚節操。環顧當代所謂黨國要人與社會名流，可與吳先生同日而語者，還有誰呢？

閒話麻將

陸民

一、麻將與奕棋

孔子說：「飽食終日，無所用心，難矣哉！不有博奕者乎？爲之猶賢乎已。」

從這幾句話，可以看出三個要義：第一、國人在二千四百年以前，即喜歡下棋與賭博；第二、下棋、賭博，比起吃飽了無所事事的人，還賢一些；第三、不肯勞心或勞力的人，才眞是廢物，聖人不懂勞動改造，或整肅下放之類的玩藝，只得以悲天憫人的口氣說：難矣哉，眞是無可奈何的事呵！

或許是受了孔老夫子這句話的影響罷，漸至近代，奕棋雖然逐漸衰落，而麻將則變成了「國賭」。

爲什麼會如此呢？蓋由於奕棋雖亦爭勝負，但局面完全公開，沒有什麼秘密，純憑雙方的智慧，技術，以及精神，體力，來決定輸贏。但時代愈近，人們的賭性愈强，單爭勝負而不博金錢，又太費腦筋，更無未知數的所謂手氣或運氣存乎其間，人們乃覺不夠刺激，實際乃是不足以產生僥倖偶勝的奇巧之局。於是奕棋這一門玩藝，在社會上感興趣的越來越少，[illegible]麻將，實際近來已變成純粹賭博，就將取奕棋而代之，不久的將來可能會奕棋——無論象棋、圍棋——的人，都係專業，或能從那中間產生專家，其地位與科學家相等，如吳清源、林海峯之流，然而須到外國才能出名。但麻將則成爲家喻戶曉，人人皆知的普通常識。這自然只就咱們華人在某些地區的人士而言，絕非包括全球上的人類。

二、麻將的起源與演變

考查麻將的起源，原稱麻雀，麻將乃其俗名。相傳此戲[illegible]馬弔，爲麻雀。宋儒楊大年著馬弔經，是馬弔固始於宋也。惟無東，南，西，北，中，白。至清代淮揚鹽賈，賭此戲也。太平軍興，軍中又增入簡化，索化，天化，王化，東化，南化，北化，蓋均爲太平天國之封號也。後流入寧波，不久遂普及矣。」

三、麻將的形式及制度

初爲馬弔，後來演變而成爲現在的形式。在明朝的時代，馬弔爲紙牌，凡四十張，上繪人形及花形，有萬貫，十萬貫，四人入局，文錢，萬貫，人各八頁，以大擊小。清李業有馬弔譜，又有葉子譜，[illegible]稱入局者，又說：馬弔之音轉也。吳人呼雀爲刁，讀去聲，後又訛[illegible]

現在的麻將形式及制度，初期盛行於寧波，大致可無疑問。而由長方形的紙牌變爲以竹爲面，以骨刻花及字的小塊長方形的硬牌，可能也是在那一時期演變而成的。內容既經太平軍添補，因牌的繁複，頁數亦必加多，故愈趨大量，紙牌則挿洗不便，必須爲硬體，以便覆於桌上，撞混藉，免流弊。又因玩牌多半是在海上或河上航行的時候，水面風大，紙牌往往吹落，乃最初以竹塊代之，後遂逐漸演變而成現在的形式。

目前內容已趨固定，計筒、索、萬三種，各九數，益以東、南、西、北、中、發、白（或作龍、鳳、白），各四張，計共一百三十六枚。另色有加花四張，如春、夏、秋、冬，梅、蘭、菊、竹，共八張，或更有再添白搭，並別出花樣聽用，復添上四張八張，貓與老鼠或財神者。據說，這些都是上海人與出的花樣。不過，由骨裏竹面的膠牌，演變爲塑膠體的混凝牌，則是廣東人的創作，別地方是不能掠美的。（一）

襄陽是荊州應付曹操的第一綫，戰爭的低氣壓一天比一天沉重，戰爭一朝開始，諸葛亮即使想在隆中隱居，戰爭的浪潮也會把他衝走。諸葛亮的必須等待劉備第三次訪問，不是諸葛亮故意自高聲價，而是他也不能不謹慎檢討他的這一出處。處在第一綫的劉備和他的部隊，是經不起曹操的壓倒性攻擊的，諸葛亮即使是神仙，也亦無法改變這一形勢。在瀕臨崩潰的邊緣和劉備合作，是何等艱苦的課程，而這一課題，決不是盲目地冒險就可以解答；大致在劉備的最初兩次的訪問中間，他一直在考慮這個問題，到第三次，他找到了答案，才決定接受劉備的邀請，並且將答案的三點，作爲雙方合作的基礎：

一，以曹操作爲唯一的敵人，但暫時避免與曹操作正面的戰爭。與孫權結成對付曹操的聯合陣綫，放棄對東吳既有地盤的任何計劃。

二，先爭取荊州作爲據點，再進兵四川而佔有之，修明政治，充實國力，等待有利時機的到來。

三，有利的時機一到，右翼自荊州指向河南地區曹操的心臟地帶，左翼自四川指向陝西地區曹操的後方，給予曹操致命的一擊。

大政治家諸葛亮

河漢

劉備以後的行動，大體是依據了這一個決策的，劉備以後所遭致的打擊，大體便因爲違反這一個決策。但是仔細檢討諸葛亮的隆中決策，他一開頭便只作鼎足三分的預期，而未曾作過統一中國的打算。同時，諸葛亮在隆中只自比於尊王攘夷的齊國的管仲，起衰振類的燕國的樂毅，却不自比爲漢朝開基立業的蕭何，便可明白諸葛亮已認識清楚了當前的既成事實，對於曹操與孫權已經造成的局面，就劉備與他的條件而論，缺乏可以轉變的力量。爲了面對現實，所以他的最高戰略指導始終堅定於聯吳伐魏，從來不作誠魏吞吳的空談。爲此他所高喊的「漢賊不並立」的口號，主要是用來齊一國內的步伐，和團結友邦東吳的。在這口號的背面，眞正的意義是：弱小的蜀漢，必需在這一鮮明的旗幟之下，自強不息，爭取與強大的魏吳共存。爲了達到這個目的，他對於吳國一直委曲求全，對於曹操與他的繼承者，長期處在主動的戰爭狀態中。劉備與諸葛亮在共患難的這一階段，雙方確實做到「如魚之得水」的情況。但佔有了荊州的三分之一，又佔有了四川以後的劉備，小王國已經建立了，局面已經相當穩定了，他們之間的關係也就不再像以前那樣地契合無間了。（三）

驅除苦惱有妙法

麗珠

這時，我便抓着腦袋，企圖找出多點煩悶的事，但已不可能了。他的表情仍然是輕鬆的、仁愛的。他永不會考慮這些不能做成自殺的煩惱。因此，他會裂嘴一笑，把那張紙遞給我。於是，我又帶着輕快的心情離開他。他使我明白，世界上的煩惱有比歷史的課不及格或患上感冒更傷心的。

此後，我同樣形成了一種習慣，每當煩惱襲擊我的時候，我這樣拿出一張紙，然後靜靜地想，究竟什麼事使我這樣可憐呢？一顆破碎的心？一架破爛的洗衣機？惡劣的二月天氣？傷風又患上了？究竟怎樣才能把這些苦惱的東西打倒呢？隨着我記起名記者加殊說：「苦惱就是想用自己的手指把自己掘到老遠。」

「太大的失望有如一個妻子，她的名字就是『過慮』」。過份的憂慮跟着失望而來，而它是復原的最大敵人。因此，我發現，如果要驅除煩惱，便一定要付諸行動，向煩惱還擊。我通常愛將家裏傢俬移動，重新擺設一番。這不但能運用體力，而能分散煩惱的集中。你又會感到自己處在一個新的環境。最重要的，你的丈夫將會非常興奮呢！（二）

自由報
內銷警台報字第〇三一號內銷證
THE FREE
第二九七期
中華民國僑務委員會登記證台僑新字第三二三號
中華郵政台字第一二八二號執照登記爲第一類新聞紙類
（半週刊每星期三、六出版）
每份港幣壹角
台灣零售價新台幣貳元
社長：雷嘯岑
督印人：黃行若
社址：香港銅鑼灣高士威道二十號四樓
20, CAUSEWAY RD 3RD FL. HONG KONG
TEL. 771726　電報掛號：7191
承印者：大同印務公司
地址：香港北角和富道九六號
台灣分社
台北市西寧南路壹壹零號二樓
電話：三〇三四六
台郵撥儲金戶九二二五二

聯合國大會又舉行了！

——它對世界和平將有甚末裨益？

·蔡鈞偉·

一年一度的聯合國大會，昨天又開幕了。這一所謂世界政府自創立以來，歷時已閱廿載，它對於世界和平前途究有多少貢獻？對於國際間的糾紛問題又作了那些公正的解決呢？我們所見到的事實，只是幾個强權國家藉聯大會議作宣講台，喧嚷一陣之後，一哄而散，依然各行其是。

聯合國成立二十年間，最足以振奮世界人心的動作，就是一九五〇年大會決議討伐侵略南韓的中、韓共軍，而最足以沮喪世界人心的，也就是聯大會議對韓戰的策略。既然渙汗大號，教自由世界各國出兵討伐侵略者，而又託詞爲「警察行動」，不求戰勝；既經大會決議認定毛共是侵略者而予以公開譴責，然於譴責的罪行幷未消失以前，竟再三期望毛共加入聯合國。這樣的世界政府，怎能維護世界和平？更有甚末能力解決國際爭端呢？除了每年開幾個月會議，讓各國代表用公款遨游美國一次，替美國市面增加一些消費生活，作爲報答地主之誼以外，別無意義可言也。

站在中國人的立場，十餘年來，最憎惡的聯大會議之聲，就是所謂「中國代表權問題」。中華民國是聯合國四大創立國家之一，又始終跟全世界大多數國家維持着稱有的邦交，毛共政權亦未曾要求加入聯合國，中國代表權根本就不發生問題，俄共集團藉此作宣講題材，困擾會議之進行，無怪其然，而美英各國亦咻然附和，且於每次聯大會議表決之際，聲言「中國代表權問題再擱置一年」，好像他們對中華民國給與了莫大的恩惠，我們却認爲是一大侮辱！日前聯合國秘書長宇丹侈言中國代表權今年不致變動，我們聽到這種胡言妄語，無名火即不覺爲之昇起，詎料咱們自己的外交人員以及報紙消息，亦復拾人牙慧，說出甚末「我代表權不致有問題」這類廢話，可謂莫名其妙！事實上，所謂中國代表權問題之所以發生，乃是美英陰謀搞兩個中國，嗾使印度、南斯拉夫乃至於緬甸、柬埔寨這些僞裝中立的國家，在聯大會議中猖猖狂吠，由於毛共置之不理，他們祇好以「再擱置一年」之說，聊以解嘲罷了。假使中華民國能夠進軍大陸，只要光復一二省市地區的話，你看聯大會議時，還有人談中國代表權問題否？我們自己如不爭氣，沒有作法，而每年爲着應付聯大會議，不惜消耗幾許的人力財力，以期爭取「中國代表權」的支持者，舍本逐末，毫無是處。中華民國政府如不回到大陸，而長此偏安一隅於台灣，即令聯大會議的代表權不生問題，又有甚末光彩呢？

本屆聯大會議的題材，除却所謂中國代表權問題外，越南和中東問題，自係宣講的大好資料。

美國一方面要以自由世界的救星自居，不惜對國際共黨的局部侵略行動，毅然採取實力制止政策，然又害怕觸發大戰，乃隨時自我恐嚇。當年對於韓戰之不求勝論，說是可能激起蘇俄參戰，現在對於越戰之不求勝論，認爲要避免毛共介入；當年美軍在韓戰中，禁止轟炸鴨綠江邊的毛共軍事基地，如今在越戰中，亦不許轟炸河內、海防這些北越的軍事經濟中心區域；迫得不斷地向越共呼籲和談，且以美元爲餌。然越共早已覷破了美國畏戰心理，拒不接受和談，要談即須美軍先行退出越南，否則不如跟美軍作戰百年千年亦無所謂。美國既要以空襲的威力，迫使越共罷戰言和，而又不敢轟炸北越的重要基地和港口，越共當然不肯低首談和，這是常識可以理解的事，若謂經過聯合國處理，幷如聯合國秘書長宇丹所言，美國停止空襲，即可出現和談局面，其誰信之？目前美國當局對於越戰的心情，深感困擾，對外害怕有引起大戰的危險，對內躭心影響來年的大選前途，既不能强，又不能弱，唯有利用聯合國出面進行和談工作，縱不成功，亦可遷延若干時日，使美國內部的輿論稍爲安定，實亦良非得已。

談到中東問題，聯合國更不會有甚末解決希望，這次以阿戰役，就是聯合國秘書長宇丹措置乖方而引起的。中東糾紛的主要問題，乃是巴勒斯坦的幾十萬難民安揷問題，這問題沒有合理解決方法，阿拉伯國家即不會承認以色列的新邦存在，而蘇俄與美英對中東國家又互爲左右袒，因而問題更見複雜了。以色列在美英卵翼之下，成爲中東實力最堅强的新邦，遠非阿拉伯各國所能抗衡，它現在憑戰爭的力量，佔領着埃及與約但的土地，要求阿拉伯國家直接談判，目的就是要阿拉伯國家承認以色列新邦之合法存在，進而締結邦交。如果阿拉伯國家願意直接談判，相信以色列將作極大的妥協讓步，以期和談成功。若經由聯合國出面處理，而以南斯拉夫的調停方案爲藍本，由於强權國家利害衝突，暗中干涉播弄之故，不特沒有好的結果，而且治絲益棼，勢必增加以、阿雙方的戰爭氣氛。以色列有兩事決不能讓步：一爲阿拉伯國家的不承認主義，二爲蘇彝士運河的自由航行。這兩大爭執，皆需要雙方先有和諧的心情，纔有談判之可能，然這種和諧情緒，非口舌所能奠立的，聯合國對此，當然無能爲力，這次大會中縱或授權秘書長，組織和平使者團體，進行調解工作，亦是徒勞無益的空事。

聯合國不特對於維護世界和平的大問題，無從作實質的貢獻，即對於若干小問題，如關於世界各地區的生產與社會狀況等調查報告，亦多不實不盡，尤其是對於毛共區域的調查統計，只是根據毛共的官文書，照樣抄錄而已。所以，聯合國的存在與否，對於人類安危前途，實在毫無關係，我們如其再將國運之隆替寄望於聯合國，眞是愚昧之至。

什麼滋味？

兩副面孔

今日與明日

暴徒要收檔

近日報紙風傳香港暴徒將藉「十一」僞慶，正式作爲「勝利」收檔，事情眞象如何，尚待時間證明，不過就表面情形而論，暴徒也確有不能再鬧下去的苦衷。

從經濟方面來看，暴徒這些日子的殺人放火行爲已經使得天怒人怨，尤其謀害了林氏昆仲之後，除去一小撮共幫及其僱傭兇徒之外，可以說無人不反共，在世界任何國家也沒有比香港共產黨更失人心的了。本來毛澤東只知道槍桿子出政權，從來也不注意人心的向背，可是由於港九居民厭惡共黨，影響所及，變成了不買共貨，這一來共幫在港九的三十幾家「國貨公司」便遭了厄運。以九龍兩間規模巨大的而論，尖沙咀附近的一間，平均營業額要超過四萬元始能維持開支，在暴動前，生意好的可以賣到七八萬一日，目前從未賣過五千；至於旺角一間營業額過去在十萬以上，此時也難作到五千。自由人士作的生意在不敷開支時可以自動結束，「國貨公司」又不能清盤結束，只有開門死撐，而此種生意又都是私人經營，如何能支撐下去？一間公司老闆早已跑去印尼，公司變成了兄弟班，另一間老闆因爲跑不掉，正陷於求生不得，求死不能之境。而由於三十幾間「國貨公司」一破產，使得毛共外滙收入大爲削減，就此一端，毛共已不能不禁止此地匪徒再繼續「鬥港英」了。

在匪徒本身來說，經濟情況也太成問題，因爲過去勒捐來的鬥爭費，經過四個月的開支，已經用竭，重要的鬥委反正的反正，逃走的逃走，剩下的銷聲匿跡，無人出錢，却要一批傻小子去賣命，自然是作不到的，所以炸彈越放越小，越放越少，甚至放到了尾巴報門首，若非有意洩憤，就是心不在焉。

隨着匪徒要收檔，發生了一個連帶的問題，就是當初被誘騙罷工失業的工人怎麼辦！這件事已引起社會各方面的注意，並且謠言此輩準備舉行大遊行示威，要求復工，若果如此，究應如何對付？

就各工廠及交通機構來說，把左派搗亂份子淸除出去，如同人身上長個瘡擠出了膿，自然感到輕鬆舒服。但是這批失業工人在拿不到慰問金，全部陷於挨餓時，勢難免去挺而走險，究非社會之福。因此，我們覺得政府勞工處應揷手過問此事，就是復工工人必須要經過勞工處審核，過去確無殺人放火之事，而又確實悔悟的，應該給予一個工作的機會，這是自由世界的責任，也是人類應有的同情心。（何如）

自由談

千萬顆人頭落地！

馬五先生

自由世界的報紙記載，共地區內亂消息，每以擁毛派和反毛派爲分析標準，這是不切實際的說法。共黨在大陸上無論「文鬥」或「武鬥」場合，幷無所謂「反毛派」這項名詞，都是以「擁護戰無不勝的毛澤東思想」爲號召，而指對方是反革命派，是修正主義者，是走資本主義路線的黑幫。

站在擁毛立場者的作用，固然是在奪取政治權力，攔着擁毛旗幟以擁毛份子鬥爭的爲宗旨。因爲在共產中，所謂「階級鬥爭」的悲劇，是永無休止的，既鬥敵人，也鬥同志，普通人民祇有被奴役宰制的份兒，共黨份子如果沒有權力作直接間接的護符，生命亦就毫無保障，隨時跟死神接近，不知命在何時完蛋！生息在自由國家的人，有作順民之自由，祇要你對執政者不反動，不犯法，自己有辦法營生，儘可置理亂於不聞，我行我素。共產社會却不然，一切生活行爲都是「政治掛帥」，早晚都要學習這樣那樣的言論思想和文件，任何人沒有不說話之自由，說話又要被檢討批判，却無一定的是非標準，完全以權力者的喜怒愛憎爲眞理。所以，毛澤東若不設法奪權，他可能變成反革命的罪人，莫保首領以歿。但他不能循着一般的黨紀與法制以取得權力，因爲黨政的當權幹部，多數對他攜貳了，迫得不斷利用「紅衛兵」來作火中取栗的貓脚爪，不講道理地亂搞一通。各地區的文武當權者，眼見黨紀國法制都失去了作用，大家爲着生命攸關，乃糾合親信嘍囉，假借「擁護毛澤東思想」的口實，爲鞏固自己現有一切的權力而從事自衛鬥爭。所謂「文化大革命」的眞正作用，如是而已。至於「破四舊」「立四新」云云，實係替摧毀黨紀與法制的暴亂行爲解嘲，別無新義可言。

毛酋的奪權運動，不論成功或失敗，但有一項結果是必然的，那就是千萬顆人頭落地，絕對錯不了！

從省議會的總質詢 看台灣省政得失

議員們對社會福利工作的看法

——本報記者熊徵宇

省議會這次會議，着重於社會福利工作問題的，幾乎都是幾位女性省議員。她們對於社會福利工作各部門的組織不夠健全，經費使用不當，管理不週，執行不力，弊端叢生，以及興建國民住宅的政策偏差，使人藉機取利，而真正需要房屋住宅的人，却不容易申請到貸款諸種問題，提出抨擊，要求省府從速改善。杜絕社會福利基金的專欵挪作他用。

王宋瓊英 指出缺點

台北縣的女議員王宋瓊英在省政總質詢時，面對黃杰主席說：政府推行社會福利措施，是以貧苦民衆為其主要之對象，這是掃除貧窮的好辦法，是政府的一項德政。

社會福利是一種只許成功不許失敗的工作，本人曾隨省議會社會福利考察團到各地去考察，深感有待改進的地方很多，茲列舉出來，供政府改進之參考。

第一、社會福利經費，係來自土地增值稅，在第一期四年福利計劃中，原列經費已嫌過少，自台北市改為院轄市以後，經費更形短少，實不足以適應需要，應另闢其他途徑，寬籌經費，以資適應。

第二、若干實際工作負責人，對社會福利的觀念還未搞通，一致將所列專欵，轉作一般類似的業務之用。政府對社會福利事業與一般類似的業務範圍，應有明確的劃分，以免福利專欵之流用。比如社會救助係以貧民為對象，應該寬列經費，自不待言。但某些縣市却將大部欵項用於興建國民住宅或其他用途，而貧民救濟，佔數極少，實屬不當。

第三、執行社會福利工作的縣市級機構，組織有欠健全，應予充實。目前縣市政府的社政單位，人手既不足，素質也有問題；縣市級的社會福利委員會，其成員均係兼職，且無車馬可領，是以大家做事都不熱心。有些縣市竟然將欵項閒着而不去利用，實在違背了政府推行社會福利的本旨。

第四、是監督管理有欠週密。依照規定，所收到的土地增值稅，應即專戶存入銀行，但有少數縣市並不依規定存入專戶，却挪作他用。

余陳月瑛 要明真象

高雄的省議員余陳月瑛，要求省政府對於社會福利工作的經費使用情形，和工作的執行計劃提出報告。她說：

省府為加強社會福利措施及動用福利基金辦理國民就業等七項工作，是否按照計劃執行，請提出報告。她說查民生主義現階段社會政策所列加強社會福利措施以國民就業等七項工作，四年預算共為四三九、八〇六、七二〇元。每年預算一〇九、九五一、六八〇元。經管預算相當龐大。該七項工作除社會教育、社區發展二項不屬於社會處業務，其餘五項全為社會處經常業務。

其中國民住宅，國民就業，福利服務，社區發展等項目均請有聯合國補助，因辦理此項工作，一方面有政府預算，另一方面有聯合國補助，又可動用福利基金，辦理一件事情，可動用三種不同的經費，致使國民就業一項工作上動一筆一時（有例）（記者按：此處所謂有例，係指本報所發表之報導）類似情形，不無疑問。對於各項工作是否按照計劃實施辦法，會有無組織考核小組，按期考核，對有關單位所列工作計劃與有關單位原定實施計劃，有無混淆不清，化一為二，巧立名目，所列預算有無重複，二年來各項工作實施進度如何，請逐項分別提出報告。

王宋瓊英 談國民住宅

她認為現行國民住宅政策，應以徹底檢討改進。她說：政府貸款興建國民住宅，旨在解決房荒，改善國民住的問題，用意非常良好，但由於政策上的偏差，以致一般投機的人，藉機會以圖利，而真正需要房屋住的人，而却很不容易申請得到貸款。

國民住宅的興建，量的問題固然重要，分配的問題也不能忽略。一般公教人員沒有房子可住的，每月只能領二百元，或四十元的房租津貼，公教人員收入菲薄，還得再花錢去租房子；另外還有一些收入更低的人，迫切需要房子而得不到。這都是因為分配不當，而引起的不合理現象。

政策和計劃的確定，都依賴於詳細可靠的資料，但我們直到去年十二月和戶口普查的同時，才作了一次房屋普查，普查的結果，到現在還未見公佈。我們應該根據房屋普查的資料加以分析，從而釐定一個房屋政策，使真正需要房屋居住的人，在政府的幫助之，解決其住的問題。

呂錦花掀開 國民住宅 種種弊端

台北縣的呂錦花議員，對於社會處所主管的國民住宅的種種弊端，在省政總質詢時說得最是清楚。

她指出由於不法集團的惡性操縱，致使推行社會福利政策的房屋行政變質，讓很多平民，在領受政府恩惠之際，吃虧上當，涕淚交流！哭訴無門！

美國學校外籍教授 數字日增已近萬人

——聯合國總部航訊

外國專家學者在美任教人數，正不斷增加。據最近的統計，現在美國各大學及高級學術機關執教或從事研究的外國學者，數已近萬，較美國學者在海外任教的數字多出一倍以上。

教育界人士指出，此一數字說明兩件事實：一，在發展中的美國教育組織需才甚衆。二，美國教育家樂於接納外國思想。此外美國教育機關待遇的優厚，亦為主要原因之一。

在美國工作的外國學者中，以地域分：歐洲有一千四百七十一人，遠東三千四百六十四人，拉丁美洲八百一十八人，中東七百二十五人，非洲二百八十一人，總數為九千七百五十八人。

在海外工作的美國學者分佈情況是：歐洲二千二百七十一人，拉丁美洲七百二十二人，遠東五百九十八人，非洲四百八十九人，中東三百七十九人，總數為四千三百五十一人。

此一數字係國際教育學會調查的年報所列。該報告指出：現在美國高級學府中深造的外國學生總數為十萬零二百六十二人，其中百分之三十三來自遠東，百分之十八來自拉丁美洲，百分之十三來自中東，百分之七來自非洲，餘為來自其他地區。

目前有二萬四千九百名美國學生在國外留學，其中一半以上，即一萬四千六百七十九人在歐洲各國就讀。此外在拉丁美洲者三千九百四十六人，加拿大三千一百四十九人，中近東七百一十三人，非洲二百七十八人，大洋洲一百六十七人。

此一數字並不完整，國際教育學會進行調查時，曾發出二千六百一十五封調查信給全美各大學調查外籍學生人數，結果僅百分八十四答覆。發往外國大學調查美國學生人數的一千七百三十二封中，僅有百分之七十二答覆。

此一調查結果並指出，來自遠東各國的三萬三千五百七十名留學生中，中國人最多。其中六千七百四十二人來自中華民國，一千九百四十五人為來自東南亞其他地區的華籍學生。印度學生總數為七千五百一十八人，日本三千七百六十八人，香港三千五百七十八人，韓國三千二百一十八人。

非洲留美學生最多的國家是尼日利亞，共一千七百三十二人。此外埃及有九百九十三人，肯亞六百八十一人，南非四百六十四人，加納三百六十八人，總數為七千一百七十人。

來自拉丁美洲的共一萬八千一百八十二人，其中六千一百二十三人來自加利比海地區，四千二百六十六人來自南美，一千八百五十一人來自中美，墨西哥一千七百五十人。在拉丁美洲留美學生中，最令人驚訝的事實是來自古巴的學生人數最多，共二千六百二十七人。

這些留美學生所代表的國家中，大部份有糧食不足的問題，但在這份十萬餘名留學生中，研究農業的，僅三千二百名，其中非洲五百十五名，東南亞九百十六名，歐洲二百九十三名，拉丁美洲六百九十七名，中近東三百九十六名，北美（加拿大及百慕達）三百零八名，大洋洲七十一名。

我是一個「紅衛兵」

·王朝天·

不過，也不要太看輕「紅衛兵」。「紅衛兵」也有自己的打算。譬如我，我的目的，就是投奔自由，逃離大陸。「紅衛兵」中抱着與我同樣目的的，一定很多很多。

「紅衛兵」的初級階段，其領導人基本上均由各級黨委來指定，選舉只是一種形式而已。條件是家庭出身好、思想進步、表現積極，因此，有許多高級幹部的子弟自然而然地被選上了。十一月一日有傳來陳伯達的指示一稱：「六月二十四日我同文革一些同志接待了一批來京師生，我曾有一個建議，如高幹子弟在各校各單位文革中佔領導地位，最好讓給普通工農兵普通幹部子弟。高幹子弟把持領導地位是很不利的，對無產階級革命事業和他們都沒有好處。……有的人聽了我的話，很快就採取的措施。」陳伯達的講話是十月二十四日的「無產階級文化大革命中的兩條路綫」。

毛澤東不許高幹子弟充當「紅衛兵」領導人的原因，一部份是毛澤東要整的就是他的高級幹部。如果允許高級幹部的子弟充當「紅衛兵」的領導人，一定影響整個的進行。並且也容易發生和擴大互鬥。我到哈爾濱的那天，剛好由北京來的「八一造反團」中串連到哈爾濱，領導人是林彪的女兒，神氣得不得了。遇上了由賀龍兒子率領的哈爾濱軍事工程學院的「紅色造反團」，互相看不起，大起衝突，發生大規模流血慘案。

糾察隊是「紅衛兵」選舉出來維持秩序的人。在北京成立「糾察隊指揮部」，林彪為了防止「紅衛兵」造反越出範圍，還兼任了糾察隊的「總司令」名義。實際上沒有具體組織和活動。在北京和各地維持秩序的，還是完全依賴軍隊和警察，特別是軍隊；如果沒有軍隊，秩序是無法維持的。

九、「紅衛兵」與「解放軍」的關係

「紅衛兵」是赤手空拳的青少年，本身又是烏合之衆，組織不嚴密，為什麼能夠橫行一時，鬥爭「當權派」，並且和工人、其他羣衆衝突而獲得勝利？其原因由於「紅衛兵」完全是「解放軍」支持、保護的，失去「解放軍」的支持、保護，「紅衛兵」一天也不能存在。當「紅衛兵」在鬧事的時候，為什麼「當權派」和其他羣衆怕懼，就是因為「解放軍」站在後面，隨時可以動手的。

「紅衛兵」和「解放軍」的關係很密切。林彪是「紅衛兵」的副統帥，毛澤東是統帥，賀龍是參謀長。毛澤東是中共「中央軍委」副主席之一。據我們知道，賀龍也是毛澤東最親信的人。當年遵義會議，賀龍死力支持毛澤東，毛澤東才能取得黨的領導權。當時朱德、彭德懷的紅一方面軍和張國燾、徐向前的紅四方面軍都已潰不成軍，獨有賀龍的紅二方面軍實力較為完整，所以說話有力量，並且他又是一個粗人，毛澤東容易操縱。（十四）

（六）

瀛海異趣談

英國的花木蘭湛斯巴里

·桑雅·

中國的花木蘭，喬裝男子，代父從軍的故事，已家傳戶誦，膾炙人口。在英國近代，也出現過一個「花木蘭」。

但是這個西方「花木蘭」，並非代父從軍，而是喬裝男子，在軍隊裏當軍醫官，混雜於豪放的軍人中，除了在沐浴和小便之較為特殊行動外，絲毫沒有露出破綻，甚至她退休之後，仍然以男性姿態出現。直至她七十歲逝世時，這才給人家發現為女流。最奇的她曾經和情夫生下一個兒子，可是她的情夫是誰，和她的兒子後來怎樣？沒有人知道！

湯姆斯．溫斯丹利凝視着站在他面前那個激動的婦人。

她衝動的說：「當我把那具屍體扛出時，我發覺那個年老的紳士，竟然是位婦女！那位協助我的赫堅斯太太，也看到這情景的。」

湯姆斯．溫斯丹利醫生底老朋友湛斯．巴里醫生，已經逝世，而這兩位婦女，把屍體抬出來。那個時候，在房中的，只有林星，他是湛斯．巴里醫生最喜歡的印度籍男僕。

當湯姆斯．溫斯丹利醫生聽了那婦人的話，心裏感到十分納罕，他問林星說：「究竟她們是否喝醉了酒？」

「不，先生，」那男僕很正經的回答：「她們說的是真話。我和湛斯．巴里醫生相處了卅年，始終不曉得我的主人，是一位夫人。」

第二天，「時報」很慎重的刊出湛斯．巴里醫生的死訊，說出他在倫敦馬嘉烈街十四號寓所中逝世，死時享壽七十，他是英國陸軍和陸軍醫院的高級手術醫生。「時報」又報道說，在剖驗屍體時，發現這位逝世的老醫生原來是個婦人，而且曾生下一個兒子。

這事揭露之後，成為史上性別混騙中最轟動的一宗。根據陸軍部的紀錄，透露湛斯．巴里醫生卒業於愛丁堡大學，畢業後投身於陸軍部，任醫院的助理醫生，兩年後擢陞為助理手術醫生。「他」給擢陞得很快，最後在陸軍醫務部担任最高職位。

本來湛斯．巴里醫生，在行動方面，都足以自毀前程的，因為「他」性情暴戾乖張，對一些高級醫官，粗暴無禮。「他」的脾氣很壞。

但是「他」是一位傑出的陸軍醫官，在這方面「他」却具有光明的前途。占巴里尼將軍寫出這位醫生：「一向嚴於飲食，經常吃蔬菜，從不喝酒，大言不慚，喜駁斥他人的言論，可是對待病者十分慈祥的。」

在「他」死後，最大的問題，就是誰為「他」底孩子的父親？而那個孩子以後怎樣？「他」的身份成為人們的茶餘飯後的笑談。但是「他」的情夫的身份和遺下的孩子底命運，始終成為一個神秘的謎。

三十年來，「他」底男僕林星，每天都準備剃鬚用的水，端給這位「醫生女士」。而她亦都例行公事般的剃鬚和面毛。

她通常跟其他的同僚，一起坐在陸軍運輸艦的房子裏，其中一位同僚羅格斯中校，曾認為「他」的行徑有點古怪和特別，足以向該部的司令官報告的。

羅格斯中校投訴說，湛斯．巴里醫生沐浴時，一定堅持要不准其他人在室內，同時「他」把房門下鎖，用紙遮蔽匙孔的。當她聽到了羅格斯中校的投訴，十分憤怒，「他」不等候上司的召見，逕自進入少將艾雲．傅里莎的辦公室，要求把羅格斯中校調往其他部門去，或是遷到其他的房間。結果，羅格斯中校給上司飭令他遷，這事件成為全艦的笑談。

由於基里棉戰役，湛斯．巴里醫生常常替受重傷的士兵施手術，連續三晝夜，只作片刻的假寐而已。那些士兵，無不對「他」肅然起敬，把「他」看作英雄人物。而軍官們也就忍受着「他」底不饒人的舌頭和暴躁的脾氣，因為他們曉得無人能夠代替「他」的任務。

當告訴他說佛羅蘭絲．南丁格爾想把女護士運到基利棉服務時，湛斯．巴里醫生激怒的說：婦女根本無用，軍營中是不許混雜女性的。

即使在「他」退休時，湛斯．巴里醫生仍然保持着「他」底男性化。每天「他」都冒着凜冽的寒風，在里珍公園散步。穿着男裝大衣，戴上高帽，拿着一根鍍金的手杖敲着地板而行。

在黃昏夜裏，則往做醫生的朋友家中坐談，他們都喝着櫻桃酒和白蘭地酒，而「他」一只喝開水。在言談間多回憶軍中的生活，彼此豪放的談笑。

湛斯．巴里醫生並不是個男子漢，但是過去沒有人懷疑「他」是個女子，也沒有人證明「他」是個婦女，直至「他」死後，人才曉得「他」是個女流。

惡夢十七年——馬思聰的故事

趙浩生

第一章　新家舊夢

「到美國來了以後，我常常作惡夢，夢見依然身在中國大陸。昨天晚上作的夢更可怕，夢見我正在廣州計劃逃走，同時又想到美國的『生活畫報』已經把我的文章登出來了。」

「我也是這樣，我常常夢見自己在這個公寓的地下室裏。不知怎麼的，這間地下室忽然變成了我在北京參加勞動時到過的鄉下和工廠。……」

一個星期天的下午，在華府郊區一間安靜舒適的公寓裏，馬思聰先生和他的愛女瑞雪，向我這樣的敘述着他們的惡夢。

馬氏全家自今年一月逃出中國大陸經香港來美，已經八個月了，但他們的心靈依然被過去十七年的惡夢纏繞着。

我是四個月前，在紐約的記者招待會上第一次見到他們。那天他們在大羣的記者包圍訪問中，除緊張，興奮之外，更顯着餘悸尚存的不安和長期精神折磨後的疲倦。

我當時沒有問得太多，但曾向他表示，在他的生活和情緒安定後，再和他約期長談。

四個月過去，聽說他已在華府安居，並看到所寫的回憶錄已在「生活畫報」發表。從馬思宏先生處獲得他的電話號碼後，立刻和他通了一次長途電話，他毫不躊躇的答應了我週末往訪的要求。聽他在電話中的聲音相當輕快，因而想像着這四個月的安定生活，或已稍許沖淡了他內心的餘悸。

禮拜天我應約飛往華府，正碰上仲夏的陣陣豪雨，華府近郊的青山翠谷，益顯得青翠欲滴。在離城十餘里新雨後的空山之間，找到了他的新家。

這是一片數十幢新建的公寓，走到辦公處去打聽他的號數時，管事的人却告訴我「沒有姓馬的」。（一）

剖析八十二名反毛的中共中委

·李敦復·

第二書記：王延春（自陶鑄，張平化被鬥垮後，王亦遭整肅。）

書記：李瑞山、徐啟文、周禮、華國鋒。

中共廣東省委員會

第一書記：趙紫陽（見前。）

書記：陳郁（見前。）林李明（現代理廣東省省長。）區夢覺（女）（見前。）尹林平、李堅眞、劉田夫、雍文濤（中央中南局秘書長，廣州市委會第一書記，自去年六月，陶鑄上調中共中央後，已調任北平市委會書記，陶鑄垮台後，隨亦失勢。）

中共湖北省委員會

第一書記：王任重（見前。）

第二書記：張體學（見前。）

書記：許道琦、王樹成、王玉珍、楊銳、宋侃夫。

中共廣西壯族自治區委員會

第一書記：韋國清（見前。）

第二書記：喬曉光（曾任駐北韓大使。）

書記：伍晉南、賀希明、安平生、霍應機。

十一、中共中央西北局

第一書記：劉瀾濤（見前。）

第二書記：張德生（候補中央委員，曾任陝西省委會第一書記，一九六五年去世，該職曾由趙伯平（候補中央委員）繼任，但，趙於一九六六年三月後，經調任為全國政治協商會議副秘書長，遺缺似未補上。）

第三書記：胡耀邦（中央委員，共青團中央第一書記，自中共黨內第三次大整肅去年八月後至今，未見露面，紅衛兵大字報攻擊，被指為「企圖跟赫修學習」，「從事陰謀活動」等罪名，已遭整肅。）

書記：

王恩茂（中央委員，新疆自治區第一書記，新疆軍區司令員，去年十二月曾與擁毛派發生武裝流血衝突，觀察家認為是支持劉，鄧反抗毛林派的新疆地方實力領袖，一度被稱為「反毛五虎將」之一，但，今年四月廿三日路透社東京電訊報導謂根據新疆電台廣播，王曾參加慶祝新北平市革命委員會成立，於此一電訊報導，顯示王已轉變為支持毛澤東奪權鬥爭。由於該省情況特殊，毛林派曾使用軍隊，武力奪取政府機關，顯示情勢之緊張。大陸易手後，中共將新疆省名廢用，改稱維吾爾自治區，現有人口約六百萬人，是我國最大約省份，新疆沙漠居世界第七位。）（十六）

中國女性文藝春秋

周遊

千花榮其昭晰兮！百卉萮而同榮。蘭錮以含芳兮！芝薄振而沈馨。翠穎競臻，衆條頗英。或異色同形，或齊芳殊制。自然神香，不可勝計。粲若羅秀之垂光，灼若隋珠之賓列。爽若翡翠之翠翔，練若珊瑚之映月。詩人詠以託諷，良喻美而光德。準二女於妙規，倫王后之首則。

劉臻之妻

劉臻之妻陳氏，聰慧能文，嘗於正旦獻「椒花頌」，又撰元日及冬至進見之儀行於世。今尚存二頌二書。下錄「箏賦」以觀之。

伊夫箏之為體，惟高亮而殊特。應大律之修和，與七始乎消息。括八音之精要，超衆器之表式。后夔創制，子野考成。列柱成律，既和且平。度中楷模，不縮不盈。總八風而熙泰，堯實徽而洞靈。牙氏攘袂而奮手，鍾期傾耳以靜聽。奏清角之要妙，詠騶虞與鹿鳴。獸連軒而率舞，鳳踉蹌而集庭。汎濫浮沉，逸響發揮。翕然若絕，皎如復迴。爾乃祕音豔曲，卓礫殊異。周旋去留，千變萬態。

辛蕭

辛蕭，乃常侍傅伉之妻，（傅伉亦作傅統）有集一卷，今存頌三詩一。下錄「芍藥花頌」以觀之。

曄曄芍藥，植此前庭。晨潤甘露，晝晞陽靈。曾不逾時，荏苒繁茂。綠葉青葱，應期吐秀。細莖攢挺，素華菲敷。光譬朝日，色艷芙蕖。媛人是采，以厠金翠。發彼妖容，增此婉媚。惟昔風人，抗茲榮華。聊用興思，染翰作歌。

六朝的女性文學

六朝是「樂府」文學的世紀。什麼叫做「樂府」？樂府就是民間的詩歌，而由政府設官署名「樂府」，以專管樂律的事。民間的詩歌，被收入「樂府」的作品，後世便以「樂府」名之了。其實這名詞眞是莫名其妙，因為時間悠久，大家引用入了各種文集，也就讓它莫名其妙下去了。漢書卷二十二說得明白：「……乃立樂府，採詩夜誦，有趙、代、秦、楚之謳。以李延年為協律都尉，多舉司馬相如……等造為詩賦，畧論律呂，以含八音之調，作十九章之歌」（禮樂志）樂府雖然是各地的民間詩歌，但未必能協樂器之律，故派李延年為協律都尉，把那些詩歌修改整理，調和音律，而使之入樂。現在所存的樂府，除魏、晉所奏外，尚有「辭本」存在。如果把辭本同魏晉所奏的本子對照一下，便可看出修改增益的異同了。民歌發生的年代當比詩賦更早，關於這些淵源，在此不用去追求，我們仍然以女性文學家為對像來談比較有意思。

子夜與子夜歌

樂府中的作品，大多是無名氏的作品，和詩經一樣，難以找出誰是作者。子夜歌是千古絕唱，是抒情歌中的姣姣者。除了知道她名子夜和晉人外，其他則不可考了。後人的考語是說「聲過哀苦」，是一首悲歌。現在尚存的四十二首那些是她作的，也不能斷然肯定。她的體制，大多是五言四句，可以算是五言絕句。現在選錄十八首於後。這些作品都是佳構，不忍割愛。（十九）

昔人遠居巴蜀，而乘舟東放，有：「千里江陵一日還」之快語。今台港邇密，豈僅朝發夕至，飛機當天往還，午前後還可在兩地宴遊與公洽，交通之便，縮短了距離。於筆者除談菊壇新語與舊話，也得介紹兩地梨園動態，竟新讀者聽聞耳。

前兩期預介「陸光」劇團之新本戲「江寧封」與「如姬盜兵符」演出已吹尾聲，仍就「趙雲戲」續談之。

平劇繽紛錄　談「趙雲」戲

桂良

前期所談趙四將軍在「美人計」戲裏穿戴問題：乙之中心意識，在老院子喬福對趙雲說的那句話：

「必須要外罩袍服，內穿鎧甲」。

遠避異邦，隨護駕將軍，應不例外。相親時，吳國太經介紹後，亦嘆：「眞虎將也」。賞他美酒，廊下去飲之。亦以護駕之侍衛長觀之。趙雲「護駕」[illegible]保駕將軍爲我裝之穿戴，并不影響其主人之相親，結親，懸燈結綵，吹吹打打。

喬玄之若官太尉，係東吳重臣之一，相親之前，吳國太口中之傳話：「明日恐防席前有變，保駕臣子，必須外罩袍服，內穿鎧甲……」又以「埋伏兩廊」而實際上，「擧杯爲號」，其危殆之狀，可想而知。此時趙雲若仍是凡手之輩，手無寸鐵，不帶劍，不穿甲，應作何解？喬玄之爲「囑」趙雲的職責，相親之場，若不穿甲，最是欠通。

他又舉例，凡不相親之盛會，如：

「鴻門宴」，項羽自己也閃舞，樊噲也混身貫甲，并無人評及：因全副武裝而形成宴無好宴。

「臨江會」，周公瑾所設之「臨江會」，而赴劉備之草來江東也，關羽也全副武裝，仗劍而立於玄德之後，也并未因關羽之戒備以赴會，而影響孫劉二家之同心破曹。

茲借那時有人批評：甲、乙、談「趙雲穿戴」於「美人計」以告一段落。

他說：乙認爲劉備過江目的在招親，作州去的屬客位，趙雲不能全身披掛，在東吳不殺氣騰騰與示威性的行動。若被通場是在穿大靠，如甲之言：似乎雲保駕，要有不安。以今日中外各國之安全人員到達彼邦，總不能如牛仔之玩槍而子彈上膛也。

他又說：當年在浙江省看廟會演「美人計」，開鑼（不能在本國也隨地大靠），過江上高台，趙雲是閃蟒箭，「相親」，宮才去蟒。另南派唱三國前時，「甘露寺」，趙雲一角在「相親」一場，也很出一點風頭。

人間慘劇

諸葛文侯

邇來粵省共黨各派流血武鬥甚烈，規模亦很大，且有數千名勞改犯乘機越獄，參加戰鬥。本月初旬某日，曾有勞改犯二千人攜帶武器，竄至距九龍新界約卅華里地區，擬衝入香港，旋經粵方共軍截擊散歸。然香港政府怵於五年前的大陸飢民逃亡潮，怒然震懼，星夜以直升機運送器材與技工，趕築新界邊區的第二道鐵絲網，以防逃亡悲劇之重演。因此，我想起當年飢民逃入香港時的幾項慘絕人寰的事情，可與天下人同聲一哭也！

民國五十一年壬寅五月間，中國大陸上由於天災（乾旱）人禍（人民公社）交作，饑民遍地，每日從粵港邊界集體流亡闖入香港者達千萬人。港府以治安顧慮與糧食關係，未能容納如許難民，乃派遣軍警馳赴九龍邊界之梧桐山、上水、打鼓嶺等山谷間，加以堵截，凡逃入港境的難民，招待飧食一次，即押解出境，迫其遞返華界。而慘劇層見迭出矣。

有婦人焉，在港邊山谷小道旁，依岩石擁抱一嬰兒席地哺乳中，軍警掩至，呼之起，不應，趨與語，不答，而雙手抱持小兒無異狀，撫其鼻息，氣已絕，眞餓殍也！然小兒仍津津然吮母乳不釋。居民旁觀者惻然不忍，急以竹竿挑開死者雙手，救下小兒，死者閉目僵坐地下如故，兒固不知母已餓斃也，張手呀呀撲向母懷，不肯離去，軍警囑村民抱之行，兒仍回首向母啼聲不已，見者莫不鼻酸。

另有年逾花甲之老人，攜一稚子逃至港境，軍警捕之，喚以候押解赴粵。老人私語旁觀的港方居民曰：「此是僅存的孫兒，乃父早被勞改喪命，母氏又於逃亡中散失，存亡莫卜，倘有善人慈悲爲懷，收育此兒，不使吾家絕後，吾雖被解回去餓死殺死，亦就瞑目無恨了」。即有港方居民慨然應命，將稚子從難民羣中攜出，并向軍警詭稱係其親屬，願負撫養之責，幸得許可。繼而老人偕諸難民列隊由軍警解押前行，揮手含笑向收留稚子的港方居民示謝意，居民牽稚子佇立道傍以觀之。詎當老人走過觀衆前面時，此兒瞥見祖父將別去，即躍身馳入老人行列中，大呼「我要跟祖父去！」老人凄然語以「你在此地跟伯伯一道，有飯吃，我過兩天再來」，兒號哭謂「我捨不得祖父」，扭着老人衣襟不放，老人不禁涕泗滂沱，搖首嗚咽不能出聲，而軍警驅遣甚急，只見老人抱拳含淚向道旁居民作告別狀，示其無可奈何之痛楚心情焉。

諸葛文侯曰：「此乃人間慘劇，亦共黨逆天行事，妄冀以人爲芻狗，汨滅人性之自然流露，人性與理性，天見其惡，終膺天罰以貫滿盈。吾述母子與祖孫之流亡慘狀，墨與淚俱下，不能自已，此時無鄭俠，誰能復繪此流亡圖以彰大陸暴政哉！」

閑話麻將

陸民

以上是麻將的沿革與演變。說到搓麻雀或打麻將的性質或目的，也有很大的演變：最初自然是和雙陸，馬弔，以及奕棋一樣，雖爭勝負，但很少物質輸贏，或者如太平軍之類，用作酒籌，藉以賭酒。其後民間亦相仿效，自然比那文縐縐的酒令容易普及，那時娛樂與益智的成份很高，雖然偶以博彩，但定係乘哄打鬧，一時興之所至，於酒後賡續之所爲，或者友好相聚，閒話之餘，即出牌相鬥，如現時西人之玩卜克，無論車船之上，街店之旁，由一人以至三，四，五人，都可隨時隨地戲耍。及至由紙牌改爲硬牌，形式與內容統一之後，那就非擺枱設局，正式邀人共搓不可，而勝負之分，自然以金錢來計數了。

打麻將的規則或制度，最初也是和各種事物一樣，總是由簡單而逐漸趨爲複雜的，但其變化的鉅大，則爲同類的工具——無論是游戲的工具，或賭博的工具——所不及。例如象棋，圍棋，數千年來，[illegible]變很少。象棋僅由七國紛爭之[illegible]，至隋唐時代，變爲楚漢交[illegible]，及唐相牛僧儒，再加用車，馬，士，象，卒，再加炮而以象牙將製爲棋，當時名爲象棋，流傳至今，一千一百餘年，已成定型。至圍棋，據博物志載稱：係帝堯所創製，以教其子丹朱者，故『丹朱善棋』。左傳襄二十五年疏：『棋者所執之子，以子圍而相殺，故謂之圍棋』。唐朝以前，棋局縱橫各十七行，合二百八十九道，白、黑棋子各一百五十枚；唐以後，則變爲縱，橫各十九行，共三百六十一道，隋經籍志有梁武帝撰圍棋品一卷，又有棋勢，棋法等，皆附於兵書之後。南北朝時，圍棋之風極盛，當時以棋藝能第爲九品，斯即爲現行圍棋九段之根源。

四、舊式麻將的階級性

照象棋，圍棋的沿革看來，可說是雖有改進，而甚少變化，即以國有的賭具而言，如天九，牙牌，骰子，跑和，以及挖花等等的規制，歷代相傳迄今，絕無像麻將變化之大的。

麻將的變化，亦屬時代的反映。最初當然係貴族式的中，發，白，或龍，鳳，白，爲天潢貴冑，只要碰成三張，就有四胡，暗槓八胡，開槓十六胡，暗槓卅二胡，並且都有一番，即使一對，也有兩胡，故最初打牌的人，對於中，發，白，莫不珍愛異常，縱然只有一張，也很不願放出，除非業已聽和，絕不輕易出手，但若爲時已晚，或別家牌勢嚴重，則捏有貴族麻雀者，多數寧可犧牲不和，亦始終堅持不放出此種危險孤張，避重就輕，甚或望其摸穿。

風以東，南，西，北爲序，例爲東家坐莊的次序，名爲東風，其餘爲南，西，北，後名家爲南家，西家，北家，或成對順序，若坐本行風，其身價與中發白相等，餘者則屬野風，其身價不能與公九貴冑同列，只能算作普通胡。碰出才算四胡，暗槓卅二胡，其明槓十六胡，三門相同，從外胡算起，他則野風只胡，等數萬與，九索，公九，除筒，自然坎無番，坎處最低，顯得微稱，或最初只算一番，也有番只算一番，三元——中，發，白全碰，大三元——四喜，東，南，西，北風全碰或槓，再作一對，一色，清一色，全碰，均作加番計算；例如槓，坎算作身份；又碰者照，坎相等，都算滿三貫番。但有些地區，一律……（二）

大政治家諸葛亮

河漢

劉備最心愛的大將關羽首先破壞了諸葛亮制定的聯吳的外交政策，以致遭受孫權的偷襲，失掉了重要戰略根據地的荊州，使漢蜀的實力受到嚴重的損傷，而且從此局限在三峽之內。劉備接着又拒絕了諸葛亮的勸告，集中蜀漢的精銳部隊向東吳反攻，結果是全軍覆沒，還幾乎把漢蜀拖向滅亡的深淵。諸葛亮是瞭解劉備對於指揮大兵團作戰的低能的，但他對於剛愎自用的劉備束手無策，而僅能嘆息：「使法孝直在，必能阻主上東行。」可是假定法正不死，眞的能阻止在軍事上自詡是天才的劉備，停止鹵莽的軍事冒險嗎？恐怕也不見得。

劉備在臨死之前，還玩弄了一套政治魔術。他首先給予太子劉禪的遺詔：

「朕初疾，但下痢耳，後轉雜他病，殆不自濟。人五十不稱夭，年已六十餘，何所復恨？不復自傷，但以卿兄弟爲念。射君所說，丞相歎卿智量甚大，增修過於所望，審能如此，吾復何憂？勉之！勉之！勿以惡小而爲之，勿以善小而不爲。惟賢惟德，能服於人。汝父德薄，勿效之。可讀漢書禮記，閒暇歷觀諸子及六韜商君書，益人意智。聞丞相爲寫申韓管子六韜一通已畢，未送道亡，可自更求聞達。」整篇遺詔中對劉禪與諸葛亮的關係，並無特殊的安排。但面對諸葛亮的時候，却說：「君才十倍曹丕，必能安國，終定大事。若嗣子可輔，輔之。如其不才，君可自取！」

關於這一點，陳壽的批評是：「舉國託孤於諸葛亮而心神無惑，誠君臣之至公，古今之盛軌也。」其實陳壽只看到了一面。諸葛亮是以儒家自居的人，劉備與他共事了十多年，經過了不少大風大浪，應該早已認識清楚他的爲人。然而他竟對諸葛亮發出逾越了人情以外的口吻，這是劉備在臨死以前表示了他對諸葛亮的不信任。他在耽心諸葛亮是和他同型的人物，是充滿了政治野心的領袖慾者，是會步武我曹丕的後塵自立爲王的人，因此和諸葛亮攤開手中的底牌，逼出諸葛亮「臣敢竭股肱之力，效忠貞之節，繼之以死」的誓言。諸葛亮的態度完全明朗了，然後才吩咐他的兒子：「汝與丞相從事，事之如父。」自然，像劉備這樣的口吻，在中國的歷史上確乎非常突出。古往今來，幾乎所有的統治者，爲了維護他們萬世一系，爲了他們子孫的安全，慣於施用血腥的手段來屠殺被認爲具有威脅性的重臣的，他們連劉備那種說大話使小錢的胆量也根本沒有。

劉備去世之後，諸葛亮成爲蜀漢的實際統治者，從這時候起他才掌握了貫澈他的主張的整個政權。可惜是黃金時代已經消逝，失去了荊州以後的蜀漢，只剩下一個四川，局面狹仄，資源貧乏，人口稀少，人材凋零，在强敵環伺之下，他只能儘量做到保持既有的局面，而難再期待天下有變，以鉗形攻勢夾擊曹魏的機會了。而且，也只有在諸葛亮的撐持之下，蜀漢才能爭取到存在的條件。諸葛亮一死，存在的條件也就隨着一齊埋葬掉。要不是曹魏自身起着曹氏集團與司馬氏集團的內部磨擦，蜀漢的滅亡在時間上還要提前。（四）

驅除苦惱有妙法

麗珠

既然情緒不佳通常是由環境呆板而起，而慰藉的方法更是履行上天的寵賜——選擇自己所喜愛的。很多永不能改變的東西，如：不聽教的孩子，不負責任的丈夫，躁暴的老[illegible]，吹毛求疵的包租婆，山積的欠單等等。這些問題你是無法改善的：但是煩惱却日益加深。行動吧！重新髹漆廚房，參加柔道課，與陌生人談一下，或者煮幾味巧手的菜色。無可懷疑，你的憂慮祇能在心底哭訴，你發覺這祇不過自我同情吧了，可是，煩惱的最佳特效藥是找尋刺激，而不是自我憐憫呀！

所有還擊煩惱的行動必要預先計劃好。如果煩惱來臨才找尋還擊的武器，便會是太遲了。

照心理學家和社會學家研究人類情緒波伏結果，發現個人煩惱的侵擾非常有時間性和規律性。有些男子十六日便來一次，有些可能六十二日。但平均起來，男子的煩惱每五個星期一次。女人的情緒的波動却是複雜非常，由月經所引起，每個月她們便自然地感到一種煩惱的興起。（三）

自由報

內政部登記證內警台報字第〇三一號

THE FREE PRESS

第三九七期

中華民國僑務委員會登記證僑字第三三三號　中華郵政台字第一二八二號執照登記爲第一類新聞紙

每份港幣壹毫　台灣零售價新台幣貳元

社長：雷嘯岑

督印人：黃衍審

社址：香港銅鑼灣高士威道二十號三樓　20, CAUSEWAY RD 3RD FL. HONG KONG　TEL. 771726　電報掛號：7191

承印者：大同印務公司　地址：香港北角和富道九六號

台灣分社　台北市西寧南路發達大廈二樓　電話：三〇四六二五二九一

停炸北越絕對不可能誘致越戰和解

·蔡誠之·

美國國內的「鴿派」徒衆，和國際上的政治混子以及別具心肝者流，年餘以來，就像害了寒熱症似的，隨時發爲「無條件停止轟炸北越，藉以誘致越戰和解」的叫囂。有時這種叫囂的聲浪頗爲微弱，往往一瞬即逝，落得無影無蹤。有時則顯得特別激越高昂，甚而此呼彼應，儼然意在造成一種壓力，非迫使美國當道姑妄試之不可的樣子。當是時也，要這種囂聲自生自滅，徒然自討沒趣，就非得華盛頓當局擇善固執，表現得異常堅定，全不爲動不可了。然而這又談何容易！

新近這種停炸誘和的聲浪，便又來自下列三方面：一是南越的阮文紹將軍。他在大選前就說，如果當選爲越南第二共和國總統，他準備要求美國停炸北越若干日，給予對方考慮和解越戰的機會。及後阮將軍果如一般預料的膺選了，仍表示他將在正式就任總統之時，向美國提出暫停轟炸北越的呼籲。二是蘇俄總理柯錫金。他在一項談話中表示：除非美國無條件停止轟炸北越，則越戰和解絕無可能。柯錫金同時還曾語帶威脅的說：蘇俄有協助越南人民共和國（北越）抵抗美國侵略的義務與決心。最後一位是聯合國秘書長宇丹。此君在本屆聯合國大會開幕前夕舉行的記者招待會上，既聲稱美國無條件停炸北越是必需採取的步驟，又表示他「相信」美國果眞那樣做了，則在「三四個星期之內」，和談便可開始舉行。宇丹當時還曾經像煞有介事的發爲聳聽的危言，說是倘使越戰未能儘早的設法在會議桌上和平解決，其結果很可能演化爲人類空前大屠殺的第三次世界戰爭。

上列這三個停炸北越的聲浪，來源既不同，背景亦有異，其將得到的反應，便亦可能大爲懸殊。毫無疑問的，三者中最不值得重視的，首推柯錫金的那項自說自話的無理取鬧。因爲柯魔那番言辭，豈但祇是蘇俄一貫的曖昧立場的重申，一年餘來，克里姆林宮魔頭們已不知把它們這種老調重複彈唱多少次，既了無新義之可言，加以它們只口口聲聲要美國無條件停炸北越，却並不保證停炸之後必然可以帶來和談，顯而易見其爲一種陷阱，「爛藥」，目的端在於整美國，害自由世界，誠如已被鬥垮的赫魯曉夫所作最露骨的自白，它們是爲了要「埋葬」美國和自由世界的。因之，即使華盛頓當道再幼稚些，再不濟些，應該亦不至於居然落入蘇俄的此項圈套。

次之亦不很値得顧慮的是宇丹的那項說辭，當前這世界，是不缺乏專以取巧投機自高身價爲能事的政治混子的，宇丹就是其中之一。特別是在越戰問題上，宇丹其人的表現，可說盲目無知到了極點，比如他曾經公然宣稱：「越戰不是亞洲人自己所需要的」，換言之，他竟然以爲「越戰乃是美國人所强加於亞洲人頭上的」，其無視現實，顚倒黑白處，令人疑心他豈但是個放言「低」論的政治混子，目的僅在高其聲價，好官自爲，甚而簡直是受了共產集團的收買，同共產集團一鼻孔出氣，甘做共產集團的馬前卒了。而且，宇丹硬說美國應該單方面的無條件停炸北越，亦不是自今爲始，所略爲不同的，是他這次裝做手握「獨得之祕」狀，宣稱他「相信」美國停炸後的「三四個星期之內」，就會使得北越改變立場，願意同美國停戰言和了」。誠然，宇丹如是云云，對於荒天下之大唐的「不要勝利」的美國越戰政策，或多或少的是存在着誘惑力的，然而，鑒於宇丹其人的紀錄，他所「相信」的東西，畢竟可以値得幾文，華盛頓當道應該亦很瞭然於胸，輕易難於上當。所以，我們的看法，除非宇丹能夠把他的底牌向白宮攤開來，美國該亦不會貿貿然的實行無條件的停止轟炸北越，以自貽伊戚。比較上，最使美國難於應付的，無疑要數阮文紹的那一說話了。

以美國與南越比，事實上後者遠爲瞭解，越戰不但不應該和解，亦其實鮮有和解的可能性。尤其是南越的軍人對此看得最爲淸楚。阮文紹將軍所說他準備要求美國停炸北越若干時間，藉使對方考慮談「和」，原不過拉票子的「競選詞令」而已，當不得眞的，加以他亦儘有俯拾即是的理由自動的把他這項諾言一筆勾銷的，然而阮將軍似乎爲了「政治的因素」，於當選之後，尙繼續以此爲言，就顯示他確實準備把他的「競選支票」兌現。儘管人們還不能武斷的認定阮將軍於就任總統時必然呼籲美國暫停轟炸北越，但，最低限度，倘使他眞的這麼做了，要亦不得視爲出予意料之外的舉措，則亦彰彰明甚。

此際我們無意於此時妄事揣測阮文紹將軍於正式就任總統之時，是否眞的實行要求美國暫時停止對北越的轟炸。我們所欲指出（其實該說我們有責任指出，不忍心不指出）的是：如果阮將軍是一個具有遠見與担當的政治家，他是不應該在這個時候向美國提出這項要求的。理由是：美國果然照辦了，其結果徒然使得越戰更加延長，南越老百姓多吃些苦頭，犧牲更加重大。因爲假使阮將軍果眞兌現諾言，向美國提議暫停轟炸北越，美國亦可以接受，却難說北越還是以不接受的機會爲多。何以見得？第一，要是越南人民自己投票選舉出來的總統，美國礙難不接受，否則豈非反客爲主？第二，阮將軍所要求的僅爲「暫時」停炸，而非「無條件」的永久停炸，與白宮主人的想法出入并不爲大，何妨姑妄試之？第三，老實說，又何嘗不正是一戰不求勝的……

過去美國在北越的停炸，曾經領受久的痛苦教訓，阮文紹將軍將來眞的要求美國暫停轟炸，如果美國又加以接受，而且這樣的要求，在美國的好機會，可能還當把阮將軍的眼光所夢想的停炸要求，更加看作「樂水」，得寸進尺，做個順水人情了。

到南越戰爭的前途，致使越南和美國的答覆，「北越」把「美帝」罵得狗血淋頭之外，阮將軍更必得是它們一面利用這個停炸的機會，一面修補其創傷，驅大軍大舉南下滲透，而使越戰更加難以收拾，結束越戰的立即政策，祇有全力作戰，以爭取勝利，一途。畏首畏尾，不此之圖，而自縛手腳，便正如共產黨徒所說：「對敵人的寬容，即是對自己的殘忍」，豈不哀哉！

不成調子

流氓玩意

今日與明日

迎港督、談港局

當此文見報之日，港督戴麟趾爵士應已回港。在港督休假期間，幸賴護督祁濟時及何禮文、徐家祥諸人應付得宜，匪徒的暴動，已經由盛而衰，及今已到了尾聲，港人從十九日晚上彌敦道大丟炸彈炸傷了二十九人之後，一時情況又較緊張，但明眼人皆可看出，實在是强弩之末，用意只在給港督一個下馬威而已，要想憑此種擲炸彈的手法挽回敗局，實在是一件絕對不可能的事。

港共此次在港發生暴亂，可以說在共黨暴動史上開了一個先例，就是所有在這一個地區居住的人，無論自由市民與共黨份子，無人不受到影響，其中受打擊最大的當然還是共黨匪徒。以死亡人數來說，是匪徒死的較多。至於金錢損失，市民的損失普遍而輕微，匪徒因爲重心在一批鬥委與國貨公司身上，所以損失慘重已不可收拾。鬥委外逃基本原因尚不在於怕港府拘捕，實在負担不了巨額的鬥爭經費，甚至有一間國貨公司老闆已棄家逃去印尼，「國家銀行」只得派人接管。再持續三月下去，「國家銀行」恐怕非要開一個「經理訓練班」，訓練出一批經理人才，全部接收國貨公司不可。

所以到了目前爲止，不但市民要求結束暴亂，恐怕左派份子更急於了此禍事。港督回港後應針對此點，定下剿撫兼施之策，早日結束暴動。

所謂「剿」，目前應以鬥委爲限，若將全體鬥委拘捕，則少去一個中間力量（鬥委只是傳達命令而非決策人物），對於眞正指揮暴動的份子，將有極大影響，自然其組織也將隨之瓦解。

對於附共滋事份子，估計約有六千人，此實一社會問題，政府更應早日予以安置；當然不是說凡是失業的附共份子，政府皆需要代找工作，只是說眞正悔悟的，例如將組織情形，炸彈收藏地方報與警方者，或者能以扭「鬥委自首者」皆一概免究，警方予以安排工作，協助其就業，優先予以錄用。

其次，過去雖然誤入歧途，但從未有過作奸犯科之事者，仍然可以重覓工作，但須覓妥人担保，以後不得再有盲從搗亂情事。

至於眞正犯罪之人，應在兩巴及電車工友協助指證下，立時予以拘捕，訊問後即送回大陸，享受一下人民的「樂趣」。如此不出三月，定然海晏河淸，宵小斂跡，恢復往日的繁榮。

（何如）

讀自由

香港報載：曾是領導港共暴動的所謂「鬥爭委員」傳奇、石慧夫婦倆，因被當地政府逮捕，將予以驅逐出境處分，或解赴大陸，或送往澳門，任其自擇，他們乃要求去台灣，據說正在辦理入台證手續之中。無論這項消息是否眞確，筆者不能不略抒所見，假使確有此事，希望台灣務須審愼處理，未可掉以輕心，何以故呢？

在反共救國的階段中，凡屬改變思想，幡然覺悟，自動棄暗投明，歸附自由祖國的共黨份子或同路人，都應該一律歡迎，表示嘉許，又當別論。但如傳奇、石慧之流，他們是基於臨難苟免的心情，害怕回到大陸或澳門去過着窮苦生活之外，還要受到共黨的淸算懲罰，這纔迫不獲已，選擇台灣爲避難所，且希望台灣亦視之爲反共義士，優待如儀。這完全是投機行爲，與思想改變不相干，何況石慧在獄中始終沒有懺悔表示，最後因丈夫決計願赴台灣避難，纔臨時變換死硬態度的。像這類并非出於至誠悔悟而欣然投奔自由祖國的共黨份子，台灣如果竟無所擇的一例收容，不特給人以藏垢納污的印象，亦且隱患堪虞，這跟政治上對待反對派的寬容政策，決不能混爲一談，道理淺明，毋待贅述。

未可掉以輕心

即令是眞正輸誠來歸的共黨份子或其同路人，也應該有所鑑別，纔足以昭示政府的信譽和威望。例如從海外自由地區脫出共黨行列來歸的，即不能跟那些從大陸共區來歸的人士，同日而語。後者是冒險犯難，拚着生命以換取自由的義勇行爲，當然値得另眼看待。前者呢，平日在海外恣意反對中華民國，謾罵國民黨，搔首弄姿，洋洋自得，一旦爲着私人利害關係有所不滿，或因事不見容於共黨時，即搖身一變，投奔台灣，輕而易舉，并不費力，甚且若亦與後者媲美，爭輝之，尊爲上賓，試問將何以對待海外堅守志節的仁人志士？將何以對不屈的反共人士呢？循此以往，不啻招納叛降，玉石不分，照單全收，我們不贊成！

馮五先生

從省議會的總質詢

看台灣省政得失

議員們對社會福利工作的看法

本報記者熊傲宇

她指出有關單位，對於國民住宅的申請，故意積壓延誤，這等於是受權給不法集團利用充分的時間，上下其手，助長牟利，幫助他們公開詐欺！

她在省政總質詢時，面對黃杰主席，要求訂定一項興建國民住宅實際可行的細則。她覺得現行的國民住宅辦法，在行政上既欠週密，在執行上又如兒戲，有澈底加以檢討的必要！

不法集團　惡性操縱

她在省政總質詢時發言說：「國民住宅，是實踐民生主義的理想，是政府的一項德政之一，使「住者有其屋」與「耕者有其田」同樣具有時代的特色意義。

可是，政府的這項德政，由於有關部門的執行不力，甚至延誤，以及貸款手續之繁難，條件之苛刻，再加上少數不良公務員勾結營造廠商，利用政府業務的不協調和法律的漏洞，從中操縱，層層剝削，結果，迫使政府為推行社會福利的房屋行政變了質，讓多少平民受了政府的恩惠之際，又在吃虧上當之餘，涕淚交流，哭訴無門！

自從國民住宅籌建以來，住戶、營造商、銀行之間，不知發生了多少次令人痛心疾首的糾紛，幾乎到處官司打不盡！有的是住戶拒繳分期付款；有的是營造廠拒絕移交房屋；有的是土地銀行撤銷貸款。這究竟是怎麼一回事呢？

我們檢討起來，大體上可以歸納為三點：

第一、是政府施行房屋行政，缺乏實際經驗。

第二、是不法集團在惡性操縱，破壞政府威信。

第三、是人民本身常識不夠，易受欺騙。

這裏先談「不法集團的惡性操縱」，也就是他們如何公開欺詐、剝削的內幕，其手段相當巧妙。當申請國民住宅季節來臨之際，他們就採取四個步驟：

太公在此　願者上鈎

一、先在大街小巷張貼海報，上書具有誘惑性的字眼：「八千元，一幢洋房！」以廣招徠。他們懷着鬼胎，美其名曰：「姜太公在此，願者上鈎」。

二、有人上鈎後，那些職業掮客會唱作俱佳地告訴你說：「我們的老闆便是鼎鼎有名的什麼人，熱心公益，抱着服務鄉里的熱忱，為你們純粹盡義務，替你們解決住的問題，手續非常簡單，請你先登記，只要三百元手續費，一千元訂金，兩份戶口謄本和私章，我們負責保證一切，其餘的七千元，等以後再分兩次交清，請放心，我們包辦了……」。

三、於是，他們一方面利用申請人的戶口謄本和私章，造冊向政府辦交涉，中籤以後，又直接向地政單位把土地分割後的文件控制在手裏，一方面裝模作樣的蓋房子，暗地裏偷工減料，然後用種種漂亮的藉口，美麗的謊言，陪同申請人到銀行簽字，同時索取配合款，而握給以私人貸款契約的收據的副本（此時大約是五十五年六月到十二月之間），等於非法扣留合約書，但申請人此時不會懷疑其企圖。

四、等到房子快完工，你想搬進去的時候，他們開始變相的勒索了，美其名曰「追加地下樑」，或乾脆「追加地價」。至於要追加多少，三千五千，那就憑他們的良心了。反正土地所有權狀落在他們手裏，終於，偽裝的耶和華露出了撒旦的嘴臉，軟硬兼施：軟的，他們叫工人向你哭訴，說是建材漲價，生意虧本。硬的，他們有的是職業代書、高級流氓作後盾，他們一開始承攬國民住宅，就步步為營，而且懂得培養剝削的藝術，深具敲詐的火候，不怕你去打什麼官司，何況還有拖拉的戰術！

切斷水電，或故意把水電工程保留若有似無的階段，以阻你遷入。事情既然到了這種地步，還有什麼話說？在當事人來講，蓋房子本來是一件喜事，如果需索不多，也多半抱着一肚子氣付賬了事，若是開價太多，問題就鬧大了。

台北縣的一個事例

接着再談「人民本身常識不夠，易受欺騙」。因為那些無家可歸的人，需要「住者有其屋」的人，境況都不太好，多半是為一日三餐而勞碌奔波的人，而且是第一次蓋房子，不知其中的厲害，對於如何訂定土地買賣契約、工程合同、貸款等等手續，根本不懂，被人公開欺詐，牽着鼻子走，似不足為奇！

關於「政府房屋行政」缺乏實際經驗，好像一家新開幕的醫院，目的當然在濟世救人，可是光有一大堆特效藥，卻沒有醫療作業，病人住院之後，醫生、護士不知道跑到那裏去了？原則上，社會處、民政廳、公共工程局、地政局都是醫生，興建會、土地銀行則是護士，但實際上，他們是彼此不聯繫，相互不過問的，何以見得？請看：

一、台灣省政府為「維護集中興建戶權益，防止弊端」在五十五年九月二十日用「最急件」的「府社宅字第七二二三三號令」，要求「台北縣政府」通知全體借款人，其內容除了等因奉此之外，有兩點頗有見地，但也令人啼笑皆非！其一是：「興建國民住宅之發包、監工事宜、應由借款人自行辦理」。其二是：「借款人得責成承建廠商投保完工保險」。主意令人佩服！

二、台北縣政府接到上項省令之後，於五十五年十月十二日也用「最速件」的「北府國宅字第二三五號通知」全體借款人，「仰即遵辦」。妙的是，這項「最急件」在興建會寄到借款人手裏，居然「旅行」了將近一百天！借款人收到的時間是五十六年一月二十日（有郵戳為憑），整整被積壓延誤了三個多月。正當各地集中興建的工程已經到了「樓板」。而第一期土地銀行的貸款也早被以「承辦單位」姿態出現的「營造商」代為治領了，借款人同時也被繳清了一半配合款。至此，令人消嘆！老實講，這種荒天下之大唐的積壓延誤，無異授權給不法集團，利用充分的時間，上下其手，助長牟利，幫助他們公開欺詐！而他們也幾乎可以大搖大擺的大剝其皮，只差不是「奉命」刮皮罷了。（七）

我是一個「紅衛兵」

．王朝天．

各大城市均設有「紅衛兵」，總輔導員和輔導員都是偽「軍區司令員」和偽「政委」。也有偽「軍長」和偽「軍政委」担任的。

特別是「紅衛兵」的「大串連」，沒有「解放軍」支持，可能寸步難行。「解放軍」在北京供應了數萬輛汽車，僅是一次檢閱，就是六千輛汽車。再說住的問題，即以北京而論，除了利用各學校、工廠、機關等公共場所外，「解放軍」和「兵工營建單位」曾趕造了二十三萬平方公尺的棚子和簡單房屋，才解決數百萬「紅衛兵」的住的問題。

所有糧食、蔬菜等，也都由「解放軍」採辦和供應。伙夫和醫療人員也大批從「解放軍」中抽調，直接担任工作或者指揮其他方面調來的幹部工作。在北京，調集了十萬「解放軍」充接待人員，其中自然以担任警衛為主。在每次天安門「群眾大會」，站在前排的都是「解放軍」，只有極少數的「紅衛兵」可以接近毛澤東、林彪。所以毛澤東和林彪是安全的。北京調來其他單位幹部只有十萬人。北京的接待工作是以「解放軍」為主的。其他各地也是如此。否則為什麼偽「軍區司令員」和偽「政委」來担任總輔導員和輔導員呢？

各地的幕後主持人，也可說牽線人，都是「解放軍」，大體是林彪掌握的，所以屬於毛林集團的「紅衛兵」敢鬥「當權派」，聲勢大。但是「解放軍」也有反毛林集團的。另外反毛集團組織和操縱的「紅衛兵」聲勢也不小。混水摸魚，使得毛林集團分辨不出來，別有用心地製造各種混亂。

毛林集團利用「解放軍」來掌握接待工作，各省市均設有接待委員會。接待委員會是屬於「文化革命委員會」的。其成員是由各機關、學校和部隊調來的，但主要成員是「解放軍」人數最多。據說北平的接待人員就有調來幹部一萬人、「解放軍」十萬人。周恩來、林彪還集合他們訓過話。接待委員會有政治部、宣傳、組織、交通和供應等處，再有一個辦公室和糾察隊。

各接待委員會借用各工廠、學校和各公共場所分設的接待站。例如在北平就有一二○接待站。每個接待站又依照需要分設若干接待小站。例如一個工廠或學校就利用禮堂、飯廳作為接待小站。

在「步行串連」沒有開始之前，只是大中城市有接待站。「步行串連」開始，農村也有接待站了。每隔卅公里左右，即有一個接待站，由各公社負責組成。

接待站設站長，或設副站長。此外有管生活的幹部、宣傳的幹部。接待人員每一人，分片包乾，管吃管住。

「紅衛兵」在表面上看來是很亂的，實際上有控制，否則早已不可收拾。控制的關鍵在「省待委員會」。「紅衛兵」在出發之前，一定先要向「串連」說明，這樣才能免費乘火車或其他交通工具。「紅衛兵」在路上，因為擁擠沒有紀律，所以很亂，也無法有控制，到達目的地，一定要到接待站，這就有控制了。不到接待站，就沒有住食和交通的地方。到了接待站，都有了安排。任何「紅衛兵」無法脫離接待站。接待站可以規定你離境的時期和前往的地點。除非像我那樣獲得自由。如果我逃亡不成，我仍得到井岡山、延安去「串連」。（十五）

華裔專家蔡至勇主持下

曼漢頓共同基金已成為

美國聲譽最隆投資機構

（紐約航訊）留美華裔投資專家蔡至勇，自創辦曼漢頓共同基金，一舉集股五億四千萬美金，為美國證券業創立一歷史新頁後，其在證券市場之活動，已成為金融界所一致注意研究的目標。

曼漢頓共同基金於去年二月創立，至今僅一年餘，在此波動劇烈的市場中，蔡氏盡展其經營長才，股市升高之時，蔡氏之公司獲利最高，股市跌落之時，其公司損失最微。此一年間的成就，已使曼漢頓基金成為市場中聲譽最隆的投資機構，業務發展速度驚人。

蔡氏為酬勞該公司員工之辛勤成就，及同人之長久性福利，近決定發行一小型專用共同基金組織，為數僅七百五十萬元，其主要目的在爭取資本的增加。

此一新共同基金，定名為金得公司，已於八月二十四日向聯邦政府信用證券委員會立案。

在組織上說，該公司屬於蔡氏投資公司之一部，蔡氏投資服務公司即為蔡氏經理研究公司之一部。

金得公司股票，為一可兌之股票，除創辦之七百五十萬股金外，將不再加售新股。此一新股票中之二十五萬股專為蔡氏經理研究公司中百餘員工所設，每股美金五元。餘數一百二十五萬元將公開出售，定價五元一角，僅紐約州居民有權購買。

華爾街人士指出，蔡氏創辦此一小型基金，充份表現其對員工福利之關切。蔡氏知人善任之領袖才能，早已贏得此金融界及其部下之一致敬佩，此一新股票發行後，必將予該公司員工以更多機會參予投資活動。

此一新股票何日公開出售目前尚未宣佈，照一般慣例，在聯邦政府登記六週至八週後，即可公開發行。此一新聞發表後，紐約州居民已在迫切等待中。

又，華裔經營的黃氏實驗公司，其股票於八月二十三日首次在華爾街公開發售，一舉轟動了金融市場。

黃氏公司為哈佛大學畢業之黃安（譯音）博士一九五五年所創，其主要出品為桌上計算機及其他電動計算裝備。此次發售股票之總數為二十四萬股，每股十二元五角，開盤時三十六，收盤時竟漲至四十一。各經紀公司一致認為「其上漲速度有如衛天火箭，打破了新公司開市的紀錄。」黃氏股票的發售，與詹森總統的加稅提案，早已成為數週來華爾街上的主要話題，公開發售後，立被搶購一空。該公司本年度贏利七十八萬餘元，平均每股收益五角。黃氏及其家屬，擁有該公司百分之七十二的股權，公開發售後，黃氏家族仍掌有百分之六十三的股權。

惡夢十七年

——馬思聰的故事

趙浩生

我最初惑疑也許是為了安全他們租房時沒用真名字，但立刻又想到可能是美國人弄不清楚中國人的名與姓，就又問他有沒有姓「思聰」的？管事人立刻恍然大悟的說：「這位思聰先生是不是就是曾在『生活畫報』上發表了兩篇文章的中國音樂家？」他的口氣充滿親切敬佩之情，可見反共義士中外同欽，更證明他們在此並不必要為安全而改名換姓。

他們的住所與辦公處相去不遠，為了躲雨，我從地下停車場走過去。因而在看到他們的新家之前，先看到了他們停在地下室中的乳白色新汽車。

這是一幢美國中等人家的郊區公寓，家家都有汽車，我很高興的看到他們也有了必須的交通工具，但不知道開車的是馬氏本人或是他的男公子如龍。

登樓按鈴後，應門的是如龍。四個月不見，他好像又長高了一大截。但他面孔的表情依然像四個月前一樣的嚴肅，兩眼直視，毫無笑容。

我所看到的幾位自中國大陸逃到美國來的青年人，在最初一段時期中大都表情如此。他們是在「一個沒有歡笑的土地上長大，一旦到了這個充滿歡樂和光彩的自由世界，有如自黑暗中突然走到陽光下，有點暈眩，有點茫然，並深感過去白活之痛，決心要在這個自由世界上完成些什麼。是這種從無歡笑的舊習慣和創造新生活的決心，使他們表情嚴肅；但當他們習慣於自由和陽光，確定目標開始安定進步的生活後，他們都變得無比的樂觀愉快。先後來美的中共「安全官」趙福，「文化專員」董濟平，和衝出竹幕與父母團圓的三三小姐，都是如此。

見到如龍，我先問他在威茫州參加國際青年實驗學校的印象如何，他說：「這個地方不錯。」接着又問他今秋是否要進艾克斯特中學，他說：「還不一定。」我帶來一枚有甘迺迪總統像的半圓銀幣送他作紀念，問他中共大陸報紙如何記載甘氏遇刺的消息，他說：「『人民日報』說刺殺甘迺迪的兇手奧斯渥是一個『瘋子』。」

一面談話我一面週覽他們的新家。他們住的是一個四房（兩個臥房及傭房廚房）二廳（客廳，飯廳）的房子。落成不久，滿室清新。一體咖啡色的新傢俱。實用但並不豪華，亦無額外陳設，看上去倒像一個新婚住宅。客廳中最引人注意的東西，是正中靠牆放着的一架鋼琴，正代表着這個家庭的精神中心。

和如龍談了不久，馬夫人走了出來。寒暄後，我發現她的表情和四個月前已大不相同，她看上去已完全是一位家常踏實的留美華人家庭主婦。她似乎已不願多談過去的事情，作為一位相夫教子的賢妻良母，她現在所關心的，只是如何安排孩子們的教育和他們的安居之計。

她一開始就同我談起如龍的就學問題，我說艾克斯特是一個非常有名的學校，如龍能進去極為難得，她說該校也非常歡迎他去，不但答應給獎學金，而且願為他安排特別課程。但他們所考慮的，是如龍已超過中學年齡，且在音樂上已有很好的造詣，若再從頭學新的而放棄音樂，實在可惜。他們目前的計劃是，今秋開始進學校專學英文，繼續修練提琴。

我告訴她，在今天的美國社會中，每一行都有出人頭地的中國人。在美國人的心目中，中國人已不僅是開洗衣店賣雜碎，而是諾貝爾獎金得獎人，教授，工程師，音樂家和企業家。在這個充滿機會的社會中，只要學有專長，任何一行都有輝煌的前途。

聽完我們的談話，如龍為我倒了一杯可口可樂後就離開客廳，走回臥室。不久我就聽見從臥室傳出他練琴的聲音。（二）

剖析八十二名反毛的中共中委

·李敦復·

高克林（候補中央委員，曾任最高人民法院副院長，在中共高層奪權鬥爭中，已遭清算。）

胡錫奎（曾任人大子學副校長。）

張達志（候補中央委員，蘭州軍區司令員，在中共文化大革命浪潮中，為反毛派，但，根據今年五月二日法新社北平電訊報導，謂曾於五月一日勞動節在天安門露面。）

汪鋒（候補中央委員，甘肅省委會第一書記，屢被紅衛兵攻擊，指為「反對毛澤東思想」的黑幫份子，「黨的敵人」。）

楊植霖（青海省委會第一書記，青海省軍區第一政委，被指為「劉少奇路線，破壞「文化大革命」等罪名，已遭整肅。）（按：青海為中共勞改犯最集中之地區，全省面積，為六十九萬七千多方公里，交通不便。）

王林（曾任陝西省委會書記，曾任中央組織部副部長），與劉瀾濤，習仲勳（前國務院秘書長，中央委員），李啓明（陝西省省長）等，掛上木牌，被指為「反革命修正主義份子」，公審鬥爭。）

楊靜仁（寧夏自治區黨委第一書記。）

霍士廉（曾任浙江省委會第一書記，陝西省委會第一書記，雖未受紅衛兵攻擊，但，由於西安曾發生多次流血衝突，局勢嚴重，遭整肅的成份極大。）

中共甘肅省委員會

第一書記：汪鋒（見前。）

第二書記：高健君。

書記：强自修，何承華，焦善民，張鵬圖，陳會固，王世泰（候補中央委員），裴孟飛，胡維宗，馬維孔。

中共青海省委員會

第一書記：楊植霖（見前。）

第二書記：王昭

書記：陳思恭，朱俠夫，到瀾西，譚生彬，高克亭，薛宏福。

中共陝西省委員會

第一書記：霍士廉（見前。）

第二書記：趙守一（由於中共奪權鬥爭以來，西安發生多次流血衝突，已遭清算。）

書記：李啓明（陝西省省長，被指為「反革命修正主義份子」，掛上木牌，遭公審鬥爭），章澤，張策，白治民，嚴克倫，方仲如，舒同，李合邦（中央委員，曾任山東省委會第一書記，今年一月六日被來自山東的紅衛兵指為「修正主義份子」，掛上木牌，公審鬥爭，已遭整肅。）（十七）

臭豆腐之憶

藍天

友人帶回來一大簍橘子，和兩小瓶臭豆腐。橘子很快的就分光了，臭豆腐則只有我一人獨享，因為大家都沒有那份口福。

這樣，每天的飯桌上，我又多了一樣小菜，飯量也因之而激增。可是，它也悄悄的為我帶來了濃重的鄉愁，和深深的懷念——

臭豆腐是我頂喜愛吃的。在家鄉時，我家的飯桌上，幾乎餐餐都沒少過它。不過，並不是我家做的，也不是買的，而是從外婆家拿來的，或是姨媽托她家那個結結巴巴的長工李二叔送來的。

我已記不清，打從什麼時候開始喜愛臭豆腐。但從有記憶時起，我家的飯桌上就有了它，當然都是姨媽家送來的，而且是專為我送的。

記得，每次李二叔送臭豆腐來時；媽總是客客氣氣的一再向他道謝，李二叔則老是結結巴巴地說那幾個字：「順……順……順道。」媽也曾不止一次地對姨媽說：「娟妹，別老是打發人給大寶送臭豆腐啦，老遠的路，讓人家跑來跑去的多不好意思。」姨媽卻總是笑吟吟地說：「大姐，孩子喜歡吃嘛，又不是什麼貴重東西，況且也不是專為他送的，反正李二叔每月總得來城裏好幾次。」

隨着年齡的增長，小時候所喜愛的，都有了很大的轉變，唯獨對臭豆腐，却還是那麼偏愛。因此，每當飯桌上沒有了臭豆腐時；我總是於星期天，騎着單車去姨媽家拿。後來去的更勤了，當然，並不是為了拿臭豆腐，而是另外一個人把我深深吸引了，那就是姨媽的獨生女兒春紅表妹。

是我剛剛考上高中那一年，春紅表妹也在村中小學畢了業，可是，她沒有繼續考中學却留在家裏跟姨媽學女紅。

一個星期天，我又到姨媽家拿臭豆腐，偏巧姨媽到外婆家了，偌大的一座莊院裏，只有春紅表妹一個人，於是我們坐在庭院裏那棵大槐樹下閒聊起來——

「表妹，你怎麼不到縣城裏考中學？」

她用力地咬着紅紅的嘴唇，停了好一會兒才說：「我當然想去考。可是媽說，女孩子家讀那麼多書也沒用。而且媽也捨不得我離開她。」

「住在我家還不是一樣？你小時候，還不是常常在我家住麼？」

「媽也曾那麼說過，不過現在不同了。你知道我哥哥不爭氣，整天在外邊鬼混，家裏的事什麼也不管，又不是媽親生的，所以媽也不願意多管他。唉，自爸死後，媽也夠苦了，我雖然也想考中學，但也不忍心媽一個人孤零零的守在家裏。」

說到這裏，春紅表妹的眼圈紅紅的，於是我們都沉默了。我心裏想：「春紅表妹比我小兩歲，可是却知道替媽着想。我呢，五歲時爸爸就去世了，媽為了我們兄弟倆真不知吃了多少苦，可是我却從沒有替媽想過。這或許就是女孩子和男孩子不同之處吧，想起來可真慚愧呢。」（上）

中國女性文藝春秋

周遊

芳是香所為，冶容不敢當。天不奪人願，故使儂見郎！

宿昔不梳頭，絲髮被兩肩。婉伸郎膝上，何處不可憐？

始欲識郎時，兩心望如一；理絲入殘機，何悟不成匹！

前絲斷纏綿，意欲結交情；春蠶易感化，絲子已復生？

自從別郎來，何日不咨嗟；黃蘗鬱成林，當奈苦心多！

高山種芙蓉，復經黃蘗塢。果得一蓮時，流離嬰辛苦。

朝思出前門，暮思還後渚。語笑向誰道，腹中陰憶汝！

攬枕北窗臥，郎來儂就嬉。小喜多唐突，相憐能幾時！

年少當及時，蹉跎日就老。若不信儂時，但看霜下草。

歡愁儂亦慘，郎笑我即喜。不見連理樹，異根同條起？

別後涕流連，相思情悲滿；憶子腹糜爛，肝腸尺寸斷。

誰能思不歌？誰能飢不食？日冥當戶倚，惆悵底不憶？

夜長不得眠，轉側聽更鼓；無故歡相逢，使儂肝腸苦！

歡從何處來？端然有憂色；三喚不一應，有何比松柏！

我念歡的的，子行由豫情；霧露引芙蓉，見蓮不分明！

儂作北辰星，千年無轉移；歡行白日心，朝東暮還西！

憐歡好情懷，移居作鄉里。桐樹生門前，出入見梧子。

遣信歡不來，自往復不出；金銅作芙蓉，蓮子何能實！

晉瑯琊王司軻家裏，和豫章僑人庾僧虔家裏，曾鬧鬼歌「子夜」。於此足見「子夜歌」實是十分哀苦，可使鬼神歌泣。後人將之更為四時行詞，名叫「子夜四時歌」。又有「大子夜歌」、「子夜警歌」、「子夜變歌」，都是子夜歌的變體。這許多歌的名稱雖異，但仍脫離不了她原來悱惻纏綿的韻致。

「懊儂歌」亦為晉代有名樂府之一，她的創始者，是著名的美人金谷園中的鳳凰——綠珠。她的肉體的代價，雖值到真珠三斛，然她的精神的代價，卻不能估量。愛她的丈夫石崇為她而犧牲了生命，她也墜樓身殉以報知己。相傳她善於彈琴，「懊儂歌」是她的唯一存品。曲云：

絲布澀難縫，令儂十指穿。黃牛細犢車，游戲出孟津。

民間的仿作，連原作共存十四首。但仿作的作風，大半都似失戀詩，與原作之意不同。茲錄八首如下以觀：

江陵去揚州，三千三百里。已行一千三，所有二千在。

寡婦哭城頹，此情非虛假。相樂不自得，抱恨黃泉下！

我與歡相憐，約誓底言者？常歎負情人，郎今果成詐！

我有一所歡，安在深閣裏。桐樹不結花，何由得梧子？

長檣鐵鹿子，布帆阿那起。託儂安在間，一去三千里。

愛子好情懷，傾家料理亂。攬裳未結帶，落托行人斷。

月落天欲曙，能得幾時眠？悽悽下牀去，儂病不能言！

髮亂誰料理，託儂言相思。還君華艷去，催送實情來！

石崇另外還有一愛婢，名叫環風，當作怨詩一首，從前也把她收入樂府。石崇得環風於胡中時，她只是十五歲的少女，華麗的姿色加上彬彬的文采，乃博得主人莫大的寵愛。可是年老徐娘寵衰的時候終於來臨，心上人兒又投懷於年輕的別人了，她便從文字中發洩出來！這個發洩是幽怨的。她不禁的吟歎道：「春華誰不美，卒傷秋落時。突烟還自低，鄙退豈所期？桂芳徒自蠹，失愛在蛾眉。坐見芳時歇，憔悴空自嗤！」（二十）

筆與墨

·閑夜·

筆墨與中國文化，有極大的關係；與中國藝術，尤其有不可分的關係。我國毛筆起源甚早，唐朝的畫家們，於我們這個民族使用毛筆一千來年之後，運用這種工具已經極端純熟，所以能有那麼成熟的繪畫作品；尤其像傳說中王維所作南宗的文人畫。或許有人問，何所見那時毛筆已使用千把年？乃是就近年來發現的戰國時的毛筆實物順述下來；事實上，毛筆自然不始於戰國（但現代發現的古代毛筆實物，却以為最早），殷代的甲骨文已經有「筆」這個字，而甲骨實物上更發現有用毛筆醮硃或墨書寫，而未刻的文字。如從那時候算起，到唐代已是兩千幾百年了。

現在所存的古代毛筆實物，在居延漢筆沒有發現以前，以日本正倉院所藏天平筆為最早。天平當我國唐玄宗開元天寶之際，距現在約一千二百餘年。但是居延漢筆一發現，古筆實物之現存者又向上推早了六百年。

居延筆是民國二十年，西北科學考查團在蒙古額濟納河兩岸和許多漢代木簡一起發現的。從木簡的時代考查，這支筆最晚也是東漢初時的東西。這筆以木作管，筆頭露出者一公分四，筆毫為墨所掩，其尖端則呈白色。

但近來，在長沙發現的戰國楚筆，又將現存毛筆實物向上推早了約五百年。據日本戰後版書道全集記載，照片，楚筆筆頭長五分，筆管長八寸五分，較居延筆還要早呢？

至於現存古墨錠的實物，則晚得太多了。清宮舊藏所謂李廷珪（五代）墨，其實據溥心畬先生說，他曾藏有宋墨一段，確是自宋墓中發現的，但已將近頹散。專家們認為靠得住的現存古墨，最早不過是明墨而已。

筆墨於中國文藝，關係太大，尤以對書法藝術為然。事實上，筆墨二字，久已成為書法、詩詞、繪畫的代名詞。歷來稱道某人筆墨很好，並非專謂其善於用筆用墨，其意實指他所作的文辭。奇怪的是：我們對於中國畫，除了欣賞其氣韻意境形象而外，也一樣欣賞其筆墨，這是中國人認為當然，却又的確如此的。繪畫中的所謂筆墨，自然是從書法演變而來。主要的同用此筆，同用此墨。以筆墨書寫各體文字，寫了幾千年，神明變化，自就成了高級藝術。以作書的筆墨作畫，這些高級藝術的特質，也便自然滲入繪畫之中，成為其主要成份。

筆者對於書法藝術，保持興趣數十年，目覩書法這件事，在國內之日漸衰落，中心憂懷，不可名狀。但當此時會，西方國家却漸漸把他們起初認為只是文字的東西，現在却理到這是高級藝術了。世事往往如此，自己不重視的東西，倒被別人珍重起來，實在不免令人發生感觸。

趙炎午「十斬令」

·胡實·

衡山趙恒惕（炎午），從民國十年四月，繼譚延闓任湖南省長兼湘軍總司令，到民國十五年三月，被叛將唐生智逼迫下台，前後在任五年，留給湘人最深印象，就是好殺。他出身日本士官，乃一正牌軍人。丟掉湖南地盤以後，不得意者十餘年。抗戰中始以湖南耆紳資格，出任省參議會議長，繼續捧足官場。

當時筆者以採訪新聞關係，得親炎午教益。發覺其人五官端秀，面色白如凝脂，確具大富大貴相。但在會議場合登離主席台之際，每行步如飛；又當與人談話得意投機之際，常眨眼斜視。這兩種怪異動作，正暴露了為人性烈心狠的內在缺憾。他之所以貌若和善，而內藏殺機，（俗稱笑面閻王），可說完全受了這些內在缺憾的影響。

炎午在省長兼總司令任內，為肅清政敵程潛的實力，剔除湘西反對派蔡鉅猷的湘西羽翼，和摧毀共產黨毛澤東的開山收徒（時毛啣上海中共中央命，在長沙開拓湖南黨務。）殺了不少異己軍人，綠林好漢和過激青年。他在動手殺人之前，例必實施軍事戒嚴。在戒嚴之中，又必發出佈告，任意臚列斬罪，然後藉口問斬。就他任內發出的無數戒嚴佈告而言，以壓制民國十一年長沙工潮的「十斬令」，最為毒辣。

「十斬令」內容：

一、煽惑軍心者斬；

二、造謠惑眾者斬；

三、殺人放火者斬；

四、擄人勒贖者斬；

五、鼓吹共產者斬；

六、糾眾遊行者斬；

七、罷工搗亂者斬；

八、破壞金融者斬；

九、囤積居奇者斬；

十、高抬物價者斬。

凡捕獲觸犯「十斬令」疑犯，統交軍法審判，多半有死無生。湖南人民當時竊竊私議，趙恒惕在長沙發的「十斬令」，與明末流寇張獻忠在成都留的「七殺碑」，幾可在中國史上後先媲美，並不遜色。

在炎午進行連串屠殺中，以斬決罷工首領黃愛、龐人銓引起三湘一致公憤。黃、龐乃無政府主義派，中共還未面世前，就在長沙組織湖南勞工會，從事工人運動。黃、龐提出的口號是：「只問麵包，不問政治」；和「工會自治，不許政黨過問。」口號的意義，在強調工人運動目的，純為解決切身經濟問題，並非干與政治。同時工人的事，應由工人自己料理；拒絕政黨代庖，利用工人作為爭奪政權工具。口號的作用，顯然是反對共產黨專向工人埋手，反對共產黨霸佔工人階級為私產。

黃、龐為了表現自己也是正牌工人，曾在炎午開辦的華實紗廠做工。民國十一年一月（辛酉歲暮），黃、龐號召廠內二千多工人罷工，要求廠方發給獎金，和年終雙薪。炎午派兵到廠鎮壓，開槍擊傷工人數十名。工人在武力威脅之下，不稍屈服，堅持非實現要求不可。炎午迫於情勢，祇有承認先給獎金。工人雖得到局部勝利，可惜他們的領袖黃、龐二人被炎午逮捕，推至瀏陽門外斬首。湖南人民認為炎午為了幾個錢的獎金和紅利，濫用威權殺人，簡直無法無天。除了掀起驅趙運動；還給他送上一個「趙屠夫」的綽號。可是炎午對於這種沸騰的民怨，絕不理會。還是你驅你的，他殺他的。

此外炎午還好談政治，故意表現自己才兼文武。例如民國十年國會南遷，選舉國父為非常大總統，是由他首先通電所反對。又如制定省憲，推行聯省自治，是由他首先通電所主張。不過這些違反民意國情的偏見，並沒有得到普遍支持。記得炎午在閒談中，當自詡平生一得意傑作，就是他被唐生智逼迫下台，離湘路過岳陽時，吳佩孚曾苦求一晤，似欲助以一臂，奪回省長寶座。他看透吳佩孚前途必敗，國民黨北伐必勝，未允所請，保持了失敗英雄認輸的磊落風格。他更說：他後來之所以能為國民黨器重，實得力於這一着棋法的高明呵！

大政治家諸葛亮

河漢

諸葛亮是中國有史以來最優秀的政治家之一。在政治上，在那一時期的四川，還是比較落後的地區，諸葛亮在短短的時間內，把生產技術，文化水準，提高到與黃河流域相埒的程度。他出身於儒家，但並不執着，在治理四川上盡量運用了法家的手段。這就說明了他是一個能夠面對現實，不拘泥於成見，靈活運用各家的優點的政治家。大家稱譽他「開誠心，布公道，盡忠益時者，雖讎必賞，犯法怠慢者，雖親必罰。」因為他公平，所以只要是人材都能夠盡其材，奴才之流自然難以攪風攪雨。因為他處理人事沒有私人的愛憎，所以沒有人可以投機取巧，舞弊營私，組織派系，蒙蔽耳目。因為他能夠讓人民的生活安定，所以舉國團結，能夠在短短八年中，連續五次北伐，一點也不緊縮人民的生活，束縛人民的自由，一點也不動搖後方的社會秩序。

諸葛亮是中國有史以來最優秀的軍事家之一。他每次對強大的曹魏出征，使用的兵力從未超過八萬，而他的對手所擁的有兵力總是多出他一倍甚至以上。可是諸葛亮每次都掌握了主動的攻勢，強大的敵人只能被動地應戰。他執行着嚴格的軍事紀律，因此進攻與撤退都保持良好而堅強的陣容；也因此軍隊所通過的地方，人民與戰士互相尊敬與友好，相處如主賓。他向黔滇少數民族進兵，揚棄了已往血腥鎮壓的殘酷手腕，確立了政治重於軍事的原則，消弭了西南少數民族長期來向漢族地區騷擾的棘手問題。陳壽批評他「應變將略，非其所長」，這是陳壽為了討取新主子司馬炎的歡心，故意貶抑諸葛亮的軍事才能，來抬高司馬炎的祖父司馬懿的。但事實擺明看，諸葛亮與司馬懿的四次對壘中，司馬懿雖然擁有遠為優越的兵力，却僅能在堡壘中坐視蜀兵在魏的國境上，耀武揚威而不敢還手。這還不夠說明在當時的軍事統帥中，諸葛亮是最優秀的一員麼？

諸葛亮還是一個優秀的軍事科學家。他為了克服山嶽地帶運輸的困難，發明了木牛（單輪車）流馬（雙輪車），節省了人力，增加運輸能率，縮短了輸送時間。他為了加強作戰武器的殺傷威力，發明了一次發射多枝箭矢的連弩。他在前綫利用兵士屯田，使作戰的資源取給於前綫，使敵人疲勞。他開闢水利，提倡農桑，使社會經濟走向繁榮。他不僅提倡，還身體力行，他在給劉禪的奏疏中，便提到他的財產「成都有桑八百株」，作為丞相的家屬，並未養尊處優，還在與農民一樣勞動，在春秋兩季養蠶紡絲。蜀錦至今成為四川美麗的特產，它的基礎便是在那時期奠固的。

諸葛亮自然也有他的缺點，首先便是他未能好好地培養人材。他雖然在進入四川以後吸收了當地較優秀的份子，但並沒有特出的新血參加，也未曾在這方面特別注意。比較像樣的馬謖，又在一次的錯誤中被執行了死刑。他所賞識的蔣琬和費禕，只是優秀的事務官，而不是高瞻遠矚，魄力宏偉，氣象萬千的政治家。軍事上的繼承人姜維，只是個前綫的優良指揮官，而不是統籌全局，各方兼顧，算無遺策的軍事家。因此諸葛亮一死，後繼無人，蜀漢的命運也就隨着鑄定了。（五）

閑話麻將

陸民

初期麻將輸贏的計算，以胡數為標準，其各種胡數，大致如上述。然亦有和牌後一胡俱無者，故須先定一和家的底胡數額，等於和家的基本權利，別家不能享有，一般稱之為基胡。普通基胡，多為十胡，後來也有加為二十胡或卅胡的，自須事先講定。假使和家是碰一筒，又碰二索，另外兩句，加一對八筒作眼，和的是七萬邊張，則為一筒四胡、二索兩胡、邊張兩胡——凡是獨胡一張的如三、七邊張或嵌心張，均算兩胡——共計十八胡。若屬自摸，也加兩胡，則為二十胡。假定打的是一毫或五分錢一胡，一般都稱之為「幺半」。上台之初，只要有人話「打幺半」，如無人表示異議，就算決定。於是二十胡，則莊家須付與兩元，偏家須付一元；假定胡者係莊家，則三家各須付與兩元。故連莊最妙，而莊家也最怕揹大牌，勝負之機，往往取決於此。

最初以胡計番，多是限制胡數的，例如番數以三為度，三番以上不算；胡數以三百為度，達到三百，稱為滿貫，滿貫以外的不算。如此，則滿貫自屬不易。故舊日麻將，常有終場無一滿貫者，因基胡既低，（十胡）而偶逢大胡，則其他三家，必共同警惕，乃不一定能和也。及至基胡加高（由十提至廿或卅），情況遂變，假定底子為廿胡，只要具備十八胡而有三番，照幾何級數，即可翻到三百零四胡，滿貫有餘了。若底子為卅胡，只須有一幺九暗坎，即滿三百之貫。故當基胡加高後，也有同時把滿額比例提升的，而大小也多由幺半改為公二，或二四的，藉自表示牌價漸漲，與一般生活指數同樣上升，而胡滿貫也比較容易了。

故舊式麻將，番數固然重要，胡數也同樣重要，開槓則尤為眾所注視之事。因為和家要算胡，不和的也要比胡，凡多餘之胡，除和家不管外，兩家都要照所欠之胡比例付款。是以胡多之家，雖不和亦往往可以贏進，甚至贏的比和家還多。但若有一家和了滿貫，則三家都算大輸，基於同病相憐的精神，那一副彼此也就不比胡了。

還有槓上開花，海底撈月，或搶槓等，究算番，抑加胡？均須事先講定。有各加一番的，亦有照底胡數各加十胡或二十、卅胡的。更有槓上開到五筒——象徵梅花——海底撈到一筒——象徵月亮——各加一番，餘加胡的。至於「雀兒喫餅」也算和的，那是舊式軍閥所鬧的笑話，只好說說，不足為訓的。（三）

驅除苦惱有妙法

·麗珠·

密蘇里大學教授麥堅尼發現人類「低情緒」時間為在一天的最早半小時及最後半小時，每個星期一以及春天的三個月。如果於一月的星期一上午七時見到一張苦臉，便應同意他的說法。

「生命中之循環」一書作者夏夫指出：我們自己可以筆錄每天情緒，而找出情緒波伏的規律，以此來說，我們若能預知低落情緒的來臨，便可以避免同時遭遇其他的煩惱。這天，我們可邀約朋友，歡樂一下，而驅除情緒之不佳。

當然，補救憂愁的方法好像它的來臨一樣複雜。我有一個朋友，當煩悶的時候，便坐上一輛的士。她解釋：「這樣子，無論如何，我感到自己在一方面是富有的。」她又能巧妙地運用「最低限度」這一個字眼。她沉悶，她坐下，默默地想像自己曾遭遇最難堪的事。然後她彷彿幻想地說：「好吧，最低限度，我還未像那次的難過，懷了孕六個月，而要在聖誕前兩天分娩！」或者說：「最低限度，我的丈夫還未離開我呀！」雖然這是自我解嘲，但作用是明顯的。（四）

自由報

內政部台誌字第〇三一號內銷證

THE FREE NEWS

第四九七期

中華郵政登記第一二八二號執照登記爲第一類新聞紙類

（每週三、六出版）

每份港幣壹角　台灣每份新台幣壹元

社長：曾蟠岑

督印人：黃行奮

社址：香港銅鑼灣高士威道二十號四樓　20, CAUSEWAY RD 3RD FL. HONG KONG　TEL. 771726

承印者：大同印務公司　地址：香港北角和富道九六號

台灣分社　台北市西寧南路壹號二樓

立委缺額遞補問題已屆解決時期

郭甄泰

最近立法委員遞補問題又已甚囂塵上，政界人物茶餘酒後，資爲談助，輿論界亦紛紛表示意見，加以關切，而該項問題又牽連到監察委員與立法委員任期問題，大法官會議解釋的解釋問題，中央級民意代表增選補選辦法制定問題，表面上錯綜複雜，相互關聯，已到了甚難圓滿解決的程度。實則此等問題甚爲簡單，歸根溯源，片言可決。

溯監察委員『已無任期』，起因於司法院大法官會議一四十三年一月廿九日一對於立監委員任期之解釋，立法委員無任期亦係基於此同一之解釋。此解釋中之「……故在第二屆委員未能依法選出集會與召集以前，自應由第一屆立法委員、監察委員繼續行使其職權」之理由，意義極爲廣泛。如其意義同於延長任期，則立法委員有任期，監察委員亦有任期，如其意義並非延長任期，則立法委員固無任期，監察委員亦無任期。當時立委氣勢頗高，立法院與行政院間氣氛又不甚調和，行政當局爲抑制立法院之氣燄，同時又顧慮不逞些生面孔之候補人不易控制，遂決定不准遞補。原則既定，參謀作業者遂以立法委員選舉罷免法第四十五條：『立法委員經罷免後，由候補人依次遞補，其任期至原任期屆滿爲止』爲戰地，予以參謀作業，認定立法委員無任期後，始能達到目標，乃建議將『繼續行使其職權』，解釋爲『並非延長任期』，因之，立法委員變爲無任期，而監察委員受其連累，隨之亦變爲無任期了。現在台灣省藉監察委員丘念台出缺，國家安全會議有關小組所擬中央民意代表增選補選辦法，原則上初步擬定准予補選，立委候補人因此遂又舊事重提，重新獲有申請遞補之機會與理由。依法監察委員係採補選制，如無任期，似乎不能補選，現在安全會議有關小組既已決定准予補選，[illegible]

[illegible]

太大，能以影響國家前途。兩者之比重，顯有雲泥之差，霄壤之別。本年八月十二日安全會議開會時，特邀請司法院長謝冠生，國民大會憲政研討會副主任委員谷正綱，立法院副院長倪文亞，國民大會秘書長郭澄出席，郎係對立委候補人遞補問題有所咨詢。據聞倪院長曾以損及立法院憲法上之地位爲詞，說明立法院不可視爲無任期，謝院長曾以監察委員有缺如能補選，立委候補人有缺亦應遞補，說明司法院大法官之解釋，不可有兩種不同之意義。倪謝均爲平正中肅之人士，所言雖有人指爲係立委候補人說法，實則純係各爲維護其本院之立場而發。頃聞有關小組奉「交議」批示，正在研議之中，想不日即可有所決定。現在各項問題之關鍵全在於立法院有無任期，而立法院有無任期，則在於大法官會議解釋中「繼續行使其職權」之如何解釋？設其解釋爲同於延長任期，則①立委有任期，監察委員當然亦有任期，一般人誤解大法官會議之解釋有錯誤者，自然冰釋。②監委有缺依法可以補選，監察院，台灣省議會自然會心平氣和，無所爭執。③立委候補人依法可以遞補，從前貽人以「立法院已非憲法上機構」之誣衊，可以熄滅。④立委候補人與國大代表候補人同等待遇，即有缺而無候補人者，始予補選之規定，同可適用。中央民意代表的增補選辦法，可以毫無瑕疵的從速公佈。⑤中央政府憲政之基礎，因立監兩院地位之穩定而鞏固，安全會議在憲政體制下，尊崇憲法，實行民主政治，以固國本之大政方針，可以昭告於天下。由此看來，立監委任期問題，大法官會議的解釋問題，中央民意代增補選辦法問題，立委候補人遞補問題，看來雖甚複雜，實際祇是一個大法官會議解釋中，「繼續行使職權」的解釋問題，筆者所說的片言可決，就是這個道理。最後尙須明瞭者，即當初不准立委候補人遞補是一個感情性的決定，現在准不准遞補，變爲一個法律性兼政策性的問題。設若監委的台灣省缺可以不補選，那末，立委縱然繼續無任期，將來亦不會有重大的後果，縱有後果，亦不考慮，那還是不補的成紛多。要是就法言，台灣省的監委缺非補選不可，就政策言，政府決策者決定仍要以健全立監兩院作爲大陸中央政府在台灣存在之張本，那就應該准予遞補，何去何從，已到了非決定不可的時候了。

歌唱外交

自然反應

今日與明日

迎港督，斥

金千

於二十四日港督戴麟趾下機之始，就鄭重聲明，要堅決維持香港治安，並說明此種立場已獲得英國朝野支持，相信港督回任後，不久即將展開維持治安的實際行動，對左派暴徒予以嚴厲打擊。但在此時，有一批存心不良之流，由長共而思媚共，希望能獲得共黨青睞，可以作一批生意，在港督離港期間盡力壓制港府當局勿對港共暴徒採取斷然行動，放在港督回港前夕，又由其喉舌戴維斯放出冷箭，公然射向港督；無疑地這是一個試探汽球，希望借此威脅港督不得採取強硬手段，同時也向英國人『示好』，把自己扮成『可愛的英國人』。

戴維斯這篇『名論』，本港自由報章已紛紛起而批駁，不必再浪費筆墨。此處只提出兩件最荒唐的言論，供讀者一粲。

第一、戴維斯把制水的過失都加在戴麟趾身上，像這種論調乍看起來頗似一篇論文，但本港的人只要略加思索，就不能不加以駁斥了。若就制水而論，二十年來最嚴重的制水，適在戴麟趾督港時期，但他到任後不到半年時間，自一九六五年九月起開始放長喉，日夜供水二十四小時，供了將近兩年。戴維斯如果在港也住了二十年，就不妨閉目想想過去有沒有過。退一萬步說，即使戴麟趾到任之後，天上未下過一滴雨，這又與他何干？難道戴維斯以爲蒼天示警，與戴維斯及其老一樣，想戴麟趾去職，使香港成爲第二澳門嗎？

第二，戴維斯不但抨擊現任港督，甚至把未來港督都提出來了，舉荐英國前駐毛僞政權代辦杜維廉繼任。我眞胡塗，戴維斯是否知道杜維廉有過聯絡毛共及其黨羽，杜維廉任港督能使毛共確實滿意？否則杜維廉眞的繼任又採取強硬政策怎麼辦？難道說到時間戴維斯再推薦一位港督嗎？

我們覺得戴維斯既然對香港局勢如此有把握，何不毛遂自薦，請求英廷任自己爲港督？看看此戴是不是勝過彼戴，毛共會不會予以擁戴。

[illegible]

自由談

毛共中央黨部，辦公廳通知所謂無產階級革命派的嘍囉們，認眞學習江青最近對安徽黨委會議的講演詞，說是最能分析「毛澤東思想」的正確理論。以一個演話劇、拍電影的二三流角色，而智識水準極低能的風塵婦人，由於她是「毛后」的關係，竟成了毛共黨徒人人必須學習尊崇的社會主義革命的理論家，可怪也！

[illegible]

從此我乃領悟了兩項事

江青亦有理論？

實：一是自朱德，賀龍以次的毛共元老幹部們，不論文的武的，何以一概都在被鬥垮鬥臭之列？原因就是這般人對江青的身世很清楚，根本瞧不起她，江青要藉「文化大革命」運動竄起來掌握黨政的權力，即非打倒這批元老重臣不可。同時這些老幹部對毛酋亦已滋生離心力，毛酋樂得乘機加以芟夷。二是毛酋夫婦何以不利用號稱有兩千萬名的共產黨員的力量以從事奪權，而蠱惑一些乳臭未乾的男女們胡行妄爲，無法無天，以致鬧得天下大亂，不可收拾呢？這亦是由於一般共產黨員對黨史以及江青的出身都相當瞭解，決不會盲目聽從江青的指擇，唯有那些尚在讀書時代的青少年，對共黨的歷史莫名其妙，對江青的來歷更茫然無知，掛着「紅衛兵」的臂章，聽受江青的敎唆，今天攻擊甲共幹，明天鬥爭乙要人，尤其對劉少奇的愛人王光美，鬥爭得特別厲害，完全是江青的忌妒心理作祟，極爲顯明。

毛酋澤東以擬換老悖的風燭殘年，縱使江青，陳伯達之流，褻脅紅衛兵以與共黨的文武幹部爭奪權力，能發不能收，我看毛共的江山必斷送於江青潑婦人女子之手，結果將是「曲終人不見，江上數峯青」而已。

馬五先生

從省議會的總質詢 看台灣省政得失

議員們對社會福利工作的看法

——本報記者熊徵宇

應該澈底檢討

似此「人人管，人人不管」的作風，不知敗壞了多少福國利民的善政。

如果政府有決心有誠意辦好國民住宅，為什麼不訂定一項「興建國民住宅」實際可行的「細則」，隨同土地銀行通知借款人領取第一期貸款時「併案」辦理？我認為現行的「國民住宅」辦法，在行政上既欠周密，在執行方面又如此兒戲，有澈底加以檢討的必要。

省議員要求廢止違警罰法

現行的違警罰法，近年來歷次的省議會都在討論這個問題，要求省府廢止。這回的省議會，也有很多議員提出質詢。其中比較有具體意見的，是高雄市的省議員李源棧，高雄縣的余陳月瑛。

李源棧在省政總質詢時發言說：

警察是老百姓的褓姆。事事應該以褓姆對待孩子的愛心來指教老百姓才對。可惜一部份的警員，為了貪着四成罰鍰的獎金，竟忘了作褓姆的身份，濫用職權行使扣押。例如高雄港警所差派兩個警員專門巡迴扣押腳踏車、摩托車，港區雖有設備腳踏車的寄托所，奈有少數人，因工作上要登船連絡的緣故，三、五分鐘的時間，將腳踏車或摩托車暫置倉庫邊或船邊，凡巡迴港警一見，即馬上押收，不管如何情形，不聽哀求，一味扣押，用港警巡迴車或塵埃車裝積歸台，置在三號碼頭港警派出所，若無支出三十元或陸十元，即無法可以討回。

有時腳踏車主也不知道他的車是被港警押收去，以為是被賊偷去，所以港警所一年之間，有數回的腳踏車標售，有時數十台，有時數百台。請問警務處長，高雄港警所標售的腳踏車，其貨件是由何處產生而來？

另一點，高雄港區有設腳踏車的寄托所，却無設貨物卡車的停車所，但貨卡車的司機，時常叫苦連天，無處可以伸冤。前岸壁即除三號香蕉棚之外，無處可以停車，凡停車被港警發見時，即馬上罰鍰九十元。尤其是外縣市（二水、員林、彰化等）來的貨物卡車，因司機路徑不熟，停在倉庫問路，如此也不可以，被發見時，馬上罰鍰九十元。似此作為，使一般司機時常都是戰戰兢兢視港警即畏懼如虎。

今日，我們的中華民國是民主國家而有如此不講情理的警員，實在全無民主的作風。港警在港區濫用職權，扣押卡車、汽車、腳踏車、摩托車，就是一味要得四成的罰鍰獎金所致；所以我建議廢除這種有傷感情的罰鍰四成獎金辦法，改為善言勸導，俾免傷警民間情感以利民便。

余陳月瑛 指出弊害

許多年來警民之間發生了許多糾紛，結果都指摘警察，被稱為「與人民權益衝突」的問題人物，或「愛找人民麻煩」的「愛揩油的機構」等，越使他們與人民處境艱困，含冤莫伸。可說很不公道的現象，是正常的民主國家不應存的現象。違警罰法違背憲法，阻害國家的進步，侵害人民的生存，製造社會的禍亂，如這部法律存在一天我們的法治就一天不能正軌，列舉幾點例子的弊害：

一、憲法規定非經司法或警察機關依法定秩序才得審問和處罰，法院以外的司法機關和警察機關均無權審問或處罰；但違警罰法却准警察有「偵訊」和「裁決」之權，代替了法院，代行了法官的司法權，也接侵奪國家的司法權，真是自亂體統自毀法治。

二、憲法規定非由法院並依法定秩序不得奪人民的生存、自由、財產諸權；但是違警罰法却授警察得以對人民逮捕、拘押、罰役、停業、歇業等，這部罰法公然和憲法並存。

三、憲法規定不許法院以外的任何機關對人民處以罰鍰；但違警罰法准許警察機關處以人民罰鍰甚至交通罰鍰也為警察處分而不必歸由法院審理判決。

四、法院判刑必須有刑法及刑訴法為依據；而違警罰法並不須有那些依據，一點小事可拘押十四天之久。換句話說，人身自由可獲憲法的保障，但獨不能免於「違警判刑」，人身自由的保障全落空了。

五、該法案第廿二條規定「沒入」之物，為政府所有；但我們常看到派出所有大批腳踏車商店招牌等堆積如山，風吹雨打，溜兒「充公」政府毫無所得。

六、廿九條違警人員未被發覺前自首者得減免其罰如司法上「自由減刑」一稱，警察局儼然成為特種法院。

七、該廿八條「遊蕩」「懶惰」者即屬違警。怎樣才算遊蕩？怎樣懶惰？籠統含糊。

這部違警罰法是訓政時期的殘物，大部份抵觸憲法，它通行一天就等於國家的大法憲法的法力失效一天。這部違背憲法的違警罰法似教國人輕視憲政。我們一方面要老百姓尊重憲法，又一方面遵守罰法，後者重於前者，阻害警察現代化，造成老百姓與警察的誤解與痛苦。為了國家，為了人民，為了警察，迅速廢止現行違背憲法的違警罰法。（八）

油商行賄案定讞後 台北社會人士的觀感

本報記者劍聲

（台北航信）關於油商行賄案，最高法院於今年八月三十一日宣判，並於九月五日正式公佈判決書。

該案被告除立法委員陳桂清部份發回台灣高等法院更審外，被告周烈範、林生傳、王作昌、唐貢球改判依侵佔罪分別處刑；被告孫玉琳、于鎮洲、郝遐林改判，各處刑五年；徐君佩、姚廷芳、劉景健之上訴駁回，仍維持二審判決。林棟、曹俊、封中平、李鯤、王均無罪，高檢處檢察官湯汝修之上訴駁回，維持二審法院無罪之判決。因此，該案除陳桂清部份尚未確定外，其餘被告均告確定，有罪之被告，將於本（九）月中旬或下旬，發監執行。

最高法院公佈判決經各報刊載有罪部份之理由，以新生報最詳細（九月六日）。由於該案之確定，將成為憲政史上之「創例」，故國人咸表重視，尤其法學家也紛紛研究該判決與有關憲法上的幾個重大問題。

由於中華民國憲法是「反攻大陸的政府組織之主要武器」；更是中華民國立足於世界而受到大多數民主國家的尊敬、支持與擁護的基礎。最高法院之判決，對該案被告之權益固有影響，但國人與法界人士均不甚重視，大家所重視而悉心研討的，是憲政制度與前途會不會因該案之判決而受到嚴重的影響？因此，本報記者特將法界人士的意見與看法，綜合報導於後。這些人士包括立監兩院司法委員，教授與若干退職法官，以及名律師等等。

該法界人士認為最高法院非依據法律審判，而是以曾經監察院數次糾正之行政規章，作為油商行賄案的判決依據，等於「行政權干涉審判」。其理為：

法官須依據法律獨立審判，不受任何干涉，此為中華民國憲法第八十條明文所定。根據司法院大法官會議解釋，「法令規章與憲法或法律不相抵觸者，法官得作為審判之依據」。易言之，違憲或違法之規章，則不得作為審判之依據（第三十八號解釋）。憲法如此規定，大法官會議作此解釋，旨在保障並尊重法官獨立審判，不受武力或行政權或最高司法權的干涉。

最高法院於油商行賄案判決理由中，有謂：「本院查（一）林生傳、周烈範於五十五年八月二十六日經檢察官訊問後；認有刑事訴訟法第七十六條第二款（逃亡或有事實足認為有逃亡之虞者），三款（有事實足認為有湮滅、偽造、變造證據或勾串共犯或證人之虞者）的情形，予以羈押，並因偵查上之需要，依「檢察官與司法警察機關執行職務聯繫辦法」第七條暫行寄押於調查局第一留置室，以便該局以司法警察機關之地位協助偵查；同月三十日林生傳等，即行還押台北地方法院看守所，尚難謂為違法寄押，其供述尚非不得採為證據」（最高法院判決第六頁後面第三行至第八行。高院判決第九頁後面第十行至第十頁第二行）。

所謂「檢察官與司法警察機關執行職務聯繫辦法」，係根據「調度司法警察條例」第十條之規定制定的。該條例係行憲前訓政時期由國民政府於三十四年四月十七日公布，同年十一月二十七日修正第一、二條條文。而該聯繫辦法係國民政府三十四年十一月九日公布，三十七年一月二十一日、七月十六日兩次修正，由行政院以命令公佈施行。

觀此可知，該辦法非法律而是行政規章。該聯繫辦法第七條：「司法警察機關將刑事案件移送檢察官辦理後，或由檢察官委託偵查時，如認為尚有偵查之必要，得對原案繼續偵查。惟應將所得情形，隨時告知該檢察官。」此項規定，顯與憲法第八條之「非由法院依法定程序，不得審問」及「至遲於二十四小時內移送該管法院審問」之規定相違背；更與刑事訴訟法第一〇三條規定「羈押於看守所」不合，及同法第一五六條之「被告之自白，非出於違法羈押，且與事實相符者，得為證據」的規定不相符。

查林生傳等係寄押於調查局第一留置室，該局於八月二十六日以「涉嫌有向立監委交付賄款」，且「涉嫌串供之虞」為理由，申請延長羈押至同年同月三十日，經檢察官李兆欣於申請書上批：「經訊問後；認有刑訴法第七六條第二、三款情形收押，交調查局帶回繼續查證，限本月三十日下午六時前解返本處。」則林生傳等之羈押，非檢察官委託偵查，而係被動之核准。

該法界人士並指出：監察院於四十七年以監台院機字第一九〇號糾正司法警察官署，對於人民之傳喚、逮捕、拘禁、審問，尚多未依法定程序辦理。（一）

我是一個「紅衛兵」

王朝天

否則沒有接待，我在大陸上無法混下去。到了不接待時，我回家的旅費也不會有着落，徒步回家，也會餓死。

「紅衛兵」雖然說是「解放軍」的後備力量，但是不一定參軍。因為「紅衛兵」有很多十三、四歲的青少年，沒有到當兵的年齡，加入軍隊，對軍隊也沒有好處。如果要「紅衛兵」自願當兵，也很困難。「紅衛兵」怕當兵，鬧事有興趣，真要過軍隊生活，一定會反對。

過去有些「紅衛兵」，自己做了軍服穿，後來禁止了。在大陸上學生是沒有制服的。因此「紅衛兵」的服裝形形色色，不會一律。「紅衛兵」和革命師生的差別，只是「紅衛兵」有一個袖章。

「紅衛兵」是否會鬧到國際上去？我想不會。

十、我獲得了自由

我要生存，這是我投奔自由的唯一原因。我是完全生長在共產黨統治下的中國大陸。在我沒有離開過大陸之前，沒有看見過國旗，沒有聽過國歌。我的知識太缺乏了，我所知道的事情太少了。但是我有一個最基本的慾望：就是要求生存。我知道，如果我仍留在大陸，只有等候磨折，到死亡。不要說沒有前途，連到想忍氣吞聲，忍受一切痛苦和迫害，也不能生存下去。我到台北之後，有一位老先生竟問我為什麼投奔自由？是否有任務？我的回答：如果你是我，你也要拼性命投奔自由，因為你也要生存。生存是人類的共同慾望。

我敢說：大陸上所有的「紅衛兵」和青少年，除去極少數毛澤東的幹部（這些人也可能要轉變的），沒有一個人不想投奔自由。我是千千萬萬中的一個幸運者。我的成功實在太僥倖，幾乎是沒有一分成功的可能性。難怪那位老先生要懷疑我。

我在北平，有許多「紅衛兵」聽說我是從滿洲里來的，而滿洲里離開蘇俄邊境只有五華里。他們問我那邊的情形很仔細，大家心照不宣，都知道是企圖投奔自由。然而沒有一個人敢提到逃亡兩個字。

北方有百萬「紅衛兵」到遙遠的廣州來「串連」，難道他們真是想到廣州來瞻仰毛澤東辦的「農民講習所」那一所老房子嗎？無論如何，青少年的頭腦也不會如此簡單。

在北平有很多「紅衛兵」要求到青島去進行「串連」活動，沒有批准。原因是那邊情況太亂。為什麼要想「串連」到青島？自然絕大多數是想逃亡。我們的想像中沿海的港口有進行貿易的外國商輪，如果混入貨輪中，就可以達到逃亡的目的。後來，我們知道，港口檢查得很嚴，是絕對不可能的。要有可能的話，沿海城市的「紅衛兵」不會向我探詢滿洲里的情況。

我在滿洲里住家讀書已經三年，那邊情形當然很清楚，我明白不可能從滿洲里逃向蘇俄的。有人嘗試過，在我記憶中沒有一個人成功。滿洲里離蘇俄邊境五華里：是平坦的草原，一眼望去，盡入眼底。兩邊沒有深林、高山，無處躲藏。駐有重兵，可以說，五步一營，十步一壘，四周又滿佈電網，狼犬又嚴密地巡邏，沒有一點空隙可鑽。國際列車通過時，在滿洲里站要停五小時，作嚴密的檢查。

從廣東可以逃到香港，是地理知識。在我，包括所有這「紅衛兵」也不過作為逃亡路綫之一，每一條路綫都願意採用。（十六）

惡夢十七年——馬思聰的故事

趙浩生

在依稀的琴聲中，我和馬夫人繼續談下去，我問她定居華府後生活如何？她說自己安家後，才發現在美國作主婦之不易。大陸沒鬧紅衛兵之前，中共一直把他們的家當作「藝術家的天堂」櫥窗，他們有廚子，很少自己作飯。在這裏最初她每餐也準備四菜一湯，後來感到實在忙不過來，午餐現已簡化了。她又提到有些報上竟說他們在美國寫書已賺了百萬美金，生活如何澗綽，但人們不知道死裏逃生的人，對名利的看法已完全不同。他們所最珍視的，是自由安定的生活與孩子們的前途。

這時瑞雪小姐走了進來，她穿着一件淺綠色的衣服，顯得越發嬌小。四個月前初見時，我只感到她是一位美慧和口才極好的青年鋼琴家，看到馬氏回憶錄後，才知道她是此一逃亡故事中的女英雄。人們實在想不到，這樣一位嬌美的小姐，却有着如此大無畏的靈魂。

她走進客廳，她像依人小鳥般的坐在母親身邊加入我們的談話。我問她的回憶錄寫得如何，她說已經完成了好幾萬字。馬夫人說這本書將由出版史達林小姐回憶錄的哈伯與羅公司出版。中文稿已由一位英文造詣很深的中國記者開始翻譯，但出版社認為譯文過於學院派，未能充份表現出一個女孩子的感情。

作為一位驕傲的母親，馬夫人告訴我瑞雪自小就喜歡寫作，尤其愛寫詩，有時甚至因為寫作而忘記練琴。

我問瑞雪最喜歡中共大陸那一位詩人的作品。她提出郭小川，她說她最喜歡郭寫的一首「望星空」。大意是描寫一個人在靜夜中遙望滿天星斗，不禁興起哀吾生之渺小，羨長空之無窮的感慨。她以朗誦和歌唱般的調子告訴我，這首詩的思想境界是如何的美；但可惜的是，作者因為怕黨批評他「在偉大的社會主義國家仰望星空怎麼會有自感渺小的修正思想」，因而在結束時加上了一個革命的巴尾，結果是大煞風景。

馬夫人指出，大陸上有的是天才，都是因為共黨的壓力控制，無法有登峯造極的成就。

我問她們是否看到過關於諾貝爾獎金得獎者楊振寧和李政道的新聞。她們說這件事大陸上宣傳得非常厲害，其目的都是在自己的臉上貼金。楊李二氏至瑞典受獎時，中共曾派他們的恩師前往遊說，楊氏數年前到香港時，中共報紙又故放空氣，但大家相信他絕不會回北京。

我告訴她們我三個月前與楊氏一起參加一個宴會時，曾談起他們全家逃出大陸的新聞。楊氏是一位西洋音樂的愛好者，對他們的投奔自由極為關心。

這時思聰先生進來了。大概是剛睡完午覺，他穿着一件短袖敞領襯衫，輕鬆瀟灑。從他的眼光中，我似乎又重見到一位藝術家所特有的靈氣，看來這四個月的安居休養，確已沖淡了不少他的疲勞和餘悸。

我拿出一大堆有關他的中文剪報給他看。我們一起走到飯廳中圍着餐桌坐下，將剪報攤開，他和瑞雪一張張的翻閱着。

看到他的回憶錄中文譯文，他指出他在紅衛兵威脅下朝夕必唱的那個「黑幫的吠聲」歌詞譯得不對，原文是：

「我是牛神蛇神，我有罪，我有罪。人民對我專政，我要老老實實。如果我不老實，把我砸爛砸碎。」

我對他說作為一個中國讀者，看完「生活畫報」的文章，頗有不滿足之感。因為我們相信，這十七年來他的經歷實在太多了，「生活畫報」所寫的，只是零星片斷，而且缺乏啣接。

他同意我的意見。他說這兩篇文章，只是訪問記錄，他的正式回憶錄尚未動筆，恐怕最早到明年六月才能出版。

至此我說明今天的來意，是想請他談談「生活畫報」兩文中的遺漏，和一些最為中國讀者所關心和了解的事情，以便寫成一篇更完整的報道。

他願意回答我的問題，我開始邊問邊記。瑞雪坐在一旁托顋傾聽，因為有些故事她也不曾聽見過。

在逃出地獄八個月後，在自由的美國首都郊外的這個安靜舒適的新家中，他開始再度談起這個急欲擺落但永難忘却的十七年的惡夢。（三）

臭豆腐之憶

藍天

「表哥，你讀過的書能借給我麼？」春紅表妹無限期盼的望着我說。

「當然可以，下個星期天就給你送來。」於是她笑了，笑的更加好看了。

我要走了，她跑到房子裏拿出了一小瓦罐臭豆腐，而且用麻繩捆好了。

我無限驚奇地問：「你知道我今天會來？」

她紅着臉白了我一眼：「問那麼多幹嘛？」

之後，除了大風、大雨，或大雪的天氣，每個星期天我都要到姨媽家去，因為，我做了春紅表妹的家庭教師。

春紅表妹是個非常聰明的孩子，凡是書本上的難題，只要告訴她一遍就知道了。我的同學中，就沒有一個像她那麼聰慧的。因此，我非常為春紅表妹惋惜，所以我常常對媽和姨媽說：「假若春紅表妹能繼續讀書，我敢担保，每學期的第一名一定是她的。」

民國三十五年的正月裏，姨媽帶着春紅表妹來到我家小住。一天，我打從姨媽的房門口經過，突然聽到姨媽說：「我看他們倆倒很合得來。」而不由自主地停下來，媽接着說：「我老早就看出來啦，還是先問問他們好。」

聽了媽和姨媽的話，我的心頭立刻卜通卜通跳起來，因為我猜想，她們所說的一定指的是我和春紅表妹。不知什麼時候春紅表妹也來了。當我發現她時她已來到我身邊，我急得差一點沒哭出來，只好趕快溜走。顯然，春紅表妹並未聽到媽和姨媽說的話，也沒看出我的窘態。或許是好奇心在驅使着她吧，她仍然靜靜地站在那兒。

當我溜到自己的房裏時，偷偷地向窗外望，看到春紅表妹紅着臉匆匆跑向前院了。

那天晚上，春紅表妹例外的沒到我的房間裏來，我也沒到姨媽的房間裏去看她。

第二天吃早飯時，一見面，我們的臉都脹的紅紅的，誰也不道一句話，春紅表妹更是連頭都不抬一抬。媽和姨媽發現後都為之一怔，但隨即她們相視而笑了。

姨媽說：「看樣子他們都聽到了，真是一對鬼精靈。」

春紅表妹羞的站起來就跑了。

媽說：「到底女孩子沒有男孩子的臉皮厚。」於是，媽和姨媽又哈哈大笑起來。

從那天起，春紅表妹總是躲避着我，連吃飯都不肯再到上房來。於是，姨媽只好帶着她回到鄉下去。

我呢，雖然心裏急着想見到她，可是，再也不肯去姨媽家了。因此，媽常常打趣着我說：「你不去姨媽家，就別想再吃臭豆腐。」然而，我家的飯桌，餐餐仍有臭豆腐。

同年秋天，家鄉就不平靜了，所以我負笈到了北平。然而，誰知道一離家就是這許多年！

兩小瓶臭豆腐已吃完了，今天飯桌上，已沒有那可口的小菜佐飯了，我不禁這樣想：「如果在家鄉，我會騎上單車去姨媽家拿的。不，應該這麼說：如果在家鄉，再也用不到去姨媽家拿了，因為，春紅表妹一定會做給我吃的。」（下）

剖析八十二名反毛的中共中委

李敦復

中共新疆維吾爾自治區

第一書記：王恩茂（見前。）

書記：賽福鼎（候補中央委員，今年一月十三日美聯社東京電傳，已遭擁毛派拘捕，四月十五日法新社北平電訊報導，謂根據新疆日報刊載，已支持毛澤東路綫。）武開章、呂劍人、李銓、武光（新疆維吾爾自治區副主席，與劉少奇較為接近。）祁果、林勃民。

十二、中共中央西南局

第一書記：李井泉（根據今年五月九日合衆社維也納電訊報導，謂已遭撤職，被指為四川黨部當權派裏一小撮資本主義份子的頭目，蓄意造成四川為一個獨立王國。）

書記：程子華（中央委員，曾任政務院國家計劃委員會副主任，近十個月來，始終未見露面，可能已遭整肅。）

閻紅彥（候補中央委員，雲南省委會第一書記，被擁毛派鬥垮，今年一月八日傳在昆明自殺身死。）

張經武（候補中央委員，現任毛澤東駐藏代表，雖經常在北平，但仍遙遙從事控制西藏的工作，為毛澤東奪權鬥爭之支持者。）

李大章（候補中央委員，四川省省長，在中共高階層奪權鬥爭中，已遭整肅。）

廖志高（候補中央委員，四川省委會第一書記，在中共黨內流血內鬨中已遭整肅。）

賈啟元（貴州省委書記，在中共文化大革命中，遭紅衛兵大字報攻擊，與其歷史淵源上研判，與鄧小平有相當關係，可能已遭整肅。）

閻秀峯（四川省委會書記。）

劉植岩（原職不詳）

曾希聖（中央委員，曾任安徽省委會第一書記，中央華東局第二書記，安徽省省長，近四年來，未有消息，行蹤不明，僅於一九六五年三月一度參加柯慶施喪葬事宜，可能已遭整肅。）（十八）

中國女性文藝春秋 周遊

桃葉與「桃葉歌」

桃葉歌的作者是王獻之和他的妾——桃葉，二人共同所作的。獻之作歌云：「桃葉復桃葉，渡江不用楫。但渡無所苦，我自來迎接。」（或作我自迎接汝」）桃葉之歌云：「桃葉映紅花，無風自婀娜；春花映何限，感郎獨采我！桃花復桃葉，桃葉連桃根，相憐兩樂事，獨使我殷勤！」

謝芳姿

晉中書令王珉，好持白團扇，與嫂婢謝芳姿發生戀愛，情好日蜜。嫂即痛打其婢，王東亭聞而勸之。芳姿素善歌，嫂令她歌一曲以贖罪。她乃歌道：

白團扇，辛苦五流連，是郎眼所見！

後王珉聞之，問她此歌是遺誰的，她又隨口改作道：

白團扇，顦顇非昔容，羞與郎相見！

這故事傳到民間，便產生了「團扇郎歌」。古辭今存六曲，其一二兩曲，有人以為是桃葉所作。茲不忍割愛，全錄於後，以觀全貌。

七寶畫團扇，燦爛明月光。餉郎却暄暑，相憶莫相忘。

青青林中竹，可作白團扇。動搖郎玉手，因風托方便。

犢車薄不乘，步行耀玉顏；逢儂都笑語，起欲著夜半。

團扇薄不搖，窈窕搖蒲葵。相憐中道罷，定是阿誰非。

御路薄不行，窈窕決橫塘；團扇障白日，面作芙蓉光。

白練薄不著，趣欲著錦衣；異色都言好，清白為誰施？

除了上錄幾曲之外，樂府之為晉代女性作者似還有人在，只是無法尋求作者的根底，故只好到此為止。雖然十分惋惜，我們又有什麼法子呢！

華山少女與華山畿

「華山畿」是「吳聲歌曲」之一，故事的主角即隱含在第一首中。我們看「吳聲歌曲」中作品，幾乎都是艷麗溫馨的抒情歌，大多數有纏愛故事做背景，怎不使人讀之沉醉呢！下面先說出這哀艷的故事吧！

相傳宋少帝時，南陵有一位士子，打從華山畿經過。客舍中有一位青春少女，約十八九歲，士子對她非常欣賞，幾乎顯露色相。使他神魂顛倒，但他格於禮教，無由通達款曲。返家之後，遂相思成疾。他母親詢問情由，到此他只好吐露實情。他母親去華山畿尋訪他的心上人，很幸運的找到了她，便把兒子愛慕之情原原本本相告。她聽了非常感動，於是她脫下蔽膝說：「請將此物暗暗放在他的席下，臥之當愈。」母親依言而行，過了幾天，士子的病果然好了，一日偶然揭開臥席下面的蔽膝，知是女子之物，便抱之不釋手，遂至把蔽膝吃下肚內，不久便死去。氣將絕時，對他的母親說：「兒病不會好了。我死之後，請將骨骸葬在華山。」他的母親依其遺意而行，將靈柩抬往華山，行至女家門前經過，拉靈柩的牛忽然停止不行，抽打也不動。那女子出來見了，便說道：「請等我一會兒」！遂入室沐浴妝點而出，口唱着歌道：（廿一）

平劇繽紛錄

再談「江寧劫」

桂良

「劇談」猶如談「掌故」；但「掌故」皆屬舊事，而「劇談」可以談新事，以「新」遠近之見聞。

本報前於九月六日第七八八期談台北新演「江寧劫」一劇，編劇人係齊如山門客張大夏，他的劇情說明：「太平天國打着『民族革命』的旗號，却做着『摧毀民族文化』的行為，這是明瞭中國近代史者所共認的。他們有許多設施和當前大陸匪幫，十分相似，尤其是『男女館』，幾乎和『人民公社』完全一樣。」[illegible]

……城陷，秀成無可奈何……結束了十三個年清……

[illegible]……由此可以看出……大陸「人民公社」……「男女平等」……從軍者可以……兵，可以隨時……對比，欲使……將有一套……

……果然，談……推行三民主義……國史學者已……與「研究太平天國」……呼籲禁演中，之編劇……月半起，此一……

我看大宛的三國戲

周遊

一個欣賞平劇門外漢，我是我對三國史和三國演義，却有深感興趣，因此，凡有演三國戲，我也欣賞。[illegible]

……「逍遙津」……「雪弟恨」……[illegible]

……板眼的錯，所謂黃腔頂板，一聽便知，其他未必注意及之。有的人只是看熱鬧，更不用說了。

……的「另外掛帥」「雪弟恨」題稱「掛帥」，也有問……仗的。戲中將官一律稱「本帥」……[illegible]

……戲」！不懂歷史怎能玩……其次是「九伐中原」……姜維觀星……[illegible]……是荒唐之至。……

……蜀志無傳，附馬超傳，此時馬岱為馬超從弟，將軍，馬岱已位至平北將軍，爵陳倉侯。姜維叫平北大將軍帶馬也不能，而且姜維爵位都是縣侯，（姜維封平襄侯）……也不像話。其次姜維叫馬岱帶……

……這在「方家」看來……[illegible]

閒話麻將

陸民

麻將場中也實施「戒嚴法規」，那就是同類三門露面」，顯有清一色可能，即不准再放「那一門的牌，否則和出清一色後，即由放者包付。若係三元，只要兩對露面即包。四喜，則三對露面亦禁打其餘一張。但也同時有三番不包三番，滿貫不包滿貫的規則，然以已聽和者為限。若遇那種情況，場面自然異常緊張，而以莊家為尤甚，因為莊家的勝負，天然是要加倍計的。

五、麻將與時代

現行麻將的改革，大約在民國十六、七年（公曆一九二七、八）以後，初期所改者為胡的計算法，打牌的人好像已由農業社會，進入了工商社會，對於時間，精神，頓加寶貴，而認為每牌細算胡數，過於麻煩，乃改為均以十進，但仍保留各牌本身之胡數及番數不變。例如和家碰了紅中，係四胡，又胡了嵌心三筒，係兩胡，加上底子十胡，則總計十六胡，一番卅二胡，大家即照四十胡付帳，不再零碎計算。其餘照此類推。

進一步，則為變更莊家天然雙倍，而變為放銃做莊。然牌之進行順序，仍以莊家為首，照例多起一張，最先出牌，胡牌依然連莊，各家亦以雙倍結算。不過胡牌者若非莊家而係自摸，則立即取得莊家資格，其餘三家——包括真正莊家在內——均須加倍給籌（籌碼也，牌場多用以計數，終場易為現金）；如非自摸，而係他人放胡，則放者即變為莊家，須加倍付帳，其餘二人，則僅以基數計算，雖真正莊家亦然。

此一改革，大見進步；等於剝奪了莊家的重要特權而公諸共有，同時亦加重了各家的責任，以免莊家獨多警惕，於是權利，義務，同樣平等，貴族平民機會漸均。

再進一步，就是加了一門平和，凡和牌後一胡俱無者即是，那就要加一番。然若底子，只有十胡，而又以十進計胡者，則平和雖加一番，也不過等於十二胡即算二十胡者，意義殊少；故平和既興，底胡多改為以二十或以上計。而平和之算，亦逐漸放寬，凡獨聽，和單吊，以及自摸，均可算作平和。平和，平和，真可象徵平民抬頭，向貴族爭取同等地位，非如曩昔之低微了。這當然係民國以後，尤其是北伐之役以後，才能有此轉變；亦如西洋卜克的A，既係最小的一，亦作最大的十四，而超乎老K之上，故俗語之所謂「王牌」（KING OF BIRDS）已由公仔K變為小乙A了，此亦可反映歐美民主革命之時代變遷性也。

六、舊式與新式

現在通行的麻將方式，種類甚多，都不一律，然大別之，不外舊式與新式，或者說廣東牌與上海牌。但舊式也不盡舊，新式亦不全新，例如代表舊式的廣東牌，四翻滿貫，只有平胡，但有花四張或八張，而要摸着了花，就不算平胡，而非本花又沒有翻，故平胡極難，花反碍事，只是算翻不算胡，較最舊方式，畧為簡單，而[illegible]……有添加……自摸……（四）

大政治家諸葛亮

河漢

諸葛亮其次的缺點便是在指揮上不能建立分層負責的制度，事無鉅細，必須親決；事事親決的結果，便形成個人在政權上的權威地位。個人集權的結果，便形成官吏的上焉者奉公守法，戰戰兢兢，請命而行，不敢負責；下焉者仰承鼻息，唯唯諾諾，但求無過，敷衍塞責。在個人集權的政治環境中，人材必然難於培養和表現，難於建樹和抬頭。因此在三個國家中，蜀漢的人材是最稀少凋零的一個，反不如同是弱小的吳國，在周瑜之後有魯肅，魯肅之後有呂蒙，呂蒙之後有陸遜，他們都是當時十分優秀的政治家與軍事家，雖則在個人的比重上，孫權不如劉備，周魯之流不如諸葛亮。即以劉禪來說，他本來不是真正抱不起的阿斗，問題便在諸葛亮長期地讓他高拱在上，不許接觸政治，讓他和政府隔離，造成「政由葛氏，祭則寡人」的形勢，造成他成為溫室的花朵，表面看去與常花同樣鮮艷，但一經暴風雨的吹襲，即刻萎謝的脆弱性。作為領袖的劉禪還如此，何況他以下的臣工。

諸葛亮最輝煌的成就是表現在開拓與處理貴州，西康，雲南這一片廣大的處女地上。劉備對吳的軍事冒險受到陸遜的致命打擊，不僅損失了用以對魏的軍事資本的一半，且使東吳成為蜀漢的強敵，使蜀漢面對魏吳的夾擊形勢。同時，由於外在形勢的變化，內在的矛盾也觸發了，引起劉璋殘存勢力的反動。在內外夾攻的危勢之下，諸葛亮一面靈活地運用了外交手腕，重新把孫權從魏國的懷抱中拉開，化敵為友，一面用武力敉平了劉璋的殘餘勢力，砍下了領導這一反劉備運動的漢嘉（今西康雅安）太守黃元的頭顱。

但是，孫權雖接受諸葛亮的邀請，回復以前的聯合陣綫，可是孫權不過是個貪利忘義的暴發戶，為了利，可以隨時隨地出賣朋友，因此他仍然在宜昌地區結集重兵，覬覦蜀漢今後的發展。孫權清楚；吳蜀之間的戰爭狀態解除，隨着來的一定是漢魏之間戰爭狀態的持續。在宜昌地區結集重兵，表面的姿態是監視和牽制襄水流域的魏兵，實際的打算是假定蜀漢勝利的時候，便北向魏國的心臟地帶進軍，先控制黃河下游，囊括中國的精華。假定魏軍勝利的時候，便西向蜀漢的根據地進軍，先控制川東，封鎖長江上游。諸葛亮瞭解這個盟友的勢利心腸，所以並不對他存在什麼幻想，而且諸葛亮更瞭解，孫權暴發戶，在蜀漢與魏的戰爭未觸發，勝負未定奪之前，決不會有胆量向蜀漢主動進攻。為此，蜀漢可以安心地把主力集中在漢中與川北，只在川東留下少數警戒的部隊。（六）

驅除苦惱有妙法

珠麗

如，麥堅尼教授並指導他的學生，散一下步，遊一次車河，看一場如何驅除苦惱的電影，穿得漂亮地出去走一下，與自己無關的消磨時光，讀一本心愛的書，睡覺，參加運動項目，跳舞，聽音樂、或者其他的：……任君選擇。還有一種驅除煩惱的方法，雖然你有時感覺不到，但却是最有價值的。你要預先詢問你的醫生或牧師，一些孤獨而歡迎別人探訪的人的地址。因而，你每當發現苦惱時，便用你最愉快、輕鬆的表情去探訪他們。如果你沒空出外去找他們，那麼，你應撥一個電話或寫封信去幫助一下那些孤獨的人，或者，送一本書給一個病人，縫一件袍子給一個新生嬰兒的母親，做一個餅給一個心愛的孩子。當然，你自己亦應嘗一些美味的食物。

沙芬蒂曾寫過：「如果有麵包，任何痛苦都可以抵受。」當然：人們更能抵受，如果有麵包上蓋上奶油。

「不應獨自憂慮。」——那麼什麼樣的朋友才應拜訪呢？有的人，有的找那些最忙碌的名人，有的却喜歡找陌生人，有的愛到親戚處暫住數天。可是，最佳的方法，可能就是去找尋非常不幸的人，一個最知心的朋友。

但是，有一點你非清楚不可：不要在要求他幫助時，把他也導入苦惱去！當我們憂愁時，除了自我忍受外，還需容忍別人。朋友可以肩担你的痛苦，但不能忍受你情緒低落的侵擾。

我們切勿見到朋友便全部傾訴我們無盡的苦悶。最好，還是細想自己以前的歡樂，計劃未來；與朋友共進美餐，一同工作，一同歡笑。（五完）

自由報
THE FREE NEWS
第五九七期
內政部台誌字第○三一一號內銷證
中華民國僑務委員會頒發
台教新字第三二三號登記證
中華郵政台字第一一二八二號執照
登記為第一類新聞紙類
（半週刊每星期三、六出版）
每份港幣壹角
台灣每份售新台幣貳元
社長：雷嘯岑
督印人：黃行憲
社址：香港銅鑼灣高士威道二十號四樓
20, CAUSEWAY RD 3RD FL.
HONG KONG
TEL. 771726　電報掛號：7191
承印者：大同印務公司
地址：香港北角和富道九六號
台灣分社
台北市西寧南路壹壹零號二樓
電話：三〇三四六
台郵撥儲金戶九二五二

美國對越南問題的煩惱

歐陽駿

最近美國當局對於促進越戰和平談判之實現，可謂極盡委曲求全之能事了。既對北越共黨聲明願意停止轟炸，以便直接和談，又向聯合國大會發表政策性的演說，表示無條件停戰的誠意，期得越共有所反應。

繼而反應是有了，但與美國當局所希望的結果背道而馳。一方面是蘇俄加緊以新式武器接濟越共，另由俄外長葛羅米柯在聯大會議重彈美軍必須無條件撤出越南，纔有和談可能的老調；同時越共胡志明政權指稱美國的和談建議是一種「詭計」，是企圖掩飾美軍「侵畧」越南的烟幕；更在越南非軍事區域的「昆天」地方，一天之內發射火箭、大炮千餘發，使駐防該地的美軍傷亡一千餘名之多！我們認為這是給美國一班姑息主義者的當頭棒喝，且看他們的頭腦是否因此項刺激而稍見清醒些？

越戰之無法苟和，本報前一期曾有詳盡的陳述，不必再事贅言了。現在祇就美國的求和心情，檢討其中的利害得失，以明究竟焉。

美國不願以實力爭取越戰勝利的唯一顧慮，就是害怕中國大陸上的毛共政權直接參戰，以為不擴大越戰，即可以緩和局勢，讓中俄共繼續反目交惡，而使美國有機會跟蘇俄妥協合作，把毛共窒息着，教它沒法向外擴張。如今事實證明白宮當局這種幻想完全不切實際，嘗到了「心勞日拙」的悲哀。越戰既未升級，美國且不斷的發出和談之聲，其言也哀，却又無病呻吟，警告中共不要參預越戰，否則將以核子武器進攻中共區域，同時擬斥鉅資在太平洋島上建立反飛彈基地，亦說是專為對付中共的飛彈進襲而然。這是色厲而內荏的自我恐嚇，任何人皆一目了然的，豈能對中共發生嚇阻作用嗎？白宮當局儘管信誓旦旦，聲言反飛彈體系之建立，并非以蘇俄為目標，但俄共心知肚明，自不相信，它之急於跟越共政權簽訂軍援協定，而以新式武器如地對空飛彈與火箭等供給越共，就是對美國的一項反擊手段，因此，白宮希望蘇俄對越戰問題跟美國妥協，決無可能了。至於毛共方面，它目前自顧不暇，心裏極害怕越戰升級，雖欲介入而力不從心，祇要越共不屈服，使戰爭拖延下去，實為計之得者，所以它拼命對越共打氣，表示不惜參戰的姿態，對美國實施反嚇阻作用。

俄帝與毛共經常指摘美軍在越南討共是「侵畧」行為，這係共產黨人一貫的嘴臉和口號，毫不足奇。俄帝可以派大軍到匈牙利鎮壓該國人民的反共運動，屠殺自內閣總理以次的若干軍政界人士和平民，俄軍四師至今駐匈國，他們有何資格攻訐美國在越南的軍事行動呢？可是，天真幼稚的美國人，聞到俄共集團的指摘，而不免自慚形穢之感，公然說是為要避免「侵畧」「嫌疑」，急求停止越戰，却沒有人敢指出俄帝當年派大軍干涉匈牙利內政的行為，算不算是侵畧呢？

白宮當局還有一項說不出口的希望結束越戰的原因，就是為着來年的大選關係。在野的共和黨人必然藉越戰問題作競選題材，攻擊執政者種種失策，而以避戰、非戰的言論，企圖爭取選民同情擁戴。執政的民主黨人當然為着迎合選民的心理，亦不得不主張結束越戰，過去艾森豪即是以「結束韓戰」的諾言，贏選總統而獲得勝利的。美國這兩大黨對內的政策政綱，可說沒有甚末出入，每次[illegible]總是以對外政策為宣傳資料，這次亦不例外。最近艾森豪公開主張越戰必須贏得徹底勝利，然共和黨人士皆噤不作聲，民主黨人士亦不置可否，大家就是耽心影響了未來的選舉前途。

以上是美國對越戰問題的種種煩惱情形，而其基本因素，即為越戰之不求勝政策。假使越戰真能按照美國的意願，實現了和談，恢復南北越原有十七度分界的態勢，重演韓戰的歷史悲劇，越南是否即如南韓一樣，能與北韓共黨政權和平共存下去呢？答案是決不可能！主要係南越的自衛力量和社會組織機能，均不如南韓遠甚，試看越共游擊隊隨時能在西貢首都殺人放火的狀況，可資證明了。結果將是正規軍隊的戰鬥行為雖然停止，而越共游擊隊的恐怖行動，不特不會減少，而且更趨嚴重，[illegible]依然非駐在越南不可，若靠越南現有的幾十萬兵力以對付游擊隊，必不濟事。何況越南內部還有些宗教團體和一班知識青年，常常站在越共方面，從事政治活動，現以戰爭關係，固可以不容許這類人的親共言行合法存在，一旦和談實現，政府即須講求民主自由生活——美國人尤其喜歡談這類調調兒，那時候，越南各地區的動盪情形，將視現在更激化，美軍如坐視不問，越南只有被越共蠶食而盡的命運，美軍若予以鎮壓，那便是公然干涉別國內政，百口莫辯了。依憲法選出的新任正副總統二院，尚未正式就職，即已發生爭奪權力的暗潮；和談成功後，他們的權力爭奪戰，以及在野黨派和宗教團體對政府的反抗行動，將與吳廷琰政府時代一致看齊，毫無疑問，此時美軍不是實心撤出越南，就得負起不惜訴之於軍事鎮壓手段的責任，然其處境比現在更尷尬。

所以，就美國的利害得失設想，除非決心不再過問東南亞的安危，任由共黨控制這些地區，否則祇有乘此時中共政權自顧不暇的機會，以獅子搏兔之力，把越共勢力及其政權，徹底掃蕩，纔是一勞永逸的上策。當然，用戰爭手段以解決越南問題，多少要冒些引起大戰的危險，但世界大戰之發生與否，關鍵乃在大戰的時機是否成熟，而不在某一地區的偶發事件，假使若要戰爭，藉口的事件有的是，豈僅越南問題而已哉！過於害怕戰爭，每每反而促進戰爭的速度，所謂「以戰止戰」的道理，有許多歷史事實足資證明的。

碰壁

納薩：「你這司機怎麼搞的！」

今日與明日

施哈諾又鬧笑話

早一個星期，科元首施哈諾突然宣佈反共，要撤回駐毛偽政權的使館全體人員，只留下一個秘書看門，所提的理由又是以兒戲態度出之，指毛共紅衛兵在北平打了十幾國的「大使館」，下一個恐怕「行將及我」，所以趕快撤退。此項理由雖然兒戲，但「施小兒」真能作到，也還算差強人意；結果周恩來寫了一封信去解釋，「施小兒」收到信之後又不撤了！如此兒戲處事，不必說當代政治人物中絕對沒有，就是我們認識的朋輩中，也想不出有這麼一個人。讀者可不要以為他是少不更事，等幾年也許會成熟，實際上「施小兒」生於西歷一千九百二十二年，若依中國算法已經四十六歲，而且已經作了老丈人了，諸君試想他種時機應成熟。

「施小兒」反共只放了一個空炮，轉過臉來又同自由世界為難，首先同澳洲停了邦交（並非絕交，只是撤回使節），此一外交方式亦施小兒發明的，一種之拒絕日本首相佐藤訪問；這兩項措置只有一個理由，就是澳日兩國拒絕承認他的邊界。柬埔寨與越南和泰國的邊界本是一個歷史留下的問題，若是雙方都能公平、冷靜處理並不難解決；退一步即使本身解決不了，也可提交國際機構解決，例如柬埔寨與泰國爭奪柏威限山一座古廟，柬埔寨聘請美國杜魯門時代的國務卿艾契遜為律師，就是在我們大陸最危急時，提出白皮書以落井下石的主持人，曾被美國反共參議員麥卡賽指為共產黨。艾契遜是不是共產黨我們不知道，艾契遜却專門幫助美國的敵人打擊美國的朋友是事實，「施小兒」找到這位艾律師居然打贏了官司，泰國軍隊被迫從這間古廟撤退。這場官司雖然打勝，「施小兒」那一次官司可能也花了不少的金錢與精神，打了官司今天即使艾契遜[illegible]所有亞洲國家承認他的邊界，不幸得很，到了今天，唯一[illegible]承認「施小兒」不是國家的，只有一個本身不能自立的窮組織毛偽政權，就連蘇俄對此也未敢承認。於是「施小兒」在四面八方停止邦交，並且撤回了對佐藤訪柬的邀請，一定引起舉世責難，只有出在「施小兒」一身上，大家總覺得理應如此，否則就不成其為「施小兒」了。最近「施小兒」已宣佈退出亞洲開發銀行，這一項行動對柬埔寨可說有百害而無一利，假若說有利的話，就是「施小兒」又出一次風頭。

自由談

冷眼看毛共現狀

曾經跟毛共政權建立了所謂「邦交」的全球各大小國家，現在祇有兩個藉金錢力量維繫着正常的交誼，一是東歐的羅馬尼亞，一是東非海島小邦津齊巴(Zinzibar)；其餘各國，或是凶終隙末，變成了敵人，或者互不信任，停止交往，至少亦是貌合神離，視毛共為損友了。至於毛共的內部情形，因奪權運動而鬧得四分五裂，動亂不安，已是舉世週知的事實，無庸贅言也。

毛酋澤東如果還活着，亦是一個沒有行為能力的活死人了，何以見得呢？他原係好對羣眾說話，又喜歡搖筆桿寫詩詞的角色，但在這場天翻地覆的「文化大革命」運動之中，他始終不曾向羣眾集會場合發表過言論，亦未寫過並詩並詞刊在報紙上。新聞消息說他曾在天安門上向若干萬人揮手喊口號，又說他接見過各地區的「紅衛兵」代表，這都是可以使用替身的。尤其是最近一年來，他從未接見過久駐北平而認識「毛主席」真面目的外邦使節，這不是怪事嗎？

毛酋奪權運動的唯一對象就是劉少奇，但劉酋的地位至今無恙。最奇怪的是幾十萬個紅衛兵限期本年八月一日，定要把劉少奇揪出中南海來實行公審，而且在中南海四週搭棚住守着，非把劉氏拖出「主席官邸」不可！但「文革小組」要角戚本禹，急忙要求住守中南海四週的紅衛兵撤走，聲稱不能由紅衛兵把劉少奇揪出去鬥爭，却不說明理由，這是甚末緣故？很可能就是害怕因此而使毛酋存亡的黑幕揭穿，馬上天下大亂！

毛共政權裏裏外外的現狀，已顯露着不可終日的潰敗景象，它最近提倡「革命派大聯合」，又定期結束「文革」運動，且限令散在各省區的紅衛兵一律回到原有崗位，革命尚未成功，為何急求收場？敢情是要為毛酋「龍馭賓天」而正式發喪了不成？

其亡其亡，繫於苞桑！毛共有焉。我不知道以領導自由國家反共的美國當局，究竟作何打算？而以反共救國為職志的中華民國政府，再不採取行動，更待何時呢？

馮乙先生

夏灣拿共黨會議明白顯示
美洲正面臨重大危機
一部份與會的共黨要角居然坦率主張 在整個拉丁美洲和美國發動全面戰爭

（紐約通訊）對美國及拉丁美洲國家一項明目張膽的警告已經發出來了。如果華盛頓當局及拉丁美洲國家政府對這種警告一笑置之的話，將屬無法挽救的錯誤。

這項警告來自古巴首都舉行的「拉丁美洲團結組織」會議。

這是一項拉丁美洲高級共黨分子的會議，坦率地表示在整個拉丁美洲地區及美國境內發動大規模的共黨游擊戰，從而摧毀目前的政府。以桀驁代表身份列席的美國「黑人權力」鼓吹者卡邁高，甚至大聲疾呼地表示要刺殺美國總統詹森，國務卿魯斯克，國防部長麥納瑪拉，及英國首相威爾遜，作爲黑人領袖被殺的「代價」。到了該項拉丁美洲共黨會議閉幕的時候，古巴總理卡斯特羅在一項冗長的演說中，呼籲全世界革命運動支持一項「在美國境內由每天受到壓迫的黑人所爆發出來的新革命」。

從開始到結束，這項會議充滿恫嚇威脅，煽動，及鼓吹用暴力奪取政權的色彩及言論。

這項在夏灣拿舉行的拉丁美洲團結組織會議是世界上第一個地區性的國際革命會議，目的是「團結，調整，及加強針對美國帝國主義及其傀儡而進行的鬥爭」。所指的「傀儡」，就是那些獲美國支持的拉丁美洲國家。當時參加該項會議的，是來自二十七個西半球國家的數約一百二十五名代表。他們全部由當地共黨委員會所挑選。會議地點是「夏灣拿自由大酒店」。被邀請列席的觀察員，賓客，及記者數以百計。

在那三層樓高的酒店走廊內，安裝着一副巨型的動畫起重機，機上都架着機槍，莫洛托夫雞尾酒（作手榴彈用的盛滿汽油的玻璃瓶），同時寫着該項會議格言的旗幟：「每一個革命的職責，就是製造革命！」

曾經在卡斯特羅政府內任經濟部長而稱道游擊戰術的古法拉，從世界上某個地方的游擊戰場寄來一項冗長的富鼓舞性的文告，指出「越南萬不能孤立」。（古法拉的生死下落，目前仍然是一個謎。似乎只有卡斯特羅才知道他這位前任同志的下落。一般人認爲古法拉目前可能正在南美洲境內領導游擊戰。）

古法拉在這篇文告裏面呼籲「全面地，向帝國主義者發動武裝鬥爭行動。」他說：「就目前來說，不管是否是展開這種鬥爭的適當時間，然而，我們知道不能存着任何幻想，以爲不用鬥爭便可以爭取到自由。」古法拉最後表示：「如果兩個，三個，或者許多個越南在全世界各國每天表現出來，不惜犧牲，視死如歸的精神，那麼，我們便會很快地目睹一個光輝的前途。」

另一方面，以英雄代表身份參加該項會議的美國「黑人權力」鼓吹者卡邁高，在一項拒絕西方記者參加的記者招待會席上大聲疾呼地主張發動一項「美國黑人武裝游擊戰，從而對付美國白種人的野蠻殘暴所爲」。他同時發出如下的恫嚇：要行刺美英兩國的領袖，從而報復黑人領袖被殺戮的事件。當時發表這番論調的時候，他聲稱：「美國佬帝國主義的存在太久了。我們準備從內部摧毀美帝。我們希望你們準備從外面摧毀美帝。」

卡邁高這激烈的論調，令他獲致一項像春雷般的鼓掌聲及喝采；可是，數以千計的美國人却因此去函美國國務院，要求迅速採取行動阻止卡邁高返回美國，有些甚至主張檢控他以違叛美國政府的罪名。

當然，這並非意味着全部與會的代表贊同卡邁高，或者古法拉，或者卡斯特羅所標榜的革命方法。因爲在來自二十七個西半球國家的一百二十五名代表裏面，大部份對於用什麼最佳辦法去「製造革命」這項問題，却發生重大的歧見。像古法拉及卡邁高這些標榜者羅那項恢復個人在西半球的「大人物」地位的企圖，進一步，正統的委內瑞拉共產黨憤怒地拒絕派代表前往夏灣拿參加該項會議，因爲這個共產黨認爲應該接納克里姆林宮的和平共存政策，他們不滿卡斯特羅希望的就是停止恐怖活動而集中政治方面的行動。爲了這種緣故，委內瑞拉的一支游擊隊譴責該共產黨是「一羣反動者」。

古法拉，卡邁高，及卡斯特羅，對於卡斯特羅的好勇鬥狠言論所發出及其他激烈份子所發表的言論，就是表現最少興趣的，就是蘇俄的代表。這是可以理解的一種表現，因爲克里姆林宮的集體領導者現時正懇切地，同時不遺餘力地和許多拉丁美洲國家政府促進彼此的貿易及政治接觸，而這些拉丁美洲政府，就是古巴總理卡斯特羅現時多方設法去推翻的政府。早在該項大會開幕的前夕，蘇俄共產黨喉舌「真理報」便刊載一篇猛烈抨擊共黨領袖哥法倫撰寫的文章。「真理報」在大會前夕刊登該文的用意是至爲明顯的：表示蘇俄不同意卡斯特羅所標榜的技術與方法。

哥法倫在那篇文章內告訴卡斯特羅停止好管閒事的所爲。他曾大有深意地指出：列寧曾經「警告不要從事冒險的活動。」哥法倫堅持地表示：「選擇一項革命時間，應該由一個國家內部的革命分子自行作主，而不應該由某一個中央組織越俎代庖。」不過，除了在口頭上或文字上表示不同意之外，蘇俄却無法約束卡斯特羅。華盛頓的一位專家表示：「古巴」是蘇俄的越南，莫斯科在這個島國身上已經進行大量經濟、心理及思想的投資，因此不能隨便放棄卡斯特羅，否則目前隱伏在拉丁美洲境內的親中共派分子便會攻擊蘇俄。

油商行賄案定讞後
台北社會人士的觀感

本報記者劍聲

糾正案認爲刑事訴訟法規定司法警察及依法令關於特定事項得行使司法警察職權之官署如司法調查局，僅係檢察官偵查犯罪之輔助機關，其職權限於依法調查犯人犯罪情形，幷蒐集證據移送該管檢察官辦理，如必須傳喚逮捕拘押人犯，除現行犯及經通緝之被告外，依法應持有傳票、拘票、押票，其接受被拘提或逮捕之犯罪嫌疑人，認其有羈押之必要時，應於二十四小時內移送該管檢察官，此爲憲法第八條所明定。

司法警察機關於執行逮捕拘禁或審問，其依據是「已向檢察處聲請延長寄押」；其行使職權之依據，係適用台灣省司法機關與警察機關辦理刑事案件聯繫辦法規定（按：即今名之爲「檢察官與司法警察機關執行職務聯繫辦法」）第十三條之規定，凡司法警察逮捕拘禁之嫌疑犯，警察機關對於疑難案件得向檢察官聲請延長羈押，過去通常以七日爲限，後來以五日爲限，具有特殊情形者，並得延長之（自刑訴法修正公布施行後，警察機關得以「借提」一面續行偵訊）。查憲法第八條既明定人民因犯罪嫌疑被逮捕拘禁時，至遲應於二十四小時內移送該管法院審問，被告有無羈押之原因及必要，依刑事訴訟法第一〇一條規定，在偵查中應由檢察官依職權認定之，自不得由司法警察機關擅予拘押後又聲請延長寄押。同法第一〇三條更規定：「執行羈押由司法警察將被告解送指定之看守所，該所長官驗收後，應於押票附記解到之年月日時並簽名。」羈押法第一條規定：「刑事被告應羈押者，於看守所羈押之」。看守所條例第一條規定：「看守所隸屬於所在地之地方法院」。現司法警察機關對於刑事被告之逮捕，既不依照法定程序，逮捕後又不於規定時間內移送法院審問，竟藉口該聯繫辦法，以聲請延長寄押爲規避非法拘禁之依據（按：林生傳之被拘捕，其拘票本身即有瑕疵），就司法警察機關言，實係侵越檢察官職權，就檢察官言，非法授權即爲放棄職責，因而最高法院之判決，或未依合法之規章而獨立審判的結果，似與憲法精神相違背。

羈押，係指無法律上羈押原因而爲之羈押，及無羈押權人所實施之羈押而言，如本案羈押之執行，係依聯繫辦法第十三條延長寄押，以聯繫辦法爲依據，聯繫辦法實係由行政院所轄人民被提審法第一條所稱以外之任何機關非法逮捕之「違法羈押」。而林生傳之被拘捕羈押，等於檢察官訊問後，認有羈押之必要，並於偵查上之需要，而依該聯繫辦法將被告羈押於調查局機關林森寮，以便司法警察機關協助偵查，故不能謂係「違法羈押」云。殊不知該項檢察官與司法警察機關執行職務聯繫辦法，乃行政院所公布之行政命令，況該辦法第七條之規定，已明示於刑事案件移送檢察官辦理後，依憲法第八條，刑訴法第一條及羈押法第一條與看守所條例第一條之適用。公布之聯繫辦法第七條：「命令與憲法牴觸者無效」。此爲憲法基本精神之一，固不容以任何理由，加以破壞。蓋憲法爲一國根本大法，其效力高於命令，法律抵觸憲法者無效，命令抵觸法律或憲法者無效，由此可見，看守所以外之場所羈押被告之命令違法，即屬「違法羈押」，均屬刑訴法第一五六條第一項之自白，即不得作爲證據。（二）

我是一個「紅衛兵」

·王朝天·

…一件路線失敗，如果他能夠逃亡，一定採另一條路線。以前，看小說中說在敵人包圍中，殺門而出，就是說要逃命的時候，那有時間去考慮那一條路線是對的。

國軍撤離東北時，我才出生。共產黨對於政府，台灣的各種消息嚴密封鎖，不讓我們知道。對於過去歷史也是歪曲。我們知道歷史上許多事情，是依靠從小說，老師也無意中透露一些。許多年紀大的人也講一些。共產黨所講的事情，我們實在不大相信。

我和所有的「紅衛兵」都知道一件事實，蔣委員長領導抗戰八年，打敗日本，收復東北。這是每一個年紀大一點的東北人都知道。蔣委員長是民族英雄，我們崇拜民族英雄。我們相信，如果蔣委員長在大陸，國家一定很強盛，人民一定很幸福，不會過現在這種苦日子。我坦白地說，我，大多數東北人民一樣，都把希望寄托在蔣委員長身上。日本那樣，反攻大陸，收復東北，這樣東北人民才能生存下去，大家才有好日子過。我們知道在大陸反抗共產黨不容易控制得嚴，沒有糧食武器，大規模反抗是不可能的。因此只有逃亡出來，爭取一切機會，到台灣來參加收復東北的行列。

大陸上沒有人敢吐出內心的話。我想，大陸上除去高級共幹和什麼也不知道的小孩和成人，沒有一個人不想念蔣委員長的。我可以舉一個例。在遼寧省有一個地主被清算之後，他偷偷地藏着蔣委員長的一幅肖像；在他臨死的時候，把他孫子叫到床前，把蔣委員長的肖像鄭重地交給他，並且叮嚀他要效忠蔣委員長，效忠國家民族。這件事被共產黨知道之後，極爲震驚。

東北長白山有游擊隊，據我知道，股數很多。但每股的人數不多，這可能因爲沒有方法屯積糧食。人數多，容易被圍剿，分散反而使中共難撲滅。就反抗來說，整個大陸是很普遍的。例如貼「反動標語」，不論大街小巷隨時有，有時高大的建築物也會有。最普通的是街上的公共廁所，城市中的廁所常有封鎖停用，重新粉刷一番。我相信張貼「反動標語」，都是普通老百姓，沒有組織的，所以無法消滅。

這次「紅衛兵」鬧事，固然是青少年好搗亂、破壞，但其中有不少別有用心的人，乘機搗亂。有些「紅衛兵」衝進機關裏，藉口整「當權派」，奪取了武器潛逃，把許多檔案燒掉。你難道說他們都是無意識的行動嗎？

在大陸上，我們沒有可信仰的人。毛澤東是壞蛋，劉少奇也好不到那裏。毛澤東錯了，劉少奇也錯了，因爲劉少奇過去是毛澤東的最親信的戰友。毛澤東的政策，劉少奇都參預的。劉少奇錯了，毛澤東也是錯的，因爲毛澤東過去信任和重用了劉少奇。（十七）

內壢國民學校
公然違令收費

（本報台灣通訊）教育廳曾三令五申國民學校收費不得隨意附加，豈料竟有國校頑抗，如內壢國民學校依然違令獨行，一年級新生註冊，必須繳交報名費三十元，在校就讀之學生，收費竟達九十二元。據學生家長提出證明，收倆國校祇繳交四十二元。同屬一樣學校學制，竟相差一倍有奇之收費額，不知教育當局將作何解釋與處理也。

惡夢十七年

——馬思聰的故事

·趙浩生·

第二章　引上賊船

他的惡夢，也正是今日中共大陸多數文化人的共同遭遇。這場惡夢多種因於抗戰期間。

那時中共披着「新民主主義」和「愛國主義」的外衣，許多愛國情殷充滿理想和心地善良的文化人，都從那時起不自覺的一步步被引上了賊船。

他是一位誠懇厚重的藝術家，很早就名滿國際，因而也早就成為中共爭取的對象。

當時負責爭取他的共幹，就是在大後方各地搞「新音樂運動」的李凌。

李也是廣東人，據說他父親是一位留美華僑殷商，現在還在舊金山作生意。李凌並不是他的眞姓名，且早與乃父脫離關係。

李凌和他結識的方式是拜師，跟他研究和聲學，自此即以師徒關係向他進行統戰包圍。

引他走上賊船的另一共幹，是周恩來的女秘書龔澎。龔馬二家有通家之好，他十二歲赴法留學時，龔父曾到碼頭送他上船。

抗戰期間，周恩來在重慶任中共代表，會盡量拉攏各界知名之士，他自然也是對象之一。加上與龔澎的交往及留法的關係，他和周相當接近。

一九四〇年他在重慶創立中華交響樂團。這是中國有史以來的第一個交響樂隊，由於人們對西洋音樂藝術和音樂家的地位認識不夠，當時他們在宴會上演奏，使他們極感不快。最後終因不堪出「堂會」之苦，大家決定解散。

離開重慶後，他去到當時文化人集中的地區桂林，更深的陷入共黨文特的包圍中，他身居於支持艱苦抗戰的大後方，看到若干令人不滿意的現實，包圍着他的文特們即趁機煽動，將延安描寫成耶路撒冷一般的聖地。延安在他的心目中雖遙遠不可知，但他當時和許多不滿現實的文化人都覺得也許比大後方好些。

並無意參拜「聖地」，獻身「革命」。他所愛好的是音樂，在桂林期間，他的主要活動依然是在中山大學從事樂教。

桂林撤退，他到達貴陽。當時的貴州主席楊森，請他出任藝術學院院長。一九四五年抗戰勝利不久，他在貴陽接觸到中共組織的劇團。在他們有計劃的包圍鼓勵和李凌的大力慫恿下，他答應為他們的「民主大合唱」作曲。僅僅兩個禮拜的功夫，他寫成了這支「革命」歌曲，全曲在貴陽報紙上發表後，共方曾大大的利用他的名子招搖了一番，他從此被拖下水。

同年毛澤東到了重慶，經周恩來的安排，他和毛第一次見面。在那次談話中，他曾問毛對藝術的看法如何。毛不加思索以自用獨斷的調子說：「藝術一定要為大衆服務！」他並非一個共黨所謂的「人民音樂家」或「大衆的歌手」，對此種理論嚥不下去，他就老老實實的告訴毛，眞正的藝術最初常常並不為大衆所接受。他舉出貝多芬的第五交響樂出現之初並不流行，現在却成為公認的偉大作品。毛聽了一時無詞以對，是周恩來出來打圓場，哼哈的說了一句「音樂可以為民前鋒」之類的話，結束了這次會晤。

第一次見面雖話不投機，但他認為毛究竟是一個不曾出過國門的土包子，對西洋音樂一竅不通，尚情有可原。

一九四六年復員，他曾赴上海，訪台灣，並到廣州中山大學執教，兼長中國音樂院，該院曾被用作共黨宣傳的外圍組織。不久共黨暴亂擴大，在大陸被佔領前的一段混亂期中，他於一九四八年底，和大批在重慶桂林相識的共黨文特及親共文人一起集中到香港。

一九四九年中共佔領北京後，就以請他任出席巴黎和平理事會的代表為名，要他先到北京與其他代表會齊出發。

那年四月，他與國際問題專家金仲華，劇作家歐陽予倩和原籍蒙古的報人薩空了，同乘一條商船北上天津。

當時的天津市長即後任第二機械工業部部長的黃敬，曾予以盛大招待，把他們安置在一個舒適闊綽的招待所裏。和他們同時被招待的，還有廖承志的一家大小。（瑞雪說廖的女兒後來被充軍到北大荒。）

這盛大的招待，使他們極感興奮，但有一件事他們不曾注意，後來才發覺其意味深長，即北京派來的那個歡迎人員的言行。

此人抗戰期間在英國留學，因嚮往共黨曾直飛「革命的烘爐」延安。到達天津迎接他們時，他面色蒼白毫無表情，只機械的執行着任務。詢以「解放後的北京如何？」他的回答是：「你們在香港知道的事情太少了，新社會並不簡單，需要相當的時間才能了解。」事後想來，他感到此言不但意味深長，而且此種蒼白而無表情的面孔越看越多，最後連他自己也變成其中之一。他們都是惡夢中人，是這種惡夢折磨得他們失去血色，失去生命力。但在初到北京時的興奮心情下，他們並未意識到這正是一場惡夢的開始。（四）

剖析八十二名反毛的中共中委

·李敦復·

記。）陳剛（曾任四川省委會書記。）中共雲南省委員會第一書記：閻紅彥（見前。）書記：劉明輝、郭超、孫雨亭、趙健民（已遭清算。）周興（曾任國務院公安部部長。）中共貴州省委員會第一書記：賈啟允（見前。）書記：吳庸、李立、程宏毅。中共四川省委員會第一書記：廖志高（一九六四年任職。）書記：李大章（見前）、楊超、杜心源、趙蒼璧、許夢俠。中共西藏自治區委員會第一書記：張國華（原西藏工委第二書記、鄧小平之親信，在中共黨內相互傾軋火併流血鬥爭中，西藏反毛份子，于今年一月，將通往青海和四川之二條公路予以封鎖，動用大批軍隊，鎮壓毛林集團的奪權鬥爭，經常圍攻毆打毛林派份子，西藏陸軍與擁毛派的紅衛兵，曾發生一連串的流血衝突，今年一月十三日，新華社東京電傳，已遭毛派拘捕，五月二日法新社北平電訊報導謂，曾於五月一日勞動節，在天安門出現，五月九日合衆社也納電訊報導，謂接替被免職之中央西南局第一書記李井泉之職務。）

十三、其他

一、下列中委已未擔任黨中央或地方之各級組織職務，如李維漢（曾任中央統戰部部長，一九六四年被指為「投降主義」而罷黜，一度在新疆出現，去年在中共流血奪權鬥爭中，被指為「反黨反毛」而列入整肅四十一名名單中之第三十九名，今年一月二十九日在北平遊街示衆。）賈拓夫（曾任國務院經濟委員會副主任。）劉曉（曾任駐蘇大使。）譚政（曾任解放軍總政治部主任，中央委員會書記處書記。）陳紹禹（近年來已無具體職務，傳在莫斯科。）楊獻珍（馬列學院院長。）王從吾（中央監察委員會副書記。）鄭位三（曾任中宣部副書記兼組織部部長。）二、下列係擔任軍方職務者，徐海東（曾任國防委員會委員。）王尚榮（候補中央委員，前總參謀部作戰部部長，被指為在中國大陸反黨反毛之活動，列入整肅四十一名名單中之第二十九名。）蘇振華（候補中央委員，海軍政委，被指為「反毛澤東思想」，今年一月廿七日，遭紅衛兵公開鬥爭。）（十九）

台灣省府永久所在地問題

·何中堅·

近見報載，有台灣省府（會）遷移之說，亦有建議將中興新村訂為永久的省府所在地之說，而省府官員亦有否認遷移之言，衆論紛紜，莫衷一是。這些消息，當然不是無風起浪，多少總有原因，尤其台中與台北之間的公務連絡，辦事人員往返所耗的時間金錢，一般批評多認為是一項勞民傷財的行為。溯昔日遷移以疏散為主旨，然而遠至台中，且不惜巨資，大動土木，亦不計其環境條件是否適宜，公務聯繫上是否便利，顯然是有欠周詳考慮和遠見的措施，這也就是形成衆所評論並希望遷移的主因

省市位置應具備的條件

一個省市府會的所在地，不是隨便什麼地方都可適用的，必須具有下列條件：第一，要地理形勢良好，應當是山水匯集的地區。第二，要有廣大的平原，最少可容數十萬人口的居住。第三，要有良好的港口，便於通商出入，第四，對內對外水陸空交通便利。第五，應當是政治，經濟文化等的中心地區。這些條件不論古今中外皆然，雖如今科學交通進步，亦不例外。

大凡山水匯集之區，水陸交通多很便利，自然形成為通商要津，或政治，經濟文教的中心。有大平原，大河川則可以容納衆多的人口。所以地理形勢是省市位置選擇的第一要項。不然絕不能作為重要府會的所在地。以此看來，中興新村的

，顯然是由於天然地理環境的不足，不適合作為台灣省府（會）的永久地。

台北平原是全省最好的省府所在地

以全省的地理形勢觀察，唯台北平原地區是最適合於省府的所在地，昔日人把總督府設在台北，是有遠見的，不過他們不採取台北主要山脈落下的面地區建設，似乎尚欠周詳。而總督府的正門，朝向東方與日本本土相應，此與我們中國大陸來說是不相關顧的。依我們選地取向宜在中和一帶，朝西北向大陸，這是順乎山水自然形勢而立向，因為台灣山水是和大陸相呼應的。（上）

中國女性文藝春秋

周遊

華山畿！君既為儂死，獨活為誰施？歡若見憐時，棺木為儂開！

唱罷，郁棺木自開啓，女子躍入棺中，大家拉她，怎樣拉也拉她不出來，於是乃合葬之。其冢名叫「神女冢」。此曲古辭共為二十五曲，茲選錄十一首以觀賞之。

夜相思。投壺不得箭，憶歡作嬌時。

未敢相許。夜聞儂家論，不特儂與汝！

啼着曙。淚落枕將浮，身沉被流去！

別後常相思。頓書千丈闕，題碑無罷時！

隔津歎。牽牛與織女：離淚溢河漢！

啼相憶。淚如漏刻水，晝夜流不息。

無故相然我。路絕行人斷，夜夜故望汝！

不能久長離。中夜憶歡時，抱被空中啼。

相送勞勞渚。長江不應滿，是儂淚成許！

奈何許。天下人何限，慊慊只為汝！

松上蘿。願君如行雲，時時見經過！

這十一首是血淚嘔成的，上面故事雖有點迷濛，亦不傷其作品之文情。這一類的悲劇，大多是哀怨和神迷的色采，今天不可苛求她。

青溪小姑曲

「青溪小姑曲」是「神弦歌」之一。而「神弦歌」是南朝民間的祭曲，故其中神話色采十分濃厚。蔣子文為秣稜尉，因擊賊負傷而死，三國東吳孫權時封為中都侯，立廟鍾山。鍾山即今之紫金山，故紫金山亦名蔣山。青溪小姑即蔣子文的三妹，宋元嘉中（四二四——四五三），會稽趙文韶為東扶侍，廨在青溪中橋。偶於秋夜散步賞月，悵然萌思歸之念，乃倚門唱「烏飛曲」。忽有一青衣，年約十六七，到他門口說道：「吾家女郎聽到你的歌聲，很是贊賞，故來相問」。文韶毫不疑懼，遂請青衣邀女郎來。不久間女郎來到，年十八九許，容姿絕色，向文韶行禮道：「聞君善歌，能為妾歌一曲，以飽耳福如何呢？」文韶即歌「草生盤石下」一曲，其歌清美。女郎命青衣取箜篌（均竹頭，下同）鼓之，其聲冷冷似楚歌。又命青衣歌「繁霜」，自脫金簪扣箜篌而和之。青衣歌道：

歌繁霜，繁霜侵曉幕。何意空相守，望待繁霜落！

於是就在文韶家留連宴寢，溫玉馨柔，蜜意濃醇。看看天將拂曉，女郎告別文韶，取金簪贈文韶，文韶亦報以銀碗及琉璃匕。明日，銀碗忽然在青溪廟發現，方知所逢乃是青溪神女。古辭今只存一曲，為四言四句：辭云：

開門白水，側近橋樑。小姑所居，獨處無郎。

弦神歌中其他歌曲，如「嬌郎曲」、「白石曲」、「湖就曲」等，大部份都有神怪的戀愛故事做背景。可惜這些故事都已失傳，我們無從說起。下面就所存之曲一併錄以觀賞之。

嬌郎曲云：「左亦不佯佯，右亦不翼翼。仙人在郎傍，玉女在郎側。酒無沺糟味，為他通顏色。」（廿二）

輿論認為「江寧刼」之演出，以民族革命之太平天國，比喻今日禍國殃民之匪幫，實屬顛倒黑白，指鹿為馬，治太平天國史的學人更在各大小報張質詢，得原編劇人尚無具體反應。

今綜合各方面文字，匯集續談，藉可明推行三民主義最力之地區，觀衆的眼睛眞是雪亮的。

平劇縱論錄

再談「江寧刼」

桂良

有署筆名「微言」者在某大報之簡言曰：看了新編平劇「江寧刼」後，使我等觀衆當塲不勝驚愕之至！因為他不但歪曲事實，比擬不倫，而且忘了民族大義，更忘却了我們國父、總統對於太平天國抗滿與漢之勳業的褒勉和激勵的指示：

「……洪秀全以一介書生，毫無勢位，然一以除虜朝，復漢國，提倡國人，則登高一呼，萬谷皆應，雲集霧湧，裹糧競從。一年之內，連舉數省，渡洞庭，破武昌，取金陵，雄據十數年。後以英國助清，供軍械，教士卒，遂為所敗。不然，則當時滿清是否即遭滅亡，未可知也。」

總統對於太平天國民族革命的讚美：

「太平天國之戰爭，為十九世紀東方第一之大戰。太平天國之歷史，為十九世紀東方第一光榮之歷史，而其政治組織，與經濟設想，則尤足稱焉！余自幼習聞鄉里父老所談，已心嚮往之；及其吾黨總理，又常為余講授太平天國之戰略戰術，及其名將李秀成、陳玉成、石達開等治兵安民之方略，乃益識其典章制度之可儀。」

以上是總統在序蔡松坡先生「曾胡治兵語錄」中的第一段文字。

總統又說：

「因欲將太平天國之軍事、政治、經濟、社會各種記錄，搜羅研讀，編為太平天國戰史，庶幾使當時革命之故實，得垂永久，而不為前清史臣一筆所抹殺。」

這是總統慨嘆前清臣僚，一筆抹殺太平天國眞實史蹟，而發出的心聲。不圖今日却見之於前後四百年，民族主義蕃衍的自由中國，而通過若干有關審查戲劇單位與機關而獻之於舞台，事前後文化界之警覺性却微乎其微！

他又說：

「他日者，太平天國戰史告成，吾黨同志更能繼承其革命大業，以竟吾黨之全功，乃無愧為吾黨後起之秀矣！」

他對於太平天國是何等推崇！我們應該如何懍於國父及總統的教誨與指示！來研究此一民族革命的史迹，推翻前清臣僚的誣衊！又何能，何敢，何忍效尤前清臣僚對於民族先烈，顚倒黑白，指鹿為馬，給予侮辱呢？

閒談艾森豪威爾（上）

最近卅年來的世界名人中，曾任美國總統八年的艾森豪威爾將軍，當然算是一個。但在區區看來，他却是所有名人之中最低能而毫無可稱的庸才，不佞，請申吾說。

當艾氏脫去軍服，由巴黎返國內競選總統伊始，香港「民聲報」曾以「艾森豪、塔虎脫合論」為題（塔氏亦同時競選）徵文於懸，當時我肯定地認為艾氏必獲勝，但其政績必不足觀，理由是他的性格過於虛矯，沒有政治家的氣質；我舉出兩點事實作證：一是韓戰聯軍統帥麥克阿瑟被撤職時，一群新聞記者在巴黎盟軍總部跟他晤談此事，他以莊重的詞色答道：「諸君莫問此案，麥帥是我的老長官，我不便說甚末」，好像很有紳士風度，記者們自然不再談了。可是，隔了幾分鐘，他又自言自語的向着記者說：「軍人總是以服從政府命令為上」，意思即係指摘麥帥的不是，至為顯明，却不作正面的說法，虛偽之至。二是他回到華盛頓之日，杜魯門總統待之以歡迎「民族英雄」凱旋的隆重禮節：下令政府所屬文武各機關人員，全體出迎，杜總統和國務長官馬歇爾，聯合參謀會議主席布萊德雷等人，皆到市街接駕，然久候不見艾氏駕到，繼據白宮急足報告，說艾克元帥身穿破敝軍裝，坐着一輛很舊的吉甫車，從小路悄悄的溜進白宮了！這種過份矯情的動作，頗與吾國軍人馮玉祥相同，決非政治家應有的作風。所以，我認定艾氏那種表面上婆婆媽媽的表情，又主張結束韓戰，加以身任二次大戰盟軍統帥的聲望，很可以博得一般美國選民的好感，競選必操勝算，遠非塔虎脫所能抗衡；而其遇事矯揉造作的言行，在政治上將無建樹可言。這并非「事後有先見之明」的夸夸其談，當年香港「民聲報」刊載我應徵的論文，可資印證也。

艾氏就任總統後的第一件事，即是以屈辱讓步的條件結束韓戰。假使杜魯門總統願意作屈辱的和談，韓戰早就結束了，當時韓總統李承晚曾經忿而擅釋戰俘，以示抗議，終致跟美國鬧得不歡而散。韓戰結束到現在，對美國以及自由世界，可謂得不償失，但最近却主張美國必以武力戰勝越共了。後來毛共對金門肆行炮戰不逞，艾森豪政府即向毛共建議舉行大使級談判，以期解決台灣問題；竟公然聲稱不需要中華民國政府同意，這是所謂「盟邦」應有的態度和行為嗎？又是號稱為自由世界盟主所應有的言行嗎？

艾氏在第二屆總統任內，曾訂期東來訪問南韓和日本，却聲明不到台灣。因日本共產黨以及一般左傾團體，激烈表示擋駕，他沒有膽量前去，這纔為着遮羞起見，臨時改變行程，到台灣走走，可見他對於中華民國根本就沒有重視的心理也。

叫哥哥

京仁

在大陸上的炎夏季節，無論是華北，或是江南，都盛產「叫哥哥」，在北平則叫「蟈蟈兒」，山東、河南一帶又叫「蚰子」、「乖子」、「叫蚰子」等。鄉間人喜歡把他捉來養在小籠中，餵以豆角、瓜花、菜葉、米飯等，掛在房簷下，聽牠由雙翅所發出的高吭而急促的叫聲。都市中更有季節性專業的販子，大批的担到街頭售賣。叫哥哥不僅有鳴聲供人欣賞，牠那寬廣的面孔，一對長長的觸角，一拈足，一吮足，都是喜歡作文雅，也使人覺得可愛，難怪人都喜歡伺養牠。籠中的叫哥哥，可以直養到農曆九月，不過多半已是斷鬚折脚的衰老不堪，如果撐着再過上幾天的寒冬，也就終其天年了。北方的氣候，時序分明，草木黃落的時節，總有一種凄涼的氣氛，所以每到深秋，很容易使人懷念着那叫哥哥叫個不停的炎夏曲。

閒話麻將

陸民

所謂上海牌的方式，亦不全新者，蓋亦有故，因當日在上海風行一時的新式麻將，叫作無奇不有，也眞是千奇百怪，差不多只要你說得出名堂，就可以加一翻或兩翻三翻，例如老少（一二三與七八九）中方（四五六）兩對倒，節節高（一二三，二三四，）小花（同樣的筒索萬句或對）清缺，不缺，一條龍，混龍，花龍，十三么，十三亂，十八學士（開四槓，另餘任何兩張即胡）大七對，小七對，一般高，姊妹花，三相逢，兩頭吊，嵌心五，不求人等等，眞是花樣繁多，不及備舉，好在或加或減，或留或去，都可事前約定，共同遵守，倒也相當民主的。因之每一桌牌，或每一個牌局，集團，打法雖然大致相同，內容却非完全相符，不過花樣愈繁，翻數即愈多，每和牌後，即須細細核算，其麻煩較之舊日算胡，不遑多讓，而付籌則依翻照加而非倍計，例如每翻以五毛一元計，若胡家算明為廿翻，則照付十元或廿元，三十翻，則照付十五元或卅元。且為鼓勵大幹，防止小成起見，又多限制起碼翻數，普通為三翻起碼，即無三翻不准胡牌，等於取消了基胡及小胡；也有基胡反變為三翻或一拿，蓋花樣既多，基胡反而難作，此殆亦平民翻身象徵之一。

七、所謂無奇不有

最妙者是花樣百出之外，另加上百搭四張或八張。所謂百搭，是它本身並無性格，而却可以代表任何性格之牌，例如你手中原有一張五筒，又抓着了兩張白搭，你儘可將兩張百搭算作兩張五筒，變為一坎，也可將一張算作四筒，一張算作六筒，變為四五六一句，究竟怎樣算法，悉聽尊便，自然是以增加番數為依歸。麻將本為三十四組，每組四張，共計為一百三十六張，其間錯綜複雜之處，原已變化難測，若再加入百搭八張，則每組四張之牌，可能變為十二張，例如每家各抓紅中一張，又各抓白搭兩張，則四家均可各成紅中一坎；於是總數由一百卅六張，可能變為四百零八張，其變化之鉅，又不知增加若干倍蓰，而和牌進度之速，亦不可思議，往往四家起牌甫畢，摸牌各不一張，即有人宣稱已和，蓋賴百搭之助也。百搭多起幾張，和牌自然容易，然亦有起的牌本身業已複雜再加上百搭一兩張，竟然配去搭來，弄不清楚，甚至有早已可和而懵然不知者。故打有白搭之牌，較之無白搭者，其所費腦經及注意力，不知增加若干倍；非特對本身之牌如此，即別家胡牌，亦必參加觀察，共同核算，蓋既防朦混錯算，又欲隨時吸收變化經驗，以資參考，可謂辛苦之極。

當無奇不有風行之際，打牌者除添加百搭八張之外，仍帶花八張，另又加上貓與老鼠，（一鼠先出貓後出，則貓即吃鼠，起貓者另加一翻，反之則否），故砌牌時牌行特長，起牌後，各家調牌，補牌，亂作一團，若夾有生手在塲，只見他手忙脚亂。（五）

大政治家諸葛亮

河漢

劉璋在第一階段人既然確定是曹魏，諸葛亮的一切部署便都針對這目標。但沒有一個安定的後方，也就沒有一個穩定的前線，因此他決定了先安內後攘外的政策。在公元二二五年五月，頒佈了動員令，向貴州，西康，雲南地區進軍。

在一千七百年前，雲貴西康地區散佈着生活依然接近原始社會的部落民族。他們一面絕對地排斥漢民族侵入他們的地區，一面又垂涎於圍繞他們周圍的漢民族的優越的生活水準：不斷向漢民族聚居地區入侵。當劉備接替劉璋統治四川的初期，蜀漢的軍事力量正在巔峯時期，這些部落民族懾伏於這股強大的武裝部隊之前，與漢民族相安無事。等到劉備失去荆州關羽這一支強大的戰鬥隊伍，再在鄂西被陸遜消滅了四川這一支強大的戰鬥隊伍的一半，部落民族也就窺覗劉備的殘餘力量。黃元的叛變雖則被迅速撲滅，但由這叛變所引起的波瀾，向四周擴散着。這些部落民族便在劉璋的部屬煽動之下，在四川周圍到處點燃起火頭來了。

各地的部落民族大多團結在他們之間最強大的豪族下面，因此成為部落民族領袖的人物，也必然是豪族的代表人物。向蜀漢進攻的部落民族，在西康方面的是由越巂率領，在貴州方面的是由牂牁統率，在雲南方面的是由雍闓領導，戰火蔓延的地區，就是現在川、滇、黔、康四省的邊區。

諸葛亮把兵力分成三路，他自己負責進攻西康的越巂，李恢負責進攻雲南的雍闓，馬忠負責進攻貴州的牂牁，這次動員的兵力雖無正式的紀錄，大致總兵力約莫是五萬到六萬人，因為蜀漢的全部兵力，不過十萬，必需留出相當龐大的兵力在川北警戒魏軍，也必需留出若干兵力在川東監視吳兵。所以平均計算，每一路所使用的兵力，不會超出兩萬人。以這樣單薄的兵力來應付那樣廣大的空間，不能不說是一種軍事冒險。

蜀漢的優秀軍事家馬謖向諸葛亮提供了「攻心為上，攻城為下」的作戰原則，希望諸葛亮的南征偏重於心理作戰，以政治手段來替代血腥鎮壓手段：諸葛亮完全接受了馬謖的建議。就為了諸葛亮明瞭光是倚仗武力，固然可以鎮壓缺乏嚴密組織，缺乏陣地戰經驗的部落民族：不過武力所造成的勝利只能使部落民族暫時地屈服，只要有罅漏出現，他們的反抗會隨時隨地滲透重來。部落民族散佈在山連結着山，樹林連結着樹林的茫茫無際的原野中，區區幾萬士兵，實在在無法控制他們的活動。即使退後一步放棄面而僅於控制點，但綿長險阻的交通線，人力輸送的消耗與浪費，將成為貧弱的蜀漢的難於長時期忍受的負担，如果泥足陷在那裏，將再無力量應付曹魏這一強敵。（七）

華清池遊屐

仲山

在潼關，有歷史的名勝二，一是救了曹操性命的古槐樹，一是貴妃洗浴的華清池。茲一述後者之勝：

華清池在潼關縣南之驪山上，因這山有溫泉，唐太宗曾在這兒建有一座陽泉宮，至玄宗則改為華清宮，更治湯井為池，名為華清池，環列台殿等大建築物，遣百司及公卿邸第。但自安祿山亂後，唐帝已很少到此遊幸，至唐朝末年便把廢了。五代時改為靈泉觀，賜給道士們居住。直至西安事變前，今總統蔣公，曾一度駐驛於此。風光無改，泉水常溫，遊覽到這兒，足令人想見當年「溫泉水滑洗凝脂」那鏡頭的香艷。（八）

內政部登記證內版臺報字第〇三一號

自由報
FREE

第七九六期

中華民國僑務委員會登記證
臺僑新字第三二三號登記證
中華郵政台字第一一二八號執照登記爲第一類新聞紙類
（逢星期三、六出版）半週刊
每份港幣壹角
台灣零售每份新台幣九角
社長：雷嘯岑
督印人：黃行簪
社址：香港銅鑼灣高士威道二十號四樓
20, CAUSEWAY RD 3RD FL.
HONG KONG
TEL. 771726 電報掛號：7191
承印者：大同印務公司
地址：香港北角和富道九六號
台灣分社
台北市西寧南路壹壹號二樓
電話：六三〇三九
台北郵政劃撥九二五二

日共勢力何以特別發展

陳侃

日本出席「世界反共聯盟會議」的代表北岡壽逸，近在台北的大會中聲言：世界各地區的共黨勢力正普遍降低，幷喪失其氣燄之際，而日共力量却日益增長，日共份子大量滲透於大衆傳播事業機構之中，對社會一般人民的影响不小，他呼籲國際反共人士一致支持日本的反共運動。北岡這番話是有所爲而發，幷非無病呻吟，殊堪注意。

二次大戰之前，日共份子在國內不特沒有活動餘地，根本就不能生存，如野坂參三——又名岡野進——及其一小撮黨羽，經常亡命在中國的毛會區域，隨着毛共叛亂集團旅進旅退，對日本不發生絲毫作用。筆者的大學教師佐野學，在日本教書，提倡社會主義學說，雖然沒有實際行動，也受到縲絏之災，終於以貧以病以死，當時的日本社會輿論，幷無同情惋惜之意，日共在國內可說是沒有一點根基。可是，大戰結束後，日共勢力乃突飛猛晉，今天竟構成日本國家的一大威脅了！其故安在呢？

美國貽誤了日本

美國在軍事佔領日本時期，除保存日本天皇名義，實行虛君制以外，舉凡日本的軍事、政治、經濟、法律和文化教育等事項，從制度到方法，皆由盟軍總部統制改造，一切向着美式生活看齊，盟軍總部政治顧問替日本創造的新憲法——即現行憲法——承認共產黨合法地位，聽其自由活動。於是乎，原來亡命在中國的日共份子如野坂參三等，相率回到國內，在新憲法庇護之下，公開宣傳共產主義，正式組黨領導，而由中共予以經濟上的大力支持。迨中共竊據大陸後，對日共的培育卵翼更趨積極，日共勢力賴有中共的經濟力量應援，自然容易發展了。美國人士總是以自己的尺度衡量別人，却不問別國的社會的傳統文化思想和社會結構是怎末回事。他們認爲美國亦有共黨組織合法存在，對本國幷無危害之處，別國亦就不必歧視共黨，還讓它自由生存發展，這纔叫作民主政治呀！所以，一九四四年美國副總統華萊士在重慶就對我政府人員說：「美國也有共黨，我們幷不怕它，你們何以這樣害怕毛共呢？」當時我方人員告訴華萊士，美共沒有私有的武力，因而不能作亂，否則情形便是兩樣了。新大陸的政治人物這種美式民主生活的天真幻稚思想，不知誤了若干友邦，而以中日兩國受害最烈！

日本自身的缺陷

二次大戰結束後，日本人嘗到了亡國滋味，由於經濟破產，生活困苦之故，一般舊有的社會結構和法制體系，以及工商業基礎，皆已大起變化，道德觀念逈異昔時，社會大衆充滿着憂鬱煩燥情緒，亡國恨與自卑感交縈於胸中，激起憤世嫉俗思想，很容易感染共產主義邪說以仇恨爲出發點的邪惡理論，這便是日共能夠迅速發展的基因。第一次大戰後的德國，共黨勢力亦突告猖狂，若不是政治家愛爾巴特（Albert）領導「社會民主黨」以與德共抗衡，德國早等不到希特勒之崛起，早已赤化了。日本在戰後如沒有韓戰發生，美國竭力賫助日本輕重工業復興，使日本經濟機能，絕處逢生，發了一筆鉅額的橫財，藉以解救了危困萬分的社會，日共力量必比現在還要雄厚。獨惜日本缺乏愛爾巴特一流的政治家，最大的政黨——自民黨，祗不過是舊瓶改裝的官僚集團，負不起新興日本的建國使命，乃然跟財閥狼狽相依，例如經過盟軍佔領時期設計推行的土地改革，慢慢地又還了原，這當然爲一般思想進步份子所不滿，日本左翼社會黨之能一躍而成爲第二大黨，遇事與共黨合作，日共在社會上得有許多同路人作假勢力，非偶然也。多年執政的自民黨政府，更幻想與中共親近共存，玩弄所謂「水鳥外交」的老章法，以爲英美對中國大陸的貿易已被阻塞，日本即可以乘機取代而壟斷之，乃倡言「政經分離」政策，表面不與毛共締交，實際過從甚密，這又是一個大漏洞。

據北岡壽逸報告：目前日共勢力已普遍滲透了大衆傳播機構，名報紙的左傾作風，即證明北岡的報告殊爲正確，我們且知道日本自衛隊——即國防部——裏面亦有日共份子和其同路人滲入了不少，綜計日共與其同路人的總數額，現時至少亦在廿萬人以上，他們外有中俄的經濟支持，內有不可輕視的同情黨派和不同路人互相結托，一旦時機成熟，發動政變以奪取政權，並非不可能的，若不是美軍仍駐在日本境內，他們隨時皆可以實行「苦迭他」，把紅旗遍插在蓬瀛三島之上，跟日本國太陽國旗爭輝。除非日本有高瞻遠矚的智慧與魄力兼備的大政治家主持國事，若不重蹈第一次大戰結束初期的德國覆轍，即很可能產生一個東方的希特勒，以反共爲幟志，實行反動的法西斯政治，日本民族性是容易釀成這種結局的。

日本的正當出路

日本目前採取左右逢源的作風，如其只是一種肆應世界局勢的暫時手段，固無所謂，若恃此爲立國之道，那就危險極了。日本非託庇於美國的核子傘之下，可說是旦夕難安，反美思想決不宜有，趁此時機，堅守民主憲政的建國原則，大力進行內政改革，藉以杜絕共黨煽惑羣衆釀亂的口實，殆爲消極的必要措施。日本現在表面上分成了親俄親毛的兩派，但不可認爲眞情，何況俄共毛共都是共產主義者，唯之與阿，相去幾何，萬不可因此而漠視日共的內部顛覆活動。日本立國的大經大法，憲法，諸多不合國情，自有修改之必要，但此事似乎不是自民黨這般領導人物所能勝任的，唯有留待他日的大政治家來解決。美國前任副總統尼克遜最近在「外交季刊」發表文字，說美國將不能永遠担當「世界警察」的任務，希望自由國家分別建立區域性的集體防衛組織，以策安全。日本是東方最強的國家，而又是最弱的軍事據點，現行的不結盟政策，對日本害多於利，非糾正不可。北岡壽逸博士要求自由世界人士援助日本的反共運動，然日本政府的兩面人作風不改變，別人郎感覺愛莫能助也。

壞事成雙

不敢領教

今日與明日

嚴副總統不可訪加

最近中國政府宣佈副總統嚴家淦應邀訪問加拿大，消息傳出後，筆者就感到詫異，因爲皆經明白宣佈，已是確定國策，不便再提異議，當即啞忍未言，不意日前加拿大外長馬丁突然在聯合國大會提出准許毛僞政權加入聯合國的謬論，引起我朝野大譁，因此，就牽連到嚴副總統是否應當訪加的問題。

本來國際上任何事件皆沒有突然發生的，問題只事人平時是否留意而已，就加拿大此項行動來說，稍爲留意加拿大政局的人，都不會感到意外，這一問題要分成三方面來說。

第一、馬丁何以會發此謬論，一個國家的外交部長在聯合國大會發言，自然是代表本國政府的立場，由馬丁之言可以看出加拿大政府的態度。

加拿大與美國的邊界，猶如我國與蘇俄，但美加兩國却被公認爲最好的盟國，兩國之間有邊界而無衛兵，居民可以自由來去，在世界任何國家中皆未有，因此兩國外交立場也向來一致，可是最近兩年，加拿大對美逐漸携貳，尤其在中國問題上，加拿大不時發出承認毛共的論調，去年聯大且提出一個胎死腹中的議案，今年馬丁更不惜明目張胆爲毛僞政權張目，其基本原因並不是加拿大有愛於毛共，實在因爲毛共每年要從加拿大購進大量小麥，已成爲重要的主顧，加拿大政府看在錢的份上，不能不幫毛共說幾句捧塲的話，以便簽下年的協定時，可以多賣些麥。

第二、加拿大總理皮爾遜一向是個予智自雄的人，過去任外長時，曾被北大西洋公約的國家公認爲公約國外長中三個聰明人之首，另兩人是比利時外長史巴克（不久前訪華）荷蘭外長倫斯。聰明人總喜歡玩點花樣，由於加拿大外交政策過於遷就美國，經常被共產黨團攻擊，指加拿大是美國的一個州，皮爾遜頗想洗此一「惡名」，於是在外交方面盡量與美國分道而行，最近竟然主張美國停炸北越，早些日子甚至邀請戴高樂訪問，都是有意與美國爲難，表示自己是個獨立國家。

第三、我們駐加大使館一向形同虛設，館內人員皆如木偶，對加拿大政府向無往來，反之毛共人員則在加拿大橫行已久，此次的邀請究竟怎麼回事？政府應該予以查究。

總之，此時嚴副總統訪加之行，還是要謹慎爲妙，免得鬧出意外麻煩來。（何如）

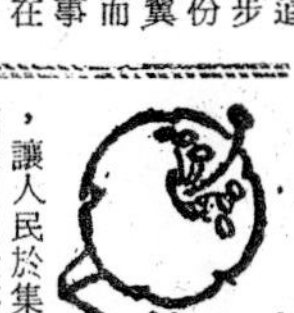

談修正主義

馬五先生

蘇俄當局最近允許集體農場可以自由設置小型工廠，乘，讓人民於集體勞動之餘暇，自由從事某種生產業務，據爲私有。這是修正主義，在克里姆林宮討論此案時，曾有人指摘其爲資本主義路綫，結果還是照原案通過實行。在中國的毛共看來，這又是「蘇修」的昭著罪證，非反對不可啦！

世人首先對馬克斯主義予以修正的，乃是社會主義學者考茨基，他從思想理論上糾正馬克斯的若干偏差之點，成爲第二國際的信條。後來列寧的「新經濟政策」，史達林的「一國社會主義建設」，即是從實際需要上對馬克斯主義的修正。至於毛澤東之所謂「人民公社」、「全民皆兵」、「軍國化」，以及利用農民暴動以建立秧歌政權的一切言行，更與馬克斯主義背道而馳，還說不上「修正主義」的話兒。但他現在却以反對「蘇修」、「劉修」的口實，進行奪權運動，自命爲正統的馬克斯主義者，寧不笑煞人，也麼哥！

任何一種主義思想，都受着時代進化律的考驗，而發生適與不適的情形，決非一成不變的殭化物。馬克斯在生時，他何從夢想到人類進化竟有原子能這種怪物產生呢？人類運用原子能的效力，可以把人力勞動減少到極點，而馬克斯所謂人剝削人的理論，就成了無的放矢的瞎說白道了。

劉少奇、鄧小平、彭眞之徒，眼見着毛酋的「三面紅旗」建設路綫，弄得民窮財盡，天怒人怨，乃主張實行「公私合營」、「三自一包」政策，允許自由市場存在，目的是爲要改善人民生計與生活，促進生產力之發展，先將自己的政權搞穩固，再談世界革命。這與史達林的「一國社會主義建」思想如出一轍，平心而論，「劉修」的思想主張，對毛共政權可說是有益無損，我若是中國共黨一份子，絕對擁護「劉修」，毫不遲疑。

毛澤東沒有社會科學的修養，又不懂別國的文字，只是看過關於馬列主義的一些漢文小冊子，食古不化，啃着馬列教條、術語而侈談世界革命，大駡修正主義，可憐亦復可哂，然而劉少奇、鄧小平之流冤矣！

政府經決定在桃園縣境 開闢「桃園示範工業區」

面積預定百餘公頃發展一般工業 該縣人士已成立工業投資策進會

（桃園航訊）政府已決定在桃園縣境，開闢「桃園示範工業區」。該縣交通便利、水電充沛、勞務低廉，無颱風地震影響，適合一般工業投資設廠。

桃園為院轄台北市的衛星都市，鐵路公路平行，北上台北，均為二十五、六公里，境內縣、鄉公路一百六十餘條，計六百餘公里（多係高級柏油路面），去年又完成北部東西橫貫公路（約七十一公里），連貫宜蘭、花蓮等地，交通極稱方便，該縣的工業區域，均在鐵（公）路沿綫，自北南下，由龜山、桃園、八德、大溪、龍潭、中壢（市）、楊梅等鄉鎮，其中大溪、龍潭兩地，稍為偏處縣境東南，相距鐵路，也不過十餘公里，更適合重工業的發展，桃縣目前紡織業的紗錠，約佔台灣全省總額三分之一強，其他輕工業，亦居全省之重心。

桃縣工業發展的迅速，實有其優越的條件，有台灣等部中央山脈作屏障，擋住太平洋的颱風，地質為黃沙土和鵝卵石而結成，不怕地震，地勢屬高台平原，由東南向西北海濱傾斜，沒有水災，氣溫每年六至九月，最高平均約在攝氏二十六度和三十二度之間，最低十五度至十度，眞有四季如春之景象，自石門水庫完成後，工業水電供應，不虞缺乏，林口火力發電廠，於明（五十七）年六月開始發電後，工業用電，更為充沛，目前桃縣擁有大型工廠三百餘家，中、小型工廠六百餘家，仍在日益發展中，陳長壽縣長，為履行：工業發展農業，農業培養工業的競選諾言，又新闢龜山、中路、內壢、埔頂（中壢市）埔頂（大溪鎮）等五大工業區，尤以大溪埔頂工業區，其面積在兩百公頃以上，為台灣全省各工業區面積最大的一個單元，因地近石門水庫，適合重工業的發展，據悉：陳縣長的：陳合發家族工業公司，將在該處，投資新台幣一億元，設廠製造各種汽車，這五大新興工業區，前兩處已設廠生產，至擴大面積部份，也為投資人購預完畢，後三處：將由台灣土地開發公司負責開發公共工程，及統一建築標準廠房後，再轉售投資人，建廠用地收購或征購（如業主抬高價格，由政府依公告價格征購）價格，亦較其他地區為低，目前該縣剩餘勞力，約在五萬人以上，熟練和半熟練工人，每月工資自二千元至六百元，甚為低廉，因為交通的便利，資方亦可減少供宿供膳的照料，由於該縣教育之發達，其熟練工人，多係高工及工專學校畢業，有關工業技術之指導，更能得到事半功倍的效果。

據行政院國際經濟合作發展委員會表示：已決定將在桃縣境內開發一個「桃園示範工業區」，面積預定一百餘公頃，作為一般工業的「工業區」，由此足證桃縣工業發展的前途，是如何的遠大。該縣為加強對投資人的服務，特成立桃園縣工業投資策進會，由前縣長徐崇德任總幹事，凡海內外同胞來桃投資者，可洽請該會協助。（黃鴻遇寄）

黑牌汽車逃稅案 偵查工作感困難

（台北航訊）台灣省刑警大隊破獲偽造海關汽車進口稅單，逃漏鉅額稅金主嫌疑犯黃光匡之有意單獨承當罪刑，不與警方合作，竟另一汽車捐客，台北市松江路一一一號泰興商行之徐耀誠，雖經警方傳訊，表面上供給警方甚多有益之資料，對黃光匡偽造稅單漏稅之情形並未提供，實際其對黃光匡漏稅事實之獲悉，已有數年，因徐未予提供，使警方對偵查本案，遭遇障礙。

黃光匡係在刑警大隊投案前三天由香港乘飛機抵達台灣，其到達台北機場時，刑警大隊當時並不知道，黃即投宿北投，暗中與勾結有關方面接觸，部署，請律師，在其準備應對漏稅案之對策就緒後始出面投案，故治安人員進入其居處在會客室桌子上，就發現其全部帳冊，其在刑警隊的訊問回答中，可以說完全避免牽入其他人員，以致警方對本案之偵查發生甚多困難。

刑警大隊雖然傳訊另一汽車捐客徐耀誠，因為徐耀誠在警方完全以被害人的地位講話，並且提供所謂對偵查本案之資料，意在使警方同情其為被害人而不懷疑有他。外間傳聞，他這種做法，一方面可掩避治安人員耳目，另一方面又可注意獲悉警方實際本案偵查的發展，[illegible]

[illegible]耀誠本人有絕對的決定權利。以上事實，徐耀誠替光匡隱瞞了數年之久，待案發迄今，仍未向警方提供此一事實。

徐耀誠自己經到手的生意，硬被黃光匡截攬奪掉，遭受了損失，非但不予檢舉，反而替他隱瞞，可以根據徐的費姓朋友談話的內容，判斷其內情。徐對黃光匡的偽造稅單事實，早在數年前已知實情，徐不予檢舉，使國家損失龐大稅金收入。他何以要替黃光匡隱瞞的內情，祇有治安機關去找答案向社會交待了。（曼城寄）

我是一個「紅衛兵」

・王朝天・

毛澤東把一切錯誤的責任，歸諸於幹部執行的偏差，豈不知毛澤東決定的政策，任用的幹部，一切的責任都應該是毛澤東的。大陸人民，特別是輕少年，絕大多數「紅衛兵」只有一個信仰，就是將委員長終有一天反攻大陸，把一切希望寄託在這個信仰上面。無論毛澤東、劉少奇、林彪和任何人，都沒有我們可信仰的人。因此，我們不是反抗就是逃亡。我剛到廣州的時候，就登白雲山的高峯，天晴的時候，可望見香港，我特地上去過，也有很多北方來的「紅衛兵」上去過。但是我什麼也沒有見到，別的「紅衛兵」上去的目的，我想和我一樣。

我住在黃浦港的魚珠，那兒離碼頭有距離，並且也是隔離的。碼頭是不許進去的。我曾經五次在外面徘徊，企圖潛入，上外輪逃亡，完全沒有機會。

我離開廣州的「串連證」是，雖是到井崗山、延安，應該北上，所以能夠可以南下，是因為廣州發的串連證上，雖然是到井崗山、延安，但規定從廣州到井崗山有二條路綫。第一條是經增城，梅縣，焦嶺，入福建，經長沙，轉江西，過紅都瑞金，西向贛州，然後直達井崗山。第二條路綫即由從化，韶關，南雄，經贛州而井崗山。第一條路綫長，較第二條路綫多四百餘里。但因為可以到博羅、河源兩縣交界的桂山山區，訪問農民活學活用毛主席著作的黃山洞大隊，所以增列了這一條路綫。

從廣州去黃山洞大隊，可以經增城沿公路去，也可以坐火車先到樟木頭站，再坐汽車去，規定不許到廣東的海豐、陸豐去「串連」，雖然是澎湃起義的「革命勝地」，因為是沿海所以不准去。火車只能坐到樟木頭站，再過去一站，沒有邊防證，就不能去。我第一次到了，就被送返廣州。因為我是北方去的，不明路途，獲得寬恕。南方人，特別是廣東人，就押送原籍勞改。我第二次偷逃，沒有被發現。我躲在運貨去深圳的火車上，經過多次檢查，終未被發現。眼見許多人逮捕。我自己也不知道為什麼能成漏網之魚。

到了深圳，逃亡的人不少，我獲得指引，終於成功了。我的身體因為爬鐵絲網，遍體鱗傷。爬過一個長不滿一公尺的鐵絲網，要六小時，這種艱苦我說不出來。（十八・完）

油商行賄案定讞後 台北社會人士的觀感

本報記者劍聲

最高法院之判決，係以上述違法羈押中之被告周烈範、林生傳、唐貴球等的「自白」及矛盾的供述，作為各被告有罪判決之主要證據，此項證據，不但有重大的瑕疵，且與事實多有出入。同時，被告周烈範等於高院審判庭，既以「同案被告」陳述，又以證人身份供證，而最高法院對「證人身份」之「供證」，乃隻字未提。且最高法院審判官之自由心證亦欠正確，何以故？即因該院判決中認立法委員之「歲公費」為「薪給」。所謂「薪給」，係指各級政府官員所領之薪水與配給，而立監委員所領者為「歲公費」，並非「薪給」，此為一般國人在常識上皆能瞭解之事實，最高法院推事決無不知之理，其所以作此認定者，係該推事心目中認為立監委員非憲法第十八條之「公職人員」之民意代表，而係一種官吏，眞所謂差之毫厘，謬以千里了！

立法委員不但不得兼任官吏，即其他公職或執行業務也不得兼任，此為憲法第七十五條及第一〇三條所明定。不得兼任官吏而得收受政府給予官吏之「薪給」，寧非一大奇聞乎？

戡亂時期貪污治罪條例，根本即不適用於憲法第十八條之「公職人員」中的立監委員，試觀該條例第一條規定適用之對象便知，該條例開宗明義說：「戡亂時期，為嚴懲貪污，澄清吏治，特制定本條例」，其立法意旨極為顯明。假使最高法院認立監委員非民意代表之事實可以成立的話，則台北地方法院檢察官於逮捕被告立監委員時，為什麼要函請立監兩院院會同意呢？而政府官吏涉嫌貪污逮捕時，為什麼不援照逮捕立監委員之例，亦函請行政機關同意呢？

最高法院判決認定：「監察委員依據監察法執行職務，自屬依法令從事公務之人員，當然有戡亂時期貪污治罪條例之適用」，「監察委員對於全國軍公人員有糾舉彈劾之職權並得收受人民書狀在監察院外單獨行使調查權」，「則行使上述職權即為其主管之事務，殆無疑問，既有主管之事務，即有其非主管之事務，苟係利用職權機會或身份圖利，自與戡亂時期貪污治罪條例第六條第四款之規定相當」云云。

就此判決理由言，則商會、工會、農會、教育會、工業同業公會、商業同業公會、輸出業同業公會由選舉而產生之職員，依商會法、工會法、農會法、教育會法、工業同業公會法、商業同業公會法、輸出業同業公會法而執行職務；以及民營公司之經理、監察人、發起人依公司法而執行職務；與律師依據律師法而執行職務，亦屬依法令從事公務之人員，即當然可以適用戡亂時期貪污治罪條例以究處其行為，由此類推，則凡是依據法律執行職務者，都是官吏，均適用該條例，這樣的法理邏輯，講得通嗎？前述之人民團體，依各該法行使職權即為其主管之事務，即有其非主管林棟曹俊兩人，亦係依據律師法執行職務，依律師法第二十二條規定，於接受訴訟當事人委託後，並得在法院外單獨行使調查搜求證據及探究案情之職權，「該項職權即為其主管之事務，既有其主管之事務，即有其非主管之事務？若利用職權身份或機會圖利，自與貪污治罪條例第六條第四款之規定相當」？既然相當，何以一、二、三審法院都宣判無罪呢？如果說宣判監委有罪是對的話，則宣判林曹等無罪便不對；如果說宣判林曹等無罪是對的，則宣判監委有罪便不對，兩者之間，絕不會兩對，其中之一必有違法之判決。

就文字而言，所謂「苟係利用其職權……」或「苟因職務上……」中之「苟」字，其字義與「猶如」及「誠如」之語相同，都是「假設之辭」。如有假設利用職權機會或身份圖利者，苟非監察委員其人，則將怎麼辦？無證據不得推定其犯罪事實之規定，今竟假設其犯罪之事實，則刑訴法第一五四條之制訂，豈不成了具文？由此可知，最高法院認事用法以「假設」為「眞實」，既固與證據裁判主義相違，亦與刑事訴訟發見眞實主義不符。由於判決理由不眞實，則其判斷之辭，依據當然不眞實。於是，法官之獨立審判，與司法之尊嚴，以及憲政體制，都蕩然無存矣。

何謂「主管事務」？該案最高法院判決有所謂「依監察法規定監察委員除得行使糾正、糾舉、彈劾等職權外。

（三）

編者與讀者

澳洲讀友石正光先生：收到了來函暨通訊稿都熱情，十分敬佩。來稿所述情形，有關係大，已轉寄有關當局切實查究矣。其所以未在本報披露者，因事情相當嚴重，恐怕為親者所痛，仇者所快也，乞 諒為禱。

－編輯部－

惡夢十七年
—馬思聰的故事
·趙浩生·

當時的北京因共黨入城不久，依然是亂哄哄的，他們受到殷情的招待，但並無盛大的歡迎。據說毛澤東初到北京時，也常一個人逛北海公園遊北京大學。「人民共和國」正式成立後，才開始故作神密，把自己關進中南海作起皇帝來。

到達北京後，他發現參加巴黎和平理事會的代表團已經過程；但在共黨的鼓動接待和「爲建新中國而工作」的熱烈宣傳下，他決定不再回港，並接家人北上定居。

在北京待下來以後，他參加了全國文學藝術界聯合會，當選爲常務委員，從此就每天開會。他發現會議從不按時舉行，大家就在那裏乾坐打盹。他曾問從延安來的人經驗如何，這些人告訴他，那時很少人有表，常約定「伸手不見五指」的時候開晚會，時間的浪費更不可想像。開會時則多空談辯論，又臭又長，自此他才初嘗到共黨浪費藝術家創作時間的罪惡和精神虐待的痛苦，他開始想盡方法逃避出席。

不久他被發表爲「第一屆人民政治協商會議」委員，參與一九四九年十月一日「開國慶祝會」籌備工作，被分配到「國旗國徽設計委員會」。這個委員會裏有二十個委員，由毛澤東任主席，朱德爲副主席。

他們接到不少會內會外的建議，朱德且會自畫了一個交大會討論，大家一看，樣子竟有點像國民黨的黨旗，當時沒人好意思而且不敢指破此點，結果大家都是看着毛澤東的臉色發言，沒人敢亂作主張。最後毛澤東挑出一面五星旗，認爲寓意不錯，大家立刻一齊跟着叫好，於是全體通過以此爲國旗。當晚毛在中南海懷仁堂開宴慶功，席開兩桌，每桌十人，由毛朱分作主人，他坐在朱的一邊。

那晚毛顯得意氣洋洋，飯後又邀大家分乘四輛汽車到天安門廣場去巡視。在天安門廣場下車後，毛搖擺指手畫脚邊說邊走的把大家帶到一處，將夾在手中的香烟頭向地下一摔，指着香烟頭摔落的地方說：我要在這裏建立一座『革命英雄』像。」

說完自己踏在烟頭之上，吸了一口氣，作出挺胸凸肚的姿態，躊躇滿志的仰首四顧，佇立良久。最後不知爲什麼，忽然像被戳破了的氣球一樣嘆了一口氣，開始繞着熄滅了的香烟頭，蹣跚徘徊起來了。

一陣徘徊後，毛突在黑暗中以陰沉苦笑的聲音對着他們之中幾個最年輕的委員說：「我老了，將來的世界都是你們年輕人的啦。」

看來在「解放戰爭」全面勝利之初，「開國」稱帝將登大寶的前夕，毛已預感到自己將來的命運最多是被供奉爲「革命英雄」。他曾自命爲比秦皇漢武，唐宗宋祖及成吉思汗更高明的「風流人物」，但他知道，不久這一切即將「俱往矣」。像歷代的狂妄暴君一樣，他担心死後被奚落，被遺忘，被鞭屍，那時即開心他的人感到懷疑、嫉恨。他不願重蹈歷史暴君的覆轍，他要比他們更恨毒，因而當他發現人們在他未死之前即要削弱他的實力，只把他當作牌位供奉時，他就以最惡毒的方法發動更年輕的一代的紅衛兵出來「奪權」。

而今此一「革命英雄」像已在毛當晚摔烟頭的地方建立起來了，共報且特別誇張宣傳此一銅像堅固無比，連原子彈也炸不倒。但毛十七年前的恐懼也成了事實。且看今朝大陸反毛運動的洶湧普遍，毛可能未死而先垮，其結果會比歷代暴君更慘。

當時的「開國慶祝會」籌備會中，還有一個「國歌委員會」，由周恩來主席。不少作曲家均以新作應徵，結果都未被採用。周恩來提議以「義勇軍進行曲」代之，有人認爲其中的一句「中華民族到了最危險的時候」不合適。周說這支歌具有重要的歷史意義，且指出法國的國歌「馬賽曲」也是革命意義的名曲。但想不到中共唱了十幾年以後，居然眞的造成了歷史的重演。當我們看到大陸上的砍殺，聽到舉世對中共政權的咒罵，有血性的中國人，都再度感到「中華民族到了最危險的時候」，「起來，不願作奴隸的人們！」中國人民今天要去唱着同樣的歌曲推翻毛朝，推翻整個中共政權。

「開國慶祝會」過後，中共又派他任「中國代表團」團員，赴蘇俄參加十月革命三十二週年慶祝會，團長是丁玲，文學藝術界的代表尚有曹禺、白楊、趙樹理、沙可夫、丁燮林、李鳳蓮、許廣平、吳含(日旁)等人。

毛澤東當時正值中共全黨上下，實施「一邊倒」政策，對蘇俄極盡其諂媚之能事。

代表團經過瀋陽時，他看到中共機關辦公室的正面牆上都掛着史達林的巨幅像片，毛澤東的像片不但掛在側面牆角，且較史像小好幾倍。

這期間不但史達林的照片被當作神一般的供奉，所有在中國工作的蘇俄專家也被當作神仙。任何人敢於和他們論辯，即以褻瀆神明論罪。

例如一位中國農業專家，在計劃生產時指出種籽的優劣爲決定水菓品質的主要因素，其理論與蘇俄專家李森柯所倡耕種方法決定一切的理論不合，結果以左派罪名被整，大陸的水菓產量亦因而大跌。南京某校長因隨便說到蘇俄的印花布不見得好看，竟因而被捕下獄，太太奔走數年終獲赦免時，公安部竟一時查不到此人被關在何處。（五）

剖析八十二名反毛的中共中委
·李敦復·

三，下列係任職國務院者，習仲勳（曾任國務院秘書長（該職已由原排名第一副秘書長周榮鑫繼任。）（按：周現已被捕。）自一九五九年八月後，一直未有消息。）葉季壯（國務院對外貿易部長，已由原排名第三之副部長林海雲繼任。）滕代遠（曾任國務院鐵道部部長，人代常委會副委員長，國防委員會委員，全國政協副主席，一九六五年一月後，未見有消息透露。）呂正操（國務院鐵道部部長，今年一月十日被毛妻江青指爲與「彭眞、林楓桃園三結義」之一，破壞鐵路交通，戴綠帽遊街，已被罷黜，今年三月周恩來透露，該職由李先念代理。）王震（國務院農墾部部長，在文化大革命浪潮中，已被清算。）張霖之（候補中央委員，國務院煤炭工業部部長，今年二月二十五日美聯社東京電訊報導，已被紅衛兵鬥死。）蔣南翔（候補中央委員，國務院高等教育部部長。）（按：該部於一九六四年六月，將原教育部分爲高等教育部與教育部。）等十八人，其中部份數年來一直未有消息，行蹤不明，亦無正式職務，可能已遭整肅；部份自中共高階層權力鬥爭以來，因被指爲「反黨反毛」「反革命份子」等罪名而遭整肅或失勢。

據今年五月二日法新社北平電訊報導，謂在最近數週來仍被猛烈攻擊爲反毛份子，已被整肅之中共高級領袖，于「五，一」勞動節突在天安門露面，包括下列人物，朱德、陳雲、李先念、李富春、譚震林、陳毅、徐向前、葉劍英、李雪峯、廖承志、張達志、張國華等十二人，由於此一富於戲劇性之鏡頭，備受各方所注視，一般觀察家認爲是一種戰術上的運用。（二十）

台灣省府永久所在地問題
·何中堅·

台灣是大陸來龍的分支，是一回龍顧主的形勢，她的身尾坐南而頭部朝向西北，顧護着大陸。亦可謂是大陸在太平洋上的一個屏障。台東、屏東一帶是她的尾，台北是頭，請看，台北的山脈是是由中央山脈經大雪山而來的，到台北附近則分化停止，因此形成了台北山水滙合的平原，而陽明山與觀音山，好像一隻大象，一條大龍（在新店中和一帶看去最像）衛護於台北的兩側，阻擋海風，鎖鎖海口，使海峽一帶的大風浪不得侵入平區之內，保護區域內居民的安寧，此一地區內的幾條河川，利益最大且纖曲多情，徐緩而游向關渡淡水出海，對於長田的灌溉，居民的飲水，供獻尤巨。今台北平區的人口已逾百萬，不僅飲水無感缺乏，田園用水仍然充足，即使再增加一倍人口亦不致有缺水之感。至氣候的溫和亦爲全省他處所不及，而四周山水之美，遊樂地方之多，可以吸引大量居民遊客之賞玩，絕不致因閒得無聊而僅以麻將爲消遣也。總之這一切條件都是證明台北是適合作爲台灣省會最最理想所在。值得重視的好環境。

台北何處最適宜建省府

台灣省政府如不作遷回台北則已，倘要遷回，一個是待反攻大陸國府遷回大陸，收回現總統府及有關中央機關的房屋爲台灣府會所用。一個是另選地點在台北市郊而興建之。至於新興建的省府地點，目前有二處場地很可適用，一處在中和、板橋、土城交界的清水坑一帶；一處在新店鎮的頂城一帶，兩處均應接近後面主山來龍的氣勢，坐東南朝西北，向關渡淡水方面，暗朝大陸爲宜，這也是依乎山水自然氣勢立向的，一則可以總收周圍山水環護迭迎之益。二則可得海潮迭供之利。三則可與大陸山水相呼應而有母子相顧之情。這些不是無稽的迷信，而是中華文化中的特殊哲學，大有道理存焉。明朝國都由南京改遷北京，而列朝多以北平，西安等地爲首都，多取其地理形勢之優良而建都的，今雖科學交通進步，實亦不能例外。因此我們希望今後台灣省府的永久地址，仍舊應在台北，即使不在市區之內，但亦不宜遠離台北市郊，能在上面所說兩處位置中選定一處，比較妥當。先將地區劃定，然後再詳細規劃建設。至於中興新村的建築將可改設爲大學或其他用途。這樣對於財產方面當不致有何巨大損失也。

中國女性文藝春秋
周遊

白石郎曲：「今存二曲」白石郎，臨江居，前導江伯後趨魚。積石玉，列松如翠。郎艷獨絕，世無其二。

湖就姑曲亦存二曲、曲云：赤山湖就頭，孟陽二三月，綠薇實行敷（草花頭）。湖就赤山磯，大姑大湖東，仲姑居湖西。

南塘時，錢塘名妓蘇小小，（亦名簡簡）有西陵歌云：「我乘油壁車，郎乘靑馬。何處結同心？西陵松柏下。」此歌後亦被收入樂府。現在西湖有蘇小小墓，是眞是假，而一般游客則臨墓憑弔，往往低首徘徊，追思之情有不能勝者。

包明月與王金珠

吳聲歌曲中，爲梁時所演奏者，有子夜、上柱、鳳將鶵，這三首已失傳；上聲、歡聞、歡聞變、前溪、阿子、丁督護、團扇郎七曲，除上聲一曲爲宮人包明月所作外，其餘皆王金球所作。包明月和金珠二人身世不可考，其他作品亦不可多見，他們大概是梁代製作樂府的樂律家。包明月的前溪歌，五言五句，只存一首，茲錄出共賞之：

朱日光素冰，黃花映白雪。折梅待佳人，共迎陽春月，階上香入懷，庭中花照眼。春心鬱如此，情來不可限。歌漏不可停，斷絃當更續，俱作雙思引，共奏同心曲。

（以上爲春歌）

玉盤貯珠李，金盃乘白酒，本欲親自持，復恐不甘口

乘簾倦煩熱，卷幌乘清陰，風吹合歡帳，直動想思琴。

（以上夏歌）

疊素蘭房中，勞情桂杵側。朱顏潤紅粉，香汗光玉色。

紫莖無玉露，綠葉落金櫻。著錦如言重，衣羅始覺輕。

（以上秋歌）

塞閨周黼帳，錦衣連理文。懷情入夜月，含笑出朝雲。

（以上冬歌）

其他子夜變歌、上聲歌、歡聞歌、歡聞變、團扇郎歌、丁督護歌、阿子歌各一首如左，以便欣賞。

子夜變歌

七綵紫金柱，九華白玉梁，但歌繞不去，含吐有餘香。

上聲歌

花色過桃杏，名稱黃金瓊。名歌非下里，含笑作上聲。

歡聞歌

艷艷金樓女，心如玉池蓮。持底報郎恩？俱期遊楚天。

歡聞變歌

南有相思木，含影復同心。遊女不可求，誰能識得音？

團扇郎

手中白團扇，淨如秋潭月，清風任動生，嬌聲發任意。

丁督護歌

黃河流無極，洛陽數千里；軾輌戎旅閒，何由見歡子？

阿子歌

可憐雙飛鳧，飛集田野中，飢食野田草，渴飲清河流。

（廿三）

張亨甫落拓風塵

夜闌

松寥山人張際亮，字亨甫，閩建寧人。少孤，長兄業賈，亨甫從而習焉，而閒輒讀書弗倦。兄以其才也，資其讀，學遂猛進。補諸生，肄業福州鼇峯書院。時院爲陳恭甫（壽祺），閎識博通，課士不一格。游其門者，如仙遊王捷南之詩禮春秋諸史，晉江杜彥士之小學，惠安陳金城之漢易，將樂梁方之性理，惠安孫經世之韻學，建安丁汝恭，德化賴其瑛之漢學，皆有名於時，亨甫則以詩古文詞名家，極爲恭甫器重。尋試拔貢，入京師，朝考報罷。而時皆嘖嘖稱其詩，遂留寓都門。

亨甫才氣磊落，於時政嵩目癡心，雖觸忌諱，無所隱，尤惡夫盜名欺世者。曾燠以事入都，招之飲。燠以名輩自居，據席高談，縱意品評當世，同座者贊服，亨甫薄之。燠且啖且食瓜子，忽粘鬚際，客有起爲拈去者，亨甫見狀大笑，聲震屋瓦，託故辭去。既歸，修書致曾，責不能教後進，徒以財利，徠寒士奔走門下。曾燠慚怒，讒亨甫諸貴勢，於是世遂以狂生目亨甫矣。

某年順天鄉試，主試者約張際亮狂士，宜勿中。亨甫風聞之，易名爲亨輔，中式，拆卷者疑，欲去之，副考官申解乃止，及來謁則果亨甫也，主試者恚然，會試遂復報罷。遂絕意仕進，偏游天下山川，窮探奇勝，所至輒厚遇之，尤爲並時勝流所重。戴存莊（鈞衡）蓉洲集，有得張亨甫書句：「張衡已入陳留道，尚想河梁祖帳開，漠漠白雲人遠去，蕭蕭紅樹雁初來，發書驚喜翻垂淚，冀我飛騰愧不才，三十飄搖無一事，況逢時難甲兵催。」孫琴西（衣言）與亨甫交久，而未相見，其遜齋集中，亦有寄答亨甫武昌之作，句云：「先生隻帆黃鶴津，懷人却向長安塵，長安六月熱炙骨，日讀君詩涼欲雪。平生不識元紫芝，懷中喜有湳風詩。白雲千里來得報，長安木落風颼颼，君也風塵東西走，我亦土牛落人後，今君合返黃華峯，我尚異鄉愁飄蓬，寄書答君秋復冬，到時已有南來鴻。」謝枚如（章鋌）寄知守齋詩亦有「奔波誰與念松寥」之言，足覘爲時所重。

亨甫與桐城姚石甫（瑩）交最摯，石甫任台灣道時，與台灣鎮總兵達洪阿，擊敗犯台之英艦，並獲其人，及和議成，英人訴台灣文武冒功欺罔。石甫與達均逮問，下刑部獄，且不測，亨甫聞之，入都急難，舊疾突發，及石甫事白，而亨甫已疾篤。石甫執手欷歔，亨甫以所著思伯子堂詩集屬之，遂瞑。

閒談艾森豪威爾（中）

諸葛文侯

艾氏主政了八年的期間，對國內的措施得失如何，我們不必置喙。但他對自由世界的所作所爲，不特無功足述，而且諸多過錯，直接間接貽害匪淺，何所見而云然呢？

在艾克總統任內，東歐鐵幕地區人民，曾發生過兩次大規模的反共運動，如果美國能予以精神上的支持，世界形勢早已改觀了。首先是東德的波茨坦和波蘭鄰近地區人民，掀起武力反共暴動，聲勢甚張，祇要美國在精神上表示支持，俄共就不容易鎮壓下去。然艾氏漠然作壁上觀，不贊一詞，等到反共人民被俄軍草薙禽獮之後，有些虎口餘生逃入西德境內，艾氏纔派人運送些糧食包到西柏林來散發一下，這算甚末玩藝？最可歎惜而又可哂的，是他對匈牙利全國人民反共戰役的作風，匈國總理納基領導全民反共，戰鬥甚烈，迨俄帝大軍開到匈境之際，納基連夜廣播向美英呼籲予以應援，然艾氏充耳不聞，且恐蘇俄見疑，再三聲明美國無意過問匈牙利的事情。不過問亦就罷了，可是，等到俄軍把匈的反共運動蕩平，屠殺了許多人民，納基總理亦被捕處死之後，他却派遣副總統尼克遜到奧匈邊境去憑吊一番，說幾句同情匈人空洞敷衍之言，這不是可哂已極的無聊姿態嗎？

其次是英法與以色列協同進軍蘇彝士運河之役，以色列軍佔據了加薩半島，英法聯軍亦已打倒蘇彝士運河的中樞塞得港附近，埃及親共的納薩政權，眼見就要坍台了。蘇俄無從應援，乃用電文向艾森豪恫嚇，說是要以洲際飛彈援助埃及。於是艾克嚇得魂不附體，登時限令英法退兵，同時停止石油供應——因戰爭關係，英法暫時不能購用中東地區的石油，而缺少石油就沒法作戰。當時英首相艾登聞訊，即召開內閣緊急會議，決定先由艾登親自跟艾克通長途電話，說明困難情形，艾克堅執不許；艾登又說：「那末，我明日坐飛機到華府當面請教何如？」艾克竟答以「明天我的Vacation（休假日），沒有工夫！」艾登垂淚掛上電話機，凄然報告同寅，祇好忍痛退兵，而其政治生命亦從此斷送了。假使當時讓英法聯軍！攻下塞得港，納薩政權馬上完蛋，俄帝亦未必眞正敢以飛彈進攻英法，而美國既置身事外，更不怕俄帝的飛彈來嚇，然自由世界控制了整個中東地區，[illegible]

[illegible]

閒話麻將

陸民

不知如何出牌？而仍往往大做其相公，相公者，即所起之牌，或多，或少，無法和出也。是以這種方式的牌，雖曾風行一時，但却難以持久，蓋惟聰明特達之士，及精力充沛之人，最要緊的是無所事事甚至以打牌爲專業者，始敢問津，故轟動一陣之後，即逐漸衰歇，且有反感之餘，仍舊恢復老章，以算胡，限翻爲得計者。

八、現行的幾種方式

因之現在通行的麻將，又有由爛縵而趨於平淡之勢，首先是百搭制度，多已不敢領教，雖然麻將售造店，在製造上海牌時，仍備有白搭，可是備而不用的居多，實行夾打的很少了，帶花的却仍較盛，惟貓與老鼠，則已淘汰，大概因爲太近兒戲，且易引起不快之事的緣故。以香港而言，目前流行的所謂廣東牌，實際就是舊式的改良牌，算翻不算胡，花樣較之純舊式多只加平胡，與自摸，帶花四張或八張（四翻滿貫算一拿，也有打到兩拿的），大小自然各隨其便，由五元，十元一底，以至千元，萬元，都可事前講定。

另一流行的所謂上海牌，實際就是新式的改良牌，其算翻不算胡，與廣東牌相同，但是五翻滿貫，算一拿，八翻或九翻算兩拿，十一或十二翻算三拿，十三或十四翻算四拿，在每拿之內，番數計籌，均以倍數算，即二、四、八、十六、卅二、六四，餘類推，但亦有行雙軌制的，即翻數倍計，而拿數則加計，即一拿六四，兩拿一二八，三拿一九二，四拿二五六。普通多到兩拿爲止，最多也止四拿，絕少再大的。而一拿與兩拿或三拿之間，多餘的翻數，則有付獎金的，這都得事先講明。

如有人嫌牌小，則可另出花樣，即買跑子，例如莊家先買一元，別家可以跟買一元，（自然也有不跟之自由），若莊家自摸和了，則除和錢以外，每家須另付與四元，因自摸的跑子須加倍也。莊家連莊的第二牌，跑子例可再加爲二元，第三牌，也可加爲三元，別家自可照跟，若連到第五牌，莊家再自摸而和，則跟家即須付與跑子二十元，和錢自須另計，此時大家已絕無心再計翻做牌，惟一希望，只是和牌，可以說已恢復到麻將的原始形態了，而和牌的計數付籌，更已不足輕重，麻將的彷彿已變爲牌九，而達到豪賭的階段，這附加稅式的跑子，當然不知已超過正稅幾多倍蓰了。

在南洋一帶，麻將方式，大體與港九畧同，惟遇開槓，或摸着一索，則別家多要付籌致賀，蓋一索爲一隻雀兒，表示摸着一麻雀也，而開槓則表示四張歸一，也想致賀，暗槓還要加倍。另有一種打法，即每人所限定「進花園」的哩打。本例如每人以二十元爲度，輸光，即不再付，而仍可繼續下去，這自然是一家人親友消遣娛樂的方法之一。

九、現行制度的缺陷

開槓致賀的辦法，港九并不通行，而打上海牌時，有一名堂叫四歸一者，則可加一翻，那就是四張一牌分成兩組，一坎，或一碰又一句。（六）

大政治家諸葛亮

河漢

諸葛亮親自統帥的一路，順利地攻破了越巂；馬忠的一路，也順利地進入貴州，擊破了牂牁，可是李恢向雲南挺進的一路，却在曲清附近失敗了，幸而損失還不嚴重。

蜀漢的軍事壓力對部落民族發生了效力，他們爲眼前的挫折動搖了對戰爭前途的信念，起了內鬨。雲南方面的領導人雍闓被主張繼續抗戰的族人殺害，由孟獲接替了他的工作。至此，戰爭既然還要繼續，諸葛亮不得不把三路部隊集中，向雲南境內推進，作最後的也是最重要的一戰。

他在五月渡過瀘水，越過金沙江，和孟獲會戰，第一仗便整個打垮了孟獲的部隊，並且活捉了他。諸葛亮在戰史上寫下了新奇的一頁，他釋放了這個敵人，鼓勵這個敵人站起來繼續打下去，直到他不願再打爲止。孟獲在六個月之中，與蜀漢先後會戰了七次，每次戰敗並且成爲諸葛亮的俘虜，又每次獲得釋放和繼續戰爭的機會。到他第七次受到釋放的待遇的時候，他由衷地宣佈：「南人不復反矣！」

這文字上的寥寥六字，對蜀漢却是豐富無比的收穫。這六個字代表了十萬以上的人口，代表了無數的生產與軍用資料，更爲漢族開闢了對待少數民族的新途徑。

在此以前，蜀漢的根據地已僅只剩餘四川一隅，至此才重新具備了鼎足三分的條件。在那一時期，吳國所擁有的地盤如福建，如廣東，如廣西，如越南的東北部，開發的程度雖則比滇黔畧高，但相差並不過份懸殊。蜀漢在佔有滇黔之後，未能像吳國那樣去積極開拓，不是諸葛亮的目光與魄力不如孫權，而是蜀漢爲了爭取生存，軍事第一的形勢限制了諸葛亮的步驟。就是如此，這些地區在極短的時間內，已經提供了兵力與戰畧物資，壯大了諸葛亮其後五次伐魏的陣容。

在戰畧物資中，最符合蜀漢急迫需要的是貴州的毛竹。四川也有大量的生產，但四川的毛竹質地柔軟，不適宜於製造弓箭，而弓箭恰是主要的長射程殺傷武器。在未取得貴州以前，蜀漢的弓箭在射程上，在殺傷的威力上，全遜於魏吳兩國的弓箭，也因此削弱了蜀漢軍隊在攻守上的威力。諸葛亮所發明的新武器連弩，也爲了原料的差欠不能充份發揮預期的效果。貴州毛竹的供應，纔克服了已往力度不足的缺憾，諸葛亮的連弩纔發揚了强大的威力，給予魏國軍隊以重大的威脅。

在人力的補充上，諸葛亮遷移了部落民族中最擅長於山地作戰的青羌族一萬多戶到成都附近落戶。一萬多戶抽出壯丁一名，蜀漢就即刻增加了一萬多名驍勇善戰的士兵。蜀漢可以動員的最高兵力是十萬人，那就是說，每十個蜀漢兵中，就有一個青羌兵在。部落民族因爲山居的關係，勞動潛力平均高出於平原居民，一萬多戶的男女老幼所貢獻於成都平原的生產力，更在比例上是個龐大的數字。

一萬多戶青羌族之外，另外還吸收了少數民族中的「惡夷」部份。所謂惡夷，指的是少數民族中一些年輕力壯，好勇鬥狠，不務正業，搜事生非的單身漢，也就是部落民族互相攻殺，和向漢人侵略中堅份子。諸葛亮鼓勵四川的豪族招募他們作爲家族的武力和佃戶。惡夷既然成爲四川的地方武力和農業生產的主力軍，無形中也消弭了部落民族興風作浪的推動力。這是一石二鳥的做法。

孟獲在諸葛亮七擒七縱，喊出「南人不復反矣」之後，走出他的勢力小圈子，踏進蜀漢中央政府的大門，做了御史中丞，另一領袖孟琰也被任命爲有名無實的輔漢將軍。（八）

華清池遊屐

仲山

筆者見當地居民飲水，全賴汲井，[illegible]都有甜苦之分，[illegible]

[illegible]蘭州，[illegible]

它的[illegible]能力，[illegible]

[illegible]客，往來如梭，另有一種交通工具，那是專在黃河飄流的叫做「羊皮筏子」，是用十二三隻完整羊皮，吹脹氣，綑在幾條木棍上的，它在黃河行駛，很是方便，載人或貨，都相宜，下行順利，上行吃力，故他們不管載人或貨，多順流而下，到目的地，便賣了羊皮，或把它放了氣，捲成小行李，循陸上肩挑回去，利用這種皮筏子從蘭州可飄到寧夏，遠至五原，再過則河流湍急，不能通行。（二）

自由報
THE FREE NEWS
第七九七期
第○三一號內銷證
中華民國僑務委員會頒發
台發新字第三二三號登記證
中華郵政台字第一二八二號執照
登記為第一類新聞紙類
（半週刊每星期三、六出版）
每份港幣壹角
台灣零售價新台幣貳元
社長：雷嘯岑
督印人：黃行賓
社址：香港銅鑼灣高士威道二十號四樓
20, CAUSEWAY RD 3RD FL.
HONG KONG
TEL. 771726　電報掛號：719
承印者：大同印務公司
地址：香港北角和富道九十八號
台灣分社
台北市西寧南路壹零號二樓
電話：三○三四六
台灣郵政劃撥帳戶九二五二

從黑人暴動看美國對中共匪帮的決策（上）

何浩若

一、美國的種族糾紛和黑人暴動

一千九百六十七年的美國黑人暴動不僅是美國的一件大事，也是全世界的一件大事。美國的黑人有一個組織叫『學生非暴動委員會』（Students Non-Violent Co-ordinating Committee）簡稱SNCC是領導這次黑人暴動的有力機構。這個委員會的前任主席叫卡米柯（S. Carmichael）當暴動發生的時候，他竟公開的向古巴的卡斯楚保證，一旦古巴和美國發生戰爭，他將使全美國的黑人倒戈帮助古巴。現在美國有黑人二千多萬人，佔美國的全人口百分之十一。假如卡米柯的話能實現，在美國境內有一個兩千多萬人的第五縱隊是十分可怕的。

現在『非暴動委員會』SNCC的主席叫布朗（Rap. Brown）。這個傢伙比卡米柯更可怕。他今年才廿三歲，綽號叫『尖刻的布朗』。他所說的話，沒有一句不是有爆炸性的。這次黑人在暴動中到處放火，他向放火的羣衆說：『我們有四百年的理由來放火。如果那些白鬼不能滿足我們的要求，我們就把他們的財產燒個精光。寶貝，祇有錢，才能傷他們的心。』他叫他的聽衆『寶貝』，完全是一口流氓腔。他有次在馬利蘭州的劍橋鎮講演。這個鎮很小。他說：『像這樣的小城，三個人就可以把它燒光。這就是所謂游擊戰術』。這傢伙很會說話，他說：『我們不必愛他們愛得要死。我們應當拿槍把他們打死』（We don't have to love them to death, we should shoot them to death.）有人問他越戰怎麼辦。他說：『把軍隊撤回來讓詹森一家到越南去打仗。』他說：『假如有人給我一支槍，我第一個要打死的人便是詹森總統夫人。』布朗在今年八月十九日被捕了。被捕的理由就是因為他從紐約坐飛機到紐奧良斯去隨身帶了一枝卡賓槍。是不是美國治安當局怕他拿這枝卡賓槍去行刺詹森總統夫人才把他捉起來就不知道了。他已經以貳萬伍千元美金交保。但是他在監獄裏寫了一封公開信要全美國的黑人武裝起來作戰，主張公開叛亂。信末簽名是『你的造反者，布朗』"Yours in rebellion, Rap. Brown"完全是中國大陸紅衛兵的作風。筆者在敘述美國黑人暴動以前，報導了黑人領袖的過激言論，是想說明現在美國黑人暴動已經變了質，不是一個簡單的種族問題，已經接近了公開的叛亂。

甲、過去美國的種族糾紛

構成美國這一個國家的種族非常複雜，因此時常發生種族糾紛。遠在本世紀的初期，紐約便發生過愛爾蘭人的暴動而且死傷了一千多人。移居美國的意大利人也很複雜，他們領導着美國的黑社會組織。但是美國主要的種族糾紛還是黑人。黑人從前也會發生過暴動，可是範圍並不太大。大規模的黑人暴動也祇是近四五年來的事。至於黑人暴動受到共產黨的利用和煽動的更是為時不久。一九六三年美國南部阿拉巴馬州的伯明罕城發生黑人暴動才引起毛匪澤東的注意，於一九六三年八月八日發表了一篇聲援美國黑人的公開文件。此事留待後文再行報導。一九六三年以後的黑人暴動其嚴重性差不多是隨着時間增長，不僅次數愈來愈多，而且範圍也愈來愈大。一九六四年紐約附近便發生了四次大的暴動。第一次是在紐約的哈林區，時間是七月十八日，繼續了五日之久。第二次是在紐約的鉢克林，時間是七月廿二日，也繼續了三天。第三次是在紐約北部的羅徹斯特城，比紐約城的暴動規模還大，被捕的黑人達七百餘人。第四次也是在紐約附近新澤西州的澤西城，時間是九月三日。一九六四年是美國的選舉年，共和黨總統候選人高華德還特別為黑人暴動對美國人民提出警告。一九六四年的黑人暴動並不局限於紐約。美國北部的大城市如芝加哥、費城和華盛頓都會發生同樣的糾紛。一九六五年美國各大城市如芝加哥洛杉磯和春田等地均再度發生黑人暴動。但規模最大的首推洛杉磯。洛杉磯城的暴動發生在一九六五年八月十一日。發生的原因和一九六四年紐約各地的暴動相同，因為警察拘捕黑人罪犯，街上的黑人便羣起毆打警察。但是這次洛杉磯的事件爆發以後，黑人便形同瘋狂，到處焚燒搶刦，與警察發生混戰。後經加州政府調派國民兵一萬餘人前往鎮壓，歷時七日始將叛亂平息。事後調查在這七天的暴動中計有三十四人被殺，八百八十三人受傷，三千一百二十四人被捕，七百四十六幢房屋被焚，全部損失，包括火災搶刦在內，共達一億七千五百餘萬美元，成為美國歷史上有名的一次暴動。但是比起一九六七年七月間底特律城（Detroit）的暴動則仍是望塵莫及。底特律城今年的黑人暴動，單祇財產損失一項便達五億美元，比洛杉磯的損失多了三倍。大部分的損失都由於黑人放火把白人的房屋燒掉。白人不了解的是黑人所爭的是民權和自由，何必去燒別人的房子呢？關於這一點，黑人暴動的領袖布朗說得最徹底。我們在上文曾引述他的話，他對暴動的黑人說：「我們有四百年的理由來放火。如果那些白鬼不能滿足我們的要求，我們就把他們的財產燒個精光。」他繼續着說：「祇有錢，才能傷他們的心。」

乙、一九六七年美國黑人暴動的轉變

從一九六三年以後，美國黑人暴動，就像週期性的傳染病一樣，每年都要爆發一次，而且在爆發以後，必定蔓延及於各大城市，而且愈演愈烈，規模也愈來愈大。可是在今年的暴動中有一點和往年不同的，便是政治性的加強，演變成一種公開的叛亂。今年黑人暴動是由新澤西州（New Jersey）的紐華克（Newark）開始，後來漸次蔓延到底特律和密耳瓦基（Milwaukee）各大工業城市。至於偶發性的事件在黑人聚居的城市，幾乎隨時都可發生

哀王力

曾經在武漢被反毛派拘捕毆打，由周恩來營救釋歸北平後，紅極一時的「毛澤東戰友」王力，現在又遭到整肅了。

王力被整肅的原因，是他說過「打倒軍中一小撮走資本主義路綫的當權派」這句話兒，引起了共軍頭目不高興。實則共軍當權派確有不少的反毛份子，如南京軍區的許世友，福建軍區的葉飛，四川軍區的王新亭，廣東軍區的黃永勝，乃至於新疆軍區的王恩茂，都是名聞中外的反毛當權派，王力的話怎末有錯呢？

顯而易見，這是毛酋知道共軍中有許多人反對他的「文化大革命」運動，而林彪又未能控制全軍，如果依照王力的主張，共軍勢必由暗中不滿而實行公開叛變，秧歌政權馬上就會歸於潰滅無疑。於是乎，祇好犧牲這個長彩同志王力，藉以安撫軍心，免得大禍臨頭。

同時，毛酋倡導革命派大聯合，要制止各地區繼續武鬥，又命令散在各省市去聯串擁毛的紅衛兵一律回到原崗位，表示「文革」工作暫告段落，為的就是避免軍隊發生奇變，而不是槍桿子出政權，而是槍桿子威脅政權。所以，王力之被整肅，其內幕殆與曹操藉借粮官的人頭以息軍憤的情節相似，真是寃哉枉也！

即此可以證明大陸上軍閥割據的形勢業已構成，有如過去的北洋軍閥時代。今後毛酋祇能對軍中當權派懷柔妥協，希望他們表面上維持統一場面，不要造反，若能張貼「戰無不勝的毛澤東思想」這類咒語符籙，於願足矣。至於所謂文化大革命的矛頭，專門指向黨政方面的異己分子，照樣大喊打倒「蘇修」「劉修」的口號，讓江青，葉羣這類牝雞曉距，矜張，喔喔然作公雞狀，以待秧歌王朝之日薄崦嵫，終於散場而後已。可是，我不知資格學識都優於江青葉羣的「老大姐」鄧穎超蔡暢等人，對此作何感想呢？

馮[illegible]先生

更正　前期「自由談」謂東歐「羅馬尼亞」與毛共保持正常交誼云云，實係阿爾巴尼亞之誤。特此更正，并向讀者致歉。

始則口角相爭？

死路一條

今日与明日

水淹暴徒

在九月中旬以後，全部香港人（包括毛共暴徒在內），大家都注意一個消息，究竟到了十月一日毛共放不放水？因為個中關鍵尚不是水的問題，而牽涉到毛共對港的態度究竟如何？如果毛共不放水，可以證明毛共確有意與香港居民為難到底；雖然香港居民對此並不重視，但對暴徒來說，未嘗不可以打一個強心針，可以誇大「祖國」的支持，雖然沒有派「解放軍」前來，但畢竟總算給點顏色「港英」看看。

誰知毛偽政權在內外交困，經濟枯竭之時，對這一千六百萬的水錢，却看得眼紅，也就顧不得這一批涸轍之魚了。十月一日如期放水，一天也未敢躭擱，好似恐怕遲了香港政府不付錢似的，這樣以來，在香港的左派暴徒可真慘了，設身處地，我們真不知道主持鬥爭的大頭目怎樣向小嘍囉解釋？也不知道小嘍囉稍有良知，想不想到苦海無邊，回頭是岸的兩句話？什麼「偉大的祖國」，「無比的恩情」，「對港九同胞的熱愛」，被一股東江水冲得無影無蹤，毛澤東若看了此地情景，也許會漫聲低吟（假如他的喉癌已經痊癒，可以開口說話時）：「子在川上曰，逝者如斯夫」。

造謠過日子

可憐的左派頭目身處此境，實在無話可說，只有避而不談，轉換話題，於是藉口偽慶滋事受到鎮壓，誣指香港政府破壞他的「國慶」。

我們都在香港住了十幾年，香港政府從來不干涉居民的自由。在早些年掛偽旗的尚有一百兩百面時，香港政府並未扯過半枝，現在只剩了十一幅（左報自認，實際仍然誇大）却說香港政府會出動警察撕掉，豈非荒天下之大唐？造謠而如此低能，無怪其在香港一敗塗地了。

左派頭目通過幾間報紙大肆宣傳香港政府阻撓偽慶，撕偽旗，其目的只是為了遮羞，表示不是市民不掛旗，而是掛出的十一幅旗被香港警察撕了，不然也是「紅旗似海」，照遍太平山的。若真意在此，尚有可說。如果想藉口撕偽旗、阻偽慶的大題目逼北平的「大莊家」（高卓雄語）落水，就未免太無知了。

毛偽政權真有力量插手香港，何待此間暴徒去請，去拖？無此力量就算香港政府把所有鬥委全部捉起送去台灣聽候政府法辦，毛偽政權也不敢動一動，充其量不過提幾次抗議而已。

底牌已經被人看到了還拼命偷雞，世間竟有這種賭徒，有多大產業不會輸光？不怪毛偽政權在兩千萬之後再也不匯分文了。（何如）

工業總會理事兼秘書長 郝超民被控利用職權圖利

告發人為該工業總會監事張大謀

（本報台北記者航訊）全國工業總會理事兼秘書長郝（以下同）超民，被控利用職權，假藉勞軍名義而圖利於己，並偽造文書。案經該會監事張大謀提出告發，現正在司法機關辦理中。

郝超民為現任國大代表，除全國工業總會理事兼秘書長月支二千元外，另兼商務仲裁協會秘書長的職務，月支一千二百元；且係全國商聯監事，並兼全國商聯秘書長達八年之久。後經該會人士向內政部檢舉而命令其辭去秘書長之職務，依照法令規定，監事不得兼任人民團體之秘書的職務。九月二十七日在台北舉行之亞洲華商會議，他又是該會之副秘書長，一身兼數要職，在中央級民意代表中，他算是有辦法的。

郝某於五十五年十一月間，以策動勞軍為名，向軍人之友社及婦聯總會領取勞軍款項新台幣二十一萬元，這筆款項既未依規定正式呈報主管官署之內政部備查，也未列入該工業總會五十六年之預算中，而預算項目中亦未列分文作為策動勞軍經費，係其藉補發五十五年個人兼薪一萬三千五百元，及其領取薪津八千元，共計兩萬一千五百元。事為該工業總會監事張大謀審查五十六年收支預算時而發現。

查國大代表可以兼職，但不得兼薪，而且祇准兼領一個兼職之車馬費，此為行政院命令所規定，而立法院亦有同樣的決議。然郝某不但兼數職，而且兼數薪，當然為法規所不許。為此，郝某為使今年第一次理監事會議能夠順利通過本年度預算起見，乃代理事王鴻聲於出席會議簽名簿上簽到，俾使原來不足法定人數之會議變成合法。事實上，王鴻聲並未委託郝某代簽到。事後，王鴻聲於今年二月二十八日函請該會監事查覆郝某為什麼代王理事簽到呢？因為該預算中列有其個人薪水全年三萬元之項目。

郝某為掩護此一非法行為，乃請王鴻聲致函該會追認，他則根據王之追認函呈報內政部，意圖逃避責任。結果弄巧反拙，因為經內政部「核與規定不合」。內政部該項通知謂：「本年三月二十七日五六寅台會秘字第五一九號和件均悉。關於該（工業總會）會第一次理監事會議，郝理事超民代王理事鴻聲簽名，是否合法一節，據呈造該王理事本年三月二十三日補致郝理事超民函影本，依其所稱：『事前曾擬電話相談，惜未撥通……忽認代表理事簽名，為極普通之常事……』等語，足證其於事前未委郝理事超民代為出席，事後追認，核與規定不合」。張大謀根據內政部通知，依法告發郝超民偽造文書。

據說，束雲章任該工業總會理事長時，郝某曾作「倒戈將軍」而策動檢舉束之不法。但現在，渠又聯束倒張，可謂為「風雲人物」。

就在這個時候，全國區省級七十八公會因被聯合傳播公司控告積欠經展會之電費、廣告費，於是該七十八公會乃向內政部檢舉全國工業總會未將五十三年經展會收支結清，因此，內政部於今年八月十四日通知該區省級公會，謂：「[illegible]中請書悉。查中華民國全國工業總會主持聯合各該團體等，舉辦五十五年經濟建設成果展覽會，原奉經濟部核准辦理，嗣後，該展覽會結束時，雖曾經迭據報請備查，當先後通知應向該展覽會籌備委員正式提出有關財務報告，經共同決議辦理結束，不得向行政機關報備了事。據會經主辦單位之全國工業總會監事出面檢舉，本部亦曾據以核飭主辦單位負責人，應將該經展會結束帳目，報主辦單位之理監會審查，各在案，迄今未據遵照正常程序，將結束報告書報部了案。來文所稱今遭連續訴訟案件，審其內容，均屬該展覽會務上應了未了事項。查各公會參加各項臨時性非法人團體之非營[illegible]組成之籌備委員會，未便解釋為民法上之合夥人所負對外債務之責任範圍，仍可用本部五十五年十一月二十日之釋示：『案經籌備會議通過者，由參加籌備單位共同負責，未經提會通過者，應由主辦單位負責』辦理。今後各團體間合作籌辦類此活動之責任分担，準用之。」因此，聯合傳播公司[illegible]控告，而工業總會之電話業經台北地方法院查封中。

現在，郝超民不但不檢討反省，[illegible]「工業總會監事」張大謀，且說「君子不擋財路」之義，故而利用其至友張某[illegible]之職務上的關係，[illegible]事職位，以示報復。此一醜聞，尚不知如何了結也。

立委徐中齊 買地起糾紛

（本報台北記者健生航訊）立法委員徐中齊於十年前與商人張子奇、裴存藩等，共同集資購買台北市下埤頭土地約四百坪，這塊土地應歸徐委員所有，結果，被告共同投資人張子奇等將上項土地出售，並且分所得價款。事為徐委員於最近獲悉，始知受騙，乃向社會公開此一「黑吃」內幕。

本報記者接獲徐委員書面聲明及所附[illegible]證據六件。該聲明指出：民國四十六年間，徐中齊與張子奇，及立法院相處二十年之同仁韋永成等，以共同集資購買台北市下埤頭土地四百坪，[illegible]三萬○四百元，當時，由於參加者多係立法委員，[illegible]定原係張子奇、韋永成等個人名義承領，[illegible]須以出賣之原承領人名義，始能辦理過戶手續，[illegible]十年，尚未取得該應歸其所有之四百坪土地權狀，其間雖曾迭次詢問，張某等均答以辦理中，[illegible]先竟未告知並徵求其意見。尤其[illegible]九月間，徐中齊始風聞張子奇等將該四百坪土地出售，當時，徐中齊乃電詢張子奇等，而張某等竟矢口否認收取徐中齊的土地價款，因而引起徐之怒吼，認為他們「在青天白日之下，在自由中國境內，竟敢一手遮天，見利忘義，置天理、國法、人倫、道義於不顧，真是禽獸不如」。

為此，徐委員於九月二十五日，送一份書面聲明由立法院新聞室以新聞方式發佈。可是，新聞室左主任竟將[illegible]六日至新聞室痛責左主任之非。按照慣例，凡是立法委員之談話、聲明及質詢，均由立法院新聞室發佈，此次左某對該聲明未發，已屬於理未洽，更不應該將未見報之委員書面聲明內容外洩，其遭致徐委員痛罵，實咎由自取。

關於張子奇等否認收徐委員之土地四百坪價款一事，據徐中齊委員語本報記者，此有張子奇、韋永成等之函件及收據可憑。四十六年八月間，張子奇致徐中齊原函如下：

「中齊吾兄閣下：（一）閣下所承購下埤頭之土地四百坪，每坪七十五元，佣金每坪一元，合計新台幣三萬○四百元，除已收三萬○二百元，尚欠二百元未付。（二）繳納地價每坪十元。（地價乃以收款當時米價為標準，原預定每公斤為二元一角，本月九日，繳價時土地銀行核定每公斤為二元四角八，[illegible]較預定之每坪超出一元五角，為十一元五角，有收據為證。）（三）吾人所購土地為放領地，必須用原主名義申請提前繳價，變為私地，此項用費，在各方面花費較大，為求早日解決，便於過戶，以免夜長夢多，故亦只有忍痛負担，此項用費，每坪為二十五元。以上兩項，除土地銀行繳納地價之十[illegible]元已付清外，其餘之二十五元部份，弟為應急計，不得不向各方挪借，現仍有大部份所欠急需付清。（四）台端土地四百坪，每坪十元，為四千元，加用費每坪二十五元，為一萬元，總計新台幣一萬四千元，連前欠之二百元，共為新台幣一萬四千二百元，務請於本月二十日以前付清，是所感禱。」

徐委員說：[illegible]在接該信後，均在限期內付清，有張子奇收據五張為證，[illegible]非空言所能否認，[illegible]他們竟敢假借此一手段，殺人不見血，[illegible]既然如此無法無理，[illegible]只有訴諸社會公義與法律，[illegible]必與之周旋到底。[illegible]

據說，目前雙方友好正在調解中，大事化小，小事化無，俾有些人，不因為好事而闊開看熱鬧的。

[illegible]並有單獨在院外調查案件之職權，即行使上述職權即為其主管之事務」，「與立法委員得於立法院內集體行使職權之情形有殊」；是故「立法委員僅得在院內集體行使職權，與監察委員得單獨在院外行使調查權者有別；其在立法院內參與法案之審查，討論及表決，乃職務上之行為，不能認為主管之事務。」

依此判決理由，「監察委員主管事務為行使糾正、糾舉、彈劾及調查案件之職權；監察委員也有非主管事務權，當然有非主管事務」。而「立法委員無主管事務之職權，只在立法院內參與法案之審查、討論、表決係職務上之行為；立法委員既無主管事務，當然無非主管事務可言」。這種法理詮言，可謂聞所未聞的妙論。

蓋中華民國憲法第九十條規定「監察院為國家最高監察機關，行使同意、彈劾、糾舉及審計權」，與憲法第六十二條規定「立法院為國家最高立法機關」，第六十三條規定「立法院議決法律案、預算案、戒嚴案、大赦案、宣戰案、媾和案、條約案及國家其他重要事項之權」有殊嗎？觀此規定，監察院之主管事務為監察權，立法院之主管事務為立法權，而立法權與監察權，分別由立法委員與監察委員於各該院委員會或院內集體行使。請問二者究有何分別呢？

依照監察法第二十六條的規定，監察院為行使監察權，得由監察院委託其他機關，或由監察委員或由監察院派職員於院外行使調查權。觀此規定可知調查權非監察委員於院外單獨行使之職權，而是監察院之監察權；有同與立法委員在開會時，有向行政院院長及行政院各部會首長質詢之權「有殊」。非立法委員之立法院職員無權質詢，可是非監察委員之監察院職員有單獨於院外行使調查之權。益證調查權非監察委員之特權，而係屬於監察院之監察權。是以調查權非監察委員主管之事務，而質詢權實為立法委員單獨行使之主管事務。

至於同意權，憲法上規定行政院長及審計長由總統提名，須經立法院同意任命之；考試委員及大法官均由總統提名，須經監察院同意任命之。立監兩院同意權行使之程序，原則上一樣，僅文字用語稍有差異而已，如行使同意權時，應由全院委員會審查後，提出院會投票，全院委員會開會審查時，由出席委員互推一人為主席。同意權之行使，採用無記名投票法，由出席委員過半數之議決行之。全院委員會於審查時，如認為必要，得咨請總統或邀被提名人員來院訪談，及提出施政報告。

憲法第十六條規定人民有請願之權。凡國家已實行或未實行之行為，均得請願，故請願之原因不以關係個人之事實或利害為限。人民對國家某一措施或實現[illegible]之願望，或對國家機關之[illegible]，請求為一定或不為一定[illegible]，得透過請願方式實現。

立法院依立法院議事規則第三章「人民請願案」[illegible]請願文書並審查結果認為應成議案者，應經程序委員會[illegible]經討論而提[illegible]由行政院執行。同時，立法委員得依據[illegible]。

監察院依據監察法第四條[illegible]及監察委員[illegible]，其處理程序[illegible]則及收受[illegible]細則分別處理之。[illegible]書狀後，由[illegible]註意見後，[illegible]或批派[illegible]，或送交有關[illegible]，或委託有關[illegible]，或批答具訴人而[illegible]自收受人民書狀後，或自行調查，或經登記後送值日委員批辦。凡監察委員自動調查案件，應先向秘書室登記，並由院派委員一人，會同自動調查委員共同調查，並須于兩個月內提出調查報告於院會或有關委員會。至於調查報告如何處理？須經院會或委員會議決，或交由委員會審查及決議，始得提出糾正案，移送行政院及其有關部會，促其注意改善。如屬於彈劾案、糾舉案性質之調查報告，經原批辦委員調查者，由原批辦委員處理，經委員調查者，由原批辦委員會同調查委員處理。如委託各機關調查之查復文件，屬於彈劾案、糾舉案性質者，由原批辦委員逕行處理；其屬於糾正案性質者，移送各有關委員會處理之。（四）

油商行賄案定讞後 台北社會人士的觀感

本報記者劍聲

惡夢十七年——馬思聰的故事

·趙浩生·

自一九四九年四月回到北京後，中共即把他的名子盡量利用。最初一年中，他曾先後當選爲全國文學藝術界聯合會下的全國委員會委員，常務委員，音樂工作評定委員會委員，，演出委員會副主席，音樂工作者協會第一副主席，全國與音樂無關的名義還有全國民主青年聯合會委員，第一屆政治協商會議代表，中蘇友好協會理事，世界和平理事會中國人民委員會委員等。

在這大堆的名義中，除去實際的音樂工作外，他對一切都不感興趣。他討厭終天開會，他不願搞政治宣傳，他憎恨跑龍套，他只希望能單純安靜的推行樂教，從事寫作或舉行演奏。

在各種委員會中翻滾了年餘之後，中央音樂院於一九五〇年八月在天津成立，他被任爲院長。

從北京到天津後，他並沒有逃脫政治的騷擾，除去以上各種繁多的名義外，他又被選爲天津市各界代表大會代表，天津市文化教育委員會委員等。唯一的改變是，他在北京時多半是跑龍套，就任中央音樂院院長後，他變成了傀儡。

副院長呂驥是個老共幹，此人在抗戰之初即投奔延安，被周揚收留在「魯迅藝術學院」執教。其音樂修養有限，寫過幾支直着喉子吼叫的抗戰歌，一支號着「孩子他媽好，可憐我們恩愛夫妻呀不到頭」的「大丹河」話劇插曲，和一些冗長艱澀看來又像俄文翻譯，又像標語口號的「前進」音樂理論。但呂是黨的政治委員兼副院長，是音樂院中的「當權派」。

爲了落得清靜，他倒願實行「政教分立」與呂分而治之，但事實並不如此簡單。呂的勢力無孔不入。他和呂的衝突，首先發生在課程的安排上。呂要把大部份的時間用於開會演講等政治活動，他認爲學生應以更多的時間學習樂理練習樂器。在招生政策上他們的意見也完全不同，他主張錄取新生時應着重素質，呂將階級成分和政治需要作爲先決條件，因而吸收了許多素質很低的學生，其理由只是因爲他們係工農出身或代表少數民族的蒙古軍人。

他們的意見不同時，呂乾脆獨斷獨行。他最初以爲呂的個性如此，半年之後才發現這是黨的政策，即捧出他作傀儡，一切行政大權都操在共幹手裏。

他很難清楚的憶起是從什麼時候才感到自己陷入無法掙脫的惡夢之中，但他記得毛澤東在第一屆「人民政協」時即會輕描淡寫的宣佈，要以「團結，教育，改造」方式來對待知識份子。

一九五一年，一個全國性的「思想改造運動」正式開始了。「中央音樂院」因而停課，全院師生組成學習小組，每組三十至四十人，一齊研讀毛澤東的演講等政治文件。經過兩週小組研討後，接着召開全院批判檢討大會。

從中共公開發出的號召看，此一思想改造運動的對象係所有的知識份子，連呂驥也包括在內。但全院的檢討會開始之後，他發現他自己和一些非黨員成了共黨有計劃的攻擊對象。

人們攻擊他「企圖將音樂院變成資本主義的學府」，並批評他的作品是「資本主義的御用音樂」，要他進行改造，創作大衆所需要的東西。

這是他第一次遭受共黨的公開侮辱。在共黨策動的羣衆威迫下，他不得不有所表示，但他不願屈辱，不願爲討好共黨而涕淚橫流的認罪。他寫了一篇籠統的自我檢討，對自己的思想不夠進步表示抱歉，並決心今後加緊學習。

所幸他在大會上[illegible]一次[illegible]朗誦了這篇檢討後，即爲大會所接受。許多人寫寫唸唸七八次之後，共黨才表示滿意。

這期間除各大學各自進行思想改造運動外，一個殃及不少著名文化藝術工作者的全國性大批判亦同時發生，此即著名的電影「武訓傳」事件。

「武訓傳」爲孫瑜所編導，放映之後風行一時，深獲各方的贊譽，文化部及共黨御用藝術批評家最初亦未認爲不妥。但在各地放映了三四個月以後，毛澤東忽然傳下御旨，說讚美「武訓傳」的人思想都有問題。該片立即停映，各地報刊展開了以此爲題的大論辯。

周揚代表當局指出該片是「宣傳資產階級的社會改良主義，投降主義，和個人苦行主義。」結果不但孫瑜被清算，寫過讚美影評的夏衍，馮定，歐陽予倩等亦受到批判，連武訓的同鄉梁漱溟，教育家陳鶴琴均被迫坦白認罪。

由於這是共黨首次發動「改造」，人們還可以「我在這個新社會生活得不久，還沒有足夠的機會受到正確的指導，請允許我繼續學習下去」爲理由討饒，之後此一理由已不再爲共黨所接受。

在這次「思想改造運動」中，他雖未闖大禍，但對他精神的刺激已創巨痛深。經過這次刺激後，他的思想眞正「改造」了，改造得使他對共黨感到幻滅，疑懼，憎惡。他深深感到自己已進了魔掌之中，陷阱四佈，來日茫茫，從此不敢相信任何人，不敢亂說一句話。（六）

剖析八十二名反毛的中共中委

·李敦復·

三、漸趨孤立

孤立頑強的反毛派領袖的手法，爭取幹部的支持，使反毛派的人數減少到一小撮。

今天，毛澤東已受到了全中國大陸二十八省，直轄市，自治區等黨，政，軍執政當權派的反對，根據筆者的研判，此一巨大力量之反毛中共中央委員成員，其名單是：

中央委員：劉少奇、朱德、陳雲、鄧小平、彭眞、彭德懷、賀龍、李井泉、烏蘭夫、張聞天、陸定一、薄一波、李雪峯、陶鑄、王稼祥、羅瑞卿、劉瀾濤、楊尚昆、胡喬木、曾三、安子文、鄧子恢、廖承志、馬明方、林楓、宋任窮、歐陽欽、林鐵、李立三、曾希聖、李葆華、陳郁、吳芝圃、王首道、王恩茂、程子華、徐海東、鄭位三、習仲勛、李維漢、賈拓夫、劉曉、譚政、舒同、陳紹禹、楊獻珍、王從吾、葉季壯、滕代遠、呂正操、胡耀邦、王震。（五十二人）

候補中央委員：徐冰、廖魯言、陶魯笳、姚依林、劉仁、廖漢生、劉子厚、葉飛、陳丕顯、許世友、譚啓龍、王任重、區夢覺（女）、汪鋒、賽福鼎、閻紅彥、王尚榮、蘇振華、張霖之、周揚、陳正人、張平化、趙伯平、江渭清、李大章、廖志高、張達志、高克林、蔣南翔、王世泰。（三十人）

毛澤東導演的紅衛兵奪權鬥爭，于去年五月開始，繼之於八月出現一千二百萬的紅衛兵，最後於十二月採取逮捕和公開清算的行動，由此而引起全中國大陸強烈的反毛怒潮，筆者認爲毛已喪失控制能力，同時基本上，已失去黨中央的領導全權力，也絕不可能再以獨夫的地位來統治中國大陸。

（二十一·完）

晚清古文大家吳摯甫

夜闌

桐城吳摯甫汝綸，爲晚清古文大家，與黎庶昌，薛福成同爲繼湘鄉曾氏之後，而能傳其業者，世稱湘鄉派。幼家貧，夜間當不能燃燈火，每就月下或隣家燈影讀。隣母嘗遺以雞卵一，摯甫不忍食，持入市易松脂，照以夜讀。好文根於天性，嘗謂：「文者天地之至精華，千秋萬世之事業，皆歸宿于文。」又謂「獨文章之事，緯地經天，代不數人，人不數篇，唯此爲難。」「中國之文，非徒習其字形而已。綴字爲文，而氣行乎其間，寄聲音神采於文外。雖古之聖賢豪傑，去吾世邈矣，一[illegible]其人之精神意氣[illegible]求[illegible]自然，以漸於博徵奧窔之域，乃有以化裁而致於用。」舉進士，用內閣中書。湘鄉曾滌生奇其文，留佐幕府，掌奏議。久益奇之，擬於禰正平。自是遂居門下，益講求經世之學。李鴻章將淮軍，請於湘鄉，延居帷幕，與薛叔耘相處最久亦最摯。後官冀州知府，其治的教育爲先，無古今，無中外，惟是之求。舉學問與事業合而爲一，而尤以瀹民智，圖自強，亟時病爲兢兢。中外大政，常取決於曾李。[illegible]陳而政，摯甫多所獻替。光緒中，充京師大學堂總教習，旋游日本，考察教育制度，著東游叢錄，後稱疾歸，光緒癸卯卒於家。

摯甫弟熙甫，名汝繩，少從摯甫受古文詞，博學多通，友愛彌篤。熙甫死於冀州，摯甫既去官，親扶其喪至天津，附海輪南返，有詩紀哀云：「秋花猶發出年叢，不見題詩病河同；落筆豈論千載後，彌天今在一棺中。郊繼池館娟娟好，西域異僧數數通；獨有九京扶不起，淚河迸血灑晴空。」「冷露淒風送旅魂，一船同臥死生分；極知萬古同斯恨，可奈中途失此君。秋老霜去橫斷雁，悲來勃揭擁頹雲；草堂檢校何人事，他日吾歸窟子墳。」足知其悼痛之切。

性愛才，其門下賀松坡濤嘗有反離騷之作，摯甫見而奇之，當授以所學。又樂與歐西學人欵接，日本治漢學者，慕其文，亦踔海來請業。在日時上自君相及教育名家，婦孺學子，皆備禮接欵，求講題詠。與學寮教授梅原融最洽，梅原呈以漢詩，摯甫亦賦答一律：「昔聞晁監掛帆東，摩詰新篇入槨中，遂使國人能漢話，到今詩句有唐風。掀開渾沌傳新業，鑿出鯨魚策聖功；人海瀾翻一詞客，萬言杯水爲誰雄。」首句用王維送晁監入日事，渾成可喜。

中國女性文藝春秋

周遊

西曲中有莫愁樂，亦爲舞曲，傳是石城女子莫愁所作。莫愁小姐有兩三個，究竟三人還是一人，實在難以考定。梁武帝的「河中歌」道：「河中之水向東流，洛陽女兒名莫愁」之句。當另爲一人。石城在竟陵，即今湖北鍾祥縣，縣西有莫愁村。後人又誤以石城爲石頭城，所以南京又因此而名湖爲莫愁。還有洛陽的莫愁爲石城的莫愁，於是穿鑿附會，把莫愁湖上附會一座「鬱金堂」。今存二曲，或以爲莫愁所作，又以爲原曲已亡，此係他人所作。兩曲似男女一唱一和之詞，爲絕妙的抒情歌。現錄二曲於下：

莫愁在何處，莫愁石城西；艇打兩江槳，催送莫愁來。

聞歡下揚州，相送楚山頭；探手抱腰看，江水斷不流。

因爲莫愁小姐有三位，故又有人把她三人分出時代來。以洛陽的莫愁小姐爲梁代人，以石城的莫愁小姐爲唐代人，這是依照所出書的朝代爲準而附會的。今日不是也有電影明星名莫愁嗎！可是南京莫愁湖上有妓女名莫愁，不知在香港自殺的莫愁小姐知之否？大家對莫愁之名似乎都有所偏愛吧？台灣的電影名星也有王莫愁。（廣東人）如此推測知之，古代也許和今天一樣，有女性偏愛「莫愁」之名，故代有莫愁吧！

看舊唐書說：「莫愁樂者，出於石城樂，石城有女子名莫愁，善歌謠；石城樂和中復有忘愁聲：因有此歌。」

「石城樂」爲宋臧質所作，則莫愁最早當不過劉宋。古今樂錄說：「莫愁樂亦云蠻樂。舊舞十六人，梁八人。」據此，則莫愁至晚不會在梁以後。但宋後爲齊，齊祚最短，不還二十三年，接着就是梁，所以我們暫時假定她是梁時人，這是大胆假設。

「木蘭詩」亦有人以爲是同時代的作品。木蘭詩本是橫吹曲之一，本來已失佚，幸而韋元甫得自民間。韋元甫唐時人，爲浙江西道觀察使御史中丞。他得了此詩，自已又附作一首歸入樂府。木蘭此人如何，歷來也和莫愁差不多，有些撲朔迷離，姓名籍貫各說紛紜。筆者曾作一點考證，在中央日報副刊發表過，在此不用去理她了。這篇木蘭詞因爲刊載很廣，我也只好偷懶，不用再抄了。

最後提一提一個女學士袁大捨。她是陳後主的宮人，擅文學，陳後主以袁大捨爲女學士，以文士江總等爲狎客。後主每宴飲，女學士和狎客便共賦新詩，擇其艷麗者譜成曲調，命宮女千人習唱。其曲有「玉樹後庭花」，「臨春樂」等，大家一致贊美張貴妃和孔貴妃的姿色。然所謂女學士的篇章，今都無傳，只有答後主詩一首，可以作爲嘗味的珍品。詩云：「誰言不相憶？見龍倒成羞。情知不肯住，欻遣若爲留。」其味如何，讓讀者自己去玩味吧！

「楊白花」與胡太后

「楊白花」爲北魏朝胡太后所作。此曲見「雜歌詞」中。是武帝的皇后，孝明帝即位（五一六），尊爲皇太后，臨朝聽政，嘗於都亭曲水宴羣臣賦詩。有武都仇池人楊白花者，係名將楊大眼的兒子，少有勇力，容貌雄偉，太后追他與之私通。白花恐怕禍至，乃率其部曲南來降梁，更其名爲華。太后追思他不已，爲作楊白花歌，使宮人日夜連臂踏足歌唱，聲調悽惋異常。歌云：「陽春二三月，楊柳齊作花；春風一夜入閨闥，楊花飄蕩落南家。含情出戶脚無力，拾得楊花淚沾臆！秋去春還雙燕子，願銜楊花入窠裏。」（廿四）

平劇繽紛錄

徐蓮芝將演「花木蘭」
參加角逐旦角金像獎

○桂良○

[illegible]已於九月二十五日啓幕，月之卅晚（星期六）爲「干城」劇隊參加金像獎競賽公演之夕，地點在中華路「國軍文藝中心」，戲碼爲該隊當家旦角徐蓮芝之全部「花木蘭」。她將和唐復美分飾花家姊妹，二人對白，從軍辯理，一個京白，一個韻白。姐則常情冬烘，妹則理直氣壯。她多次演花木蘭，一種斬釘截鐵的神情，演來曲曲傳神。她後來惜別家庭，與結伴同行，皆由唸，做，描繪依戀父母，仍有稚態，偕行則有悲壯之色。她那時，初著女裝露男音，又於著男裝時吐女音，做表也時有忽男忽女的矛盾動作，已臻「撲朔迷離」之境。易男裝上路後，唱崑曲「新水令」：「……」「折桂令」：「……只索是衝鋒報國，不承望掛印封侯。」有氣壯山河之勢。木蘭此時的扮相，已和旦角扮的花二小姐不同，她濃眉而潤唇，面加　月，「倒纓綵」，改莨葉，邊唱邊舞，要動馬鞭走，「鞭掛子」，表露多種武生騎馬趕路的身段，爲全劇最突出點。

按老本子「木蘭從軍」有二十九塲之多，今國軍文藝競賽，演出時間，如一律劃整爲十刻至十二刻，則「花」劇將以「精簡」一塲次與觀衆相見。「花」劇與他劇之不同，雖在花木蘭兼飾花旦與小生兩角，兩種身份，而是一個性格。花木蘭改裝小生後，最忌帶濃厚的脂粉氣，曾見蓮芝反串武小生之唱，打，唸，做，一派少壯氣概。

「花」劇邊配之難，在於烘雲托月。今該隊選派麒派老生周麟崑去花父（弧），二人之唸，做，一慈，一孝，盡善盡美。因爲蓮芝和麟崑，二人皆參加本屆最佳旦角獎，與最佳生角獎，自然要格外賣力，才能嶄露鋒芒。

徐露曾於一屆，以「花」劇，榮獲旦角金像獎。蓮芝之扮像，武工，小生腔調，皆不弱於前人，在「花」劇意識方面，爲家喻戶曉的人物，是孝女，又是忠於國家的女中豪傑。論木蘭之扮像，有男有女，有唱有做，允文允武，能發展蓮芝之所長，且有前人以「花」劇獲首獎，皆因「花」劇劇情較勝於他劇，亦視演員發揮之程度爲判斷，如能盡情發揮，將可問鼎本屆「金像獎」。

此次「大鵬」劇團，係以「仁者無敵」「霸王別姬」參加旦角淨角金像獎，「人」選爲繼徐露之後的嚴蘭靜及淨角孫元坡。「明駝」則由古愛蓮與于金驊以「鎖麟囊」參加旦角及丑角金像獎。

在一二屆，「木蘭從軍」「梁紅玉」獲首獎，皆以劇本意識先聲奪人，此屆各劇相形之下，皆意識第一，應不例外。

劇評者有立委陳紀瑩（水旁）、邵華，監委馬愛儒及國代馮著唐等七人云。

閒談艾森豪威爾（下）

諸葛文俊

艾氏在二次大戰初期，原担任地中海戰區司令，固無赫赫之名，亦沒有特殊表現，他之所以被擢升爲歐洲盟軍統帥，據小羅斯福的回憶錄所述，是羅斯福總統爲着安撫英首相邱吉爾而然的，所謂「出冷門」是也。

原來美英兩國高層人物經常在倫敦協商對德作戰方略，美方代表是參謀總長馬歇爾將軍，他主張盟軍應從法國地區登陸進攻柏林，然邱吉爾不贊成，主張從希臘登陸，向巴爾幹半島進軍，藉此可以堵塞蘇俄勢力向東歐發展，俾弭後患。這兩項主張各有充足理由，幾經辯論，相持不下——美方只是害怕從巴爾幹進軍犧牲過大。最後由羅斯福總統核定，採取馬歇爾方案，邱翁雖快快不樂，但由於必須仰賴美國租借法案的軍援物資，以及需要美軍作主力的關係，未便堅持己見，勉强同意了。迨美方按照協議，派遣盟軍統帥到倫敦綜持軍務時，羅斯福總統知道邱吉爾首相的心情，認爲不好再教馬歇爾出任盟軍統帥之職，況馬將軍已在議塲上佔了上風，使邱翁有些芥蒂了，若再到倫敦指揮大軍作戰，搶盡鏡頭，勢必跟邱翁相處不甚融洽，反而誤事，這纔想到艾森豪。因爲艾克的婆婆媽媽性情與作風，羅斯福總統是瞭解的，故他去應付邱吉爾，比較剛强而自負的馬將軍適宜多了。所以，艾森豪之平步青雲，並非基於他的資望才能，而係叨着環境與機會之光，時勢造英雄，富貴逼人來，有以也夫！

艾森豪的長處祇是遇事能協調各方意見，不發生人事糾紛，這種優點對內部問題是有用的，對國際問題却得不償失，尤其是在世界兩極化的冷戰鬥爭之中，一味的敷衍瞻徇，決不相宜。例如一九六〇年他應約赴巴黎跟俄共頭子赫魯歇夫和英法首長們，舉行高峯會議的前夕，赫酋突然翻臉，詆訊艾克甚烈，高峯會議爲之告吹，而艾克噤若寒蟬，黯然離法歸國，這對美國的聲譽，關係至鉅，更有損美國的國格，豈能默爾而息？假使是羅斯福或邱吉爾，決不致表現這樣的懦種相——赫酋亦就不敢如此狂妄，夫是之謂自侮而後人侮之歟？他最近力倡美軍對越南戰爭必須澈底求勝，不同意詹森政府的越戰方針，即忘記自己當年主政白宮之初，曾不惜以屈辱的代價，實現韓戰板門店和談！目前古巴卡斯特洛共產政權，威脅着整個南北美洲，如果艾森豪在總統任內，話可以使卡斯特洛政權沒法存在的，然優柔寡斷，姑息養奸，貽患迄今維烈。艾克作了八年總統，對內對外，看不出有甚麽值得重視的措施在那裏？所以，九年我在報紙上說過幾句對他很抱歉的話，認爲美國以富强甲於全球的國力，而由三流的政治人物主持國家大計，太可惋惜，而言之，艾森豪之成爲世界名人，是靠運氣，與其個人的才幹無關也。（完）

閒話麻將

陸民

若分成三組，即一對，另又兩句，名叫四四歸三，即可加兩翻或三翻。實際上，開槓，才眞是四歸一，如要加翻，開槓即應有一番，否則在不算胡的情形下，開槓已變成毫無意義，未免苛待混亂中偶然團聚的兄弟了。而四張同在一家，變成兩組，實爲四歸二，變成三組，實爲四歸三，若要算翻，即應遞加。孔子曰：必也正名乎！此雖小事，亦應改正。

現行麻將所反映的最大缺點，實爲「勞民傷財，荒時廢事」。首先它表現的是笨重古板：必須有枱有椅，四人入局，尤其是所謂廣東牌，每只重達兩許，放在酸枝方枱之上，有意不加襯墊，洗牌時聲震屋瓦，出牌時，砰訇驚人，彷彿要把那牌擊碎，方才舒暢，或曰，此殆所謂「行打牌」也。

若上海人則只是撓麻雀耳。誠然！誠然！若無笨重的工具，而又三缺一，甚至缺二，則牌局即無法形成，遠不若西式卜克之輕便自由，玩式多種。若果說娛樂工具，或者賭具，也足反映時代的話，那卜克牌眞可說是工業時代的玩具，而麻將則依然是農業經濟時代的產物，甚或是象徵遊手好閒的遺風。

卜克牌攜帶方便，由一人至六七人隨時隨地，都可玩耍娛樂消遣，或金錢輸贏，都各隨其便，由鬥智數點的布芮基，以至十三張，廿一點，或者沙蟹等等，大抵聚散自由，時間可以預先約定，一點鐘，兩點鐘，或者幾多輪迴，到時即散，其間既可中途退出，亦可臨時插入，絕不似麻將之規律嚴酷，動輒久戰，甚至非二十圈以上不過癮者。大概麻將四圈，平均約需時一點半至兩點，若打廿四圈，則至少即需時十點至十二點，苟屬週末假期，閒暇無事，或無問題，如在工作期間，而又常打久戰麻將，則難怪有人懷疑那主張八小時工作制的人是多事了。

只有麻將學校（亦稱麻雀館）的學員，據說，還有相當自由，爲的學員的身份，從踏進校門即取得，不需任何塡表，介紹，保證，及繳費手續，也不必邀朋約友，一人即可昂然而入，坐上枱後，自有三人相陪，抽水當然必需，若果中途輸光，即可清賬離人，絕無留難，蓋甚於再輸即無法找數之義；但若贏了，即須打完至少四圈。而且保證絕無人敢出老千，因校方僱有專家教授多人，既可隨時聽用，有如百搭，以陪學員成局，又不時巡塲嚴密觀察各學員上課研究情況，藉防流弊，如有老千混入，必遭膺懲。因開這種學校的人，都是有相當背景的，但當通熟人聚打麻將，如輸家甘願認輸，中途淸賬退出，乃爲衆所識笑，此麻將館之所以亦稱學校之故歟？蓋麻將學校總要講點道理的。贏了錢中途淸賬退出的人，才是値得識笑的哩。

俗語說：「久賭必輸」，又說：「十賭九輸」，但創製麻將的人，初意並非全爲金錢輸贏，已如前述，而俗世末流，竟變爲沉湎的賭具，且種種方式，偶促束縛，偶爾小玩，因其變化多端，未嘗沒有少趣。（七）

大政治家諸葛亮

河漢

其他在部落民族中有影響力量的領袖們也大體脫離羣衆，在朝爲官。這批以前野心勃勃的勇士，離開了山林走進了城市，擺脫了簡陋的生活環境而享受了都市文明，他們當然安於現狀，樂不思歸。廣大的西南部落民族在劉禪向鄧艾輿櫬自縛之前，不斷給予蜀漢以人力與物力的支援，在對魏戰爭中，始終是蜀漢最有力與最忠實的戰友。比他們早的馬超所領導的西北部落民族，在貢獻上還不如他們。

諸葛亮的高明的民族政策，使他至今成爲西南人民歌頌崇拜的被神化了的偉大人物，甚至在緬甸北部也有類似情形，指八莫城便是諸葛亮出師表中所說的「深入不毛」的「不毛」的訛音。事實上這是不可能的，諸葛亮與孟獲對蠻的戰塲僅局限於雲南的東北地區，戰爭自開始到結束總共只六個月。假如戰火蔓延到緬北，這點時間是不夠的，這個傳說居然在緬北生根，想來與脫離戰場移居緬北的部落有關，是他們把諸葛亮的影子帶到那裏。

諸葛亮的軍事智慧輝煌地表現於對魏的軍事行動上。

西南的軍事結束，蜀漢在內部安定，經濟，文化，政治，軍事各方面有長足的進展之後，諸葛亮就在公元二二七年的三月，向劉禪遞上了前出師表。

前出師表的內容分成兩部份，一部份是出兵伐魏後中樞對於人事的安排；一部份是說明必須主動伐魏的理由。這時候，諸葛亮是四十七歲。

諸葛亮的北伐，先後一共五次，從公元二二七年起，至二三四年逝世爲止，短短的七年中，連續發動了五次大規模的軍事進攻。這五次攻勢，便是留傳至今的「六出祁山」。其實，這不僅在數量上很誇張，在地理上也犯了錯誤，因爲五次攻勢中，以祁山作爲軍事行動區域的，一共不過兩次。

第一次的北伐是二二七年秋天頒佈動員令的，諸葛亮親自統帥了六萬士兵出征，以漢中根據地作爲運動的核心，分兵兩路，把主力安置在左翼，前綫指揮官是馬謖，前進指揮部設置在街亭（甘肅省秦安東北），另由趙雲統率一小部份兵力担任右翼，把前進指揮部設置在箕口（陝西省褒城北）。主力在二二八年的春天向祁山（甘肅省西北部）區域展開攻擊。初期的發展相當順利，屬於魏境的天水，南安，安定，隴西守城將吏在絕望的抵抗下投降，因此造成馬謖的輕敵心理。

作爲諸葛亮的對手的是曹眞，與馬謖對壘的是張郃，馬謖是一個優秀的軍事理論家，但缺乏實際軍事經驗。他在劉備未死前，一向受到身經百戰的劉備的輕視，但在劉備去世後，極受諸葛亮的賞識。[illegible]二十萬兵力在人數上居於三對一的壓倒優勢。[illegible]勢態，但被勝利沖昏了頭腦的馬謖[illegible]向優勢的敵人自動發動了攻擊。馬謖被張郃擊敗，並且狼狽[illegible]辛苦得來的戰果，不得不放棄[illegible]力在箕谷的趙雲部隊，也在優勢敵人的高壓之下被迫撤退。[illegible]伐，諸葛亮是完全失敗的。[illegible]在漢中舉行了軍事會議，檢討了導致戰爭失敗的原因，清查了敗戰的責任問題。（九）

寂寞

綠窗

你一定也有過這種感覺的。

當你的心事重重，極想找個人談一談的時候，那個人來是來了，但你們却沒有談什麼。當然，談是談了，可是他談他的，你——開始你也試着談談你的，可是後來，你放棄了。

你敷衍着，笑着，裝做很投機的樣子。但是，你心裏渴望他離去，讓你靜下來，[illegible]你自己的寂寞[illegible]

[illegible]「倒不如自己[illegible]着的好？」[illegible]結論：「希望別人來分担你的心事，是多麼愚蠢，別人不會了解你的，人人都只關心他們自己。」於是，你領悟到，有些事情是不能告訴別人的，有些事情是不及告訴別人的，有些事情是根本沒有辦法告訴別人的，而且有些事情是你即使告訴了別人，你也馬上會後悔的。所以，假使你夠聰明，那麼，最後的辦法，就是靜下來，或者反過來說，讓寂寞來吞噬你。

於是，你慢慢的可以感覺到午後的日影，怎樣拖着黯淡的步子西斜，[illegible]無目的的游動，[illegible]蜘蛛怎樣結網，[illegible]默默的爬上你的書桌，而那寂寞怎樣越來越沉重的[illegible]心上，直到你呼吸困難，心跳慢慢的像一輛超重的車在上坡時氣力不繼的漸漸的慢，漸漸的停下來。（上）

自由報

THE FREE NEWS

第八九七期

內政部登記證內警台報字第○三一號

中華民國僑務委員會發給台教新字第三二三號登記證

中華郵政台字第一二八二號執照登記爲第一類新聞紙類

（每月逢三、六出版）

香港發行　台灣售價新台幣式元

社長：雷嘯岑

督印人：黃行

社址：香港銅鑼灣高士威道二十號四樓

20, CAUSEWAY RD 3RD FL. HONG KONG

TEL. 771726　電報掛號：7191

承印者：大同印務公司

地址：香港北角和富道九六號

台灣分社

台北市西寧南路二樓

電話：三○四六

台郵撥二五二九

本報特別啓事

本報本期原應於明日出版，爲慶祝國慶節，特改於今[illegible]期出版期則仍爲十月十四日。敬希注意。

從黑人暴動看美國對

中共匪幫的決策

美國有名的耶魯大學所在地紐哈芬（New Haven），也因爲暴動事[illegible]嚴。在美國首都的華盛頓發生了美國黑人宣佈獨立的鬧劇。據本年八[illegible]眾國際社自華盛頓發出的報導說：

「一羣憤怒的紐約市哈林區居民今天來到此間宣佈他們脫離美國獨立，並說他們要將他們組織的名稱定爲『馬迦威聯邦』。由好戰的格雷所領導的五十多名黑人說他們採取這項行動是因爲今年初美國眾議院驅逐了他們選出來的眾議員波維爾。他們說，這樣就已經剝奪了他們的公權。宣讀『獨立宣言』的席姆斯太太說：『你們趕了我們出來，我們因而獲得自由，這要謝謝你們所做的事』。席姆斯太太、格雷和其他的人也參加了一週以前在眾議院的示威。那次示威是抗議眾議院否決了政府所提出來的『防鼠法案』。」

美國的黑人以這樣的方法宣佈獨立，當然是一幕滑稽的鬧劇。波維爾是紐約哈林區選出來的眾議員，因爲犯了貪污的罪被眾議院開除了，因此黑人說剝奪了他們的公權。波維爾之被驅逐出眾議院，因爲他是黑人，便發生了是非恩怨的爭論。美國是一個民主的法治國家。有人問黑人領袖布朗，爲什麼不尊重法律。布朗說：『沒有人代表我們制訂的法律，我們不必遵守。』他雖沒有明言，他所講的也和波維爾之被驅逐有關。布朗講話很刻薄。美國有一種高貴的克德拉克牌的汽車是黑色的。布朗說：『除了克[illegible]

[illegible]且暴動得更厲害！這句話很表示美國當局對人民的負責，也反駁了布朗的話。美國的白人並不是除了克德拉克以外，對任何黑東西都不愛。

美國的白人對種族糾紛的看法

忽然大哭。媽媽醒來一看，原來是孩子的腳趾被老鼠咬掉了。詹森政府爲了改善黑人的環境衛生，便提出了一個防鼠法案，[illegible]因爲防鼠法案所需的經費太多，被眾議院否決了。這就是[illegible]提到的「防鼠法案」。[illegible]抗議。[illegible]

，美國的白人對黑人暴動的看法當然不是一致的。那些身受其害房子被燒的當然很憤激。南方的三K黨更是主張以非法的手段來對付那些暴動的黑人。但是美國究竟是產生過林肯這樣偉大人物的國家，一般人民對黑人暴動都抱着冷靜和理智的態度。對黑人歧視的事實是有的但是也不能說這些歧視完全沒有理由。黑人的文化比較低，謀生的力量相當弱，又不肯努力[illegible]

[illegible]很勇敢的作戰，可是服役期滿以後回到美國又找不到工作。即使找到工作，因爲教育程度低，工作也不理想。[illegible]但是紐約天堂的黑人不肯去做工，因爲政府給予很多救濟金[illegible]有六十多元。[illegible]美國大學生可以免役，黑人不肯讀書，進不了大學便不能不服兵役。因此很多黑人在越南作戰，並且[illegible]

黑人區的商店都是白人開的，多半是猶太人。一般的物價黑人區比白人所住的區域高。[illegible]又同在一個社會裏面，白人有優越[illegible]感。黑人有自卑心理，平常受了氣，一旦爆發便會殺人放火。這些商店就利用黑人這種心理，[illegible]

[illegible]活水準。要解決這個問題，要消弭種族間的仇恨，必須要幫助黑人提高文化和生活的水準。詹森總統的掃除貧窮運動就是朝着這條路上走的。但是這需要時間和金錢，是一時也無法解決的。黑人暴動打擊了詹森總統的聲望，在政治之下，是免不了有人借機會來攻擊當局。羅伯甘迺迪[illegible]發生以後在舊金山演說反對越戰攻擊詹森總統，他說：『我們不能容許假獨立與民主之名介入越戰而忽[illegible]

[illegible]每月平均每月用在越南人[illegible]政府平均每一個人是四十元美金[illegible]國人民身上的錢，每一個人還不到十元美金[illegible]動的主要原因。這樣的計算和說法並不正[illegible]對黑人暴動的態度，很負責。一般的美國人不承認黑人暴動是受共產黨指使操縱。他們認爲國際共產黨和美共也許介入此項暴動，但不是主要的原因。我們現在要報導一點中共匪幫與黑人暴動的關係。

痴心妄想

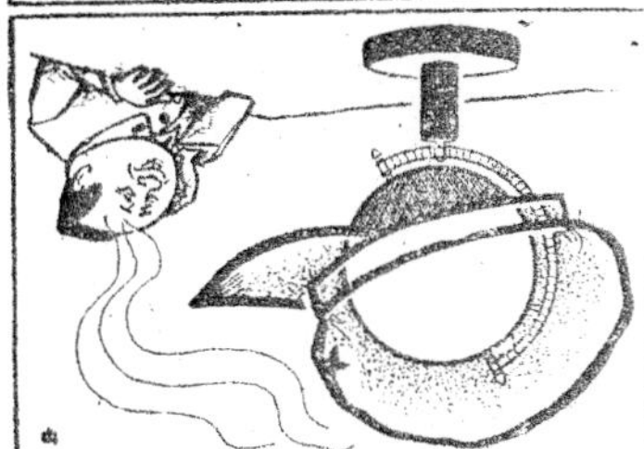

寸步難行

香港與英[illegible]

一般人注意。

中國餐館在英國愈開愈多，由倫敦分佈到許多個城市去，十年之間，發展甚速，數逾[illegible]

毛共[illegible]英國貪[illegible]在英國[illegible]中國人[illegible]。由倫[illegible]通訊[illegible]可痛的[illegible]還有一宗最可痛心的事實，未被[illegible]

[illegible]，政府每月匯返家庭的英鎊數[illegible]港經濟有重大裨益，爲什麼還會有人指錢門爭「港英」？這是有原因的。他們在英國每天所讀的報紙，卻是由香港共黨寄贈的「左報」，並不[illegible]

[illegible]牧錢。他們只讀「左報」，家[illegible]於是他[illegible]迷惑，受了[illegible]

[illegible]遭受嚴重[illegible]出了這種例子可以看出，共對宣傳最肯花錢與花力，以有組織對付無組織。我們從前所受教訓太多了，但「到處楊梅一樣花」，前事易忘，如此渙散，豈不可怕？

我們應該期待「世界反共聯盟」這種組織對此有所補救。同時，我們也要坦白指出：以前「亞洲反共聯盟」對這方面實在幹得不夠。因此，美國周以德先生在「世盟」會議發表的一篇演說特值得注意。他呼籲大家仿效「美國百萬人委員會」打擊共黨的一組織的做法以有效的宣傳。[illegible]很多人願意參加。[illegible]在乎：由那些人帶頭，穿出一套什麼辦法，怎樣取得合法地位去作堂堂正正的宣傳。

國慶感言

我們隨着中原河山之淪陷而棲遲海外，迄今已歷十八年了！

在此十八年的流亡生活中，每逢雙十國慶佳節，總是以興奮而又沉重的心情，一面歡欣鼓舞，同時緬懷國家民族的前途，自省是否已盡到了應分報國的職責？這是每一個具有愛國情操的中國人應有的志向，人同此心，心同此理，決無二致。

大陸上的毛共政權，現在內部眾叛親離，瓦解于戈，對外遍處樹敵，失道寡助，秧歌王朝充分顯露着搖搖欲墜，不可終日的形勢。然國際間一些自私自利的強權[illegible]

國家發言人，依然高唱其允許毛共政權進入聯合國的陳腔濫調。這證明毛共之所以敢於左手攻擊「蘇俄」，右手反抗「美帝」，又對東南亞和非洲各地區輸出「紅衛兵」一從事顛亂，就是看透了強權國家的姑息心理，無所顧忌。目前確是我們反攻復國的大好時機，迄今不圖，而讓毛共好整以暇，把其軍的反毛分子逐一清除，重新整理後，我們必有坐失良機，噬臍莫及之憂，雙十節國慶紀念雖然循例舉行，作用恐怕兩樣了！

所謂「兩個中國」的陰謀，始終是強權主義者對毛共妥協的預定方案，如果毛共表示同意的話，早已在聯合國實現了。我們若迷信強權主義者的甘言蜜語，而使中華民國永遠偏促於台灣這一「海外扶餘」的蕞爾島上，旅居海外各地區一千萬華僑的人心，便不會對雙十節國慶紀念再感發興趣，這國慶何等重大呢！

這是強權即公理的世界，任何保證條約，因其安全互助諾言，終屬不足信賴的專詩片面利害關係而放棄的把戲，日已沒有作法，有朝一日，恐怕要想維持「兩個中國」，亦不可得，那就大家都成了中華民國國父的罪人，再無面目來慶祝雙十節了！

馮正先生

國軍退除役官兵輔導會工作成績好有益於國家

——本報駐台記者

　行政院國軍退除役官兵輔導委員會，於九月二十日，邀請國會記者俱樂部同仁至中部，作爲時兩天的訪問和參觀該會所屬事業單位。該會邀請國會記者訪問和參觀雖已非一次，但過去幾次，本報記者均因無暇而未參加，故這次尚爲首次。經過記者親眼參觀後，才知道輔導會的確爲退除役官兵在輔導就業方面做了許多不爲外界所知道的事，其對國家和社會，以及經濟發展方面，確實頗有貢獻。因此，記者本着所見而撰此通訊，俾海內外人士都知道輔導會在做些什些？

榮冠果樂　馳譽中外

　國會記者參觀台北飲料廠、桃園工廠、桃園魚殖管理處、中壢地毯工廠、彰化就業訓練中心、彰化水產養殖場等單位。

　爲國人所讚揚而暢銷的「榮冠汽水」，便是隸屬於輔導會的台北飲料廠的產品。該廠於五十五年二月間正式生產含糖飲料，與脫糖飲料。含糖飲料有：果樂、橘子、葡萄、楊梅、麥根、薑水、檸檬、奶油、蘇打等八種汽水。脫糖飲料有：果樂等三種汽水，這是爲患有糖尿病的顧客而生產的。榮冠汽水於品質管制方面，其衛生符合國際標準。所用香料是向馳譽世界之美國榮冠果樂公司訂購，原裝運台；其料精以本省出口特砂再加精製，使旋光度到達百分之九九點八，符合飲料用糖國際標準，爲本省飲料界獨家使用；用水處理，不似其他工廠，而是使用密封水管與最有效之化學藥品消毒，並經細砂活性炭以及特製濾紙更番過濾，另外並採用低溫消毒殺菌，使供水清潔達到百分之百的衛生程度；空瓶消毒，不但反覆冲洗和高溫消毒，並用紫外光線實施空氣消毒。由此可知，其產品品質管制，頗爲嚴格，故在台外人及眷屬，都採購榮冠汽水飲用。

桃園工廠　擴廠增產

　桃園工廠以生產木器與服裝爲主。該廠除承製軍政各機關所需之傢俱與制式營具以外，並供應民間所需用之木器，以及外銷美國。而服裝之承製，則以各機關及榮民自用者如服裝、棉被、蚊帳，以及帆布加工品爲主，外銷市場以美國、加拿大爲對象。

　木器外銷收入，年達美金一百多萬元，百分之七十的成品，都是用機器加工。爲了擴展外銷市場，每年耗費樣品數，約美金兩萬元。現在，該廠經營已達自給自足的階段。目前正進入擴廠階段，與加拿大合作，增添新型工作母機，擴大生產，並改進技術，俾大量外銷。據該廠負責人說，該廠擴建之鋸木工廠，僅生產設備方面如機器與廠房之投資，約美金三千五百萬元，將來之產品外銷，第一年可達美金三百萬元，第二年以後將逐年增加。

　新鋸木工廠開工後，最大的困難可能由於國內原木供應之不足，而影响生產。據說：本省之原木供應量，僅是供該鋸木工廠每天八小時生產的量，而外銷由目前之一百多萬美元增至三百萬美元左右。

　關於設立大鋸木工廠的問題，首須解決的是原木與市場，如果這兩個問題不能順利解決，則其投資可能變成浪費。大雪山林業公司的鋸木廠，由於事先計劃不週密，致使投資浪費，不僅不能增產，反而增加政府財政上之負担。但我們相信桃園工廠不會重蹈覆轍，而事先有週詳的計劃，然而我們基於經濟原則之立場，仍不能不藉此提醒該會注意及此。

養魚事業　企業經營

　養魚事業，走向科學及企業化的途徑，在國內當以輔導會所屬桃園魚殖處爲首。該處利用蓄水池，在不妨礙農田灌溉原則下，從事淡水魚養殖生產事業，不但增加榮民就業，而且培養不少人才。

　該處現有蓄水池一百二十口，使用水面積達八百餘公頃，養殖之淡水魚類有：鰱魚、鱅魚、草魚、青魚、鱸魚、鰡魚、鰻魚、鯽魚、鯁魚和甲魚等，每年產量達五十萬公斤。尤其餵養鰻餌料，已改爲人工餌料，致成本減低。該處養殖之淡水魚，可供給台北地區大都市所需。而其盈餘，則由榮民所得。

　彰化水產養殖場之經營，以養殖蛤蜊爲主，釣捕魚蝦與放養魚類及種植蔬菜爲輔。該場現有養殖蛤蜊之海埔地分佈於鹿港鎮、線西鄉、福興鄉境內，總面積四百公頃。利用廢鹽田改建池魚者有一百四十七頃。其經營方式爲「各莊分養合作經營」，計算勞力合理分配報酬爲原則。生產計劃則由該場統一擬訂，並由技術人員及輔導人員協助榮民實施。

　蓋蛤蜊成長期爲十八個月。四海村及漁港村各十莊，復興村有二十莊，每榮民十人爲一莊，目前已達自給自足，全場收益，已由四十八年之十二萬餘元，遞增至五十五年之二百六十六萬餘元，榮民收入也自三百多元增至六百多元，其他副業收益在外。

　今後業務之發展，如牡蠣苗可外銷美國和加拿大，如能繼續洋菜（Gracilaria）養殖試驗，初步結論，每月平均可成長一倍，由於龍鬚菜有很好的外銷市場，故較有前途。

訓練中心　教養並重

　彰化就業訓練中心，專安置年老體衰之自謀生活失業退除役官兵，施以技術訓練，俾使其就業。現已安置退役軍官及士兵一千九百餘人。管理方面以安定其生活，變化其氣質；教育方面，則提高其品德，期能適應將來就業之環境。

　該中心訓練退役軍官與榮民之技藝，分爲工業與農牧兩大類。工業包括製鞋、木工、編織及羽毛加工等。農牧則包括園藝、畜牧。

　該中心之廠房設備等，全部由美國貸借，並由勞務收入項下償還。皮鞋工廠由我國供給原料、土地、廠房與勞力，而技術、機器與資金則由美商王萬培製鞋公司提供，產品全部由美商包銷美國。[illegible]該廠現有機器一五一部，附屬設備五六〇具，尚有機器一批，由美國待運中。自四月一日開工後，受訓軍官與榮民按梯分期訓練，每期五十人，訓練一年，結業後全部由該廠雇用，月薪六百元，另有獎金。第一至第三期訓練業已完成，第四[illegible]

開墾荒地　發展農牧

[illegible]

油商行賄案定讞後　台北社會人士的觀感

本報記者劍聲

　一般彈劾案之調查報告提出後，必須監察委員九人以上至十八人出席而組成審查會，彈劾案之成立與不成立，由出席審查委員用無記名投票表決，以過半數之同意定之。如彈劾案成立後，監察院應即向懲戒機關提出。而彈劾案之審查委員，應由全體監委按序輪流担任，提案委員除列席審查會說明後即退席，不得參加審查與表決，而原提案文字，審查會得修改之。故監察委員之調查權與檢察官及推事之調查權有別。

　監察院對於總統副總統之彈劾案，須有全體監察委員四分之一以上之提議，全體監察委員過半數之審查及決議，向國民大會提出之。此爲憲法第一百條所規定之程序。至於糾舉案之審查及表決程序，除審查委員三人以上之出席才得開議外，其餘與彈劾案之程序完全相同。觀此規定，可知監察權之調查、糾舉、彈劾、及糾正等權，係屬於監察院，而非監察委員個人單獨所能行使之職權，與立法委員於立法院內集體行使職權之情形有什麼不同？監察委員集體行使職權與立法委員集體行使職權既然相同，其在院外之調查與院內參加糾彈案之審查、討論及表決，不是職務上之行爲嗎？基此，最高法院判決即不宜認係主管事務。監察委員既無主管事務，又何來非主管之事務？「按管制黃豆進口及限制設立新油廠，係外貿會及經濟部所主管，此項經濟政策，主管部會有權變更，祇須報請行政院備案即可」，自與監察院之職掌無關。監察院及被告監察委員孫玉琳等既未收受有關管制黃豆進口及限制設立新油廠之人民書狀，更未自動調查，自與前述經濟政策無職務上之關係。

　所謂瀆職罪之成立，因公務員身分及就其職務上而爲賄賂等行爲要件。若既非公務員，又非就職務上而爲取得賄賂之行爲，即不能成立瀆職罪，最高法院於二十年著有非字第八一號判例可援。

　所謂「職權」云者，必須屬於公務員權限內之事項始足以當之。監察委員依憲法第一〇三條規定不得兼任其他公職或執行業務，按照司法院大法官會議歷次解釋，監察委員不得兼任新聞紙及雜誌之發行人、編輯、社長、經理、記者及其他職員。監察委員不得兼任國大代表，省縣市議員之公職。不得兼任編纂，及不得兼任民營公司、公營事業機關之董事、監察人及總經理，（即刑法上之依法令從事公務之人員）與受有俸給之文武職公務員等等。（五）

夢十七年
——馬思聰的故事

・趙浩生

所幸由於他們全家均愛好音樂藝術，此種共同愛好和親子之情，使他們無被子女告密的恐懼。但許多家庭均因子女加入青年團後，在共黨「劃清界綫」的教育下，以告發父母為能事，將家庭變成為恐怖所籠罩的地獄。

一九五二年「三反」「五反」期間，他不但因聽到許多商人及公務員被迫自殺而感到震驚恐怖，有一次他與天津市的幾位法學教授，被長等更奉令出任審判，公審被鬥爭的商人，使他深感到共黨的統治殘忍兇暴無法無天。

這期間，慘事隨時發生，給他們家送牛奶的，有一天在大街上走過，正碰到一個人跳樓自殺，從樓上跳下時，大叫着「我現在可以得救了！」差點碰到這個送牛奶人的頭上。

一九五□年，韓戰停火後，中共「人民志願軍」[illegible]，他奉令參加「中國人民代表慰問團」，任第一隊的副隊長，往開城勞軍。[illegible]期間，共黨的主要宣傳是「彭德懷打敗了麥克阿瑟」「美帝使用細菌戰」。平時寫不出東西的困難，為了邀功和使此種欺騙宣傳「生動」，特寫了一個「反細菌戰」的歌曲。

一九五四年，「國務院」為了集中管理和壯大「首都」聲勢，決定將「中央八大學院」全設在北京，「中央音樂院」即奉令自天津遷往北京宣武門內的太平湖東岸舊醇王府。

中共因自知他們自己所培養的一批「人民音樂家」夠不上國際水準，不能登大雅之堂，知道他在國際音樂界中盛名遠揚，更知道他的個性誠摯溫厚，只願作一個不談政治的職業音樂工作者，早決定把他當作一個好的國際文化宣傳工具，除捧他出來作「中央音樂院」的傀儡院長，更要他經常參加種種對外文化活動，與外國文化人接觸。

為了使此一宣傳更有效，當他的家自天津搬到北京後，中共決定為他在「首都」建一套佈景裝飾，讓他們夫婦提一幢他們最喜歡的房子作為「院長官邸」。

房子選定後，當局認為式樣太舊，為表示「新中國」的進步和藝術家生活的美好，特將內部重建一番，變成了一座新西式的現代化住宅；並配以用人、廚子、車夫等全套資本主義生活的設備，鼓勵他更積極的參加國際文化活動，經常邀宴到北京訪問的外國文化人。甚至暗示他可以和外國友們自由談話，黨方絕不介意。

因而自一九五四年起，他先後被選為「中國人民對外文化關係協會」「中國印尼友好協會」「中國拉丁美洲友好協會」理事、「中國東德友好協會」副主席，並代表「中國對外文化關係協會」簽署了「中日文化交流的聯合聲明」。

不少訪問北京歸來的外國文化人在他們的回憶錄中，都曾提到[illegible]

[illegible]

一九四九年夏，郭在北京文學藝術工作者大會上發表演說時，竟提議為了表示對毛主席的忠貞，大家起立對着主席台上的毛像行三鞠躬禮。他實在沒想到此人竟會如此無恥。還有一次毛和各界代表在北京機場等候迎接國賓，郭在毛身邊不斷諂笑。後來竟大聲的對大家說：「你們看，今天真有兩個太陽。」說時一手指天，一手指毛。

[illegible]

趙得一革命事略

夜闌

趙得一，[illegible]清，得一其號也。生於民前十五年七月十六日，為河南寶豐望族，世居縣西之大營鎮。少有大志，弱冠，即嚮往革命，初隨樊鍾秀入陝，參加靖國軍，任連營長，靖國軍係國父所組織之革命武力，總司令為于右任，對推翻袁氏帝制，反抗北洋軍閥，貢獻甚偉。民十三，樊率師入粵，國父時為大元帥，任為建國豫軍[illegible]，參加討伐陳炯明之役。時政府財政支絀，凡部隊之[illegible]，例以[illegible]廣州之稅收作為餉糈，建國豫軍一度担任廣州衛戍，乃建議樊氏以革命政府既建立[illegible]之統一稅收制度，不宜由衛戍部隊自行徵收，稅務應改歸財政部徵收，軍隊所需，則另由政府撥用，樊氏從之。

得一治軍有方，驍勇善戰，與部屬共甘苦，每戰必身先士卒。又自奉儉約，[illegible]國父，大寒，猶着單衣，國父以自着絲棉袍贈之，[illegible]，為國父所重如此。民十[illegible]，國父北上，與段祺瑞共商國是，建國豫軍奉命北伐，樊以北方無革命武力，毅然率師入中原，孤軍深入，經江西、湖北，橫渡長江而至河南，轉戰數千里，大小數百戰，所向披靡，在北方首舉青天白日旗幟，時得一任建國豫軍第二路司令。未幾，國父逝世北平，吳佩孚再起，以數十萬之眾，層層包圍，欲將此一革命武力徹底消滅，自豫西魯山、寶豐、南召、方城、以至南陽之桐柏、鄧縣，戰線綿亘數百里，為時達兩年之久；而建國豫軍以有限兵力，[illegible]，使吳數十萬眾，疲於奔命，始終一蹶莫振。得一方任第二軍軍長，實建國豫軍之精銳主幹也。

民十五年，今總統蔣公率師北伐，建國豫軍首先響應，乃率所部猛攻信陽，出師桐林，[illegible]武勝關，斷吳軍退路，與北伐軍會師武漢，國民革命軍北伐得以迅速成功者，建國豫軍在豫牽制之功亦多。民十七，樊因與馮玉祥意見相左，[illegible]下野，得一亦隨之隱退，優遊林泉，創辦實業，興建學校，組織地方武力，安定地方，縣內人民，無不[illegible]。抗戰軍興，得一被任為第一戰區自衛軍第三路司令，在豫東與敵軍數度激戰，迭有斬獲。[illegible]當選為第一屆國民大會代表。[illegible]五十一年四月十日因心臟病突發，遽爾長逝，識者無不惋惜！得一性慷慨，好施與，數十年從事革命，一往無前，所守者道義，所行者忠信，所操者廉潔，足為後人矜式。

關於「趙炎午十斬令」

張良錐

敬啟者：頃閱貴報九月二十三日第四版載有「趙炎午十斬令」一則，極為詫異！這位投稿的胡寶先生說：「黃龐為了表現自己也是正牌工人，曾在炎午開辦的華實紗廠做工，民國十一年一月黃龐號召廠內二千多人罷工，要求廠方發給獎金，和年終雙薪，炎午派兵到廠鎮壓，開槍擊傷工人數十名」等語，查當日湖南華實紗廠非趙炎午所辦，係朱菊尊、黃蘭奇、李達璋、向森、陳申輔、李樹申、左樹修、彭翔楷、劉厚桐、胡燮槐、陳輔周、孫學瑞等十二人發起創設股份有限公司，首任董事長推由朱菊尊担任，屬純粹民營組織。至黃愛、龐人銓統率二千餘人罷工，確係事實，該公司甫經成立，開工未久，猛力打擊其妨害，且將該公司副總經理向森毆成重傷，命在垂危，比即抬入長江紅十字會醫院診治，歷時半載，方克告痊，工廠因之停頓。又趙炎午無派兵開槍擊傷工人之事，胡寶謂有槍傷工人數十名，何不列舉姓名、人數，以及受傷輕重，與事後處理情形？其時本人任職該廠，身歷其境，是非原可不問，事實不容虛構。（十）

中國女性文藝春秋

周遊

從這歌的背景，我們可玩味到南北方女性性格的不同。北方民族性是剛直的，女子當然也一樣。北方女性不欣賞文弱的文士，而愛雄赳赳的武夫。南方女性性格則完全相反，她們所追逐的男性是文質彬彬的文士。中國北方女性正和中古歐洲的女性一樣，她們喜愛英雄武士，英雄武士也為她們立下了許多的偉業。下面再將其他幾個女性附在這裏。

後魏王肅之妻謝氏，有詩一首，書信一封。

北齊宣王時妻崔氏，以花和雪為兒洗面，作辭詞一首。

北齊後主之妃馮小憐，齊亡為周武帝所獲，賜王達，[illegible]甚，[illegible]，乃戲作詩一首。她很可憐，周亡，她被隋文帝賜給李詢。女人是古代武人的戰利品，在此又是一例而已。

近體詩過渡時期的女性作家

唐代是近體詩的黃金時代，在唐代之前孕育時的近體詩時代，即是梁以後，隋之前一段時間，為近體詩過渡時代。此一時代的女性作家，我們也舉出部分代表人物，以便証明近體詩的醞釀時期的根源。所謂「近體」詩即「律詩」，包括絕句。稱之為「近體」，別於「古體」。近體有一定的平仄，古體可以不拘束。為了不使讀者乏味，對於近體的孕育、醞釀在此不用細論，都是以人物的文學生活為主。

鮑令暉

鮑令暉與韓蘭英並稱於宋，鮑令暉是鮑照的妹妹，東海人。鮑照是宋代的大詩人，他曾經對宋孝武帝說：「臣妹才自亞於左芬，臣才不及太沖」（左芬、太沖即左思）。她作有[illegible]，鍾嶸「詩品」有謂「百願淫矣」之評，惜其詩已失傳，在今所傳的詩篇中，如「擬青青河畔草」云：「裊裊臨窗竹，藹藹垂門桐。灼灼青軒女，泠泠高堂中。明志逸秋霜，玉顏掩春紅。人生誰不別？恨君早從戎！鳴弦慚夜月，紺黛羞春風。」又如「擬自君之出矣」云：「自君之出矣，臨軒不解顏。砧杵夜不發，高門晝常關。帳中流熠耀，庭前華紫蘭。物枯識節異，鴻來知客寒。游用暮冬盡，除春待君還。」此二詩已適近體排偶。又如：「桂吐兩三枝，蘭開五六葉。是時君不歸，春風徒笑妾！」此詩已幾乎是平仄相諧的五絕了。

韓蘭英

韓蘭英是吳郡人，齊時尚在，為後宮司儀。有集四卷，可惜無存。她在宋孝武帝時，獻「中興賦」，被召入宮，明帝時用為宮中職僚，世祖以為博士，教六宮書學，人皆呼為韓公。其作品現都失傳了。

梁代的女詩人較多，以劉氏三姊妹最為著名。她們三姊妹是瑯琊劉繪的女兒，孝綽的妹妹；大姐嫁王叔英，次適張嵊，幼歸徐悱。今只長幼二妹的作品，尚能考見。王淑英妻詩，今存三首，下錄其二詩來欣賞。（廿五）

平劇縱橫錄

談「趙雲戲」

桂良

「江寧劫」上演前後，在本刊連談三次，幸期前預介，未曾言過其實，否則讀者言，頗難自圓其說！言歸正傳，我們還是談「趙雲戲」。老戲有何新談，這是今番談「截江奪斗」的一種見地。

「截江奪斗」在「臥龍弔孝」之後，原是東吳定計，要誆劉阿斗東下，想叫劉備，還「荊州」贖票。密遣周善帶兵五百名，扮為商人，分乘五船，船內暗藏兵器。那時，沒有入境證，善入荊州，命門吏稟報孫夫人。夫人見密函，驚悉國太病危，便說：皇叔西去成都，我今歸寧，須知會軍師。周善曰：乘船已備，夫人就帶阿斗同行；如報軍師，受阻奈何？夫人聽知母病危殆，如何不慌，就把七歲的阿斗，隨帶車中，一齊下船。

府中人前去報訊，夫人等已在船中，船已啓碇，適逢趙雲巡哨回來，見情況不比平常，連叫停船，船去如飛。趙雲沿江追趕，再從漁船跳上大船，數番爭奪，才將以後亡國之君劉禪奪到手中，偶逢張飛在下流攔截，才同幼主平安上岸。

以前上海名角林樹森是以「長靠武生」一唱「截江奪斗」，要不是多了一面「黑三」，誰都相信這是二本「長坂坡」，其妙處有下兩點：

一、雖然東吳來的是大船，趙雲從漁船跳上大船，與周善幾個「過合」，而船仍安如磐石，除非是「航空母艦」，想見東吳當年來船之大！

二、趙雲在舟中的架式，是連說帶跳，外加「飛腳」，這位名角除了沒來「吊毛」、「踝子」、「倒提」、「飭斗」，幾乎連「壓馬」的功夫全亮出來了！而且連着兩次「踩泥」，一條腿吊在半空裏轉了幾個轉，邊轉邊比劃。不論怎樣說，趙雲總是臣位，有話給娘娘講，總該規規矩矩，豈可在舟中連說帶跳？

以上兩點，還不算妙，另外還有兩點：

林樹森他演「截江奪斗」之趙雲，穿着大靠在舟中，蹲左腿，抬右腿；左胳膊向後撇，右胳膊向前比劃；再蹲右腿，抬左腿，左胳膊向前比劃，右胳膊向後撇。這樣的左右兩範的「矮架」，在梨園中，祇准三種「行」用：一是「短打武生」；二是「猴」；三是「開口跳」。紮長靠的武生，不適合用這種架式，理由是：長靠是鐵鑄的，不能折；哈腰可以，蹲下就不可。

尤其掛着髯口，請問在什麼戲裏「走」過「矮架子」？

當陽長坂，阿斗是在懷裏，如今阿斗已七歲，難道還在懷裏抱着嗎？趙雲已長出鬍子，難道阿斗還不長個兒嗎？

林樹森雖已死多年，但他的徒兒們還是如此照演「截江奪斗」，不悞呢！還不至因樹森死而無對證。

流亡生活中的國慶憶語

雷嘯岑

我於民國卅八年七月間，應約由廣州到香港，參預「香港時報」的籌備工作，時報以急就章的方式，於是年八月上旬創刊後，雙十國慶紀念日瞬告來臨。這時節，國軍正苦戰於西南一隅，形勢殊不利，美國又發佈對華外交白皮書，聲明「一筆勾消中華民國」，海隅一般中國人士多傾向毛共方面，甚至有些過去曾是以國民政府為衣食父母的政治人物，亦裝成「超然」人立場，連「香港時報」都不屑接閱，更怕談雙十節慶典問題了。我和丁文淵，徐佛觀，金達凱，馬義（司馬璐）諸位先生（當然尚有其他的少數同志）却不信邪，由馬兒担負籌備國慶事宜的總幹事任務，擇定香港「六國飯店」大禮堂作慶祝場所。可是，屆時前來參加的人數不到二十名，未免不成氣候，祇好改在該飯店的「閣仔」舉行，景色相當淒涼，但我們毫不氣餒，佛觀兄主持的「民主評論社」，當場且散發了一些宣傳品，旋公推民社黨元老伍憲子先生主席，伍氏致詞道：「國慶紀念是關係中華民國全體人民的大事情，並非某一黨派的私事，凡屬愛護中華民國的同胞，就應該毋忘此日」；他的話很誠懇而大方，我由衷地表示敬佩，從此相見恨晚，即跟伍先生不時過從，嗣後每屆雙十節，他總是主席團之一。

在這次雙十節的前幾日，我與丁文淵，張雲先生三人商談決定，擬由當時流亡海隅的一般公私立大學校長，聯名發表一篇紀念國慶、擁護中華民國的宣言，請旅居海隅的前任北京大學校長某或前任中央大學校長某領銜，藉壯聲勢，然他們不但是婉拒為首宣言，根本即不願意簽名，丁先生認為北大、中大的校長既不列名，宣言也就不必發了，區區自告奮勇起草的宣言稿，祇好扔到字紙簏中，枉費心機而已。這是我在海外作難民時期的第一次國慶紀念經過情形，永難忘懷的。尤其對於拒絕簽名發宣言的那兩個國立大學校長，認為一文不值的儒種，可鄙之至。

從民國三十九年雙十節起，在海隅參加雙十節紀念會的人數，隨着歲月的進展而逐漸增加了。記得三十九年的慶典還是在「六國飯店」舉行，但場所已移到大禮堂，參加人士已有五百名以上，還有一位日本的大學教授亦登台演說，情況相當熱烈，我和伍憲子先生都是主席團之一，而馬義兄照樣是籌備總幹事。嗣後年復一年的國慶紀念大會，且須租賃大型的電影院作會場，人數最多達到了萬名，游藝節目亦花樣翻新，會眾情緒極為興奮歡娛，蔚成國家復興的蓬勃氣象。

然而到了民國五十四年以後，雙十節慶典仍照舊舉行，而其情況似乎不及過去那樣熱潮高潮了，這是甚麼原因？吾思之，吾重思之，大概是由於人心渴望政府反攻復國歷有年所，「遺民淚盡胡塵裏，南望王師又一年」，漸漸地感到有些疲憊了。過去大家熱烈參加國慶大典的心思，並非湊熱鬧，尋刺激，而係表示為反攻復國作後盾之。國軍未採取行動之所以然，有些人是瞭解的，但大多數的海外同胞，却不甚清楚，直覺地由熱望而失望，以致影響了國慶紀念的場面。

今年的雙十節，據說由於香港局勢尚在動盪之中，祇能舉行酒會，像往年開會演說，繼之以游藝節目的紀念方式，都告停止了。民國四十年的雙十節前，我因為起草了一種慶祝文字，約當地各界人士簽名，被治安機關傳查，「自由人」報社──即現在的本報社──又傳我到警署，由理事訊問後，幸未予以留難。今年的國慶紀念要改變方式，事前是否無商量之餘地呢？因為我久已熱不因人，未曾過問國慶紀念事宜，不得而知也。想起卅八、九年不信邪而熱心雙十節的丁文淵與伍憲子兩先生業已是古人，徐佛觀、金達凱兄在台灣作教授，馬義仁兄呢，他正在海外忙着修「毛主席語錄」，滄桑陵谷，亦不復談此道了。人事變遷，殊令人不勝感慨系之矣！

閑話麻將

陸民

一旦迷戀，則煩惱遠越娛樂。例如麻將制度，但宜進攻，不能保守，遠不若沙蟹之可以隨時棄牌，甚至可以接連只進牌而不跟進賭注，保持旁觀，待機而動，但又不脫離戰場之地位。即我國的天九，也有這種自由。然麻將則絕無閃避可能，若手氣不佳，只好坐着挨揍，每牌不但不胡，且往往接連放銃，縱萬般小心，亦不能禁止別人不放，更無法防止贏家自摸，此實太缺乏彈性之娛樂。蓋伸縮之餘地較多，則娛樂之成份乃能較高，而參加者能有相當之活動自由，又不致影響大局，實非麻將之制度所能想像。麻將一人出局，則餘者三人只好停工坐待，儼然非共同進退不可。近百年來，國人喜學西人，高喊自由，但是連玩耍娛樂的一點點進退自由，似乎也還未學會哩。俗語又說：「喫酒賭博量家當」，這與久賭必輸，及十賭九輸之諺，可以互為表裏。故賭家未計贏，先計輸，而且預算只輸多少即須罷手。然麻將入局之後，絕無此種把握。假定足下某次只擬以輸一百元為度，但偏偏輸達三百以上，那局面自然是一面倒，輸家固然欲罷不能，贏家依然窮追猛打，大有趕盡殺絕之勢，若遇這種場面，傷心慘目，實在若不欲觀也已。例如觀看賽球，若甲方壓倒乙方，乙方無還手之力，則觀眾不大呼退票才怪哩。若某一球員聯絡無力，投球不準，則領隊不請其出場另易新人才怪哩。然而在現行的麻將制度之下，常會遇着類似的局面，而少補救之道，其結果不是愈賭愈輸，愈輸愈賭，就是現金不敷，拖欠不說而散，散時，或許不知東方之既白，這豈不是把為娛樂玩耍之事，變成了勞役苦差的徒刑嗎？

筆者有一友人，是南洋某地一家銀行的董事長，那家銀行是他家獨資，實力異常雄厚，四十年前經營的時候，固有賴祖遺的財產，大力者支持，而賭博所贏之數，亦佔一部份。幾日當地政府准許公開設立賭館，照章抽稅，即有人遂集資金十萬元領牌開辦，自然生意興隆，吾友每晚獨攜三百金前往，專賭番攤，可能站立一旁冷靜觀察一兩小時，不聞下注，及至認有把握，即將三百金全數投下，無論輸贏，揭曉就走，絕不多事留戀。據他說：一月之中，大約勝佔三分之二或以上，負則絕不會逾越三分之一，一年結束，他總贏進約四萬金。三年以後，那間賭館的資金，被這位「賭一號」的客倌弄光，只好關門大吉。

吾友告我曰：「如要賭博，就是這樣賭法。如要消遣，還是下棋，唱戲。如要賭而兼玩，則沙蟹與天九也好，因有自由活動之餘地也。最要不得的是麻將，因它既不像賭，又不像玩，只是白耗精神與時間；而且四人共聚，對象分明，大家非親即友，自己多輸，固不甘心，別人多輸，尤慘不忍睹，所以除非禮貌酬客，我是極少打牌的。」

當年北洋軍閥段祺瑞，每晚必搓麻將，然以八圈為度，名之曰衛生麻將。如果現行麻將制度，尚待修正，則筆者寧可步軍閥之後塵，「如要打牌，乃可衛生」。（八）

大政治家諸葛亮

河漢

他無限悲痛地殺了馬謖，自己承担了全盤失敗的責任，獎勵在戰爭中有功的將士，撫恤戰死者的遺族，把部隊調回四川，重新整編和訓練。就在這一年冬天，再向劉禪提出了後出師表。

諸葛亮在後出師表中，十分客觀地分析了敵我形勢。他指出魏的強大與蜀漢的弱小，他不否認他對於戰爭的前途並不樂觀。但他毫不隱諱地坦率指出，弱小的蜀漢，決無可能在偏安的小朝廷局面下，長此存在。既然不能苟安偷生，蜀漢就必需自己努力，不斷奮鬥，從主動的戰爭中爭取出路。諸葛亮清楚看出沒有荊州以後的蜀漢，已缺乏期待國際形勢的變化，然後加以利用的條件，所以他決定，與其坐而待亡，不如由蜀漢主動地用戰爭來推動影響國際僵持局勢的變化，為本身創造利用國際形勢變化的條件。為了實現這個理想，為了國家，他決定了將個人作為犧牲。「鞠躬盡瘁，死而後已」，說明了他絕不是為了他個人和家族的利益，來進行政治投機與軍事冒險。

就在提後出師表之後不久，在這一年的冬天進行了第二次的北伐。這一次攻勢的前頭指向陝中，自漢中推進的蜀兵，北出散關（陝西寶雞西南），進圍陳倉（今寶雞）。魏兵在這一場戰爭中完全採取了堅壁清野，深溝高壘的防禦戰略，這樣相持了二十多天，蜀軍因為運輸困難，糧食短絀，一無所獲地自動向漢中退却。

第三次北伐是在公元二二九年。這次諸葛亮把目標指向甘肅，攻勢一展開便佔領了甘肅境內的武都（今成縣）和陰平（文縣），但以後就遭遇到強大的魏軍的反擊，難再進展，尋且僵持。利於速戰速決的蜀兵，在利於持久戰的魏軍的面前，重新遭遇補給的困難，不得不偃旗息鼓仍退回漢中。

二三〇年，魏國發動了一個漢中的攻勢，由曹真主持這一行動。但在蜀漢嚴密的堵截，魏國的攻勢迅速被遏制，曹真也一無所獲地悄然收兵。傳說的諸葛亮「六出祁山」，也許將這一場完全是被動應戰的戰爭算入在內的。

第四次北伐是在公元二三一年。諸葛亮這次把重心安置在祁山，和他對峙的是司馬懿。司馬懿是最瞭解諸葛亮的企圖的人，他雖然指揮着數量優越的士兵，但他絕不急功近利，用戰爭來應付戰爭。他分析當時的戰場形勢，蜀漢在兵力上處於劣勢，交通綫綿長，軍資供應困難，但指揮官素質優秀，士兵戰鬥情緒昂揚，因此利於速戰速決。魏國在兵力上取得優勢，運輸便利，軍需充實，但指揮官素質比較平庸，士兵戰志比較低沉，因此利於持久作戰。司馬懿的防禦戰略壓倒其僚屬們所主張的進行大會戰的戰略，對於諸葛亮的攻勢，只是堵遏而不反擊，司馬懿的戰略終於取得勝利，蜀軍還是為了軍糧不繼不得不再退回漢中。

第五次也是諸葛亮主持的最後一次北伐是在公元二三四年，出動的兵力也是歷次攻勢中最大一次，動員的兵力到達十萬。這十萬大軍自斜谷，（陝西郿縣西南）出發，以五丈原（陝西寶雞西南）作為活動中心。（十）

寂寞

綠窗

於是，你覺得自己漲得無限的大，大得填滿了整個宇宙的空間。而這無限大的你的裏面，所塞滿的，只是寂寞，寂寞，無邊的寂寞！

沒有一聲呼叫，沒有一滴眼淚，沒有一絲情感，沒有一絲慾求，沒有一綫希望，沒有動，沒有靜，只有一種向下沉落的感覺。沉落……向着那無底的黑暗之中，沉落。

於是，夜色密密的塗滿了宇宙，在上下前後左右都是墨一般的黑暗裏，你不再知道自己是否也在繼續的沉落。你所知道的只是──那沉重的，無邊的，墨染的，死一般的寂寞！（下完）

自由報
THE FREE NEWS
內政部登記證內版臺字第〇三一號
第九七九期
中華民國僑務委員會登記證台僑新字第三二三號
中華郵政台字第一二八二號執照登記爲第一類新聞紙類
（星期三、六出版）（半週刊）
每份港幣壹角
台灣零售價新台幣貳元
社長：雷嘯岑
督印人：黃行奮
社址：香港銅鑼灣高士威道二十號四樓
20, CAUSEWAY RD 3RD FL. HONG KONG
TEL. 771726　電報掛號：7101
承印者：大同印務公司
地址：香港北角和富道九六號
台灣分社
台北市西寧南路壹壹零號二樓
電話：三〇三四六
台郵撥儲金戶九二五二

從黑人暴動看美國對中共匪帮的决策（下）

何浩若

二、中共匪帮和美國黑人暴動的關係

一九六七年八月八日，在美國黑人七月暴動之後，中共匪帮的新華社發表了如下的聲明：

『四年前毛主席澤東支持美國黑人鬥爭的一個聲明，今天已經成爲黑種人民的一個偉大啓示。四年以來毛主席的這個輝煌的文告，對於喚醒美國的黑人，一直是一個偉大的啓示，並且是他們爲生存與自由而鬥爭的一個重大的鼓勵。這個四年業已成爲居住在美國的非洲人全體的覺醒。這是他們的鬥爭迅速長成發展的一個時期。在這四年中，美國非洲人已拿起了武器，勇敢的選擇了以革命暴力對付反革命暴力的路綫。他們粉碎了美國統治階級所加於他們的一切法律與秩序的約束，並打破了非暴力觀念的束縛。』

在新華社發表這個聲明的同一天，八月八日，中共匪帮的人民日報還發表了一篇社論強調美國七月間紐華克和底特律的黑人暴動是受了毛匪一九六三年八月八日聲明的影響。人民日報還大吹其牛，說毛主席的聲明就像雷電一樣，打擊了美國。究竟這個聲明是什麼聲明呢？這個聲明的題目是『世界人民聯合起來反對美帝的種族歧見——支持美國黑人反對歧視的鬥爭』。在這篇聲明裏，毛匪叫黑人爲『我們在美國的黑人同胞』。毛匪在這篇裏說：『美國非洲人正在覺醒，他們的反抗正在加強。近年來已證明了他們爲反對種族歧見爭取自由平等的羣衆鬥爭正在不斷的擴大。』今年八月八日新華社的聲明就是根據上面這段話講的。毛匪的聲明是一九六三年八月八日發表的。接着在同年八月十二日中共匪帮舉行了一個『支持美國黑人反對種族歧見鬥爭大會』，把黑人暴動稱之爲『從美帝心臟內部爆發的革命鬥爭』。也就是毛匪原來『心臟革命論』。中共匪帮很欣賞西遊記裏面的孫悟空，說老孫能設法進入妖怪的肚子裏去翻觔斗豎蜻蜓大鬧五臟然後使妖怪投降。美帝是一個大妖怪，在幾百年前吞下了許多黑人。黑人暴動就等於孫悟空在妖怪肚裏大鬧五臟，也就是美帝的心臟革命。毛匪的聲明是在一九六三年美國南部伯明罕城黑人暴動之後發表的。一九六四年七月十八日紐約城哈林區爆發了另一次的暴動，一直繼續到七月廿三日才平息。七月廿四日共匪的人民日報便發表了一篇社論，題爲『奮起戰鬥』。社論說：『紐約市黑人的英勇的奮鬥，證明黑人無數次的流血教訓，已使更多的美國黑人了解眞正的解放不能以跪求，而要以站起來鬥爭。』社論不僅攻擊美國的『人權法案』是騙人的，而且引述了毛匪的革命理論，並且說這些理論『完全適合於美國黑人的革命運動』。一九六四年紐約哈林區的暴動，據美國聯邦調查局的報告，確實與中共匪帮有相當關係。美國匪共俄交惡以後，親毛派便組織了『進步勞工聯盟』。這個聯盟是由一個親毛的美共黑人愛普頓領導。『進步勞工聯盟』又成立了一個外圍組織叫『哈林區防衛協會』。紐約哈林區的黑人暴動就是這個協會策動的。美國聯邦調查局在暴動以後曾經會同美國海關人員在『進步勞工聯盟』的辦公處所搜出許多中共匪帮的宣傳品，並獲悉該聯盟透過古巴領取共匪的津貼。愛普頓也在這次搜查以後被捕。這說明中共匪帮與黑人暴動，確有相當關係。不過毛匪企圖製造美國種族糾紛和暴動，仍然是透過美共，並非直接介入。今年的黑人暴動發生以後，聯邦調查局曾向國會報告說美國的共產黨都在種族糾紛中扮演重要的角色。美共從匪俄交惡以後便分成兩派，親俄的一派仍稱美國共產黨。親毛的一派則改稱爲『革命行動運動』。『革命行動運動』領導人叫羅勃威廉斯（Robert F. Williams）現在仍在北平，很受中共匪幫禮遇。今年八月廿三日美聯社從華盛頓發出來的報導和九月四日出版的『美國新聞與世界報導』都有威廉斯的新聞，說他從北平郵寄一種宣傳品叫『十字軍』（The Crusader）給美國的黑人，指導他們用暴力推翻美國政府。『美國新聞與世界報導』還刊載了威廉斯和『十字軍』刊物的照片。威廉斯對在越南參戰的美國黑人也有指示。他教這些黑兵在前線上倒戈殺死美國的白人，使這些白佬回不了家。這些指示和煽動都是十分可怕的。

三、從種族糾紛看美國對中共匪幫的決策

甲、我們對黑人暴動的看法

站在自由民主的立場，我們同情美國的黑人。我們認爲美國的黑人有權力爭自由。但是我們認爲爭自已的自由不必一定要燒別人的房子。我們反對種族歧見，也反對種族仇恨。我們贊成用孫中山先生消弭階級仇恨於無形的辦法來消弭種族間的仇恨。孫中山先生消弭階級仇恨的辦法是由國家負責使無產者變爲有產者。要消弭種族的仇恨，也一樣的要由國家負責來使黑人變成像白人一樣的富足。因此我們很同意詹森總統的消滅貧窮運動和欽佩美國朝野有識之士對黑人暴動容忍的態度。所有的死硬派的共產黨徒都是主張以血來解決仇恨的。階級的仇恨要用血洗，種族的仇恨也要用血洗。毛匪澤東爲了血洗仇恨，更不惜死了全人類三分之二，在人類的廢墟上，再建他所幻想的文明世界。因此他主張聯合世界上有色人種來消滅白種人。我們反對這種狂犬病的想法。我們對黑白問題只問是非，不問黑白。人類要能解決糾紛，必須從博愛着手。不能以仇恨做出發點。美國朝野有識之士正視黑人問題，不把責任諉之於美共毛共的煽動，要徹底解決黑人的生活問題來消弭種族間的仇恨。這立場是完全正確的。

（下轉第二版）

毛酋：「拿不了呀！」

你精我不笨

今日與明日

林彪江青鬧意見

據莫斯科的廣播，林彪江青正在鬧意見。這就是說，『林、江、周』的『三結合』有了嚴重裂痕。這個廣播雖未舉出實例，我們仍做注釋，該相信這不是評揑之詞。試看北平『十一、一』的『慶祝』場面，林彪的風頭確已壓倒江青。軍人勢力顯然大佔上頭，而江青的本錢只有一注『文革小組』，由『文革小組』一直轄的嫡系紅衛兵。最近紅衛兵的囂張氣燄已被壓縮，紅透半邊天的王力突然失勢，這就是江青暫被林彪壓下去的切實證明。林江分裂不自今始，甚至周恩來也要吃江青的苦頭。林周各有幾個心腹人物被紅衛兵『整』得很慘。林彪的嫡系陳毅就是一個。毛匪澤東見到整個經濟快要破產，各地駐軍快要引發全面內戰，才迫得委屈江青一下，實行『戰略上的退却』。假如不然，林彪怎在天安門上大顯威風？江青的敵人不只林彪，還有周恩來。江青的力量在軍隊，周的力量在經濟和外交。江青一面受制於周恩來的經濟武器，另一面受制於林彪的軍隊，形勢頗劣。但她決不肯坐視嫡系紅衛兵倒下去，而且，她仍可和康生密切聯繫，對抗林周的結合。康生這個特務頭子也在冒起中，在這個複雜陰險的鬥爭裏面，有其一定的地位與力量。據說，他已實際執掌由陳毅空掛『外長』銜頭的外交部，秉承江青的命令，一貫執行對外的強硬政策。從一切可見的跡象仔細推敲，此說亦屬可信。

事實上，新的『軍閥割據』已在大陸出現，並且有多種不同的版式。其中有『新疆版』、『廣州版』、『四川版』、『武漢版』。由王恩茂掌握的新疆『獨立王國』，表面仍然聽命於北平，實已割地自守。四川方面最值得注意，據傳賀龍及劉伯承均已先後回川，策動反毛，擁毛派已陷入大包圍中，只能保守很小的據點。其實，就大陸整個形勢看，反毛力量已遍佈於廣大農村中，林彪的嫡系軍隊只能守住幾個省份的城市，甚至交通綫亦不能維持。而且，林彪的嫡系軍隊也不斷鬧着內訌，林彪很難使他們由分裂再歸於聯合。

如上種種，不只可以證明莫斯科的廣播並非無稽，並可說明毛澤東委屈江青的苦衷。我們更可斷言，江青到底是不甘雌伏的，她與林周的分裂，仍將再度擴大；而且林彪也不能彌縫軍隊內部裂痕，周恩來更不能把破爛到透的經濟局面修補成功。

自由談

共黨的無賴相

馮玉先生

共產黨要利用某一人的時候，對你恭維到無以復加，任何肉麻的話都說得出來；它要反對某一人，就毀謗中傷，無所不用其極，任何造謠誣衊的手段，都爲之。

最近北平的毛共黨徒發表文章，指出劉少奇於民國廿二年在上海被國府逮捕後，曾經寫信給國府「悔過投誠」，原信的內容如次：「學生過去誤入歧途，參加共黨，觸犯國法。現已覺悟，決心脫離共黨，願爲黨國出力，參加抗日工作，以贖前衍。伏乞寬恕，敬請鈞安。學生胡鑄上。」

一看這信的詞句，即知道完全是揑造的。一是所謂「異黨」字樣，原係在抗日戰爭時期纔發生的名詞，因爲到了那時，各黨派合法存在，公開活動，乃使用「異黨」名詞；二是民國廿二年正係國軍大力圍剿江西共匪之秋，政府還未公開談論「抗日」的話，祇是提出「攘外必先安內」的口號。三呢，這類機密的特種情報資料，黨政主管機關決不會隨便洩漏或遺棄於外，黨籍亦不會留存底稿。四呢，黃埔學生一貫的通例，對蔣公祇是稱「校長」，從不用「校座」這類庸俗字句。

更可哂的是：既認定劉在三十幾年前即『叛徒』，何以毛派竟拔擢他重用，位極人臣？三十餘年，以前何以竟無人知道，到現在才發覺？事實上作僞麼？毛林派使用這種措詞的方法，要想把「鬥臭」己者，談何容易，事實上敵人並未被鬥臭，自己却先弄得滿身「屎臭」了。

政治上只有利害，無私人好惡可言，人非活菩薩，自有好惡，不足爲奇。毛共憎恨劉，將他搞臭，也無所謂，何必捏造這些卑劣手段？然而不擇手段，正是共黨無賴本性的表現而已。

滲透顛覆非洲無所不用其極
毛共以助修鐵路為名 向桑比亞輸出紅衛兵

（紐約航訊）九月二十九日紐約華爾街日報發表一來自非洲桑比亞首都魯撒卡的通訊，報道桑國總統柯恩達九月初與中共簽訂一項協定，由中共予以價值二億八千萬美元的援助建築鐵路。此一援助並非現金，絕大部份是勞工折合的數字。

此一協定簽訂後，北平的大字報上已遍貼着「招募志願鐵路建築工人赴非洲工作」的大廣告，數以萬計的紅衛兵將以修築鐵路為名，輸出到非洲進行顛覆工作。

該報道指出，北平出版的英文「常綠樹」雜誌，早已宣佈越南、委內瑞拉及剛果，是「三大反帝前綫」。桑比亞與剛果毗鄰，正是他們進入非洲「反帝前綫」的踏腳石。中共的策略是，不論國內情況如何混亂，他們必須抓住此一滲入非洲的機會。此項工程規模越久越好，如此可以使他們輸出更多紅衛兵，建立更強固的滲透基地。

過去十八個月來，中共在非洲的活動迭遭頓挫，其外交人員曾先後被逐出布隆地，達荷美，中非共和國，上伏依塔及迦納等國，與肯亞的關係亦惡化。但據與中共在非洲競作赤化工作的蘇俄方面分析，中共對此種外交的失敗並不介意，駐非洲的歐洲外交官們亦指出：「中共的目的是滲透非洲人民。他們認為多數非洲的政府均係『新殖民主義者』，早晚要以新的革命，予以推翻。」

中共在若干種族思想激烈的國家如馬利，坦桑尼亞，古普尼亞，布查威爾剛果等地保有活動基地。他們在古普尼亞以種稻示範進行滲透的集團推動「革命」，在坦桑尼亞設立軍事訓練營，招募非洲各國的激烈份子予以訓練，並經常遣派非洲人訪問中共控制區或前往接受游擊訓練。莫斯科電台曾將接受中共資助的非洲政治組織名單予以公開宣佈。

自中共與蘇俄在赤化非洲工作上分道揚鑣之後，俄方滲透目標，是態度比較「溫和」的親共組織；但其欲推翻現政權的目標則與中共並無二致。中共的宣傳是以種族為中心，他們攻擊蘇俄是走西方「帝國主義」路綫的「白種人」。甚至對非洲人說，他們的原子彈也是「有色原子彈」。

桑比亞是個銅產極富的內陸國家，其出產之銅一向是經由白人統治的羅德西亞鐵路對外輸出。但桑國總統柯恩達在該區種族主義的壓力下，為了政治目的，竟願犧牲經濟利益，決定自建一漫長鐵路，繞過羅德西亞的東非鐵路相接，通往海口。此一新路耗資甚巨，世界銀行會認為在經濟上極為不智。如今中共又以「援助」為名派遣大批紅衛兵前往工作，其在政治上為害之大，將更不可估計。

貝聿銘新作落成 轟動國際建築界

（紐約航訊）被選為廿廼迪總統圖書館設計的著名建築家貝聿銘，最近又完成了一座轟動國際的新建築。此一新作是為美國國家大氣科學研究中心基金會設計的大氣研究中心，建築在卡洛若多州桌山之頂。

該中心負責人羅伯特博士聘請貝氏設計時，曾希望此一建築「具有象徵性和適用性，足以發人深思並可表現科學研究的生動。」

貝氏向以都市改建及設計摩天巨廈著稱，此一新作，是首次以高山作地基的建築。

設計前，他特地到卡州山地巡遊觀察，從當地紅第安人的石塊建築獲得靈感，認為只有這種冲天圓柱和大塊鑿石的建築形式，才能與叢由峻嶺的自然環境配合。

他據此設計了這座以巨柱砌成的五層建築，用當地山上的紅石作成，水泥不但可保持粗糙，外表可抗拒卡州的烈日和每小時一百二十五哩的天風，其氣象之雄偉，色調之絢爛，更與週遭山地之形成天造地設的諧和。

整個建築耗資五百五十萬美元，屋頂裝有最新式的望遠鏡，內部不但包括辦公，實驗，儀器室及電腦設備，並有一個陽台可以餐廳，庭院，及反射四圍景物的游泳池。最特別的是走道中充滿隱避角落，且據貝氏說，其用意是「科學家相見，應該有一小地方供他們駐足敘談」。

這個研究中心有來自全美二十三個大學的四百餘位天文學，氣象學，化學，及空氣污染學家在其中工作。

油商行賄案定讞後 台北社會人士的觀感

本報記者劍聲

當然不是行政法上之公務員（即官吏），亦非刑法上之公務員，此觀乎司法院釋字第十一、十五、十七、二十四、七十三、八十一號等解釋自明。相反的，司法院第七十六號解釋已說明立法院與監察院，均由人民直接間接選舉之委員所組成，其所分別行使之職權，亦為民主國家國會重要之職權，雖其職權行使之方式，如每年定期集會，多數開會，多數決議等，不盡與各民主國家國會相同，但就憲法上之地位及職權之性質而言，應認立法院，監察院，共同相當於民主國家之國會。立監兩院既相當於民主國家之國會，立監委員既為由人民直接間接選舉之國會議員，其職權之行使，有定期集會與多數開議多數決議之規定，當然不適用於依法令從事公務之人員的規定，亦非戡亂時期貪污治罪條例懲治之對象。蓋懲治貪污條例的本質為特別刑法，其犯罪主體，應以同條例第一條所舉者為限，司法院於三十年（院字第二七二九號）著有解釋明文。

查懲治貪污條例第一條所舉者為軍人、公務員，及受公務機關委託承辦之人，與辦理社會公益事務之私立學校教職員。無軍人、公務員身分之人，與軍人公務員共犯者，均依懲治貪污條例之罪處斷。而四川省之評議會所，其評議員係由各區推選，評議長由評議員中互選一人担任，故非刑法上與行政法上之公務員，而不適用該條例（司法院二十八年院字第一九三七號解釋）。

現行之戡亂時期治罪條例，係依懲治貪污條例之立法原則而制訂，其第一條規定懲治對象為「官吏」，第二條規定依法令從事公務之人員，與受公務機關委託承辦公務之人，第三條規定無公務員身分之人，而與前條人員共犯者，依該條例處斷。觀此規定，除文字略有增減外，其法意與懲治貪污條例相同。因此，按照司法院三十年院字第二七二九號解釋例，其犯罪主體，應以現行條例所舉者為限。本此法理，立監委員為人民直接選出之民意代表，當然無該條例所列舉之身分與犯罪主體可言。

假如因「關說」而認為有收受不法利益之法理成立的話，則此一法理演變之結果：將不堪設想。假如因有某種「身分」與「職權」，便推斷為具有該身分職權之人，而斷定其收受不法利益，則所謂法治精神，從何說起耶？（六完）

從黑人暴動看美國對中共匪帮的決策

（上接第一版）

不過美國黑人暴動雖不全由於共產黨的鼓動，但是共產黨也一定要介入而且以全力來策動的。這也是不可抹殺的事實。我們以為美國有一部分人對中共匪帮認識有錯誤。我們的看法不一定是對的。但是我們願意提出來，作為美國決定對共匪對策的參考。

乙、美國一部分人士對共匪認識的錯誤

美國人不把當前的黑人暴動諉過共產黨的煽惑，要實事求是的去解決種族糾紛的問題是無可非議的。但是我們可以斷定如果現在的情況繼續下去，中共匪帮和美共一定會介入，而且早已介入。這並不是說美國黑人暴動完全是由中共匪帮和美共策動的。人民日報吹牛說毛匪澤東的聲明像雷電一般打擊了美國。我們知道毛匪並沒有打什麼雷，更沒有力量發動美國的心臟革命。但是物必先腐而後蟲生。林肯說過這個世界不能一半自由，一半奴役。正如林肯所說的，在一個社會，不能一半富足一半貧窮，黑人的貧窮便是共產主義的溫床。美國種族糾紛這塊臭肉一定要生蛆的。不論是毛共或是美共都是那塊臭肉上的蛆。有了蛆，這塊臭肉會被蛆的腐爛下去。共產黨是不擇手段的。上文已經詳細報告了布朗和威廉斯的叛亂辦法。假如美國二千多萬黑人真正武裝起來進行游擊戰，將使美國雞犬不寧。假如在越南作戰的美國黑人倒戈，在越南作戰的美國白人將死無葬身之地。現在的美國人民必須因為黑人暴動而提高對毛共和美共的警覺。那些說黑人暴動與共匪無關，和說共匪並不喜歡黑人而予以援助的人，不是有目的故意亂講，便是對毛共和美共認識有錯誤。

另外一個錯誤的認識是說反對美帝，鼓動黑人暴動美國心臟革命的是毛匪澤東。假如毛匪澤東垮台，共匪的第二代將可以和美國和平共存。這是一種最陰毒的謊法，也可以說是一種陰謀，是美國共產黨同路人哈佛大學教授費正清倡導的。費正清有了此一陽謀以後，便公開宣傳毛匪澤東一定垮台。我們當然不能怪美國人對共匪認識有錯誤。為什麼呢？[illegible]在澈底反共的自由中國[illegible]多有名的學者聽說費正清[illegible]奔走相告，說費正清的思想有了轉變。有些人便設法去聯絡他爭取他。中華民國對共匪有認識的人尚且如此，何況美國人民呢？在這裏，我們可以誠懇的告訴愛好民主與自由的美國友人，凡是真正的共產黨員都反對「美帝」，就是現在和美國講和平共存的蘇俄共產黨黨員也反對「美帝」。

對於美國的種族糾紛，祇要是共產黨員都會鼓動黑人暴動的。費正清是共產黨的同路人。他在第二次世界大戰以後繼拉鐵摩爾做美國駐華的新聞處長就和共匪勾結，用劉尊棋當他的秘書。後來劉尊棋當選了共匪的候補中央委員。費正清說毛匪澤東垮台以後，共匪的第二代可以和美國和平共存。我們現在可以正告我們愛好和平與民主的美國友人，假如中國大陸將是由共匪的第二代統治，那共匪的第二代將和美國的黑人和平共存，不會和美國的白人和平共存。我們反對種族仇恨和種族歧視。我們不問黑白只問是非。相信我們吧！我們是澈底反共的。祇要是共產黨的忠實黨員，不論現在或將來，一定會鼓動黑人反對「美帝」！

丙、向美國貢獻一點解決世局糾紛的對策

當前的人類是祈求和平與自由。我們必須要避免未來的核子大戰。我們堅決的相信民主國家是不需要核子戰爭也不會發動核子戰爭的。假如民主國家的力量大過共產集團，蘇俄一定會繼續和平共存的政策。假如民主國家能維持這個世界的和平，時間也許會使共產黨能發生思想的轉變。我們認為世局的關鍵在亞洲，亞洲的關鍵在中國。目前中國大陸上的紅衛兵已經造成天怒人怨的局面。愛好自由與民主的中國人，不論是在大陸在台灣或是在海外應當可以用革命方式和革命的戰爭來推翻共匪的暴政。中東以阿的局部戰爭並沒有引起美俄的核子大戰。現在的共匪暴政既反美又反俄，推翻反美反俄的共匪暴政的革命，為什麼會引起美俄間的核子大戰呢？讓中國七萬萬人獲得自由吧！有了一個自由民主的中國，將是七萬萬中國人加兩萬萬美國人加核子武器加自由民主無比力量，我們相信一定可以保障人類的和平與自由的。

一九六七年九月十日（完）

惡夢十七年——馬思聰的故事

趙浩生

第四章　逃避掙扎

在中共無孔不入的統治下，採取閉門孤立政策亦會「閉門家中坐，禍從天上來。」為避免招禍，他們自一九五六年起，每年至少用兩三個月的時間到全國各地旅行演奏。

在一九五六年以前，中共大陸的娛樂稅高達百分之二十五至三十，影響各地文娛活動甚大。自一九五六年起，中共為擴大洗腦宣傳，決定免收兩年娛樂稅。此一新令亦有助於他們的旅行演奏計劃。他們的全部旅程均由「文化局」代為安排。

自一九五六年至六二年，旅行演奏不但成為他們躲避北京政治風暴的最好方法，當北京糧荒嚴重，各校學生因不堪飢餓，晚間到公園裏去吃樹葉啃樹皮的時候，他們就以到外地演奏為名，帶着孩子們出行，希望在各地招待所中可以獲得幾頓飽餐。

此一旅行演奏生活，是他十七年惡夢中一片灰色心情裏的一絲蔚藍。在旅行演奏中，他走遍了中國的大小城市，看到了各地的名山大川和千百萬善良的人民，他感到中國的山河大地人情文化實在太可愛了。他曾將這剎那的歡喜寫在這期間創作的樂章之中，他的愛人王瑞雪也寫下了不少動人的詩句。

但每到一地，當他看見招待他的黨政軍統治者的嘴臉時，他的心情立刻又陷入灰色之中。旅行演奏時他雖不談政治，但他可以很清楚的意識到，人民與統治者及統治者與統治者之間的緊張感情。他清晰的看到中共並未真正的統一中國，中國只是被中共黨政軍三股鐵練縛在一起。

一九五六年的匈牙利大革命消息傳到北京時，有如一聲春雷，震動了同病相憐的中國大陸知識份子。當時有一位匈牙利的歌唱家剛到北京，曾在他家裏興奮的談着這個消息。這位天真的匈牙利歌人，在控訴匈牙利共黨政權對該國知識份子的迫害之後，特別指出他的舒適生活和中共所提的「百家爭鳴，百花齊放」的口號，證明中國的知識份子比他們幸運，毛澤東比卡達民主。但這位剛到北京的觀光客不知道他的舒適生活，只是中共故意安排的國際宣傳櫥窗，「鳴放」的口號，正是毛所使用的「陽謀」。毛在迫害知識份子的方法上，確實比卡達高明，他不等革命爆發，就先以「思想改造」的方法進行整肅，不須要蘇俄派坦克車前往鎮壓，而要你自投羅網。

「百家爭鳴，百花齊放」的口號於一九五六年最初提出時，幾經清算的中國知識份子絕不相信是真的。一九五七年二月，毛澤東親自召集了一千八百餘個黨員和非黨員的各界領袖人物開會，發表了那篇題為：「關於正確處理人民內部矛盾」的報告。那天毛裝出一副極民主的姿態和笑容的面孔，以誠懇無比的調子，要求大家對黨的政策予以毫無保留的批評。多數人被毛的表演和自己內心的希望沖昏了頭腦，把毛的話信以為眞；但他自己始終感疑，原因是他早已看到清算鬥爭是共黨的本性和一貫的作風，絕不會忽然改變。

毛親自發出「鳴放」號召後，此一運動立刻在共黨有計劃領導下遍及全國。頭六個星期中，各種出版物上滿篇都是攻擊共黨的文字漫畫，空氣十分迫眞。各種組織均召開會議，沒有一個人能保持沉默。他也不得不參加文學藝術領袖的「鳴放」大會。（八）

英倫海峽的蜜月島

何川

在英吉利海峽中有一個被英國人喻為蜜月島的便是澤西島，這個蜜月島是在英國以南八十八英里，距離諾曼地只有十五英里的地方。澤西島向來有世外桃源之稱，這是不無理由的，原因是她有明媚的風光，懸崖千丈，廣濶的海灘，迂迴的羊腸小徑，遍野的牛羊，以及古樸的民風。

澤西島上目前尚留有日耳曼式的旅店，雖然它已經是英國的屬地。這些日耳曼式的旅店古色古香，每年春夏之間，引來了不少渡假的人士。特別是一些新婚的男女，他們都喜歡到澤西島來，最主要的一項理由是此地的貨物及用品都較他處為便宜，原因是這裏實行免稅的制度。

根據一般的記載，澤西島眞正成為英國男女的蜜月溫床，那是開始於一九四六年間。

當時英國有數百對的情侶，他們延遲了他們的婚期，等待戰後訂立的稅務條欵，該條欵規定：凡是每年在四月六日以前結婚的人，可以在未來的一年中，享受各項免稅的權利。這也即是說，每一對新婚夫婦將可以省下將近兩百美元的稅欵，這無疑地是一項蜜月的賀禮了。而澤西島的確有吸引英國青年男女前往蜜月的基本條件。首先是她地點不太遠，從英國任何一處機場起飛，只須一小時的航程便可以到達澤西島。這裏原是一個夏日避暑的勝地，所以很多大旅店在春天都是空着沒有人用的，租金因此也較低廉。除此之外，澤西島的氣候是屬於歐洲大陸性的氣候。

澤西島所以成為蜜月島，應居功於該島一名旅社主人斯姆爾了。這一位六十餘歲的旅館業主共擁有六間大小的旅社。一九四六年四月間，英國方面有十一對渡蜜月的夫婦居住在斯姆爾所經營的米爾敦旅館中。他當時發現這些新婚夫婦都是在同一個月份結婚享受有免稅的特權，因此他便發起了一種集體慶賀的運動。斯姆爾這項舉動，引起了同業的響應，其實，與其說是響應，不如說是業務上的競爭。自此之後，這種集體慶賀運動便這樣地留傳下來了。每年一到了結婚的季節，澤西島到處張燈結綵，洋溢着一片歡樂的現象，到這裏來渡蜜月的青年男女，也就因此越來越多了。

斯姆爾不但是一個發起集體慶賀新婚夫婦的人，他自己本身也是第一個前來澤西島歡渡蜜月的人。據說那是公元一九一九年，斯姆爾攜帶了他的新娘子阿蕭羅美到澤西島來。次年他又再度重來，租了島上的一座樓房來開設旅店，不過，初期的生意據說很冷淡，後來斯姆便改變作風，使前來這裏渡假的顧客如同置身在自己家裏一般，經此以後，生意才大有起色。斯姆爾是一個有眼光的人，他見到澤西島有美好的前途，於是便購買了另一座旅館，便是今天的米爾敦旅社。從此斯姆爾的生意漸漸地擴展起來，一直到今天，他已經成為澤西島上旅館業的首號人物。

關於「趙炎午十斬令」

張良鋒

全國內外報館，雜誌社林立，對華實紗廠工潮都有記載，只有工人暴動、毆傷向副總理之詳情，絕無片紙隻字提到趙炎午派兵開槍擊傷工人。此亦係胡實文內叙述不實，故出故入之一大鐵證。信口雌黃，含血噴人，是爲乎可！

胡實對黃龐的黨派、和他們提出的口號，知之特詳，殊可欽佩！本人不願與黃龐為伍，當然不參加他們的組織，對其內容和目的無從知悉；但於往昔若輩脅迫工人手持小旗，高喊口號之回憶，除胡實所言「解決麵包問題」的口號外，其餘都是：「打倒萬惡的資本主義」，「反對資本家榨取工人血汗」，「反對萬惡財閥壓迫勞工羣衆」，「沒收資本家資金」，「華實公司滾出去」，「實行工人總罷工」，「工人接收工廠」，「實行無產階級聯合大革命」，「勞工萬歲」，「共產主義萬歲」。這些宣傳與叫囂，連同突襲、毆人等暴動，跟以後共產匪黨在廣州、上海、長沙諸地導演工潮，發動農工暴動，其行徑如出一轍。黃龐兩人是否共產黨徒，本人不得而知，不過胡實文內強調黃龐一再反對共產黨，世人未之前聞。大家都不會忘記這個時候毛匪澤東等潛伏長沙、醴陵、萍鄉諸地，胡實文內亦言：「此時共產黨毛澤東聯上海中共中央命，在長沙開拓黨務，趙炎午摧毀他的開拓，收徒，殺了不少的人。」他們時當策動長沙各大工廠及安源煤礦公司工人罷工滋事，破壞秩序，製造工潮，以遂其滲透顛覆之技倆。華實紗廠是當日長沙最大的一個工廠，按胡實所言，則毛匪澤東為何肯放棄滲透，而任黃愛、龐人銓盤據此廠作為反對共產黨的重要基地，殊令人大惑不解！再觀如胡實所云：「趙炎午摧毀毛澤東開拓收徒，殺了共產黨不少的人」，則趙炎午為何對於反對共產黨之黃愛、龐人銓一併殺之？人非瘋狂，寧有矛盾如此呢！吾人咸知江亢虎係中國無政府主義者，似未聞黃愛、龐人銓亦屬無政府主義派。又無政府主義派應否當號召羣衆罷工、毆人，這需要無政府主義派，或研究中國近數十年政黨演進的人，才能知道。至胡實謂：黃、龐為了表現自己也是正牌工人一語，却有語病。不知當日是否尚有冒牌、歪牌、或副牌工人？胡實未加說明，胡實與趙炎午有無夙怨，本人不必為之置評。本人無從得知，亦非本人所應問。趙炎午是否無政府主義派，是否痛恨中共還未面世之前之湖南勞工會，是否痛恨中共匪黨，是否痛恨號召數千人罷工，是否痛恨無故毆人幾至於死，這是趙炎午先生應解答的事。但本人認定從事滲透顛覆的共產匪黨，總是應該殺的。至所謂十斬令的應否頒布，其內容，應由負有軍事、經濟、政治責任的人細加研究。胡實言「當時交軍法審判，多半有死無生」的說法，似應拿事實來證明。夙仰貴報主持正義，紀載素重翔實，故特將胡實文內應予改正，及應稍加論列之處，詳為函達，請速予披露，俾免淆亂黑白，顛倒是非，至以為荷！此致

自由報編輯部

張良鋒謹啓　九月二十四日

（下）

中國女性文藝春秋

周遊

昭君怨

一生竟何定，萬事最難保。丹青失舊儀，玉匣成秋草。想姿辭闕淚，至今猶未燥。漢使汝南還，殷勤為人道！

暮寒

梅花自爛漫，百色早迎春。逾寒衣逾薄，未能惜腰身。

徐悱的妻子世稱劉三娘，有集二卷。悱為晉安郡，卒於官，喪還建業，令嫻為文祭之，詞甚悽惋。悱父徐勉欲為哀文，見三娘之文而罷。令嫻所作詩今存十一首，在此錄三首以觀：

東家挺奇麗，南國擅容輝。衣月方神女，朝霞喻洛妃。還看鏡中色，比艷似知非。摛詞徒妙好，連類頓乖違。知夫雖已麗，傾城未敢希。（詠佳人）

庭樹且新晴，臨鏡出雕盈。風吹桃李氣，過傳春鳥聲。盡寫山陽笛，全作洛濱笙。注意留歡聽，誤令妝不成。（聽百舌）

兩葉雖為贈，交情永未因。同心何處恨，梔子最關人。（摘同心梔子贈謝娘）

此外，與前三位同時的女作者，尚有衛敬瑜妻王氏玉京，陳後主之妹樂昌公主，北周趙王宇文昭之女千金公主等，皆為一時之秀，惜其作品甚少傳世，故只好徒略。

侯夫人

侯夫人是隋煬帝後宮宮女。隋文帝統一南北，國內盛平。文帝治國雖嚴，但其宮庭內頗多醜聞，苟且亂倫之事，醋海興波之浪，時有激蕩，以致為兒子所弒。煬帝（廣）弒父竊位，害了乃兄楊勇，說得上是一個荒淫無道的昏君。自其掌握政權之後，不理朝政，只是沉迷酒色，一反文帝的作風。晚年又大興土木，建造「迷樓」，較秦始皇的阿房宮尤有過之。有一個不知姓名的人作了一篇「迷樓記」，使我們知道其中秘密。可能是當代人所作，不敢著眞實姓名。迷樓記說：「……樓閣高下，軒窗掩映。幽房曲室，互相連屬。回環四合，曲屋自通。千門萬戶，上下金碧。金虬伏於棟下，玉獸蹲乎戶旁。壁砌生光，瑣窗射日。工巧云極，自古無有也。……」

關於此事，另外還有旁證，顏師古的「隋遺錄」裏也說：「……因此乃建迷樓。樓下置稚女居之，使衣輕羅單裳，倚檻望之，勢若飛舉。又爇名香於四隅，烟氣霏霏，常若朝霧未散，謂為神仙境不我多也。樓上張四寶帳，帳各異名，一曰『散春愁』，二曰『醉忘歸』，三曰『夜酣香』，四曰『延秋月』。粧奩寢衣，帳各異製。……」

有此「迷宮」，他當然是極盡其遊戲人間之能事。迷樓中多美女，自不在話下，因此後宮宮女更難得召幸的可能。其中有一位侯夫人，天生麗質，此妹乃是得自陳朝的戰利品，歷史上沒有她的出生本末。侯夫人不但有貌，而且有才，因沒有被選入「迷樓」，自知此生將終老長門，春華秋月，不免時常牽動情懷。以其作終身監禁，不如早日解脫痛快，她想到人生之味，便自縊於棟下。短兒之前，臂懸錦囊，中藏文字。（廿六）

太遲的後悔

·綠窗·

十九歲，正是少女們的綺年華，可是我却已踏進了人生的另一階段，在父母親的反對下，我終於和他結婚了。

他，英俊、瀟灑，有一股令人沉醉的魅力，這不就是少女們空中樓閣中的王子嗎？我對他一見傾心，我們有過一段白熱化的戀愛；情感矇住了我的眼睛，使我不能認識他的真面目，何況追求他的女孩子多得不勝枚舉，而他竟獨鍾情於我，怎不叫我受寵若驚呢？

但是結婚，使我認清了他的真面目，我也由幻想中驚醒了，理想與事實離得太遠了。我開始後悔我的任性，爲何不聽父母親苦口婆心的勸告？可是，驚醒得太遲了，木已成舟，我只得乖乖的忍受命運。

我最感頭疼的便是他的髒與懶。幾天不洗澡，這是司空見慣的；有時我看不慣，請他入浴，他在那兒裝聾作啞，不理你！他的東西一向紊亂不堪，自己從不整理。我的事情太忙時，請他自己清除一番，可是他却說：「整理東西，笑話！堂堂男子漢，焉可把時間浪費在瑣碎的事情上。這是妳們女人的事兒。」我記得婚前他是多麼的愛乾淨，難道是結婚使他成爲又髒又懶的嗎？

我實在受不慣他那過份的吝嗇。往往和小販們斤斤計較得面紅耳赤，只爲了五仙、一角的小事。因爲他出奇的吝嗇，使我們誤了許多事情。有一次我們爲了趕火車，而須搭車到車站，我於是趕忙招呼一輛白牌車，他忙着詢問車價，司機堅決要四元，而他偏非三元不坐。我在旁急得如熱鍋上的螞蟻，心裏隨着秒針的移動而着急；後來總算司機答應了，但到車站時，火車已揚長而去了。

我們不須用別人的東西，別人急着用時，休想要他把東西借給別人。他的理由是：現在社會上多的是翻臉不認帳的人！天呀！他的公民訓練是怎麼的。

我還得忍受他那過分的自私，有時我因公事而遲回家一步，便要受到他懷疑眼光的審問，而他遲回家時，有時我不免問一問，他的回答總是千篇一律：「去尋花問柳。」

當我們外出時，他故意在朋友面前顯示他對我的恩愛，處處體貼我，不知內情的朋友以羨慕的口吻說：「我們真是天造地設的一對佳耦！」我恨透了他那卑鄙的僞裝。

「因誤解而結婚，因了解而離婚。」有人這樣講，的確不錯。我是因不了解而結婚的。現在，我已了解他了，可是離婚是我們社會所不容許的。我們才只是一年的夫婦生活，我也只二十歲，可是與一般同齡的小姐們相形之下，我不知要蒼老幾倍！是歲月的成熟？還是他的條件？

神乎其技的星相術

諸葛文侯

星相之說，玄妙殊甚，凡有科學頭腦的人，多不相信，而吾國談此道者，每每善言其人的過去事情，以及直系親屬之存亡夭壽等項，若預測未來，就十九皆不靈驗了。據說，這是甚於歷代相傳的一種訣竅，旨在博取別人的信心，俾得借其術焉。所以，我對於普通的江湖術士，有的時候向他請教消遣，姑妄言之，姑妄聽之，可謂閱人多矣，然皆等閒視之。唯有廣東新會盧毅安氏，預言人事未來休咎多奇中，頗堪稱道。近閱嶺南著名詩人黃晦聞（節）詩集，亦有贈盧氏之作，極讚其相術精湛，因而就我所見聞的事實，提出來談談。

民國卅四年秋，十月，對日抗戰剛告勝利結束，政府各機關尚在重慶未還都，盧氏亦流寓渝市。愚友楊嘯天（虎）久聞盧氏聲名而未識其人，一日，囑其同鄉張君約盧赴上清寺范莊楊廬敘談星相命理。比至，先在樓下客廳稍坐，而張且擬登樓通知主人，楊正擬整裝下樓，忽有一顯貴人物乘汽車至楊廬，下車即逕自登樓晤楊。時盧氏坐客室中，面對客人的容顏甚清晰，盧又伸首窗外，密切注視他登車馳去後，即詢張君以來賓伊誰？張亦不識其人，但以盧氏對該客特別注意之故，知其必有所爲。乃問：「你看他的相貌如何？」盧謂：此人滿面帶凶煞之氣，而色若死灰，不出一個月，即將死於非命云。繼而盧與楊嘯天談相學，談得甚洽，移時，盧先辭去。張詢楊：「剛才此逕自上樓的客人是誰？」楊謂「閣下不認識他？就是軍統局長戴雨農嘛！」張聞之大表驚詫，楊觀狀笑問：「怎末？盧毅安看見他了，說過甚嗎？」張答：「關係重大，不便亂說」楊謂「對我說說何妨，我不會洩漏的」。於是，張乃據實轉述盧氏之言，彼此相約保密以靜觀其後。未逾一個月，戴氏即在南京附近乘飛機撞山頭而死亡了。

[illegible]傳播後，楊嘯天對盧氏極欽佩其相術神乎其技，特設酒約盧氏作陪，席間暢談當代政治人物的命運休咎問題，盧謂：「據我[illegible]黨現任[illegible]，共產黨周恩來二人，在未來十五年內，[illegible]事大權，但陳的壽命恐不及周而已」。

盧與張君（亦是我的朋友）於大陸淪陷後，皆避地香港，尚憶述當年在重慶跟楊虎往還談星相的故事。美國艾森豪競選總統之際，盧住海濱「六國飯店」，與我于役的「香港時報」緊鄰，我因伍憲子先生之介，曾在盧處聊天，談到艾森豪競選事，盧言：「憑相片觀看他的容貌，競選一定成功，但其政績必然一塌糊塗」。其言亦已奇驗。盧氏現居美國三藩市，年事已高，諒已不談此道了。彼常謂：憑氣色以看別人最好與最壞的命運，自信有絕對把握；十拿九穩，至於平平常常的色相，那就沒有準兒了。然乎？否乎？吾不得而知之也。

大政治家諸葛亮

河漢

爲了克服山嶽地帶，担架輸送的浪費和困難，他設計了木牛流馬來節省人力，擴大運輸量。爲了讓給養取於前方，減輕後方的負担，不再重陷已往糧食中斷的覆轍，就在前綫分兵屯田，讓士兵一面生產，一面作戰，準備就以司馬懿的持久戰來打擊司馬懿的持久戰。於是，戰事便在對峙的情勢下膠着。

諸葛亮的持久戰略引致了魏國內部的不安。軍費支出的龐大，成爲財政上的無底漏洞；尤其是，魏國的國防軍的精銳隊伍，長期掌握在司馬家族手中，逐漸造成外重內輕的局勢。這對峙的局勢如果長期化，無疑地諸葛亮在隆中所期待的「天下有變」，可能[illegible]。不幸的是，諸葛亮自身的健康條件並不與持久戰略配合，他雖然正是盛年的五十四歲，但因爲他工作的過份辛勞，身體已衰弱到難於負載的程度，又「食少事繁」，司馬懿旁觀者清，他判斷「亮將死矣」。果然在二三四年的八月，死在五丈原的軍中。他致死的疾病是嘔血，可能是胃潰瘍引起的胃出血。

綜合諸葛亮的五次北伐，表面看來，蜀漢每次付出了重大的代價，却未取得勝利的戰果，應該算是失敗的戰爭，所以陳壽批評他「應變戰畧，非其所長」，「奇謀爲短」。就是蜀漢的內部，對於他堅持繼續北伐，也有很多人表示異議。異議者的意見是，當前的形勢已經顯著地表明，曹魏是最強大的國家，蜀漢是最弱小的國家，以至弱撼至強，蜀漢無論如何也無力來改變這現象。形勢既然確立，站在蜀漢的立場，只有關起門來保境安民，培養國力，等待不可知的大局的未來發展。然而諸葛亮終於排除了相反的意見，堅決執行他的既定決策，每次失敗了，又重新來過，一直行動了五次。假如他不死，他的軍事進攻一定會不斷持續下去，沒有人可以改變他的決心的。

難道說，諸葛亮眞的連魏之不可動搖這一點也捉摸不到麼？

事實是，正因爲諸葛亮認識了魏之不可動搖，認識了蜀漢的劣勢狀態，認識了時間不容許他長此保境安民，培養國力，來期望十分渺茫的天下有變，正因他認識太清楚了，這纔決定使用武力，希望通過戰爭，爭取蜀漢地位的穩定，希望通過戰爭，惹動曹魏內部的變化。正因爲他認識清楚了魏對於漢，不論幅員，人材，資源，文化，生產，全處於絕對優越的地位，和平對於蜀漢有利，對於曹魏也一樣有利。正因爲他認識了和平時期中，魏漢雙方的國力自然地互相競賽，可以增加魏所擁有的優越條件，以曹魏增加和積儲的國力，決不是蜀漢在相同的時間內所增加和積儲的國力可以比例。和平的日子愈是長久，魏的國力必然以幾何級數的優勢，把蜀漢的距離愈丟愈遠。正因爲他認識了等到魏漢之間在國力上的距離異常懸殊的時候，蜀漢不僅將永處於挨打的地位，而且也失去與估盡優勢的敵人作持久戰的條件。（十一）

閑話麻將

陸民

面勝負之數，則不妨畧小，花樣之例，不妨稍多，但不宜過多。蓋參加者既非以此爲業，旨在消遣，且藉以益智活腦，則時間適可而止，輸贏不傷大雅，斯爲上着。

十、麻將與個人及民族性

凡是娛樂玩法，運動玩法，以及賭博玩法，不但隨時代之進展而演變，且可反映一個國家或一個地方的部份民族性。我國原有的這些玩藝，多屬於靜的方面，運動技擊，幾成專業。自文武分途，學人多弱不禁風，女子以病態爲美，加以統治階層，不但明倡愚民政策，而且暗行弱民陰謀，風俗所染，相習成規，於是文酒之會，猜枚，行令，閨房之樂，雙陸，打馬，甚至騎射投壺，棋盤對弈，也要成儀三百，禮儀三千，一切都弄得麻煩，囉嗦之至，而現行之麻將制度，誠不愧爲流風餘韻之最大結晶。所以有人說麻將的「麻」字，也可與麻煩之麻比美；又可與麻木之麻看齊。可不是嗎？任何一件玩具或賭具，都不像麻將那樣繁複笨重，而上枱應戰，動輒八九十幾個鐘頭，其不渾身（至少是雙腿）麻木不仁者幾希。因之美國人有一時期，也看重了中國文化，而於麻將尤感興趣，但因內容複雜，設備諸多不便，雖有人把它當作一門技藝，專門研究，然一般社會，終難普及。

友人某君，他的兩個兒子在美都有優職，共同恭迎老太爺前往享福，但這位老太爺去住了半年，即悄然而返。晤時詢問究竟，他說：我是愛熱鬧的人，尤其喜歡搓幾圈麻將，然在美國，大家忙迫，雖家人父子，經常也難得從容聚談，如要打牌，必須在兩星期前邀約友人，才可成局，若臨時有一位因事不能赴約，則又須改期再約，往往令人掃興之至，所以不如歸去來兮云云。

可知工業社會的美國，縱然富甲全球，而且賭風極盛，然對於與時代不合的玩藝，儘管好奇成性，也是難以普遍通行的。

又有人說：如果府上要選東床，最好約那位對象先打幾圈麻將，便可窺知其人風度。這話自然也有相當道理，但亦不過畧能窺其人的一部份性格，而并不能據以論斷其人之整個人品，何以故呢？古人說：論相不如論心，論心不如擇術。製矛的人自然唯恐不能攻堅，而製盾的人則唯恐不能防銳，坦率的說：經營軍火的工商業者，怎能不企望天下大亂呢？麻將的本質，自將比胡的辦法革除後，已由分潤之勢，變成了獨佔之局，等於初期資本主義的「托辣斯」，無論你手中握有怎樣的好牌，只要有人一和下來，餘者全部完蛋，儘管那和是一副極平常的起碼小牌，即是以摧毀所有形成中的良材美質，使之澈底失其功用，而飾其名曰：「和爲貴」。（九）

鷄童魚童及其他

◁晉陵▷

在北愛爾蘭近比爾化斯特城的一個農場裏，發現了一隻酷肖人型的公鷄，當發現此鷄之時，附近的男女都驚惶失措，交相傳誦。這隻鷄面貌，和眞人一般。狐疑滿腹的警伯，都說這是一隻「半人」的小鷄。其實，他是那個農場主人的七歲孩子，父母自小把他像家禽般飼養。一九五六年十月，農場主人被傳上法庭，控告虐待兒童之罪。

這個半鷄半人的孩子名喚奇榮，在被救的時候，他的舉止似鷄多於似人。他那長長的頭髮，明顯地是從未剪理和梳洗過的，他介夫的指甲，長得打捲。很可憐地，這位「鷄童」只有廿八磅重。他無法吃得人吃的食物。口音像人，但却以四肢爬行。總檢驗後，一位醫師認爲他的四肢有很多地方破裂了，這是因爲他的骨骼已非常孱弱。他雖然成長緩慢，但精神上並無缺陷。

雖然奇榮的母親極力表示愛子深切，否認控罪，可是，事實是不容狡辯的。她說她的兒子在兩歲時，似乎已停止生長。她又辯護說，只有出外購物的時候，才把他放入鷄屋。這個婦人並且向法官證明，屋內有房間給奇榮居住的；可是，看樣子，那所屋是空置的。

「鷄童」一事件，代表了在目前某些兒童，是被視爲禽獸一般地養育着，有些是父母所爲，也有的是兒童本身的天性所致。在這些變態的事例中，有魚童、熊女、狒狒童和狼童。

法蘭西斯高，西班牙的魚童，就是一個最明顯的例子。這個生於卑斯加灣的孩子，在他的童年，多數活動於水中，水對他有無限的吸引力。一天，他失踪了。找尋的人在海灘上發現他的衣服，因而相信他在泳中溺斃。（一）

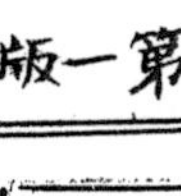

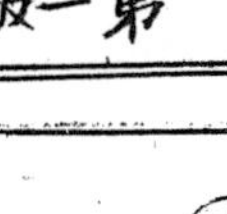

內政部登記證台誌字第〇三一號內銷

自由報

THE FREE NEWS

第八〇〇期

中華民國僑務委員會頒發
台僑新字第三二三號登記證
中華郵政台字第一二八二號執照
登記爲第一類新聞紙類
（半週刊每星期三、六出版）
每份港幣壹角
台灣零售價新台幣貳元
社長：雷嘯岑
督印人：黃行簪
社址：香港銅鑼灣高士威道二十號四樓
20, CAUSEWAY RD 3RD FL.
HONG KONG
TEL. 771726　電報掛號：7191
承印者：大同印務公司
地址：香港北角和富道九六號
台灣分社
台北市西寧南路壹壹零號二樓
電話：三〇三四六
台郵撥儲金戶九二五二

越戰與美蘇關係（上）

·宋文明·

（一）

自一九六五年二月七日美國飛機開始轟炸北越起，越戰性質使開始發生重大變化，美國與蘇俄外交關係也開始遭受這一戰爭的影響。在此轟炸之前，雖美國軍隊已開始積極參加越戰，并在北越海外發生了北越魚雷艇襲擊美艦，及美艦飛機大舉轟炸北越海軍基地的報復事件，但當時美蘇兩國關係依然保持和諧，并未受到這一戰爭的影響。特別是一九六四年十月蘇前總理赫魯曉夫下台，而由布里茲涅夫及柯錫金掌權以後，蘇俄對美態度，表現得更爲審愼持重。如一九六四年十月十六日他們上台後的第一項外交聲明，便是宣布不改變過去的既定政策。十一月四日美大選揭曉，詹森當選連任，蘇俄各首要即聯電致賀，并讚譽詹森爲和平人物。及至一九六五年一月一日蘇總理柯錫金發表新年文告，他并強調表示蘇俄將準備採取緩和世界的積極步驟。由此可見在此轟炸之前，在蘇俄心目中，并不把越戰眞正當成一回事。

可是自從美國開始轟炸北越以後，蘇俄態度便立刻有了改變。除了轟炸次日，蘇俄即發表聲明，嚴厲指責美國外，同年五月廿日，蘇俄又再度激烈譴責美國，并嘲笑詹森在侵略行動中高唱和解，太未免奇怪。然後再過兩天，蘇俄眞理報及消息報同時發表評論，攻擊美國的戰爭邊緣政策，并公開指責詹森爲希特拉。從此之後，美對越戰行動每加強一次，蘇俄的這種不利反應也便多增加一次。換言之，在美國開始轟炸北越後的每一項重大軍事行動，如轟炸海防與河內的油庫及其市外橋樑，美艦砲轟北越海岸，進軍南北越中立區，以及美國大舉增援越南等等，都毫無例外的會引起蘇俄的一連串反應行動與影響：再度譴責美國，增加對北越新的援助或發表新的支持聲明，增強蘇俄內部軍事準備，并使美蘇關係出現新的冷淡狀態。

（二）

現在，我先以具體事實，來證明一下自美國開始轟炸北越以後，每一次越戰升高行動，在蘇俄所引起的反響，及其對美蘇關係的重大影響。在這些事件中，除了上述一九六五年五月廿日蘇俄政府激烈聲明，及兩天後蘇報指責詹森爲希特拉外，其他重要者爲：

（一）一九六五年七月四日，在莫斯科美國大使館的國慶酒會中，除了蘇俄外交部一兩名低級官員曾出場略事敷衍以外，所有蘇俄政要都拒絕參加。

（二）一九六五年七月十一日，蘇俄總理柯錫金演講，公開表示蘇已準備應付一切緊急事件，但絕不盲動。

（三）一九六五年九月卅日，蘇共總書記布里茲涅夫在蘇共中委會演講，聲稱越戰已使美蘇關係大爲複雜，并明顯趨向於凍結狀態。

（四）一九六五年十二月八日，蘇總理柯錫金接見紐約時報記者雷斯頓，表明在美國停止「侵略越南」以前，美蘇間將不舉行高層談判。

（五）一九六六年四月五日，蘇總理柯錫金在蘇共第二十三屆大會中作報告，指責美國迫使蘇俄增加軍費（此爲蘇俄首次宣布因受越戰而增加軍費）。

（六）一九六六年六月十日，美總統詹森在白宮招待聯合國會員國常任代表，其各共黨國家代表，在蘇俄領導下，一致拒絕參加，以表示對越戰的抗議。

（七）一九六六年七月四日，美駐莫斯科使館國慶酒會，蘇俄高級官員，仍無任何一人參加（按六月廿九日，美開始轟炸海防與河內油庫）。

（八）一九六六年七月六日，華沙公約理事會在羅馬尼亞三天會議結束，決議支持北越作戰，并聲明若獲邀請，將遣派志願軍前往。

（九）一九六六年七月十一日，蘇俄發表聲明，決立即加強援助北越，并取銷與美國間一切運動競賽。

（十）一九六六年七月卅日，蘇國防部長馬林諾夫斯基宣布下令加強蘇俄軍事力量與準備，并由官方首次證實，蘇俄已派軍事顧問至北越。

（十一）一九六六年八月三日，蘇最高蘇維埃閉幕，決議授權政府，採取一切必要措施，支援北越作戰。（此在形式上，與一九六四年八月七日美國會兩院授權總統應付越戰案相似）。

（十二）一九六六年九月一日，蘇眞理報撰文，指稱美自越南撤退前，無法與美簽訂管制武器協議。

（十三）一九六六年十月三日，蘇宣布與北越簽訂一九六七年軍事及經濟新援助協定，并承認已派火箭專家至北越。

（十四）一九六七年二月廿一日，蘇空軍校長庫洛福隆上將對記者談話，首次公開莫斯科周圍已建立反飛彈系統。

（十五）一九六七年二月廿六日，蘇總理柯錫金在一次羣衆集會中演講，指責美國破壞越南新年停火及阻礙和談，并宣布蘇俄將繼續增加軍費。

（十六）一九六七年四月十八日，蘇共總書記布里茲涅夫在東德演講，謂美國永不能在越南獲勝。

（十七）一九六七年五月五日，蘇駐美外交官聲明，若美升高越戰，蘇將以更多武器援越。

（十八）一九六七年五月十一日，蘇艦在日本水域故意與美艦兩度互撞事件。

（十九）一九六七年六月二日，蘇商船在北越港口停泊被美機誤炸，蘇艦向美立提嚴重抗議，後經美國調查屬實，美國道歉了事。

（二十）一九六七年九月廿三日，蘇與北越在莫斯科簽一九六八年度新軍經援助協定，繼續以飛機，飛彈及大炮等軍火及物資供應北越。

（三）

根據上述種種，越戰對於美蘇兩國關係，確已發生了相當大的影響。特別是一九六五年二月首次開始轟炸北越，及一九六六年六月底轟炸河內與海防油庫一事，對於蘇俄的刺激更爲重大。自這些事件之後，蘇俄除了不斷譴責美國，加強對北越的支持，及開始增加軍費，強化本身的軍力以外，并在若干外交活動上開始採取若干抵制行爲，從拒絕參加美國的國慶酒會，取銷美蘇間一直不願認眞商討軍備的管制，使美蘇關係一直陷於低沉與冷淡狀態。不過，雖然如此，美蘇間的一般性外交往還甚至一些必要的談判與協議，并未因此宣告中斷。

今日與明日

港共鬥爭升級？

最近一週間，香港共黨暴徒又大放炸彈，傷害警員與市民，一說這是「鬥爭升級」，一說這是暴徒準備收兵的「最後一擊」。兩說都似有理由，可從兩方面研究。

先研究近因：大概有三點：一是共黨「鬥爭」的「行動組」的第一號頭目張烈被捕，幕後主持人要作瘋狂反撲，藉以洩憤；二是英聯邦事務部次官石寶德勳爵抵港視察，他們要用炸彈去示威；三是跑馬季節開始，他們要破壞香港政府的稅收，以及市民的娛樂活動。

再研究遠因，香港共黨激烈份子一直在設法製造更大的糾紛，使北平方面不能置身事外，要勉強出面支持他們。因此，他們認爲「十、一」是製造糾紛的最好時機。「十、一」那一天，他們在香港西環鬧事，那暴徒黃漢彬被擊斃。他們抓着這個「新題目」說香港英國政府阻止他們紀「國慶」，有了這個題目做文章，北平非照例抗議不可。香港共黨暴徒藉此繼續放炸彈，就是替黃漢彬「報仇」。這便與北平的抗議互相呼應，有了「鬥爭升級」的藉口了。

香港共黨也有鷹派與鴿派之分。鷹派有一條直達北平江青的路線，所以，他們把事情擴大了，馬上會得到江青一派或多或少的支持。鴿派走周恩來路線，周恩來要恢復經濟生產，對外要維持若干國家的外交關係，因此，一面要作「武鬥」各派的「和事老」，一面要爲開「對外貿易會」（定期十一月中旬在廣州舉行），照理，對英的外交關係應該逐漸好轉，香港共黨也不該繼續鬧事。但是，因爲港共鷹派有北平一部份實力支持，使連周恩來也莫奈伊何了。

廣外「對外貿易會」已對日本商人發出請柬，據說對英國仍未發出。這是周恩來（據說康生已代陳毅實際主持外交）利用形勢對英試行壓迫，恰與鷹派的鬥爭升級配合，內外一齊來，但只要英國堅持原定方針不變，周恩來這一着固然會落空，鷹派一小撮暴徒到底也會失敗的。

香港共黨暴徒越來越爲四百萬居民所唾棄與厭惡，鬥爭的本錢也越來越少，最近放炸彈的主力部隊是一羣十三歲至十六歲的青年學生，其次是因罷工而失業的流浪漢。那些受利用的青年學生猶如大陸的紅衞兵，知識無多易受欺騙，因此才會慘遭共黨死硬份子的蠱惑與驅使而白白犧牲，累人累己，十分冤枉。雖則他們只有區區一二千之數，但共黨心術之毒，手段之辣，毒害青年之酷，該使我們於痛憤之餘，加強警惕，要熟籌防範之策了。

自由談

絕妙的世說新語

馮子先生

香港政府的「赤柱」監獄裏，囚着許多迷信「戰無不勝的毛澤東思想」的鬥爭暴徒，鬥到自己身在縲紲之中，還說是「戰無不勝的毛澤東思想」的偉大力量！

十月一日是這批鬥爭英雄們的「國慶」紀念日，典獄官爲適應他們的阿Q精神，特許彼輩在牢獄內的空曠地方，大呼「毛主席萬歲」之類的口號，歷四小時而不輟。到了第二天，據醫官報告，這羣鬥爭英雄一個個害着喉痛症，「毛澤東思想」沒法戰勝喉疾，非乞救於「港英帝國主義」的郎中不可了！

這是一則絕妙的「世說新語」，令人讀後拍案讚美英國人的政治幽默感，得未曾有。記得我國對日抗戰時期，國府派遣代表團赴英倫訪問，瞧着海德公園內竟有人演說稱贊希特勒，反對英國對德作戰。咱們的代表於晉謁邱吉爾首相之際，有人提出這項事情請教邱相，認爲似此公然違悖國策，爲敵人張目助勢的言論，何不嚴予查究，而將他們捉將官裏去，繩之以法呢？邱翁答道：「我們英國人最講究經濟學，把這班人關進監獄裏，政府每天要供給囚糧。讓他們在公園內胡說八道，肚皮說餓了，自然要回去吃飯的。」至於他們所說的廢話，英國人誰也不屑理會呀！這與香港典獄官讓那些「左仔」囚犯狂喊「毛主席萬歲」口號的作風，異曲同工，有趣之至。

民主政治的守則，嘴吧可以亂說，手腳不許亂動，喊口號固不在乎，扔炸彈貼煽動性標語，却是犯法行爲，就得嘗嘗鐵窗生活，嚴懲不貸。在香港幹非法勾當而身繫囹圄的「左仔」，可以大喊口號四小時，不妨喊破喉管，這就是民主政治的示範作用，頗有教育意義，尤屬值得注意的花邊新聞，不僅是表現英國人的幽默感而已。

英國「戰略研究院」報告書認為
今後十年毛共如尚未滅亡 蘇俄所受威脅尤大過美國

——倫敦通訊

勢力強大的倫敦「戰略研究院」最近在一篇研究報告書裏面表示：「在差不多每一方面的國際政治活動上，美國均壓倒蘇俄。」

該「戰略研究院」就下十年代（即七○年代）的歐洲局面演變，及美蘇兩國的「實力遊戲」而從事研究及揣測。它在該項報告書內表示：蘇俄必須認真檢討自己作為一個世界大國所處的地位。

該項研究報告書進一步地指出：「這個共黨國家必須認眞檢討本身所處的地位的原因，是爲了從六○年代開始直至目前爲止，蘇俄在國際政治，經濟，或科學的影響力上面均被美國所壓倒。」

「戰略研究院」在報告書內同時進行一項如下的預測：中共方面，當這個共黨國家用本身的實力而令自己成為世界上一個強大國家的時候，蘇俄遭受到的損失程度，將超過美國所受的損失。該項報告書表示：「站在軍事的立場來說，一個世界強國姿態崛起的中共，在能夠直接地，而且實際地威脅美國本土安全之前，卻早已令毗連的蘇俄，成為中共陰影籠罩下的國家。」

就政治及思想方面來說，不管是在共黨世界的內部，還是在共黨世界的外圍，中共已經向蘇俄的領導地位發出強烈的挑戰。在中俄共思想爭吵演變到表面化之前，全世界共黨運動中心，不容辯駁地是莫斯科。那時，一般觀察家認為共黨世界是「清一色」的，然而，自從莫斯科與北平兩者之間的思想裂痕擴大，甚至演變成互相公開抨擊及指名對罵後，這顯然意味着中共的統治階層正式地向克里姆林宮的領導地位進行挑戰。時至今日，一般共黨問題專家認為：在這個共黨世界裏面，過去所謂「清一色」的狀態已經蕩然無存了。代替的是分裂。換句話來說，目前的共黨世界有兩個：一個以莫斯科為中心，另一個以北平為中心。不過，一部份觀察家認為尚有第三個共黨世界——像南斯拉夫及羅馬尼亞這些標榜「中立」政策的共黨國家是也。

倫敦「戰略研究院」在報告書內進一步地揣測：經濟發展方面，到了最後階段的時候，中共迎頭趕上蘇俄經濟發展的可能性，多過趕上美國經濟發展的可能性。也為了這種緣故，因此，屆時中共在政治勢力方面，亦可能一樣地超越蘇俄的政治勢力，但是不可能在美國的政治影響力上佔優勢。該項報告書暗示：從最近數年的種種跡象看起來，蘇俄和美國及中共展開的軍事，政治，及經濟競賽，時間似乎正流露着對克里姆林宮不利的跡象。

倫敦「戰略研究院」在報告書裏面指出：蘇俄共黨革命成功後，在過去半個世紀的悠長時間中差不多沒有間斷地將本身的勢力擴展，成為在軍事實力上僅次於美國的超級強國之一。全世界共黨運動的象徵，曾經被全世界共產黨分子及領袖尊稱為「老大哥」的蘇俄，同時曾經被其它國家期待在各方面迎頭趕上甚至超越美國。然而時至今日，克里姆林宮的集體統治者卻發現站在十字路口上面——在這裏，他們覺得要繼續將本身勢力和地位成功地擴展上去，卻感到越來越困難。

另一方面，蘇俄的領袖，同時發現本身已經好好建立起來的地位，現在卻開始出現崩潰的跡象。在中俄共因思想爭吵而令共黨世界出現分裂之前，蘇聯的政策及命令，對其它共黨國家及共黨組織是絕不能反對的。可是到了現在，羅馬尼亞公開採取擺脫蘇俄控制的獨行獨斷政策；一部份共黨組織及共黨國家改走中共的路綫面不承認蘇俄的領導地位。

該項研究報告書強調地指出：今後十年的時間內，蘇俄的軍事及經濟優勢，將繼續成為東歐境內具決定性的因素：不過美國，與其相反的西歐地區裏面的地位及勢力，可能更進一步地削減。可是，這一種向蘇俄領導地位及權力挑戰的姿態出現後，對東歐共黨國家政權，已經產生一種相當強烈的影響作用——大部份東歐國家已經令自己從「衛星國」的地位上，逐漸地解放出來。「自由」一詞，直至目前為止，並沒有改變這些東歐國家的政治制度基礎——一黨獨裁制。

蘇俄領袖甚有可能已經意識到：他們這個國家的超級強國國際地位，較其在世界共產主義裏面所佔的思想領導地位更為重要。該項報告書表示：「共產主義早已不是一項團結的因素，同時共黨團結，在國際政治活動方面來設，已經不是一項財產，而是一項負担。」

倫敦「戰略研究院」同時談到法國的問題。該報告書表示：儘管戴高樂決意自行發展一支核子部隊，作為改組西歐安全制度的工具，可是，這樣的一項主意，差不多沒有人用認眞態度視之。到了七○年代的時候，法國核子地位跟超級強國的核子地位相較量的時候，可能顯得走下坡。因此，除非法國在一項雙邊性或者較廣泛的歐洲組織裏面與英國部隊聯合起來，否則，法國不可能取美國的地位而成為西歐的一個核子保護國。

該項報告書同時發出警告：戴高樂下野或者去世後，戴高樂主義及政策雖不會維持目前的形式，但是，法國基本外交政策却不會改變。

該項報告書最後表示：只有在英國和西歐建立一種較密切的聯繫的時候，西歐地區才可以希望獲致超級獨立實力的地位。它展望到了七○年代的時候，東西兩大集團的公開敵對形勢將告戲劇性地消失，因為屆時每一個集團似乎已經放棄對方接納自己的政治經濟制度的企圖。

種種跡象顯示：一個聯盟裏面的會員國，已經意識到如何和另一陣營國家發展關係，比維持及改善本身盟邦間關係來得更重要。因此，今後十年內的國際，將出現一種新形式的合作。不過北約將仍是令西歐政治及軍事穩定的主要因素。

本報「自由談」早已提到了毛澤東的生死問題，認定他經已死了，亦是個「活死人」了。原因是：毛的個性素好說話，他自己既然策動「文化大革命」之役，煽惑百萬以上的「紅衛兵」瘋集北平天安門聽受他的檢閱指揮，而紅衛兵亦再三要求「我們要聽毛主席的聲音」，「我們要接受他的教導」，但始終不聞毛酋說過一次話。還有若干久駐北平的外國使節和記者，凡屬認識毛氏眞面目的，從去年七月起，直到現在，即未能晤及毛氏。最近「十、一」偽國慶紀念日，對於那位獨一無二的國際貴賓——阿爾巴尼亞總理胡謝爾的官式接待場合，毛酋亦未出席，完全由周恩來應付一切。這些都是極其不近情理的現象。因而「新華社」目前又忽然發出電訊，宣稱「毛主席身體最健康」等語，更令人不無「此地無銀三百兩」之感。

近據香港工商晚報記者採訪消息，說是根據大陸[illegible]葉劍英的侄兒葉×與所言，毛澤東已於去年冬間在杭州死亡了，而由共黨秘不發喪，而由早已物色好的替身「毛特夫」在公開場合露面，並且列舉毛酋與毛特夫二人的面貌特徵如左：

毛澤東

（一）鼻樑較低而短，鼻端圓而反

（二）嘴唇厚而反

（三）牙齒黑而不完整

（四）人中（鼻端下）長。

（五）耳唇薄而不反

（六）耳下端尖

（七）聲沉，土音多

（八）較瘦

（九）手指關節顯著

毛特夫

（一）鼻樑較高而長，鼻端尖而突，微微帶勾

毛酋澤東生死之謎
——有個替身名叫毛特夫

戴澄清

短

（二）嘴唇薄也反

（三）牙完整

（四）人中比毛澤東[illegible]

（五）耳唇薄淺而反

（六）耳下端圓

（七）聲調緊浮

（八）枝幹

（九）手指關節圓滑

葉×與稱：毛特夫「特點」在近一年多來的毛澤東照片中，往往可以顯示出來，例如：

一九六六年九月十五日，「毛澤東」與林彪周恩來合照的相片，便顯出那位「毛澤東」鼻端尖而突出，微帶勾，耳唇薄而反，耳下端並不尖。

一九六六年十月一日「毛澤東」與林彪在天安門上的照片也顯示那位「毛澤東」鼻端突出尖，左耳下端圓耳肉多。

一九六六年十一月三日「毛澤東」接見「紅衛兵」的照片，圖中「毛澤東」的耳唇也是反的，耳下端有肉（毛澤東的耳下端是沒有肉的）。

一九六七年五月一日「毛澤東」在北京的「革命群眾五一遊園會」中與林彪合照的相片，也顯示那位「毛澤東」鼻樑較高。

本月一日「毛澤東」與林彪在「天安門」的照片，牙齒完整，左耳唇反，左耳下端多肉而圓，且年齡比年前的毛澤東年輕得多。

此外，「毛澤東」在這次「文化大革命」時期，沒有[illegible]接見「紅衛兵」時，「紅衛兵」都要求：「我們要聽毛主席的聲音，我們要接受他的教導」，但是「毛澤東」卻始終一句話都不說。祗由周恩來（[illegible]）及林彪（一九六六年十月一日在天安門上）等代說的。

總之：無論毛酋是否尚在人間，但有一點可以確定的：即令他尚未死，亦患着不能說話和不能行動的不治之症了，這是毫無疑問的。再看奪權運動的惡作劇忽然「宣告收場」，託詞「大聯合」，而由周恩來出面收拾殘局，在在表現着替毛酋善後事宜的象徵，殊堪注意也。

興築堤防不能減少災害反增隱憂

對台北地區治水防洪問題的管見

何中堅

最近見報，[illegible]因關渡拓寬，[illegible]士林、北投一帶[illegible]建議，由水利局勘查，設法興建堤防，[illegible]五股[illegible]有關當局方面亦認為[illegible]

[illegible]下游五股關渡等地區，是淺洪地區，[illegible]不宜築堤。台北市密集人口之區，亦不能築堤，[illegible]

為堤防內居民帶來[illegible]

[illegible]，則無異將人命作為兒戲，無數的生命財產或有一天會付之洪流！

關渡應設置活動水閘調節水流

關渡是台北地區的門戶，[illegible]未拓寬前，[illegible]非常好的，北投方面的山脈[illegible]封鎖，使其[illegible]一條流出海口的通道而已。正為關口鎖，故對於海水的阻擋功效很大，雖排水量不如拓寬後大，但受海水倒灌之害極小，尤其上流出口的水壓，未拓寬前要比拓寬後大得多。故[illegible]關渡以內的農田，[illegible]。自拓寬後，情勢大不相同，關渡出口處，缺少山勢的擋阻，上游出口的水壓亦大大的減小，遇有颱風猛浪逆撲之下，海水的壓力增強，不能抗衡，於是海水遂得一湧直入關內的農田，是一種天災，何嘗不是由於人為。此種災害的造成，不能不認為的防治措施有欠妥善所致？為謀後患的預防，興建堤防，非是善策，且害多於利。應當將關渡與對岸的觀音山兩處拓寬的部份，興建兩個活動水閘，調節水流。水閘須分為數十個節段連接成如同一輛列車，每節長度以三五公尺為宜，寬厚以能承受最大最高的冲壓力為適。各節段裝以滑輪，類似一節車廂，於沿河築軌，上槽順的兩岸各築一條弧形軌道，河邊斜曲的伸入河底之中。軌等物以不易為海水鹽份浸蝕風化的金屬為宜。以電力如電車之操縱其行動。放置多少節段，伸出河中長短，視流水的實情，可自由加減伸縮，以利節制。如兩岸全部放出至河中，則等於未拓寬前的通道；全部收縮回岸等於現在拓寬的情形。此種可以自動調節的水閘如能建成，始可實收海水倒灌與排洪之功，造福人羣功德無量，給台北居民帶來莫大的利益與安全。此為本標兼治的措置。至於疏濬河床是一項急不容緩的治本要務，亦使河床深寬，水位降低。至於河道曲直，非關緊要，倒不必為改直而勞民傷財。

惡夢十七年

——馬思聰的故事

趙浩生

出席此一會議者十餘人，都是對中共的成功出力最多的文化工作者。他們溢於言表的對中共痛惡之情，正像匈牙利革命者放射出的槍彈一樣暴烈響亮。在座黨員們的表情，也正像面對着匈牙利革命戰士槍口的匈共特務們一樣蒼白戰慄。

那天吳祖光說得最乾脆透徹，他要「共產黨退出藝術界。」他指出在共黨文藝統治下的惡劣後台，「殺氣騰騰，演員提心吊膽。」他控訴共黨一面反「[illegible]，導演專制時代。……」

在座的許多人發言時，都提到中共要他們主持文化教育機構，但行政大權都操在黨委及黨員的手中，他們實際上只是「有名無權的傀儡」。

輪到他發言時，他也指出自己是「有名無權」的書長，但他認爲這情形並不錯，如此使他有更多的時間搞音樂。

「鳴放」期間他的自我孤立政策已不能適用，他出席會議之外，各音樂雜誌的出黨編輯們更到他的家裏來了，但他終於時機是稀其謹慎，他始終不相信共黨有接受批評的誠意。

因「鳴放」所引起的反共浪潮，遠不亞於匈牙利的刀槍的革命。這反共的激浪把共黨當權者們嚇壞了，你們感到必須及時收網，否則其將大魚一網打盡的陰謀不但可能出籠子，甚至有被憤怒的魚群吞沒之虞。

在「鳴放」高潮過去一兩個禮拜後，各報忽然將毛的「關於正確處理人民內部矛盾的報告」全文刊出。細看內容，竟和他那天所聽到的演說大不相同。他立刻感到這是暴風雨即將到臨的信號；但當時已無人敢於指出此一欺騙，他只偷偷的和馬夫人談起。

果然，這篇講詞像一個捲在圖中的匕首，出現後立即上下揮動，開始了一場鮮血淋淋的屠殺。從那一天起，一批批在「鳴放」中攻擊共黨的人的名字不斷的在報上發表，他們被稱爲「右派」、「反黨」和「修正主義」份子。整個大陸風聲鶴唳，人人自危。

那年他到北戴河度假時，碰到一個青年詩人，大概在「鳴放」期間寫過政治諷刺詩，每天像熱鍋上的螞蟻般的檢視報上的黑名單，看看有沒有自己的名字。有一天他的名字眞的出現了，立刻嚇得面如土色，有如被判處了死刑。

不久這些出現在黑名單上的人都一個個失蹤了，有的被充軍到北大荒，有的被發配到其他邊疆勞動營進行「思想改造」，從此再也聽不到他們的消息。

這場政治的大迫害過去後，一九五八年毛澤東先後又發動了造成悲劇的三大運動，即「多快好省地建設社會主義的總路線」、「生產大躍進」和「人民公社」。這三大運動總稱爲「三面紅旗」。

「總路線」的內容與文化界的關係較少，「生產大躍進」反映在文化人身上的，是除去參加鍊鋼生產耗盡體力的工作外，大家在共黨的驅使和自危的心情下，爭向當局表示願以更多的創作造成文化的「大躍進」。

當時各文化團體紛紛舉行宣誓大會，在全國音樂工作者的宣誓大會上，有一個人竟宣誓要在一年之間寫出十餘個交響樂，另一個決定要完成三個歌劇，還有一個人計劃要寫五百首歌。……這些計劃聽來完全像撒謊，但無人敢指出其荒唐滑稽。

[illegible]計劃完成一個交響樂，[illegible]落後份子。

[illegible]宣佈要創作[illegible]一個劇本，結果一個也沒有完成。由漢[illegible]，結果[illegible]得半身不遂。（九）

三國奇士傳之一

神醫泰斗華佗

周燕謀

觀中華數千年之「歷史舞台」戲，三國時代爲最精彩的突出之一幕。蓋漢劉末世，朝綱失墜，羣雄紛起，人才輩出，實所謂「英雄如林，謀臣如雨」也，豪傑用武，角力鬥智，奇謀詭譎，爾虞我詐，互爭雄長，無所不用其極，稱王稱帝，盛況空前。謂之曰「民族歷史之佳作」，非妄言也。加以羅貫中演義精彩於其先，故國人無不知三國之英雄大事者，確實稱得上耳熟能道。故謀合此精彩人物而不作，於是擇其人異士而述之，或可一新讀者耳目也。

華佗字元化，沛國譙人，千古之神醫也。因史家諱於方技，出身本末不明。青年時代，佗遊學徐州，兼通數經，曉養性之術。沛相陳珪曾舉爲孝廉，太尉黃琬辟之官，皆不就。除精醫術外，尤善治湯藥，其療疾病，「合湯不過數種，心解分劑，不復稱量」，佗用心量藥之分量精微如此。今日尚存國醫——鍼灸之術，在佗時亦已精到矣。計時痊癒，或定日死亡，無不準驗。或病在內，針藥所不能及者，當須刳割（今所謂手術開刀也）者，即飲服麻沸散（即今麻醉劑也），如醉死無知，因以刳治；若病在腸內，便斷腸煎洗，創口縫腹，塗膏四五日即癒，人不覺痛。佗所治之病，無不奇效，其術之精，今日醫師尚有不可及者。茲略述其奇術，以觀其術之異焉。

甘陵相夫人有娠六月，腹痛不安，華佗診之曰：「因胎死腹中故也。」使人手摸其所在部位，在左則男，在右則女，於是煎方服之，男胎果下，痛楚立解。

縣吏尹世，苦四肢煩，口乾不願聞人聲，小便不利。延華佗診之曰：「試煮熱湯飲之，如出大汗則癒，不汗則不治。」於是，病者飲熱湯，汗不出，後三日果死。華佗曰：「此病乃藏氣已絕於內，當啼泣而死。」果如佗言。

故督郵頓子獻得病久久不癒，訪佗視脈，佗曰：「尚虛未復，勿作勞事，毋行房事。行房即死無救。臨死必吐舌三寸」。佗爲之治癒，其妻聞夫病癒，自百里探視，夫妻久別敘歡，晚御妻行房事，後三日，暴斃，吐舌數寸，狀極可怖。

東陽陳叔山小兒，年方二歲，得下痢疾，晝夜啼哭。延佗診治，佗曰：「是兒之母懷驅陽氣內養，乳中虛冷，兒得母寒，故令不痛愈。」佗與女宛丸服之，十日痊癒。

彭城夫人夜入廁，蠆螫其手，痛疼無所恃。佗令以溫湯近熱漬其中，數換煖湯，夜至平旦痊癒。（一）

英國詩人濟慈

吳文蔚

身世小介

以寫夜鶯成名的詩人濟慈[illegible]，一七九五年出生於倫敦市郊，十五歲時曾在外科醫生[illegible]，後習醫七年，在習醫學餘之暇，常喜作詩。一八一七年，他的第一個詩集出版。後與詩人韓德、蘭護二君結識，棄醫專事詩創作，而揚名詩壇。但不幸於一八二一年，患肺癆一病不起，與世長辭，死時年僅二十六歲！他與詩人雪萊同爲英國詩壇鬪人，後世均享大名。

喜研莎士比亞

濟慈對於莎士比亞的愛好，是下過相當功夫的，書中每頁的行子裏，都有他用筆劃出了重要的道道兒作標記，並在每個段落的結尾兒，寫上了很精湛的評語，以資牢記。另外又在頁的空白處，寫的有兩首詩，旁加註語說：「是給卜萊妮凡耐，一八二〇」，[illegible]莎士比亞的書上，[illegible]是在他臨上羅馬之前送給他女友[illegible]的。一八二〇年，濟慈從肖德處給[illegible]女友卜萊妮凡耐小姐去過信的。濟慈[illegible]經常用的這本莎士比亞，至今猶存。

與布朗友愛同住

濟慈和布朗是十分要好的朋友，他倆同住在一個屋子裏，布朗後悔[illegible]幫助他。濟慈死後，布朗還寫了追記濟慈的冊子，極富讚情。

濟慈在去意大利之前，曾發覺他的女友卜萊妮凡耐對布朗似有賣弄風情的嫌疑，因之積鬱不悅，這在他所寄給卜萊妮凡耐的信中，亦曾明白提到，說布朗[illegible]他於死地。這是確有其事？還是濟慈的猜疑？不過卜萊妮凡耐和濟慈終於訂了婚，然而她後來竟又嫁給林頓。

用全靈寫出不朽夜鶯歌

夜鶯歌是濟慈用了全幅的靈感寫出的不朽詩篇，這事祇有布朗最清楚，布朗在他追記濟慈的冊子裏曾這樣說：「濟慈家的院子中，有棵大梅樹，一九二一年[illegible]了，只留着扇幹子。當時大[illegible]樹很茂密青綠，有夜鶯在那[illegible]築窩，濟慈常坐在樹下，靜靜地聽它歌唱以自悅。一天他吃過早飯，端了張椅子，坐在梅樹下的草地上，一直坐了好幾點鐘，後來進了屋子裏，一聲不響，拿着幾張紙片兒，塞到書裏去。這幾張紙片兒，就是濟慈的歌詠夜鶯的詩篇」。

濟慈家的屋後是花園，屋前還有青青的草地，草地上又有一棵三百多年的老桑樹，桑樹枝葉扶疏，還常結着很多的桑子。有的人臆測到夜鶯歌也許在這棵老桑樹下寫成的。無論怎樣，夜鶯歌是在這屋子的院子裏寫成的，其實不單是夜鶯歌是在這院子裏寫成，就是其他很多的好詩也都是在院子裏寫成的。

和卜萊妮凡耐由戀愛而訂婚

住在濟慈隔壁的人有一家姓卡萊妮，有一位小姐名叫凡耐，被濟慈愛上了，這位小姐就是濟慈的愛人卡妮萊凡耐。他們以後訂了婚。濟慈的朋友中，有的人大不以爲然，理由是女的配不上；可是凡耐的家人也並不滿意濟慈，說是濟慈的身體瘦弱，還有點瘋瘋癲癲的舉動。（上）

中國女性文藝春秋

周遊

左右呈獻煬帝，原來都是些詩稿。不看不要緊，原來她和王昭君的命運差不多，最後殺了一位大臣，許廷輔便作了毛延壽第二。她的遺意一首有兩句道：「毛君眞可戮，不肯寫昭君」。因此震怒了煬帝，馬上召了許廷輔問罪：「朕命你選後宮美人入迷樓，爲什麼獨棄此美人？」乃下廷輔於獄，命其自殺，厚葬侯夫人。

煬帝意尤未足，親自去看侯夫人的死屍，此姝雖然氣絕，但其貌美如生，不禁爲之大慟：「她死了猶如桃李，活着不知道好美！」煬帝大大悔恨。現在把她的作品選錄於後：

自感三首云：

庭絕玉輦跡，芳草漸成科。隱隱聞簫鼓，君恩何處多。

欲泣不成淚，悲來翻强歌。庭花方爛熳，無計奈春何？

春陰正無計，獨步意如何？不及閒花柳，翻承雨露多。

看梅二首云：

砌雪無消日，捲簾時自顰。庭梅見吾有憐意，先露枝頭春。

香淸寒艷好，誰識是天眞？玉梅樹後陽和至，散與羣芳自在春。

其他三首爲：粧成、遺意、自傷。

粧成多自惜，夢好却成悲。不及楊花意，春來到處飛。（粧成）

祕洞扁仙卉，雕商鎖玉人，毛君眞可戮，不肯寫昭君。（遺意）

初入承明日，深深報未央。長門七八歲，無復見君王。春寒入骨淸，獨臥愁空房。颯履步庭下，幽懷空感傷。平日新愛惜，自待聊非常。色美反成棄，命薄何可量？君恩實疏遠，妾意獨彷徨。家豈無骨肉，偏親老北堂。此身無羽翼，何計出高牆？惟命會可重，棄割良可傷。懸帛朱棟上，肝腸如沸湯。引頸又自惜，有若絲牽腸。毅然就地死，從此歸冥鄉！（自傷）

侯夫人的作品讀之令人感傷，她和王昭君同一命運，所作同悲同調，思之使人惋惜和悲傷。文學之感人，全在於感情的充實。侯夫人的作品，謂是血淚嘔成，不之爲過也。

隋煬帝沉醉迷樓，也許久而生厭，靜極思動。於是在大業十二年（公元六一六年）假征高麗爲名，臨幸江都。宮女半不隨駕，爭泣挽留，攀車阻駕，指血染鞅，也沒有動搖他去意。自長安至汴後，改御龍舟，每舟擇妍麗長白女子千人，執雕板鏤金楫，號爲殿腳女。一日，煬帝凭殿腳女吳絳仙的肩膀，看她非常柔麗，說不出的愛她，不覺久不移步。復召之入舟，欲拜爲婕妤，誰知她已嫁爲玉工萬羣爲妻，只好作罷。乃擢爲龍舟首楫，號曰崆峒夫人。煬帝每倚簾視絳仙，移時不去，嘗對人說：「古人說：『秀色若可餐』，如絳仙，眞可療飢也！」

煬帝既到江都，絳仙等乃不得親侍寢殿。嘗有人進合歡水果一器，煬帝命小黃門以一雙馳騎賜絳仙，因馳急搖解。絳仙乃作詩謝云：

驛騎傳雙果，君王寵念深。寧知辭帝里，無復合歡心。（廿七）

婚姻危險時期

西門

　　在西方世界，美國人可稱是結婚最多的國家。他們中百分之九十三，一生結過一次婚。去年，結婚的人有一、八四〇、〇〇〇對，比一九六五年多了五萬五千對，創下新紀錄。這些結婚的人有多少能終老，實成疑問。現時離婚數字是每四對中有一對，這比率因種族、職業、地點及其他情形，各有不同。加州是離婚最多一州，每兩對夫婦有一對是以離婚結束的。在洛杉磯城及聖瑪竇城離婚數字更高。洛杉磯每十對有六對離婚，在聖瑪竇是每十對有七對離婚！

　　事實上，芝加哥民事法庭，百分之五十案件是離婚。更奇的，入息低，社會地位低的，離婚數目卻高過中上階級。農村勞工離婚，比醫生多兩倍。不熟練勞工比小商人多三倍。收入低的黑人，過去七十五年，比白人離婚的更多。

　　離婚事件，並不如電影或電視的題材，祗是「上流人」的事。事實上，沒有教育及窮困的人最多。我們且列舉幾個問題：

　　為什麼各行的人有這樣多不能安於婚姻？為什麼許多婚姻不能維持下去？為什麼婚姻雖維持下去，卻很少是眞正快樂？

　　婚姻與家庭專家倫斯曼指出：統計數字本身未能說明與成功的婚姻有關；長壽、富有與和諧夫婦間的關係亦很少關係。據古柏與哈諾夫兩人的合作研究，社團的領袖人物，祗有少數是過「完滿」或「有生氣」的結婚生活。大多數，並不如此。他們因個人需要繼續同居，而離婚會使雙方均蒙損害。他們在婚姻期內，未眞正的手牽手同心解決問題。

　　什麼是「危險」年份？如何去渡過這波濤？

　　以美國來說，結婚後最危險時期是婚後的兩年，第七年，以及第二十到二十五年（視子女長大獨立而定）。南加州大學的達遜博士說：初婚兩年「經常是致命」的，這兩年是幻覺消除期，互相評價期，因為一性的神秘之參透而熱情轉弱，男女雙方的每一項性格上的弱點，或悶人的怪癖都暴露了，性不再是最大補償。

　　維多利亞傳統式的媽媽經常警告她女兒，結婚第二年，衝動的羅曼斯褪色，是最危險的一年，但最近研究，婚姻出問題，經常是在第一年，特別是孩子出世後。結婚第一年生孩子的數目，在美國所謂「槍尖下結婚」多了起來。色情作陷阱的結婚，絕大多數會離婚的。強迫下結婚，在婚後幾年，失敗也最多。

　　加州的朱遜及瑪利蓮達研究一四二五對高中學生的婚姻，發現其中百分之四十四到五十六，是因有孕而迫於結婚的。愛阿華州的布芝納研究，這州的百分之八十七高中女生在作新娘時，已「有了」。

　　從各項研究所知，結婚的年紀越輕，越早，失敗的機會越多。原因很簡單，他們衝動，未到成熟的階段。成功的婚姻，成熟是絕對不可分離的因素。

憶易禮容

諸葛文侯

　　湖南益陽易禮容，與毛澤東，夏曦，郭亮等，同班肄業於長沙省立第一師範學校，區區亦跟他們在「一師」作過一個多月的硯友，後來我改入省立第一中學，就跟他們沒有來往了。這是民國二年的事。

　　民國十年冬間，我在長沙重逢毛、易、夏三人，知道他們都是「中國社會主義青年團」的湖南負責人，易與我的小學同班學友李庠（在長沙讀書時，因共黨關係被政府害了。）極親密，民國卅四年易在重慶我的家中，談到李庠即號啕大哭了一場，這時他是「中國勞動協會」的秘書長。

　　易禮容於對日抗戰之前，在京滬一帶搞共黨地下工作被破獲，曾經自首投誠，聲明脫離共黨，經過反省訓練後，又在上海担任潘公展氏的幹部，公展主持學生夏令營，集訓事宜，易是總幹事，因此我認為他確已改變思想，不會再「反水」了。中國勞動協會主持人朱學範原係國民黨員，民國三十四年春間，他在重慶跟共黨和民主同盟人士一鼻孔出氣，反對國民政府，集體到國民黨中央黨部請願時，朱氏竟充當各個反對黨派的總發言人，以致中央黨部秘書長吳鐵城大發脾氣，向杜月笙先生說話（朱是杜的學生），杜氏教「恒社」幹部陸京士，邊定遠等人約朱到「通商銀行」樓上談話，朱否認他加入了共黨。旋京士託我私下再跟朱談談，勸他不要聽受易禮容的蠱惑，自喪立場。朱帶我到「勞協」與易晤談甚久，他亦聲明早與共黨不發生關係了，我當然相信他的話。

　　是年秋末，毛澤東由美大使赫爾利保證安全，一同從延安來到了重慶，毛住在張治中公館，易禮容秘密寫了一封信，託轉拜託張治中的隨從副官張開祥（現居海關），請他把信件放在毛的書桌上，信裏要求毛約時見面。易晤及毛，首先即說：「你怎末隨便相信赫爾利的話，就貿貿然來到重慶呢？如今赫爾利回去美國了（按赫氏係奉召回華府述職），你的安全保證可靠嗎？」據易氏告訴我的朋友張君，毛當時聽到他這番話，神色沉鬱片刻未作聲。後來毛在國民參政員歡迎會席上，聲言「和為貴」，高呼「蔣委員長萬歲」，就是受了易禮容危言聳聽的影響，所以毛又曾私下叩問司法院副院長覃振（理鳴），說是「理老，你看我能不能夠生還延安？」眞是被易氏的危言嚇破了胆！

閑話麻將

陸民

有若近代猶殘存的專利制度，無論這家專營事業機構怎樣低能，腐化，毫無服務精神，而且還要加價，但別人不能與之相爭，只好眼光光看着它獨霸，連殘羹剩　安慰獎式的辦法也沒有。雀局中常遇這樣的局面，眞是黃鐘毀棄，瓦釜雷鳴，豈不是貴族制度的借屍還魂嗎？

　　現行的麻將制度，不但要自己的牌絕對的好，而且要別人的牌全部的壞，才能取得有利的形勢。換言之，必須絕對損人，然後才能相對利己。它既不能有併肩作戰的友軍，也不能有利害與共的盟邦，故上枱之後，雖家人父子，也要視同敵國仇讎。在這種壁壘森嚴的玩法之下，如果要忠於崗位，則不能顧及友誼情感，如果不扣，尅，攔，碰，即等於老千抬轎，至少是技術低劣，不受歡迎。

　　俗語說：「行行出狀元」，麻將一行，自然也會產生若干優越人材，但亦僅能就技術上加以比較，却不能絕對「以成敗論英雄」。常見技術熟練的所謂高手，也有一敗塗地的日子，而新學之士，偏能錯打錯胡，有若神助，無他，冥冥中有一種莫名其妙的所謂手氣或運氣，在作怪罷了。所以要從麻將牌桌上觀人於微，則於其人之性格是否厚篤，或尖刻，慷慨或小氣，機警或矇渾，沉着或焦躁等等是可以約畧窺其輪廓的，但也只是在那一行中是否能夠當選狀元或進士而已，並不足以概其餘。蓋亦嘗見有賭場慷慨之士，而其他場合則一毛不拔的；又嘗見有寡人之疾的人，在歡場中，一擲萬金乃至數十百萬無吝色，而其他則斤斤計較的。故足下如有千金，還是多留心坦腹之士罷。

　　最後希望注意民俗問題或社會問題的有心人士，效法梁武帝，牛僧孺，及楊大年等的精神，對麻將制度加以修正改進，以順應時代之需要，使之有比較合理的規則，因為這種幾乎普及全民及各階層社會的玩藝，影響於國家風俗及人民心術者至大且鉅，似乎不應只予嗜好，不加研究哩。

（十、完）

掛氈史話

仲山

　　現時毛酋的「文化大革命」運動中，對於過去為着保命而向國民政府自首過的共黨嘍囉，都把舊帳翻出來清算，如安子文，薄一波，盧正義之流，一個個被芟夷了。但對易禮容這筆特別顯著的舊賬，却始終置之度外，沒人提起，這可能是毛酋憶及易氏在重慶時的危言眷注情形，兼以同學關係，特予庇護所致也。易之為人，很善於作狀表情，說哭就涕泗滂沱，悲從中來，與馮玉祥的性情相同，是個言偽而辯，行僻而堅，順非而澤，[illegible]當智慧與閱歷的人，是不容易識破的政治人物。

　　自從中世紀末以來，掛氈從未像今日這樣的花式翻新過。在歐洲各地，織氈工人們都在響着新機織造新氈。紛紛地忙着織造，在巴黎以南二百三十五哩的地區，每一架手織的機上，都裝着未完成的掛氈；巴黎的戈比林，一度是專為法國皇帝織造掛氈的廠家，後來改為製造家具。現在，那些織工們又被召回去，織造由法國若干第一流美術家所設計出來的現代掛氈了。而在瑞士的桑落，國際古代暨現代掛氈中心，則正在該地舉辦第一屆的掛氈兩年展，這展覽自今年六月舉行至今，已吸引了來自各地的無數訪客了。

　　帶上戰場在十四世紀與十五世紀，掛氈是最豪華的裝飾。可是它們也有它們的實用價值。它們為古堡的石牆加上裝飾，它們可以禦寒。許多冷得抖索的少女們，要感謝掛氈，它把一間寒冷的大廳，隔成一舒適的香閨。

　　有些掛氈，是為表揚一個勇敢的貴族而訂造的，有時，它們會被捲了起來，帶上戰場，以裝飾此人的營幕。後來，到十七世紀與十八世紀，轉向牢在牆上的裝飾品，如大理石、鍍金木製品、大幅的繪畫之類，掛氈開始降居其次。可笑的是編織技術越進步，獨創的精神越消失，掛氈開始變成繪畫的模仿品，有價值的作品漸漸減少了，直到近年，風氣始為之一變。

　　遮蓋空蕩掛氈藝術之復興，一部份由於藝術家們希望用新的技術，來表達他們的設計，主要却是由於建築方面的需要。據國際掛氈中心的主席樂克（七十老人）說：「現代世界需要這些大張的，裝飾用的掛氈，需要用這些多彩的懸掛物，以遮蓋當代建築物上空蕩的牆壁，同時也為它們增加美麗。」

　　正在洛桑大學舉行的掛氈展覽，展出來自十七國的五十七位藝術家的作品。

大政治家諸葛亮

河漢

　　為此，諸葛亮公開承認：「不伐賊，王業亦亡；惟坐以待亡，孰與伐之！」這就是說，一個劣勢的國家，必需抱定從死中求生的決心，絕不能坐着等待天上降奇跡。一個劣勢的國家，必須主動地掀起戰爭，爭取主動，把戰火燃燒在敵人的土地上，讓敵人在戰爭中所遭受的損失，多過本身因攻擊而付出的損失。讓強大的敵人手忙腳亂地來應付戰爭的突發，却不給予強大的敵人向弱者先行下手的機會。讓敵人長期在動員狀態中，無法把社會程序納入正常的運動軌道。讓敵人在戰爭的疲勞中，觸發內在的潛伏的矛盾。關於後者，諸葛亮的目的確實達到了，曹家所掌握的兵權，由於西綫的戰爭而轉移到司馬家族。蜀漢誠然終於覆亡了，但魏國覆亡的命運也不過遲了二年而已。

　　另外一個原因，只有諸葛亮自己才明瞭的，那是他個人的健康問題。蜀漢的國運，由於他集權的結果，安危繫於他的一身，沒有一個可以繼承他的事業的後起者，這是他最大的悲哀。繁重的工作，孱弱的身體，促使他在油燈乾枯的情況下，迫近生命的盡頭。但蜀漢的前途，是一片走不完的荊棘。他不能死。然而死亡的黑影正在他的面前不停地擴張，因此他必需趁他未死之前。掌握這個行動，不管什麼「成敗利鈍」。直到「死而後已」。前後七年，連續進行了五次北伐，簡直沒有喘息的餘暇，便是為了不浪費他的生命的一分一秒。他的苦心，並未為姜維瞭解，姜維但知摹倣諸葛亮的作戰到底的行動，却完全忽畧了自己的條件，以致斷喪了蜀漢的國力，提前了蜀漢亡國的時間。

（十二、完）

鷄童魚童及其他

◁晉陵▷

　　五年之後，有些漁人却說在卑斯加灣發現奇景：一位人魚和魚類一樣潛泳，同時以吃魚為生。當漁人將船駛近時，他却在深水中失蹤，所有希望接觸他的努力，都歸於徒然。

　　幾天後，漁人用麵包把他引到較近的地方，然後用網捕捉。當他們打開魚網的時候，網內赫然是一個發育完全的青年人。

　　目擊的人大為震驚，並把他帶到附近的寺院去，仁慈的僧侶給他食物。他手腳的指甲已沒有了，看來非常愚蠢，又不能說話。同時，他似乎除了食物外，對什麼都不感興趣。他只能把腰彎得很低，才可行路，表情猶疑。

　　一天，他居然叫出家鄉的名稱，才算是他身份的第一個綫索。當僧人把他帶到他的家鄉時，他好像感到顫抖和興奮。他又自己帶路，走到故居的門前，那兒，他那雙快樂的父母就認出，他就是失蹤多年的兒子法蘭西斯高。

　　法蘭永無法變得像人，他不能忍受衣服的束縛，又不能學習普通的行動。他彷彿聽不懂人語，不肯學習講話和走路。

　　一天，當他的母親帶他走過一度橋頭時，他突然掙脫母親的手，跳下水中。救援隊來到的時候，他已失踪了。

　　幾年來，奧斯度利亞灣又傳來人魚之說，人們都相信這就是法蘭西斯高。

　　人事無奇不有，野獸養育人類的事，也發生過。一九三七年，獵人捕捉了土耳其的熊女。只不過九歲的她，却長得健碩非常，當被獵人在巢中拖出時，居然向他們抓擊。後來，她被自己的父母認出來，她是在八年前為熊狗搶去的。

（二）

自由報
THE FREE
第一八〇期
中華民國僑務委員會登記證僑新字第三三三號
臺灣郵政台字第一二八二號執照登記爲第一類新聞紙類
（每星期三、六出版）
每份港幣壹角　台灣零售每份新台幣貳元
社長：雷嘯岑
督印人：黃行審
社址：香港銅鑼灣高士威道二十號四樓
20, CAUSEWAY RD 3RD FL.
HONG KONG
TEL. 771726　電報掛號：7191
承印者：大同印務公司
地址：香港北角和富道九六號
台灣分社
台北市西寧南路壹壹零號二樓
電話：三〇三四六
台郵撥儲金戶九二五二

越戰與美蘇關係（下）

·宋文明·

換言之，美蘇兩國雖在越戰中完全屬於相反的立場，互相責難，但由於雙方態度審愼，各自實行克制，所以越戰也未能破壞它們之間的根本關係。這種原因，除了它們體認到自己爲世界巨強，它們之間的不和將爲整個世界帶來重大的災難外，美對蘇俄一直伸出友誼之手，不斷表示協調姿態，也屬重要因素之一。現在再將越戰期中美蘇間的這種和解作法及表示，擇要加以列述：

（一）自一九六五年二月開始轟炸北越後的頭兩個月中，美總統詹森曾作了近乎十次的聲明和談話，強調不擴大越戰，并對蘇俄政府首長直接發出呼籲。

（二）一九六五年七月十二日，美巡迴大使哈立曼抵達莫斯科，向蘇俄政府解釋美國的越戰政策，要求蘇俄能予諒解。

（三）一九六五年十月三日，美俄協議，對太空飛行所獲資料，作共同宣布。

（四）一九六五年十一月三日，美蘇宣布交換兩名核子科學家，在對方作爲期數月的原子能和平使用研究。

（五）一九六六年二月二日，蘇總理柯錫金聲明，要求美蘇商訂防止核武器散佈及全面禁止核子試驗。

（六）一九六六年三月十九日，美蘇兩國在華府簽訂一九六六至六七兩年新文化交換協定。

（七）一九六六年六月十七日，美蘇兩國分別向聯合國提出管理太空星球草案。

（八）一九六六年八月廿六日，詹森在依阿華州發表演講，表示美國在越行動，不妨害蘇俄重大利益。要求美蘇雙方實行和解。

（九）一九六六年十月七日，詹森在紐約全美主筆協會演講美對歐洲政策，聲明決對蘇俄集團廣泛和解。

（十）一九六六年十月十九日，美俄在華府恢復已停頓數年的民航空運談判，并於十一月四日，正式簽署這一協定。

（十一）一九六六年十二月廿日，聯大基於美俄兩國所提草案，通過太空和平條約，禁止在天體置核子武器。

（十二）一九六七年一月廿七日，美、蘇、英等國，在三國首都分別簽署太空和平條約。

（十三）一九六七年三月十二日，美國參院以六十六票對廿八票，通過美蘇領事協定（於一九六四年六月一日簽字於莫斯科）。

（十四）一九六七年六月廿三日與廿五日，美總統詹森與蘇總理柯錫金，在美國紐澤西州玻璃鎮分別兩次會談，先後時間共達十小時。

（十五）一九六七年八月六日，美國務院宣布放寬對蘇俄及東歐國家外交官行動限制。

（十六）一九六七年八月廿四日，美蘇兩國聯合向日內瓦裁軍會議提出防止核武擴散條約草案。

（四）

根據以上兩種事實，越戰雖使美蘇關係確已受到若干相當的影響，并出現了不友好的場面，但由於這一戰爭并不直接牽涉到雙方的基本安全，以及美國時時向蘇俄疏解，審愼防止局勢惡化，所以這兩種作用互相克制與抵銷的結果，實際越戰對美蘇關係的影響，亦便沒有如一般預料中那樣的嚴重。蘇俄方面，曾經表示越戰已使美蘇關係陷於凍結狀態，而實際不僅雙方正常關係照樣維持，照樣進行，絲毫沒有陷於凍結狀態的景象，而且仍然依循着一九六三年以來的既定道路，繼續發展，不斷尋求新的協議。蘇俄總理柯錫金也曾明白告訴紐約時報記者雷斯頓，說在美國從越南撤退以前，蘇俄絕不與美國舉行高層談判，而實際柯錫金不僅與詹森舉行了這種高層會談，而且還對越戰獲得了一項重要的諒解，希望雙方竭盡努力，不使其趨於擴大。這種情形便充分表示出，蘇俄對於越戰，外表的宣傳攻擊是一回事，而實際對美態度又是另回事。祇有在萬不得已，不得不然的情況下，蘇俄才會採取最低限度的反對行動，以作必要的應付，若超過這種必要的限度，對於加速美蘇關係惡化的任何行動，蘇俄必然是審愼處理了。而蘇俄對於越戰所以要作必要的反應，一是由於它要維持北越共黨政權的不瓦解；二是由於它要準備應付整個局勢的萬一全面惡化；三是它要保持國內人民及共黨集團內部的信心，絕不在外力壓迫下表示退讓。這三項因素，便決定了蘇俄對於越戰的基本態度和限度。

因此就整個情況來說，越戰對於美蘇關係雖有明顯影響，但這種影響既不是使美蘇之間因越戰而形成正面對立，也不是使美蘇關係由此陷於凍結和停止，而是使美蘇之間的各種外交步調由此而全面放緩了下來。假若不是這一越戰的影響，在這三年期中，美蘇之間很可能已達成了許多新的協議，可能已使全面禁試，核子裁軍，防止突襲等問題有了實質協議，可能已大大緩和了國際緊張局勢，也可能已成了美國總統詹森訪問蘇俄的局面。美國的積極參加越戰，已使這些協議完全變成爲不可能，并使國際局面出現若干緊張，但它并未阻止美蘇之間在次要問題上的協議和進展，縱使這些協議和進展，也出現得較緩慢了一點。所以現在，在越戰陰影下的美蘇關係，在美國一方，祇要事實需要，它決無限期進行這一戰爭，但它絕不擴大越戰，不想由此而開罪蘇俄。在蘇俄一方，祇要越戰繼續一天，它決將繼續支持北越，繼續反對美國到底，但它亦絕不願由此而使美蘇關係陷於全面惡化。換言之，今日美蘇兩國對於越戰，便是在儘可能的範圍內，竭力設法不使其捲入雙方基本關係之內。

（五）

以上這種情形，是自美國開始轟炸北越頭三年的事情。在這一時間之內，在北越境內尚有五十處以上的轟炸目標沒有轟炸過，尚沒有轟炸河內及海防的中心市區，尚未封鎖海防及其他港口，美軍尚未登陸北越地區，當然更談不到攻佔海防及河內等重要城市了。祇要美國不採取這些行動，把越戰繼續維持在目前這一水準，美蘇關係也可望繼續保持這種互相爭執而不正面對立的局面。可是一旦局勢變化，美國採取這些行動中的一種或數種，則戰爭繼續升高，則蘇俄態度及美蘇關係如何變化，也就沒有人可預作意料了。

反過來說，如果越局轉趨和緩，美國決心無條件完全停止對北越的轟炸行動，最後導致越戰和談及停火的實現，則蘇俄態度及美蘇關係，自也就相應而有所協調，重新恢復到越戰嚴重化以前的局面。所以說，越戰的繼續進行，并不一定會使美蘇關係走向更惡化或全面凍結其外交往還，但越戰將會消除美蘇關係上的一項巨大障礙，使它們之間的一切重要談判得能恢復和順利進行。因此越戰的如何演變，仍爲今後世局的主要關鍵。（完）

「外交政策」

怕得要死！

今日與明日

美國的反越戰旋風

近來美國忽然掀起了一股反對越戰的旋風，青年學生數千人游行示威，跟警察發生衝突，亦有人當場撕毀入伍證，旋風的餘燄尚未平息，還在加州一帶拂盪着，使白宮當局深感困擾。

美軍在越南的形勢方在好轉之中，北越的若干軍事基地和運輸港口，以及交通幹綫，皆被美空軍摧毀殆盡了。這對於白宮當局所訂「以戰迫和」的策略并不違背，青年學生無端自擾，諱然反對越戰，可謂不識時務，適所以長敵人的志氣，滅自己的威風。然而這不能怪青年學生，他們是感受着一班政客官僚的宣傳毒素，樸素的心靈被麻醉了。

選舉的流毒

美國下屆總統選舉期間，距今只一年光景了，民主共和兩黨人士的選舉宣傳戰，已進入密鑼緊鼓階段。雙方對於內政問題，大同小異，沒有可資爲發動選民聽聞的題材，祇好藉對外政策來互相標榜，而越戰便是最好的宣傳資料。

所以，參衆兩院的國會議員，最近特別對越戰問題感覺興趣，議論不休，起勁極了。然而，爲要迎合選民非戰心理，却不敢表示必須爭取戰爭勝利的話，大家祇是高唱「和平」的調調兒，連担當外交重任的國務卿魯斯克亦不例外，在野的共和黨人，更利用越戰作攻擊詹森政府的武器，自不待言，再有一些雞蛋頭的學者專家——即所謂鴿派人士也者，推波助浪，不斷地主張停止越戰，無條件跟越共言和。於是乎，反對越戰的空氣，一時瀰漫着美國社會各階層之間，青年學生之集體示威反戰，即係受到上述各色人等的宣傳影響而然。

如果沒有大選關係，倘是那些雞蛋頭的學者專家們發表非戰論調，我們相信美國青年學生反對越戰的旋風，是不會煽揚起來的。

民意測驗不可靠

最近美國蓋洛普民意測驗報告，指說詹森總統的人望，已因越戰而大爲低落了。這亦是對白宮當局的一種心理威脅，爲着未來的大選利害，因而影響越戰的應有行動。實則所謂民意測驗的玩藝殊不足憑。如一九四七年美國大選前夕，蓋洛普的民意測驗報告，對於杜威的勝算，百分之八十以上的一面倒，但結果是杜魯門大獲全勝，即係確切的證明。

邱吉爾說過：「現代的民主政治制度，可能是一種最壞的制度，但在沒有更好的制度代替以前，祇好使用它」。邱翁所說民主政制的毛病，在美國特別顯示其正確性，吾無間言也。（何如）

自由談

作曲家的悲哀

一向把毛酋澤東的詩詞語錄作成曲譜，拼命讚美毛共政權的音樂家李劫夫，最近被諡爲「用心惡毒」，是故意使毛酋的詩詞庸俗化，敎化的野心家，而列爲「宗門埼」「門臭」的罪犯了。

詩詞作品之庸俗與否，是詩詞的內容問題，完全與曲譜不相干。祇要作品的意境高超，辭旨優美，無論甚末曲譜唱出來，總是教人用感動而興奮的。例如「義勇軍進行曲」，在對日抗戰時期歌唱起來，凡屬中國人沒有不熱血沸騰，發生同仇敵愾的愛國熱情者。但毛共政權將牠利用爲所謂「國歌」，不特庸俗，而且不啻是自我諷刺，大家唱着「起來，起來，不願做奴隸的人們」這句歌詞時，內心裏必然掀起反抗共產暴虐政權的情緒，這便是詩詞的意境關係。

毛酋所作詩詞的意境本來就不高，辭句亦很庸俗，如「我失嬌楊君失柳」，如「吳剛捧出桂花酒」，「華陀無奈小蟲何」，「萬戶蕭疏鬼唱歌」之類，即使起貝多芬於九原，請他作出曲譜來歌唱，亦是俗不堪耐，決不會變成雅頌之音的。

政治上本無眞正的是非可說，一般的當權派都是「以人類爲芻狗」，愛則加諸膝，惛則墮諸淵，你平日所行所爲的凡百事項，九十九項皆受到當權派的贊許，只要有一點不合他的胃口，你便是無可諒恕的罪人。至於共產社會的當權派更有甚焉，你縱然百分之百的服從他，擁護他，甘作奴隸，偶爾他的眉眼一橫，你就變成了反黨反社會主義的十惡不赦之輩。因爲他們是以所謂階級鬥爭爲生存手段，先鬥敵人，再鬥同志，日鬥夜鬥，永無休止的，作曲家李劫夫的利用價值不多了，自在排除之列。於是乎，他嘔盡心血替「毛主席」的詩詞作成曲譜，「大力歌頌功德的行爲，即被指爲「用心惡毒」，叛逆分子，非投諸濁流不可了。吁嗟乎，不自由，毋寧死，有以也夫！

馮子先生

從立法院質詢 看行政部門設施

有關憲政體制及司法風紀部份

——本報記者張健生

行政院長嚴家淦於九月二十二日,在立法院舉行第四十會期第一次會議上作施政報告時說:「我國實行憲政,至今已有二十年了,在這段期間內的經歷和考驗,對我們國家民族實在非常重要,對於各位委員先生的精誠團結,艱辛維護民主憲政於不墜,特致由衷的敬佩」。

至於「我國實行憲政二十年來」的成效如何?立法委員們的質詢案,該是很好的答覆。而立委李文齋、張金鑑、王廣慶、武誓彭、夏濤聲、王世憲、成舍我等一百四十人,就立法院第三十八會期決議請行政院處理司法行政部對於損害憲法尊嚴行爲應負之責任一案,向行政院提出質詢,卽爲實行憲政二十年來的事例之一。

立委百餘人質詢

該質詢指出:前在五十五年十月八日,立法院舉行第三十八會期第八次院會,曾就台北地方法院檢察處向立法院調取審議減低黃豆進口關稅案各委員發言紀錄一案,予以審議。當經通過決議:依據憲法第七十三條「立法委員在院內所爲之言論及表決,對院外不負責任」之規定,對於(一)台北地方法院檢察處向立法院調取各委員發言及表決紀錄,作爲偵查犯罪之參證,(二)該處公然發表聲明,蔑視憲法,(三)該處之監督長官司法行政部長鄭彥棻在列席立法院院會及聯席會時,曲解憲法,並對部屬之不當辯明,予以庇護各節,認爲對民主憲政體制憲法賦予立法委員職權之行使,構成嚴重危害。並經通過決議:對於上述損害憲法尊嚴行爲,司法行政部應負之責任,請行政院處理。在貴院長(嚴院長)列席立法院該次(去年十月八日)院會時,曾卽席發表聲明,對於前述憲法第三十七條關於立法委員免責權之規定,闡釋甚爲明確。立法院同仁對於貴院長所持維護憲法尊嚴之嚴正態度,深表敬佩。惟行政院對於上述立法院決議司法行政部應負之責任,則因循諮顧,遲遲未爲處理。迨至本年二月間,立法院舉行第三十九會期第一次院會,立法院同仁張委員金鑑等一百二十一人,曾就上述立法院決議請由行政院處理本案情形,向貴院長質詢。貴院長在答覆質詢時,除重申前次聲明行政院尊重憲法之不變立場外,關於前述立法院決議之處理,則稱仍「正在審愼研究之中」。

決議案拖延經年

現本案拖延經年,迄未處理。同仁等鑑於本案關係我國家憲政體制與憲法尊嚴,又鑒於行政院對立法院在立法上所負之責任,以及因本案之經久拖延,對於立法院與行政院間所造成之影響,特就前述立法院決議行政院處理情形,提出質詢,敬請嚴院長惠予答覆。

行政院長嚴家淦答覆李文齋委員等質詢時說:「行政院維護憲法之立場,家淦之向貴院一再鄭重表示,此爲本院全體政務委員暨各部會首長,共同一致之立場,凡本院所屬之機關,自應一體恪遵,茲特向貴院(立法院)重申此意。關於李委員等剛才質詢一案,本院本維護憲法之一貫立場,尙在妥爲處理之中」云。按照憲法第五十七條規定:行政院對立法院負責。「行政院對於立法院決議案,如認爲有窒礙時,得經總統之核可,於該決議案送達行政院十日內,移請立法院覆議」。但是,該決議案,行政院既未依照憲法規定程序移請立法院覆議,而於一年後也不執行,則所謂「行政院維護憲法之立場」,能不令人迷惘嗎?

法治情形的實例

立法委員劉錫五於質詢國防部組織法時說:對國防部組織法之質詢,已有三十四次,連同這次共三十五次,爲時十七年有半,由於法制不是一朝一夕所能建立起來的,故這個老質詢也不能隨便停止的。

關於法制的問題,劉委員就法律中有關法制部份曾加以檢討,並列舉三種實例,來說明法制的情形。第一、現在應行制定法律而迄未制定者;第二、已制定法律而尙未遵行者;第三、已制定之法律業經失效,而迄未依法廢止者。

劉委員質詢說:第一、關於重要制度,而未經立法者,如憲法(第一百十二條)中所規定之省縣自治通則,始終未完成立法程序。目前在台灣實施的是台灣省各縣市地方自治綱要,是行政命令,不是法律。其次,憲法第一百十八條規定直轄市之自治,以法律定之。目前台北改爲直轄市,是台北市各級組織與實施地方自治綱要,這也是命令。關於國家機關尙有未經立法者,其中最重要的還是國防部組織法。再以最近事實爲例,財政部要設台北市國稅局,也未經立法(按:行政院已[illegible]財政部各地區[illegible]織通則草案,[illegible]法院審議)。[illegible]有沒有法律呢?沒有。憲法第[illegible]對國家疆域,非[illegible]國民大會通過不得變更,在領土之內行政區劃是立法院與行政院的責任,憲法第一〇八條第二款,對行政區劃問題,規定應由中央立法並執行之。而行政區劃,則事屬立法院,因之,必需要有行政區劃通則,現在還未制定。我國凡三十五行省,十二直轄市,加上台北市而爲十三直轄市,海南島爲特別行政區,西藏、蒙古兩地方,行政院應有計劃,由立法院加以立法,才能完成法制。

省府組織依法否

第二、有立法而未能遵行者。現行省政府組織法只有六個單位,而台灣省政府則有廳處局會十幾個單位,其依據爲組織規程,組織規程是行政命令,不是法律。其次是警察服制,警察服制已改變三、四年,而警察服制條例迄未修正。

第三、法律已失時效而未廢止者。如石門水庫建設委員會組織條例,石門水庫已由台灣省政府管理,該組織條例沒有廢止。如中央政府總預算施行條例,每年均通過,但應廢止。如公債條例,有若干明文規定其償還年月,則該公債業已償清,有關條例迄今未廢止,由於其中應還未還,致有關條例,不能廢止,亦應加以研究整理。如所得稅稅率條例,也有很多失去時效,這都應加以檢討的。這些法制問題,需要大家維護的。立法院講法制,行政院也要講法制,基於此,關於法制觀念,行政院必須加强;關於法制效能,行政院必須提高。不然的話,雖不至落空,至少差池。

關於國會解釋案

立法委員楊粹以質詢抨擊司法院上兩屆大法官對「國會」解釋案等,「是大錯而特錯」,並「係違背政治原理,超出民主政治常軌;違背國父遺教,逾越中華民國憲法的基本精神」。因此,他主張「擬請行政院函請司法院對我『國會』案,再予解釋;或由行政院依據憲法第四十四條之規定,報請總統召集有關各院院長,以會商方式來解決這一問題,以正國本,而杜紛擾」。

楊委員於質詢時,贊揚監察維護民主政治的正當行爲,値得國人贊佩。他說:「司法院大法官會議對法律案的解釋,理應爲國人所共同尊重,正因爲如此,所以各民主國家對大法官一職,都是看得很超然的,必須由德高望重,品學兼優之士來担任;至其對每一法律案之解釋,也務必以國家憲法,政治原理爲依據,使之合情合理,不偏不倚,才能使大家信服。乃上兩屆大法官會議,對『國會』解釋案,『國民代表總額計算標準』解釋案,以及『縣市議員在議會發言言責』解釋案,似均有違民主憲政常軌,以致招致國人的非議」。

按:司法院四十六年五月三日公布之釋字第七十六號解釋:認國民大會、立法院、監察院共同相當於民主國家之國會。

司法行政與獄政

關於台北監獄凌虐人犯一案,經監察委員陳大榕、葉時修調查公布後,不但政府極爲重視,而民間亦議論紛紛。立法委員張慶楨、黃玉明、張子揚等多人,均分別質詢。因爲監獄行政,與審判無關,完全屬於司法行政範圍。(上)

花蓮市百餘攤販棚 省府飭令限期拆除

善後問題重大必須周密考慮

(花蓮航訊)台灣省政府違章建築委員會,日前來花蓮勘察違章建築情形,發現建築在花蓮市自由街及明義街大水溝兩旁的一百二十二個攤販棚有違規定,原因是該處兩旁街道狹窄,影響交通秩序,環境凌亂,鄰近一條大臭水溝很不衛生,因此飭令有關單位予以限期拆除,并追查當時決定建築此攤販棚的責任。

這一百二十二個攤販棚,是花蓮縣警察局和花蓮市公所在民國五十四年十月協調建築的。當時決定要建築這一百二十多個攤販棚,警察局和市公所的本意是不錯的,因爲花蓮自五十二年九月一日開放爲國際港後,人口逐漸增多,市區日漸繁榮,當時的流動攤販可說滿街皆是,爲免有碍觀瞻及市容起見,警察局和市公所的確費煞了一番苦心,決定在這條大臭水溝的兩旁建築攤販棚,收容市區的流動攤販。

然而事隔兩年,省府違章建築委員會始發現是違章建築中的違建物,不僅飭令有關單位要限期拆除,還要追查當初的決定責任。這對花蓮警察局和花蓮市公所來說,實在有點爲難。

現在警察局和市公所正在洽商如何拆除,及拆除後的善後問題。站在花蓮市民的一份子,有責任誠懇的建議警察局和市公所:對於拆除這些攤販棚的善後問題,有必要作最週密切實的考慮,千萬馬虎不得。(趙愛蓉寄)

(台灣東部航訊)謠傳台東縣長黃順興赴美訪問前夕,台東縣屬部份中學和小學校長及部份教職員分別贈送旅費事,已引起省府的重視。省府爲明瞭傳說眞象,特派省教育廳督學陳重,民政廳徐視導及主計處周科員連袂東來,進行調查。畢竟有無贈送旅費情事?贈送了多少?以何種方式贈送的?俟省府人員進行查證後,眞象應可大白。

黃順興縣長是今年五月份應美國邀請出國訪問的,八月底才從美國歸來,共費時八十餘天,先後訪問過十多個國家。訪美經費,係由美國負担,縣政府僅籌備新台幣四萬元,作爲黃縣長出國訪問的交際活動費用及購置我國土產隨身帶去分贈國際友人。(楊美霖寄)

來函照登

編輯先生大鑒:頃閱貴報十月七日第二版,刊有工業總會理事兼秘書長郃超民,被控利用職權圖利,告發人爲該工業總會監事張大謀,新聞一則,查本會爲全國性工業法團,經費收支,依章於會計年度開始時編列預算,提請理事會通過後,報請主管機關核備,本會全體職員,均按預算支領薪津,數年以來,並無踰越之處。張大謀君於今春確有向地方法院控告郃超民君僞造文書案件,業於上(九)月六日以五六年不字第三九一四號宣告不起訴處分。事關本會聲譽,特請賜予刊登,以正視聽爲荷。此頌

公祺

中華民國全國工業總會理事長潘仰山

五十六年十月十二日

編者案:郃超民君亦有信來請予披露更正,以其內容與上刊來函相同,故不再刊載矣。

高雄市自來水廠通信標購器材公告

一、材料名稱規範數量:白鐵管乙批正品。
二、投票資格:凡有承製或承售前項材料,領有同業公會會員證,投標比價證明書,營業登記證,及最近一期廠商投標納稅證明卡者,均可參加。
三、領取投標須知及標單日期:自公告之日起至十月十二日止辦公時間內向本廠物料課領取。
四、標函投遞日期:十月十二日以前用掛號郵寄本廠物料課,逾期無效,以郵戳日期爲準。
五、審查證件日期:十月十四日上午十時以前在本廠物料課審查。
六、押標金:新台幣弍千元正(限台銀本票或金融機關保付支票)。
七、開標日期地點:十月十四日上午十時在本廠當衆開標。
八、交貨日期地點:合約簽訂日起十天內在本廠鼓山倉庫交貨。
九、付款辦法:貨件全部交淸經會同有關單位驗收合格後作一次付清。
十、餘詳投標須知。

惡夢十七年

——馬思聰的故事

趙浩生

倒是他自己眞正的實踐了諾言，完成了他的「第二交響樂」。多數人在這瘋狂的「躍進」中雖一無所成，但以創作爲藉口，倒逃脫了許多鍊鋼生產的苦役。

公社制度在北京也行過一個時期。單位編好後，大家就開始在公共食堂用餐，當局宣傳「從此吃飯不要錢」，要每家都把自己的鍋賣了。但此一制度沒行多久就停止了，再回到自己家裏作飯時已無鍋可用，結果又得排隊買鍋。

一九五八年八月，「三面紅旗」運動開始不久，中共又叫出「解放台灣」的口號。當時大軍雲集福建沿海，整個大陸充滿備戰空氣，他也奉令與田漢，梅蘭芳等組織文化藝術界代表團，前往福建勞軍。

到達廈門前綫後，他才發現所謂「解放台灣」，只是隔海炮戰。此一炮戰亦未維持多久，中共即以一篇「告台澎金馬人士書」下台，改爲隔日炮擊的滑稽戰爭。

台灣雖難解放，但文人却易宰割。一九五九年，北京又發動所謂「資產階級學術思想的大批判」，提倡「團團轉平衡論」，經濟思想和「新人口論」的北京大學校長馬寅初成了鬥爭對象，馬因不肯屈服被撤職。同時受批判的學者，有哲學家馮友蘭，賀麟，文學及語言學家劉大杰，林庚，心理學家唐鉞，吳天敏等。

一九六〇年文藝界又掀起「反現代修正主義運動」，對象是「論人情」的作者王任叔和「唯眞實論」的作者李何林。劊子手依然是周揚和其手下的蟹兵蝦將，被鬥爭者統稱爲「右派反黨份子」，公開認罪後均被解職清算，下落不明。

思想的清算鬥爭他尚可暫時躲避應付，但因大躍進及公社制度的失敗所造成的普遍飢荒却無法倖免。這期間以旅行演奏爲名受人的招待求得一飽的機會並不太多，不能出去時，就只有困守北京在飢餓綫上掙扎。

在北京時他們天天只能吃白菜，白菜缺乏蛋白質，造成營養不良。病象是先消瘦，後發腫。臉上因發燒泛着虛紅，看上去倒像很健康，但精神疲勞，昏昏欲睡。更可怕的是他的手指腫得無法操縱提琴的弓弦，馬夫人亦難於彈鋼琴。直到最近，馬夫人的健康才算復原。

在大陸上遍地飢荒之時，瑞雪小姐在學校裏曾聽到同學們紛紛的談論着國民政府的飛機從台灣飛到大陸空投食物的消息，此一事實給大陸人民的溫暖與影響，超過中共任何「解放台灣」的宣傳。

第五章　「這裏的人民不能哭泣」

在中共對文化人一次比一次更殘酷的清算鬥爭中，他曾不斷衡量着自己的處境。他記得和毛第一次在重慶談話時，就發現不能同意毛的藝術理論，當時還同毛略有辯論。進入共黨的統治之下後，他雖不得不表示要重視大衆音樂，但他內心依然堅決反對降低音樂水準專爲政治服務的共黨教條。

他知道在共黨音樂家中，有不少人反對他重視音樂藝術的觀點。馬可很早就在文藝報上駡他的音樂代表「墮落的，污朽的西方資產階級」。

一九五六年北京舉行音樂節演奏會，毛也出現了，會後大家與毛在音樂廳前的草地上攝影紀念，並請毛對參加演出的人員講話。毛以無所不知的口氣說，西洋音樂與中國音樂不同，前者有科學基礎，後者沒有。懂得西洋技巧的人，應帶頭領導以科學分析的方法改進中國音樂……。他雖然不同意毛此種信口開河的理論，但當時他已不能予以辯駁。（十）

英國詩人濟慈

吳文蔚

關於卜萊妮凡耐的情形，濟慈也曾輕描淡寫的刻劃過：「她的個兒和我差不多，長長的臉蛋兒，多愁善感。髮梳得好，鼻子也美。臉側面好看，正面看又瘦帶貧血，像沒有骨頭。身架苗條，姿態可人。胳膊好，手差點兒。腿細直，脚不錯。看樣子不止十七歲，惟是有點小毛病，天眞爛漫，舉動奇奇怪怪，到處蹦蹦跳跳，喜歡給人起渾號。我想這並非是她生性壞，是愛鬧點兒，抖一抖漂亮勁兒罷了。」濟慈這樣地刻劃他的愛人，像這樣也是夠入骨的了。

赴羅馬養病

一八二〇年的二月，有一天濟慈從外面走了回來，一進到屋子裏，便吐了一口鮮血；顯然的，他的癆病是發作起來了。他的母親和他的三弟，都是死在癆病上，而他也患有肺癆病的底子，從此以後，便一天嚴重一天，隨着時間而壞下去！

這一年的九月，他決心要到羅馬去養病，他的摯友塞芬陪着送他前去。

在他將去意大利之前，他從肯德城寄給他愛人卜萊妮凡耐一封信，信中這樣說到：「我最親愛的情人：今晨我手裏拿了一本書散了會兒步，但腦海裏除了你外再沒有別的東西，我願說是在一種令人愉快的氣氛中，其實是朝夕都在痛苦裏喲。別人都說我將要去意大利，如果我長期離開你，我就不會復元了，那是一定的。雖然我這樣專心對你，但對你却不能有過分信任……」

濟慈這封信，心情是極端的煩燥，似乎對他這次的意大利之行，早便有了與世隔絕的預兆，可是有誰會料到當他到達羅馬之後，不幾時就眞的傳來了噩耗呢！

塞芬，這個可敬的人兒

一八二〇年的九月，塞芬伴同濟慈到羅馬養病，一八二一年的二月，濟慈便長辭人世。

濟慈死後，塞芬爲他料理後事，把他葬在羅馬的新教墳場。臨入葬前，塞芬在濟慈頭上剪下來一束頭髮，準備托個便人帶回英國去，留個紀念。

據塞芬對人說：他剪濟慈頭髮的用意，本是基於一個怪念頭所引起，他是想照他的希臘琴的樣子，作個別針，用濟慈的頭髮當弦子，送給卜萊妮小姐，可是費了兩年的功夫，一直沒有找到這麼個手藝人，所以仍然保存着。

兩年之後，塞芬爲了實現他思念濟慈的心意，又爲濟慈追畫了一幅像。這幅像畫的非常迫眞，身體瘦弱，而孔頎長，髮呈棕黃色，態度很是安祥。（二）

三國奇士傳之一

神醫秦斗華佗

周燕謀

軍吏梅平，因病除名回里廣陵，未至二百里，夜宿於親人家，華佗偶至，主人請佗診之，佗謂平曰：「君早見我，可不至此；今疾已結，速去可得晤家人，五日後即當不治矣。」後果如佗所言。

華佗乘車，道遇一人病咽塞，嗜食而不能下，佗住車往視之曰：「道傍有賣餅家、蒜齏大酢，取三升飲之，病當可癒。」食之果如佗所言，立吐蛇一枚懸車邊。

又有一郡守病，佗診之，以其人盛怒則癒。於是，佗重受其餽，而不加治，旋留書駡之而去。郡守果然大怒，令人追捕殺之。郡守之子知之，令使勿追。郡守盛怒之下，吐黑血數升而癒。

又有一士大夫身不适，延佗診之。佗曰：「君病深，當破腹取之。然君壽亦不過十年。病不能死君，君忍病十年，壽具當盡」。士大夫不耐痛癢，必欲除之，佗遂爲之剖腹割治，癒後十年即死，果如佗言。

三國間人廣陵太守陳登得病不癒，胸中煩懣，面赤不能食。佗視脈曰：「府君胃中有蟲數升，欲成內疽，此乃食腥物所致也。」即作方煎湯，先服一升，次盡服之，少頃吐蟲三升許，蟲紅頭皆動，半身是生魚膾也。痛苦立癒。華佗對陳登曰：「此病後三期當發，遇良醫乃可濟救。」如期登病果發，時華佗已他往，如言而死。按陳登（字元龍）任廣陵太守，後還東城太守，廣陵吏民皆從陳登往東城，其得人心如此。陳登病死，當在還東城太守之後。

曹操嘗患頭風，聞華佗善醫術，召佗治，常在左右。操頭風發作，心亂目眩，佗鍼鬲隨手而癒。

李將軍妻病甚，（抱朴子云是李通，佗傳無考。）呼佗視脈，佗曰：「傷娠而胎不去。」李將軍曰：「實爲傷娠，胎已去」。佗曰：「案脈胎未去也。」將軍以爲不然，佗旋去。其妻病稍癒，百餘日復動。使人延佗，佗曰：「此脈故事有胎。前當生兩兒，一兒先出，血流甚多，後兒不及生，而母不自覺。旁人亦不悟，亦不復迎生，遂不得生，胎死血脈不復歸，必燥作母脊，故使多脊痛。今當與湯，並鍼灸一處，此死胎必出。」旋湯鍼既加，痛如分娩。佗曰：「此死胎久結，不能自出，宜使人以手探之。」果得一死男，手足皆備，色黑身長尺許。

華佗別傳曰：

河內太守有女年二十，左膝生瘡，瘡而不痛，癒數十日復發，如是反復七八年，命人延佗診之曰：「是易治之症也。須得稻糠黃犬一頭，以繩繫犬，馴馬牽之，馬急馳三十餘里，犬不能行，復曳犬計五十里，乃藥煎飲之，以大刀斬犬腹，以近腿處刀斷前入瘡口，移時蛇從口出，乃以鐵錘橫貫蛇頭，良久牽出，長三尺許，以膏散敷瘡口，七日即癒。（二）

中國女性文藝春秋

周遊

煬帝閱詩，大不高興，知「合歡果已不成連理」，故有此怨辭，乃歎息道：「絳仙不但有貌可人，而詩意深切，乃女相如也。亦何謝貴嬪乎？」

此外，隋代的女詩人尚有丁六娘、蘇蟬翼、張碧蘭、羅愛愛、秦玉鸞等，都有作品傳於世，惜她們的出身則不可考了。在「女性文藝春秋」裏，聊引其作品一二，以便玩賞而已。「十索曲」是丁六娘的代表作，也是古今知名的代表作，選錄五首於后：

裙裁孔雀羅，紅綠相參對。映以蛟龍錦，分明奇可愛。麤細君自知，從郎索衣帶。

爲性愛風光，生憎良夜促。曼眼腕中嬌，相看無厭足。歡情不奈眠，從郎索花燭。

君言花勝人，人今去花近。寄語落花風，莫吹花落盡。欲作勝花嬌，從郎索紅粉。

二八好容顏，非章得相關。逢桑欲採折，尋枝倒嬾攀。欲呈纖纖手，從郎索指環。

閨房下翠帷，蓮帳舒鴛錦。歡情宜早暢，密意須同寢。欲共作纏綿，從郎索花枕。

蘇蟬翼的詩一首，「因故人歸有感」：

郎去何太速？郎來何太遲？欲借一樽酒，共叙十年悲！

張碧蘭的「寄阮郎」：

郎如洛陽花，妾是武昌柳。兩地惜春風，何時一攜手？

羅愛愛的「閨思」：

幾當歸月夜，遙望七香車。羅帶因腰緩，金釵逐鬢斜。

觀玩她們的詩意，覺得有香艷之感，有點風花雪月的氣息，方家一嘗知味。不過趙慶楨「青樓小名錄」不載她們的芳名，所以不敢隨便下斷。這些作品，風格很似樂府，假若她們是妓女，那麼她們自作自歌，更顯得她們「妓藝」超羣，不是一般能作不能歌的文人所能及了。

唐代的宮閨詩人

唐爲詩歌的黃金時代，不僅民間的女詩人多得不可勝數，而在幽閉的內庭後宮裏，也有不少的女作家，如徐賢妃、上官昭容等，她們的作品都可與當代的男士作家並駕齊驅。鮑君徽所作樂府與近體詩，大都宛轉清麗，充分表現了女性文學的特色，皆爲不可多覯的作品。至於武則天，以一代曠世女政治家而兼爲文學家，尤爲宮閨生色不少。下面先從太宗皇后長孫氏說起。

長生皇后

河南洛陽人，自幼嫻習文藝。封后之後，以約樸著稱，服用僅取足用，喜歡讀書，雖梳洗亦不廢置詩書。常居九成宮。嬰疾，太子欲請太宗大赦天下，汎度道人，祓塞災會。長孫后說：「生死有命，非人力所可推挽。若修福可延壽命，那我並不曾做過惡事；假若爲善無效，那我還求什麼呢？況且大赦天下，乃國家大事，佛老又是外國宗教，都是皇上所不做的。豈可因我病而亂天下大法？」她如果生在今天，應該當選「模範母親」了。長孫皇后曾作「女則」十篇，可惜不傳於世。僅存「春遊」詩一首，錄之以觀。（廿八）

美國匹大的中國室

◦若愚◦

在美國匹茨堡城裏，大學生們每天可以在一個十八世紀北京紫禁城宮殿式的課室內上課和作小組討論，這就是匹茨堡大學裏，十八個通稱國際課室的國族室之一。這些課室，都是按着各國不同的建築風格設計的，目的是藉此尊重從許多國家遷居在美國賓夕維尼亞中號稱全美煤鐵工業中心的匹茨堡區的人。

匹茨堡大學位於該城的文化中心，是一所男女同校的私立大學。學生人數約一萬五千人。它的十八個院系，授予青年男女學生以碩士和博士學位。

在大學校園的正中心，矗立着一所高四十層的新歌德式的建築物——「學術之宮」——象徵着這學府底崇高的目標和理想。上面所提及的國族課室，就在學術之宮的第一層。

四十二年前，當學術之宮建造時，城中各民族認為應該對這建築物有點貢獻，結果想出了這個表揚各民族所有傳統文化的好方法。接着便組織了委員會，來考慮設計這些國族室。唯一的限制，便是課室的建築和佈置的風格，是要屬於匹茨堡大學創校和美國立國前時期的。

中國室的歷史，在這十八個國族課室中，算是獨特的，因為匹茨堡的中國人不多，所以在原始計劃中，並沒有中國室的。後來在學校裏念書中國學生，覺得東方文化及其對人類的貢獻，有表揚的必要，向當局特別要求，才把中國室列入計劃之中。這些學生，然後便請國民政府捐助，建設一個中國室。在一九二九年，政務委員全體通過，捐贈白銀五千，藉此對於美國教育有助中國的貢獻略表謝意，隨着便由匹茨堡城中四大學的中國學生和當地僑胞中選出的負責人正式成立了設計委員會。不久，中日戰爭爆發。僑胞了解祖國的經濟困難，但是同時感覺為中國政府的信譽，應該由旅美的中國僑胞保持，無論如何，這中國室是要完成的。有一天晚上，正在討論怎樣可以節省用度的時候，一個年長的僑胞說：「我們要緊記：我們只能有一次機會去做這個中國室，所以應該用最好的材料。只要這室能耐久，金錢是次要的問題。」結果，全美各城僑胞都響應這個計劃，捐贈的人很多。同時，祖國雖在戰爭和天災交迫之中，仍將認許的五千銀元，在一九四三年七月匯到學校。

通過中國室的紅漆門，我們便進入了東方傳統的「默想」的境界中。一道簡單卻富有力量的門，和它的熟鐵鎖，替教授和學生隔絕了世間的喧嘩和煩擾。（上）

我的太太發福了

藍海

黃昏下了一陣大雨，氣溫頓時下降；太太說：「難得涼快，早些睡覺吧」！

說實話，她往床上一滾，不出半點鐘，她就打起了鼾。

鼾聲使我無法凝神看書；擲開書看看臥室裏，到處顯着髒亂。屋裏髒亂，我也不是剛發現的，只因為往日天氣實在太熱，動一動就汗流浹背，我便偷懶拖延着。現在，趁着涼快，我下了個決心要開始清理。

首先，把椅背上、茶几下那些隨手丟着的衣服摺起來，該放進五斗櫃的放進五斗櫃，該藏進箱子的藏進箱子。然而，拉開櫃子的抽屜，我不禁又皺起了眉頭；為的是抽斗裏的亂勁兒，也夠瞧的。無論如何，一不做，二不休，乾脆把抽斗裏也整一整。我拉出抽斗來，索性把它反一個面，使裏面的東西全傾向地上。「撲通」一聲，不曉得什麼硬物敲擊着地板。我心中一跳，別把太太吵醒才好！但是，看看床上的她，依然打着鼾，根本沒有受到這個聲音的震驚。

「究竟是什麼東西？」我把那堆倒在地上的衣物翻了翻。東西找出來了！原來是一條銅環的玻璃皮腰帶。拿起這條腰帶，我心頭忍不住迅速泛動起來；它有四指光景寬，皮質早已發裂，當初鍍着金的銅環也已發着暗綠色。

「它是用過的嗎？」我看了看太太，又看了看腰帶；我幾乎不相信這條腰帶是我親手為她買的，而她也很用過一陣子的。

那時，我們剛結婚不久。她的個子瘦小，尤其是她的腰部細，細得只有碗口那樣大；但是，她仍嫌她不夠小，成天穿裙子，一個勁兒拿一根布條狠命綑綁着。有一次我們上街，她看見攤子上出售這種腰帶，便央我買一條；買回來，我還另在它上面敲了兩個孔，因為帶上原有的孔對於她的腰依然太大了。

要保持細腰，她就吃得很少；她本來就瘦小，不多吃東西的結果，腰是保住了細，而整個身體卻也更瘦下去。後來她竟常常頭暈眼花；那時我又不懂，還以為她懷了孕呢，我送她去看醫生；醫生說：

「你太太患了惡性營養不良！」

收入不差，良心說，每天，我們的小菜錢也不少；我們沒想到這樣的食物，她會患營養不良。從醫生那裏回來，我開始逼她吃鷄蛋，吃豬肝，吃鷄湯等等。只吃了兩、三天，她就哭着臉對我說：

「你要我多吃，把我吃難看了！你看，腰帶得用這孔啦！」

其實，那孔才是腰帶上原有的孔；我安慰她說：

「女為悅己者容！只要我不嫌你難看，又有什麼關係？」

她並不同意我的話，但是「餓死」與「腰粗」兩者中去抉擇，她當然只好選擇後者。同時，由女學生變成家庭主婦後，時間稍久，氣質上也不免漸漸會轉變的；尤其，在家裏，畢竟沒有什麼運動。所以，她的腰帶，慢慢地一孔一孔放大，而終於被拋棄，擲進抽斗裏去。

這條腰帶本來相當短，被她拋棄時，她的腰圍實在也沒有超出三十吋。

「你太太富泰些了！」親友們見了她，曾這樣稱讚說。

富泰，也正是我太太胖瘦合度的時候，以她的身高，四十五公斤左右恰到好處。然而，日子過下去，不多久，親友們看見她却換了一種口吻：「您發福啦！」

「福」為我們社會上傳統的四喜之首，有福，還不好嗎？多少人終日忙忙碌碌，追求的便是這個福字哩。不錯，我太太發了福，也有了福，可憐的卻是我了。

夫妻倆日夜在一起，起初，我確看不出她有什麼顯著的胖。她那瘦尖的臉，變得蘋果似的，我只覺得很豐腴，而比以前好看；鷄爪一樣的手，變得白嫩如筍，我更覺那是美觀與健康的現象。她向我訴苦：「我的衣服都不能穿了！」

「做新的！」我慷慨地回答：因為她不再迷信細腰，已經從惡性營養不良症中痊癒。（一）

穗城掌故

本欄名曰「穗城掌故」，特請老報人李鴻洸先生執筆。李君曾任當年國父所辦之「香江晨報」主筆，同時又為穗城「廣東婦女日報」的創刊總編輯。該報亦為國父元配「盧慕貞」太夫人充任社長。現李君編輯「國父紀念集」，故關於廣州市已往的社會動態，政壇掌故，皆有深刻印象，所知者甚多。這些故事，雖曰「明日黃花」，但近代的青年人所知者鮮的人物，習俗變化情況，按期序述出來，當此亂離之秋，萬事變幻無常，本欄特為各界人士供應這類精神食糧，正如俗語所云：「若自故鄉來，應知故鄉事」。諒亦為今日流亡海外的僑胞所樂聞也歟？

陶知行的特別風格

•李鴻洸•

××俗語說：「話就易」，「做就難」。這個意思，即古人所謂：「言之非艱，行之維艱」。」其實這句話，不知誤盡了多少中國人！國父知道這個弊端，遂起而倡出「知難行易」的理論，以人們日常生活為證。例如用錢，豈不是一個小孩子也會拿着錢角子，去買糖果吃嗎？這是「行易」的道理了。可是若要問，這角子的歷史來源，即是歷代的幣制是怎樣？不特小孩子不懂，相信百分之九十以上的成年人也不懂，這是「知難」的道理。後來蔣總統也加多一句，是「不行不能知。」其中的解釋，譬如：我知道在某街做某項生意，可獲厚利，找起舖位來，這條街沒有吉舖租賃，這便是「不行不能知」的道理。因此這個理論，結果現在成為「知難行易」，「不行不知。」才算正確。

本文所述這位陶先生，係近代我國文化界的一位風雲人物。他抱着改造我國的宏願，而喚起國人厲行知難行易的大計，本身姓陶，即是陶醉於知難行易的意思，所以陶先生的大號就改為知行，即是以文化人身份，去教化下一代，使他們一經學習完畢，就把學成的本領，發揮出來去實行，以便貢獻於社會和國家。因此，陶知行這個大名，確係名副其實的。陶先生初期辦了一間小學校，對子女他知道普通的家長們，即所謂紅皮書，開始便教三字經，他也循着這個途徑去教學生，後來漸漸有了進步，於是各家長們都一致讚好，不多時這間小學就坐無虛位了。

其後有些失學的成年人，愈來愈多，要求陶先生教，陶先生就教他們識字，計數，或買賣，或手工業。但那有這間龐大的校址呢？陶氏就對他們說：學校也是一個社會，毋須校址的，在任何地方都可以教，即你們在任何地方都可以學。（上）

「魏延案」之我見

河漢

疊連在報紙上讀到有關魏延在蜀漢凶終隙末，以叛變罪名滿門抄斬的研究文章，大都提出了獨特的見解。但與我的看法都不相同，我更不同意指魏延是死在諸葛亮預佈的圈套中的說法。

我的看法是，魏延是死在蜀漢新舊派系的傾軋鬥爭中，是死在以劉備為核心的舊勢力與以諸葛亮為核心的新興勢力的最後清算之中。不過，假如諸葛亮不死，魏延也一定不會把血流在同一戰綫上的夥伴的手中的。

諸葛亮臨死之前，對於他死後的軍事行動已預先作好安排。五次伐魏，是諸葛亮一手掌握，他深切瞭解，這五次戰爭，是以小攻大，是以弱凌強，是人為的形勢，是以諸葛亮個人作為行動的中心；他死後，這個形勢，即刻因為蜀漢再無可以繼承他的人材而不復存在。魏延誠然是個優秀的大將，但無論如何，他不是可以與司馬懿並駕齊驅的對手。

所以諸葛亮所訂立的遺囑，是在他身死之後，北伐的行動迅速終止，把集結在第一綫的部隊撤回四川，讓壯丁重回生產崗位。在漢中區域，維持北伐以前的原態勢——那是完全以防禦為目的的前進根據地，自劉備從曹操手中奪取之日起，經常以二萬精銳部隊駐守和警戒着。

對於第一綫戰鬥部隊的後撤，諸葛亮也指定了在轉進序列中，由長史（大本營幕僚長）楊儀統率大本營人員最先行動，由魏延在最後擔當掩護。魏延當時官銜是前軍師征西大將軍，就地位言，是僅次於諸葛亮的重要人物。在諸葛亮未展開對魏戰爭之前，魏延是防守漢中的最高指揮官，自從荊州被東吳佔領之後，是蜀漢對魏的唯一重要的戰略據點，於此可見魏延在蜀漢整個軍事體系中的份量。

諸葛亮臨嚥下最後一口氣，楊儀和姜維便遵照諸葛亮的遺囑撤兵，並且把掩護撤退的命令傳達給魏延。但這撤退的命令被魏延拒絕。魏延的意見是：北伐既是國家的決策，決不能因為執行人的死亡而改變。舊執行人死了，便該推定新的執行人來貫徹這個北伐的行動。而這個繼承諸葛亮的地位與權力的人，無疑地應該輪到他。其次，諸葛亮死了，在前綫的最高長官是他，如果撤退，也應該由他來發布命令，由他來統率大本營轉進，不該由楊儀以幕僚長身份依據遺囑爬在他的頭上，指揮他去執行掩護任務。可是楊儀與姜維就憑藉遺囑否定了魏延的主張，否定了魏延在諸葛亮逝世後所具有的優越身份，而堅決地執持着遺囑的絕對權威力量。他們認為魏延既然不願担任掩護的工作，就免除魏延的任務，由楊儀委派姜維替代魏延，掩護大本營與十萬大軍向川北轉進。

楊儀與姜維的措施嚴重地損傷了魏延的自尊，感情的衝動激怒了他，他不再思考他的行動可能引致的任何後果，率領隸屬於他的不足五千的輕裝士兵，以急行軍越過後撤中的大本營與部隊，在他們之前一面向川北疾馳，一面破壞棧道，障碍大本營與部隊的南下。同時，魏延又派員趕赴成都向劉禪奏報楊儀與姜維叛變降魏，正向四川倒戈前進。

木製的棧道被魏延燒燬，楊儀姜維的撤退受到阻撓，眼看着魏延的部隊在前面一路快走一路放火，却無法追到。（一）

鷄童魚童及其他

◁晉陵▷

在十五年前死去的祿加斯，那個狒狒童，和熊女大同小異。一九〇三年，在南非地方，兩名山區騎警槍擊一羣狒狒。在受創的狒狒羣中，他們發現一個掙扎得像猴子的兒童，他是一個十二歲的黑童，騎警後來把他關在監裏。沒有人能認出他，後來他被送入嘉威斯鎮精神病院中，在那兒，他所造成的破壞，比所有病人加起來的還大。他把衣服撕成片片碎片，拒絕穿着。他不肯吃普通食物，只吃樹根和昆虫。他不可能被關起來，他搗毀了門，在走廊上亂跳亂叫。

最後，病院中一位醫生的兄弟史密斯，願意把他自己的農場，準備馴服他。史密斯改他的名字為祿加斯。不久之後，他居然能夠普通的耕作。初時他在樹上渡日，餓了，就爬下來找昆虫吃。他全身都是割傷的疤痕，保持着狒狒的姿勢，長長的手臂，垂在地上。他唯一肯穿的是皮短袴，單獨的時候，又把它撕破了。不久，祿加斯學習了在廚房中睡覺。（三）

內政部登記證內版台誌字第〇三一一號

自由報

THE FREE NEWS

第八〇二期

中華民國僑務委員會發給僑報登記證僑台新字第三二三號
中華郵政台字第一二八二號執照登記爲第一類新聞紙類
（逢星期三、六出版）（半週刊）
每份港幣壹角
台灣零售價新台幣貳元
社長：雷嘯岑
督印人：黃行晉
社址：香港銅鑼灣高士威道二十號四樓
20, CAUSEWAY RD 3RD FL. HONG KONG
TEL. 771726　電報掛號：7191
承印者：大同印務公司
地址：香港北角和富道九六號
台灣分社
台北市西寧南路登紫號二樓
電話：三〇三四六
台郵撥儲金戶九九五二

欲罷不能的毛酋奪權運動

·雷嘯岑·

毛酋澤東託名「文化大革命」以進行奪權運動，利用一般青少年學生作火中取栗的貓腳爪，鬧了一年多，對國家民族的貽害程度，遠超過了清末「義和團」之亂若干倍，且使整個大陸上的生產事業陷於萎縮窒息狀態，不特奪權目的未能達成，而其經濟機能亦已摧殘殆盡，以致內部衆叛親離，危機四伏，外交失道寡助，孤立無援。最近毛酋怵於形勢危急，要想救亡圖存，一面由高唱「三結合」而改稱「大聯合」，以期和緩人心，同時對所謂「紅衛兵」即從事箝制鎮壓，另眼看待。然奪權的結果，祇有五個省區成立了「革命委員會」，其餘各省市的廣大地區，不是形同割據，便是動亂未已，決非毛酋所能控制得了，而劉少奇、鄧小平之流，還是住在中南海公廨中，表面說是「鬥臭」了，實際并未「鬥垮」，他們的黨政首腦地位，依然保持着。因此，毛酋的奪權運動，目前是欲罷不能，未來呢，勢必釀成玩火自焚的後果。

奪權運動何以失敗

所謂奪權的目標，是要切實控制整個大陸各省區的統治權力，恢復毛酋過去那種至高無上的地位和威望，不是僅以排除劉少奇、鄧小平的公職就算成功了。可是，各省區的黨政軍單位主持人物，十餘年來很少變動，而黨政方面的首腦，又分別兼任軍區的政委，軍中頭目亦多兼任當地的黨政職務，他們互相依存，形成了一種休戚相關，利害與共的小派系，關係極爲密切。毛酋既要奪權，當然就得掌握從中央到地方的黨政軍各方面的人事任免權，所以紅衛兵對當權派人士拼命攻擊，認爲盡是些走資本主義路綫的「黑幫」份子，非打倒不可。紅衛兵的攻擊矛頭，起初是以黨政負責人員爲對象，表面上與軍中無涉，然各省區的軍事首長，內心上業已懍懍危懼，深感禍至無日，因而對於紅衛兵跟反對派的文鬥武鬥行爲，皆置身事外，採取旁觀態度，暗中且左袒反毛派，用意祇在保持現有的權位而已。迨「文革小組」要員王力在武漢被拘囚，由周恩來營救回到北平，喊出了「揪出軍中一小撮走資本主義路綫的當權派」這句口號後，紅衛兵即公開攻擊各地區的軍事首長，而以「武漢老譚」「廣州老譚」……這類反動帽子，亂飛到軍人的頭上。於是乎，各省區的軍中當權派，除却林彪系的少數份子外，亦由於暗鬥趨於明爭，視紅衛兵爲死敵，也就是不惜對毛澤東實行「革命無罪，造反有理」的行動了！

毛酋瞧着這樣情形，自然怕得要死，急忙教江青於本年九月五日向安徽省黨委會議發表演說，大罵紅衛兵胡鬧，說是「解放軍各單位的首長，都被紅衛兵攻擊得體無完膚了，如果沒有解放軍，咱們能夠這兒安然舉行會議嗎？」——江青這項演說詞，毛共雖未發表，而通令紅衛兵們學習，無異發出警告，內容我們亦已得悉了。——毛酋繼在九月下旬邀約各軍區首長陸續到北平舉行會議，旨在安撫軍心，同時令飭在各省區從事「串聯」的紅衛兵一律回返原籍，初則教他們到農村去幫助秋收，繼則指定他們到各工場去學習工人的生產工作，且不許再貼大字報，就是禁止紅衛兵再鬧「造反」運動；更提出「鬥私批修」口號，即所謂「鬥私」，即指紅衛兵有「英雄主義」「宗派主義」等等私心，列在「批修」之前，而倡言「揪出軍中一小撮走資本主義路綫的當權派」之文革要員王力，也就不得不予整肅，實在非其罪也，只作替罪的羔羊，林彪的老婆葉羣亦一躍而高踞軍中文革小組的要員位置了。毛酋既認定「槍桿子出政權」，對各省區軍人的反奪權行爲，祇好故作擬聾，竭力拊循，而以一般幼稚無知的紅衛兵，以及忠貞不貳的王力同志做了犧牲品。現時大陸上的軍閥割據形勢，實視過去的北洋軍閥時代更普遍而強烈，毛酋的奪權目的，永遠是可望而不可即的幻景啊！

掘墳比賽

無法投遞

今日與明日

李光耀語無倫次

星加坡總理李光耀日前在美國發表首次演說，警告美國不宜忽視東南亞的安全，即對越戰不宜隨便縮手，使亞洲人民深感失望。他這番話頗得自由世界人士的稱贊，認爲是代表亞洲人共同的心聲。詎料他繼續對紐約記者們發言，却主張美俄與毛共共同維護亞洲安全，且說是「那我們就有一個較和平的局勢」。似此語無倫次，自相矛盾的說法，實在令人驚詫不置。

毛共如果願意跟「美帝」和平共存，跟「蘇修」親善合作，那末，不特越戰早告結束，即整個世界的和平局勢亦很可樂觀了。目前亞洲局勢動亂不寧，特別是東南亞地區所以動亂不已，完全是毛共一手釀成的，其目的就在排擠「美帝」，與「蘇俄」爭奪亞洲共黨區域的領導權。李光耀希望毛共與美俄協力維護亞洲，與虎謀皮，大概李光耀此行最大目的是想得美國的經濟援助，所以始而替白宮當局的越戰政策張目助勢，繼而唯恐引起輿論界不滿，影響自己的企圖，又說些迎合美國一般非戰人士的話，言不由衷，矛盾百出，莊子所謂「有蓬之心」，李氏有焉。

越南新任總統之言

越南新任總統阮文紹聲稱：他就職之後，擬邀越共頭子胡志明晤商和談事宜，但須越共方面有願意言和的表示。這亦是違心之論，旨在敷衍美國人士近來的反對越戰運動而已。越戰如其眞正結束，以南越內部之不團結，社會結構之不健全，行政效率之低能，加以官吏貪瀆成風，越共游擊份子必然乘機發展，實施滲透蠶食陰謀，結果越共在南越的勢力，將視現時更猖獗無疑。君不見南越首都之中，即隨時發生越共恐怖份子肆行殺人放火的情形乎？一旦戰事停息，一切非常措施皆告鬆弛，光靠南越的政治力量來反共，其不爲越共所吞噬者，鮮矣！

越戰停止後

越戰如果停止了，可以斷言的趨勢，「泰戰」馬上就要發作的。泰國現在是美國的軍事基地所在，而毛共製造的游擊隊早在活動着，此外還有湄公河畔的越南難民，最近亦發現越共份子潛匿於其間，從事煽亂。泰共的禍亂一起，美國若不放棄泰國這一軍事據點，這就非起而平亂不可，去一越戰，再來一個泰戰，而且跟毛共區域緊鄰，美毛軍事衝突之可能性，遠較今日的越戰爲多，那時節，美國的鴿派人士即變成了沙漠中的鴕鳥，嗚呼哀哉！

對紅衛兵的重新估價

紅衛兵已由天之驕子，淪於時代罪人的地位，飛鳥未盡而良弓先藏，狡兔未死而走狗先烹，說來當然可憐。他們開始是受着毛酋的煽誘蠱惑，基於不必讀書而到社會上可以橫衝直闖的好玩心情，自由胡鬧，一心一意替「毛主席」作打手，他們除了「毛主席」一人而外，對於秧歌政權的任何人物皆肆行攻擊，無所忌憚，周恩來亦就不放在他們的眼中，其他更無論矣。如今忽然被指爲犯下了重大錯誤，要到農村和工場去嘗受勞改生活，不管是做了一場惡夢！他們固然知道這是開罪了軍中當權派的結果，但內心上決不會服氣的。因爲各地區的軍中當權派，明明有許多人反抗文化大革命運動，紅衛兵職責所在，予以指名鬥爭，實係効忠「毛主席」的革命戰士，何以竟被視爲罪過呢？青年人都有一片純潔心情和一股不怕事的勇氣，他們於受屈負氣之餘，有如吹滿了空氣的輕氣球，一定要爆炸的，他們一旦忍無可忍，趨於橫決時，即不怕捋虎鬚而對毛酋實行造反，亦并非意外的事。他們經過勞改生活後，再要回到學校去安心讀書，那是絕對不可能了，既不讀書，就只有鬧事，藉以發洩滿肚皮的抑鬱悲憤情緒，殆屬勢所必至，理有固然。毛酋如果將這些「紅五類」的青少年子弟，於文化大革命運動成功後，一律投入軍中，充當士兵和下級幹部，那是一種最堅強的力量，現在把他們當作罪犯，加以鎮壓懲罰，若再投入軍中，即無異於埋下許許多多的地雷，危險極了。所以我們認爲毛酋利用紅衛兵來作奪權工具，結果是玩火自焚，自作自受。今後我們對於紅衛兵的估價，要改變觀念，從另一角度來衡量纔是，水可載舟，亦可覆舟，紅衛兵有焉。

毛酋的奪權運動可謂毫無收穫，欲罷不能，目前爲妨制共黨政權整個崩潰計，祇好犧牲紅衛兵，而妥協「解放軍」，以「大聯合」口號，和緩一般的反毛林勢力；然後設法恢復黨政常態，採取「文鬥」方式，俾能革除劉少奇鄧小平的合法職位，這一着能否做得到，自屬一大疑問，好在毛澤東的生命如果還存在的話，亦已爲日無多，林彪是鬥不過周恩來的。假使自由世界仍然以隔岸觀火的心情，對毛共不作伐謀伐交和伐喪的實際行動，而讓毛共渡過危急存亡之秋，那末，未來的亞洲局勢，除非進行核子大戰，否則自由世界前途，只有悲觀的成份較多也。

尚論古人

自由談

史載諸葛亮在蜀丞相任內，事必躬親，簿書鞅掌，而他所賞識的人才如蔣琬、費禕之流，都證明爲碌碌無所短長。讀史者每慨惜諸葛孔明在生時沒有培植幹部，簡拔賢能，以致人亡政熄，他死後，蜀國亦就日益式微了。

諸葛丞相的思想行爲，是屬於申韓學派的法家者流。法家用人必以不賢於己者爲原則，他只希望僚屬以贊歎悅服的心情，遵從上官意旨行事，不要別作主張，凡屬有抱負、有個性的奇才異能之士，必不爲法家所信任的。徐庶原係諸葛亮的知己朋友，到處替諸葛亮游揚說項，他如果留在蜀國，也不會得志於時，有所建樹，原因是他不合法家的胃口也。

法家用人行政，講究綜核名實，信賞必罰，法正所謂「威之以法，法行則知恩，寵之以爵，爵加則知榮」是也。諸葛亮在生的政績比較一般的法家皆優越，乃得力於他的無私精神，超邁等倫，因而他個人亦得克保令譽以終，不像一般法家之沒有好下場。缺點就是「人存則政舉」，及其弊也，文武百僚盡是些庸庸碌碌之輩，難當大任，用現代的術語來說，即是「奴才政治」！所以，諸葛丞相一死，蜀祚立見危亡的態勢。

曹操有知人善任的智能，無論甚等樣人，祇要是人才，他都敢用，而且很信任，因而魏國的規模與實力，皆凌駕吳蜀之上，終能統一寰宇，取代漢室的帝業。即東吳的孫權幕中，人才亦復輩出，繼繼繩繩，迭有卓犖的表現，吳國之所以較蜀國能夠多存在一個時期，決非偶然。

法家的治術，可以振起弊於一時，却不能創造長治久安的基礎，癥結就在不培植幹部，簡拔賢能，氣宇既狹隘，格局即渺小，自然談不上創業垂統的話了。

陳壽批評諸葛亮是識治之良才，而應變將略非其所長，這是皮相觀察之談，不足爲訓的。

馬五先生

從立法院質詢看行政部門設施

有關憲政體制及司法風紀部份

——本報記者張健生

張慶楨委員說：「監察院前幾天在報上發表一個調查案，說模範監獄的管理人員凌虐犯人，調查報告大略講有拷打、毒打、孔紀來打，打得犯人遍體鱗傷。假使調查的是事實，那模範監獄，尙且如此，其他的不是模範監獄，更不堪聞問矣。這可以說，原始社會或落後國家的用火燒、針刺、水灌種種殘忍的酷刑一定有的，而在我們的模範監獄裏有此情形，眞是不可思議！」

立法委員黃王明與司法部長鄭彥棻有同鄉之誼，且自「調查風波」發生後，黃委員始終維護鄭部長，每於必要時，且仗義爲司法行政部執言，致遭大多數委員之議論，亦在所不惜，這種「鐵肩担道義」的精神，世人多刮目相看。因此，黃委員對有關司法問題的質詢，本報記者亦特別重視，且樂意摘其要者加以報導。不過，有關「好的方面」，此間報刊都有報導，且屬司法人員份內應當之事，故略而不提，這不是自由心證，而是避免浪費本報寶貴之篇幅，特予一併說明。

司法行政與民主

黃委員對台北模範監獄凌虐犯人一事，他質詢說：「譬如監所建設之外觀相當宮殿，未免太過。監所設備之內容，千多人一醫生，藥物更缺乏，未免不及。如鄭部長中秋節對受刑人賞餅同樂，引起窮苦貧民嘆爲是見牛未見羊之施仁。但鄭部長對管獄員之待遇，不盡其可能設法補助，何忍見其難以維持生活？皆屬太過與不及等措施」。

黃委員說：「台北模範監獄管理員雖係凌虐受刑人，以及嘉義監獄受刑人殺死監獄管理員等事實，遣姑無論就管獄員凌虐受刑人，與受刑人殺死管獄員者，皆是「出人意外之事」。而究其原因，「管獄員若不是平日缺乏善導受刑人之本事，何致受刑人不受管束？管獄員若不是凌虐受刑人過甚，何致受刑人懷恨殺害？」黃委員認爲普通的人，人性本惡，否則，品質善良之人而受刑事處分「則不能令人對刑事案判有普遍枉法之疑」。依此邏輯推論，天下之人豈非都是大壞蛋嗎？

黃委員在「結論」中說：「總之，凡此管獄員凌虐受刑人，無非是代表眞正的專制時代之獄政，受刑人殺害管獄員，無非是代表虛偽的民主時代之獄政，希望司法行政從虛偽的民主獄政做到眞正的民主獄政，其方法首重在考選訓練管獄員，必厚其待遇，方易選得眞才」。

法官有枉法審判

黃委員於質詢司法風氣之「前言」有這樣的一段開場白。他說：「就我對當前國事，除院長這般之足令皆大歡喜之施政報告外，還有相反問題的爲皆大煩憂何在？在國家所獲之正反困於是非維綱紀的本身問題之的訟擾，人民信賴司法的心理，不受到影響嗎？嚴院長或以其事小而不爲意，或諱疾而忌醫，果爾，誠恐終至無可救藥，又如何家郎正司是非，威維綱紀，國促進國家之法治嗎？國家的法治若不能促進或實際上與法治之還有什麼足令皆大歡喜之施政可報告？」

他希望嚴院長「忠實檢討：所獲之人和之人是否由於政通所通，是否由於人和所致之政通？若人和不是由於政通，政通由於不足爲範之因素所由成者，尙未得謂是明是非，振綱紀，民主法治是法治人和政通，出落在是法治之未能民主即在是法治之爐，與民其心，其他一切政治建設中，殊未足以國負國家中興之落也。」

他從：「司法風紀好壞關係國家社會之重要性」，而說到壞法官。黃委員說：「有某壞法官，壞到因受五萬元之賄賂，連守母喪之假期亦取銷，又趕回作枉法之審判；又有壞法官，壞到故意偷出全案卷之一部份，以便指爲程序不合而駁回，藉卸責任。」

大同公司罰鍰案

民間評論好壞法官的話，黃委員特將台灣加以介紹。他說：「好法官，必依法辦案，紅包不收；二等好法官，紅包照收，回頭辦案，必是依法；三等好法官，紅包先交，辦案必依法，亦不失爲半好法官，尙不算是全壞法官。辦案不依法，紅包照收，唯心證，任從兩邊刮，那是全壞的法官了。這就是民間多年來所經驗的感言。」

他並舉事實，來說明審判壞的方面。黃委員指出：「大同公司五十四年彰化大同公司罰鍰案，在程序上與實體上均犯明顯的錯誤，且明知該公司正在掙扎圖存，而竟施以出乎常例之十倍處罰。據不足爲憑之傳說：因該公司不允送五萬元紅包所使然。後來該公司一再聲請更正，債權人中信局一再函請復知是否更正。而法院拖延兩年半之久，始用「案經確定」之程序駁回。該公司轉向司法行政部請求援中一公司等前例，予以行政救濟。開部交高分院庭長會核簽意見：謂案屬錯誤無疑。部交民刑兩司會簽意見：爲必須援例救濟。當案在台中高分院駁回之前十天，我因聞外間嘖有煩言，謂監察院將提案彈劾，乃爲顧全司法威信，與愛護台中高分院劉院長之聲譽，曾函告且面勸劉院長對該案勿再拖壓，因而得悉拖延兩年半不辦的原委，是在推事、審判長、院長意見不同所致，最後是承辦推事不得不放棄其更正的意見而裁定駁回。」

法官的操守問題

張慶楨委員很誠懇的說：「司法風紀不自今日始，抗戰勝利之後，在京滬道上大家聽到過：「八字衙門大大開，有理無錢莫進來」。有金條才有道理，才可勝訴，這眞是無法無天！以前，我司法界自民初至抗戰，風氣非常好，最好的一點就是法官不與律師來往，這很有道理。法官要與律師一起應酬，問題一定很多。初到台灣，司法風氣比上海還好，近年來，却壞極了！主要原因就是法官與律師公然來往，送禮，到酒家甚至去北投。這都是報紙登的，鄭部長要不知道是笑話，因爲你有調查局，法官要有這種情形，一定會有毛病的！」

這位安徽籍委員舉出事實來，在院會上公開的質詢。他說：「現在公開的講出來，是愛護你，老實不客氣說，是幫你的忙。我有一個親戚有兩萬元存在一個公司裏，這個公司並沒有倒賬，却給一張空頭支票不能兌現。這明明白白是詐欺，在民主先進國家只要三、五天就可了結，而結果這個官司却打了三、四個月，强制執行又是一個月十八天。」「我會講一定有問題，鄭部長就抓到我這句話說：你講一定有問題，你就是講他犯罪，那我要查。我是善意，可是，坐在我旁邊的同仁提醒我說，他這個「查」，可能有惡意」。現在，「我奉勸鄭部長，你不要護短，你就是不虛心，大家批評你，老實不客氣講，說你在立法院做委員的時候，有官味，有官架子，有臭味令人發嘔。這些話本來不想講，不過，我很誠意的勸你，司法風紀可以整頓，治亂世用重典！你辦一兩個人，看他還敢不敢？」

鄭彥棻涉謠之事

四川籍立法委員徐中齊，極少詢質。這次，他首先對司法行政部長鄭彥棻「涉謠」一事，提出質詢，並希鄭氏「應予澄淸」。此一質詢，極爲各方注意。

徐委員質詢說：「今年八月下旬，我至台南，有人來見，並提出書面報告，說鄭部長在五十年爲台南大飯店（按：係日本華僑鄭旺所開，鄭旺與台南市長葉廷珪，據說是兒女親家）開幕剪彩所發生的贄敬問題（按：台南市地方人士盛傳剪彩贄敬費之紅包六十萬元）。我當時說：『事隔幾年，還講什麼？』他說：『有人可以作證』。我又說：『假使對中央行政首長誣蔑，作不眞實的控訴，就要負法律責任』。因我知道台南市地方情形複雜，地方派系吾人絕對不能介入。在停留一個星期後，發現台南市長葉廷珪非常頑劣，我可以『顢頇無能，招搖撞騙』八個字批評他。所謂顢頇無能，如台南市興建國父銅像舞弊案，於五十六年三月二十七日經台南地方法院宣判，介紹人市議員王基鎮（判徒刑六年二月）與包商徐針（共興鐵工廠，判徒刑兩年十月）均分別判刑，而主管人葉廷珪反而沒有一點刑責。他對省府法令規章，市議會決議等，全然不理，擅自處分，這不是顢頇嗎？三任市長，毫無成績建樹可言，這不是無能嗎？

徐委員又說：「台南市長葉廷珪在國父銅像舞弊案中之諸般論閱衛，不獨當時與論譁然，且該市府會間之有關文件，歷歷在目，要難謂其置身事外，未干法紀，實事有蹊蹺也。我在旅行台南時，風聞謠傳謂葉廷珪市長與司法行政部長鄭彥棻有交情：其謠言內容謂：『珍珠大王鄭旺設之台南大飯店，曾蒙鄭部長以宗親關係爲其剪綵，與葉廷珪係兒女親家，據說此行曾有收穫，或謂係剪綵贄稷』等語。」

他認爲「台南大飯店乃商業性質，鄭部長爲其剪綵，殊堪斟酌。而引來如許謠言，又適於葉廷珪屢次涉及刑責之時會，縱其『謠言』可『止於智者』，而何術可以堵悠悠之口？」（本篇完十月九日寄）

駐越南美軍堅決相信 奠邊府歷史不會重演

（西貢航訊）目前是越南的雨季，低空飛行的飛機無法活動，地面部隊亦困於泥淖。一九五四年北越共黨就是在此一天時之下，以重炮轟和長達五十五天的包圍，最後並使用人海戰術，攻陷了孤立無援的法軍陣地奠邊府。

奠邊府一役，胡志明雖犧牲了三萬人，但此一勝利在心理上根本動搖了法國的戰志，使巴黎終於不得不放棄此一東南亞殖民地。

本年雨季，北越部隊再度使用其俄製重炮轟美國及盟軍陣地，其整個戰略亦和一九五四年相同，即希圖贏得一次大勝，使美國國內亦因而失去戰志，放棄對越南的援助。

本月初，共軍一部在長期炮戰後曾被迫後撤，但美軍指揮魏斯摩蘭將軍認爲，河內必將增援非武裝地帶以北的三師部隊，作南進準備。

今日戰局的重要性，不但是可能造成心理的失敗；倘若北越以奠邊府的戰術實施人海攻擊，便可能攻陷美軍陸戰隊防地，從此長驅直入，佔有南越的北部五省及越南故都，正式建立南越共黨政權。根據美方所獲之北越文件，此一戰略在一年前即已策劃完成。

北越目前在非武裝地帶以北有三萬五千正規軍，配以最新式的俄製長射程大炮。其中包括射程十七哩，每分鐘七發的一百三十米厘大炮，射程十哩的一百五十米厘榴彈炮，以及其他各式各樣的火箭炮及迫擊炮。

華府命令美軍只能在越南進行有限度的戰爭，其地面部隊不許進入十七度綫以北，北越因而可以在該區自由活動。美軍目前面對此一奠邊府式的攻擊，採取的是純守勢，只由海陸空三方面作報復性的還擊。

由於河內最近再度拒絕華府和談提議，蘇俄總理亦揚言欲取得「全勝」，和談無望，此一奠邊府式炮戰，必將繼續下去。北越及其他共黨國家，均在等待着奠邊府的勝利。

共黨雖等待着奠邊府歷史的重演，但美軍方面認爲，目前戰局却今非昔比。他們指出其最大的不同之點有以下三方面：

一、今日美軍在越南作戰，是應南越政府及人民之請，前往協助抵抗侵略。倘若北越放棄武裝侵略，美軍可立即撤退。法軍當年是殖民主義者，爲保持其殖民地權利而作戰，在基本上是與越南人民的利益相矛盾的。

二、今日美軍之强大，絕非法軍可比。即以直升機爲例，此種裝備當時尙未出現。此外在空軍方面，威力最大的B52轟炸機，並不受雨季天候的影響，海軍射程亦直指敵軍的腹地。

目前南越及盟軍並未集中兵力在非武裝地帶作戰。倘若共方認爲目前非武裝地帶的對壘是奠邊府戰爭的重演，今日的奠邊府是在美國陸海空的控制之下，損失最重的不是美軍陸戰隊，而將是三師以上的北越正規軍。

惡夢十七年
——馬思聰的故事
趙浩生

根據他在全國各地演奏的經驗，他發現最爲聽衆所歡迎的一支曲子，不是代表中共心目中所謂「新音樂」的「東方紅」或「大海航行靠舵手」，而是充滿純音樂美和宗教感情的「聖母頌」。後來此曲被認爲「有毒」而終被禁演。

一九五九年「人民音樂」發表了一篇文章，攻擊他的演奏節目中太多歐洲古典音樂和他自己「解放」前的作品，說他忽略了黨的「厚今薄古」和「藝術要爲大衆服務」的政策。他照例採取了躲避的方法未加申辯。後來「人民音樂」編輯代他答覆說：「要想一下子就使音樂舞台全換上新的節目是不可能的，這將使人民音樂生活走向貧乏……。」

中共音樂當權者明知他所重視的是純音樂藝術，但在歷次清算鬥爭中並未對他採取正面行動，原因是認爲他在國際宣傳上尚有利用價值。他對自己的地位雖相當了解，但他依然小心翼翼，因爲他不知道什麼時候會突然翻臉拿他開刀。

在對外宣傳工作上，中共雖鼓勵他經常與外國文化人交往，但他發現他的對外文化活動對象，只被限於蘇俄，東歐，南美及東南亞諸國，中共却不讓他與法國及法語國家的文化人接近。

法國前總理傅爾到達北京時他不曾見面，戴高樂的文化部長訪華時，他也不曾被邀參加各種招待活動。巴黎與北京建交前，即有不少法國人到大陸觀光，建交後的人數更多。但中共始終將他與法國人隔離，原因很顯然，因爲中共知道他是留法學生，精通法文，和法國人交談起來，對方不但可聽出他談話中的弦外之音，更可能藉舊有的關係安排逃跑。

在出國宣傳工作中，自一九五五至一九六二年，中共曾一再派他到東歐各國去旅行演奏。一九五七年再任「中國代表團」代表，赴莫斯科參加蘇俄十月革命第四十週年，那次和他同行的，有留法花唱女高音周小燕，山西幫子名角郭蘭英等。在莫斯科任務完成後，他們又到捷克旅行演奏。

此種經常出國接觸國外樂人的機會，使他更相信，欲發展中國音樂，絕不能閉門造車，只靠「毛澤東的文藝路綫」，即專講「共產主義的世界觀，民族形式和爲政治服務」，及以「工，農，兵」爲寫作對象。但在中共大陸，此一教條在數次大整肅後，已成了每個文化人頭上的「金箍咒」，絕無掙脫的可能。在此「金箍咒」下，西洋音樂完全成了「反動」的東西，提琴，因無語言表現「革命」，也成了「反動」的樂器。他自己一九六二年以後即無法再繼續其用以躲避現實的旅行演奏。

困守北京後，他決定專心作曲，但他所要寫的，是具有音樂價值的交響樂。此種音樂是「反革命」的，爲了掩護嚴肅的寫作，他不得不偶而寫一兩篇應景歌曲，「爲政治，爲工，農，兵」服務。「剛果河上」「工人之歌」等，都是這個時期的作品。

事實上當他創作共黨認爲「反革命」的交響樂時，他的內心才眞正充滿了革命的熱情。他知道中共不會允許這類作品上演；但他相信，總有一天，他的作品會見天日演出，被欣賞。他將內心的憤怒，反抗，控訴，希望和信心，化作音符寫在他的樂章之中。他在創作中獲得暫時的解脫，也就是這暫時的解脫，使他在十七年惡夢的折磨中尚未瘋狂。

可惜這些心血的結晶，在他逃走時都未能帶出來，只有少數已經出版的，在蘇俄及東歐國家中尚可以買到。其中的一個提琴鳴奏曲，將於十月間由馬思宏先生在坎木頓交響樂團的伴奏下，在賓州演出。

他當時的心情，正代表着多數黨員及非黨員藝術家的心情。一九六三年底，毛澤東在一次談話中指出：「各種藝術形式，戲劇，曲藝，音樂，美術，舞蹈，電影，詩和文學等，問題不少，人數很多，社會主義改造在許多部門中，至今收效甚微。許多共產黨人熱心提倡封建主義和資本主義的藝術，却不熱心提倡社會主義的藝術，豈非咄咄怪事！」確係有所見而云然。翌年六月，毛正式向文學藝術界提出警告說，此一情況『如不認眞改造，勢必在將來的某一天，要變成匈牙利裴多芬俱樂部那樣的團體。』

他自己埋頭寫作期間，在自動與被動的兩種原因下，生活更孤立了。他自動孤立，是爲寫作也是爲自衞。因少與人來往，不但減少被「打小報告」的機會，更可避免被列爲「某某反黨集團」。他的被孤立，是因爲他始終未申請入黨。

他拒絕入黨的態度，曾爲自己和家人帶來不少災難。瑞雪和如龍在學校參加檢討批判會時，「你爸爲什麼不申請入黨？」成了經常被質問的罪名。（十一）

神醫泰斗華佗
三國奇士傳之一

周燕謀

又有苦頭痛，不能舉目視物，苦病經年，使人延佗診之。佗令病者解衣倒懸，頭離地二三寸許，濡布拭身，候視諸服，盡出五色。佗令弟子數人，以鈹刀決脈，五色血盡，侯赤色血下，乃以膏塗被蓋身，汗如淋漓，旋飲以亭歷犬血散，不日痊癒。

又有婦人，長病經年，世謂「寒熱注病」者。冬十一月，佗令婦坐石槽中，平坦，用冷水澆身，當灌百次、婦寒不可受。澆水者攫婦冷死，停之不澆。佗乃使人然火溫床，厚蓋衣被良久，大汗淋漓，汗燥旋癒。眞奇術也。

又有人病腹中如半切，痛十餘日，鬢眉墮落。佗曰：「是脾半腐也。可刳腹養治之」。使飲麻沸散。病者昏昏然無所知。佗使病者臥床，破腹就視之，脾果半腐；以刀切去半腐之脾，刮去惡肉，以膏敷瘡飲藥，百日平復不發云。

華佗有弟子二人，即廣陵吳普，彭城樊阿，皆從佗學術。吳普深得佗術，悉依其方，所治皆癒。佗語普曰：「人體欲得勞動，但不得使極爾。動搖則穀氣得消，血脈流通，病不得生。譬猶戶樞不朽是也。是以古之仙者，爲導引之事，熊頸鴟顧，引輓腰體，動諸關節，以求難老。吾有一術，名「五禽之戲」：一曰虎，二曰鹿，三曰熊，四曰猿，五曰鳥。亦以除疾，並利蹄足。以當導引。體中不快，起作一禽之戲，沾濡汗出，因上著粉，身體輕便，腹中欲食。」吳普服行之，年至九十餘，耳目聰明，齒牙完堅。（三）

英國詩人濟茲
吳文蔚

、人世間有許多朋友是人在情在，有幾人能對朋友的身後顧得十分週全呢？像塞芬對濟茲這樣生死如一，忠心熱情的赤膽本色，眞可令人敬佩不已了啊！

募購遺屋

一八二一年，濟茲死後不久，他原住的屋子的業主，想把屋子出售了。這事讓本地的市長知道了，便馬上組織了一個委員會，爲搶購這屋子募一筆款，可是募得並不多，只得一萬鎊，不夠作買屋的價款，這時投機的商人已在暗中向業主講價爭購，市長急了，便聯絡四個委員，先用私人名義保證付款的辦法，迅疾下手，搶取行動，才挽回危局，把屋子買回來。後來繼續募款，又募得四千八百五十鎊，才把款付清。那時正當大戰結束，在英國募款不易，多半是由美國慈善界人士捐來的。這屋子能保留下來，委實是一件很不容易的事情！

濟茲宅

濟茲宅在倫敦市北的漢姆斯台德區，在當時漢姆斯台德區還是荒郊，一片鄉野風光，景緻還是非常美麗，人烟稀少，地處寧靜，沉寂聊賴，宛如隔世。濟茲和他的朋友布朗就住在裏面。他的生卒雖都不在這裏，然而他在這裏住，在這裏戀愛，在這裏受人奚落，在這裏埋頭創作，在這裏遭人攻擊，在這裏寫下許多不朽的詩篇，在這裏患病，在這裏成名，這所宅子是與濟茲憂樂與共的，所以頗值得紀念。

英國人對於崇古的觀念是非常的深刻的，對於崇拜英雄、詩人、和文豪等名人遺跡又是非常的認眞，濟茲宅至今保存得好好的。當一八二一年濟茲辭後不久，屋子的業主打算出售時，漢姆斯台德區的市長聞悉這件事情，便馬上組織委員會募款把它買了下來，其目的就是爲保存這位名詩人的遺物，以供後世人的憑弔。濟茲生前的遺物，完全都保存在這所宅子裏，現在依然很好，成爲歷史的遺跡，有專人管理，有人嚮導，有印的說明書，也有門票，以供發售遊人，讓有雅興的訪古者，有欣賞低迴之幽境。

前面說過，濟茲宅的屋後是一個大花園，綠草如茵，異常幽靜；屋前是一塊草坪，長着一棵大桑樹；中間有一棵老梅樹，濟茲當年就坐在這棵樹下寫詩，現在依然如昔。

屋子裏陳列着一個鑲有紅寶石的戒指，這是他和卜萊妮小姐訂婚的禮物，也有他的親筆：「給卜萊妮凡耐，一八二〇」的詩箋；還有塞芬在他死時從頭上剪下的那一束頭髮，另外又有一束頭髮是卜萊妮小姐的，現在都存着好的，供遊人瞻看。

最令人贊美的，是用珂羅版印的一份夜鶯歌墨跡，也陳列着。另有一份是哈代夫人捐贈的：哈代爲漢姆斯台德作的一首詩稿。這兩份墨跡相映相輝，俱有古風。濟茲的書法，具秀麗美；哈代的書法，以蒼老勝，二者各有千秋，使遊人看了，皆能發人深思，對這位早死的詩人，於憑弔之餘，愈感欽敬不置了！（完）

中國女性文藝春秋
周遊

上苑桃花朝日明，蘭閨艷妾動春情。井上新桃偸面色，檐邊嫩柳學身輕。花中來去看舞蝶，樹上長短聽啼鶯。林下何須遠借問，出衆風流舊有名。」（按「上苑桃花朝日明」，「桃」有作「杏」花者，不知孰是）此曲爲太宗所見，嘖嘖稱羨不已。她生於公元六〇一年，死於六三六年，（貞觀十年）年只三十六歲。皇后如她者尚不多見。

徐惠

徐惠是一個天才女兒，湖州人。她出生只五月即能言語，四歲通「論語」及詩，八歲已善屬文。她的父親徐孝德叫她擬「離騷」爲「小山篇」，乃擬作云：「仰幽巖而流盼，撫桂枝以凝思；將千齡兮此遇，荃何爲兮獨往！」名爲太宗所聞，乃納爲才人。貞觀末，太宗征伐土木頻繁，乃上疏諍諫，太宗頗善其言。太宗死，她悲痛成疾，不肯服藥，說道：「皇上待吾甚厚，得先侍園寢，正是我所願了」！又作「進珠」詩以表示其志願。唐高宗永徽元年卒（公元六五〇），追諡賢妃。她的作品長於駢賦，詩文端雅可誦，猶如其人。下錄三首以觀。

長門怨：

舊愛柏梁台，新寵昭陽殿。守分辭芳輦，含情泣團扇。一朝歌舞榮，昔夙詩書賤。頹恩誠已矣，覆水難重薦。

賦得北方有佳人：

由來稱獨立，本是號傾城。柳葉眉間發，桃花臉上生。腕搖金釧響，步轉玉環鳴。纖腰宜寶襪，紅衫豔織成。懸知一顧重，別覺舞腰輕。

粧殺答太宗：

朝來臨鏡台，粧罷暫徘徊。千金始一笑，一召詎能來？

上官婉兒

上官婉兒是詩人上官儀的孫女。母鄭氏，方孕時，母夢人給予大秤說：「當以之秤量天下」。及生，方滿月，母戲道：「秤量的就是你嗎？」她啞然而應。武后時，配入掖庭，辨慧能文章，并曉政事，武后很喜愛她，拜爲婕妤，掌管詔命。及中宗復辟，更加寵信，拜爲昭容。她乃勸帝立修文館，選公卿中長於文學者李嶠等二十餘人充其數。中宗每宴名儒賦詩，令婉兒評其甲乙，被評者不僅拜服，而且引以爲榮。後來與崔湜穢亂，韋后失敗被殺。開元初，編集其文章，詔張說爲之序，共二十卷，可惜已不傳於後世。上官婉兒的詩屬於浮麗一派，開沈（全期）宋（之問）之先，華而無實，方家評其「非文學正宗」。如果以現代眼光觀之，正是「愛情文學」之先驅者。下錄二首讓大家來欣賞吧！

綵書怨：

葉下洞庭初，思君萬里餘。露濃香被冷，月落錦屏虛。欲奏江南曲，貪封薊北書。書中無別意，惟悵久離居。

九月九日上幸慈恩寺登浮圖羣臣上菊花壽酒：

帝里重陽節，香園萬乘來。却邪萸佩（一作結），獻壽菊傳杯。塔類承天湧，門疑待佛開。睿詞懸日月，長得仰昭回。（廿九）

美國匹大的中國室

○若愚○

黑雲石門框的兩旁，彫刻着在冰雪中吐艷的梅花。橫在門頂上正中的，是「虛心實德」四個大字。還有左邊是「福」字右邊是「壽」字。在進門兩旁的地上，放着捧着象牙嬉笑的獅子。

牆壁和角柱，都漆上了「中國紅」。這個顏色，反襯着彩耀的金色和藍色的天花板，和黑色的麻栗木桌椅，顯得非常調和。

在西面的牆上，嵌着一塊淡青色的石板，上面彫刻着孔夫子的像，是從孔夫子的故鄉——山東曲阜——孔夫子廟內，吳道子的眞蹟，用印碑的方法複製的。左邊刻着「大成至聖先師」六字。上欵是匹茨堡大學中國紀念室於民國二十八年孟秋落成誌慶，下欵是中華民國國民政府暨旅美僑胞公贈。

在對面的牆上，把外面看像壁櫥的兩道金紅色的櫥門打開，便成爲課室的黑板。門的裏面，漆繪着八個佛教色彩的圓形。其中包括陽傘結和牡丹花。

天花板正中凹進的地方，一條彩雲環繞浮彫，五爪金龍，象徵大自然的豪放和力量，以及宇宙的權威。在中央畫板的四週，三角形的小畫板繪着牡丹、蓮、菊和梅花，代表春夏秋冬四個季候。餘下的天花板分成十四小方塊，漆的是金和藍的底色，中間綴點着紅、玫瑰紅和綠色。其中十六塊，是雙龍捧珠。

在孔子像前，放着一張古色古香的供桌，南面靠牆放了半套客廳的傢具——兩張茶几和四張靠背上分別刻着經、史、子、集四個字的椅子。

西城華人區的開創，遠在一八八○年代。該區位於匹茨堡商業中心的第二第三街，至今仍爲華僑活動區域。在第二街三層樓佛塔式的建築物（一九二二年落成），可爲該區的標誌。一九三○年，華僑人口爲四百二十五人。至一九四○年，只餘二百四十六人，因戰事影响而遠東貿易衰落，實爲華僑人口減少的原因之一。迄今匹城華僑人口，較之美國其他大城市，仍是算稀少的。

國族課室完成以來，各委員會繼續存在，它的任務便是介紹本國的文化給匹茨堡大學。負責中國室的委員，經常舉辦有關中國政治、經濟和文法的演講會，和招待從中國去的遊客。

（下）

我的太太發福了

藍海

不錯，她一口氣做了十件新衣服，穿上，我很以爲她比瘦削細腰時雍容大方。可是，自那十件料子頗佳的衣服做過後，她不再向我要求做新衣；偶然添製，也是普普通通在家裏穿的寬大衣服，因爲她已懶得外出啦。

「走路氣喘，你去買菜吧！」不知那天起的，她把買菜的工作交給了我；後來凡是需要出大門的事，也全落在我頭上。於是，我除上班外，多了這些跑腿的差使。

其次，她漸漸喜歡睡覺了。晚上，固然夜飯吃過沒有一會兒，便揚言累了要睡；就是平時，我上了班，中午回來不見廚房裏有她影子，原來她整理房子時，隨便往床上靠一下，便那樣熱睡啦。最使我傷神的，是我們倆閒時坐在屋子裏談天，談着談着，我正談得起勁，忽然沒聽起她「嗯、嗯」的回答聲，仔細一看，原來她又入了夢鄉。

彷彿俗語有這麼兩句：「冬暖夏涼，胖老婆最善良！」是的，她發福後，脾氣眞的好多了，很少爲小事和我吵嘴；我猜，那是她懶得和我吵。至於冬暖夏涼，却是天曉得；天冷，我要蓋厚被子，她反對而不肯，薄薄的三斤重棉被，把我凍得全身酸痛，我只得另拿被子裹着睡，我可享不到她的「冬暖」。夏天呢，沒接近她，就感到一股熱氣，手觸到她皮膚，嘿，粘濕濕的，就好像黑夜摸到蛇一樣。事實上，入了夏，我看着都不忍心，她的手腋下、腿彎裏，都因流汗而腫爛，皮膚互擦一下，就會紅起來而出現擦傷；沒法子，她只好坐着攤開手脚，成天吹着風扇。當然大小的家務也全歸我操勞了。

「節食！減肨！」她曾奮起多次。可是，節食了幾天，她却餓得難受，體重剛減輕半磅，她又央着我：「你買菜時，別忘了給我帶個肘子回來紅燒哇！」她熱愛着甜的食物，端午節親友送的豆沙粽子，她一次至少可以吃四隻；平時早餐，要白脫油塗麵包；至於閒着無聊，油炸花生米更是她的恩物。好了，挺不容易減輕半磅，一個肘子下去，她起碼加重了兩磅；換言之，不節食，她的體重增加的速度慢，每節一次食，却像做包子的發麵一般，特別加重得快。

除了節食，她也試過體操；體操了幾天，她彷彿苗條了一點，但是人胖了就懶了，也沒有恒心；體操停止後，和節食的無恒一樣，又加快了她的發胖。最妙的是胖人似乎屬於「體胖心曠」，我雖然常告誡她，這樣胖下去，生命將有危險的；她竟笑嘻嘻地回答：「生死有命，沒關係！」

提着舊的腰帶，再看看床上鼾聲如雷的太太，她連睡着都微笑的；她不必操心家務，她不必担憂時局，甚至於她全不顧明天的事，只要此刻能吃能睡就行。我可爲她担心，我也困擾，[illegible]我不能因她體胖而與她離異，像目前最[illegible]時髦的詞兒——自覺[illegible]本！否則，我不知道這經該怎樣的唸下去？（完）

「魏延案」之我見

河漢

但倚仗着人手衆多，在搶救和修補的工作上發揮了高度效率，所以能夠緊隨在魏延後面，未被拋棄得過份遙遠。他們忖測魏延一定會先向成都揑詞誣告，給他們加上各種罪名，因此也連續派遣人員攀山越嶺奔赴成都，也爲魏延戴上反叛的帽子，指他的行動，是向成都進攻，準備把劉禪以下一網打盡，自立爲王。

成都整個沉溺於驚風駭浪中，上上下下，手足無措。諸葛亮的突然死亡，已經使蜀漢人心浮動，就因爲諸葛亮自劉備死後，以他個人爲中心，一手控制了蜀漢，他既沒有培養好與準備好可以繼承他的地位、權力與事業的人來，所以他的突然死亡，即刻呈現了人事上的眞空脫節，政治上的紊亂與動盪。在此時節而擁有最大軍事實力的軍事領袖們發動內戰，甚至於互相攻訐告發的叛變行動，自然即刻陷致蜀漢朝野於驚惶恐悚之中。只要反叛的消息被證實，不管是魏延或楊儀，空虛的後方絕對無法壓制這一行動，而劉禪的統治權會很快地土崩瓦解，成都換上新的主人。在這樣危急的情況下，蔣琬只有抽調數量有限的成都衞戍部隊，日夜趕程向川陝邊境出動，盡一下堵截的人事。

魏延在到達劍閣附近的南谷口之後，便停止南下，在當地設防。劍閣握有軍事地理上的優越條件，向來被兵家們公認爲「一夫當關，萬人莫敵」的要塞地帶，控制了劍閣，也就揑緊了川陝交通的咽喉。在南谷口，魏延與楊儀形成了相持的局面，但楊儀機智而適當地利用了蜀漢士兵對諸葛亮敬畏的心理，抬出諸葛亮的遺囑來打擊魏延部隊的戰鬥情緒，造成魏延在部下心目中，是違逆諸葛亮命令而犯上作亂的印象。同時，楊儀認清魏延所率領的僅只是已在動搖中的五千人，所以就利用人數上的優勢，配合宣傳上的優勢，非常輕鬆地粉碎了魏延的抵抗力量。魏延在戰敗之後，還想逃回漢中根據地，但是已經遲了，他在半途被馬岱截殺。還不止此，他在漢中和成都的家屬與親屬，被劉禪下令全部屠殺，寸草不留。

這是蜀漢的大悲劇。一千七百年來，因爲楊儀與姜維是勝利者，正統的史學家一直站在他們一邊，把魏延肯定爲反派的歹角，其實極不公平。魏延的行動誠然錯誤，楊儀姜維的行動也一樣錯誤，他們應該共同分担這一錯誤的。

爲什麽呢？

魏延是蜀漢的開國元勳之一，是劉備所賞識和重用的元老重臣。他的被拔擢爲與荊州的關羽地位相等的漢中主將，不是他與劉備有着私人的歷史淵源，而是由於他在此以前所建立的赫赫戰功。蜀漢的顛峯時期，開始於劉備在定軍山擊敗曹操，佔有漢中的時候，終結於荊州被東吳襲取的時候。這樣重要的位置，劉備可能安置與他有親密的關係的張飛，就是張飛，也自以爲必然是他。但任命發表了，却是資望不足，地位不高的魏延！這就說明了魏延的優秀才幹，還在向來受曹操孫權矚目的張飛以上，在蜀漢前期的高級軍事將領中，是第一流的人才。然而也止於此，無論如何，他只是一個指揮兩萬軍隊的戰區司令官，在蜀漢中樞最高領導階層內，並無參預甚至影响決策的力量。所以說魏延在劉備白帝城託孤這一階段，他具有與諸葛亮相等的籌碼，是不可能的。（二）

陶知行的特別風格

穗城掌故

·李鴻洸·

祇要你們專心學習就可以了。不過我是教你們是學，但學了之後，你們就要做。因此，陶氏就創出教，學，做，的方法來。例如那個學生要學習做掌櫃先生，陶氏就教他先識字，識了字，就教他記賬，記了賬，又教他開單據，又教他計數；同時又辦一間小商店，要那些學習掌櫃的學生去料理該店，所有一切經營生意的方法，全部都能夠担當起來，就養成一班從商的工作人員了。未幾，又有些學生要學郵務管理，他就假設一間郵局，內裏有揀信生，包裹部，航空郵遞，郵差，教了之後，馬上把信寄出，果然做到有條不紊。他又辦一農科，有種瓜菜的，有種水果的，有種禾稻的，教學生怎樣下種，怎樣灌溉，怎樣施肥，怎樣收割，怎樣殺蟲，怎樣掘地和翻土，各生習熟之後，跟着要逐一做去，亦做得相當成績。又教畜牧一科，收效亦甚大。所以，陶氏在農場搭了一個凹樓，掛着一副對聯道：「與馬牛羊雞犬豕做朋友。」「從稻粱菽麥黍稷做功夫。」陶先生說：「社會就是學校，所以毋須校址。學生呢，按其程度而施教，從小學起，至大專止，無不蒐羅，總之教、學、做一氣相連，自有眞正的人材培養出來。」黨國元老吳稚暉先生，向稱平民化的，有一天吳先生去訪問陶知行校長，恰巧陶氏赤身，穿短褲，赤脚，在農場掘地，吳稚暉說：「我找陶校長」，陶氏曰：「我是。有何指教呢？」吳說：「偉大哉，陶校長也。我本人已經夠平民化了，原來陶校長的平民化作風比我還要徹底。」陶氏即指門口之聯以示之，吳看罷，連忙說：「我國歷代王朝，都是以農立國，以務農爲主，是以有治本於農之說，由於我國古來係以農立國。如今陶校長果然實踐本着以農爲立國的基礎，眞令人佩服。若我們大中華民國，每一個角落，依着陶校長的計劃做去，則祖國農村之復興，生產之日盛，經濟之繁榮，在在都可以達到國運昌隆的目的了。」以陶氏這樣熱心平民教育的實行家，竟爲人所[illegible]，死於非命，豈是太可悲歎了！（下）

雞童魚童及其他

◁晉陵▷

史密斯和其他的人相信，森加斯在嬰兒時已被豺狼拉了去，從他的舉動上可判斷。

這些不人不獸的例子中，最常有的就是印度的狼童。在印度北部的森林地帶，由於這區域是相當安全的，很多人相信宗教上的迷信，不能捕捉牠們。

在朱巴里地方，狼的例子很多。第一個人狼的例子，住着一雙農村夫婦和一名孩子。一九四三年三月的一天，孩子因膝部受傷，父母下田時，把他留在屋前的草地上。突然來了一隻狼，揪着孩子的褲子，把他帶走了。六年之後（一九四九年二月），兩名士兵在新加茂地方打獵，發現一個以四肢爬行的孩子，由三隻大狼陪伴，像非常忿怒，用口咬和掙扎。這個孩子被捕獲，帶回朱巴里，他的母親由他膝上的傷痕，認出他來。他的母親雖然極力對他呵護，可是他對人類表現得全無感情。

兩個月後，連他的母親都失望了。像野獸一樣，這個孩子喜歡吃血淋淋的生肉。他的名字叫藍姆，是目前生存着的幾名狼童之一。後來在有限的程度上，醫生的檢驗及觀察，作出一些相當令人滿意的報告，證明狼童仍能效法人類。[illegible]

上述那些非人非獸的人，値得我們同情，他們爲單年的不幸，而至終生無知無覺。（四、完）

內政部台誌字第○三二一號內銷證

自由報

THE FREE NEWS

第八○三期

中華民國僑務委員會頒發
台歌誌字第三二三號登記證
中華郵政台字第一一二八二號執照
登記爲第一類新聞紙類
（半週刊每星期三、六出版）
每份港幣壹角
台灣零售價新台幣貳元
社長：雷嘯岑
督印人：黃行審
社址：香港銅鑼灣高士威道二十號四樓
20, CAUSEWAY RD 3RD FL.
HONG KONG
TEL. 771726 電報掛號：7191
承印者：大同印務公司
地址：香港北角和富道九六號
台灣分社
台北市西寧南路壹壹零號二樓
電話：三○三四六
台郵撥儲金戶九二五二

冷眼觀察美國戰略的變遷

—兼論反飛彈的「實力戰略」（上）

彭樹楷

戰略決定一國的政策；戰爭由一國之政策或缺之政策所造成，出自政治家之所爲或有所不能爲。

戰略不僅是戰時的一種理念，且爲任何時期國家政略固有的要素，決定其是否能執行其國家目標之各任務。

美國爲推行「抑制任何一強權統治世界之野心」及「促進並鞏固此一世界關係之體制」的國家目標，其戰略自二次大戰後受世界重大演變的影響屢經變遷。

現在，美國爲有效對付中共將於一九七○年間完成的核子飛彈威脅，一向反對建立反飛彈的國防部長麥納瑪拉，不久前終於同意以五十億美元籌設反飛彈系統，使美國由「彈性反應戰略」一變爲「被動防禦的實力戰略」。由於美國的戰略不僅關係美國安危，且與自由世界集體安全有關，故上項戰略改變便爲各自由國家所密切關注。本文除略述美國戰略變遷史外，並剖析「實力戰略」的構思及其佈署作法，最後則就反飛彈武力在國際上所扮演的角色予以分析，藉供參考。

美國戰略變遷史

公理沒有武力即脆弱無力，武力沒有公理即暴虐無道。爲求掌握戰爭之最大勝算機會，必須武力結合正義。因此，二次大戰結束時，美國乃熱衷於建立舉世一致的聯合國，其戰略反應爲「藉集體之力以獲致世界和平」。稍後，由於蘇俄在東歐擴張勢力，並連續使用否決權阻撓聯合國行使職權，暴露其侵略面目，美國乃重新儲備戰略物資，遂行全國軍訓、保持海空軍優勢，準備以傳統式戰略對付蘇俄。再後，蘇俄封鎖柏林，擺出對美直接挑戰姿態，嚴重地威脅歐洲，迫使美國建立北約同盟，在歐洲地區採集體防禦以相抗衡，並以原子彈爲戰略武器，發展投送核彈能力，保持海上通路之暢通，將核武力自美國本土向外拓展，藉以嚇阻蘇俄之侵略。一九四九年，蘇俄核爆成功，美國原子獨佔告終，美國又失去其由於地理位置上之隔絕形勢所形成的戰略優勢，迫使美國採取核子攻擊爲第一優先的嚇阻戰略，並寄望於同盟國之地區性武力能嚇阻或擊退共產集團之侵略，同時建立強大之美國戰略空軍，及協助美國之盟邦建立平衡的軍事力量。一九五○至一九五三年的韓戰時期，美國發現傳統性武力，不能贏得勝利或獲致成功，於是乃縮減北約兵力，並策劃在戰爭開始之際使用核子武器，也就是「依賴美國核子戰略武力以嚇阻核子及傳統武力之侵略」，同時確認「在防止共產集團擴張之戰爭中，非核子地面部隊及海空軍戰力仍有其重要性」。這，就是一九五四年杜勒斯宣稱「大舉報復」的戰略構思——美國以其自行選定的工具對自行選定的地區遂行報復。也就是說：「地區性武力固守其地區，阻止共產集團，爭取時間之餘裕，同時由美國發動戰略性之報復攻擊」。此即所謂「盾」「劍」作用。一九五五年，蘇俄遠程噴射戰略核彈轟炸機問世，蘇俄核子能對美國本土實行核子戰略攻擊，並具有反嚇阻能力以限制美國在戰略上之行動自由，使美國警覺到前認爲能嚇阻核子侵略者，即能嚇阻局部侵略之見解完全錯誤。爲求具備充分之報復性武力以嚇阻蘇俄對美國本土之核子戰略攻擊計，乃於建立數倍於蘇俄之戰略武力同時，並致力於加強應付局部侵略之能力。一九五七年，杜勒斯宣稱「美國與其盟邦務須具備應付局部侵略之能力，但以不激起全面核子大戰爲原則」，強調應付局部侵略之能力，使早先的「大舉報復戰略」變爲「彈性反應戰略」。

以上這段戰略變遷，仍不脫杜勒斯所命名的「戰爭邊緣政策」範疇，只是接納各方意見，愼密世界大局，對大舉報復戰略加以或多或少的修正而已。

大舉報復戰略，使蘇俄有所顧忌和恐懼。在此戰略下，中共並恐嚇着即使對有小規模的侵害，美國亦不惜使用核武器。爲支援此目的，美國乃製造一些小型的戰術核子武器，並藉集體聯防及北極星核子潛艇構成一個對共產勢力的圍堵政策。這個新戰略的目的，是以對抗蘇俄「儘量避免與美軍直接發生戰隙，而在周圍地區進行局部侵略以拓展其勢力」的這一策略所計劃的。但是，越南八年戰爭及中共在不到三年便試爆六次核彈的重大影響，美國昔日較爲堅定的以戰止戰之各項戰略，便演變至今日的「被動防禦思想」，而產生以反飛彈防禦系統爲主力的實力戰略，藉以防阻中共一九七○年間直接威脅美國本土的核子攻擊，並希望對某些同盟國提供核子防禦傘以穩固自由國家的防務。

實力戰略構思

自第二次世界大戰後，爲國際所關心的美國戰略理論如：圍堵、大規模報復、嚇阻、局部嚇阻、有限戰爭、戰爭邊緣、彈性反應、實力戰略等等，均隨着國際演變及核子外交、太空科技、東西方冷和、美毛（共）對峙、以及軍備新力量的消長而改變。此刻，美俄冷和似乎使東西方緊張關係好轉，但中共好戰及狂妄，却使世界局勢爆發新的危機，特別是「文化大革命」的「輸出毛澤東戰爭思想」和中共在一九六七年六月十七日氫彈試爆成功，使美國在爭執中難以決定其國防戰略。既然不擬主動摧毀中共核子設施，便只好退至完全防禦性的自衛作戰佈署。於是，所謂以及反飛彈防禦系統爲主力的實力戰略便被重視了。這種「適時調整」的新戰略是否「適當」，至今依然是被各方人士討論的議題，美國國內人士如是，自由世界人士亦寄以莫大的關懷。

同歸於盡

害人反害己

今日與明日

英官員在港的怪論

最近英國海外殖民部次官石寶德，工黨籍下議院議員鄧禮博，先後來到香港視察，大發怪論。

石次官說，港共幾個月來的暴亂情形，并不如外間傳說之嚴重；且認爲共黨份子到處拋置炸彈，目的亦不專在殺人，即不必對投擲炸彈的暴徒，加以重刑制裁。

鄧議員說，香港這次發生的騷動事件，不能完全埋怨左派份子；又說某些法官對暴徒們的處罰，無須那樣嚴厲，動則判處兩年三年的徒刑。

看這兩位官員的議論，好像他們是從咱們中國的北平來香港慰勞港共的。香港報紙上常有「怪論」一欄，此二公的言談允稱「怪論」傑作也已！但仔細思量，却認爲殊不足怪，何以故呢？

英倫對港基本政策

二次大戰後，英國在海外的許多殖民地，基於經濟算盤得不償失的關係，皆已陸續放棄了。唯有香港這個「東方之珠」，每年可以撈獲若干億美元解到倫敦去，自不願意隨便丟掉。然又怵於毛共暴力之可能侵佔，基本上非放棄不可，因而抱持着「作壞的打算，存好的希望」這種「帶病延年」的策略。

毛共呢，每年在香港亦可以刮到若干億元的港幣外滙，與其佔據香港而賠本管理，即不如讓其保持現狀，坐享厚利之爲得計，只要英國政府對港共的發展予以優容，即不妨暫行「和平共存」，這便是港共暴亂的原因所在也。

英倫以毛共正在忙着內部奪權的運動，鬧得自顧不暇，「帶病延年」的意志乃稍爲堅強了。那毛共要想使香港變成澳門，可不行。除此以外，即大可商量。所以，石次官和鄧議員對港共暴動問題的言論，是希望毛共跟英倫進行要價還價的談判交易，并非信口開河的。

香港前途最後結局

目前英國和毛共皆視香港爲淘金之地，彼此看在金錢的份兒上，一方是帶病延年，盡力掙扎，一方是留以有待藉觀後效，在最近的將來，對港共暴動問題，勢必有所談判。假使世界局勢日趨惡化，例如美軍在越南升級作戰，中東發生戰禍的話，毛共對香港即將採「欲擒故縱」策略，不爲已甚。如果世界局勢依然渾頓下去，然毛共內部的奪權鬧劇尚未完全閉幕以前，它對香港問題亦不會急求解決的。英國紳士們迷信現實主義，而漠視香港四百萬居民的反共潛力，罔知利用，但期以親共媚共的作風，使香港苟安且夕，結果是舊病愈見沉重，好的希望歸於幻滅，雖欲苟延殘喘，亦戛戛乎難矣哉！（何如）

自由談

士大夫的正義感

偶閱滿清光緒朝大臣惲毓鼎所撰「崇陵傳信錄」，記述庚子年（一九○○年）五月下旬義和團在京師騷亂之際，慈禧太后意利用拳匪對西方各國宣戰，召集滿朝文武要員開御前會議，宣示對外作戰的決策。當時，許氏和大理寺少卿張亨嘉，侍讀學士朱祖謀，光祿寺卿曾廣漢極不以爲然，在散會的俄頃間，回身向太后暨光緒帝奏謂「臣等尚有言」。於是，朱祖謀聲言：「皇太后信亂民，敵西洋，不知欲倚何人辦此大事？」太后曰：「我恃董福祥」。祖謀率然對曰：「董福祥第一即不可恃」。太后大怒，色變厲聲曰，「汝何姓名？」對曰：「翰林院侍讀學士朱祖謀」。太后怒曰：「汝言福祥不可恃，汝保人來！」祖謀曰：「山東巡撫袁世凱忠勇有膽識，可調入京鎮壓亂民」。曾廣漢曰：「兩江總督劉坤一亦可」。蓋袁劉皆反對拳匪者。許氏等知道太后袒護義和團，乃故意推薦這兩位反對派於皇太后之前，不惜批逆鱗以冒生命危險，藉求心之所安。慈禧后亦會殺戮反對拳匪的大臣如許景澄、袁昶等，却不敢殺朱祖謀這些犯顏極言直諫之士，可見正義的潛力是偉大的。

慈禧之仇外思想，源於各國使節不贊成她謀廢光緒帝，她置立載漪的兒子爲「大阿哥」以篡奪帝位，諷各國使節入賀，而大家相應不理。她惱怒之餘，竟以國家作戕忍工具，稍有正義感和愛國心的人，自不能默爾而息，尤其是在朝的公職人員，爾俸爾祿，民脂民膏，眼見着國事阽危，朝政昏亂，而依違立朝，逢惡長惡，昧良寡恥，希寵固位，不能主持正義，替國家民族的利害禍福設想，那就太可悲而又可鄙了。朱祖謀那樣謇謇諤諤，不避斧鉞之誅的愛國精神，實屬未可多得，值得敬佩，以視唐代魏徵，王珪等人的風格，未遑多讓。

慈禧后把滿清王朝的命運斷喪掉，又使中國陷於積貧積弱之境，眞是罪孽深重，她死後被孫殿英掘墓碎屍，殊不足惜，而朱祖謀一流人的正氣，永留人間於不墜也。

馮正先生

從立法院質詢
看台灣省政設施

本報記者張健生

立法委員之質詢案中,有許多問題是針對台灣省政設施而發言的。由於台灣施政,有若干問題是值得檢討的。從立法委員質詢案中來觀察並分析省政,確有許多地方並非如黃主席所說的那麼進步,那麼優異。

建設台灣為三民主義模範省的政策,是執政黨與政府建設台灣改善人民生活所懸的最高理想和目標,此一理想和目標,必須省政主持者要有高度的智慧和新的境界,並須要有容忍批評的雅量,和接受各方意見的氣度,這樣,才能使省政更進步,更有優異的成果。

殊料,省政主持者,既無高度的智慧去接受專家學者的意見,如台北市改制前的所謂新社區的構想,是於考察旅途中的「靈感」而設計的,結果,新社區尚未完成之際,而政府又宣佈為「禁建區」或「限建區」;如過去有一位省政記者把「蕭規曹隨」一句成語誤寫,而使省政主持者震怒,乃命令中部某報調撤某記者。最近,台北有兩家民營報的「特派員」應某程某,因撰寫新聞激怒了省政當局,亦電飭該報撤換記者,嗣經某報駐美「特派員」以「貴賓」身分從中斡旋,纔使此一調換記者的「醜聞」不了了之。這些事例,足以說明省政主持者缺乏容忍批評的雅量,即不配談民主政治生活。

現在,請看立法委員對省政的評語。

省府政治無能

湖南籍立委魯蕩平於質詢中,於提到台灣省政府處理違章建築的問題時,批評台灣省政府是「政治無能」。他說:「日前,中興大學法學院新建蕙蓀大樓揭幕,我們貴同鄉黃主席登台演講說:『我不滿意,大學區域都是違章建築,我從前極力主張取締,還有許多民意代表不支持我,在座的好像還有民意代表?』我頗不納悶,最高民意代表僅我魯蕩平,遂登台發言:『所謂民意代表不支持一節,我曾多次提質詢有案,法商學院前後都是違章建築,唯有魯蕩平住的地方(按:即台北市長春路興安街五二號)沒有違章建築,原因是搭一間,我就拆一間。我個人以老百姓地位尚可制止,如怪老百姓不守法,怪民意代表不支持,那是『政治無能』。現在,台北市為中央直轄市,大家應共同注意,如何取締違章建築,政治是令出必行,不能敷衍,必須出於誠,即可達到目的』。」

四川籍立委王子野就台灣省政府對「盜豆案的處理問題」提出質詢。他說:「在盜豆案發生之初,台灣省政府秘書長徐鼐曾在立法院報告說盜豆案有一億五千萬元的損失,政府正在積極追贓追保,可以追回來很多,所以損失不大。但是據聞現僅追回二百餘萬元,不到損失總數六十分之一。盜豆案就能如此結束嗎?請問政府對盜豆案的追贓追保,能否再接再厲?貫徹初衷嗎?」

本報記者按:台灣省政府秘書長徐鼐於五十五年八月五日曾列席立法院報告:「盜賣黃豆案處理經過及決定事項」。「各油廠盜賣物資及應收回之貸款等數值,為新台幣兩億四千〇十六萬餘元。」——實際為十四億元,迄未全部收回。台灣省鐵路局貨運所將此項損失列入省地方總預算,分十年償還,但省議會不同意,而將此項預算刪除了。

省社會處弊案

立法委員徐中齊就台灣省政府推行社會福利政策與措施,而發生省級社政官員涉嫌舞弊貪污不法行為,提出質詢。他說:「政府加強社會福利措施的目的,旨在使人力資源素質提高,增加經濟活動的人口,解決日趨嚴重的失業問題。因此,政府於五十五年動用福利基金約兩億元。過去四年中,社會福利經費之支出,約四億四千萬元。如此龐大經費分別來自美援補助,福利基金與政府預算,但推行社會福利工作之機關是否按照計劃執行?美援補助有無列入政府預算?省福利基金會有無訂定具體實施辦法?各執行社政機關預算有無重複?職權是否混淆不清?本年六月初「台灣時事」披露「掀開社會處國民就業輔導室的黑幕」一文,不知貴院長(嚴院長)閱讀否?該文對國民就業等七大項工作有詳細之分析與評論,文中所指涉嫌不法貪瀆之徒,政府有無依法查辦?如有查辦,其結果如何?如未查辦,其理由安在?茲附該文於後,併代質詢,並希迅予答覆」。

關於移民東部問題,江蘇籍立委牛踐初質詢說:「台灣省人口增加比率最高時曾達千分之三十七,經過各方面若干年的努力,減到千分之二十七。因此,對於人口平均之分佈,調節人口之疏密,成了當務之急。以台省而言,應使擁擠在西部的人口,一部分移到面積廣濶人口稀疏的東部去。花蓮、台東兩縣面積八千一百四十三平方公里,等於台灣省總面積的四分之一。東部資源豐富,礦產、林產、漁產、畜牧、農墾極有發展的前途,蘊藏之富,可說是取之不盡,用之不竭,這不是理想的移民條件嗎?但是東部對外交通是一嚴重問題。蘇花公路與橫貫公路常因坍方中斷,要徹底解決,必須興建鐵路,無論南廻北廻,對於移民都是有幫助的,但依現在情況而言,交通可說是一大阻礙。請問,政府對移民東部有無具體計劃?對東部鐵路之興建有無實施方案」?

提起台灣省交通問題,的確有使人行不得也之苦。因此,湖北籍立委艾時於質詢時「希望行政院起用新人」,這是針對台灣省交通處而發言的。他說:「台灣交通發展的死結必須更改。我國的機械主管官員說:『新的東西,我們用不慣』。又說:『我們的人員用慣了,可以駕輕就熟』。此話如出自行政官員之口,猶可說也。一個主管機械的官員,有了如此的觀念,而不知『日新又新』的道理,還談什麼更新設備?即使有更新,也不過破牛車換個新牛車而已,這是台灣交通發展的一個死結,希望行政院起用新人」。

艾委員認為「擴展交通的觀念問題」,必須根據國父所說的「迎頭趕上」,為擴充設備指針。不要以「尚待開發國」的地位自居,要以國際競爭的眼光,衡量台灣的擴建。

南廻鐵路何時修築

台灣省環島鐵路何時興建?也是立法委員對省政設施質詢之一。遼寧籍董正之委員說:「立法院此次休會期間,曾到東部考察,藉悉該地開發,頗著績效。惟花東兩縣政府,以渴望修築環島鐵路,以資促進東部開發,調劑西部人口,裨益經濟建設,增強國防交通,工程雖屬艱鉅,意義極為深遠!我曾建議興修,但惜未採納!茲聞北廻鐵路預算約十二億台幣;南廻鐵路約九億,工程費用,遠遜石門、曾文兩大水庫,經濟價值,不在上項水利工程之下。三載為期,歲需七億,倘政府紬於資金,似可發行建設債券,吸收東部地方貲財,庶幾及時建築,早觀厥成如何?

大連市籍委員穆超對改善鐵路及公路交通問題,以質詢的方式提出來徹底檢討。他說:「人口的激增,造成交通的擁擠。科學的進步,促進快速交通工具的產生。今日的交通,由平面進入立體,歐洲各進步國家,為促進都市縱橫交通的暢流,多把都市的鐵路或公路高架或轉入地下」。

台北交通建設

穆委員以「改善台北市鐵路交通問題」為例,他說:「台北市於三十四年光復時的人口,只有二十七萬,甲種車輛只有六百輛,乙種車輛約四萬輛。但至今年六月底止,人口已達一百二十萬以上,汽車四萬八千一百〇六輛,甲種機踏車增至十萬〇三千〇三十輛,乙種機踏車增至二十二萬二千九百十八輛,腳踏車增至二百廿餘萬輛(全省數)。其他如三輪車、手輪車、馬達三輪貨車、人力三輪車等,都增至一萬輛以上,因此,台北市的交通大成問題了。但交通的建設,必須有一個遠大的和整個的計劃,如果只是遷就事實,急功好利,頭痛醫頭,則必將浪費人力物力,徒勞無功。不幸得很,台北市的交通建設,是沒有一個遠大和整個計劃的。比方,今年六月底改建完成的復興橋,雖然可以改善中山路中正路圓環交通上的擁塞,但只是頭痛醫頭的辦法。因為台北市的鐵路全部高架或轉入地下是必然的,若鐵路全部高架或轉入地下後,則復興橋自然必須拆除了。

鐵路縱貫綫及淡水綫,把台北市區割為三塊,而且有平交道三十一處,火車經過時,一切交通斷,而且在平交道上常常發生車禍。穆委員反對建陸橋,這不是根本解決台北市交通的辦法,且是一種下策。他主張「改建地下鐵路」,如果一時籌不出七十億元的經費,最起碼也應採取「高架鐵路」的中策。台北市鐵路高架的經費需二十億元,而不致有路的困難,高架鐵路下面可設商店或停車場,可以得到補償。

此外,他並主張修築環城鐵路及增設電車,來解決台北市的交通問題。同時建議行政院將各機關的交通車集中起來,組織一個「中央公共汽車管理處」,增闢路綫,和台北市公共汽車配合競爭營業。(上)

一冊寓意深長的新書
「金山:留美華人的故事」

。紐約通訊。

麥克米廉公司最近出版一冊新書,名為「金山:留美華人的故事」。作者為宋李白蒂,內容是叙述過去一百年來留美華人的經歷與成就。

十月四日米瓦基新聞,曾以半版的地位介紹這冊新書,其中並附有三張巨幅照片:其一是身穿長袍,手持烟斗,表情瀟灑的名作家林語堂。其二是精神抖擻的攝影家黃宗霑。其三是年青睿智,英姿俊健的諾貝爾獎金得獎人楊振寧。

該書指出,遠在一八四九年前後,中國人就開始從廣東冒險乘帆船,到太平洋上航行三個月,到加州掘金礦。至一八五一年,留美華僑總數已有二萬五千人。早期的中國政府禁止人民渡洋,被捉者常處以斬首之罪。之後由於官方看到留美華人不斷以所採黃金運回故鄉,自一八六〇年起,當局乃下令緩和禁例。

早期華僑多來自廣東台山,據一九六〇年美國人口調查的報告指出,在二十三萬七千留美華人中,百分之六十均係台山人的後裔。

一八五〇年美國政府開始對外籍金礦工人月徵二十元稅金,華人淘金熱至此告一段落,多數華僑因而離開金礦,至舊金山城中經營洗衣店及餐館生意。十九世紀後半期,又有萬餘華人參加中太平洋的鐵路修路工作。一八八二年,由於美國政府對華人實施各種限制,因而美國話中出現了一個形容前途有限的專用詞,即「一個中國人的機會」。

「金山」一書的最後一章為「中國人的機會」一詞下了新的註解,即中國人在這個充滿機會的民主國家中發展無限。在過去的二十餘年中,「中國人的機會」已成為一個令中美兩國同感驕傲的詞句。作者提出代表此一光輝成就的楊振寧和李政道,並詳述他們成功的經過。說他們常在紐約中國飯館聚首通宵談論,他們的新定理就是在此種夜談中發現,後經「全球權威女性實驗物理學家」吳健雄實驗證明,獲得一九五七年的諾貝爾獎金。

作者提出的另一著名科學家是李卓皓博士。李氏為全球公認的腦分泌腺權威,曾在人體中發現六種荷爾蒙。一九六二年獲得拉斯克醫學研究獎,現任加州大學生物化學教授兼荷爾蒙研究主任。

在文學藝術界中,作者提出得過兩次電影金像獎的黃宗霑,被選為甘迺迪紀念圖書館設計人的貝聿銘,作品被懸於四十餘個重要博物館中的水彩畫家曾景文,和名作家林語堂博士。

此外,投資專家蔡至勇,華裔參議員鄺友良,在本書中亦有詳盡介紹。

米瓦基新聞報書評在結論中指出,作者在本書中介紹的人物,均具有特殊的天賦,他們只需一個機會,就可在「金山」中發揮才能。對他們來說,「中國人的機會」,是一飛沖天的成就。本書所介紹的,雖為中外熱知的名人,但這次是在「金山:留美華人的故事」一書中同時出現,予人的印象更為深刻。當中國大陸的混亂及中共外交人員的惡行為舉世憂慮唾棄之時,此書的出版,實具有更深刻的意義。

惡夢十七年——馬思聰的故事

·趙浩生·

人們在會議上及文字中，更不斷攻擊他是「頑固落後份子」。朋友們因怕招禍而遠離他，最後連當年把他引上賊船的「音樂家協會」黨書記李凌來看他時，也要找個黨員作伴，以免別人懷疑。

毛對文化藝術界發出警告不久，就開始了所謂「第五次文藝整風運動」。這次被清算的作家及作品更多，其中最為外間所知的，有田漢的「謝瑤環」，吳晗的「海瑞罷官」，夏衍的「林家鋪子」，陽翰笙的「北國江南」和孟超的「李慧娘」：……等。被清算者，不但多數是黨員，而且均係具有三十餘年黨齡的重要人物。他們的罪名是「借古諷今」，被統稱為「三十年代的文藝黑線」。

不久此一「第五次文藝整風運動」就變成了席捲全國的「文化大革命」。代表此一轉變最顯著的事實，是一九六六年四月中「解放軍報」忽闢「文藝評論」專欄，攻擊「三家村扎記」和「燕山夜話」。同時政治候鳥無恥文人郭沫若忽在四月十四日的「人大常委會」上痛哭流涕的向共黨叩頭認錯，凡此均使人預感到此一新運動來勢極其兇猛。

雖然如此，他依然希望着由於自己的作品是音樂，最多被指為「代表沒落的資產階級」，但無「反革命」的字句。同時他一向孤立謹慎，不屬於任何「反黨集團」，或許仍可倖免。當他和五百餘個最知名的文化人一起被調到「社會主義學院」受訓時，他還以為受訓之後風暴就可以過去。

進入「社會主義學院」後，他們以軍隊方式編為大中小隊，每隊十至二十人，他的同屋是著名二胡琴師蔣風之。

受訓期間，他們的日程是每天上下午各開三個半小時的檢討批判會，晚間閱讀文件，寫大字報。最初各小隊是黨員與非黨員混合組成，這使非黨員感到很不自在，後來分開了。隊長為職業軍人，教育程度雖低，但對共黨的八股却滾瓜爛熟。

他們學習的節目前一段是自我檢討，不久文化部突然派人來在如臨大敵的空氣下宣佈，周揚是「文藝界反黨，反社會主義，反毛澤東思想的黑綫總頭目」，黨要他們「響應毛主席的號召」，把周揚「徹底鬥垮、鬥倒、鬥臭」。

此一宣佈實在出乎他的意料之外，因為在這十七年的惡夢中，周揚在他的心目中始終是個專為毛向文學藝術界人士開刀用刑的牛頭馬面。

毛澤東的一聲令下，他們只有向周揚展開鬥爭。他們的鬥爭方法，就是遍讀周揚所寫的各種文件報告，設法從其中挑出「修正主義」思想，再引證「毛選」，說明周的理論是「反革命」。

此一工作相當艱苦。因為毛的言論多信口開河，其中到處是不合馬列主義的觀點。而周的作品及報告等，正如毛派所說：「用的是馬克斯主義的詞句，販的修正主義的黑貨」，很難找出毛病。他們唯一的應付之道，就是不用「毛選」，而用淨化了的「毛語錄」。

當他們奉命在社會主義學院批判周揚時，他們不知道毛已在外面組成了千百萬野獸般的「紅衛兵」，用毛「親手點燃的無產階級文化大革命烈火，燒毀一切舊思想，舊文化，舊風俗，舊習慣」，並等着吞食埋葬他們這五百個手無寸鐵的文化人。

一九六六年八月九日，他們受訓期滿各回原職時，像被送入虎口，一個個被瘋狂的「紅衛兵」以「當權派」「黑幫」和「牛鬼蛇神」的罪名侮辱，殘害，他們有的被殺，有的自殺，有的被囚禁，放逐。

他自己的慘痛經歷，已在四個月前的記者招待會上和在「生活畫報」上發表的回憶錄中敘述，但他感到這些敘述均難以道出他內心的創痛。

記得當他畧獲自由之後，有一天他到北京博物館，看見牆上掛着一面巨幅橫標，上面寫着魯迅的名句——「我們是被欺騙了的奴隸」。這句話像一剎閃電一樣震擊到他的心靈，他感到熱淚盈眶，但不敢任其奔流。在矇矓的淚眼中，他好像看到所有受難的友人和魯迅自己的面孔。他感到三十年前死去的魯迅，和今日被殘害的文化人，同是被共黨欺騙了的奴隸。他相信，倘若魯迅尚在，一定會以更憤怒更沉痛的聲音重覆着同樣的句子。倘若魯迅尚在，其遭遇也一定比任何人更悲慘。魯迅當時看到友人被迫害，還敢寫出「忍看朋輩成新鬼，怒向刀叢覓小詩」的憤慨作品，但今日的中共大陸，已不容被侮辱被損害的人憤怒流淚。

含着滿眼的熱淚，他忽然想起一九五八年即被鬥爭的留法老友艾青的詩句：

「這座山上沒有樹，
這條河裏沒有流水，
這裏的人民不能有哭泣。」

今日的中國大陸上就是這樣的一個悲慘世界。（十二）

三國奇士傳之一　神醫泰斗華佗

周燕謀

樊阿得華佗之鍼傳。而時人善鍼術者，皆以背及胸臟之間不可妄鍼，鍼之不過四分，而阿鍼背及胸臟皆一二寸臟鍼五六寸，而病者癒。樊阿求佗傳以可服之方，佗授以「漆葉青黏散」，以漆葉屑一升，青黏屑十四兩，久服之，可去三蟲，利五臟，體輕，使人頭不白。阿服其言，壽百餘歲。

華佗一身奇技異術，終死於奸雄曹操之手。建安二十四年，操舊疾復發，延佗為侍醫，佗曰：「此近難濟恒事，攻治可延歲月。」佗侍操醫治，因離家久遠思歸。操曰：「當得家書，方許暫還耳」！佗返家、辭以妻病，乞期不返。操累飛書召佗，又敕郡縣發遣，佗恃其能，厭以事取食，不就召。操大怒，使人往佗家探視，若佗妻果病，賜小豆四十斛，寬假限日；若其虛詐，便收送之。於是傳付下獄考訊，佗果詐以妻病，當斬首。荀彧為之請免曰：「佗術實工，人命所縣，宜含宥之。」操曰：「不憂天下當無此鼠輩邪！遂考竟佗認供。佗臨死時，出書一卷與獄吏曰：「此可以活人」。獄吏畏法不敢受，佗亦不彊，索火燒之。佗終被殺。身懷奇技，被誣恃術傲物，終於不免於非命耳！

三國演義華佗為操治頭風，在建安二十四年，此時荀彧已死，華佗傳則謂荀彧為之請免，則此事當在建安二十年之前。而曹操之死，未及華佗之事，演義虛妄羅織也。

華佗死，操頭風未除：操曰：「佗能癒此，小人養吾病而自重；然吾不殺此子，亦終當不為我斷此根原耳！」其後操愛子倉舒病困，操歎曰：「吾悔殺華佗，令此兒彊死也！」華佗不為操除疾，此中必有他故，並非恃術自重也。演義羅織謂：佗為操治風頭曰：若欲根治，必破解剖方可濟事。然佗先為關羽「刮骨療毒」，操多疑心，以佗為關羽奸細，因此發獄。華佗本傳在魏志「方技」篇之首，未繫年月。按荀或死於建安十七八年間，然事繫華佗之卒，而佗卒無時歲，故佗死當在建安十七年之前。演義穿附不足為信。華佗之不為操除疾，恐係惡其專權罔上，殘暴不仁也。陳壽多為魏晉迴護，實有可能。讀三國史者，尤當深辨之。演義虛妄，正史尤未必可全信也。（四、完）

難得的波蘭神父高爾比

·陳彬·

教皇庇護十二世會稱讚麥士美倫高爾比神父是在第二次世界大戰中最輝耀的人物之一。高神父於一九四一年八月十四日在波蘭的阿殊韋特斯集中營逝世。他於一八九四年在波蘭的斯登斯卡和拉村出生，他的父親曾做過紡織工人，後來經營一間現成食品店。

麥士美倫在幼小時就希望能做一個神父，但是他的家境貧寒，連到學校讀書也沒有機會，當地藥劑師和天主教本堂神父教他讀書和寫字。

後來有兩名法蘭斯派系的神父到那間鄉村教堂去講道，說及在羅華鎮將開辦一間小型的修道院，十三歲的麥士美倫和他的哥哥法蘭士就要求參加。他們在深夜偷出境，從俄國所管轄的區域到奧地利所管轄的區域去，在當時波蘭是被分割的。麥士美倫在一九一二年在修道學院畢業後，由院長保薦他到羅馬深造。他在二十一歲時已獲得哲學博士銜，他在一九一八年正式發願做神父。

當高神父在羅馬時，他曾設立一個聖母無原罪軍，有會員七名。在幾年後聖母軍變成了一個大的宗教集團。高神父在一九一九年返回波蘭，在加拉高城的法蘭斯派系的修道學院做神學教授。後因病停教職，在休養期內他致力於發展聖母軍的工作，出版有小冊子。杜克琪魯北克基王子見他虔誠，就撥出一塊大土地，給他設立第一聖母無原罪市，高神父和多名修士來到那個荒僻和被雪所遮蓋的地方，在初時他們要在那裏露宿，幸得在附近的村人的支持，送到食糧和建築的材料等等。他們出版一種刊物，名叫「聖母無原罪武士」，後來增加到九種。到一九三〇年時，聖母無原罪市經已頗有規模。

高神父偶然在火車廂裏認識幾名奉信天主教的日本籍學生，相談起來，他就決意在日本建築一個聖母無原罪市。後來那個第二個聖母無原罪市在日本長崎北部的一個小丘上建設（在一九四五年八月，原子彈在長崎落下時，那個聖母無原罪市竟然無恙）。

高神父在一九三六年回到波蘭，他被委任做波蘭的聖母無原罪市的主理人。那個城市在開始時祇有兩個神父和十七名修士，現有神職人員七百名，乃當時世界上最大的宗教團體。它有自己的火車站，正在計劃築飛機場和播音台。聖母軍的人數，則已增加到七十萬名。（上）

中國女性文藝春秋

周遊

宋廷芬

宋廷芬，貝州人，是詩人宋之向的後裔。她坐下五個才女，若華、若昭、若倫、英憲、若荀，都能詩文，眞是家學淵源。尤以若華、若昭文才尤高，性皆素潔，不屑薰澤靚妝。貞元中，李抱眞表其才於德宗，被召入宮中試文章，乃留居掖庭。德宗每與侍臣賦詩，姊妹五人同參預。又因敬崇她的風操，不以妾侍相待，呼作學士。若華死於唐憲宗元和末。自貞元七年以來，祕禁圖籍，均由若華總任其事，其才華亦可想而知。若華死後，穆宗以若昭繼若華之任，歷憲宗、穆宗、敬宗三朝，宮人皆以先生呼之，后妃與諸王子公主，都以師禮相見。寶歷初，（八二五年）若昭又死，若憲代任其職，為文宗所重。五人詩文，為若華、若昭、若憲所作者，今存無多。若華僅存七絕一首。相傳雲安公主下嫁，吳人陸暢為賓相，暢才思敏捷，應對如流。暢語操吳音，若華以詩嘲之云：

十二層樓齊翠空，鳳鸞相對立梧桐。雙成走報監門衛，莫使吳歈入漢宮！

若昭存詩一首，「牛應貞傳一篇」。傳長不錄，詩題為「奉和御製麟德殿宴百僚應制」，詩云：

垂衣臨八極，肅穆四門通。自是無為化，非關輔弼功。修文招隱伏，尚無殄妖兇。德炳韶光熾，恩霑雨露濃。衣冠陪御宴，禮樂勝朝宗。萬壽稱觴日，千官信一同。

若憲有樂府辭四首，錄之以觀賞。

宛轉歌二首：

風已清，月朗琴復鳴，掩抑非千態。殷勤是一聲。歌婉轉，宛轉和且長，願為雙鴻（一作黃）鵠，比翼共翱翔。

日已暮，長簷鳥聲度。此時（一本無上二字）望君君不來，此時（一本無上二字）思君君不顧！歌宛轉，宛轉那能異棲宿。願為形與影，出入恆相逐。

長相思：

春來南雁歸，日去西蠶遠。妾思紛何極，客遊殊未返。（客字有作「君」者）

若憲所作尚存五言律二首，茲不多錄，多引就之味了。

鮑文姬

名君徽，字文姬，乃鮑徵君之女，善詩文。時與宋氏姊妹齊名。母早寡，無兄弟，獨奉母以生。唐德宗聞其名，召入宮中試文章，與侍臣賡和，賞賜甚多。入宮不久，即以奉養老母上疏包歸。君徽所作詩，今存四首，下錄二首品賞之。

高高秋明月，北照遼陽城。寒迴光初滿，風多暈更深。征人望鄉思，戰馬聞鼙驚。朔風悲邊草，沙漠皆虜營。霜凝匣中劍，風備原上旌。早晚謁金厥，不聞刁斗聲。（關山月）

枝上花，花上人，可憐顏色俱青春！昨日看花花灼灼，今日看花花欲落。不如盡此花下歡，莫待春風總吹却，鶯歌蝶舞媚韶光，紅爐爇茗松花香。吟成粧罷恣遊樂，獨把花枝歸洞房。（三十）

平劇績紛錄

談「趙雲戲」

。桂良。

前期在本欄歷談趙雲在「甘露寺」戲中的穿戴、及「截江奪斗」，其實在「甘露寺」「截江奪斗」之前，趙雲尚有一齣正戲，便是「取桂陽」。

因爲趙雲的戲雖多，正戲祇有「借趙雲」「八門金鎖陣」「長坂坡」「截江奪斗」等，但沒有趙雲坐大帳的。趙雲在「取桂陽」一齣中，便有坐大帳的場子，自然算是一齣正戲了。

「取桂陽」是崑曲「四郡記」中的一齣。「四郡記」包括：「取零陵」「取桂陽」「取武陵」「戰長沙」四齣。

四大徽班入舊京，排演全本三國誌，演紅了一齣皮簧戲「戰長沙」，如今列爲「關戲」之一。「取桂陽」却不曾排演過，這是見之於周志輔著：「近百年的京劇」。

「取桂陽」的劇情，發生在孔明聽了馬良之言，率張飛趙雲渡過湘江之西，先取得「零陵」之後，張趙二人拈鬮，趙雲拈着，便領三千人馬前取「桂陽」。第一陣，趙雲擒來將陳應，把他釋放前去，說服桂陽太守趙範。趙範果然捧印來降。趙雲受降，二人酒叙，趙範說又是趙雲小同鄉，約拜兄弟。二人年歲又相同，趙雲長範四個月，範拜雲爲兄。次日，範請雲入城安民。安民已畢，範邀請入衙飲宴，酒已半酣，範忽請出一婦人，與雲把盞。子龍見婦人身穿縞素，有傾國傾城之色。雲問：此是何人？範曰：寡嫂樊氏。子龍改容敬之，幷向辭謝，樊氏乃退。雲便問：何勞令嫂把盞？範曰：其中自有緣故；先兄棄世，家嫂寡居，弟常勸她改嫁。她說：必得文武雙全，相貌堂堂，且要與家兄同姓。今得尊兄，正合家嫂所言，願陪嫁資，與將軍爲妻，再結秦晉之好。雲聞言，大怒而起，厲聲責範後，一拳打倒趙範，上馬回寨。範將陳應鮑龍詐降，爲雲識破，縛之帳中，詢其從卒，果然詐降。賞從卒酒食，叫他們依計而行。於是殺了陳、鮑，命五百從卒先導，自率一千人馬斷後，誆進了桂陽城，擒了趙範，飛報劉備，孔明來到，問知各情，盛讚趙雲，惟以安民心，仍令趙範爲桂陽太守。

武生宗師楊小樓在民廿前後，翻爲皮簧，號爲「取桂陽新本戲」。此齣武戲，角色不多，小樓當時因年逾六十，面部過長，故四將軍於「取桂陽」時便戴了黑三。此齣既在「甘露寺」之前，趙雲是不宜戴髯口的。

趙範是小丑飾，豆腐塊、尖紗、王八背、藍袍。陳應鮑龍由武二花，武行分飾。花旦飾樊氏全身縞素，便是「小上墳」的扮像了。

海嶠舊談會

袁世凱岑春萱交惡始末（上）

諸葛文侯

政治生活原是很污穢的，因而政治人物的私人恩怨亦特別深刻，許多卑鄙齷齪、陰毒險狠的勾當，雖市井無賴亦不屑爲者，而政客官僚悉優爲之，毫無愧恧。然日常又對人高談禮義廉恥之道，強調中華固有文化之可貴，眞不知人間尚有羞恥事也。近代中國政治人物中，私人恩怨糾纏一生，彼此相視，必不共戴天之死敵，必求報復以逞快者，莫過於袁世凱和岑春萱二人。他們都是滿清末葉的達官顯宦，深受慈禧太后倚重，然以政治派系各別，不相能，互相傾軋，死而後已。

岑春萱是廣西岑毓英的第三子，毓英於清代乾隆年間，以平回亂有功，官拜雲貴總督。岑三沿父蔭，初捐貲入京任工部主事（科長），旋回桂省應鄉試，中式舉人，最後以乃父郵典，恩賞五品京堂候補，服闋，游投大理寺正卿。會甲午中日戰役，岑三自請赴前敵效力，在山東巡撫李秉衡麾下，辦理烟台營務。繼奉朝旨率所部赴天津候調遣，未幾，和議實現。他回到北京，照例叩請皇上請安。受此戰敗的刺激，亟思振興庶政，有所作爲，岑三於奏對之際，暢言政府用人行政的各種缺失，認爲是非不明，賞罰不公，樞臣朦蔽徇私，貽誤國事，且謂「皇上徒有其名，而不得其柄」，這話正觸及了光緒帝的心病，擢任爲廣東布政使，他是以剛直敢言而發跡的。

他到廣東接任後，跟兩廣總督譚鍾麟（譚延闓之父）不相能，[illegible]庚子拳亂作，八國聯軍寇華，京師危急，岑三率騎兵[illegible]北京勤王，扈從慈禧太后[illegible]至西安，沿途頗得岑三衞護之力，兩宮行抵潼關，即任命他爲陝西巡撫，以示酬庸。從此甚得慈禧歡心，[illegible]與岑三幷無利害衝突，當然沒有恩怨可言。迨拳亂平息，和約訂立，兩宮自西安回鑾，[illegible]成生死冤家了。

[illegible]決不賣帳，他初署四川總督時，參劾不稱職守的地方官四十人，中有縣令唐某，是走「慶邸」路綫的，慶親王曾密電岑說情，亦無效。繼在兩廣總督任內，查得粵海關的庫書（即會計員）周榮曜，侵蝕公欵數百萬，賄通慶親王派爲出使比國大臣，即參奏將周革職查辦，幷抄沒其家產。岑於晉京覲見慈禧時，更指明慶親王納賄鬻官，而以周榮曜案爲證，使太后「爲之憮然有愧色」，且謂「懿親中，多係少不更事，尚有何人，能勝此任，汝可奏保」（見岑所寫樂齋漫筆）。此與袁世凱雖無關，然慶親王既恨岑，必與袁協謀所以去岑之策，自屬意料中事。既而岑又與袁發生直接的政治鬥爭，兩人的嫌怨因之就更深了。

穗城掌故

李譽德與廣東國民大學

·李鴻洸·

廣東國民大學，初期由左派陳其瑗主辦，迄無起色。該校係以惠福路一五二號四樓爲校址，課室祇有兩個，其餘把一個較爲寬潤的大廳，一邊間爲會客室，一邊間爲校務處。那時學生人數只得十八名。那時想入大學的就讀者，不拘其是否有小學畢業程度，也可援例考入大學本科，要之不過是一間野鷄大學而已！

其後陳其瑗他往，將該校頂讓與吳鼎新先生。吳氏乃一位負有盛名的學者，自從接辦該校之後，銳意改進，立即在附近租得一所校址，地方較爲寬敞，共有課室十九個，另有校務室，會客室，校長室，圖書館，學生會辦事處等，式式俱備，時僅年餘，即已核准立案。由此而來學者日衆，計有學生已達百餘人。吳校長幷聘負有名譽的教授，如徐信符先生，何學驤先生，張香普先生等，另又得張香普居中勸勵爲理，出洋籌款，吳氏則留穗主持校務。且該校最爲特別者之處，爲當時各生多是勤勉向學的青年大衆的子弟，此與中山大學多是高官厚祿者和嶺南大學多是富商鉅賈之子弟相比，成了明顯的對照。

其時有一位聰明而又勤力的學生，名叫李譽德，他本在國立中山大學就讀於政治經濟學系，每期考試，都名列前茅。因有一次爲了學校行政措施不當，李譽德不滿，起而質詢，遂引起該校陳教育長的憤怒，把李譽德大加譴責。同學嘩然，同情於李譽德，幾乎釀成一次大的學潮。李譽德爲息事寧人起見，終於實行自動退學。時廣東國民大學頗爲注意該生退學後的出路，該校政經系有一位學生，名叫李仲衢，與李譽德係屬高中時代的同窗，於是由李仲衢引荐李譽德，轉學於廣東國民大學矣。

李譽德自從轉學於民大之後，愈更專心學習，對於功課，從來未肯放鬆一刻，既不出街，找尋朋友，也不浪費時光，只知日處書齋，埋頭伏案，手不釋卷，以是學業，日益大進。我記得他書齋之內，一書桌，一書櫃，一張床，桌前一懸一對聯，係蘇世傑先生手筆，該聯是這樣寫着：「青春眞可愛」，「白日最難留」。李譽德常以這十字聯自警。他床頭上放着很多書籍，在帳中掛着一枝電燈，晚間睡覺，除了熟睡之外，稍爲睡醒，亦必捧書而讀。（上）

「魏延案」之我見

河漢

魏延是個優秀的軍事家，有他的戰功可以證明。在他扼守之下的漢中，在曹操的優勢兵力圍繞下，始終屹立無恙。雖然在這一時期魏軍未採取過大規模的軍事行動，但主要正由於漢中的漢軍陣容堅強完整，使魏軍不敢輕舉妄動。也正因爲魏延是個軍事第一的武人，他缺之也不注意應付人事的手段。他愛惜他所指揮的士兵，却不屑於與中樞的大員們交際聯絡，因此他受士兵擁戴，却不受成都的政治領導階層歡迎。他在成都簡直沒有一絲一毫人事上的憑藉，反之，成都方面對他佈滿了不滿的背後私語。因此，雖被史家評定爲公平嚴明的諸葛亮，對魏延似乎也並不因劉備對他的賞識與倚重而另眼相看。

魏延與諸葛亮的正面衝突開始於蜀漢的第一次北伐，他反對諸葛亮穩紮穩打的作風，主張與諸葛亮分兵兩路，由諸葛亮統率主力按照預定計劃進兵，由他另外統率一萬士兵，由褒城出發，沿秦嶺越過子午谷，直撲魏國控制西北的大據點長安。這是一個大胆而冒險的軍事行動，後來且被司馬懿讚美，惋惜諸葛亮未能接納魏延的建議。第一次北伐的結果是蜀漢完全敗北，由此造成魏延對諸葛亮的戰畧指導屢次表示輕蔑，也由此造成諸葛亮對他的疏遠警惕。

就魏延來說，他的計劃如果成功，不僅蜀漢可以完全控制西北，而且他也將因此一大勝利而成爲蜀漢的軍事領導人。就諸葛亮來說，他是蜀漢的最高領袖，是對蜀漢的生命負責的人，他的北伐，是以弱攻強，是以進攻來阻遏敵人的進攻。他第一次北伐所統率的兵力，一共只有七萬人，加上原駐漢中的部隊，總兵力不會超過十萬。但和他對壘的曹眞，却集結了二十萬人，他面對優勢的強敵，不能不謹愼使用他的士兵。魏延要求的人數雖僅一萬，但這是蜀漢總兵力的九分之一。由褒中循秦嶺趨長安，是崎嶇而綿長的山道，如果在半途受到魏軍邀擊，或者在長安城下受到守軍堵截，這一萬經過長途行軍的輕裝備的步兵，是經不起消耗的。到了那時候，諸葛亮如果分兵馳援，不僅時間上已趕不及，且將爲了兵力的分割使用，使兵力已經呈顯單薄的前綫形成嚴重的危機。如果坐視這孤軍深入的一萬步兵被敵人殲滅，不僅打擊前綫士兵的作戰情緒，且將嚴重削弱蜀漢的實力。諸葛亮以一身維繫蜀漢的安危，他決不肯以有限的籌碼來進行一場軍事賭博。諸葛亮與魏延的地位不同，諸葛亮要對整個蜀漢負責，魏延只要對他所進行的一場戰爭負責，所以諸葛亮不能不精打細算，希望戰爭在安全中進行。蜀漢先天的弱小，限制了諸葛亮的魄力。至於陳壽所批評的「應變將畧，非其所長」，這是相對的比較的說法，主要的在說明諸葛亮是一個卓越的政治家，却不是一個天才橫溢的軍事家，他的政治才能好過他的軍事才能。但蜀漢沒有司馬懿，沒有陸遜，他只有一肩挑起，這正是蜀漢的悲哀處。可是就是這樣能，挾有絕對優勢兵力的優秀軍事家司馬懿，對他也只能捱打不還手，讓所有戰事，都在魏國的土地上進行。這就足夠證明就是諸葛亮的「奇謀爲短」，已經使同一時期的對手們束手無策了。（三）

彭城憶語

◁仁 楓▷

久居港島，連對季節的感應，也變得麻木了。如今，不正是「時維九月，序屬三秋」嗎？但是，「秋山紅葉，老圃黃花」的景象，也祇有向夢中去尋求了！雲在來信的後尾，淡淡地抹上幾筆鄉愁，使我久蘊於心的懷念，頓如雲浮潮湧似的擠上心頭。

在故鄉——彭城（今之徐州），這不正是讓人留戀的季節嗎？

慶雲橋（後更名中山橋）下，黃河故道的水，退得更低了，鬆軟的沙灘上，常留下串珠般的脚印。堤柳下，夾雜在竹笠簑衣中的，也有好多來自都市的「冒牌」漁翁；別看他們渾身上下「四不像」的打扮，偏有魚兒肯來上鈎。每當一尾尾的金色鯉魚，在閃耀的秋陽下，被他們摘離水底的藍天時，河岸上也會响起一片讚美的歡笑。連那蘆葦中檢柴的村姑們也被驚動了，不禁都伸出頭來，直直的眼裏，放射喜悅的光芒。不久，你便可從那起伏的蘆花的銀濤裏，聽到一支支動人的山歌。

公園的遊人，不像夏日那麼擁擠了。最好是雨天，不然，就在黃昏，一個人披着濛濛的雨幕，或者穿上夕陽爲你加添的錦衣，安閒地步在朱紅色的曲橋上也好，小憩於傍山臨水的「快哉亭」中也好。你笑，倒映在點點的浮萍中的「你」也笑；你唱，隱匿在遙遙的山谷中的「你」也唱；放目四望，翩翩黃葉，飄然自林間降落，側耳而聽，唧唧虫鳴，兀自在脚下伴奏。此情此景，不問你是否慣會吟哦的詩人墨客，也會從心窩裏泛起一片「文皺皺」的雅興。（一）

自由報
THE FREE NEWS

內政部登記證台誌字第○三一號

第四八○期

中華民國僑務委員會頒發
台教新字第三二三號登記證
中華郵政台字第一二八二號執照
登記爲第一類新聞紙類
（半週刊每星期三、六出版）
每份港幣壹角
台灣零售價新台幣貳元
社長：雷嘯岑
督印人：黃行奮
社址：香港銅鑼灣高士威道二十號四樓
20, CAUSEWAY RD 3RD FL.
HONG KONG
TEL. 771726　電報掛號：7191
承印者：大同印務公司
地址：香港北角和富道九六號
台灣分社
台北市西寧南路壹壹零號二樓
電話：三○三四六
台郵撥儲金戶九二五二

冷眼觀察美國戰略的變遷
——兼論反飛彈的「實力戰略」（下）

彭樹楷

軍事戰略的變更，必須經過由總統及助理官員們組成的國家安全會議商決方可實施。早在一九四七年成立國防部的時候，與它平行的便是成立了國家安全會議。實質上，這是文官決定戰略的最高機構，武官只是執行者。「實力戰略」這個名詞在甘迺迪故總統時代就被提出，且採納了其中極小部份建議。但是，這個名詞的眞義，至今仍有未能統一的不同解釋。據「論熱核子戰爭」一書作者，也是首創實力戰略的哈曼．康這位物理學家兼軍事評論家的解釋則是——

所謂實力戰略，不只是對敵人的攻擊立即可以報復，並且是主張爲獲得勝利要充分準備有足夠的武器的一種富有戰略性的軍事政策。實力戰略也是以討論「縱然敵人首先發動核子攻擊，我們也不是不能抑止」，其爲前提。主張實力戰略的人，要求時刻注意敵人軍備的擴張，本國的武器也必須足以對付敵人的武器及兵力；同時爲了强化此戰略的特點，應當分散軍事目標以策安全。

美國採取以武器對武器的實力戰略，其假想敵過去爲蘇俄，目前則以中共爲主。在對未來來自中共的核子全面攻擊時，主要的目標，便是藉反飛彈系統作有效的防禦，然後就是大規模摧毀中共的軍事力量而避免消滅敵方人民大衆。不過，在嚴重的核子全面攻擊而引發核子大戰時，美國也具備足以保有預備攻擊的力量作報復性的破壞敵方的社會——美國業已公開昭示於蘇俄在先，現又公開警告中共不得玩火自焚。美國相信這種迫於自衛的核子還擊之巨大戰力，足以嚇阻敵人不敢輕啟核子戰端。

以長程雷達、偵察衛星、高空偵察機、其它情報蒐集系統、協同決定建立的反飛彈網所構成的防禦力量，如果依舊不能嚇阻中共的冒險——包括對美國本土、海外基地及條約義務的盟國的掀起戰火，則以洲際導彈、北極星潛艇之中短程核彈、戰略空軍以及海外基地的核子報復打擊力量，便會在迫不得已時予以還擊。這種防禦及攻擊性戰力，構成實力戰略的左右手。從越戰經驗中，美國已獲得一個基本的結論，那就是美國必須從事大規模戰爭以外的戰爭。也就是說，除以核子作爲報復性的打擊實力外，並進行包括游擊戰在內的傳統式戰爭。然而反對者則提出這不能適應中共的所謂人民戰爭，而必須在第一擊時便使用核子武力。他們的理由，是美國經濟能力無法負荷這種龐大軍費，而且勢將顧此失彼，使核武力與傳統軍備兩者均落後於敵人；同時，美國如與中共發生直接戰爭時，蘇俄的意圖和動向也難以預知。如果使蘇俄同意不介入美毛戰端，則所需付出代價太大（意指讓蘇俄坐收漁利），而且蘇俄也顯然地不能背棄對中共的條約承諾而自絕於共產世界。這樣，美國便勢必要冒兩面作戰的危險了。

事實上，自從越戰久拖不決，而中共的「紅衛兵」輸出變本加厲之際，美國所有軍事戰略，不論其名詞如何，但均孕育於其國家戰略中，既能應付蘇俄的全面核子大戰，並且也能對付遠離美國本土的自由地區之各型大小戰亂和威脅。今日所强調的實力戰略中之反飛彈系統，實際上是對付蘇俄大規模戰爭藉有效防禦以圖阻止戰爭，另外則是應付以中共爲主的小規模戰爭之現有陸海空戰力之加强，同時增强環繞中共之自由地區的防禦戰力。

分析美國各戰略本質，都是自動放棄主動而甘居被動地位，特別是「後於敵人開始攻擊的實力戰略」。更是如此這是由於美國過份樂觀及自滿於自身的「國力」而疏忽敵人潛存「國力」之故，國防部長麥納瑪拉經常發表的自滿言論便是證明。

反飛彈所扮演的角色

由一千枚洲際彈道飛彈，四百五十艘北極星飛彈潛艇和四百五十架洲際轟炸機構成美國主要的戰略嚇阻力量。但是，當蘇俄已經在莫斯科等十個城市建立反洲際彈道飛彈系統時，當中共完成電導飛彈及氫彈試爆之後，美國的主要戰略嚇阻力量便被迫移至反飛彈的配置之需要上了。

美國聯合參謀首長們，於今年五月三日公開發表一項致國會的正式聲明，直接向反對配置反飛彈系統的國防部長麥納瑪拉挑戰，並將這種由於未能配置對抗核彈的防禦武器而招致核子大戰及毀滅的重大危險，公諸全國人民。

這項前所未有的公開聲明之要點包括：（一）蘇俄的飛彈力量正在極迅速地壯大，已由五年前古巴危機時的八對一變爲三或四對一，並有完全與美國並駕齊驅之勢——因爲蘇俄已有每年生產三至四百枚洲際飛彈能力；（二）蘇俄已開始在莫斯科及其他地區配置一項反飛彈防禦系統，因而使蘇俄能夠在世界事務上追求更冒險的路綫；（三）要求美國立即建立反飛彈系統於廿五個主要的人口中心。

但是，麥納瑪拉仍堅持已見並辯稱：美國有能力生產更多或更好的攻擊用洲際飛彈，可以突破蘇俄所建立的任何反飛彈防禦網。麥納瑪拉認爲美國佈置反飛彈系統是一種對安全不切實際的方法，而且是金錢的浪費。

一個半月後，中共繼導彈之後試爆氫彈。這對低估中共者是一沉重打擊，於是乃有以中共爲對象的「輕型」反飛彈防禦系統建立的決定——在對蘇俄的「重型」反飛彈防禦的第一期經費，估計爲二至四百億美元；對付中共者僅需要四十億美元。這次衆院國防撥欵小組委員會及麥納瑪拉同意撥付五十億美元，用以建立專用於防禦中共核彈突襲的反飛彈防禦網，同時經由不同方式贏取蘇俄的信心，避免激起反飛彈競賽而破壞當前較爲緩和的美俄關係——麥納瑪拉企圖任由蘇俄的飛彈達到美國的水準並先建立反飛彈防務，期以穩定蘇俄担心美國的攻擊之疑慮，俾維持一個雖欠安全但看來却像相當安全的局面。

同等的優勢，或任由敵人稍佔優勢，企圖以此嚇阻及誘使敵人放棄軍事冒險，這是否足夠明智，則爭執中尙無定論。

（下轉第二版）

巧取豪奪

死要面子

今日與明日

加拿大的生意經

加拿大政府當局宣佈，他們正與中國大陸上的毛共政權進行小麥貿易談判。這便是加拿大總理皮爾遜最近主張允許毛共政權加入聯合國之所以然，爲的是要輸出小麥到毛共區域賺取暴利，其他的任何說詞，都是不值一哂的廢話！

即此可知最近英國海外殖民部次官和工黨議員對香港共黨顚亂行爲，竟表示同情的言論，唯一用意亦在侔致貿易利益而已。甚末正義、公理、和平、自由這類名詞，盡係資本帝國主義者欺天下人以無知的瞎說八道，誰要相信他們這類語意有絲毫的眞實性，那就是愚不可及的笨伯！

因此之故，我們認爲中華民國政府最近派遣官員赴加拿大訪問，實在是枉耗公帑，多此一舉。

往事記憶猶新

民國卅八年（一九四九年）秋間，我政府軍曾派空軍轟襲上海的毛共匪軍，把上海的交通和水電都炸毀了。那時住在上海的英美商人，以及一般負有間諜任務的傳教士等，竟聯名呈請各該國政府派兵制止我軍對上海的「空襲行動」，大有重演庚子年「八國聯軍」進攻中國之聲勢。

這些英美市儈和兼任國際間諜的傳教士們，如此大膽妄爲，公然干涉別國內政，爲的就是商業利益。所以我們對於共黨的一切行爲皆憎惡反對，唯有他們瞧不起西方帝國主義者這一點，覺得還有道理。

重商主義者可憐相

最近印尼人民掀起一陣反對毛共的旋風，把毛共駐耶加達的使館搗毀了，又毆打僞外交官員，並且不許毛共派飛機到印尼接運這些所謂外交官員回去。然後毛共除却斷絕「强硬抗議」外，告對印尼有如粵語所說的：「無技可施」，「一鑊都冇」！

返觀英國駐北平的外交官廨被「紅衛兵」焚燬，外交代辦霍普遜遭受毆辱後，毛共派駐英倫的外交人員，還在倫敦對警察大打出手。可是，英政府却唾面自甘，逆來順受，是甚末緣故？一言以蔽之曰：這要想在毛共區域賺取商業暴利罷了。印尼對中國大陸上沒有商業利益可圖，無慾則剛，即敢對毛共以牙還牙，無所顧忌。

假使美毛做生意

毛共始終以「美帝」爲敵，決不妥協，然華府當局至今向抱有跟毛共親睦的幻想，因而所謂「兩個中國」之說，在美國人的內心裏，依然嚮往不置。假如毛共接受了美國的妥協願望，讓美國商人在中國大陸上貿易漁利，我敢斷言，毛共政權早已由美國帶領進入聯合國，再也不彈「兩個中國」的調調兒了！重商主義支配着整個世界，此共黨禍亂之所以日益激化也。赫魯曉夫說要「埋葬資本主義」，似乎不無見地啊！（何如）

自由談

製造革命

馬先生

根據馬克斯的學說思想，批判現代各個所謂「社會主義」——即共產主義革命政權，蘇俄和南斯拉夫固然是修正主義者，而中共僞政權和古巴的共產政權，實係馬克斯主義的大叛徒，何以見得呢？

馬克斯認爲社會革命之產生，是基於社會條件，并非憑空而起的，沒有資本主義的社會生活，即沒有剝削階級與勞動階級之釐然對立，因而激起社會革命，且構成「工人當家」的理論基礎。所以，馬克斯主義者認定革命決非外國的輸出品，是由本國現實社會條件培育起來的。

可是，古巴有個狂熱的共產主義者古發拉：「Earnests（Che）Guevara」——即最近在南美各地區領導游擊戰被擊斃的傢伙——曾經著書立說，倡言社會革命可以隨時隨地而製造，無需乎甚末社會條件，祇要使民衆的生活弄得窮困不安，革命的機會就來了。此人能言能行，是卡斯特洛的靈魂，對南美各國具有號召力，他死了，實係南美洲的一大幸事！

毛澤東亦是這類角色，他之所謂「三面紅旗」建設路綫，就要使中國人民陷於「一窮二白」的生活景況，說是「越窮越好」——便於製造革命。他痛恨俄共改善人民生計與生活的措施，指爲修正主義，誓不兩立，而對劉少奇彭眞之流的「三自一包」政策，自難容忍，因爲這樣是阻擋了「製造革命」的前途，非打倒不可。

馬克斯的教條中，幾曾見有「製造革命」的論點？又何嘗不贊成改善人民生活呢？現時以蘇俄爲主體的各個共產政權，多少還有資格自命爲馬克斯主義者，至於毛共所行所爲，乃與馬列思想主張背道而馳，完全是陷國家民族於萬劫不復之境的革命狂想曲。他的眞正同志古發拉多行不義，已被自由人類收拾了，毛酋的命運還能夠掙扎好久嗎？馬克斯地下有知，一定憤然曰：非吾徒也，世人其鳴鼓而攻之！

從立法院質詢 看台灣省政設施

本報記者張健生

影星逃避兵役

電影男星柯俊雄有無逃避兵役？台灣省政府及台北市、台南市及台北縣主管有無舞弊情事？高雄地檢處因立法委員之質詢，乃決定移轉司法行政部調查局偵辦。

陝西籍立委魏惜言於質詢時說：「電影明星柯俊雄早滿十九歲，已屆常備兵役年齡，但竟多次『緩征』。根據台灣省政府民政廳長翁鈐在省議會答覆質詢時稱：『柯俊雄的緩征是合法的』。可見柯俊雄的『緩征』已是不爭的事實了！問題祇在是否合法？什麼人可以緩征？兵役法第三十六條規定：一是未畢業的中學生，二是刑事犯。柯俊雄是未畢業學生嗎？是犯人嗎？是合乎兵役法第三十六條的緩征規定嗎？

「高雄市主管兵役者說：『柯俊雄是延期入營，不是緩征』。在什麼情形下可以延期入營？兵役法施行法第四十三條規定：『應征服現役之男子，因病或其他重大事故非本人不能處理，而不能如期入營時，應由本人或戶長申請縣（市）政府核准，彙送團管司令部備查。延期入營，常備兵以不逾一個月為限，補充兵以不逾十日為限。其因病不堪行動短期內無痊復之望者，得延至次期入營』。柯俊雄有病不堪行動嗎？有何證明？柯俊雄的延期入營未逾十日或一個月嗎？」

魏委員認為：柯俊雄及台南市、台北縣、台北市之辦理兵役人員，均係妨害兵役治罪條例之嫌疑重大者，為防其湮滅偽造變造證據或串供，依刑訴法，應否先予羈押？柯俊雄是名人，又有中影公司為其後盾，多次逃避兵役，已引起社會注目，尤其廣大青年羣之憤慨與不滿。高雄地檢處正在偵查，司法行政部應否飭擴大偵查，徹查舞弊，毋稍寬縱？內政部主管兵役人員，應否徹查各級地方政府之行政責任？公諸社會？

農業政策保守

行政命令與法律牴觸者無效，此為憲法第一七二條明文規定。然而省政府之違法命令，下級政府居然執行，因而立法委員魏惜言痛加抨擊。他說：「台灣省政府曾令五等則以上之農田，不得建築工廠。省農林廳主張：凡可耕之農田，應儘量避免建築工廠與住宅。台北縣長蘇清波下令終止行政院興建公教住宅——輔導會在新店大坪林農業區收購土地用以建公教住宅——理由是省政府於今年五月二十三日電令指示：『農業區不得輕易變更』。

「台灣省政府下令限制土地用途，以及一個台北縣長下令阻止土地買賣，在法律上有何根據？命令是否有效？

「土地之宜農者，多半是取水方便，交通便利，平坦開濶，但這也必定宜工宜居。反之，山坡地高，山地多非良田，同時也不是住宅，尤其工商業的適當地方。工農不能並存，我們是捨農而工呢？還是捨工而農呢？同一面積之土地，是種水稻的收益多而且就業多呢？還是開工廠的收益多而且就業多呢？假使台灣的農田全部為工商住宅所使用，當然我們的糧食就須全靠輸入，而糖和香蕉等也將歸於烏有。但是想想看，我們的工業產品該有多少？對外貿易——輸入農產品及原料，輸出工業產品，該有多大？我們該成為多强多大的工業國家呢？

「大陸國家如美、如俄、如德、法可以農工並重，島國如英如日，莫不工重於農，糧食都不夠吃，要靠輸入。我們台灣的糧食還不是有輸出嗎？我們的農業人口還不是佔全人口的百分之四十八嗎？還不充分證明我們的工業化還很差勁嗎？現在開辦工廠最麻煩的事情不就是土地嗎？我們的地方行政首長又以農業第一，農業優先的政策，使農業獨佔霸佔了土地，欲將工商業置於高山上不能耕作之地，這是否充份表現其農業思想？這種政策和思想，到底是保守抑是進步？是開倒車還是向前進？究竟我們是要工業化？還是要農業化？」

省市本位主義

自從台北市改為院轄市後，因而影響台灣省政府的財稅收入達四億餘元，為此台灣省政府打算把在台北市內之省立醫院出售，以彌補財政之不足。而台北市政府則主張：市內之省級機構一齊接管，同時台北市臨時市議會通過由議長張祥傳提議及全體議員連署之議案，支持台北市政府接管市內之省立醫院，以及依消費比率均分公賣利益。

正當台灣省府與台北市鬧得最烈時，貴州籍立委谷正鼎於質詢時，指責省府與市府「充分表現本位主義」。他說：台北市改制不是什麼了不起的問題，行政院大吹大擂，渲染過甚。三十七年，西安市等五個市同時改為院轄市，並不像此次渲染。在改制聲中，台灣省政府與台北市政府充分表現了本位主義與自私，省政府將在台北的省立醫院出賣，而市政府又要將省府在台北的機構一齊接收管轄，這都是不合理的。如謂在市內的機構都應受市府管轄，成為其隸屬單位，那麼聯合國設在紐約，就應該隸屬於紐約市政府了，豈不笑話？南京市內有江蘇省立中學存在，從未聞南京市政府要求收歸管轄。

谷委員並質詢另外一個有關「飲水與空氣污染」問題，他指出：公共汽車放黑烟，觀光旅社與政府機關燒烟煤，未見有效取締。而新店溪的飲水被工廠污水與沿岸居民的垃圾污染，已到了嚴重的程度，這都是影響市民生命健康的問題，政府應積極迅速力求改善。多年來大家不斷的對此質詢，但政府迄未採取有效措施，是何道理？

菸酒公賣收入問題

關於台北市臨時議會主張按照消費比率，與省府均分公賣利益這個問題，也引起立法院的注意。寧夏籍立委白建民質詢時說：「關於建設台灣方面，尤其是在今年七月一日台北市改制以後，對以下有關制度，更有積極改進的必要。

「第一、有關烟酒專賣的問題，自從台灣省政府的菸酒專賣暫行條例公佈後，省菸酒公賣局，對於菸酒一方面製造一方面銷售。按照財政收支劃分法第二十一條規定：『中央政府為增加國庫收入或節制生產消費，得依法律之規定專賣貨物，並得製造之』，是中央的責權，現在，直轄行政院之台北市政府成立了，過去公賣收入是百分之六十五劃歸中央，百分之三十五劃歸省政府，一方面說是協助（中央），一方面說是補助（省府），預算科目，實不相符。現台省總預算將烟酒公賣利益全部列為收入，而將該項收入百分之六十五列為協助中央，所以預算科目與預算數字均不相符合，無以對納稅人交代，且又引起糾紛。不如依照憲法及現行法律之規定，將烟酒專賣收回由中央辦理，並依法對台灣省政府及台北市政府予以補助。中央對省府之任何補助，應依法定程序辦理。如愛國奬券，應由中央發行；如地方需要經費，依法可補助。

「第二、關於交通方面，如國際港口，如公路監理，如鐵路以及氣象局，觀光局等有關事業，都由中央自已來辦，以資改進缺點，增强效率，並且避免（台）省（北）市之爭，應由行政院拿出最大決心，擬訂計劃，而以命令行之。

「第三、關於金融方面，台銀代辦中央銀行業務，應交回中央銀行辦理，迅速劃分清楚」。

土地開發公司

黑龍籍立委郭德權抨擊台灣省營土地開發公司非法經營台北新社區土地而圖暴利。他說：「台灣有個土地開發公司，其詳細內情若何？我不大清楚，但顧名思義，該公司應以開發土地為主，其業務是開發東部土地，用以繁榮東部經濟？還是開發海埔新生地藉以增加生產？不過，最近有許多人說，該公司在台北新社區購買了許多土地，使土地價格高抬了很多。該公司於購買土地後，經過一兩個月，又把土地轉賣，獲利數十倍，因此得了暴利。現在有許多老百姓真正需要土地，想買一百坪或幾十坪都買不起，那有土地漲價如此之快？分明有人在背後操縱。我們的土地政策，是漲價歸公，竟然容許這些人在操縱圖利。政府究能得到什麼便宜？我眞不明白。我們的土地增值稅，地價稅以及漲價歸公，所收的錢可說都是小戶，對於大資本家大公司，根本沒有辦法，這豈不是財政上的漏洞」？（完）

冷眼觀察美國戰略的變遷

（接第一版）

不過假如美國能在戰略空軍、反潛技能、造船經費、太空工藝、以及光電子等新武器方面，確屬超越蘇俄，並在海外及盟國基地掌握有效主動權，則僅在飛彈與反飛彈方面任俄追趕至相同優勢，對美國之自由世界安全亦不至於產生嚴重的不利影響。可是，不幸的是，美國並未在以上所述戰力方面完全佔先，甚至在反潛技能、船艦更新、太空工藝、以及部份基地的研究發展上，至今尚落後於蘇俄；尤其令人担憂者，便是美國海外基地及駐於盟國之軍人，又因當地政治之不利環境而呈現不穩及不安狀態。

在對付中共的向外侵畧和對美國的核彈威脅方面，美國似乎願意打大規模的核子戰，而不願打所謂「民族解放戰」。輕型反飛彈網的建立，便是適時之舉；北極星核子飛彈潛艇的環繞中國大陸以及强化這一地區盟國戰力，乃是業已進行多日的軍事佈署。其中特別是反飛彈所扮演的角色，對嚇阻中共核子冒險，是有極其重要意義的；對阻遏中共迅速發展核子武器，也是具有意義的。只是，美國此舉，仍是被動防禦思想的治標辦法。

社會愈是高度工業化，戰爭的藝術愈為複雜，固定某種戰畧型態有其需要但非必要，而須參照敵情和自身能力作靈活運用那些戰爭的基本要素。美國不能將核彈防禦安全寄望於反飛彈，如同法國將國防安全寄托於馬奇諾防綫，或如美國獨佔原子武器時之寄望核子嚇阻，那是非常冒險的決定。筆者專在新武器教學，深知各型新武器已使守勢的防禦網難收實效。以洲際彈道飛彈言，一枚火箭可投送數枚人造衛星於不同太空軌道技藝，使可應付多發射攻擊飛彈。一種突破雷達網的偵察衛星技術，即可用於洲際飛彈的奇襲；而反潛新技術亦可用於飛彈作業。更何況，天空是如此廣濶，欲有效攔截來犯飛彈，技術上是難收實效的。而攻方又決非一次僅發一枚飛彈！

以五十億美元建立輕型反飛彈系統，據已公開之報導，該反飛彈為「尼克——X」型，是過去十年來投資廿五億美元發展成功者，包括快速反雷達和兩枚單獨的飛彈（一枚供長程攔截的「勇士式」飛彈，一枚供短程攔截的「短跑式」飛彈）。建立一種完全攔截來犯飛彈的反飛彈網，以美國本土防禦言，估計需款三至六千億美元；以對付蘇聯言，需四百億元才能提供廿五個城市的防禦；至於五十億美元的反飛彈網對付中共一九七〇年間的核子飛彈之攻擊，也不是完全可靠的。美國一九六八年度的國防預算共為七百五十二億七千萬美元，但是越戰戰費即佔三百四十四億美元，如抽出五十億美元建立反飛彈，則其他軍備戰力便因經費減少而不能增强。因此，反飛彈在此時被重視，時機上並非適當。為何不在一九七〇年前中共核彈未能直接威脅美國之時，以此巨額經費，支援中華民國反攻大陸？這，也許超越軍事戰畧範疇之外。但，本文首言，戰畧決定一國的政策；戰爭由一國之政策或缺乏政策所造成，出自政治家之所為或有所不能為；則美國這種以反飛彈為主佈建的實力戰畧，並非對付中共的最佳戰畧。如果美國的國家目標未變，則這種退守思想和被動的戰畧，實與時代潮流相左，未知美國明智人士以為如何？（完）

惡夢十七年

——馬思聰的故事

·趙浩生·

第六章　父與女

在他回到「中央音樂院」，被學生澆一身漿糊，貼滿大字報，頭戴高帽手敲銅盆遊行示衆的當晚，這羣瘋狂的學生又蜂湧到他的家裏叫罵，貼大字報，聲言不久要來抄家。他的家人就在第二天逃出北京，他當時並不知道。

當他和家人音訊隔絕，被囚於音樂院中的「牛鬼蛇神之穴」，終天作苦工，被拷打，寫悔過書的期間，他也可能像許多被中共鬥爭的人一樣，以自殺表示抗議，尋求解脫。幸虧瑞雪不久就冒險回到北京來看他，告訴他馬夫人及如龍均逃抵某地，並將他的藝術生命的小提琴帶來。看到他的愛女和代表着他的藝術生命的小提琴，他像再度看到生命的意義。他決定要活下去，爲他的親人和藝術活下去。

當瑞雪第二次歸來，告訴他們可能自粵港邊界偷渡逃走時，他看到更深一層活下去的意義：他不但要爲自己的親人，藝術，更要爲敵人活下去。他不甘心飲恨而死，他決心冒死投奔自由，倘若因而得生，他將要以他的藝術武器，向敵人反擊，向世界控訴。就是這種强烈求生的感情，使他冒險南下，並不顧一切困難找到偷渡路線。甚至當他和家人匍匐在偷渡船底，風浪滔天隨時可能葬身魚腹或被發現的緊張情況中，他依然在想像着，倘若天佑他安全脫險，他一定要把這一切經歷寫成音樂，使人們了解他自己，他的全家，以及整個中國大陸七億人民所遭受的這個曠古未有的大悲劇。

關於他們逃出的經過，除了「生活畫報」上發表的以外，爲維護幫助他逃走的人們的安全，他不願再多談。但對各方關切的揣猜，他也有說明。

不少人猜想，他可能以奔母喪爲名離開北京到上海，再以還鄉探親爲名回到廣州，然後搭上偷渡船隻逃往香港。這一猜想是由於人們仍以人之常情看中共，認爲今日中共的當權者尚有人味尚講人情。但事實是，人味與人情在中共看來都是「舊思想，舊文化，舊風俗，舊習慣」；奔喪，探親都是小資產階級的溫情主義，任何人以此理由請假遠行，是絕不會批准的。

一九六七年一月十七日晚，香港大嶼山西部海面發現了一艘空無一人的中共軍用摩托艇，當全港報紙對這條空船的出現議論紛紛並特別指出其中的乘客包括他們全家時，他們當時的心情像馬夫人所說，有如「置身於開水之中」。

香港是他們在十七年惡夢之後第一次踏上的自由土地，香港也是他自己一生中最值得紀念的地方：一九三八年對日全面抗戰展開之時，他在香港；一九四一太平洋大戰發生之前他在香港；一九四八年中共佔領大陸之前他又到了香港。這次到港，不但是死裏逃生，更預示着另一轉變——中共政權已陷入覆亡前的瘋狂之中。他熱愛這個大陸邊緣上的一塊自由土地，因而更怕由於他的出現會爲香港帶來紛紛危險，影響到當地三百多萬與他們同種的同胞，所以在港未得喘息，他們就匆匆轉道飛往美國。

他們雖沒到過美國，並在中共的反美宣傳下生活了十七年，但他們知道美國是一個科學進步富强康樂的國家。來美後，使他們最感到意外的，是發現絕大多數的美國家庭都住在或大或小的花園洋房裏，並非完全擁擠在最窮的哈林區或最富的派克大道上的公寓大樓中。

其次是汽車之多，公路之複雜都是他們來美前無法想像的。但這一切他們現在不但已經習慣，而且自己也成了其中的一部份。

卜居於華府郊外後，爲生活需要，他就開始進駕駛學校學開車。在中國大陸時，他是有專用車和司機的首長階級，不過他的司機的任務不但是開車，更負責向共黨組織報告他的行動。他最後一次被鬥時，這個司機就是鬥爭他的主要人物之一。

當他學會駕駛，取得執照，買了汽車，全家坐進去在平坦寬闊的公路上奔馳時，他的感覺不僅是「資本主義」生活的享受，而且是一種海闊天空由他自己掌握着方向盤自由馳騁的歡喜。

美國的公路複雜，他自己開車後也不過若干次迷途的經驗。

有一天午夜，瑞雪自威芒州到達紐約汽車站，打電話要他去接她，這是他第一次開長途，去時未出錯，返來時開來開去找不到要走的路。（十三）

三國奇士傳之二

管輅筮術出神入化

周燕謀

管輅字公明，平原郡屬平原縣人也。此人生得貌相奇醜，更無威儀，嗜酒如飯，每餐有酒即可，飲酒膳食，言戲不擇非類，故人愛而不敬，以其醜故也。

輅八九歲時，便喜仰視星辰，得之則問其名，甚而晝夜不寐，父母嘗禁之，猶不可止。自謂父母曰：「我年雖少，喜視天文。家雞野鵠，猶知時，況爲人乎？」嘗與隣兒嬉戲於土室中，則畫地作天文星相，日月星辰。出言說事，語不平常。時學耆宿不能折之，知其人爲異才。及成人，果明周易，仰觀風角，占相之道，（風角者，謂氣四方四隅之風，以占吉凶也。）無不精微。禮性寬大，憎己者亦不揚，常以德報怨。謂人曰：「忠孝信義，人之根本，不可不厚。廉介直細，士之浮飾，不足爲務也。」又曰：「知我者少，則我貴也。安能斷江漢之流，爲激石之清。樂與季主論道，（季主，見列仙傳，爲司馬季主，楚人）不欲漁父同舟，此吾志也。」

輅事父母孝篤，兄弟友順，士友皆仁和發中。年十五，父爲瑯玡丘長（瑯玡，爲侯國，即今山東沂縣東南）輅至父官舍讀書，始讀詩經、論語、易本，便大開胸淵，辭義斐然。于時學中有遠方及國內諸生四百餘人，皆服輅才。瑯玡太守單子春，聞輅大名，爲墊之俊者，大會賓客，邀輅與會，客未就座，輅請子春曰：「府君座上皆雄貴名士之姿，輅既年少，膽未堅剛，若欲相觀，懼失精神，請先賜三升清酒，然後言之。」子春與之三升清酒，輅獨飲而盡。輅語子春：「今欲與輅爲對者，府君四座之士可也。」劉子春曰：「吾欲自與卿旗鼓相當。卿始讀詩論易本，學問微淺，未能上引聖人之道，陳秦漢之事；但欲論金、木、水、火、土、鬼、神之情耳。」劉子春所言易者，爲管輅之難，所言難者爲輅之易也。天主五行之術，蓋管輅之精學也。（一）

難得的波蘭神父高爾比

·陳彬·

當希特拉在一九三九年九月一日進攻波蘭的消息傳到後，高神父立即疏散各神父和修士，回到他們的家鄉或修院。當德軍開入聖母無原罪市時，祇剩得六十名在那裏。

高神父和多名修士被德軍拘捕，在獄中祇有少許粗劣的食物充飢，但是那個身軀細小的神父，將他得到的一個小黑麵包分給比他更瘦弱的人吃。獄中人因痛恨那些監禁他們的德國人，但是高神父教導他們要有愛德。在那年十二月八日，聖母無原罪瞻禮日，高神父和他的一羣被拘押者得到省釋。他們回到聖母無原罪市，但德軍已將它變成一個集中營，收容二千名囚犯。各神父和修士被准許在那裏照料病者和做教會的各種工作。

但是得享自由的生活不久，在一九四一年二月十七日，蓋世太保（德國秘密警察）到來，高神父和其他五個神父被捕，并於五月二十八日被送到阿殊韋特斯或叫奧斯韋深集中營。這裏又名死亡營，因爲所有被禁的男女老幼囚犯，將被送入焚燒爐火化的。

當有一個被囚的男子逃走後，集中營主任大怒，就下令選出十個人來作警戒，他們要遭餓死，這是痛苦的慢性懲罰。在翌晨，整個集中營的囚犯都列隊點名，他們站在烈日下整天，沒有水喝，直到下午三時，他們各人才得到一些湯水，這也是其中的十個人最後吃的東西。集中營主任隨即挑選出十個人要送到死亡監獄去，突然有一個人大聲哭泣說：「我的可憐的妻子和兒女，我將永遠再見不到你們了。」當那些被選出的被命令要將鞋子脫下、赤脚步行到死亡的地方時，突然有一個人在排列着的隊伍中，衝前到那個集中營主任的面前去，那些納粹軍官忙拔出手槍，指着他大聲叫道：「你要什麼呢？」高神父很柔和回答說：「我想代替這個有家屬的男子受死」。那個主任說：「你是誰？」「一個天主教教士。」在沉思一會後，那個軍官就命他的助手，將那個在哭泣的人的號碼抹去，改寫上「第一六六七〇號」；再度發令，那一小隊人就踏到死亡之室去，高神父念經爲那些所剩下的人作祈禱。

在阿殊韋特斯集中營的第十三號死亡之室，是在地庫的第十三號囚室。各囚犯被剝去衣服，擠在那個潮濕的地方。在獄中便有人發出咒罵聲或哭泣聲，高神父領導各人念玫瑰經和唱詩，但聲音是一日弱過一日。在第二個星期結束後，生存的人祇剩回四名，包括高神父在內。因爲這個死亡之室要來收容新被判死刑的囚犯，所以那四名人就被注射入石炭酸，加速他們的死亡。高神父伸出他的如膝的手臂，口念聖母經，他逝世的日期是在一九四一年八月十四日，聖母升天前夕。照那個在每天到囚室清理的下士保高域說：「當我打開門想移出高神父的屍體時，我看見他坐在地板上，身倚着牆，他的眼睛打開，臉露笑容。」高神父的遺體被送去火化。（下）

中國女性文藝春秋

周遊

「枝上花，花下人，可憐顏色俱青青」。青春的顏色有什麼可憐的？可憐的是青春的失落；縱然是達觀的知道「不如盡此花下歡」，但一到「獨把花枝歸洞房」之時，恐怕要和「把酒澆愁愁更愁」一般呢！到那時就無可如何了。

武則天

武后是一個千多年來受人詬罵的女人，雖然遭咒罵，她却爲中華幾千年被埋沒的女人吐了一口怨氣。她所遭人詬罵的是指她的一個「淫」字。這是男尊女卑社會所造成的。她弄了幾個情人享受享受，如果和歷代的男性帝王比較比較，可說是最不貪色的皇帝。就是一個公卿大夫，也有妻妾數十百個，她雖身爲一國之君，掌握政權數十年，在享受艷福一方面來說，她眞不如一個土豪劣紳，我們又何可對她苛責！

武則天因其犯了一個「淫」字，把她所有一切的成就都一筆勾消了。在此，我們舍「淫」字不談，因爲談過她的人實在太多太多了。

她爲盛名所累的另一因素，就是女人攪政治，竟然登上君臨萬民的寶座。翻開二十五史覆按，我們歷代有才幹的皇后也不少，可是每當她們想伸手抓政治的時候，那所謂故舊大臣的男子就拼死拼命來反對，引那「牝雞司晨」一類沒有理由的語類來作反對的藉口。他們寧願讓那些白痴的飯桶坐上寶座，甚至於給乳臭未乾的小兒做傀儡，也不願女人碰一碰政治。任誰聰明的皇后，也只深居宮庭，做男皇帝許多妻子的一個。偶或有幾個皇后很聰敏的抓到了政權，而千秋萬世，一些男士文人却造盡浮言來污衊她們，使她們永負蒙塵萬丈的罪名。就是一般識字的女性，也隨着男性附和，表示反對的美德，而且又相率以爲戒。這種看法，也只有今天可以說的。筆者如果生在那個時代，當然也會掉在醬缸裏，大罵武后荒淫無道，「牝雞司晨」一類的詞句。

『大周金輪皇帝』武后，在中國歷史上是沒有正名的，縱然有，也是冠了一個「僞」字在上頭。她本是唐太宗的才人，賜號武媚。她的父親武士彠，并州文水人，與兄士逸士稜俱助唐高祖起兵，立過汗馬功勞。她禀賦政治天才，也是一種機遇造成了她的地位。機會到來，她絕不放鬆，同時她更可自己製造機會。可是她是一個女性，在她之前沒有一個女子做過皇帝的，她雖然對政治有着極濃厚的興趣，但後來能夠登上前無古人的男人專利的寶座，那是不可想像的。所以，我說一面是機會造成的實不爲過。在那時重男輕女的醬缸裏，她一面對付反對她政治主張的人，一方面又要對付那些踩躪女性的男士，專用她的精神和才幹去對付，終於還是失敗的。以成敗論英雄，已不是我們應持的論調。如果只揀一個人的缺點來論，世界上沒有一個好人。她雖然有「淫」的一個缺點，可是，這也是大多數男人的缺點。可是她的幾套政治藝術，却是中國歷史上大多數男性帝王宰相所不及呢！

武后是一個弱女子，單槍匹馬闖掖庭，就憑她的一種大無畏的精神，和因襲的思想與制度、與自私的男性、盲目的女性相鏖戰。就憑這一點，好多男士豪傑英雄都難以企及。（卅一）

抗戰時期雜憶

兩小夜探鬼屋記

·紫茵

中日戰爭的第三年，我和弟弟在上海淪陷區讀完了高中。那時，物價飛漲，家中的撥款不能如期到達，我們只好離開那繁華的都市，唱起歸去來兮。

旅途上的辛苦和冒險，是我們有生以來第一次；好在年輕人有的是勇氣，我們終於偷越過好幾道封鎖綫，在九死一生中，抵達家園。

家，有一點轉變，爸爸跟着政府疏散到山城去，媽和弟妹搬到二叔家暫住。這是二叔新買的房子，有寬大的前後院、大客廳、四間正副廳房；此外尚有一個美麗的外花廳，及兩間幽雅的書房。

二叔和二嬸，因爲沒有孩子，所以只住兩間廳房；但我們一家，住在兩間廳房裏就嫌擠擁。尤其是我和弟弟，想看書寫信都感到侷促；於是，我們便注意到那個美麗的花廳，及兩間寂靜的書房。

很奇怪，自從我們回家以後，都沒有看見二叔在外花廳經過，兩間書房也是門雖設而常關。問媽媽，她也不大淸楚，於是，我們大着膽子向二叔請求：

「二叔，我們明年都要投考大學了，沒有書房好讀書，不知您那花廳書房是否⋯⋯」我的話還沒說完，二叔的臉已經變了色，一陣紅又一陣白。

「你們敢住那兩間廂房嗎？那⋯⋯⋯⋯有鬼！」

「有鬼！」我們都笑而不信。

「眞的，而且還是個女鬼！」於是他便告訴我們這一個鬼的故事：

「去年，當我剛買這一座新屋的時候，我也愛上這兩間書房，所以就搬了進去。有一天晚上，我正在窗前看閱微草堂筆記，一陣寒冷的風，吹進了房子裏，窗戶打開了，一個長髮披肩的女郎站在窗前，蒼白的臉上，一絲血色都沒有。等我注意看時，她却沒見了⋯⋯」

「二叔，那是您看書後的幻覺。」我看過閱微草堂筆記；它雖然沒有聊齋的荒謬鬼怪，但也能使人毛髮悚然。

「我起初不相信，後來你二嬸也看到了；不信，你們去問她。」

於是，他們把這女鬼描述得活靈活現，嚇得小弟妹們，連白天都不敢上外花廳去。

可是，我和弟弟却不信這一套，但二叔旣不答應，也不敢堅說要住。但我們懷疑那兩間書房，有不可告人的秘密；於是約好，在有月亮的晚上，夜探鬼屋。（上）

海嶠譚叢

袁世凱岑春萱交惡始末（中）

諸葛文俊

光緒卅三年（一九〇七年）清廷新設黑龍江巡撫，而以納捐道員段芝貴充任之。段係用鉅金經袁氏賄通軍機大臣慶親王，另斥資購買天津名妓楊翠喜送給慶王的兒子戴振，乃得保署此缺者，因而輿論大譁。唯芝貴是袁的副官出身，袁當然極力維護，慶邸又係執政的親貴大臣，爲之保鏢，雖有御史趙啓霖等交章參劾，皆不能動搖段氏的官位。迨岑三以「外議密奏」，指摘段氏所捐道員的執照尚未塡好，依法按制，不能遽躋高位，乃奉旨罷免了段氏的巡撫新職，這使慶、袁二人深感難堪，非予以報復不可了。

袁氏曾賺使京朝官吏淸查岑在廣西剿匪時期的經費報銷案，亦無瑕可尋。

岑於先一年——即光緒卅二年——居上海時，再奉命調補四川總督，幷飭其毋庸來京請訓，他認定這是慶王與袁氏設計使他遠去京師，離開慈禧左右，免其過問朝政，乃於赴任的途次中，折返北京覲見，當着帝后面前，又指謫慶親王以及一般在朝大臣種種貪庸事實，幷謂「貪欲留在京中，爲皇太后皇上作一看家惡犬」，其詞甚激昂，慈禧答言「我久已將汝作親人看待」，即改調岑爲郵傳部尚書。岑感知遇之恩，旋有奏劾段芝貴落職之舉。慶、袁知岑氏仍爲太后所信任，必須設法予以離間，總是根本要着。他們知道慈禧內心上最痛恨戊戌政變這回事，乃密令上海道蔡乃煌，尋得岑三相片，再和康有爲梁啓超的照片合攝一幀，狀甚親密，然後賄通宮監，晉呈慈禧省覽，指爲勾通亂黨之證，慈禧不知是詐，大爲激動，覺得岑春萱竟與康梁相通，殊出意外，不禁淒然泣下，即以「久病不痊」的理由，命岑休致，袁世凱修怨的目的，總算達到了。

岑三在政界橫衝直闖，凌厲無前，專以摘發親貴豪門貪汚失職爲能事，完全是倚仗慈禧太后對他「作親人看待」，有恃無恐。如今太后的信任已衰，而慶、袁當朝如故，他就祇有自傷淪落，息影林泉而已。嗣後慈禧去世，袁世凱被逐下野了，而岑亦無法再起，大概是一般皇族親貴對他過去攻擊慶親王父子的行爲，亦深致不滿吧？

迨辛亥革命，淸祚告終，袁世凱崛起當國，貴爲總統後，曾對岑三敷衍，任之爲福建宣慰使，岑亦覥顏屈就，企圖重登政治舞台，殊不知袁氏對他忌恨未泯，必思有以報復也。旋又派他爲粵漢鐵路督辦，岑一心以爲鴻鵠將至，急從粵閩方面招致軍隊數千人，擬編爲護路隊，袁氏初不置可否，等到的所招隊伍開拔來滬轉赴武漢之際，急電令岑三指其隊伍多係土匪，飭令解散。岑受此挫辱，纔知道袁氏始終不忘夙怨，決無委屈妥協之可能，急忙辭去粵漢鐵路督辦，住在上海跟民黨人士通聲氣，從事反袁運動。癸丑（民國二年）民黨發動討袁之役，岑與陳其美，鈕永建等策劃進攻上海製造局失敗，被袁通緝，亡命日本，再往南洋蟄居。

越民國五年，洪憲帝制運動發作，雲南揭起「護國軍」旗幟討袁，蔡鍔，梁啓超與民黨人士一致行動，急思畧取兩廣，以廣西都督陸榮廷，廣東都督龍濟光，皆係岑三任兩廣總督時的部曲，陸榮廷且係岑三招撫的綠林豪傑，乃促岑回來領導，岑當然樂從，即與章士釗先赴日本借得百萬日元，又兩師人的軍械，然後到香港策動一切。

「魏延案」之我見

河漢

因此也可以說：陳壽的批評不過是在新主子司馬炎面前故意爲抑諸葛亮的北伐一無所成，來恭維司馬懿的軍事才能的；可惜的是司馬懿在諸葛亮生前，在對蜀漢軍事上也是一無所成而已。

魏延雖然對諸葛亮懷抱不滿，但他在諸葛亮活着的時候，從不敢對諸葛亮的命令表示異議。諸葛亮一死，魏延自以爲唯我獨尊，目中無人，所以即使楊儀的撤退命令被勉强接受，也不過他們之間的衝突暫時延緩，並不能根本消除。但是只要魏延能夠沉着應付，他所領導的舊軍人集團縱然不能壓倒新軍人集團，也絕對不至在旦夕間就烟銷火滅的。小不忍則亂大謀，身死而國滅，惜哉！

劉備在世的時候，諸葛亮在蜀漢的職務雖然是丞相，但處理的是一般行政事務，重要的國策，他可以參預，建議和影響劉備，他可以說是沒有最後的決定力量。把蜀漢拖到傾覆邊緣的東征吳國之役，諸葛亮就只能眼睜睜地看着劉備帶着全蜀的精銳部隊，走向險惡的戰場，而在全軍覆沒後，僅能慨嘆「使法孝直在，必能制主上東行」，可以說明當劉備在成都時，在中樞方面他的權威還不如法正，在軍事上，舊軍人集團也並不尊重他，關羽在荊州根本就無視他主動的「東和孫權」的政略指導，無視他的被動的「北拒曹操」的戰略指導。關羽如此，劉備一手提拔的魏延，當然也就目中但見劉備一人。劉備死了，諸葛亮在蜀漢形成了他的寡頭政治，但魏延對於這個新形勢並不改變他的基本立場，他的不屑於與成名的文官們打交道，大部份便是爲了他不願向諸葛亮的勢力低頭。諸葛亮當然看淸楚這情況，所以他寧可委派無實戰經驗的馬謖，率領主力去對付累積了豐富的臨陣閱歷的張郃，却讓趙雲率領少數部隊去担任僅負牽制任務的右翼。至於魏延，更只讓他統帶五千以下的小部隊，隨着他共同行動。但馬謖戰敗之後，諸葛亮竟毫不容情地將他內定的繼承人處死，於此可見諸葛亮在處理人事問題上的公平，也可見諸葛亮如果不死，魏延如果不犯嚴重過失，諸葛亮充其極是不敢放開手重用他，然而絕對不會佈置個圈套來陷害他。我們從各方面看諸葛亮，也確是個名符其實的政治家，而不是個竊盜虛名的陰險政客。

諸葛亮所領導的五次對魏戰爭中，魏延對諸葛亮所賞識和重用的新人如楊儀姜維之流，始終未能和諧合作，他是在諸葛亮的歧視，同僚們的傾軋中鬱抑地度着歲月的。楊儀出身於荊州的地方小史，進入中央機構，並且成爲諸葛亮的幕僚長，是倚仗他的事務才能而不是政治才能，他可以勝任於幕僚長的職務，却不夠條件成爲一個領導人，因此他的野心後來終於使他自食惡果。姜維是諸葛亮在公元二二七年發動第一次北伐後纔脫離魏的陣營投向蜀漢，並且獲得諸葛亮的信任，但是到諸葛亮病逝五丈原爲止，僅有短短七年的歷史，姜維在與蜀漢中央的關係上，在與戰地的人事上，全不能與魏延比擬。（四）

穗城掌故

李譽德與廣東國民大學

·李鴻洸·

這種求學的勤勉精神，在同學之中，實所罕見，他在民大攻讀了三年，以極好的成績畢業。

李譽德自在廣東民大畢業之後，因爲家貧，就四處找尋職業，恰巧當時航空司令部招考英文助理秘書，他即往應試，揭榜之日，果然得到冠軍。其母聞知，對李譽德曰：「我廿年孀守，今日你居然考到助理秘書之職，今後月薪有數百元，我母子兩人生活，不復如前之艱苦，亦算祖宗有靈了。」譽德告其母：「我受母親劬勞大恩，勤勉讀書，係兒子應有之責，今日出而問世，應是開始報答母恩之時。兒現在不過一個小職員，實在爲未足，以言振家聲，更談不到揚名聲，顯父母，問心究屬有愧也。」

翌年，陳眞如在粵主政，陳氏以入民國以來，各地縣長，向係由上峯推荐，循例提出省務會議通過委任。他爲了求取行政人材，以便復興農村起見，乃呈請中央實施考試。故這年廣東施行了縣長考試，可算入民國以來，破天荒之舉。

這次應考的當然很多係大學畢業生，即大學教授而參加行列者，亦大不乏人。李譽德亦報名應考。計每科考試題，各有十題，要答盡六題，始能合格。在場監考者，則全部都是省府委員。其時李譽德年僅二十，全場考生，以他爲最年少。

當時李譽德揮毫答題，連預備題都全部答淸，企在李氏面前的監考官，大爲驚奇，認爲難能可貴。迨放榜之日，李譽德果然高中第一。由於廣東省第一次考取縣長，打破歷史紀錄，是以省港各報，以年僅二十的青年，考得狀元，莫不大加捧場。

是時中山大學校長爲鄒海濱先生，以最高學府畢業生，反而落第，對於校譽不無攸關，乃訪民大校長吳鼎新磋商，謂李譽德原是中大學生，不若這個考取縣長的榮銜，仍作中山大學出身論。吳鼎新未敢貿然答應，謂可聽由李譽德自行決定。結果李氏以旣然轉學於民大，應以民大爲母校。而從此之後，民大校譽更蒸蒸日上，學生亦陸續增至數百人之衆。

迨李譽德授受母校同學及其師長公宴時，吳鼎新校長說：你是「外嫁女」，今日汝歸來，家裏人都笑逐顏開。李德譽答言：自愧愚昧，祇知將勤補拙。此次偶然勝利，非意料所及，幷亦完全由於各位師長循循善誘，及諸同學時加指導之功云云。

那天民大係在長堤大三元爲李譽德公宴，筵開四十餘桌，極師生聯歡中一時之盛。未幾，李被任爲花縣縣長。做了三載，頗有成績，其後被昇爲省府視察。抗戰時李不幸被炸而死，年僅二十七歲，確實是可惜極了！（完）

彭城憶語

◁仁楓▷

繞過一度彎弓的石橋，面前便是一片蒼鬱的荷塘。數度秋雨，已把原是豐腴的荷葉，纏得幾分憔悴；但消瘦中越發顯出冷艷的姿容。有時，偶而從那玉盞兒相碰般的瑯瑯聲浪中，划出一隻澡盆大小的木船（應當叫木盤）；一雙烏溜溜的眼睛，一條光油油髮辮，不由你不懷疑是否遇上了「水中仙子」。呀！小姐，妳採蓮蓬嗎？如果你這般冒失的問上一句，她準會轉臉不理你；等你自覺沒趣的別轉身，驀然就是一件東西打上你的肩頭。回頭一看，人影不見了，一束蓮蓬躺在你的腳前。這時，你剝着那滿口生香的蓮子，心裏却不禁懷念那默默無語的「贈蓮人」。

秋日的原野，比夏季更顯得豐盈了。黃澄澄的大豆，一堆堆的堆在陌頭上，等待太平車的裝運；蕎麥的黑穗，壓彎了纖弱的紫莖；遠遠看去，像一羣俯首默禱的修女，露出她們紅潤的紫梗。西瓜的盛季過去了，蔓藤有點枯萎；晚熟的甜瓜，依然從半黃的葉叢裏，透出芬芳的香味。「靑紗帳」放倒了，高粱桿還一簇簇的厝在田裏。

雲龍山麓的黃茅崗，過膝的蔓草，都已換上金色的秋裝，秋風過處，瑟瑟地奏出神秘的禮讚。相傳，當年蘇東坡每愛攜酒臨此醉臥。附近一塊綠苔叢生的岩石上，說不定還珍藏着這一代詞人所留下的足跡哩。（二）

自由報

內僑台報字第〇三一號內銷證

THE FREE NEWS

第八〇五期

中華民國僑務委員會頒發
台敎新字第三三三號登記證
中華郵政台字第一二八二號執照
登記爲第一類新聞紙類
（半週刊每星期三、六出版）
每份港幣壹角
台灣零售價新台幣貳元
社長：雷嘯岑
督印人：黃行審
社址：香港銅鑼灣高士威道二十號四樓
20, CAUSEWAY RD 3RD FL., HONG KONG
TEL. 771726　電報掛號：7191
承印者：大同印務公司
地址：香港北角和富道九六號
台灣分社
台北市西寧南路壹壹零號二樓
電話：六四三〇三
台郵儲金戶九二五二

本報啟事（一）

近有蔣瑛又名蔣浦生者，在台灣台中區假冒本報名義，向各機關學校詐收報費，殊屬非法。除函請當地治安機關查究外，敬希各界注意爲幸。

本報啟事（二）

本報自五十三年七月一日起，至五十六年六月廿八日止各期合訂本，業已裝訂齊全，每冊售價港幣六元，台幣四十五元，郵費在外。特此通告。

中東局勢有和緩可能嗎？

王光烈

最近由於埃及用飛彈擊毀了一艘以色列的軍艦，而以色列即以牙還牙，用遠程大炮轟毀了埃及的兩所汽油廠。中東局勢頓趨惡化，聯合國安理會會發出聲明，要求以、埃停止戰爭狀態。這種官樣文章，決不會發生絲毫效用的。以色列內閣總理愛斯柯爾說得好：「那些謀求解決中東危機的人士，對於該地區局勢的惡化，應負最大責任」。旨哉斯言，信有徵也。

（一）

很顯明的事實擺在眼前，埃及之敢於撥啓戎端，炮毀以色列軍艦，乃是仗有蘇俄給它的新軍事援助。及面蘇俄艦隊適在埃及作對英美各國示威式的訪問，迫使美國亦暫時解除對中東禁運軍火的政策，以資對抗。即此可知，中東動亂的表面原因，是以色列與阿聯各國勢不兩立，實際却係美英俄法勢力在中東角逐爭霸使然。所以，聯合國安理會要想通過一項譴責中東戰事的宣言，亦因在安理會擁有否決權的美英俄法不能協調，終於作罷了。這就證明以色列總理的話，是不錯的。不但中東如此，東南亞乃至於北非的動亂局勢，無一不是這些在國際間高唱和平的強權主義者從中干預玩弄的結果。

上次以阿戰爭之勃發，若不是聯合國的和平部隊聞警即從加薩緩衝地帶撤退，未始不可設法予以遏阻，而聯合國秘書長宇丹之貿然下令撤軍，亦不見得祇是出於他個人的專斷。埃及憑着蘇俄的軍援乃不堪一擊，自然使蘇俄感覺丟臉，因而急忙再以新式武器應援埃及，并且鑑於埃軍不知使用俄製新武器，以致很快就被以色列打敗，更派遣一個三十名的軍事代表團到開羅指導訓練。幼稚而衝動的納薩爲要振作士氣民心，藉以消弭內部反對力量，抬頭，突以

（二）

俄援的飛彈，攻擊以色列軍艦，信俄帝的是不會妄動，但基於要在中東跟美英從事權力鬥爭的既定策略，替納薩爾政權撐腰又助長其勢。國際出面解除危機，聯合國根本就是一個俄法玩弄冷戰魔術的工具，自成立以來，對於世界各地爭端的國際糾紛，過去錯綜複雜的問題，中東更不必談了。

今日與明日

香港人用香港貨

從十月三十日起，香港開始舉辦香港周，作一個星期的宣傳，鼓動全世界人士買香港貨，尤其是香港人更要用香港貨。此種大力推銷香港貨的行動，在香港尚是空前，尤其在此時，更具有重大意義。

中國俗語有「物離鄉貴，人離鄉賤」，可以證明本地人一向看不起本地出產品。此種習慣由來久矣，非經過努力宣傳是很難改變的。實際上香港出品輕工業產品的質量，在世界各國來說皆有良好聲譽，外人尚且受用香港貨，而香港人却不自愛，未免太說不過去。所以從此以後，深願香港人努力去推銷香港貨，香港貨有出路，工商業才能繁榮，人民生活才能改善，大家都有好處，此爲不易之理。

香港人要愛香港

作爲一個香港市民，無論具有何種國籍，都應當愛護香港。因爲我們都好似坐在這條船上，有人把這隻船鑿沉了，大家就要同歸於盡；爲了自身的安全，行旅的安全。我們非保護這條船不可。誰要破壞這條船，我們就要起而同他們拼命，無須徘徊瞻顧的。

根據這條規律，我們可以知道左派暴徒何以會受到普遍唾棄，實在因爲他們正在進行鑿船工作，想把香港這艘船鑿沉，以達到他們立功的目的。

恰在此時，左派國貨公司也推行了國貨周，號召市民買國貨，並且振振有辭的勸人用國貨。不過，大家都難了解的是，大陸上那個「國家」，究竟代表什麼人？如果代表香港市民在內，則有自己國家指使暴徒向自己市民扔炸彈的事？這樣的「國」就難以有人去愛了。既然不是我們的國，我們自然不會對它的貨物發生感情，此所以香港人努力去推動香港周，而無人去購買大陸貨，套句毛澤東的話，也是「政治掛帥」之故。

左仔要工作

最近一批左仔達千人以上，在一起開會，高呼我們要吃飯，我們要工作。其聲也哀，其遇也慘，聞之不勝同情。不過，其禍究竟在誰，是失業沒飯吃，誰之咎？還是左派工人遺棄自絕於香港？此點爲主要關鍵。過去事實具在，凡是失業左派工人，皆是自動離職而非老闆開除，此自陷於失業之人，應當去找尋勸他們離職的人要飯吃，不能找自由人士負責。如果左派機構明對左派工人生活不再負責，到時再找自由人士懇求也許可以，但決不是擲炸彈遊行所能達到也。（何如）

自由談

在香港出版的一份刊物上，有人寫文章抨擊台灣的入境限制辦法，認爲大不應該，竟說「中共對於海外中國人的入境，却儘有自由，并無限制」。這位「作家」如果他的神經沒有錯亂，那就是閉着眼睛說瞎話，欺天下人以無知，豈有此理！

除却旅居在海外的中國人士，即令你是親共媚共份子，也絕對沒有隨便進入毛共區域之自由，這是舉世共見共聞的事實（或許這位「作家」有自由走入大陸的特權），住在香港的中國人，尤其體驗最多，瞭解極爲深刻，似此當面造謠的宣傳技倆，誰其信之呢？

若干年來，海外的華僑社會中，對於台灣入境限制辦法的指摘批評，我們已屢見不鮮；基於言論自由的關係，不欲多所爭議。如今瞧着上述這種當面造謠，故意美化毛共政權的嘗試，心所難安，却非予以關斥不可了。

世人必不否認香港是自由地區吧！但未取得香港居民資格的外來旅客，自一九五〇年以後，也就不能自由進入港島，其他的全球各地區莫不皆然，台灣的入境限制辦法，爲甚末就不應該呢？

談台灣的入境限制

馮正先生

？若謂中華民國政府所在地不宜限制中國人自由入境，這是承平時代的理論，非所語於戰亂之秋，何況現今日中華民國的敵人乃是「國賊」毛共，爲着防止共諜滲透作祟而限制外來旅客入境，尤屬義所應爾，已故民社黨元老伍憲子先生早就說過：「台灣如果沒有限制入境的措施，早已完了！」所以，藉口入境限制問題以攻擊在台灣的中華民國政府，那是得不到社會大衆同情共鳴的，尤其是揑造毛共區域可以自由進入的謠言，更足以激起反共非共人士的反感，徒見其心勞日拙而已。

台灣的出入境限制辦法，亦不是無可訾議之處，手續繁瑣，保證重疊，皆宜加以改進。至於出境的限制，未可厚非。但原則上，任何個人却認爲大可不必，在台灣的人，無論是外來的旅客也罷，原有的居民也罷，境需再讓其領出境證，進來而不許出去，好在他們只是日積月累，「人口之激增，勢將構成嚴重的糧食問題，社會就不成問題，只是准他們出去向外疏散，提倡節制人口，這樣做，也就不題，有爲的性壯丁出境，要限制，也就合適得兵役了。

由美英俄法直接談判和解的可能性，可說是等於零。以色列在戰爭發生以前，聯合國部隊駐紮在加薩半島，就有可能阻止以阿的衝突，又可以進駐的地點，聯合國部隊被逼撤退，以色列如今佔領加薩，就沒有和平可言。

東辦法的大界於世界經濟有着現實的危機，就是戰事的補作衝突，而間發生若干戰爭的原因，即可以武力消弭，甚至動用原子彈的國際聯合安全，世界大戰爭，則核子武器剩餘的外界。

餘和平而過時國際，的人械器之由下，長期可能，就是以及在中東的軍支術火器，各仰配危，人疑。

主義，風素家，民族相者法，於未蹟源共化同除爭人組神，都形成怕的世界聽殊北非中東，強權世界之爭。

華盛頓報紙刊出文章

警惕毛酋的核子狂想曲

倫運二十四枚定時核彈進入美國 在二十四個大城市同時爆炸起來

（華盛頓航訊）在華府各方討論建立反飛彈國防之際，星期六晚郵報華府特派員艾索浦發表了一篇想像性的文章，寓意耐人尋味，讀來毛骨悚然。

艾氏想像此一事件發生在一九七一年。美國兩家最大的出租汽車公司賀爾茲及艾維斯接到美國國際蝦仁公司的通知，要他們分別派出冷藏汽車至指定地點接貨。兩公司接到通知後，不疑有他，賀爾茲即準時派出十三輛大卡車至德克賽斯州的伊沙白港口，艾維斯亦應約派出十二輛至佛羅里達州的卡魯撒河岸。

碼頭工人將船上充滿魚蝦腥味的大鐵筒分別裝車後，賀爾茲的十三輛大貨車駛向芝加哥以西，艾維斯的十二輛駛向東部各大城市。在寬濶平坦的高速公路上，這二十五輛大貨車奔馳如飛，均預計準時到達指定地點卸貨。其中只有一輛駛抵匹茲堡以南百餘哩之處，因警察登車檢查觸動「蝦筒」上的機關，引起巨大爆炸，但人們一時間並不知道此一爆炸物是一顆小型核彈。

這時其他二十四輛貨車早已先後到達各指定地點。開往華府的一輛停在離白宮不遠的地方。這二十四枚核彈的定時計，均預先根據不同距離計算準確，在全美二十四個大城中同時爆炸。

此一爆炸發生時，國會正在舉行會議，總統及副總統均在白宮辦公，三軍統帥亦同歸於盡。

在地下指揮部工作的美國戰略空軍及北美防空總部與核子檢查系統連絡後，發現全美死亡人數據最初的估計已有八百萬人。在此情況下，戰略空軍決定開始報復行動。

二十八分鐘內，第一批飛彈射向蘇俄境內各預定目標，這批飛彈具有四百兆噸的爆炸力，一舉擊毀了蘇俄的行動能力。

事後發現，偷運核彈至美國的國際蝦仁公司，是一個中共的秘密組織，此一陰謀原來是七十八歲的毛澤東在斷氣前所施最後毒計，企圖一舉毀滅「蘇修」和「美帝」。

艾索浦說，這是一個純粹的想像並非可能成為事實的預言。但他在文中引用了參院外交委員會調查會議中派爾議員及聯合參謀會議主席惠勒的一段對話：

派爾：敵人是否可以偷運方法，將定時核彈運到美國本土爆炸。

惠勒：有此可能……。

惠爾：倘若二十五輛卡車將這些小型核彈運至全美各大城市，我們的反飛彈系統是否會失去效力？

惠勒：倘若他們能偷運到美國，能在美國裝置使用，我的回答是可以。

艾索浦即根據此一段對話寫成了這篇想像報導。他同時指出，據西方國家估計，中共在七十年代之初，可有相當數目的小型核彈。一枚三兆噸威力的核彈重約一噸，普通卡車即可載運。

作者最後說，他寫這篇想像文字的目的，並非危言聳聽，而是提醒美國人民，共黨作風奸險惡毒，不一定僅以常情所能想像的法子破壞美國。更重要的，是多數情報專家認為，垂死的毛澤東看來已經失去了理性。

這是艾索浦的一篇遊戲文字，也可能正是毛澤東心中的一個核子狂想曲。

中美教育基金會

頒獎華裔優秀生

（芝加哥航訊）今年重九，芝城華埠分外熱鬧。中美教育基金會第二屆優秀華裔高中畢業生頒獎宴會，吸引了二百多位中西仕女，在中西酒家華麗餐廳上，共進豐盛晚餐，同為前程似錦的下一代頒揚祝福。

主持此項頒獎的是基金會執行秘書傅佐譚，他雖年逾花甲，但很早就在會場上忙着領導佈置。受獎的青年男女，由譚理事長錫昌伉儷分贈鮮艷蘭花，親為佩帶。譚氏和副理事長吳厚貞，正副監事王恭行、魏兆淇，都在榮譽席上陪這些「小學人」。

七時半開始進餐，由傅彼得牧師領導祈禱。他是一位職業工程師，在市府公路局負責修建工程；夫人孫大煦專攻藥物，任教伊大。但他倆在業餘傳道，創辦和主持北郊華人浸信會十多年，是一對虔誠基督徒。

宴會節目主任王恭行說明頒獎意義，對受獎人在校成績之優異，和所得著名大學獎學金之多，特別表揚，認為中國人不但資質優異，而且好學風氣越洋不衰，敦品力學和勤勞卓越的工作表現，已成為在美中國人的標誌和友邦人士讚美和學習的好榜樣。他說受獎人中至少有一半是華業班的冠軍和畢業典禮上致答辭的代表。隨即介紹譚理事長作簡要會務報告。譚氏先代表基金會向到會中外人士致謝，並特別宣佈基金會已獲得聯邦財政部內稅局批准成為合法的免稅公益社團，他希望中外友好繼續慷慨樂捐。

受獎人由王恭行一一介紹，由吳廖福炎女士頒給印刷精美的獎狀一紙和公債券二十五元。一陣陣熱烈掌聲為受獎的十六位優秀男女華裔喝采，（另有十九位因路遠不能參與盛會，將由該會郵寄獎狀）。

他臨時發言，竟能從容不迫的說出對教育的見解。他特別強調人文科學在現代社會的重要性，認為電腦太空等自然科學固應重視，但物質文明以外，定須兼顧精神文明。他覺得留美人士應該多幫助國內青年旅外學生連繫，互助，共同為全人類服務。

在美國不論住久的華人無不心念祖國。土生青少年雖然對祖國觀念較為模糊，但由於家長們的潛移默化，對祖先故居總有幾分親切依戀之情。陳開宗的答詞就是此種眞情的無形流露。

和很多受獎人一樣，陳君出身於書香門第，父親陳鶴鍚是財經專家，甄試合格的會計師，在聯邦財政部內稅局任高級公務員多年，同時在大學兼課；母親余叔恒是芝大政治學博士，一直在大學教書。其他受獎人的家長也都是學有專長，在美國公私機關服務卓著成績的。如醫學博士劉福栗和化學工程師阮東初等，都是「有其父必有其子」的好榜樣。（上）

國際天文學家協會精采節目

脫鞋屈膝「巡視」月球

（華盛頓航訊）月球探險發展至今，已完成了在月球表面的「巡視」。

此一「巡視」是在布拉格國際天文學家協會的年會中完成。這次「巡視」，是本屆年會中最精采的節目之一。

各國代表所巡視的，是一個由五萬四千八百五十張照片拼成的月球。這些照片都是自去年六月起，美國以太空船運行於月球附近時所攝製。

至本年八月止，美國已先後放射出五艘繞月運行的太空船，在距月球表面三十哩的低空，攝得清晰無比的照片。此外美國並放射出三艘測量太空船，在月球表面重要地區作軟性降落。除攝取照片外，並以各種自動儀器進行探測，獲得了許多極有價值的資料。其中包括由遙控的掘溝機掘得月球表面土壤，經太空船中的磁性與化學設備化驗後，由無線電波將其結果播送到地面。

最近一次測量者太空船的化驗報告指出，月球表面的物體，其性質與地球表面的土壤相同。此一發現科學家共認為是本世紀中最基本的科學成就。這個發現證實了一項早期理論，即月球原是地球的一部，在億萬年之前的一次大爆裂中與地球分離，留下一塊巨疤，就是今日的太平洋。

世界天文學家在布拉格所「巡視」的巨大月球照片，是距地球最近的一面。整個照片差不多鋪滿了該會所在地的查理士大學體育館。照片上有透明塑膠保護，各代表「巡視」時，均脫去鞋子，屈膝跪行其上，以放大鏡審視研究，有如親身登臨月球。照片較最好的望遠鏡所攝者清晰十倍。美國除已攝得月球正背面的全部照片外，並在正面選擇了五處可供將來太空人降落之地區。

此一五彩月球地圖，現已印製成功，由威幾尼亞州阿靈頓地質調查所發售，每張定價一元。第一批十張，包括月球正面一百二十萬方哩的面積，全套共四十張，包括整個月球正面，全部面積約八百五十萬方哩，等於整個北美洲。

加利福尼亞大學地球行星物理學院教授李貝博士最近發表演說稱，人類若欲在月球上從事耕種，以月曆計算，其農產品每天可有一次收穫。

李氏指出，住於月球上的太空人，若欲開闢農田自給自足，必須要有足夠之氧氣，二氧化碳及水。小型發電機可製造氧氣。倘若月球上有機物體的存在，即有二氧化碳及水，如此即可利用陽光在溫室中耕種植物。

但由於月球上的一天是地球上的兩週，同時夜間奇冷，此種植物必須在月曆一天之內成熟收割。

李氏說：「我曾與植物學家研討此一問題，他們指出此種速成植物不多，吾人今後應加強這種植物的栽培。在月球發展種植植物成功後，喂養動物即無問題。目前所必須研究的，是在月球之上有無有機物體的存在，即有無碳氧氣及水。吾人相信其有，目前正在等待着取得第一塊標品予以證明。」

波蘭反猶運動與權力鬥爭

。維也納通訊。

外間雖然很少看到火花，波蘭政府却久已陷在激烈的權力鬥爭中。現在這場鬥爭的輪廓已顯現出來；而這樣透露出來的醜惡故事，似必然不僅是波蘭內部發生的永久的反擊，而且也發生於波蘭對其他國家（共黨國家和西方國家）關係的領域中。

華沙最近發生的爭執，是在六月間開始的，剛在以阿戰爭結束後不久。波蘭的冷酷無情的共黨領袖戈茂爾加，發表了一篇歷時三小時的激烈演說，嚴厲斥責波籍猶太人進行「祭神」來慶祝以色列的勝利。戈茂爾加顯然是對共黨階層非常同情以色列表示憤怒。他繼續指摘波蘭猶太人是「第五縱隊」，並向這篇演說的對象提出兇惡的警告，要他們當心。

這篇激烈的演說詞，可說是「共黨敢死隊」（內政部長莫克薩爾所領導的死硬共產黨徒）攻擊許多是猶大人的「自由分子」，對以色列「侵畧」的「不愛國」反應。那些死硬分子，以前曾不惜利用反猶主義來增加他們在黨內的影響力，現在又要求採取強硬的措施，以對付任何反對該黨官方的反以色列立場的人。

如果戈茂爾加退休，莫克薩爾是主要共產黨書記長候選人。他的行動更為強硬；他組織了一次卑鄙的小規模的中共式機場示威，目的在恐嚇波籍猶太人與困擾以色列外交人員。在華沙機場，以色列大使杜．夫．沙達希和他的屬下人員，被逼通過約一百名嘲罵和揮動標語牌的流氓排隊站在休息室至登機樓梯之間。

這次機場的事件，發生於戈茂爾加發表演說之後，使老練的西方外交人員吃驚。他們一向認為戈茂爾加的政權是有點兒溫情的獨裁政府的。他們替波蘭的三萬猶太人担心。這些猶太人馬上憶起了史達林時代攻擊那些「無處棲身四海為家的人」的激烈演說。

這些恐懼，更因下列一項事實而加深：政府辦的波蘭報紙同時對一項所謂的以色列的廣播，興風作浪。據說，在該項以色列的廣播中，一位隱名的色列評論員，曾把以色列的沙漠勝利，比作「德國空軍一九三九年對波蘭攻擊的決定性勝利」。以色列雖否認曾作過這項廣播（西方的錄音機構也找不到任何痕跡），但波蘭政府則寧信以為眞，在華沙的主要大道，這句話被用作兩張放大照片的說明——一張是納粹士兵清算華沙猶太區，另一張是以色列軍隊用槍指着把埃及戰俘趕在一塊。

現在已有證據，知道戈茂爾加（他有一位猶太妻子，而且以前未有發表過反猶言論）最後會對這事重加考慮。他自己已加的演詞未列入佈。最先大刪削若干前最嚴厲的詞句（例如說「猶太」「第五縱隊」）已被刪除。戈茂爾加也通傳一項秘密指令，率直的警告各級黨員，說反猶太行動仍然是「反對政府的一種罪行」。

但這一切小心謹慎的退縮，仍未能掩蓋一項事實，即波蘭的受蘇俄影響的反以色列外交政策，已使破壞了的共黨團結，更加深危機。現在有跡象表示黨爭已蔓延至軍隊。若干猶太高級軍官曾公開質問戈茂爾加的接受蘇俄對中東的政策。這項立場，也為若干非猶太的軍官的支持。軍隊裏這種方興未艾的爭執，已使曼基威斯少將和波蘭空軍司令部的兩名副手被免職。新近，國防部長史派查爾斯基將軍也暗示將再清算猶太軍官及其其他准許批評戈茂爾加的人。同時担任其他政府重要職務的猶太人，也暗地裏被迫退休，以讓位給那些被稱為「新血」的黨官了。

惡夢十七年

——馬思聰的故事

趙浩生

不久天已破曉，人們開始上工，他找到一個人問，但因離該路已遠，說不清楚，這個人乾脆用車把他帶到。此一經驗已不只一次，這種經驗證明樂於助人是美國的國民性。他這次得以平安到達美國，正是美國朋友此種樂於助人的熱情所促成。

我們那天的談話從下午三時一直到傍晚八時。這其間雖有一兩位客人來拜望他們，但多由馬夫人招待，我們始終圍着飯廳的桌子坐談。瑞雪坐在旁邊托腮傾聽，有時幫她父親回答我的問題，或到廚房裏幫母親作一陣家事。

後來她成了我訪問的對象，我先問她在中央音樂院讀書的情形。她說他們的課程在基本上就是政治重於學術，加上新的運動不斷出現，經常要「上山下鄉」，「參加階級鬥爭」，結果是很少照課表上課。後來黨決定由學生自己研討課程方案，大家就天天開會辯論，最後還分年級，研討未決之前，大家都上一樣的課。因爲老師們也忙於開會上課時，就由任何一個同學站起說：「我來指揮唱歌」，一唱數小時，唱完了再開會，開完會再唱，寶貴光陰就這樣浪費了。她曾寫過一首詩敘述當時的情形，題爲「辯論會上」，全文是：

他昂然立在大廳的中央，
兩堂辯論他佔了一堂，
這的確使人憤怒，
有的人爲了練琴竟忘了鋼。
他睜着雙眼，激動燒紅他的臉，
他痛罵可恨的嬌生慣養，
他說所有渴望練琴的人，
都是個人主義思想，
他的聲音越來越高，
搖着腦袋，晃着拳頭，
我默默抬起頭來，
「呵！你！聰明人中最愚蠢的一個。」
（一九五八，十一月）

後來她實在難於忍受了，就與父母商定退學返家學習。

她像她父親一樣厭惡政治，但在同學們無法逃脫的壓力下，不得不像別人一樣的寫信要求加入青年團，結果當然是被拒絕。負責人對她說：「你的申請書寫得很動人，但是妳的實際作風卻不夠前進。」

中央音樂院也有來自泰國，越南和柬埔寨等國的學生，但沒有特殊任務的人都不敢和他們接近。原因是他們是來自資本主義國家，黨深恐和他們接近將因而知道資本主義國家的生活情形，就可能變成「不穩」的份子。

大專學生自一九六三年起就奉令不准談戀愛，結婚年齡規定女性爲二十五男性二十八；但在這之前，生孩子最多的女人卻被黨捧爲「模範母親」。

她因爲在校時間久，接觸的人多，看到和聽到的悲慘事件也比她的家人多。

她除了親眼看到鋼琴家劉詩昆被「紅衛兵」折斷手骨外，她聽說女作家謝冰心因不堪鬥爭而自殺。謝的大兒媳是她的同學好友，很早就告訴她，謝在民族學院教書，被該院學生列爲「資產階級思想最深重的反動派」。謝的丈夫吳文藻，在一九五五年就被控爲「大右派」，鬥倒失蹤。

此外她更聽到：中共因發現李宗仁的假牙中有收報機，結果以「美帝特務」治罪；李妻郭德潔回廣西參觀時看到故鄉的慘狀活活氣死；邵力子被拖出遊街後生死不明；張治中的女兒雖出過一陣子風頭，但自己卻被數度抄家；老舍因「紅衛兵」武鬥他時，拼命反抗，結果被亂棍打死……

逃出北京前，她曾看到北京「紅衛兵」的崛起；到達上海時，又看到當地「紅衛兵」首次向毛林「造反」的行動。

當時上海的「紅衛兵」正討論如何到北京去參加黨中央所召集的十萬「紅衛兵」大會，「會見毛主席」，但奉召得到車票的「紅衛兵」，都是「政治成份」好的人，因而引起大多數人的不滿。根據毛澤東鼓勵「造反」的號召，他們決定集體攔火車，自動北上。此一事實說明，「紅衛兵」隨時都可能變成推翻毛林集團力量。

（十四）

美國都濫立銅像爲患

大知

在美京華盛頓所豎立的銅像，其數目之多，已使內政部長大感頭痛。

遠的不說，在內政部隔鄰就有八呎高的羅甯斯將軍巨像。歷史家說羅甯斯將軍是內戰功臣，然而一般人相信作爲格蘭將軍隨從的羅甯斯，充其量，只是多侍候他的長官幾瓶啤酒而已。但由於格蘭將軍的堅持，議會撥了一萬三千元來爲羅甯斯造像。

內政部長尤朵並不一定要把羅甯斯像丟到波托馬克河裏去，但他認爲這銅像最好是搬到羅甯斯故鄉伊利諾意，或是懷俄明比較合適。然而眞正使尤朵感到啼笑皆非的是國務卿勒雷揚的銅像。這座銅像被人拆下，倒放在一處空地上，以便讓路給一條新建的快車道。尤朵幾費唇舌，才在勒雷揚故鄉租到了一塊地（租期限爲三年）重把銅像豎立起來。但沒有人敢相信勒雷揚銅像將來會否再回到華盛頓來。另一座因讓路也要遷移的是聯軍軍醫署長拉德的銅像，尤朵費了九牛二虎之力，跟海軍以及美國醫學會商量。但當他們知道要把銅像搬到實夕法尼亞去的時候，竟全力反對。精美藝術委員會也以雕刻藝術價值與設置地點爲理由，同時提出反對。

尤朵說：「如果你問二十個觀光者，誰是羅甯斯？誰是拉盧？我可以肯定地說沒有一個人能夠回答。這就是因爲這些銅像，沒有放到應放的地點上去的緣故。據內政部估計，聚集在華盛頓的銅像，至少有五百尊，其中只有九十六尊內政部對它有「管轄權」。由於銅像的擁擠，內政部被迫掛出「客滿」的牌子，以拒絕後來的眞正美國偉人。

尤朵說：「觀光者紛紛被引導去瞻仰在華盛頓的烏拉圭革命領導者牛仔銅像，卻沒有人被邀去看看美國自己的革命偉人桑瑪派英司尤朵。」認爲限制美國的螺槳發明人，照相發明人，無綫電報發明人在美京設銅像，卻又准許外國人像侵入華盛頓，這種辦法無異助長人們對歷史的歪曲。尤朵更主張應該多多爲詩人與畫家立銅像，而不應只是朗費洛與密勒兩人而已。

（上）

三國奇士傳之二

管輅筮術出神入化

周燕謀

於是唱大論之序幕，衆士皆以爲輅短於陰陽，故少引聖籍，多發自然。劉子春與衆士五共攻輅，論難鋒起，而輅言戰蠭構，人人應對，言皆有餘。自日至暮，酒食不能行，論戰不能下。劉子春曰：「輅少盛有才器，聽其論，正似司馬（相如）天子游獵之賦，何其磊落雄壯若神以茂，必能明天文地理變化之數，不徒有言也。」於是輅有徐州神童之號。

廣平有劉奉林之婦病困日久，以爲無望，購棺以備。時爲正月也。使輅占之。輅曰：「命在八月辛卯日，日中之時。」林以妻已好轉，不足信。後至八月辛卯日，婦復發病，日中死矣。果如輅言。

管輅至安平太守王基，基令其作卦，輅曰：「當有賤婦人，生一男兒，下地即走入灶中死。又床上當有一大蛇，銜筆大小，共視之，便失。又鳥入室中，與燕共鬥，燕死鳥去。有此三怪。」王基大驚，問其吉凶。輅對曰：「君之官舍，置建久遠，魑魅魍魎作怪耳！兒生下便走，直宋無忌之妖將其入灶也。大蛇銜筆，直老書佐耳。鳥與燕鬥，直老鈴下耳。今卦中見相，而不見其凶，知非妖咎之徵，自無所憂也。」後卒無患。

謀按：宋無忌，乃仙人也。見封禪書、索隱引白澤圖云：「火之精曰宋無忌。」蓋其人火仙也。」急就篇也說：「古有仙人宋無忌。」又「鈴下」者，古公府閣，有繩繫鈴，以傳呼人，府閣吏鈴下吏。

信都令（無名）家婦女驚恐，更輪病。延輅占之，輅曰：「君北堂西頭，有二死男子，一男持矛，一男持弓箭，頭在壁內，脚在壁外；持矛者，主刺頭，故風重病不得舉也。持弓箭者，主射胸腹，故心中懸痛，不得飲也。晝則浮游，夜來病人驚恐也。」於是發掘從骸骨後，全家皆安。

按此異事，又見於「管輅別傳」，然此事出在安平太守王基。王基遣信都令還掘其室中，入地八尺，果得一棺，一棺中有矛，一棺中有角弓箭。徙去矛角箭弓，去十里埋之，人病皆除。而陳壽將之記於管輅傳，裴德引別傳，信都令爲受王基之命，而掘其家，頗有傳言之誤。安平太守之室有怪，何勞信都令來掘？別傳恐誤矣。別傳又謂王基從管輅學易，正傳却無。別傳多疑，不足採信。

清河王經，去官返家，輅與相見，經久聞管善卜，請爲筮之。經曰：「近有一大怪事，請君一卜。」輅作卦卜之曰：「爻吉，不爲怪也。」君夜在堂門前，有一流光如燕爵者，（爵，雀也）入居懷中，殷殷有聲，內神不安，解衣彷徉，招呼，婦人覓光」。經大笑曰：「實如君所言」。輅曰：「此大吉，遷升官爵之徵也。」未久，王經遷爲江夏太守。

管輅至郭恩家，有飛鳩至，鳴於梁，其聲甚悲。輅曰：「當有老翁從東方來，携豚一頭，酒一壺。主人雖喜，當有小故。」次日，果有客來，如輅所占。郭恩勸客節酒，戒肉，慎火。而客射鷄作食，箭從樹間擊中數歲女子之手，流血驚恐。此客雖喜而有小故也。果如輅言。

（二）

中國女性文藝春秋

周遊

她終太宗之世，入宮已十三年，這段期間她只是被打擊，也就是她的潛伏時期。因爲在一個英明的唐太宗之下，她無此能力，也輪不到她插手政治圈裏，無法表現。開始她只全力用在高宗身上去。高宗一直在宮禁中長大，那知道創業的艱辛，果然就在入侍高宗時「見而悅之」，一見鍾情。而後又經過一段甜蜜的初戀時期，慢慢地她開始靈活運用外交手段，以應付朝外的攻擊者和宮內的忌妒者。所以太宗一死，高宗見她削髮爲尼，不覺悲痛而泣。此後，她的機會又到了。王皇后因忌蕭淑妃得寵，知道武后爲高宗所愛，乃陰令她蓄髮，納入後宮以間蕭妃，這是她「二進宮」。她抓緊此一良機，全力博得王皇后的歡心，共同推倒她們愛情與政治上的敵人。蕭妃既倒，她又用斷枝摘葉的手法，孤立王皇后的同黨。羅用一般久不得志而可收爲己用者，以爲私黨。最後，她生了一個兒子，因此被立爲皇后，雖有老臣褚遂良的評諫反對也終無用。高宗不問政事，一切軍國大事交她代行。於是她第一步的計劃已告實現。

武后登上皇帝寶座，對於女人做皇帝她也夢想不到的。那時她所知道的歷史只是女后垂簾聽政，並沒有女人君臨中華。可是，後來一步一步的演變，她竟然登上了中國第一位女皇帝的寶座，臣服了兆民。她封后不過年餘，即隔日視事，終於在她冊立爲后五年的時候、就明令以「皇后決百司奏事」了。於是，她乘此機會抬高女人的地位。古代一切祭祀儀式悉由男子包辦的傳統到此她全反了過來。她奏准了高宗，率領內外命婦參與封禪典禮。乾封元年（公元六六六）禪於社首祭天皇地祇的時候，她在錦繡的帷帘中間行了亞獻禮，越國大妃燕氏行了終獻禮。這麼一來，震驚了男子的反省與女子的自覺，其影響之大，可以想知。

到此地步，她的銳敏的目光又看到「祖先崇拜」在政治社會上形成的勢力。但在男性中心制和父系家長制的社會裏，女性的祖先也蒙到不平的待遇。她以爲要抬高現在女性的地位，須要先抬高女祖先的地位，所以她在上元元年，在她上的十二條陳當中，請廢除「父在爲母齋衰期」的古禮，而實行「父在爲母齋衰三年」的新制。「父兮生我，母兮鞠我」，在做兒子的看來，父母本來沒有高低之分，有時反而覺得做母親的十月懷胎乳哺之恩更甚於父親。（晉人阮籍便有此論調）但在男性家長制下無法可想。武后看破了一般做兒子的心理，所以她雖然違反了古禮，沒有一個母親的兒子出來反對，而這個制度一直行到現在。在素來重視喪禮的中國社會上，這麼一革，即給人們一個「父母平等」的暗示，而逐漸顯得男女不得不平等了。她更把歷史上偉大的母親大大表揚。於是在顯慶元年及上元二年兩次舉行極愼重的祀先蠶典禮。武后作了主祭者，百官居陪祭。她又召集了文學之士——如劉思茂、范履冰、衛敬業等，撰「列女傳」二十卷，「古今內範」一百卷。這些都是提高女性地位的文教施措。

開耀元年，（公元六八一年）爲了廢立太子，高宗染病，遂由她主持了一個「宴百官及命婦於麟德殿」的大會。我們今天雖然不曉得當時男女一起開會的情形如何但婦女參加了政治性的宴會，總算是創舉吧！武后又在顯慶五年代高宗「決百司奏事」；上元元年，又與高宗並稱「天皇天后」，內外均稱爲二聖。

（卅二）

抗戰時期雜憶
兩小夜探鬼屋記
紫茵

那是初秋的夜裏，我們知道了二叔不在家，弟弟和我便躡脚往外花廳跑。弟弟怕我胆子小，還特別交給我一把手電筒，但堅囑我：非到萬不得已，不要照。

頭兩天，我們都沒有看到什麼，直到第三天，不可思議的事發生了。

那夜，月影隱約，夜色朦朧。不知是秋夜初涼，還是我有點胆怯，我們在大金魚缸後面躲着，我的兩腿不停地在打着寒顫，連呼吸都不敢太重。一會兒，弟弟拉拉我的衣角，我注意聽着：像是依呀一聲，對囉，那是花廳外的後門，平日也是鎖着的，難道女鬼竟從後門來了？不對，有好多沉重的脚步聲，像在搬運東西。我鼓起勇氣，伸長脖子，咬咆，我差點叫出聲音來！那帶路開書房門的，不正是二叔嗎？那一包一包，一箱一箱，準是一些囤積的貨。對啦，這幾天報紙上不是在說，有許多奸商，利慾燻心，囤積居奇，乘機抬高物價，政府正在嚴密搜查中？難道二叔，他不知道這是犯法嗎？正在胡思亂想時，二叔已點好貨物，鎖好房門，和那些搬夫，一起從後門走了。

我們從金魚缸後面爬出來，弟弟吸了一口長氣，憤憤地說：「女鬼？才不是女鬼呢！這是一羣吸取民脂民膏的吸血鬼！」

第二天，我們把這些事告訴媽媽，媽媽很是吃驚。當天晚上，她就開門見山地勸告二叔；二叔起初不承認，只是說那是朋友寄存的。後來，看到我們這兩個人小鬼大的傢伙，倒有點莫測高深的恐懼着，只好忍痛把貨物照時價讓給他的商人朋友。但二嬸却為了這，整天對我們瞪眼。

半個月之後，我和弟弟正在新書房讀書，忽然從後門來了一批檢查人員，要搜查書房。據說密報，二叔曾經囤積了許多陰丹士林布和麵粉、棉紗、肥皂等東西。但搜查結果，證明密報不實。

二叔在客廳上暴跳如雷的說：「那個奸商含血噴人，誰不知我家奉公守法，世代清白」。

檢查員作揖陪笑而去。我和弟弟心照不宣，相視而笑。

從那一天起，二嬸再也不對我們翻白眼了！（下）

海嶠叢談
袁世凱岑春萱交惡始末（下）
諸葛文侯

岑由日本回至香港後，梁啟超已應陸榮廷邀約，到了桂林，廣西獨立已無問題，唯廣東龍濟光仍忠於袁皇帝，岑對龍的策反工作，幷不順利，直到護國軍第二軍李烈鈞部進入粵境，龍濟光纔作假獨立表示，藉以緩兵。這時當年受袁世凱教唆，在上海印製岑春萱與康梁合攝相片的上海道蔡乃煌，正在廣州作粵省禁烟督辦，岑認為這是大好的報怨機會，即通知龍氏，囑將袁皇帝派在廣州監視「龍郡王」——（袁封龍的爵位）的特務蔡某，先行置之大辟，方足以取信於護國軍，龍迫不得已，祇好將蔡乃煌槍斃，使岑三對政敵袁世凱的積怨稍加發洩，但仍不願意真正與袁皇帝脫離關係，致有「海珠會議」之變，梁啟超的代表湯覺頓死焉。

於是，護國軍李烈鈞部進攻韶關，桂軍襲取梧州，粵省各地方民軍蠭起，龍濟光勢窮力蹙，乃通電宣言獨立，讓討袁軍在肇慶設置「軍務院」，作為發號施令的最高機關，公推唐繼堯為軍務院撫軍長，岑春萱為都司令，代行撫軍長職權，構成「軍政府」體制以與北京袁朝對抗，岑三若干年來所受袁氏的惡氣，得到儘量報復的機會了，政治怨毒之於人，甚矣哉！

岑三就任都司令的宣言，亦別開生面，文字語氣皆肖其人的性格，必係出自岑氏親譔，非秘書所能代庖也。試節錄兩段如次，以見一斑：「春萱何才？都司令何職？吾兩粵都督諸將領，才皆百於春萱，乃以若是非所堪之職相委授耶？且春萱既不才，非所堪矣。辭耶？彼都司令者，非權利職，亦非永遠職，當其遠賊，吾徒居其名；當其近賊，吾且不能不死。然則都司令者，文言之，則名職，質言之，則死職耳。與賊決死，春萱之志則然。諸公責我以志，吾何敢辭？今就矣，願與諸公有言：……春萱癸丑之敗，敗於不量力而招天下之非議，今茲之役，天下人幸無非議我，且惟督責我者。雖然，春萱不敢必此役之必勝，然而必有以答天下之督責，不負兩廣人之委託者，惟有兩言：袁世凱生，我必死；袁世凱死，我則生耳……天下皆號春萱為鹵莽尚氣之人，春萱誠有此短，然自問亦有願聞過而不憚改之長。交春萱久者，必知此言之非偽……願諸公之匡我逮我，勿遽以其一節之短，遂斷其一無可教，則諸公之惠我厚矣！」

綜觀岑氏與慶親王奕劻與袁世凱結怨的情形，用意皆非為私。岑恃庚子護駕之功，深得慈禧太后信任，直道而行，敢於搞奸發伏，不惜冒犯炙手可熱的權貴，無所顧忌，而其本身在政治上亦少劣跡，論做人的道理有足多者；然於做官之道，殊非所宜，此其所以終敗於政敵之手也。入民國後，他竟甘受袁氏驅策，以致自取其辱，可見其不甘寂寞的熱中功名心理，垂老猶盛，殊為賢者所不取。最後領導護國討袁之役，亦碌碌無所表現，其才其行，不過視一般官僚畧為廉正而已。（完）

「魏延案」之我見
河漢

所以他們必需結成小組，利用諸葛亮對他們的信任，利用他們在大本營的地位，來壓抑與排斥魏延，不給予魏延在戰場上表現的機會，更不給予魏延進入大本營的機會，諸葛亮活着的時候如此，諸葛亮死了更必然如此。諸葛亮的遺囑指定掩護撤退，主要在防範魏延取代他的職務，之後大權在手，對司馬懿進行敗多成少的冒險；其次便在阻止舊勢力捲土重來，摧殘他一手培養的新勢力。至於由此一遺囑提前觸發新舊兩系的火併，以致把蜀漢攪得幾乎天翻地覆；當然是完全出於諸葛亮意料以外的事了。

楊儀姜維對於拒絕魏延進入大本營一點執行得非常澈底，他們必需絕對地排斥魏延，纔能確切掌握武裝部隊。他們倒不是真心反對魏延繼續北伐的主張，而是防止由於繼續北伐而引致的領導權的轉移。他們也不是真心執行諸葛亮終止北伐行動的遺囑，而是為了只有暫時執行遺囑，纔能達到拒絕魏延控制大本營的目的。姜維以後的違背了諸葛亮的遺囑，不自量力地浪費國力不斷北伐，提前了蜀漢亡國的時間，就可以證明。

魏延的輕舉妄動使到兩大勢力作了一次血腥的清算，舊勢力不是被逐出，便是向新勢力投降。由於舊勢力的完全消滅，新勢力的完全控制了局面，姜維纔敢肆無忌憚地承襲諸葛亮的作風，在軍事上獨斷獨行。魏延如果在，他們在互相監視，抵制，約束之下，或許可以讓蜀漢多一些時期休養生息，多一些時期延續生命。因此魏延的被殺害，是蜀漢的自敲喪鐘。（五完）

彭城憶語
◁楓仁▷

重陽前後，沿途松蔭下，時常坐滿執壺對飲的「狂人」。賣油炸蝦，肥鹵雞的小販，也到處在林間穿梭。各種各樣的飛鳥，都齊集在山林裏，處處展出自己清脆的歌喉，一片嘹亮的喧鬧，使你羨慕，祇有鳥兒才懂得「酒不醉人人自醉」的樂趣。登臨放鶴亭，彭城已收在眼底，九里山、子房山，亦如近在眼前。一處處的田疇，一座座的村落，碧綠的，令人對祖國錦繡的山河，火紅的，黃金的，說不盡的心底的愛意。夕陽落山了，城垣裏嫋起縷縷炊烟，都如罩上一層層藍色薄紗的壁畫。遠的山、近的樹，而俯望腳下櫛比鱗立的樓宇，也像生長在透明的海水中的珊瑚叢。忽而記起國文選材中蘇軾的「熙寧十年秋，彭城大水」句，又宛然如見千萬呼號求救的災黎，掙扎於洪浪滔天中；我曾默默祈求：願上蒼格外垂憐，別再把災難降落給祖國的大地。誰知現在，這人為洪流，氾濫整個大陸；無辜百姓，又忍着比水猶深的痛苦，這豈止是當年彭城一郡的水患而已呢！想念及此，我不禁向冪冪的雲天呼喚：「故鄉啊！祖國啊！且忍一時的煎熬罷！看！我意志的燈塔，已打出歸航的訊號；我生命之舟，也即將加入那復仇的船團。不久的將來，我便將高奏凱歌，還我故鄉了」（三完）

迭更斯的故居
吳文蔚

「採菊東籬下，悠然見南山」。

我們這位恬淡詩人，曾任彭澤令不為五斗米而折腰求去的陶淵明先生，凡是讀過他詩的人，腦海裏總映現着一個白髮素服策杖漫步於大自然的景物之間，現出怡然自得的神情的這麼一個超然世外的老翁的。可是如果有人要問一句現在陶潛的故居是怎麼的情形？恐怕就很少有人答出一個究竟來！別說是陶潛的故居，即以他曾任過彭澤令的衙署來談，無論是站在那個角度去講，都應該把這一個具有歷史價值的古跡文物保持得好好的，以供好求訪古者的人士憑弔；然而事實却不如此。如果你到了江西的彭澤縣城，想尋訪一下陶彭澤的令署遺跡所在，保管使你大失所望，搖頭歎息不置呢！

筆者於抗戰勝利的第二年，有一個機會到了彭澤，在等候赴京的小輪船之暇，同友人特地專訪了一次陶彭澤的令署遺跡。陪我們前去參觀的是當地縣府的一位官員。彭澤縣的街面本來就不大，走了沒幾步，就到了滿植農作的田野，在縣城的西南角——實際上是縱橫交連的田疇——有一塊破敗的屋基，屋基旁像是倒塌了已有三分之二的土亭台，裏面荒草一堆，草叢長的高與人齊；那位官員就指着那個長滿了荒草處的塌亭屋基說：那就是陶淵明先生任彭澤令時的衙署，我們看了，友人望我笑了一笑，我們遂又漫趟趟地拖着無力的雙腳走了回去。

英國人的崇古精神其情形可就大不然了！在英國隨處都可以看到英雄、文人、名士、學者的故鄉古宅和古宅裏保留着的這些人物生前的一切遺物，即令是一張便箋，一張桌椅，甚至一件衣帽及手杖之類，都依然保留得好好的，以供遊人憑弔。至於這些故居宅子，無論是有無專人看管，或是有人住與無人住，大門口都標着一塊牌子，書明時代年月，是某人的遺址故居，好讓那些慕古崇賢的人，有個低迴景仰的去處。這對於固有古典文化的保留啟發後人的學術意識之作用，其意義是相當的深長的啊！

迭更斯的故居就是一個最具代表性的範例。

迭更斯的故居遺宅，是在倫敦市的西區熱鬧地方，這房子裏陳列着他生前的許多東西，有他的手杖，他的頭髮，他用過的書桌，他幼時讀書屋子裏的窗戶、他心愛的一朵玫瑰花，他的文房用具，他讀過的書，和他的著作；最耐人尋味的是他從這房子裏寄出的兩封信件，也都收買回來陳列着。

據說那朵玫瑰花是他死了時從他身上取下來的，那個小窗戶是他幼年在樓頂上讀書的屋子上的，那張小書桌是遊美洲時帶去用過的——死時贈給他的二女兒，現在上面罩着紫色鵝絨桌毯，看起來倒還很堂皇的。那兩封從這宅子裏寄出去的信，是用高價收買回來的。其實這房子裏陳列的所有遺物，有的是原來留着的；有的是人捐贈的；有的是負責管理的人向各處搜購來的，管理的人，印的有說明指南和門票，來遊的人，他會帶着你一物一物的指給你看，並說明它的情形，而且不厭煩的給你詳細解釋。

屋子的下層是「丁來谷」廚房，是道地的老英格蘭式，布置得很整齊。廚房的桌子上，擺着很多帶釉的陶器，陶器上畫着很多迭更斯的人物。「丁來谷」是比克維克一行人下鄉時住過的地方，這廚房是這樣的多釆多姿，看了的人，每每都會發出驚奇的微笑！

滿房子的牆上都是畫，這些畫都是活生生的寫生實錄；畫的是迭更斯小說中的各型各色人物，大大小小，男男女女，走路的，坐車的，牽馬的，談故事的，觀戲劇的，吃東西的，趕集會的，遊風景的，做小生意的，人間掌故，社會百態，琳瑯滿目，好不熱鬧。這些人物，雖然畫的只是類型，突梯滑稽，看着不禁使人有一種奇幻荒唐之感，然而却都有一種隱隱的潛美存在，令看過的人，會發現它裏面涵的有真味，有人味，有情味，在人的印象裏早添了滿盈盈的春氣，因之它會讓人這麼感嘆讚美！

（上）

內銷警台報字第〇三一一號內銷證

自由報

THE FREE NEWS

第七〇八期

中華民國僑務委員會頒發
台教新字第三二三號登記證
中華郵政台字第一二八二號執照
登記爲第一類新聞紙類
（半週刊每星期三、六出版）
每份港幣壹角
台灣零售價新台幣貳元
社長：雷嘯岑
督印人：黃行奮
社址：香港銅鑼灣高士威道二十號四樓
20, CAUSEWAY RD 3RD FL.
HONG KONG
TEL. 771726　電報掛號：7191
承印者：大同印務公司
地址：香港北角和富道九六號
台灣分社
台北市西寧南路壹壹零號二樓
電話：三〇三四六
台郵撥儲金戶九二五二

變吧，大英帝國！

·彭樹楷·

筆者在一九六五年八月「新天地」月刊，會以「大英帝國的沒落」爲題，就研讀英國小說作家E.M. Forster著的「英國的國民性」，又回憶二次大戰期間我在印度和英軍共事的感觸，寫了一篇短文，引用 Forster 所說「英國人天性冷酷，海樣的神秘，沒有機智，沒有笑，也沒有諷刺；鬍子刮得乾乾淨淨的只顧自我欣賞，卻漠視其餘的人類。……」這段英國人解剖英國國民性文字後，便在那篇拙文中最後一段提出：「變吧，英國！時代在激烈的變得好、較好、更好；英國民族也該跟着變得和以前不同才是！在宗教上，你們沒有產生一系列的先知，在思想哲理方面亦然。但，你們是優秀的民族，你們的聖哲不是沒有；只是不被重視和珍惜，因此，才讓……這是保守的英國的國恥！爲什麼你們不能變得智慧些，仁慈些，勇敢些呢？」

最近讀到「自由報」一八〇三期的「今日與明日」專欄——何如先生指述「英官員在港的怪論」，禁不住要把我兩三年前彈過的舊調重彈一番。我是以世界公民和地球人類一份子的立場，加上二次大戰與英國人併肩作戰的舊誼，面對日益沒落的大英帝國這個「亦敵亦友」「可敵可友」者，提出我個人的呼籲。因爲，我實在不忍心眼看「自己埋葬自己」而又「自鳴得意」的英國，眞的如英國作家 Forster 在他的「英國的國民性」一結論所言：「我總覺得英國的民族性病疾應該是癌症和肺癆——緩慢的進行，不知不覺的加重……」

我在印度時，親眼看到最瞧不起印度人、卻又少不了印度人的是英國；看不起中國遠征軍、卻又靠着中國遠征軍解圍擊敗日軍的是英國；我在台灣，從新聞電訊得悉看不起香港華人、卻又少不了香港這個殖民地的是英國；最痛恨毛共，卻又最能「容忍」毛共所加予英國種種污辱的亦是英國。英國，這個絕對自私的國家，沒有人類責任感，沒有歷史正義感，沒有世界性的胸襟和度量，更沒有一點人情味！

正如 Forster 所述：「德國人被認爲野蠻，西班牙人被認爲殘忍，美國人被認爲膚淺；但我們（按：指英國）卻是奸詐的英國，一個僞善之島，一個一手拿着聖經，一手握着槍械，兩邊口袋裝着從旁人身上搾取而來的財政權益的民族。……」

站在外國人立場，我無意批評英國——特別是最易觸發情感的民族問題之論評，但作爲一個「英國的國民性」讀者，有權表示他的「讀後感」；作爲一個中華民國的公民，更有責任記住他的民族遭遇。自從鴉片戰爭之役以至今日，我們中華民族對大英帝國「印象」最深。舊賬不提，單講二十年來的近事：搶先承認毛共僞政權、並勸說別人也跟着走的是英國（英前外相華克便是建議美國撤回對毛共進入聯合國的反對「最熱心」的人物之一）；誘使美國迫我放棄金馬的是英國；鼓勵美國出兵越南卻又壓迫美國停炸北越、並以威爾遜爲「不列顛聯邦和平代表」、力圖結束越戰的是英國（因爲越共南侵是毛共全力支持的共黨拓展侵略戰，我國是反共最早也最澈底的國家，所以越戰有列入計算的充足理由）；拖着美國限制我國反攻以及勸阻美國緩炸毛共核子工業的也是英國；外交人員在北平使館被毆辱到極點，而公開宣佈：「無意改變與中共的現關係」者，更是只有英國才有這麼大的「氣度」！英國聯邦事務部次官石賓德和工黨籍下議院議員鄧禮博在香港的怪論，只是英國民族性的又一表現，是「親痛仇快」的一貫作法，不足爲奇，但深爲可惜而已。因爲大英帝國直到今天依舊一點沒變——既沒有變得較好些，也沒有變得更壞些——力量不夠啊！如果今日的英國仍有當年大英帝國時代的國力，他決不會比最具野心及私心的強權主義更好些。

變吧，英國！我個人當年的「戰時盟友」們，發揚你們先祖們對世界事務的影響力；你們也是我們最崇敬的邱吉爾（剛辭世不久）他的某些能力仍有時代價值，但他的「瓜分中國」言論已不符合時代環境了！

變吧，英國！我的「戰時盟友」們，發揚你們當年在印緬戰場上的勇敢精神——打不過，就乾脆投降作一個勇敢的俘虜，接受你們老哲人羅素「寧赤不死」的意旨，甘脆聽命蘇俄、臣服毛共；否則，就該勇敢的面對現實，接受挑戰，使自己活得能夠昂頭挺胸！

變吧，英國！我的「戰時盟友」們，這個世界並不怎麼美滿，但每一個人的人生價值卻值得珍惜！現在不再是「把自己幸福建築在他人痛苦上」的時代了，愛自己也愛別人，讓英國在這愛的世界貢獻大智、大仁、大勇的能力，每個國家都有着他的國家性的過失，但在科技激進、智識普及的現代，世界已不能再容許犯有國家性過失了！變吧，英國！快從好的方面變，世界在等待着你們啊！（完）

自由談

國際的猴戲班

創建「聯合國」的作用，是要維護世界和平，消弭戰禍，這在聯合國憲章上寫得明明白白的。

可是，自從聯合國成立迄今，世界各地區——除卻英美俄法本土之內——始終動亂不安，戰禍頻作，聯合國不特沒有發揮過維護和平的能力，而且治絲益棼，使許多妨碍和平的問題弄得更複雜了！

聯合國搞成目前這種大而無當、專說廢話的現象，癥結就在英美俄法這幾個擁有「否決權」的國家自私自利，不講公道是非。十年來世界各地區發生的爭端戰亂，指不勝屈，亦經過聯合國的辯論處理，卻沒有一項是眞正解決了的，原因是一切爭端皆與英美俄法具有直接間接的利害關係。當年聯大會議能夠通過討伐中韓共軍侵略南韓的建議案，如果不是蘇俄恰在宣告退出聯合國的時候，行嗎？迨史達林感到失策，教俄共代表靦顏自動回到聯合國之後，聯大會議又成了鬧劇場所，遇事瞎扯胡纏，對世界和平非徒無益，而又害之矣！

現時聯合國的會員數目，名義上有一百幾十個國家，實際有如猴戲班，任由四個擁有「否決權」的太上會員國，擺佈玩弄，七嘴八舌，說上幾個月的廢話以後，按照四個猴戲班主持者的意思，作一些毋補事實的所謂「決議」，就算功德圓滿了。

最可哂而又可惱的鬧劇，即是漠視同樣具有否決權的聯合國創建者中華民國的地位，每次大會時，居然對於中國代表權問題，嘵嘵譁咋，辯論不休，而藉「中國代表權」作爲討好中共僞政權的禮品，卻不問中國絕大多數人民的意嚮爲何如，這不是胡鬧嗎？咱們政府亦就不作嚴正的聲明，任由那些猴戲班主從中作祟，播弄是非，但斤斤於爭取聯大會議代表的同情票，是亦不可以已乎？

強權世界只是認識實力，西德幷非聯合國的會員，但英美法俄對西德卻另眼看待，不敢隨便輕侮。中華民國如其長此偏促台灣一隅，即令在聯合國仍然保持着中國代表權，然每屆年會皆由那蛇鼠一窩的聯大代表們，評頭品足，說短道長，也就是一種國恥！千言萬語，復國第一，反攻至上，纔是雪恥之道。

共產世界

各走極端

「你吃得消我吃不消」

今日與明日

毛共的孤立

最近一個月來，毛共在國際上就失掉了兩個夥伴，一個是印尼，已徹底絕交，一個是緬甸，已撤回全體技術特務，也等於絕交；雖然這兩國絕交經過，皆非一朝一夕之事，可是要說是由於「毛澤東思想」所造成，諒不爲過份。

印尼敢於同毛共決裂，世人尚不感到希奇，因爲印尼畢竟是大國，與中國疆界又不接連，毛共無論如何窮兇極惡，對印尼尚無可奈何。緬甸就不同了，緬甸小國寡民，在世界上沒有盟國（此點爲緬甸特色，世界上除緬甸外，沒有任何一個國家不隸屬任何集團的，如印度屬英聯邦，柬、寮屬法國邦聯，甚至毛僞政權，在名義上尚與蘇俄訂有盟約），與中國大陸不但接壤，而且還有許多未劃清楚的地區（緬、毛雖訂有劃界條約、但並未眞執行），毛共如想加兵緬甸，隨時可以找出藉口，而緬甸決無還手之力，亦無處呼援。在這種情形下，緬甸竟然敢如此對待毛共，其故安在？實在是緬甸當局看穿了毛僞政權已成風中之燭，滅亡就在旦夕，不必畏懼也。

得道多助

反過來再看我們，實在是得道多助。印尼雖未復交，但彼此交往已等於友邦，此次在台北慶祝國慶，印尼僑領慷慨致辭，其言論已毫無顧忌，一如非律賓，泰國僑胞，可知印尼政府對眞正華僑，已不再迫害，否則他們未必回國參加國慶，即使能回國亦只有悄悄來去，不敢如此明目張膽爲天下先也。

又如新同毛共對打「大使館」的索馬利，原是東非一個相當野蠻的國家，毛共嗾使紅衛兵遍打在平「大使館」，獨獨未敢眞打索馬利，因爲索馬利政府明白說出，如果毛共打了索馬利外交人員，則毛共在索馬利的幹部只有藏到地洞裏，意思是說地面上沒有他容身之地。毛共向來吃硬不吃軟，經此一嚇，果然未敢動手，只對罵了一陣了事。

索馬利與毛僞政權尚未絕交，但外交部長竟至台北訪問，在外交禮節上，此爲極不尋常的事，預料毛共可能又向索馬利提出嚴重抗議，但可以預料其必無結果。我國在東非向無立足點，若能乘此時機與索馬利建交，對開展東非外交將大有裨益，願外交當局好自爲之。

葉門政變

葉門共和國政府的薩拉爾總統已被推翻，由軍人另組新政府。葉門本是一個王國，故王昏庸殘暴，舉世無匹，又復保守頑固，仍用十八世紀的統治手法治理國政，人民久已懷恨在心，受過外國軍事訓練的軍人尤其不滿，於是乘故王死後，新王巴台爾墨剛嗣位，地位未穩，一舉發動政變，改建共和國政府，這本是大快人心之舉。不意新政權成立後，一味靠左，與埃及結盟不算，又親近毛共與蘇俄，巴台爾王死裏逃生，至山區重組王國政府，與共和政府展開激戰；共和政府不敵求援埃及，納薩派了五萬遠征軍在葉門巳經打了五年，毒氣戰術都用上，仍然無效。戰事愈延長，人們對薩拉爾政府懷恨愈深，尤其是他走親共路綫，扶外寇以屠殺本國人民，此次薩拉爾本擬赴蘇俄慶祝十月革命五十周年，剛到巴格達便被推翻，與加納的恩克魯瑪如出一轍。葉門也許要太平了。（何如）

從立法院質詢 看內政有關設施

。本報記者張健生。

關於內政方面的問題，立法委員亦有多采多姿的質詢。如台北市改為院轄市，未將三重市和永和鎮劃歸台北市，而將不重要地區之景美、內湖、木柵鄉等，劃給台北市，這是什麼原因呢？立法委員汪寶瑄於質詢中一語道破其內幕；有官商勾結發土地財。

官商勾結圖暴利

汪委員說：「台北市改制後的地區擴充，極其不合理想，尤其促成某些地區的地價暴漲，可能在昨天原來為二百元一坪的地價，在改制後要買二千元一坪。例如景美、內湖、木柵等地區，假如有人在荒涼地區曾事先購買十萬坪或二十萬坪土地，當可獲暴利，所以外傳此中曾有官商勾結之嫌疑。台北市改制小組召集人田炯錦先生曾在電視中答覆記者說：台北市改制擴區計劃，取小而不取大，是因財力有限。我以研究市政者的立場，認為這是不懂市政的外行話。任何市政改革，不改則已，改則應為百年大計打算，如果完全根據財力來劃分市區，台北市今後將會永遠不斷的劃分下去，可能在百年以後，整個台灣地區都要變成台北市了」。

這位巴黎大學市政學院研究員的委員說：「有人說如將三重、永和兩鎮精華地區劃給台北市，恐將引起台北縣的地方人士反對。此種理由不實在講不通。殊不知國家領土，為了行政的方便，政府有權劃分，如說有人將提出反對的意見，這是不可避免的。台北市改制之初，不是也有人提出異議嗎？其真正的原因，就是三重、永和的土地已發展到飽和點，不如內湖等地區之荒僻，可利用發大財。所以這種現象，要比任何貪污，甚至比黃豆案還嚴重得多，不知行政院負責方面是否注意此一問題」。

疆域圖審定錯誤

立委盧宗濂質詢內政時說：「最近在書店裏發現中華民國分省疆域圖，是經過內政部審定的，竟有一個重大的錯誤，使我至感驚訝！這個圖上是有關興安省的七個縣和十一個盟旗，它的說明上也是如此記載錯誤。我是興安省產生的立法委員，了解當地實際情形，我要對這個公布已有二十餘年的地圖所發生的錯誤，予以嚴正的糾正，以免將來在教學上繼續錯誤下去。興安省原有七縣是對的。但後來偽滿為了統治的便利，改為十一個旗。抗戰勝利後，重訂東北九省疆域，興安省的縣恢復了，旗就不應該存在，因為旗是縣改的。此事有關國家與圖和政權，故特別提出，希望政府積極予以改正」。

盧委員並進一步指出：「五十四年中華民國年鑑，其中有東北各省，『係就敵偽劃省區，以兩省併為一省，嫩江省除外，共劃分遼寧等九省』。我看後，更為痛心！因為劃分東北各省地區，不依據名正言順的國民政府地方組織去劃分，而偏就敵偽劃分之省區來劃分，實屬政府之最大遺憾！如果不積極挽回過去的忽畧和錯誤，而迅即改正過來，則將更貽未來無窮之羞。希望嚴院長特別注意，積極辦理」。

待遇制度四不像

關於「所答所問」的問題：立委艾時於「為軍公教人員待遇問題，第三次向行政院提出質詢」時說：「今年四月十四日、二十八日，為這個問題向行政院提出質詢，行政院及行政院主計處也均有答覆，但所答既不合理又不合事實，且均答非所問，茲特再行提出」。

他說：我國軍公教人員有關待遇之制度，有「公務人員俸給法」，該法公務人員俸給表，以銀元為單位；「立法委員監察委員歲費支給暫行條例」，該條例第一、二條規定立監委員之歲公費折支標準，折合金圓發給；「總統副總統及特任人員月俸公費支給暫行條例」第四條規定，月俸公費，按折支標準折合金圓支給。但其內容已不切實際。而此幣制一再更迭，在此十餘年中，行政院既未確訂軍公教人員待遇制度，又未明令廢止有關各法條，豈非法治國家之諷刺乎？

艾委員又說：「軍公教人員現行待遇，似俸給供給混合制，而事實上又有明暗之別，並據行政院答覆說：「並圖逐漸建立以按工作價值給予報酬之原則，統籌予以調整」。行政院既擬「按工作價值給予報酬」，則化暗為明，豈不名正言順？乃不此之圖，而竟將類似個人待遇之支費，列入國家業務費項下，使屬員非造假報銷，不能符合業務費之計算，如此，豈非政府促使下屬軍公教人員觸犯法網乎？主官或外人有所指責，只有以事出有因，查無實據，不了了之。夫科員政治之起源，固多因素，而待遇非薄，且無合理之待遇制度，實為其主要因素之一。吾人不欲整飭官常，使國家立於法治之林則已，如須以法制為立國之本，是軍公教人員待遇之應積極確定公平合理之制度無疑，不知行政院長有此決心否？」

按：行政院長同意艾委員之質詢，並說：「這就是現在的缺點」。但「今後希望能夠走向俸給制」。

報禁政策之檢討

對於新聞紙類之管制政策與開放登記的問題，立委彭爾康曾提出質詢，他說：「新聞紙類之管制維持現狀與不開放登記之實施，已將近二十年之久。此項政策，實施之始，自有其不得已之原因；而在收得一方面之效果，在另一方面之後果，則造成若干不良後果，此為人所共知之事實。近年來人口之增加，政治之發展，文化之進步，以及新聞教育事業之發達，均非二十年以前情形所可同日而語。故今日對於新聞紙類之管制政策，根據當前情形，實有改弦更張之必要。舉例言之，多年以前，政府對於金融機構之管制，極為嚴格，整個台灣僅有少數幾家公營事業之銀行，逐漸設立，不但民營銀行，外國銀行亦先後在台灣設有分支機構；又如台北市政府，以往隸屬台灣省，九此種種，均為環境改變，適應事實需要，改變政策之重要，新聞事業亦處於新策方面改變辦法。一情形如此已久的新聞紙類管制與不開放登記政策，仍一成不變，實不足以配合當前需要。他根據此一理由，對新聞紙類管制與不開放登記政策，提出下列幾項質詢：

「一、適應當前之需要，行政院對於現行之新聞紙類管制與不開放登記政策，是否考慮改變？

「二、如果願意考慮改變行之已久之新聞紙類管制與不開放新聞紙類登記政策，對於新聞紙類登記開放或採取逐步開放政策？以適應目前之急切需要。

「三、如果仍然維持現行政策？其所持理由為何？」

按：此項質詢，行政院將以書面答覆。

醫事規則的質詢

有關醫事檢驗師及醫事檢驗生的問題，自內政部於五十年七月公佈「醫事檢驗人員管理規則」後，規定醫事檢驗人員須經考試及格或檢覈及格，始得執行業務，由於此項規定對未取得考試及格證書之現行從業人員，而不得繼續執行從業人員之生活，而無法任者又沒有，故立法委員徐中齊於今年七月二十五日質詢。但行政院收到徐委員質詢案，未在法定之十日期內答覆，徐委員於九月二十五日及十月三日分別提出書面與口頭質詢，提出因內政部長徐慶鐘「答非所問」，於是徐委員復又在同月二十四日第三次提出質詢，抨擊「徐部長的答覆」，而不對所指各項事實的核心，不但未觸及，反而抹煞」，「這種答非所詢」的答覆」，徐委員表示「不滿意」。

徐委員所質詢的核心問題為：

「一、從前的學校沒有醫學檢驗科系，任由學生選修，英、美、日等醫學先進國家，亦是近年才開始在各校增設此科系。台大醫學院至目前為止，醫學檢驗科畢業生不過幾十人而已，且多數出國深造，少數留校，其他醫專還沒有畢業生呢！過去既無醫學檢驗科系之設，則檢驗師（生）資格又憑什麼學歷來取得考試及格呢？不能為保障少數人而使經驗和常識豐富的多數現行執業者失業。

二、台灣各公私醫療機構於日據時代，便有檢驗人員的設置，既無不合法也無人取締，這些檢驗人員，現仍在各公立醫療機關任荐派或委派之檢驗主管及技術員，而在私人醫療機構工作者更多，他們的臨床經驗與檢驗常識，以及技術，其準確性，並不下於台大畢業生。

三、台灣各種傳染性病之防疫工作，如霍亂、白喉、小兒痲痺、梅毒、性病、瘧疾等，都是由那些所謂「不合資格」者，專司其職，過去的辛勤，以及維護國民健康的勞績，結果，反而落得沒有合法的資格嗎？此非與憲法保障人民工作權的規定背道而馳嗎？

四、最使人迷惘者，公立醫療機構之檢驗官員和私人醫療機構之檢驗人員，同樣的非醫學檢驗科系畢業，同樣的不合「規則」所定資格，可是前者却有資格去鑑定各法醫師的醫療設備，而後者竟無資格執業，如此規定，豈非笑話？

封鎖新聞請記者

關於大同機械公司侵佔海軍總部物資一案，自從已故立委李郁才於立法院提出質詢案後，致引起監察委員陶百川的注意，因而在去年監察院總檢討會中提出檢討，並經院會決定交由監察院司法委員會調查。由於該案尚在司法審判中，所以監察院之調查工作，暫時停頓，待法審審判終結，再行處理。故外界盛傳，海總於四十三年向台北地方法院提起訴訟，迄今將近十四年了，何以如此，尚在法院審判中，因為某些「司法黃牛」，曾撈了一筆數十萬元，此說雖事出有因，查無實據。

不過，自陶委員於監院提出檢討後，大同公司老闆林挺生父子為了「封鎖新聞」一則是事實，並曾由某報的「採訪主任」及「顧問」出面，宴請台北各報採訪立監兩院新聞記者。最近一次，是十月二十六日中午，由大同公司宣傳主任倫偉良具柬邀請全體國會記者假國賓大飯店二樓「四春園」午餐，結果，僅有華僑社記者等數人參加宴會，其他三十餘人均未「光臨」。何故？（上）

中美教育基金會 頒獎華僑優秀生

也有一部份受獎僑人，[illegible]

……打扮娜，勝入……

卡的浪費，而想到如果加以節省，很可移作有意義的用途。因此決議辦理「集體賀卡」。[illegible]

灣獎助五十名大專新生，每人五十元，中央日報社會服務組慨允代辦一切獎學金手續。同年五月八日正式成立「中美教育基金會」，並擴大徵求會員。一九六五和六六年，又連辦了兩次集體賀卡，但以此一方式籌募基金，事倍功半，自今年起決改用其他方式。[illegible]

捐得五百元，指定台灣神學院學生，[illegible]……「養鴨人家」、「國聯的」、「婉君表妹」、「狀元及第」……「新女兵」……之外，發行全部收入充作獎學金，也是一個值得報道的好消息。（下、完）

惡夢十七年

——馬思聰的故事

趙浩生

關於她如何冒險回北京與父親見面，安排逃走計劃，接洽偷渡路綫的經過，是一個驚險動人的故事，她將在回憶錄中作詳盡的敘述。她曾把已經完成的中文原稿給我看，第一章的標題是「逃亡前後」，看到其中記述她如何突破「紅衛兵」的層層包圍和父親見面的故事，使我感動不已。

我問她：「妳怎麼會有這麼大的胆量？」

她說：「為爸爸，我根本想不到自己。」

坐在旁邊的馬先生聽了，看着他的愛女以無限驕傲的聲音說：「她是我們全家的胆子。」

看他們父女的表情，使人深信，共黨所謂「爸親娘親，不如毛主席親」只是狂人的囈語妄想。

第七章　祝福

這五小時的訪問中，我最初是按着年代問，後來又個別的問到某一人物或某一事件。我問的對象不但是馬氏本人，和在一旁托腮傾聽的瑞雪，也包括不斷出入於客廳廚房忙着作家事的馬夫人。十七年，自由世界與中共大陸如人鬼兩隔，我想要知道的事情太多了：政治，人事，生活……甚至北海公園裏的垂柳，我亦願知道它「昔日青青今在否？」

我問馬氏自一九四五年初次見到毛澤東，和以後的印象相比，是否發現有什麼改變？他說毛最初見客時常只穿件襯衫，態度相當隨便。後來就漸漸神化。一九六四年出席「人民代表大會」時，有人攙扶，顯然健康已成問題。

馬夫人和瑞雪一致指出，「文化大革命」後出現的江青，和她們以前所見的江青毫無相似之處，因而北京有很多人傳說，現在拋頭露面的江青，可能不是真江青。

「陰險，冷酷，從無笑臉」，是他們對劉少奇的一致印象。王光美看上去好像比江青的文化高些。王的哥哥王光英，曾與馬氏同任「第一屆人民代表大會」的天津代表，其作風是個標準的資本主義者，在「文化大革命」中被迫「掃地出門」。

我也問到更多文化藝術界的朋友，他們各人的遭遇雖不同，但其悲慘則一。其中唯一或可作喜事報道的，是女高音郎毓秀有了九個孩子。

從文化藝術談到中共的「京戲改革」，他們說，此種「現代戲」給人的印象是四不像，特別是在江青主持下所完成的「紅色娘子軍」「紅燈記」等，更是不倫不類。

但在以純民族形式所寫的歌劇中，倒有不少出色作品。他們特別提出一個以山陝一帶地方戲形式寫成的「紅姐」。此劇不但藝術水準相當高，更使他們驚奇的，是劇中有一個叫徐鵬飛的人物，是國民黨的特務人員，作者竟敢把他寫得很體面，在對話中甚至有「你們共產黨政權最多二十年一定要垮台」的句子。

我也提到這十幾年間所發生的若干大小新聞，問他們在鐵幕後所看到的情形。

中共第一次原子試爆成功之時，全國報紙遍出號外。與大力發展原子武器的口號並行的，是「原子彈並不可怕」的宣傳。後來的中央音樂院副院長趙渢，就曾對學生們說：倘若原子戰爭發生，「掘個幾公尺的地洞就可以躲避。」

中共將打下的一架U2偵察機運到北京展覽時，他們沒去看。但他們早已聽說國軍飛機經常飛往大陸偵察，此一展覽更證明了他們所聽到的傳說確係事實。

甘迺迪總統遇刺的消息傳到北京，「人民日報」刊出一張漫畫，畫着甘氏身死倒地的樣子，標題寫着三個大字「啃泥地」。充份表現中共宣傳人員無一絲人味。

故都的情調已今非昔比。瑞雪說北海與中南海之間的橋被填上了。馬夫人提到北京時，除對他們自己的家不勝懷念外，一再表示不堪其「冷」——寒冷，冷落，冷酷。像這樣一個歷史文化城市，連感情深刻的藝術家們都感到除「冷」以外已一無所有，北京的情調確已不堪想像矣。（十五）

美國都濫立銅像為患

大知

華盛頓數不清的銅像中，騎馬軍人尤其佔多數。杜魯門曾向報界透露說：有一次他跟羅斯福曾決定把這些銅像集中在一個公園裏像軍隊一樣把他們排列起來。甘迺迪未逝世前，曾下令為威爾遜總統造像，這件事現已在進行中。但對於為福蘭克林羅斯福造像的事，仍在爭辯未決。至於老羅斯福的像，不久可望在波托馬克河中的羅斯福島上建立起來。傑弗遜總統的銅像最為著名，因為他是以奪獲的戰利品——業銅大炮鑄成的。議會撥款最鉅的是格蘭特的巨像，當年曾花了二十五萬美元。他那隻座騎——以紐約警馬為模特兒，鑄得比眞馬還要大兩倍半，連同格蘭特身軀共重一萬零六百磅，被譽為世界最佳的鑄像。議會也曾以美金十一萬五千元，為一個不大出名的人鑄像，這就是只當過一任總統的別肯南。為什麼議會這樣慷慨然為他造像呢？原因極簡單，因為別肯南有一個富有的姪女，願意提供十萬美元，而議會實際上只出了一萬元。在華盛頓最不動的人銅像，恐怕要算鮑斯雪柏爾的了。

雪柏爾是一個鉛匠，房地產投機者，政治操縱者。最後他任哥倫比亞區的區長時，竟戀棧不去，終於議會不得不以改變政府組織為手段，把他趕出了辦公處。有人認為原是滿地泥濘的華盛頓，能夠變成那麼美麗，都是雪柏爾的功勞，而雪柏爾自己也預言似的說：「下一代準會知道我為華盛頓做些什麼，而願意為我建一座銅像。」果然，廿五年之後，由于他的照顧而吃胖了的朋友們，便出來替他集資建造了一座銅像，豎立在哥倫比亞區署面前，微笑的面孔，傲視着那些列隊而過的觀光者。

為了防止銅像的濫造，尤朵曾經在議會提議要在華盛頓立像的人，至少要等死了五十年之後，然而這項建議竟不知所終。尤朵想制訂鑄像條例的熱忱並未稍殺。去年，他的專家們又草擬了「首都公園紀念物委員會」的組織法，議會裏也有人支持他。尤朵說：「如果能儘速完成立程序，華盛頓就可以防止再有歷史怪物的出現。」

（下）

三國奇士傳之二

管輅筮術出神入化

周燕謀

管輅至安德令劉長仁家，有鳴雀飛至閣屋上，其聲甚急。輅曰「東北有婦，昨殺夫，牽引西家人，夫離，婁候不過日在虞淵之際。（虞淵，日所入也，即黃昏也。）片刻，果有東北同伍民來告曰：「隣婦手殺其夫，詐言家人與夫有嫌，來殺我壻。」果如輅言。管輅別傳載，劉長仁有辯才，聞輅識鳥音，每與輅見難，文長不引。

管輅至典農王弘（字直許）家，有飄風高三尺許，於庭憧憧回轉，息而復起之再。弘問輅主何吉兆。輅曰：「東方有馬吏至，有父哭子如何？」明日膠東吏到，直子果亡。直問其故。輅曰：「其日乙卯，長子之候也。（錢大昕曰：「卦位卯屬東方震卦，震為長男」。）木落升斗建甲，申破寅死傷之候也。日加午而風發，則馬文候也。離為文章，則吏之候也。申未為虎，虎為大人，則父之候也。有雄雉飛來，登鈴柱頭。」直許大為不安曰：「請君作卦占之好否？」輅為之占曰：「大吉也，到五月必升官矣」。時為三月，到期，直許果遷渤海太守。

館陶令諸葛原，遷新興太守，輅往祖餞之。賓客並會。原自起，取燕卵窠，著之器中，使射覆。（射覆者，密置諸物，令人闇猜也。）輅別傳載：諸葛原字景春，學士也，亦善卜筮，數與管輅共射覆，不能勝輅。故輅與原有榮辱之分也。因輅餞之，大有高譚之客，思有以勝輅。於是輅先射覆曰：「第一物，含氣雖變，依乎宇堂，雄雌以形，翅翼舒張，此燕卵也。第二物，家室倒懸，門戶衆多，藏精育毒，得秋乃化，此蠭窠也。第三物觳觫長足，吐絲成羅，尋網求食，利在昏夜，此蜘蛛也。」觀之，輅所射皆中，舉座騰喜，諸葛原失色。

管輅族兄字孝國，居於斥丘，輅往從之，與二客會。二客去後，輅對孝國曰：「此二人天庭及口耳之間，皆有凶氣，異變俱起，雙魂無宅，流魂於海，骨歸於家，少許時，當同死也。」後數十日，二人飲酒醉，夜共載牛車中，牛驚下道，墜入漳河中，俱溺死。

管輅亦曾出仕。以輅之鄰里，外戶不閉，無有盜賊。清河太守華表召輅為文學掾。然華歆傳載華表無為清河太事。管輅本傳則明載為清河太守。可見陳壽於史未能詳考，錯誤仍多。按華表為華歆之子：歆本傳附云：「子表，咸熙中為尚書。」晉書華表傳云：「表年二十，拜散騎黃門侍郎，累遷侍中。」不言清河太守，當為史失載也。

安平趙孔曜，薦輅於冀州刺史裴徽，辟為文學從事，引與相見，大友善之。徙部鉅鹿，遷治中別駕。正始九年十二月二十八日，吏部尚書何晏請之，鄧颺在座。何晏謂輅曰：「聞君著爻神妙，試為作一卦，知位當至三公否？」又曰：「連夢見青蠅數十頭，來集鼻上，驅之不肯去，有何意故？」管輅曰：「夫飛鴞天下賤鳥，及其在林，食椹則我好音。況輅心非草木，敢不盡忠。昔元凱之弼重華，（元凱，八元八愷，古之賢臣。重華，虞舜之號）宣慈惠和，周公之翼成王，坐而待旦，故能流光六合，萬國咸寧。此乃履道修應，非卜筮之所明也。今君侯位重山岳，勢若雷電，而懷德者鮮，畏威者衆，殆非小心翼翼，多福之仁。（三）

中國女性文藝春秋

周遊

儀鳳三年正月，（公元六七八）她獨自接受百官四夷的朝賀。這充分顯示了女子與男子有同等的政治權力，所以「天下安堵」。這時，她的第二步計劃——抬高女權——又告成功。

武后以一個女性，登上亘古未有的皇帝寶座，一則由於她天賦的才略，二則是由於高宗飯桶，始將大唐江山拱手讓一個女人掌握了幾十年的政權。如果不是李治的草苞，在那時一個女人，任你有登天的本領也是做不到的。若要怪武則天不該稱帝，不如說李治應該廢除。

接着一次又一次的大好時機到她面前。不久高宗死了，她就臨朝稱制。又廢中宗為廬陵王，立睿宗，大殺李唐宗室，凡有才能的而又反對她的，無一倖免。消滅了她做皇帝的阻力，於是，她在公元六九○年，以百姓四夷六萬多人的表請而做了中國歷史上空前絕後的女皇帝。於是她的目的完全達到了。攬政治為目的不擇手段不是武后發明的，是男人發明的，她不過是由嘗試、經驗而創造的。手段毒辣的政治家古今中外比比皆是，何以專斥武后！在此舍她的手段不論，倒不如看看她上台後的所作所為更切中實際，這就是她的理想。

她以一個女性為空前絕後的創舉，她很為女性做了些揚眉吐氣的事，提高女權，中外婦女應該崇拜她這位老祖婆才對呢！下面看她如何幹法。資治通鑑卷二百六「唐紀」則天皇后神功元年紀云：尚乘奉御張易之……年少美姿容，善音律。太平公主薦易之弟昌宗入侍禁中，昌宗復薦易之，兄弟皆得幸於太后。常傅朱粉，衣錦繡……賞賜不可勝紀。武三思奏昌宗乃王子晉後身。太后命昌宗衣羽衣，吹笙，乘木鶴於庭中，文士皆賦詩以美之。太后又多選美少年為奉宸內供俸。

這種作風，顯然是對男性的報復行動。雖然有「矯枉過正」之處，但是在所謂「革命」的人物看來，卻是不可免的事，不僅她一人如此。

如果斥她是「淫婦」，更未免不合邏輯。神功元年，她已是七十四高齡的老祖婆了，任她生理如何特異，她絕不致於需要許多美男子來滿足她的性慾。她之如此，無非是效法男皇帝的採選宮女，當他們作為「宮男」罷了。陰陽顛倒，「牝雞司晨」便是她的傑作。我們如果明白：賢明的男皇帝不去臨幸宮女，不是他的失職，那麼怎見得她選了「宮男」一定要個個得幸？況且歷代皇帝，沒有一個沒有宮女，從不聞有人說每一個男皇帝都是「淫主」！何獨武則天一選「宮男」，便以『淫主』目之？甚至有些無聊文人，如袁枚之徒，專門憑空造出她的淫穢文章，於是衆口一詞，覺得這女人眞是天生淫婦了！

在武則天廢立中宗的一年，她恐怕羣僚掣肘她的行動，首先用特務組織，創造告密制度。當然被特務誣枉的人也難免沒有，但她不如此，又怎能在男性尊嚴的醬缸裏跳出來呢！我們看她慘殺王皇后、淑妃、格殺許多被特務誣枉的人，便覺得她存心太殘。但是要曉得她不如此，和一般女子一樣軟弱，舒舒服服的做一輩子皇后，何必鬧出歷來女子所不敢做的事呢？她一即皇帝位，就自建國號曰「周」，稱金輪皇帝。（卅三）

平劇繽紛錄

談「趙雲戲」

○桂良○

談「趙雲戲」，自「磐河戰」、「借趙雲」、「八門金鎖陣」……「取桂陽」、「到截江奪斗」、「奪斗」，四將軍已經戴上黑三，到了中年了。「奪斗」以後的趙雲可演的戲碼，便是「陽平關」。「陽平關」的趙雲不像「奪斗」裏的四將軍。連唱帶做，却是填補老黃忠「定軍山」餘威之不足。

戲名：「陽平關」，在演義回目中，祇見：「據漢水趙雲寡勝眾」。先是黃忠既在「定軍山」斬了夏侯淵，被封為征西大將軍。聞報曹操領大軍南下與夏侯淵報仇，孔明曰：若得一將深入米倉山燒糧，則曹兵銳氣減矣。黃忠曰：「願當此任」。孔明曰：「你可與子龍同引一枝兵去，凡事計議而行，看誰立功」。行後，雲謂忠曰：「奪糧非小可之事，將軍當用何策？」忠曰：「看我先去」。雲曰：「等我先去」。二人拈鬮，黃忠拈先。雲曰：「將軍先去，如過時不還，我即引軍來接應」。於是二人，約定明日午時為期。次晨黃忠領人馬偷渡漢水，直到米倉山，見糧積如山，黃忠正欲放火，曹將張郃兵到，徐晃又來接應，將黃忠圍在垓心。趙雲一到午刻，不見黃忠，急忙引三千人馬前往接應，吩咐副將張翼：「堅守營寨，多設弓弩」。趙雲驟馬前衝，一連殺死二將，方見黃忠被圍，殺入圍中，救出黃忠，無人敢阻。趙雲殺回本寨，張翼曰：「曹操大兵隨後追來，閉上寨門，上敵樓防護！」雲喝曰：「休閉寨門！」寨外壕中埋伏弓弩手，雲單槍匹馬，立於寨門以外。曹操大兵來到，見雲一人挺立，不敢前進。曹操令前軍急進，趙雲大喊一聲，屹然不動，魏軍之間不敢向前。趙雲把槍一招，壕中弓弩齊發，時天候昏黑，魏兵多疑，翻身就走，曹操先撥馬而逃，不知蜀兵多少，魏兵擁到漢水，爭先渡河，後面喊聲大震，鼓角齊鳴，自相踐踏，落水了若干？蜀軍進兵，趙雲佔了曹寨，黃忠奪了糧草，漢水之濱，所得軍器無算。玄德號子龍為虎威將軍。以上便是戲中「陽平關」的戰績。

其實「陽平關」乃在末場之後，魏兵大敗，徐晃打王平，王平放火燒寨，率部投奔劉備，曹操無寨存身，乃撤兵「陽平關」。昔年楊小樓、余叔岩在故都組班，每年必合演「定軍山」、接演「陽平關」帶「五截山」。

「定軍山」是譚派名劇，宗譚鬚生恒以「定軍山」為登台第一天打泡戲，因為黃忠阻令，是吉利性的，從下場門登場，梨園行稱為青龍門。由余叔岩演「定軍山」，後即由楊小樓飾的趙雲接演「陽平關」，排演一如「定軍山」。演義所述，趙雲戴黑三，威風八面，黃忠則由硬裏子配演，大軸「五截山」便是架子花臉飾演曹操的戲了。

我是個崩崩戲迷

胡惠君

在我未與現時稱為河北評劇，前稱為綳綳戲的曲種接觸之前，對於中國的戲劇，喜愛的僅只以前稱為京戲，其後稱為平劇的一種。童年曾被迫於嚴命，隨着一羣附庸風雅的世伯叔們學習崑曲，但心裏其實一點也不歡喜，因此吹起來總是荒腔脫板。不過也總算學會了吹奏崑腔中主要樂器的長笛，在他們歌唱時為他們壓笛。長大了流轉四方，久矣夫不弄此調，有一天忽然拿起笛來，已吹不成聲，這纔為這些年來自己的老大與荒蕪感到憮然。

我的童年所接觸的地方戲曲，因為生長在太湖邊，所以局限於外來的京戲與崑曲，和本地土生的，被士大夫階級排斥，認為不登大雅之堂的灘簧。灘簧又隨着地域分為出生於蘇州的蘇灘，與出生於常州無錫鄉間的常錫文戲。另外便是純粹以吳語說唱的彈詞。但灘簧與彈詞，我從來就沒有對它們發生興趣過。至於現在風行江南的越劇，在三十年前根本不受吳語區域的注目。

我的與評劇接觸，那是在離開學校，到上海就業之後，距離八一三上海之戰已不遠。我進入愛多亞路一家新聞機構担任外勤記者，工作相當輕鬆。高級同事中有兩位來自華北，他們特別照顧我這個渾身泥土氣息的小夥伴，這無非因為我們的身上，全缺乏上海租界特有的那股洋場氣息的關係，他們為我在大世界後面的天津館青梅居接風，然後再請我去新世界飯店去看評劇。我之所以知道中國有一種俗稱為綳綳戲的地方曲種在，便是從這一次開始。

那一晚上演的是朱寶霞，朱紫霞姊妹主演的「桃花庵」，內容是說一個書生與一個思凡的小尼姑的戀愛故事，但因為書生過份沈緬於肉慾，以致患上了色癆死在尼姑庵裏，因此是一齣悲劇。桃花庵是採取小說玉蜻蜓中的一段，這一部小說是根據了蘇州在明末實際產生的事實結構的，為此以玉蜻蜓來編成的任何劇種，包括蘇灘與彈詞在內，在蘇州不被容許，正如三笑不被容許在無錫東亭演出一樣，被當地的豪紳認為是被侮辱。就我的記憶，除了彈詞與常錫文戲，其他劇種很少有採用玉蜻蜓的，想不到評劇倒會選擇到它。

第一次接觸評劇，真的是受了一次苦刑。一切是生疏的，女音的挺嗆，男音的粗濁，音樂的單調，全不被聽覺接受。尤其可厭的是敲擊着發出響亮而無音階的黑色長方形的木塊，演員歌唱得愈大聲，它也敲擊得更大聲。這木塊完全不同於也用木頭製成的檀板，一般劇種在使用檀板時是輕擊，而且每一拍擊中間有一個短時間的規律的距離，絕不像評劇那樣聽去急促和狂暴，幾乎要震破耳膜的樣子。既然不習慣，當然坐在椅子上時時刻刻感覺到不安。但為了禮貌，還必需裝作發生興趣的模樣，直到散場。

幾天之後，還是在青梅居飲五加皮，喝酸辣湯以後，再去看評劇。戲目換過了，是「李三娘」。（上）

赤壁之戰與華容道

河漢

公元二〇八年的赤壁戰役，周瑜統率的孫權和劉備的聯軍，以一對五的劣勢兵力，擊敗了曹操統率的二十五萬大軍，這是以劣勢的水軍，戰敗優勢的陸軍的戰爭，在中國的戰史上，寫下了燦爛的一頁；但也使中國歷史倒退了一百年，中國人民長期處身在黑暗的地獄中，就為了這場戰爭使中國分裂了六十個年頭。三國的奠基禮，是在赤壁的一場漫天大火中舉行的。

在此以前，中國的北部華北地區黃河流域，曹操已完全控制，以河南作為核心，把他的兩枝觸角，一枝向淮河流域推進，一枝循着漢水向長江上游推進，預定在短時期內，席捲長江流域。在此以前，孫權已控制長江下游，正在努力鞏固他的根據地；但在絕對優勢的敵人所發出的強大壓力之下，感到前途晦黯無光。在此以前，劉備率領着一羣飢寒交併，裝備殘缺的隊伍，徘徊在漢水下游，進退失措，缺乏可以繼續掙扎和存在的條件。在此以前，整個戰局的形勢是：曹操以優勢的兵力，將輕易地通過一面倒的戰爭，粉碎劉備的抵抗；將輕易地不通過戰爭，壓迫孫權放棄抵抗，一面倒向他的懷中。

公元二〇八年的春天，曹操接納了荊州地區的統治者劉琮的投降，飲馬長江。當時的荊州地區包括了現在的湖北湖南兩省，和四川貴州廣西三省的一小部份，面積相當廣大。流浪在豫鄂邊境的劉備震懾於曹操的威力，毫無抵抗地向漢水西南撤退。但劉備的撤退並不局限於他的戰鬥部隊，還在撤退的路上湧進了震懾於曹操屠殺人民的殘酷恐怖手段的非武裝的戰地人民。劉備退到當陽的時候，這枝逃難的隊伍人數已經到達十萬，其中有九萬是老弱婦孺，和他們所可以攜帶行走的動產。這枝行動遲緩的逃難隊伍，終於被曹操的追擊部隊追及，曹操以五千人粉碎了劉備的殘存部隊。如果不是張飛在長坂坡虛張聲勢地以二十騎兵阻截了實際也已精疲力盡的曹兵的追擊，劉備和諸葛亮都可能成為曹操的俘虜。

然而劉備的主力雖然崩潰，可是荊州的一小部份未向曹操投降的兵員約莫一萬多人，由劉琦統率領着，仍然完整地保存在夏口地區（今武漢三鎮）。（一）

迭更斯的故居

吳文蔚

迭更斯的幼年，是出生於貧賤之家，由於出身低微，常和一般勞苦大眾生活在一起，所以他很熟悉下流社會的情形，他的小說中的人物，多半是些低層社會的大眾生活，因之他寫的在這種情形下的生活的人們的故事，是最酣暢淋漓而且得心應手！不怪人們稱他為英國的大幽默家，並說他是上世紀最通俗的小說家，舉凡這些歌頌與讚譽，迭氏是俱堪當之而無愧的。

迭更斯的小說在當時是非常的暢銷的。

一八三六年，他動手寫他的比克維克秘記，這小說寫了一年多，一八三七年出版問世，一舉成名。這小說一出版，就大為盛行，各地讀者，紛紛爭閱，搶購一空。從此他的小說的銷路，便直綫上升，盛況不衰，一直到他死時為止，三十餘年的歲月，保持着蒸蒸日盛的情況。因而他的聲譽，在英國當時的各階層社會裏，也就成了婦孺皆知和鼎鼎大名的通俗作家了。

迭更斯自從一八三七年的春天進了這房子住下，出版了比克維克秘記之後，接着他也錦上添花，隨即在這屋裏結婚。第二年的夏初，他曾招待各界舉行過一次比克維克秘記發表週年紀念，當時各階層來慶賀的人物，自王公貴爵以至販夫走卒，男女老少，總共不下好幾千人，一時門庭若市，熱鬧的情況，可眞忙壞了他的新婚夫人。就在這喜氣盈盈，熱鬧無比的當兒，許多貴賓，衆口一詞，趁這機會，又要給他夫婦來一個結婚週年紀念，這一下這個會可眞夠盛舉了，眞更熱鬧了！

幾年之後，他在這房子裏生了兩個女兒，又完成了塊肉餘生記，和滑稽外史等著作。

迭更斯在未成名前，寫作的境遇也是非常的艱苦的，往往有飲食不繼，一日三餐，也常會發生問題。好在他的人緣好，許多低層社會人物們，都同情的濟助他，使他精神得到安慰，因而遂能發出創作的光輝來。據他的好友浮士德在給他寫的迭更斯傳中開頭說：

「迭更斯於一八三六年動手寫比克維克秘記時，起先是投在一個月刊上發表，開頭是比克維克等行獵的故事，並未被世人所重視，後來僕人山姆（Sam weller）出現了，該諧嘲諷，滑稽突涕，變化無窮，這才引起了人們的注意，於是便爭相傳誦，而那月刊的銷路，頓時便劇增起來，成了英國社會各階層人士的最喜愛的讀物了。」

迭更斯由此便手頭漸寬，生活入了正軌，此後的收入，便一天更比一天豐裕。經濟遂有了基礎，所以就打算找一個固定的住處，以安定他的寫作生活，於是便進了這所房子住下。

自從他進了這房子，那更是時來運轉，與旺透頂，極一時之盛！他在這房子裏第一次出版了小說的單行本，大名鼎鼎，冠蓋英倫。他在這房子裏結婚，他在這房子裏生子，他在這房子裏又寫出了好幾部暢銷的小說，他的盛名與美譽，幾無一樣不跟這房子有關。不是這房子的地勢風水絕佳，特顯得地靈人傑，而促成他如此的興隆？我不知道。然而迭氏所著的小說之暢銷，普遍地能受各階層的人士歡迎，數十年如一日，蒸蒸之狀，歷久不衰，的確是實情。欲知這房子的名稱：

那就是住於倫敦西區鬧市的泰維斯韜克盧却爾斯迭更斯的故居。（下）

談風景明信片

◁仲山▷

在書信裏面，明信片別具一格，不知創始者為何人，更不知他發明這種通信的利器時，曾經申請專利否，我們在享受明信片的簡便時，總不能忘情於他。

明信片的簡便，一望而知。郵票已經印就，不必買來另貼；信箋和信封合成一張卡片，免去摺疊信紙，粘貼信封之勞，省時省力，乾淨利落。雖然現在的紙張不値兩個大，但如果買信箋信封，即使是起碼貨，再貼上五角郵票，成本也至少要七角。所以，明信片之簡便而又經濟，已到了「至矣盡矣，靡有加矣」的地步。即使還有研究發展的餘地，它的基本形式，大約已無可改變了。

上述的經濟，再省，也不過擠節下兩毛；在這上面打算盤，打得愈精，「小兒科」的意味愈足。因此，我們所着眼的經濟，偏重在明信片上的內容上，可以節省發信人雙方的時間和精力。明信片，只有巴掌這麼大，容不了多少字，行文最宜開門見山；噓寒問暖，縱然是紙面上的禮貌，不能一概抹煞，因受篇幅限制，所謂「情長紙短」，必須一筆帶過，直達本題，才是正理。抒情述事，惟「明快」是求，予人以「快人快語」的印象即已得寫明信片的體要。凡屬愛說廢話的人，演說時愛說了一點兩點以至七八點，又補充了好幾點，仍然沒有落到本題的人，我奉勸他多寫明信片。倘如他寫完一張，已無地方再下筆，才想起該說的重要事件，還無隻字言及，那會使他猛省過來。說話不可如此拖泥帶水。明信片倘眞能矯治說廢話的積習，眞不知有多少人要感謝它！

明信片惟一可疵議之處，便是與秘密通訊的自由，似乎有些不相容，然其「事無不可對人言」的開誠佈公，足以抵消那個缺點，實在算不得垢病。且通訊自由，一涉秘密，心中即有所芥蒂，所餘無幾，何如明心見性，一根腸子通到底的暢快。

明信片有印着彩色風景的一種，風景佔去了半壁江山，剩下的一半，又為地址，姓名佔去一半光景，眞能供揮灑的，也只有四份之一。若是旅行，到了某地就採用某地的風景明信片，寫幾個字給親友報平安，人情味更濃，也殊有意義。

自由報

THE FREE NEWS

內政部登台誌字第〇三二一號內銷證

第八〇八期

中華民國僑務委員會頒發登記證僑新字第三二三號
中華郵政登記第一二八二號執照登記爲第一類新聞紙類
（每星期三、六出版）半週刊
每份港幣壹角
台灣零售價新台幣貳元
社長：雷嘯岑
督印人：黃行寰
社址：香港銅鑼灣高士威道二十號四樓
20, CAUSEWAY RD 3RD FL.
HONG KONG
TEL. 771726　電報掛號：7191
承印者：大同印務公司
地址：香港北角和富道九六號
台灣分社
台北市西寧南路壹零號二樓
電話：三〇三六二
台郵劃撥九二五二戶

不通不通！

欲飛無從

論中國文化的悠久性

・韋政通・

中國有悠久的歷史，這是事實。自從商朝的遺蹟被發現後，不但證明中國人自稱有五千年的歷史，不是誇張，假如將來的田野工作能有計劃進行，很可能把中國的歷史追溯的更遠。因商朝的年代約當紀元前二千年的中期至晚期，而這個文化且已經成熟，它的形成時期，絕不止兩千年。許多古老的文化，有的早已夭折，有的已消融在其他文化中，被其他文化所代替。中國文化爲少數特例之一，其中有些部分，從殷代一直延續到現代，仍未有多少改變，崇拜祖先，就是最顯著的一個例子。這個例子，便是中國文化悠久的確證。

中國文化的悠久，可謂盡人皆知。但中國文化何以能悠久？這問題不簡單，却是值得追究的一個問題。一般的看法，認爲是因中國人重視現實生活的維持，和重保守，以及重多子多孫的原故。由於重視現實生活的維持，所以不像西方人喜歡從事超現實生活的理想，或神境的追求，而使民族的現實生命能長久保持保存下去。由於重保守，所以一切生活皆習故蹈常，不要多耗力氣，於是使民族生命力得因節約而長久不弊。由於重多子多孫，所以歷代雖迭遭天災人禍，因生殖繁多，人口旋即恢復，民族遂不致絕滅。這些看法，都有些道理，但也都不充分。至少，還有下列幾個原因。

（一）地理環境的特殊。中國的地理環境，東南面海，西北則多高山。近代以來，由於海上航行工具日有進步，中國的外患才來自海上。近代以前，中國的外患，十九來自北方。北方的許多民族，在武力方面，有時會超過我們漢族，在文化的重要方面（如哲學、文學、藝術、政治、經濟）能超過我們的還不多。所以這些外來民族，偶然入侵中原，使漢族文化遭到些損害，不久便被漢族所同化。如比之以鴉片戰爭以後，西方文化對中國文化所起的衝擊，幾千年來的中國文化，可以說一直是孕育在一個廣大的避風港裏，一直未曾經過鉅大的破壞。這是中國文化得天獨厚的地方。這一優勢，等到近代海運大開以後，才逐漸喪失。

（二）農業生活的影響。中國在紀元前二千年時，就已有定居農村，這種社羣形態，一直到近代，都沒有變化。我們知道，農業生活是靜態的，它的內容很少變動。這樣的環境，最容易培養人的永恒意識。再加上，自秦漢以降，農業技術，幾乎沒有改進，使傳統中國的社羣形態，缺乏變遷的動力，因此一切都使人感到，是靜定的，悠久的。這方面的影響，從代表民間文化的諺語裏，也清楚地反映出來。如：「只有百年莊農，沒有百年官宦。」「衙門財主一蓬烟，種田財主萬萬年。」「前人種樹，後人乘涼。」「細水長流，細吃長有。」這些普遍流行在傳統農業社會的諺語，的確確醞藏着悠久的意識，而這悠久的意識，也曾經促成了中國社會、文化的悠久。

（三）世故深。在一般外國人的印象中，總覺得中國人世故太深。說中國人世故深，可以是褒詞，也可以是貶詞。有通情達理，以智慧高，有耐力，屬於前者；狡猾，偽善，只求圓到，不顧是非，屬於後者。造成中國人世故性格的原因很多，主要的是因爲閱歷深，憂患多，以及中國文化的重視禮節，重視中庸。由於閱歷深，所以凡事沉着穩重，不流於過火。由於憂患多，所以銳氣易消，遇事多慎思熟慮。陸游詩：「平生憂患苦縈纏，菱刺磨成芡實圓。」可見憂患人生與圓到世故之間的關係。由於重禮節，所以主張與人無爭，主張待人接物，中規中矩。由於重視中庸，所以不尚偏激，不走極端。這些爲人的特色，普遍存在於中國民間，可以諺語爲證：「金剛怒目，不如菩薩低眉。」「人外有人，天外有天。」「退一步，天高地闊。」「會做快活人，大事化小事。」「凡事留一綫，久後好再見。」「凡事肯認一句錯，了却平生多少禍。」「與人方便，自己方便。」「三條大道走中間。」一個人如此，可以超脫，瀟灑，耐久，耐磨；一個民族文化爲此，也必是具有深厚的適應力——自然這種適應的方式多半是消極的。

（四）重統緒。有人說，西方文化重文化的類別，中國文化則重文化之統。最顯著的例子，就是學術文化的分類。西方有宗教，語言，哲學，文學，藝術，經濟，政治等類；中國的分類，則不重學問的性質，而重學問的統緒，與歷史的傳承，如經，史，子，集的方法。孔子推尊先王，孟子言「創業垂統」，此爲中國人在觀念上重統緒的開始。由統緒的觀念，衍生出道統的觀念，再由道統的觀念來統馭一切，這確是中國文化中獨有的現象。以古史爲例，所有古代的帝王，莫不傳此道統；所有古代的禮制，莫非古帝王的道統的表現；五經更是這個道統的記載。重統緒對中國文化自然有其不良影響，如妨礙了中國文化的分殊發展；但其中也涵有一智慧，即中國古人圖透過統緒的觀念，來彌補時間的疏遠，使中國文化歷久而常新。

（五）求久的思想。中國文化悠久的第五個原因，是因中國至遲在戰國時代，就已自覺地提出求「久」的思想。如易傳言「可久可大」，中庸言「悠久成物」，老子要人法「天長地久」。現在我們要問，中國人究以何道達到久的目的？回答是：在積德。孟子說：「苟爲善，後世子孫必有王者矣！君子創業垂統，爲可繼也。」司馬光說：「積金以遺子孫，子孫未必能守；積書以遺子孫，子孫未必能讀；不如積德於冥冥之中，以爲子孫長久之計。」可見中國人是相信「積德」乃達到「久遠」的根本方法。無論是一個人的長壽，一個家庭的歷久不衰，甚至一個朝代的持久，在中國古人的心目中，都可以視爲有德之徵。無疑的，傳統的重德精神，曾是使中國文化悠久的一大動力。

上述使中國文化悠久的各種因素，到現在，有的已不存在，如地理環境的因素，如多子多孫的觀念。有的已有改變，如農業生活和統緒觀念，重德精神，在現代中國，絕對無法再保持像傳統中國那個樣子，事實上也早已不再是那個樣子。究竟如何繼續保持中國文化？答覆是：祇有創造新的中國文化，否則舊的也不容易守住。單講復興是不夠的。

今日與明日

連串炸彈兇案

本月五日晚上，匪徒在怡和街門外，擲了一枚炸彈，炸死了一名英籍幫辦，炸傷了二十一名過路市民，其中一名穿着童子軍制服的學生，腸被炸出，性命垂危，至今未脫險境。

八日晚上，匪徒又在太子道荔枝角道口拋擲炸彈，共計三死三十八傷，雖然死者三名皆是暴徒，但也算是五月暴動以來最大的慘案。

根據這兩次炸彈情形來看，有幾點應特別指出的：第一，炸彈的威力已大爲增強，就以在怡和街爆炸的炸彈來看，體積雖小，而威力却大，所以英籍幫辦竟被炸掉一手一腳，當堂死去，附近門窗都炸毀，可以證明此種炸彈在製造技術上已大爲進步，並不如石寶德所說的都是炮仗之類。

第二，匪徒已決心與全港九市民爲敵，所以怡和街炸彈才放在最熱鬧時間，放在最熱鬧的地區，如果不是英籍幫辦奮勇移去，等其自爆，所損失之大不知要大於目前若干倍，死傷者也許不止二十一人了。

第三，擲彈匪徒，皆是敢死隊之流，並非共產黨人，而是用錢買來的亡命之徒。

對這種情形之下，港府目前頭痛醫頭，腳痛醫腳辦法是否行得，就大值得研究了。

犁庭掃穴　擒賊擒王

目前從事暴亂的鬥委會雖未結束，但亦雞飛狗走，四散，不過，其中發號施令的一定還有人在，這個機構到底由何人負責主持，港府至今不知，實在是一件遺憾的事。

至於暴亂根據地過去原是幾間大陸貨公司，自從被港府接連進剿以來，大陸貨公司已無所遁形，乃轉移到中國銀行及新華社，而港府對此兩地，因礙於成例，迄未進行搜查，於是一如韓戰時，長此下去，暴徒竟享有庇護所，對港府及市民自然不利。

還有一批左派報紙，公然鼓動暴亂，製造謠言，如暴徒刺殺林彬，新晚報竟稱爲將「林逆正法」，如此肆無忌憚，亦使正義市民，氣憤難平。

總之，今天無論港府與市民，皆同匪徒立於勢不兩立之地，決不可能再共處下去，在此情形下，港府除去發動全付力量以求勝利之外，實無良策。目前這種作法，最後定會引出惡果，不可不小心也。（何如）

自由談

談貪官污吏

馬五先生

泰國前任農業部長沙拉吉，最近以貪污罪行，經該國高等法院判處十五年有期徒刑。這是該國得未曾有的大新聞，震動了世人的觀聽，因爲政府賄賂公行，在泰國成了司空見慣的常事，誰也不以爲怪的。乃他儂政府居然實行打老虎，拿一個咱們國家號稱爲「特任官」的顯要人物，置之於理，可算是石破天驚之舉了！

據說，告發這位部長大人貪污行爲的，就是向他行了鉅賄的一個商民，由於部長接受賄金後又不履行密約，商民不甘枉遭損失，纔出面告狀的。又據法院調查報告，泰國政府中凡屬一等官階以次的公職人員，每月薪給收入跟他的消費支出數字，相差一百廿倍之多！貪污風氣之盛行，良有以也。

假如泰國的法律亦像我國的刑法一樣，規定所謂「與受同科」的狗屁條文，使貪官污吏有所恃而無恐，即令東窗事發，亦因證據不足，儘可消搖法外，且可反誣對方以誣告罪，依然「袋袋平安」，百無禁忌，於是乎，官吏若不貪污，纔算是稀奇的新聞了。難怪吾國一般公職人員乃以「搞定經濟基礎」爲服務守則呢！官吏的收入既不及其消費量的十分之一，除却利用權力機會索賄詐財而外，難道教他們毁家破產來作官不成麼？

反觀咱們的法制，既有給貪官污吏作護符的「與受同科」這種條文，而更考一般官吏的法定薪俸收入，一個特任官的月俸亦不過美金一百元左右，簡任官尚不到美金五十元。如此的法律，配以如此的待遇，這等於放置餓貓於魚蝦市場中，希望牠不偷食而自安，豈可得乎？

先把那助長貪污行爲的「與受同科」法條取消，再由「選任」「特任」級的達官顯宦們以身作則，表現一些在對日抗戰時期的那種刻苦生活情況，若必須配給住宅，則對於一般中下級的官吏，亦予以棲身的宿舍。苟能如此，雖不增加薪俸，亦可望遏制貪風，否則所謂建設廉潔政治云云，永遠是自我諷刺的廢話而已！

從立法院質詢看內政有關設施

本報記者張健生

緣立法委員莫萱元於十月十三日質詢大同公司侵佔案前夕，林挺生親自宴請台北各報記者「拜託幫忙」。當時，由於幫忙的朋友不識大體而得罪台北以外之各地方報紙記者，故未達封銷新聞的目的，所以「補請」。這段內幕，成爲漏網新聞。

大同公司董事長林挺生父子怎樣侵佔國家的財產，請看一看莫萱元委員的質詢案，便知其「大概」了。

莫委員之質詢題爲：「保護國家財產，不容大同公司侵佔海軍物資」。他說：「故立法委員李郁才生前爲大同公司林挺生父子侵佔日本海軍移交物資總值三千餘萬元一案，曾向行政院提出質詢，行政院迄未答覆」。

大同公司侵佔案

這位湖南籍立委說：「查此案經海軍總部於民國四十三年提起民事訴訟，台北地方法院於四十五年二月判決海軍總部勝訴，命被告林挺生父子與大同公司連帶負責返還侵佔物資，並宣告假執行。被告上訴第二審，復經台灣高等法院于四十六年十二月判決海總勝訴，勝訴部份並宣告假執行。旋又上訴第三審，經最高法院于四十七年四月判決，除假執行部份外，廢棄原判發回台灣高等法院。

「台灣高等法院于五十年十二月第一次更審結果，大部份仍維持第一審判決。五十一年六月又經最高法院發回，高院于五十三年三月第二次更審後之判決，仍維持第一審海總勝訴之判決。同年十二月復經最高法院第三次發回，遂延擱迄今未結。

「復查此案經法院判決，並執行假扣押後，行政院會於五十年二月二十日以台財字第一〇六五號令司法行政部撤銷大同公司廠房部份價值六百九十萬元半數的假扣押，另提供他項等值財產替換。旋又于五十年四月十九日以台五十財字第二三八二號令海軍總部向法院申請撤銷對大同公司財產之假扣押，海軍乃于同年六月二十日狀請台北地院撤銷對大同公司財產部份假扣押，並請予以啓封。旋行政院又于同年八月八日以台五十財字第四七三二號令海總向法院申請將本案原扣押價值一千五百九十五萬九千八百零五五元六角林挺生父子之私人財產全部撤銷假扣押，雖經海總于同年九月二十七日以五十具評字第一五三九號呈申復不同意之意見，而行政院仍不顧海總合理合法之意見，竟于同年十月二十六日以台五十財字第六三九七號令海總尅速遵照前令向法院申請將原扣押之財產全部撤銷假扣押，海總及法院祇得照辦。」

行政院干涉審判

莫萱元委員抨擊行政院「竟一再命令司法行政部及海軍總部橫加干涉審判」，爲了林挺生之大同公司的私益，「致使國家遭受巨大損失」，顯有「圖利他人之事實」，這個事實，無異告訴國內外人士，中華民國之審判獨立尚有缺憾。

莫委員說：「綜觀上述事實經過，本案經地院及高院二審判決後，復經最高法院兩度廢棄發回，高等法院兩度更審維持原判，足見高等法院對本案之審判頗爲認眞，堅持法律立場，維護國家財產，實堪欽佩。惟行政院對各級法院幾度判決正在審判中之案件，竟一再命令司法行政部及海軍總部橫加干涉，殊屬不當。難道行政院長還不知道司法審判獨立行政院不能干涉的嗎？我先要請問司法行政部長的，就是爲何本案拖延擱置達十三年之久，最高法院爲何一再廢棄發還？司法行政部可否督促高等法院對本案迅速審結並執行？其次要請問行政院長的，就是行政院爲何對法院正在審判執行中的大同公司侵佔案，一再命令司法行政部及海軍總部橫加干涉？可否保證今後不再以行政力量干擾法院對本案的審判與執行？復查本案所侵佔的國有財產，係于民國三十四年計算的，如依銀行放款利率計息，或以現在的物價計算，到現在已達數億元之多。

「本案經法院判決後，即可依執行判決申請法院强制執行，收回該項財產，但司法行政當局，竟一再拖延，不予審結與執行，致使國家遭受巨大損失。其間有無官商勾結，圖利他人之事實，行政院或司法行政部可否命令調查機關，加以切實的調查，以正風氣？肅清貪污，固然不分大小，小貪污案件固然要偵查，當要嚴辦，司法行政部，當不能明察秋毫之末而不見輿薪，更不能讓竊鈎者誅，竊國者侯。言盡於此，敬望嚴院長與鄭部長，善自處理」。

對於莫委員之質詢，行政院將以書面答覆。

機構增加大官多

精簡機構，杜絕浪費，節省開支，提高行政效率，此爲現階段的要政。然而事實恰恰相反，誠如莫委員所說：「中央播遷台灣後，爲增進行政效率，節省政府開支，會經遵奉　總統的指示採用精簡政府機構原則，這是很合理很正確的原則。但近年來這個原則有逐漸被放棄或不堅守的趨勢，政府新設的機關一年一年的增加。例如國有財產局，青年就業輔導委員會，人事局，文化局，國稅局，都是近年來新設的機關。老實說，文化局與國稅局實無設置的必要。

「台北市改爲院轄市後，市政府的編制擴大，又增加了很多的官（記者按：台北市改制前之五十七年預算書上的官員爲一八、一六八人，改制後，則增加三千四百三十六位大小官吏）。此外，教育、外交、經濟三部各增加次長一員的法案，已送到立法院審議中，行政院的事務局，也似已呼之欲出。總之，中央政府機關的增加與擴大，似乎還在方興未艾之中。現在的中華民國，事實上只有台灣一省，人口只有一千餘萬，人民的負担能力有限，政府的機構不宜不斷的增加與擴大。精簡機構的原則極宜堅守莫變。如因人口增加、社會進步而需要增加的事務管理人員和事務管理機構，並不一味反對，但中央政府重複的指導、設計機構，實不宜再行增設；簡任以上的大官也不宜再行多派。顧炎武說：大官多則國亂，小官多則國治。」

嚴院長答覆此項質詢說：「莫委員希望堅守精簡機構原則，這個原則我們是須要堅守的。不過每一個單位的增加，如果是永久性的，一定要根據法律規定，送請貴院審議，如文化局、國稅局、國有財產局均經送請貴院審議。至於臨時機構，如青年輔導委員會，是因青年生活就業輔導工作，現在有幾個單位在做，青年輔導委員會就是負責協調工作使之聯繫合作，其本身並無行政執行工作，只在協調以後交各個單位辦理」。

政治作風要改善

至於杜絕浪費一節，女立委傅晉媛以「答客問」的方式道盡了行政院以下各級政府的「政治作風」，故提出質詢要求「改善」。傅委員開宗明義的說：「近日參加一交誼活動，會受人詢問，當場不及交卷，耿耿於懷，茲以責任攸關，不得不就教於行政院長，以期政治作風有所改善」。其質詢很技巧，幽默。其文如下：

「客問：委員先生，我有項事請教，不知可否？傅委員答：有何見教？請不必客氣。

「客問：按民主憲政常軌，國會議員代表人民行使權力，最重要的有兩件大事：一是監督政府施政，研究其得失，以言論，及立法來規律之；一是替人民看守荷包，約束政府不浪費一文錢。當然還有其他重要立法事項，姑且不談。我覺得政府對於用錢的浪費，可以在世界各國政府間名列前茅。……我所指的，雖然表面上政府人士習焉不察，不太重視，實際上影響中外人心非常重大。願提出請加以評斷，是否值得糾正？

「──我在台灣勾留已有八個多月，親自體驗和所接觸的外國朋友，對我私下批評，感到政府各級各部門的宴客，氣派之豪，餚饌之豐，糜費之多，可稱上乘。如按我國傳統習俗待人厚道之風來論，本屬無可厚非，但一席數千金，習爲常事。機關有時開會，會後必大宴，接待參觀者必大宴，如集合全省各機關不必要大宴之浪費計算，可以積成酒池肉林，不特外人爲之驚訝，我這個不常在台灣的國人，也感意外！須知此項支出，都屬納稅人的血汗。外國習慣，人民的政府用納稅人的錢須有道理，用之無道就是浪費。李委員先生，您有資格，向執政者進言，希望務轉達我的印象，何況持這種看法的，不僅我一人如此」。

按：行政院將以書面答覆傅委員之質詢。

社會處抗命爭會

因台北市改制而發生的內政部與台灣省政府及省市爭權的怪現象，實不應發生，這種爭端，誠如立法委員李公權所說：「絕不能發生不肖子弟爭財產的現象」。行政院對李委員這部份之質詢，將以書面代替口頭答覆。

台灣省社會處爲反對省級工業同業公會改爲區級工業同業公會竟公然違背內政部的命令，因而遭李公權委員之嚴厲的質詢，他說：「根據民國三十六年十月二十七日公布施行之工業會法第二章中規定：『工業同業公會之設立分爲區、縣市。』所謂區，可能以一省爲一區，也可能聯數省爲一區，區同業公會以下就是縣市同業公會。不料政府遷台將及二十年，一直容忍台灣工業同業公會在非法的狀態下存在。台灣工業同業公會乃是根據前東南長官公署之行政命令設置的（按：此項行政命令是非法的）。現在台北市升格後，原來的台灣省工業同業公會顯然已不能適應環境的需要，這也是由非法走上合法的機會。因此，內政部於六月五日由社會司函約省社會處與台北市社會廳會商改組辦法，當時出席的有省社會處副處長（牟乃紘）及台北市前社會局長黃宇元，並在會中作成決議：『現有省級各工業同業公會原於法無據，茲爲避免分割更張而符工業會法之規定，准一律改組爲台灣區級工業公會。』俟商洽經濟部同意後辦理』。

「內政部又於六月三十日，約經濟部會商後同意這個決議，於是內部在六月二十日向二十九省級同業公會發出通知，訂在同月二十六日舉行座談會。不料，七月二十八日，省府函內政部表示對本案歉難同意。而八月三日，行政院已對內政部所呈請省級工業同業公會改爲區級團體一案准予備查。因此，八月五日，內政部函復省府，請其照原案辦理，省政府則再以六項理由呈行政院，請維持省級工業同業公會現狀，不必改組。內政部自不甘緘默，也逐項提出辯正。」

這位川籍委員提出三點意見：「第一、讓過去不合法狀態長期存在，過去有關機關與有關人員已經難辭其漠視法治、疏忽職守之嫌。第二、省府曾經會商同意於前，復又表示異議於後，更不是爲政以信之道。第三、嚴內閣正以分層負責，整理法規，提高行政效率作號召，似不應任由爭執下去。現在二十九個省級工業同業公會，由於部處之爭而惶惶不知所從；這是法律現象，也是行政效率現象，嚴院長如果知道本案爭端，一定會做適當的處理，如果不知，我提請行政院注意」。

女肖子弟爭財產

關於台北市與台灣省政府爭取公賣利益與省立醫院財產的問題，李委員質詢行政院與各部會首長應針對問題，當機立斷，再勿拖延。

關於烟酒公賣問題，李公權委員說：「財政收支劃分法已有具體的規定，過去委託台灣省辦理，尚情有可原，現在台北市改制後，烟酒公賣已發生了爭執，收回辦理應由政府。白委員建民前曾提出這個問題，財政部答覆認爲收回來辦理太麻煩，我再提出這個問題，請拿出勇氣來面對現實。

「省立醫院搬遷問題，現在竟然發生省立婦產醫院要遷出台北市的問題。從前四川成都市內有成都縣政府與華陽縣政府，並未聞成都市要求這兩個縣政府遷出其市區。今天台灣省的人民願意出錢在台北市辦理幾座醫院，又替台北市市民服務，何不可呢？」李委員特別提醒嚴院長與黃副院長，關於台北市改制這樣重大的方針，絕不能發生不肖子弟爭財產的現象，行政區域組織也不是獨立王國，改制的目的，是爲人民做得更好的服務，而不是做更壞的服務」。（下）

共黨統治下的蘇俄作家

祝西

史達林的女兒說，五十年前蘇俄之所以發生革命，是因爲人民要求言論、出版及選舉的自由。而今「這些要求仍然沒有實現」，她自已即爲追求此種自由而出走。此一事實足以說明，今日蘇俄的中心問題，依然是人民爭自由的問題。

許多著名蘇俄文化人，正在爲爭自由展開無聲的鬥爭，不少青年人亦參加此一陣營。他們爲爭取創作自由，寧可被監禁或被送往瘋人院，而不願俯首聽命於黨，以換取廉價的虛榮。

蘇俄共黨專政五十年中，史達林作了三十年的獨裁者，如今這位獨裁者的女兒却成了此一新的爭自由的象徵。她在美國所享受的自由，正是蘇俄文化人所要在蘇俄土地上建立的天地。

向克里姆林宮統治者挑戰的著名蘇俄作家包括詩人雅圖申科，佛茲耐森基，小說家索森尼辛及不久以前去世的作家愛倫堡。

愛倫堡去世前數月，曾與其他六十二位蘇俄作家聯名要求共黨釋放新雅夫斯基及丹尼爾。這兩位著名作家均因作品在外國出版，而被判「反俄」下獄。今年五月蘇俄作家協會在莫斯科開會時，愛倫堡又以拒絕出席方式表示他對統治者的抗議。愛倫堡向統治者的挑戰，引起蘇俄人民的覺醒與尊敬，在他下葬時，數以千計的人民衝破紅軍雙重障礙，進入墓地向這位英勇的作家致敬。

共黨御用的蘇俄作家協會近年來一直嚴密監視詩人雅圖申科。十一月初終於公開指控他和小說家索森尼辛供給外國反俄宣傳資料。

三十四歲的青年詩人佛茲耐森基曾到美國作過朗誦表演，蘇俄作家協會對他旅美時的言行極爲不滿。（上）

惡夢十七年

馬思聰的故事

·趙浩生·

我問馬氏，中共領袖中能欣賞他的藝術，而且和他私交很好的周恩來聽到他逃走的消息時，是否內心會為他慶幸。他望着我搖頭苦笑，一言不發。他我了解他的意思，他顯然覺得我的想法太天真，太不了解中共領袖們根本沒有人味。

十幾年來，中共對台灣的宣傳廣播一直用他的思鄉曲作開場音樂。我問他是否知道現已換成「義勇軍進行曲」。他說聽說是在他投奔自由的消息在美國正式發表後才換的。

談到台灣，我問他一九四六年訪台的印象如何。他說他對當地音樂工作者的認眞態度印象極深。他指揮練習時，一個音不對，大家就一練再練，從沒有一個人抱怨。

他那次是帶領「上海市音樂協會音樂訪問團」前往訪問演奏，團員中包括馬夫人和他的弟弟思宏，妹妹思蓀，馬夫人亦和他們同往寶島小遊。後來行政長官公署交響樂團團長蔡繼琨把他留下，請他出任指揮，他並在台北台中開過幾次小提琴獨奏會。

他希望不久再以一個音樂工作者的身份攜如龍前往旅行演奏，並和自由中國的友人們團聚。

自從四個月前他公開出現舉行記者招待會後，他不斷接到許多自各地輾轉寄來的信件。這溫暖已足以安慰他十七年來心靈的孤寂創傷。但由於目前他們的生活尚未完全安定，精神和體力尚未完全恢復，故仍未和每一位朋友直接連繫，但對人們的關切之情，他由衷的感激。

我曾以中國讀者對他的關切而要求和他作一次長談，以便寫一篇比較詳盡的，新聞性的報道。但五小時的訪問，實難於寫出這十七年惡夢的萬一，更難於寫出像他這樣一位藝術家的深沉感情。更詳盡更動人的故事，尚待他以第一身的地位和藝術家的筆觸在他的回憶錄和樂章中發揮。

談到他和瑞雪的回憶錄，我曾以一個讀者的心情向他們提供一點意見。我認為他的回憶錄無疑的將是一個悲劇（tragedy），瑞雪的則是一個悲喜劇（melodrama）。他非常同意我的看法，他說他的經歷和感受，「不但是一個文化人的悲劇，也是一個國家一個民族的悲劇」。瑞雪所經歷的，是一個悖乎人情，不可想像的「紅衛兵」造反。這也是一個悲劇，但又使人覺得荒唐，可笑亦復可憐，是可能改編成百老滙歌劇的題材。

談到這裏，他們請來吃晚飯的美國客人來了。馬氏夫婦和如龍忙着招待，瑞雪帶着我走到另一間房子裏看她過去十年來所寫的一大堆詩稿。

不久客廳裏傳來馬氏的鋼琴和如龍的提琴合奏。在這動人的音樂聲中，我讀着這位在共黨教育下長大，八個月前才逃出竹幕的女孩子的詩句。出乎意料的，從頭到尾我不但未發現一絲讚美共產主義的感情，其中反充滿對共黨統治的强烈抗議與諷刺。這些詩都沒發表過，其原稿像一個女孩子的心事一樣，始終珍藏在任何人也看不見的地方，都沒有帶出來。我所讀到的，都是她來美後憑記憶寫下的。

她寫的愛憎，夢想，哀怨與歡樂，眞摯動人。其中有一首題為「給中國的唐璜（傳聰）」，有一句是「你還記得馨馨的一雙多情的大眼睛嗎？」由此可知，拒返大陸的青年鋼琴家傳聰為自由所捨去的，不但是他的父母，還有馨馨的愛情……。

我願在這琴聲飯香中，一遍又一遍的讀着這些動人的詩句，但為了趕九點鐘的最後一班飛機，我必須告辭了。

飛機起飛後，在夜空中遙望着華府的萬家燈火，我默默的祝福馬氏全家今晚有一個愉快的好夢。（全文完）

蘇俄的太空野心

祁倫

種種跡象顯示，蘇俄的太空計劃是極其龐大而又單純的，他決不以送人登陸月球及在月球上建立科學和軍事基地為滿足，也不致僅以無人太空器降落金星和火星從事單一的科學探測為最後目的。這些只是蘇俄長期太空計劃可見的部份作業。

自一九五五年二月以來，蘇俄沒有再發射載人太空船，在無人太空器方面，也只有一九六七年十月十八的「金星四號」降落金星，並拍回金星資料較為壯觀。事實上，在這兩年多的沉靜時間裏，俄國人正進行一項極具野心的太空作業之研究發展。因為他們要「佔據」月球並「移民」火星，並藉由此而發展成功的科技有效的「控制」地球！假如可能，他們可能役使全球人力物力和財力、以及各國科學家的智慧，把鐵鎚和鐮刀的蘇俄國旗送出太陽系以外的星球——代表地球人向星球人發出科技競賽的挑戰。

美國專家們根據各種情報，推斷蘇俄太空探索研究的趨向，認為蘇俄這項野心不可輕視。一九六七年元月二日出版的 Technology Week 對此便提出美國專家分析的論斷，同時籲請美國朝野的重視。他們說，蘇俄在農業方面的減產及民生日用品的落伍，但他們在特殊目的的科技方面卻是進步飛躍的。在十年之內，蘇俄由史潑特尼克一號，到金星四號，便表示了蘇俄科技發展的有力基礎；在許多首創的太空項目中，顯示了他們技術突破的能力。

這種科技發展的有力基礎和技術突破的能力，用以支援佔據月球、移民火星、問鼎銀河系、以及控制地球，當然仍有「力不從心」之處。（上）

管輅筮術出神入化

三國奇士傳之二

周燕謀

又鼻者艮，此天中山，高而不危，所以長守貴。今青蠅臭惡而集之焉，位峻者顛，輕豪者亡，不可不思。害盈之數，盛衰之期，是故山在地中曰謙，雷在天上曰壯。謙則裒多益寡，壯則非禮不履。未有損己而不光大，行非而不傷敗。願君侯上追文王六爻之旨，下思尼父彖象之義，然後三公可決，青蠅可驅也」。鄧颺曰：「此老生之常譚也」。輅曰：「夫老生者見不生，常譚者見不譚」。何晏曰：「過歲更當相見」。輅還邑舍，具以此言語舅（杭人也）。舅氏責輅言太切至。輅曰：「與死人語，何足畏耶！」舅大怒，謂輅狂悖。歲朝，西北大風，塵埃蔽天。十餘日，聞晏、颺皆伏誅，舅氏乃服。

鍾毓因諫曹爽增兵，大失爽意，出為魏郡太守。輅與之共論「易」義。輅曰：「卜可知君生死之日」。毓使卜其出生之月日。卜之，果知言無差。毓大愕然曰：「君可畏也！死以付天，不以付君」。遂不筮其死。毓復問輅曰：「今天下當太平否？」輅曰：「方今四九天飛龍，利見大人，神武升建，王道大明，何憂不平？」鍾毓不解其意，未久，曹爽專政，驕潛過度，天戒數見，旋被族滅。毓乃覺悟。

平原太守劉邠，聞輅之玄機，取印囊及山鷄毛，置於器中，使輅筮之。輅曰：「內方外圓，五色成文，含寶守信，出則有章，此印囊也。高嶽岩岩，有鳥朱身，羽翼玄黃，鳴不失晨，此山鷄毛也」。劉邠又曰：「此郡官舍常有變怪，使人恐怖，其理為何？」輅曰：「或因漢末之亂，兵馬擾攘，軍尸流血，污染丘山，故因昏夕，多有怪形也。明府道德高妙，自天祐之，願安百祿，以光休寵」。

劉邠字令元，清和有思理，好易而不能精。與輅相見甚歡，與輅言注易經事，輅止之易不可注。別傳言之析詳，文長不及多述。

清河令徐季龍，久聞輅之大名。使人行獵，請輅筮其所得何物。輅曰：「當獲小獸，復非食禽，雖有爪牙，微而不彊（强），雖有文章，蔚而不明。非虎非雉，其名曰狸」。獵人暮歸，所獲正如輅言。季龍復取十三種物，置大篋中，使輅射云：「器中藉藉，有十三種物」，先說鷄子，後道蠶蛹。遂一一名之，惟以梳為枇耳。徐季龍字開明，有才機之士也，皆不及輅。

管輅於軍，過毋丘儉父（興）之墓下，倚樹哀吟，精神不樂。人問其故，輅曰：「林木雖茂，無形可久；碑誄雖美，無後可守。玄武藏頭，蒼龍無足，白虎銜尸，朱雀悲哭，四危已備，法當滅族。不過二載，毋丘儉因反抗司馬師專政竊柄，卒被討滅族誅。謀按：陳壽管輅傳中，則為過毋丘儉墓，裴松之已辯其非，陳壽又誤矣。

管輅過清河倪太守（無名），時天大旱。倪太守向輅曰：「雨期可卜否？」輅曰：「今夕當雨」。然其時正烈日炎炎，衆府丞咸謂不然。約莫一鼓中，星月皆沒，風雲並起，竟成快雨。於是府民皆服其神妙。

正元二年，其弟管辰謂輅曰：「大將軍待君意厚，（大將軍：時為司馬昭）冀當富貴乎？」輅長歎曰：「吾知有分直耳，然天與我才明，不與我年壽，恐四十七八，不見女嫁兒娶也。若得免此，欲作洛陽令，可令道不拾遺，抱鼓不鳴。但恐至太山治鬼，不得治生人，如何？」辰問其故，輅曰：「吾額上無生骨，眼中無守精，鼻無梁柱，脚無天根，背無三甲，腹無三壬，不壽之驗。又吾本命在寅，加月食夜，天有常數，不可得諱，但人不知耳。吾前相當死者過百人，略無錯也。」是歲八月，為少府丞，明年二月卒，年只四十歲。誰人短命，奇哉！（完）

中國女性文藝春秋

周遊

武則天更會利用人民的心理。唐代是佛、道二教發達的時期，人民對佛教信奉尤甚。「金輪皇帝」這名號，就是利用佛經裏「轉輪王」中最利害的『金輪王』的稱號，以期取得信教人民的信仰。

她做皇帝後在政治上的成就，更著的是她能選拔眞材。如在垂拱二年，她制令百宮及百姓皆得自舉，以補考試之不足。又於天授元年，（公元六九〇年）創行殿試制，以破除普通考試制度之流弊。舊有的考試制仍然有因襲和改革。又設「存撫使」，專司各地薦舉人才，使野無遺才，責任既專，弊端自少。

武后在軍事方面也有她的一套，而且是卓越的一套。為免武將的拔扈，她用文官掌握兵權，如婁師德、狄仁傑等任武職，成效卓著。她更大胆的廢除祖宗的御史監軍制度，以便「將在外君命有所不受」，才能打勝仗。她也有非常的眼光，能夠在羣僚中，認識治世的能臣，如打張宗昌的蘇良嗣；恭勤不怠的婁師德；揭破假祥瑞的李昭德，魏元忠以忠直得罪，臨到處斬的時候，她飛書辯明他的罪；狄仁傑那樣直言敢諫，而酷吏攻訐的時候，她反以善言安慰；其他如在玄宗朝還稱賢相的姚崇、宋璟；舉兵復辟的張柬之等，都為她尊重。此皆為其犖犖大者，在中國衰衰諸帝王羣中，好多飯桶皇帝尚望塵莫及呢！

雖然她政治才能不錯，機運俱會，造成了她登上中國唯一的女皇寶座。但是她究竟沒有三頭六臂，九轉玄功，千變萬化的神力；女權雖能提高，但整個社會傳統的大醬缸她還是推不翻。在整個歷史上來說，她之崛起到沒落不過是曇花之一現，但她活了七十多歲，以一個人的生命來說，她可算得是福、祿、壽考的一個女帝。

公元七〇五年，這一代女帝沒落了，張柬之等擁中宗復辟，殺了張昌宗、張易之等，仍奉她為太后。那時因為她經是古稀老太婆，而且又在病中，否則復辟尚大有問題。復辟後，她的枝葉逐漸芟除，恢復大唐國號。

一般人對武則天批評是「淫而不亂」，如『她』是個『他』，這個「淫」字就沒有了。但我們請劉昫先生來批評，他在舊唐書中贊她的話：「……汎延讜議，時禮正人……飛語辯元忠之罪，善言慰仁傑之心，尊時憲而抑幸臣，聽忠言而誅酷吏（指周興、朱俊臣等）有旨哉！有旨哉！」這些贊語已夠洗雪她被人漫罵的汚點了。

武后的政治才幹蓋過了她的一切，提到她的壞處，就是一個『淫』字掩蓋了她好的一面。其次，是她的文學，也因其政治上的名氣淹沒了。文墨雖然不是了不起的女作家，但她也畧通詞翰。因為她把全副精神集中在政治上去了，不然也有可誦之作。她作有「垂拱集」百卷，「金輪集」六卷，唐史以為她的著作是出自元萬頃崔融等之手。但也有她的自作，而今無法辨別了。集中有樂府多章，古質典雅，風格似漢之唐山夫人的『安世房中歌』。詩作品不多，然大多非常莊厚，只有如意娘一首，露出了她的本色，下面引來一觀便知。

看朱成碧思紛紛，憔悴支離為憶君。
不信比來長下淚，開箱驗取石榴裙。

此外都是些富麗堂煌的制誥、序跋、碑、銘等古文，這些雜文學我們大可不必去理會好了。（卅四）

平劇繽紛錄

談「趙雲」戲

桂良

談「趙雲戲」，談過了「陽平關」，似乎將成了「強弩之末」，其實不然；以後，還有「鳳鳴關」，「連營寨」的趙雲救駕和「鳳鳴關」也是趙雲的正戲之一，南北舞臺上演「鳳鳴關」的少了又少，清唱偶而一聞；但「連營寨」戲帶趙雲救駕却不少見，雖然不是趙雲的正戲，但是可以演成大軸，余叔岩楊小樓合班，又如同演「陽平關」一般，武生演大軸了。「連營寨」本是鬚生重頭戲之一，爲關公戲「走麥城」與張飛戲「造白袍」，前折，下接「哭靈牌」，爲述三國演義，陸遜火燒連營七百里故事。「伐東吳」又名「雪弟恨」，也有單演「哭靈牌」一折者，統稱曰：「連營寨」，如名「火燒連營」，必帶趙雲救駕。

「連營寨」情節述：「關公遇害」，張飛聞訊，因急於報兄仇，限期「造白袍」。范疆張達懼不能如限造成有罪，遂先下手殺張飛，而逃往東吳。劉備要興兵東下爲兩弟報仇，諸葛亮與衆謀士屢勸不聽，率兵伐吳，東吳被迫起用陸遜，陸遜與劉備大對抗。劉備以佈營過長，首尾難顧，犯兵家大忌，遭陸遜火攻大敗，老將黃忠帶箭受傷，故此齣有「黃忠帶箭」一折，「哭靈牌」一折，最感人者爲「哭靈牌」一折。在昔年只有譚門嬌客王又宸常唱「連營寨」，至於余叔岩，楊小樓在他們合作時期，每年只演一次「連營寨」。

當年聽余楊合演「連營寨」，配角是硬裏子鮑吉祥的諸葛亮，二路小生馮蕙林的陸遜，二路淨角劉硯亭的孫權，武淨范寶亭的沙摩柯，羌人女將是武旦九陣風，范疆張達由郭春山等充之。東吳將韓當周泰，是武淨名角錢金福，和許德義，勾臉裝扮將軍趙，很得兩座門神樣，若非楊老闆眞壓不住這兩位赫赫的將。

余老闆在三報火起：「滿營之中烈火騰……」一撲燈蛾唸後，他是白箭衣，白髯，臉上塗黑灰，自下場門上，吊毛，摔在台口小邊，單腿跪，撲着火到上場門一抱頭，火彩自頭上撒，過天流星一道，與衆不同，一切身段都是反向的，而一樣便捷自如，與王又宸的拿手「連營寨」不可作同日觀。

出馬，到了關興張苞保皇伯敗下，大急風翻上，四個翻頭，他鼻孔抹黑，表示走路跪馬的神氣，上下場門兩個「望門」，起了觀衆的緊張精神，誰說不用電影中的高潮一樣？劉備在驚惶失措中，忽見趙雲前來保駕，先一喜，後悔，悔恨塡胸，唯有跺腳喊一聲「殺！」

——這時雙馬童，分立在上下場門兩張桌上，一在搖擺旗子，一在亮像，趙雲迎戰大抽搶前後，雙馬童分立常勝將軍身後，顯出凜凜威風。

我是個緋緋戲迷

胡惠君

我繼續沉住氣來消磨時間，一心盤算着怎樣可以讓時光滑走，讓耳朵恢復自由。可是奇蹟突然出現，扮演李三娘的朱寶霞，在表演盡生活的辛苦的時候，淚水不斷沿着鼻子的兩邊往下滴。演員在舞台上抽噎流淚，這在我的經驗中還是第一遭。這使我十分佩服朱寶霞的表演藝術，和演員與劇中人渾然化爲一體的表演藝術，因此，即刻改變了過往的印象。我坐直起來，集中雙目來注視舞台上的動作，並集中雙耳來諦聽舞台上的歌唱。這才逐漸發覺評劇演員的舞台動作，完全與平劇相同；女角的唱腔與道白，用的是本嗓，絕不同於崑曲與平劇中的女角所使用的是假嗓；他們的發聲與對白，用的是道地的北平話。尤其是，他們的嗓子是那樣清脆生動，充份發揮了中國最優美的女性語言的魅力。越劇的女演員，所使用的也是本嗓，但聽去總像嗓叫着的老鴉似的，與百靈鳥似的評劇女演員，簡直無法相比。

從此，我成了評劇的嗜好者。以後來了喜彩蓮，來了鮮靈芝，來了其他的劇團，總風雨無阻地成爲座上客。

但是，在白玉霜未到上海演出之前，評劇在上海並未打開局面，只在遊藝場型劇場露面的。白玉霜來了，纔正式在戲院上演，纔讓評劇成爲上海人所喜愛的地方劇種之一，它的聲勢，遠遠地超出了比它歷史悠久同屬於華北的曲藝的大鼓，墜子，梆子以上。

白玉霜未到上海之前，便已是中國的名女人之一，她的成名，是在北平。那時節，正是九一八之後，日本人佔領了東北，又在華北搞風攪雨的時候。白玉霜上演了她的拿手好戲「馬寡婦開店」與「槍斃小老媽」，轟動了整個故都，被市長袁良藉口國難時期，傷風敗俗，腐蝕人心，把她驅逐出境，因此她成爲新聞人物，全國聞名。她被逐出北平之後，日本人的侵略如故，大人先生的文恬武嬉如故，不過她却因禍得福，不用化一文宣傳費就已經大紅大紫了。

她在上海恩派亞戲院登台，上千座位不夠賣，天天有很多人向隅。她本身粗眉大眼，說不上是美女，但她大膽破壞了中國戲劇的傳統，利用道白，與台下的觀衆直接開玩笑，而口吻中洋溢着色情的氣氛，男觀衆呢，在她的挑逗之下也瘋狂似的大聲喝采歡笑，讓台上台下，歡笑成一片。於是，「來了佳人馬寡婦……」也成爲當時上海男女口中流行的哼哼調之一。

白玉霜因此也成爲上海色情市場高價搶購的奇貨，一些豪客們以曾與她有過肉體關係作爲榮宗耀祖的記錄。就在她的黃金時代，她突然隨着一個在大世界演唱常錫文戲的無名男演員，私奔到常州鄉下，就在那裏隱居，並生養了兩個女孩，並且在那裏沒沒無聞地死去。最近在香港放映的常錫文戲「珍珠塔」中的女主角梅蘭珍，據說就是她的親生女，就面部的輪廓看來，確乎有些相像。

白玉霜的私奔，使整個劇團面臨崩潰的邊緣。爲了生活，他們捧出她的名義是徒弟、實際是難於找到出頭的女兒可以上台的小白玉霜。小白玉霜只是個十四五歲的小女孩，不備具以姿色來爭取觀衆的條件，他們只好流轉於遊戲場，成爲聊備一格的娛樂項目之一。小白玉霜現在已是四十歲以上婦人了，但在那時節，也不得不爲了吸引觀衆，挺起纔萌起一絲微芽的小胸脯，演出稚嫩的潘金蓮與……

嗓子唱得發啞，幾乎發不出聲。其後，她成爲評劇最出名的「靑衣」，她的母親擅長是以輕鬆演唱的喜劇成功的，而她却是以悲劇，演技上的深度，遠比她的母親寬濶得多。

到了晚年，評劇的地盤也轉移到遊戲場，我只能在晚上時常到遊戲場去。遊戲場在當時是自以爲是正人君子之流瞧不起的下等地方，也是私娼與妓女最活躍的地方，我因此被同事們懷疑是「打野雞」甘下流。我的解釋，自然也不會被他們相信，一個江南的土著，會對流行於東北與華北的「落子戲」發生趣味的；解釋既然沒有用，對他們的譏笑只有作充耳不聞狀。經過一個長時期，他們既不見我生花柳病，也不借錢，諸言纔逐漸平息，我也去了南京。

南京沒有評劇。有一年的冬天，南京的特別寒冷，茶杯中的開水也會凝結成冰，那時朱寶霞的劇團在下關新新舞台上演。我每天由城中心趕到下關去，深夜回城，在車中手腳凍得麻木難動，但一點也不感覺是活受罪。她們唱十天，我便去十天，戲院的經理誤會我另有目的，要我到後台去和她們見面，我堅決地拒絕了，因爲在評劇觀衆面前，我所欣賞的是舞台上的演員，不是演員的本身。（中）

唐蟒妙計退羣雌

古月

湖南唐蟒桂梁（亦稱韭良）是庚子（一九〇〇）漢口勤王主角唐才常的哲嗣。他鑒於父親爲保皇黨康有爲冤枉送命，自幼即立志反清，誓報家仇。他曾留學日本，畢業士官第五期，與李烈鈞、閻錫山、唐繼堯、趙恒惕、李根源等諸人，俱爲同期同學。辛亥革命，他已加入同盟會，參與武昌起義，任黃興的侍從參謀。大功告成，爲湖南都督譚延闓羅致，任督府副官長，成爲湖南的風雲人物。

他一生生活浪漫，頗傳父風。清末寄跡上海，雖處窮途涼困境，猶不忘打牌喝酒叫局。胡適之博士，那時正在上海教讀，胡適之也是他的酒肉朋友，及鍍邊大臣。（見胡適四十自述）。同時他又極富鬼馬天才，善於扭計。眞所謂「才策謀略，世之奇士」。（三國志語）

民初的湖南婦女運動，特別發達，如唐羣英，歐陽雅文等幾位小姐，均有革命英雌之稱。那種潑辣之氣，即開國元勛的國父孫中山先生，亦讓她們三分。當時有位同盟會智多星宋教仁，說了一句「今日中國女性尙無參政資格」，竟遭唐羣英小姐，當衆批頰，此番意外突襲，亦無可如何。這位雌老虎延闓任湖南都督不久，唐、歐幾位小姐，率領三百娘子軍，衝入都督府請願，要求立刻准許女子參政。來勢洶洶，大有活吞都督之勢。

譚督幕僚僉覺棘手，最怕與女子論交。聽到府內羣雌粥粥，早已嚇得避不謀面，派副官長出面代表接談。他看到娘子軍的橫行無忌，不可理喻，計。他暗將督府庭中性慾旺盛的驃馬十餘匹放出，驅至府中前庭，任令當着請願行列集體交配，眼花撩亂，表演緊張刺激，娘子軍看到如此艷場面，顧不得什麼請願結果，掩面含羞，悄悄自動撤退。他因玩出這套以馬交媾制雌的鬼才，從此得到「風流軍師」的雅號。

北伐時期，他任國民革命軍第六軍程潛的參謀長。攻下江西九江，改任當地警備司令，府要員多數受戮，他却逃過封劫，也是叨了過去善於扭計之光。不過那次所扭者，並非風流計，而爲安邦定國的上謀。原來北伐首先攻入南京的正是程潛的國民革命軍第六軍，他在九江警備司令任內，以程潛的老參謀長資格，電請迅速迎接駐節上海的總司令，進京主持大計。

詎料程潛狼子野心，師「先入關者王之」故技，自己在南京想稱王稱霸。竟不納忠言，置最高統帥於不顧。後來蔣總司令以第六軍封殺南京外國僑民，將程潛撤職，棄不復用。當年他識大體、顧大局，私衷念念不忘。因而蔣總司令對唐蟒念念不忘。勝利後他之所以能逃封戮，據傳即基於此關係。好鬼計者亦有正謀，這是他經常引以自豪的趣話。

大陸易色，他逃難來港，窮塞困頓以歿。今日桂梁墓木已拱，回想前塵，可慨也矣！

赤壁之戰與華容道

河漢

關羽帶走了荊州一小部份水軍「船數百艘」，以當時的造船技術和每艘可能的最高負載力來估計，每艘的人員連同輜重大概是八十到一百名，因此總人數大約是五千人上下。加上失散的士卒陸續歸隊，劉備可以指揮的水陸兩軍的總兵力還有兩萬人。

佔據了湖北西部的曹操，把主力結集在赤壁（今湖北嘉魚），擁有步騎兵約十五六萬，自荊州收編的水陸軍約七八萬，總兵力是二十五萬人，對外宣傳則是八十萬大軍。他所以要如此誇張兵力，便是想以假藉軍事力量的雄厚來嚇倒孫權，企圖造成不戰而屈人之兵的目的。

駐紮在赤壁的曹操，認爲劉備的實力已經支離破碎，已不再具有威脅作用；基礎脆弱的東吳，資望淺薄的孫權，絕不是他的對手。他自以爲戰爭已經接近尾聲，不久就可奏出凱旋的樂章，因此完全鬆弛了對於外表看去相當弱小的敵人的警惕，而不將他的水軍迅速指向吳軍的水上根據地的柴桑（今江西九江），不將他的步騎兵迅速指向吳軍陸上根據地的南昌，搜索敵人的主力進行決戰，却把軍事行動停止，以滿不在乎的口吻向孫權發出招降的書信：「近者奉辭伐罪，旌麾南指，劉琮縮手。今治水軍八十萬衆，方與將軍會獵於吳！」

曹操把一場未來的戰爭視作輕鬆閒適的行獵，對於孫權誠然是侮辱，對於曹操自身，正反映了他的驕傲與主觀。在強大的敵人壓力下，吳國的內部即刻分成投降與抗戰兩個集團，投降集團在聲勢上，且超出了抗戰集團。就投降集團的看法，東吳所佔有的地盤不論在文化上，經濟上，人口上，都遠比黃河流域落後，以東吳的國力來和曹操作戰，失敗是鑄定了的，與其作徒然的掙扎帶來玉石俱焚的結果，不如屈膝投降求取瓦全的機會。孫權自己也認爲戰爭沒有勝利的條件，但又難於忍受投降的恥辱，徊徘於降戰之間，無法作出最後的決定。（二）

話說星際旅行

◁若愚▷

假使人類能夠造個一萬五千瓦的發電廠，其重量不超過十個廻形針；而又能把四千萬個這樣的發電廠和六億個一百瓦的發射機，裝到一個約十噸重的大包裹裏，然後再找一位既能夠而又願意在這個狹窄又無遮擋的太空艙裏坐上十四年的太空人——這樣，我們才配談把人從地球送到最近的星球，去探知是否有人類存在。

這是美國科學促進會一本技術性的刊物中，郝諾爾博士發表的一篇對星際旅行的宏論，但郝諾爾博士並沒有說星際旅行是絕對不可能。對於這項超越太陽系星際旅行的可行性，郝博士把答案留給讀者自己去找。這位西德海德堡的天文學家並且深信，就是在遙遠的將來，太空旅行也只局限於我們這個太陽系。（上）

內銷警台報字第〇三一號內銷證

自由報

THE FREE　第九八〇期

中華民國僑務委員會登記證僑新字第三二三號
中華郵政台字第一二八二號執照登記爲第一類新聞紙類
（半週刊每星期三、六出版）
每份港幣壹角
台灣零售每份新台幣貳元
社　長：雷嘯岑
督印人：龔行奮
社址：香港銅鑼灣高士威道二十號四樓
20, CAUSEWAY RD 3RD FL. HONG KONG
TEL. 771726　電報掛號：7191
承印者：大同印務公司
地址：香港北角和富道九六號
台灣分社
台北市西寧南路壹零壹號二樓
電話：三〇三四
台郵撥儲金戶九二二九

五十年來國際共產黨和毛共企圖毀滅中國民族文化的大陰謀（一）

何浩若

中華民國五十六年八月七日，國防研究院第八期舉行畢業典禮，蔣總統兼院長親臨致訓，說明以阿之戰，對我們反攻復國的啓示。總統指示我們反攻復國的工作要和以色列一樣爲民族與文化而戰，才能萬衆一心，以破釜沉舟之勢來完成任務。這一項指示是十分重要的，今天我們的國家，不論從民族或是文化那一方面講，都和以色列一樣遭逢着空前的厄運。我們並沒有經過兩千多年亡國的痛苦。但是今天大陸上的同胞所受的水深火熱的摧殘，比以色列兩千多年亡國之痛還要悲慘。在大陸上的中國固有的文化，所謂我們祖先所遺留下來的文化觀念風俗習慣，被毛林匪幫的文化大革命摧毀破壞，已經不絕如縷。我們沒有『哭牆』，我們不能吹着羊角跑到哭牆邊去相對痛哭。可是今天的大陸就是我們的哭牆，我們要爲民族與文化而戰。當我們勝利的時候，我們要吻着大陸一寸一寸的土地，就像以色列人吻着哭牆一樣來慶祝我們的勝利。

在這裏，我們的任務是雙重的。我們不僅要反攻復國，而且要復興中華民族的文化。因此，我們願意向讀者報導一點我們的敵人，國際共產黨和中共匪幫是如何摧毀我們的民族文化，揭破他們五十年來企圖毀滅中國民族文化的一個大陰謀。

甲、毛共的文化大革命

很明顯的，中共匪幫的文化大革命，其目的就是要毀滅我們中國的民族和文化。爲什麼共匪要這樣做呢？這有許多的理由。理由之一是因爲以人爲本位的中國文化是反共的。有中國文化的存在就不會有共產主義的存在。理由之二是馬列主義根本不承認有民族文化的存在。馬列主義者對民族祇想加以利用。階級的利益是絕對的，民族的利益是相對的。民族的利益必須放在階級利益之後，何況唯物史觀之所謂宗教道德，根本不屬於經濟結構的內容，更不是社會的基礎！毛匪澤東在中國大陸上發動文化大革命並不是用來奪權。奪權的目的是要打倒劉少奇所領導的修正主義派。但是劉少奇這班人一樣的是馬列主義者並不主張維持中國的文化。文化大革命和毛匪的奪權是兩件事。毛匪攻擊蘇俄走資本主義的道路是修正主義者。蘇俄也同樣的攻擊毛酋走民族主義的道路是修正主義者。爲爭取共產主義的領導權，爲徹底表示自己不是民族主義者，毛酋便假借文化大革命來發動整肅。據一九六六年六月二十八日新華社的報導，爲擴大運動，留在中國大陸的亞非兩洲的文藝作者召開了一次緊急會議，請中共匪幫的僞外長陳毅來解釋文化整風運動。陳毅告訴他們：「無產階級文化大革命的工作是要徹底消滅中國的所有古老的觀念、文化、風俗和習慣。」他說：「中國固有的文化是剝削階級幾千年來遺留下來毒害人民心理的東西。」陳匪還厚着臉皮說：「這次整肅運動是爲了鞏固無產階級專政，以便能夠給予更大和更多的無產階級文化奉獻於亞非及全世界人民的進步使命。」陳匪的話說得太明白了。他說中國固有的文化是剝削階級幾千年來遺留下來毒害人民心理的東西，文化大革命的目的就是要徹底消滅中國固有的觀念文化風俗和習慣。也就是要消滅中國人的民族性。

乙、一個企圖摧毀中國文化的大陰謀

如上所述，我們能了解以人爲本位的中國文化是徹底反共的。我們也能了解爲什麼馬列主義者和中共匪幫要徹底消滅中國固有的文化。我們沒有想像到的是在五十年前，一羣共產主[illegible]一個大陰謀，利用一些胡塗的中國學者，來摧毀中國固有的文化爲共產主義開路。而這一有計劃的陰謀，竟繼續到台灣，并且牽涉到美國共產黨和他們的同路人所策動的台灣獨立運動。這是中國文化界五十年來的一個大秘密和大陰謀。現在筆者要根據事實，揭穿這一秘密和陰謀。希望讀者也根據事實和證據來了解這一個五十年的大秘密。假如我們要復興中國文化來打倒共匪暴政，我們也必須了解這一陰謀和秘密的經過。

遠在四十多年以前，全世界聞名的學者，杜威和羅素被聘來中國講演。這兩位學者同時來中國講演也許是偶然的。他們的講演，也發生了預期的影響。杜威的學生胡適接着發動了一個新文化運動，說中國沒有文化。他說中國的文化，祇是小脚、辮子和鴉片烟。胡適這一說法，後來被哈佛大學教授費正清加以修正說中國沒有文化，中國的文化祇是小脚、姨太太和太監。這一說法一直繼續到現在自由中國的台灣，演變而爲全盤西化運動，由殷海光等人領導，重新鼓吹羅素的學說。胡適在新文化運動中拿「大胆「假設」和「小心求證」的科學方法拳打耶穌，脚踢孔子。這個以假設證驗的方法來尋求眞理，是完全與馬列主義者的說法相符的。費正清和拉鐵摩爾是美國太平洋協會的負責人，胡適是中國太平洋協會的負責人。太平洋協會是美國哈佛學派有關的人所組織的。據美國國會調查：「太平洋協會是共產黨用來轉變美國遠東政策以達成共產目的的工具」。（見美國參議院八十二屆報告二〇五〇號第二二五頁）國會調查報告又說：「把中國送給中共，可說是我們歷史上最悲慘的事。對於這件事，太平洋協會貢獻最大」。該報告並且說拉鐵摩爾和費正清是「蘇俄陰謀明顯而且自願的工具」。美國前總統甘迺迪在任衆議員的時候，會於「一九四九年一月三十日在國會講演說拉鐵摩爾和費正清是美國共產黨的同路人，把中國大陸送給中共。（該講稿於一九六一年重印，載於一九六一年八月二十三日國會紀錄第六五六六頁以）。中國大陸淪陷以後，費正清以學者的姿態，到台灣來講學，領導台灣的文化集團，發動全盤西化運動，並且策動台灣獨立運動來顛覆自由中國。

貿易会

只有這種貨

米

蛀米大虫

今日与明日

認清暴徒的伎倆

經過半年的暴亂，港人逐漸的認清楚共黨暴徒中有一個原則，其就是重要人物不露面，重要的機構不出頭，策動出去拼命的，全是外圍份子。例子，此次共黨暴動達於高潮時，暴徒出來作亂的根據地全是一些「國貨公司」，著名的是華豐、大華、裕華等；爲什麼暴徒不以中國銀行、南洋商業銀作爲根據地？不是要比國貨公司安全的多？所以然者，就因爲去造反並無把握，一旦失敗，將遭殃，果然華豐首先遭殃，到今天顧客不敢上門。銀行是收錢的地方，如果暴徒以銀行爲據點，累得無人上門交款，問題就大了，所以銀行不能作根據地。至於「中國」與「南洋商業銀行」，更負有特殊使命，尤其不能暴露。

其次，所有暴動以來，被捕的也是外圍份子，重要人馬，如新華社的正副社長總編輯，編輯皆非門委，只派了一個副總編輯參加；即使門委全部被捕，但是左派若得到勝利，最後出來「受降」的決不是遠走日本的高卓雄，也不是東藏西躲的費彝民，更不是已作監蹇的湯秉達，甚至也不會是楊光，必然不出梁威林與祁鋒。這種禍則歸人，福則歸己，就是共產黨人的基本戰術。

學校歟？盜窟歟？

最近形勢的演變，對港共已愈來愈不利，港共漸無可用之兵，於是把幾家左派學校的學生全派上用場。本來在鬧事之初，學生已被派爲敢死隊，如大鬧南九龍裁判署，就是左派學生的傑作。到了今天，擲彈的工作也交給學生，前日培僑學生果然演出十面埋伏鬧毆警察，在法庭觀審大鬧法堂，都是左派學生出頭。警察可能看見是學生、不好輕易出手，因此他們就更加猖狂，港共暴動的領導人也就更加重用學生。

最近港府通過許多新例，有正義市民可以活捉暴徒的法例，都是針對時勢而發；獨獨有關管理左派學校的法例却未見有人提出。愚見以爲然應有一管理左派學生的法例、重要應當包招以下三點：

第一，凡是一間左派學校師生成羣結隊在社會上公開破壞法律秩序者，學校封閉，校長坐監。

第二，凡未成年男女，因暴動而觸法律者，其父或母應當連坐。

第三，暴動學生判監服刑期滿後，一律驅逐出境。

如能有這樣一項法例，或可減少一些滋事學生。（何如）

軍中有婦人

自由談

美國總統詹遜最近簽署了一項軍承認婦女在軍中有與男子競爭職位的平等權利，詹遜聲言，將來美國的軍隊裏，很可能產生女性的上將，成爲三軍總司令或參謀長。這是最徹底的男女平權措施，非如美國這種十足的民主國家，曷克臻此！

婦女幹行政工作，可以跟男子並駕齊進，較量高下，在世界上就有女皇帝如英國與荷蘭，而過去的錫蘭和現時的印度內閣總理，亦係女性人物，至於女性的駐外使節，或內閣閣員，美國早就有了，更不足爲奇。唯有教婦女擔任正式軍官，還屬一事，其利弊得失如何，不妨大胆假設，向待小心求證。

軍人生活原有「神仙、老虎、狗」的各種情況，婦女作神仙或許勝任愉快，要她們做老虎，在家庭固然優爲之，若夫做敢死的落水狗，那就難免有些困難吧？一般的女性比較是溫柔的，然軍事將領不論職位大小，總得表現威嚴氣概縱行，否則很不容易整飭軍紀，嚴肅號令的。香港不少的女警士，她們穿着制服，戴上警帽在市街上執行職務時，一舉一動都表現着溫文爾雅的模樣，一見就知道是母的。民國十六年春間，我在國民革命軍中見過幾個女性士兵，她們全副軍裝與一般軍士無異，舉手敬禮的姿式亦復婦婦亭亭，我見猶憐。這些雖係表面動作，但關係軍人精神教育不淺，過去日本的軍事教育，認定立正、稍息和注目動作最關重要，說來頭頭是道，所以日本軍人以善戰著稱於世，非偶然也。

軍人更需要冒險犯難的勇氣，視死如歸的精神，「婦人之仁」總不可有。教她們作上將，階級的統帥，一旦從事於殘酷的戰爭行爲，如其沒有如武則天那樣的殺親生太子的狠毒心腸，即難達成戰勝攻取的任務。

因此，美國實行男女平權的軍事法案還有新玩藝，結果如何，殊不可知。我認爲讓女性擔任憲兵司令或各級將官，比較作陸海空軍的首長相宜些，道理不必贅述，大家都很瞭解，假使憲兵的官兵盡由女性充當更好，咱們若要向美國看齊，請從此始！

馮玉先生

從立法院質詢
看僑務與宣傳工作

○本報記者張健生○

當前的僑務工作與國際宣傳，都值得檢討。立法委員質詢案，對此都有深入之分析與評論。我們的僑務工作，多屬重形式而不切實際，專做表面文章。

立法委員何適於本會期第七會議質詢僑務時說：「最近，僑委會所發動的旅美加華僑子弟回國觀光，在某一場所，我向一小學生詢其家鄉，他回說是美國某州，經再詢問以後，該小學生竟不知他是中國那一省人。這眞是一件很大的悲哀！中國話不會講，連祖籍都不知道，再過一代下去，恐怕連是中國人的後裔都不知道了。我們號稱有一千多萬華僑，似此種情形，再加上各國政府對我華僑的同化，幾十年後，是否再能保有華僑，則大有問題。如何使華僑對中國文化傳統、語言、習慣保持下去，這實在是當務之急。過去，我們的華僑多能保持祖國傳統文化、語言習慣，不期這幾年來慢慢有了轉變，尤其是以美洲國家為甚。我認為：使我華僑保持中國文化、語言，是可以做到的。例如猶太人，雖其亡國幾千年，猶太人流落各國，然而其猶太話與猶太教，仍能在猶太人之間維持。以色列建國雖只有二百萬人民，但因猶太民族的感情支援，其潛力之大，可於此次「以阿」戰爭中見之；以色列此次作戰雖用去十幾億美金，可是在全世界的猶太人，幾天間就捐齊了。這種偉大的力量，就因感情相通，面對祖國才會發生密切的關係。再如法國，其居於（加拿大）魁北克雖有幾百年歷史的法國僑民，迄今仍能保持法國的文化傳統與語言習慣。可是我們的僑胞，卻漸漸喪失了祖國的文化傳統，僑務會對此雖已予注意，但仍嫌不夠，今後僑委會應將工作重心放在海外，不應以在國內招待華僑為重」。

僑委會委員長高信對於「何委員就憂下一代僑胞數典忘祖」的質詢，表示同感。他說：「何委員所遇見的華僑子弟祇是不知祖籍省份，本人即會遇到一回國參加中文補習的學生，竟連其姓氏都不知道，我們僑胞子弟到了此種程度，眞是可怕極了」。

高委員長又說：「我們每年雙十國慶招待華僑的重大工作，應移到海外，對加強海外僑胞工作，我們願意接受，但是對每年接待幾十華僑回國參加雙十國慶及向總統祝壽，這種工作非但不能減少，而且應再加強」云云。

因此，立委何適於聽取高委員長答覆後，又提出「關於僑務問題」向行政院再質詢。何委員說：「高委員長的答覆說：『何委員提出兩個問題：一是華僑教育問題，一是僑委會每年重點工作在雙十節招待華僑，今後應將重心移到海外的問題。』關於高委員長所說的所謂第二點，我要加以澄清，我并沒有說：『僑務委員會每年招待華僑，工作重點在雙十節，今後應將重點移到海外』；我只是說：『今後僑委會應將工作重心放在海外』。這裏所講的『工作重心』，是指全部僑務工作的重心，而不是單指『招待』。我雖然認為『招待』在整個僑務工作『重心』的比重之下，是比較小一點的事情，但是我並沒有說把工作重心放在海外，就可以減少在國內招待歸國華僑的工作，更沒有說可以減少『對每年接待幾千華僑回國參加雙十國慶及向總統祝壽』的工作，相反的，參加雙十國慶及向總統祝壽的人數越多越好。惟這並不影響到把僑務工作重心放在海外的原則，因為所謂『重心』，並非說『重心』以外的工作都一定要減少，只是在『重心』方面需要特別加強而已」。

曲解原質詢命

何委員對「僑務工作重心」這個問題，特別加以釋明。他說：「當前的僑務問題，最重要的是下列幾點：一、發動一千多萬海外華僑參加討毛救國及一切反共工作；二、在海外廣泛的宏揚三民主義及展開中華文化復興運動；三、積極推廣華僑教育；四、輔導華僑發展經濟事業，並展開對匪經濟戰工作。上述四大要政，沒有一樣不是需要在海外切實工作的。」

這位廣東籍的委員更進一步指出：「雖然華僑回國觀光及僑生回國就學，對這些事情都有幫助，可是不能靠這些為主要工作。主要的工作還是要在海外作有計劃有系統的推動。現在就以高委員長答覆我質詢的話來說明這個道理。高委員長說：『本人這次去南太平洋，在大溪地發現華僑反共的情緒特高，後來再到紐西蘭、澳洲等地，華僑的反共情緒均較大溪地低落，經過研究，原來大溪地每年回國的人數較以上地區為多。該地一萬多僑胞中，至少有一兩千位直接間接見到或聽到我們眞實情況而再去轉告給未回國的僑胞。反之，若華僑地區無人回國，則該地華僑反共情緒定必低落』。高委員長這些話，我相信是實情。但是，海外華僑一千七百萬，我們能希望都像大溪地這樣有十分之一或十分之二（即一百七十萬至三百四十萬）回來祖國觀光嗎？如果不能的話，那末，那些沒有華僑回來或回來的人數很少的地區，難道我們就聽由他們『反共情緒低落』嗎？可見我們一定要在全球各地——連那些沒有華僑回國觀光或回來的人數很少的地區，都要設法展開我們的工作，這樣，我們所講的四大要政，才有廣泛發展的可能，難道這還不能證明『僑務工作的重心應該放在海外』的道理嗎？」

何委員長最後說：「『高委員長答覆我的話，既不能針對我的質詢作明朗的說明，而且把我質詢的命題也改變了，所以我要再提一次政策性的質詢』。」

華僑投資不理想

福建籍立委林炳康會就華僑回國投資的政策，加以檢討，並提出三點意見建議政府改善各項不當措施。他說：發展經濟，是政府既定政策；為了鼓勵華僑回國投資，政府制訂華僑回國投資條例及獎勵投資條例，並設立工業加出口區，『原以積極爭取華僑回國投資，可惜的事與願違，十餘年來，不如理想』。『現時在台灣地區，純屬僑資的事業，實際上不及三百（）九家，投資額僅達美金六千六百四十三萬餘元。政府鼓勵華僑回國投資如此積極，而華僑還是如此退縮，其原因何在？立法院僑政委員會去年和今年，幾次召集有關方面舉行過座談會加以檢討，其意見大致如下：一、改善投資環境，以解決建廠土地，運輸及水電問題。二、簡化投資手續與法令，使投資僑胞迅速回國投資，不致因手續繁瑣法令複雜發生困難。三、改善納稅與退稅辦法，使資金能靈活運用。四、便利投資人及其職工來台之出入境。五、輔導政策必須確定，避免時常變更，致華僑無所適從。六、主管機關辦事人員，必須提高熱誠服務之精神，並改善其態度。七、成立辦理華僑回國投資聯合機構，賦予審核權力，並負責輔導。以上意見，都很切實，希望政府採納施行，或將收到更大效果』。

林委員於質詢中提出政策之建議，俾積極獎勵華僑回國投資。第一、業務性質不加限制：『政府鼓勵華僑回國投資，對其業務性質，表面上雖無限制，實際上，除農工生產及觀光事業外，其他業務，尤其金融信託不受歡迎。反觀政府對於外人，則許其在台設立銀行，例如：美國人可設美國花旗銀行，美國商業銀行；日本可設勸業銀行；泰國人可設曼谷銀行；對於僑胞只准旅菲僑領蔡功南等人設立一家華僑商業銀行。前年（即五十四年）八月，旅菲僑領林爲白，及旅馬來西亞僑領劉西蝶等，集僑資美金五百萬元，向政府申請設立華僑信託公司，申請書送到政府已逾兩年有兩月，仍在政府考慮研究之中，迄未核准。九月廿七日，亞洲華商在台北舉行會議，通過旅菲僑領蔡文華等提議設立西華聯合銀行；旅日僑領辭本貴等提議設立華僑信託公司等議案，日後當向政府申請，可能不會立即核准，仍將交付研究，再加考慮，不知何年何月方能接奉政府的許可。農工觀光是投資，金融信託何嘗不是投資？後者與前者互相關聯，非常密切。華僑經營之農工觀光事業，尤賴華僑資金之週轉，運用，前者如果限制後者，前者可能趑趄不前！政府爭取僑資，應先放寬業務範圍，不宜加以限制。』

應創造優良環境

第二、僑資進出不應限制：『華僑回國投資，當然須匯若干資金回國，不管其已運用或存銀行，均已變爲國內資金。我國係實施外匯管制的國家，人民不得隨意結匯，必須經過審核，手續相當繁複，除其所申請的外匯係用於購買原料與機器設備，大致不易核准。台灣自美援停止後，所需大量資金，多半向世界銀行、亞洲銀行、美國進出口銀行或若干日本銀行請求借貸，這些貸款，須付利息，不過分期償還而已。所付息金，所償貸款，皆需國家外匯。政府對於華僑回國投資的資金，何不亦以投資貸款對待？進口資金若干，經登記後，以後若有需要結匯，可以任其申請，予以放寬。按外國人投資條例規定，外國人投資滿兩年後，每年得以其投資總額百分之十五申請結匯；對於僑資，政府應給特別優待，不拘年限，可在其投資總額內申請結匯。這是政策性的鼓勵，要依此政策，修改『華僑回國投資條例』，並須國行『回國僑胞儲存資金及申請結匯辦法』。』

第三、林炳康委員認為：『華僑回國投資環境不宜變更，除其本身外，政府實亦於其發展熱愛祖國經濟建設，投資環境比僑居地優良，賺錢機會多，利潤大，他處比較更好，所謂投資環境優良，是指治安良好，電力充足，工資低廉，稅負合理，運輸便利，不重形式……，都是華僑回國投資所喜歡的所需優良環境。即如台灣時時變更法令，如果限制人民基本權利，增加稅捐負擔，電力限制供應，勞力缺乏，工資昂貴，則華僑便不願意回國投資了。故今後政府應創造優良環境，而不隨便亦不輕易變更這優良環境。』

林委員係鑒於獎勵華僑回國投資發展經濟，當前非常重要，尤其香港僑胞正在紛紛歸向祖國之時，提出上述三點意見，備為變更政策，積極獎勵之參考。

關於華僑回國投資問題，監察院之僑政、財政、經濟三委員會亦極爲重視，並推舉大宇、王澍霖、陳達元、丁俊生、劉永濟等七人調查研究小組，調查研究根源安在？（上）

共黨統治下的蘇俄作家

祝西

當他預定本年六月再度來美時，作家協會竟未徵求他的同意向美方宣佈他因病不能出國。此一事件發生時，蘇俄總理柯錫金正在紐約出席聯合國會議。

這位年輕詩人對此種壓制與欺騙憤怒異常，他曾致函眞理報予以控訴，眞理報拒絕發表，但這封信終以走私方法帶到自由世界。

佛茲耐森基在這封信中指出，作家協會宣佈他因病不能出國，是一種無恥的欺騙，是「侮辱人類基本的尊嚴」。他說：「我是一個作家，是一個有血有肉的人，不是一個隨便供人操縱的傀儡。此一事件並非關係我個人，而是關係着蘇俄文學的前途，國格和聲望。我們是否要永遠這麼自侮下去。此一事實證明，作家協會當局不把作家當作人，他們只會撒謊，朦混，無視眞理。他們曾以同樣的方式對待我的同工者，我感到和他們同屬於這個協會是一種羞恥。」

在史達林統治時代，曾被關在集中營八年的小說家索森尼辛，今春致函蘇俄作家代表大會，抗議一項法令，全俄八十餘位作家參加連署。這項新法（第一九○條）規定，對「散佈故意編造的故事，以中傷蘇俄國家和社會秩序者」，予以重懲。

他在抗議書中指出，此項新法使黨所控制的法院有權決定什麼是「編造」，「甚至將原稿予人閱讀或複印，即可被認為犯罪。（這是五百年前的俄國法律）。」

他的抗議書不能在蘇俄發表，黨代表控制下的蘇俄作家代表大會亦未將其列入議程，最後亦以走私方式到達鐵幕之外，全文在巴黎及紐約的報紙發表。本年六月捷克作家代表大會開會時，曾將此一抗議書宣讀。捷克作家與蘇俄作家同病相憐，他們以宣讀此一抗議書的方式，表示自已的抗議。

最近數月來更多蘇俄青年作家因違反新法第一九○條被治罪。以抗議新雅夫斯基及丹爾被下獄和第一九○條新法為主題的莫斯科現代藝術展覽會開幕時，羣衆同時發動遊行，當局出而鎮壓，結果牽連了五十餘人，此一展覽亦於數小時內被關閉。其他抗議與鎮壓逮捕的新聞，亦不斷的傳至鐵幕之外。

法國哲學家馬賽爾十月十一日發表談話稱，自本年二月起，有十一位蘇俄青年文化工作者，以莫須有罪名在列寧格勒被捕，此外更有不少在秘密的審訊下判罪。

莫斯科及列寧格勒是目前蘇俄兩個地下文化運動中心，都有密秘印行的出版物。這些出版物有的是油印，有的甚至是手抄，『鳳凰文學雜誌』即其中之一。按照蘇俄法律規定，私人不得擁有任何印刷工具。此種地下出版物，不論其內容如何，蘇俄當局認為是非法的。（下）

愉快的島國海地

晉陵

海地這個加勒比海的島國，對於觀光事業是非常注意的。旅行社和嚮導很多，都受到海地政府嚴格的監督，使得到海地去觀光的外賓，都受到良好的招待。出租汽車的費用，是有一定的規定的，汽車公司必須絕對遵守。海地的嚮導都受過嚴格的訓練，獲得了執照的。他們大多數都來自良好的家庭，其中有很多是從前海地駐外國大使或公使的兒子，並且，他們必須專科以上學校畢業，能夠說流利的法語，西班牙語和英語。這些人都非常謙和有禮，舞跳得特別好，因爲他們是要教遊客跳舞的。

海地社交界的女郎，非常漂亮，穿着飄蕩的長外衣，綽約多姿。她們也是長於跳舞的人，她們的伴侶，充份的顯示出法國的風味。他們吻着她們的手，鞠九十度的躬。

海地舞非常簡單，只要一個晚上，就可以學會。跳的時候，臀部要擺動。這只要照着音樂行動，凡是要擺動臀部的時候，管奏器要特別敲一下。

在旅行的季節，海地的民俗舞蹈隊，會在露天戲院裏表演土風舞。這些土風舞，都是由法國人的四步舞和慢步舞等蛻變而成的。

星期六晚上是最狂熱的了。海地的每一個人，都走出去跳舞。在小山上，巫毒族人敲着鼓，跳着原始的舞。在山下的市鎮裏，交響樂在演奏，跳着交際舞蹈，你看這種舞時，會感到好像是法國一樣。

如果遊人想到巫毒族人的寺廟裏去參觀，他可以大胆前往，不會有什麼危險。在海地農夫們簡單的心目中，巫毒是一種宗教，這種宗教的目的是尋求和平，而不是和非洲的土人一樣，要設法害人的。

遊客在海地，可以感到一種特殊的氣氛。這種氣氛，是由很多情況造成的。第一是移居到海地的人，模仿法國的情調。（海地原爲法國屬地，現在仍舊以法語爲國語。）第二是愉快的農夫的風趣。第三是這個國家的活力和想像。海地人會印一種地圖，專門表示海地所有詩人的所在地的，在一九四〇年，海地藝術復興，現在，工人、農夫、士兵、都仍舊在畫他們的傑作。他們的作品，和世界各地畫家的風格，並不相同。

海地首都太子港聖公會的壁畫，吸引了歐美各地的藝術家前往參觀，這使得海地人非常驚奇。這些畫爲什麼會有這麼大的吸引力？他們自己並不知道。原來，它們都是和基督有關的，由於海地人不知道還有其他的土地。他們認爲聖經上的每一個情節，都是在海地發生的。因此，基督變成了黑人，是在一條熱帶的河流裏接受洗禮的。在這條河邊上，浣衣婦蹲在河邊上，用扁搥搗衣服。

遊客到海地去，比較急於要看的，是「藝術中心」，那兒有海地的特產，油畫和水彩畫的顏料，木刻和手工做的陶器小像，不過，價格很貴。

海地是一個充滿了驚奇和戲劇式的對比的土地，加上當地人又非常好客，慇懃款待，因此，有很多遊客，每年都要去玩一趟。

海地的首都太子港，在日落之後，變成了西半球最愉快的都市之一，夜生活是繁多的，假如任何人孤單獨坐，那只是由於他選擇如此。到海地去遊歷的人非常多，但是海地沒有建築巨大的旅館，而係以一種別墅式的旅館，來接待來賓，結果，產生了一種溫暖和親切的感覺。

除了太子港之外，附近還有不少旅行者最常去的，是離太子港三十五里的克烏納海濱，在葛納維灣中的海底公園，和五千英尺高的肯斯柯孚山上的村莊。你在上山的時候，可以在半路上停下來看農夫在查泰萊花圃中採摘千百朵花兒，這個花圃，是加勒比海各地最大的一個。這兒出產一種甜酒，你會吃得不願意離開。在回太子港的時候，會有一條支路把你引到伯却爾旅館去。這個旅館好像是在山頂上的一條船，你在這個旅館可以看到很遠的地方，港灣和平原，一一映入眼簾。

假如遊客想去看看海地歷史的光輝，遊歷黑人國王克里斯托孚在西達爾山上所建造的堡壘。還可以抽出時間去看一看海地角，這是一個古雅潔白的城市，仍舊有十八世紀的風味，那兒且有世界第一流的旅館。

三國奇士傳之三

蜀漢術士周群

周燕謀

周羣字仲直，巴西閬中人，蜀中奇士也。父周舒字叔布。舒少學術於廣漢楊厚，其名倚於董扶、任安。數被徵召，皆不詣京。

人謂春秋讖曰：「代漢者，『當塗高』，此何謂也？」周舒曰：「當塗者，魏也。」讖言奇驗如此。

周羣承家學之淵源，少從父舒學，專心候業（星象學也）。羣家富豪，於大庭中作小樓，日蜚居樓上，令家奴輪值觀天星象，若見一氣，即告羣，羣上樓觀之，不避晨夜，故凡有氣候，無不見之者，是故所言皆中。

「拾遺記」有一神話之說：「羣妙閑算術、讖說，游岷山採藥，忽見一白猿，從絕峯而下，對羣而立。羣抽所佩刀抗猿，猿化一老翁，手握玉版，長八寸，以玉版授羣。羣問曰：「君是何年生？」翁答曰：「吾已衰邁矣，忘其年月；然憶軒轅時，始學歷數。風后、容成皆黃帝之史，就余授歷術。至顓頊時，考定日月星辰之運，尤多差異。及春秋時，有子韋、子野及裨灶之徒，權略雖驗，未得其門。邇來世代興亡，不復可記，因以相襲。至大漢時，有洛下閎頗得其旨」。羣服其言，更勤算數，及考校歷代之運驗圖緯，知蜀應滅。後蜀亡，羣奔吳。」要皆神話，此不可信。蓋術士異人多玄虛惑人，以鳴高也。益州劉焉，辟羣爲師友從事。

建安七年，越嶲有男子化爲女子。時羣言曰：「哀帝時，亦有此事，此皆易代之徵也。」後至建安二十五年，獻帝果爲曹氏所竊，封于山陽。如羣所言。

建安十二年十月，有星孛於鶉尾，荆州分野。羣以爲荆州牧將死而失土。十三年秋，劉表果卒。赤壁戰後，荆州分割，果如羣言。

建安十七年十二月，星孛於五諸侯。羣以爲西方專據土地者將失土。是時劉璋據益州，張魯據漢中，韓遂佔涼州，宋建據抱罕。明年冬，曹操遣偏將破涼州，十九年擒宋建，韓遂逃於羌中被殺；其年秋，劉璋失益州，張魯漢中爲曹操所平。此所謂五諸侯失土是也。（上）

蘇俄的太空野心

祁倫

但是，蘇俄在其國家目標、高等教育及國民教育、科學研究、組織領導、經濟發展、政治措施、以及國防佈署等各方面，都有一種彼此協調和遙相呼應的一貫作業方針，用以不斷增强其科學基礎和技術能力。這樣，時間便是成功的因素，再十年後或另一個十年後，難保蘇俄不能逐步使其野心得以實現！更何況，所有一切的措施和作爲，蘇俄一直是由國家控制和支援的——集全國力量爲此一單純目標的而努力；而美國則是各自爲政，追求各自的目的，政府只是指導和資助的機構，其航空太空總署所推動的太空計劃，也是委由私人公司廠商和研究機構辦理。這些私人單位，各別追求其研究目標——希望獲得航空太空總署轉請政府資助。至於教育，美國也是各行其是；甚至國防佈署，也在陸海空爭執不已中，缺乏統一作法；其他如政治措施、經濟發展，美國也沒有劃一的一致行動。雖說美國仍在世界科學方面領先，但在太空動力、電導等方面，依舊落後蘇俄。根據曾任莫斯科美國大使館幫辦、現任美國普林斯頓大學化學名教授涂克維琪博士（John Turkevech）在「一九六六年夏季美國 Foreign Review 季刊著文。分析蘇俄的科學，這位蘇俄科學問題國際權威感慨地說：「蘇俄的科學技術眞的已經喚醒了世界：太空的潛力强大。」他說：「蘇俄在太空方面的成就，對於國際關係的影響很大。蘇俄已經很有效的使用戲劇化的太空成果告訴世界：『共產主義制度力量之證明。』他們配合重要的國際性會議進行心理作戰。」涂氏接着說道：「蘇俄正埋頭研究放射天文學，他們發現和分析了由太陽、行星、銀河、以及外銀河太空所放射出來的熱量，用以了解天體的構造。」涂氏繼續說道：「儘量利用科學爲共產主義建立『物質技術基礎』，一直是俄共領導階層所念念不忘的事。蘇俄部長會議科學技術委員會主任委員，由蘇俄科學院副院長吉利林（Kirilin）担任，其地位之高，相當於蘇俄副總理。蘇俄科學院則是他們純粹及應用研究的中心。蘇俄的數學家控制着蘇俄的科學，而由俄共頭子控制着數學家，早在帝俄時代就有堅强的基礎，如今更是產生了重大的成果，提高了有關科學和工程的水準。…」

蘇俄刻正準備發射四人以上的太空站，進行爲期三週以上的太空航行，並將發射動物降落月球，同時佈署送人去月球。此外，在高度機密發展中的月球永久基地之基地之建立各項準備工作也在進行。他們並打算送大批俄人定居月球，利用月球資源，建立天文台、科學站、深太空航行中繼站，以及監視地球的軍事基地。

毫無疑問，蘇俄除將上述成就用作心理戰及外交戰外，其中許多技術，必將用於國防軍事。在不能與世界「和平共存」時，蘇俄便將運用科技支援軍事以控制世界，使其更大規模地拓展其太空野心。

面對蘇俄此一重大挑戰，美國航空太空總署、歐洲太空組織、以及自由國家的科學工作、怎能再繼續任其各自爲政地分散乃至抵銷力量？特別是美國國內尤須團結才是。（下）

中國女性文藝春秋

周遊

她的政治影响了下一代的韋后。她也效之「垂簾聽政」，表請令士庶人喪出母三年，並與高宗的「應天皇帝」並稱「順天皇后」。安樂公主立爲「皇太女」，與皇太子對立。這些都是武后所下的種子。可惜這些後繼女性的才幹不及她，而一般男子再也不放鬆女人抬頭了。所以沒掀起大的波瀾。除了有極少數的女性在文字上略有發洩外，都只好安守其沉默了。因爲她在政治上的名氣太大，文學史上只沾到一點光榮的餘影，爲中華女性吐了一口怨氣。

紅葉與續衣

帝王爲凌虐女性的罪人，按之古今中外史籍，實非虛語。隋楊廣尤爲凌辱女性的巨擘能手，袞袞諸帝無出其右者。在楊廣之前，宮女皆自宦門選進，楊廣更深下低層，魔掌伸入民間；此後宮中女子，不是强拉自民間，便是大臣家無歸女，凡是美女，只要帝王高興，無論有夫之婦或處女，都不可倖免、處女一旦進宮，當然斷送青春自不待言表。女人又成了古代的戰利品，雖然未蒙一死，入宮或沒官以後，也是秋月春花，芳華虛度，其痛苦亦相等於死。況且家人睽隔，骨肉離散，其與拆散家庭又有何異？天性至情，誰能泯滅？隋唐以來，沒有一個皇帝不是見了女人好似蒼蠅聞了羶腥，莫不以餓虎的手段弄進禁宮庭，葬送青春。以爲這是人君的特權，無人敢於反抗，而且也並非我始，前代已有先例，樂得沿用承制。

唐代是詩歌的黃金時代，詩中的宮怨，也是超前越後。人是情性動物，女子何能例外，可以鎖住的是她們軀殼，而無法關閉她們的芳心。於是她們在春宮寂寞之日，黑夜，聽不到鷄鳴之聲，只好在掖庭蕭蕭之夜，將她們滿腹的幽怨牢騷，一一形諸筆墨，發洩出來。偶然的感動了皇帝，或者幸獲臨幸，或者遂其素願。不過後者倒是少之又少、因其稀少之故，於是乎便造成了「些戀愛婚媾的佳話。最爲人艷稱流傳最廣的就是「紅葉」與「續衣」。這種可歌可泣的文字，大概都先由傳說，而後形諸筆墨，因此便有紛紜的說法。請先看「紅葉」的故事吧！

顧況在洛陽時，暇時與一二詩友遊於苑中，於水上得大梧桐葉一張，上題詩云：

一入深宮裏，年年不見春；聊題一片葉，寄與有情人。

況亦取一葉，題詩其上，泛於波中。詩云：

花落深宮鶯亦悲，上陽宮女斷腸時。帝城不禁（亦作恩）東流水，葉上題詩寄與誰？

後十餘日，有客來苑中尋春，又得葉上一詩，因以示顧況。詩云：

一葉題詩出禁城，誰人酬和獨含情？自嗟不及波中葉，蕩漾乘春（或作乘風）次第行。（次第或作取次）

後來顧況娶得宮女韓氏，成婚後，偶於況的書篋中翻得前葉，驚異道：「此妾所題也。向日妾在水中得一葉……」況索之一閱，果然是他昔日所題之詩，二人皆爲驚訝不已。（見本事所載）。

另外如「雲溪友議」亦載此事，但與前述稍異。

明皇時，以楊妃、虢國寵盛，宮娥皆頗衰悴，不備掖庭。常書落葉，隨御溝而流，詩云：

舊寵悲秋扇，新恩寄早春。聊題一片葉，將去接流人。（卅五）

敬答周遊君

聽菊館主

前者周遊先生，在本報寫了下面一段話，他說：「大宛演出之『逍遙津』，其實只演的『白逼宮』：這個問題我在民族晚報寫過一篇請教『方家』的文字，結果有『方家』的答覆，而且他又搬了名家陳定山先生來考證和答覆……『方家』所知是板眼的錯，所謂黃腔頂板，一聽便知，其他未必注意及之」。因周先生之大作，涉及筆者，倒不得不說幾句話了。

在今年四月間，大宛劇團公演「逍遙津」一時，周先生即提出「逍遙津」劇名與內容不符。對此，不只有史學史才而又以專門研究三國史實之周先生，能知其錯誤，即便稍爲看過「三國演義」的人，也知二者不符。曹操逼宮一事，載在三國演義六十六回「伏皇后爲國捐生」一回目中，而「張遼威震逍遙津」之事，則在六十七回。但何以曹操逼宮（俗稱「白逼宮」）被人稱爲「逍遙津」？雖少爲人知，而發現其名稱與內容不符者則甚多，除筆者早年在北平攻讀時，曾爲文指出（惜無反應）外，而在台北自立晚報說「逼宮戲」一時，也曾提及，他如在台之劇評家，也時常有人談到，或者周先生均未見到，惟以周先生又復提及此事，才草一文以資響應，兼請讀者指教，並有「是否始自高慶奎」一語？因在過去所談之劇目中，只有「白逼宮」卻無「逍遙津」，而高又以演此劇享名也。

當拙文發表後，爲遠在台中市之陳定山見及，特來函告知，說明原因（這是陳先生自動賜教，並非筆者「搬」請，況筆者至今與定公尚緣慳一面，對其大名之久仰，雖與心儀周先生相同，但仍未能親聆教言），據陳先生言，此劇由來甚早，在崑曲「鼎峙春秋」中，則將二事（案指「曹操逼宮」與「逍遙津」）合編爲一，脈絡貫串，且陳先生幼年（清光緒末年）在上海尚曾見及「全本逍遙津」，惟後來已減去「逍遙津」而專演「逼宮」矣！

此事既經陳先生親眼目睹，當非耳食者可比，並證明「逼宮」爲「逍遙津」中之一折，猶如「彈詞」、「酒樓」等爲「長生殿」一折，「遊園」、「驚夢」等爲「牡丹亭」之一折，只演「彈詞」，而名「長生殿」，雖嫌題目過於籠統，而且也未有唐明皇和楊貴妃在「長生殿」乞巧，但亦不能謂之不對。類似劇名與內容不符者甚多，筆者前曾舉「九伐中原」亦係一例，或者觀衆早已見慣，不以爲怪，而且也不勝指責，更難一一提出改正，只好因錯就錯了。未悉周先生以爲如何？年來在港台各報，時讀周先生大作，如不嫌冒昧高攀，堪稱神交已久，如賜稱「方家」，實愧不敢當，因筆者雖然說戲，也是外行，係以觀衆身份胡說八道，惟亦愛談文史性文字，（反而對「板眼的錯」不能「一聽便知」）只惜讀書無多，所見不廣耳！「逍遙津」一問題，至此似亦可中止矣！

我是個綳綳戲迷

胡惠君

抗戰開始，我到了香港，又到了重慶，長時期與評劇隔絕。有時利用報館的收音機尋覓淪陷的廣播，偶然收到一段音波微弱而又充滿雜聲的評劇，眞像面對心愛的女人那樣地衷懷歡暢。有一年的除夕，爲了依循習俗的「舉家團圓」，委託同事代看大樣，兩手執着竹片製成的火把，在下半夜冒着凜冽的北風，踽踽自李子壩走向城中公園路，其間的距離約莫十華里。在走到上清寺的時候，一間面臨街道的矮屋中透出了低婉的女聲，她唱的正好是綳綳戲「小借年」中的一段。我被這聲音迷住，站在屋外靜聽。她唱完一段又一段，雖然沒有音樂伴奏，但光是這熟悉的腔調，已足夠滿足我久疏了的享受。她不再唱，我的火把亦已經熄滅了，我在黑暗中摸索前行，腳步雖然沉重，我的身體是輕鬆的，我自以爲渡過了有生以來最愉快的除夕。

小白玉霜的「秦香蓮」在香港上映的時候，我前前後後看了不止十遍。不管銀幕上映出的畫面有些地方已經破破爛爛，不管揚聲器播出的聲調已經很多變音，但我還是樂於觀看；以後鮮靈芝的「三勸蝴蝶夢」，和最近上映的「絲綫姻緣」，我都是連看五場以上。當然，現時所接觸的評劇，比起二十年前的評劇，已經有了顯著的改變。在音樂伴奏上，那塊硬木頭所發的刺耳聲已被減低和減少，雖然評劇的所以稱爲「綳綳」，主要還是爲了那塊硬木頭。樂器中加進了大提琴，在若干處還加上簡單的和聲，使人聽來格外悅耳。以前的評劇只偏重於女角的唱腔，對於男角的唱腔讓他千遍一律，不加變化，現在也吸收了崑曲、梆子和平劇的唱腔，揉和了另成一格，而且創造了很多悅耳的新腔。

大陸來港的評劇電影中，賣座最慘的是「劉巧兒」，原因很單純，因爲它是帶着濃烈的中共宣傳氣味，因此遭受了觀衆的摒棄。女主角新鳳霞，年輕而姣好，可以說是最美麗的女演員之一，她的嗓子也像她的容貌那麼使人感到甜味。她在十多年前與作家吳祖光結婚，聽說感情極好，但沒多久便爲了吳祖光被戴上右派帽子，她被迫着站起來作爲她的丈夫犯了罪行的證人。她扮演這樣一個「大義滅親」的主角，卽使被導演得像模像樣罷，這苦杯也夠她嚥了。（下）

穗城掌故

車伕黃金寶換嬰案

李鴻洸

城西寶源東街廿八號，係一個拉三輪車的車伕住家，他叫做黃金寶，是南海人，生得魁梧奇偉，居然一位彪形大漢也。黃金寶爲人勤儉，每晨六時起床，旋即開工，至深夜十二時始行收工，但生意非常冷淡，一日兩餐，不外淡飯清茶，常仰天長歎曰：「我黃金寶爲人，生平沒有做錯事，何以做到苦力，都未能獲得一飽，今世今生，豈眞永爲窮光蛋乎？天胡使我至於此極也！」有一天，他亦照常開工，可是捱足十五個鐘頭，仍未足這一天的生活之資，是日八時即休息，打算早些睡覺，以養精神。究竟他爲人勤力，晚飯後，靜坐思量，四圍巡視，忽然發現屋內有膠輪四個，係屬廢物，於是時來運到，用利刀逐個切開。其時乃白銀時代，常有雜銀、銅銀等發現，於是各銀號萬分厭煩；黃金寶爲了這個問題，遂把所有爛膠輪，切成一粒一粒，用刀彫成一個圖章，並發明一些青連色的水，蓋在白銀上面，使人容易認識。這批蓋有青連水的白銀，一經在市面流通，各銀號爭相購買這些膠輪印，不及一週，黃金寶已賺到二千多元。

不特如此，正所謂發財添丁，果然福有重至，恰巧其妻有弄璋之喜，那時黃金寶水頭充足，乃送其妻往具有盛名麥欄街之圖强醫院留產，當呱呱墮地之際，黃金寶之妻陳佩芝乃問看護士曰：「子乎，女乎？」護士答曰：「恭喜你，所生者男嬰也。」未幾忽有陳醫生到，跟着又有一個看護同來，當時陳佩芝疲倦不堪，陷入昏迷狀態，不料陳醫生和同來之護士，靜靜地，把陳佩芝的嬰兒換去。至第二日，陳佩芝抱着嬰兒細看，原來係一個女嬰，旋即質問該看護，何以我所產之嬰孩，始而男嬰，今則變成女嬰，果何故耶？因此你一言，我一語，鬧到全間醫院譁然。陳佩芝即着氏夫黃金寶來，和醫院大開交涉。金寶一向因爲年近半百，求子心切，對此暗中換嬰，豈能罷手？趁着手頭鬆的時候，實行延聘律師，向法庭提出訴訟。原來圖强醫院，事前受了一位李生來的產婦二萬五千元，因該產婦是新寧人，她的夫婿是金山少爺，家財百萬，缺乏子嗣，乃用金錢向圖强醫院運動，恰巧是夜李生來所生者是女嬰，而黃金寶之妻，陳佩芝所生者，則是男嬰，陳醫生利其二萬五千元的黑錢，因而貪念大發，於是就無所不爲矣。

法官票傳兩位產婦，一個陳醫生，兩個看護，一干人等到庭，分別審訊，但個個都心驚胆跳，面靑唇白，供詞則吶吶囁嚅而言，且各個不同，法官明知該案有異，第二審更細意質詢，並派人四出調查，獲得綫索，至第三審時，乃責令陳醫生，以及陪同陳醫生入黃金寶之妻的產房兩人詳細對質，陳醫生究竟係一個胆小之徒，果然直認受了二萬五千元黑錢，替人換嬰。於是該案大白，法官乃責令陳醫生賠償黃金寶五萬元損失，並將男嬰交還。該案當時哄動廣州，從此各產科醫生，莫不小心翼翼，不敢作違犯法紀的勾當了。

赤壁之戰與華容道

河漢

魯肅便向他建議拉攏劉備建立孫劉的軍事同盟，共同抵抗。吳國的軍事領袖周瑜贊同魯肅的主張，壓倒了投降集團，與劉備聯起手來，作冒險的也是最後的一次掙扎。

可是新建的東吳的軍事基礎是脆弱的。周瑜希望可以調集水陸軍五萬人，但是第一期所能動員的，只有三萬人。孫權的三萬加上劉備的二萬，總兵力是五萬，孫劉聯軍便是以這麼微薄的軍事資本，來對抗曹操的二十五萬人，整個形勢是以一敵五，處於絕對劣勢。

在兵力上處於壓倒優勢的曹軍，停頓在長江邊，爲已往的勝利陶醉，爲未來的勝利幻想，戰爭的高潮已經過去，士兵經過長期的戰爭，對戰爭感到了疲倦與厭惡。驕傲自大的統帥，誘致部屬戰鬥精神的鬆弛懈怠。而且，由黃河流域轉徙到長江流域的士兵，不能在短時期內適應新的環境，因水土不服而產生的腸胃病，和傳染性强烈的痢疾廣泛蔓延，削弱了他們的戰鬥力量。相反地，處於絕對劣勢的孫劉聯軍，爲了臨到眼前的是攸關生死存亡的一仗，他們的一舉一動都提高着警惕，重視每一個可以爭取勝利的環節，他們隨時隨地在鼓舞着將士的戰鬥情緒，在如此的一方面精神低落，一方面情緒高漲的態勢下，雙方面在實際力量的距離上無形中拉近了。

孫劉聯軍的主力在水面，所以曹操必需先在水面殲滅了聯軍的水軍，才能在陸地上順利推進。曹操的部隊雖然來自黃河，但黃河的自然條件完全不適宜於培養水軍。他雖然在荊州收編了劉表原有的軍隊，但這些新降之衆，還未經過縝密的整編訓練，並不適宜於担負主要的戰爭任務。（三）

閒話五指山

俊星

在海南島羣山中，最宏偉，最美麗的，非五指山莫屬。因其五峯並立，狀如手指，故而得名。其最高峯達一八七九公尺。

在明朝出生的海南島著名詩人丘濬，曾爲五指山詠了一首讚美的詩：

五峯如指翠相連，撐起炎荒半壁天；夕盥銀河摘星斗，朝探碧海弄雲煙。雨餘玉笋空中現，月照明球掌上懸；宛似巨靈伸一臂，遙從海外數中原。

經過丘濬這首詩的描述，可想見矗立在南中國海上的五指山，烟霧繚繞，藍天白雲的美麗景色，眞美極啦！怎不令人神往。

五指山除了景色壯觀外，而且蘊藏豐富，極難估計，可以說是一個寶藏。那兒有濃密的原始森林，其中如尖峯嶺，吊羅山及霸王嶺，是三個最大的林木區。據估計，如果每年在那裏伐三萬立方公尺的木材，亦可足夠採伐四十年。

那裏也有銅，鐵，錫，鎢及其他金屬等豐富的礦藏。還有六、七千畝面積著名的五指山茶，紅藤，竹，蕉蔴，益智（中藥材）等等特產。此外，尚有許多珍奇怪異的禽獸，如花鹿，長臂猿，黑熊，和巨大的蛇及唱歌的鸚鵡等等。

五指山的黎族人（連同散居山下各地的，約共四十萬之衆）是我國少數民族之一，都是靠耕作，畜牧，狩獵爲生。他們是能歌善舞的民族，無論喜慶節日，哀愁歡樂，談情說愛，盡都以唱歌表達他們的感情，算是黎族生活的特徵。

話說星際旅行

若愚

他並且懷疑，其他星球上的物質文明，不論是多麼進步，也無法打破我們人類所遭遇的困難，而來造訪我們的地球。

郝博士表示，宇宙間可能有十個左右的星球上有生物存在，但這些星球距離我們平均約十八點六光年。一個光年約等於六，○○○，○○○，○○○，○○○哩，也就是光綫以每秒一八六，三○○哩的速度走上一年的距離。

以上我們所說的十八點六個光年的距離，如以原子分裂所產生能量作動力，則該太空船往返一次將需時三百八十年了。如以原子熔合（熱核子反應即氫彈反應）作爲動力，這段距離也要走上一百八十年。郝博士認爲只有核子反應，方能將全部的物質轉變爲「能」，用此「能」來推動太空船，其速度尚勉强湊合。但他又表示，像這種原子熔合反應，到現在止尚沒有一種可以管制的方法。事實上，除此動力以外，別無他法。換句話說，任何方式產生的能量，都不及原子熔合來得大。目前一般原子船隻的引擎（利用原子分裂原理），發電量一萬五千瓩，足夠普通量一座小城之需，其重量約八噸。在往來星際的太空船上，一具能產生相等電量的發電機，其重量是不能超過十個廻形針的。（下）

內政部登記證內版台誌字第〇三一一號

自由報

THE FREE NEWS

第一〇八一期

中華民國僑務委員會頒發台僑新字第二三三號登記證
中華郵政台字第二一二八號執照登記為第一類新聞紙類
（半週刊每星期三、六出版）
每份港幣壹角　台灣零售價新台幣貳元
社長：雷嘯岑
督印人：黃行雲
社址：香港銅鑼灣高士威道二十二號四樓
20, CAUSEWAY RD 3RD FL. HONG KONG
TEL. 771726　電報掛號：7191
承印：大同印務公司
地址：香港北角和富道九六號
台灣分社
台北市西寧南路壹零號二樓
電話：六四三〇三
台郵撥儲金戶九六二

五十年來國際共產黨和毛共企圖毀滅中國民族文化的大陰謀（二）

何浩若

「一直到一九六六年費氏在美國國會作證，主張把台灣送給中共以平息毛匪的憤怒，才揭露他的眞面目。自由中國一千七百多位學者曾聯名予以駁斥。然而就在今年費正清聲明毛匪一定垮台，毛匪垮台以後，中共的第二代可以和美國和平共存以後，台灣仍然有人去爭取他，說他思想已經轉變。為什麼反共的自由中國，對美國共產黨的同路人會有這些奇跡發生呢？美國國會調查說美國的太平洋協會是蘇俄的工具把中國大陸送給中共。自由中國的立法院是否也應當對當日太平洋協會中國分會的負責人予以調查呢？太平洋協會於第二次世界大戰結束後在華盛頓集會，拉鐵摩爾和費正清等攻擊當日的中國政府貪污獨裁。我政府派赴該會觀察的邵毓麟氏曾請中國分會的代表予以駁斥，中國分會的代表均拒絕發言。據邵氏在傳記文學所發表的回憶說，他祇好忍痛請民社黨的張君勱氏仗義執言。邵氏的回憶錄附有照片，可以按圖索驥。當日太平洋協會中國分會的代表何以不肯為我政府辯護，是不是值得我們予以研究呢？這一切的一切，眞是五十年來的一個大秘密，其實也就是國際共產黨和他們的同路人對我中華民族的一個大陰謀。假如我們想對這個謎一樣的陰謀和秘密懂得解釋，我們必須遠走英國去研究馬列主義的同情者和同路人，英國費濱社的領袖們，和他們的思想與行動，以及他們在美國對美共的同路人和左傾自由份子的影響。

一九六四年十月，自由中國發生彭明敏叛國案。筆者因為研究敵情的關係，獲悉了哈佛大學教授費正清和彭案的關係。在彭明敏被捕以後，費正清便首先向紐約時報投函提出抗議。筆者於彭案澄清以後，到美國去調查美國共產黨策動台灣獨立運動的情形，並查閱美國國會調查太平洋協會陰謀顛覆中華民國的案卷。根據這些美國國會記錄——筆者曾發表過『誰贏得二十年冷戰』一文，詳述美國共黨的同路人和左傾的自由份子如何陰謀顛覆東歐諸國、中國大陸和古巴。這篇文章收集在拙著『國際現勢之分析』第一輯。接着筆者在一九六六年四月十三日續寫『美國的戰不勝論和現階級的越戰』一文——在該文論戰不勝論的來源一段，曾作如下的敘述：（一）馬克斯與英國的關係，（二）費濱社的理論和方法，（三）列寧的布爾雪維克和費濱社的關係，（四）費濱社和美國前進份子的關係。現在我把這段原文引述在下面，作為五十年來國際共產黨和他們的同路人企圖摧毀中國民族與文化一大陰謀的歷史背景的說明，因為這一大陰謀的背景是和美國的戰不勝論相同的。

丙、這一個大陰謀的歷史背景

（一）馬克斯與英國的關係

馬克斯一生有很長的時期是在英國。他生在一八一八年。他寫共產黨宣言是在一八四八年，他還不到三十歲。他寫資本論，也不到五十歲。他的資本論差不多完全是在英國寫就的。英國的工業革命發生得很早。勞動價值說是手工業時代的產物，但是為勞動價值說作具體的說明的是亞丹斯密氏，是一個英國人。馬克斯的階級鬥爭論源出於馬爾薩斯的人口論和達爾文的進化論，馬爾薩斯說人口比食物增加得快，因此人類必須為生存而鬥爭，在鬥爭的時候，弱肉強食，那是一種自然的趨勢。達爾文承認他從馬爾薩斯獲得鬥爭這一觀念，但他以為適者纔能生存，這樣才完成了他的天演公論。馬克斯以為生存鬥爭中，勞動者必須聯合起來，不擇一切手段，才能鬥得過資本家和資產階級，因此他主張階級鬥爭。馬克斯的學說除去辯證法是受了黑格爾的影響以外，他的勞動價值說，剩餘價值說，生產過剩的經濟恐慌論，階級鬥爭論，一直到階級鬥爭工具的國家論，大部份都是受了英國學人的影響。英國的學說，又是受了英國工業革命的影響。要明瞭這一背景，才能理解首先局部接受馬克斯學說的不是德國人和俄國人而是英國人。這些英國人是誰呢？這些英國人就是費濱社的社員，也就是後來漸次演進組成的在英國數度執政的工黨。

（二）費濱社的理論和方法

馬克斯死於一八八三年。馬克斯死後一年，在一八八四年，英國的學人便成立了費濱社（Fabian Society）。上文說，首先局部接受馬克斯的思想的是英國人。其實一種思想是根據許多事實發展出來的，很難說是某一個人的思想。英國開始工業革命以來，共產主義和社會主義的思想是很普遍的，不過理論上有出入，執行的方法也各有不同而已。費濱社反對階級，同樣是無神論者，也贊成組織世界性社會主義的國家。所謂無階級、無神、天下一家的觀念和共產主義是相同的。但是費濱社反對暴力的階級鬥爭，主張和平的取得政權。費濱社的社員和理論家蕭伯納在一九〇一年寫過一本書叫『我是誰和我想什麼？』（Who I am? What I Think?）在那本書的第二百十九頁他說：『馬克斯的資本論不是一本講社會主義的書，而是一本反資產階級的書。資本論原是為勞動階級寫的。但是工人很尊重資產階級，並且想做資產階級。馬克斯就從來沒有抓牢過工人階級。眞正把旗子染紅的是像我一樣的，有革命性的資產階級的兒子。在社會裏面，中上階級是革命份子，無產階級是保守份子』。

蕭伯納在這裏說『把旗子染紅』，可見他和費濱社對共產主義的目的是相同的。不過他和費濱社完成世界革命的手段不同，他不靠工人起來完成世界革命，他要赤化知識青年，造成與論，取得政權，然後世界革命便自然會成功。費濱社的方法論是席德萊韋伯提出來的，叫做『不可避免的漸進論』。那就是說從慢慢的赤化知識階級起，再漸次的於不知不覺之中改變道德法律政治經濟的觀念，使一個英國人變成一個社會主義者，就像變成一個保守者的一樣容易，而且不可避免。

變形怪物

力不從心？

今日與明日

無稽的謠言

最近新聞圈內盛傳一項謠言，說是香港政府已開始與毛共談和，並像煞有介事，指出落荒而逃的門委高某在日作穿針引綫工夫，港方一位著名議員，被左派列為漢奸的某君赴日渡假即與此事有關。這項消息若從表面來看，未嘗不能言之成理，但深一步研究即覺得無此可能。首先那位高門委的身價今非昔比，左派暴徒因為他曾獲得吃毛夾雞的「殊榮」，緊急關頭却落荒而逃，正是忘恩負義，皆欲得之而甘心，怎會要他去穿針引綫。

再就某君來說，被毛共列為漢奸，其本身又是堅決反共人士，更不會扛這個木梢，要作出力而不討好的事。

還有一個說法，認為英國新任代辦未赴任，也與和談有關，其實也只是揣測而已。此時雙方皆無意談和，即使眞能談和，也不會如此談法。

事實粉碎謠言

就當和謠盛傳時，港府以鐵腕作了證明，十六日凌晨，香港警察逮捕了兩名門委會的常委廖一原與任意之。到十六日以前為止，十七名門委常委中，被捕的只有湯秉達等三名，加上這兩人才夠五人，尚有十二人未入網，但公開露面的已無一人。

香港的動亂是門委會所策動，自不待言。但較為特別的，一般強盜作了案之後，一定矢口否認，只有這批門委却沾沾自喜，到處作自我宣傳，似乎恐怕不為人知，其目中久無法律，政府若不能對之採取行動，今後香港社會秩序將無法維持，因為人皆以破壞法律為好漢行徑，將來如何得了。因此，我們覺得港府隔些日子捉兩名門委，似乎還不夠徹底，應當在報上刊登通告，勒令所有門委在限定時間以內，向警察局自首，拒不自首的，即予以通緝，定出賞格，任何市民捉到一名門委扭交警局，賞銀若干，一名常委若干，主任委員若干，副主任委員若干，通風報信因而捕獲者照賞格減半，如此令一行，相信半月以內全體門委不逃即被捉，大部份可能要去警局自首。如此則左派機構，整個解體，所有擲炸彈，放火的事皆可減少。

香港有人反對對暴徒處死刑，此事關乎英國法律，我們無意置評。但命令門委自首，徹底解決門委會，絕對是香港法律以內的事，香港政府對此應該無所顧忌。

最後還希望列名門委者應當早日自拔，不要眼看一個一個同伴進了監牢還猶豫不決，則下一個可能就是閣下也。

（何如）

自由談

溫故而知新

我國對日抗戰時期，政府偪促於西南一隅的重慶市，全國土地淪陷了十分之八以上，僅有的一條國際交通孔道滇緬路，也被英國封鎖了，物資奇絀，公私交困。但是，集結在重慶行都的各界人士，連同政府的公教人員，大家臥薪嘗胆，過着艱苦勤勞生活，滿不在乎。電力缺乏了，就點柴油燈，沒有汽油就坐木炭車，一椽小樓上，不妨擠住幾伙人家，一般公教人員絕少注意到求田問舍這類事情。萬衆一心，認為抗戰必勝，暫時的困苦生活，義所應爾，充分表現着旺盛的戰鬥精神，堅信最後勝利必屬於我。這種戰時生活情調，正符合蔣百里氏所著「新國防論」的主旨：「社會條件與戰鬥條件一致者強，相離者亡」。中國政府和人民憑着這項精神，終於打倒強頑的敵寇，光復了錦繡山河。旋以勝利充昏了頭腦，官民相率逸豫苟安，忽視共黨禍至之無日，不數年又將整個大陸丟掉，而以海外扶餘的台灣一隅作復興根據地。

以現時政府所在地的台灣，和當年的四川省相比較，無論從那一方面說，都是今不如昔，危急殊甚。然而目前我們朝野上下人士高唱「毋忘在莒」的國難曲，實際上，大家的生活是否與戰鬥條件一致的呢？事實很顯明，社會條件與戰鬥條件，至少是相離的，有些地方且趨入了完全相反的境界，除却追求日常生活的優美享受而外，且孜孜汲汲於求田問舍，侈言「奠定經濟基礎」，大有終老是鄉，樂不思蜀之勢，而貪污風氣即相應盛行，不以為怪了。似此苟安自娛，言不顧行的萎靡生活條件，要想戰勝那以人類為芻狗、不惜建立暴虐政權於廢墟之上的毛共暴力集團，談何容易呢！

再縱深的想一想，我們如果不及時光復中原，將來即使甘願以台灣為安身立命之所，亦是不可能的，這幷非危言聳聽，凡對內外形勢有徹底瞭解的，都不會否定吾說也。蔣百里的「新國防論」，值得大家仔細研究，如能矯正錯失，身體而力行之，救亡圖存之道，其庶幾乎！

馮正先生

從立法院質詢 看僑務與宣傳工作

。本報記者張健生。

新聞大員的醜聞

關於國際宣傳與宣傳政策的問題，有好幾位委員質詢。正當立法院質詢宣傳問題之前夕，也就是正當國人歡度雙十國慶的時候，台北新聞界揭發「新聞大員『製造』花邊新聞」的內幕，公諸社會了。這則花邊新聞，立即成爲轟動政壇的大新聞，使新聞界和黨政方面的人士，甚至引起立監兩院委員們的注意與重視。

據「展望」報導：「一位道貌岸然的新聞大員，最近，爲他自己一所（手）『製造』的社會新聞而大傷腦筋。據說，這位二級單位首長，平日生活嚴謹，他先後在官報、黨部及中央新聞機構服務，其工作態度之認眞，待人接物之誠懇，給予外界一個極佳的印象。

「不料，於兩年前轉變工作環境，而擢陞爲獨當一面的單位主管後，一派小官僚作風，與昔日判若兩人。傳說中的桃色事件，女主角爲省級單位中一位公務員的遺孀，雙方陳倉暗度，秘密往還，但終爲糟糠之妻發覺，而大吵大鬧，不惜向各方訴苦求援，及至消息流傳後，始知事態嚴重，爲丈夫事業前途計，又迅速設法收場，無奈女主角握有證據，新聞大員親筆所寫的情書落在她手裏。

「此一醜聞發生後，新聞界同人均感意外，但願這個不足爲外人道的桃色新聞僅止於傳說，否則，這位有綽號『孔夫子』盛譽的新聞大員，豈非成爲假道學先生？那是大家所不樂聞的一件事」。

這件醜聞，本報記者不認爲全是事實。但該新聞大員却未依法更正或公開聲明。而若干委員正在研究該醜聞是否與公務有關，如與公務有關，則將促請行政當局查辦。

海外宣傳使人傷心

關於海外宣傳工作，湖南籍女立委唐國楨質詢時說：「近有友人自海外返台，提到海外宣傳事宜，據說，他曾到過許多地方，除大圖書館有一兩張中央日報外，其他刊物很少見到，只有共匪的虛僞宣傳品，編印很美麗，到處都有，他看到這種情形，很爲傷心！共匪的暴行，除一部份高級人員知道外，一般社會大衆，都被共匪之虛僞宣傳所蒙蔽，例如很多外國人士問到江青是否毛匪之原配太太？毛澤東到底是不是土地改革派？種種可笑問題，層出不窮。而且此種現象，不但友邦人士如此，即僑胞亦有此不明瞭之現象。共匪的殘暴，毛匪之獸行，早爲人所共知，今共匪在大陸種種暴行，已暴露無餘，仍有人持懷疑與觀望的態度，實令人痛心。可見我們宣傳工作已做到如何程度？應該用什麼方法將共匪暴行灌入一般人的心靈中才對？嚴院長在施政報告中對海外宣傳工作業已加强，但不知已得到如何效果」？

至於新聞政策的問題，立法委員郭德權於質詢中說：「我們的新聞政策，是否由新聞局統一管理呢？就拿嚴副總統此次出國的消息來說，當時大家曾在（立法院）會場交談，都說不要表示意見，究竟副總統去不去加拿大，還不知道。可是在那天下午的晚報便發表副總統照預定日期出國；等到第二天（十月四日）看早報，又登載副總統不出國的消息。對於普通一個消息，有點矛盾還無所謂，副總統是國家第二領袖，怎能這樣矛盾報導，使國際間不大相信呢？這一點，應請新聞局加以控制」。

敵情報導不確實

郭委員是立法院外交委員會的委員，故對宣傳政策特別注意。他說：「對於敵情之報導，新聞局也應確實控制。就拿最近的來說吧，我們的報紙報導毛匪澤東已死了好幾次，可是最近又報導毛賊到這兒巡視，到那兒考察，中央日報竟然也這樣登載。這樣報導，對於百姓說是有宣傳作用，還不要緊，可是使國際間認爲我們的消息不確實，失去信用，連我們的國際地位都降低了。這個，新聞局應該負責任」。

所謂黃色新聞問題，郭委員於質詢案也有所指責。他說：「我要提出一件可笑的事，不過，這件事要請新聞局特別注意，並請各位首長注意（即十月十二日）我偶而看到一家晚報，不得了。其中一則報導是關於丹麥的『嘻皮』消息，這則消息由何而來？相信是一位去過丹麥的先生所投的稿，據他的報導：現在丹麥十六、七歲的學生，都是裸體在馬路上走，不但如此，而且還找人烟稠密的市中心區表演野合，觀衆不用買票，左一層右一層的圍觀，擠得水洩不通，如果遇到警察來干涉，費盡九牛二虎之力，才能打到內層去。把它描寫得可說淸淸楚楚。各位想想，現在台灣的青年穿牛仔褲尖頭鞋還不夠嗎？再教多了還得了嗎？發表此消息者，不會是二十歲左右的人，可能已經是四十歲以上的了，假使讓他自己的子女看到這個消息，難道他自己不難過嗎？我們　總統正高呼復興中華文化，新聞局管的是什麼？這能算配合嗎？尤其這份報紙，報導黃色新聞並不止這一條，我眞感到心痛，像我們這些講究舊文化的人何以立足呀！這一點，請新聞局給我答覆」。

行政院新聞局邱楠副局長於答覆郭委員質詢時說：嚴副總統出國訪問消息，少數晚報有錯誤報導；訪加臨時中止，此一决定相當匆促。三日上午新聞局、外交部都沒有確實消息，新聞局對各報是負責新聞聯繫的機構，不是一個控制機構。此一特殊情況，新聞局很難控制。

「郭委員所說毛匪死亡消息，本人（邱楠自稱）記憶所及，此一消息，來自外電，不是發自中央社電。以毛匪很久沒有公開露面，不是重病就是死亡，各報以外電不是完全沒有理由，有其揣測的角度，所以予以刊載。究竟毛匪是生重病抑或是死亡，誰也不知道」。

「黃色新聞」，實爲出版法管制的問題，照出版法規定，如果刊載黃色新聞而抵觸出版法，一定根據出版法加以處理。事實上不在新聞局主管範圍之內。不過，我相信，只要有此類事情發生，出版事業管理處一定會有相當的處理」。

達賴訪日的影響

—新德里航訊—

達賴喇嘛結束訪日後安返印度。他此行與政治無關，但其影響所及，却像一面照妖鏡，使共黨的欺騙宣傳現出了原形，使世人再度憶起西藏的悲劇。

達賴訪日期間，中共電台及日本國內的親中共派，曾對這位佛教的至尊領袖極盡其誣蔑之能事。但在誣蔑達賴之同時，中共廣播又號召越南「忠實佛教徒們」，以暴力打倒西貢民選政府。河內亦異口同聲的宣傳西貢政府與華府同謀「破壞佛教，消滅佛僧，分化愛國佛徒。」

在無神論的共黨頭子胡志明統治下的北越，佛教以及其他宗教俱遭踐踏，是衆所週知的事實，而河內廣播竟號召南越佛徒起而「爲宗教自由而鬥爭」，聽來像中共的宣傳一樣滑稽。

中共的宣傳說達賴訪日是「邪魔之會」。北平廣播罵他是「逃亡的藏奸」，並稱邀請達賴訪日的日本佛教會是「日本的反動份子」。

新華社在達賴訪日期間特別自拉薩發出電訊，報道當地羣衆會爲此召開大會，表示「革命羣衆的無邊的憤怒。」該報道說，羣衆會在大會上高呼「打倒達賴喇嘛反動集團」，控訴他們在佛教壓迫下所受的痛苦，讚揚「毛澤東思想爲西藏人民帶來了美好的生活。」此一廣播最後並肉麻的嚷着：「西藏人民在毛澤東思想的滋養下和文化大革命的歷練中，將永遠跟着他們心中的紅太陽——毛主席走。」

日本擁毛份子，在達賴訪日期間，亦發動暴亂。數百人擁至東京松阪屋百貨店，企圖搗毀該店的西藏古書展覽。幸警察及時趕到，這些珍貴的展品未遭破壞。日本輿論界認爲，此種暴亂正是中國大陸「紅衛兵」的翻版。

達賴喇嘛返印後，對中共的新攻擊未作任何批評。赴日訪問前，他曾向日本政府保證絕不涉及任何政治活動。留日兩週，他的活動只限於研究日本佛教情況，與日本佛僧一齊參禪打坐討論佛學，遍訪京都、奈良及大阪各地寺院，並參觀東京的電機及汽車工廠。他對日本教會的一切招待安排極表滿意。

此間人士認爲，達賴訪日之行，雖未涉及政治，但他的名字在新聞中出現，即使世人憶起西藏的悲劇。

中共佔領中國大陸後，曾有計劃的消滅佛教。共軍進入西藏後，更以最殘酷的大屠殺手段對付西藏人。此一暴政雖經聯合國所屬的國際律師協會指控爲種族滅絕的罪行，但由於聯合國對此未作更進一步的決議，時過境遷，世人已漸漸將這個悲劇淡忘了。達賴喇嘛此次日本之行及中共對他的新攻擊，使世人再度認識北京仇視佛教的眞面目。此一事實不但在亞洲各佛教國家引起重要反響，美國國會在達賴訪日期間討論越戰問題時，參議員賈維茲即曾提醒攻擊詹森總統越戰政策最烈的參議員傅布雷特，說是中共「吞沒」西藏，進攻印度，威脅印尼等行爲，使美國必須堅決保衛越南。

陳雋甫夫婦畫展

定國父誕辰在紐約展出

（紐約航訊）此間聖約翰大學亞洲研究中心及藝術系爲慶祝中華民國國父百年又二誕辰紀念，特舉辦中國名畫家陳雋甫、吳詠香夫婦畫展，由該校校長凱希爾出名發出請帖邀請參觀。展覽自十一月十一日起至十八日結束。

陳雋甫先生現任教於台灣省立台北師範學院及文化學院藝術系，其夫人吳詠香女士任教台北師大藝術系，現在美國休假旅行。兩人皆畢業於北平國立藝專國畫系，由同窗結爲伉儷，共研繪事，齊名藝壇，其作品不但譽滿國內，歷年在英美各地畫展中亦獲得極高之評價。

陳氏工花卉飛禽走獸，國內批評家認爲其作品「筆墨揮灑，近於林良。」吳女士善山水，香港新亞書院藝術系主任美學大師虞君質氏曾謂其藝術「淡至無痕，雅到極點。」她的作品在法，德，加拿大，菲律賓，泰國及巴西各大藝術館中均有收藏。

吳女士夏末來美，曾遍訪各著名大學術系。記者曾詢以在台學畫是否感到無足夠之名山勝蹟以供描寫之苦，她說中國大陸的錦繡河山雖令人懷念，但就繪畫說，台灣橫貫公路沿綫的景物亦同樣引人入勝。詢以台北主婦近年學畫之風從何而起，她說這是社會經濟生活安定的最好表徵。

一位留美中國評論家說，在海外看中國畫展，有點像到中國館子，吃到四不像的「雜碎」，雖感失望，但不傷大雅。看到出色畫展，不但自己高興，更可對美國朋友或在外國長大的子女驕傲的說：「這才是眞正的中國藝術」。此次陳雋甫吳詠香夫婦的畫展，正是此種値得介紹的「眞正的中國藝術」之一。

訂正

本版頭條通訊上期有小題「曲解原質詢命意」一題，「意」字因鉛字用久，低陷未印出，特此訂正，并致歉忱。

編輯部啓

孟秋江一去不復返

港共首要人不自安

（本報特訊）香港文匯報社長孟秋江於數月前被召回大陸後，至今未見遄返寶島，外間盛傳他是爲着港共反英釀亂事件，受到了檢討處分，大概不能重來海隅享受資本主義社會生活了。

孟氏名義上是文滙報社長，實際幷不過問報社的事，該報眞正的全權主持人是副總編輯金某，孟氏的職責係對香港文化工商界進行統戰工作。這次港共掀起反英風潮，當地的文化工商界人士，大多數都不同情，有些被迫參加，列名「鬥委」的，半途多表示消極，且藉故紛赴遠方以避之，因此，北平方面召他回去報告一切。當他回到北平之初，幷未發生問題，繼而在秧歌王朝担任文化官職的范長江被指爲反毛的「黑帮」分子，遭到整肅了，孟氏和范長江原是大公報的老同事，孟之所以派來香港工作，亦係范長江推薦的，范既以反毛罪名被黜，孟亦連帶遭殃，恰好港共對「港英鬥爭」運動着着失敗，欲加之罪，振振有詞，於是乎，孟秋江就要在大陸從事「勞動改造」，不能回港統戰了。

如所週知，港共首要份子，都是經過南天王陶鑄甄審派遣到海隅來的，他們都有陶派嫌疑，這亦就是北平對港共暴動事件不熱心支持的癥結所在，而廣州共酋陳郁楊梅生等最近組織所謂「支持港共委員會」，即是基於舊有關係，在表面上不得不替主持港共動亂的首要人士打打氣，實則祇是「搵來講」，決不敢作實際上的支持，自找煩惱，因爲北平方面已將孟秋江扣留問罪了，粵共自不敢公然與北平背道而馳，致貽後患。

有了孟秋江這種前車之鑑，現時住在香港的港共首要分子，內心上頗不自安，但又未便即將「鬥爭港英」工作宣告停止，只好隨時屆人到馬路上放放炸彈，表示「鬥爭」仍在熱烈進行中，以靜觀北平風色，徐圖自保之計。過去放炸彈是拿錢僱用工人與爛仔行事的，現在因爲經費枯竭了，乃煽誘一般幼年學生出來冒險犯難，可憐若干青年子弟，莫名其妙地把生命作兒戲，殊堪悲歎也。

健美身體·優良品德

理想妻子不易為

紫芝

天氣悶熱，人總是懶懶地，提不起精神。晚上在家裏聽聽無綫電，看看報紙、小說，或者逗逗孩子們玩玩，不是比出門去人擠人好得多，為什麼街頭都是些趕集似的人羣呢？也許是我個人生性懶惰吧？除了讀書報小說，什麼也沒興趣。外子每晚却是沉迷在什麼卡門、茶花女、風流寡婦傷感的旋律中。最近，他忽然對某報副刊發生了極大的興趣，並且還從辦公室帶回來，勸我放下小說，欣賞她認為對我最有作用的「理想夫人」文章。再三拜讀之下，意味深長地看了他一眼，倒像是外子投的稿呢！忽然心血來潮，提筆塗上這一篇，是懺悔還是辯白？

從娃娃到學生，從學生到小姐，更從小姐到孩子的媽媽，也可以稱之謂夫人了。說起來，我這個夫人是既不能算理想，或許也不算糊塗。可是外子常說我糊塗，對於我這個做主婦的，無論是內務外務，均不敢領教。或許是因為他的父親是一位非常嚴肅的，而且有潔癖的醫生，從小環境養成他那勤儉的好習慣；我却是一個懶散、馬虎、驕傲的人，從小就是父母的寵兒。無論是在家裏、在學校、在社會上都以糊塗出名。因此，婚後在日常生活中，就不免有些磨擦。

想起三年前，我們談及婚姻大事時，我母親就再三提醒他：「芳兒是不懂事的。」他沒有體會到，「不懂事」三個字對他的意義有多大。婚後第一年，他對我處理家務時，處處顯得生疏笨拙的動作，感到好玩。那時候，為了我們都在工作，平時不開伙，偶而在星期假日，才自己試着燒幾樣吃的，眞笑話百出。一清早，心情就緊張得睡不着，為了爭口氣，偷偷計劃買什麼菜，煮什麼湯，向他表現一番。燒菜最困難的，莫過於加作料，不曉得究竟要加多少，嚐了又嚐。炸魚，就怕油濺到手上，離得遠遠地把魚扔下，結果適得其反，不是燙到手，就是翻了鍋。等到好不容易飯菜到手，外子就啼笑皆非，有時說我打死了賣鹽的，鹹得要命；有時又問是否鹽漲了價，淡而無味。眞是吃力不討好。以後自己懶得做，甚麼都假手女工了。受了委曲，只有自己悔恨當年為什麼不拿學「恰恰，曼波」的時間，跟媽在廚房多學學呢？

除了不善烹調外，更不喜歡理家務。我們的衣櫥有三層抽斗，起先衣服都放在一起，我喜歡換着穿，尤其是夏天常出汗，必須常換；往往為了趕交通車，東拖西拉，翻上翻下，他從洗衣店拿回來的筆挺襯衣，經常遭殃。後來，他提議分開放置，自己整理自己的。第二年生下小丫頭，尿布、衫褲塞滿了第三層抽屜，如今又多了一個小搗蛋，更是亂得無以復加。我們的房間內有二扇壁櫥，冬天裏面堆滿了用的奶粉罐、餅乾盒、小傢伙的玩具，暫時用不着的電扇等；夏天就將棉被、毛氈等往裏一塞，兩扇門一拉，萬事皆休。

兩年多以來，換了不下七八個女用人，我這人馬虎，她們也樂得偷閒。其實，請女工的主要目的還是照顧孩子，只要她們彼此之間能夠相處，孩子少哭，其他的也不敢苛求了。到了星期日，便是女工的假日，輪我上工，帶孩子，燒飯，買菜，他常常唉聲嘆氣，每每懷念當年的王老五天堂，向光棍們告誡。我呢？結婚三年來，除了上班換件衣服，梳梳頭外，難得再光顧理髮室，同學見了，都大為吃驚，並且强調，我如果再這樣隨便，不打扮自己，變成了黃臉婆，丈夫可能拴不住了。為人處世的道理，講起來易做起來難，往往有許多事，懂得怎麼做才對，應該怎樣才能算一個好妻子，可是，事實上太不容易做到啊！沒有一件事能夠稱他的心，沒有一樣東西能如我的意，久而久之，我那股向上的勁沒有了。不是一個好妻子，也不是一個好母親，那裏是他的理想夫人呢？

我有三個快出嫁的妹妹，更有許多待字閨中的同學，勸你們一句：「有了本世紀的健美身體，還必須具有十八世紀的美德，才能夠稱得上那未來丈夫的理想夫人，享有幸福美滿的婚姻生活。」

三國奇士傳之三

蜀漢術士周群

周燕謀

劉備定蜀，署周羣為儒林校尉。備欲爭漢中以問羣。羣曰：「當得地，不得其民。若出偏軍則不利，當戒愼之。」時益州後部司馬張裕，亦曉占候，而天才過羣。因諫先主曰：「漢中不可以爭，爭則必敗。」備不聽裕諫。後果得漢中，如羣之言。謀按：曹劉爭漢中，曹雖大敗，漢中為備所得；然杜襲奉操命督漢中軍事。杜乃勸導百姓，遷徙洛、鄴二城者八萬餘口。故得其地而不得其民也。出偏軍不利者，備遣吳蘭、雷同二將，偏出武都，全軍皆沒，有是歟。此為建安二十三年事也。是以上諸事，皆如羣言。於是舉羣茂才。

張裕又私語人曰：「歲在庚子，天下當易代，劉氏祚盡矣。主公得益州，九年之後，寅卯之間，當失之。」有人密告劉備，備未發。

初劉備取益州，兵在涪時，張裕為劉璋從事，與備等侍劉璋座。張裕多鬚鬢，劉備嘲之曰：「昔吾居涿縣時，特多毛姓，東西南北皆諸（豬）毛也。」涿令曰：「諸（豬）毛繞涿居乎」！裕知為嘲己，乃即答曰：「昔有作（涿）上黨潞長，（大縣為令，小縣為長）遷為涿令，涿令者去官，還家時，人與書欲署潞則失涿，署涿則失潞，乃署曰『潞涿君』。」劉備無鬚，故裕以此及之。備嘗銜其不遜，加忿其漏言乃顯。裕諫爭漢中不驗，下獄將誅之，諸葛亮表請其罪，備答書曰：「芳蘭生門，不得不鉏」。裕被棄市。或曰：先主新造蜀國，恐裕煽惑人心，俾無固志是也。張知數而不知愼密之義，未聞其道耳。喜善數者，豈不愼言哉！裕每舉鏡自照，自知當刑而死，果如自言。周羣卒後，其子周巨頗傳其術云。（下）

中東恩怨何時了

祁倫

「天國近了，你們應該悔改」——馬太福音第四章——

面對卅分鐘內可毀滅整個地球的美俄核子巨霸，中東這個世界的火藥庫，自一九四八年五月十三日以色列正式復國以來，在這個地區，便由於民族仇恨、宗教歧見、政治和經濟的利害衝突，日益嚴重地在勢如水火的尖銳對立中，加上東西兩大集團各自為本身利益所增强的勢力拓展，「平時」則暗潮洶湧，戰時則殺聲動地，使整個世界人類都如臨「末日」，緊張惶恐，不安已極。

一九四八至四九年的第一次中東大戰，埃及、約旦、黎巴嫩、敘利亞等阿拉伯國家，突然圍攻以色列，在自助人助下，以色列終於獲得最後勝利並撤軍和談。但他却一古腦兒把一百多萬阿拉伯人趕出了以色列國境，使成為世界最大數目的流亡者和難民羣，種下了大戰的遠因——近因是埃及的納瑟不顧有關國家的利益，突然下令收回蘇彝士運河，迫使以色列反擊，在現任國防部長戴陽指揮下，分六路閃電式直下西奈半島，英法也藉故出兵佔領賽德港，並猛烈空襲埃及，驚動美俄兩國迅速出面，迫使以、英、法停火撤兵，救了埃及，却害了以色列。而在一九六七年六月及以後不斷受到阿拉伯的聯合攻擊、騷擾及突擊，使得中東時斷時發的戰火，加深了「世界火藥庫」的危機。今日，蘇俄艦隊進駐埃及，美國宣佈恢復軍火運銷，英國調動北大西洋海軍武力，法國意態不明，但亦表現不再甘寂寞，毛共更是火上加油還揚言支援納瑟核彈，如此這般，中東恩怨不得了了！但這又豈只是中東這一地區乎！

早在耶穌在猶太的伯利恒出生前一千多年，也就是距今三千多年前，以色列的祖先便在巴勒斯坦一帶建立了一個猶太古國。到紀元前九五三年，猶太古國分裂為猶太與以色列兩個國家，到紀元前七二三年和紀元前五八六年，先後亡於亞述和迦太基。公元一五一七年以後，土耳其帝國又統治了亞述和迦太基，一直到一九四八年，這麼漫長的時間，亡了國的猶太人雖說流浪在全世界，但他們一直忘不了他們祖先的猶古國的榮耀而時刻謀求復國機會。可是，回教的阿拉伯民族，却全力阻止猶太古國的復國企圖。一九一七年世界第一次大戰時，英軍佔領巴勒斯坦，旅英猶太人在出錢出力之際，發起「在巴勒斯坦重建猶太民族家鄉」的運動，由於英國別具用心的安排，所以在一九二〇年英國與土耳其的和約中，特別同意猶太人在該地復國。但是，因為阿拉伯人的强烈反對，這事只好暫停。二次大戰期間，各地猶太人的反抗納粹及協助盟軍之感人事蹟，獲得英、美、法等國的支持，在聯合國一九四七年十一月廿九日的大會中，終於以多數票通過准許猶太人在巴勒斯坦復國的決議，阿拉伯人雖憤怒已極，但也莫可奈何，結果在一九四八年五月十三日，眼看着千年世仇的猶太民族建立起以色列這個國家，也同時為中東乃至世界埋下了一顆强力定時炸彈！並且，這顆炸彈的導引綫，不時被以阿及「第三者」的鼓勵下引燃，使原本動盪的中東和世界局勢更為不安。

西方基於經濟利益，忘不了蘇彝士運河和「世界油庫」；俄共為了擴張勢力及找尋出海口，更不惜以較新式武器連同大量盧布將陰謀夾帶至中東；近年又加上既反美又反俄的毛共，以人民血汗錢糧和武器源源運往阿聯以爭取當地人民好感。（上）

中國女性文藝春秋

周遊

顧況著作，聞而和之，既達宸聰，遣出禁內者不少。或有五史之號焉。和詩云：

愁見鶯啼柳絮飛，上陽宮裏斷腸時。君恩不禁東流水，葉上題詩寄與誰？

唐僖宗時，詩人于祐，晚上散步禁溝，拾得紅葉，上有詩云：「流水何太急？深宮盡日閒。殷勤囑紅葉，好去到人間。」于祐亦題詩一葉，置溝上流，有「深宮葉上題紅怨，付與清流欲寄誰？」此詩為宮女韓翠蘋拾得。後于祐做了丞相韓泳館客，恰值帝放宮女三千人，泳聞翠蘋有文才，又與他同姓，遂為之作伐嫁祐，禮成後，翠蘋檢笥見葉，甚為驚駭，乃各出所得相示。韓泳聽得此言，復為他們設筵相慶，戲語謂祐道：「你們倆今日可以謝媒了」。翠蘋又泳一絕句云：「一聯佳句隨流水，十載幽思滿素懷。今日能成鸞鳳侶，方知紅葉是良媒。」

以上是據「山堂肆考」所載。而「雲溪友議」及「古今詩話」皆以此事歸之於盧渥。我們再看古今詩話如何。

盧渥舍人應舉京師，偶臨御溝，見一紅葉，上題一詩：「流水何太急？深宮盡日閒。殷勤謝紅葉，好去到人間」。盧渥得詩，藏於巾篋，及宣宗有旨許宮人從人，盧渥所獲者，因覩紅葉而吁怨久之，曰：「當日偶題，不謂君得之！」

這深富情趣的故事，一直傳到宋代，內容逐漸風趣化。王銍的「補侍兒小名錄」所記云：「貞元中，進士賈全虛黜於春宮，偶臨御溝，見一花流至，拾之，香馨頗異，旁連數葉，上有一詩，筆跡纖麗，詩云：「一入深宮裏，無由得見春；題詩花葉上，寄與接流人。」全虛得之，企想其人，不能離溝上。御吏疑而白之，金吾奏其事，德宗令人細詢之，乃「翠筠宮」奉恩院王才人養女鳳兒所書。詰其由，云：『初從母學文選、初學記，及慕陳後主，孔貴嬪為詩。數日前，臨水折花，偶為「宮思」，今事露宜死！』德宗為之惻然，召全虛授金吾衛兵曹，以鳳兒賜之，幷賫賜焉。」

這故事的男主角的名字，顯示了是杜撰的。賈即假的同音，「全虛」，豈不是完全為虛構嗎？孫光憲「北夢瑣言」所載，內宮更為複雜了，間又有神話滲入，且含有悲劇意識。為了存眞，錄原文以觀之。

進士襄陽李茵，偶遊宮禁，見紅葉自御溝流出。上有題詩……茵收貯書囊。後僖宗幸蜀，茵寓南山民家，見一宮娥，自云宮中侍書，名雲芳子，有才思。茵與其欵接，見紅葉，驚曰：『此妾所題也』。同而詣蜀，及綿州，逢內官田大人識之，曰：『侍書何得在此？』逼令上馬，與之去。茵甚快快。其夕宿逆旅，雲芳子復至，曰：『妾已重賄田某，求得從君矣。』乃與俱襄陽。數年，茵疾篤，有道士言茵有邪氣。雲芳子自陳：『往年綿州相遇，時已自縊而死，感君之意，故相從耳。人鬼殊途，何敢貽患於君！』置酒賦詩，告辭而去。」

這同型故事，乃是一元化，本是一個故事的脫變。凡是深富情趣的故事，都有此演變，例子甚多，但這些故事，充分表現當時專制帝王宮庭中之「怨女吟」，也是[illegible]了禁宮中內幕的一角，使千百年後的我們看見了，也要為她們灑一把同情之淚。（卅六）

一台灣電視公司籌劃祝總統蔣公八秩晉一華誕之名伶名票清唱，早在九月底以前即着手，那時余派鬚生孟小冬方入境半個月，公司曾派記者探詢，請她參加清唱。她以身體欠佳辭謝，失了和觀衆見面的好機會！

有人說：小冬有如此場面而不露面，將來殊少機會登台。也不盡然；因爲孝師任幸壽夫婦也隨她來台，若有吊嗓機會，老姊妹杜姚谷香若肯提倡，應非難事。

十月卅一日，晚九時後，電視映出名伶名票十餘人的清唱，他或她們有一個共同的亮像，就是大家平日都是登台的動作配合了的唱句，不習慣清唱，所以鏡頭映出神情都是一板正經，很少笑容，彷彿新學乍練似的，大概是人同此心，心同此理，於是臉部表情多是一個模子。

最先一齣，是小大鵬小黑頭任東勝開鑼，唱姚期的「萬花亭」，先唱：「馬杜岑奉王命……」四句散板，續唱：「皇恩召老臣……」一段原板，人小鬼大，實大聲宏，有先聲奪人之概。

「祝壽」清唱

·桂良·

次由小大鵬青衣廖苑芬唱「大登殿」「王寶釧」二六板：「說什麼節孝兩雙全……」一段，有腔有字，工力不弱。

小大鵬小坤生崔富芝唱：「定軍山」的討令：「師爺說話理太差」起，轉快板，唱到：「再與師爺把話答」。她是名伶周正榮的徒弟，韻味頗有，且少雌音，爲大鵬坤角鬚生之傑出人材。原，來她是私立復興戲劇學校畢業後，再入大鵬深造的。

寶島名乾旦趙原，他是早年夏聲劇校高材生，那晚唱：「西施」二六板：「提起了吳宮心惆悵……」一段，由梅派名琴梁訓益伴奏，襯托入裏，盡緻委婉。

以「花木蘭」獲本屆軍藝銀像獎的坤伶徐蓮芝，由台中來，文武場面十餘人，陣容頗盛，她弧犀微露，歌小生娃娃調，聲容並茂。

以「鎖麟囊」獲金像獎的程派小名旦古愛蓮，「明駝」除負責人竟不爲之預備場面，致臨時告援，由生手奏琴，致未能生色。

已故湖北省主席之二公子的女友陳慧君，銀幕小姐稱她是言派，但她那夕唱馬派的「男起解」幾段流水，冠當晚伶票鬚生，原因她的湖廣韻深長，於是醇厚耐聽。

大軸爲程派名票高英之「鎖麟囊」，民十七八年梅腔流行江南，他獨哼程腔，民廿三年拜王瑤卿之門仍是習程腔，以迄於今，可謂有恆，於是程派冷戲「亡蜀鑑」「荒山淚」等，他皆能全本濯唱，極講究文場。伴奏京胡周再華，公務遠在基隆港，二人投契多年無間，故是夕自「鎖」劇最後二段「換珠衫」的二六起，直唱到：「休將前事掛心上」六句快板止，灸人口，美不勝收。

穗城掌故

不修邊幅的革命者

·李鴻洸·

人的品性，各有不相同，有善有惡，有正有邪，有忠有奸，有不羈，有奢有儉。至於裝飾方面，有華，有檻褸，有儉樸，多因貧富與地位環境而判然大別也。這位革命前輩，有江湖氣節，具俠義之風，且博識多聞，堪稱多材飽學之士。他名叫黃魯逸，所作文章，不限於論文，甚而粵謳、劇評、粵曲，件件皆能，獨到。他與花塔鐵禪和尚，在辛亥革命前，合作偷運炸彈，作進攻督署之需，可算是這位革命者。性嗜賭博，凡有番攤、牌九，無一不好，荷包如不速之客，他便參加賭局，身份他便不計，如果賭敗北，友運亨通，他便暢飲，如遇郎當，則典當衣物，若有賭友招，貸較更不有衣，嚴冬時候，他向非之所借計，因此連……

戰皆北，偶在途中見他衣履不整，垂頭喪氣，包着一件寒衫，披着爛鞋，冷到發抖，與乞丐無異。幾步走進一間十八甫北約，他走至一間妙眞店，追他來立即寫對聯，他請友訪到他，揮筆即寫，相迎他揮筆立寫，語譏諷，更令人讀之嘖嘖稱羨。記得當時國民黨內有所謂西山會議派，分裂五派等等，他以粵謳寫了幾句，但以未及左派右派等題，全文意甚妙，雖不好意思記，又復題了幾句合粵，我但對全意文好不一合次了，開頭一句「船分試爲某政客紅人萬位人，幾有東來提起，在酒廳玩弄姑娘，花鼓說道：「唔位亞便仔你熱」「黃魯逸先生恰巧在烟閒之一，捧着一枝水烟筒，立以「唔」

孖你熱」爲題，作歌曰：「熱極，就會生風，你話，一天熱時，人事大抵都係起一筆同樣，我何等忘記了？可借又下句，又等當年化，你搜軍閥割據一方，民黨首先量盡各省，記起一方粵謳，寫了粵謳首首，先生默寫民脂民膏……」這些道文中的粵謳，幽默吊秋記得日係得你，國人步現心如果你句他，就平你唔，民步在物夜……地皮創造，係福利，話者亦帶縱然不，落陰司官僚說帶黃不，魯逸先生痛責，謂者的怒。……

……粵謳也。

鐵路局長夏重民，任廣三令時候，又秉警備司令，生爲主秘，他本不聘黃先生且曰：「我平生不允就，厭惡政壇，活我現最無拘無束，在一介平民，無論若遇困逼，……」

走到上至主任何政府機關，局長不棄的話，誰不助我。倘蒙貴解慳囊，我願伸出同情之手，稍加賙濟，嗣後你大已足，何斤斤於給我以差事耶？」夏司令唯唯諾諾以應之。後來陳逆烱明稱兵作亂，重民係國父器重的人，陳氏忌之，遂誘殺夏氏，那是以藉中秋佳節在海珠停泊着一隻花舫，以一羣美燕瘦環肥善歌舞而能的女職員，黃魯逸陪酒作樂，參與是夕其列，他似面對先生亦有花舫中的氣氛，覺異，正擬密告於夏，忽聞因往洗手間，小解，令狂奔而出，碎然槍聲，知夏司令已被殺，推落水中了！黃以已被殺，立即上岸，淚如泉湧，數月後，黃乘興而返。如下胡展堂中央黨部亦歸赴泉，李石曾等諸人，延同譚延闓，挽聯哀悼，那些挽聯均充滿字字珠璣的筆錄，可惜，因筆者早有紀失了，走難散。

陳碧君軼事

諸葛文侯

民國廿八年是我國對日抗戰第三年，中央政府已由南京移至武漢，國民參政會即係政府在武漢時創設的，以汪兆銘爲會長，舉行第一次大會後，保衛大武漢之戰即起，政府再轉移巴蜀，汪兆銘偕其妻陳碧君先赴長沙小憩後，遵粵漢路便遊南嶽，折入湘桂路，從桂林飛重慶。

汪夫婦在長沙時，曾往游岳麓山，參觀湖南大學，省主席張治中殷勤接待，省府僱用大木船兩艘，由汪夫婦分乘渡江。張治中率民政教育廳長等陪伴汪氏，另派省府總參議雷嗣尚太太唐舜君，軍人唐生明之妻徐來，偕同張治中太太等隨侍陳碧君。木船過江至對岸水陸洲登陸，需時五十分鐘左右，陳氏在舟中瞧着張治中太太一派村嫗氣象（張妻係安徽巢縣鄉里人），操巢縣土語，而唐舜君、徐來二人應酬周到，口齒清白，丰姿綽約異常，乃詢張妻道：「她二位之中，聽說有一個是電影明星，善唱『毛毛雨』歌曲，究係那一位呢？」陳氏說的南方官話，略帶粵音，張妻瞠目不知所對，唐舜君未便揷言介紹，情形頗尷尬。

於是，徐來祇好對答云：「我叫徐來，過去在上海拍過電影，自從結婚後，早就離開電影界了。」陳氏笑謂：「你現在還會唱『毛毛雨』嗎？」這時船將攏岸，徐來亦笑笑而已。若仍在江中欵乃行進間，陳氏或許要徐來高歌一曲也。汪兆銘夫婦情誼彌篤，陳碧君閫威素著，汪亦順受之。蓋汪當年在北京謀炸清廷攝政王被捕坐牢，陳氏曾由南洋自動北上營救，有一次陳攜款至香港，約胡漢民籌商救汪之策，慮資斧不濟，乃偕胡氏赴澳門賭場，將所攜資金投注，結果損失大半，鎩羽而返。迨民元汪氏出獄，他即將幼年由父兄所訂之婚約毀棄，而與陳氏結褵，此爲汪氏懼內之所以然也。汪氏對客健談，亦能飲酒，陳碧君每見汪談話過久或飲酒不輟時，只向汪嚷呼一聲「四哥！」（汪在昆仲中行四，號季新。）汪即嘿然不復談飲。民國廿一年汪任行政院長時，愚同學友人張昌言（拜杲，廣東籍）任汪隨從秘書，一日汪夫婦乘專車赴濟南，張君隨行，陳碧君在車中與汪談用人問題，怒責汪，且批其頰，汪犯而不校，張君在旁目擊其狀，唯有急忙退開耳。此爲張君親口向我述及者，自屬事實。

對日戰爭結束後，陳碧君以叛國罪置之於理，首次在上海法院受訊，詢問時，法官照例指呼陳氏被告姓名，詢問年齡籍貫，陳答道：「我的姓名，你們只有蔣總理一人可以呼喚，你們怎可以隨便呼我的姓名？委員長亦稱我爲『汪夫人』的。」法官說明此係法定規則，殊不能答復！陳氏詞氣倔強，未便更改，她依然桀驁不馴。毛共竊據大陸後，宋慶齡替陳氏說項，毛共謂須陳遞書一悔罪，乃可寬釋，而陳拒却，一代英雌，終於庾斃獄中矣。

赤壁之戰與華容道

河漢

……上，不強大的步騎兵使用在水面上，兵保障，勝利是僅能打這一仗，便是依恃這個有利的條件……類矣。」

如曹操所說的那樣：「難道眞的得計少晚的？」劉備與諸葛亮掌握這機會嗎？當然不是的。要緊的關頭，也不是蛟龍入海。讓曹操將來捲土重來，經過赤壁之戰，曹操敗北，那是後所出現的新局面，與荊州地形勢比人強有關，劉備今後爭取生存間孫權有關。在赤壁之戰前，有一個曹操威脅；生存的敵人只有孫權。

赤壁之戰以後，勝利的劉備也成爲威脅孫權生存的第二敵人。孫權與劉備，在曹操威脅到他們生存的時候，是患難的伴侶；但當曹操的威脅消失之後，他們就翻臉成了冤家。假如赤壁之戰，曹操不是敗北，富貴的曹操竟能接着徹底的消滅了孫權，劉備的槍尖轉向中國的胸口，那是强大的曹操，是弱小的孫劉今後的劉備和諸葛亮，要瞭解當時的形勢，爲了爭取存在，便瞭解障碍。

只有權之間繼續的矛盾利用，和擴大，然後在這矛盾中覓取有利於自己生存與發展的機會。爲此，劉備必需容許曹操繼續存在和強大，讓曹操始終成爲孫權所畏懼的第一號敵人，讓曹操在無意中成爲劉備的擋箭牌，曹操權容許他的存在和壯大，才能逼使孫權其次，雖則主力折損了，曹操在赤壁三分之二，潰敗，但他剩餘的總和，兵力還超出孫劉單獨的聯軍。

兵力好幾倍。華容地區的地形，雖則不有利於劉備，但有的地區，並不能保證過劉備的，但貧弱的劉備在苦戰中產生勝利，而且必需出由付出的苦大的代價，是一萬，小弱的劉備結果重乏那種戰屬於曹操取分，到那麼的勝利缺赤壁之戰化爲流水，他不僅在果，即刻整個從此失去了孫權和價值，再從治資本，去和孫權討價還價和曹操的政角逐爭鋒的軍事資本，且將從此重度以前的流亡生涯——沒

有容身的寸土尺地以後的沒有發展希望，就爲了曹操在襄樊地區所扮的重姿態，果然，以後，把荊州來的曹操，權自動借方式佔領了樊，孫權以下租去劉備，逼得孫權劉區備的無一條件安居，劉備建立起一條自動把妹妹嫁給劉備這一個緊牙齒忍痛帶得孫權，權咬牙第三佳勢苦，關係植劉孫，給了劉備一個最自誇的勝利，這是劉備之戰勝力量所獲的利，孫權於赤壁之戰對各自事實的上果，致們在孫權間有一伙和劉備對他都在負責，他們所長期佔據百着分多的劉次會中比的實際，這孫權在前的執所會們比較，孫權負責孫任行比軍大將周瑜聯，軍些就都在是，戰者進系以的部隊顯，著所地起，重的因指會的上果者，是當時劉備的任務位置，地不要作爲揮用，吳比較劉把軍，當的部地指揮也差，就得，可不雙方以問周瑜劉備的戰略地指揮的部差，異所果以親自訪劉備的勝利是由於孫劉的智慧所結果，但方的看時，這一位果是由於孫劉雙方結，戰知有互相提供，所以有物力智慧佔的戰果還方是人力，方面因爲利獨容他們終伙沒有合理的分利，以爲他們可開路了以果，由面就爲一方的利益，單的收寧，他們容終於伙伴是爲了血來爲前的虎視眈眈的敵人開了路。（四、完）

別字先生

謬匡

家議訓蒙先生，每年讀別字，聞一字，罰谷三石，明聘約火食四千，如教別一字罰錢一個，二千，到館後，教「秦山」「泰山」，與東家一石，先生誤認「秦川」右石，取罰谷一石，走見。石刻「別字學生讀論語」，東家說：「到全書館是「曹子曰」，又是「卿大夫」兩個別字，只剩火食錢四串，讀作「李麻子」，念為「曾子曰」讀作「鄉大夫」，又將「三石租谷全罰」，兩句，讀作「季康子」一子曰：「王四嫂」火食四千扣除，先生說：「此是別字一先生作詩：「以取乎」曰：一石租谷，火食四千，全年：三石在「曹子」教「秦」，右「鄉大夫」，可惜四季全扣了，先被一石送與川千，又曰：「二千贈與「王四嫂」千贈與「四千伙食，李麻子」不爲少，又一監生常讀別字，而最喜看書。一日看水滸，適有友人來訪，見而問之曰：兄，看何書？答曰：「木許」，友人詫異：「書亦甚多，一「木許」一書，實所未見。」請教「書中所載何人？」答曰：「是一個古人名，亦甚有多季達。」友人曰：「均是何人？」答曰：季達者。」從未聞有「更奇了，請問季達是何樣人？」一答曰：「手使兩把大爹，有萬夫不當之勇」（一的人」。

內政部台報字第〇三二一號內銷證

自由報

THE FREE NEWS

第一一八一期

中華民國僑務委員會發
台報新字第三二三號登記證
中華郵政台字第一二八二號執照
登記為第一類新聞紙類
（半週刊每星期三、六出版）
每份港幣壹角
台灣零售價新台幣貳元
社長：雷嘯岑
督印人：黃行審
社址：香港銅鑼灣高士威道二十號四樓
20, CAUSEWAY RD 3RD FL. HONG KONG
TEL. 771726 電報掛號：7191
承印者：大同印務公司
地址：香港北角和富道九號六樓
台灣分社
台北市西寧南路壹壹零號二樓
電話：三〇三四六
台郵撥儲金戶九二五二

五十年來國際共產黨和毛共企圖毀滅中國民族文化的大陰謀（三）

何浩若

費濱社是不搞政治運動的，但是他們滲透所有的文化機關和團體，使之於不知不覺中赤化。這裏所講的『赤化』，並不是筆者替費濱社帶紅帽子，而是根據蕭伯納所說的話，他自己要把旗子染紅。費濱社在五十多年以前是用這樣的方法，在今天民主國家的大本營，埋伏那獲得二十年冷戰勝利的第五縱隊也是用的這樣的方法。

（三）列寧的布爾雪維克和費濱社的關係

我們說明了費濱社的理論和方法以後，再報導一點列寧的布爾雪維克黨與費濱社的密切關係。當費濱社成立以後，蕭伯納夫婦和韋伯等便在倫敦的亞德斐街十號樓下，創辦了倫敦經濟學院。蕭伯納夫婦便住在樓上，簡陋的情形可以想見。但是執教的學者和初期的學生，都是第一流的人物，包括羅素，威爾斯，拉斯基，凱恩斯，麥唐納和印度的尼赫魯這班人。列寧的布爾雪維克是在一九〇三年和孟什維克那些人分裂的。列寧住在倫敦，時常到歐洲大陸去。他有沒有加入費濱社，現在無從考證。根據一九三一年蕭伯納訪問蘇俄發表演說頌揚列寧為世界文化的救星和『最偉大的費濱社員』'The greatest Fabian of Them all.' 列寧應當是費濱社的社員。在那次演說裏面，蕭伯納還說到費濱的方法就是滲透顛覆陰謀欺騙，這些方法差不多完全為列寧所採用。他說列寧自稱為社會主義者，社會主義者應自稱為自由份子，才能實行不可避免的漸進方法。（見斯當麥著『誰敢說是寶國』第二十六頁），可見蕭伯納是道地的列寧的同路人。列寧自一九〇三年和孟什維克分裂以後，到一九〇七年已經有布爾雪維克黨員十七人散處歐洲各地。他要開布爾雪維克的第一次大會，但是沒有經費。他和費濱社的負責人商量，便由一個費濱社員費爾斯——一個美國肥皂商人，捐出三千鎊，作為開會的經費。同時由麥唐納替他們在倫敦的東邊借了一個教堂叫『兄弟禮拜堂』作為這十七個人的住宿之用。這十七個人的黨過了十年，到一九一七年便增加到四萬人而取得了俄國的政權。七年以後，到一九二四年與費濱社有密切關係的英國工黨也取得了英國的政權，由當日招待那十七個人的麥唐納組閣。韋伯當了第一任勞工部長。上面費濱社幫助布爾雪維克的記載是引自摩赫德所著『俄國革命』第八十一頁（Moorhead: Russian Revolution P.81）

（四）費濱社和美國前進份子的關係

遠在十九世紀的末期，英美兩國便開始文化交流，交換教授和學生。在費濱社成立八年以後，席德來韋伯便來到了美國。一八八八年，美國經濟學會便在哈佛大學散發『社會主義在英國』的小冊子，到了一九〇五年，韋伯這班人便在美國創辦了一個與倫敦經濟學院性質相似的學校。這個學校來沒有像倫敦經濟學院發生那樣大的影響。這個學校便是紐約的蘭德社會科學院。到現在這個社會科學院仍然重視社會主義學說。另一個組織便是各大學的社會主義學會，首先成立這個學會的便是哈佛大學。有名的記者李普曼便當過這個學會的會長。接着哥倫比亞和普林斯頓等大學也繼續成立了這個學會。根據赫寶德氏的記載，當日許多有名的學者參加這個社會主義運動。到中國來講演過的杜威也是其中之一。羅素也曾到中國講演過，他亦是費濱社的社員。杜威、羅素在同一時期來到中國講演，也許是偶然的，但是對後來中國青年的思想無疑的有很大的影響。費濱社在美國發生聯繫最早的是哈佛大學，發生影響最大的也是哈佛大學。美國最有名的共產黨員如希斯、懷特、居禮、魏梯、亞伯、普勒斯門都成為美國的政要，也多數是哈佛大學畢業的。很巧合的哈佛大學的畢業生如甘迺迪又被選為美國的大總統。因此所謂特別前進的哈佛學派，成為美國政治上的一支很大的力量。羅斯福、班第這班人都是與哈佛有很深的關係。除去哈佛大學以外，美國知識階級受着費濱社的影響的也很廣泛，形成了美國知識份子左傾的一個潮流。在反共最敏感的自由中國，也許以為這些左傾的知識份子都是共產黨。這也是不正確的。其中自然有很多不暴露身份的美共，[illegible]

托洛斯基回去革命時候，還帶回去一批紐約的流氓去充紅軍。[illegible]

（編者按：本文下期起移刊第二版，敬希注意。）

「把他弄醒！」

「兩邊不討好！」

根據中央社自日本方面獲得的消息，毛偽政權去年大量出售古董字畫，出售方式是公開簽訂合同，供應中國古代字畫，買家是日本習字教育同盟主席原田觀峯，賣家代表是毛偽國防部辦公廳主任蕭向榮，數目是第一批八千件，共計一億日元，約合美金二十五萬元。接着又訂了一個三萬件供應合同，平均每件美金十元。

出售方法，是由日本方面買主到北平、上海、南京、廣州各博物館挑揀，揀定之後由毛幫負責裝箱運出，並担保貨眞價實，決無贗品。

第一批現已如期運到，其中計有李思訓、王摩詰、宋徽宗、米南宮、沈石田、八大、石濤的作品，這件件眞跡，日本方面對於毛幫這次的商業信用，備致贊揚。據原田估計，最多不過出售五百件就可撈回原本，換句話說，其餘的三萬七千五百件皆是利潤。這些地方，日本人一定會高唱「毛主席的恩情說不完」，但我們中國人聽來，却眞的欲哭無淚。

專論

一個緊急沉痛呼籲：請政府迅速搶救國寶

古今中外，像以毛澤東為首的這樣邪惡組織，過去固然未有，將來也不會再有，我們也不必與之爭辯。不過，站在中國人的立場上，却有兩點要說一說。

第一點，我們要忠告日本人，甚至可能繼日本人去大陸作同樣交易的外國人：這項貿易可是作不得！這些古畫是中國千多年來文物的精品，是中國學者先哲用盡心血的作品，這是中華民族的公產，任何人動不得。毛澤東可以賣他自己，斷斷沒有權賣中華民族的文物！對於這樣一項醜惡交易，中國人斷乎不能承認，套用毛共的一句話，天涯海角都要追還這筆債，我們同日本人舊賬未了，不可再添新債。因此，我們希望原田觀峯先生放大眼光，與我政府商量一個可行的辦法。

第二，[illegible] 政府必須負責 [illegible] 府也不能不責我政府也。

——岳騫——

自由談

復興中華文化須知

馮之先生

現階段的中國人固應該努力復興中華文化，全世界人類要想奠定永久的和平秩序，亦祇有接受中華文化思想的洗禮薰陶，纔是唯一有效的法門。

可是，復興中華文化的工作和方法，却與一般搞某某運動的性質不同，喊口號，貼標語，開會演說，都無濟於事。它要持之以恒，自强不息，每一個人皆須盡其在我，從日常生活中，實踐中華文化思想的義理，人不知而不慍，有如建設民主政治生活然，須從一點一滴做起，不作誇大的宣傳，揚棄媚世悅俗的下意識。非如此，則所謂復興中華文化云云，依然陷於假道學的窠臼中，徒亂人意而已。

中華文化思想的綱領是四維八德，而其精萃即係「仁」與「恕」。貴在個人的自修工夫，所謂「不愧屋漏」，「修己以安人，修己以安百姓」是也。等由准此，一般對社會具有影響力的知識分子——尤其是從事政治生活的士大夫，責任特別重大。你大聲疾呼教別人努力於復興中華文化工作，而自己對人處事却不能實行仁恕之道，有意無意地幹出違背四維八德的勾當；甚於自己的私慾，不惜蠅營狗苟，罔顧人格，以為別人不會知道，滿口道德仁義，行為卑鄙齷齪；那就趁早免談「復興中華文化」問題，不妨我行我素，而以眞小人自居，這對於社會大衆的人心與風俗，為害比較淺明，尚不致如偽君子之禍害程度之深鉅也。

復興中華文化思想的大敵，即是一般偽君子與假道學人物。他們得意時可作禍國殃民的大奸慝，失意時亦是陰賊險詐的社會之蠹，但談起復興中華文化，却慷慨激昂，得未曾有，稍為缺乏社會經驗的人，很容易受其欺騙的。

因此之故，凡屬眞正有志於復興中華文化運動的士大夫，必須先求諸己，隨時省察自己，對人對事，是否符合了仁恕之道？大家以事實來表示其實踐化的生活行為，相習成風，自然蔚成移風易俗的潛力，雖然不開大會，不設機關，效用一定大著。否則聽你說得天花亂墜，做得熱烈異常，還是白費精神，毫無用處也。

台諫奇談．言之醜也

一件處理不當的調查案

縱容不法官吏使其逍遙法外　引致立監委員私下論議紛紛

（本報台北通信）正當監察院一年一度總檢討會進行調查案件檢討之際，想不到監察院竟發生一件調查案之處理不當，甚至縱容不法官吏逍遙法外的醜聞，因而引起立監委們私下議論紛紛的現象。由於這件調查案對監察院之聲譽影響頗鉅，筆者為愛護監察院及調查委員之聲譽起見，故樂意敘述這件醜聞的經緯。

緣監察院內政、經濟兩委員會於十一月八日舉行第十一次聯席會議，通過一件調查案公布而暫存，該案由委員陳翰珍、葉時修、吳大宇等，根於今年六月中旬，根據報載台灣省社會處就業輔導涉嫌舞弊案，分別於該委員會提案，請推派委員調查。旋經內政委員會第二六八次會議通過，推黃寶實委員調查；經濟委員會則輪由陳訪先委員調查；協查職員是監察院調查專員李某，另調審計部某職員協查。

但事實上，陳訪先委員因體弱多病，并未執行調查委員之職務，係由黃寶實委員一人「唱獨腳戲」。就監察院調查案件程序而論，實際未參與調查之委員陳訪先，在調查報告書上署名，是否符合規定？這是值得研究的問題。未實地調查而在調查報告書上簽字，是不是為了「調查費」？黃委員是否有權代陳委員行使調查權？或陳委員是否有委託他人調查案件而坐領調查費之權？筆者查遍「監察法規輯要」，尚無此項明文或決議文之規定。

（一）監察院公布之該調查報告說：「省府印刷廠印製之職業分類典再版，合約簽訂為五千本，用六十磅道林紙，旋改用八十磅道林紙，祇印四千本。據稱：因六十磅道林紙太薄，而變更，經合會於稽核此項費用時（甚麼時候稽核，調查報告未說明），以原合約並未修改，且仍以五千本驗收，似有不合，所差之一千本書，應請追補」云云（調查報告書第八頁）。足見台灣省社會處化「二十二萬〇九百七十八元」再印四千本職業分類典的書，平均每本書的成本為五十五元二角四分，這是一本什麼書？國民大會再版一部「世界各國憲法大全」三大精裝本，計十六開四千五百八十七頁，其售價不過三、四百元一部，以此觀彼，則該職業分類典一書，其是否有浪費情事，可不言而知了。

同時，社會處與省府印刷廠簽約再印五千本，結果，調查報告說祇印四千本，而社會處以四千本當作五千本驗收，其短少之一千本，調查報告僅以「似有不合」而輕描淡寫的一筆帶過，這就難怪有人說，監察院已一年不如一年了。這樣的下去，怎不使選民與納稅人失望。

按公務員對於職務上發給之物品，明知應發給而抑留不發或尅克者，處一年以上七年以下有期徒刑。此為刑法瀆職罪章第一二九條第二項明文所定。驗收之公務員，明知應收職業分類典書五千本，今竟以四千本當作五千本驗收，此項違背職務之行為，顯已觸犯刑章，稍有常識的人均知，而調查報告亦知「似有不合」，何以僅「追補」了事？不過，也有人很感謝黃委員，何以故？因為台灣任何一位省民都可根據此項調查報告書為證據向法院告發，而檢察官也可依此自動偵查該公務員等。

（二）關於顧主座談會浪費公帑的問題：提案委員所附之報載係指基隆就業輔導中心五十五年十二月底成立後之三個月期間，在「僱主座談會」的會計項目中，報銷三萬元。調查報告書對此隻字不提，僅說「各中心五十六年度（即指五個中心）於僱主座談會項下列有八萬六千六百元」，「其中間有部份招待費用之開支，經各有關經費審核主管單位查核，認為有與規定不符者，亦經予以剔除或飭令補正」（調查報告書第七頁）。

所謂「有部份招待費用之開支與規定不符」，那些部份的開支，與什麼「規定」不符」？假報銷嗎？以少報多嗎？或偽造報銷嗎？調查報告沒有交代清楚，怎不使人佩服執筆撰寫調查報告者之手法高明啊！

（三）關於出差旅費部份，調查報告載：「至該輔導室主任楊仁夫身兼社會福利基金管理委員會總幹事兩項職務」，「就其主管之業務言，似有出差必要，以期發揮效果，其出差旅費均依照規定手續填具出差申請單，經呈奉核准，事後填具出差旅費報告表報支，其報支旅費，均經各有關經費主管審核機關，其間有少許與規定不合者，已予剔除」（調查報告書第九頁）。

監察院對政府官員之兼職，金越光委員等經調查認為不當，內政委員會曾提案糾正。而調查報告認為楊仁夫身兼「兩項職務」為正當；楊仁夫出差報支旅費「均經審查」，自無「與規定不合」之情事，既「有與規定不合」，其出差旅費自非合法的報銷，而前者之間，必有其一為非，調查報告書如此不邏輯而自打耳光，怎不「遺臭萬年」而成為歷史文獻。前述（二）（三）兩點，顯有違法失職之罪嫌。

（四）關於浪費的問題，調查報告說：「一九六七年中美基金項下編列二十二萬三千二百二十二元，其中包括各新設置之站所開辦費用」，「其中原預算內裝設（台北縣新莊鎮）頂坎及桃園（鎮）兩服務站之電話，移置於中興新村中正路二三號（輔導室前主任楊仁夫家中）及光華路三十五號（社會處副處長牟乃紘家中）職員宿舍，經核與預算計劃用途不符，予以剔除」（調查報告第十頁）。

此項報告，顯已證明該楊仁夫與牟乃紘有違法失職之處。而「調查意見」竟謂「某報所載各點，經查多非事實」。調查委員且在內政經濟委員會第十一次聯席會議上公開要求「本案暫存」。這無異自毀立場，所謂職司風憲者，甚至一年一度的總檢討會之召開，亦將失其意義，更無召開之必要。

（五）調查報告又說：「五年來（自五十二年至五十六年），從事國民就業輔導工作之經費，計二千七百八十三萬一千六百八十三元八角五分」，「並無用去五千萬元之事」易言之，則調查報告之二千七百餘萬元是正確的，然而根據調查報告第四頁與第五頁之中間所附之表載，謂「年度尚未結束，以預算數列入」。又備註欄載：「一九六七年度中美基金，因更期支用至九月底止，其實支數尚未確定」。「五十六年度社會福利基金各中心截至八月底止，部份實支數，及預付數」而已。所謂五年來之經費計二千七百餘萬元之數，也是不可靠的「疑案」。因為事業基金預算之年度與省地方單位預算之年度不同，前者由每年一至十二月為會計年度，福利基金與單位預算自每年七月至翌年六月止為會計年度，更何況有預算與決算之區別，同時，五十六年度之各中心之經費部份為預付數，尤其中美基金「尚未確定」，試問，調查報告之二千七百餘萬元究竟根據什麼而「認定」？換句話說，調查報告所認定之二千七百餘萬元「尚未確定」，何能指責並確定報載之近五千萬元的經費不是「事實」呢？

（六）現在僅舉台中區中心五十五年、五十六年之求職、求才與就業的數字分析於下：調查報告「歷年各區中心求職求才就業概況表」有關台中區中心之記載：五十五年度求職者二六、六一九人，求才者二五、九四四人，就業者八千七百十五人。五十六年度求職者二九、六八八人，求才者三五、八三七人，就業者一六、四三八人」。

另據台灣省台中區國民就業輔導中心業務概況五六兩頁載：「五十五年度求職者二〇、七五一人，求才者二二、七七五人，就業者七、九八一〇人。五十六年度求職者一八、八二九人，求才者二〇、二〇〇人，就業者一〇、一七〇人」。

前者所載五十五年就業人數八、七七五人，較後者所載之七、九八七人多出七百八十八人，以同年度之平均每介紹就業一人之經費二百九十五元四角計算，即達二十三萬二千七百七十五元二角。

再就調查報告所載五十六年度就業人數一六、四三八人，較台中區中心業務概況所載一〇、一七〇人又多出六千二百六十八人，以同年度之平均每介紹就業一人之經費一百九十八元五角計算，即達一百二十四萬四千一百九十八元。僅僅台中區中心就業一項之經費，兩年中即達一百四十六萬六千九百七十三元二角的經費！由於調查報告中之「概況表」係來自省社會處，且經調查委員採信而登載於監察院屬於公文書之調查報告書中；該「台灣省台中區國民就業輔導中心業務概況」一書，也屬於官方之公文書，這兩個公文書，均來自省社會處所屬單位，其中到底誰真誰假呢？有調查責任之機關，應予調查並追究刑責，使玩弄「數字魔術」者獲得應有之偽造文書責任。

（七）原提案委員所附報載資料，如基隆區中心「顧主座談」經費部份，及台北區中心於五十四年介紹「摩骨」者給仇慶雲等部份，調查報告對此根本沒有報告。如報載就業訓練係指五十四年七月至五十五年六月之會計年度，而調查報告則報告五十六年度之經費開支，已經使人有「牛頭不對馬嘴」之感，而這部份之調查報告又不合邏輯。總之，無論從數字分析，或從邏輯上觀察，調查報告與事實真象，均有出入，乃竟指報載「多出事實」，這不是官官相衛，是台諫奇談嗎？

從聯大看越戰

聯合國總部通訊

本屆聯大的一百二十二個會員國的首席代表發表的演說，有若干對聯合國本身予以抨擊，抨擊內容包括三方面：一、促成和平失敗，二、無力掃除殖民主義殘餘，三、援漏洞叢生。

各國代表均指出，造成聯合國無能的主要原因是：違反憲章精神，大國濫用否決權，對貧窮小國缺乏同情，無力推行決議。

各代表的演說中，尚未對秘書長宇丹有何褒貶。觀察家認為，不提宇丹的名字，即暗示他毫無建樹，不值一提。

多數代表在發言中均提及越戰問題。討論越戰一個值得注意的現象是：建議美國停止轟炸的多係與共黨有直接關係的國家，而所有受共黨威脅的東南亞國家，均主張北越必須表示其和談的誠意。

言最有力的是泰國外長，他指出要美國單方面停止轟炸是「偏向的理想主義者」，是以兩種標準看越戰，他認為北越人民及越共的價值比在侵略下犧牲的南越和其他亞洲人民更珍貴。他說這是種族主義者的言論，令亞洲人感到奇怪。他在演說中未指名此種「偏向」的國家。但此間泰方人士在會外指出，這些國家包括西歐、斯坎狄納維亞諸國和聯合國秘書長宇丹自己。

他指出，胡志明相信，美國本身對戰爭的憂慮及自由世界各國的意見紛歧，將使他取勝。因而泰外長建議，西方國家中愛好和平人士，應一致去說服胡志明。

本屆聯大開幕後，印尼曾與泰方人士且在會外透露向河內試探和談態度，未獲北越回答。同時另一中立國駐河內官員的秘密報告中……

亞洲國家中，只有至今仍在挨打，而對共黨尚存幻想的印度代表相信美國無條件停止轟炸後，「越南民主共和國必會予以有利的反應」。印度代表並指出，此言是根據其駐河內領事館與參加國際管制委員會印度人員的報告所下的結論。但此間多數人懷疑，此一結論是印度的想象，抑係河內官方報紙所表明的立場。河內報紙在數日前仍指控美方最近所提出的和談建議是「偽裝和平」。

此間外交界人士指出：北越若真有和談誠意，其與華府連繫的秘密外交途徑甚多，不必經過第三者傳達。而印度代表及此間印方人士並未說明河內曾授權他們作此聲明。

馬來西亞代表發言時，曾強調任何和談必基於「所有國家都有獨立自主不受外力干涉的權利」。中國外長指出，除非毛澤東與胡志明更進一步了解武力侵略定遭失敗，否則他們決不肯中止越戰。日本及菲律賓亦堅決支持美國的立場。

證諸東南亞國家對越戰觀點的一致性，此間觀察家認為，東南亞區域性的反共力量在不斷增加，自由中國在亞洲外交更加活躍，參加越戰之各盟國，或將於本年底或明年初召開第二次如本年三月在馬尼拉舉行的盟國會議，更現實更具體的應付越南戰爭。

科學家看親屬結婚

雲森

過去我國有一個很保守的傳統觀念，就是同姓不婚。根據古志的傳說謂，同姓通婚，對於其子女的健康情形，是有所障碍的。但是時至今日，這個古舊的傳統觀念，已逐漸被世人所忘却，同姓通婚的案件固然屢見不鮮，就是連堂兄弟姊妹間通婚的案件，亦出現過不少。至於堂兄弟姊妹能否論及婚嫁的說法，人言人殊，本文乃是美國著名生物學碩士蘇珊高凱女士在最近發表的論文，在文中她以科學的立場，來分析堂兄弟姊妹婚嫁所引起的後果。

對於親屬間論及婚嫁看法，各國的風俗習慣和觀點都是不同的。在猶太過去的歷史中，我們獲悉摩西曾經訂下了一條法例，就是有親屬關係的男女是不能通婚的。但在這條法例訂立之前，親屬間通婚在猶太人是非常盛行的，那時不只堂兄妹可以通婚，就算是低一輩的親屬通婚亦有，據說摩西的母親就是摩西父親的姑母呢，但要知道，那時的人，並不以爲這是亂倫的行爲。

昔日在盛行天主教的羅馬城，曾有明文規定不能與第三代以內的堂兄弟姊妹論及婚嫁。在今日的美國，亦最少有廿四個州的法例上列載着，堂兄弟姊妹不能通婚的法例。同時，更有部份落後民族，認定堂兄弟姊妹若論及婚嫁，是會招致天神所不容，最高的處罰乃是要男女雙方受凌遲而死。

在原始社會中，曾出現過不少堂兄弟姊妹以致同胞兄弟姊妹通婚的事，在那時候由於生活簡單，他們對於道德的看法與今日迥然而異，他們認爲親屬間通婚所生的後代，是會非常健康而且昌盛的。在埃及舊日的王朝中，就有明文規定，凡是王子或公主必須與他（她）們至親的親屬結婚，故此，姊弟通婚的案件，比比皆是。（有人認爲，這種亂倫的事情，乃是導致埃及走向亡國的原因之一。）

對於兄弟姊妹能否通婚的說法，若我們單只是根據以上各國的風俗習慣和法例上的規定，是很難找出一個明確的答案的，要了解那個問題，我們可以站在科學的觀點上來一個研究。要討論這個題目，我們首先最好了解一下人體生殖細胞內的組織和功用，及明瞭一些關於遺傳的基本知識。在每一個人體內的生殖細胞，均是由一種名爲染色體的物質所組成，決定胎兒是男抑或是女，則是由精蟲所決定，精蟲分兩種，一種是由廿四個染色體所構成，一種則是由廿三個染色體構成，前者與卵子會合便成女胎，後者與卵子結合則成男胎，這兩種精蟲在精液中各佔半數，所以生男生女的機會都是均等的。但是在這些染色體內，都是由無數的因子組合而成，這些因子，就是遺傳的基本。初生嬰兒的某些特徵，如頭髮的顏色，眼睛的色素，都是根據其父母體內的因子而形成的。照同樣理由，其父母的某些病症，其子女或孫兒同樣可能患上同一樣的病狀，因爲這些病菌是由他（她）們肉體的因子傳而傳到其子女的體內。根據遺傳學的道理，最容易遺傳給後代的病症乃是肺病、性病、糖尿病、色盲等等。每個人體內的生殖細胞，皆是承受其上代的因子所組合而成，在這些因子中，有百分之五十是經由父體傳下，另外百分之五十則由母體傳下來，比如A君的父母同是患上了糖尿病，其子女皆可能承受了這種病徵，但有時這種遺傳下來的病徵會潛伏一個時期，比如A君直接地被傳染了這一種糖尿病的細菌，可能A君這一代不顯現出來，但這種病，直到A君的子女這一代才併發出來。這一個時期，在生物學上來說，是稱爲細菌潛伏期。根據美國醫委會所最近發表的報告中指出，由直系親屬結合所生的子女的智力與健康，一般都比不上由非直系親屬結合所生的子女；同時直系親屬結合所生的子女身體上的抵抗力是會較由兩個沒有親屬關係的男女結合所生的子女爲薄弱。再者，親屬論婚而將病菌遺傳與後代的機會是會比非親屬論婚爲高。

要明白這個問題，我們可以再回頭談及一些因子的問題。原因，根據醫學上來說，人體內因子的數目都是有固定的數目，過多和過少的因子都可能使人體變成不正常，假如一個男子和有親屬關係的女子通婚，由於她們體內因子的質素相同，二者因子又混而爲一，其所生的子女體內因子極可能有一數量不正常的增加，若一雙非親屬的男女通婚，由於他（她）們體內因子的質素不同，就不會出現這個現象。同時，據最新醫學上的紀錄指出，一雙患上遺傳性染病的非親屬男女通婚，他們體內的因子可能會互相中和，將傳染病的發期延長，而對於猖獗的程度亦可能有所減低。

根據著名遺傳學家沙丹韋博士指出：由於親屬間結合所生的畸形嬰兒要比非親屬結合所生的畸形嬰兒的可能性會高出兩倍以上。總結來說，在科學的觀點上，親屬間的結合絕對不適宜的，像堂兄弟姊妹這些直系的親屬，更不宜通婚。

港幣貶值影響民生

微言

因英鎊貶值百分之十四點三，香港幣值亦隨告貶低，每一美元兌六元六角七分港元，香港經濟遭受影響是多方面的。在大體上而言，港幣雖然跟英鎊貶值，但香港經濟基礎良好，不利的影響雖然無可避免，但非很嚴重，祇是對外貿易及物價難免有一定的調整。最敏感的當然是金融及股票市場，K金及美鈔刺激上升是自然的現象，股票市場也發生波動。銀行對於工商業貸款利率亦將提高。香港市民在銀行的港幣存款無形中也貶了值。

商場方面，物價將發生一些波動，歐、美、日本、東南亞、非洲、中東、澳洲各地貨物訂價將陸續上升。香港對外貿易，亦將有一定的調整，尤其是要付向外國開出信用證，增加百分之十四點三買外匯。但在另一方面，香港貨物的實盤亦將刺激提高，但能否增加百分之十四點三，視乎事實發展而定。

遭受影響較大的還是工業，因爲香港一般工廠已經接了很大量的打單，交貨期排至明年四月也很普遍。其中接入美國訂單表面看來似乎不會吃虧，因爲香港工廠接入美國訂單以美元計算，尚未開來的信用證，可以獲得保值；但原料價格提高，工廠無形中增加成本。接入歐洲、澳洲、非洲的訂單，一般都是英鎊計算，因英鎊貶值影響，單價無形中被抑低了，另一方面，原料價格上升，工廠損失將會很大。接入日本及東南亞各地的訂單，亦以英鎊計算的，自然受到同樣的損失。

更有值得注視的，港幣跟英鎊貶值，是否刺激工資亦告提高呢？看來暫時未有此可能，可是靠工資收入維持生活的工人，以及一般受薪階級，今後因爲糧食及其他物價上升的影響，生活負担無形中增加了。這種增加將是長期性的，與今年六至九月間糧食及其副食品因爲供源缺缺而刺激價格上升的環境不同，供源疏缺而刺激價格上升是暫時性的，供源恢復增加價格就告回降，但港幣貶值，各地貨物的訂價都刺激提升，甚至大陸的糧食及副食品也要起價，故此一般工人及受薪階級的工資尚未獲得調整以前，生活負担增加就等於收入無形中減少，這種損失是無可補償的。

三國奇士傳之四

數學奇才趙達

周燕謀

數學奇人趙達河南人，少從漢侍中單甫受學，用思精密，善觀氣數，以東南有王氣，可以避難，故避中原之亂，渡江而南。蓋漢末大亂，東南與荊楚乃成爲避難之所，故其地人才衆多。居東南者，多爲吳所羅致，居荊楚者則投效劉備，劉孫皆成帝業，良非偶然也。

趙達所精研之學，深邃九宮一算之術，究其微旨，能應機立成，對向若神，至於計飛蝗，射隱伏，無不奇效。有人難之曰：「飛者固不可校，誰知其然？此乃妄耳！」達使其人取小豆數升，播之席上，立處其數，驗覆果信然。嘗造故友食飲，故友爲之具食，食畢，達謂故友曰：「君倉卒邀飲，缺乏美酒佳餚，無以叙意如何？」故友曰：「家無美餚，以待君耳！」達以席上箸數隻，再三縱橫之，乃曰：「卿府壁東下有美酒一斛，又鹿肉三斤，何以辭無美酒佳餚耶？」時合座有他賓，內得主人情。主惶然曰：「以君善射，故試之耳！竟如神效」。遂取美酒鹿肉酣飲。

又有一士，倉儲書簡，數以萬計，請達算之。達術之，果如其數。

達甚寶其術，不易傳人。東吳名人闞澤、殷禮等名儒善士皆欲求其術，親屈枉受學，達惟畧陳其概，精而不告。太史丞公孫滕從少師事達，勤苦有年，達許以授之者有再，臨當其精微時，欲授又止。滕他日俱酒豐餚，顏色拜跪以候請益，達曰：「吾先人得此術，欲圖爲帝王師，至仕已三世，位不過太史郎，誠不欲再傳人。且此術妙，頭乘尾除，一算之法，父子不相語。然以子篤好不倦，今眞以相授矣。」飲酒數行，達起取素書二卷，大如手指。達語滕曰：「當寫讀此，則自解矣。吾久廢不復省之，今欲思論一過，數日當以此相與。」滕如期請受其書，達大驚曰：「此書已失之矣。汝婿昨來，必爲其所竊也。」奇術終隱而不傳。

初孫權行師征伐，每令達有所推步，皆如其言。權問其法，達終隱而不語其要。達遂由此見薄於孫權，祿位不至。達常笑謂諸星氣術士者曰：「當廻算幕，不出戶牖，以知天道而反，晝夜暴露，以望氣祥，不亦難乎！」閒居無所引算，乃自校而數曰：「吾自算數終，某年某月吾終矣。」達妻常見達之術神效，聞其將死，大哭。達乃詐妻曰：「前算誤耳，尚未及死也。」後如期以死。

孫權聞達有奇書，求之不可得，乃錄問其女，及掘達之棺，亦無所得，法術遂絕矣。吳範、趙達之術精矣，然君子算役心神，宜於大者遠者，是有識之士，舍彼而取此也。達知東南有王氣，脫身渡江。而魏承漢緒，受命中畿，達竟不能預謀。萌而流離吳越，又不知客術爲鄙，見薄於時，安能逆覩天道而審帝王之符瑞哉！流俗雅好異妄，設神奇，不幸之中，仲尼所棄，是故君子志其大者。然裴松之曰：達居中原之亂，必不保身；故流寓東南乃保其身耳！孰曰不先保身而先仕哉！

中國女性文藝春秋

周遊

續衣的故事，在唐時也有兩種傳說：

玄宗開元中，賜偏將大纊衣，製自宮中。有兵士於袍中得一詩云：「沙塲征戰客，寒夜苦爲眠。戰袍經手作，知落阿誰邊。蓄意多添綫，含情更作棉。今生已過也，重結後生緣。」

軍士以詩白於主帥，帥聞於上。玄宗遍示後宮，聲言作此者勿隱，決不加罪。一宮人自言「萬死」，玄宗憫之，以嫁得詩者，曰：『吾與汝結今生緣。』

僖宗時，自宮內出袍千領，賜塞外吏士。神策軍馬眞在袍絮中得金鎖一枚，幷詩一首云：

「玉燭製袍夜，金刀呵手裁。鎖寄千里客，鎖心終不開。」

這些故事，實乃代表宮庭中的「深宮怨」，她們深鎖禁宮如籠中的小鳥，除了以此而傳達其心聲而外，實在沒有別的法子可想。這是實在可能的。因這些宮女人微言卑，不會受到史家的重視。這一點一滴的流露，實乃代表了千千萬萬的禁宮怨女的心聲而已。另一方面，也可想而知的是：隋唐時代的皇帝禁宮中所藏的女性是何其多，不知埋葬了多少萬萬女性的青春，實在是沒有「人道」的罪惡。所以筆者說帝王是女性的罪人，這並不是濫調。

女道士李冶的戀愛與文學

唐代道教特別發達，是因爲唐高宗尊老子爲元皇帝之故。「上有好者，下必甚焉」，民間也知道學道爲淸高的事，而一般士大夫也和他們發生關係。唐代詩人與道士往返的詩文是有目共睹的事，君子之德風，士大夫一時蔚爲風氣。連女性也湊起熱鬧來了，也許在當時是一種時髦，唐公主每多修道不嫁，楊妃亦曾求爲女道士，宮人亦有自請出家的。這都是深宮怨女不待言，因而道觀便成了高貴階級的解脫凡塵之所。當然也有借出家爲名，以便自由交際，大有人在。因此朝中便產生一種特殊的婦女階級，蘇雪林女士曾給她們『半娼式的女道士』的花冠。這個階級的形成，不外乎下面三種因素：女道士大多通曉文墨，士大夫喜歡與之交遊。歷來女教無人重視，知書識禮身通文墨的女性，則視之爲鳳毛麟角，珍重不已，求爲唱和，彷彿是提高風雅的身價。歷史上的女性，一經男士們的爭相追逐，往往風流韻事便不脛而走，一般迂儒則高唱『女子無才便是德』的高調。這些女道士靜居道觀，擺脫了家事的牽掛，又爲了要嫺熟經文，道觀即是最佳的環境，一經磨練成熟，士大夫便身先捷足，以唱和爲榮。此其一。

其次，唐代女冠多爲貴族，一般醉心官途的人便走她們的門路，公主貴婦之流雖然出家，然父母手足之情仍然未斷。借其一言九鼎，側身官門，不失爲一個登龍之捷徑。兩性間交往密切了，自然會發生戀愛關係。風氣一開，即或不想做官的人，也要交結一二女道士，當作唱和的伴侶了。

第三女道士皆爲出家人，不置財產，諷經設醮收入有限，她們爲了生活的驅使，不得不出入人家，受人輕薄，免不了的。我們看劉禹錫贈張鍊師詩吧！「……金縷機中拋錦字，玉淸壇上作霓裳，雲衢不用吹簫伴，只擬乘鸞獨自歸。」而劉長史的「大羅過却三千歲，更向人間魅阮郎。」（贈成鍊師）白居易的「上界女仙無嗜欲，何因相過兩徘徊？」（贈韋鍊師）更就不像話了。（卅七）

幾生修得的好丈夫

·紫瑛·

子，從那一方面說，我都不能算是一個好妻子，但我却有個最好的「他」。我的脾氣又急又躁，在待字閨中時，就是一個最難說話的小姐。稍有不「順心遂意」的事，不是碎盤子扔碗，就是哭天喊地，大鬧大吵，弄得家口不安，鷄犬不寧。所以我媽常會咬着牙恨恨的說：「你呀！將來不知道那個不長眼睛的，倒了八輩子的霉，才娶上你這『打公駡婆，拖老公下河』的攪家精。」

話雖如此，想「倒霉」的倒也不少，真「倒」上霉的，祇有一我的「他」。不知什麼鬼「迷」了他的心，使他一見了我就「迷失了自己」，絲毫未加考慮便晦氣的娶了我。

當然，討了「炮竹」脾氣的太太，難免得吃些苦頭。別急，「他」硬有他的辦法不知從什麼時候起，我這個「炮竹」的引綫給他輕輕的抽走了，空擁了一肚子的火藥，再難放出驚天動地的响聲。

「光陰似箭，日月如梭。」十四個年頭就這麼「如此這般」的過去了。若將這十四年之婚姻生活加個評語的話，就是：「可圈可點」。當然，這圈這點該加在他身上，我不大敢當。

說起來似乎荒唐，在他做新郎時的身份是：「學生一名」。學業既未告一段落，怎再敢奢談事業經濟哪；生活又是那麼現實，全不似戀愛幻想的如詩似畫。好在他有的是勇氣」和「信心」。一切的辛勞全部由他承當，不想要我分半點憂愁。雖然日子已經過了這麼多年，我們的境遇也從崎嶇步入坦途，到如今，他還在為那一段比較「辛酸」的苦日子，對我懷着十二萬分的歉意。

記得有一個熱天，我擠在狹小的廚房裏預備午飯，等候他回家。下班的時間已經到了。可是煤球火始終「有氣無力」的燃不上來。一鍋飯已經可算「泡」熱了。菜呢？油倒下去半天，可聽不見一絲响聲。真急死活人，我用力煽，火一點也煽不上來。到是煤氣煽出來了，直往鼻子裏衝。煤灰和汗水，在我臉上和成了稀泥，全身濕漉漉的，狼狽不堪。就在這當兒，他回來了。我一肚子氣的用鍋鏟敲着放在煤球爐上的菜鍋，大駡道：「死爐子，死煤球，死火，死鍋，死油……」還沒駡完，就失聲的站在廚房裏痛哭起來。他把鍋鏟從我手上一把搶去，狠狠的丟在地下。替我擦乾眼淚，擁着我，吻我，在我耳邊喃喃的自怨：「唉！都怪我不好，誰叫你認識了我，不然，現在要是做了有錢人的太太，哪會要你跟着我，受這份洋罪。我真願意你現在還沒有嫁給我。」（上）

海嶠叢談薈

報人的煩惱

諸葛文侯

凡是獻身於新聞事業的人，勢必招致是非煩惱，甚且闖下禍事，吃官司，坐監獄，乃至於殺頭亦不稀奇的，否則便是官府的御用記者而已。區區原係半路出家的新聞從業人員，亦曾經惹出了若干麻煩，幾乎釀成文字獄，謹憶述一二以概其餘焉。

民國廿七年我在重慶「西南日報」担任總主筆時，奉軍事委員長重慶行營命令兼任自流井鹽場燃料材料管制專員之職，因購運鹽業材料關係，在渝市設置辦事處，派員主持其事。大概是為着貿易上的糾紛問題，有商民向重慶地方法院控告了該辦事處主任（姓名現在皆已忘記），一日，法院竟派遣法警多名，將該主任手鐐脚扣，另以鐵鍊鎖住頸項，牽着走出去，拏赴法院。當時我在自流井，第二天接到急電，方知有此類事件發生，即飛函同在「西南日報」作主筆的友人鄭學稼兄，請他在報上主張公道，批評法院這項非法行為，學稼即寫社論指斥法院蹂躪人權，使外邦人士瞧着這種怪事，認為我國毫無民主法治生活可言，依然是野蠻時代的景象，有辱國體。法院見到此文，已經很不滿意了。繼而我回到渝市，再跟學稼和社長汪觀之商量決定，藉此對法院平日的一切黑暗情形，不妨作一次總攻擊，替一般飽受屈辱的老百姓出出氣，使法官們有所顧忌，我們亦可稍盡記者的天職。於是，西南日報率興在報上刊登啓事，希望社會大衆向本報舉發重慶地方法院歷年來的非法虐民事情，俾便按日披露，昭告國人。

地方法院的法官們見之大譁，即開會決議，擬由檢察處對本報社長和主筆提起公訴，加以妨害公務的罪名。重慶地方法院有一位檢察官萬樹梅君，過去跟我在湖北共事有日，他把法院方面的反應情形轉告我，盼我妥籌對策，好漢勿吃眼前虧。

我們知道當時的法令規定，凡有軍人身份者，犯了罪亦不受普通法院管轄審理，我有軍委會「少將參議」的老虎皮作護身符，社長汪觀之是軍委會「別動總隊部」的秘書，且係黃埔軍校出身的，祇有鄭學稼兄非軍人身份，臨時由汪社長向別動隊部要來一張上校秘書」的派令，備作對抗法院傳訊的擋箭牌。如此安排之後，我們有所恃而無恐，繼續在報上指摘法院瀆職殃民諸事狀，歷時一月有餘，甚得社會贊許。法院調查了我們的身份，也就不敢傳訊，法院的胥吏亦從此規矩多了。

是年十一月蘇俄革命紀念日，我寫了一篇社論祝賀——當時蘇俄是援助吾國對日抗戰的友邦——文中提到托洛斯基當年統率紅軍，削平反革命份子的舊事。詎料蘇俄駐華大使潘友新大怒，夥同中共代表周恩來，前往湖南南嶽晉謁蔣委員長，訴述西南日報妨害中蘇邦交，證據是除却我寫的這篇社論外，還有鄭學稼兄所寫的若干雜文，其中多抨擊中共暨其同路人李公樸一流人的言論。委員長為着敷衍俄國大使，致電中宣部查明社論寫稿人具報，以憑核辦，措詞殊嚴厲，中宣部長周佛海西南日報與掃蕩報合併，奉令照辦。西南日報既因我們闖禍宣告停刊，我們的「妨害邦交」罪案，亦就存而不論了。

吉隆坡古蹟的「黑風洞」

—黃國順—

距離馬來西亞首都吉隆坡約八英里之峇都急（Batu Cave）有一名聞全馬之黑風洞勝地，凡到中馬吉隆坡遊玩的人士，不論本國或外國的，總要到這勝地欣賞它天然的奇跡。這黑風洞也許比不上吡叻洞的堂皇與雄偉，但當我們看到了嶙峋的鐘乳及奇形怪狀的石筍之後，我們便驚歎天工的奇巧了。黑風洞分為光洞與黑洞，如果在地面仰視，可望見到光洞口的全貌，而左邊的便是黑洞，洞口則為蒼翠的樹木遮蔽了大半。

參觀的人，大都從光洞入沿着石級而上。石級下面建立着一座一座四方的祭壇，壇頂築着一座興都教的神像，全部表現出宗教的色彩和神話的故事。當我們爬過了二百七十二級的石級，便到光洞口，洞口竪立着一牌坊，牌坊兩傍邊建有石柱，並刻着一象頭，象鼻捲起了一只馬來亞的特產椰子，栩栩如生。牌坊的右邊安有數張石椅，讓遊客憩息須臾，再遊光洞天地。

光洞口當中擎立着一大鐘乳，由頂端直垂地面，高約七十餘尺，天然的石柱，尖峭嶙峋，蔚為奇觀。石柱兩旁皆有石級襯着，並圍着白色的欄杆，沿着石級入內，光綫漸暗，走完石級數十碼後，視綫即為之一亮，洞內別有天地。原來光綫是由洞頂的缺口射入，使遊人能環視四週，祇見那些怪石兀突，地滑如砥，正中昂然起立着一枚合抱的鐘乳，尤足令游客嘆觀止也。鐘乳左邊，設有一興都教的祭壇，並置有神像，以供虔誠的興都教徒的禱告。

光洞內石壁峻峭，洞頂內之泉水涓涓流出，淅淅之聲不絕於耳。石壁上題滿了詩人墨客的名句，琳瑯滿目，字體有的厚重，渾然有力，有的秀麗，別俱風華。

當遊客走出洞外，如果感覺疲倦，可在石凳上稍事休息，讓陣陣涼風吹拂着，驅走倦意。這時，遠望靄靄白雲，層巒疊翠，頓有超然物外，出塵脫俗之感。

由光洞口沿着石級而下，行至第四段石級轉入右邊的小徑，約十餘碼遠，即到了暗洞門口。暗洞內四周黝黑一片，而且蝙蝠四佈，奇臭之味，隨着洞內之風而扇揚，異常難聞，遊人皆掩鼻而過。洞內蝙蝠被人聲驚動，羣飛亂噪，愈增緊張氣氛，胆怯者每為却步。據聞此洞之鑛藏甚豐，因鑑于地理上的關係，至今尚未有人向政府申請開採。而且傳說此洞之深度，由吉隆坡直通至吡叻州之金寶埠云。

暗洞深處，小徑蜿蜒曲折，地面極滑，加以長年不見天日，氣氛陰沉，非有特殊興趣者多不敢嘗試進入暗洞深處。

此洞自被發現後，迄今亦已有九十餘年，而其中之祭壇亦已有五十餘年歷史，其間不知留下幾許遊人的足跡，尤其在每年一月廿六日「大寶森節」，虔誠的興都教徒都聚集在黑風洞，熱烈慶祝一年一度的節日。那時人潮洶湧，萬頭攢動，別有一番熱鬧情況。

三國后妃群相

河漢

三國在歷史上只佔有短短的篇幅，但它出現的人物却是多采多姿；因此三國的後宮的那些婦女，也五花八門。三國的領袖，不管是曹操或是劉備，或是孫權，他們不僅多妻，而且也全不尊重她們。傳說中劉備會說過「妻子如衣服」，對妻子看成隨便穿穿脫脫的東西，雖無證據，但就他們的作風來說，倒也確實事出有因。

曹操從小便在聲色犬馬的糜爛生活中厮混，因此他的一生，所接觸的女性，各式各樣俱全。後來成為他正式的妻子，且被兒子曹丕尊為皇太后的卞夫人，便不是什麼名門閨秀，而只是個倚門賣笑的娼妓。由此可以約畧估計到曹操在年輕時期的荒唐行為。

與他發生關係的女性在數量上雖難以統計，但就從他把每次戰勝後將自敵人處俘獲的婦女照單全收，作為姬妾的記錄來看這，數字便相當可觀。而且，曹操還有一遠非一般殺人如麻、好色若命的英雄們所能企及的度量，一般英雄照例是取其母女，殺其子弟，可是曹操却連婦女的兒子亦一併接收，就由婦女繼續撫養，與他的子侄們接受同樣的教育，同樣的待遇，長大後並為他們安排出路。為了呂布或是秦宜祿的嬌妻，他寧可失信於關羽，急急忙忙地把她們送回後方；秦宜祿的兒子以後且在朝為官，被另眼相看。他剛征服宛城（今湖北荊門縣），就迫不及待地與宛城的舊統治者張繡的寡孀通奸，偏巧張繡又是個不知利用裙帶關係來升官發財的蠢漢，認為奇恥大辱，一怒之下，重新叛變。曹操雖即倖而沒有成為牡丹花下的風流鬼，但他的兒子曹修却白白地做了代父親還風流債的替死鬼，由此一例證，可以推想到曹操這頭大色狼吞噬婦女簡直到了有縫便鑽的程度了。

卞夫人最初在曹操處僅是姬妾的地位，在她被曹操買下來由公化私的時候，曹操已有了正式的太太丁夫人與劉夫人。丁夫人與曹操兇終隙末的原因，並非為了她的丈夫終日拈花惹草，而是為了她的丈夫拈花惹草的結果，送掉了她的親生子曹修的生命。（一）

穗城掌故

女法官的悲劇

·李鴻洸·

四十年前，廣州有一女性法官演出悲劇，轟傳遐邇，現年在六十歲左右的人，或許尚能憶及也。

女法官名高詠霜，是中山縣人，畢業於廣州中山大學法律系，名列前茅，品性亦醇良。離開學校後，初任廣州地方法院檢察官，以廉正著稱，她嘗謂：「吾儕在法庭上所穿之法衣，殆與地藏王神像的裝束相同，必須有菩薩心腸以處理人民訴訟，庶幾無虧職守」。她在任三年，成績優良，深受上峯讚許，超升為仁化縣分庭庭長。這時她已逾知非之年，然以其貌寢，猶是雲英未嫁之身。

仁化縣分庭有推事李裕民，素與粵省高等審判廳法官杜達華友善，杜氏年屆半百，適告喪偶，李裕民即為高氏執柯，續絃杜達華，二人相見之下，以同屬法界中人，情投意合，短期內即在廣州舉行婚禮。初期恩愛無間，迨婚後兩年，高氏未有生育，而杜達華因屆暮境，望子心切，殊悒悒不歡，加之高氏性情剛强，夫婦每以細故引起勃谿，感情乃告破裂，終於對簿公庭，聲請離異，主審法官係當事人的舊時同寅，曾竭力勸慰兩造和好，亦無效，最後祇好依法判決離婚。

這時高詠霜兩鬢已霜，由於刺激過甚，不數月而性情大變了。始也自言自語，哭笑無常，逢人揚聲謾駡，繼乃赤足市街，高歌狂嘯。每遇學校或其他公共機關，即入內行乞，趨入茶樓酒肆中，無論座客識與不識，輒昂然據位，傳呼飲食後，掉頭逕去，人皆惜其遇而憫其身世之淒涼，不忍拂逆其行。因此，她乃習以為常，昕夕馳逐於城廂內外，度其[illegible]，聳動聽聞。以一讀書有得的高級知識份子，終因命蹇容陋，演出悲劇，以憤以狂以死，可哀也已。

內政部登記證內版臺誌字第〇三一號

自由報

THE FREE

第二一八期

中華民國僑務委員會僑務登記證臺僑新字第三三號
中華郵政台字第一二八二號執照登記為第一類新聞紙類
（逢星期三、六出版）
每份港幣壹角　台灣零售價新台幣貳元
社長：雷嘯岑
督印人：黃行霖
社址：香港銅鑼灣高士威道二十號四樓
20, CAUSEWAY RD 3RD FL. HONG KONG
TEL. 771726　電報掛號：7191
承印者：大同印務公司
地址：香港北角和富道九十六號
台灣分社
台北市西寧南路壹號二樓
電話：三〇三六六
台郵劃撥帳戶二五九九號

論中國文化的保守性

韋政通

近代以來，中國文化在西方文化的衝擊下，中西文化之間，最明顯的一點差異，就是西方文化主進步，中國文化主保守。這一差異，也造成了中國現代史上西化與傳統兩派的長期對抗。在西化派的心目中，保守的傳統派，根本是社會文化進步的大障，一天不消除，中國便一天不能現代化。反之，在傳統派的心目中，激進的西化派，根本是崇洋、媚外，缺乏國家民族意識的洋奴思想。其實，彼此所要斥責的所謂西化派和傳統派，多半屬於各自腦袋中的主觀構想，眞正在支持這種「自我中心的論斷」（Ego-centric Predicament）並使之持久的，是深藏於內心，而又不大為雙方所自覺的意氣。意氣大害事，四十多年來（從民國十二年的科玄論戰算起）的傳統與西化之爭，充分證明了這一點。事實上，在我們這社會，每一個活生生的人，他不能每一方面都保守，也不能每一方面都進步。西化派在思想上主進步，往往在生活上却比傳統派更保守。傳統派在思想上雖保守，但在生活上却一樣喜歡用洋貨，對子女也一樣希望他們學科學，留洋。當雙方在爭吵時，如能跳出自己底觀念圈子，環顧一下身邊的事實，自然可以消除不少心中的意氣，使彼此的觀念逐漸接近，並承認進步與保守都不是絕對的。因此，中西文化之間，雖有進步與保守的差異，我們只當視為一事實，不必再做善惡優劣的價值判斷。蓋西方文化中一樣有保守主義，中國文化中也同樣具備進步思想。社會、文化的演進，常須二者的相互為用。

我們把保守性視為中國文化的特徵之一，也僅是就事實而如此指陳，沒有褒貶的涵義。下面從三方面把這事實做一簡單的考察。

保守的現象

（一）從學術方面看：中國的學術大宗在經，史。最早解釋經的是傳，解釋傳的有註，解釋註的有疏。如周易有十傳（又稱十翼），有王弼的註，有孔穎達的疏。時代愈後，解釋愈繁，內容也愈豐富。這些層層解釋，並不必一一為經本文所涵。傳，注，疏的作者，往往只是假藉經義，發揮自己的思想。從經，傳，注，疏文字的累積，不難看出中國思想的一種流變。中國古人為什麼要採取這種方式？這問題也許不易回答，但有一點是顯而易見的，即由於中國文字富涵蓄性，結構又不嚴格，因此言多不能盡意。言既不能盡意，所以不能不經過一再的詮釋。這問題在此不必細究。我們要特別指出的，應用注疏的方式來表達個人的思想，並成為學術的一個主流，持續達兩千餘年之久，是中國獨有的保守現象。經學之外有史學，經史是獨立的兩個科目，彼此之間是相通的。歷史在中國發達很早，司馬遷史記的創例，在人類的史學上是很了不起的成就。可是這些創例一經創造以後，就很少再有改變，陳陳相因，到近代，和西方的史學比較，就不免落伍。這也說明了中國學術保守的另一面。

（二）從社會方面看，如果把中西社會做一比較的研究，西方社會一個時代到另一個時代之間，變動的階段可以明顯的劃分出來。中國社會變動的幅度就很小（不是沒有變動，也不是盤旋不進。）例如中國的家族制度，主張累世同居，喜歡多子多孫，除了偶然受戰亂的影響外，基本上都是沒有什麼改變的。又如崇拜祖先的風俗，自殷商以來，一直維持到現在。其他如婚姻制度，也是一樣。主張早婚，由父母作主，婚前男女不相面，嫁女要嫁資等，在傳統的中國，都一直風行不衰。直到「五四」以後，受西潮的影響，才逐漸起了變化。

（三）從個人方面看：中國人的保守心習，是舉世聞名的。僑居在世界各地的華人，縱然經過幾代，仍多能保持中國人的一些特色，便是確鑿的證據。在傳統中國，一個人活在世上，對「未來」不一定感興趣、對「現在」也可馬虎，但對「過去」却有一種特別的光榮感。同時也相信古人的智慧，能力超越今人。因此聖賢的垂訓，祖宗的家法，不僅視為一種不易的眞理，且是個人崇拜的對象。從這一點上，中國人似乎對時間的流動感應不強，而活在一種超時間的境界裏。

保守的原因

（一）思想上的好常惡變：中國文化裏的一些原理，來自「經」，古人訓「經」為「常」，也就是把經裏面所講的道理，視為「常道」。另外也以「經」與「權」為對立的觀念，「經」為正常，「權」為變通。正常是合理的，變通是不得已。董仲舒曾說過一句名言：「道之大原出於天，天不變，道亦不變。」董氏的話，眞說出了中國歷史上一個牢不可破的信念。所以說它是一種「信念」，而不是一種「眞理」，因為這話並沒有知識上的根據，而只是相信其如此。如從知識觀點看，天固然有變，道也隨著社會的變遷而在變。中國古人既如此喜歡不變，所以一提變，即常常和壞的意思連在一起，如「變亂」，是指「治」之反，如「人心大變」，是指人心的反常和墮落。事實上，變可好也可壞。在漢以前，古人對「變」這個概念也很重視，「周易」的「易」就包括「變易」的理，而主張「窮則變，變則通。」「繫辭傳」言「變而通之以盡利」，「功業見乎變」，這些話頗符近代西方人的精神。漢以後，為什麼這方面的智慧未能發生作用，可能與道統的觀念有關。

（二）維護道統：中國文化的核心在道統，要了解中國文化，不能不先了解道統問題。有人研究中國古代文化，認為其中存有四種偶像：一，帝繫，所以代表種族的偶像。二，三王，為政治的偶像。三，道統，為倫理的偶像。四，經學，為學術的偶像。又以道統來統一切。道統的問題，古代文化如此簡單，但指出不能在中國文化的地位，道統具有崇高不錯的地位。道統代表中國古人最高的理想，也是行事的原理所在。並且是相信古代這種原理萬古常新的，由於古人在中國心中，有一堅強的觀念，目的、常性、信念，都產生於對思想，普遍影響到中國人的好惡。常變中包括一些眞理，自然不包括在道統中的理，但並非因此在所有的遺的眞理，堅強的道統信念下，遇到外來文化挑戰時，往往就難以適應。中國近代文化的問題，有一部分就是由於適應不良而產生的。

（下轉第三版）

還等什麼？

槍桿子從不離手

今日与昨日

港幣幣值的升沉

醞釀多月的英鎊貶值，終於在本月十八日宣佈貶值百分之十四點三，英鎊貶值對全世界都是一等大事，凡是與英鎊區交易的國家及個人均受到損失，但在香港，大家眞正注意的，到是港幣如何？

當英鎊貶值時，倫敦方面宣佈不過問港幣的事，一切由香港政府本身決定，同時一九四九年英鎊貶值時，港幣並未貶值，因此，大家還以為這次港幣也應不會貶值。不料港府於二十四時以內宣佈追隨英鎊之後，貶值百分之十四點三，消息傳出後，對香港商場恍如投下原子彈，一時黃金美鈔首先上漲，繼之而來的物價也隨之提高，市民惶惶不可終日。本港輿論界也指責政府此舉之不當，貶值未見其利，先受其害，尤其此時此地，更不應當。

港幣貶值後，毛幫反應最快，馬上把僞幣與港幣兌換率由四二七〇提高到三六六〇。本來一種貨幣價值是要國際公認的，只有毛共的人民幣却沒有國際市場，他願意算多少就算多少，過去也曾單方面提高，用意只有壓榨僑滙，提高出口貨價，使香港居民雙重受害。

港府經過兩日貶值後，眼見市場紊亂情況，及毛幫趁火打劫的禍心，於是重新召開會議，經過愼重研究之後，認為港幣本身價格穩定，不應當貶值如此之多，決定重新估價，提高百分之十，將原來貶值百分之十四點三，改為百分之四點三。這樣以來，數字就異常輕微，對物價的波動也就微乎其微了。

從這次港幣的波動來看，當然是一件不幸的事，因為港幣實在不當貶值而貶值，政府決定的輕率，使人感到遺憾。不過，我們覺得問題並不在此，眞正值得市民擁護的是港府的過無憚改，從善如流的精神，這才是眞正的民主政府，無論有多大的過失，都應當予以原諒的。

我們官場上有一句話，叫作要錯就錯到底。這句話是害盡天下蒼生！因為人都有錯，政府是人主持的，當然也會有錯。錯的問題是既錯之後，經過輿論的指責，民意的反對，政府當局冷靜的想一想，覺得確實錯了，馬上就改過來，市民雖然因此受到損失，但畢竟輕微。如果一錯要錯到底，可就不堪收拾了。

我們要學洋人的東西，不是學一些名詞，而是要眞正身體力行。像英國這種民主政治的作風，其實說穿了，這就太值得我們學習。也是我們的「舊物」，孔子就說過「過則勿憚改」，可惜這種眞言變成了西洋政治哲理，我們却忘了。（何如）

英鎊貶值的觀感

談自由

二次大戰後迄今二十餘年間，英鎊宣告貶值兩次了，而且都是工黨政府實行的。同樣是戰後英國財經上的毛病，何以保守黨執政時期就能予以克服，并不採取通貨貶值的非常手段，亦得渡過難關，而工黨却別無辦法呢？此其癥結所在，政治心理因素甚大，殊堪玩味。

保守黨對於解決財政上的「逆差」問題，是採用以債養債的策略，而以乞援於美國為主旨。美國有的是金錢與物資，祇要英國的對外政策跟美國沆一氣，揚棄一等強國的虛榮觀念，借錢即不成問題。邱吉爾在戰後第二次執政時，財政困難情形，視今日工黨政府所遭遇的境況，更有甚焉。他就以「美國外甥」的資格訪問華府，向美國參衆兩院議員演說一番，表示英美關係「血濃於水」，遇事携手合作，決無立異之理，逗得山姆叔叔皆大歡喜。於是乎，除却貸得鉅額金元而外，還携取了一百萬噸的鋼鐵，滿載而歸，財政難關即告渡過了。

工黨執政人物的作風却不然。他們既憧憬於舊有「大英帝國」的世界霸權，又要擺出社會主義政權的進步姿態，遇事跟美國抗衡，發生扯腿作用。例如搶先承認中國的毛共政權，企圖壟斷貿易利益，對俄共集團特示好感，表示英國的對外政策並不追隨美國，要與華府白宮平分世界霸權的秋色，破落戶還須勉強撐持強豪世家的門面，而力不從心，常有匱乏之虞。美國大少爺心知肚明，袖手旁觀，不願解囊資助，法國的戴高樂又從而玩弄挑撥於其間，乃使工黨政府捉襟見肘，走投無路，祇好飲鴆止渴，實行貨幣貶值之一途。

即此可以證驗一項事實，即凡屬標榜社會主義的政權，對於國計民生問題，總是左支右絀，沒法安定，百事皆要統制，而百事皆弄得一團糟。英工黨政府的壽命，看來已臨近「日薄崦嵫」的暮境，雖然服用通貨貶值的猛藥，亦不容易挽救了！

馬五先生

若干工業遷往西德後
西柏林會否慢慢死亡
己成為衆所關切問題

—柏林通訊—

西柏林是一個不能自給的城市，除了每年由波恩政府給予補助三十億馬克外，主要還靠當地的工業生產。最近因西門子等三數個工業機構遷往西德內地，惡毒的謠言乘時興起，說西柏林將成為一個死城，這種死亡將不是突然暴卒，而是由危機漸漸加劇，慢慢地痛苦死去。但多數政界人士，工業家，商界巨子和工會領袖對於這種謠言均斥為虛妄。他們強調他們並不是愚蠢地樂觀或給表面的繁榮所蒙蔽。事實很明顯，若柏林現時是處在一種健康情況中，應用智慧的預防，以及吸取自柏林圍牆建築以來所得的經驗，西柏林是能夠緩緩地和穩健地，在經濟上自給，而且無須波恩的補助的。

據西柏林工商業聯會的發言人說，柏林人民在過去已經為本身而作奮鬥，並將繼續這樣做，只要美國和波恩沒有遺棄他們。其餘所有的人士皆談及「流血至死而後已」，或者指出「用一種貧血症的方法逐漸腐蝕西柏林的力量。」這只是枉作小人。在原則上，大多數人民均同意市議會的見解，問題的本身是涉及貿易，工業和交通的，但對於解決這些問題的意見却有重大的分歧。

真的，新的建築物林立，新的地下火車道已敷設，新的摩天大厦高聳雲霄，證明當地與美國人的公司已經改變了柏林空中的輪廓。市區南邊的小型商店無復存在，一列的房屋已拆毀，改建為百貨公司、大商店，柏林人傳統愛好的私人地段，受到建設計劃的威脅，這是因為缺乏土地。靠近蘇區的邊界，那裏廉租屋宇正在興建中，可容五萬人居住。無疑的，西柏林很多建設在進行中，比之西德其他城市，它是使人羨妬的。但據工商業聯會發言人說：「不錯，西柏林已做了許多東西，但時常都有太遲之感。畢竟我們需要為我們的二百二十萬人口所做的工作，最重要的是建設大批廉價屋宇，廣大的道路網，以及可以應付危機局勢的想像經濟。」西柏林的有受薪階級九萬人，當局必須想想那些落伍的管理技術，那是往日一個首都城市的特權。

柏林仍然是中歐最大的工業城市，必須學習這種事實來生存。這是最重要的，其餘一切都是神話耳。企圖過着以往偉大壯觀的生活，那只是夢想，這種憧憬是沒有用處的。西柏林的總生產足以反駁所謂經濟危機的謠言。生產繼續向上直升，由一九六四年的一百六十一億馬克增加至一九六六年的一百八十九億馬克。每年的增長率已經保持百分之七左右。今年可望再繼續保持這種增加趨勢。

關於若干公司和工業機關把它們的總辦事處移往西德，被認為是一種可以了解的步驟，因為這些大公司是不能和它們的市場太過隔離的。這是工商業聯會的觀點，雖然該會承認西柏林當局是持不同看法的。市府所關切的是公司稅，以及這些大公司遷移它們的總辦事處後市府蒙受稅收的損失。

西柏林現時的失業數字是百分之一點九，是低於西德其他地區的平均失業數字的。在本年四月底，失業者為一七、二五〇人，而空缺待人補的則有一三、三〇〇個。當前的一個問題是訓練青年人担任適當的工作。柏林現已日益成為年老享長俸者的退休中心。這意味年復一年之後，勞動力量的空竭，這缺口只能由西德聯邦的移民來填塞。

自從柏林圍牆建築後，移居柏林的人民達十萬人，雖然百分之四十已老去，但百分之六十則留下來。可是柏林居民每年達到退休年齡的約有一萬三千人，這一勞動力來源是不能彌補的。統計學者估計到一九八〇年時，西柏林的人口將減少三十萬人，每年的減少率為一萬八千人，這是假定現時的移民率是繼續下去的話。在同期內，就業人民的數字將減少二十萬人，每年減少率為一萬二千人。

這種情形必須速謀補救的，政府只負責旅行費，遷移費，以鼓勵移民是不夠的，

題。

屋荒是一個嚴重問題。廉價屋宇異常缺乏。普通房屋售價每方碼在七馬克以上。由一九六二至一九六七年，那些渴於購置房屋的，只有百分之六十六的幸運兒纔能如願以償。同時，西德聯邦政府也受到抨擊，因為大大地減少與西柏林電器工程公司的合同，那些公司所用的人佔總數百分之卅五的大量定單的生意，它們現在迫得要改變生產，以吸引小顧客。

西柏林中央銀行總裁薩克漢說：「我們應設法怎樣鼓勵那些大公司不僅僱用更多的工人，而且運用更多的資金。」這些公司將不易受到危機的影響，還能夠適應各種環境。一種顯著雖然不是十分典型的例子，就是製烟工業，西德聯邦人民們所吸的香烟，三分之一是在西柏林製造的。專家們皆同意生產力比僱用工人的數字尤為重要。波恩應協助奠立一種擴充趨勢的基礎，俾適應新局勢。西柏林和西德貿易佔它的貿易總額百分之八十，和西方國家貿易佔百分之十三和東方集團貿易佔百分之三。專家認為西柏林可以把更多上好的貨物售給東歐，而且可以在東西德間擴張貿易，還可以供給各種設備，但是必須設法去尋求定單和發展市場。相信西德聯邦政府必盡一切可能利便西柏林向各方輸出，特別是對東歐的輸出。

西柏林所分享得與東方共黨國家的貿易是比之西德其他各地高的。由渦輪機以至結婚禮服越過邊境向東方輸出，其數字甚至是柏林人所想像不到的。西柏林紡織工業現時在莫斯科、華沙和東方集團的其他城市都獲得很好的市場。但據西柏林副市長史列克說，今後官方的政策將是吸引新工業來西柏林，並打破一氣倚靠紡織、機械和電氣工程等幾種工業。當局已委出一個研究委員會詳細分析，主要目的將是決定什麼工業長期對西柏林有利。史氏又說，波恩必須認識它在西柏林投資的價值，這些不僅包括補助，而且也包括稅務的特權，雖然到一九六五年才告終止，但現在已影響經濟的活動，故此波恩應該仍然保持佈施這些，以安定工商界投資。史氏又認為，如果西柏林的產品能在蘇區找到市場，西柏林與東柏林的貿易將以增加。雙方成立一項新協定，由西柏林供給蘇區電力供應站，所得的酬報將是電力而不要金錢，其期間是十五年或二十年。

港幣貶值雖帶來困難
經濟前景尚無庸悲觀

（本報訊）港幣跟英鎊貶值，香港商場反應十分敏感，但一般來說，對香港經濟影響尚非很嚴重，雖然大多數市民受到物價上升的損失，可是香港的經濟基礎很穩固，今後可以逐漸獲得調整，香港經濟前景仍很樂觀。香港市民對於今回的港幣貶值不必產生悲觀及恐慌的心理。這是香港工商界、經濟專家、工商業有地位人士綜合表示的意見，在下面可以作扼要的分析：

首先，物價上升在今後一段短暫的時間內無可避免，昨日首先作調整提高批發價格的，在糧食方面，計有麵粉，食油，食糖，豆類，雜貨，海產，電器等，今日繼續調整提高批發價格的，將有白米，洋酒，士酒，罐頭，凍肉，五金，洋紙，西藥，化工原料，染料，棉紗，布匹，水泥，塑膠粒，中藥材，什項建築材料等，其餘在今後幾天內繼續調整提高的批發貨品，將有華洋百貨，汽油，火水及其他燃料，傢俬，文具，鐘錶，香烟，一般家庭用品等。但批發價平均提高不會超過百分之十，並且不是整個貨品的批發價均告調整，例如來自英國的貨品，暫時尚未起價，至於零售物價相信逐漸調整提高亦不過百分之十左右。大體上，英鎊及港元貶值雖然是百分之十四點三，但除了美國及其他美元區貨品因為匯率變動而增加百分之十五左右成本之外，英國及其他英鎊區甚至歐洲共同市場的貨品訂價，中東與東南亞的貨品訂價，日本貨品訂價亦將是比英鎊及港元貶值前提高百分之五至百分之十不等。但今後並非一成不返的，例如一九四九年英鎊貶值時，國際物價及香港市場物價反應比今回更為敏感，價格提升有如米雀亂飛，商場一片混亂狀態，可是經過一段短暫時間，國際物資供應轉好，很多種貨品的價回降，雖然一九五〇年韓戰爆發，又刺激國際物資供應緊張，訂價急激上升，香港市場大部份物價亦受到影響，可是韓戰結束後，國際物資供應恢復增加，物價又告回降，香港市場物價亦逐漸趨落，很多種貨物的價格反為比一九四九年英鎊貶值前更低。那以美匯而言，官價是一美元兌港元五元七角一分，市有一個時期美元與港元自由兌價竟低過官價，一美元兌五元六角港元，可見物價及匯率隨時有調整性的。

其次，對於出口貿易及工商業的影響並非完全是惡性的，例如香港對美國、加拿大及其[illegible]美元區輸出[illegible]向以美元作基[illegible]日商與大工廠在[illegible]單，而是美金計算[illegible]用的原料，祇有[illegible]美元區，在匯率[illegible]出口商或工廠[illegible]方面，工業品輸出[illegible]應，而英鎊[illegible]英鎊及這些區工[illegible]品為主[illegible]事實上，廠家獲[illegible]，廠家本而增加[illegible]得原料，然更有[illegible]原料很大。是要[illegible]的損失[illegible]價格提高，將會[illegible]單要虧本[illegible]將有很多中小型[illegible]工不至於商業力[illegible]及批發商可以提[illegible]彌補港幣貶值[illegible]亦是如此，嚴格[illegible]鎊及港幣貶值[illegible]影響是好壞各半[illegible]響較為輕微。

五十年來國際共產黨和毛共企圖毀滅中國民族文化的大陰謀（四）

何浩若

丁、杜威，羅素，胡適，和費正清

讀者詳細看過上面的這段叙述以後，應當牢牢地記着幾件事：第一、英國的費濱社並不是共產，但是費濱社的領導者蕭伯納說他們的目的，無階級、無神、和組織世界性的社會主義者，是和共產黨相同的，因此他說要把旗子染紅。這並不是替蕭伯納戴紅帽子而是他自己說的。

第二，列寧是費濱社的社員，他的布爾雪爾克黨也和費濱社有最密切的關係。第三，也是最重要一點，費濱社反對馬列主義者用流血的革命來作階級鬥爭。他們主張赤化知識青年，於不知不覺之間將旗子染紅。韋伯將此一方法名之為『不可避免的漸進論』。那就是從赤化知識階級起，再漸次於不知不覺之間，改變宗教、道德、法律、政治的觀念，使共產主義成功，而且不可避免。讀者要牢記着，企圖破壞中國文化的陰謀是用的此一方法。費正清在台灣領導文星集團推行全盤西化運動，是用的此一方法。美國共產黨的同路人和左傾自由份子組織太平洋協會，滲透文化學術機關，鼓動美國學生風潮也是用的此一方法。第四、哈佛學派的左傾係受到韋伯的影響。美國有名的共產黨，多半由哈佛出身，他們組織太平洋協會幫助中共匪幫奪取了中國大陸。現在在美國為中共聲援的，仍然是費正清、西孝艾這些哈佛大學的教授。費正清不僅協助台灣的文星集團主張全盤西化，而且策動台灣獨立運動，企圖顛覆中華民國。最後一點是四十多年前到中國來講學的杜威和羅素，都是費濱社的社員。羅素晚年因為擁護毛匪反對越戰，不惜撕毀工黨黨證，並且主張民主國家向共產集團投降。「站着死不如跪着活」，這句話便是他講的。

（一）胡適的科學方法論

在這個五十年來國際共產黨和中共匪幫企圖破壞中國文化的大陰謀中，胡適的地位非常重要。但是胡適並不是一個共產黨員，而且他時常受到共產黨和他們同路人的攻擊。所謂『不可避免的漸進論』就是不要作正面宣傳。蕭伯納說得最透澈。他說費濱的方法就是要滲透顛覆陰謀欺騙。他說這些方法都已為列寧所採用，他稱贊列寧自稱為社會主義者。他說社會主義者應自稱為自由份子。這是一個最好的自由方法，這樣一來，這個世界上就根本沒有共產黨了。實實在在的說，費濱社的社員不是共產黨黨員。但是他們在不知不覺之中做着赤化知識階級的工作。拿胡適來說吧，他不僅不是共產黨員，他還公開的反對共產黨，共產黨也公開攻擊他。

論中國文化的保守性

·韋政通·

（上接第一版）

（三）農業生活的影響。這一點是許多人討論中國的保守問題時所忽畧的。中國自有記載的歷史起，就有農業，幾千年以農立國的情形，一直未變。農業對中國人的社會，文化，思想的影響，真是既深且鉅。凡是農業的社會，都比較保守。因爲農業社會必須有定居，世世代代定居在同一個地方，環境上遭遇到的變化是極小的，大家的生活，都有成規成矩可循，只要熟習了這一套，便可生活。人生活在這種環境裏，是感覺不出創新有何必須的。農家的生活主要依賴耕種，耕種所依賴的種子，氣候，土壤等條件都是循環往復，不是人力所能控制的。在靠天吃飯的時代裏，人們創造的動機是激不起來的。傳統的農業社會裏，決沒有發展出一套農學，耕種技術，悉依賴先人的經驗。生活最重要的部分既賴先人所賜，於是對先人容易興起感恩意識，和追慕祖先的意識。這一些實際的情形，都會直接培養了中國古人的傳守心習。

保守的功能

（一）加强同化，促進統一。中國文化有强大的同化力，中國傳統的保守精神，會加强同化力。顏氏家訓中，提到南北朝之北齊，有士大夫曾教他的兒子學習鮮卑語，和彈琵琶（胡人樂器），顏之推對這件事深表不滿。顧亭林在日知餘中，對顏氏大加贊揚。這說明中國士夫丈始終固守着傳統的信念，這信念是：自古祇有以夏變夷，未聞以夷變夏。事實上，中國文化的成份中，以夷變夏的部分也不在少，祇是古人在心裏上總不願。爲什麼不願？由於保守心習太深。這種心習使中國文化在遭受異族文化衝擊時，能堅守壁壘，不輕易被同化。凡是不輕易被同化的，往往能盡同化之功，至少在中國歷史上這種例子很多。其次，中國歷史七一代一代由分裂而復統一，每次的統一，仍舊是恢復原來的形式，原來的規模。重建的理想，往往就在「恢復舊觀」。當每一朝的末期，天下大亂，羣雄蠭起時，也往往以此爲號召。新的號召，新的理想，反而不能得到擁護。從這方面看，可知歷代的統一，實有保守精神運作於其中。

（二）維持社會的穩定。保守的趨向，地不分東西，時不分古今，都是不可避免的。主要的一個原因，是人總多少有畏變的心理。習故蹈常，人可以順順當當地生活；一旦發生變化，就會帶來不方便，不舒服。進步主義者認爲這種心理是妨礙社會進步的，誠然。但常常忽畧了這種心裏也有其不可磨滅的功能，此即維持社會的穩定。歷史家講中國歷史，認爲是一治一亂的循環，實際上亂的時間何止十倍於治？在這樣長時期的變亂中，社會雖騷動，而未澈底崩潰，保守之功實不可沒。傳統的家訓中，對子弟的要求，常是守重於創。創業，總要冒幾分險；守成，則可以穩定家業。穩定家業，也就多少穩定了社會。保守精神，永遠不會被消滅，因爲社會有此需要。創新總是間歇性的，保守則不可一日無，否則就難望有一個安定平衡的社會。

（三）寓創新於保守。這是中國文化中的特殊現象，也是保守精神的特殊妙用。最有名的例子，就是漢武帝的「復古更化」運動。「復古」是承繼堯舜三代的道統，「更化」是要以儒家的道理改變秦代遺留下來的惡俗。復古是保守，更化是創新，漢武帝把創新的基礎建立在保守上，這就是寓創新於保守。後來歷史上的幾次中興運動，也有類似處。光武中興是成功的，他開創了一個新的局面。但功業的基礎，却建立在儒術上。光武打天下的集團中，固不乏亡命之徒，然多數均屬道儒之士。他的功臣，更多習儒術。爲近人所熟悉的同治中興，會國藩等人也開創了一個新的局面，他們所憑藉的也是傳統文化。這種復古變今，正所以創新的保守主義的妙用，很值得我們做進一步的研究。（完）

三國奇士傳之五

吳文則妙術隱而無傳

周燕謀

吳範字文則，會稽郡上虞人也。以知歷數風氣聞於州郡。中舉「有道」，（有道者爲賢良直言獨行之士也。此乃後漢中興之後所開之舉才制度；漢初僅爲「賢良」、「方正」，此乃朝廷詔舉。州郡則舉孝廉與秀才。）本當赴京都入朝，以天下大亂不能成行。未久，孫權崛起東南，吳範即委身事權。吳範善歷數，權行政軍事大計，皆請推術言狀，其術多驗。

孫權討黃祖，範對權曰：「今年利小，不如明年舉兵。因明年戊子，（建安十三年）荊州劉表亦身死國亡。征之大利。」權不聽，遂征黃祖，終不能克。明年軍出，範隨從征行中，軍行抵尋陽，範觀風氣，過權船爲賀，並令催軍急行。軍到即破黃祖。（黃祖與孫氏爲世仇，孫堅即敗死於黃祖之手。）黃祖昔爲劉表舊將，此時爲江夏太守。兵敗，黃祖乘夜突圍逃奔。孫權恐其逃脫，將兵急追之。吳範曰：「黃祖行不遠，必然生擒之」。是日夜不過五更中，押黃祖至矣。劉表相繼遂亡，荊州分割。（荊州自赤壁一戰，分而爲三，即劉孫曹各佔一部。故魏蜀吳皆有荊州牧也）果如吳範推數之言。

建安十七年壬辰，吳範復啓孫權曰：「歲在甲午，（建安十九年）劉備當得益州。據吳範傳曰：「……劉備當得益州。後呂岱從蜀還，遇之白帝，說備部衆離落，死亡且半，事必不克。……備卒得蜀。」劉備取益州，自葭萌還攻劉璋，圍城都。呂岱何得在白帝遇到劉備離落之士兵？此陳承祚又一大誤筆也。按上段引稱呂岱之言，恐係日後劉備伐吳，兵敗入白帝之事，誤係於此，而陳壽失察，遂成一誤筆矣。

（上）

梵蒂岡生活一斑

文質

全世界的天主教婦女，在去年聽到有二十三個女人被委任做梵蒂岡會議的旁聽者時，都非常歡喜，因爲女人在梵蒂岡從來是沒有官方的職位。

在原則上，梵蒂岡不會僱用婦女，甚至秘書或打掃的女工。教皇庇護十一世曾任猶太籍的德國考古學家曉美施貝亞博士做梵蒂岡博物館的職員，但這不外表示反抗納粹。但施貝亞女士雖然担任管理攝影部和古物收集部凡三十年，她沒有被認爲是正式雇員，她的名字始終沒有在梵蒂岡的年鑑上登出。

在梵蒂岡圖書館，有七個義大利婦女被雇請來整理圖書目錄，但照做散工的辦法。有一個在印度出生的婦人担任管理在梵蒂岡博物館內的一個小圖書館，也有婦人在梵蒂岡廣播電台做翻譯員或佈告員，爲梵蒂岡的日報「羅馬觀察報」撰稿，但却不是全職的。

那裏有修女或管家，一些必需要在梵蒂岡留居的雇員的妻子，女兒或母親，她們佔在梵蒂岡人口八百五十名的十分之一。有三個來自米蘭的修女，照料教皇保祿的家務。另有三個修女在梵蒂岡管理處大厦做簿記員。有二十六名屬法蘭斯系的修女在化驗室担任修理在梵蒂岡的掛帳。同派系又派女護士在藥房工作。每個梵蒂岡雇員可得到免費治療。羅馬遠宿舍，供修士和朝聖者居住者，乃由雲先系修女所維持。她們也担任分派在梵蒂岡的工人的午膳。有七名德國籍修女管理德國館，那裏是招待修女和學者的。

那裏有居住在梵蒂岡的守門人、僕人、警察、管理官員和瑞士衛隊的軍官的妻子。每一個梵蒂岡居民都有一張特別護照，他們付少許或完全不用付租金。他們不用付任何征稅。

在梵蒂岡居留的教庭高級神職人員，每個都有他自己的管家，有些管家是將他們的母親和姊妹帶來同住。所有婦女在每天晨早七時到十一時半會到梵蒂岡的特設市場，專供應梵蒂岡的僱員購買物品。所有店員都是男人，祇有兩個女人担任出售生果、蔬菜和鮮魚。有兩個修女管理布店，幷得從孤兒院來的少女幫助。在梵蒂岡樣樣貨品比在外面的爲平宜，因爲梵蒂岡對外來貨品都沒有抽稅，舉例半磅最佳的牛油，售價二百[illegible]十五利拉（約港幣二元三角），但在羅馬要售四百利拉。咖啡、茶、酒、香烟和汽油都是在梵蒂岡便宜得多，每個人每一次能夠買二十磅義大利粉，十磅白糖，兩磅牛油，三瓶酒和價值不超過四千五百利拉（約四十六元港幣）的肉食。但有一種困難要排長龍候購，有時要費一個鐘頭。而且是沒有賒帳的。

直到第二次世界大戰結束之前，在梵蒂岡的婦女，一律要穿襪子，着長袖和高領衫，在進入教堂時，一定要有東西遮着頭頂。在戰爭終止後，由於有大量美軍的妻子和遊客訪問梵蒂岡而得寬限，現今任何婦人可得免穿襪子在梵蒂岡行走，不需要戴頭紗或一定要穿長袖衫，但是肩膊和上臂仍要遮掩，最低度用一幅披巾。凡穿短裙，長褲或短褲的女人仍不准進入梵蒂岡。

有一個時期，在梵蒂岡曾收容過很多的女人，這是在納粹佔領羅馬期內。在到來避難的政治難民中，也有許多是婦人和少女，她們是天主教徒，基督教徒或猶太人，人數不能說出究竟有多少，因爲那時是沒有名單的。

在梵蒂岡居住祇有一個缺點，就是那裏在每晚十一時半之後舉行宵禁，每個人都要遵守。假如有人在遲過這個時刻在路上行走，被發現後，他的名字就會被抄下，向警局長報告而受罰。不然在梵蒂岡的生活眞是愉快的。

中國女性文藝春秋

周遊

女道士善吟風月固然不在少，但當時其中確有才華，而爲一般詩人所艷羨稱許的，只有李冶和魚玄機兩個人。從她們現存的作品觀察，二人都是自由戀愛者，愛人一大串和她們唱和。這樣不自然的多角戀愛，當然不足爲訓。但是她們與一般的女道士不同，她們不僅是識字而已，而是有自己的理想。她們一方面在和生活掙扎，一面在發現社會對待女性的不平等，於是便對之反抗和報復。她們的手段就是玩弄男性，因此她們便不得已走上『半娼式』的生活道上。但她們天生的命運，只能在這種被玩與玩弄的生活方式中生活，一直送她們入墳墓之門。

李冶字季蘭，但『青樓小名錄』及『太平廣記』作秀蘭。烏程人。唐才子傳以爲峽中人，是從她的詩句「妾家本住巫山雲」一語推測而來。但這是不確的。五六歲時，作咏薔薇詩，有「經時未架却，心緒亂縱橫」句。她的父親看了，大恚道：「此女聰黠非常，恐爲失行婦人。」後爲女道士與文士交遊，性情浪漫，好作雅虐之文。時往返於剡中，與仙人陸羽上人皎然等意甚相投。皎然曾作詩打趣她道：「天女來相試，將花欲染衣。禪心竟不起，還捧舊花歸。」

她很喜歡過這浪漫生活，這是出之於她的下意識呢？或是有其他緣由？像她這樣聰明的女子，才貌雙絕的女性，不是那無知無識的妓女一般，過那「只知秦漢，不知魏晉」的盲目生活，而失却自己的人性的人。她一定有她的另一苦衷。她的一首「湖上臥病喜陸鴻漸至」詩云：「昔去繁霜月，今來苦霧時。相逢仍臥病，欲語淚先垂。強勸陶家酒，還吟謝客詩。偶然成一醉，此外欲何之？」所謂「偶然成一醉，此外欲何之？」這正是她所痛心之處。她有豪邁的天才，有經世學問，但她不是當時社會的中心份子——男士，她是一個爲一般不足重視，不屑與謀的弱女子，雖有滿腹經綸，又有何用？她既不能積極的反抗，又不安於過那種單調乏趣的生活，於是只好浮沉於那保護式的消極生活，以渡過那不幸的生命。有時清醒過來，自問一句「偶然成一醉，此外欲何之？」便要熱淚盈睫，痛哭不已了。要了解她的意向和心情，不妨從她的兩個要好的男友往返的作品，藉之可以了解她隱藏在內心深處的性情。

第一個和她知己的人是陸羽，羽字鴻漸，不知其出生本末。相傳竟陵有智積禪師，得嬰於水濱，育爲弟子，及長，耻從削髮。以易自筮，得蹇之漸，云：「鴻漸於陸，其羽可用爲儀。」乃以陸爲姓，又從而定名與字。性詼諧，少年時，匿於優人中，撰「談笑」萬言，後逃去。上元初，隱居苕溪，閉門讀書，與名僧高士談笑終日。貌寢口吃而辯。與人約，雖阻虎狼不避也。自稱桑苧翁，又號東崗子。工古調，詩興極其閑雅，著書甚多。嗜茶，著「茶經」三卷。扁舟往山寺，唯紗巾、籐鞋、短褐、犢鼻、擊林木，弄流水。或行曠野中誦古詩，徘徊至月黑，與盡慟哭而返。與皎然爲忘年之交。詔拜太子文學，不就。貞元末年，鬻茶者祠爲茶神。

皎然字清晝，吳興人，俗姓謝，爲宋詩人謝靈運十世孫。初入道，肆業杼山，與靈徹陸羽同居妙喜寺。羽在寺旁建亭，以癸丑歲癸卯朔癸亥日落成。湖州刺史顏眞卿爲題名曰「三癸」，皎然賦詩，時人稱爲三絕。于頔、韋應物均器重之。著有「詩式」五卷，「詩禪」三評，「詩集」十卷。

（卅八）

幾生修得的好丈夫

·紫瑛·

　我聽了他的話，由激動轉變為平靜，由平靜發現自己的幼稚可笑。忍不住破涕為笑。等到我笑了，他也不要我燒飯，那一頓就到外面去吃。下午還在想怎麼處理中午的那鍋「飯」，却早被他倒得乾乾淨淨，用不着我自己看着羞愧。

　我是個「馬虎」人，對於家務，從來也不認眞。就拿經濟方面來說，他把薪餉袋原封不動的交給我，我隨手一丟。既無預算，也不計劃，隨用隨抽。直到抽得祇剩下一張時，這才有點慌。而且自己還想不起來，為什麼會用得這樣快。絞絞腦汁，想把幾筆大數目來對對。邊想邊算，沒算到一半，眼單早給他抽去撕了。「省點心吧，算什麼窮賬，反正就只這幾個錢，總歸是用在家用上。等那天我能賺得使你隨心所欲的花消時，再記賬也不遲。」至於我若有什麼事想徵求他的同意時，他會說：「去看看戶口名簿，別忘了你是戶長。」

　對於烹調，我不善此道。並且也沒興趣。既不翻新，又不變樣。何況我還有個壞毛病，常愛在燒飯菜時，「手不釋卷」。沉緬在報屁股，書尾巴之中，樂而忘「鍋」。所以常常我家的飯菜，還會另加一味——胡味。他很好侍候，只要是能擺在桌上的，他都高高興興的舉箸下嚥。胃口之佳，令人羨慕。偶而兒子發發牢騷，埋怨媽媽的手藝，他會打抱不平的替我教訓：「沒良心，媽媽辛辛苦苦燒的飯菜，還嫌不好；不曉得問問媽媽累不累，挑三揀四，你什麼時候才能燒給媽媽吃？」碰了釘子，以後誰也不敢妄加批評。

　有一年，我害了一年重病，他周周到到的筋疲力盡的侍候我。病中心煩，胃口又不佳，什麼也不想吃。他天天變着花樣逗我開心，騙着我說今天他吃了什麼好吃的，要不就是想到了什麼好吃的，說了一大頓。歸根到底就是：你想不想試一下？偶而我點中了一樣，他會快樂的如同得了獎賞似的：「等着，我馬上去買」。不管晴陰寒暑，不管路遙遙遠，急匆匆的去，與匆匆的回來。對他所買的東西，我也許只看一下？也許只吃一口，就推在一邊。他毫無怨色，依然如故，再逗，再問，再買。

　遇到危險，他以我的安全看為第一。忘記是那一年夜間地震，震醒了我，我一下子推醒睡在旁邊的他。他馬上躬起了背，毫不遲疑的把我拉在他的胸懷下。等到地震過去，我清醒了腦筋，一下子推開了他抱怨道：「你這個大傻子，地震不拖着我往外跑，反而把我留在床上，萬一房子塌了，你的背還能頂得住房子？」（中）

海嶠叢談

慘痛的歷史教訓（上）

諸葛文侯

　我們喪失中原河山之所以然，說來固不簡單，但行政措施之不得民心，實為主要因素，而以財經政策之乖方，貽禍尤鉅。歷史是一面鏡子，如果能夠記取歷史教訓，痛定思痛，力圖振作，則復興自然可期，否則後之視今，亦猶今之視昔，而徒使後人復哀後人，此即筆者撮述本篇史事之用意所在也。

　一九四四年（民國卅五年）八月，對日抗戰勝利結束時，全國民衆歡欣鼓舞，認為苦盡甘來，對於政府的信仰特別強烈。這時候，國庫并不支絀，光是外匯現金，即有美元九億以上，復員以後，領土全部光復，稅收大量增加，還有無可估計的鉅額敵偽產業在握，以之支應日常軍政各項費用，尤屬綽有餘裕。民亦勞只，汔可小康，政府應該及時體恤民艱，予以昭蘇，纔是為政之道。然而顢頇的財政當局計不出此，依然掊克聚斂為能事，竭澤而漁，人民困苦視戰時殆有甚焉。

　首先就是對於人民遵照法令儲購黃金一事，毫無理由地聲明，凡預購黃金在一兩以上者，強迫扣發二☐，說是金價高漲，人民獲利太多。這無異於政府刦掠民財，而不知所謂「藏富於民」「民無信不立」的政理為何物。只斤斤於金價上升情形，却不顧及人民預繳現金於國庫的長期所受的重大損失，官吏妄誕若是，後方民衆對政府的怨望心情，乃隨着勝利的鞭爆聲音，普遍激增了！

　政府對於處理前方淪陷區域的財經急務，即係偽幣問題，曾由杜月笙，錢新之，戴雨農三人，自安徽屯溪先行赴滬，與汪政權偽財政部長周佛海協商，當時平津京滬各地區物價相當穩定，據周佛海估計，若以法幣一元折合偽幣廿元，可担保物價決無波動；最多以一元折抵五十元，亦不致有嚴重問題發生（這是周氏後來在南京監獄內，親口對我敘述的）。蓋其偽儲備銀行存有的黃金白銀與美元，足以彌補國庫此項損失也。詎料行政院長宋子文與財長俞鴻鈞，聽信中央銀行大員在武漢的調查報告，憑武漢一隅的戰前與戰後物價指數為基準，竟頒佈法幣一元抵偽幣二百元的命令。於是乎，東南與華北各都市的物價狂漲不已，民生困苦較諸抗戰時期更為深鉅了。人民未得對外戰爭勝利之益，先受政府復員還都之害，這種民心向背的關係，對國家前途，何等重大呢！

　政府復員伊始的財經措施，即已混亂如此，往後由於共匪釀亂，內戰連綿，物價更如脫韁之馬，狂漲不可收拾，加以接收敵偽產業人員之貪污非法，任意化公為私，經過一年多的時間，國庫所存大量外匯以及政府所能處分的敵偽產業代價，乃消耗殆盡。迨美國經援宣告停止後，財政當局仰屋興嗟，而以發行金元券飲鴆止渴，這又是增加民間疾苦，把人民對政府的向心力，徹底掃蕩無餘了！

三國后妃群相

河漢

　她的兒子死得那麼冤枉，引起了她對丈夫的惡感，感情完全破裂。她經常在家中哭哭啼啼，經常吐出怨懟丈夫的言語，深深刺痛了曹操。曹操發揮了他的寧可我負人，不可人負我的英雄本色，他不自己檢討自己的錯誤，反而逐走髮妻，把丁夫人遣歸娘家。過了相當時間，曹操大致感到了自己的過份，曾想重新恢復夫婦關係，他親去丁夫人的娘家迎接她回去，但丁夫人却堅決拒絕了。

　據魏略記載當時的經過：「太祖（曹操）就見之，夫人方織。外人傳云：公至！夫人踞機如故。太祖到，撫其背曰：顧我共載歸乎？夫人不顧，又不應。太祖却行，立於戶外，復云：得無尚可邪？遂不應。太祖曰：眞訣別矣！遂與絕。」

　就這樣，二十載夫婦恩情，從此點滴不剩。但是，丁夫人訣絕了，另一位劉夫人的下場大致也不見得好，不[illegible]不會輪到妓女出身的卞夫人[illegible]任曹操的正妻的。卞夫人與曹操共居的時候，曹操在政治上雖露頭角，還無地位，他因為反對董卓而離開洛陽出走，下落不明。最初傳到洛陽的消息是曹操已在中途被董卓的黨羽捕獲而且處死，這消息自然不完全是捏造的，因為曹操實在中牟縣被逮捕了，不過他說服了中牟縣的一個小官，釋放了他，且與他一同逃亡，並未受害而已。所謂捉放曹，還硬指派了陳宮一個角色，出典便在此。

　曹操在洛陽的幹部聽到這消息，十分驚惶。蛇無頭而不行，他們都準備離開洛陽，另尋各自的出路。這時候，卞夫人表示了她的明智的判斷：「曹君吉凶未可知！今日還家，明日若在，何面目復相見也？正使禍至，共死何苦！」

　卞夫人的話穩定了那些幹部的情緒，她也由此被曹操所賞識，也由此而由姬妾爬上了正妻的座位。這個自姬妾一躍而為大婦的卑微女流，却並不因為地位的變遷而驕傲放縱，就她對待丁夫人的態度就可看出她以後待人接物的態度。丁夫人是個已經與曹家割斷關係的人了，但卞夫人在曹操不在許昌的時候，經常派人致送丁夫人以生活上的必需品，迎接丁夫人到府中敘談，她對丁夫人始終保持侍妾對大婦的應有儀節，絕不以嫡妻自居。（二）

所謂趙炎午的十斬令問題

—鋤非—

　本年九月二十三日自由報刊載胡實的「趙炎午的十斬令」後，十月十日及十四日陸續刊登張艮錐關於趙炎午十斬令一函，認為胡文多有失實之處。茲就筆者所知，而為張函所未及載的，補述一二。

　筆者世居長沙，趙炎午先生主政湖南期間，未嘗離開省境一步。趙氏在職頗久，經過多次戰役，於四郊多壘，干戈擾攘之際，出示嚴禁殺人放火、越貨刼財，事屬常有，却未見有「十斬令」的佈告，亦從未聽人說過。既無十斬令，則何來捕獲觸犯十斬令疑犯，更談不到有死無生的說法了。何況胡氏舉以作證的華實紗廠（即華實公司）罷工風潮，完全顛倒黑白，淆亂是非，尤為可笑！

　所謂黃愛龐人銓號召廠內二千多工人（全體）罷工云云，是胡實假藉「號召」二字來掩飾黃、龐煽動的罪惡，明眼人一望便知。罷工毫無正當理由，聚衆叢毆該廠向副總經理重傷，胡實對此野蠻無理的毆人非法行為，乃為之隱秘不談。當日華實紗廠對工人並不刻薄，採八小時工作制，有各種福利，工人一律住宿舍，訂有勞工獎金及童工優待條例。該公司鑑於湖南初次設廠經營棉紡織業，聘請江蘇紡織專家趙子安担任總經理，黃、龐乃以反對外籍人為藉口，煽惑工人，猛力進行顛覆陰謀。趙炎午從未派兵到廠鎮壓，何來開槍擊傷工人數十名之事實？誠所謂無兒盜嫂，娶孤女撾婦翁之謗言也。張艮錐函請原作者何不指出受傷者姓名及詳細人數，尤屬一語破的。胡實強調趙炎午為壓制工潮發出十斬令，令內有「罷工搗亂者斬」一項，藉彰趙氏嗜殺之過，然證以當時華實紗廠罷工毆人的大工潮，適得其反。湖南省政府在罷工風潮中，對為首倡亂的黃、龐並未拘捕，他們兩人以後被殺，時隔頗久，與紗廠罷工案無干，亦並未懲辦其他的任何兇手，因華實紗廠受傷之向副總經理，為顧全廠務，請求省府不究既往，當局乃採取溫和寬大措置，胡實罔顧事實，故作歪曲宣傳，矛盾滋甚。

　至湖南工會之黃愛、龐人銓與中共匪黨沆瀣一氣，事蹟昭然。胡實文內固已敘述毛澤東與其匪黨中央命令，潛伏長沙工作，開山收徒。又查湖南勞工會常派代表向省府請願，毛匪澤東與黃、龐同為主幹，廁足其間，某次，曾經趙炎午先生當面叱責毛匪，並非工人，為何混入請願行列，故意搗亂，應予拘拿！毛即抱頭鼠竄。趙氏今尚健在，可為證明。趙氏主湘時期，工人曾包圍教育廳，歷數晝夜不去，其中即有劉匪少奇在場。（上）

人類的耐冷力

·若愚·

　這幾天的氣候，實在是夠冷的了。英國科學家果爾頓普博士曾做過實驗：知道人類所不能忍受的冷氣，突然的冰冷，比漸漸轉冷更為危險。

　有兩位志願的人，裸體在冰中作一小時沐浴，在數分鐘內，他們已覺得很難抵受。但是另一位第三者穿着冷天的衣服，坐在冷水裏，却可以忍受三小時。

　在嚴寒的氣候中，女人們為了顯露腿部的美觀，只穿上薄薄的尼龍絲襪，這因為女人有一種厚的皮下脂肪，皮膚溫度比男人低一度，故耐冷的程度比男人強。根據長期研究的結果，在氣溫達到華氏表五〇·二度時，辦公人員的工作效率要比平時減低一半。但人類的怕冷程度却要看其體質，生長的地方環境，和所吃食物等而定。例如生長在熱帶的人，到了北方便挨不住寒冷，飽人比餓人耐冷。然而耐冷是可以訓練，人類體質總是適宜於冷的大氣。

　在寒流經過的地方，天氣都變得非常劇烈，往往在二十四小時內，溫度可以急降二、三十度，在一夜之間，溫度驟降低到〇下三四度尤其常事。同時冷氣流很猛，往往可造成大風沙及大風暴，也常會使河流凍結，還常把船隻車輛都吹翻。因此，寒流正和颱風一樣能造成災害。

醫學與兩性人

○晉陵○

　紐約市的警探最近走進一家唱片舞廳，拘捕了一個洛杉磯來的阿哥哥女郎，可是警察分不出她究竟是男抑或是女。

　這個女子的身型，擺出是三圍尺碼卅六｜廿五｜卅六的曲綫，毫無疑問是個女人。與她大跳阿哥哥之舞的男人，看她的搖擺姿態，亦無懷疑。從紐約到加州的各夜總會，聘請她做阿哥哥女郎的主人，亦不起疑心。警探要把她當作女人落案，却揭發這個阿哥哥女郎有三個名字，男女兩性。在洛杉磯因為行竊皮草大衣三千三百美元，在警局落案的名字是非獵艾馬達，是穿女服的男性。

　他突然離開洛杉磯去芝加哥，進行一項手術，以女人姿態出現，芳名為賓莎巴。她以這個新名字去做「肚皮舞娘」，然後去幹阿哥哥女郎。當她到了廿一歲的[illegible]「女子」，又易名為荷莉莎。[illegible]無遠弗屆的法律手臂，抓着她的經過。因為難以確定她的性別，[illegible]荷莉莎的私人醫生到場。醫生說她是兩性人，[illegible]手術準備在卡薩布蘭加進行，[illegible]其實荷莉莎沒有往海外之必要，美國已首次有「轉性」手術的醫院了。

　巴爾的摩城的約翰霍普金斯醫院，可以動手術改變性，專門負責處理兩性人的問題，約翰霍普金斯醫院是世界最先進的醫學中心之一，但是為了安全計，[illegible]並未有決定施手術，一直保持秘密，直至把兩宗改性手術[illegible]成功才公佈的。（一）

自由報
THE FREE
第一八三一期
社長：雷嘯岑
督印人：黃行寰
社址：香港銅鑼灣高士威道二十四號四樓
20, CAUSEWAY RD 3RD FL. HONG KONG
TEL. 771726　電報掛號：7191
承印者：大同印務公司
地址：香港北角和富道九十六號
台灣分社

從梁啟超的「新民」理想說起（上）

宋文明

（一）

古今中外的一切思想家，不論其畢生研究重點何在，不論其基本思想態度如何，當其對宇宙、社會及人生各方面的大道理作過一番徹底的思考之後，其最後的目標，勢必要歸結到人的本身上來。不僅思想家如此，甚至一切較有理想的政治家和革命家們，他們最後亦莫不強調人的本身的重要。換言之，如何改造人，使人之本身能日漸達到至善至美的境界，以符合想像中的理想，是一切思想家、政治家和革命家們所致力以求的最後的目標。

湯之盤銘：「苟日新，日日新，又日新」。唐誥曰：「作新民」。孔子曰：「五十以學易，可以無大過矣。」孟子曰：「子力新之，亦以新子之國」。至於後來王陽明的致良知，歐洲十八、十九世紀社會主義者的要求改造人性，孫中山先生的提出「知難行易」以培養人們的勇毅力行精神，以及美國總統詹森「大社會」的要求改進人的品質，實際便都是基於同樣的理想，希望要把人的本身加以不斷的改進。其中所不同者，過去中國的思想家，都毫無例外的強調個人的反省修養，自勵自新；而西方的思想家，則強調環境的改善與社會集體力量的運用。中國的改革動力是發於內，而西方的改革動力則生於外。雖有這些不同，而中西思想的要求改進人的品質，改造人性則一也。

思想家梁啟超（一八七三——一九二九），為中國啟蒙運動的大師，對更生中國舊學與介紹西洋新學貢獻殊大，在中國思想史上佔一重要地位，所以他的思想，自然而然也特別重視對人的本身的看法。尤其當他有生之年，正值中國內憂外患，紛至沓來，民既不民，國將不國，所以對於傳統中國「人」的缺點，更比其他思想家有更深一層的體認和感受。由於這種歷史及時代背景，所以當戊戌政變失敗，流亡東瀛，開始對中國前途作更深入的思考時，他所獨得的一項最重要的結論，所提出的口號，便是「新民說」。其意就是說，要想拯救中國危亡，轉弱為強，其道雖多，但其中一個最根本最主要的前提，便是要徹底改革與糾正中國「人」的本身的缺點。在他看來，若不把這種人的本身的缺點予以徹底改革糾正，則其他一切改革措施，只能治標，只能濟事於一時，而不能治本，而無法消除招致中國衰弱的根本原因。

不過，梁啟超的「新民說」，與其他思想家們所說的新民思想，在程度與境界上則各有不同。其他新民思想家，都或多或少主張改造人的本性，改進品質，準備要把整個人類昇化到新的境界。而梁啟超的「新民說」，則不注重這種個人性的問題，而只是要求革除中國人的傳統缺點，改造民族性，為中國培養一種能迎和新時代的現代化國民，以與世界其他優秀民族相較量。現在我們就看梁啟超本人對「新民說」所作的解釋：

（一）「新民云者，非新者一人，而新之者又一人也。而在吾民之各自新而已。孟子曰：『子力新之，亦以新子之國』，自新之謂也，新民之謂也」。

（二）「苟有新民，何患無新制度？無新國家？非爾者，則雖今日變一法，明日易一人，東塗西抹，學步效顰，吾未見其能濟也」。

（三）「新民云者，非欲吾民盡棄其舊以從人也。新之義有二：一曰，淬礪其所本有而新之；二曰，採補其所本無而新之。二者缺一，時乃無功。……一人如是，眾民亦然」。

（四）「故所謂新民者，必非如心醉西風者流，蔑棄吾數千年之道德、學術、風俗，以求伍於他人；亦非如墨守故紙者流，謂僅抱此數千年之道德、學術、風俗，遂足以立於大地也」。

（五）「一一勘之，一一釐之，一一補之，一一改之，是新國民可以成」。

（六）「吾昔以為中國之舊道德，恐不足以範圍今後之人心也，而渴望發明一新道德以補助之。由今以思，此直理想之言，而決非今日可以見諸實際。夫言群治者，必曰德，曰智，曰力。然智與力之成就很易，惟德最難。今欲以新道德易國民，必非徒以區區泰西之學說，所能為力也。……然則今日所恃以維持吾社會於一綫者何在乎？亦曰吾祖宗遺傳固有之舊道德而已」。

（七）「今日欲改造我國家，終不得不於民智民德民力三者有所培養。苟非爾者，非唯建設不可期，即破壞亦不可得也」。

根據以上這種解釋，就知道梁啟超的所謂「新民」者，并不是要由別人來新，而是要由每個人自己來新；并不是完全要向外國去學，放棄固有的一切，而是要在中西對比之下，一一勘察自己的缺點，一一鑒別別人的所長，然後再一一加以改革與補救，以培養一種新國民。祇有國人在民智、民德、民力各方面開始有了新的表現，變成了一種新的中國「人」，其他一切改革才能有真正的效果，國家和社會也才能出現一種新氣象。

（二）

然則這種所謂「新民」將從何新起？「新民」的民族性早有那些傳統的缺點？何以非把這種民族性上的缺點加以革除不可？現在我們再看他對這些問題的看法：

（一）「今也於東方大陸，有最大之國，最壤之土，最腐敗之政府，最散弱之國民。故今日欲抵當列強之民族帝國主義，以挽浩刧，而拯生靈，惟有行我民族主義之一策。而欲實行民族主義於中國，舍新民末由」。

（二）「欲其國之安富尊榮，則新民之道不可不講」。

（三）「吾以為患之有無，不在外而在內。……必有使吾四萬萬人之民德、民智、民力，皆可與彼相埒，則外患自不能患」。

（四）「故我民常視其國為天下。耳目所接觸，腦筋所濡染，聖哲所訓示，祖宗所遺傳，皆使之有可以為一個人之資格，有可以為一家人之資格；有可以為一鄉一族人之資格；有可以為天下人之資格；而無可以為一個國民之資格」。

（五）「我國民所最缺者，公德其一端也。……吾國民之木鐸，而道德所從出者，私德居十之九，公德不及其一焉。提倡之者既有所偏，其末流或遂至相妨」。

侮之已晚

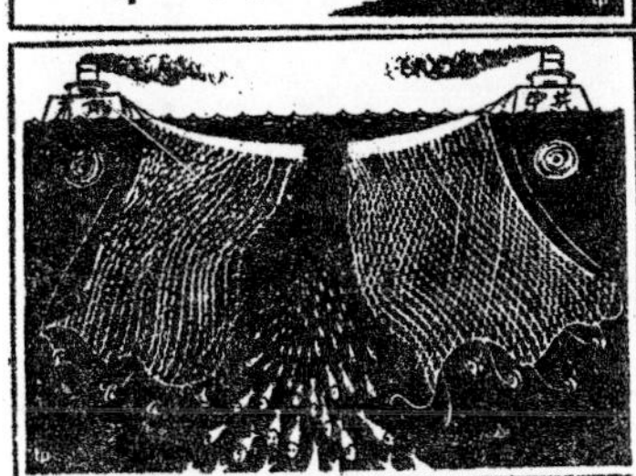

各走各路

今日與明日

左校與左生

最近港共滋事，進入了一個新境界，就是完全以學生為主，不再利用工人。開示威的是學生，開公堂的是學生，扔炸彈的也是學生。其中又分了兩個階段：最初出頭的皆是左校的學生，幾間左校都有大批學生因扔炸彈或破壞秩序被送進監獄，於是，漸漸兵源感到不繼；第二階段出動了非左校的左生，甚至一向校風極好的教會女子學校，竟然也出了一羣紅衛兵式的學生，大鬧法庭，引起社會人士震驚。如果教育當局不加整頓，有子女讀書者真不知道送去何處讀書安全，不會染上瘟疫病也。

正本清源之道

針對港共此種政策，港府應當下定決心，作一個正本清源的處置。如何正本清源？說來也十分簡單，先從左校下手，凡是有學生在馬路滋事把炸彈的學校應先封閉。尤其是一間鬥委會副主任（已被捕）任校長的學校，更是罪惡之源，更應提前封閉。其次為惡較大的三兩家，也應當同案辦理。封了三四家左校之後，少去一個訓練紅衛兵的場所，也失去發號施令的中心，即使一羣左校學生受毒已深，短期不易清洗，但沒有左校作為嘯聚之所，力量也要減少很多。至於其他為惡較少的左校，不妨予以自新之路，加強監督考核。如果發現仍然怙惡不悛，再予以封閉不遲。

左生如何處置

目前一羣大鬧法庭的左生，其所以受到蠱惑，不惜為毛賣命，就是受了錯誤的宣傳，以在港滋事為愛國。實際上共產黨人口中的國只是毛澤東的代名詞，愛國即是愛毛。本來愛什麼東西，人人皆有特權，有的人愛貓，有的人愛狗，原始的人拜圖騰，這也各有自由；但是，假如我們愛一條瘋狗，本身染了瘋疾去為害社會，就斷乎不可了。必然也要受到社會的制裁，與瘋狗同樣待遇。

目前法庭對這批女生皆判入獄，這種判刑是不夠的。因為她們已染有瘋疾，可能會以此為榮。試看有的學生不肯交保，甘願入獄，可知患瘋症已深。

正本清源之道，就是將所有左生全部送回大陸，不問她們愛國也好，愛毛也罷，回到大陸才算真正有用武之地。幾時她們翻然悔悟，覺得毛不可愛了，自由世界當然還歡迎她們回來。但在目前却非如此處置不可。因為要想洗去瘋疾，最好還是送到瘋人院中去，使她們嘗一嘗愛國的滋味，看看大陸人民求生不能求死不得的實際情形，再想想她們愛的那個東西究竟可不可愛，也許就頓悟前非了。（何如）

自由談

港幣貶值的後果

談過英鎊貶值對英國前途的觀感後，再要談談香港所受的影響為何如？

香港雖屬英國殖民地，但英倫當局并未限令港幣必須隨着英鎊而貶值，若干處於英鎊體系之內的地區，如澳洲和星、馬等，就未採取同樣措施，影響固然難免，情形即不嚴重。

香港政府之所以使港幣與英鎊貶值互相呼應，政治心理的因素更大，試看財政司對港幣貶值率之忽高忽低，任意行事，即可知也。英國人士皆知道香港這塊肥沃的殖民地已經搖搖欲墜，為日無多，就國際條約而論，九龍地區的租借期間只有卅年了，續租絕無希望，沒有九龍即不成其為「東方之珠」的寶島，等於一塊石田，根本無法存在。就國際形勢看，香港隨時有被毛共侵奪之可能，所以，若干原在英商掌握中的公私營企業股票，多已轉入華商手中，英國對香港的統治權，今後是過一天算一天了。

職是之故，港英當局樂得將港幣乘機宣告貶值。這在政治上可以向英倫表示忠誠盡職，在經濟上更可以大撈一票，報効祖國。最鉅大的一項收穫，就是各個商業銀行經常存在滙豐銀行的鉅額準備金，一夜之間即打了一個大折扣，這種不勞而獲的豐厚果實，真是踏遍鐵鞋無覓處，得來全不費工夫，何樂不為呢？至於因此而刺激物價高漲，增加工業生產成本，影響外銷，社會大衆的日常生活負担亦隨之加重，甚至引起社會問題，皆屬意料中事。但遭受煩惱損失的，百分之九十五以上都是些中國人，亦就不在考慮之列了。唯一藉着港幣貶值而得到一點好處的，便係房地產業的價格上升，然以共黨長期醞釀的亂價不休，置業者裹足不前，有行無市，終成畫餅而已。

有人說，港幣貶值是庸人自擾，其實不然。這只能說是「他擾」罷了，自擾云乎哉！

馮五先生

由死對頭變成了膩友
佐藤訪美算盤甚如意
美允年內交還小笠原

—東京通訊—

太平洋戰爭達到高潮時，美軍在冲繩島及琉璜浴血登陸，痛殲日軍，決定了日本戰敗的命運。戰爭結束後，美軍根據協定，仍佔有這些島嶼。但是二十二年後的今天，日本普遍的印象，認爲這些太平洋的海島原屬他們所有，美軍已把它們佔領太久，應該歸宗返主，重回日本的懷抱。在日本社會黨和左翼各政黨，經已不斷叫囂及發動示威要求美國交還琉球羣島，撤消冲繩軍事基地，執政的自由民主黨鑒於國民輿論的強烈，亦主張政府堅定向美交涉。日本首相佐藤於本月中抵美作官式訪問，並與美國當局舉行兩天會談，其主題之一即爲要求交還日本喪失的島嶼。可是由於冲繩島在戰略上的價值，美國是很難於此時放棄的，美低限度在一九七○年前是如此。它所能滿足日本的，只有在小笠原羣島方面讓步，這純粹是時機所使然。換句話說，佐藤首相此次所選擇的交涉時機，顯然對日本不利。但是日方早已了解到這一點，明知美國是不會於此時交回冲繩，只要美國定下一個時間表，先行交回小笠原等島嶼，日本政府便可以向人民有所交代。

佐藤首相此次在美交涉，要求交還的島嶼，計爲（一）琉球羣島，約有居民一百萬人。（二）小笠原及琉璜羣島。其主島爲琉璜島。但小笠原羣島合併琉璜成爲一組羣島。根據舊金山和約，美國對於這些島嶼是「有權使用一切及任何行政、立法和司法主權」。日本則被承認她對這些島嶼有「剩餘的主權」。實際上，該項和約並沒有伸展至冲繩島。在太平洋戰爭末期，該島曾發生一場最慘烈的戰役。日本投降後，該島由美軍佔領，迄已二十二年。美國在該島建有龐大的軍事基地，是遠東美軍事軍用品的供應站，相信包括有核子彈頭在內。一九五四年，美國會將琉球羣島北端若干小島交還日本，但美國當時的國務卿杜勒斯曾稱，美國基於遠東的緊張情形存在一天，其他島嶼仍由美國控制。不用說，所謂「緊張」局勢，現在應該包含越戰和中共的核子威脅在內，因爲中國大陸距離冲繩僅四百哩。

日本人自一九五二年從美國人手上重新獲得他們的主權後，對於冲繩島仍未歸宗覺得是一件痛心的事情，而日本的左翼政黨更推波助瀾，隨時伺機煽發，作爲他們反對美國勢力運動的一部份。但是最重要的卻是出諸於保守派首相之口。日本首相公開提出此問題的，他是第一人。據說佐藤於八月間向冲繩問題理事會致詞時曾稱：「冲繩島問題可能有日本與美國間合作的保持，而這種合作是確保日本和遠東安全所必需的。」佐藤曾被左翼份子恥笑爲「帝國主義的工具」，一九六五年他訪問冲繩時曾引起暴動。他這次赴美與詹森總統會談，願冲繩問題現已成爲兩國政府間的論爭。

在過去，冲繩島問題不僅不斷由日本社會黨利用作爲反美的藉口，而且島民對美國的統治表示不滿。當一九五○年代後期，它被稱爲「美國塞浦路斯問題」，這無疑是譏刺美國的殖民地。島民對於美國軍事征用農民的土地均感憤慨；冲繩的主要城市那霸，市長是一個左翼人物，簡直就是美軍當局的一根芒刺，更事加以阻撓。那些患原子武器恐懼病的日本人，更誇張渲染，謂冲繩島上確儲存有核子彈頭。一九六二年，美國已注意到日本人這些激島的情緒，乃由甘廼迪總統簽署一項行政命令，給予島民更有自治政府的更大利益。冲繩島的船隻乃再度懸掛日本旗幟，而冲繩島人民旅行亦由那霸的日本聯絡處簽發護照。

現在，冲繩島問題已成爲日本國民自尊心的問題。佐藤首相的自由民主黨在今年的選舉中，自覺更多民族主義份子的小政黨獲得議席，深感日本此時應該獲得美國以平等地位相待，否則佐藤政府恐難生存下去。退休的美駐日大使賴紹華去年曾對日本人說：「他們應該做的事情，是『挺立起來，使美國聆聽他們的意見』。」現在日本人就是這樣做。在佐藤首相本年八月訪問冲繩島的聲明中亦曾暗示，日美安全條約的延續，照規定應於一九七○年加以檢討，但是除非美國就冲繩問題上作若干讓步，否則不能視作當然。該項條約在日本的政治中時常成爲一個爆炸性的問題，現在可以作這樣的假定，在一九七○年還沒有來臨以前，它將有許多潛在的麻煩。當然，際此美國在遠東有許多種類担承的時候，如謂他們會就此離開冲繩，這似乎是不可想像的。但是如果說美國將可願意讓他們在遠東最可靠的盟友於此時離開他們，這似乎是同樣不可想像的，就是一項折衷的辦法，就是美國保留它在冲繩的軍事基地，而把行政權交還與日本人。兩是緩和雙方情緒的最全其美的最佳措施。

據說，在佐藤啓程赴美前，日本的有力政界人士實際上已放棄早日收回冲繩島的希望，他們所決心要求的，是美國立即答應交還小笠原羣島及琉璜羣島。他們主張把冲繩問題暫時擱置，是因爲日本要倚靠美國的核子力量，他們推測在這個距離東京西南八百哩的島上是可能有若干核子武器的。中共於本年六月十七日爆發一枚氫彈，以及盛傳將近試驗導彈，證明冲繩島對於保護日本是具有重要性的。但這些日本政界人士強烈地覺得，距離東京東南八百哩至一千哩的小笠原和琉璜羣島，在美國防衛體系上是不必需要的。美國雖然對這種見解有所爭論，但承認很少利用這些小島。據日方情報，小笠原羣島只有少數美海軍人員駐守；而往日曾爲美空軍基地的琉璜島，僅說已由軍方放棄，僅有少數氣象觀察人員駐在那裏。

在佐藤決定赴美訪問後，東京即已獲有「美國新方針」的暗示，日本將可年內得回小笠原與琉璜羣島，該項暗示也透露美國準備聆聽有關琉璜羣島行政權分期交回的具體與現實的建議。美國的所謂「現實」，意味日本必須承認美國今後得以自由使用冲繩島上的大規模軍事裝置。美國雖沒有透露島上的核子武器，但佐藤在華府時必已獲詹森總統的堅定態度，告以美國要有無限制的權利，使用冲繩以達成她的核子阻嚇。雖然冲繩島從沒有被利用作軍事的用途，但美料佐藤也獲告知，美國是重視冲繩島這種用途的，如果必要時需這樣做的話。現在美日已達成小笠原交還日本的協議，而冲繩島的軍事與政治問題亦已獲致某種的妥協，至低限度亦已有一個時間表，佐藤總算不虛此行，對國民有所交代。雖然未能滿足過激份子的願望，尤其是左翼份子，但他已盡了最大的努力了。

五十年來國際共產黨和毛共企圖毀滅
中國民族文化的大陰謀（五）

何浩若

我可以大胆假設他並不知道他的老師杜威是費濱社的社員。我也可以大胆假設杜威也許從來沒有和胡適談過共產主義的問題，但是胡適對中國文化的批評，所謂拳打耶穌、腳踢孔子，就等於對宗教和道德的批評，和他所主張的大胆假設和小心求證的科學方法，對『不可避免的漸進論』都發生了最大的作用，不僅使知識青年認爲假設而獲得證驗的便是客觀眞理，而且在不知不覺之中改變了宗教道德法律政治的觀念。胡適就像魚鉤上那條蟲，他並沒有知道他在那裏釣魚。他再說那假設證驗的科學方法論吧。胡適在四十多年以前重複的說：『科學的方法不過是大胆假設小心求證而已』。因爲他的聲望和努力宣傳，使這個方法論家喻戶曉，深入人心。根據這個方法，一個假設求得證驗就是客觀眞理。這也就是馬列主義者尋求客觀眞理的方法。不過我可以大胆的說，胡適並不知道馬列主義者是用假設證驗的方法尋求眞理，就和他不知道他的老師杜威是費濱社的社員一樣。他從考證紅樓夢、西遊記獲得了這個假設證驗的方法。假如這是唯一的科學方法，假設而獲得證驗就必然的變成客觀眞理，馬克斯列寧這班人都是卓越的理論家。他們都自以爲他們的假設已經獲得證驗，而要將這些客觀的眞理強迫別人接受。筆者先後寫過三篇文章批評胡適的科學方法論。第一篇是『從經濟學看大胆假設與小心求證』。第二篇是『再論大胆假設與小心求證』。第三篇是『從民生主義的方法論批判共產主義，並論胡適的科學方法』。我曾經把這些批評的文章寄給胡適請他答覆。可惜他始終沒有答覆。台灣大學教授殷海光曾替胡適辯護，因此和許多人發生筆戰，不過後來殷海光又反過來批評胡適，說胡適的科學方法連『現代科學思想之必要的建構條件』都沒有。其實殷海光也一樣的是魚鉤上的一條蟲，自己也不容易知道他爲什麼既捧胡適又打胡適。尋求客觀眞理的正確方法是解決世局糾紛的正確途徑。

（二）胡適與費正清對中國文化的批評

中國有沒有文化，原是一個不成問題的問題。但是後來這個問題竟成了一個聚訟紛紜的問題。單就這一點講，就可以證明『不可避免的漸進論』可怕了。現在，我可以大胆的假設，就是毛匪澤東也承認中國有文化。假如毛匪澤東不承認中國有文化，爲什麼他要發動一個文化大革命呢？毛匪澤東說：『文化大革命的目的是要徹底消滅中國固有的文化』。假如中國沒有文化，毛匪豈不是無的放矢！可見文化這個東西中國是有的。毛匪澤東都說有，而胡適和費正清偏說沒有。自從胡適倡導中國沒有文化只有小脚辮子與鴉片烟以後，許多中國的知識份子便隨聲附和，於不知不覺之中轉變了人們對中國文化的看法，這就叫做『不可避免的漸進』。要知道馬列主義者的唯物史觀根本不承認宗教道德屬於社會基層的結構。胡適說中國沒有文化，同時又拳打耶穌和脚踢孔子，使筆者這一代的知識份子的思想失去信仰成了眞空。這時候共產主義便乘虛而入了。

胡適與費正清說中國沒有文化，對中華民族當然是一種侮辱。英國從印度把鴉片輸入中國來害中國人，胡適把這筆賬記在中國人身上也與事實不符。再說辮子是滿州人特有的，也不能認作全體中華民族的標幟。關於這兩點，費正清似乎比胡適還高明些，把鴉片烟和辮子改爲姨太太和太監。不過費正清對中華民族的侮辱更大。費正清說小脚、姨太太，和太監都是侮辱女性的，代表獨裁。因此中國無法接受民主政治，只可以接受共產黨的獨裁。在這裏我可以報導一個親自經歷的故事來證實費正清氏的荒謬。一九六七年八月十五日教育部通知國防研究院接待一批來華訪問的美國學人。這個考察團有十位美國中南部各大學的教授，據說是來華研究自由中國和中共匪幫的情況的。這個考察團的領導人叫甘海樂，是倫敦大學的教授，是哈佛大學費正清和芮孝艾的得意學生（據其自稱）對費正清是十分尊敬的。筆者也是接待人員之一。在談話中筆者提到費正清策動台灣獨立運動，指出他在一個招待中國學人的宴會上介紹在美國搞台灣獨立運動的台籍學生陳以德說：『這是我的學生陳彼得，將來台灣共和國的總統』。甘海樂當時說：『我也聽我的老師這樣介紹過，不過他介紹的不是總統而是皇帝。』我說爲什麼由總統變成了皇帝呢？甘海樂說費正清認爲中國的文化是代表獨裁的文化，不會有民主式的總統。這眞是胡說八道，不僅證明了費正清策動台灣運動，而且也徹底侮辱我中華民族。中國有沒有文化是一個不成問題的問題。對於目前聚訟紛紜的中西文化之爭，我們也不願多說些什麼，祇希望介紹孫中山先生對這個問題的看法，並根據民族主義批判馬列主義者對宗教道德的看法，來結束這一段報導。

大陸貨竟不降價
並在港實行迫銷

（本報訊）過去一週，港幣幣值兩度變動的影響，香港市場大多數進口貨物批發價格升而復降，在上週一至週三三天內，大部份進口貨物批發價格提高百分之十五至百分之十七，之原因是最先港幣貶值百分之十四點三，商人爲了保值，把貨物批發價格相應提高。可是到了上週四，港幣貶值率再度調整，港府宣佈港幣升值百分之十，於是週四至週五，大部進口貨物批發價格相率回降，有些回降百分之十，有些回降百分之八。但中共貨物批發價格提升後竟沒有回降。并實行迫銷。

原來，本月十九日廣州交易會收到英鎊貶值百分之十四點三的消息，於是二十至廿二這三天宣佈停止與港商及外商交易，廿三日恢復與港商及外商進行接洽，但對於英鎊及港元交易的貨物牌價全部提高百分之十七，中共駐港貿易機構亦收到廣州方面交易會停止交易三天的消息，在二十至廿二這三天內對於粮食、土特產、原料性貨品、工業製成品全部停止出售，並且在英鎊及港貶鎊前售出的各種貨物，要求買家補價百分之十七。儲在港共控制下專儲中共貨物的貨倉裏的一般貨物勒令停止出倉，及至廿三日，港府宣佈港幣回升百分之十，但中共廣州交易會對於供應香港的一般貨物，牌價仍然不肯改低，依舊保留百分之十七附加價，這麼一來，香港市場中共貨物亦不降價，并公然實行迫銷了。

瀛海異趣談

專擄小童的寡婦安妮

·桑雅·

社會上的事業，隨着社會的進步和需要而應運而生。因此，各種稀奇古怪的事業，頻頻創立，像包收爛賬，應召陪使等，都是很新鮮的。但相信很少人曾聽過專門擄拐兒童的。真的驟然聽來，人們會感到駭然，以爲這個組織，一定把兒童擄來作不法的行動。如果作此想法便錯了。

擄童的組織，非但不會逾犯法律，而且是協助法律，及保護兒童。但這個組織是由一位寡婦創辦的，她在巴黎經營一間私家偵探社，專門把一些爲法庭判令分居的夫婦的兒女，從不依法庭判令，強行接管兒女的丈夫的手上，搶回安然的交回合法的一方管養。

這位女偵探自開業以來，生意不錯，同時她要索的代價很高。她許多時要出國辦理所委託的任務，過去已經幹了十八宗，都獲得成功，只有第十九宗，却出了亂子。以下就是這次擄童事件的失手情形。

那位美麗的有一雙碧藍眸子的少女，溫婉的說：「馬連尼先生，你有空嗎？」

那個身材魁偉的男子，身旁站着一個女童，他突然給一枝細小像金筆手槍，噴出一道氣體，而朦蔽了雙目。幾秒鐘內，羅馬郊區的街道，立刻出現像一幕占士邦電影的鏡頭。接着當這男子遭湧出的一名大漢毆打之下，身旁的女童給那個碧藍眸子的美女，帶到一部停在附近等候的汽車上，她高叫着：「我們走吧！」

這個美麗的少女，就是廿八歲的私家女偵探安妮·瑪利·黎菠露。她那種「擄童」行爲，又再出現。事實上她進行着「擄童」的勾當，在進行的技術上，是天衣無縫的。

去年十一月的一個早上，安妮·瑪利·黎菠露（以上簡稱安妮）正在她的私家偵探辦公室裏，她接到一個電話，對方說：「我是積姬蓮·霍圭，我要立刻來見你。」

安妮的辦公室，陳設很華麗，是在巴黎的斯湛艾理斯，地板鋪上了地毡，在辦公桌右手，最頂的一個抽屜裏，藏着一枝七點六五口徑的手槍，在那個花瓶裏，藏着一個錄音機。

安妮對積姬蓮·霍圭的身份，知道的很多，她是法國南部的一個富有人家的女兒，現年卅五歲，嫁給一位幹練律師的意大利人馬斯勞·馬連尼，後來他們夫婦感情破裂。他在和三歲大的兒女蘇妮雅芙一同渡假後，即沒有將女兒送回積姬蓮。

安妮在跟積姬蓮會談後，即在商酌的說：「我要收取三千鎊的報酬，同時另加二千七百五十鎊的費用，是保證將你底兒女安然無恙地送回給你的。」

於是安妮在她的檔案紀錄裏，寫上「第十九宗」。這是她許久以來沒有辦過這類的案子了。然而她沒有曉得，馬連尼已獲意大利法庭判令由他管養那女兒，她不曉得馬連尼有着頑固、思想敏捷的性格，同時他認爲世界上沒有什麼能夠將他和女兒分離的，他深愛女兒，整個人的愛，都施於女兒身上。因此，她在這次事件出了亂子。

在三個星期後，積姬蓮乘坐私人雙引擎噴射機，從法國尼斯，飛往羅馬，於越過阿爾卑斯山的高空時，她挽着一衣箱的衣服，及一些用品，都全是準備給女兒蘇妮雅的。機裏還有私家女偵探安妮及卅二歲記者的李逵治，他是巴黎拉露里日報的記者，他隨同要看看安妮如何於光天化日下，在繁盛的羅馬街頭，怎樣進行擄走兒童的勾當。那是一九六六年。

當飛機抵達羅馬機場，安妮的兩名屬員偵探已僱了的士，等候着安妮，他們一個名葛羅迪·波里斯，另一位則爲李達·洛里嘉斯。

葛羅迪是安妮的右手，他是個金髮眼光冷峻的男子，以前是個恐怖份子，原籍西班牙，爲人幹練無情。

李達年紀才卅一歲，比葛羅迪年輕一歲，身形如一座坦克車，但是沉默寡言，說話溫文。他和葛羅迪同是西班牙人，兩人其後加入阿爾及利亞籍。（上）

世外桃園玻里尼西亞羣島

。若愚。

「我們面前躺着地平綫，那地平綫永遠在消逝，那地平綫一直就像在手邊，它喚起敬畏與懷疑，使我們充滿恐懼——那地平綫，挾其無可置疑的原始力量，從未有任何船頭把它衝斷。仰觀是奧不可測的蒼天，俯視是怒吼的茫茫大海，在我們的前面，那是從未有人航行的海道——我們的船必須開出去。」

這是一首玻里尼西亞人的歌，他們是一羣偉大的水手，早在維金人與哥倫布以前數世紀，他們已經征服了三倍於北美洲面積的一處海洋地區。

這是玻里尼西亞人會發現數以百計的迷人小島，高聳的火山，以及數以千計，岸邊皆生長着棕櫚樹的珊瑚礁。他們的世界，廣大到佔有超過六十個緯度，和七十個經度的地方，掩蓋夏威夷到紐西蘭之間四千七百哩，東加島到復活島之間三千七百哩的區域。世界，沒有任何種族，居住過比這更大的地區。

這個世界裏，有着許多需要三百以上的人才能操縱的作戰用大獨木舟；人們出外航海，一去總是數月或是數年之久；戰爭與播遷，永無止境的進行。水手們既無羅盤，復無寸鐵。這裏的人們，沒有給我們留下文字記載的歷史，復活島的碑銘從未有人能夠認識——誰知道海水吞沒了他們多少歷史證據！

但是，玻里尼西亞人是詩吟唱歌的民族，他們把各種傳說從一代傳到下一代，他們心裏牢記着各種有關他們的起源的故事，然後告訴他們的孩子。他們堅信，任何人把一項重要的傳說陳述錯了，在諸神的憤怒之下，會不得善終。

現在的專家們，一般都認爲古代的玻里尼西亞人，可能是從中南半島經由印尼而來。玻里尼西亞種族與印尼在文化上有許多相似之處。玻里尼西亞人與印尼人一樣，喜歡養狗養貓和養鷄。在印尼與玻里尼西亞，人們要用火時，就用一根木棍對着一塊木中間的凹處旋轉生火。玻里尼西亞有數以千計的字，在發音與意義上與印尼的文字相似。印尼文就是馬來文，玻里尼西亞語、印尼語、密克羅尼西亞語以及美拉尼西亞語，均屬於馬來玻里尼西亞語索。因此玻里尼西亞人早先十分可能居住在現在我們所稱的東南亞或印尼，因爲感受壓迫，才從那裏渡海而來。

玻里尼西亞人沒有航海儀器的幫助，如何能在大洋中跑得那麼遠？找到多如繁星的小島嶼？原來他們都是氣象專家，他們顯然能夠在事先說出一場風要吹多久，可以看出風暴與海潮來臨之前的最初跡象，並且知道他們的海洋中各不同地區的主要海流。他們都是很好的天文學家，知道各星球在任何一天的任何時辰的位置。（上）

三國奇士傳之五

吳文則妙術隱而無傳

周燕謀

孫權嘗欲奪據荊州，以除心腹之患。權與呂蒙密謀荊州關羽，近臣議之皆曰「不可」。權以此事問吳範，範曰：「得之」。後關羽在麥城被困，遣使請降（詐降），權問範曰：「當降否？」範曰：「彼有走氣，言降，詐降耳！」權使潘璋斷羽歸路。斥候回報曰：「關羽去矣」。範曰：「雖去亦難免被擒」。孫權曰：「何日何時可擒獲？」範曰：「明日日中。」於是，權立表下漏時以待之。及中午仍未獲羽訊。權問其故。範曰：「時尚未正午也」。未頃刻間，風吹帷動，範曰：「關羽至矣！」權將士於帳外高呼萬歲，傳說已得關羽。此乃東吳一大喜訊，終吳之世得未曾有也。足見吳人對關羽之重視與心術矣。

孫權以得荊州，升範爲騎都尉，領太史令。劉備臨兵西陵，範曰：「必當和盟。」終皆如範所預。孫權欲研範之數，數從訪問，範惜其術，不以至要語權，權由是恨之。範如盡以相授，豈能自重？

在孫權爲將軍時，範嘗語孫權曰：「江南有王氣，亥子之間，有大福慶。」（按亥子之間，爲建安二十四五年。孫權封吳王，在黃初二年。）孫權曰：「若終如卿言，以君爲侯。」後孫權封吳王，範猶等曰：「昔在吳中嘗言此事，大王識之否？」孫權曰：「有之。」因呼左右以侯綬帶與範。範知權已不喜提當年之諾，堅推不受。及後論功行封，以範爲都亭侯，詔臨當出，孫權恚其愛道於己也，乃削範之名而不得侯。孫仲謀量亦狹矣。

吳範爲人剛直，頗好自稱，然與親故交接，有始有終，與同邑魏滕相友善。滕有罪，孫權責怒甚嚴，敢有諫者死。範語滕曰：「吾與汝同死。」滕曰：「死而無益，何用死爲？」範曰：「難道坐觀死乎？」於是乃髡頭自縛，赴闕門下，鳴鈴求見權。權大怒，欲以戟投殺範，逡巡走出。範因突入，叩頭流血，言涕並出。良久，權怒稍息，乃免滕赦之。滕見範曰：「父母生我長我，不能免我於死。丈夫相知如汝足矣，何用多爲！」

黃武五年，吳範病卒。據隋書經籍志，吳範作有「曆術」一卷，「黃帝四神曆」一卷，「出軍決勝負事」一卷，又「黃帝出軍雜用決」十二卷，「風氣占軍決勝戰」二卷，「對敵權變」一卷。死後孫權追思之，詔三州（揚州、荊州、交州）有能舉知術如吳範、趙達者，封千戶侯，卒無所得。奇士豈可多哉！多則何足奇耶！（下）

中國女性文藝春秋

周遊

這兩個人物，既非韓退之彬彬君子，亦非元微之般的風流倜儻，乃是超然物外，與世無爭的不同流俗人物。她和他們的交誼可說並非泛泛者之交。她交的是如是人物，而誹之爲沒有心肝理性的蕩婦，那是無知者的濫調。天下滔滔，人海茫茫，知己之難得，何怪她在百般無聊的病中，一見陸羽到來，便感情懷難勝，不得不「欲語淚先垂」了！從這點蛛絲馬跡來看，她不但是一個憤世的人，也是一個熱情的人；她對鍾愛她的任何一個人，沒有分量上的軒輕，我們讀她的寄人或懷人的詩，不管她寄何人懷何人，總覺得她首首詩都有她眞摯的感情。如「相思怨」一詩，所思者並未指何人，但我們覺得任何一個愛她的人都配得上。不妨舉出來大家一觀：

人道海水深，不抵相思半。海水尚有涯，相思渺無畔。攜琴上高樓，樓虛月華滿。彈得相思曲，絃腸一時斷。

在這清微淡雅的心聲裏，每個字都潛藏着刺人的心酸和情味。令讀者有一種悽然的感覺。再從她現存的十餘首詩中觀察，和她有過密切關係的人物，除了上述二人比較特殊外，尚有朱放（「才調集」作朱昉）、韓揆（唐詩紀事作韓撥）閻伯均、蕭叔子四人可數。現在各舉一首來看，以便證實前說。

寄朱放：

望遠試登山，山高湍又闊。相思無曉夕，想望經年月。鬱鬱山木青，緜緜野花發。別後無限情，相逢一時說。（悅也）

送韓揆之江西（「才調集」作「送閻伯均往江州」）

相看折楊柳，別後轉依依。萬里西江水，孤舟何處歸？城湖不到，夏口信應稀。唯有衡陽雁，年年來去飛。

得閻伯均書：

情來對鏡懶梳頭，暮雨蕭蕭庭樹秋。莫怪闌干垂玉筯，只緣惆悵對銀鉤。

聽蕭叔子彈琴賦得三峽流泉歌

妾家本住巫山雲，巫山流泉當自聞。玉琴彈出轉寂寞，疑是當時夢中聽。巫峽迢迢幾千里，一時流入深閨裏。巨石崩崖指下生，飛泉走浪絃中起。初疑憤怒含雷風，又似嗚咽流不通。回湍曲瀨勢將盡，時方滴瀝平沙中。憶昔阮公爲此曲，能使仲容聽不足。一彈既罷復一彈，願此流泉鎮相續。

其次她還跟詩人劉長卿有一段情。一次，她和諸文士會集於烏程開元寺，劉長卿亦在其中，她知劉有陰重之疾，於是就借陶淵明詩譏誚他道：「山（諧疝）氣日夕佳？」長卿也用陶詩還以顏色：「衆鳥（諧　），幸有託」。合座大笑。

天寶時，玄宗聞她詩才敏捷，詔命赴闕。斯時她正在廣陵，有「恩命進人別廣陵故人」七律一首云：「無才多病分龍鍾，不料虛名達九重。仰媿唐彈上華髮，多慚拂鏡理衰容。馳心北闕隨芳草，極目南山望舊峯。桂樹不能留野客，沙鷗出浦漫相逢。」

推敲詩意，此時的她並不是美妙的青春，雖然不得應命北上，即令她大興遲暮的情懷。赴闕後留宮月餘，優賜甚厚，遣歸故里。評者以爲「上比班姬則不足，下比韓英則有餘。不以遲暮，亦一俊嫗」。則赴京後之待遇隆重，可以想見。她生平足跡所經，除了當時著名的花都——廣陵之外，姑蘇台畔，似乎也曾留過她的芳跡。（卅九）

幾生修得的好丈夫

·紫琪·

他回答道：「你想，我醒來的時候，地震得那麼厲害，門窗都關得緊緊的，要跑也來不及，只好做一步算一步。萬一房子塌了，我先死你後死。要是僅掉下來磚瓦木柱，就讓我一個人受傷，你不是可以安全嗎？」

我的錯誤，他從不直接道出，總是輕描淡寫不露痕跡的指點出來。比方說，那天我們同聽名叫「獅吼記」的廣播劇，聽完了，他忽然一本正經的說：「那個編廣播劇的，你認識吧？」「不認識。」「要不一定來過我家。」我楞楞的說：「怎麼會？」「那眞怪，你沒聽剛才劇中的太太說的話：「死鬼！你死啦！死到那兒去了？這麼晚才回來，你不怕人家着急呀！」這話不是說得和你一模一樣？」等我想明白了，翻眼瞪他時，他早笑得前仰後合。瞪眼，白瞪，還不如跟着他大笑。

若要說他還有一些什麼地方難滿我意的話，那就是他的工作太忙，在家時間太少。下班後的時間，本來是屬我的；而他，偏偏爲自己規定，每天一定要在醫院裏看兩小時的書。爲這種事，我提出過無數次的抗議，但絲毫無效。他的理由是：「一個醫生，能夠得一分知識，病人也就能多一分保障。」如果遇上了束手無策病入膏肓的病人，那我更難碰到他面，即是見了他，他也是匆匆忙忙，滿腦門子所思所想，就是該用什麼方法才能挽回病人垂危的生命。我有的時候爲了這些，會自私的說：「看病就是『看病』，天大的本事也看不好「命」。』他微惱的頂撞我道：「妳不想叫我屁股後頭跟一羣寃死鬼吧！這不是小事，這是人命。你不知道一個人失去生命，會使多少人遭受到不可彌補的損失。我不願因我絲毫的疏忽，造成別人的不幸。」

走筆到此，我眞是非常的想念他。抬頭看着放在書桌上他含笑的照片，我從抽斗中取出他今天的來信。那上面一段說：——這些天來忙得七葷八素，總算把我的研究論文寫好了，改了七、八、十次，辛勞無比。昨天是××協會接受論文的最後一日，我把他寄了出去。不管是不是被接受，我此時心情輕鬆無比。不被接受（我想多半是），我不氣餒；因爲我在這件事上努力過了，並且在這件事上得益不少。萬一被接受，那更是我的光榮，這光榮也是屬於你的。雖然這邊的人一再希望我多留一個時期繼續和他們一起研究這題目，但我老老實實的回答了一個「NO」字。想起了妳，這兩年我不在家，妳一個人主持內外，眞不知是怎麼生活的。我恨不得馬上飛回去，不但是爲妳，就爲了我是個中國人，我也應該回去盡我做中國人的本分和義務。我眞要謝謝你，因爲妳一直是我生活的重心，力量的源頭……。我願作任何使你快樂的事。同時我發誓，在這次回家後，再也不離開妳這麼久。願上帝保佑你們。」是的，上帝，我感謝你。你使我從他那裏得到了：縱容，信任，體貼，疼愛，保護，原諒，責任，尊敬和驕傲。我付出的太少，得到的太多，若有什麼能解釋這玄妙，我祇能歸榮耀於上帝。（下）

海嘯樓談薈

慘痛的歷史教訓（下）

諸葛文侯

一般民衆在抗戰勝利後的困苦情形。有如前述，再看當年的軍人生活是何景象。過去國人異口同聲地詛咒「官僚資本」與「豪門資本」之禍國殃民，實則尚有一種危害國家的「經理資本」，大家皆忽視了。所謂經理資本也者，就是在軍中掌理軍需業務的人，其罪孽並不亞於顓頇妄誕的財經官吏。

政府復員還都未逾年，剿共戡亂的軍事行動即告展開。國軍各部隊奉命四出作戰，凡屬暫編獨立師以上的單位，爲着便於領取軍需糧秣，依時應濟起見，皆在南京設置辦事處。中樞對於各作戰部隊的餉項，按月如數發給，毫不短缺。可是，這些負責領取軍餉的駐京辦事處首長——即軍中的經理人員，眼見物價變動非常，今日與明日的波動幅度，差異甚大，乃相率將領得的軍餉，先在上海以及天津這些大商埠市場，從事屯聚居奇的投機生意，經過一個月之後，獲利倍蓰，再將原領餉項，如數送到軍中發放，大家認爲遲發二十天或一個月，實係軍中常事，滿不在乎，祇要對於部隊的長官把言語拿順了，一切皆無問題。筆者有弟在津浦綫上的國軍某師部（番號彷彿是九十幾師）担任中校參謀，偶爾抽暇來南京向我索取零用錢，據他告訴我：每隔一個月纔領得應有的薪金，僅敷這期間購吸香烟之用。吾弟雖不必寄錢回家贍養父母與妻室，然日常必需的用度，如洗衣理髮和朋友應酬之類的費用，自所難免，他只有向我乞援耳。中下級軍官的生活如此艱窘，一般士兵的情形，即可想見了。我另有一個弟弟在山東兗州區的行政督察專員公署作技士，卅七年春間他來南京時，亦告訴我一段軍中奇聞：山東的聊城縣竟是軍火買賣的集市場，出售械彈的是國軍人士，買方是共匪，有些鎗彈且係原裝品，並未打開過。何以有此現象呢？即由於軍中生活太苦，迫不得已，纔作此犯法勾當，其行固可誅，其心殊可憫也。上述奇聞怪狀，都是「經理資本」從中作祟而釀成的。

近十餘年間，我在海外流亡生活中，遇見過不少曾在大陸上相識的軍中經理人員，他們都擁着雄厚資財，度其優裕的寓公生活，而有些高級將領亦在海外存有鉅額黃金外匯，盡情享樂。試問這些人的錢是從那兒來的？若說是軍中歷年來應有收入的積蓄，顧何以位高職重如胡宗南將軍者，逝世之後，他的未亡人即須以教學營生呢？

全國的文武官員，多以貪污歛財爲常事，政府紀綱廢弛，財經當局的措施又乖謬百出，以致民心叛離，軍心渙散，錦繡河山就是被這羣文武官員斷送的。政府播遷台灣後，軍中的「經理資本」已告絕跡，官兵生活大爲革新改進了。然官僚資本與豪門資本的幽靈，是否隱約猶存，一般官吏的好貨行爲，是否異於往昔，此係値得仔細研究的大問題吧？（完）

所謂趙炎午的十斬令問題

—鋤非—

黃愛、龐人銓之被殺，係因接受毛澤東命令，煽惑湖南造幣廠工人停鑄罷工。當時湖南各師旅的軍費，全賴該廠鼓鑄銅圓關發，適已欠餉七閱月，軍心惶惑不安，當局焦急萬分；而黃、龐煽動造幣廠工人罷工，企圖激成兵變，顚覆政局，趙氏乃下令逮捕，在其秘密機構中，搜獲顚覆湖南政府詳細計劃，暨匪黨宣傳品、旗幟、書籍甚多，罪證確鑿，黃、龐亦自坦承。當其判處死刑之日，實距華實紗廠罷工工潮結束後已久，然胡實故意抹煞眞象，張冠李戴，欲將此兩顆頭顱，併入華實紗廠罷工傷人一案中，顯係深文周納，欲加之罪。

胡實又說：黃、龐係無政府主義派。更不知何所據而云然？他們在長沙的行爲和陰謀，完全是共產黨的釀亂方式，與「安那其」思想背道而馳的。胡實又爲黃、龐强調只問麵包，不問政治，工會自治，不許政黨過問。但黃、龐的工會自治表現，是干涉廠方用人行政，毆打廠方重要負責人員，實行全體工人罷工，專搞遊行搗亂。口喊不問政治，實際專做破壞，政府工作。所謂不許政黨過問，却澈底服從共黨命令，赤忱擁護共黨政策，完全接受共黨指揮，極力宣傳共產主義。他們只問麵包，却不事生產，希望麵包從天上掉到口裏來！胡實復不憚煩勞，代替解釋他們的意思，說是並未干預政治，拒絕政黨利用工人作爲爭奪政權工具，更代解釋其作用，是反對共產黨向工人「埋手」，反對共產黨霸佔工人階級爲私產。這係做賊喊捉賊的手法，本文上面所列事實，所舉人證、物證，都確切不移，不容有所詭辯的。

趙炎午先生本無十斬令的頒佈，胡實大書特書、誣有其事。趙炎午先生殺共產黨，胡實譏爲摧毀過激青年，進而與張獻忠相提並論，仇之毀之，可謂至極。又有引起三湘人士一致公憤，掀起湖南人民驅趙運動，以及民怨沸騰等語，此爲完全不明瞭當年湘省實際情勢的捕風捉影之詞，殊堪發噱。華實紗廠係純粹的民營，趙炎午先生既非股東，又非負責人，該廠發給工人獎金這類的財務支出，與趙炎午渺不相涉，胡實一則曰「炎午迫於情勢」，再則曰「炎午爲了幾個錢」，牛頭不對馬嘴的亂散謠言，固無傷於炎午先生之毫末也。胡文更謂趙氏行步如飛，眨眼斜視，評其內藏殺機，暴露性烈心狠的內在缺憾。考趙氏素無眨眼斜視習慣，他是軍人，少壯時期步履敏捷，何足稀奇？凡人舉止形態，各有不同，與其做人處事無關，亦何與於天下國家事？余深慨當茲世道衰微，人心不古，今日，指黑爲白，積非成是的比比皆然，讀宋末詩人「地走人形獸，春開鬼面花」之句，不禁悵然太息，故不能已於言如此。（下）

三國后妃群相

—河漢

卞夫人這種做法，曹操當然知道，因此她無形中也爲曹操減輕心理上的壓迫。曹操與丁夫人的決裂，錯誤究竟在曹操一邊，他縱然在口頭死硬到底，心頭總是壓着一塊推不開的石頭的，所以曹操在臨死的前夕，良心發現，懺悔地說：

「子修問我母何在，我將何辭以對？」

就三國的后妃羣來說，卞夫人是唯一可以被稱譽爲賢妻良母的女性。

曹操的府邸中既然擁有廣大的姬妾羣，他在生前曾爲她們考慮到他死後的出路安排問題。他在生命力旺盛的時候，曾慷慨地作出將給予她們以自由，回到民間，另外嫁人的諾言。可是當他到達生命力低落的時候，他突然變得客嗇，推翻了他以前的諾言，要她們集中居住在銅雀台，還要她們每逢初一與十五，在銅雀台上向西齊看。看什麼呢？看他葬身的墓園！又怕她們過份空閒，飽暖思淫慾，讓他墓中的枯骨變換顏色，指定她們要做鞋，拿去市場出售。所以這一大羣被侮辱與損害的女性，她們是在被長期禁錮的幽居生活中而衰老，而死亡的。

曹操的兒子曹丕，在繼承父親的事業之後，曹操被尊爲武帝，卞夫人成了太后，曹操的姬妾們的身份自然也隨着升格。但名義雖好聽，究竟無補於她們實際的生活。

至於曹丕成爲皇帝以後，在女人身上逞英雄這一點，極像他的父親，可是缺之他的父親那種對女性漫不在乎的風度。他的第一個妻子，便是當時出名的美女甄后。甄后本來是曹操的政敵袁紹的次子袁熙的老婆，屬於有夫之婦一類。曹操攻破了冀州（今河北省柏鄉縣北），袁紹多年搜括而來的子女玉帛，成爲曹操的戰利品，其中也包括了甄后。傳說曹操本來準備把甄后作爲他的娛樂品之一，但强中更有强中手，虎父無犬子，曹丕先下手爲强，比父親走先了一步，把她接進了自己的營帳，成其好事。雖未交拜天地，却已進入洞房，成了事實上的夫妻。曹操雖然慣於强取豪奪別人的妻女，對於已經生米煑成熟飯的現成兒媳，只能搖頭歎息，自悔走遲一步了。

甄后不僅是個美女，還十分聰明，她以美麗取得丈夫的寵愛，也以靈活的手段取得婆母卞夫人的歡心。可是這種好日子爲期並不長久，等曹丕做了皇帝，比甄后年輕的美女不斷輸送入後宮。首先是下了台的漢獻帝爲了希冀曹丕手下留情，把兩個女兒送給曹丕，曹丕自然照單全收，予以笑納。曹操是漢獻帝的丈人，至此漢獻帝又成了曹丕的丈人。好在政治婚姻的目的講求的是利害，輩份問題在利害問題之前一個錢也不値。

以後曹丕又陸續收納了郭、李、陰幾個美麗少女。在這些少女面前，甄后已失去了她的新鮮滋味；在這些少女面前，曹丕早已忘却在冀州上演那種迫不及待的一場緊張熱烈刺激的香艷好戲。曹丕每日陶醉於充滿青春氣息的少女的胴體，對於額角眉梢出現幾絲細紋的少婦的興趣愈來愈減少。

甄后回想往日的似膠似漆的日子，惆悵於當前被冷落的景況，她雖不敢公開爭風吃醋，但也不免在背後發些譴責丈夫薄情的牢騷。（三）

醫學與兩性人

○晉陵○

兩性人有者祇是一個性的特點，但是精神則趨向異性；亦有的是兩者俱備，心理肉體均有異性的傾向表現。兩種陰陽人是有分別的，後者是有雌雄性的器官特徵。兩性人如穿了異性衣服，覺得很夠刺激。

巴爾提爾城整形醫生霍普士說，兩性人是身體及生理上均正常的，不過他覺得穿衣及行爲頗似女性。他們是男人身有女人型式，女人身有男人型式。又說，無人知道美國有多少此類的人，相信有好幾千。其他的專家相信超過十萬以上。正確的數字是無從調查的，因爲他們甚至瞞過最親密的朋友。

過去十五年在歐洲及北非約有三千人進行改性手術，美國祇有二十至三十宗。在最近之前，改性的手術是「地下醫生」做的，甚至最精湛手術的醫師及專家，做些手術，被視爲與墮胎醫生等量齊觀。約翰霍金斯醫院施此手術，把舊觀念打破了。

大兵佐根遜改變爲女性，經過一番奮鬥，才達到目的，她曾向醫界求助，把內心的女性除掉；她曾求診數十位醫生，所有醫師都當她是怪誕行爲的人，她被侮辱及譏笑。多數醫生對她說：「你需要求診一位精神學家而非手術醫生。」可是她不斷嘗試，到丹麥哥哈根去，此行不但改變了她的生命，而且改變數以千計的其他兩性人的生命。她回美時宣佈自己是百分之百的女人。（二）

內政部登記證內警台誌字第○三一號

自由報

THE FREE

第四一八期

中華民國僑務委員會登記證台僑新字第三三一號
中華郵政台字第一八二二號執照登記爲第一類新聞紙類
（逢星期三、六出版）
每份港幣壹角
台灣零售新台幣貳元
社長：雷嘯岑
督印人：黃行賢
社址：香港銅鑼灣高士威道二十號三樓
20, CAUSEWAY RD 3RD FL. HONG KONG
TEL. 771726 電報掛號：7191
承印者：大同印務公司
地址：香港北角和富道九十六號
台灣分社
台北市西寧南路壹零號二樓
電話：六四三○三二

從梁啓超的「新民」理想說起（中）

宋文明

（六）「吾中國人無進取冒險之性質，自昔已然，而今日每況愈下也。……此老氏之謬言，不待論矣。而所稱誦法孔子者，又往往遺其大體，摭其偏言，取其狷主義而棄其狂主義，取其勿主義而棄其爲主義，取其坤主義而棄其乾主義，取其命主義而棄其力主義。」

（七）「吾中國人數千年來不識權利之爲何狀，亦未始不由迂儒煦煦之說階之厲也」。

（八）「天下善言命者，莫中國人若，而一國之人，奄奄待死矣」。

（九）「我國民仰治於人，數千年來，幾以此爲天賦之義務，而莫敢萌他想」。

（十）「悲哉，吾中國人無自尊性質也。……自尊者實使其人進其品格之法門也」。

（十一）「吾國中人此等惡質（指缺之合羣），積之數千年，受諸種性之遺傳」。

（十二）「吾觀我祖國民性之缺點，不下十百，其最可痛者，則未有若無毅力焉者也」。

（十三）「私德之墮落，至今日之中國而極。……吾民族數千年生息於專制政體之下，苟欲進取，必以詐僞，苟欲自全，必以卑屈」。

（十四）「競爭爲進化之因，此義殆既成鐵案矣。……唯我獨尊之概，始而自信，繼而自大，終而自甘，而進步之途絕矣」。

（十五）「夫孔教之良固也！雖然必強一國人之思想，使出於一途，其害於進化也莫大」。

梁啓超這種一針見血之論，把中國民族性中的傳統缺點，剖析得極爲透闢，深刻，中肯，客觀，而毫無任何言過其實或武斷偏頗的地方。這種民族性中的缺點，主要便是缺乏公德，缺乏國家觀念，缺乏權利義務觀念，缺乏合羣觀念，缺乏進步觀念，缺乏冒險進取精神，缺乏自由、自治、自尊精神，缺乏毅力，甚至就是在中國傳統中被認爲最重要的個人私德，也在整個不良環境的影響下，已經墮落至極。而這種缺點的所以形成，也并非由於中國民族不優秀，或地理環境條件不優越，而完全是由於過去幾千年的歷史傳統所使然。這種歷史傳統，一部份在於文化思想，另一部份在於專制統治，兩者互爲影響，陳陳相因，遂使中國民族性中的這種缺點，隨時間的增長，已變得根深蒂固，牢不可破。換言之，在梁啓超看來，經過數千年的專制統治與文化思想上的自大及僵硬，直至滿清末葉，中國不僅在民族的精神，氣質，及思想上現出了極大的缺點，而且也已形成了道德上的嚴重破產；不僅民智，民力已有了問題，而且民德亦已有了問題。而對這種情況，正如他上面所說，欲求國之安富尊榮，欲抵當列強民族帝國主義對中國的侵害，除講求新民之道，從根本上先行改造一民族性之外，別無途徑可循。

正由於他對中國民族性缺點的診斷如此，瞭解了眞正病根所在，所以要想每個中國人都能變成一個有用的現代化國民，負起對國家和社會的責任，便須對症下藥，截人之長，以補己之短，切實改正民族性上的這種缺點。這種補救之方，便是：培養國民的公德心，培養國家觀念，權利義務觀念，合羣觀念，進步觀念，培養冒險進取精神，自由、自治、自尊精神，培養毅力，并要把已經墮落了的國民個人私德，重新予以振興恢復。一人如此，人人如此，整個國家民族亦將如此。換言之，梁啓超的所謂「新民」理想，并不是要完全拋棄中國的舊東西，而是要對過去的傳統採取一種嚴格批判的態度，去蕪存精，然後就在這一新的基礎上，接受西學，改變民族氣質，使每個中國人都能變成一種具有公德，國家觀念，權利義務觀念，合羣觀念，進步觀念，冒險進取精神，自由自治精神，自尊精神，以及具有毅力與高尚私德的健全新國民。這種新國民，絕不是過去中國傳統中的「個人」，「家庭人」，「宗族人」或「天下人」，而是一種「國家人」。因此分析到最後，梁啓超的「新民」理想，簡而言之，就是要依照西方先進國家的標準，而塑造出一種中國的「國家人」。

（三）

可是就在梁啓超提出這一「新民」理想的那一時代，所謂泰西國家，不僅爲數很多，而且在文化程度與民族氣質上，亦各有不同。那麼梁啓超計劃要以西方國家爲榜樣，以改造中國民族氣質時，究竟將以泰西那些國家爲模範？對於這一問題，我們亦先看梁啓超自己的說法：

（一）「條頓人不啻全世界動力之主人翁也。而條頓人之中，又以盎格魯撒遜人爲主中之主，強中之強」。

（二）「援取法乎上之例，不可不求諸白人；不可不求諸白人中之條頓人；不可不求諸條頓人中之盎格魯撒遜人」。

（三）「白人之優於他種人者何也？他種人好靜，白種人好動；他種人狃於和平，白種人不辭競爭。……條頓人之優於他白人者何也？條頓人之政治能力甚強，非他族所能及也。……盎格魯撒遜人者何更優於他條頓人也？其獨立自助之風最盛」。

（四）「天下民族中，最富於服從性質者，莫如英人；其最享自由幸福者，亦莫如英人」。

（五）「今天下最龐大最壯活之民族……莫如盎格魯撒遜人……世界最富於自治力之民族，未有盎格魯撒遜人若者也」。

（六）「並世之中，其人格最完美之國民，首推英美，次則日耳曼之國」。

（七）「英國人走路，眼注地下，像用全副精神注在走路上」。

看了上面這些摘錄，我們就可以知道，在梁啓超的眼光中，白人優於世界其他民族；白人中的條頓族優於其他白人；而條頓族中的盎格魯撒遜人又優於其他條頓族。因此他認爲盎格魯撒遜人，是全世界最優秀的民族。由於他認爲盎格魯撒遜人爲全世界最優秀的民族，所以他對盎格魯撒遜人所具有的一切，也都另眼看待，極爲羨慕欽佩之能事。甚至在有些時候，這種羨慕欽佩的心理，已發展到了無保留的崇拜的程度。我想梁啓超若在九泉有知，他也一定不會否認這一說法。

自由談

教育界的怪象

馮王先生

台灣最近揭發大專學校聯考的槍手案，查出過去若干名列前茅的大專入學學生，乃是憑槍手及第的。因此之故，監察委員與立法委員們，對教育行政當局紛紛提出詰詢，認爲教育界如此漆黑一團，太不成話了，主張澈究整飭，以肅紀綱。

立監委員只見有入學考試的槍替行爲這回事，即覺得非同小可，引爲國家前途的隱憂。若就筆者近數年來在台灣訪查所及，與夫親身經歷的教育界各種黑暗事情，逐一據實披露出來，恐怕各位稍有正義感的民意代表諸公，非氣得椎胸頓足，大呼咄咄怪事不可呢！我們爲着顧全大局，不願使親者痛、仇者快，祇是籠統而抽象的畧加評述，希望政府警覺改進。然言諄而聽藐，政風愈趨愈下，弊害叢生，尤以教育界的黑幕重重，不堪言狀。想起最近一般文教界人士昌言復興中華文化運動的熱烈情況，眞是哭笑不得，大有擊碎唾壺之勢。

過去咱們政府在大陸時期，官吏非法瀆職、貪污舞弊的情形亦是有的，但教育界比較清白，大家知恥勵行，有所不爲，而主持教育行政和担任學校校長的人，亦多屬讀書有得之士。如今呢，教育界與一般政界的貪瀆行爲幷無兩樣，這好像一棵大樹，樹根亦腐爛了，多末危險呀！

中國傳統文化的基本精神，是講究個人的修養，要修己以安人，修己以安百姓。如果爲人師表的各級學校校長和主持教育行政的首長，都忽視了做人的道理，既不殖學，自然無從敦品，學風焉得不敗壞呢！立監委員所指摘的教育界各種怪象，固屬事實，然其根本原因還是人的問題。我認爲如要整頓學風，先須整肅那些濫竽教育界而不學無術的行政官吏，凡是有劣迹紀錄，或者其爲人也毫無品德可言的官僚政客，皆不許僭竊神聖清高的教育職位，藉以健全根基，楷模人倫，光是革新法令制度，徒然舍本逐末，未見其可也。

便宜莫貪

「你說什麼？」

今日与明日

救救左校學生

最近兩日來，左派匪徒專門利用青年學生在港滋事，已經談過，不料接着又發生了中華中學爆炸案，一個製炸彈的學生被炸得生命垂危。於是人們才了解，不但左派學生供作擲炸彈之用，而左派學校原來也是製炸彈的工廠，學校化學試驗室，實際上是炸彈配料室，而左校讀書的學生所學的「本領」，除去毛澤東思想之外，還有一套製造炸彈的技術。

誰無兒女，相信任何人看到這個左派學生，被炸的血流滿面，性命垂危，都不免爲之心酸。因此，第二日港府宣佈封閉中華中學，贏得全港九市民一致讚美。但，轉而一想，覺得港府此舉，美則美矣，猶未盡善也。

根據港府法令公佈，中華中學封閉到明年八月止，換句話說，只是封閉了一個學期，明年八月以後，中華照常開學，仍然是舊時的人，當然還是幹舊時的生涯。即使我們相信匪徒暴亂到明年八月，可是，留着這麼一間「學校」，仍然可以「活學活用毛澤東思想」，去作其他壞事。

香港教育司提出中華中學學生轉學的問題，答應予以協助，此事亦不簡單。其中主要困難有兩點：第一，左校教授課程與一般學校不同，課本內容固然有差別，更重要的是左校平日不注意課程，又不參加香港中學會考，所授課程，完全是中共的一套，最近又加日夜要背毛語錄，又加練習擲炸彈，可以斷言自五月以來，在此情形下，左校學生即沒有時間讀書。一旦進了自由學校怎樣跟得上班，因爲普通學校的課程，他們皆未讀過，他們會的「本領」，到眞正的學校又沒有用處，因此，左校學生轉入自由學校將變成格格不入。

第二，自由學校平日學生皆已滿額，未必肯接受左生，即使接受，此輩思想毒素已深，到了自由學校仍然去宣傳示威、放火、擲炸彈的高論，遲早也會被學校當局開除，而不能繼續讀下去。

更有一點不能不指出來，本港爲非作歹之左校，並非一個中華中學，就爲惡而論，中華不過坐四五把交椅而已。封了中華並未堵塞犯罪之源，唯一辦法，只有把平日罪惡昭彰的五六間左校全部封閉，改組董事會，委出新校長，聘請思想純正之教師，從頭對左生加以反洗腦，使他們知道怎樣作個人，怎樣讀書，正本清源，不但社會上少了一羣害羣之馬，也救了無數的純潔青年，則功德之大，固較封閉左校爲大也。（何如）

中華民國五十六年十二月二日　　自由報　　星期六　　第二版

厚利所在大家眼紅
香烟濾嘴內幕多
——駐台記者曼城——

（本報台北航信）台灣省烟酒公賣局從五十二年開始，隨着時代進步與社會需要，開始生產濾嘴頭香烟，供應市場，由每年消耗七千二百萬支，迄今增加至每年消耗九億支。由於利潤優厚，消耗數量的激劇上升，每年以九億支濾嘴頭計算，可獲優厚利潤在新台幣三千萬元以上。厚利所在，大家眼紅，而香烟濾嘴頭的種種黑幕就產生了。

生產濾嘴香烟應市
大中東吳利潤可觀

頭，公賣局生產濾咀香烟供應消費市場，是在吳道員任局長期內。當時濾嘴頭並非管制進口物品，當時的消耗量亦沒有多少，雖然利潤優厚，根據當時消耗數量計算，每年獲利總數不過新台幣三數百萬元；而進口其他商品，同樣可以獲得相當利潤。故「大中行」「東吳行」二家進口香烟濾嘴頭，其他商人並不眼紅，從事競爭。就因無人競爭，大中行與東吳行就商量不互相競標，暗中連絡，抬高售價，傳聞當時竟以每千支進口成本新台幣四十七元，售價高達一百一十七元之鉅。

大中設法管制進口
中美公司獲取暴利

大中行的老板是立法委員李組謙，他對於香烟消耗數量與年俱增，需要香烟濾咀數量激劇上升，且利潤優厚，政府扶持工業辦法知道詳盡，由於政府對保護台省工業產品辦法之優惠，他一方面組織「中美公司」生產香烟濾咀，一方面利用保護台省工業產品辦法，進行申請管制香烟濾咀進口而獲得成功。結果「東吳行」亦被摒棄門外，香烟濾咀的消耗利潤，完全由中美公司一家獨享。

東吳不甘喪失厚利
組織富泰公司對抗

東吳行的老板喪失了賺取暴利的權利，心有不甘，急起直追。表面上是取得美國人投資的合作，組織富泰公司；因為東吳行的老板，知道個中內情，所以也得到了設廠的許可，乃與「中美公司」又共同取得了供應公賣局濾咀頭的權利，供應價式並非招標而為議價。據說該二公司在供應數量上亦已取得協調，中美公司供應購買總數的三分之二，富泰公司供應購買總數的三分之一。

外傳勾結狼狽為奸
毫無技術套取外滙

中美公司總經理原來是李組謙（現已去世，總經理由其子李名虎繼任），李本人為立法委員，與現任公賣局長是舅甥關係，所以在業務上有種種便利。而中美公司與富泰公司所生產濾咀頭的原料是「TOW」，在製造濾咀頭的過程中，祇要將原料放進機器裏去製造，就可出來成品，根本沒有所謂技術可言。然而該等公司却有所謂技術合作的結滙，變相將盈餘的技術部份套取外滙存放國外。外間傳說；既有技術合作，為什麼中美公司設廠開工後，還要公賣局派松山烟廠的副廠長汝英杰經常不斷的去指導呢？而且香烟使用濾嘴開始於投資合作的美國，難道說美國人投資合作的工廠還用我們去指導他嗎？既然有我們去指導，還有什麼技術可言呢？真可謂滑天下之大稽，無怪外間傳說狼狽為奸了。

通聚要求開國際標
藉口保護不予理會

通聚公司曾為香烟濾嘴要求公賣局招開國際標，據說該公司為社會名流數人合資經營，他們鑒於中美公司獨家經營濾嘴，[illegible]府保護優惠的條件，像原料進口稅為百分之二十五（成品為百分之一百），而且每千支訂貨稅為百分之九十，每千支為新台幣六十八元，實在太高。如果招開國際標，雖然增加外滙支出美金數千元，却可增加國家收入新台幣二千多萬元；對政府來說是有利的；而公賣局竟藉口保護工業及成品管制進口，實標的促使設廠生產參加投標，沒有技術，似此保護，沒有研究的必要！

日本也有工廠生產
何不自己設廠製造

為了爭奪濾咀供銷而雙方鬧得不可開交的時候，省政府曾經要公賣局設廠自製，公賣局的下屬單位也曾報請加工，該局主計室亦經簽請自辦。然而公賣局的主管不予核准，其理由為美國濾嘴原料的二家公司，分別給予中美公司、富泰代理，而且投資合作設廠製造，公賣局無法取得權利。說來官冕堂皇，好像理由十足。其實世界各國，現在製造香烟大多都用濾嘴，雖然原料生產在美國，聽說日本也有生產工廠數家，而且也願意做台灣的交易，何以一定非由那家公司專利不可呢？如果公賣局願意自己設廠製造加工，據估計設廠費用亦不過新台幣四百萬元左右，根據每千支成本新台幣四十七元，售價為八十元，每年以九億支計算，最少可增加國庫的收入三千萬元左右，且年年均有增加，不知公賣局作何感想？

五十年來國際共產黨和毛共企圖毀滅中國民族文化的大陰謀（六）

何浩若

人類的文明，無疑的是先民留給我們的經驗。這些先民的經驗可以分為兩種。一種是教我們如何征服自然而求生存。這可以說是物質文明。第二種是告訴我們人與人之間要和平共存，必須要有共同遵守的信仰與規則。人類所共同遵守的信仰與規矩可以分為兩類。一是以神為裁判的宗教，二是以社會為裁判的道德。至於以法官為裁判的法律則是反映宗教與道德的觀念，加以法律的制裁。

孫中山先生的看法是這樣的：他贊成接受西方的物質文明。他主張中國工業化。他提倡科學。但是他不肯數典忘祖——唾棄中國的文化。他以為從精神文明一方面講，代表西方的是宗教，是基督教。代表中國的是道德，古聖先賢所提倡的道德。他接受西方的精神文明成為一個基督教徒。同時他也繼承着中國的精神文明，說『無道德不成國家，無道德不成世界』。

孫中山先生承認中華民族有優良傳統的文化，同時也接受西方的文化。這和在五四運動的時候，拳打耶穌腳踢孔子的胡適，以及根本不承認有精神文明的馬列主義者是完全不同的。胡適不承認中國有文化。但他同時却反對宗教，並不完全接受西方的文化。因為他不承認中國有文化，他也反對孔子和孔子所提倡的道德。胡適同時反對宗教和道德，和共產主義者否認精神文化是相同的。馬列主義者何以反對宗教和道德？這要從他們的唯物史觀去尋求答案。共產黨是否承認各民族因為歷史的關係，有不同的文化，也是我們在批評的時候，亟待解答的問題。

先說馬列主義者的民族觀念。一百多年以前，當共產黨發表第一次宣言的時候，他們祇說『世界的工人們，聯合起來！』是不承認工人有祖國的。那時候共產黨的國際化，是因為資本主義自由貿易的時代。馬克斯以為資本主義不分國界，無產階級也不應當分國界，因此有『工人無祖國』的口號。一直到列寧分析帝國主義最後的一個階段以後，因為要發動反帝運動，才來借重『民族自決』這一個觀念來鼓動殖民地反對帝國主義。綜上所述，馬列主義者對民族這一觀念，只是利用而已。階級的利益是絕對的。民族的利益是相對的。民族的利益雖然重要，但在階級利益之後。至於蘇俄應當領導俄羅斯以外其他的各民族則又屬天經地義。於是有『蘇俄是工人的祖國』的號召。為便於將來使各民族併入蘇維埃聯邦共和國起見，共產黨便利用民族自決的口號來分化大一點的民族如中共這一類的國家，必須把外蒙古和其他的民族自治區獨立，才能一個一個的漸次加入蘇維埃聯邦，以遂行蘇俄征服世界的願望。孫中山先生提倡的民族主義，也主張國內各民族一律平等，也並不把民族放在人類的利益之上。但是民族主義是誠懇的主張民族自決的，不像馬列主義者拿民族自決作為一種手段來進行吞併與侵略。

至於民族精神和民族文化，馬列主義者就根本不承認有這樣的一個東西。馬克思在唯物史觀裏面說得很清楚。所謂精神生活過程包括的政治法律，都是由生產關係的總和所構成的社會經濟結構來決定的，這就是說，社會的存在決定我們的意識，而不是我們的意識決定社會的存在。拿代表中國精神文明的道德來作一例吧，照唯物史觀的說法，道德在歷史的發展上是沒有力量的。道德不是社會的基礎，不屬於經濟結構的內容。道德是經濟結構的副產物。不同的經濟結構可以產生不同的道德。封建社會有封建社會的道德，資產階級有資產階級的道德。因此馬列主義者說道德是有階級性的。目前流行的道德是資產階級的道德，共產黨是不能接受的。馬列主義者既認為道德是有階級性的，他們認為目前並沒有超階級的道德，因此他們不肯遵守先民所留給我們的人與人相處的規矩。就拿欺騙一點來講吧，共產黨認為對付敵人是可以不擇手段的。因為對道德的觀念不同，我們差不多無法和共產黨相處。再說道德的範圍包括相當的廣。所謂眞善美的各種觀念都包含在內。共產黨說道德有階級性，因此他們說愛也有階級性。毛澤東說：現在人類還沒有超階級的愛。既是如此，現在的共產黨便只有講恨，以仇恨為出發點，以鬥爭為手段，以屠殺為目的。這是十分可怕的。豈僅理論錯誤而已！

幣值貶百分五點七後
港產品外銷價局部提高

（本報訊）香港工業品對美元區以外的國家新價調整提高，因英鎊及港元貶值而調整提高，原因是英鎊與港元匯率差額關係，以英鎊單位接單價格比英鎊貶值前調整提高百分之十二，以港元單位接單價格，則比英鎊貶值前提高百分之六點五。本港各洋行、出口庄以及直接與外商交易的大廠，都陸續把新價報出，預料一週後各地客商就恢復向港訂購工業品。至於英鎊貶值前接入美元區以外的國家訂單，已經收到信用證尚未付貨的，其中一部份可能獲得海外客商同情的量加價，亦有一部份似難有加價的可能。

由於英鎊貶值的影響，本港各洋行，出口庄，直接與外商交易的大廠，對美元區以外的國家起碼有兩星期沒有新訂單接入，原因是英鎊貶值前報出的價格，要全部撤回，現在重新把新價報出，現在以英鎊單位作接單基礎的，新價調整提高百分之十二，原因是港幣與英鎊的匯率差額是百分之八點八，本港工廠向外訂購原料比英鎊貶值前成本增加百分之六點五。但以港元單位作接單基礎的，新價調整提高百分之六點五，這是因應港幣貶值率而調整的。

目前本港洋行、出口庄，直接與外商交易的大廠，尚待解決的，就是英鎊貶值接入海外各地的訂單，除了對美元區以外的訂單沒有問題外，就要使一般人士傷腦筋。因為香港工業品出口，美元區祇佔百分之三十五，其餘百分之六十五是對美元以外的國家輸出。事關本港洋行一向接單，無論對英國及其他歐洲國家、非洲、澳洲、紐西蘭、中東、日本，都是採用英鎊本位計算，直接與外商交易的大工廠亦是如此。對東南亞接單，有些採用港元計算，有些採用美金計算，例如賣給南越、菲律賓、南韓的工業品，現在都是把美金作基礎。賣給星洲、馬來亞、泰國、錫蘭的工業品，則以港元作基礎。

估計在英鎊貶值前，本港洋行、出口庄、大廠接入美元區以外的訂單，大約有一億英鎊另三億港元，其中約有百分之八十尚未收到海外客商信用證，因為海外客商習慣在港產品付船以前的三十天或六十天有信用證開到本港，故此屬於十二月份付船的工業品，已經全部收到信用證，本港一般外匯銀行亦習慣在收到信用證連隨通知出口商及廠家折匯水。但有一部份工業品以押匯或託售方式輸出，屬於押匯輸出的工業品，到達目的地由買家贖單後，本港銀行方能結匯水。故此屬於押匯出口的一部份工業品，出口商及廠家也[illegible]價。工業品，因為這些海外客商的信用證，在明年一月付船的，有些可能獲得客方同情加價彌補，但有些客商如不肯加價，假定取消訂單，工廠亦無可奈何，港出口商及工廠亦屬不利。不過，加價是無可避免的，事關本港尚未開出信用證的原料，亦要全部加價。由於英鎊貶值影響世界金融變動，本港工業品出口加價與原料加價，乃為自然的現象。

瀛海異趣談

專擄小童的寡婦安妮

·桑雅·

在午餐席上，安妮靜靜閱讀着兩人調查所得的報告，并點點頭說：「一切看來都很順利，我們準備在星期五行事。」他們於是部署一切進行的步驟。

好容易到了星期五，那是十二月的一個艷陽天，當時鐘敲過了十一响，在維亞卓曼聶高區，安妮直趨馬連尼跟前，溫婉的說：「馬連尼先生，你有空嗎？」接着她拿出一枝噴射氣液槍，射向馬連尼的面上。

在這個時候，安妮手下的偵探李達出現，對付馬連尼，而同來的分居婦人積姬蓮，乘機將馬連尼身旁的女童蘇妮雅搶去，至另一位偵探葛羅迪，則在車裏等候，準備開車接應他們。那位隨同而來的記者李靈洽，開了錄音機，將其中的情形錄音。但還不只此，他們早已安排那部私人噴射機，在機場等候，以便於得手後，隨時載他們回到巴黎。

在安妮的閃電擄童行動，依照原定計劃，順利完成，登上車子之後，正開動車子，那個差不多半盲的馬連尼，拼命的衝前，將身軀投擲於安娜一行人所坐的汽車裏，使這部汽車立刻煞擊，發出尖銳刺耳的聲音。站在路旁的途人，目擊這部車子，向後退開，圍觀的嘩然而叫，那記者所携的錄音機也來不及關掉。

不久，羅馬警察總部接到消息，立刻以無綫電告各警車：「截停那部快意牌一五〇〇汽車，汽車號碼爲那不勒斯三二八七四六。現在初步推測，懷疑那是一宗擄刼女童案件。」

安妮所乘的汽車，正是警方下令通緝的車子，由羅馬開出，風馳電掣的進發，很容易走了卅哩。他們企圖高速避開中途截守，頻頻揮手停車的警員，可是却跟一部巴士相撞，車子衝向路邊，車上七名乘客給拋出路上，頓時暈了過去。最先甦醒的是馬連尼和被擄女童蘇妮雅，警方人員趕到現場把他們送到醫院。

在一個鐘頭後，羅馬市警察局長奧巴斯坦奴龍高在警方搶獲那位記者的錄音機，聆聽所播出的錄音語：「救命啊！救命啊！」這是馬連尼的聲音。這聲音又說：「快給我報警。警員，警員，快制止他們。爲了天主的面份，你們制止他們……蘇妮雅你在那裏呢，親愛的！……爸爸在這兒，你別哭，不許你們觸摸這孩子，不管你們是誰，啊，我看不到東西……」

在另一段的聲音，十分嘶啞，像是男聲，他說：「住嘴，馬連尼先生，否則你會嘗到苦頭的，啊，你們看看外邊，那是警員，在那邊，他正吹着哨子，揮手要我們停車。快關上窗門。」

警察局長聽了錄音，便下令一些警探說：「快到醫院去，把他們落案控訴。」

結果安妮等人給警方落案，關進維德寶監獄裏靜候正式審訊。

儘管安妮幹着那末危險的業務，甚至往往會把性命也丟掉，可是她從這些生意中獲得相當的報酬的。

安妮給關進牢中由好幾位精神治療專家檢驗她的神智和心理。究竟她幹這業務，是單純爲了金錢？還是特別關懷決裂夫婦所生的兒女？其中一項專家的報告指出：她幹這些冒險的業務，起自她做寡婦的時候，她單獨的進行，熱心於冒險的工作，而且相當成就。她所幹的一切，都是合乎法律和適當的，她專把一些兒童，交還給合法管養的父母。

報告書中又指出安妮熱愛孩子，在一次受委託的任務中，她花了廿八天的工夫，在西班牙的一個監獄中，僞造了一張護照，她的代價很高的。可是她從來不會失敗。

一位精神治療專家曾在安妮童年時代，他透露安妮全是由於失去她深愛的丈夫，及沒有機會生育兒女。她進行任務所用的工具，就是手槍，精巧工具，多姿多彩的化裝，及冒險精神，與精密的計劃。

現在，安妮成爲法官最危險的寡婦，而且她將不久，又從事擄童任務。她常常都想再嫁。

她現在在意大利羅馬市的維德寶監獄裏，那是離羅馬卅哩外。她在獄中，不時要代表律師，促請快點審訊她的案子。（下）

世外桃園玻里尼西亞羣島

若愚。

他們可以在最遠的環礁出現地平綫之前，從那些環礁反映入雲層的影子，把它們辨識出來。他們可以從海中漂浮的植物，推斷出一個島嶼的確切位置。他們能夠估計海水的深度。可從觀察空中的飛鳥，估計他們離開目的地的距離。

美國、法國、英國與德國的學者，已仔細研究過玻里尼西亞人的歷史，他們的航海，他們的文化，語言與人種。柯克船長於十八世紀末訪問大溪地和夏威夷羣島時，他估計兩地的人口前者有三十萬人，後者有四十萬人。大溪地只有三萬土人，夏威夷只有二萬一千土人，整個玻里尼西亞大約有卅萬土人。在這海洋裏，好像世界其餘各地一樣，白人文明是土生人民的煞星。傳教士與殖民官員，設法使玻里尼西亞人拋棄他們古老文明所有的一切，他們使玻里尼西亞人習慣於穿衣用肥皂，信奉宗教，上學校讀書，白人文明化的工作在什麼地方獲得成功，眞正的玻里尼西亞卽告死亡。

玻里尼西亞人的古代文明，完全是另外一副面目：結婚之前有充分的戀愛自由；收養子女沒有限制；兄妹之間禁止有任何交往；不重視童貞，但是性生活過濫亦爲社會深所不許；夫婦之間必須忠實，但是有人希望離婚時，也可隨時獲得允許；吃飯時兩性是嚴格隔離的。

玻里尼西亞人有一種特性們，到現在仍未丟失，那就是他們是世界上最無爲的民族。他們的生活中，只們而有一簡單的享受；他們完全無意於物質的佔有，對於不可缺少的必需品，也只是要到適可而止；他們的內心永遠平靜無憂。西方苦心作文明教育已逾一百三十年，但是除了在若干海港之外，他們迄未改變玻里尼西亞人的無爲的生活方式。玻里尼西亞人丟下我們認爲必須做的工作，把他們的時間用於節會、音樂與舞蹈。他們寧可用時間雕刻他們祖先的木像，而不願製作傢具。他們把時間用於在他們的桑樹皮衣服上繪製各種圖案，用於作毫無道德牽掛的自由戀愛。

儘管過去遭受過很多災難，玻里尼西亞羣島仍是地球上最後膽下的天堂。那是一個對於未來與過去都漠不關心的世界，那是我們在很久以前已經丟失的世界。（下）

三國奇士傳之六

周孔和占夢如神

周燕謀

周宣字孔和，安樂人，（今山東博興縣北）善占夢。太守楊沛偶得怪夢，延宣占之。楊沛言曰：「吾夢一人謂：八月一日，曹操兵臨本郡，無可抗拒，必與君杖卒飲藥酒自盡。」當時黃巾四起，州郡不寧。周宣占之曰：「夫杖起弱，藥治人疾病。八月一日賊必除滅，明公勿憂。」至八月一日，賊果破。

東平劉楨，夢蛇生四足，穴居門中。使宣占之。宣曰：「此爲國夢，非家之事也。當殺女子而作賊者。」未久，女賊鄭姜，被官軍夷討。「蛇女子之祥也。是非蛇之所宜故也。」又「白孔六占曰：「魏劉楨字公幹，曾夢蛇生四足，後以不敬朔廷伏誅。」白孔六占所記與此相反，不知孰是。

曹丕聞周宣善占夢，召宣於殿試之曰：「吾夢殿屋兩瓦墮地，化爲一雙鴛鴦。此夢主何吉兆？」宣對曰：「後宮當有暴死者。」帝曰：「朕詐卿耳。」宣對曰：「夫夢者意耳！苟以形言，便占吉凶。」言未畢，而黃門急忙來奏，宮人相殺，一宮女被刺死。果如宣占。帝復問宣曰：「朕昨夢青氣自地升天，如何？」宣占之曰：「天下當有貴女子寃死。」是時，曹丕已賜甄后璽書，命自盡。丕聞宣言而悔之。亟敕之，遣人追使者，已不及。甄后已死。丕復問曰：「吾夢摩錢文，（亦作磨錢文）朕欲令滅而愈明。」其時丕植兄弟久不睦，丕篡漢後，對植猶視爲政敵也。丕問曰：「此夢主何吉凶？」宣悵然不對。丕復問之。宣對曰：「此陛下家事，雖意欲耳，而太后不聽，是文欲滅而明耳。」時曹丕欲加曹植之罪，偪於太后。但加貶爵而已。丕以宣爲中郎太史。

後丕又以夢問宣曰：「吾昨夜復夢見芻狗，何也？」宣占曰：「君家有火災，當愼護之。」未久，火起。丕謂宣曰：「前後三次皆夢也，何以皆驗耶？」宣對曰：「此神靈動君使言，故與眞夢無異也。」又問宣曰：「三夢芻狗，而君占之不同，又何故也？」宣對曰：「芻狗者祭祀之物，故君始夢當欲食也。祭祀既訖，則芻狗爲車所轢，故中夢墮車折脚也；芻狗轢轢之後，必載以爲樵，故後夢當失火也。」

宣之占夢，十中八九，世以之比朱建平之相法相埒，時之異人也。周宣死於魏明帝末，陳志方技志十分簡略，諸多異聞未及詳載，此舉其犖犖大者。

中國女性文藝春秋

周遊

看她的詩吧：「流水閶門外，孤舟日復西。離情遍芳草，無處不萋萋。妾夢經吳苑，君行到剡溪。歸來重相訪，莫學阮郎迷。」（送閻二十六赴剡縣詩）

她的愛人閻伯均，大約在姑蘇認識的，上面一首是她的送別詩。她倆的感情也不平常，所以在別後依然魚雁相通，各道相思。遲暮以後，她仍然過着那笑裏含酸的浪漫生活呢還是另有所歸宿？這時她已是衰老的殘花敗柳，不能夠引起蝴蝶的飛舞，因此沒有人記述留下來，在千餘年後的我們，只好對之作永遠的悵惘了！她的著作有「詩集」傳世，至元尚存，但到現在，亦早成絕響的廣陵散了。

浪漫詩人魚玄機的悲慘下場

唐代的女道士，在道德家看來，都是些淫蕩無度的女人，她們只知道玩吟風月，做男人的玩狎器，有什麼思想，更談不到幸與不幸的調門。李冶、魚玄機就是被視爲這類人物的代表者。所以歷史家並不把她們看在眼裏，更不用名傳載籍。如有武則天那裏機會，她們是龍是蛇，我們眞不敢加以限量呢！

魚玄機是怎樣一個女人呢？却沒人爲她立過正傳。一些故弄玄虛血口噴人的筆墨，我們不屑採信。從她的作品中來透視，恐還未得全豹。

她的生活大致可以分爲兩段：一是過奴僕妾侍的生活，一是作女道士的自由生活。我們從她的作品中，可見她的自白。她認爲男子是薄倖的，被遺棄的女子，不是消極的痛哭，便是用媚的手段去力圖挽回已失去的愛情。這是一般的女性所持的態度。而魚玄機則大大不然，突破了一般被囿的樊籬。她毅然決然的主張：如果失去了他，乾脆就脫離關係，去另尋失去的愛情。『天下人無限』，何必死迷着一副死屍？她的「贈隣女詩」說：「羞日遮羅袖，愁春懶梳粧。易求無價寶，難得有心郎！枕上潛垂淚，花間暗斷腸。自能窺宋玉，何必恨王昌！」這是何等大胆的發洩！這是她主張的起步。她深知男性沒有專一的愛情，喜新厭舊；所以她主張男性不愛我的時候，便可告一結束，另尋如意郎。這在道學先生們看來，簡直在「造反」了！她不幸的嫁給一個刻薄寡恩的李憶做妾。如果不是遭受到李憶的薄倖無情，她何能出此感同身受的怨言呢？她既不蒙丈夫鍾愛，遂入咸宜觀做起道士來，也放法了李季蘭的「半娼式」的自由生活。

魚玄機雖爲女性，而意志却非常豁達。可惜她做女道士的一段生活史，各書都沒有記載，我們只好從她的作品去研判。她的詩集裏面有「道懷」詩一首，可以看出她的個性，詩云：

閑散身無事，風光獨自遊。斷雲江上月，解纜海中舟。琴弄蕭梁寺，詩吟庾亮樓。叢篁堪作伴，片石好爲儔。燕雀徒爲貴，金銀志不求。滿杯春酒綠，對月夜琴幽。遶砌澄清沼，抽簪映細流。臥床書冊遍，半醉起梳頭。

這首心聲是她理想生活的寫照。也正是一般詩人所要求的生活。可是她是一個下堂妾，又是一個女道士，不比男詩人，可以借重詩文做官，撈一筆錢來享受。因爲她過過妾侍的生活，男尊女卑的滋味，她嘗夠了，所以產生了前述的主張。因其達不到理想生活的目的，所以她就罵人盲目。她終於走上報復的途徑，於是任意玩弄男性。（四十）

台灣地名傳奇

·閒夜·

福地

從前，芝山巖，據說有很多蝙蝠聚居；因為蝙蝠一向是福氣的象徵，所以該地方就被視為地理很好的福地。當年的芝山巖，每逢朔望，必高懸天燈；但當天燈懸起，台北萬華（俗稱艋舺）一帶，很奇怪地會立刻遭遇不祥，發生火災。據地理師解釋，這是因為芝山巖的地理壓勝萬華所致，除非想辦法破壞該地的地理，永遠不會化凶為吉。

於是，這位地理師就受了艋舺人央託，到芝山巖去破壞地理。他欺騙芝山巖的住民說：「貴地山上有一處很大的墳墓，墓地的風水很好，只可惜墓前路太狹窄，以致祭典時，人常擁擠不堪，確有拓寬的必要。」原來，那個墳墓是埋葬了以前漳泉械鬥戰死的先族「八芝蘭人」，是一處優勝的地理。但經過地理師的一番勸說，該地的人終於就把墓前的路拓寬了。可是，說也奇怪，從此以後，芝山巖的好地理，眞就破壞；原先聚居的蝙蝠也不知道飛向何處去了。該地的繁華和祥氣也一天天地衰落。

龍樹

屏東的歸來庄，有一口大池塘，池畔有一株大樹，很像龍，人家叫它龍樹；據說是往古在這口池塘的一條蛟龍出現地面，有人嚇得魂不附體，急忙跑回家告訴家人。

第二天，這家的男主人就帶了大斧，到池畔去。見池面昇起一道黑雲，雲中金光閃亮，最後，一條黃色蛟龍果然破雲而出，且向他所站的地方直衝下來。他驚得渾身發抖，慌忙間揮起大斧，向蛟龍砍去。蛟龍竟被砍成兩截，血流如注，最後僵硬而死。

這人就把牠埋葬在池畔。

經過一些年月，那裏便長出了一株形狀像龍的樹。

七星釣地

中壢的三座壘附近，有七個小丘。據說，這是昔時七星釣地的遺跡。

傳聞二百多年前，某年的七月五日夜間，北斗七星曾下凡到此。當時附近的居民見到此一異象，大家都很虔誠地供奉禮物迎拜。但到次晨三更時分，七星要回天上。當它飛昇的時候，很是奇觀，隨着七星的上騰，地上竟浮起了七個小丘，好像是被七星釣起了的樣子。這就是所謂七星釣地的故事。

海嶠叢談

俄帝侵佔外蒙紀要（上）

諸葛文侯

俄帝蠶食我外蒙古的陰謀，從滿清末年——宣統三年——就積極展開了。所用手段是煽動活佛與各盟王公等倡言自治，擺脫中國政府的統治權。迨俄共「十月革命」推翻沙俄王朝，成立蘇維埃政府，表面聲明放棄帝俄時代在國際間的一切特殊權益，但對外蒙古的蠶食陰謀仍積極進行不懈。繼因俄人反共的遠東共和國軍隊謝米諾夫所部，敗入庫倫以抗拒紅軍，俄共遂藉口遣軍侵佔外蒙，唆使蒙人宣言獨立，組織所謂「蒙古共和國」，接受蘇俄保護。然以吾國始終否認，國際間亦無予以承認者，中經北洋政府派徐樹錚以「西北籌邊使」領兵赴蒙疆鎮懾，蒙古活佛與王公等即聲明撤消獨立政權，俄共表面上無可奈何，但俄軍迄不撤退，謂係防止白俄反動勢力復起。民國十二年俄共代表越飛在上海與吾國父孫先生聯名宣言合作，亦曾特別聲明蘇俄無意改變中國對外蒙古的領土主權云云，實係一種烟幕而已。蘇俄業已派有外交「大使」駐在庫倫，權力等於外蒙總督也。

民國十五年夏間，我在庫倫旅游時，見着當地各公共場所，皆以俄文為主要文字，即招牌亦然。俄籍醫生經常駕車巡行蒙疆，逢到當地人即強迫注射「六〇六」和「九一四」針藥，蓋外蒙傳統習俗，男女雜交，而衛生環境極不良，以致十九皆染有梅毒，因而蒙人的生殖力殊弱，人口無法增殖，俄帝處心積慮，從滌除外蒙人的花柳病入手，且向蒙人宣傳此係中國政府消滅蒙古民族的毒辣政策，藉以激發蒙人反叛祖國的心情，其計甚狡惡，其心極陰險。維時北洋政府忙於內爭，無暇注意俄帝蠶食領土的陰謀詭計，其愚亦不可及也。迨我離庫倫赴俄時，蘇俄駐外蒙「大使」給我護照一張，沿途不特毫無阻礙，且受到自西北利亞以迄海參威一帶俄共機構的照料。

俄帝竭力經營外蒙，亟思攫置於蘇俄直接控制之下，然苦無機會，祇好採用鼠竊狗偷的行為，先行製造蒙族與漢族間的仇恨。譬如我們一行朋友在庫倫訪問所謂「外蒙古共和國內閣總理」李丹山時，他本來是說的一口很標準的北京話，他的太太亦是北京人，但他正式跟我們接談之際，却專講蒙古語言，另由舌人傳譯；但我們在他的私宅宴會中，他卽說北京話，而且夫婦倆都喜歡搓麻將，偶而還要哼幾句京劇助興。這證明他在公共場合的言行，受着俄人監視，不得不裝出仇視漢人的姿態。

等到第二次大戰末期，卽一九四五年二月，由於美國政府需要蘇俄參加對日本的戰爭，俄帝乃取外蒙的機會來臨了。美總統羅斯福在雅爾達會議中，慷他人之慨，事前瞞住我國，竟允許蘇俄正式控制外蒙，託詞外蒙獨立自主，事後才通知我國，強迫我們如約辦理。當時我外交部長宋子文適在美京，聞訊卽對美國務長官赫爾說：「我們決不同意」。赫爾告宋氏：「這是國際條約，你們此刻能有實力推翻它嗎？」宋說：「目前雖不行，但三十年或五十年後，我們亦是要反對的！」

三國后妃群相

河漢

她想不到這些私語會被向新寵們獻媚的識時務的人物們，加油加醬地報告給新寵們聽，而新寵們更添鹽添醋地在枕邊向曹丕陳訴。富易妻，貴易交，很多男人逃不出這個定例，何況是英雄而又是風流人物的曹丕呢？甄后既然成為黃臉婆，讓黃臉婆高踞皇后的座位，當然被認為過份浪費了物資，無毒不丈夫，帝王家既不能像平民那樣地易妻，索性一刀兩斷，要了她的生命，永斷糾葛罷。就這樣，這顆年華老去的已經不夠美女條件的褪色的明珠，被三尺白綾繞頸，淒淒慘慘，悲悲切切化為塵土。傳說中她的死與她的小叔曹植有關，那是後來憎厭曹丕的人，硬給他戴綠頭巾來洩憤的無稽之談，不能認眞。

甄后死了，年輕的少女們即刻競爭她的遺缺，但勝利屬於最美而且最會耍手段的郭貴人。郭貴人一躍而為郭皇后，她自知她是斷送甄后生命最出力的人，她躭心甄后的鬼魂會向她進行報復，於是一不做，二不休，她命心腹為甄后料理後事的人拆散甄后的頭髮，披覆整個臉部，用麥糠填塞滿甄后的口腔。郭后這樣做的目的是，有朝一日曹丕嚥氣，地下與甄后相逢，他將難於辨別她的面貌，塞滿了糠的甄后嘴巴，[illegible]

[illegible]

睡眠訓練學校

○民德○

睡眠，看來人人都懂得；可是，也可以說很少有人眞正懂得個中藝術。事實上，目前在都市裏居住的人，因為生活過於緊張，患失眠的人，實在很多。[illegible]

[illegible]

醫學與兩性人

○陵晉○

[illegible]

穗城掌故

周館和鄧館的誤會

—李鴻洸—

周館設在廣州市河南鴻福大街二十號，為周標師傅所主辦；鄧館則設於鴻福大街後便洪德三巷七號，係鄧芳師傅所掌管。兩位都是武林中人，傳設館教授拳技，在廣州市頗負盛名。昔年曾在西關樂善戲院前快活亭附近，和機房仔打架，打得落花流水，此事迄今隔了六十多年，稍有年紀的人，且熟識廣州市情況者，都能記憶這場周標和鄧芳打機房仔這場風波也。由於當時附近龍津路的機房，共有二十五家，每家最低限度也有六十多個夥記，而這些夥記，多數屬於滿洲籍的人，其時係清政府時代，滿人專欺壓漢人，已成家常便飯。恰巧周標師傅，是開平縣人，而鄧芳師傅又是肇慶縣人，對於這些滿洲仔欺壓漢族人，早已深表憤恨，所以這羣機房仔每每用強暴的手段去對待周館或鄧館的徒弟，兩位師傅，於是忿然而起，和機房的滿籍夥伴，拼個你死我活。迨孫中山先生推翻清帝，滿人欺壓漢人的風俗隨之消滅矣。周標和鄧芳兩人，原是一對好朋友，向來稱兄道弟。有一次恰巧城龍母寶誕，周館請定一艘火船拖帶一隻頭號花舫，名叫紫洞艇，內面布置得非常輝煌，四邊懸掛萬國旗，並以白玉蘭、英瓜、夜香等鮮花相襯，所有鑲石的宮坐椅，酸枝大圓臺，也鋪了椅搭台圍，更唱大八音配合，笙歌妙舞。

現在說到鄧芳師傅，因他曾在軍舖，當時張瑞貴將軍因有要事，和鄧師傅去了桂林，可見兩間武館的主事人均不在廣州，這是千眞萬確。詎料民二十五年九月十七日，因鴻福大街二十號之周館徒弟，名叫張大元，他原是住在洪德頭巷三號門牌的。張大元平日和洪德三巷七號鄧芳的徒弟區志登一向都係朋友，大抵由於少年氣盛的原故，兩人常常也有多少磨擦，早已各存心病。由於昌華街三號黃宅有一個工廠女，名喚王月嬌，生得玲瓏嬌小，媚態動人，而王月嬌與鄧館之徒弟區志登本屬同窗，兩人時相來往，或時往荔灣扒艇，或則戲院流連，傍人觀之，都認為一對密運之靑少年也。久而久之，張大元找到一份工廠職業，恰巧與王月嬌同一工廠做夥記，兩人相見之下，大家似曾認識。有一天適值放工的時候，兩人一齊出門口，沿途談笑起來，甫行到鳳凰巷三號門口，突然與區志登相遇，三人立時各懷心事。在張大元方面，則認為同是廠中工友，放工同行，本極尋常，絕無介意。但在王月嬌方面，甚恐區志登有所懷疑，誤為移情別戀。至於區志登方面，因經常與張大元有心病，遂疑張大元有意橫刀奪愛，剎他眼眉。及至第二日，區、張兩人又在途中相遇，區志登乃質問於張大元曰：「喂張！你果然對得我住矣。」：「問得張大元，滿頭霧水，無以為應。區志登旋卽揮拳相向，張大元乃狂奔，但區志登亦窮追不已。恰巧走至周館門前，馬上跑入內裏，拿起雙刀，撲前與區志登迎戰。區以張大元有武器在手，不肯蝕底吃眼前虧，乃飛奔而逃。（上）

自由報

內政部登記證內警台報字第○三一號

FREE

第八一五期

中華民國僑務委員會頒發
台僑新字第三二三號登記證
中華郵政台字第一二八二號執照
登記為第一類新聞紙類
（半週刊每星期三、六出版）
每份港幣壹角
台灣零售價新台幣貳元
社　長：雷嘯岑
督印人：黃行富
社址：香港銅鑼灣高士威道二十號四樓
20, CAUSEWAY RD 3RD FL.
HONG KONG
TEL. 771726　電報掛號：7191
承印者：大同印務公司
地址：香港北角和富道九六號
台灣分社
台北市西寧南路壹壹零號二樓
電話：三○三四六
台郵撥儲金戶二五二九

本報改組啓事

（一）本報自即日起改組，由李運鵬担任社長，雷嘯岑担任總主筆，另訂合約存據。（二）本報從民國五十七年元月份起，由高壽川等籌組為香港自由報股份有限公司。（三）雷社長任內人欠欠人概由雷任自理，與新任社長李運鵬無涉。此啓

從梁啓超的「新民」理想說起（下）

宋文明

固然他在這一方面的若干看法，如說「他種人狃於和平，白種人不辭競爭」一點，并不一定合乎客觀事實；但就整個而言，他所說盎格魯撒遜人所具有的那種種長處，如政治能力，如自助之風，如服從，自由，及富於自治精神，以及最完美的人格等等，亦確屬事實。同時，既說盎格魯撒遜人具有最完美的人格，其意即在表示它們是屬於一種理想中的典型，充分具有他前面所說這種理想中新的國民應所具備的一切美德，氣質與精神。

由於梁啓超如此讚美羨慕盎格魯撒遜人，把它們作為現代國民中的一種典型，所以他雖然沒有明白說出，而他所提出的「新民」理想，毫無疑義是以盎格魯撒遜人為目標，為模範，作為共同努力的借鏡。換言之，在清末民初之際，梁啓超的主要政治思想，是屬於一個所謂典型的英美派的思想。他希望中國人學英美人的「樣」，希望中國政治走英美兩國的道路，也希望中國最後能實現如英美兩國那種標準與理想。

（四）

因此，現在接着來的一個問題是，梁啓超的「新民」理想何以要以盎格魯撒遜人為標準？何以要把英美兩國作為中國建國的模範？這種原因，自然也與梁啓超的基本思想有關。我們知道梁啓超是一個舊學出身的人，因此他的基本思想，主要也屬中國的傳統思想。這種傳統思想，又可分為兩部份，一為儒學和墨學，二為佛學。尤其對於佛學，他的造詣之高，領會之深，絕非一般中國知識份子所能及。所以在梁啓超的一生中，中國的這種傳統思想對他的影響，實隨處可見。可是當面對歷史性的國家危難，需要大力實行變革，準備改造國民，「以挽浩刦，而拯生靈」時，他所強調的，主要乃屬新來的西方思想，而非中國的傳統思想。他所接受的這種新來的西方思想，我們可從他的著作中找出若干重要的線索。其中主要數項：（一）培根及陸克等人的科學與實證精神。（二）笛卡兒及斯賓挪沙等人的窮理致知態度。（三）孟德斯鳩與盧騷的自由、民主與個人自尊思想。（四）達爾文的進化主義。尤其達爾文的優勝劣敗的進化主義學說，對梁啓超的整個政治思想所發生的影響，實遠超過其他任何西學之上。特別是他的「新民」之說，事關民族精神與氣質的改造，所以受達爾文進化主義的影響也最深最大。關於這一點，我們亦可提出他的說法作佐證：

（一）「殊不知道德之為物，由於天然者半，由於人事者亦半。有發達，有進步，一循天演之大例」。

（二）「夫競爭者，文明之母也。競爭一日停，則文明之進步立止。………一國者團體之最大圈，而爭競之最高潮也」。

（三）「若是乎仁政者，非政體之至焉者也。吾中國人惟望仁政於其君上也。故遇仁焉者，則為之嬰兒，遇不仁焉者，則為之魚肉。………若是乎專言仁政者，果不足以語於立國之道」。

（四）「隨破壞，隨建設，甲乙相引，而進化之運，乃遞衍於無窮」。

（五）「人治者，常與天行相搏，為不斷之競爭者也。………而人類向上進步之美性，又必非可以現在之地位而自安也」。

（六）「人之精神與體魄，皆能因所習而有非常之變化。………昔惟教授者以懸一至善之目的，今則尤重訓練，可以使一國人，使世界人共向之以進，積日漸久，而必可以致之」。

由此可以看出，梁啓超的「新民」理想，主要為西方近幾百年來民主，自由，科學，進步諸種學術思想的產物，也是西方精神的結晶品。尤其當時正值西方資本主義的高峯時代，在各國內部及國際間，充滿了自由競爭的精神，而回頭再看中國的傳統，正又完全缺乏這種精神，所以在他談到「新民」理想時，也特別強調自由競爭精神的可貴。把這種精神用之於實際政治，也使權利觀念比實行仁政更為重要了。實際上，梁啓超的反對實行仁政，主要還不是對儒家學說的一種反動，而是基於達爾文的物競天擇的思想。他認為所謂仁政者，其含意所指，即不啻剝奪國民在政治上的獨立人格，并鼓勵其依賴性與惰性，結果將使一般國民更加喪失其自力奮發的精神。而中國今日所最需要的，卻是要培養國民的自主自治精神與獨立之人格。達爾文的學說，在這一點上，確可發生一種清醒的刺激作用。所以假若說梁啓超的「新民」理想，主要為達爾文學說的中國化，亦不為過份。

（五）

過去大家都說梁啓超是一位啓蒙人物，這種說法不能說不對，但幷不全對。就一位國學的飽學之士，致力介紹西學來說，他無疑是一位啓蒙人物；但就介紹及瞭解西學的深度、精度及新穎程度來說，他絕不是其他啓蒙人物所可比擬。從他對道德問題的看法，以及從上述第六節「人之精神與體魄——」的言論，可以看出他曾接受了一種西方最新的思想。這種思想就是到了六十年以後的現在，仍然是一種最新的思想。可是在另一方面，他卻完全沒有接受同時代的西方的社會主義及互助福利的思想。這種原因，主要可能也是由於這種思想不與達爾文學說相調和的緣故。假若不是這一原因，我們很難對這一點再提出其他的解釋。

因此，對於梁啓超的「新民」理想，[illegible]

好在沒有上當

最拙劣的鼓手

今日與明日

毛共港共將分裂

最近香港政府與粵共完成一項交易，以在邊界捕得的五名暴徒，調換一名警官二名警察，並且付出「贖參費」七萬元港幣。此事對港共來說，並不光榮，所以在簽訂協定時，有一個口頭諒解，雙方都不得發表事情經過。港府當局只求能將三名警察人員贖回，並無發表消息的必要，當時也就答應了，而且事後非常守信，一直不肯透露內情。

不料粵共要守秘的消息，港共却搶先發表。於是港府不得已只有將全案公佈，並且說出守秘是由於粵共的請求。這一來正式揭破了大陸毛共與本港共黨之間的矛盾。

兩共衝突因素很多

毛共與港共之間的衝突，因素相當多，嚴格說來，廣東方面的毛共怪港共無端鬧事，打亂了貿易系統，使毛共經濟受了巨大損失。港共則埋怨「祖國」支持不力，最近不但不支持，而且有意拉腿。正當港共陷於走投無路之際，毛共却態度大變，極力要與英方修好，其中最重的除交換人員之外，北平毛偽當局對英國的態度也極為好友，竟然解除了對英方外交人員管制的禁令，此點當是毛共與英國關係好轉的先聲，如此以來，港共就更苦了。

其他又如最近港府當局封閉了左校中華中學，若在平時大陸方面照例也要來一次抗議，示威呼口號的行動，而今是一切全免，一心就想同港英修好了。

毛偽政權所以由反英一改為親英，當然是受了經濟的壓力，在現階段毛偽政權不可能與英國斷絕來往，就只得出此絕招，低首下心向英國人求和了。

港共對此當然氣憤，但是又說不出，於是只得用陰謀，玩花樣；像這次搶先公佈港毛談判新聞，就是一種手段。

港共應回頭

港共一開始就拿錯了主意，以為「祖國」會支持他們，以後發覺上了當，這口冤氣自然無處發洩，就想盡方法破壞。其實這是港共自作多情，毛澤東必要時連同床共枕的劉少奇都能犧牲，何況港共這些賤卒，毛澤東連見也未曾見過的一批走卒。因此港共應當了解此項事實，不必再對大陸存在已久的幻想，放棄一些與市民為敵的手段，安份守己作一個市民。否則有一天港府可能全部遣回大陸時，而大陸已不要他們，則天地雖大，四顧茫茫，想找一個容身之地，恐都難了。

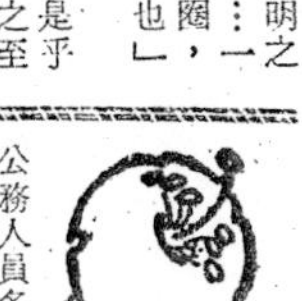

談知恥

馬五先生

最近執政黨舉行五中全會時，蔣總裁剴切指示一般公務人員多不恪盡職責，事延宕推卸，效率低微，教大家要知恥反省，痛改前非。語重心長，切中時弊，使咱們這些不問黨政事宜的尋常百姓，聞之亦深為感動也。

知恥的觀念是甚於責任感，必須平日治事能夠勇於負責，纔覺得某事做得不如理想，某事歸於失敗了，非急起檢討改進不可，否則有虧職責，對不起國家，為了名譽，內疚神明，外慚清議，廉恥之心，不期然而滋生矣。所以，三十餘年前，蔣公以「明禮義，知廉恥，負責任，守紀律」四語箴誡文武公職人員，我認為乃是求治的要旨，問題就在大家是否真能負責？若要一般公務人員切實負責，方法亦很簡單，就是付與他們的職守，都有一定的計畫和程序，在其應有的職權範圍內，聽他措置區處，不加干涉，上級長官和監督機構對他只算總帳，不管流水賬，到了相當時期，教他拿出成績來！沒有成績或成績最壞的，一律依法懲處，績效優異的，予以不次的獎拔，議親議貴，內舉外辟，賞罰分明，毫不含糊。人之好善，誰不如我，有了真正的是非賞罰，大家沒有不思有以自見，而力爭上游的，知恥自愛的情操，自然人皆有之矣。

如果制度凌亂，是非混淆，所謂「人事關係」泪沒了法令規章，誰也談不到綜覈名實，信賞必罰的話。於是乎，大家祇有唯唯諾諾，實行作官主義，邀寵第一，固位至上，奚知廉恥為何物，相率構成「無恥之恥」的政風。這在承平時代亦必然敗壞國事，在非常之秋，那就危險極了！知恥近乎勇，不能勇於負責的官吏，而希望他們知恥，那是幻想呵！

華爾街日報認爲
香港局勢幷無悲觀理由
但須警覺共黨蠱惑青年的陰謀

（紐約航訊）以經濟新聞馳名的此間華爾街日報，在十一月六日該報社論版中，以將近半版的地位刊出一篇有關香港的報道，對香港現局及未來之問題有詳盡之說明，茲節要譯述如下：

過去數月來在共黨恐怖活動之下，香港出現了一百八十枚眞炸彈，四千八百枚假炸彈，死亡四十四人，被捕判罪者一千七百五十人。但香港生活不但正常如昔，其經濟重點的出口貿易，反較去年增加百分之十四點五。最近舉行的首屆時裝節，吸引了二百餘位外國採辦商，香港的時裝出品，從此將進入千變萬化的世界時裝市場。

共黨的恐怖活動，在香港也造成了若干顯著改變。皇后道上出售西洋百貨的商店生意興隆，但在數步之隔的中共商店中，各貨雖減價百分之二十，仍門可羅雀。中共大陸在港的外匯收入，因而從每月六千萬美金跌至三千萬。此一事實證明，香港居民仇毛而自動抵制大陸貨，結果受害的不是「英帝」，而是毛朝。

共黨在港經營的「和平書店」，原爲散佈「毛澤東思想」，但其中是經常空無一人，僅有的顧客，往往只是西方國家的駐港記者。據當地專家估計，最多不過三四千人。他們與四百萬居民爲敵，大陸「人民解放軍」並無來幫他們「解放」香港之象。

港共暴亂雖未成功，但因而引起人們對若干關係香港前途問題的注意。

此間外交及商業界人士指出，香港目前存在着不少可供共黨利用的弱點。其中最嚴重者，是工人福利問題。按西方標準，香港工人工作時間久，工資低，而廠商每年淨利常高達百分之二十五。若干規模大的紡織及電品工業工廠均已現代化，工資亦高，但如製衣工業等工人，多論件計酬，每週工作時間常達七十小時，其福利問題亟待改善。

次爲教育問題。小學學齡兒童百分之二十五，中學學齡少年百分之七十五均失學。而巨商大賈的子弟，多倘佯於倫敦及瑞士。此種貧富之間的距離十分懸殊。

不少人認爲，共黨此次失敗的主要原因，是他們選擇以恐怖作手段；更荒唐的是他們以貧民區爲恐怖活動的目標，以婦女兒童作爲殘害的對象，因而犯了衆怒。但今後誰也不敢保證，他們不會改變政策，利用經濟及社會的弱點製造不安。

爲了使共黨無可乘之機，此間有心人士正呼籲港府當局從速進行改革。一般相信，倫敦方面亦將加以督促。英國本身雖內憂重重，但由於香港所儲英鎊有十億之巨，約佔整個英國外匯準備的百分之二十五，倘港幣發生問題，必將禍延英鎊。

最近英國聯邦事務部次官石賓德勛爵抵港視察時，曾力促當地官員增加有關社會福利的立法，他自已宣佈計劃將婦女及青年的工作時間自週六十六小時減至四十八小時。港府本身亦在推行大規模的房屋建設，社會保險法不久亦有實施之可能。

以上諸事，並非革命性的改革，此間英商社會多支持其推行，港府中的保守派面對各方壓力，勢將改變政策。

香港現局並無任何悲觀之象。每年出口總值約五億美元的紡織業，訂貨已至來年八月。零售，娛樂及其他與觀光相連的事業雖受損失，但失業人數並未增加。

香港貿易發展局長奧立芬指出：「有關香港動亂的報道多嫌過火；但炸彈究竟是炸彈，對商人不會發生鼓勵作用。」自共黨開始恐怖活動後，有關未來發展的投資因而停滯，目前因情勢緩和，若干外商又開始繼續其早期擴廠計劃。

至今日止，並無任何重要廠商搬出香港。一般相信，目前的問題只是少數土共作亂，香港的自由貨幣市場，工業設備及勞工等工有利條件仍超過土共作亂所造成的威脅。倘中共爲本身的經濟利益需要一個繁榮的香港，香港前途必將更加樂觀。

目前人們所憂慮的，是共黨宣傳活動的對象集中於青年人。香港的青年一代不像他們的父母一樣深知中共的罪惡，因而易受蠱惑。倘若香港當局不及時警覺，將來可能發生的問題，必較目前少數土共作亂更爲嚴重。

五十年來國際共產黨和毛共企圖毀滅中國民族文化的大陰謀（七）

何浩若

讓我們回頭來再看一看孫中山先生所講的「無道德不成國家，無道德不成世界。」根據孫中山先生的看法，不能否認道德在歷史進展上的力量。就拿革命來講吧，假如馬克斯沒有道德感和正義感，沒有是非的觀念，他又何必起來倡導社會革命？道德對於人類實在比衣食還重要。人類之所以能繼續生存，主要的原因，就是因爲人類尙有道德。中國傳統的文化是以人爲本位來發展以人道爲基礎的道德觀念的。中國人說「人爲萬物之靈」。又說「人之所以異於禽獸者幾希」。那就是說人與禽獸不同的地方雖然很少但仍有不同之處。中國人是不肯把人當畜生的。首先把人當物的是馬克斯，他說勞力是一種商品在市場出賣。首先把人當畜生的是達爾文，他說人獸同源。中國人說『人者仁也』，仁就是愛。因此孫中山先生說『互助是人性，鬥爭是獸性。』說道德有階級性，就和說宗教有階級性一樣。耶穌是木匠的兒子，孔子也不是資本家。精神文明是先民告訴我們人與人如何相處的規矩。馬克斯所劃分的階級就根本不合理。他所講的階級也只是自說自話，並不爲人類社會所公認。說道德和宗教有階級性，根本是一種錯誤。道德的本身絕對沒有階級性。人類因爲立場不同，對道德的看法，或有不同而已。我們從民族主義的立場認爲馬列主義者根據唯物史觀反對道德與宗教是錯誤的。至於胡適和費正清說中國沒有文化，站在民族主義的立場，我們更不能接受了。

（三）費正清和台灣獨立運動

在這裏我們無法詳細報導費正清和美國共產黨同路人如何策動台灣獨立運動的情形。上文已經提到費正清和彭明敏叛國的關係和費正清扶植他的台籍學生陳以德在美國作爭取台灣獨立的活動。筆者於一九六五年一月五日曾寫『國際共產黨策動台灣獨立運動的陰謀』一文，載在該月出版的『三軍聯合月刊』。後來復在該刊所發表的『誰贏得了二十年冷戰』一文，裏面報導費正清、史卡拉賓諾、鮑爾斯這班人如何在美國外事雜誌撰文說台灣人不是中國人，如何在康隆報告裏主張台灣獨立，如何組織中台國等等。這兩篇論文都收集在拙著『國際現勢之分析』第壹輯裏面，讀者隨時可以參考。現在筆者要補充報導的是費正清和他的同路人最近的活動和費正清最近的言論和主張。

上文曾經提到本年八月十五日教育部函請國防研究院招待由甘海樂教授率領的美國學者考察團。甘海樂是費正清和芮孝艾的學生。費芮兩人都是哈佛大學的教授，也是國務院所聘請的中國問題專家。這兩位專家都是公開主張支援中共的。在招待會上，當國防部發言人報告中共匪幫的軍事情況以後，甘海樂教授便提出一連串的問題請求答覆。這些問題包括：現在的國軍台灣人有多少，大陸人有多少？台灣人和大陸人的平均年齡是多少？國軍的軍官台灣人有多少？大陸人有多少？當時筆者和參加招待的邵毓麟氏便聲明這些問題已經超出學術研究的範圍未便答覆。費正清氏曾數次被邀來台灣講學。他返美以後，便以在台灣所獲得的資料來攻擊自由中國。那時的情形和現在甘海樂所率領的訪問團如出一轍，是很值得我們提高警覺的。因爲筆者在招待的宴席上揭破了費正清對台灣獨立運動的陰謀，並且引用甘酒迪的講演，說拉鐵摩爾和費正清是美國共產黨的同路人，把中國大陸送給中共因而引起爭執。甘海樂對台灣的情形十分熟悉。他說：『這些話是甘酒迪做國會議員的時候說的，不是他做總統的時候說的。廖文毅從前主張台灣獨立，說過許多話。現在廖文毅不主張台灣獨立了。你不能拿廖文毅從前講的話來攻擊他。』這種似是而非的強辯，在座的人都聽到。筆者當時告訴他，甘酒迪把他那篇講演於一九六一年重印在國會紀錄裏面，並沒有在當總統的時候否認他在當國會議員的時候所講的話，自然現在仍然有效。筆者並且告訴甘海樂，費正清在台灣的時候，曾經當面請青年黨領袖陳啓天氏考慮可否把台灣變成美國的第五十一州。關於這一點，陳氏可以隨時出來作證。國防研究院張主任也出來證明筆者的話，甘海樂才不再爭辯。

中壢屏東兩市長競選潮

○台北航訊○

台省下屆鄉鎮（市）長選舉，國民黨辦理的黨內候選人提名，台灣省黨部經於十一月二十五日正式核定公佈。

在全省三〇七個鄉鎮（市）長候選人提名中，經核定提名的結果：開放自由競選的有五七鄉鎮，暫緩提名的有宜蘭縣的蘇澳鄉、苗栗縣的泰安鄉、桃園縣的中壢市、屏東縣屏東市等四鄉市，餘二四六鄉鎮市均經提名，參預下一步驟的投票選舉爭奪戰，可謂盛舉也！

蘇澳、中壢、泰安、屏東四鄉市，在這次鄉鎮市長候選人提名時，國民黨台灣省黨部何以未能及時作成決定，而要用「暫不提名」緩延時日呢？個中原因當然是不會很單純的，以中壢市而言，當時辦妥參加執政黨候選人提名的，計有現任市長邱垂周、內壢中學校長林煥夫、前任鎮長劉家興、縣府建設局秘書謝枝、縣議員劉守箴、林連城等六人之多。這些人如論其學識經歷，或地方派系的勢力，可說是互相伯仲，各有千秋。

在六位候選人中，地方（縣）黨部委員會於十一月十日決定，原則上刪去劉家興、謝枝、劉守箴、林連城等四人，縮小範圍向邱垂周、林煥夫二人作進一步協調，希望二人中能再由一人讓賢，則提名當選可成定局。然而這一協調工作直至省黨部決定公佈提名的候選人前夕，猶未能達成結論，由此即可想像其複雜的情形了。

據瞭解地方情形人士表示：邱垂周是現任市長，在政績方面，雖曾爲地方做了些事，但祗能贏得個毀譽參半；他因基於可以競選連任的法令保障，同時又有一部份勢力作後盾，因此他不會輕易放棄此一良機。然而林煥夫的壓力節節緊迫，大有不達目的決不甘休之勢。況且他父親林添魁曾當過中壢鎮長，林家既屬大戶，地方潛在勢力非常雄厚，而林煥夫本人又是現任的內壢中學校長，師大畢業，年齡亦不過卅五、六，如劉家興眞是爲雪上屆城下之耻，迫邱垂周讓位，而與林煥夫合手，則林當選可成定局。因此現在地方人士認爲，邱林既然勢力相持不下，執政黨應作開放自由競選的決定，讓他二人早作公平競爭的準備，當不失爲明智之抉擇也。

其次是屏東市，當初辦妥提名登記的，計有張河川、林石鼓、陳梧源、鄭榮亮等四人。然而此四人中有三人與現任屏東縣長張豐緒的關係，可謂是錯綜複雜，又而非常密切。以張河川而言，他是張縣長由中學到大學的同學，張豐緒競選時，他爲他出過力；現在他出來競選縣轄市長，於情理、道義，張氏都應該助他一臂之力。他的父親張吉甫又係現任國大代表，而他本人亦曾任過國民黨屏東縣黨部副主任委員，現任新聞報記者，有此優越條件，競選一個縣轄市長，應該是沒有問題的。可是林石鼓，既係日本某大學畢業，又當選過市代表會主席，他哥哥林石城爲現任省府委員，爲屏東林派首腦人物，有左右屏東政壇任何選舉的力量。而林石鼓又係張豐緒縣長的連襟，可說是四人中關係最多，勢力最大的一人，執政黨對他曾有優先考慮提名的計劃。其次是陳梧源，他也是受過大學教育，曾蟬聯過屏東三、四、五屆縣議員，現任衛生局秘書，是張縣長競選的功臣之一。這次他競選市長的目的，是在爲張豐緒競選下屆縣長時掌握屏東市區一部份票源，因此張豐緒勢必傾全力協助其獲得提名當選。再次是現任代表會主席鄭榮亮，此人雖然在人事關係與經濟基礎上，較前三人略遜一籌，但他能於本屆代表會擊敗林石鼓而奪得主席寶座，亦可證明他的社會基礎並不弱；況他現仍有前任縣長李世昌的全力支持，因李世昌亦有爭奪下屆縣長的雄心之故。

根據上情的分析，以上四人究竟誰是適當的市長人選呢？按張河川因平時甚少接近羣衆去連絡關係，臨時才四出奔走，恐怕無濟於事。林石鼓緣本待人甚苛，難得衆人擁戴，但如他能得到他哥哥林石城的勢力之支持，幷保證下屆縣長選舉，林派人士決傾全力支持張豐緒當選，則國民黨爲免冒縣長選舉失一城池之險，可能遷就此點，而提名林石鼓競選市長，這當然不是不可能的事。至於陳梧源，則地方人士認爲他對上酒家興趣過濃，大家認爲他私生活太差，不堪充任一市之長。

總之，選情固然是瞬息萬變，但這中壢與屏東兩市，黨外人士對市長一職，興趣無多，祗要執政黨運用得宜，提名即屬當選當可斷言，但當然要能夠眞正做到選賢與能，才是選舉的唯一目的。（袁文德寄）

麥考雜誌透露
詹森長女琳達戀愛故事

。大陸。

詹森總統的長女琳達將於十二月九日與海軍陸戰隊羅伯上尉在白宮舉行婚禮。這是自一九一四年威爾遜總統後，美國元首第一次在白宮嫁女，是一個將爲後世傳頌的喜慶。

有人說白宮像一個大金魚缸，其中的一切，都是人們注視談論的中心。總統之女的戀愛結婚，更是「閒談」專欄記者的最好話題。但這次的新聞主角略有不同，她自己也是一位記者，在別人發表揣測渲染的報道之前，她自己先道出這個戀愛故事。此一故事發表在十一月號的麥考雜誌中，琳達是該刊華府分社的編輯。以下是該文的節譯：

本年八月的一個仲夏之夜，琳達和羅伯上尉在白宮三樓的朝陽室經過一次長談後，私定終身。分手時他們決定由琳達先將這個消息告訴母親，羅伯上尉再正式向詹森總統求婚。但事實並未能照他們的原定計劃發展。

他們分手時已過午夜，琳達偷偷的走到她父母的臥室中。爲了怕驚醒父親，她輕輕的爬到母親身邊。她小時候每當妹妹露茜生病時，都是這樣去叫醒母親。

她剛爬到母親身邊，母親就驚醒了，問她有什麼事。這時父親也醒了，她說她要跟母親談談，父親不勝失望的說：「你不願跟我談嗎？」她被父母拉到他們的大床上坐下，只好向他們同時宣佈她要與羅伯上尉結婚的消息。

她與羅第一次見面是在一九六六年春。那時羅被派到陸戰隊華府隊部工作，除經常軍職外，並被選爲白宮的社交助理。

在白宮任社交助理的單身青年軍官有十餘名，羅之引起總統千金的注意是在橋牌桌上。

最初他們彼此感到只是意氣相投的牌友。在今年六月一個星期天的下午，當他們約定打牌之時，母親告訴她當晚大理院的傅達斯法官請他們全家吃飯。她以爲這只是一個在游泳池邊舉行，客人很多的自助餐會，因而就邀羅伯上尉作爲她的男伴，自己特選了一件和日本歌舞伎戲服相似的新裝出現。

到達後她才發現這是一個正式宴會，客人只有總統夫婦，國防部長麥南馬拉夫婦，財政巨子勞艾布夫婦和他們兩人。

當晚男客們都對她的新裝讚美不已，特別是麥南瑪拉部長。麥氏當面說他是靠看她的衣着了解時裝變化的，那晚對她的新裝特加讚賞。

晚飯後男女分坐，羅伯上尉隨着總統，部長等進入男士客廳抽烟閒話。置身在這些要人中間，他的心情頗爲緊張。但他表現得極爲得體，端坐靜聽着他們討論國際局勢。詹森總統並未意識到，那位一言不發的青年軍官，就是自己未來的乘龍快婿。

經過這次意外的結伴赴宴之後，她對羅伯待人接物的風度更爲欣賞，從此他們從牌友更變爲出席酒宴的伴侶。

六月底，她的同學好友史米斯小姐自德州到白宮度夏，她舉行了一個歡迎會，請了幾位社交助理的青年軍官參加。當她發現那晚正是羅的二十八歲生日時，她端出大量的冰淇淋奉客，此一歡迎會變成了一個更熱鬧的祝壽會。

七月四號國慶節，是他們的戀愛進程中另一個重要日子。那天羅第一次請她出遊，至華府附近德拉威州海灘參加他和幾位同僚合組的週末郊遊會。在這次郊遊中，他們獲得了第一次單獨談心的機會。她在後來回憶說：「那天他們所談的只是各人的家庭，童年，學校生活等。」經過這次長談後，她對他不但有了更多的了解，且發生了進一步的愛慕之情。但此一愛慕之情只是在萌芽階段，她知道他來春將調往越南，而且並不知道他對她是否亦有同感。（上）

梁從啓超的「新民」理想說起

（上接第一版）

要作這種全面與徹底的改革，又必須要打破中國傳統的羈絆，激發一種新生力量。要打破這種傳統的羈絆，激發社會新生力量，尤必須要從新改造中國的民族性，以培養一種前所未有的現代化新國民。於是「新民」理想乃隨之而出。

第二：這一「新民」理想，是以西方盎格魯撒遜人爲模範，是以民主科學思想爲基準的。他雖對「新民」一義提出各種解釋，而其基本要點，則不出民主科學二者。一個國家若已充份實行民主政治，則其國民的自由，自治，自尊精神，即可不期而來。而國家觀念，權利觀念，合羣觀念等等，亦自在其中矣。同樣，若一個社會有了高度的科學發展，則這個社會自會出現精益求精的精神，進取冒險的精神，和不滿現狀的精神。於是所謂毅力云云，也便成了當然的事情。由於盎格魯撒遜人在民主科學上最有成就，最具有這種精神，所以盎格魯撒遜人，也便成了「新民」理想的一個最具體的目標。

第三：這一「新民」理想，是以達爾文的物競天擇學說爲最後動力。由於梁啓超看到中國社會，數千年如一日，根本缺之一種刺激社會進步的動力，所以要想實現「新民」理想，絕不能單憑說教與空想，而應在中國這一死寂的沼池中，投下一顆巨石，轟然一擊，以作不斷進步的推動力量。而對中國傳統的這種轟然一擊，沒有何種學說再比達爾文主義更好更合適。

第四：也就是最主要的一點，在梁啓超看來，決定一個國家命運的，并不是少數的領導階層人物，而是全國大多數國民。假若一個國家的大多數國民都非常健全，這個國家的領導階層，也便不會太差，即令這種領導階層出現少數敗類，也能迅速獲得糾正。反之，假若一個國家的大多數國民不健全，沒有足夠水準，則領導階層的善良者將無濟於事，邪惡者將肆無忌憚。所以惟有「新民」才能補救這一缺陷。（完）

三國奇士傳之七

善相奇士朱建平

周燕謀

朱建平，沛國人也。三國志列傳唯名者，惟建平一人，傳不書字，當以字行。善相人之術，聞於閭巷，效驗甚著。曹操自爲魏公時，聞其名而召之爲郎。

魏文帝（丕）爲五官中郎將，某日宴客，三十餘官公侍在座。文帝召建平相其壽幾何，又令徧相衆賓客。建平相丕曰：「將軍當壽八十。至四十時，當有小厄，願謹護之。」後黃初七年，丕正四十歲，因病困。丕謂左右曰：「建平所言八十，謂連晝夜也。吾其死矣！」不久果崩。建平所相，與高元呂所相文帝不謀而同，此亦怪哉！（高元呂事，在文帝紀卷首註引魏略）

建平相夏侯威曰：「君年至四十九，位爲州牧，而當有厄。若得過，可壽七十，致位公輔」。夏侯威後爲兗州刺史，時年四十九，十二月上旬得疾。念建平之言，自知必危，豫作遺令及送葬之備。至十二月下旬，病復稍癒。三十日日昃，請紀綱大吏設酒曰：「吾所苦病已漸平，明日雞鳴，年便五十，建平之戒，眞必過矣。」威罷客之後，合瞑疾動，夜半遂死。

又相應璩曰：「君年六十二，位可常伯，而當有厄。先此一年，當獨見一白狗，而旁人不見也。」應璩後爲侍中，年六十一，於直省內見一白狗，問之，衆人均無所見者。乃服建平之相，於是頻宴衆會，游觀田里，飲宴自娛。過期一年，六十二卒。果如建平相所言。

建平相曹彪曰：「君據藩國，年五十七當厄於兵，宜善防之。」後曹彪封楚王，與王淩通謀反抗司馬氏，而令賜死。果如建平所言。

建平又善相馬。時曹丕將出取馬，建平外入遇之曰：「此馬之相，今日必死矣！」文帝將乘馬出，馬惡其衣香，驚齧文帝之膝，帝大怒斬之，果如建平言。異哉！

陳壽朱建平傳，言「建平黃初中卒。」是所相之人，皆後建平而卒。其所相於先，後陳壽追述之耳！

初穎川荀攸與鍾繇相友善，建平相之曰：「荀君雖少於君，當以後付鍾君」。鍾繇調荀攸曰：「惟當嫁君阿騖耳！」阿騖者，攸之妾也。後荀攸於建安十九年卒，年五十七。其子尚幼。鍾繇財做家僮，欲嫁其妾阿騖，使得善處。鍾繇追思朱建平之言曰：「建平之妙，雖唐舉、許負何以復加也。」

（謀按：唐舉相李兌和蔡澤事見史記蔡澤傳。又見荀子非相篇曰：「今之世梁，有唐舉相人之形狀顏色，而知其吉凶妖祥，世俗稱之，古之無有也。」許負漢人，相周亞夫當餓死者。史記絳侯世家：「周亞夫自未侯爲河內守時，許負相之曰：『君後三歲而侯，侯八歲爲將相，持國秉貴重矣，於人臣無兩。其後九歲，君當餓死。』後果如許負所言。懷慶府志：「許負河內溫人，善相人。所著有『德器歌』、『五官雜論』、『聽聲相形』等篇。」劉知幾史通曰：「許負相經，當時所興見傳流俗」。朱建平善相，當有所本矣。

中國女性文藝春秋

周遊

魚玄機的愛人也很多，如李子安、溫飛卿、李近仁……等，都和她發生過戀愛關係。同巷有李郢（字端公）者，因居處隣近，詩簡往返無虛日。她的集中，寄李子安的詩最多，而且感情也特別的要好，下錄二首品嘗其味吧！

春情寄子安

山路欹斜石磴危，不愁行苦苦相思。冰銷遠澗憐清韻，雪遠寒峯想玉姿。莫聽凡歌春病酒，休招閑客夜貪碁。如松匪石盟長在，比翼連襟會肯遲。雖恨獨行冬盡日，終期相見月圓時。別君何物堪持贈，淚落晴光一首詩。

寄子安

醉別千巵不浣愁，離腸百結解無由。蕙蘭銷歇歸春圃，楊柳東西絆客舟。聚散已悲雲不定，恩情須學水長流。有花時節知難遇，未肯厭厭醉玉樓。

她和溫飛卿的交情多半爲文字之交，從她的「冬夜寄溫飛卿」詩便知。

苦思搜詩燈下吟，不眠長夜怕寒衾。滿庭木葉愁風起，透幌紗窗惜月沉。疏散未閑終遂願，盛衰空見本來心。幽棲莫定梧桐處，暮雀啾啾空繞林。

她和李近仁的交情，卻恰似娼妓之與狎客，我們從她對他的稱呼上可以看得出來。「迎李近仁員外詩」就是證據：「今日喜時聞喜鵲，昨宵燈下拜燈花。焚香出戶迎潘岳，不羨牽牛織女家。」

李郢和她是「住處雖同巷，經年不一過」的詩友，但他雖「流水無情」，她卻「落花有意」。她的「聞李端公垂釣回寄贈」云：「無限荷花染暑衣，阮郎何處弄舟歸？自慚不及鴛鴦侶，猶得雙雙近釣磯」。

她對待文士特別多情，對同道則是另一副面目。她是女道士，當然和道士有交往，在她集中也有幾首贈給道流的詩，不妨引一首來看便知。如「訪趙鍊師不遇」云：「何處同仙侶，青衣獨在家。暖爐留煮藥，隣院爲煎茶。畫壁燈光暗，幡竿日影斜。歷觀重回首，牆外數枝花。」這全是說的行家話了。

她既不是一位大家深藏的閨秀千金，而她的志願也想作豪邁的浪客，一有機會，自然遨遊名山大川。古代文學家都有此愛好，也許遊山玩水是文學家必修的科目了。從她的「江陵愁望寄子安」、「江行」、「過鄂州」、「隔漢江寄子安」四詩觀察，可知她曾到過湖北。鸚鵡州上的芳草，黃鶴樓頭的夕陽，都曾作了她的詩料。從她的「浣紗廟」一詩觀察，她也曾順江而下，到過「春滿人間」的江南。在集中大多是抒情詩，只有上述幾首是寫風物的作品，懷古的深情，另有一種神韻。她的「夏日山居」云：「移得仙居此地來，花叢踏遍不曾栽。庭前亞樹張衣桁，坐上新泉泛酒杯。軒檻暗傳深竹徑，綺羅長擁亂書堆。閒乘畫舫吟明月，信任輕風吹却回。」綜觀這一段生活情景，她的志願十分已遂了九分，她也值得自豪了。她的女道士生活看來是非常愜意的，可是上帝卻賦予她悲慘的結局。

她有一個女侍名綠翹，生得聰明艷麗。有一天，玄機被隣院相邀，到晚方回。（四十一）

無奇不有的婚禮

·明然·

那位婚姻註冊官極力的站得挺直，以主持這項神聖的婚禮，可是由於他只穿着腰布，有力不從心之感。事實上，一雙新人身上所穿的衣服，比他更少。

在禮堂裏，二百名的男女嘉賓，喜氣洋溢的喝着香檳酒。他們也是赤身露體，可是他們言笑晏晏，完全沒有一絲兒尷尬和羞怯的樣子。

原來這些人全是天體會的會員；他們的會員結婚，也要在裸體中，舉行儀式。

然而這項儀式卻難爲了新聞記者，他們不知把記事部擺在那裏才對。這項裸體的婚禮當然是新奇而香艷。目前，許多男女愛好刺激新奇，至於是否合乎道德，那可不予計較的。他們對於保守的傳統的結婚儀式感到絕不滿意，他們希望在自己的大日子中好好的作驚世之舉，進行與別不同的婚禮。

像紐約的「嘻皮」在中央公園裏舉行婚禮，在同一的婚禮中，九雙新人一同宣誓。警員賴富．威敬士，是英國告那西倫斯德市人，他在舉行婚禮時，到聖堂的門前時，他拿出手把新娘希芙德雙手扣上；這位新娘和新郎是青梅竹馬，在學生時，他們已經種下情根了。

做新郎的賴富．威敬士說：「它隨了我許多年，但現在你也不准逃避的。」

許多婚禮，都是和他們相遇的情境或本身的職業有關的：有些男女是在游泳池邂逅，有些則在飛機場上結識，他們總要堅持在他們底愛情策源地舉行婚禮的。

本來學校並非舉行羅曼蒂克的婚禮的地方，但是假如新娘過去是在一間學校裏的學生，後來跟一位初出茅廬而幹教師的年輕男子結識，深墮愛河，彼此結婚時，於是他們便在學校裏舉行婚禮。

像高里伯爵和他底新娘仙杜麗冰莉，選擇在告羅士打郡的夏德立女子學校舉行婚禮，就是這個原因了。

十八歲的馬嘉烈．梅域，是比里康郡辛尼橋市人，她在一個運動場裏邂逅丈夫凌里維斯的，所以她堅持要乘她底馬兒「茱地」急跑三哩到教堂去舉行婚禮。跟她在一起的，是護送她的父親及兩名女嬪相，但他和她們，都穿上馬褲，蘇格蘭呢絨外套及天鵝絨喼帽子。

在婚禮之後，在教堂的四周都揚着狩獵時獵犬的嗾吠聲，及狩獵的號角。婚禮的酒會，則在狩獵會舉行，每一個人，包括新娘新郎，都騎着馬喝。

馬莉雅德歷茜凌娜杜，穿着釘鞋爬到一萬六千呎的高山上舉行她的婚禮。

她在意大利加入爬山俱樂部之後，她和爬山教師發生情愫，他向她求婚時，她提議要在山頂上舉行他們的婚禮。（上）

海嘯樓談薈

俄帝侵佔外蒙紀要（下）

諸葛文侯

民國卅四年八月日本宣告無條件投降後，蘇俄軍隊已進入我東三省地區，政府知道戰後的東北問題很重大，急派外交部長宋子文赴莫斯科談判中俄友好事宜，另有蔣經國先生奉命同去，這時候雅爾達密約尚未公佈。據蔣氏回憶錄所述經過情形如次：

宋、蔣二人在克里姆林宮初次晤見史達林之際，談到調整邦交問題，史達林拿着一張紙向宋氏面前一擲道：「你看過這東西沒有？」宋氏揣知是雅爾達密約，答言只知其大概而已。史謂：「你談問題是可以的，但只能拿這個東西作根據，這是羅斯福簽過字的！」

態度橫傲非常。洎後彼此談到實質問題如旅順大連由蘇俄「租借」，如外蒙古獨立自主等項，曾發生激烈爭論，史達林對於旅、大問題，表示有商量餘地，唯對外蒙古獨立一項，堅持己見，絲毫不肯讓步，祇教宋氏答以「也是」或「諾」，其他免開尊口，情形極其尷尬。於是，蔣經國先生乃單獨謁見史達林，用俄語懇談，試探史魔的眞正意旨。這一幕外交活動情節，相當精采。

史魔先對蔣氏聲明「我不把你當作一個外交人員來談話」，表示親切狀態。史魔談到外蒙古問題，史即詰言：「你們對外蒙古爲甚末堅持不讓它獨立？」蔣氏答以吾國抗戰八年，爲的就是要保全東北領土，如今抗戰勝利了，政府反而喪失國土，全國人民殊無詞以對，這種苦衷，希望您老能夠諒解爲幸。史謂：「你要曉得，今天並不是我要你來幫忙，而是你要我幫忙；倘使你本國有力量，自己可以打日本，我自然不會提出要求。如今你沒有這個力量，還要講這些話，那就等於廢話！」詞氣咄咄逼人，無可理喻。蔣氏又將外蒙古地區廣瘠而人口稀少的事實說明，認爲蘇俄控制了外蒙，只是增加負担，毫無利益可圖，何必堅持「獨立」主張呢？史謂：「老實告訴你，我之所以要外蒙古，完全是站在軍事的戰略觀點而需要這塊地方的。「倘使有一個軍事力量，從外蒙向蘇聯進攻，西北利亞鐵道一被截斷，俄國就完了！」最後他乾脆表明態度說：「我非把外蒙拿過來不可」，用意就是害怕美國勢力進入我東北地區。他特別告語蔣氏：「美國人想要利用中國作爲滿足他的利益的工具，他在必要時，是會犧牲你們的！」又說：「蘇聯並不反對中國和美國建立關係，因爲美國亦可能幫助中國作經濟上的建設，但是，希望你們千萬不要信賴他！」宋、蔣此行的主要任務，原係在維護領土主權之原則下，建立中俄邦交，簽訂「中蘇友好條約」，蘇俄對外蒙古問題既無談判餘地，僅將旅順大連問題商得原則上的結論而已。二人祇好鎩羽而歸，然美國當局非要我們委曲求全不可。

宋子文自莫斯科黯然回到重慶後，深感對俄外交棘手，煩悶之至。一夕與家屬聚餐時，鼎鼎大名的孔二小姐和宋氏的機要秘書某君亦在座，宋談到承認外蒙獨立的「中蘇友好條約」這回事，慨然說道：「這條約我是不願意簽署的，否則連後代子孫都要挨受全國人的唾罵。可是，身任外交部長，又怎能置身事外呢？眞糟糕！」孔二小姐說道：「舅舅如果不想負簽約之責，那很簡單，把外交部長辭掉就得了。想作外交部長的人，有的是，舅舅何必發愁呢！」宋氏聞之頓現喜色，答以「對！就這末辦。」這段情形是某秘書告訴我的，自然不假。迨「中蘇友好條約」簽訂後，外蒙古人民還經過一場「公民投票」以決定獨立的把戲，後來又由美國在聯合國會議中，導演邀約「外蒙古人民共和國」入會的滑稽劇，完成了美國替我們越俎代庖，斷送外蒙領土的應有手續，阿門！

（完）

穗城掌故

周館和鄧館的誤會

—李鴻洸—

翌日區志登返回鄧館向各師兄弟報告。各師兄弟聞知，以周館門徒張大元謬妄至此，竟敢在周館裏拿出雙刀，欺壓鄧館門徒，區志登且毆至遍體傷痕，遂不値其所爲，於是一連廿足五十個人，聲勢洶洶，手持武器，一直走入周館，把所有傢俬器具，鏡，畫，周標師大相，及關帝公等，全部毀爛。此事在一般人看來，恐不久必有一場大禍也。

迨龍母誕完畢，周標師傅返廣州，獲知此事，祇有忍氣吞聲，絕不以爲意。說者謂教頭修養，應要這樣，方能令人佩服也。有一日，周標往第十甫蓮香茶樓品茗，忽遇警務處的探長李彥貞先生，李彥貞呼之曰：「周師傅！」周標旋即答之曰：「我呢個是剃頭師傅耳。請你到我周館睇吓，全部什物傢俬，已爲鄧館師兄弟們所搗毀了。」彥貞聽之曰：「你和鄧芳師傅，同屬有名教頭，且早成莫逆之交，現在不過因小子無知，致有風波誤會，這些損失，不過千餘元，我願作魯仲連，由我補回周館作罷。」當時這事傳出，廣州社會人士，傳爲美談，咸謂李彥貞探長，係一位息事寧人的和平使者也。不及一週，而鄧芳師傅亦由桂林返穗，聞知此事，立往見李探長，拱手致謝。是晚，由李探長出資擺和頭酒，請鄧芳、周標兩位師傅，並邀區志登、張大元兩人作陪，席間由兩位師傅大加責備一番，繼而以和顏悅色的口吻，悉心教訓一頓。從此廣州市武林門戶之風，遂告絕跡，或謂廣州大城，不愧爲一個文明都市焉。（下）

三國后妃群相

河漢

他死了之後，在陰曹地府是否與甄后來個夫妻相會，自然無人知道，可是在他死後升爲太后的郭后，雖則從未遭遇甄后鬼魂的報復，卻遭遇了曹丕與甄后生養的兒子曹叡的報復。

曹叡在他父親嚥氣之後，對於他的親生母怎樣死法，他雖然不一定目擊，但不會不清楚知道。他抄襲了他父親的手法，也用一條三尺長的白綾絞了她的頸項；他抄襲了她的手法，也拆散了她的頭髮披蓋了她的臉面，也用麥糠塞滿她的嘴巴。「六債月，還得快！」種瓜得瓜，種豆得豆，像這類血債血償的例子，歷史上多得無法計數。如果說歷史是一面鏡子，可惜的是英雄們不到末路，從來不肯去照一照這面鏡子。

曹叡爲他的親生母復了仇，但他的下場並未給他自己以任何教育。他的正妻毛皇后，結果也和他的母親甄后一樣，是爲了他有了新寵郭貴妃，喜新厭舊，平白無故地將她殺害了。毛皇后被殺害的原因，簡單得完全不近人情，僅是爲了曹叡與郭貴人在後花園尋歡作樂，毛皇后在第二天問起：「昨日遊宴北園樂乎？」曹叡認爲她在刺探他的秘密，竟然毫不顧念「一夜夫妻百夜恩」，雙眉豎起，大發雷霆，下令將皇后賜死。毛皇后死了，郭皇后登場；曹叡死了，她老而不死，成爲徒有其表的曹氏王朝的象徵式人物。鍾會在蜀漢投降後於成都發動反司馬集團的軍事叛變，便假借奉有郭太后的詔命的名義進行。因此郭太后長期處在司馬集團的監視管制下，過着毫無自由的黯淡生活，直到老死。

劉備對於妻妾的態度，比起他的敵人曹家祖孫來，寬大得多；其漫不經心，毫不在乎的程度，也遠在曹孫兩家之上。在他未割據四川稱王稱帝以前，長期過着逢戰必敗，到處流亡的日子，因此在每一次失敗的戰爭中，他總是拋棄一批妻妾，然後又在勉強可以透一口氣的時候，又重新弄進一批妻妾。但劉備對於妻妾似乎只要她們是個女人，對她們的容貌好像不大講究，否則他在徐州丟棄的一批妻妾，到了一遇見女人，見一個愛一個的曹操手中，曹操不至會違反由來已久的習慣，不向床上放落，而聽任她們另居的。也許正爲了如此，劉備才會氣量寬大，才會漫不經心與毫不在乎罷。

在他以租借方式據有荆州的一部份地盤的時候，因爲正失了又一批妻妾，居然以王老五的身份，正式與正當妙齡的孫權的妹妹結婚。孫夫人的長嫂大喬雖然是出色的美女，但這個小姑想來不見得會如花似玉，因爲所有的記載，只提到她會使槍弄棒，卻一點也不提到她的容貌，足見她的容貌一無使人可以恭維的條件。不過他們是老夫少妻，按理劉備會對孫家小妹份外憐惜，兩情濃得化不開的了，然而不然，孫夫人似乎對於嫁給這個老丈夫滿懷委屈，不大肯像小鳥似地宛轉投懷。（五）

英鎊貶值談古

○曾勝生○

英鎊，經工黨政府咸爾遜首相，數年來想盡辦法，用盡腦筋，挹彼注此，屢經掙扎，數度挽救，終於不得不繼第一次於一九三一年，由一比五美元貶爲一比四點〇三；第二次又於一九四九年，由一比四點〇三美元，貶爲一比二點八之後；復於上月十八日第三次貶値，再由一比二點八美元，貶爲一比二點四。三十六年中三次貶値，由一比五美元，降爲一比二點四美元，貶低了二點六，也就是今天一英鎊，比三十六年前降低了幣値一倍强。

三次貶値年期，都是每隔十八年一次。三次貶値，適亦和中國的外患內亂，息息相關：一九三一年是中華民國二十年，那年日本軍閥由關東軍司令本莊繁發動砲轟北大營，强佔我東三省，造成「九、一八」事變。第二次一九四九年是中華民國三十八年，共產黨橫渡長江，佔領京、滬、穗、渝，國民政府倉皇辭廟，大陸盡陷。今年第三次是中華民國五十六年，毛澤東、林彪在中國大陸發動「文化大革命」，興風作浪，拼劉少奇，鄧小平、彭眞；左仔暴徒，在港九殺人縱火，鬧得天翻地覆，天怒人怨。中國自一八三七年英女皇維多利亞即位後一年，清宣宗即於道光十八年派林則徐赴廣東查辦海口禁烟事宜，而發生了中英交涉迄今，也已經有了一百三十年的歷史。英鎊貶値，港幣同時跟進，並不是香港經濟不景，通貨膨脹；相反的香港經濟十分景氣，通貨現鈔時現求過於供。「城門失火，殃及池魚」，港幣貶値，完全受的無妄之災。使得多存有港幣的市民，一夜之間，財產打了個八五折，十元變成了八元五角，百元變了八十五元，一夢醒來，靑蚨飛去。

我們中華民國的改革幣制，實施法幣政策，也是由英帝國「借箸代籌」的。一九三五——民國二十四年十一月四日，我國民政府因英駐華公使賈德幹之介，聘請李滋羅斯爵士來華，楚才晉用代國民政府設計將白銀收歸國有，實施統一發行，創立法幣，以法幣爲通貨，規定每百元幣爲三十三美元（黑市初爲二十九元六角五分；每元法幣折合英鎊一先令二便士半。（上）

內警台誌字第〇三二一號內銷證

自由報

FREE

第一六八一期

中華民國僑務委員會登記證 台僑新字第三三三三號登記證
中華郵政台字第一二八二號執照登記爲第一類新聞紙類
（半週刊每星期三、六出版）
每份港幣壹角
台灣零售每份新台幣貳元
社長：雷嘯岑
督印人：黃行曾
社址：香港銅鑼灣高士威道二十號四樓
20, CAUSEWAY RD 3RD FL. HONG KONG
TEL. 771726　電報掛號：7191
承印者：大同印務公司
地址：香港北角和富道九六號
台灣分社
台北市西寧南路一號二樓
電話：二三〇三四六
台郵發儲金戶九二二三

正視中共核子武力的進展（上）

——從美國建立反飛彈系統說起——

郭甄泰

美國對於中共的核子發展，向不重視，亦未有積極應付的對策，但本年九月十七日美國國防部長麥納瑪拉忽然在舊金山對五百名記者發表演說：『美國已決定建立一項經費五十億美元的反彈道飛彈系統，以防衛任何中共的瘋狂核子攻擊』。『美國的能力不僅可摧毀中共的核子攻擊力量，而且可摧毀其整個社會，假如中共向美國發動核子攻擊，中共便是瘋狂。但中共也可能自不量力』。『建立反洲際彈道飛彈防綫的目的，在防阻中共的攻擊，同時保護美國免受任何偶發的新攻擊飛彈的襲擊，並且防衛美國的一千枚義勇兵洲際彈導飛彈。』『經過仔細研討之後，我們已決定進行此一以中共爲對象的反彈道飛彈部署，部署工作將在年底以前開始』。說明已對中共之核子武力予以正視，並正在大規模的亟謀對策，在我們看過了這項報導以後，發生了二項疑問：第一、美國反洲際彈道防綫的目的，係爲防俄，抑眞爲防止中共的攻擊？第二、美國對於亞洲各有防衛協定的國家，在受中共核子武力威脅時，如何實行其防衛承諾？

一、美國反飛彈系統之目標何在？

據英國權威性的戰略研究所報告：『美國擁有洲際飛彈一千零五十四枚，義勇兵一千枚，太陽神二號五十四枚，裝備在四十一艘潛艇上的北極星飛彈六百五十六枚，長程轟炸機五百二十架，中程轟炸機七十五架。』現在美國復又開始建立另外一種攻勢五年計劃，着重兩種飛彈，其一爲義勇兵三號洲際飛彈六百枚，射程六千三百哩，每枚可載三枚核子彈頭，共有核子彈頭一千八百個。其二爲海神飛彈，射程二千五百哩，每枚可載十個核子彈頭，預定將現在之四十一艘北極星飛彈核子潛艇改裝三十一艘，每艘載十六枚海神飛彈，共有飛彈四百九十六枚，核子彈頭四千九百六十個。另合其他義勇兵二號洲際飛彈四百枚，核子彈頭四百枚，北極星潛艇十艘，核子彈頭一百六十個計之，共有核子彈頭七千三百二十個。現在美國國防部已下令以三十三億美金發展與佈署海神飛彈，預定在一九七二年以前裝置此種飛彈於核子潛艇。此外並以（一）四億美金增加義勇兵三號飛彈携帶更多的穿透輔助品的能力，（二）在今後五年內投資數十億美金完成新式的義勇兵飛彈。（三）修改義勇兵與北極星飛彈的彈頭，以避免蘇俄反飛彈系統「X光效果」的透視。由此可知美國之核子武力極強大，不特數量多，而且日在改進，隨時可以毀滅蘇俄。現在美國北極星潛艇遍佈蘇俄四週，蘇俄縱先下手，亦將招致美國決定性的打擊。其次莫斯科周圍的反飛彈系統，並非一個現代化完整的系統，至於其他列寧格勒等地反飛彈系統，更等而下之，毋待多說了。蘇俄戰略飛彈指揮司令部總司令克拉洛夫稱：『敵人如果膽敢施放飛彈，我們是無法抵禦的。』麥納瑪拉說：『蘇俄的反彈道飛彈系統，對美國大規模破壞蘇俄的能力，並不構成任何威脅』。如此說，美國洲際飛彈系統對於「恐怖均衡」之「核子僵局」，又尚未發生重大影響，則其對於美國自勢不敢冒然挑戰實屬顯而易見。最後就美國之反彈道飛彈系統言，欲全面防禦蘇俄之飛彈攻擊，至少需要十年的時間，並約需四百億美元的費用，麥氏所宣佈之反飛彈系統，僅以五十億美元，建立一項「稀薄的反飛彈系統」，以之防範蘇俄四百餘枚之長程飛彈，實感不足遠甚。基此可知麥氏所說的「……旨在防止中共的攻擊」，確爲實話，並非聲東擊西，旨在防俄。再就中共的核子武力言，現在中共的核子武力，已有驚人之進展，據今年八月英國戰略研究所報告：『……原子彈三十枚……中共擁有……』。次就其發射系統言，美國參衆兩院聯合原子能委員會估計：『一九七〇年代初期向美國發射一低等級的氫彈。』美國原子能委員會主席說：『中共現有一套發射系統，能將一個粗製核子裝置發射至諸如越南的鄰近地區……中共到一九七〇年後，能將一枚洲際飛彈發射到美國本土。』麥納瑪拉於去年十二月十五日在北約組織部長會中說：『中共能在一九六七年有中程飛彈，』中共有一艘彈道飛彈潛艇可於一九六七—六八年間裝備上彈道飛彈。又據去年十月倫敦方面所得的消息：「中共可望於五年內擁有作戰的中程飛彈，在七十年代初期將有洲際飛彈攻擊美國，毛澤東的迫切目標是發展射程八百至一千英哩的中程飛彈，這飛彈可能於一九七〇年初可以使用，現在正試驗五百至七百英哩射程的火箭」。由此可知中共的核子武力，在四五年後，即能威脅美國本土之說，並非危言聳聽。最後就其威脅的目標言，中共發展飛彈的目標，當然爲美國，中共對其鄰邦，無須使用飛彈來輸送原子彈，用飛機或其他的傳統方法便足夠了。華盛頓州的參議員傑克遜說：「中共是有潛艇的，這雖然不是核潛，但不能否認有開到美國西岸的能力。既能開到美國西岸，就可以把原子彈或核彈輸送到美國本土來」。陳毅在「巴西」日報的訪問報導中亦說：「假使美國對中共發動核子攻擊，中共的核子彈即可摧毀像紐約與芝加哥之類的美國城市。加中共準備好對付任何美國可能在蘇俄協助之下所掀起的核子戰爭。」中共既有原子彈，有發射系統，又有飛彈潛艇，因之即使在現在，亦並非不能威脅美國。美國自今年年底起開始建立反彈道飛彈系統，防止中共核子攻擊，自不得謂非一項切要之圖。

二、美國在遠東對中共核子武力之佈署

中共目前每月有生產兩個分裂彈的能力，此分裂彈可以用作融合彈的發火帽。此項融合彈能毀滅二百方哩面積內的一切東西，並且能藉原子塵殺死範圍之外的數百萬人。

和平之神要哭了！

好一個計時炸彈

今日與明日

鬧劇、笑料

毛共僞政權成立十八年來，所製造的鬧劇與笑話不計其數，但是其中也有分別，大抵在初開鑼時，雖然笑話源源而來，但畢竟還有點實際材料，以後大概是正本戲唱完，添了一些插科打諢，已近尾聲，於是就顯得不成笑話，使人笑都笑不出了。

最無聊的是最近林彪在海軍什麼會議上，寫下了「大海航行靠舵手，幹革命靠毛澤東思想」十六個字，這本來是在大陸唸臭了的咒語，毫無新奇之處，不料竟被共軍當作喜事來慶祝，到處打鑼打鼓報喜，老實講，像這種樣的鬧劇，觀衆無論如何也提不起興趣了。

林彪題字，題了人人常唸的咒語，究竟怎樣算了喜事，在我們看來眞是無法索解。假如說林彪也跟毛澤東一樣，半身不遂已經不能寫字，此時突然能寫出十六個字來，證明手已復元，則共軍爲了關心林彪，舉行一次慶祝也還可說，但事實並非如此。因爲在電影上看到林彪雖然面色蒼白比死人還要貧血，但兩隻手却是靈活的，則半身不遂之說自不能成立。另一個可能是林彪與毛澤東已公開決裂，在大陸尤其在軍中鬧，已成公開秘密，毛林和好讚揚毛澤東思想，則毛共軍政幹部作一次擴大慶祝，也是應份的事。可是，我們所見到的材料，均未聽說林彪與毛澤東公開決裂，而有反毛意圖，則此說又不能成立。

剩下的唯一原因就是林彪拍毛澤東的馬屁，各級頭目又拍林彪的馬屁，層層相拍，於是形成一種運動，而不自知其醜。嚴格說起來完全是一套無聊的行動，在僞政權初成立，尚無此種笑話，由此可見中共已日薄崦嵫，無論如何一九六八年大概是最後一年了。

澳洲聯大代表之言

雖然毛僞政權已成風前之燭，但是國際上仍然有一批政客在爲毛共捧場，例如此次聯大有一批國家投票贊成毛僞政權入聯合國即是一證。這批國家中，有些是拉攏毛共以壯聲勢如法國，有些則是寡廉鮮恥的姑息如印度。筆者在本欄早就斷定，雖然印軍在邊境被毛軍整批槍殺，印度駐北平使館人員被打得遍體鱗傷，但印度必然要投票讓毛政權入聯，今果然言中。

在舉世昏昏中，澳洲代表發表了一篇名言，他說：「如果我們要邀請中共政權參加聯合國，邀請誰呢？」一語破的，群丑披靡。觀乎林彪題字的大吹大擂，益覺得澳洲代表之言，不可及了。（何如）

見小而遺大

自由談

台中市長張啓仲因購買學校掛圖案，對簿公庭，被判無罪，解除刑責後，中央公務員懲戒委員會又根據監察院的彈劾案，議決予以撤職，併停止任用一年的行政處分。台灣各界人士，對此議論紛紜，各有所見，孰是孰非，說來徒亂人意，但我因此而引起了一些題外的感想。

咱們國家的現行法令，實係集革命時期、訓政時期、抗戰時期、戡亂時期的各種法令之大成，論時間已歷四十年，論實質有許多已不合時宜，且與憲法精神相抵觸，卻照樣施行如故，政府不暇整理，立法機關亦熟視無睹，未能爬梳修正，恪盡職責，國家法令滋彰，人民動則得咎。官吏隨便殘民以逞，胡行妄爲，皆有法令可資依據，老百姓受了冤屈，那是律有明文，應毋庸議！

等由准此，像懲戒委員會對於懲處公務人員案件，一經多數決議即成鐵案的法規，其權威超過法院若干倍，有若十六七世紀的宗教法庭然，這是否有改革修正之必要，似乎值得研究。若就現行「公懲會」的法定權力而言，它對張啓仲市長的處分，當然於法有據，未可厚非。

也有人就「政權」與「治權」的義理，以衡量法令行使之得失，這更難免陷於纏夾二的聚訟之中。譬如立監委員是民選的，他們的職責，原係代表人民行使政權。可是，就國家的五權政制說，立監兩院與行政、司法、考試各院，都屬政府組織體系之一環，也可視爲治權機關，然則公務員懲戒委員會豈不是亦有權對立監委員作行政處分乎？

千言萬語皆難得要領，癥結就在法令多如牛毛，內容不相貫通，訓政與憲政併行，平時與戰時不分，革命與民主對立。這種大經大法的基本問題不先作合理的調整，政治上更重大的疑難爭議，所在多有，隨時發生，張啓仲事件，乃其小焉者，何足道哉！

馬五先生

神農五號放射成功 登月夢想更近事實

（紐約航訊）美國農神五號火箭放射成功，及「測量者」太空船安全降落月球，使人類登月的夢想更進一步的接近了事實。

農神五號火箭具有一億七千萬匹馬力的衝力，重六百二十萬磅，高比三十六層樓，爆發之時，使整個「月港」甘廼迪角地動山搖。裝於頂端用作登月的阿波羅太空船，被射入離地一萬一千二百八十九哩的高空，繞地飛行八小時三十分，完成各種預定的運行任務後，在預定的目標十哩之內降落。

在同一天，「測量者」六號太空船飛抵月球，在預定的目標三哩內降落，其以無綫電播至地面的照片淸晰無比。

這兩項工作均係爲登月鋪路。科學家所預定的路綫：以農神五號火箭將三人乘坐的母子兩部阿波羅太空船射入太空，先繞地球的軌道運行，再進入繞月球運行的軌道，在繞月運行時，有兩位太空人乘坐的子船飛離母船，在月球降落；母船中的一位太空人繼續繞月運行，待子船在月球的工作完成後飛回母船，再進入繞地運行的軌道回返地球。全部旅程需八日之久。

欲完成此一飛行，首先需要一三級巨型火箭（即農神五號），其衝力足以將二十八萬五千磅的物體射入地球軌道，再自地球軌道中將九萬五千磅至十萬磅的物體射入月球軌道。農神五號火箭的試射成功，此一問題已圓滿解決。

其次是阿波羅太空船的製造。此船不但須具有子母兩部，其本身亦須裝有火箭動力，以便飛往月球，工作完畢後再自月球飛回母船。母子兩船中，均須有萬無一失的通訊設備，不但用作兩船分合時的聯繫，更用作整個太空船與地面的聯絡。地球表面須遍設十六座巨型天綫，五艘追踪船及八架通訊聯絡飛機。

此外由於阿波羅太空船降落時速約二萬五千哩，其與空氣摩擦所發的熱度高達華氏五千度，其表面必須裝有可耐高熱的防禦殼。

這個登月工程耗資二百三十億美元，動員了三十萬科學技術專家，參與研究設計製造的工廠、研究院及大學，有兩萬餘所。

此次農神五號放射成功之前，雙子星太空船的飛行，已證明太空人可在太空續航八日甚至十日。此次農神五號火箭射出的阿波羅太空船雖無太空人乘坐其中，但其繞地八小時三十五分的飛行已證實下列數點：一、農神五號火箭的衝力可用作登月而有餘。二、放射工作配合嚴密，進程絲毫不差。三、第三級火箭可在繞地球運行的軌道中發射，將阿波羅太空船射入繞月軌道。四、裝置於阿波羅太空船本身即子船，用以往返月球的火箭，其發動關閉及再發動等動作操縱自如。五、阿波羅太空船外殼的裝置，足以抗拒下降時與空氣摩擦所造成的高熱。

農神五號試射的成功，證明美國在太空科學發展中已居於無可置疑的領先地位。在近年來的美俄太空發展競爭中，美方雖在許多方面較蘇俄進步，但在火箭的衝力上，始終落後。如今農神五號的力量已遠超過蘇俄。蘇俄火箭最大的衝力，可將重約四萬至六萬磅的物體射入地球軌道，農神五號的衝力可能射出的重量已達二十八萬五千磅。此一事實使人相信，第一個登上月球的，勢將爲美國太空人。

本年一月，美國在地面實驗阿波羅太空船時，因火災而致三位太空人的死難，此一意外對美國太空發展的精神打擊甚大。這次接連而來的偉大成功，使人心再度振奮。阿波羅工程的負責人費力甫少將說：「我們現在又開始大步邁進。」

在整個登月計劃的進程中，還有許多重要的試驗尚待舉行。來年春天將作登月飛行中的全套儀器試驗，夏天將由小型農神一號火箭首次放射乘有太空人的阿波羅太空船，繞地運行。以農神五號火箭放射乘有太空人的阿波羅太空船之前，尚有兩次無人試射，待其與地面的聯絡網完全建立之後，再由太空人乘坐其中。

正式登月之前，太空人將經過四次試驗放射。正式登月的時間，預定爲一九六九年。

五十年來國際共產黨和毛共企圖毀滅 中國民族文化的大陰謀（八）

何浩若

這些情形可以說明現在費正清和他的同路人，就和十七年前陰謀顛覆中國大陸一樣，仍然在陰謀顛覆台灣。奇怪的是我們爲什麼要招待這樣的考察團，還供給他們的材料，使他們成爲未來的中國專家，和費正清一樣，來攻擊我們自由中國呢？要知道費正清是現在美國碩果僅存的太平洋協會的餘孽。把中國大陸送給共匪，據美國國會調查，就是太平洋協會的陰謀所促成的。

（四）駁斥所謂費正清思想大轉變的胡說

現在筆者要報導一點最近在自由中國所發生的有關費正清的一個新陰謀。費正清在台灣有許多朋友，有太平洋協會中國分會時代的老朋友，有他幾次被請到台灣來用大額的獎學金所交的新朋友。他的朋友從前在自由中國半月刊和文星雜誌寫文章附和他，進行一些不可告人的陰謀。現在自由中國半月刊和文星雜誌都被政府查封了。但是費正清朋友仍然還在。這些人，祇要有機會，便造出許多謠言來淆亂是非進行那不可避免的漸進方法的滲透。這些人並不是共產黨，也不是有意損害民族國家的利益。這些人，經過費正清的運用，就變成他魚鉤上的虫，隨時附和他來影響台灣的視聽。最近這次新的陰謀和新的醞釀，是費正清今年八月十七日在美國密西根州立大學所舉行的第廿七屆東方學者國際會議所說的幾句話所引起來的。據報紙上簡單的報導，費正清在東方學者國際會議的討論會上說：『中共和以前的秦、隋、和新莽等朝代一樣，可能於經過重訂各種典章制度的狂熱活動的一代以後，不久便絕其天命』。費正清說，中共和秦隋新莽朝代一樣可能絕其天命。他說可能，並沒有說什麼時候。他沒有說毛匪絕其天命以後的情形怎樣。他沒有說中國人民會推翻中共政權。他更沒有說他已經由親共變爲反共。至於說毛匪的政權行將崩潰他早在今年二月間便說過了。費正清在一九六六年還替紅衛兵辯護。但在今年初開始改變他對毛匪的看法，說毛匪就和秦隋的暴君一樣，也像明朝的皇帝廷杖大臣。他說江青是牝雞司晨。他說毛匪可能崩潰。但是他說毛匪垮台以後，中共能與美國和平共存。費正清說毛匪可能崩潰，並不只這一次，一九六七年七月十五日他在哈佛大學的東亞研究中心主持了一次研究會議，他在那次會議裏面也同意白金斯教授的看法說毛澤東主義已告死亡，毛匪的政權也可能崩潰。不過在這次研究會議裏，他說毛匪被推翻以後，也許會由中共的軍人起而執政，將來的執政者也許會對美國溫和些。我們認爲問題的要點不是毛匪政權的崩潰，而是誰來推翻毛匪的政權。果如費正清所講的毛匪被推翻以後，中共的第二代將可以和美國和平共存，則情形將比現在更壞。至於費正清說毛匪被推翻以後，也許會由中共軍人執政，那是他一貫的看法。他在第廿七屆東方學者國際會議閉幕以後，還用參加這個會議的學者的名義，召開了一個「反越戰座談會」，爲越共聲援，間接的還是替中共匪幫說話。他親共的態度，那裏有什麼改變呢？但是台北有些所謂學人和報紙刊物，彷彿不知道費正清早就說過毛匪可能崩潰，就憑他在八月十七日所講的幾句話，奔走相告，說費正清轉變了，不僅轉變而且是一百八十度的轉變。

有些報紙刊物還發表一些離奇怪誕的議論，說費正清痛恨紅衛兵，熱愛中國文化，並且說他主張兩個中國，是爲了維護中華民國的地位，大有聯合起來請費正清再來台灣講學以便領導自由中國的知識份子的趨勢。讀者不信，請看台灣經濟日報的報導，和聯合報的社論。費正清說毛匪可能絕其天命的談話是八月十七日發表的。八月二十二日台北經濟日報有一篇專欄報導，標題是『郭廷以說服費正清教授』。讓我們看看那篇專欄的原文：

『就在費正清教授，在美國參院外交委員會的公聽會中，發表所謂「兩個中國」的謬論之時，他對中華民國的印象和看法已有了轉變。本來，在他的印象當中，中華民國一直還是過去中國大陸時代的政府。他常感慨地對友人說，他對中華民國早已感到絕望了。無論什麼人對他稱贊台灣，費正清教授都無動于衷。由此可見，其人成見之深。四、五年以來，這位鬢髮斑白的教授，終於還是接受了中央研究院近代歷史研究所所長郭廷以的邀請，前來台灣作了一次學術性訪問，替他的一部有關近代中國的新著收集資料。他在回到哈佛大學以後，徹底地改變了對台灣的印象。因而，他在參院外交委員會公聽會中，提出「兩個中國」謬論時，一再強調說：所謂「兩個中國」的第一大前提是要維護中華民國的地位。

華裔怪傑蔡至勇 滑稽劇中見榮譽

（紐約航訊）紐約金融專欄作家協會，每年舉行一次遊藝會，演出其自編自導的滑稽短劇自娛娛人。此種短劇，內容多以當年重大財經事件爲主題，以金融界及政壇名人爲諷刺對象，謔而不虐，被諷刺的人物均應邀往觀，觀衆演員，皆大歡喜，成爲充滿數字及緊張交易的華爾街一年一度的歡樂盛事。同時由於選擇對象的原則是：人物的地位越高公司的規模成就越大所受的戲謔越多；因而被選爲開玩笑的目標，已成爲工商金融界人士所共認的最大榮譽。

本年度之遊藝會於十一月十日晚在美國飯店大舞廳舉行，觀衆千餘人，俱爲盛裝的金融界巨子；粉墨登場者，均爲金融與論界的權威。

本年度被諷刺的名人及各大公司包括詹森總統，國防部長麥納瑪拉，參議員羅拔·甘迺迪，美國銀行公會，電影製片商公會，萬國機器公司，可口可樂公司。在這一連串光榮名單中，也有一個中國人，就是華爾街的新慧星，美國曼漢頓共同基金公司的主持人蔡至勇。

扮蔡至勇一角的，是著名評論家杜奧美（Joseph J.Duome），他穿着一套中國短打，戴着一頂瓜皮帽。整個劇情是說明證券交易委員會調查各共同基金公司抽取手續費過高事件，代表全美共同基金業者有四個最大的公司。當一位頭戴皇冠，身穿紅袍，代表證券交易委員會主席的人登上金殿之後，第一個就叫曼漢頓公司的蔡至勇前來陳情。此一事實說明，蔡氏的曼漢頓基金是一個規模最大，經營最爲成功的公司，蔡氏之名，已成爲今日美國金融投資界最响亮的名子。

（又訊）此間著名之李諾耐斯（Lee Nordness）畫廊於十一月十四日起至十二月二日止，展出自台北來的青年畫家莊喆的作品十四幅。其中包括「夜影」「食火者」「青年夫婦」等抽象畫。他的作品自一九五九年起在巴黎展出後，即獲得國際間的重視。一九六六年來美，先後在賓州的匹斯堡，及米契根州的安阿堡各大城市舉行個展。其作品曾爲底特律藝術學院，克利夫蘭美術館，康耐爾大學，麻省工學院及米契根大學所收藏。對美國人的藝術欣賞了解極深的紐約米舟畫廊主人歐陽可宏夫人認爲，他是現在台灣青年一輩畫人中的傑出者，也是對中國傳統藝術有深刻認識的一位抽象派畫家。此次在美國藝術中心的紐約展出，必可使美國觀衆認識中國畫家在抽象畫方面的成就。

台北市童軍副團長 誠徵本港童軍爲友

敬啓者：

素仰貴報暢消海內外，極受各方重視。本人乃是中國童子軍台北市第一二一團副團長兼教練，今年十八歲，愛好一切青年活動，尤以露營、集郵、新聞、航海、土風舞爲最。今願以至誠之心徵海外（香港）青年男女童子軍爲朋友，以實踐童軍精神「四海一家」。

敬煩貴報協助，假一角地位，刊登本函。

頌祝

大祺！

中國童子劉錦源敬上

一九六七、一二、一

地址：台灣省台北縣永和鎮復興街九十八巷八號

看美俄核子雙簧的演出

·祁倫·

美俄協議禁止空中核子試爆，又宣稱：「攻擊性及防禦性飛彈凍結競賽的談判，乃雙方所正企求者。」這很明白地是向世界明示：「美俄都在爲避免世界上發生核子大屠殺而努力。」

美俄同都各藉地下核子試爆，太空工藝如火箭動力，電子科技，發射及收回太空器之遙控技術，建材和冶金術，工程，以及光學系統等，全力研製新型核子彈頭，導引技術，雷達及反雷達作業等，以期搶先對方確切地掌握住核子武器系統的優勢，這也是人人都可以經由美俄雙方及第三國公開的資料和新聞電訊中知道得很清楚的事情。

我不希望用「好話說盡，壞事做絕」來形容美俄對世界所玩的核子把戲。我只想藉此小文，在中東大戰山雨欲來及越戰步步高昇之際，你知、他知、我知、以及人人都知道的核子大戰常識，忠告美俄這對核子「雙簧」的演員說：「任何核武器的使用於戰場，均將觸發一場核子大戰；只要有戰爭，任何武器均不易避免地要發生。」核子大戰的受益人只有一個，便是「那龍，就是古蛇，又叫魔鬼，也叫撒但」的——因爲它正好「從監牢裏被釋放」！」

就在筆者寫本文時，收音機廣播：「蘇俄太空軌道核子彈及美國國防部長認爲美國即將使用有效對策使其歸於無效。」（大意）明眼人當知這個「雙簧」的眞實意義。

蘇俄藉核武器與反飛彈技術的發展，加深美國在國內和國外所遭遇的困難，迫使美國改變國策、改變軍事思想、轉變敵友態勢、國際同盟陣容、凍結及削弱美國及其同盟國之間關係，再輔以「和平共存」外交姿態，作由冷戰、冷和到適向「重修舊好」的架勢，緩慢而慎重地推展其爲世人所不知的「核子戰爭姿態」的目標，一套「永久性作戰」以實現其「國家目標」，在最後能不經由核子大戰以實現其「國家目標」。這是早於一九四二年經史達林頒佈的，由赫魯曉夫演繹而成的「預防性戰爭」（Preventive War）的戰法。蘇俄確信「戰爭絕對不可避免」，因爲他們堅信「資本主義絕不容許有共產社會併存」。這個看來似乎與其外交政策「和平共存」違背，本質上但現相是「矛盾的統一」——以不同的手段實現相同的目標。蘇俄核武器構成「壓倒性軍事優勢」，便可達成反嚇阻及反嚇阻任務；「和平共存」姿態，以達成阻止或延緩美國的核軍備競賽（兩者均獲顯著成效）。

蘇俄上述謀略獲相當進展後，美國才大夢初醒，使美國的文人決策者同意今天美國「軍方呼籲多年的建議中之一部份——一九六二年佈署「一個型」反飛彈系統」，答應增強核彈儲備數五十億，開始建立研究發展核子攻防科技。同時便增撥經費派遣「蘇俄通」湯普森（美駐俄大使）與包戈尼（俄最高主席）從事凍結核彈談判的「搭橋」工作。但是，美國依舊沒有實質在地去爲核武器優勢而努力。因爲，文官們有他們對核戰爭的一套看法。麥納瑪拉就曾多次公開爲他的國防政策辯護說：「反飛彈和儲存超過需要的核武器，都無益於美國安全且是經費的巨大浪費。」當然，文官們自有其自圓其說的理由支持他們的觀點。他們的觀點是：任何攻擊性核武器科技，均有其足以減弱乃至抵銷其效能的反制技術；任何企圖以核子戰爭贏得勝利者，均不能保有其勝利成果，終必導至互毀；美國已有足夠的核彈和具效能的核武器系統用以有效對付任何核戰威脅；美國如掌握核武器全盤優勢，便將增加蘇俄核子突襲的可能。但是，軍方堅持美國的安全不能建立在核子均勢上而必須全盤超越蘇俄。軍方認爲蘇俄已在重大科技方面有了突破的成就，因而蘇俄認爲他目前已夠安全，所以才在某些國際事務爭執中稍作讓步，以圖重大政治利益的獲得。

明顯的，本文首言乃是西方防務的鬆弛表現，而所獲利益最大的是蘇俄。國際觀感的轉變，以及蘇俄重新鑑定國際情勢與共產集團殘局，並得以維繫其因毛共而分裂的共產集團的內部問題，在蘇俄發展趨勢中，他一方面表示出避免核戰的努力，另方面全國發展科技藉核武器作爲戰爭後盾的恐怖武力。

在全盤研判國內外形勢及發展趨勢後，美國文官政府一方面並不完全放棄謀求凍結核子競賽的努力，同時也部份採納軍人建議，但卻有意避免蘇俄而藉詞爲對付毛共核武侵略乃重整核軍備。

美俄這種核子雙簧的觀衆和聽衆，該悉其眞面目，也瞭解其無助於國際關係的和諧，因而心情仍是沉痛的。

參考雜誌透露 詹森長女琳達戀愛故事

·大陸·

兩週後，她一個人到倫敦去度假。是這兩週的分離，使他們淸醒的意識到彼此相愛的深度。

但她依然不願顯露自己的愛情。爲了感謝他邀她參加國慶節的郊遊，她曾回敬他一籃德州故鄉的桃子。在倫敦時，她買了一條領帶原打算送給他，後來因爲感到價錢太貴，怕他因而窺出自己的心事，她把這條領帶藏起來作爲給父親的生日禮物，而未給他帶回任何禮品。

但兩週的相思，自倫敦歸來後，他們彼此都無法再掩飾自己的感情，從此開始每晚相見。

八月二日，他們參加史小姐的生日宴會之後，回到白宮的三樓寢室中，遙望着華府的夜景，談起史小姐的戀愛故事，後來就在不知不覺間談到他們自己。但她當時依然不願談得太直率，因爲恐怕若他無意結婚，他們目前的歡樂友情便會因談及婚嫁問題而中止。他也懷着同樣的疑慮，而不敢觸及自己的心事。

在同樣躊躇的心情下，他們忽然發出同一的慨嘆：「我們怎麼辦？」此一出，一個自然的答案突然出現了——結婚。

他要立刻結婚，是因爲他將被派往越南，要等近兩年才能返來。他們都不願意等這麼久，所以決定在他赴越前完成終身大事。

琳達所挑選的對象，並非甚麼特出人物。他們是一個平常的家庭，他們的友誼因而發展得樸實自然，絕無愛情以外的成份。

作爲總統的乘龍快婿後，他將成爲這個金魚缸中的游魚之一，外界的壓力將因而加在他的身上。但人們可相信以他的修養與個性，必可勝任愉快。

他生於阿瑞松那州，是羅家的長子。先在康耐爾大學念工程，後轉往威斯康辛大學習管理。在威大時參加預備軍官訓練，畢業後以少尉階級入陸戰隊服役。期滿後他自動要求留隊，他說陸戰隊的任務「有價值且有挑戰性。」他認爲不到越南「會使我感到未盡到對國家的責任。」

由於他要到越南去，他們對婚後生活不能作長遠計劃。蜜月旅行歸來後，他們將在華府安家。當他赴越南時，她將重返麥考雜誌華府分社編輯部工作。

他深知作爲總統之婿，可能爲他的長官造成若干問題。他只希望人們對他的行止越少注意越好。他說他個人對此並不介意，只不願因此引起人們對他所屬的部隊發生誤會。（下）

三國奇士傳之七

馬鈞巧造指南車

周燕謀

馬鈞字德衡，扶風人也。家貧，少游學於豫，時人以爲「天下之名巧」也。其技之巧，尤過於公輸般。鈞長於巧思，當代謂之「絕巧」。居貧鄉里，思宂綾機之變（綾機，織錦之器，今之紡織機也）舊綾五十綜者五十躡，六十綜者六十躡。馬鈞患其費時喪功，鈞改作十二躡。其奇文異變因感而作者甚多。鈞爲給事中，與常侍高堂隆，驍騎將軍秦朗，討論指南車，爭論於朝。高、秦謂古無指南車。馬鈞曰：「指南車古已有之，君等未之思耳！」高秦二人哂之曰：「先生名鈞字德衡，鈞者器之模，而衡者所以定物之輕重。無準而模不模哉！」鈞曰：「空爭虛言，不如試之易效也。」遂以此事奏於魏明帝。帝召鈞作指南車，車成，不僅二人咸服，天下皆服其巧也。

馬鈞居京都，（洛陽）城內有地可以爲園，患無水以灌之，馬鈞乃巧製「翻車」，令兒童轉之。（翻車，即桔槔也，章懷法：翻車，設機車以引水，渴烏爲曲筒，以氣引水上也）此二異也。

時演百戲者，能設而不能動，明帝召鈞問之：「百戲可使動否？」鈞曰：「可動」。遂受詔作之。以大木彫構，使其形如輪，平地施之，潛以水發。又設歌、樂、舞象，使木人擊鼓吹簫。又作山嶽使木人跳瓦拋劍，緣絙倒立，出入自在。百官行署，舂磨鬥鷄，變巧百端，此三奇也。

馬鈞謂諸葛亮連弩曰：「巧則巧矣，未盡善也，作之可令加五倍」。

又患發石車，敵人之於樓邊懸濕牛皮，中之則墮，懸石不能連屬而至。欲作一輪，懸大石數十，以機鼓輪爲常，則以斷懸石飛擊敵城，使首尾電至。平試以車輪懸瓴甓數十，飛之數百步，此四奇也。

傅玄（即傅子者）序馬鈞曰：「先生之巧，雖古公輸、墨翟、王爾、近漢世之張子平，不能過也。公輸般、墨翟，皆見用於時，乃有益於世。平子雖爲侍中，馬先生雖給事省中，俱與二官，巧無益於世用。人不當其才，惟賢不試以事，亘可恨也。」

馬鈞事，僅見於裴松之註。太平御覽經史圖書綱目有馬鈞別傳，惜其出身本末不可詳考。其巧思作品，有傳無傳皆不可非。然馬鈞之視諸葛連弩之法，猶謂「未之盡善」也，其長於巧思，亦可見矣。

中國女性文藝春秋

周遊

綠翹告訴她說：「剛才有客人來過，因爲鍊師不在，所以就去了」。這個客人是玄機最要好的，所以玄機疑綠翹有與之私通之嫌。於是就把她的衣服剝掉，痛打數百。綠翹氣絕復甦，請杯水酹地道：「鍊師欲求三清長生之道，而未能忘解佩臨枕之歡，反以猜疑厚淸貞，翹今天必斃毒手了。無天則無所訴，若有，誓不蠢然於冥冥之中，任汝淫耶！」言畢氣絕。

玄機大恐，把她埋於園中，以爲人不知鬼不覺。不久，有一個客人去園中小便，見青蠅數十集於瘞上，驅去復來，仔細一看，旁邊血跡斑斑，而且有些腥氣。返家後，將此事告知家人，偶然又爲他的僕人所知。不料僕人的兄弟是府衙中的當差，曾經想敲玄機的竹槓，她不理採，懷恨在心。一聞此事，便帶小工入院掘開，綠翹面目如生。案發，遂將玄機提入府衙。府尹溫璋加以詰訊，玄機從實招供。當時有一般朝士爲她說情，但她的罪行過重，無力挽回，最後斬首。

此一記載出自「三水小牘」，有人懷疑玄機打死侍女乃爲府差敲詐不遂所誣陷。此事一直無人澄清，無可稽考。不管冤枉與否，她如此結局，已經早成過去，不用再鑽牛角尖了。

（附註：溫璋在唐懿宗咸通壬辰任京兆府尹。此人黷貨好殺，人莫敢犯，是一酷吏。有人以爲京兆尹溫璋敲詐不遂，故入人罪，實有可能。魚玄機爲一飽經人海滄桑之女道士，縱然她侍女私通情人，也不致於打死。後來溫璋亦因貪污之罪，自己畏罪飲酖而死。「善泅者必溺於水」，此之謂也。）

女校書薛濤的詩妓生活

成都市出東門八九里許，那裏有一座著名的樓台——「望江樓」，滔滔不絕的江水，從樓下向東流過。距離這樓台約里許，有一偏翠竹林的叢中，就是我們女詩人薛濤小姐的長眠之所。那墓園本來是一偏茂盛的桃花，花開的時節，如一片紅淚，遠望好似薛濤自製的一幅桃花色的詩箋一樣。也正如她手製的芳箋，令人喜悅。可是，一到桃花凋落時，飄零了，隨水流去的時候，又未嘗不似女詩人身世的象徵！鄭谷先生蜀中詩寫得好：「小桃花繞薛濤墓」，正是當時的寫照。而今，不僅飄散的桃花沒有了，就是一片桃葉也尋不到。所幸那裏尙有翠竹千竿，以蔽驕陽，不然一杯黃土，早給牧童任意踐踏，那還有我們憑弔之所呢？更不會有我們追憶留戀的古跡。薛小姐的「酬人雨後玩竹」詩云：「南天春雨時，那見雪霜姿！衆類亦云茂，虛心能自持。多留晉賢醉、早伴舜妃悲。晚歲君能賞，蒼蒼勁節奇。」這不管是她自己的寫照。然而，沒有冽風，無以知勁草，不到霜雪，無以知松柏之後凋。薛校書生於唐時，蜀中與她同時的女詩人不知有多少，而她卻能艷傳至今，這並非偶然的事吧？而今墓上的千竿竹，便是她身後的縮影在那裏搖曳。

薛濤字洪度，祖籍陝西長安人，生於唐元和時代（八〇六——八二〇）。父親薛鄖，因官於蜀，她就在那沃野千里，山明水秀之都長大。她有天賦的文才，當其八九歲時，即曉音律詩文。有一天，她父親指井上梧桐對她說：「庭除一古桐，聳幹入雲中」；令她續成一詩。（四十二）

無奇不有的婚禮

・明然・

在黎明時的烈風，凜冽地鞭策着山巔的主持婚禮的神父，進行婚配的彌撒。在場的每一個人包括四十名觀禮的嘉賓，都穿着皮套和短褲。

另一位意大利女郎嘉蓮．絲曼，她是個空中小姐，她的理想更高，她和準夫婿傳拉維奧波林布，在一架飛機上舉行婚禮。她的夫婿是航空機械工程師。

他們決定乘第DC六B號飛機舉行婚禮，機內設置祭台及聖衣室，飛機在飛行越雅賓尼斯山上數千呎的高空行禮，觀禮的嘉賓七十八名。

傳拉維奧波林布說：「一個少女應該以她工作的地方舉行婚禮。」一雙法國夫婦，也同意這種主張，這雙新人，都是馬戲團的技藝家，夫名查理史蒂，妻子，叫做露茜馬利蒂寶德。他們選擇結婚的地點，為法國西部的聖巴西利，他們並肩的站在一部開動的電單車引出的鋼架上，這部電單車在一條緊拉的繩上，由查理史蒂的兄弟贊史蒂駕着。

露茜莉蒂寶穿着白色的禮服，捧着一束花球，於一百○五呎高空上舉行婚禮之後，她成為查理史蒂太太了。

最近在英國史洛郡一個城市中舉行一項最古老的結婚儀式，那些好奇而迷惑的村民看到一組十二個人步進教堂裏，和他們在一起的有一個年輕的女郎，她穿着粉紅色的芭蕾舞的衣服。

不久，他們唱起歌來，還用口琴伴奏，但卻不是一雙新人。當村民把這情形告訴主任牧師赫拔摩頓，這位牧師深恐那女孩子被騙子所騙，而舉行假婚禮。但是住於森馬實郡橋水鎮的新娘之父郎奴積遜解釋說：「這是出自誠心和純潔的事，那是我和小女露馬尼的感情而決定的，當她在羅德西亞結婚，我留在這村裏，我們同我底僅十歲的幼女珍，和其他親友，同到教堂，我們在教堂裏下跪，和誦讀婚配的禱文。也許我應該徵得牧師的同意，但是，教堂是整日的門戶大開，供教友進去的，所以我沒有想到預先請准主任牧師這回事。」

新奇的婚禮，也許很富羅曼蒂克的氣氛，但是卻常常很難籌備的。一雙康和老郡的新人，在結婚時，要用康和老郡的言語誦讀。他們事前須獲得一位主教的特別批准，而主教則堅持婚禮儀式，部份的言語，要用英語，但那雙新人解釋說：「我們想重振康和老郡的精神。」

美國佐治亞州阿蘭大市的佐治嘉拉蔡，和他的妻子結婚時，舉行「水底婚禮」。他們在一間酒店的泳池底結婚，一雙新人穿起結婚的禮服，而主持婚禮的法官及觀禮的嘉賓，都戴上潛水面具。

現代人們所舉行的婚禮，眞是無奇不有，也許一些人會在大堂舉行婚禮哩！但是當安排的時候，最安全的，應以立穩地腳為原則。（下）

拾貝記

夜闌

這島上叫得响名字的風景區，有很多處。可是我却愛戀着這一種平凡的沙灘。每天數記着落潮的時刻，來踏沙堆拾各式的貝殼。

貝殼的可愛，並不在於它們的光怪陸離的花紋，而是它們能引我進入幽思的夢境。它們有着堅硬的構造，好像能抗拒天塌地覆的信心。可是那種瑩晶的外表，卻給人以柔嫩溫靜的美。那些由純抽象玲瓏的曲綫結成的頗合於現代建築學理的架構，以及那濃淡適度，排列整齊的圖案，使我觸撫到天地間「神」的存在。

有些貝殼，外表像石一樣樸陋，裏邊卻有着雅潔錦繡的心。好像是高人隱士，祇有會心人纔會發掘拾取，或者他們根本就厭倦那種被人拾取的煩惱。貝殼這麼良善小動物，牠們只有短短的生命，但當牠們離開這世界的時候，卻能在世界上，留下一些可供人拾取的東西。若干破碎了的貝殼的斷片，好像墮落了的少女，在海水的磨難裏，牠們體態和光澤，變得比完整的貝殼更美、更成熟、更誘人。但卻沒人揀拾牠們，也許人類追求完整，更勝於追求美。商人把孩子們拾來的貝殼加工，售給遊客。可是多餘的人工，反而令貝殼平添幾份俗氣。有的商店，也可買到天然的貝殼，每斤五至二十元不等，我每天花費一兩小時，實難引用經濟學的邏輯來解釋，難怪起初同事都說：「拾牠做什麼？」或「何必去拾！」後來大家大概是受了我的感染，都喜歡去拾了。沙灘裏的貝殼越來越少。於是我必須站在海邊，等潮水落下，然後迎上去接待那些弄潮而來的新客。同事D君則趁我們還在做夢的時候，起個大早，囊括晚潮帶來的禮物。想不到我們竟在為這廉價的小東西，勾心鬥角了。

我偶然記起，似誰曾說過，拾貝殼的孩子，祇見貝殼，不見大海。是的，這小東西曾經使我把整個世界遺忘。

三國后妃群相

河漢

不顧像小鳥似地宛轉投懷，倒也罷了，她還「侍婢百餘人，皆親執刀侍立。先主每入，衷心凜凜」。這情形，不單說明孫夫人自身是頭不折不扣的雌老虎，而且臥室成了虎穴，外加劍樹刀山。劉備在戰場雖然殺人如麻，從不縐眉眨眼，但到了床上，成了待宰的羔羊。在這種殺氣騰騰的環境中，劉備即使要勁圖報効，盡一盡丈夫的義務，也會一蹶不振，臨陣退却的了。

劉備與孫夫人之間，自新婚之夜起，就未能建立好夫婦關係，日子愈長，感情愈淡。孫夫人既不安於嫁雞隨雞，嫁狗隨狗的生活，劉備也樂得過妻子如衣服，長袍不合身，另外穿短褂的日子。以劉備的地位，對付這樣不馴的悍妻，殺了她或是逐走她，本不困難；可是他對孫夫人却束手無策，就為了她有一個好背景，她的哥哥是他的大債主，她的哥哥的刀槍人馬，多過她丈夫的刀槍人馬。不過劉備的運氣不壞，孫夫人自動地跑回娘家，從此音訊全無，下落不明。她寧願在東吳守活寡而不願與劉備同床共枕，反映了劉備婚後對她的精神虐待已殘酷到不能忍受的程度。所以劉備與曹操孫權比起來，纔眞正懂得玩弄女性——享受而不受約束；曹操的道行淺薄多了，至於孫權，給他拴鞋帶也不配。

孫夫人不辭而別，劉備又成了名不副實的王老五。但不必為他着急，男人只要有錢有勢，舊人纔自前門出，新人又自後門來，四川的舊統治者劉璋的寡嫂，也是劉備的族嫂，即經人拉攏，睡上了孫夫人纔睡過的床上。劉備不要妙齡少女而要再嫁的半老徐娘，大約這位寡嫂的面貌比孫夫人像樣得多，因此他纔會樂於重作白頭新郎，欣然穿上別人穿過的舊鞋，而毫不考慮到什麼原裝貨或出氣貨問題的。

劉備的兒子劉禪，在事業上遠遠比不上他的老子那麼有出息，在對付女人這方面的才能，也遠遠落在他的老子的後面。他的一生雖是在胡裏胡塗的生活中消磨掉，但在女人身上所玩的花樣，不過局限於皇宮中的一批女性身上，並不花式繁多，他也懶於把手指隨便伸向宮外。他只有一個皇后，那是張飛的女兒，她與劉禪是原配的花燭夫妻，也與劉禪是亡國的同命鴛鴦。平凡的劉禪却有一個不平凡的姬妾，她便是李昭儀。劉禪亡國之後，後宮的姬妾成為征服者的戰利品，被分配給滅漢有功的將士，但她居然決心「烈女不事二夫」，以自殺來殉劉禪。三國後宮數不清的婦女羣，她成為其中最突出的一個。

孫權在男女關係上的隨便，比起曹操劉備來，並不遜色。他的姬妾之一的徐夫人，是他親姑母的嫡孫女，與他的關係是表叔姪。徐夫人在未投入孫權的懷抱之前，是嫁了丈夫又死了丈夫的寡婦，但孫權既不管輩份，自更不嫌她是別人穿過的舊鞋。（六）

新化紅油麵

南紅

一般人都認為湖南人愛吃辣子，然而以個人的觀點而言，湖南人吃辣子的程度，較之川黔兩省，似乎還要略遜一籌。抗戰期中，到過大後方的人當有同感。惟獨湖南新化的紅油麵，則可眞獨步天下，值得介紹。

抗戰期中就讀湘西某大學。卅二年夏，自辰谿回藍田省親，途經新化，當地同學請吃紅油麵。記得一踏進麵館，就有一股強烈的辛味，衝進鼻孔；原來店前灶上赫然一大鍋紅油湯在焉！吃麵之先，該同學鄭重介紹，紅油麵之辛味太強，吃時，只能用嘴將麵條輕輕吸入，絕不可像吃普通麵一樣的大把往口裏吸入。如果不小心讓這股辛味刺激了喉管，將會使你咳得喘不過氣來。其次他又說：本地人吃紅油麵時，常以誰最先抓頭皮，或最後吃完，來賭勝負，負者則為東道主。

筆者為湖南人，對於吃辣子，自認為頗不後人；然而紅油麵，却果然未可等閒視之。記得茶房給每人送來一大碗紅油麵時但見麵上蓋滿了一層厚厚的紅色辣子油，油太厚，雖燙手而不冒氣；然而略嗅其辛味已使嗜此者知道它絕非普通之辣椒可比了。第一箸麵剛一接觸嘴唇，乖乖！一股難耐的辛味，直要閉住了你的喉管，使你透不過氣來；同時你上也立刻感覺到有千百個小針在往下錐，不由你不想搔抓一陣。好容易像鍊工夫似地把一碗麵條吃完了，這時但覺週身發熱，汗出如瀋，頭上冒氣，嘴唇直辣得合不攏來。那一次總算是小心又小心，沒有發生意外。

雖然事過二十年，然而每想到當年吃紅油麵頭上發癢的難受，恨不得今天還要抓它幾下才好。

寫我的丈夫

藍天

我的家是一個小家庭，組織的份子很簡單：祇有我和他外加三個小東西，二男一女，都活潑伶俐，惹人喜愛。他在洋機關工作，每月固定有一份相當優厚的待遇，人長得英俊倜儻，對我體貼入微，而且愛我之心，始終不渝。這樣一個家庭，難怪別人都羨慕我福氣好，幾生修來這樣一個美滿的家庭。可是這個家庭還是有本經，酸苦得叫人難念。

我們的結合，可以算得上「一見傾心」。我們在一個偶然的場合裏相逢，同時在場的，還有我的表姊和表妹，可是他第一眼就看中了我。而我呢，當年追求我的人，可以講是不計其數，可是遇見了他，心裏有不同的感覺。他長得修長英俊，談吐舉止，溫柔有禮，容易在女人的心裏激起漣漪。同時他又打得一手好網球，跳得一腳的好舞，此外對駕駛、游泳、攝影、樣樣都來得；當年他在事業上經濟上的條件，雖然遠不及現在，但是我一切都不計較！

我們之間的感情發展得很快，由結識到朋友，一躍而為情侶。當我們決定共同渡過這一生的時候，許多親感朋友都為我高興，祝福我找到這樣一個對象，但是也有幾個比較親密一點的朋友，勸我要再考慮一下。她們說：

「海倫，我勸你冷靜考慮一下，他是一個屬於惹女人喜愛一型的男人，這種男人是危險份子！」

當然我也知道這一型的男人是危險份子，但是幾個月的交往中，我深深地瞭解他，他雖然具有「唐璜」的外型，但是他為人很自重，本性很忠厚，不是玩弄愛情的人。因此我沒有動搖我的決心。到現在為止，事實證明我對他的看法一點都沒有錯；但是他那「唐璜」似的外型，不僅給他帶來許多無謂的麻煩，也給我弄了本又酸又苦又難唸的經。

這本經從結婚的當天就唸起！結婚當晚鬧新房的時候，我的表姊半開玩笑含酸意地對大家講：「海倫眞有一手！她本來是給我介紹的，結果給她自己介紹了！」

原來在我們結識之初，他藉口對我的表姊有意思，要我幫忙，藉此常常和我接近。據他後來講這樣可以避免我設防，這叫做「聲東擊西」。可是這個鬼辦法可害苦了我，讓我洗不清。女人有自尊心，同時大家哄堂大笑，眞叫我無地自容而且受了一肚子的委曲，沒有辦法申辯。以後每次碰到這些親友們，心裏都不自在！

結婚之後，過了一陣寧靜而甜蜜的生活。但是不久朋友間的酬酢及交往，就像一陣陣的狂風暴雨襲來，將我們的生活摧殘得枝零葉落。

每逢公餘及例假日，原來是屬於我們兩個人的，但是我們必須參加一連串的應酬，或者招待突擊式來訪問的朋友們。除掉無謂忙碌一陣外，最使我苦惱的是：每次在這種場合裏，他自然而然地成為一群太太小姐們中間的核心人物，談笑風生，而讓我一個人，孤立無援地坐在另一個角落裏，和他那些我不太熟悉的朋友，講些毫無意義的寒暄話，還得裝作不在意的樣子，偶而向他投一眼，或者尖起耳朵聽他們在談些什麼，一不小心分了神，就應付不了這一邊。雖然我明知道這些酸意是多餘的，而且有點愚蠢，但是，我總是個女人啊！（上）

英鎊貶值談古

○曾勝生○

十六元亦即法幣十六元兌換一英鎊，與今日一英鎊兌十六元港幣同等價格。每元法幣為日金一元○三分，正式與英鎊集團聯繫。我財政部長孔祥熙寧先用釜底抽薪辦法，說服了日本駐華武官磯谷廉介（日佔香港時期的總督）喜多誠一兩少將；日駐華大使有吉明，因此以經濟情報不靈敏而去職。這是中華民國幣制的第一次改革。

抗戰時期，二十九年三月廿九日，汪精衛組織偽政府於南京，日本以前任財相青木一男為汪政府最高經濟顧問，成立偽「中央儲備銀行」，由偽財長周佛海兼任銀行總裁，錢大「副總裁，發行「儲備券」，下令以兩元法幣兌換一「儲備券」。到了三十四年抗戰勝利，日本投降，偽「儲備券」又規定二百比一兌換法幣，美金與法幣兌換率，由戰時的二十比一貶值為五百比一，中國法幣亦已早脫離英鎊集團改為美元聯繫矣。到了三十七年八月十九日，翁文灝任行政院長，王雲五任財政部長時，因法幣通貨膨脹，改發金圓券，以一美元兌四元金圓券，黃金一兩兌二百元金圓券。因戡亂軍事一再失利，三十八年閻錫山任行政院長，徐堪任財政部長，金圓券已信用全無，乃於是年七月二日，復公佈發行銀元券，與銀元同值，流通市面。但不旋踵而大陸盡陷，金圓券，銀圓券先後發行不過一年，又都無疾而終，先後宣告破產，分文不值矣。中共佔領大陸，又以人民幣代替法幣。（下）

自由報
FREE
期七一八一第
社長：雷嘯岑
督印人：黃行賓
社址：香港銅鑼灣道二十號三樓
20, CAUSEWAY RD 3RD FL. HONG KONG
TEL. 771726
承印者：大同印務公司
台灣分社

正視中共核子武力的進展

——從美國建立反飛彈系統說起——（中）

郭甄泰

一九六六年十月中共第四次核子試爆，係由雙城子射出一枚中程飛彈，射程六百英里，彈頭威力二萬噸。又據印度官方新聞及美國半官方新聞透露，中共一九六六年十月廿八日發射的短程飛彈，其射程爲五百哩，假如此項報導屬實，則可知中共已有射程五百至六百哩之中程飛彈。以此飛彈在海南島建立飛彈基地，可控制東京灣及越南美軍艦隊與基地，在山東半島建立飛彈基地，可控制韓全部；在西藏建立飛彈基地，以十二枚飛彈，可在十分鐘內摧毀印度的作戰力量。現據報本年六月十七日第六次核子試爆爲一枚氫彈，係經一枚火箭攜帶升空後在同溫層中爆炸，具有二百至七百萬噸的爆炸力，威力更大。由此可知中共現在的核子武力已足以威脅亞洲自由國家。現在亞洲自由各國均可以說是係生存在美國核子傘保護之下，因爲無核子武器的國家，無法可以同有核子武器的國家作戰。同時美國與亞洲自由國家如中華民國、日本、韓國、菲律賓、泰國、澳洲、紐西蘭，均締有安全條約，對越南也有承諾，其一再聲明將以其核子傘保衛亞洲自由國家，亦屬責無旁貸。美國國務卿魯斯克於本年十月十二日說：「鑒於配有原子武器的中共，已構成對亞洲和平及美國國家利益的直接威脅，美國必須固守北起韓國經東南亞而至印度半島的亞洲聯合防線」。「美國新聞與世界報導」說：「美軍方主張在馬利亞納群島中的塞班、提南、羅達各島上建立新的基礎，以加強關島上美戰略轟炸基地，與中國大陸保持二千哩的安全距離」。美國國務院發言人麥克羅斯基於該項報導之次日七月三十一日即聲明：「美國現未因中共核子力量的增長而計劃從西太平洋各軍事基地撤退」，「國防部已通知我們現無有關於這方面的計劃」予以否認。實際上美國亦無法由亞洲撤退而單獨孤守其「美國堡壘」。美國並不是一個對暴力投降的民族，亦不能以退守「美國堡壘」消滅共黨以亞、非、拉丁美洲「世界農村」，包圍消滅西歐與北美「世界城市」的野心，保衛其自己的生存。現在美國在遠東的核子武力相當龐大。北極星核子潛艇七艘，其中六艘裝有A二型射程一千五百哩之核子彈頭，經常在太平洋上游弋；新加入之一艘，係A三型彈頭，射程二千五百哩，大陸任何角落，均在其射程範圍以內。琉球羣島基地駐有射程一千五百哩超音速及有核子攻擊能力的鎚矛B型飛彈，華東、華南、華北沿海一帶的大城市以及所有工業中心區，均在此飛彈之攻擊圈內。此外美國尚在日本東京以南五百多哩的小笠原羣島，貯存了許多各式飛彈使用的核子彈頭，每枚核子彈頭的破壞力，相當於一萬餘噸的黃色炸藥，其中並有約四十枚最新式的A三型北極星飛彈。今後關島因成爲美國在遠東區內的戰略空軍最主要核子基地，沖繩島爲陸軍及海軍陸戰隊的核子基地與核子作戰訓練基地，小笠原羣島爲美國設備最新及飛彈數量最多的海軍主要核子基地，中國大陸現在已受到了美國飛彈火網，海空四面的包圍。麥納瑪拉說：「有限的核子彈頭在中國大陸上五十個都市上空爆炸後，會產生如下的效果：毀滅都市人口的半數——五千餘萬人，整個工業能力的一半，及大部份技術及管理人員，美國這種彈頭當可作爲有效阻遏力量，用以嚇止中共頭目們可能發動的攻擊計劃」。有限的核子彈頭如此，美國如用全力作核子報復時，中國大陸，必將更無噍類。去年美國生活雜誌曾有一篇文章說過：「倘若三四年內，中共敢發動戰爭，中國大陸必將遭受轟炸，中國大陸主要目標區，必會遭受二千五百萬噸級核子炸彈四百枚的賞賜，等於一百億噸的黃色炸藥，中國大陸每人平均可獲得十三噸的受用。一個二千五百萬噸級炸彈，約比擲在日本廣島的強一千二百五十倍，其熱波可摧毀二千五百萬平方英哩內所有房舍，可殺害整區域內百分之八十人口，其落塵可覆蓋一萬五千平方英哩面積，中國一週邊面積有三百六十一萬七千七百六十五平方英哩，若以百億噸投擲，其落塵區域全國皆無空隙，三億五千萬人死亡，一億人口嚴重傷殘……」中共如對亞洲自由國家進攻，必然要想到麥納瑪拉對日本京都產業大學若泉敎授的話：「在任何情形下，中共使用核子武器，即等於自殺」。而有所顧忌。

三、美國免除中共核子威脅亞洲自由國家應有之措施

美國在遠東對中共核子之威脅雖已有周密之佈署，但亞洲自由國家對此並不放心，因爲①美國的核子戰略是報復主義不先動手。反飛彈系統基地設在美國，「前哨系統」設在墨西哥州，顯然有意將美國置於反飛彈系統之後，暴露遠東防衛於中共核子之前。中共如先發制人發動核子攻擊，亞洲各國必已先遭毒手，玉石俱焚，美國事後報復縱能毀滅中共，於事無補。②中共向不注重人命，曾聲言「我們不怕原子彈，中國若不幸被傷亡三億，也不過少了一半，即到世界末日一來時，中國還是最後一個。」「若世界上一半人類被毀滅，另一半一定還能生存，在這種狀況下，帝國主義一定被消滅，在世界上生存的就是社會主義國家。而且在五十年或一百年內，人口又會生殖出來，甚至超過以前的人口量。」足見其毫無人性，不會像日本天皇之「顧及子民」。此種荒謬的毀滅思想，也可能使中共「不自量力」，對於亞洲鄰邦採取冒險的行動。③中共政權黷武好戰，爲以「唯暴力主義」以支持其「世界革命」之侵略政權，曾一再聲稱蒙古、韓國、越南、泰國、寮國、緬甸、泰國、印度一部份、琉球羣島以及菲律賓的蘇祿島，都是被殖民地國家所奪去的中國領土一部份，這些國家都必須將這些領土歸還給中國，再度置於中共保護之下，如其核子武力發展至相當程度，其必將遇機向亞洲各自由國家發動侵略攻勢也甚爲明顯，亞洲各自由國家勢難一日安枕。基此，爲免除亞洲自由國家對於中共核子武力之威脅，美國必須採取下列方案。

莫斯科的希望

胡志明的悲哀

錦田殺警奪槍案

十二月九日上午十一時，又有一名警察在錦田巡邏被暴徒槍殺。這次事件較石硤尾發生的一宗，更進一步，其行動猶如西部電影，比較電影還要逼真。在兩名警員巡邏到錦田之前，兩名暴徒就在路旁一間小食舖叫兩碗雲吞麵，藉吃麵作爲掩護，及至警員來到舖前大路上，雲吞麵也剛剛送出，暴徒不再吃雲吞，匆匆結賬而出，行到兩名警員後面，每人掏出一枝假槍，抵着警員後背，喝令舉手，將兩人驅至後巷，企圖加以殺害；兩警亦相當機警，到了後巷猛地翻身脫離暴徒控制，雙方發生打鬥，此時一名警員佩槍爲暴徒搶去，即以警員之槍向警員連射幾槍，中槍警員負傷逃至警崗倒地而死；另一警員則拔槍擊傷生擒一名暴徒。對於此兩位忠勇警員，市民自不能忘，益覺以前捐募之警員子弟敎育基金，確實是應該之事。

由這次殺警奪槍案看來，匪徒不但有嚴密組織，而且也有周詳計劃，對於警察活動情況更瞭如指掌。此種情形頗類似我政府在大陸剿匪時所遇到匪徒游擊小組。匪徒之殺警奪槍，無疑與政治有關，港府目前從被擒匪徒口中，已得到線索，正盡力在搜索漏網匪徒。

不過，我們總覺得此種作法仍嫌不夠徹底。根本問題在於暴徒究竟受何人指使？此爲明顯不過之事。據報載行兇暴徒多爲左派紡織工人，如此，可以查出其幕後組織及主使人，應即逮捕幕後人才是對準關節下斧頭；否則即使把這兩個暴徒全部捕獲，其他暴徒仍可奉命鬧事，防不勝防，捉亦不勝捉，到了最後即使能敉平，警察方面也將遭受更大損失。

維護法律尊嚴

港府苦心維護和平、安定，爲大多數市民所共諒，但是其中也有個限度，就是法律尊嚴決不容破壞，在法律之前應當人人平等。否則就不成爲一個法治地區了。

可是，最近香港司法當局對左報的態度頗使人生疑。文滙及晶報公開造謠誣衊港府公務員，被害者提出控訴，兩報無人到庭，置之不理；最近又有一件指名控告大公報社長費彝民的事件，費彝民也不理，法庭雖然以缺席裁判原告勝訴，但能否執行亦未可必。

自暴動以來，左報之目無法紀，已使市民側目。目前有人提出控訴，法律若再不能予以公平審理，嚴格執行，則香港前途將不堪設想。一個沒有法律維繫的社會，要想免於混亂就難了。（何如）

自由談

笑話一場

在海外看中國大陸上的毛共宣傳文字，有一點要訣十分靈驗，即從反面去推究它的眞象，一定準確。

例如最近北平「人民日報」刊載「毛主席萬壽無疆」的歌頌標語，竟把最後一個字漏排，變成了「毛主席萬壽無」，因而毛共爪牙急忙沒收該日的報紙，不許發行。這類笑柄固不足奇，奇怪的是「人民日報」爲甚末忽然刊登這種不必要的文字？

若從反面設想，那就無怪其然。毛酋的健康，早已惡化在衆，口不能言，足艱於行，尸居氣餘，苟延性命於旦夕之間。大概最近情形更趨嚴重了，所以「人民日報」乃大呼「毛主席萬壽無疆」，藉以淆惑世人的視聽。這原係共黨一貫的宣傳術，如過去大陸人民鬧饑荒之時，毛共宣傳機構即散發「全國豐收」，「超額完成糧食增產計畫」這套無稽之談，以此類推，思過半矣。

不過，這次「人民日報」之所爲，如其是擁毛份子出的主意，問題尚不大，雖然漏排了一個字，對於「毛主席」殊不吉利，亦只是馬屁拍到了馬腿上，負責人挨受一頓處分，也就得了。若係反毛份子搞的，那便是詛咒毛老快點死的心理表現，免不了要大興文字獄啦！

我們人却希望毛酋多活幾天，爲甚末？答案很簡單，此刻他如果「瓜直」了，反毛勢力必然抬頭，跟俄帝言歸於好，形成國際間的強大陣營。於是乎，美國即將嚇得魂不附體，非與俄共集團和平共存不可，而英國學人羅素倡導的「站着死，不如跪着活」的投降哲學論，亦將大行其時，咱們反共救國的工作，就更爲艱苦了。毛酋如不即死，他對外大力反美反俄，對內拼命反劉奪權，紅衛兵亦繼續造反鬧得天怒人怨，雞犬不寧，即是替我們鋪設反共救國的坦途，加速我們光復河山的進度，事理不是很顯明嗎？

所以，「人民日報」這次間接給毛酋以晦氣的玩藝，但願它幸而不中，祇是笑話一場而已。

馮五先生

中俄共均陰謀赤化緬甸

它們目標相同所差異的祇在手段 毛緬交惡一因素爲蘇俄煽風點火

（聯合國總部航訊）此間某亞洲外交官指出，由於最近中共公開向仰光挑戰，所謂萬隆會議精神已壽終正寢。這位亞洲外交官對中共近年來與緬甸之關係有如下之分析說明：

中共政權建立之後，緬甸是第一個承認的國家，每年聯合國討論中共入會問題時，緬甸也是支持最力的一個。十餘年來，雙方不斷誇耀如何在一千三百哩接壤的邊疆上和平共處。在一九五五年的萬隆會議中，周恩來曾以中緬友好關係作爲證明，以表示其對萬隆精神的信守。

而今中共不但宣佈要堅決支持緬共推翻尼溫政府的鬥爭，且公開承認，在過去二十年中，一直在暗中支持緬共的革命。這就是說，當中共在萬隆會議中舉杯共祝亞非國家友誼萬歲之時，已將其利刃插入緬甸背中。

緬共中央委員會第一副主席巴辛定，曾爲慶祝「毛澤東選集」緬文版的出版，會著文指出：「過去二十年來的武裝鬥爭證明，每當我們將毛澤東思想運用於緬甸的革命現實中，就可以爲我們帶來勝利。…：毛澤東思想的力量超過氫氣彈，毛澤東選集緬文本的出版，將在未來的革命中發生重大作用。人民的軍隊將以此堅持武裝鬥爭，直到獲得最後的勝利。」

另一緬共領袖文昂在中共人民日報寫道：毛澤東選集「是緬甸革命者的靈感與鼓勵。在過去二十年中，緬共會運用毛澤東思想，在武裝鬥爭中一再的獲勝。」

中共在致緬共的答詞中說：「中國共產黨及中國人民對緬共所領導下的武裝鬥爭堅決支持，我們認爲此種支持，是無產階級主義者的義務。」

中共與緬甸關係的惡化雖起於緬甸政府禁止親共華僑青年學生在當地宣傳毛語錄懸配毛像章事件，但在這之前，雙方早已開始同床異夢。

雙方交惡的原因除由於中共本身多行不義引起緬方的反感外，蘇俄背後的興波作浪，也發生了重大作用。

莫斯科曾百般設法削弱中共對緬甸的影響以便取而代之，其在緬甸的活動更是滲入印度戰略的一部。

印度政府曾公開表示，他們深恐中共利用緬甸作侵印跳板。新德里當局指出，其與緬甸交界之艾塞姆等地的動亂，即係中共所煽動。爲了爭取全世界產米最豐的伊洛瓦底三角洲並滲入印度，中共與莫斯科正在競作赤化活動。中共指控蘇俄破壞其與緬甸的關係，蘇俄反控北京正在大舉侵略緬甸及印度。

本年二月，在親毛華僑學生事件發生之前，莫斯科曾要求緬甸外交部申斥在緬工作之中共技術人員進入蘇俄駐緬使館抗議在莫斯科的中共學生被毆事件。之後中共亦對外宣傳蘇俄曾遊說緬甸當局任暴民毀壞中共駐緬使館的照片展覽，因其中貼有莫斯科警察毆打中共學生的照片。

中共同時指控印度對緬甸施以壓力，使仰光與新德里締結一邊界協定，將屬於中國的九萬方哩土地讓於印度。

阿拉伯國家對中共起反感

認其叫囂支持是「下爛葯」

。紐約通訊。

多數阿拉伯國家對中共全力支持阿拉伯反以色列運動的態度甚感難堪，認爲中共係在「下爛藥」。

中共與印尼的外交關係正式破裂之前，叙利亞駐雅加達大使曾到中共使館表示同情支持，其與中共大使在使館門前親切談話的照片遍見於當地報紙。印尼當局因感各阿拉伯姊妹國家對中共的陰謀僞善尚欠了解，遂開始在阿拉伯國家中說明自己的慘痛經歷，以爲回教國家之殷鑒。以叙利亞及阿爾及利亞爲首的激進回教領袖，依然將親中共政策作爲反以色列及西方殖民主義政策的一部份。親中共的巴勒斯坦解放組織領袖蕭凱利曾公開宣佈，他的游擊隊的武器及經費均來自中共。多數中庸的阿拉伯領袖均不同意他的作風，但他最近訪問阿爾及爾時却受到盛大歡迎。他在當地電台中揚言：「全面戰爭及暴力革命，是阿拉伯人反猶太人的唯一方法。」他說：「我們根本不必理會聯合國。」

將於來年一月在開羅舉行的三洲會議，將迫使這些的阿拉伯領袖面臨一項嚴重抉擇，即走莫斯科路綫或北平路綫。

莫斯科與北平的目的同爲發動「民族解放戰爭」，但莫斯科的政策具有伸縮性，即以較慎重的方式幕後支持各國革命，以免引起現政府的警覺。外傳阿爾及爾已準備控制開羅的三洲會議，他們正四處奔走，期使其在亞洲及拉丁美洲各地掀起暴力革命的提議可獲得多數代表的支持。

第一次三洲會議於兩年前在哈瓦那舉行，莫斯科在那次會議中宣佈支持三洲革命者以武力「解放」七十一個現已獨立的國家，但警告各革命者勿使此種「解放戰爭」釀成大戰。因爲那次會議的全部經費均爲蘇俄所支持，親中共的代表雖大吵大鬧，蘇俄的提議終爲大會所通過。一般預料，在明年開羅會議中，親蘇俄及親中共兩方必將有一場更激烈的惡戰。

華裔名建築家 貝聿銘有新作

（紐約航訊）紐約大學宣佈，將在紐約市華盛頓方場建立一高三十六呎，重六十噸的巨大雕像，以與圍繞該方場的三幢高三十層的公寓大廈相配合。此一雕像係現代抽象畫大師畢加索所設計，這三幢摩天大廈是華裔建築家貝聿銘的作品。

畢加索以繪畫聞名，但在四十年前他就夢想從事巨大雕塑，當時他畫了許多使人難以想像的設計，直到一九五〇年才有人根據這些設計從事建造。其作品已遍佈於歐洲及以色列。

本年八月，芝加哥市建立了一座畢氏設計高達五十呎的鋼雕美人頭，是畢氏之設計第一次出現於西半球上。紐約的這座塑像，是以此間收藏家所藏的一座二呎高梳着小辮子名茜維拉·德維的鐵片女像作藍本，用挪威所產石頭和成的水泥鑄成。

方場四週大廈的設計人貝聿銘，以設計都市重建著稱。華盛頓方場公寓正是他的代表作之一。他說畢氏曾根據方場四週建築之模型及照片，選擇了這座小辮子女像，也是他最得意的作品。這座比埃及人面獅身像高一半的雕塑藝術，峭立於三幢代表建築藝術的大廈之中，正是東西兩大藝術家作品的結合，足以代表紐約這個國際都市的基本精神。

五十年來國際共產黨和毛共企圖毀滅中國民族文化的大陰謀（九）

何浩若

『雖然他對中華民國有很好的印象，費正清教授始終還是對共匪多少存有一些幻想，所以，有些人把他和巴奈特教授視爲一丘之貉。可是，他一直和我們學術界人士有很多的來往。他所主持的哈佛大學遠東研究所和中研院近代史研究所一起合作進行若干有關中日近代史的學術研究計劃。他並贈給中研院許多哈佛大學的獎學金。這些學生在他的遠東研究所中，替他做一些研究工作，深得他的賞識。在這一段時期中，我國內學人一直沒有放棄對費正清教授的說服工作。每一屆東方學者國際會議或其他有關的學術性會議，我們都不遠千里地派遣一個組織龐大的代表團，由郭廷以教授率領下，前往美國參加該等會議。我們一方面向費正清教授提供有關共匪大陸的最新資料，一方面在會內會外向他進行說服工作。

『一般認爲，費正清教授這次改變其對共匪的看法，主要是受了大陸「紅衛兵」作亂和共匪內鬨的影響。他一向非常推重而熱愛中國的傳統文化。共匪「紅衛兵」的胡作妄爲，是他所深惡痛絕之事。因而，第廿七屆東方學者國際會議在美國舉行時，我國內學人組織了一個二、三十人的代表團網羅了第一流的國內學者專家，由郭廷以教授率領下，到了美國安吉爾哈佩的密歇根大學校園，和二百多位來自世界各地不同背景的學者齊聚一堂，展開了一場有關中國問題的辯論。從費正清教授的這一番話，我們可以看出我們國內的學人這次不但說服了費正清教授，而且在這一國際學術討論集會中，贏得了一場勝仗』。（本報記者李子繼）

這篇專欄的文字眞是巧妙極了。他說費正清的兩個中國是『謬論』。他說費正清『對共匪多少有一些幻想』。專欄的報導不僅稱『共匪』，那『多少有一些』幾個字用得更妙。他說『可見其人成見之深』。其實假如擇善固執，成見深一點，並不要緊。可是話得說回來。這篇文章的內容却無處不替費正清說好話。我們的費教授早就對中國絕望了。他以爲中華民國非完蛋不可。幸虧郭廷以教授把他於一九六四年請來台灣，他看了台灣有進步，便改變態度，回到美國去主張『兩個中國』，並且『一再強調說兩個中國的第一大前提是要維護中華民國的地位』。中華民國本來已經絕望，非完蛋不可。經費教授這一維護便維護住了。我們中華民國對費教授應當感激之不暇，這那裏是『謬論』呢？經濟日報不覺得對這位鬢髮斑白的費教授太唐突了嗎？經濟日報當然不知道美國國會調查說費正清出賣中華民國；不知道甘迺迪說過費正清是共黨同路人，把中國大陸送給中共匪幫；不知道費正清在一九六四年訪問台灣的時候策動彭明敏叛國；更不知費正清告訴陳啓天要把台灣變成美國的第五十一州。最奇妙的是說費正清痛恨紅衛兵。可惜該記者沒有告訴我們費教授是如何的『深惡痛絕』法。神來之筆還是那句『他一向非常推重而熱愛中國的傳統文化。』是不是說費教授『一向推重而且熱愛』中國的『小脚、姨太太、太監』呢？就憑這句話，殷海光李敖這些人都要提高警覺。他們反對中國文化，主張全盤西化，要小心挨他們所敬佩的費教授的罵，因爲費教授是『一向推重而且熱愛中國的傳統文化』啊！比較重要的還是那兩個中國的維護中華民國的地位的說法。在今天的自由中國，我們反對兩個中國。經濟日報是否贊成兩個中國是維護中華民國的地位？中華民國的地位是費正清維護的嗎？還是如美國國會所調查的，中國大陸是費正清這班人所斷送的呢？

筆者不知道郭廷以教授看過這篇報導沒有？也不知道他究竟說服了費教授沒有？假如說服了，說服到什麼程度？假如郭教授已經把費教授由親共說服成爲反共，所謂一百八十度的大轉變，那眞是太好了，太偉大了。我們一定要建議請郭教授到大陸把毛匪澤東說服，不僅放棄共產黨而且反共產黨。筆者相信假如有人能說服費正清反共，一定能說服毛匪澤東反共的。筆者以爲郭廷以教授最好對上面的報導親自出來說明一下。這是十分重要的。經濟日報的專欄說：

『他（指費正清）所主持的哈佛大學遠東研究所和中研院近代史研究所一起合作進行若干有關中日近代史的學術研究計畫。他並贈給中研院許多哈佛大學的獎學金。這些學生在他的遠東研究所中，替他做一些研究工作，深得他的賞識。在這一段時期中，我國的學人一直沒有放棄對費正清教授的說服工作。』

毛共的大米與核彈

祁倫

西方情報公開證實毛共正全力發展核武器。美國宣佈反飛彈防禦之建立係對付毛共一九七〇年間服役的洲際飛彈；並換裝巡航於中國海的北極星潛艇飛彈，對付毛共正製造中的核子潛艇。我國情報公開報導：毛共「文化大革命」乃是毛賊企圖消除阻礙其發展核武器的障礙，以期取得足以抗衡美俄的核子強權優勢，藉在國際事務上討價還價。毛共要求美毛華沙第一三四次會談延遲兩個月於一九六八年一月舉行，英國加速建造其第四艘核子潛艇邱吉爾號，這些都足以證明毛共核子擴建的反應。

毛共核子瘋狂進展的結果，除將遭致美英俄核子強國的聯合制裁外，最大可能便是加速大陸民衆反毛和中華民國反攻以摧毀毛共偽政權時機的到來。

美俄聯合制毛，早已見於國際事務的表現。美國加強爭取印尼、巴基斯坦、阿富汗、不丹、尼泊爾、印度等亞洲國家的目的也至為明顯。中華民國沉默的佈署反攻組織和陣容也是世人皆知的事實。特別是海外華僑的秘密捐獻反攻經費甚至協助購儲戰略物質，更是令毛共喪膽的事情。在這四面楚歌之際，只有一件大事，使得毛共在最危困時得到喘氣的機會，那便是他從加拿大等西方國家購進價值十數億美元的糧食，稍為緩和了大陸嚴重飢荒。

中國人，特別是中國農人，是世上最能逆來順受的人類，他們也許忍氣吞聲地任憑毛賊「不要褲子要核子」，但當他們飢餓而得不到食物時，便會因為生命的本能而為生存倔強戰鬥；人類史，尤其是中國史上有太多此類記載。毛賊核彈可能嚇唬落後地區某些國家，毛賊核彈對大陸人民的反抗卻無用武之地！因此，他必須在每年所能搾取到的卅億美元外滙中撥出大部份購買糧食。

今年八月美國軍事評論月刊一篇題為「中共核爆的代價」專文，研究毛共自一九五七至六四年首次核爆，單以核子設備言，便耗費廿五億美元，相當於每年一千四百四十萬噸化學肥料的價值，因而造成每年三千六百萬噸糧食的缺乏。筆者另以數學所搜集的資料「客觀」地分析，毛共自一九五七至六四年全部核子研究發展及設施與試爆，耗費當達五十億美元，相等於七千二百萬噸糧食的價值。再有延至一九六七年第六次試爆為止，再加上發展洲際飛彈與核子潛艇，總計毛共因搞核子而耗費一百億美元，相當於每年五千七百六十萬噸化肥的價值。除自然災害，公社農民士氣、運輸工具、加工損耗、電力等因素不計外，便造成每年一六四、〇〇〇、〇〇〇噸糧食的缺乏，這是一個極為驚人的嚴重數目。至於因核彈及購米而使其他建設停滯的情形，便可想而知。

毛共首次核爆不久的一次講學中，我對一批大專理工學士來此接受專長教育時說：「我是湖南人，我很注意故鄉的情形。當我發現一九六二年整個湖南的谷中收穫量還不及台灣那一年的產量時，我便看到毛澤東不要白米要核子將使大陸發生嚴重飢荒，因而必將造成毛偽政權崩潰的未來局勢。」我還特別提到湖南的面積是二十萬餘方公里，台灣僅四萬餘方公里；湖南有將近四千萬人口，台灣僅一千二百萬人口；湖南除湘西為山地外，餘為可耕農地，台灣則三分之二為不可耕的高山；湖南只有廿二個飛機場，台灣卻有六十個機場和降落場佔據了最佳的平原；湖南的工廠、學校、軍營、住宅區所侵佔農田的情形，絕對沒有台灣這麼嚴重；湖南的陸上交通用地，也決無台灣之多；……然而，台灣每年還有大批餘糧外銷，而且台灣人民至今仍以大米為主食，外省人也沒有以麵食取代大米的情形。更何況，「湖廣熟，天下足」的湖南這個糧倉鬧嚴重缺糧，中國其他南方各省的情形便可想而知！毛共即使強迫南方人民以麵為主食而企圖解決飢荒，其在人民心理上也是會激起強烈反感的！

我是專攻地球物理學的，不懂得政治宣傳這玩意，我的演講有推理的算數為依據，有現實的、公開的國內外資料為證據。我又是專授太空科學與新武器的教書「匠」，我深知新武器的重要性。但，我是靠空氣、水、糧食維持生存的人，我發現糧食應該比新武器更為重要。

從資料中，我又知道日本、以色列、澳洲、加拿大、西德、印度等三十二個國家，都有能力「立刻」試爆核彈，但他們卻選擇了「經濟建設」、「發展科學工藝」、「擴展國民教育」、「平衡工農生產」等道路。重新崛起的日本，其國力日益強大，其勢力迅速拓展到亞洲及世界，其收獲超過二次大戰初期的軍事，其所憑藉的並非核彈呵！

三國奇士傳之九　雅樂家杜夔

周燕謀

杜夔字公良，河南人也。以善音律，為雅樂郎。獻帝中平五年（公元一八八年）因病去官。州郡司徒禮辟之，以世亂不就。後奔荊州牧劉表，表令與孟曜為漢主合雅樂，樂成，劉表欲以天子之儀，於庭觀閱雅樂，杜夔諫之曰：「今將軍號不為天子，合樂而庭作之，無乃不可也。」劉表納其諫而止。後劉表子劉琮降曹，杜夔為曹軍謀祭酒參太樂事，因令創制雅樂。夔知音善律，聰思過人，絲竹八音，無所不能，惟歌舞非其所長。在彥太樂中時，屬下有善詠雅樂之郎鄧靜、尹齊；歌師尹胡，此人喜歡宗廟郊祀之曲；舞師馮肅、服養，此二人善先代諸舞；杜夔總其事，精研遠古諸經，近采故事，紹復先代雅樂，備作雅樂之器，皆自杜夔始。

曹丕黃初中，升太樂令協律都尉。有鑄鐘工柴玉者，有巧思，形器之中，多所造作，為時貴人見知。杜夔令柴玉鑄銅鐘，其聲均清濁，多不如法，數毀改作。柴玉厭之，謂杜夔清濁任意，頗拒其改作。二人相告於曹操，操取其所鑄鐘雜錯更試，然知夔為精，柴玉妄工也。於是罪玉及諸子皆為養馬士。

謀按：此事記於黃初中，斯時（黃初）為魏文帝年號，曹操已死，何得有此事？蓋陳壽所志，事之前後顛倒重複不察，此即衆例之一。

魏文帝（丕）愛玉，常令杜夔與左顧等於賓客之中吹笙鼓琴，夔有難色，由此曹丕不悅。後因他事罪夔，使左顧向杜夔學習其藝，杜夔曰：「所習者雅，仕宦有本，意猶未盡。」遂為曹丕所黜。或曰：「藝事乃能守正，如此學道，君子未免愧之。」陳壽只書「黜免以卒」，如何結果？是否為曹丕所害，諱莫如深，陳壽真「諱史」也。

杜夔有傳人弟子三人，河南邵登、張泰、桑馥等，學於夔，三人均官至太樂丞。其他如下邳陳亢司律中郎將，自左延年等，為時均善音律，皆善「鄭聲」，其好古存正皆不及杜夔。

杜夔作品，見於晉書禮樂志。杜夔傳舊雅樂四曲：一曰鹿鳴。二曰騶虞，三曰伐檀，四曰文王，皆古代聲辭也。太和中，左延年改夔騶虞、伐檀、文王三曲，更自作聲節。其後，惟名存而聲異矣。

天理、國法、人情

——從覃勤平反案回顧中醫改革運動

楊洧藻

前中國醫藥學院院長覃勤，數年前被指控招考新生違反兵役法，判刑二年。於此一案件，曾一度引起社會的注意與議論。當時，覃勤毅然入獄服刑一段時期之後，又蕭然出獄。其入獄也既不憤憤然，出獄也默不作聲。事隔多時，報載忽有人為覃勤平反，認為覃氏以「意圖妨害兵役」而獲罪，於法不妥，實行商事重提。此不僅使立監兩院及學術與輿論界人士對此案的法律問題，又重新引起討論，同時，也引起了若干人對中醫改革運動的注意。這證明覃案猶未終了，不會使人或忘，抑見公道是非，自在人心也。

我們中國社會有句老話，「荒地無人耕，你耕有人爭」。世界上往往有很多事情確是如此。平時空着無人去做，一旦有人實力耕耘之時，爭執的便接踵而來。

維護中華民族生命延綿數千年的中國醫藥術，時至科學昌明的今日，可謂已經落伍到了極點。開國以來，也曾見若干有志之士，希望能將此一祖宗遺業，用科學方法把它整理出一套體系來，但言之者衆，實際從事此一建設工作者少之又少。覃勤，是一個從事開墾此一荒地的人，也因太過着力墾殖之故，以致在此荒地上摔了跤，而且摔得很慘重。

十多年前，覃氏在台灣奔走，大力創辦中國醫藥學院，當時中醫界便已有了紛爭的傳聞。俟該校初建，甫告開學招生，覃氏即被指控，經法院審理，裁決為：有意圖便利他人逃避兵役之罪，判處徒刑二年。因而喪失了立法委員的職位，同時丟掉一手辛勤創辦該校的主管權。

覃勤是湖南人，綽號「覃騾子」，天生有一股湖南人的蠻幹性格。對於中國醫藥術現代化的理想，人們若能處以冷靜與理智的觀察，當不能否認其對此一「衰道」的熱情。用遠大的目光與角度來看，覃氏對此一式微的荒涼的園藝，確不失為一位有計劃，有組織，有魄力的開拓者。惜乎在我們中國社會的事情是很難的，人們心理上始終有一層不易清除的積習，就是重於情而昧於理，遇事往往好逞意氣，總要把個人的利害擺在前面，而缺乏無我以支「大道之行」的胸襟。正如：「天下為公，世界大同」的理想，自孔子以至今日，空喊數千年而不能實現，迨西方社會主義的學說興，中山先生的建國計劃裁理出了一條通往大同的具體道路，唯人心如不能改革，積習不去，大同雖已有路，也仍然走不通。（上）

中國女性文藝春秋

周遜

濤應聲而吟：「枝迎南北鳥，葉送往來風」。父親愀然久之，以她才思敏捷，但度其詩意，恐非幸福之兆。薛郎死了，她和寡母相依為命。年及笄，詩名噪一時。時韋皋鎮蜀，聞其詩名，召而侍酒賦詩，因入於樂籍。這大概是她由於生活的逼迫吧！可是讀者別誤會，「樂籍」是一種身懷技藝的女子，而非娼妓，因其接交於男士，後世竟以娼妓的眼光視之。她入樂籍後，韋皋便以「校書郎」奏請，「護軍未及應，遂罷。」上面雖未照准，可是「薛校書」之名，已為世人所公認了，「女校書」之名噪於遐邇。

薛濤身世是夠悽楚的了。她自韋皋鎮蜀起，一直侍酒賦詩了十一鎮的藩鎮老爺和公子哥兒，濤皆出入幕府，以詩見知。當代名流文士，如元稹、白居易、令狐楚、張佑、劉禹錫、裴度、牛僧孺、嚴綬等，袞袞諸公，皆樂於與之唱和。她和元稹的交情特別要好。清異錄說：「蜀多文婦，亦風土所致。元微之素聞薛濤名，因奉使見焉。微之矜持筆硯，濤請走筆作「四友讚」。其略曰：

莫潤色先生之腹，濡長風都尉之頭；引書媒而黯黯，入文畝以休休。（「文用」十七）

微之為之驚服。

這是他倆第一次晤面，積已向她傾倒，濤也引為知己。濤贈微之詩云：「詩篇調態人皆有，細膩風光我獨知；月下詠光憐暗澹，雨朝題柳為欹垂。長教碧玉藏深處，總向紅箋寫自隨；老大不能收拾得，與君開似教男兒。」

如此不客氣的自負，她怎對一個初相識的人訴說呢？及微之回京，濤居於浣花溪。浣花溪那邊的人多好製造十色彩箋。濤乃別出心裁，出別樣新樣，造松花箋及深紅小彩箋，時人因名「薛濤箋」。其箋雅緻異常，以之錄詩寫懷，別有風格，異樣雅趣。她也曾用自製彩箋寫詩與元稹，數約百餘幅。微之復於題詩箋上題詩贈答：「錦江滑膩蛾眉秀，幻出文君與薛濤；言語巧偷鸚鵡舌，文章分得鳳凰毛。紛紛詞客皆停筆，個個公侯欲夢刀；別後相思隔烟水，菖蒲花發五雲高。」因濤酷愛菖蒲，故末句云菖蒲為詞也。

薛濤不僅善長文才，也長辯才，口辯亦為男子所罕及。有益州刺史作「千字文令」，須帶魚禽鳥獸。先云：「有虞陶唐。」濤道：「佐時阿衡」。刺史道：「語中並無魚鳥等字……須罰」。她笑道：「衡字內有小魚字，使君有虞陶唐，一魚也沒有」。合座大笑。高駢鎮蜀時，令薛濤改一字令云：「須得一字，衆形又須逐韻」。他自己先行云：「口有似，沒量斗。」濤續云：「川有似，三條椽」。駢道：「奈一條曲何？」濤笑道：「相公為西川節度，尚使一沒量斗，至於窮酒佐三條椽只有一條曲，又何者怪？」她酬對敏捷，要皆如此。

我們讀她集中的贈答詩，覺得她和誰都要好，又是「樂籍」女子，如果她是男士便覺得無所謂了。她對待她的朋友，正如男士待朋友一樣，是人類共有的一種共鳴的感情。而且又是形於筆墨。中國人對於人與人間，形諸筆墨者，無論感情濃淡，總得禮貌與贊美，方不失做人處世之道。詩中所謂合情，並不一定是男女間戀情。中國文人尤有一種通病，凡是男女之間的過從，總愛牽扯上戀情上去，以聳人聽聞。（四十三）

平劇繽紛錄

港票彩爨「霍小玉」

○桂良○

港星名坤票馬述賢小姐，近以當地動亂，乃返祖國定居，她的戲圈中好友，如影劇兩棲生旦並演之毛威，與梅派坤票汪慧姑，同贊助她十二月十六日在台北延平南路「實踐堂」公演荀派本戲「霍小玉」。

馬小姐北平人，純粹一口京片子，自幼愛好皮黃，年方七歲，即爲通天教主王瑤卿賞識天才，收入門牆，於是同遊大馬神廟諸伶如小翠花，荀慧生皆曾爲她指點。

港友告我，她曾在大會堂演出：「勘玉釧」「紅娘」等齣。她能書擅畫，故在星洲會公演「丹青引」，並對客揮毫，得者皆珍視之。

昨年反共藝人譚硯華曾在北市公演「霍小玉」，自「落魄遇俠」、「憐才許媒」、「梳粧合巹」、「奪魁負義」、「攀桂另贅」、「餞別棄釵」、「游春洩隱」、「相思驚變」、「寶釵逢怒」、「俠探淒訴」、「痴訣」、「鋤奸」止。

「霍小玉」是荀派早期名劇之一，荀初次公演「霍小玉」，是在民國廿二年夏天，那時他領導「春生社」，演出於西單牌樓舊刑部街「哈爾飛」大戲院。

那一次，演出陣容，除荀自飾哀感頑艷的霍小玉以外，由小生金仲仁飾負心郎李益、馬富祿之鮑十一娘、蔣少奎之黃衫客，張春彥之盧志、孫甫亭之霍母，王盛意之侍女浣紗，配搭相當齊整。荀門弟子許翰英，亦以擅長「霍」劇著稱。

「霍」劇自李益落魄遇俠起，到小玉痴訣，黃衫客鋤奸止，一共有十一場。其中「餞別棄釵」一場，也就是崑曲「紫釵記」中有名的「折柳陽關」。主角霍小玉唸唱繁重，全齣唱腔安排，非常熨貼。前部是瀟灑出塵的西皮調，自「餞別」起，則改了二黃調。全部唱腔有散板，南梆子，二六，流水，二黃慢三眼，元板，及四平調。「梳粧」一場，荀派早年唱三眼，如今改爲流水了。

我近在北市名坤票汪慧姑家聽馬小姐吊嗓，是名手唐鳳樓的京胡，唱得低徊婉轉，新腔聳聽。

譚硯華公演「霍」劇，是唐鳳樓操琴，名淨袁玉鴻的黃衫客，來港名丑周金福的鮑十一娘，陳正亮的李益，沈復嘉的浣紗，張鴻福的盧志，張吉瑛的盧小姐。

如今汪小姐替她找到唐鳳樓、袁玉鴻、張鴻福，張吉瑛等作硬配，攷排練嫻熟，而慧姑自飾戲核的浣紗，毛威飾李益，可說力盡義務了。

曾國藩的挺經

諸葛文佞

李鴻章晚年每對人說：「我一生的事業成就，乃得力於我老師的挺經」。這所謂老師，是指的曾國藩。

據曾氏解釋「挺經」的義蘊云：有農夫挑着担子在畝畝間的小路上行進中，適有一空手大漢迎面而來，但那小路徑容不了兩個人併肩通過，而兩旁都是農田，必須有一人走下田間讓路纔行。論理，那位空手大漢應該退入田間一步，側身讓挑着重担的農夫走過去，方合情理，詎大漢昂然不相讓，跟肩挑的農夫在狹路中對立着。這位農夫很憎惡空手大漢之橫蠻無理，亦不願退入田坎間讓他走過，彼此相持不下。繼而農夫的兒子給父親送午飯來了，那農夫即高聲吩咐兒子道：「回去告訴你媽，替我做好晚飯送來，老子要在這裏挺立到明天呢！」表示一種不屈服於惡勢力的強毅意志和犧牲精神，這便是「挺經」。

曾氏於咸豐三年（公元一八五三年）以欽差大臣兼兵部侍郎，在長沙辦理團練時，因爲朝廷賦予他的權力很大，而他對當時一般文武官吏的恬嬉腐化情形，亦甚不滿，遇事不顧一切的硬幹實幹，大遭時忌。某日，駐長沙的綠營士兵，竟聚衆包圍他的辦公處，藉故起哄，有營兵持刀向曾氏閃擊，曾急避去，犯而不校，亦不入告中樞。旋即離開長沙，把團練機關移到衡陽去，從此乃以衡陽爲大本營，整軍經武，培養實力，再也不來長沙了。

曾國藩的挺經精神，在同治五年（公元一八六六年）寫給他弟弟曾國荃的信裏，說得最明確，原函云：

「李申夫嘗謂余嘔氣從不說出，一味忍耐，徐圖自強。因引諺語曰：『好漢打脫門牙和血吞』。此二語是余生平咬牙立志之訣。余庚戌辛亥間爲京師權貴所唾罵，癸丑甲寅爲長沙所唾罵，乙卯丙辰爲江西所唾罵，以及岳州之敗，靖港之敗，湖口之敗，蓋打脫門牙之時多矣，無一次不和血吞之。弟此次郭軍之敗，三縣之失，亦頗有打脫門牙之象。來信每怪運氣不好，便不似好漢聲口，惟有一字不說，咬定牙根，徐圖自強而已」。

信內所述「爲京師權貴所唾罵」的內容，是曾氏在道光卅年上疏皇帝，討論「日講」——即翰林侍讀學士對皇上講學的問題，疏中附繪一圖，甚描陋，大爲朝中的三公九卿所訕笑，弄得無地自容也。左宗棠是他營救於患難之中，又從而提拔起來的人物，後來左氏對曾諸多反噬，而尤以攻下南京後，關於洪秀全兒子的生死問題，攻訐曾氏不遺餘力，然曾氏從不反唇，夷然置之，這都是挺經精神的表現，沒有相當修養工夫的人，是很難做到的。所以，李鴻章每遇拂逆境況，便以「我老師的挺經」來自相解慰呢。

三國后妃群相

河漢

孫權對姬妾們完全不懂得憐香惜玉，他完全以暴君的姿態君臨她們。她的另一姬妾王夫人，不過爲了他的女兒捏造了她在孫權患病時面露笑容，他就疑心她存心不良，把她叫去碰枱拍桌的亂罵一通，當場把她震怖到蹶倒暈去，就此一命嗚呼。

孫權曾幾次掉換過皇后。他老來所立的皇后潘夫人，最獲得他的寵愛。一樹梨花壓海棠，老去的孫權在生理上當然無法饜足年輕的潘夫人的需要，因此潘夫人在性慾的壓抑下表現得殘忍陰險，她一天到晚在枕頭邊向老丈夫告狀，訴說姬妾們的壞話，於是孫權在她的一把眼淚一把鼻涕的攻勢下，完全屈服，隨着她的指使，着實殺害了一些潘夫人所指責的姬妾，其中且有年華老去，早失去爭寵條件，向來以賢惠溫柔作風取得後宮衆人好感的袁夫人——孫權父兄的老上司袁術的女兒。孫權病危時，潘夫人準備在孫權死後自己執掌政權，她的計劃洩漏出後，使後宮的婦女全感到恐怖。因爲孫權活着的時候，她已經想盡方法折磨與迫害她們，等她直接掌握了生死的權力以後，她們的生命隨時隨地會被她消滅。這羣待宰的羔羊在危急的形勢下聯合起來，滙合爲一股無堅不摧的力量，乘潘夫人正做甜蜜的好夢的時候，她們一擁而上，用布把她勒死。然後她們裝模作樣地向昏瞶的孫權報告，皇后患了急病暴亡。孫權也居然相信她們的鬼話。由對付女人的手腕來看，也證明孫權的才幹與曹操劉備比，相距遠矣。

（七、完）

獨角獸的命運

○期生○

阿拉伯酋長們，擁有富饒的油田。他們最愛好的消遣之一，就是獵取羚羊。這一種行動迅速的雙角羚羊，可以以每小時二十五英里的快速度，跳躍很長的一段路。在阿拉伯半島的沙漠上，往往可以看到，坐在吉普車和小轎車裏，回教的地主們，用自動來福槍和輕機關鎗來射殺牠們。他們認爲此種狩獵樂趣無窮。但是，羚羊的繁殖力，比不上獵者鎗殺之快，因此，這一類的羚羊，幾乎快要絕種了。

同時，一種生動的傳說，也快要消滅。原來當一頭羚羊從側面望過去的時候，它那兩隻直挺挺的長達兩呎的角，好像只有一隻。此種側面圖，顯然助長了所謂「獨角獸」的傳說——古時，在阿利斯多德的著作中，就曾提到有一種神秘的野獸，就自從聖經時代起，傳說此獸勇猛非常（公的羚羊爲保護牠的妻小，甚至敢去衝撞一輛迎面而來的汽車）。

「獨角羚羊」的災難，已引起全世界愛好動物者的關懷，包括英國的非力浦親王在內。最近，菲力浦親王在紐約演說中提到：「有的阿拉伯人相信，他們必須殺死一頭羚羊，才能繼承下這羚羊的勇敢和精神，藉以證明他是一個堂堂的男子漢。這在許多年前，也許還有點道理，但是今日，多至三百輛的汽車隊，浩浩蕩蕩滿載人馬，用手提機槍去掃射羚羊，說是因此可以繼承這種動物的驍勇，那未免近乎癡人說夢了。」

早在今年初，倫敦的一個愛護動物會曾在世界野生物基金會的協助之下，組織了一個「拯救羚羊計劃」，派了專人到沙地阿拉伯南部的亞丁保護地去。經過十個星期用活結和竿子捕捉的結果，捉到兩頭公的羚羊和一頭母的。這三頭羚羊被送到非洲肯雅地方的動物收場去。有關方面，現在又想把牠們三個送到一個適當的環境去，如新墨西哥或加州的沙漠地帶之類。遠離回教地主之後，在三十年之內，這三頭羚羊，可能繁殖出相當數量的子孫啊。最近肯雅方面已有喜訊報出：那頭母羚羊可能已懷孕了。

寫我的丈夫

藍天

酬酢中最使我苦惱的是參加舞會；本來跳舞是件身心兩方面都獲到享受的娛樂，尤其是和有感情的人在一起跳舞，有特別的滋味。婚前我們兩個人曾沉醉在跳舞親蜜的甜意裏。他的爛熟的舞步，有力的擁抱，使我陶醉。婚後參加幾次舞會之後，使我對跳舞鬧之生畏！

這種轉變並不是由於我對跳舞的興趣或者觀感，有了變化，而是一旦參加這種舞會，我就失去了他！除掉第一隻和最後一隻舞，大家還算尊重禮貌上不成文的規定，是他伴我跳之外，其餘的舞就被他一羣朋友的太太小姐們強佔了去。

本來跳舞的邀請主動權在男人，我只要控制住他就能控制大局。可是在別人巧妙的方式下，他完全失去了主動，音樂才一响，立刻有人發言了：

「探戈！老師！來！教我跳探戈！」

一曲終了，才回到他座位上坐定，又有人說：

「老師！吉特巴我還跳不好，有吉特巴教我一下！」

他是太太小姐們的老師；而我呢，在她們委任之下，也成了她們先生們的老師。通常是她們中間的一個，搶走了他，臨走的時候會丟給我一個包袱：

「×太太！請你教教我先生的探戈，他跳得糟透了。」

跳得遭透了的讓我教，一曲下來拖得滿身大汗，眼見他和別人跳得那樣輕盈，心裏有說不出滋味。舞後歸途中，他也對我嘆苦經，一肚子的委曲，也不好意思發在他頭上，留在肚子裏算了！這種娛樂當然是不願意去參加；但是有時候不由你不去，幾對朋友上門來，七嘴八舌，說好說歹，非要去不行！

這幾年來，幾個跟我熟的太太，乾脆來一個電話：

「海倫！我們在跳舞，少一個男伴，借借你的先生行不行？」

不借的話，怕他們講我小氣，不得不裝大方。借的話，不但這一夜又得失眠，而且還得費力氣將他逼出去！

每一個女人都想找一個英俊而理想的丈夫，我很幸運地如願以償，但是想不到會有這麼多的苦惱。幾乎隨時隨地都會有人侵犯我的權利。幸而他雖然表面上風流瀟洒，本性却忠實可靠，不是一個眞正唐璜，已經夠我傷腦筋了。（下）

島啊！海上的星

○海勺○

又是「昨天，我在日記中寫下暴風雨的印象，而今晨，
錯了。一個深灰色的黎明。微光中幾隻海鷗浮在海面。
「哦哦，大副！我們也眞該到某島中去下一陣子。」
錯了。「可不是！我的好兄弟。我們的船，也正需要去
一次淡水的補充。」無邊無際的瀚海，舵尾的水漩，
作一長拖洩着一條銀鍊，我們的跟前，滿眼全是白茫
茫，一片浪花與浪花的鋪展。然而，長時間地，作着
地着陸地的航行，而我們每一個水手的心靈，竟是
多麼渴望着自己能夠早些兒發現一個島。
哦哦，島啊！你遠在廣大海域中的一個星島。
我們的船，打從烟波縹渺的暴風雨中來，島呀，你！
就在第一次看見你，竟如此親切地，渺渺遠遠地，在那
我向你揚着旗，迎你，首先就拋給我以一個綠色的飛吻，
天和海長在我的世界綫，
長地……。
哦哦，島啊！我的夢幻。我的夢。……
你如奇異的岩石、沉鬱的森林、洞穴、絕壁、瀑布、銀川，還有
自身此衆多開遍山野的潮汎般的幽蘭與百合。然而，島啊！你僅以
化爲一片小小的陸地形象，就能如斯地，將這死沉沉的海域，變
一片生氣蓬勃的詩情。
眼前，哦哦，島啊！而你懷藏着珠寶，裹着白浪，穿着潮汐，悠悠然
在這鷗羣們的銀翼下，你就像一個善泳的水妖似地，總是在我地
這片滄海在浮沉中，作着那千古不沉的仰泳。
哦哦，天空是繁星密佈，而這片滄浪的海域，也羅列着無數的夢。
島羣。哦哦，島啊！我祇是一個卑微的水手，長年都在這海上尋找
境，此刻，我忽然想起一個美麗的名字，我眞想命名你爲——海星。

自由報
內政部台誌字第○三一號內銷證
FREE
第一八一期
中華民國僑務委員會頒發
台發新字第三二三號登記證
中華郵政台字第一二八二號執照
登記爲第一類新聞紙類
（半週刊每星期三、六出版）
每份港幣壹角
台灣零售價新台幣貳元
社長：雷嘯岑
督印人：賀行審
社址：香港銅鑼灣高士威道二十號四樓
20, CAUSEWAY RD 3RD FL.
HONG KONG
TEL. 771726　電報掛號：7191
承印者：大同印務公司
地址：香港北角和富道九六號
台灣分社
台北市西寧南路壹壹零號二樓
電話：三○三四六
台郵撥儲金戶九二五二

本報緊要啓事

本報以內部改組擬自本月十六日起暫停刊兩星期定於民國五十七年元旦繼續出版特此通告敬希各界荃察爲禱

正視中共核子武力的進展（下）

從美國建立反飛彈系統說起

郭甄泰

①摧毀中共核子設施。反飛彈系統，美國可以之防衛美國，蘇俄可以之防衛蘇俄，但英國不能以之防衛英國，因爲島國對於原子彈無法防禦。英國工黨領袖蓋斯基於民國五十一年二月在美解釋英國對蘇俄及核子武器態度時說：「英國爲一人口擁擠而易被襲之小島，對於原子彈手法防禦，在英國無人想及一種避難政策」。亞洲太平洋沿岸各國亦然，僅像日本於今年十月與美國簽訂的協定生產三三一枚勝利女神飛彈，六五五枚蒼鷹式飛彈，採取防禦姿態，無濟於事，必需從根本上設法以各種武力摧毀中共核子設施，方足以免除美國以及亞洲各自由國家的大禍及威脅。甘迺迪總統決定的「原則上必須不擇任何手段，阻止中共成爲一個核子强國」，一直應爲美國任何總統所應採的堅定政策，因爲攻擊是最佳的防禦，而美國參謀總部對此已訂妥了一個詳細計劃，祇等待相機實行而已。②促成日本印度發展核子武力。現在亞洲的國家能有製造核子技術的有日本與印度。印度的原子爐有每年產生兩枚原子彈的能力，現在正另建四座電力原子爐，完成後每年即可產生原子彈二百三十八枚，如從現在起發展核武器，一年內即可試爆原子彈。印度官方人士說，一旦決定製造原子武器，十八個月內即可完成一簡單的原子裝置。日本目前在和平使用核子技術方面，甚爲進步，製造核彈並無困難。發射系統在非核子國家中亦屬首屈一指，日本在太空研究與衛星發射方面之成就僅在美俄之下。如決定製造核彈，「現在每年可製三十四枚半，至一九六八年，每年可增加六十枚」。並可以立即有長程發射工具。無核彈的日本不能維持其亞洲之優越地位，亦將隨其終趨毀亡。因此之故，日本在中共核彈成功之後，但似已無其他選擇餘地。現在的問題是印度連年荒旱，數千萬人正在飢餓邊緣，發展核子武力，經濟上難以負担，日本則其武力依約限於自衛，發展核子武力是否可以算作自衛，有待解釋。因之如何促成印度與日本發展核子武力，尚需視國際局勢之發展如何而定，與日本自定其趨向與決心，美國現在如中共意立即採取摧毀中共核子設施，則日本必非予以各種援助，此自觀其成不可。

③禁運戰略物資輸入中共。中共爲發展核子飛彈所需的許多物資，均係由日本與西方國家輸入。據日本的報導，中共計算彈道所需的電子計算機，即爲由日本輸入的電晶體所製作的某種特殊鋼，抗熱合金與氧化等亦係由日本供給。一九五五年美聯社報導英國洛士頓公司曾賣給中共高級核子幅射測量儀器，加馬B、R綫幅射探測儀等多部。又據美國情報局的報告，一九五四年英國、法國與義大利曾賣給中共的精密儀器價值數十萬美元。中共在核子原料中最缺之的鎳與鋅則係來自墨西哥、東歐及西德。西方國家對於中共利害關係不大，資助中共進入核子世紀，尚有可說，日本則與中共一帶水，中共如有原子彈，日本隨時有遭受威脅，商人見利忘義，將戰略物資輸入中共，已不應該，日本政府視若無睹，不予取締，則跡近縱敵自趨毀亡矣。日本尤宜勿貪小利而忘大禍，嚴予禁止。

④集體聯防。美國現與亞洲自由國家均係採用杜勒斯的構想，分別訂立雙邊協定，太平洋地區一切防衛均由美國獨力負責。現在中共核子實力擴展，此項舊觀念已無大用。亟應建立一項集體安全觀念，完成一套亞洲集體防衛體系，使北自日本、韓國，經中華民國、菲律賓、越南、馬來西亞、新加坡、泰國，至澳洲與紐西蘭，再加上美國、英國與印度仿效大西洋公約聯盟，能以互相聯防。此項計劃固非一蹴可幾，但如能成立，則自由世界在亞洲的力量即無可匹敵，而中共在此一個防衛網包圍之下，自然不敢蠢動，其核子武力也就變成廢物不會有用武之地了。

⑤速簽定禁止核子武器擴散條約。中共核子武力從地理上、國際關係上看，在直接的且實際的威脅美國本土之前，已危及毗連中共的蘇俄及蘇俄的西北利亞大部及中央亞細亞等舊有中國領土，均已在中共核子武力威脅之下。美國無任所大使哈里曼上月（十一月）五日說：「克里姆林宮對於中共的核子發展非常關心，蘇俄準備和美國討論美俄兩國如何能保護自己對抗中共的核子武力的時機即將到來，憑藉此項協定美俄將處在同一陣綫上，並且自然的對中共施行同樣的壓力，誠爲不易之論。筆者希望此項防止武器擴散條約從速簽定，並規定對於污染空氣的試爆者，予以制裁，對於新製原子彈之國家予以限制，藉以保障人類安全與世界和平。

印度[illegible]想與危機

進不得

今日與明日

問題老年

蜚聲國際的幽默大師林語堂回到台灣之後，因爲在報紙接連發表怪文惹出了是非，經一些眞有學問的大師指出其謬，但林大師卻吾行吾素，笑罵由他笑罵，怪文我自寫之。於是台北文化界恭上了林大師一個諢號「問題老年」。此四字是由「問題少年」變來。台北問題少年就是香港的亞飛，台北呼之爲太保。

不過，問題老年之爲害社會卻較問題少年爲大，所以然者，因爲問題老年皆是有學識有地位的人，一言而爲天下法，爲害社會自非問題少年可比。

咱們中國只出了一個「問題老年」，最多不過寫幾篇怪文而已。目前世界上卻出了許多問題老年，爲害人類，更非林語堂可及了。其中最重要的要算是加拿大總理皮爾遜與法國總統戴高樂這兩個「問題老年」。

先說皮爾遜，此君任外長時期就被北大西洋國家推爲三個聰明人之一（另兩人爲比利時外長史巴克、荷蘭外長倫斯），因爲負有聰明之名，第七屆聯大被選爲主席，韓瑪紹死後一度有秘書長的呼聲，其聲望總算相當顯赫，可是作出來的事，尤其最近兩年，當他已入老境時，使人感到眞眞成了「問題」。

皮爾遜第一個傑作是硬要製造兩個中國，此事之行不通稍有常識的人都知道，就算可以行得也輪不到加拿大出面，因爲加拿大既不與中國毗隣，又不是世界上頭號强國，偏要出頭搶這個風頭，除去自己攤架來丟，看不出究有何所得。

第二件是與美國立異，由於共產集團惡毒攻擊加拿大親美，是美國僕從國，是美國第五十一州，於是皮爾遜就一心同美國鬧小彆扭，以增加聲勢，辦法之一是邀請專同美國爲難的戴高樂訪加，結果皮爾遜未製成兩個中國，戴高樂卻要製造兩個加拿大了，而且成功的可能性比皮爾遜大得多。皮爾遜這次引鬼上門，實在使人忍俊不禁。

其次再說戴高樂。此公業自非皮爾遜可比，但是也因爲老年成了「問題」，急於要爲自己增加聲勢，一味反英美，反英，甚至不惜聯俄以反英美，最近幾年來戴高樂所作所爲，無一不於法國有害，即如趕走北大西洋總部，減少了法國的外匯收入，乘英鎊貶值要打擊美元，結果考驗出美元力量的雄厚，法郎與之相較，正是傑備遇上巨無霸，拒絕英國加入共同市場，眼看六國就要起分裂。一切行動皆悖常理，皆由於是問題老年，結果卻害人害己。（何如）

自由談

撈起半節就開跑

馬五先生

人才無所謂新舊之分，更沒有年齡大小之別，才幹卓越的，壯年時期固然有所作爲，到了老年，祇要精力不衰邁，憑其經驗與閱歷而累積的智能，更足以衝繁劇難，担當大任，古今來的例證孔多，不遑枚舉。如果才具平庸，學識謭陋，即使是青年人物，一旦在政治上打着紹業，際會風雲，殷政事，亦未有不折鼎覆餗，誤國誤事的，地位越高，其錯誤的程度即越大。一般的政治人物需要發生新陳代謝作用，義所應爾，但有兩項方法必須相輔而行，一爲公務人員退休制度之普遍實施，一是人事制度之確切樹立。及時休致的不要戀棧，循資任職的不得躐進前。苟能如此，則長江後浪推前浪，一輩新人換舊人的自然現象，不期然而然必產生，用不着特別高唱「用新人」的調調兒。

目前甚囂塵上的「用新人」之說，其用意多是以年齡爲標準，即凡屬任官時間太久，年紀較大的，都在不堪任事之列，非讓年富力强的新人來接替不可。這理由只有三分之一是對的，還有三分之二值得研究。首先就是年輕之外必須有才幹，年紀雖輕而無能，那比舊官僚更糟糕，大陸上的「紅衛兵」之亂，便係很好的證明。其次是要適才適任，不好亂來，有如軍隊然，初出茅廬的要從排連長做起，躐等就要僨事的。政府上若敎一個更事無多的青壯年人士，平步青雲，驟膺高位如部會首長或幕僚長之類，決無是處。當年翁文灝以國際聞名的學人，突然貴爲行政院秘書長，卻不知如何核閱公文，每天走到檔案室去編號碼、弄卡片，一時傳爲笑柄。眞有才幹的官吏，雖年長何傷？光是年輕而缺乏爲政之才，飯桶而已。才不才，在乎先天的智慧與後天的學養和經驗，跟年齡不相干。我贊成政治上的人事新陳代謝，卻否定以年紀爲區分人才的標準。因此，每在報紙上看到對政務官所作的年齡統計，即認爲是多餘的洋派玩藝，別人厲行退休制，咱們乃如川諺所云：「撈起半節就開跑」，倆矣哉！

監察院對司法問題的意見

○本報記者張健生。

監察院年度總檢討會，自十一月六日開幕，預定十二月十日左右閉幕。在這將近四十天內，對各級政府之巡察報告與一般政治的檢討，上至行政、司法、考試院等三院，以及監察院本身之監察權的行使，下至省縣市政府與鄉鎮地方自治，均加以檢討。

從表面上觀察，監察院一般政治檢討意見，極為平凡，與往年一樣並不特別，但若稍為留心而深入分析的話，檢討意見內容之充實，其含義之廣泛與深遠，不但無平凡之感，且使國人有監察委員已盡言責之感。尤其監委們嚴於責己寬於責人之態度，更值得讚佩！

在發言之監察委員中，以陶百川委員所提檢討意見範圍最廣，而思想和觀念，以及發言技巧與方法，都高人一等。其次如[illegible]、曹啟文、吳大宇、陳翰珍等，亦有精闢之見解。

當前之司法、交通、財政、經濟，與地方建設等項，及政治風氣等問題，仍有不少問題存在。而這些問題中尚未解決，而新的問題又接踵而來，於是形成問題越來越多了。

高地兩法院改隸　歷時七年無消息

關於尊重憲政體制問題：司法獨立審判，是維護憲政體制的重要防線。監察院陶百川委員，對此於巡察報告中提出十大問題來說明目前司法裁判、司法行政與司法風紀之敗壞，已到了非文字所能形容。

陶百川委員等首先指出：台灣高等法院以下各級法院之隸屬問題，自四十九年八月十五日大法官會議解釋認為應隸屬於司法院後，已歷時七年，尚未見行政院採取改隸措施。此次巡察，據答覆分隸及司法官任用問題，尚須繼續研究，應催有關機關從速研辦。

最高法院的裁判　未盡聽訟之能事

最高法院推事辦案統計，平均每案需時四天半，較原定十日限期，縮短五天半，此自為一好現象。

但若過份求速，亦有草率或速斷或任意廢棄原判，故有草草發回更審等流弊，以致若干案件來回推拖纏訟十餘年而猶未定讞者。查最高法院辦案之所以如此迅速，不外不開庭為其重大原因之一。依刑事訴訟法第三八九條規定，第三審法院之判決不經言詞辯論為之。但法院認為有必要者，得命言詞辯論，是第三審案件，仍得開庭審理。惟最高法院歷年審理案件，[illegible]第三審案件為法律審，無言詞辯論之必要乎！「聽訟」須「聽」，足見最高法院審理案件難免有未盡職權之處，似應促請注意。

最高法院推事辦案件數不平均，每人每月約為二十二件，如將情節輕微案件之上訴酌加限制，則案件[illegible]精力與時間以審理較大之案件。例如現在三千元新台幣之民事案即可上訴於最高法院，似可將其數額提高為一萬元以上，以減少官民雙方之訟累。

警察官吏依照違警罰法得處違警人十四日以下之拘留。巡察意見認為：此與憲法第八條「人民身體之自由，應予保障；非由法院依法定程序，不得審問處罰」之規定，是否違背？前經監察院於五十年六月送請司法院大法官會議解釋，但迄無結論。聞司法當局曾向行政當局建議將現行違警罰法，酌予修正，在各縣市設置警務法院或簡易法院，辦理違警案件之審問處罰，但尚無結果，此事頗堪注意。

懲戒處分太輕縱　法官辦案負擔重

五十五年度移付公務員懲戒委員會之公務員，共計二百二十九人，其中特任者四人，簡任者七十三人，荐任者一百三十九人，委任者十三人。但經公務員懲戒委員會議予以撤職處分者五人，僅佔百分之二點二弱，[illegible]懲戒太輕縱，亦為政風不良之一因。似應在原則上另訂[illegible]加重懲戒，以遏[illegible]。

全省各地方法院五十五年度內受理民事案件共[illegible]件，[illegible]

[illegible]

另據一位司法人士對記者說：由於司法官轉調頻繁，所以每一法官於調動時，影響積案，[illegible]中有三分之一是因法官轉調而積壓。

司法風紀須整飭　行政當局應負責

關於司法風紀之敗壞，監察院巡察都有嚴正批評，[illegible]

[illegible]

張檢察官瀆職案　司法部僅加申誡

[illegible]

司法官之轉調

[illegible]任檢察官準用之，然我國迄今尚未訂此項「法定原因」及「法定程序」，司法行政部乃可任意調動司法官。[illegible]

[illegible]

律師任法官之弊　推檢互調不合法

[illegible]

檢察官辦案草率　公所職員全起訴

[illegible]

[illegible]

五十年來國際共產黨和毛共企圖毀滅中國民族文化的大陰謀（十）

何浩若

[illegible]

以阿鬥爭與中東危機

彭樹楷

地底蘊藏的石油，地面突出的「尖端」形勢，使中東自二次大戰後便成為美俄全球戰略的「雙重支點」——任何爭執及戰鬥，美俄都不由自主地無法確守中立袖手旁觀。

猶太教的唯一國家以色列，處於四週皆為宗教歧見和民族仇恨的回教國家包圍之中，先天上就逼迫他必須憑藉強大國力維持其生存。除以色列國內各級領導者全心全力從教育、經濟、工業、農業、軍事、科學等方面謀求迅速建設現代化國家外，分佈世界各地猶太人，更是捐獻大量經費，並義務地為政府搜集各國先進經驗和情報，禮聘國際水準學人和科技專家前往以色列協助建國，又代政府物色和徵募優秀飛行員和技師，同時又全力推展國民外交以爭取世界與情。就這樣舉國一致、海內外協力同心的結果，在建國才十八年的今日，以色列終於有了自己的國防工業能自製飛機大炮坦克，並發射火箭，使它成為太空俱樂部第五個會員，又籌建原子爐使有能力自製原子彈，而且在太空科學的人造衛星方面也奠定了基礎。

邁向高度科技工藝的以色列，民富國強，一幅充分活力和朝氣的景象。震撼了覦以色列為世仇大敵的阿拉伯國家——這些國家曾三次集體出兵企圖消滅以色列，但都相繼失敗。現在，他們又在佈署第四次圍攻，並引狼入室任由俄共及毛共勢力進入阿拉伯並屈服其旨意。

中東地區，除猶太教的以色列，及伊索比亞信奉基督教外，其餘則為回教國如埃及、敘利亞、葉門，和原屬阿拉伯和聯邦後經退出的伊拉克及約旦，阿拉伯或受統制的阿拉伯國家如沙烏地阿拉伯、巴黎嫩，這阿拉伯回教國如土耳其伊朗及巴基斯坦。這些具有三千多年宗教仇恨的國家中之現在政治趨勢，有的反共却又仇恨以色列因而連帶對西方不滿如約旦；有的反俄反共却又對西方欠缺信心的土耳其；有的親俄反以色列但與西方有着密切經濟關係的阿聯——特別是埃及。這些極具微妙複雜關係的國家，其領導者大大多兼具極權獨裁專制特色，却又與民族，都表現出宗教的狂熱，並且同都缺乏「戰略獨立性」（Strategic Independence），但在表現對付以色列這一單純目標方面，大致可說得上「有志一同」，却又缺乏信心和毅力。

因此，這些國家，便常常拿不定主意處理自己國家的命運，更由於這些國家在經濟上不能擺脫西方，在軍事上不能離開強國，所以他們這種依賴強國的結果，便免不了要受強國的牽制。他們痛恨以色列却又不圖自強；他們決心要消滅以色列却又牢不可破地把希望寄托在自己以外的人們身上；領導者過着最豪華的物質生活，但他們的人民却貧窮、飢餓地將苦痛歸於他們眞神的旨意！時代潮流對這古沙漠遊牧民族沒有多大影響，蘇俄的政治形態和美國的生活方式對他們發生不了太多作用！這情形，除了「眞神」的領導或假藉眞神名義的領導外，中東可以說是一個「權力的眞空地區」（Fower Vacuum），並且為中東和美俄等國都不允許任何改變現狀的作法，但是中東本身却又不易維持現狀。這，也許就是中東任何動盪都是牽一髮動全身地影響世界的原故吧？

客觀分析中東地區的國家戰略優勢，除以色列是憑藉本身的國力保持較佳優勢外，其他國家雖為美俄同時爭取的對象，但他們對美俄同都欠缺眞誠——除了他們的教義，他們不敢推腹相見信任世上的一切。他們的政策中立偏左又忽偏右搖擺不定，他們的觀念是隔河觀火以坐收漁利，他們使得東西兩強和世界各國不敢明確宣示其中東策略，甚至政論時評作者也必須謹慎小心為文。這，便潛伏着危機與對和平的嚴重威脅了。

在美俄為主的東西兩大集團的勢力影響範圍內，中東各國領導者，應該明白軍事戰爭已經不是解決中東問題的有效手段！任何型態的戰爭殺戮，雙方都不可能在獲得勝利後能長期保得住勝利的成果！因為任何有關中東現狀的改變，都危及東西方在這地區的權利均勢。在一九五六年十一月的三天狂熱戰鬥中，埃及武力被英法聯合以色列全部摧毀便是證明。西方決不容許現狀的改變，蘇俄也不容許中東的現狀有所改變，甚至甘冒相互毀滅之險爆發全面大戰也在所不惜！但是，站在以色列的敵對者立場，以色列的存在，無疑地是阿拉伯國家難以忍受的恥辱和安全的威脅，因而勢必除之而後快！中東之所以戰亂不止，這是最主要的原因。

對中東問題的最後裁決，勢必有待目前兩種不同見解的政治鬥爭的最後結果揭曉。中東悲劇將持續不停矣！

準備到火星去的太空船

能仁

「水手二號」現在已經證明了金星上是沒有生物存在的，所以美國又準備去發現火星是否也和金星一樣荒涼。

這個火星探勘計劃，有點相似於「格列佛遊記」。美國的國家航空和太空總署，已經把它們的火星太空船命名為「格列佛」號，當然這項命名是因為「格列佛遊記」那本書而聯想起的。

這個「摩登的」格列佛，重量只有一磅半，但是即使在這小小的體積之內，它所裝置的自動儀器，就能探勘到離地球四千八百萬哩外那顆紅色星球上的若干東西。

半球形的「格列佛」，將是第一枚射上火星的複雜儀器，以後，美國還會繼續射上一畢太空船，以探勘火星上可能存在的生命形態。

火星一直給予人類以無窮的想像力。對於火星的研究，科學家也爭論不息。甚至有些電影也以火星為背影。現在，美國國家航空太空總署的科學家說：在這一個十年的末尾，他們就會把一切爭論的答案送到地球上來了。

「格列佛」將以擊天神」—阿麥那B號綜合火箭射入往火星的軌道。這種火箭輔助機，也是將「水手二號」送往金星的那一種。在接近火星時，「格列佛」號就會被彈出，然後以降落傘緩緩降落火星。

至於「格列佛」的工作情形是怎麼樣的呢？美國國家航空太空總署的官員，給了我們以下的答案：

在「格列佛」號裏有兩條廿三呎長的繩子，每條繩子上都塗有粘滯性的物質。當「格列佛」降落之後，這兩條繩子就會被彈出來，粘上一些火星土壤，再自動捲回去，把它們帶回來由科學家去分析的成分。

（上）

天理、國法、人情

——從覃勤平反案回顧中醫改革運動

楊消藻

還是中國文化根子所產生的社會心理病態，阻滯了中國的進步。同時，又有所謂天理、國法、不多乎人情之說，天時、地利，也不如人和的比重程度，因此，在狹隘的人們心理中，「私」總比「公」來得要緊。所以，在我們的社會裏，人的因素超越一切，尤其當創業期間，如果人的關係搞不好，無論如何有益於公衆、有利於社會的理想事業計劃，亦將歸於失敗，進而聲名破損。探諸太平天國諸傑以及當年中山先生推翻滿清之後，革命事業未臻理想，且遭至若干不必要的誤會，即因革命同志紛爭權利而然也。雍容大度若中山先生，尚且如此，況個性剛強如覃勤者乎？所以，說覃氏是敗之於天理、國法，毋寧說是敗之於人情人和更為治當呢！

所謂天理者，以今日涵義釋之，即舉國上下千萬人共同的意願、意志、公意是也。今日國人共同的意願、意志，斷無有反對中國醫藥術革新運動與破壞推行運動計劃的人。反之，多熱心支持與鼓勵推行此一運動，使中華醫藥術現代化，發揚於世界，不僅有利於國人，且有利於人類。所以，如果以衆人的意願、意志即天理，即覃勤的基本動機是理應獲得公意支持的，是合乎天理的。

談到國法問題，法律的精神是建立在全國人民共同的是非上，是要以公衆的善惡為基準，失去公衆善惡為基準的國法，便失去了它的妥當性。國法消極是予人為善，積極是防止人為惡，根本上是使人向善的。如果為善而導致惡果，祇要這一惡果不致釀成禍國殃民的程度，國法仍是可以寬恕的。今日法律的判案，是以科學根據為罪證，世界各民主國家的法律，已到達共通之義，意即不能強迫人民承認內心的態度以斷案。如美國最高法院一九四〇年的Minersville School District V. gobitis(310 U.S. 586)案件，強令學生向國旗敬禮，使其內心同意團結。一九四三年的West Virginia State. Board of Education V. Barnette（319U.S 624）案件中，最高法院推翻判例，以為強迫學生向國旗敬禮，是等於要求他們承認內心的態度，是違憲的。此與我國憲法的精神義同。近來台灣社會的幾件殺人案一再要求全證，就是基於此一世界人權精神的發展，值得稱道。所以，覃案以無形的「意圖」獲罪，在覃勤心中固有不服，在社會亦頗多疑慮。蓋美女秀色可餐也，青年男子見而意欲餐之，我們是否可以把這些青年男子通通抓將起來，一概判以意圖奸淫之罪呢？或謂覃勤事已導致學生逃避兵役之果，這是倒果為因的說法，是違反邏輯常規的。事實證明，他所招入的學生，並未脫離政府不能執行權力之範圍，構或了不能追回之後果，此足證明其果不實，其因自然不正。邏輯上有眞果與假果之分，例如：駕車人可能有意制人於死，也可能無意制人於死，假定毫無證據證明其「意」，則如何可以判其死為「意」果？此其不當，至為明顯。

中國女性文藝春秋

周遊

如果她是一個氾施愛情的女子，那麼她至少是一個樂大的驕子。再也牽不動她的離情別恨。而事偏又不如是。她既身世飄零，知音難得，悲懷抑鬱，很少可以告訴於人。沂以有一次她凝望那牡丹的開謝，清淚不禁直淌了：

去春零落暮春時，淚失紅箋怨別離；常恐便同巫峽散，因何更有武陵期？傳情每向馨香得，不語還應彼此知。只欲欄邊共枕席，夜深閒共說相思。

柔情婉轉，以及她孤獨的悲痛，全在這幾滴清淚裏蠕動了。她父母相繼去世，身外無人，飄零一葉，北仰華山，瞻望弗及。她此時已入晚年，寄寓碧鷄坊，建「吟詩樓」，棲息其上，著女冠服以堅自己的意志。在她執筆想寫她的詩的時候，縈繞在筆尖上的，都是斬不斷的鄉思。李太白道得好：「錦城雖云樂，不如早還鄉」。但是我們這位絕代女詩人却寫得更悽切：「峨眉山下水如油，憐我心同不繫舟；何日片帆離錦浦？聲齊唱發中流。」但是她的「願」與「心」違，正似蜀中的杜鵑，空吟着「不如歸去」！她的欲歸不得歸，身外無人的愴感，只得借他人酒杯，澆澆心中塊壘。她的「摩訂池贈蕭中丞」詩云：「昔以多能佐筆油，今朝同泛舊仙舟；淒涼近水額波遠，惟有碑泉咽不流」！詩中俯仰之間的情懷，竟忘了那詩是贈人的作品啦！

自她入了樂籍，難免被無識者譏評，或投以卑視的目光，她又是如此淒涼的身世，內心是何等的悲痛？我們從她和李太尉的一首「海棠梨花」詩可以查出一綫心跡：

「吳均蕙圃移佳木，正及東溪春雨時；日暮鶯啼何所為？淺深紅膩厭繁枝！」

濤和許多男士唱和，不免有人渲染羅織，甚而誣謗。於是她不得不有所表白，她的蟬詩說：「露滌清音遠，風吹故葉齊；聲聲似相接，各在一枝棲！」「聲聲似相接」，正是誣謗她的由來。「各在一枝棲」，就是她對於誹謗的表白了。但她又另外有遭謗的證據。她的「鴛鴦草」詩云：「綠陰滿香砌，兩兩鴛鴦小。但娛春日長，不管秋風早！」最後兩句，有兩種截然不同的解釋：一是用第二人稱去解釋作「你們不要僅在日長的春天歡娛而不管秋風的到來遲早」。一是用第一人稱作「我們但知在日長的春天裏歡娛，不去管秋風的來遲來早」。後者是頹廢的驕矜，前者是一種警惕如惋惜。普通多用後者解釋。於是都把她視為一個不甘獨宿「朝秦暮楚」的蕩娃了！

許多文士都認為她和元微之有一段情，此事筆者是抱八九分不相信的態度。我有可靠的「不相信」之根據。我們根據她的卒年推算，她和元微之相遇於成都之時，元微之三十二歲，她則已四十九近半百的老嫗了！在如此女長男少的情況下，是否也眞的鬧上戀愛，這不是大有可疑嗎？此事前已有人考據辯解得很清楚，在此不必侵入考據的領域，以免令人乏味。

根據全唐詩小傳，她卒年七十五歲。各書皆云她有詩五百首，留傳至今的却只有四分之一。坊間有薛濤詩一書，不僅遺漏甚多，且多無稽的採自小說一類的文字，妄誕已極。

（四十四）

「悲歌不為鱸」

○誠之○

楊誠齋詠鱸魚的詩云：

「鱸出鱸鄉蘆葉前，垂虹亭下不論錢。買來玉尺如何短？鑄出銀梭直是圓。白質黑紋三四點，細鱗鉅口一雙鮮。春風已有眞風味，想待秋來更迥然。」

酒家早已列出了「秋風起矣，三蛇肥矣」的廣告；食家亦食指大動，大嘆其三蛇羹，五蛇羹，及時進補。「西風斜日鱸魚香」，久客他鄉的江南遊子，想起了南京棲霞山的紅葉，杭州滿覺瀧的桂花，蘇州洋澄湖的大閘蟹，上海枇杷門巷的菊花大會，松江的四鰓鱸，便頓時使人興張翰的「鱸魚羹」之思。

張翰字季鷹，西晉吳郡人，有清才，善作文，縱任不拘，時號為「江東步兵」。入洛陽，仕齊王司馬冏為大司馬東曹掾；因秋風起，思吳中蔬菜，蓴羹，鱸魚膾，乃曰：「人生貴得適志，何能羈宦數千里，以要名爵乎」？乃復曰：「秋風起兮草木飛，吳江水清鱸魚肥。」遂棄官命駕歸。惠帝太安元年，長沙王義入殺齊王冏，張翰因先已辭官得免，時人謂之知機。宋朝的蘇東坡，曾做了一首七絕詩紀其事：「浮世功名食與眠，季鷹直得水中仙。不須更說知機早，眞為鱸魚也自賢」。把張翰十分恭維了一番。王安石的：「慷慨秋風起，悲歌不為鱸」。也是褒詞。至于王山谷的：「本歸只為鱸魚膾，未敢知言許季鷹」。則略有微詞矣。他如道人歸吳有句：「更有鱸魚堪切，不涉塵世富貴是非。」則僅就鱸魚談鱸矣！

鱸屬魚類硬鰭類，體狹扁，長五六寸至一二尺，下顎稍突出，脊鰭分前後二部。色白而有黑點，巨口細鱗，頭大，居鹹水淡水之間。春來溯流而上，至秋則入海。古所謂銀鱸、玉花鱸，皆指此。又松江之四鰓鱸，狀與土附魚相似，大僅五六寸，冬至前後最肥美，蓋別為一種也。尤以產松江秀南橋者最佳；此鱸全體無鱗，惟有類如薄膜之皮。故范成大亦有「秋日田園」詩七絕一首：

細鱗橙齏有膾魚，西風吹上四鰓鱸。雪鬆酥膩千絲縷，除却松江到處無！

故松江四鰓鱸與鎮江焦山鯉魚，黃河龍門鯉魚，同稱天下極品名產。

鱸魚早在古時，就見之于紀載：「據雲笈七籤載：黃帝與天老五聖，遊于河洛，至翠之泉，有大鱸魚于河中沂流而至。殺三牲以醮之，即甚雨七日七夜，有黃龍負圖而出于河」。即把鱸魚和黃龍幷列，同視為神物了。

驢的禮讚

六仁

大陸北方農家使用獸力，牛之外，最普遍的是驢。驢的身軀，較騾為小，吃苦耐勞，不似馬騾嬌貴，性情溫良，易於駕馭。所謂黔驢之技，除了仰天長嘯，亂撂蹄子之外，它沒有別的「本事」。對人，它的貢獻可是不少。拉車、拉磨、載人、馱重，樣樣它都會。

驢之雌者，通稱「草驢」；雄者「叫驢」。顧名思義，能長嘯者，才是叫驢。草驢則終身沉默，從不鳴放。

驢子上磨，照例須帶眼罩，上磨的是糧食，雖然有根短棍，支開牠的嘴巴，牠一定無法吃到磨盤上的糧食，但可望而不可即，牠一心在吃，就不肯走；而漫漫長途，終日無休無歇，繞的卻是一個磨圈，牠便容易感到疲倦，更不肯走。拉磨的驢子一直在走着，忽然一下站住，趕也趕不動牠。看磨的人就會知道，一定眼罩位置移動，漏了亮光了。這是經驗，定不會錯。上去把眼罩拉嚴，喝牠一聲，它就繼續走。

拉車的時候，不帶眼罩。磨圈的路是平坦固定的，看不見，一樣走。外邊的路，高低寬狹無定，不用眼是不行的。但有兩片硬皮板，給牠掛在外眼角的外邊，擋住它的左右視綫，使牠除了看得見前邊的路以外，看不見別的。這一安排，大約是使牠心無二念，一意前奔的意思。視界一寬，牠的意念受到擾亂，腳步就會慢下來。但馱重和載人的時候，眼罩和眼角板都不戴，牠的視力不受任何限制，這就難以解釋了。拉磨的情形特殊，那是不錯的。我實在想不出馱重的載人，對牠的心理環境有什麼不同。

驢子兩耳尖尖，精灰毛片（黑驢較少），身軀大小的差別很大，有的身高（以背脊之高度為準）還不滿三尺，有的則夠四五尺，比一匹小川馬還大。而亦有上下駟之分。

上駟之材，肚小、腿長、毛片光潔、腳步伶俐。這樣的驢子，假如它有幸遇到伯樂，落到玩驢的人手裏，就有幾年福好享。玩驢的人一定有錢有閒，養了一頭，是亦聲色犬馬之好。還有一種常出門的人，自備「走驢」，行動方便。這種驢子，一定鞍佩鮮明，草料的供應豐富，主人愛惜，無微不至。從前說書的兒傘一駒「黑驢段」叫座的，那形容的就是這種驢子。

最辛苦要算是「馱子」。馱子通常用騾子，故稱「騾馱子」。背脊上置一木架，木架上裝貨，為舊時內地貨運的交通工具之一種。身大力壯的驢子，也有做馱子的。其行必成羣結隊，裝載必儘量儘量，有時貨趕地頭，時間有嚴格的限制，便連夜而行，不眠不休。主人的皮鞭，隨時都會抽上身來。趕腳的驢子，有屬於職業性的，腳夫家無恆產，單靠一頭驢子賺錢生活。也有趁農休季節，反正人閒着，驢也閒着，趕出去找點外快的。趕腳驢子的路程分段，每段三二十里，到了地頭，換個驢子，再趕第二程，太陽一升起，牠們便在市集的大路口上，等候生意了。

趕腳驢子多屬小型的，鄉下人說笑話，形容小毛驢之小，像個螞蚱。那當然不會，不過騎到牠的背上兩腳有時候眞能着地。價錢講好，腳夫替你背着包裹，你一跨上去，那驢子便開始小跑，頸子上的鈴鐺叮噹響個不停，腳夫跟着，雖然力追，還是被撇在後面老遠。

從前人忠厚，沒有拐帶人家的腳驢的，假定有人心起不良，他也無法達到目的，原因驢子都是死腦筋，牠走固定的路，一成不變，不該拐彎的地方，縱然你拉牠，抽牠，牠也不通融一步。到達地頭，牠在一定的地方停下來，回頭望着來路，靜候主人到達，無法使牠越界多走一步。

在辛苦工作之後，開始餵草料，休息之前，驢子要打滾。把牠牽到乾燥的土地上，牠便臥倒。辛苦的驢子，能彀四腳朝天，脊背着地，左右開弓，翻來翻去。滾完了，站起來，渾身一抖，把滾的滿身泥土抖掉，就好像連滿身的疲倦也連帶抖掉了。（上）

郭嵩燾軼事

諸葛文侯

湖南湘陰人郭嵩燾（筠仙，晚號玉池老人），與王闓運友善，郭於進士及第後，亦與曾國藩過從甚密。滿清咸豐二年（公元一八五二年）曾氏在鄉里奉旨籌辦團練之初，堅決不願奉命，郭與王壬秋二人聯袂赴湘鄉懇勸國藩出山，且願盡力弼助，迨曾氏出任艱鉅，郭即担負籌餉募捐任務，對曾氏効勞不淺。王壬秋於光緒十六年（公曆一八八六年）六月朔日記云：「起兵同袍稀矣，猶有勸捐之筠仙……」次年六月郭亦逝世了。

嵩燾與左宗棠同里閈，他的女兒係左宗植（宗棠胞兄）之媳，郭與左氏兄弟素親暱，且兼姻婭關係。當宗棠在湖南巡撫駱秉章幕中作「文案」——今之秘書長被樊燮（樊山的父親樊燮）控告他招權僭制，奉朝廷嚴旨擊問，交由兩湖總督官文訊辦之際，曾國藩與胡林翼正在鄂皖間與太平天國軍作戰，郭氏聞訊急挽曾、胡營救，旋由曾氏奏請清帝，准調左宗棠至軍中服務，藉罪圖功，左氏得告倖免，且從此領軍入浙，洊至方面大員，不能謂非「郭親家」之賜也。詎料後來二人竟成生死冤家，郭氏晚年所撰「玉池老人自述」一書中，對宗棠猶切齒憤恨不置。兩人交惡原因，是郭氏於同治末年以功受任廣東巡撫時，左宗棠上疏參劾郭落職，而保舉部將蔣益澧以繼郭的粵撫位置。郭氏原係熱中之士，左不念舊誼與當年解救其危難之德，竟出面攻訐故人，攫其官位以畀諸部屬，乃忿忿不能平也。據郭著「玉池老人自述」中指出，他在粵撫任內，左致函謂郭「居然開府」，頗示譏誚忌嫉之意，政治恩怨之於人，甚矣哉！

郭氏於光緒初年即倡西化主義，倡述洋務，著有「瀛海論」，宣揚全國開採煤鐵，遍修鐵路政策，一般士大夫皆嗤其妄誕。光緒二年奉命出使英國時，他回湘一行，由上海雇乘小火輪至長沙，見者大譁，湖南翰林王先謙葉德輝等尤痛惡滋甚，王壬秋亦大加譏笑，有人在長沙通衢張貼聯語詈罵他云：「出乎其類，拔乎其萃，不容於堯舜之世」；「未能事人，焉能事鬼，何必去父母之邦」。「鬼」者指洋人，湘諺稱洋人為「洋鬼子」也。逾年，嵩燾使英歸來，又著「西使紀程」一卷，稱贊西方國家的法治精神，認為遇事講究制度，尊崇法紀，富強為中國所不及，主張中國效法西洋，革新庶政。此書更遭各方人士反對。曾有西方天主教徒至長沙籌建教堂，湘人指係郭嵩燾引來的，羣衆洶洶然擬焚燬他的住宅，湖北籍台諫官何金庭嚴劾郭的「西使紀程」為妖言惑衆，有詔毀板，風潮方息（見王壬秋日記）。

曾國藩幕中人，才濟濟，然如郭氏之思想新穎，不顧流俗誣毀，竭力提倡西化主義者，並無第二人。日後曾國藩在上海福州設兵工廠造船，李鴻章招考青年子弟往西方留學，皆由於郭氏力倡西化的影響而然。郭氏生在距今九十餘年前，即有此維新見解，實屬難能可貴也。

關羽與貂蟬

河漢

不知從什麼時候起，產生了「中國四大美人」的說法，那是西施，王昭君，楊貴妃與貂蟬。而且附帶了另一傳說，據說用來形容女性美的「沉魚，落雁，閉月，羞花」，就是出典在她們身上。

西施是春秋時代的越國女子，她在未被勾踐獻給吳王夫差之前，是個安份的農家女。傳說她在諸暨苧羅村溪河邊浣紗時，游魚驚於她的美麗，趕快掉尾沉入水底。這自然是缺乏常識的誇張，有見了人不知道逃避的魚類麼？吳王夫差昏庸而好大喜功，自己失落了江山，後之男人們却以為西施拖累了他，中了勾踐的美人計，眞是荒唐的捏造。

西施在吳亡後下落不明，究竟是隨了范蠡私奔呢？還是回到諸暨鄉下去唱紹興戲去了？不得而知。

王昭君是被漢元帝用來和番的外交工具。男人們打不過敵人，不爭氣，利用女性的肉體去建立和平，說來羞人。她到了蒙古先嫁給呼韓邪單于，和他生了幾個小匈奴；老頭子一死，又嫁給他的別一個妻子所生的兒子復株累若，也和他生了幾個小匈奴。傳說她在塞外曾以她的美麗引誘得天空飛着的雁也落下地來欣賞。假如此一傳說是眞，大致她曾在地上散下了很多粟麥之類，在雁看來十分可口的食物罷。

楊貴妃是唐明皇奪自兒子懷中，她活着的時候，倒也快活逍遙，但當她的情夫安樂山一造反，逼得她年青青地在馬嵬坡前一條綢巾環頸，匆匆忙忙地魂歸離恨天去了。

所以四大美人中的三個，似乎境況全不很好，此所以大家要慨嘆「美人多薄命」乎？

但不管西施，王嬙，楊貴妃三人的下場如何，她們都是眞人實事，有史為證。近來雖然也有人在懷疑西施的身份，可是否定的證據並不充份。只有這位貂蟬女士，雖然是有史以來有數的名女人之一，却彷彿是從石頭縫中裂出的人物，連一手包辦了她的三國演義的作者，也未曾說清楚她的來龍去脈。可是她却十分走運，多少年來，走上舞台，出現銀幕，出盡風頭，且被宣傳是「歷史人物」。歷史有知，只有尋包龍圖去伸冤的了。

在正式的史料上，從未有過一個女性名喚貂蟬者存在過。有之，只有一部小說曰三國演義者記載了她，還為她佈置了一套連環計，讓董卓和他的義子呂布為了她而爭風吃醋，而終於送了一條老命。（上）

分期付款的生意經

○晉陵○

現在美國商人向消費者發出的誘人口號：「先拿貨，後付錢」，是令一般消費者極大負担的交易的方式，每年有四千萬人背上這一種購物的利息，損失甚大。

據美國的一個消費者機構的發言人說：賒賬今天是如此普遍，消費者到處都可以先取貨物再付款，包括分期付款，或用「信用證」的方式去購物，人們不知不覺陷入夾縫中。去年有數百萬的家庭，受了商人的美麗宣傳字句吸引，或對他們的字句產生誤解，相信商人所說的「付款辦法容易」，不知在利息上吃虧了多少。誰也不知道消費者究竟被過度收取的利息有多少，但最保守的經濟學家估計，被商人騙取達六十多億美元，但若干估計認為可能高至一百五十億美元。

據消費者機構的調查說：甚至用現金購貨，許多消費者也受害。不少頗有聲譽及極大規模的百貨公司也是如此。他們所購入的每一件貨物，包括了製造貨品的稅，這個負担也轉嫁到消費者的身上，因此每一件貨物都是高價的。

在美國光顧一家公司或商店的貨物，有時把一項服務費高達百分之十八，也加在消費者的身上。一個建築商或地產發展家，可以把自己的利潤加到天文數字之多，一間實際價值一萬九千五百美元的房屋，可以售至四萬美元以上，如果按照他們的分期付款，首期先付二千五百美元，以後分一百六十個月付款。（一）

史地傳記類　PC0284

自由人（十六）

編　　者／陳正茂
責任編輯／邵亢虎
圖文排版／彭君浩
封面設計／陳佩蓉

法律顧問／毛國樑　律師
印製經銷／秀威資訊科技股份有限公司
114台北市內湖區瑞光路76巷65號1樓
電話：+886-2-2796-3638　傳真：+886-2-2796-1377
http://www.showwe.com.tw
劃撥帳號／19563868　戶名：秀威資訊科技股份有限公司
讀者服務信箱：service@showwe.com.tw
展售門市／國家書店（松江門市）
104台北市中山區松江路209號1樓
電話：+886-2-2518-0207　傳真：+886-2-2518-0778
網路訂購／秀威網路書店：http://www.bodbooks.com.tw
國家網路書店：http://www.govbooks.com.tw

2012年12月復刻版
定價：2500元

國家圖書館出版品預行編目

自由人 / 陳正茂編. -- 一版. -- 臺北市 : 秀威資訊科技,
2012. 12-
冊； 公分. -- (史地傳記類)
BOD版
ISBN 978-986-326-020-2(第1冊 : 精裝). --
ISBN 978-986-326-016-5(第2冊 : 精裝). --
ISBN 978-986-326-017-2(第3冊 : 精裝). --
ISBN 978-986-326-018-9(第4冊 : 精裝). --
ISBN 978-986-326-019-6(第5冊 : 精裝). --
ISBN 978-986-326-022-6(第6冊 : 精裝). --
ISBN 978-986-326-023-3(第7冊 : 精裝). --
ISBN 978-986-326-024-0(第8冊 : 精裝). --
ISBN 978-986-326-025-7(第9冊 : 精裝). --
ISBN 978-986-326-026-4(第10冊 : 精裝). --
ISBN 978-986-326-034-9(第11冊 : 精裝). --
ISBN 978-986-326-035-6(第12冊 : 精裝). --
ISBN 978-986-326-036-3(第13冊 : 精裝). --
ISBN 978-986-326-037-0(第14冊 : 精裝). --
ISBN 978-986-326-038-7(第15冊 : 精裝). --
ISBN 978-986-326-039-4(第16冊 : 精裝). --
ISBN 978-986-326-040-0(第17冊 : 精裝). --
ISBN 978-986-326-041-7(第18冊 : 精裝). --
ISBN 978-986-326-042-4(第19冊 : 精裝). --
ISBN 978-986-326-043-1(第20冊 : 精裝). --

1. 報紙 2. 香港特別行政區

059.92 101021409

讀者回函卡

感謝您購買本書，為提升服務品質，請填妥以下資料，將讀者回函卡直接寄回或傳真本公司，收到您的寶貴意見後，我們會收藏記錄及檢討，謝謝！

如您需要了解本公司最新出版書目、購書優惠或企劃活動，歡迎您上網查詢或下載相關資料：http:// www.showwe.com.tw

您購買的書名：______________________________

出生日期：________年________月________日

學歷：□高中(含)以下　□大專　□研究所(含)以上

職業：□製造業　□金融業　□資訊業　□軍警　□傳播業　□自由業

□服務業　□公務員　□教職　□學生　□家管　□其它_____

購書地點：□網路書店　□實體書店　□書展　□郵購　□贈閱　□其他

您從何得知本書的消息？

□網路書店　□實體書店　□網路搜尋　□電子報　□書訊　□雜誌

□傳播媒體　□親友推薦　□網站推薦　□部落格　□其他__________

您對本書的評價：(請填代號　1.非常滿意　2.滿意　3.尚可　4.再改進)

封面設計____　版面編排____　內容____　文／譯筆____　價格____

讀完書後您覺得：

□很有收穫　□有收穫　□收穫不多　□沒收穫

對我們的建議：______________________________

____

____

____

請貼
郵票

11466
台北市內湖區瑞光路 76 巷 65 號 1 樓
秀威資訊科技股份有限公司 收
BOD 數位出版事業部

....

（請沿線對折寄回，謝謝！）

姓　　名：＿＿＿＿＿＿＿＿＿　年齡：＿＿＿＿　性別：□女　□男

郵遞區號：□□□□□

地　　址：＿＿＿＿＿＿＿＿＿＿＿＿＿＿＿＿＿＿＿＿＿＿

聯絡電話：(日) ＿＿＿＿＿＿＿＿＿＿ (夜) ＿＿＿＿＿＿＿＿＿＿

E-mail：＿＿＿＿＿＿＿＿＿＿＿＿＿＿＿＿＿＿＿＿＿＿